La dixième édition de mon livre
est dédiée à ma fille Claire et
à mon épouse Catherine, ainsi
qu'à la mémoire de mes parents.

On ne va jamais aussi loin que lorsqu'on ne sait pas où l'on va.

Christophe Colomb

Mais l'inconvénient avec les témoignages, quelle que soit leur prétention à la vérité, c'est leur manque de précision dans les détails et leur restitution passionnée des événements... La prolifération des témoignages de second ordre ou de troisième que certains ont copiés, d'autres ont transmis sans soin, que certains ont répétés par ouï-dire, d'autres les ont modifiés dans les détails en toute bonne ou mauvaise foi, que certains ont librement interprétés, d'autres les ont rectifiés, que certains ont propagés avec une indifférence totale, d'autres les ont proclamés comme la vérité unique, éternelle et irremplaçable, ces derniers étant les plus suspects de tous.

José Saramago

L'Histoire du siège de Lisbonne (cité dans *Les Disparus*)

LOI SUR LES NORMES DU TRAVAIL

LÉGISLATION
JURISPRUDENCE
ET DOCTRINE

Collection

ALTER EGO

sous la direction de: Me Claire Carrier

LOI SUR LES NORMES DU TRAVAIL

LÉGISLATION JURISPRUDENCE ET DOCTRINE

par

Me CHARLES CAZA,
LLB. avocat

DUNTON, RAINVILLE

2010

10e édition

W&L

Wilson & Lafleur ltée

Catalogage avant publication de Bibliothèque et Archives nationales du Québec et Bibliothèque et Archives Canada

Québec (Province)

Loi sur les normes du travail: législation, jurisprudence et doctrine

(Collection Alter Ego)
Comprend des réf. bibliogr. et un index.
Comprend du texte en anglais.

ISSN 1482-9266
ISBN 978-2-89127-954-3

1. Québec (Province). Loi sur les normes du travail. 2. Normes du travail — Québec (Province). 3. Travail — Droit — Québec (Province). I. Caza, Charles, 1966- . II. Titre. III. Collection.

KEQ668.A47C39 344.71401'20263 C97-302243-4

Canada

Nous reconnaissons l'aide financière du gouvernement du Canada par l'entremise du Fonds du livre du Canada pour nos activités d'édition.

SODEC
Québec

«Gouvernement du Québec – Programme de crédit d'impôt pour l'édition de livres – Gestion SODEC»

Mise en pages: Interscript
Conception de la page couverture: Martineau design graphique

Dépôt légal — 2e trimestre 2010
Bibliothèque et Archives nationales du Québec
Bibliothèque et Archives Canada

ISBN 978-2-89127-954-3 (10e édition)
ISBN 2-89127-272-2 (1re édition)

Imprimé au Canada

AVANT-PROPOS

Pour cette dixième édition, j'ai décidé de m'adresser directement aux lecteurs par le biais de cet avant-propos. Dès la première édition, j'avais alors introduit une note de l'auteur demandant à vous lecteurs de me faire parvenir vos décisions et aussi vos commentaires.

Je veux ici remercier tous ceux qui, au fil des années, m'ont fait parvenir des décisions, ils se reconnaîtront, mais aussi les autres qui m'ont transmis leurs commentaires, soit verbalement ou soit encore par écrit. Ce sont ces petits gestes qui m'ont, entre autres, encouragé pour continuer annuellement la rédaction de ce livre.

Je veux aussi vous remercier, vous lecteurs, d'avoir continué d'être fidèles par l'achat, en très grand nombre, de ce livre, et ce, pour chacune des éditions. Grâce à vous j'ai pu continuer les mises à jour.

Sans ces encouragements, je n'aurais peut-être pas passé seul chez moi, dans mon bureau, autant de mes temps libres et d'heures à rédiger chacune des éditions de l'*Alter Ego* de la *Loi sur les normes du travail*.

Je vous remercie sincèrement de votre fidélité.

Me CHARLES CAZA, avocat
et conseiller en relations industrielles agréé
Associé et membre du groupe Dunton Rainville S.E.N.C.R.L.

LOI SUR LES NORMES DU TRAVAIL
ALTER EGO 2010

Objet

Nous avons répertorié l'ensemble des décisions rendues par le Tribunal d'arbitrage, le commissaire du travail, le Tribunal du travail, la Commission des relations du travail et les tribunaux supérieurs en application de la *Loi sur les normes du travail* (L.R.Q., c. N-1.1) ayant fait l'objet d'une publication. Pour ce faire, nous avons retenu celles publiées dans le *Droit du travail Express*, le recueil de jurisprudence en droit du travail, les recueils des décisions du commissaire du travail, du Tribunal du travail, du Tribunal d'arbitrage, de l'arbitrage des affaires sociales, le recueil de jurisprudence du Québec, la revue *Marché du travail* et *La Presse Juridique*. De plus, certaines décisions non publiées ont été retenues. Enfin, une recension de la doctrine a été effectuée.

Il est à noter que certaines décisions ayant une valeur historique et pouvant encore être utiles pour la compréhension de la loi ont été gardées, même si la *Loi sur les normes du travail* a été modifiée au cours des ans. Il reviendra aux lecteurs d'en faire la sélection.

Veuillez prendre note également que le commissaire du travail et le Tribunal du travail dont il est question dans les résumés ont été remplacés par la Commission des relations du travail: *Loi modifiant le Code du travail, instituant la Commission des relations du travail et modifiant d'autres dispositions législatives*, L.Q. 2001, c. 26.

Terme de la recherche

Les recherches retenues pour la dixième édition s'arrêtent au 1er avril 2009 pour les tribunaux administratifs et la Cour du Québec. Elles s'arrêtent également au 1er avril 2009 pour la Cour supérieure et la Cour d'appel.

Contenu

Cet ouvrage contient:

— Une table des abréviations.

— Le texte de la *Loi sur les normes du travail* ainsi que des règlements adoptés sous son empire.

— Relativement à chaque article de la *Loi sur les normes du travail* et du *Règlement sur les normes du travail*, le cas échéant:

  — Un résumé succinct de l'ensemble de toutes les décisions rendues par nos tribunaux, l'ordre de présentation passant du général au particulier.

  — Des renvois à d'autres articles.

  — Des références à la doctrine.

— Une table de la jurisprudence.

— Une table de la doctrine.

— Un index de la *Loi sur les normes du travail.*

Mode d'utilisation

— Repérer les dispositions applicables de la *Loi sur les normes du travail* à partir du texte de la Loi ou à l'aide de l'index.

— Consulter les annotations jurisprudentielles qui interprètent ces dispositions.

— Consulter les renvois doctrinaux sous les dispositions.

— Si les démarches qui précèdent n'ont pas porté fruit, on peut faire l'hypothèse que la question soulevée n'a pas été répertoriée dans ce volume. Il faudra alors recourir aux instruments traditionnels de documentation pour compléter l'information recherchée.

L'auteur

Me Charles Caza, C.R.I.A., est avocat et conseiller en relations industrielles agréé, il a été admis au Barreau du Québec en 1991. Il oeuvre principalement en droit du travail, droit de la santé et sécurité au travail, en droit administratif et en droit municipal. Il est aussi professeur à l'École du Barreau et à l'école des H.E.C. de Montréal. Il a été collaborateur à *La semaine judiciaire* et à *La Presse Juridique.* Il est membre du Barreau du Québec, de la Corporation professionnelle des conseillers en relations industrielles du Québec (C.R.I.), de conseils d'administration en droit de la santé, de diverses chambres de commerce et associations.

Il a publié *Le traité de recours à l'encontre d'un congédiement sans cause juste et suffisante, en vertu de l'article 124 L.N.T.*, Wilson & Lafleur, 1992 (collaboration); *Alter Ego, Loi sur les normes du travail,* Wilson & Lafleur, 1993, 1996-1997, 1999, 2001, 2005 à 2009 et il est l'auteur de plusieurs publications en relations de travail. Il a été invité à titre de conférencier à l'Association canadienne de la paie, à l'Institut Wilson & Lafleur et aux conférences de la formation permanente du Barreau du Québec, Infonex, Insight Canada, Conférence des hôpitaux, Association des hôpitaux du Québec, etc.

Remerciements

L'auteur tient à remercier tous ceux et celles qui ont contribué à leur manière et souvent sans même le savoir, à la réalisation de cette dixième édition. Sans leur dévouement, leur patience et leur générosité, il est indéniable que cette dixième édition n'aurait pas vu le jour. Nous les remercions sincèrement.

L'auteur tient à remercier aussi son associé, Me Jean-Jacques Rainville, pour sa confiance et sa croyance indéfectible depuis de nombreuses années. Il tient à remercier également feu Me Pierre Laporte pour ses conseils et recommandations en ce qui concerne la réalisation de la première édition de l'*Alter Ego* de la *Loi sur les normes du travail.* Enfin, il tient à remercier Marie-France Devlin. Sans elle, la première édition de ce livre n'aurait probablement pas vu le jour.

Il ne saurait passer sous silence le travail de Me Claire Carrier, directrice de la collection *Alter Ego*, et celui de madame Guylaine Grenon pour le contrôle technique du manuscrit. Il tient à les remercier plus particulièrement.

Il tient aussi à remercier particulièrement son épouse Catherine L. pour son encouragement, sa patience, sa présence et ses conseils.

Il ne saurait passer sous silence également le travail de dactylographie du manuscrit de cette dixième édition par sa secrétaire, madame Diane Faucher. Sincères remerciements.

Enfin, il tient à remercier Mes Andrée Jean, Louise Martineau et Lise Saintonge-Poitevin, pour la mise à jour du texte législatif, ainsi que Pierre Fafard, Johanne Girard et Claudiane Bouchard.

Me CHARLES CAZA, avocat
et conseiller en relations industrielles agréé
Associé et membre du groupe Dunton Rainville S.E.N.C.R.L.

PLAN DU VOLUME

TABLE DES ABRÉVIATIONS

– A –

a./art.	Article
A.A.S.	Arbitrage — Affaires sociales
A.C.	Appeal Cases
al.	alinéa
Alta L. Rev.	Alberta Law Review
A.S.S.S.	Arbitrage — Santé et services sociaux

– B –

B.R.	Cour du banc du roi ou de la reine

– C –

c.	Contre ou chapitre
ch.	Chapitre
C.A.	Cour d'appel
C.A.S.	Commission des affaires sociales
C.C.B.-C.	Code civil du Bas-Canada
C.C.Q.	Code civil du Québec
C. de D.	Cahiers de droit
C.F.P.	Commission de la fonction publique
C. Mag.	Cour de magistrat
C.N.T.	Commission des normes du travail
conf.	confirmant ou confirmé
C.P.	Cour provinciale
C.P.C.	Code de procédure civile
C.Q.	Cour du Québec
C.R.T.	Commission des relations du travail
C.S.	Cour supérieure
C.S.C.	Cour suprême du Canada
C.S.M.	Commission du salaire minimum
C.T.	Commissaire du travail
	Code du travail

– D –

D.L.R.	Dominion Law Reports
D.T.E.	Droit du travail Express

– **E** –

éd.	édition
et ss.	et suivants(es)
EYB	Éditions Yvon Blais

– **F** –

F.P. du B.	Formation permanente du Barreau

– **G** –

G.O.	Gazette officielle du Québec

– **I** –

inf.	infirmant ou infirmé

– **J** –

j.	juge
J.E.	Jurisprudence Express

– **L** –

L.A.T.M.P.	Loi sur les accidents du travail et les maladies professionnelles
L.C.	Lois du Canada
L.N.T.	Loi sur les normes du travail
LPJ	La Presse Juridique
L.Q.	Lois du Québec
L.R.C.	Lois révisées du Canada
L.R.Q.	Lois refondues du Québec
L.S.S.T.	Loi sur la santé et la sécurité du travail

– **M** –

McGill L.J.	McGill Law Journal
Meredith Mem. Lect.	Meredith Memorial Lectures/Conférences Commémoratives Meredith

– **N** –

n°	numéro
n.s.	Nouvelle série/new series

– **P** –

p.	page(s)
P.C.	Privy Council

– **Q** –

Q.A.C.	Quebec Appeal Cases

– R –

R.C.S.	Recueil des arrêts de la Cour suprême
R.D.J.	Revue de droit judiciaire
R.D.T.	Revue de droit du travail
R. du B.	Revue du Barreau
R.D.U.S.	Revue de droit Université de Sherbrooke
R.E.J.	Revue d'études juridiques
REJB	Répertoire électronique de jurisprudence du Barreau
R.G.D.	Revue générale de droit
R.I.	Relations industrielles/Industrial Relations
R.J.D.T.	Recueil de jurisprudence en droit du travail
R.J.E.U.L.	Revue juridique des étudiants et étudiantes de l'Université Laval
R.J.Q.	Recueil de jurisprudence du Québec
R.J.T.	Revue juridique Thémis
R.L.	Revue légale
R.P.	Rapports de pratique du Québec
R.R.A.	Recueil en responsabilité et assurance
R.R.Q.	Règlements refondus du Québec
R.S.A.	Recueil de sentences arbitrales

– S –

S.A.	Sentence arbitrale
sub. nom.	*Sub nomine*

– T –

t.	tome
T.A.	Tribunal d'arbitrage
T.T.	Tribunal du travail

– U –

U.B.C.L. Rev.	University of British Columbia Law Review

– V –

V.	Voir
Vol.	Volume

LOI SUR LES NORMES DU TRAVAIL (L.R.Q., c. N-1.1)

TABLE DES MATIÈRES

LOI SUR LES NORMES DU TRAVAIL

TABLE OF CONTENTS

AN ACT RESPECTING LABOUR STANDARDS

LOI SUR LES NORMES DU TRAVAIL
L.R.Q., c. N-1.1

CHAPITRE I
DÉFINITIONS

1. [Interprétation] Dans la présente loi, à moins que le contexte n'indique un sens différent, on entend par:

1° **[«accouchement»]** «accouchement»: la fin d'une grossesse par la mise au monde d'un enfant viable ou non, naturellement ou par provocation médicale légale;

2° **[«Commission»]** «Commission»: la Commission des normes du travail instituée en vertu de l'article 4;

3° **[«conjoints»]** «conjoints»: les personnes

a) qui sont liées par un mariage ou une union civile et qui cohabitent;

b) de sexe différent ou de même sexe, qui vivent maritalement et sont les père et mère d'un même enfant;

c) de sexe différent ou de même sexe, qui vivent maritalement depuis au moins un an;

4° **[«convention»]** «convention»: un contrat individuel de travail, une convention collective au sens du paragraphe *d* de l'article 1 du Code du travail (L.R.Q., chapitre C-27) ou toute autre entente relative à des conditions de travail, y compris un règlement du gouvernement qui y donne effet;

5° **[«décret»]** «décret»: un décret adopté en vertu de la Loi sur les décrets de convention collective (L.R.Q., chapitre D-2);

6° **[«domestique»]** «domestique»: un salarié employé par une personne physique et dont la fonction principale est d'effectuer des travaux ménagers dans le logement de cette personne, y compris le salarié dont la fonction principale est d'assumer la garde ou de prendre soin d'un enfant, d'un malade, d'une personne handicapée ou d'une personne âgée et d'effectuer dans le logement des travaux ménagers qui ne sont pas directement reliés aux besoins immédiats de la personne gardée;

7° **[«employeur»]** «employeur»: quiconque fait effectuer un travail par un salarié;

8° **[«ministre»]** «ministre»: le ministre du Travail;

9° **[«salaire»]** «salaire»: la rémunération en monnaie courante et les avantages ayant une valeur pécuniaire dus pour le travail ou les services d'un salarié;

AN ACT RESPECTING LABOUR STANDARDS
R.S.Q., c. N-1.1

CHAPTER I
DEFINITIONS

1. [Interpretation] In this Act, unless the context indicates a different meaning,

(1) **["delivery"]** "delivery" means the natural or the lawfully, medically induced end of a pregnancy by child-birth, whether or not the child is viable;

(2) **["Commission"]** "Commission" means the Commission des normes du travail established under section 4;

(3) **["spouse"]** "spouse" means either of two persons who

(a) are married or in a civil union and cohabiting;

(b) being of opposite sex or the same sex, are living together in a de facto union and are the father and mother of the same child;

(c) are of opposite sex or the same sex and have been living together in a de facto union for one year or more;

(4) **["agreement"]** "agreement" means an individual contract of employment, a collective agreement within the meaning of paragraph *e* of section 1 of the Labour Code (R.S.Q., chapter C-27) or any other agreement relating to conditions of employment, including a Government regulation giving effect thereto;

(5) **["decree"]** "decree" means a decree adopted under the Act respecting collective agreement decrees (R.S.Q., chapter D-2);

(6) **["domestic"]** "domestic" means an employee in the employ of a natural person whose main function is the performance of domestic duties in the dwelling of that person, including an employee whose main function is to take care of or provide care to a child or to a sick, handicapped or aged person and to perform domestic duties in the dwelling that are not directly related to the immediate needs of the person in question;

(7) **["employer"]** "employer" means any person who has work done by an employee;

(8) **["Minister"]** "Minister" means the Minister of Labour;

(9) **["wages"]** "wages" means a remuneration in currency and benefits having a pecuniary value due for the work or services performed by an employee;

10° **[«salarié»]** «salarié»: une personne qui travaille pour un employeur et qui a droit à un salaire; ce mot comprend en outre le travailleur partie à un contrat en vertu duquel:

i. il s'oblige envers une personne à exécuter un travail déterminé dans le cadre et selon les méthodes et les moyens que cette personne détermine;
ii. il s'oblige à fournir, pour l'exécution du contrat, le matériel, l'équipement, les matières premières ou la marchandise choisis par cette personne, et à les utiliser de la façon qu'elle indique;
iii. il conserve, à titre de rémunération, le montant qui lui reste de la somme reçue conformément au contrat, après déduction des frais d'exécution de ce contrat;

11° **[«semaine»]** «semaine»: une période de sept jours consécutifs s'étendant de minuit au début d'un jour donné à minuit à la fin du septième jour;

12° **[«service continu»]** «service continu»: la durée ininterrompue pendant laquelle le salarié est lié à l'employeur par un contrat de travail, même si l'exécution du travail a été interrompue sans qu'il y ait résiliation du contrat, et la période pendant laquelle se succèdent des contrats à durée déterminée sans une interruption qui, dans les circonstances, permette de conclure à un non-renouvellement de contrat.

[Absence temporaire ou permanente] Les personnes visées au paragraphe 3° du premier alinéa continuent de cohabiter malgré l'absence temporaire de l'une d'elles. Il en va de même si l'une d'elles est tenue de loger en permanence dans un autre lieu en raison de son état de santé ou de son incarcération, sauf si le salarié cohabite avec un autre conjoint au sens de ce paragraphe.

(10) **["employee"]** "employee" means a person who works for an employer and who is entitled to a wage; this word also includes a worker who is a party to a contract, under which he or she

i. undertakes to perform specified work for a person within the scope and in accordance with the methods and means determined by that person;
ii. undertakes to furnish, for the carrying out of the contract, the material, equipment, raw materials or merchandise chosen by that person and to use them in the manner indicated by him or her; and
iii. keeps, as remuneration, the amount remaining to him or her from the sum he or she has received in conformity with the contract, after deducting the expenses entailed in the performance of that contract;

(11) **["week"]** "week" means a period of seven consecutive days from midnight at the beginning of a particular day to midnight at the end of the seventh day;

(12) **["uninterrupted service"]** "uninterrupted service" means the uninterrupted period during which the employee is bound to the employer by a contract of employment, even if the performance of work has been interrupted without cancellation of the contract, and the period during which fixed term contracts succeed one another without an interruption that would, in the circumstances, give cause to conclude that the contract was not renewed.

[Temporary or permanently absence] Persons to whom subparagraph 3 of the first paragraph applies are considered to be cohabiting despite the temporary absence of one of them. The same rule applies if one of the persons is required to live permanently in another place for health reasons or because of imprisonment, unless the other person is cohabiting with another spouse within the meaning of that subparagraph.

1979, c. 45, a. 1; 1981, c. 9, a. 34; 1982, c. 53, a. 57; 1990, c. 73, a. 1; 1992, c. 44, a. 81; 1994, c. 12, a. 49; 1996, c. 29, a. 43; 1999, c. 14, a. 15; 2002, c. 6, a. 144; 2008, c. 30, a. 1.

CHAPITRE II
LE CHAMP D'APPLICATION

2. [Application de la loi] La présente loi s'applique au salarié quel que soit l'endroit où il exécute son travail. Elle s'applique aussi:

1° au salarié qui exécute, à la fois au Québec et hors du Québec, un travail pour un employeur dont la résidence, le domicile, l'entreprise, le siège ou le bureau se trouve au Québec;

CHAPTER II
SCOPE

2. [Applicability] This act applies to the employee regardless of where he works. It also applies

(1) to the employee who performs work both in Québec and outside Québec for an employer whose residence, domicile, undertaking, head office or office is in Québec;

2° au salarié, domicilié ou résidant au Québec, qui exécute un travail hors du Québec pour un employeur visé dans le paragraphe 1°;

3° abrogé.

[État lié] La présente loi lie l'État.

(2) to the employee domiciled or resident in Québec who performs work outside Québec for an employer contemplated in paragraph 1;

(3) repealed.

[Act binding] This Act is binding on the State.

1979, c. 45, a. 2; 1990, c. 73, a. 2; 1999, c. 40, a. 196; 2002, c. 80, a. 1.

3. [Application de la loi] La présente loi ne s'applique pas:

1° abrogé;

2° au salarié dont la fonction exclusive est d'assumer la garde ou de prendre soin d'un enfant, d'un malade, d'une personne handicapée ou d'une personne âgée, dans le logement de cette personne, y compris, le cas échéant, d'effectuer des travaux ménagers qui sont directement reliés aux besoins immédiats de cette personne, lorsque cette fonction est exercée de manière ponctuelle, sauf si l'employeur poursuit au moyen de ce travail des fins lucratives, ou encore est fondée uniquement sur une relation d'entraide familiale ou d'entraide dans la communauté;

3° au salarié régi par la Loi sur les relations du travail, la formation professionnelle et la gestion de la main-d'oeuvre dans l'industrie de la construction (L.R.Q., chapitre R-20), sauf les normes visées au deuxième alinéa de l'article 79.1, aux articles 79.7 à 79.16, 81.1 à 81.20 et, lorsqu'ils sont relatifs à l'une de ces normes, les deuxième, troisième et quatrième alinéas de l'article 74, le paragraphe 6° de l'article 89, la section IX du chapitre IV, les sections I, II et II.1 du chapitre V et le chapitre VII;

4° au salarié visé dans les sous-paragraphes i, ii et iii du paragraphe 10° de l'article 1 si le gouvernement détermine par règlement en vertu d'une autre loi, la rémunération de ce salarié ou le tarif qui lui est applicable;

5° à un étudiant qui travaille au cours de l'année scolaire dans un établissement choisi par un établissement d'enseignement et en vertu d'un programme d'initiation au travail approuvé par le ministère de l'Éducation, du Loisir et du Sport;

6° à un cadre supérieur, sauf les normes visées au deuxième alinéa de l'article 79.1, aux articles 79.7 à 79.16, 81.1 à 81.20 et, lorsqu'ils sont relatifs à l'une de ces normes, les deuxième, troisième et quatrième alinéas de l'article 74, le paragraphe 6° de l'article

3. [Applicability] This act does not apply

(1) repealed;

(2) to an employee whose exclusive duty is to take care of or provide care to a child or to a sick, handicapped or aged person, in that person's dwelling, including, where so required, the performance of domestic duties that are directly related to the immediate needs of that person, if the employee's duty is performed on an occasional basis, unless the work serves to procure profit to the employer, or if the employee's duty is performed solely within the context of assistance to family or community help;

(3) to an employee governed by the Act respecting labour relations, vocational training and manpower management in the construction industry (R.S.Q., chapter R-20), except the standards prescribed by the second paragraph of section 79.1, sections 79.7 to 79.16, sections 81.1 to 81.20 and, where they relate to any of those standards, the second, third and fourth paragraphs of section 74, paragraph 6 of section 89, Division IX of Chapter IV, Divisions I, II and II.1 of Chapter V, and Chapter VII;

(4) to the employee contemplated in subparagraphs i, ii and iii of paragraph 10 of section 1 if the Government, by regulation pursuant to another act, establishes the remuneration of that employee or the tariff that is applicable to him;

(5) to a student who works during the school year in an establishment selected by an educational institution pursuant to a job induction programme approved by the Ministère de l'Éducation, du Loisir et du Sport;

(6) to senior managerial personnel, except the standards prescribed by the second paragraph of section 79.1, sections 79.7 to 79.16, sections 81.1 to 81.20 and, where they relate to any of those standards, the second, third and fourth paragraphs of section 74,

89, la section IX du chapitre IV, les sections I, II et II.1 du chapitre V et le chapitre VII.

paragraph 6 of section 89, Division IX of Chapter IV, Divisions I, II and II.1 of Chapter V, and Chapter VII.

1979, c. 45, a. 3; 1980, c. 5, a. 1; 1985, c. 21, a. 74; 1986, c. 89, a. 50; 1988, c. 41, a. 88; 1990, c. 73, a. 3; 1992, c. 68, a. 157; 1993, c. 51, a. 43; 1994, c. 16, a. 50; 2002, c. 80, a. 2; 2005, c. 28, a. 195; 2007, c. 36, a. 1.

3.1 [Dispositions applicables] Malgré l'article 3, les sections V.2 et VI.1 du chapitre IV, les articles 122.1 et 123.1 et la section II.1 du chapitre V s'appliquent à tout salarié et à tout employeur.

3.1 [Applicable provisions] Notwithstanding section 3, Divisions V.2 and VI.1 of Chapter IV, sections 122.1 and 123.1 and Division II.1 of Chapter V apply to all employees and to all employers.

1982, c. 12, a. 1; 1990, c. 73, a. 4; 2002, c. 80, a. 3.

CHAPITRE III
LA COMMISSION

CHAPTER III
THE COMMISSION

4. [Constitution] Un organisme est institué sous le nom de «Commission des normes du travail».

4. [Establishment] A body is established under the name of "Commission des normes du travail".

1979, c. 45, a. 4.

5. [Fonctions] La Commission surveille la mise en oeuvre et l'application des normes du travail. Elle exerce en particulier les fonctions suivantes:

1° informer et renseigner la population en ce qui a trait aux normes du travail;

1.1° informer et renseigner les salariés et les employeurs sur leurs droits et leurs obligations prévus à la présente loi;

2° surveiller l'application des normes du travail et, s'il y a lieu, transmettre ses recommandations au ministre;

3° recevoir les plaintes des salariés et les indemniser dans la mesure prévue par la présente loi et les règlements;

4° abrogé;

5° tenter d'amener les employeurs et les salariés à s'entendre quant à leurs mésententes relatives à l'application de la présente loi et des règlements.

5. [Functions] The Commission shall supervise the implementation and application of labour standards. It shall, in particular, exercise the following functions:

(1) inform the population on matters dealing with labour standards;

(1.1) inform employees and employers of their rights and obligations under this Act;

(2) supervise the application of labour standards and, where necessary, transmit its recommendations to the Minister;

(3) receive complaints from employees and indemnify them to the extent provided in this act and the regulations;

(4) repealed;

(5) endeavour to bring about agreement between employers and employees as to their disagreements in relation to the application of this Act and the regulations.

1979, c. 45, a. 5; 1990, c. 73, a. 5; 2002, c. 80, a. 4.

6. [Personne morale] La Commission est une personne morale.

6. [Legal person] The Commission is a legal person.

1979, c. 45, a. 6; 1999, c. 40, a. 196.

6.1 [Entente] La Commission peut conclure des ententes conformément à la loi

6.1 [Agreements] The Commission may enter into agreements, according to law,

avec un ministère ou un organisme du gouvernement en vue de l'application des lois et des règlements qu'elle administre.

1994, c. 46, a. 1.

6.2 Abrogé.

2001, c. 26, a. 138.

7. [Siège] La Commission a son siège à l'endroit déterminé par le gouvernement; un avis de la situation ou de tout changement de la situation du siège est publié à la *Gazette officielle du Québec.*

[Séances] La Commission peut tenir ses séances à tout endroit du Québec.

1979, c. 45, a. 7.

8. [Composition] La Commission est composée d'au plus 13 membres, nommés par le gouvernement, dont un président et au moins une personne provenant de chacun des groupes suivants:

1° les salariés non syndiqués;

2° les salariés syndiqués;

3° les employeurs du milieu de la grande entreprise;

4° les employeurs du milieu de la petite et de la moyenne entreprise;

5° les employeurs du milieu coopératif;

6° les femmes;

7° les jeunes;

8° la famille;

9° les communautés culturelles.

[Consultation] Ces neuf membres sont nommés après consultation d'associations ou d'organismes représentatifs de leur groupe respectif.

[Salariés et employeurs] Les membres, autres que le président, doivent provenir en nombre égal du milieu des salariés et du milieu des employeurs.

1979, c. 45, a. 8; 1990, c. 73, a. 6.

9. [Durée du mandat] Le président de la Commission est nommé pour un mandat n'excédant pas cinq ans. Les autres membres sont nommés pour un mandat n'excédant pas trois ans.

1979, c. 45, a. 9.

with a government department or body for the purposes of the Acts and regulations under its administration.

6.2 Repealed.

7. [Head office] The Commission has its head office at the place determined by the Government; a notice of the location or of any change of location of the head office is published in the *Gazette officielle du Québec.*

[Sittings] The Commission may hold its sittings at any place in Québec.

8. [Composition] The Commission is composed of not more than 13 members, appointed by the Government, including a chairman and at least one person from each of the following groups:

(1) non-unionized employees;

(2) unionized employees;

(3) employers from the big business sector;

(4) employers from the small and medium-sized business sector;

(5) employers from the cooperative sector;

(6) women;

(7) young people;

(8) family;

(9) cultural communities.

[Appointment] These nine members shall be appointed after consultation with associations or bodies representative of their respective groups.

[Equal representation] Members, excluding the chairman, must be drawn equally from the employee sector and the employer sector.

9. [Term of office] The chairman of the Commission is appointed for a term of not over five years. The other members are appointed for a term of not over three years.

10. [Président] Le président exerce ses fonctions à temps complet. Il préside les réunions de la Commission.

[Administration] Il est également directeur général de la Commission et à ce titre il est responsable de l'administration et de la direction de la Commission dans le cadre de ses règlements.

10. [Chairman] The chairman holds office on a full-time basis. He presides at meetings of the Commission.

[Administration] He is also the director general of the Commission and, in that capacity, is responsible for the administration and direction of the Commission within the scope of its regulations.

1979, c. 45, a. 10.

10.1 [Vice-président] Dans l'exercice de ses fonctions visées au deuxième alinéa de l'article 10, le président est assisté par deux vice-présidents.

10.1 [Vice-chairman] The chairman is assisted by two vice-chairmen in the performance of his duties under the second paragraph of section 10.

1992, c. 26, a. 1; 1999, c. 52, a. 1.

10.2 [Vice-présidents] Les vice-présidents sont nommés par le gouvernement, pour un mandat n'excédant pas cinq ans. Ils exercent leurs fonctions à plein temps.

[Remplaçant] Le président ou, à défaut, le ministre désigne un des vice-présidents pour remplacer le président dans l'exercice de toutes ses fonctions en cas d'absence ou d'empêchement de celui-ci.

10.2 [Terms of office]The vice-chairmen are appointed for not more than five years by the Government. They hold office on a full-time basis.

[Replacement of chairman] The chairman or, failing the chairman, the Minister shall appoint one of the vice-chairmen to replace the chairman in the performance of all of the chairman's duties where the latter is absent or unable to act.

1992, c. 26, a. 1; 1999, c. 40, a. 196; 1999, c. 52, a. 2.

11. [Délégation] La Commission peut autoriser généralement ou spécialement une personne à exercer les pouvoirs qui lui sont conférés par la présente loi.

11. [Delegation] The Commission may generally or specially authorize a person to exercise the powers conferred upon it by this act.

1979, c. 45, a. 11.

12. [Fonctions continuées] À l'expiration de son mandat, un membre de la Commission ou un vice-président demeure en fonction jusqu'à ce qu'il soit remplacé ou nommé de nouveau.

12. [Office continued] A member of the Commission or a vice-chairman remains in office at the expiry of his term until he is replaced or reappointed.

1979, c. 45, a. 12; 1992, c. 26, a. 2; 1999, c. 52, a. 3.

13. [Remplacement d'un membre] Si un membre de la Commission ou un vice-président ne termine pas son mandat, le gouvernement lui nomme un remplaçant pour la durée du mandat qui reste à écouler.

13. [Member replaced] If a member of the Commission or a vice-chairman does not complete his term of office, the Government shall appoint a person to replace him for the remainder of his term.

1979, c. 45, a. 13; 1992, c. 26, a. 3; 1999, c. 52, a. 4.

14. Abrogé.

14. Repealed.

1992, c. 26, a. 4.

15. [Réunion] La Commission se réunit au moins une fois par trois mois.

15. [Meetings] The Commission shall meet at least once every three months.

1979, c. 45, a. 15.

16. [Quorum] Le quorum des séances de la Commission est constitué par la majorité des membres dont le président.

[Décision] Les décisions sont prises à la majorité des voix; en cas d'égalité, le président a un vote prépondérant.

16. [Quorum] The majority of the members including the chairman are a quorum of the Commission.

[Decisions] Decisions are taken by the majority of votes; in the case of a tievote, the chairman has a casting vote.

1979, c. 45, a. 16.

17. [Décision signée] Une décision signée par tous les membres a la même valeur que si elle avait été prise en séance ordinaire.

17. [Decisions signed] A decision signed by all the members has the same value as if it had been taken at a regular meeting.

1979, c. 45, a. 17.

18. [Authenticité des procès-verbaux] Les procès-verbaux des séances de la Commission approuvés par cette dernière sont authentiques et il en est de même des copies ou extraits certifiés conformes par le président, un vice-président ou le secrétaire de la Commission.

18. [Authenticity of the minutes] Minutes of the sittings of the Commission approved by the latter are authentic, as are copies or extracts certified true by the chairman, a vice-chairman or the secretary of the Commission.

1979, c. 45, a. 18; 1992, c. 26, a. 5; 1999, c. 52, a. 5.

19. [Conditions de travail] Le gouvernement fixe, suivant le cas, les conditions de travail, le traitement, le traitement additionnel, les allocations et les indemnités ou avantages sociaux auxquels ont droit le président, les autres membres et les vice-présidents de la Commission.

19. [Conditions of employment] The Government shall determine, as the case may be, the conditions of employment, salaries, additional salaries, allowances and indemnities or social benefits to which the chairman, the other members and the vice-chairmen of the Commission are entitled.

1979, c. 45, a. 19; 1992, c. 26, a. 6; 1999, c. 52, a. 6.

20. [Secrétaire et personnel] Le secrétaire et les membres du personnel de la Commission sont nommés suivant la Loi sur la fonction publique (L.R.Q., chapitre F-3.1.1).

20. [Secretary and personnel] The secretary and the members of the personnel of the Commission are appointed in accordance with the Public Service Act (R.S.Q., chapter F-3.1.1).

1979, c. 45, a. 20; 1983, c. 55, a. 161; 2000, c. 8, a. 242.

21. [Dépenses] Les dépenses de la Commission, y compris les traitements, allocations et indemnités ou avantages sociaux des

21. [Expenses] The expenses of the Commission, including the salaries, allowances and indemnities or social benefits of

vice-présidents de la Commission, de son secrétaire, de ses membres et de son personnel, sont payées à même ses revenus.

the vice-chairmen of the Commission, of its secretary, of its members and of its personnel, are paid out of its revenues.

1979, c. 45, a. 21; 1992, c. 26, a. 7; 1999, c. 52, a. 7.

22. [Immunité] Les membres de la Commission et les vice-présidents ne peuvent être poursuivis en justice en raison d'actes accomplis de bonne foi dans l'exercice de leurs fonctions.

[Immunité] Sauf sur une question de compétence, aucun des recours prévus aux articles 33 et 834 à 846 du Code de procédure civile (L.R.Q., chapitre C-25) ne peut être exercé, ni aucune injonction accordée contre la Commission, un membre ou les vice-présidents de la Commission agissant en leur qualité officielle.

22. [Immunity] A member of the Commission or a vice-chairman may not be prosecuted by reason of an act done in good faith in the performance of his duties.

[Recourse] Except on a question of jurisdiction, no recourse provided for in articles 33 and 834 to 846 of the Code of Civil Procedure (R.S.Q., chapter C-25) may be exercised nor any injunction granted against the Commission or against a member or a vice-chairman of the Commission acting in his official capacity.

1979, c. 45, a. 22; 1992, c. 26, a. 8; 1999, c. 52, a. 8.

23. [Bref annulé] Un juge de la Cour d'appel peut, sur requête, annuler sommairement un bref et une ordonnance ou injonction délivrés ou accordés à l'encontre de l'article 22.

23. [Writ annulled] A judge of the Court of Appeal may, on a motion, summarily annul any writ, order or injunction issued or granted contrary to section 22.

1979, c. 45, a. 23; 1979, c. 37, a. 43.

24. [Conflit d'intérêt] Le président et les vice-présidents ne peuvent, sous peine de déchéance de leur charge, avoir un intérêt direct ou indirect dans une entreprise mettant en conflit leur intérêt personnel et celui de la Commission. Toutefois, cette déchéance n'a pas lieu si un tel intérêt leur échoit par succession ou par donation pourvu qu'ils y renoncent ou en disposent avec toute la diligence possible.

[Intérêt révélé] Un membre de la Commission autre que le président qui a un intérêt dans une entreprise doit, sous peine de déchéance de sa charge, le révéler par écrit aux autres membres de la Commission et s'abstenir de participer à une décision portant sur l'entreprise dans laquelle il a cet intérêt.

24. [Conflict of interest] The chairman and the vice-chairmen shall not, under pain of forfeiture of office, have any direct or indirect interest in an undertaking putting their personal interest in conflict with that of the Commission. However, such forfeiture is not incurred if such an interest devolves to them by succession or gift, provided they renounce or dispose of it with all possible dispatch.

[Interest disclosed] Any member of the Commission, other than the chairman, who has a direct or indirect interest in an undertaking must, on pain of forfeiture of office, disclose it in writing to the other members of the Commission and refrain from participating in any decision in connection with the undertaking in which he has that interest.

1979, c. 45, a. 24; 1992, c. 26, a. 9; 1999, c. 52, a. 9.

25. [Exercice financier] L'exercice financier de la Commission se termine le 31 mars de chaque année.

25. [Fiscal period] The fiscal period of the Commission ends on 31 March each year.

1979, c. 45, a. 25.

26. [Rapport annuel] La Commission doit, au plus tard dans les six mois qui suivent la fin de son exercice financier, remettre au ministre un rapport de ses activités pour cet exercice financier; ce rapport doit contenir tous les renseignements que le ministre peut exiger.

[Renseignement au ministre] La Commission doit fournir au ministre tout autre renseignement que ce dernier requiert quant à ses opérations.

26. [Annual report] Not later than six months after the end of its fiscal period, the Commission must remit to the Minister a report of its activities for that fiscal period; this report must contain all the information the Minister may require.

[Information to Minister] The Comission must furnish to the Minister any other information he may require on its operations.

1979, c. 45, a. 26; 1990, c. 73, a. 7.

27. [Dépôt du rapport] Le ministre dépose le rapport de la Commission devant l'Assemblée nationale, si elle est en session, dans les trente jours de sa réception; s'il le reçoit alors qu'elle ne siège pas, il le dépose dans les trente jours de l'ouverture de la session suivante ou de la reprise des travaux, selon le cas.

27. [Tabling] The Minister shall table the report of the Commission before the National Assembly, if it is in session, within thirty days of receiving it; if he receives it while it is not sitting, he shall table it within thirty days of the opening of the next session or resumption, as the case may be.

1979, c. 45, a. 27.

28. [Vérification des livres] Les livres et les comptes de la Commission sont vérifiés chaque année par le vérificateur général et en outre chaque fois que le décrète le gouvernement.

[Rapport] Le rapport du vérificateur général doit accompagner le rapport annuel de la Commission.

28. [Audit] The books and accounts of the Commission shall be audited each year by the Auditor General and, in addition, every time the Government so orders.

[Report] The report of the Auditor General must accompany the annual report of the Commission.

1979, c. 45, a. 28.

28.1 [Fonds de la Commission des relations du travail] La Commission des normes du travail contribue au fonds de la Commission des relations du travail, visé à l'article 137.62 du Code du travail (L.R.Q., chapitre C-27), pour pourvoir aux dépenses encourues par cette Commission relativement aux recours instruits devant elle en vertu des sections II à III du chapitre V de la présente loi.

[Versement] Le montant et les modalités de versement de la contribution de la Commission des normes du travail sont déterminés par le gouvernement, après consultation de la Commission par le ministre.

28.1 [Contribution] The Commission des normes du travail shall contribute to the fund of the Commission des relations du travail referred to in section 137.62 of the Labour Code (R.S.Q., chapter C-27) to provide for expenses incurred by the Commission in relation to proceedings brought before the Commission under Divisions II to III of Chapter V of this Act.

[Payment] The amount and terms and conditions of payment of the contribution of the Commission des normes du travail shall be determined by the Government after consultation with the Commission by the Minister.

2001, c. 26, a. 139; 2006, c. 58, a. 66.

29. [Réglementation] La Commission peut, par règlement:

1° adopter des règles de régie interne;

2° constituer des comités pour l'examen des questions qu'elle détermine;

3° rendre obligatoire, pour un employeur ou pour une catégorie d'employeurs qu'elle indique, un système d'enregistrement ou la tenue d'un registre où peuvent être indiqués les nom et résidence de chacun de ses salariés, son emploi, l'heure à laquelle le travail a commencé, a été interrompu, repris et achevé chaque jour, la nature de ce travail et le salaire payé, avec mention du mode et de l'époque du paiement ainsi que tout autre renseignement jugé utile à l'application de la présente loi ou d'un règlement;

3.1° obliger un employeur ou tout employeur d'une catégorie d'employeurs de l'industrie du vêtement qu'elle indique et qui, n'eût été de l'expiration de l'un des décrets mentionnés au troisième alinéa de l'article 39.0.2, seraient visés par l'un de ceux-ci, à lui transmettre, selon la procédure, la fréquence et pendant la période qu'elle détermine, un rapport contenant les mentions prévues au paragraphe 3° qu'elle indique et tout autre renseignement jugé utile à l'application de la présente loi ou d'un règlement;

4°-5° abrogés;

NON EN VIGUEUR

6° déterminer la nature des créances qui donnent droit aux versements qu'elle est autorisée à faire en application de l'article 112, les conditions d'admissibilité à ces versements, leur montant et les modalités de leur paiement au salarié;

7° fixer les taux, n'excédant pas 1%, de la cotisation prévue à l'article 39.0.2.

29. [Regulations] The Commission may, by regulation,

(1) adopt rules of internal management;

(2) establish committees to examine such matters as it may determine;

(3) require an employer or a category of employers it indicates to have a system for the registration of all work governed by the Commission or to keep a register for the entry of the name, residence and employment of each of his employees, the time at which the work was begun, interrupted, resumed and finished every day, the nature of the work, the wage paid for it and the mode and time of payment, and any other information deemed useful in the application of this act or the regulations;

(3.1) require an employer or every employer of a category of clothing industry employers it indicates who would be covered by a decree referred to in the third paragraph of section 39.0.2 had the decree not expired, to transmit to the Commission, in accordance with the procedure and frequency and during the period it determines, a report containing the particulars required under paragraph 3 it indicates and any other information deemed useful in the application of this Act or the regulations;

(4)-(5) repealed;

NOT IN FORCE

(6) determine the nature of the claims that give entitlement to the payments it is authorized to make under section 112, the conditions of eligibility for these payments, the amount of these payments and the terms and conditions of payment of such amounts to the employee;

(7) fix the rates, not exceeding 1%, of the contribution provided for in section 39.0.2.

1979, c. 45, a. 29; 1983, c. 43, a. 9; 1990, c. 73, a. 8; 1994, c. 46, a. 2; 1999, c. 57, a. 1; 2002, c. 80, a. 5.

29.1-30. Abrogés.

29.1-30. Repealed.

1994, c. 46, a. 3.

31. [Entrée en vigueur] Les règlements visés dans les paragraphes 1° et 2° de l'article 29 sont transmis au ministre et entrent en vigueur sur approbation du gouvernement.

31. [Coming into force] The regulations contemplated in paragraphs 1 and 2 of section 29 shall be transmitted to the Minister and come into force on the approval of the Government.

1979, c. 45, a. 31.

32. [Approbation de règlement] Les règlements visés dans les paragraphes 3° à 7° de l'article 29 sont transmis au ministre et soumis à l'approbation du gouvernement.

1979, c. 45, a. 32; 1994, c. 46, a. 4.

32. [Approval] The regulations contemplated in paragraphs 3 to 7 of section 29 are transmitted to the Minister and submitted to the approval of the Government.

33-34. Abrogés.

1997, c. 72, a. 1.

33-34. Repealed.

35. [Approbation d'un règlement] Le gouvernement peut approuver avec ou sans modification un règlement visé dans les paragraphes 3° à 7° de l'article 29.

1979, c. 45, a. 35; 1997, c. 72, a. 2.

35. [Approval of regulation] The Government may approve a regulation made under paragraphs 3 to 7 of section 29 with or without amendment.

36-38. Abrogés.

1997, c. 72, a. 3.

36-38. Repealed.

39. [Pouvoirs de la Commission] La Commission peut:

1° établir le salaire payé à un salarié par un employeur;

2° établir des formulaires à l'usage des employeurs et des salariés;

3° établir ou compléter le certificat de travail prévu par l'article 84 lorsque l'employeur refuse ou néglige de le faire;

4° percevoir ou recevoir les sommes dues à un salarié en vertu de la présente loi ou d'un règlement et lui en faire remise;

5° accepter pour un salarié qui y consent ou pour un groupe de salariés visés dans une réclamation et dont la majorité y consent, un paiement partiel en règlement des sommes que lui doit son employeur;

NON EN VIGUEUR

6° verser les sommes qu'elle juge dues par un employeur à un salarié en vertu de la présente loi ou d'un règlement jusqu'à concurrence du salaire minimum en tenant compte, le cas échéant, des majorations qui y sont prévues;

7° abrogé;

8° intenter en son propre nom et pour le compte d'un salarié, le cas échéant, une poursuite visant à recouvrer des sommes dues par l'employeur en vertu de la présente loi ou d'un règlement et ce, malgré toute loi à ce

39. [Powers of the Commission] The Commission may

(1) ascertain the wage paid to an employee by his employer;

(2) establish forms to be used by employers and employees;

(3) establish or fill out the certificate of employment provided for in section 84 when the employer refuses or neglects to do so;

(4) collect or receive the amounts owing to an employee under this act or a regulation and remit them to him;

(5) accept on behalf of an employee, with his consent, or on behalf of a group of employees who are parties to a claim, with the consent of the majority of them, partial payment of the amounts owed to the employee or group of employees by the employer;

NOT IN FORCE

(6) pay the amounts it considers to be due by an employer to an employee under this act or a regulation up to the minimum wage, taking into account, where such is the case, the increases provided for therein;

(7) repealed;

(8) institute in its own name and on behalf of an employee, where such is the case, proceedings to recover amounts due by the employer under this act or a regulation, notwithstanding any act to the contrary, any

contraire, une opposition ou renonciation expresse ou implicite du salarié et sans être tenue de justifier d'une cession de créance du salarié;

9° intervenir en son propre nom et pour le compte d'un salarié, le cas échéant, dans une procédure relative à l'insolvabilité de l'employeur;

10° intervenir à tout moment dans une instance relative à l'application de la présente loi, à l'exception du chapitre III.1, ou d'un règlement;

11° autoriser un mode de versement du salaire autre que celui que prévoit l'article 42;

12° autoriser l'étalement des heures de travail sur une base autre qu'une base hebdomadaire aux conditions prévues à l'article 53;

13° élaborer et diffuser des documents d'information portant sur les normes du travail et mettre ceux-ci à la disposition de toute personne ou organisme intéressé, particulièrement les employeurs et les salariés;

14° exiger d'un employeur qu'il remette au salarié tout document d'information relatif aux normes du travail qu'elle lui fournit, qu'il l'affiche dans un endroit visible et facilement accessible à l'ensemble de ses salariés ou qu'il en diffuse le contenu;

15° si elle l'estime nécessaire, indiquer à l'employeur la manière dont il est tenu de remettre, d'afficher ou de diffuser un document d'information qu'elle lui fournit.

opposition or any express or implied waiver by the employee and without having to justify an assignment of debt of the employee;

(9) intervene in its own name and on behalf of an employee, where such is the case, in proceedings relating to the insolvency of the employer;

(10) intervene at any time in an action relating to the application of this Act, except Chapter III.1, or a regulation;

(11) authorize a mode of payment of wages other than that provided for in section 42;

(12) authorize staggered working hours on a basis other than a weekly basis on the conditions provided for in section 53;

(13) prepare and disseminate information documents on labour standards and make the documents available to any interested person or body, in particular employers and employees;

(14) require an employer to transmit to employees any information document concerning labour standards furnished to the employer by the Commission and to post the document in a prominent place easily accessible to all employees or to disseminate the contents of the document;

(15) where it considers it necessary, indicate to the employer the manner in which the employer is required to transmit, post or disseminate an information document it furnishes to the employer.

1979, c. 45, a. 39; 1990, c. 73, a. 11; 1994, c. 46, a. 5; 2002, c. 80, a. 6.

CHAPITRE III.1
COTISATION

SECTION I
INTERPRÉTATION

39.0.1 [Interprétation] Dans le présent chapitre, à moins que le contexte n'indique un sens différent, on entend par:

[«*employeur assujetti*»] «employeur assujetti»: quiconque verse une rémunération assujettie à l'exception des entités suivantes:

1° une communauté métropolitaine;
2° une municipalité;

CHAPTER III.1
CONTRIBUTIONS

DIVISION I
INTERPRETATION

39.0.1 [Interpretation] In this chapter, unless the context indicates otherwise,

[“*employer subject to contribution*”] “employer subject to contribution” means any person who pays a remuneration subject to contribution, except the following entities:

(1) metropolitan communities;
(2) municipalities;

3° une société de transport en commun visée à l'article 1 de la Loi sur les sociétés de transport en commun (L.R.Q., c. S-30.01);

4° une commission scolaire;

5° le Comité de gestion de la taxe scolaire de l'île de Montréal;

6° une fabrique;

7° une corporation de syndics pour la construction d'églises;

8° une institution ou organisme de bienfaisance dont l'objet est de venir en aide gratuitement et directement à des personnes physiques dans le besoin;

9° une institution religieuse;

10° un établissement d'enseignement;

11° une garderie;

12° la Commission de la construction du Québec;

13° un comité paritaire constitué en vertu de la Loi sur les décrets de convention collective (L.R.Q., chapitre D-2);

14° le gouvernement, ses ministères et les organismes et personnes dont la loi ordonne que le personnel soit nommé suivant la Loi sur la fonction publique (L.R.Q., chapitre F-3.1.1) ou dont le fonds social appartient en totalité au gouvernement;

15° un organisme institué par une loi de l'Assemblée nationale ou par une décision du gouvernement, du Conseil du trésor ou d'un ministre et dont les crédits de fonctionnement sont pris à même le fonds consolidé du revenu, apparaissent en tout ou en partie dans le budget de dépenses soumis à l'Assemblée nationale ou sont financés en totalité par un budget de transfert d'un ministère;

16° le lieutenant-gouverneur, l'Assemblée nationale ainsi qu'une personne que désigne l'Assemblée nationale pour exercer une fonction relevant de l'Assemblée nationale;

[«*rémunération*»] «rémunération»: si le salarié est un employé au sens de l'article 1 de la Loi sur les impôts (L.R.Q., chapitre I-3), son salaire de base, au sens de l'article 1159.1 de cette loi, et si le salarié n'est pas un tel employé, son salaire. Cette expression comprend également les sommes payées pour délai-congé et lors de la résiliation du contrat de travail;

[«*rémunération assujettie*»] «rémunération assujettie»: la rémunération versée à un salarié à l'exception de:

1° la rémunération versée à un salarié en vertu de la Loi sur les relations du travail, la formation professionnelle et la gestion de la main-d'oeuvre dans l'industrie de la construction (L.R.Q., chapitre R-20);

(3) public transit authorities mentioned in section 1 of the Act respecting public transit authorities (R.S.Q., chapter S-30.01);

(4) school boards;

(5) the Comité de gestion de la taxe scolaire de l'île de Montréal;

(6) fabriques;

(7) corporations of trustees for the erection of churches;

(8) charitable institutions or bodies whose object is to assist, gratuitously and directly, natural persons in need;

(9) religious institutions;

(10) educational institutions;

(11) day care centres;

(12) the Commission de la construction du Québec;

(13) parity committees constituted under the Act respecting collective agreement decrees (R.S.Q., chapter D-2);

(14) the Government and its departments and the bodies and persons whose personnel must, by law, be appointed in accordance with the Public Service Act (R.S.Q., chapter F-3.1.1) or the capital stock of which belongs entirely to the Government;

(15) any body established by an Act of the National Assembly or by a decision of the Government, the Conseil du trésor or a minister and whose operating appropriations are taken out of the consolidated revenue fund, appear in whole or in part in the budgetary estimates tabled before the National Assembly or are wholly financed by way of a transfer from one of the government departments;

(16) the Lieutenant-Governor, the National Assembly and any person appointed by the National Assembly to an office which is under the jurisdiction of the National Assembly;

["*remuneration*"] "remuneration" means, if the employee is an employee within the meaning of section 1 of the Taxation Act (R.S.Q., chapter I-3), the employee's base wages, within the meaning of section 1159.1 of that Act, and, if the employee is not such an employee, the employee's wages. The expression also includes amounts paid as indemnity in lieu of notice and upon termination of a contract of employment;

["*remuneration subject to contribution*"] "remuneration subject to contribution" means remuneration paid to an employee except

(1) remuneration paid to an employee under the Act respecting labour relations, vocational training and manpower management in the construction industry (R.S.Q., chapter R-20);

2° la rémunération versée à un domestique;

2.1° la rémunération versée à un salarié dont la fonction exclusive est d'assumer la garde ou de prendre soin d'un enfant, d'un malade, d'une personne handicapée ou d'une personne âgée, dans le logement de cette personne, y compris, le cas échéant, d'effectuer des travaux ménagers qui sont directement reliés aux besoins immédiats de cette personne, sauf si l'employeur poursuit au moyen de ce travail des fins lucratives;

3° la rémunération versée par un employeur régi par un décret quant à la rémunération qui fait l'objet d'un prélèvement par un comité paritaire;

4° la rémunération versée par un établissement, un conseil régional ou une famille d'accueil visés respectivement dans les paragraphes *a*, *f* et *o* de l'article 1 de la Loi sur les services de santé et les services sociaux pour les autochtones cris (L.R.Q., chapitre S-5) dans la proportion des sommes d'argent qu'ils reçoivent en vertu de cette loi;

5° la rémunération versée par un établissement, une agence ou une ressource de type familial visés dans la Loi sur les services de santé et les services sociaux (L.R.Q., chapitre S-4.2) dans la proportion des sommes d'argent qu'ils reçoivent en vertu de cette loi;

6° 50% de la rémunération gagnée par un salarié à l'aide d'un camion, d'un tracteur, d'une chargeuse, d'une débusqueuse ou d'un équipement lourd de même nature, fourni par le salarié et à ses frais;

7° l'excédent du total de la rémunération versée à un salarié pour l'année ou du montant déterminé au paragraphe 6° lorsque celui-ci est applicable à l'égard du salarié, sur un montant égal au maximum annuel assurable déterminé pour l'année en vertu de l'article 66 de la Loi sur les accidents du travail et les maladies professionnelles (L.R.Q., chapitre A-3.001);

8° la rémunération versée à un salarié exclu totalement de l'application de la présente loi par l'article 3.

[Règles applicables]Pour l'application du présent chapitre, les règles suivantes s'appliquent:

1° un renvoi dans le présent chapitre à un salaire, une rémunération ou une rémunération assujettie, qu'un employeur verse, ou a versé, est un renvoi à un salaire, une rémunération ou une rémunération assujettie, que cet employeur verse, alloue, confère ou paie, ou a versé, alloué, conféré ou payé;

(2) remuneration paid to a domestic;

(2.1) remuneration paid to an employee whose exclusive duty is to take care of or provide care to a child or to a sick, handicapped or aged person, in that person's dwelling, including, where so required, the performance of domestic duties that are directly related to the immediate needs of that person, unless the work serves to procure profit to the employer;

(3) remuneration paid by an employer governed by a decree in respect of remuneration subject to contribution by a parity committee;

(4) remuneration paid by an institution, a regional council or a foster family respectively referred to in subparagraphs *a*, *f* and *o* of the first paragraph of section 1 of the Act respecting health services and social services for Cree Native persons (R.S.Q., chapter S-5), proportionately to the amounts of money they receive under that Act;

(5) remuneration paid by an institution, an agency or a family-type resource referred to in the Act respecting health services and social services (R.S.Q., chapter S-4.2) , proportionately to the amounts of money they receive under that Act;

(6) 50% of the remuneration earned by an employee with the help of a truck, tractor, loader, skidder or other heavy equipment of the same nature, furnished by the employee and at his own expense;

(7) the amount by which the total remuneration paid to an employee for the year or the amount determined under paragraph 6 where it applies in respect of the employee exceeds an amount equal to the Maximum Yearly Insurable Earnings determined for the year under section 66 of the Act respecting industrial accidents and occupational diseases (R.S.Q., chapter A-3.001);

(8) remuneration paid to an employee wholly exempt from the application of this Act under section 3.

[Rules applicable]For the purposes of this chapter, the following rules apply:

(1) any reference in this chapter to wages, remuneration or remuneration subject to contribution that an employer pays or has paid is a reference to wages, remuneration or remuneration subject to contribution that the employer pays, allocates, grants or awards or has paid, allocated, granted or awarded;

2° un salarié est réputé travailler au Québec lorsque l'établissement de l'employeur où le salarié se présente au travail y est situé ou, s'il n'est pas requis de se présenter au travail à un établissement de l'employeur, lorsque l'établissement de l'employeur d'où il reçoit sa rémunération est situé au Québec. Le mot «établissement» comprend un établissement au sens du chapitre III du titre II du livre I de la partie I de la Loi sur les impôts;

3° un salarié qui se présente au travail à un établissement de son employeur désigne:

a) relativement à une rémunération assujettie qui n'est pas décrite au sous-paragraphe *b*, un salarié qui se présente au travail à cet établissement pour la période habituelle de paie du salarié à laquelle se rapporte cette rémunération assujettie;

b) relativement à une rémunération assujettie qui est versée à titre de boni, d'augmentation avec effet rétroactif ou de paie de vacances, qui est versée à un fiduciaire ou à un dépositaire à l'égard du salarié ou qui ne se rapporte pas à une période habituelle de paie du salarié, un salarié qui se présente au travail habituellement à cet établissement;

4° lorsque, au cours d'une période habituelle de paie d'un salarié, celui-ci se présente au travail à un établissement au Québec de son employeur ainsi qu'à un établissement de celui-ci à l'extérieur du Québec, ce salarié est réputé pour cette période, relativement à une rémunération assujettie qui n'est pas décrite au sous-paragraphe *b* du paragraphe 3°:

a) sauf si le sous-paragraphe *b* s'applique, ne se présenter au travail qu'à cet établissement au Québec;

b) ne se présenter au travail qu'à cet établissement à l'extérieur du Québec, lorsque, au cours de cette période, il se présente au travail principalement à un tel établissement de son employeur;

5° lorsqu'un salarié se présente au travail habituellement à un établissement au Québec de son employeur ainsi qu'à un établissement de celui-ci à l'extérieur du Québec, ce salarié est réputé, relativement à une rémunération assujettie décrite au sous-paragraphe *b* du paragraphe 3°, ne se présenter au travail habituellement qu'à cet établissement au Québec;

6° lorsqu'un salarié n'est pas requis de se présenter au travail à un établissement de son employeur et que sa rémunération ne lui est pas versée d'un tel établissement situé

(2) an employee is deemed to work in Québec when the establishment of the employer where the employee reports for work is situated in Québec or, if the employee is not required to report for work at an establishment of his employer, when the establishment of the employer from which he receives his remuneration is situated in Québec. The word "establishment" includes an establishment within the meaning of Chapter III of Title II of Book I of Part I of the Taxation Act;

(3) an employee who reports for work at an establishment of his employer,

(a) in respect of remuneration subject to contribution that is not described in subparagraph *b*, means an employee who reports for work at that establishment for his regular pay period to which the remuneration subject to contribution relates; and

(b) in respect of remuneration subject to contribution that is paid as a premium, an increase with retroactive effect or a vacation pay, that is paid to a trustee or custodian in respect of the employee or that does not relate to a regular pay period of the employee, means an employee who ordinarily reports for work at that establishment;

(4) where, during a regular pay period of an employee, the employee reports for work at an establishment of his employer situated in Québec and at an establishment of his employer situated outside Québec, the employee is deemed for that period, in respect of remuneration subject to contribution that is not described in subparagraph *b* of subparagraph 3,

(a) except where subparagraph *b* applies, to report for work only at the establishment situated in Québec;

(b) to report for work only at the establishment situated outside Québec where, during that period, he reports for work mainly at such an establishment of his employer;

(5) where an employee ordinarily reports for work at an establishment of his employer situated in Québec and at an establishment of his employer situated outside Québec, the employee is deemed, in respect of remuneration subject to contribution described in subparagraph *b* of subparagraph 3, to ordinarily report for work only at the establishment situated in Québec;

(6) where an employee is not required to report for work at an establishment of his employer and where his remuneration is not paid from such an establishment situated in

au Québec, ce salarié est réputé se présenter au travail à un établissement de son employeur situé au Québec pour une période de paie si, en fonction de l'endroit où il se rapporte principalement au travail, de l'endroit où il exerce principalement ses fonctions, du lieu principal de résidence du salarié, de l'établissement d'où s'exerce la supervision du salarié, de la nature des fonctions exercées par le salarié ou de tout autre critère semblable, l'on peut raisonnablement considérer qu'il est, pour cette période de paie, un salarié de cet établissement;

7° lorsqu'un salarié d'un établissement, situé ailleurs qu'au Québec, d'un employeur rend un service au Québec à un autre employeur qui n'est pas l'employeur du salarié, ou pour le bénéfice d'un tel autre employeur, un montant que l'on peut raisonnablement considérer comme la rémunération gagnée par le salarié pour rendre le service est réputé une rémunération versée par l'autre employeur, dans la période de paie au cours de laquelle la rémunération est versée au salarié, à un salarié de l'autre employeur qui se présente au travail à un établissement de l'autre employeur situé au Québec si les conditions suivantes sont satisfaites:

a) au moment où le service est rendu, l'autre employeur a un établissement situé au Québec;

b) le service rendu par le salarié est, à la fois:

i. exécuté par le salarié dans le cadre habituel de l'exercice de ses fonctions auprès de son employeur;

ii. rendu à l'autre employeur, ou pour son bénéfice, dans le cadre des activités régulières et courantes d'exploitation d'une entreprise par l'autre employeur;

iii. de la nature de ceux qui sont rendus par des salariés d'employeurs qui exploitent le même genre d'entreprise que l'entreprise visée au sous-paragraphe ii;

c) le montant n'est pas inclus par ailleurs dans une rémunération assujettie versée par l'autre employeur qui est déterminée pour l'application du présent chapitre;

8° le paragraphe 7° ne s'applique pas à l'égard d'une période de paie d'un autre employeur y visé si le ministre du Revenu est d'avis qu'une réduction de la cotisation payable en vertu du présent chapitre par les employeurs visés à ce paragraphe 7° n'est pas l'un des buts ou des résultats escomptés de la conclusion ou du maintien en vigueur:

a) soit de l'entente en vertu de laquelle le service est rendu par le salarié visé à ce paragraphe 7° à l'autre employeur ou pour son bénéfice;

Québec, that employee is deemed to report for work at an establishment of his employer situated in Québec for a pay period if, in reference to the place where he mainly reports for work, the place where he mainly performs his duties, the employee's principal place of residence, the establishment from where the employee is supervised, the nature of the duties performed by the employee or any other similar criterion, it may reasonably be considered that the employee for that pay period is an employee of that establishment;

(7) where an employee of an establishment, situated elsewhere than in Québec, of an employer supplies a service in Québec to another employer that is not the employer of the employee, or for the benefit of such other employer, an amount that may reasonably be considered to be the remuneration earned by the employee to supply the service is deemed to be remuneration paid by the other employer, in the pay period during which the remuneration is paid to the employee, to an employee of the other employer who reports for work at an establishment of that other employer situated in Québec where

(a) at the time the service is supplied, the other employer has an establishment situated in Québec;

(b) the service supplied by the employee

i. is performed by the employee in the ordinary performance of his duties with his employer,

ii. is supplied to or for the benefit of the other employer in the course of regular and ongoing activities of an enterprise carried on by that other employer, and

iii. is in the nature of the services supplied by employees of employers carrying on the same type of enterprise as the enterprise referred to in subparagraph ii; and

(c) the amount is not otherwise included in remuneration subject to contribution paid by the other employer that is determined for the purposes of this chapter;

(8) subparagraph 7 does not apply in respect of a pay period of any other employer referred to therein if the Minister of Revenue is of the opinion that a reduction in the contribution payable under this chapter by the employers referred to in that subparagraph 7 is not one of the objectives or anticipated results arising from the making or maintaining in force of

(a) the agreement pursuant to which the service is supplied by the employee referred to in that subparagraph 7 to or for the benefit of the other employer; or

b) soit de toute autre entente affectant le montant d'une rémunération assujettie versée par l'autre employeur dans la période de paie pour l'application du présent chapitre et que le ministre du Revenu considère comme liée à l'entente de fourniture de services visée au sous-paragraphe *a*.

(b) any other agreement affecting the amount of remuneration subject to contribution paid by the other employer in the pay period for the purposes of this chapter and where the Minister of Revenue considers the agreement to be related to the agreement for the supply of services referred to in subparagraph *a*.

1994, c. 46, a. 6; 1995, c. 63, a. 280; 1996, c. 2, a. 744; 1997, c. 85, a. 362; 1999, c. 40, a. 196; 2000, c. 8, a. 239, 242; 2000, c. 56, a. 218; 2002, c. 9, a. 144; 2002, c. 75, a. 33; 2002, c. 80, a. 7; 2003, c. 2, a. 303; 2005, c. 32, a. 308; 2005, c. 38, a. 347.

SECTION II
COTISATION ET PAIEMENT

39.0.2 [Cotisation d'un employeur] Tout employeur assujetti doit, à l'égard d'une année civile, payer au ministre du Revenu une cotisation égale au produit obtenu en multipliant, par le taux fixé par le règlement pris en application du paragraphe 7° de l'article 29, la rémunération assujettie qu'il verse dans l'année et celle qu'il est réputé verser à l'égard de l'année à son salarié travaillant au Québec, ou à son égard.

[Cotisation supplémentaire] Tout employeur assujetti qui serait régi par un décret visé au troisième alinéa, n'eût été de son expiration, doit, à l'égard d'une année civile, payer au ministre du Revenu une cotisation supplémentaire égale au produit obtenu en multipliant, par le taux fixé à cette fin par le règlement pris en application du paragraphe 7° de l'article 29, la partie de tout montant visé au premier alinéa sur lequel il doit payer la cotisation qui y est prévue et qui, n'eût été de l'expiration du décret, serait visée au paragraphe 3° de la définition de l'expression «rémunération assujettie» prévue au premier alinéa de l'article 39.0.1.

[Décrets visés] Pour l'application du deuxième alinéa, les décrets visés sont:

1° le Décret sur l'industrie de la chemise pour hommes et garçons (R.R.Q., 1981, c. D-2, r. 11);

2° le Décret sur l'industrie de la confection pour dames (R.R.Q., 1981, c. D-2, r. 26);

3° le Décret sur l'industrie de la confection pour hommes (R.R.Q., 1981, c. D-2, r. 27);

4° le Décret sur l'industrie du gant de cuir (R.R.Q., 1981, c. D-2, r. 32).

DIVISION II
CONTRIBUTIONS AND PAYMENTS

39.0.2 [Employer's contribution] Every employer subject to contribution shall, in respect of a calendar year, pay to the Minister of Revenue a contribution equal to the product obtained by multiplying by the rate fixed by regulation made under paragraph 7 of section 29 the remuneration subject to contribution paid by the employer in the year and the remuneration the employer is deemed to pay in respect of the year to or in respect of the employer's employee working in Québec.

[Supplementary contribution] Every employer subject to contribution who would be governed by a decree referred to in the third paragraph, had the decree not expired, shall, in respect of a calendar year, pay to the Minister of Revenue a supplementary contribution equal to the product obtained by multiplying, by the rate fixed for that purpose by a regulation under paragraph 7 of section 29, that portion of any amount referred to in the first paragraph on which the employer is required to pay the contribution provided for therein and which, had the decree not expired, would come under paragraph 3 of the definition of "remuneration subject to contribution" in the first paragraph of section 39.0.1.

[Decrees] The decrees referred to in the second paragraph are

(1) the Decree respecting the men's and boys' shirt industry (R.R.Q., 1981, c. D-2, r. 11);

(2) the Decree respecting the women's clothing industry (R.R.Q., 1981, c. D-2, r. 26);

(3) the Decree respecting the men's clothing industry (R.R.Q., 1981, c. D-2, r. 27);

(4) the Decree respecting the leather glove industry (R.R.Q., 1981, c. D-2, r. 32).

[Cotisation de l'employeur] Pour l'application du présent chapitre, la cotisation d'un employeur assujetti désigne la cotisation prévue au premier alinéa et, le cas échéant, celle prévue au deuxième alinéa.

[Interpretation] For the purposes of this chapter, the contribution of an employer subject to contribution means the contribution payable under the first paragraph and, where applicable, the contribution payable under the second paragraph.

1994, c. 46, a. 6; 1995, c. 63, a. 281; 1997, c. 85, a. 363; 1999, c. 57, a. 2; 2005, c. 38, a. 348.

39.0.3 [Délai] Le paiement au ministre du Revenu de la cotisation prévue à l'article 39.0.2 à l'égard d'une année civile doit être effectué au plus tard le jour où l'employeur assujetti doit produire la déclaration prévue au titre XL du Règlement sur les impôts (R.R.Q., 1981, chapitre I-3, r. 1) à l'égard des paiements requis par l'article 1015 de la Loi sur les impôts (L.R.Q., chapitre I-3) relativement aux salaires qu'il verse dans cette année.

[Formulaire] L'employeur doit produire au ministre du Revenu, avec son paiement, le formulaire prescrit.

39.0.3 [Time of payment] Payment to the Minister of Revenue of the contribution provided for in section 39.0.2 in respect of a calendar year shall be made on or before the day on which the employer subject to contribution must file the return provided for in Title XL of the Regulation respecting the Taxation Act (R.R.Q., 1981, chapter I-3, r. 1) in respect of the payments required under section 1015 of the Taxation Act (R.S.Q., chapter I-3) in relation to the wages paid by him in that year.

[Prescribed form] The employer shall forward his payment to the Minister of Revenue, together with the prescribed form.

1994, c. 46, a. 6; 1997, c. 14, a. 313; 2009, c. 15, a. 474.

39.0.4 [Déclaration annuelle] L'employeur assujetti doit produire annuellement une déclaration au moyen du formulaire prescrit à l'égard des rémunérations assujetties sur lesquelles il est tenu de verser une cotisation en vertu de l'article 39.0.2. Le titre XL du Règlement sur les impôts (R.R.Q., 1981, chapitre I-3, r. 1) s'applique, compte tenu des adaptations nécessaires, à cette déclaration.

39.0.4 [Statement by employer] An employer subject to contribution shall file each year a statement in prescribed form in respect of all remuneration subject to contribution on which he is required to pay a contribution under section 39.0.2. Title XL of the Regulation respecting the Taxation Act (R.R.Q., 1981, chapter I-3, r. 1), with the necessary modifications, applies to the statement.

1994, c. 46, a. 6; 1995, c. 63, a. 282; 2009, c. 15, a. 475.

SECTION III
DISPOSITIONS DIVERSES

39.0.5 [Remise à la Commission] Le ministre du Revenu remet annuellement à la Commission les sommes qu'il est tenu de percevoir au titre de la cotisation prévue à l'article 39.0.2, déduction faite des remboursements et des frais de perception convenus.

DIVISION III
MISCELLANEOUS PROVISIONS

39.0.5 [Sums remitted to the Commission] The Minister of Revenue shall remit, each year, to the Commission the sums he is required to collect as contribution under section 39.0.2, after deduction of the refunds and collection expenses agreed upon.

1994, c. 46, a. 6.

39.0.6 [Loi fiscale] Le présent chapitre constitue une loi fiscale au sens de la Loi sur le ministère du Revenu (L.R.Q., chapitre M-31).

39.0.6 [Fiscal law] This chapter constitutes a fiscal law within the meaning of the Act respecting the Ministère du Revenu (R.S.Q., chapter M-31).

[Préséance] Les dispositions applicables en vertu du présent article ont préséance sur celles des articles 115 et 144 de la présente loi.

1994, c. 46, a. 6.

CHAPITRE IV

LES NORMES DU TRAVAIL

SECTION I

LE SALAIRE

39.1 Abrogé.

2002, c. 80, a. 8.

40. [Salaire minimum] Le gouvernement fixe par règlement le salaire minimum payable à un salarié.

[Salaire] Un salarié a droit de recevoir un salaire au moins équivalent à ce salaire minimum.

1979, c. 45, a. 40; 2002, c. 80, a. 9.

40.1 Abrogé.

2007, c. 3, a. 64.

41. [Avantage à valeur pécuniaire] Aucun avantage ayant une valeur pécuniaire ne doit entrer dans le calcul du salaire minimum.

1979, c. 45, a. 41.

***41.1 [Taux de salaire inférieur]** Un employeur ne peut accorder à un salarié un taux de salaire inférieur à celui consenti aux autres salariés qui effectuent les mêmes tâches dans le même établissement, pour le seul motif que ce salarié travaille habituellement moins d'heures par semaine.

[Salarié non visé] Le premier alinéa ne s'applique pas à un salarié qui gagne un taux de plus de deux fois le salaire minimum.

1990, c. 73, a. 13.

* Voir p. 94, 95 et 110 quant à l'application de cet article.

[Precedence] The provisions applicable under this section take precedence over the provisions of sections 115 and 144 of this Act.

CHAPTER IV

LABOUR STANDARDS

DIVISION I

WAGES

39.1 Repealed.

40. [Minimum wage] The minimum wage payable to an employee shall be determined by regulation of the Government.

[Wage] An employee is entitled to be paid a wage that is at least equivalent to the minimum wage.

40.1 Repealed.

41. [Benefit having pecuniary value] No benefit having pecuniary value may be taken into account in computing the minimum wage.

***41.1 [Equal rate]** No employer may remunerate an employee at a lower rate of wage than that granted to other employees performing the same tasks in the same establishment for the sole reason that the employee usually works less hours each week.

[Exception] The first paragraph does not apply to an employee remunerated at a rate of pay which is more than twice the rate of the minimum wage.

* See p. 94, 95 and 110 for the application of this section.

42. [Paiement en espèces] Le salaire doit être payé en espèces sous enveloppe scellée ou par chèque. Le paiement peut être fait par virement bancaire si une convention écrite ou un décret le prévoit.

[Présomption] Un salarié est réputé ne pas avoir reçu paiement du salaire qui lui est dû si le chèque qui lui est remis n'est pas encaissable dans les deux jours ouvrables qui suivent sa réception.

42. [Payment in cash] Wages must be paid in cash in a sealed envelope or by cheque. The payment may be made by bank transfer if so provided in a written agreement or a decree.

[Presumption] An employee is deemed not to have received payment of the wages due to him if the cheque delivered to him is not cashable within the two working days following its issue.

1979, c. 45, a. 42; 1980, c. 5, a. 2.

43. [Paiement à intervalles réguliers] Le salaire doit être payé à intervalles réguliers ne pouvant dépasser seize jours, ou un mois dans le cas des cadres ou des travailleurs visés dans les sous-paragraphes i, ii et iii du paragraphe 10° de l'article 1. Cependant, toute somme excédant le salaire habituel telle une prime ou une majoration pour des heures supplémentaires, gagnée pendant la semaine qui précède le versement du salaire, peut être payée lors du versement régulier subséquent ou, le cas échéant, au moment prévu par une disposition particulière d'une convention collective ou d'un décret.

[Exception] Malgré le premier alinéa, l'employeur peut payer un salarié dans le mois qui suit son entrée en fonction.

43. [Payment at regular intervals] Wages must be paid at regular intervals of not over sixteen days, or one month in the case of managerial personnel or of workers contemplated in subparagraphs i, ii, and iii of paragraph 10 of section 1. However, any amount in excess of the regular wages, such as a bonus or premium for overtime, earned during the week preceding payment of the wages may be paid with the subsequent regular payment or, where that is the case, at the time prescribed by a particular provision of a collective agreement or decree.

[Exception] Notwithstanding the first paragraph, an employer may pay an employee within one month following the commencement of his employment.

1979, c. 45, a. 43; 1990, c. 73, a. 14, 66.

44. [Paiement en mains propres] Le salarié doit recevoir son salaire en mains propres sur les lieux du travail et pendant un jour ouvrable, sauf dans le cas où le paiement est fait par virement bancaire ou est expédié par la poste.

[Paiement à un tiers] Le salaire peut aussi être remis à un tiers sur demande écrite du salarié.

44. [Direct payment] The wages of an employee must be paid directly to him, at his place of employment and on a working day, except where the payment is made by bank transfer or is sent by mail.

[Payment to a third person] The wages of an employee may also, at his written request, be remitted to a third person.

1979, c. 45, a. 44.

45. [Paiement un jour férié et chômé] Si le jour habituel de paiement du salaire tombe un jour férié et chômé, le salaire est versé au salarié le jour ouvrable qui précède ce jour.

45. [Statutory holiday] If the usual day of payment of wages falls on a general statutory holiday, the wages are paid to the employee on the working day preceding that day.

1979, c. 45, a. 45.

46. [Bulletin de paie] L'employeur doit remettre au salarié, en même temps que son

46. [Pay sheet] The employer must remit to the employee, together with his

salaire, un bulletin de paie contenant des mentions suffisantes pour lui permettre de vérifier le calcul de son salaire. Ce bulletin de paie doit contenir en particulier, le cas échéant, les mentions suivantes:

1° le nom de l'employeur;

2° le nom du salarié;

3° l'identification de l'emploi du salarié;

4° la date du paiement et la période de travail qui correspond au paiement;

5° le nombre d'heures payées au taux normal;

6° le nombre d'heures supplémentaires payées ou remplacées par un congé avec la majoration applicable;

7° la nature et le montant des primes, indemnités, allocations ou commissions versées;

8° le taux du salaire;

9° le montant du salaire brut;

10° la nature et le montant des déductions opérées;

11° le montant du salaire net versé au salarié;

12° le montant des pourboires déclarés par le salarié conformément à l'article 1019.4 de la Loi sur les impôts (L.R.Q., chapitre I-3);

13° le montant des pourboires qu'il a attribués au salarié en vertu de l'article 42.11 de la Loi sur les impôts (L.R.Q., chapitre I-3).

[Exemption] Le gouvernement peut, par règlement, exiger toute autre mention qu'il juge utile. Il peut aussi exempter une catégorie d'employeurs de l'application de l'une ou l'autre des mentions ci-dessus.

wages, a pay sheet containing sufficient information to enable the employee to verify the computation of his wages. That pay sheet must include, in particular, the following information, where applicable:

(1) the name of the employer;

(2) the name of the employee;

(3) the identification of the employee's occupation;

(4) the date of the payment and the work period corresponding to the payment;

(5) the number of hours paid at the prevailing rate;

(6) the number of hours of overtime paid or replaced by a leave with the applicable premium;

(7) the nature and amount of the bonuses, indemnities, allowances or commissions that are being paid;

(8) the wage rate;

(9) the amount of wages before deductions;

(10) the nature and amount of the deductions effected;

(11) the amount of the net wages paid to the employee;

(12) the amount of the tips reported by the employee pursuant to section 1019.4 of the Taxation Act (R.S.Q., chapter I-3);

(13) the amount of the tips he has attributed to the employee under section 42.11 of the Taxation Act (R.S.Q., chapter I-3).

[Exemption] The Government, by regulation, may require any other particular it deems pertinent. It may also exempt a category of employers from the application of any of the above particulars.

1979, c. 45, a. 46; 1983, c. 43, a. 10; 1990, c. 73, a. 15; 1997, c. 85, a. 364.

47. [Signature] Lors du paiement du salaire, il ne peut être exigé aucune formalité de signature autre que celle qui établit que la somme remise au salarié correspond au montant du salaire net indiqué sur le bulletin de paie.

47. [Signing formality] No signing formality other than that establishing that the sum remitted to the employee corresponds to the amount of net wages indicated on the pay sheet may be required upon payment of the wages.

1979, c. 45, a. 47.

48. [Acceptation du bulletin de paie] L'acceptation par le salarié d'un bulletin de paie n'emporte pas renonciation au paiement de tout ou partie du salaire qui lui est dû.

48. [Acceptance of a pay sheet] Acceptance of a pay sheet by an employee does not entail his renunciation of the payment of all or part of the wages that are due to him.

1979, c. 45, a. 48.

49. [Retenue sur salaire] Un employeur peut effectuer une retenue sur le salaire uniquement s'il y est contraint par une loi, un règlement, une ordonnance d'un tribunal, une convention collective, un décret ou un régime complémentaire de retraite à adhésion obligatoire.

[Retenue] L'employeur peut également effectuer une retenue sur le salaire si le salarié y consent par écrit et pour une fin spécifique mentionnée dans cet écrit.

[Retenue révoquée] Le salarié peut révoquer cette autorisation en tout temps, sauf lorsqu'elle concerne une adhésion à un régime d'assurance collective ou à un régime complémentaire de retraite. L'employeur verse à leur destinataire les sommes ainsi retenues.

49. [Deductions from wages] No employer may make deductions from wages unless he is required to do so pursuant to an act, a regulation, a court order, a collective agreement, an order or decree or a mandatory supplemental pension plan.

[Deductions] The employer may make deductions from wages if the employee consents thereto in writing, for a specific purpose mentioned in the writing.

[Deduction revoked] The employee may at any time revoke that authorization except where it pertains to membership in a group insurance plan, or a supplemental pension plan. The employer shall remit the sums so withheld to their intended receiver.

1979, c. 45, a. 49; 1989, c. 38, a. 274; 2002, c. 80, a. 10.

50. [Pourboire] Le pourboire versé directement ou indirectement par un client appartient en propre au salarié qui a rendu le service et il ne doit pas être confondu avec le salaire qui lui est par ailleurs dû. L'employeur doit verser au salarié au moins le salaire minimum prescrit sans tenir compte des pourboires qu'il reçoit.

[Pourboire] Si l'employeur perçoit le pourboire, il le remet entièrement au salarié qui a rendu le service. Le mot pourboire comprend les frais de service ajoutés à la note du client mais ne comprend pas les frais d'administration ajoutés à cette note.

[Partage ou convention de partage] L'employeur ne peut imposer un partage des pourboires entre les salariés. Il ne peut non plus intervenir de quelque manière que ce soit dans l'établissement d'une convention de partage des pourboires. Une telle convention doit résulter du seul consentement libre et volontaire des salariés qui ont droit aux pourboires.

[Calcul de l'indemnité] Toutefois, une indemnité prévue à l'un des articles 58, 62, 74, 76, 80, 81, 81.1 et 83 se calcule, dans le cas d'un salarié qui est visé à l'un des articles 42.11 et 1019.4 de la Loi sur les impôts (L.R.Q., chapitre I-3), sur le salaire augmenté des pourboires attribués en vertu de cet article 42.11 ou déclarés en vertu de cet article 1019.4.

50. [Gratuity or tip] Any gratuity or tip paid directly or indirectly by a patron to an employee who provided the service belongs to the employee of right and must not be mingled with the wages that are otherwise due to the employee. The employer must pay at least the prescribed minimum wage to the employee without taking into account any gratuities or tips the employee receives.

[Gratuity or tip] Any gratuity or tip collected by the employer shall be remitted in full to the employee who rendered the service. The words gratuity and tip include service charges added to the patron's bill but do not include any administrative costs added to the bill.

[Arrangement to share] The employer may not impose an arrangement to share gratuities or a tip-sharing arrangement. Nor may the employer intervene, in any manner whatsoever, in the establishment of an arrangement to share gratuities or a tip-sharing arrangement. Such an arrangement must result solely from the free and voluntary consent of the employees entitled to gratuities or tips.

[Computation of indemnity] However, an indemnity provided for in any of sections 58, 62, 74, 76, 80, 81, 81.1 and 83 is computed, in the case of an employee who is an employee referred to in section 42.11 or 1019.4 of the Taxation Act (R.S.Q., chapter I-3), on the basis of the wage increased by the tips attributed under that section 42.11 or reported under that section 1019.4.

1979, c. 45, a. 50; 1983, c. 43, a. 11; 1997, c. 85, a. 365; 2002, c. 80, a. 11.

50.1 [Frais reliés à l'utilisation d'une carte de crédit] Un employeur ne peut exiger d'un salarié de payer les frais reliés à l'utilisation d'une carte de crédit.

1997, c. 85, a. 366; 2002, c. 80, a. 12.

50.1 [Credit card costs] No employer may require an employee to pay credit card costs.

50.2 [Obligation de l'employeur] Un employeur ne peut refuser de recevoir une déclaration écrite faite conformément à l'article 1019.4 de la Loi sur les impôts (L.R.Q., chapitre I-3).

1997, c. 85, a. 366.

50.2 [Prohibition] No employer may refuse to receive a written report made pursuant to section 1019.4 of the Taxation Act (R.S.Q., chapter I-3).

51. [Frais pour chambre et pension] Le montant maximum qui peut être exigé par un employeur pour la chambre et la pension d'un de ses salariés est celui que le gouvernement fixe par règlement.

1979, c. 45, a. 51.

51. [Room and board] The maximum amount that an employer may require for room and board from one of his employees is that which is fixed by regulation of the Government.

51.0.1 [Interdiction] Malgré l'article 51, un employeur ne peut exiger un montant pour la chambre et la pension de son domestique qui loge ou prend ses repas à la résidence de cet employeur.

1997, c. 72, a. 4.

51.0.1 [Domestic] Notwithstanding section 51, an employer may not require an amount for room and board from a domestic who is housed or takes meals in the employer's residence.

51.1 [Interdiction] Un employeur ne peut, directement ou indirectement, se faire rembourser par un salarié la cotisation prévue au chapitre III.1.

1994, c. 46, a. 7.

51.1 [Prohibition] No employer may, directly or indirectly, be reimbursed by an employee for the contribution provided for in Chapter III.1.

SECTION II

LA DURÉE DU TRAVAIL

DIVISION II

HOURS OF WORK

52. [Semaine de travail] Aux fins du calcul des heures supplémentaires, la semaine normale de travail est de 40 heures, sauf dans les cas où elle est fixée par règlement du gouvernement.

1979, c. 45, a. 52; 1997, c. 45, a. 1; 2002, c. 80, a. 13.

52. [Workweek] For the purposes of computing overtime, the regular workweek is 40 hours except in the cases where it is fixed by regulation of the Government.

53. [Étalement des heures de travail] Un employeur peut, avec l'autorisation de la Commission, étaler les heures de travail de ses salariés sur une base autre qu'une base hebdomadaire, à condition que la moyenne des heures de travail soit équivalente à la norme prévue dans la loi ou les règlements.

53. [Staggering of working-hours] An employer may, with the authorization of the Commission, stagger the working-hours of his employees on a basis other than a weekly basis, provided that the average of the working-hours is equivalent to the norm provided in the act or the regulations.

[Étalement des heures de travail] Une convention collective ou un décret peuvent prévoir, aux mêmes conditions, un étalement des heures de travail sur une base autre qu'une base hebdomadaire sans que l'autorisation prévue par le premier alinéa soit nécessaire.

[Staggering of working-hours] A collective agreement or a decree may provide, on the same conditions, without the authorization provided for under the first paragraph being necessary, for the staggering of working hours on a basis other than a weekly basis.

1979, c. 45, a. 53.

54. [Application de la durée de la semaine de travail] La durée de la semaine normale déterminée à l'article 52 ne s'applique pas, pour le calcul des heures supplémentaires aux fins de la majoration du salaire horaire habituel, aux salariés suivants:

1° abrogé;

2° un étudiant employé dans une colonie de vacances ou dans un organisme à but non lucratif et à vocation sociale ou communautaire, tel un organisme de loisirs;

3° un cadre d'une entreprise;

4° un salarié qui travaille en dehors de l'établissement et dont les heures de travail sont incontrôlables;

5° un salarié affecté à la mise en conserve, à l'empaquetage et à la congélation des fruits et légumes, pendant la période des récoltes;

6° un salarié dans un établissement de pêche, de transformation ou de mise en conserve du poisson;

7° un travailleur agricole;

8° abrogé;

9° au salarié dont la fonction exclusive est d'assumer la garde ou de prendre soin d'un enfant, d'un malade, d'une personne handicapée ou d'une personne âgée, dans le logement de cette personne, y compris, le cas échéant, d'effectuer des travaux ménagers qui sont directement reliés aux besoins immédiats de cette personne, sauf si l'employeur poursuit au moyen de ce travail des fins lucratives.

[Assujettissement] Le gouvernement peut toutefois, par règlement, assujettir les catégories de salariés visées aux paragraphes 2°, 5° à 7° et 9° à la durée de la semaine normale qu'il détermine.

54. [Application of workweek] The number of hours of the regular workweek determined in section 52 does not apply, as regards the computing of overtime hours for the purpose of the increase in the usual hourly wage, to the following employees:

(1) repealed;

(2) a student employed in a vacation camp or in a social or community non-profit organization such as a recreational organization;

(3) the managerial personnel of an undertaking;

(4) an employee who works outside an establishment whose working-hours cannot be controlled;

(5) an employee assigned to canning, packaging and freezing fruit and vegetables during the harvesting period;

(6) an employee of a fishing, fish processing or fish canning industry;

(7) a farm worker;

(8) repealed;

(9) an employee whose exclusive duty is to take care of or provide care to a child or to sick, handicapped or aged person, in that person's dwelling, including, where so required, the performance of domestic duties that are directly related to the immediate needs of that person, unless the work serves to procure profit to the employer.

[Regular workweek] However, the Government may, by regulation, prescribe the number of hours it determines as the regular workweek for the categories of employees mentioned in subparagraphs 2, 5 to 7 and 9 of the first paragraph.

1979, c. 45, a. 54; 1986, c. 95, a. 202; 1990, c. 73, a. 16, 66; 1999, c. 40, a. 196; 2002, c. 6, a. 236; 2002, c. 80, a. 14.

55. [Heures supplémentaires] Tout travail exécuté en plus des heures de la semaine normale de travail entraîne une majoration

55. [Overtime work] Any work performed in addition to the regular workweek entails a premium of 50% of the prevailing

de 50% du salaire horaire habituel que touche le salarié à l'exclusion des primes établies sur une base horaire.

[Heures supplémentaires remplacées par un congé] Malgré le premier alinéa, l'employeur peut, à la demande du salarié ou dans les cas prévus par une convention collective ou un décret, remplacer le paiement des heures supplémentaires par un congé payé d'une durée équivalente aux heures supplémentaires effectuées, majorée de 50%.

[Modalités d'utilisation du congé] Sous réserve d'une disposition d'une convention collective ou d'un décret, ce congé doit être pris dans les 12 mois suivant les heures supplémentaires effectuées à une date convenue entre l'employeur et le salarié; sinon elles doivent alors être payées. Cependant, lorsque le contrat de travail est résilié avant que le salarié ait pu bénéficier du congé, les heures supplémentaires doivent être payées en même temps que le dernier versement du salaire.

hourly wage paid to the employee except premiums computed on an hourly basis.

[Paid leave to compensate overtime] Nothwithstanding the first paragraph, the employer may, at the request of the employee or in the cases provided for by a collective agreement or decree, replace the payment of overtime by paid leave equivalent to the overtime worked plus 50%.

[Time limit] Subject to a provision of a collective agreement or decree, the leave must be taken during the 12 months following the overtime at a date agreed between the employer and the employee; otherwise the overtime must be paid. However, where the contract of employment is terminated before the employee is able to benefit from the leave, the overtime must be paid at the same time as the last payment of wages.

1979, c. 45, a. 55; 1990, c. 73, a. 17.

56. [Congés annuels et jours fériés] Aux fins du calcul des heures supplémentaires, les congés annuels et les jours fériés, chômés et payés sont assimilés à des jours de travail.

56. [Annual leave and statutory general holidays] For the purposes of computing overtime, annual leave and statutory general holidays with pay are counted as days of work.

1979, c. 45, a. 56.

57. [Périodes de travail] Un salarié est réputé au travail dans les cas suivants:

1° lorsqu'il est à la disposition de son employeur sur les lieux du travail et qu'il est obligé d'attendre qu'on lui donne du travail;

2° sous réserve de l'article 79, durant le temps consacré aux pauses accordées par l'employeur;

3° durant le temps d'un déplacement exigé par l'employeur;

4° durant toute période d'essai ou de formation exigée par l'employeur.

57. [Working periods] An employee is deemed to be at work

(1) while available to the employer at the place of employment and required to wait for work to be assigned;

(2) subject to section 79, during the break periods granted by the employer;

(3) when travel is required by the employer;

(4) during any trial period or training required by the employer.

1979, c. 45, a. 57; 2002, c. 80, a. 15.

58. [Indemnité] Un salarié qui se présente au lieu du travail à la demande expresse de son employeur ou dans le cours normal de son emploi et qui travaille moins de trois heures consécutives, a droit, hormis le cas de force majeure, à une indemnité égale à trois heures de son salaire horaire habituel sauf si l'application de l'article 55 lui assure un montant supérieur.

58. [Indemnity] An employee who reports for work at his place of employment at the express demand of his employer or in the regular course of his employment and who works fewer than three consecutive hours, except in the case of superior force, is entitled, to an indemnity equal to three hours' wages at the prevailing hourly rate except where the application of section 55 entitles him to a greater amount.

[Exception] La présente disposition ne s'applique pas dans le cas où la nature du travail ou les conditions d'exécution du travail requièrent plusieurs présences du salarié dans une même journée et pour moins de trois heures à chaque présence, tel un brigadier scolaire ou un chauffeur d'autobus.

[Exception] Elle ne s'applique pas non plus lorsque la nature du travail ou les conditions d'exécution font en sorte qu'il est habituellement effectué en entier à l'intérieur d'une période de trois heures, tel un surveillant dans les écoles ou un placier.

[Exception] This provision does not apply in the case where the nature of the work or the conditions of its execution require the employee to be present several times in the same day, for less than three hours each time, such as that of a school-crossing guard or a bus driver.

[Exception] Neither does it apply where the nature of the work or the conditions of execution are such that it is ordinarily completed within a three hour period, such as the work of a school-crossing guard or usher.

1979, c. 45, a. 58.

59. Abrogé.

59. Repealed.

2002, c. 80, a. 16.

59.0.1 [Durée maximale de travail] Un salarié peut refuser de travailler:

1° plus de quatre heures au-delà de ses heures habituelles quotidiennes de travail ou plus de 14 heures de travail par période de 24 heures, selon la période la plus courte, ou, pour un salarié dont les heures quotidiennes de travail sont variables ou effectuées de manière non continue, plus de 12 heures de travail par période de 24 heures;

2° sous réserve de l'article 53, plus de 50 heures de travail par semaine ou, pour un salarié qui travaille dans un endroit isolé ou qui effectue des travaux sur le territoire de la région de la Baie James, plus de 60 heures de travail par semaine.

[Exceptions] Le présent article ne s'applique pas lorsqu'il y a danger pour la vie, la santé ou la sécurité des travailleurs ou de la population, en cas de risque de destruction ou de détérioration grave de biens meubles ou immeubles ou autre cas de force majeure, ou encore si ce refus va à l'encontre du code de déontologie professionnelle du salarié.

59.0.1 [Maximum working hours] An employee may refuse to work

(1) more than four hours after regular daily working hours or more than 14 working hours per 24 hour period, whichever period is the shortest or, for an employee whose daily working hours are flexible or non-continuous, more than 12 working hours per 24 hour period;

(2) subject to section 53, more than 50 working hours per week or, for an employee working in an isolated area or carrying out work in the James Bay territory, more than 60 working hours per week.

[Exceptions] This section does not apply where there is a danger to the life, health or safety of employees or the population, where there is a risk of destruction or serious deterioration of movable or immovable property or in any other case of superior force, or if the refusal is inconsistent with the employee's professional code of ethics.

2002, c. 80, a. 17.

SECTION III

LES JOURS FÉRIÉS, CHÔMÉS ET PAYÉS

59.1 [Salariés non visés] La présente section ne s'applique pas à un salarié qui, en vertu d'une convention collective ou d'un décret, bénéficie d'un nombre de jours chômés et payés, en sus de la fête nationale, au moins égal au nombre de jours auxquels ont droit

DIVISION III

STATUTORY GENERAL HOLIDAYS AND NON-WORKING DAYS WITH PAY

59.1 [Exception] This division does not apply to an employee who, under a collective agreement or decree, is entitled to a number of non-working days with pay, in addition to the National Holiday, equal to or greater than the number of days to which employees

ceux à qui la présente section s'applique; la présente section ne s'applique pas non plus à un autre salarié du même établissement qui bénéficie d'un nombre de jours chômés et payés, en sus de la fête nationale, au moins égal à celui prévu dans cette convention ou ce décret.

[Calcul de l'indemnité] Toutefois, malgré toute disposition contraire de la convention collective ou du décret, l'indemnité pour un jour chômé et payé se calcule, dans le cas d'un salarié visé à l'un des articles 42.11 et 1019.4 de la Loi sur les impôts (L.R.Q., chapitre I-3), sur le salaire augmenté des pourboires attribués en vertu de cet article 42.11 ou déclarés en vertu de cet article 1019.4.

to whom this division applies are entitled, nor to an employee in the same establishment who is entitled to a number of non-working days with pay, in addition to the National Holiday, equal to or greater than the number stated in the collective agreement or decree.

[Calculation of indemnity] However, notwithstanding any provision contrary to the collective agreement or decree, the indemnity for a non-working day with pay shall be computed, in the case of an employee referred to in section 42.11 or 1019.4 of the Taxation Act (R.S.Q., chapter I-3), on the basis of the wages increased by the tips attributed under that section 42.11 or reported under that section 1019.4.

1990, c. 73, a. 18; 2002, c. 80, a. 18.

60. [Jours fériés et chômés] Les jours suivants sont des jours fériés et chômés:

1° le 1er janvier;
2° le Vendredi saint ou le lundi de Pâques, au choix de l'employeur;
3° le lundi qui précède le 25 mai;
4° le 1er juillet ou, si cette date tombe un dimanche, le 2 juillet;
5° le 1er lundi de septembre;
6° le deuxième lundi d'octobre;
7° le 25 décembre.

60. [Statutory general holidays] The following days are statutory general holidays:

(1) 1 January;
(2) Good Friday or Easter Monday, at the option of the employer;
(3) the Monday preceding 25 May;
(4) 1 July, or 2 July where the 1st falls on a Sunday;
(5) the first Monday in September;
(6) the second Monday in October;
(7) 25 December.

1979, c. 45, a. 60; 1980, c. 5, a. 3; 1990, c. 73, a. 18; 1992, c. 26, a. 10; 1995, c. 16, a. 1; 2002, c. 80, a. 19.

61. Abrogé.

61. Repealed.

1990, c. 73, a. 19.

62. [Calcul de l'indemnité] Pour chaque jour férié et chômé, l'employeur doit verser au salarié une indemnité égale à 1/20 du salaire gagné au cours des quatre semaines complètes de paie précédant la semaine du congé, sans tenir compte des heures supplémentaires. Toutefois, l'indemnité du salarié rémunéré en tout ou en partie à commission doit être égale à 1/60 du salaire gagné au cours des 12 semaines complètes de paie précédant la semaine du congé.

62. [Calculation of indemnity] For each statutory general holiday, the employer must pay the employee an indemnity equal to 1/20 of the wages earned during the four complete weeks of pay preceding the week of the holiday, excluding overtime. However, the indemnity paid to an employee remunerated in whole or in part on a commission basis must be equal to 1/60 of the wages earned during the 12 complete weeks of pay preceding the week of the holiday.

1979, c. 45, a. 62; 1990, c. 73, a. 20; 2002, c. 80, a. 20.

63. [Congé compensatoire] Si un salarié doit travailler l'un des jours indiqués à l'article 60, l'employeur, en plus de verser au

63. [Compensatory holiday] If an employee must work on one of the days indicated in section 60, the employer, in addition

salarié occupé ce jour férié le salaire correspondant au travail effectué, doit lui verser l'indemnité prévue par l'article 62 ou lui accorder un congé compensatoire d'une journée. Dans ce cas, le congé doit être pris dans les trois semaines précédant ou suivant ce jour, sauf si une convention collective ou un décret prévoient une période plus longue.

to paying to the employee working on that general holiday the wages for the work done, must pay to such employee the indemnity provided for in section 62, or grant him a compensatory holiday of one day. In this case, the holiday must be taken within three weeks before or after that day, unless a collective agreement or a decree provides for a longer period.

1979, c. 45, a. 63; 1981, c. 23, a. 55.

64. [Congé compensatoire] Si un salarié est en congé annuel l'un des jours fériés prévus par l'article 60, l'employeur doit lui verser l'indemnité prévue par l'article 62 ou lui accorder un congé compensatoire d'une journée à une date convenue entre l'employeur et l'intéressé ou fixée par une convention collective ou un décret.

64. [Compensatory holiday] If an employee is on annual leave on one of the holidays contemplated in section 60, the employer shall pay him the indemnity provided for in section 62 or grant him a compensatory holiday of one day on a date agreed upon between the employer and the employee or fixed by a collective agreement or a decree.

1979, c. 45, a. 64.

65. [Condition] Pour bénéficier d'un jour férié et chômé, un salarié ne doit pas s'être absenté du travail, sans l'autorisation de l'employeur ou sans une raison valable, le jour ouvrable qui précède ou qui suit ce jour.

65. [Condition] To benefit from a statutory general holiday, an employee must not have been absent from work without the employer's authorization or without valid cause on the working day preceding or on the working day following the holiday.

1979, c. 45, a. 65; 1990, c. 73, a. 21; 2002, c. 80, a. 21.

SECTION IV

LES CONGÉS ANNUELS PAYÉS

DIVISION IV

ANNUAL LEAVE WITH PAY

66. [Droit au congé annuel] L'année de référence est une période de douze mois consécutifs pendant laquelle un salarié acquiert progressivement le droit au congé annuel.

[Année de référence] Cette période s'étend du 1er mai de l'année précédente au 30 avril de l'année en cours, sauf si une convention ou un décret fixent une autre date pour marquer le point de départ de cette période.

66. [Entitlement to annual leave] The reference year is a period of twelve consecutive months during which an employee progressively acquires entitlement to an annual leave.

[Reference year] That period extends from 1 May of the preceding year to 30 April of the current year unless an agreement or decree fixes a different starting date for that period.

1979, c. 45, a. 66.

67. [Moins d'un an de service continu] Un salarié qui, à la fin d'une année de référence, justifie de moins d'un an de service continu chez le même employeur pendant cette période, a droit à un congé continu dont la durée est déterminée à raison d'un jour

67. [Less than one year of uninterrupted service] An employee who, at the end of a reference year, is credited with less than one year of uninterrupted service with the same employer during that period, is entitled to an uninterrupted leave for a duration

ouvrable pour chaque mois de service continu sans que la durée totale de ce congé excède deux semaines.

1979, c. 45, a. 67.

determined at the rate of one working day for each month of uninterrupted service, for a total leave not exceeding two weeks.

68. [Un an de service continu] Un salarié qui, à la fin d'une année de référence, justifie d'un an de service continu chez le même employeur pendant cette période, a droit à un congé annuel d'une durée minimale de deux semaines continues.

1979, c. 45, a. 68; 1990, c. 73, a. 22.

68. [One year of uninterrupted service] An employee who, at the end of a reference year, is credited with one year of uninterrupted service with the same employer during that period is entitled to an annual leave of a minimum duration of two consecutive weeks.

68.1 [Congé supplémentaire] Le salarié visé à l'article 68 a également droit, s'il en fait la demande, à un congé annuel supplémentaire sans salaire d'une durée égale au nombre de jours requis pour porter son congé annuel à trois semaines.

[Restriction] Ce congé supplémentaire peut ne pas être continu à celui prévu à l'article 68 et, malgré les articles 71 et 73, il ne peut être fractionné, ni remplacé par une indemnité compensatoire.

1997, c. 10, a. 1.

68.1 [Additional annual leave] An employee to whom section 68 applies is also entitled, if he applies therefor, to an additional annual leave without pay equal to the number of days required to increase his annual leave to three weeks.

[Additional annual leave] Such additional leave need not follow immediately a leave under section 68 and, notwithstanding sections 71 and 73, it may not be divided, or be replaced by a compensatory indemnity.

69. [Cinq ans de service continu] Un salarié qui, à la fin d'une année de référence, justifie de cinq ans de service continu chez le même employeur, a droit à un congé annuel d'une durée minimale de trois semaines continues.

1979, c. 45, a. 69; 1990, c. 73, a. 23.

69. [Five years of uninterrupted service] An employee who, at the end of a reference year, is credited with five years of uninterrupted service with the same employer, is entitled to an annual leave for a minimum duration of three consecutive weeks.

70. [Période du congé] Le congé annuel doit être pris dans les 12 mois qui suivent la fin de l'année de référence, sauf si une convention collective ou un décret permettent de le reporter à l'année suivante.

[Exception] Malgré le premier alinéa, l'employeur peut, à la demande du salarié, permettre que le congé annuel soit pris, en tout ou en partie, pendant l'année de référence.

[Report ou indemnité] En outre, si, à la fin des 12 mois qui suivent la fin d'une année de référence, le salarié est absent pour cause de maladie, d'accident ou d'acte criminel ou est absent ou en congé pour raisons familiales ou parentales, l'employeur peut, à la

70. [Annual leave] The annual leave must be taken within 12 months following the end of the reference year, except where a collective agreement or a decree allows it to be deferred until the following year.

[Exception] Notwithstanding the first paragraph, the employer may, at the request of the employee, allow the annual leave to be taken, in whole or in part, during the reference year.

[Deferment or indemnity] In addition, if at the end of the 12 months following the end of a reference year, the employee is absent owing to sickness, accident or a criminal offence or is absent or on leave for family or parental matters, the employer may, at the

demande du salarié, reporter à l'année suivante le congé annuel. À défaut de reporter le congé annuel, l'employeur doit dès lors verser l'indemnité afférente au congé annuel à laquelle le salarié a droit.

[Réserviste des Forces canadiennes] De même, si le salarié est un réserviste des Forces canadiennes et qu'à la fin des 12 mois qui suivent la fin d'une année de référence il est absent pour l'un des motifs prévus à l'article 81.17.1, l'employeur peut soit reporter à l'année suivante le congé annuel, soit dès lors verser l'indemnité afférente à ce congé.

[Continuation de période d'assurance salaire, maladie ou invalidité] Malgré toute stipulation à l'effet contraire dans une convention, un décret ou un contrat, une période d'assurance salaire, maladie ou invalidité interrompue par un congé pris conformément au premier alinéa se continue, s'il y a lieu, après ce congé, comme si elle n'avait pas été interrompue.

request of the employee, defer the annual leave to the following year. If the annual leave is not so deferred, the employer must pay the indemnity for the annual leave to which the employee is entitled.

[Reservist of the Canadian Forces] Similarly, if the employee is a reservist of the Canadian Forces and at the end of the 12 months following the end of a reference year, the employee is absent for one of the reasons set out in section 81.17.1, the employer may either defer the annual leave until the following year or pay the indemnity for that leave.

[Insurance period continued] Notwithstanding any contrary clause of a collective agreement, decree or contract, any period of salary insurance, sickness insurance or disability insurance interrupted by a leave taken in accordance with the first paragraph is continued, where applicable, after the leave, as if it had never been interrupted.

1979, c. 45, a. 70; 1980, c. 5, a. 4; 2002, c. 80, a. 22; 2007, c. 36, a. 2; 2008, c. 30, a. 2.

71. [Congé fractionné] Le congé annuel peut être fractionné en deux périodes si le salarié en fait la demande. Cependant, l'employeur peut refuser cette demande s'il ferme son établissement pour une période égale ou supérieure à celle du congé annuel du salarié.

[Durée minimale] Malgré l'article 69, pour l'employeur qui, avant le 29 mars 1995, fermait son établissement pour la période de congés annuels, le congé annuel d'un salarié visé à cet article peut être fractionné par l'employeur en deux périodes, dont l'une est celle de cette période de fermeture. L'une de ces périodes doit toutefois être d'une durée minimale de deux semaines continues.

[Congé fractionné] Le congé annuel peut aussi être fractionné en plus de deux périodes à la demande du salarié si l'employeur y consent.

[Exception] Le congé dont la durée est d'une semaine ou moins ne peut être fractionné.

71. [Annual leave] The annual leave may be divided into two periods where so requested by the employee. However, the employer may refuse the request if he closes his establishment for a period equal to or greater than that of the employee's annual leave.

[Division of annual leave] Notwithstanding section 69, any employer who, before 29 March 1995, closed his establishment for the period of annual leave, may divide the annual leave of an employee referred to in that section into two periods, one being the closing period. One of those periods must, however, last for a minimum of two consecutive weeks.

[Division of leave] The annual leave may also be divided into more than two periods where so requested by the employee, provided the employer consents thereto.

[Exception] A leave not exceeding one week shall not be divided.

1979, c. 45, a. 71; 1982, c. 58, a. 57; 1990, c. 73, a. 24; 1995, c. 16, a. 2.

71.1 [Prévision à la convention] Malgré les articles 68, 69 et 71, une disposition particulière d'une convention collective ou d'un décret peut prévoir le fractionnement du congé annuel en deux périodes ou plus ou l'interdire.

71.1 [Clause in collective agreement] Notwithstanding sections 68, 69 and 71, a collective agreement or a decree may include a clause providing for, or prohibiting, the division of an annual leave into two or more periods.

1995, c. 16, a. 3.

72. [Date du congé connue] Un salarié a le droit de connaître la date de son congé annuel au moins quatre semaines à l'avance.

72. [Date of leave known] An employee is entitled to know the date of his annual leave at least four weeks in advance.

1979, c. 45, a. 72.

73. [Indemnité compensatoire interdite] Il est interdit à l'employeur de remplacer le congé visé dans les articles 67, 68 et 69 par une indemnité compensatoire, sauf si une disposition particulière est prévue dans une convention collective ou un décret.

[Indemnité compensatrice] À la demande du salarié, la troisième semaine de congé peut cependant être remplacée par une indemnité compensatrice si l'établissement ferme ses portes pour deux semaines à l'occasion du congé annuel.

73. [Prohibition] Employers are prohibited from replacing a leave contemplated in section 67, 68 or 69 by a compensatory indemnity, unless a special provision is contained in a collective agreement or decree.

[Compensatory indemnity] At the request of the employee, the third week of leave may, however, be replaced by a compensatory indemnity if the establishment closes for two weeks on the occasion of the annual leave.

1979, c. 45, a. 73; 1982, c. 58, a. 58.

74. [Indemnité afférente au congé annuel] L'indemnité afférente au congé annuel du salarié visé dans les articles 67 et 68 est égale à 4% du salaire brut du salarié durant l'année de référence. Dans le cas du salarié visé dans l'article 69, l'indemnité est égale à 6% du salaire brut du salarié durant l'année de référence.

[Absence pour maladie, accident, congé de maternité ou de paternité] Si un salarié est absent pour cause de maladie ou d'accident, en application du premier alinéa de l'article 79.1, ou en congé de maternité ou de paternité durant l'année de référence et que cette absence a pour effet de diminuer son indemnité de congé annuel, il a alors droit à une indemnité équivalente, selon le cas, à deux ou trois fois la moyenne hebdomadaire du salaire gagné au cours de la période travaillée. Le salarié visé dans l'article 67 et dont le congé annuel est inférieur à deux semaines a droit à ce montant dans la proportion des jours de congé qu'il a accumulés.

[Indemnité supérieure] Le gouvernement peut, par règlement, déterminer une indemnité supérieure à celle prévue au présent article pour un salarié en congé de maternité ou de paternité.

[Indemnité maximale] Malgré les deuxième et troisième alinéas, l'indemnité de congé annuel ne doit pas excéder l'indemnité à laquelle le salarié aurait eu droit s'il n'avait pas été absent ou en congé pour un motif prévu au deuxième alinéa.

74. [Annual leave indemnity] The indemnity relating to the annual leave of the employee contemplated in sections 67 and 68 is equal to 4% of the gross wages of the employee during the reference year. In the case of the employee contemplated in section 69, the indemnity is equal to 6% of the gross wages of the employee during the reference year.

[Days of absence] Should an employee be absent owing to sickness or accident under the first paragraph of section 79.1, or on maternity or paternity leave during the reference year and should that absence result in the reduction of that employee's annual leave indemnity, the employee is then entitled to an indemnity equal, as the case may be, to twice or three times the weekly average of the wage earned during the period of work. An employee contemplated in section 67 whose annual leave is less than two weeks is entitled to that amount in proportion to the days of leave credited to his account.

[Higher indemnity] The Government may, by regulation, determine a higher indemnity than that provided for in this section for an employee on maternity or paternity leave.

[Maximum indemnity] Notwithstanding the second and third paragraphs, the annual leave indemnity shall not exceed the indemnity to which the employee would have been entitled if he had not been absent or on leave owing to a reason mentioned in the second paragraph.

1979, c. 45, a. 74; 1980, c. 5, a. 5; 1983, c. 22, a. 103; 1990, c. 73, a. 25, 71; 2002, c. 80, a. 23; 2007, c. 36, a. 3.

74.1 [Réduction du congé annuel interdite] Un employeur ne peut réduire la durée du congé annuel d'un salarié visé à l'article 41.1 ni modifier le mode de calcul de l'indemnité y afférente, par rapport à ce qui est accordé aux autres salariés qui effectuent les mêmes tâches dans le même établissement, pour le seul motif qu'il travaille habituellement moins d'heures par semaine.

74.1 [Equal indemnity] No employer may reduce the annual leave of an employee referred to in section 41.1, or change the way in which the indemnity pertaining to it is computed, in comparison with what is granted to other employees performing the same tasks in the same establishment, for the sole reason that the employee usually works less hours each week.

1990, c. 73, a. 26.

75. [Versement de l'indemnité] Sous réserve d'une disposition d'une convention collective ou d'un décret, un salarié doit toucher l'indemnité afférente au congé annuel en un seul versement avant le début de ce congé.

[Travailleur agricole] Toutefois, dans le cas d'un travailleur agricole engagé sur une base journalière, cette indemnité peut être ajoutée à son salaire et lui être versée selon les mêmes modalités.

75. [Payment of the indemnity] Subject to a provision of a collective agreement or decree, the indemnity pertaining to the annual leave of an employee must be paid to him in a lump sum before the beginning of the leave.

[Farm worker] However, in the case of a farm worker hired on a daily basis, the indemnity may be added to his wages and be paid in the same manner.

1979, c. 45, a. 75; 1990, c. 73, a. 27; 2002, c. 80, a. 24.

76. [Contrat de travail résilié] Lorsque le contrat de travail est résilié avant qu'un salarié ait pu bénéficier de la totalité du congé auquel il avait droit, il doit recevoir en plus de l'indemnité compensatrice déterminée conformément à l'article 74 et afférente au congé dont il n'a pas bénéficié, une indemnité égale à 4% ou 6%, selon le cas, du salaire brut gagné pendant l'année de référence en cours.

76. [Contract of employment cancelled] If a contract of employment is cancelled before the employee is able to benefit by all the days of leave to which he is entitled, the employee shall receive, in addition to the compensatory indemnity determined in accordance with section 74 and attaching to the fraction of the leave that he did not enjoy, an indemnity equal to 4% or 6%, as the case may be, of the gross wages earned during the current reference year.

1979, c. 45, a. 76.

77. [Personnes exemptées du congé] Les articles 66 à 76 ne s'appliquent pas aux personnes suivantes:

1° abrogé;

2° un étudiant employé dans une colonie de vacances ou dans un organisme à but non lucratif et à vocation sociale ou communautaire, tel un organisme de loisirs;

3° un agent immobilier au sens de la Loi sur le courtage immobilier (L.R.Q., chapitre C-73.1), entièrement rémunéré à commission;

4° un représentant d'un courtier ou d'un conseiller visé à l'article 56 de la Loi sur les instruments dérivés (L.R.Q., chapitre I-14.01) ou à l'article 149 de la Loi sur les valeurs

77. [Persons exempted from leave] Sections 66 to 76 do not apply to the following persons:

(1) repealed;

(2) a student employed in a vacation camp or in a social or community non-profit organization such as a recreational organization;

(3) a real estate agent within the meaning of the Real Estate Brokerage Act (R.S.Q., chapter C-73.1) remunerated entirely by commission;

(4) a representative of a dealer or adviser within the meaning of section 56 of the Derivatives Act (R.S.Q., chapter I-14.01) or of section 149 of the Securities Act (R.S.Q.,

mobilières (L.R.Q., chapitre V-1.1), entièrement rémunéré à commission;

5° un représentant au sens de la Loi sur la distribution de produits et services financiers (L.R.Q., chapitre D-9.2), entièrement rémunéré à commission;

6° abrogé;

7° un stagiaire dans le cadre d'un programme de formation professionnelle reconnu par une loi.

[Dispositions applicables] Le gouvernement peut toutefois, par règlement, rendre les articles 66 à 76 totalement ou partiellement applicables aux salariés visés au paragraphe 2° du premier alinéa.

chapter V-1.1), entirely remunerated by commission;

(5) a representative within the meaning of the Act respecting the distribution of financial products and services (R.S.Q., chapter D-9.2) remunerated entirely by commission;

(6) repealed;

(7) a trainee within the framework of a vocational training programme recognized by law.

[Regulation of the Government] However, the Government may, by regulation, render all or some of the provisions of sections 66 to 76 applicable to the employees described in subparagraph 2 of the first paragraph.

1979, c. 45, a. 77; 1980, c. 5, a. 6; 1982, c. 58, a. 59; 1986, c. 95, a. 203; 1990, c. 73, a. 28; 1989, c. 48, a. 251; 1991, c. 37, a. 173; 1998, c. 37, a. 529; 2002, c. 80, a. 25; 2009, c. 25, a. 108 (F); 2009, c. 58, a. 89.

SECTION V
LES REPOS

78. [Repos hebdomadaire] Sous réserve de l'application du paragraphe 12° de l'article 39 ou de l'article 53, un salarié a droit à un repos hebdomadaire d'une durée minimale de 32 heures consécutives.

[Travailleur agricole] Dans le cas d'un travailleur agricole, ce jour de repos peut être reporté à la semaine suivante si le salarié y consent.

DIVISION V
REST PERIODS

78. [Weekly rest] Subject to the application of paragraph 12 of section 39 or of section 53, an employee is entitled to a weekly minimum rest period of 32 consecutive hours.

[Farm worker] In the case of a farm worker, that day of rest may be postponed to the following week if the employee consents thereto.

1979, c. 45, a. 78; 2002, c. 80, a. 26.

79. [Période de repas] Sauf une disposition contraire d'une convention collective ou d'un décret, l'employeur doit accorder au salarié, pour le repas, une période de trente minutes sans salaire au-delà d'une période de travail de cinq heures consécutives.

[Période rémunérée] Cette période doit être rémunérée si le salarié n'est pas autorisé à quitter son poste de travail.

79. [Rest period] Unless otherwise provided in a collective agreement or a decree, the employer must grant to an employee a rest period of thirty minutes, without pay, for meals, for a period of five consecutive hours of work.

[Remunerated period] That period shall be remunerated if the employee is not authorized to leave his work station.

1979, c. 45, a. 79.

SECTION V.0.1
LES ABSENCES POUR CAUSE DE MALADIE, D'ACCIDENT OU D'ACTE CRIMINEL

79.1 [Période maximale] Un salarié peut s'absenter du travail pendant une

DIVISION V.0.1
ABSENCES OWING TO SICKNESS, ACCIDENT OR A CRIMINAL OFFENCE

79.1 [Maximum period] An employee may be absent from work for a period of not

période d'au plus 26 semaines sur une période de 12 mois pour cause de maladie ou d'accident.

[Acte criminel] Un salarié peut toutefois s'absenter du travail pendant une période d'au plus 104 semaines s'il subit un préjudice corporel grave à l'occasion ou résultant directement d'un acte criminel le rendant incapable d'occuper son poste habituel. En ce cas, la période d'absence débute au plus tôt à la date à laquelle l'acte criminel a été commis ou, le cas échéant, à l'expiration de la période prévue au premier alinéa, et se termine au plus tard 104 semaines après la commission de l'acte criminel.

[Lésion professionnelle] Toutefois, le présent article ne s'applique pas s'il s'agit d'une lésion professionnelle au sens de la Loi sur les accidents du travail et les maladies professionnelles (L.R.Q., chapitre A-3.001).

more than 26 weeks over a period of 12 months, owing to sickness or accident.

[Criminal offence] However, an employee may be absent from work for a period of not more than 104 weeks if the employee suffers serious bodily injury during or resulting directly from a criminal offence that renders the employee unable to hold his regular position. In that case, the period of absence shall not begin before the date on which the criminal offence was committed, or before the expiry of the period provided for in the first paragraph, where applicable, and shall not end later than 104 weeks after the commission of the criminal offence.

[Employment injury] However, this section does not apply in the case of an employment injury within the meaning of the Act respecting industrial accidents and occupational diseases (R.S.Q., chapter A-3.001).

2002, c. 80, a. 27; 2007, c. 36, a. 5.

79.1.1 [Cause probable] Le deuxième alinéa de l'article 79.1 s'applique si les circonstances entourant l'événement permettent de tenir pour probable que le préjudice corporel grave subi par le salarié résulte de la commission d'un acte criminel.

[Exclusion] Toutefois, un salarié ne peut bénéficier de cette période d'absence si les circonstances permettent de tenir pour probable qu'il a été partie à l'acte criminel ou a contribué au préjudice par sa faute lourde.

79.1.1 [Probable cause] The second paragraph of section 79.1 applies if it may be inferred from the circumstances of the event that the employee's serious bodily injury is probably the result of a criminal offence.

[Exclusion] However, an employee may not take advantage of such a period of absence if it may be inferred from the circumstances that the employee was probably a party to the criminal offence or probably contributed to the injury by a gross fault.

2007, c. 36, a. 6.

79.1.2 [Conditions d'application] Le deuxième alinéa de l'article 79.1 s'applique si le salarié a subi le préjudice dans les circonstances suivantes:

1° en procédant ou en tentant de procéder, de façon légale, à l'arrestation d'un contrevenant ou d'un présumé contrevenant ou en prêtant assistance à un agent de la paix procédant à une arrestation;

2° en prévenant ou en tentant de prévenir, de façon légale, la perpétration d'une infraction ou de ce que cette personne croit être une infraction, ou en prêtant assistance à un agent de la paix qui prévient ou tente de prévenir la perpétration d'une infraction ou de ce qu'il croit être une infraction.

79.1.2 [Applicability] The second paragraph of section 79.1 applies if the employee suffered the injury

(1) while lawfully arresting or attempting to arrest an offender or suspected offender or assisting a peace officer making an arrest; or

(2) while lawfully preventing or attempting to prevent the commission of an offence or suspected offence, or assisting a peace officer who is preventing or attempting to prevent the commission of an offence or suspected offence.

2007, c. 36, a. 6.

79.2 [Avis à l'employeur] Pour l'application de l'article 79.1, le salarié doit justifier de trois mois de service continu et l'absence est sans salaire. Il doit en outre aviser l'employeur le plus tôt possible de son absence et des motifs de celle-ci. L'employeur peut demander au salarié, si les circonstances le justifient eu égard notamment à la durée de l'absence ou au caractère répétitif de celle-ci, de lui fournir un document attestant ces motifs.

[Reprise du travail] Si l'employeur y consent, le salarié peut, au cours de la période d'absence prévue au deuxième alinéa de l'article 79.1, reprendre son travail à temps partiel ou de manière intermittente.

79.2 [Notice to employer] An employee must be credited with three months of uninterrupted service to take advantage of section 79.1, and the absence shall be without pay. In addition, the employee must advise the employer as soon as possible of a period of absence from work, giving the reasons for it. If it is warranted by the duration of the absence or its repetitive nature, for instance, the employer may request that the employee furnish a document attesting to those reasons.

[Return to work] During a period of absence under the second paragraph of section 79.1, the employee may return to work intermittently or on a part-time basis if the employer consents to it.

2002, c. 80, a. 27; 2007, c. 36, a. 7.

79.3 [Assurances collectives et régime de retraite] La participation du salarié aux régimes d'assurance collective et de retraite reconnus à son lieu de travail ne doit pas être affectée par l'absence du salarié, sous réserve du paiement régulier des cotisations exigibles relativement à ces régimes et dont l'employeur assume sa part habituelle.

[Avantages] Le gouvernement détermine, par règlement, les autres avantages dont un salarié peut bénéficier pendant la période d'absence.

79.3 [Group insurance and pension plans] An employee's participation in the group insurance and pension plans recognized in the employee's place of employment shall not be affected by the absence from work, subject to regular payment of the contributions payable under those plans, the usual part of which is paid by the employer.

[Advantages] The Government shall determine, by regulation, the other advantages available to an employee during a period of absence.

2002, c. 80, a. 27; 2007, c. 36, a. 8.

79.4 [Réintégration du salarié] À la fin de la période d'absence, l'employeur doit réintégrer le salarié dans son poste habituel, avec les mêmes avantages, y compris le salaire auquel il aurait eu droit s'il était resté au travail. Si le poste habituel du salarié n'existe plus à son retour, l'employeur doit lui reconnaître tous les droits et privilèges dont il aurait bénéficié au moment de la disparition du poste s'il avait alors été au travail.

[Congédiement, suspension ou déplacement] Le premier alinéa n'a pas pour effet d'empêcher un employeur de congédier, de suspendre ou de déplacer un salarié si les conséquences, selon le cas, de la maladie, de l'accident ou de l'acte criminel ou le caractère répétitif des absences constituent une cause juste et suffisante, selon les circonstances.

79.4 [Reinstatement of employee] At the end of the period of absence, the employer shall reinstate the employee in the employee's former position with the same benefits, including the wages to which the employee would have been entitled had the employee remained at work. If the position held by the employee no longer exists when the employee returns to work, the employer shall recognize all the rights and privileges to which the employee would have been entitled if the employee had been at work at the time the position ceased to exist.

[Dismissal, suspension, transfer] Nothing in the first paragraph shall prevent an employer from dismissing, suspending or transferring an employee if, in the circumstances, the consequences of the sickness, accident or criminal offence or the repetitive nature of the absences constitute good and sufficient cause.

2002, c. 80, a. 27; 2007, c. 36, a. 9.

79.5 [Licenciements ou mises à pied] Lorsque l'employeur effectue des licenciements ou des mises à pied qui auraient inclus le salarié s'il était demeuré au travail, celui-ci conserve les mêmes droits que les salariés effectivement licenciés ou mis à pied en ce qui a trait notamment au retour au travail.

2002, c. 80, a. 27.

79.5 [Dismissals or layoffs] If the employer makes dismissals or layoffs that would have included the employee had the employee remained at work, the employee retains the same rights with respect to a return to work as the employees who were dismissed or laid off.

79.6 [Avantage] La présente section n'a pas pour effet de conférer à un salarié un avantage dont il n'aurait pas bénéficié s'il était resté au travail.

2002, c. 80, a. 27.

79.6 [Benefit] This division shall not grant to an employee any benefit to which the employee would not have been entitled if the employee had remained at work.

SECTION V.1

LES ABSENCES ET LES CONGÉS POUR RAISONS FAMILIALES OU PARENTALES

DIVISION V.1

FAMILY OR PARENTAL LEAVE AND ABSENCES

79.7 [Obligations familiales] Un salarié peut s'absenter du travail, sans salaire, pendant 10 journées par année pour remplir des obligations reliées à la garde, à la santé ou à l'éducation de son enfant ou de l'enfant de son conjoint, ou en raison de l'état de santé de son conjoint, de son père, de sa mère, d'un frère, d'une soeur ou de l'un de ses grands-parents.

[Fractionnement] Ce congé peut être fractionné en journées. Une journée peut aussi être fractionnée si l'employeur y consent.

[Avis à l'employeur] Le salarié doit aviser l'employeur de son absence le plus tôt possible et prendre les moyens raisonnables à sa disposition pour limiter la prise et la durée du congé.

2002, c. 80, a. 29.

79.7 [Family responsibilities] An employee may be absent from work, without pay, for 10 days per year to fulfil obligations relating to the care, health or education of the employee's child or the child of the employee's spouse, or because of the state of health of the employee's spouse, father, mother, brother, sister or one of the employee's grandparents.

[Divided leave] The leave may be divided into days. A day may also be divided if the employer consents thereto.

[Notice to employer] The employee must advise the employer of his absence as soon as possible and take the reasonable steps within his power to limit the leave and the duration of the leave.

79.8 [Maladie ou accident] Un salarié peut s'absenter du travail pendant une période d'au plus 12 semaines sur une période de 12 mois lorsque sa présence est requise auprès de son enfant, de son conjoint, de l'enfant de son conjoint, de son père, de sa mère, du conjoint de son père ou de sa mère, d'un frère, d'une soeur ou de l'un de ses grands-parents en raison d'une grave maladie ou d'un grave accident.

[Prolongation] Toutefois, si un enfant mineur du salarié est atteint d'une maladie grave, potentiellement mortelle, attestée par un certificat médical, le salarié a droit à

79.8 [Illness or accident] An employee may be absent from work for a period of not more than 12 weeks over a period of 12 months where he must stay with his child, spouse, the child of his spouse, his father, his mother, the spouse of his father or mother, his brother, his sister or one of his grandparents because of a serious illness or a serious accident.

[Extension] However, if a minor child of the employee has a serious and potentially mortal illness, attested by a medical certificate, the employee is entitled to an extension

une prolongation de son absence, laquelle se termine au plus tard 104 semaines après le début de celle-ci.

of the absence, which shall end at the latest 104 weeks after the beginning thereof.

2002, c. 80, a. 29; 2005, c. 13, a. 82; 2007, c. 36, a. 10.

79.9 [Prolongation] Un salarié a droit à une prolongation de la période d'absence prévue au premier alinéa de l'article 79.8, laquelle se termine au plus tard 104 semaines après le début de celle-ci, si sa présence est requise auprès de son enfant mineur qui a subi un préjudice corporel grave à l'occasion ou résultant directement d'un acte criminel le rendant incapable d'exercer ses activités régulières.

79.9 [Extension] An employee is entitled to an extension of the period of absence under the first paragraph of section 79.8, which shall end not later than 104 weeks after the beginning of that period, if the employee must stay with his minor child who suffered serious bodily injury during or resulting directly from a criminal offence that renders the child unable to carry on regular activities.

2007, c. 36, a. 11.

79.10 [Disparition d'un enfant mineur] Un salarié peut s'absenter du travail pendant une période d'au plus 52 semaines si son enfant mineur est disparu. Si l'enfant est retrouvé avant l'expiration de cette période d'absence, celle-ci prend fin à compter du onzième jour qui suit.

79.10 [Disappearance of minor child] An employee may be absent from work for a period of not more than 52 weeks if the employee's minor child has disappeared. If the child is found before the expiry of the period of absence, that period shall end on the eleventh day that follows the day on which the child is found.

2007, c. 36, a. 11.

79.11 [Décès par suicide] Un salarié peut s'absenter du travail pendant une période d'au plus 52 semaines si son conjoint ou son enfant décède par suicide.

79.11 [Suicide] An employee may be absent from work for a period of not more than 52 weeks if the employee's spouse or child commits suicide.

2007, c. 36, a. 11.

79.12 [Décès résultant d'un acte criminel] Un salarié peut s'absenter du travail pendant une période d'au plus 104 semaines si le décès de son conjoint ou de son enfant se produit à l'occasion ou résulte directement d'un acte criminel.

79.12 [Criminal offence] An employee may be absent from work for a period of not more than 104 weeks if the death of the employee's spouse or child occurs during or results directly from a criminal offence.

2007, c. 36, a. 11.

79.13 [Préjudice corporel grave] Les articles 79.9 à 79.12 s'appliquent si les circonstances entourant l'événement permettent de tenir pour probable, selon le cas, que le préjudice corporel grave résulte de la commission d'un acte criminel, que le décès résulte d'un tel acte ou d'un suicide ou que la personne disparue est en danger.

79.13 [Serious bodily harm] Sections 79.9 to 79.12 apply if it may be inferred from the circumstances of the event that the serious bodily injury is probably the result of a criminal offence, the death is probably the result of such an offence or of a suicide, or the person who has disappeared is probably in danger.

[Exclusion] Toutefois, un salarié ne peut bénéficier de ces dispositions si les circonstances permettent de tenir pour probable que lui-même ou, dans le cas de l'article 79.12, la personne décédée, s'il s'agit du conjoint ou d'un enfant majeur, a été partie à l'acte criminel ou a contribué au préjudice par sa faute lourde.

[Exclusion] However, an employee may not take advantage of these provisions if it may be inferred from the circumstances that the employee or, in the case of section 79.12, the deceased person, if that person is the spouse or a child of full age, was probably a party to the criminal offence or probably contributed to the injury by a gross fault.

2007, c. 36, a. 11.

79.14 [Dispositions applicables] Les articles 79.9 et 79.12 s'appliquent si le préjudice ou le décès survient dans l'une des situations décrites à l'article 79.1.2.

79.14 [Provisions applicable] Sections 79.9 and 79.12 apply if the injury or death occurs in one of the situations described in section 79.1.2.

2007, c. 36, a. 11.

79.15 [Reprise du travail] La période d'absence prévue aux articles 79.9 à 79.12 débute au plus tôt à la date à laquelle l'acte criminel ayant causé le préjudice corporel grave a été commis ou à la date du décès ou de la disparition et se termine au plus tard, selon le cas, 52 ou 104 semaines après cette date. Si l'employeur y consent, le salarié peut toutefois, au cours de la période d'absence, reprendre son travail à temps partiel ou de manière intermittente.

[Nouvel événement] Toutefois, si, au cours de cette période de 52 ou 104 semaines, un nouvel événement survient à l'égard du même enfant et qu'il donne droit à une nouvelle période d'absence, c'est la période la plus longue qui s'applique à compter de la date du premier événement.

79.15 [Return to work] A period of absence under sections 79.9 to 79.12 shall not begin before the date on which the criminal offence that caused the serious bodily injury was committed or before the date of the death or disappearance and shall not end later than 52 or 104 weeks after that date. However, during the period of absence, the employee may return to work intermittently or on a part-time basis if the employer consents to it.

[New event] If, during the same 52 or 104-week period, a new event occurs, affecting the same child and giving entitlement to a new period of absence, it is the longer period that applies, from the date of the first event.

2007, c. 36, a. 11.

79.16 [Dispositions applicables] L'article 79.2, le premier alinéa de l'article 79.3 et les articles 79.4, 79.5 et 79.6 s'appliquent aux périodes d'absences prévues par les articles 79.8 à 79.12, compte tenu des adaptations nécessaires.

79.16 [Provisions applicable] Section 79.2, the first paragraph of section 79.3 and sections 79.4, 79.5 and 79.6 apply to periods of absence under sections 79.8 to 79.12, with the necessary modifications.

2007, c. 36, a. 11.

80. [Absence du travail] Un salarié peut s'absenter du travail pendant une journée, sans réduction de salaire, à l'occasion du décès ou des funérailles de son conjoint, de son enfant ou de l'enfant de son conjoint, de son père, de sa mère, d'un frère ou d'une soeur. Il

80. [Absence from work] An employee may be absent from work for one day without reduction of wages by reason of the death or the funeral of his spouse, his child or the child of his spouse, or of his father, mother, brother or sister. He may also be

peut aussi s'absenter pendant quatre autres journées à cette occasion, mais sans salaire.

absent from work, without pay, for four more days on such occasion.

1979, c. 45, a. 80; 1990, c. 73, a. 31; 2002, c. 6, a. 236; 2002, c. 80, a. 30.

80.1 [Absence du travail] Un salarié peut s'absenter du travail pendant une journée, sans salaire, à l'occasion du décès ou des funérailles d'un gendre, d'une bru, de l'un de ses grands-parents ou de l'un de ses petits-enfants de même que du père, de la mère, d'un frère ou d'une soeur de son conjoint.

80.1 [Absence for death or funeral] An employee may be absent from work for one day, without pay, by reason of the death or the funeral of a son-in-law, daughter-in-law, one of his grandparents or grandchildren, or of the father, mother, brother or sister of his spouse.

1990, c. 73, a. 32; 2002, c. 6, a. 236.

80.2 [Avis à l'employeur] Dans les cas visés aux articles 80 et 80.1, le salarié doit aviser l'employeur de son absence le plus tôt possible.

80.2 [Notification] In the circumstances referred to in section 80 or 80.1, the employee must advise his employer of his absence as soon as possible.

1990, c. 73, a. 32; 2002, c. 6, a. 236.

81. [Absence du travail] Un salarié peut s'absenter du travail pendant une journée, sans réduction de salaire, le jour de son mariage ou de son union civile.

[Absence du travail] Un salarié peut aussi s'absenter du travail, sans salaire, le jour du mariage ou de l'union civile de l'un de ses enfants, de son père, de sa mère, d'un frère, d'une soeur ou d'un enfant de son conjoint.

[Avis à l'employeur] Le salarié doit aviser l'employeur de son absence au moins une semaine à l'avance.

81. [Absence from work] An employee may be absent from work for one day without reduction of wages, on the day of his or her wedding or civil union.

[Absence from work] An employee may also be absent from work, without pay, on the day of the wedding or civil union of his or her child, father, mother, brother or sister or of a child of his or her spouse.

[Notification] The employee must advise his or her employer of his or her absence not less than one week in advance.

1979, c. 45, a. 81; 1990, c. 73, a. 33; 2002, c. 6, a. 145.

81.1 [Naissance ou adoption] Un salarié peut s'absenter du travail pendant cinq journées, à l'occasion de la naissance de son enfant, de l'adoption d'un enfant ou lorsque survient une interruption de grossesse à compter de la vingtième semaine de grossesse. Les deux premières journées d'absence sont rémunérées si le salarié justifie de 60 jours de service continu.

[Congé fractionné] Ce congé peut être fractionné en journées à la demande du salarié. Il ne peut être pris après l'expiration des 15 jours qui suivent l'arrivée de l'enfant à la résidence de son père ou de sa mère ou, le cas échéant, l'interruption de grossesse.

[Avis à l'employeur] Le salarié doit aviser l'employeur de son absence le plus tôt possible.

81.1 [Absence for birth or adoption] An employee may be absent from work for five days at the birth of his child, the adoption of a child or where there is a termination of pregnancy in or after the twentieth week of pregnancy. The first two days of absence shall be remunerated if the employee is credited with 60 days of uninterrupted service.

[Division of leave] This leave may be divided into days at the request of the employee. It may not be taken more than 15 days after the child arrives at the residence of his father or mother or after the termination of pregnancy.

[Notification] The employee must advise his employer of his absence as soon as possible.

1990, c. 73, a. 34; 2002, c. 6, a. 236; 2002, c. 80, a. 31; 2005, c. 13, a. 83.

81.2 [Congé de paternité] Un salarié a droit à un congé de paternité d'au plus cinq semaines continues, sans salaire, à l'occasion de la naissance de son enfant.

[Période] Le congé de paternité débute au plus tôt la semaine de la naissance de l'enfant et se termine au plus tard 52 semaines après la semaine de la naissance.

1990, c. 73, a. 34; 2002, c. 80, a. 32.

81.2 [Paternity leave] An employee is entitled to a paternity leave of not more than five consecutive weeks, without pay, on the birth of his child.

[Period] The paternity leave shall not begin before the week of the birth of the child and shall not end later than 52 weeks after the week of the birth.

81.2.1 [Avis écrit] Le congé de paternité peut être pris après un avis écrit d'au moins trois semaines à l'employeur indiquant la date prévue du début du congé et celle du retour au travail.

[Exception] Ce délai peut toutefois être moindre si la naissance de l'enfant survient avant la date prévue de celle-ci.

2008, c. 30, a. 3.

81.2.1 [Written notice] A paternity leave may be taken after giving written notice of not less than three weeks to the employer, stating the expected date of the leave and that of the return to work.

[Exception] However, the notice may be shorter if the birth of the child occurs before the expected date.

81.3 [Grossesse] Une salariée peut s'absenter du travail sans salaire pour un examen médical relié à sa grossesse ou pour un examen relié à sa grossesse et effectué par une sage-femme.

[Avis à l'employeur] La salariée avise son employeur le plus tôt possible du moment où elle devra s'absenter.

1990, c. 73, a. 34; 1999, c. 24, a. 21.

81.3 [Examination related to pregnancy] An employee may be absent from work without pay for a medical examination related to her pregnancy or for an examination related to her pregnancy carried out by a midwife.

[Notification] She shall advise her employer as soon as possible of the time at which she will be absent.

81.4 [Congé de maternité] La salariée enceinte a droit à un congé de maternité sans salaire d'une durée maximale de 18 semaines continues, sauf si, à sa demande, l'employeur consent à un congé de maternité d'une période plus longue.

[Répartition du congé] La salariée peut répartir le congé de maternité à son gré avant ou après la date prévue pour l'accouchement. Toutefois, lorsque le congé de maternité débute la semaine de l'accouchement, cette semaine n'est pas prise en compte aux fins du calcul de la période maximale de 18 semaines continues.

1990, c. 73, a. 34; 2002, c. 80, a. 33.

81.4 [Maternity leave] A pregnant employee is entitled to a maternity leave without pay of not more than 18 consecutive weeks unless, at her request, the employer consents to a longer maternity leave.

[Period] The employee may spread the maternity leave as she wishes before or after the expected date of delivery. However, where the maternity leave begins on the week of delivery, that week shall not be taken into account in calculating the maximum period of 18 consecutive weeks.

81.4.1 [Accouchement retardé] Si l'accouchement a lieu après la date prévue, la salariée a droit à au moins deux semaines de congé de maternité après l'accouchement.

2002, c. 80, a. 34.

81.4.1 [Late delivery] If the delivery takes place after the expected date, the employee is entitled to at least two weeks of maternity leave after the delivery.

81.5 [Début du congé] Le congé de maternité débute au plus tôt la seizième semaine précédant la date prévue pour l'accouchement et se termine au plus tard 18 semaines après la semaine de l'accouchement.

81.5 [Beginning of leave] The maternity leave shall not begin before the sixteenth week preceding the expected date of delivery and shall not end later than 18 weeks after the week of delivery.

1990, c. 73, a. 34; 2002, c. 80, a. 35; 2005, c. 13, a. 84.

81.5.1 [Congé de maternité spécial] Lorsqu'il y a danger d'interruption de grossesse ou un danger pour la santé de la mère ou de l'enfant à naître, occasionné par la grossesse et exigeant un arrêt de travail, la salariée a droit à un congé de maternité spécial, sans salaire, de la durée indiquée au certificat médical qui atteste du danger existant et qui indique la date prévue de l'accouchement.

[Présomption] Le cas échéant, ce congé est réputé être le congé de maternité prévu à l'article 81.4 à compter du début de la quatrième semaine précédant la date prévue de l'accouchement.

81.5.1 [Special maternity leave] Where there is a risk of termination of pregnancy or a risk to the health of the mother or the unborn child, caused by the pregnancy and requiring a work stoppage, the employee is entitled to a special maternity leave, without pay, for the duration indicated in the medical certificate attesting the existing risk and indicating the expected date of delivery.

[Presumption] The leave is, where applicable, deemed to be the maternity leave provided for in section 81.4 from the beginning of the fourth week preceding the expected date of delivery.

2002, c. 80, a. 36.

81.5.2 [Interruption de grossesse] Lorsque survient une interruption de grossesse avant le début de la vingtième semaine précédant la date prévue de l'accouchement, la salariée a droit à un congé de maternité spécial, sans salaire, d'une durée n'excédant pas trois semaines, à moins qu'un certificat médical n'atteste du besoin de prolonger le congé.

[Durée maximale] Si l'interruption de grossesse survient à compter de la vingtième semaine de grossesse, la salariée a droit à un congé de maternité sans salaire d'une durée maximale de 18 semaines continues à compter de la semaine de l'événement.

81.5.2 [Termination of pregnancy] Where there is termination of pregnancy before the beginning of the twentieth week preceding the expected date of delivery, the employee is entitled to a special maternity leave, without pay, for a period of no longer than three weeks, unless a medical certificate attests that the employee needs an extended leave.

[Maximum period] If the termination of pregnancy occurs in or after the twentieth week, the employee is entitled to a maternity leave without pay of a maximum duration of 18 consecutive weeks beginning from the week of the event.

2002, c. 80, a. 36.

81.5.3 [Avis à l'employeur] En cas d'interruption de grossesse ou d'accouchement prématuré, la salariée doit, le plus tôt possible, donner à l'employeur un avis écrit l'informant de l'événement survenu et de la date prévue de son retour au travail, accompagné d'un certificat médical attestant de l'événement.

81.5.3 [Notice to employer] In the case of a termination of pregnancy or a premature birth, the employee must, as soon as possible, give written notice to the employer informing the employer of the event and the expected date of her return to work, accompanied with a medical certificate attesting to the event.

2002, c. 80, a. 36.

81.6 [Avis à l'employeur] Le congé de maternité peut être pris après un avis écrit d'au moins trois semaines à l'employeur indiquant la date du début du congé et celle du retour au travail. Cet avis doit être accompagné d'un certificat médical attestant de la grossesse et de la date prévue pour l'accouchement. Dans un tel cas, le certificat médical peut être remplacé par un rapport écrit signé par une sage-femme.

[Réduction du délai d'avis] L'avis peut être de moins de trois semaines si le certificat médical atteste du besoin de la salariée de cesser le travail dans un délai moindre.

81.6 [Written notice of leave] The maternity leave may be taken after giving written notice of not less than three weeks to the employer, stating the date on which the leave will begin and the date on which the employee will return to work. The notice must be accompanied with a medical certificate attesting to the pregnancy and the expected date of delivery. Where applicable, the medical certificate may be replaced by a written report signed by a midwife.

[Shorter notice] The notice may be of less than three weeks if the medical certificate attests that the employee needs to stop working within a shorter time.

1990, c. 73, a. 34; 1999, c. 24, a. 22.

81.7 Abrogé.

81.7 Repealed.

2002, c. 80, a. 37.

81.8 [Certificat médical] À partir de la sixième semaine qui précède la date prévue pour l'accouchement, l'employeur peut exiger par écrit de la salariée enceinte encore au travail un certificat médical attestant qu'elle est en mesure de travailler.

[Refus] Si la salariée refuse ou néglige de lui fournir ce certificat dans un délai de huit jours, l'employeur peut l'obliger à se prévaloir aussitôt de son congé de maternité en lui faisant parvenir par écrit un avis motivé à cet effet.

81.8 [Medical certificate] From the sixth week preceding the expected date of delivery, the employer may, in writing, require a pregnant employee who is still at work to produce a medical certificate attesting that she is fit to work.

[Immediate leave] If the employee refuses or neglects to produce the certificate within eight days, the employer may oblige her to take her maternity leave immediately by sending her a written notice to that effect giving reasons.

1990, c. 73, a. 34.

81.9 [Certificat médical] Malgré l'avis prévu à l'article 81.6, la salariée peut revenir au travail avant l'expiration de son congé de maternité. Toutefois, l'employeur peut exiger de la salariée qui revient au travail dans les deux semaines suivant l'accouchement un certificat médical attestant qu'elle est en mesure de travailler.

81.9 [Medical certificate] Notwithstanding the notice provided for in section 81.6, the employee may return to work before the expiry of her maternity leave. However, the employer may require a medical certificate from an employee who returns to work within the two weeks following delivery, attesting to the fact that she is fit to work.

1990, c. 73, a. 34; 2002, c. 80, a. 38.

81.10 [Congé parental] Le père et la mère d'un nouveau-né et la personne qui adopte un enfant ont droit à un congé parental sans salaire d'au plus 52 semaines continues.

81.10 [Parental leave] The father and the mother of a newborn child, and a person who adopts a child, are entitled to parental leave without pay of not more than 52 consecutive weeks.

1990, c. 73, a. 34; 1997, c. 10, a. 2; 1999, c. 52, a. 10; 2002, c. 6, a. 236; 2002, c. 80, a. 39; 2005, c. 13, a. 85.

81.11 [Début du congé] Le congé parental peut débuter au plus tôt la semaine de la naissance du nouveau-né ou, dans le cas d'une adoption, la semaine où l'enfant est confié au salarié dans le cadre d'une procédure d'adoption ou la semaine où le salarié quitte son travail afin de se rendre à l'extérieur du Québec pour que l'enfant lui soit confié. Il se termine au plus tard 70 semaines après la naissance ou, dans le cas d'une adoption, 70 semaines après que l'enfant lui a été confié.

[Fin du congé parental] Toutefois, le congé parental peut, dans les cas et aux conditions prévus par règlement du gouvernement, se terminer au plus tard 104 semaines après la naissance ou, dans le cas d'une adoption, 104 semaines après que l'enfant a été confié au salarié.

81.11 [Duration of leave] Parental leave may not begin before the week the child is born or, in the case of adoption, the week the child is entrusted to the employee within the framework of an adoption procedure or the week the employee leaves his work to go to a place outside Québec in order that the child be entrusted to him. It shall end not later than 70 weeks after the birth or, in the case of adoption, 70 weeks after the child was entrusted to the employee.

[End of parental leave] However, in the cases and subject to the conditions prescribed by regulation of the Government, parental leave may end at the latest 104 weeks after the birth or, in the case of adoption, 104 weeks after the child was entrusted to the employee.

1990, c. 73, a. 34; 1997, c. 10, a. 3; 2002, c. 80, a. 40.

81.12 [Avis à l'employeur] Le congé parental peut être pris après un avis d'au moins trois semaines à l'employeur indiquant la date du début du congé et celle du retour au travail. Ce délai peut toutefois être moindre si la présence du salarié est requise auprès de l'enfant nouveau-né ou nouvellement adopté ou, le cas échéant, auprès de la mère, en raison de leur état de santé.

81.12 [Notice of leave] Parental leave may be taken after giving notice of not less than three weeks to the employer, stating the date on which the leave will begin and the date on which the employee will return to work. However, the notice may be shorter if the employee must stay with the newborn child or newly adopted child, or with the mother, because of the state of health of the child or of the mother.

1990, c. 73, a. 34; 2002, c. 80, a. 41.

81.13 [Avis de réduction du congé] Un salarié peut se présenter au travail avant la date mentionnée dans l'avis prévu par les articles 81.2.1, 81.6 et 81.12 après avoir donné à l'employeur un avis écrit d'au moins trois semaines de la nouvelle date de son retour au travail.

[Retour au travail] Si l'employeur y consent, le salarié peut reprendre son travail à temps partiel ou de manière intermittente pendant son congé parental.

81.13 [Notice of return] An employee may return to work before the date stated in the notice given pursuant to section 81.2.1, 81.6 or 81.12, provided he has given the employer written notice of not less than three weeks of the new date on which he will return to work.

[Return to work] If the employer consents thereto, the employee may return to work on a part-time basis or intermittently during the parental leave.

1990, c. 73, a. 34; 2002, c. 80, a. 42; 2008, c. 30, a. 4.

81.14 [Présomption de démission] Le salarié qui ne se présente pas au travail à la date de retour fixée dans l'avis donné à son employeur est présumé avoir démissionné.

81.14 [Failure to report to work] An employee who does not report to work on the date stated in the notice given to the employer is presumed to have resigned.

1990, c. 73, a. 34; 2002, c. 80, a. 43.

81.14.1 [Fractionnement du congé] Sur demande du salarié, le congé de maternité, de paternité ou parental peut être fractionné en semaines si son enfant est hospitalisé ou si le salarié peut s'absenter en vertu des articles 79.1 et 79.8 à 79.12 et dans les cas déterminés par règlement, aux conditions et suivant la durée et les délais qui y sont prévus.

81.14.1 [Division of leave] At the request of the employee, a maternity, paternity or parental leave may be divided into weeks if the child is hospitalized or if the employee may be absent under section 79.1 or any of sections 79.8 to 79.12, and in the cases, on the conditions, for the duration and within the time prescribed in the by-law.

2005, c. 13, a. 86; 2007, c. 36, a. 12.

81.14.2 [Suspension du congé] Lorsque l'enfant est hospitalisé au cours du congé de maternité, de paternité ou parental, celui-ci peut être suspendu, après entente avec l'employeur, pour permettre le retour au travail du salarié pendant la durée de cette hospitalisation.

[Prolongation du congé] En outre, le salarié qui fait parvenir à l'employeur, avant la date d'expiration de son congé, un avis accompagné d'un certificat médical attestant que l'état de santé de son enfant ou, dans le cas du congé de maternité, l'état de santé de la salariée l'exige, a droit à une prolongation du congé de la durée indiquée au certificat médical.

81.14.2 [Suspension of leave] If the child is hospitalized during the maternity, paternity or parental leave, the leave may be suspended, following an agreement with the employer, to allow the employee to return to work during the hospitalization.

[Extension of leave] In addition, an employee who, before the expiry date of the leave, sends the employer a notice accompanied by a medical certificate attesting that the state of health of the child or, in the case of a maternity leave, that the state of health of the employee requires it, is entitled to an extension of the leave for the duration indicated in the medical certificate.

2005, c. 13, a. 86.

81.15 [Assurances collectives et régimes de retraite] La participation du salarié aux régimes d'assurance collective et de retraite reconnus à son lieu de travail ne doit pas être affectée par l'absence du salarié, sous réserve du paiement régulier des cotisations exigibles relativement à ces régimes et dont l'employeur assume sa part habituelle.

[Autres avantages] Le gouvernement détermine, par règlement, les autres avantages dont un salarié peut bénéficier pendant le congé de maternité, de paternité ou parental.

81.15 [Group insurance and pension plans] An employee's participation in the group insurance and pension plans recognized in the employee's place of employment shall not be affected by the absence from work, subject to regular payment of the contributions payable under those plans, the usual part of which is paid by the employer.

[Advantages] The Government shall determine, by regulation, the other advantages available to an employee during maternity, paternity or parental leave.

1990, c. 73, a. 34; 2002, c. 80, a. 44.

81.15.1 [Réintégration du salarié] À la fin d'un congé de maternité, de paternité ou parental, l'employeur doit réintégrer le salarié dans son poste habituel, avec les mêmes avantages, y compris le salaire auquel il aurait eu droit s'il était resté au travail.

[Poste aboli] Si le poste habituel du salarié n'existe plus à son retour, l'employeur doit lui reconnaître tous les droits et privilèges

81.15.1 [Reinstatement of employee] At the end of a maternity, paternity or parental leave, the employer shall reinstate the employee in the employee's former position with the same benefits, including the wages to which the employee would have been entitled had the employee remained at work.

[Abolished position] If the position held by the employee no longer exists when the employee returns to work, the employer

dont il aurait bénéficié au moment de la disparition du poste s'il avait alors été au travail.

2002, c. 80, a. 44.

81.16 Abrogé.

2002, c. 80, a. 45.

81.17 [Dispositions applicables] Les articles 79.5 et 79.6 s'appliquent au congé de maternité, de paternité ou parental, compte tenu des adaptations nécessaires.

1990, c. 73, a. 34; 2002, c. 80, a. 46.

SECTION V.1.1

LES ABSENCES DES SALARIÉS RÉSERVISTES

81.17.1 [Motifs d'absence] Le salarié qui est aussi un réserviste des Forces canadiennes peut s'absenter du travail, sans salaire, pour l'un des motifs suivants:

1° s'il justifie de 12 mois de service continu, pour prendre part à une opération des Forces canadiennes à l'étranger, y compris la préparation, l'entraînement, le repos et le déplacement à partir du lieu de sa résidence ou vers ce lieu, pour une période maximale de 18 mois;

2° pour prendre part à une opération des Forces canadiennes au Canada visant à:

a) fournir de l'aide en cas de sinistre majeur, au sens de la Loi sur la sécurité civile (L.R.Q., chapitre S-2.3);

b) prêter assistance au pouvoir civil, sur demande du procureur général du Québec en application de la Loi sur la défense nationale (Lois révisées du Canada (1985), chapitre N-5);

c) intervenir dans toute autre situation d'urgence désignée par le gouvernement;

3° pour prendre part à l'entraînement annuel pour la durée prévue par règlement ou, à défaut, pour une période d'au plus 15 jours;

4° pour prendre part à toute autre opération des Forces canadiennes, dans les cas, aux conditions et pour la durée prévus par règlement.

shall recognize all the rights and privileges to which the employee would have been entitled if the employee had been at work at the time the position ceased to exist.

81.16 Repealed.

81.17 [Provisions applicable] Sections 79.5 and 79.6 apply to a maternity, paternity or parental leave, with the necessary modifications.

DIVISION V.1.1

ABSENCES OF RESERVISTS EMPLOYEES

81.17.1 [Absence from work] An employee who is also a reservist of the Canadian Forces may be absent from work, without pay, for one of the following reasons:

(1) if the employee is credited with 12 months of uninterrupted service, to take part in an operation of the Canadian Forces outside Canada, including preparation, training, rest and transportation from the reservist's place of residence and back, for a maximum period of 18 months;

(2) to take part in an operation of the Canadian Forces in Canada whose purpose is to

(a) provide assistance in the case of a major disaster within the meaning of the Civil Protection Act (R.S.Q., chapter S-2.3);

(b) aid the civil power, on request of the Attorney General of Québec under the National Defence Act (Revised Statutes of Canada, 1985, chapter N-5); or

(c) intervene in any other emergency situation designated by the Government;

(3) to take part in the annual training for the period prescribed by regulation or, if no such period is prescribed, for a period of not more than 15 days; or

(4) to take part in any other operation of the Canadian Forces, in the cases, on the conditions and for the period prescribed by regulation.

[Situation d'urgence] La désignation d'une situation d'urgence, en application du sous-paragraphe c du paragraphe 2° du premier alinéa, entre en vigueur à la date fixée par le gouvernement, laquelle peut être antérieure à celle de la désignation, et celle-ci est publiée à la *Gazette officielle du Québec*.

[Emergency situation] The designation of an emergency situation under subparagraph c of subparagraph 2 of the first paragraph comes into force on the date set by the Government, which date may be earlier than the date of the designation, and is published in the *Gazette officielle du Québec*.

2008, c. 30, a. 5.

81.17.2 [Exceptions] L'article 81.17.1 ne s'applique pas si l'absence du salarié représente soit un danger pour la vie, la santé ou la sécurité des autres travailleurs ou de la population, soit un risque de destruction ou de détérioration grave de certains biens ou dans un cas de force majeure, ou encore si cette absence va à l'encontre du code de déontologie professionnelle du salarié.

81.17.2 [Exceptions] Section 81.17.1 does not apply if the absence of an employee could endanger the life, health or security of other employees or the population or cause the destruction or serious deterioration of certain property or in a case of superior force, or if the absence is inconsistent with the employee's professional code of ethics.

2008, c. 30, a. 5.

81.17.3 [Avis écrit] Pour bénéficier du droit prévu à l'article 81.17.1, le salarié doit aviser l'employeur par écrit au moins quatre semaines à l'avance de la date du début de l'absence, du motif de celle-ci et de sa durée. Ce délai peut toutefois être moindre si le salarié a un motif sérieux de ne pas le respecter, auquel cas il doit aviser l'employeur dès qu'il est en mesure de le faire.

[Retour au travail] Le salarié peut retourner au travail avant la date prévue après avoir donné à l'employeur un avis écrit d'au moins trois semaines de la nouvelle date de son retour au travail.

81.17.3 [Written notice] To take advantage of the right provided for in section 81.17.1, an employee must give to the employer advance written notice of not less than four weeks of the date on which the absence is to begin, the reason for it and its duration. However, the notice may be shorter for serious cause, in which case the employee must notify the employer as soon as possible.

[Return to work] The employee may return to work before the expected date after giving the employer written notice of not less than three weeks.

2008, c. 30, a. 5.

81.17.4 [Documents] Le salarié fournit à l'employeur, sur demande, tout document justifiant son absence.

81.17.4 [Documents] On request, an employee must provide the employer with any document justifying the employee's absence.

2008, c. 30, a. 5.

81.17.5 [Absence] Le salarié qui s'absente pour l'un des motifs prévus à l'article 81.17.1 pour une période supérieure à 12 semaines ne peut s'absenter à nouveau pour l'un de ces motifs avant l'expiration d'une période de 12 mois à compter de la date de son retour au travail.

81.17.5 [Absence] An employee who is absent for one of the reasons set out in section 81.17.1 for a period greater than 12 weeks may not be absent again for one of those reasons before the expiry of a period of 12 months from the date of the return to work.

2008, c. 30, a. 5.

81.17.6 [Dispositions applicables] Les articles 79.4, 79.5 et 79.6 s'appliquent au salarié qui s'absente pour l'un des motifs prévus à l'article 81.17.1.

2008, c. 30, a. 5.

81.17.6 [Provisions applicable] Sections 79.4, 79.5 and 79.6 apply to an employee who is absent for one of the reasons set out in section 81.17.1.

SECTION V.2
LE HARCÈLEMENT PSYCHOLOGIQUE

DIVISION V.2
PSYCHOLOGICAL HARASSMENT

81.18 [Définition] Pour l'application de la présente loi, on entend par «harcèlement psychologique» une conduite vexatoire se manifestant soit par des comportements, des paroles, des actes ou des gestes répétés, qui sont hostiles ou non désirés, laquelle porte atteinte à la dignité ou à l'intégrité psychologique ou physique du salarié et qui entraîne, pour celui-ci, un milieu de travail néfaste.

[Conduite grave] Une seule conduite grave peut aussi constituer du harcèlement psychologique si elle porte une telle atteinte et produit un effet nocif continu pour le salarié.

2002, c. 80, a. 47.

81.18 [Interpretation] For the purposes of this Act, "psychological harassment" means any vexatious behaviour in the form of repeated and hostile or unwanted conduct, verbal comments, actions or gestures, that affects an employee's dignity or psychological or physical integrity and that results in a harmful work environment for the employee.

[Vexatious behaviour] A single serious incidence of such behaviour that has a lasting harmful effect on an employee may also constitute psychological harassment.

81.19 [Droit du salarié] Tout salarié a droit à un milieu de travail exempt de harcèlement psychologique.

[Devoir de l'employeur] L'employeur doit prendre les moyens raisonnables pour prévenir le harcèlement psychologique et, lorsqu'une telle conduite est portée à sa connaissance, pour la faire cesser.

2002, c. 80, a. 47.

81.19 [Right of the employee] Every employee has a right to a work environment free from psychological harassment.

[Duty of employers] Employers must take reasonable action to prevent psychological harassment and, whenever they become aware of such behaviour, to put a stop to it.

81.20 [Convention collective] Les dispositions des articles 81.18, 81.19, 123.7, 123.15 et 123.16 sont réputées faire partie intégrante de toute convention collective, compte tenu des adaptations nécessaires. Un salarié visé par une telle convention doit exercer les recours qui y sont prévus, dans la mesure où un tel recours existe à son égard.

[Médiation] En tout temps avant le délibéré, une demande conjointe des parties à une telle convention peut être présentée au ministre en vue de nommer une personne pour entreprendre une médiation.

[Salariés non régis par une convention collective] Les dispositions visées au premier alinéa sont aussi réputées faire partie des conditions de travail de tout salarié

81.20 [Collective agreement] The provisions of sections 81.18, 81.19, 123.7, 123.15 and 123.16, with the necessary modifications, are deemed to be an integral part of every collective agreement. An employee covered by such an agreement must exercise the recourses provided for in the agreement, insofar as any such recourse is available to employees under the agreement.

[Mediation] At any time before the case is taken under advisement, a joint application may be made by the parties to such an agreement to the Minister for the appointment of a person to act as a mediator.

[Employees not governed by collective agreement] The provisions referred to in the first paragraph are deemed to form part of the conditions of employment of every

nommé en vertu de la Loi sur la fonction publique (L.R.Q., chapitre F-3.1.1) qui n'est pas régi par une convention collective. Ce salarié doit exercer le recours en découlant devant la Commission de la fonction publique selon les règles de procédure établies conformément à cette loi. La Commission de la fonction publique exerce à cette fin les pouvoirs prévus aux articles 123.15 et 123.16 de la présente loi.

[Membres et dirigeants d'organismes] Le troisième alinéa s'applique également aux membres et dirigeants d'organismes.

employee appointed under the Public Service Act (R.S.Q., chapter F-3.1.1) who is not governed by a collective agreement. Such an employee must exercise the applicable recourse before the Commission de la fonction publique according to the rules of procedure established pursuant to that Act. The Commission de la fonction publique exercises for that purpose the powers provided for in sections 123.15 and 123.16 of this Act.

[Members and officers of bodies] The third paragraph also applies to the members and officers of bodies.

2002, c. 80, a. 47.

SECTION VI

L'AVIS DE CESSATION D'EMPLOI OU DE MISE À PIED ET LE CERTIFICAT DE TRAVAIL

82. [Avis de fin du contrat] Un employeur doit donner un avis écrit à un salarié avant de mettre fin à son contrat de travail ou de le mettre à pied pour six mois ou plus.

[Délai] Cet avis est d'une semaine si le salarié justifie de moins d'un an de service continu, de deux semaines s'il justifie d'un an à cinq ans de service continu, de quatre semaines s'il justifie de cinq à dix ans de service continu et de huit semaines s'il justifie de dix ans ou plus de service continu.

[Nullité d'avis de cessation d'emploi] L'avis de cessation d'emploi donné à un salarié pendant la période où il a été mis à pied est nul de nullité absolue, sauf dans le cas d'un emploi dont la durée n'excède habituellement pas six mois à chaque année en raison de l'influence des saisons.

[Droits acquis] Le présent article n'a pas pour effet de priver un salarié d'un droit qui lui est conféré par une autre loi.

DIVISION VI

NOTICE OF TERMINATION OF EMPLOYMENT OR LAYOFF, AND WORK CERTIFICATE

82. [Written notice] The employer must give written notice to an employee before terminating his contract of employment or laying him off for six months or more.

[Length of notice] The notice shall be of one week if the employee is credited with less than one year of uninterrupted service, two weeks if he is credited with one year to five years of uninterrupted service, four weeks if he is credited with five years to ten years of uninterrupted service and eight weeks if he is credited with ten years or more of uninterrupted service.

[Notice during layoff] A notice of termination of employment given to an employee during the period when he is laid off is absolutely null, except in the case of employment that usually lasts for not more than six months each year due to the influence of the seasons.

[Restriction] This section does not deprive an employee of a right granted to him under another Act.

1979, c. 45, a. 82; 1980, c. 5, a. 7; 1990, c. 73, a. 36; 1999, c. 40, a. 196.

82.1 [Salariés non visés] L'article 82 ne s'applique pas à l'égard d'un salarié:

1° qui ne justifie pas de trois mois de service continu;

2° dont le contrat pour une durée déterminée ou pour une entreprise déterminée expire;

3° qui a commis une faute grave;

82.1 [Exceptions] Section 82 does not apply to an employee

(1) who has less than three months of uninterrupted service;

(2) whose contract for a fixed term or for a specific undertaking expires;

(3) who has committed a serious fault;

4° dont la fin du contrat de travail ou la mise à pied résulte d'un cas de force majeure.

(4) for whom the end of the contract of employment or the layoff is a result of superior force.

1990, c. 73, a. 36.

83. [Indemnité compensatrice] L'employeur qui ne donne pas l'avis prévu à l'article 82 ou qui donne un avis d'une durée insuffisante doit verser au salarié une indemnité compensatrice équivalente à son salaire habituel, sans tenir compte des heures supplémentaires, pour une période égale à celle de la durée ou de la durée résiduaire de l'avis auquel il avait droit.

[Moment du versement] Cette indemnité doit être versée au moment de la cessation d'emploi ou de la mise à pied prévue pour plus de six mois ou à l'expiration d'un délai de six mois d'une mise à pied pour une durée indéterminée ou prévue pour une durée inférieure à six mois mais qui excède ce délai.

[Salarié rémunéré à commission] L'indemnité du salarié en tout ou en partie rémunéré à commission est établie à partir de la moyenne hebdomadaire de son salaire durant les périodes complètes de paie comprises dans les trois mois précédant sa cessation d'emploi ou sa mise à pied.

83. [Compensatory indemnity] An employer who does not give the notice prescribed by section 82, or who gives insufficient notice, must pay the employee a compensatory indemnity equal to his regular wage excluding overtime for a period equal to the period or remaining period of notice to which he was entitled.

[Payment] The indemnity must be paid at the time the employment is terminated or at the time the employee is laid off for a period expected to last more than six months, or at the end of a period of six months after a layoff of indeterminate length, or a layoff expected to last less than six months but which exceeds that period.

[Computation] The indemnity to be paid to an employee remunerated in whole or in part by commission is established from the average of his weekly wage, calculated from the complete periods of pay in the three months preceding the termination of his employment or his layoff.

1979, c. 45, a. 83; 1990, c. 73, a. 36; 2002, c. 80, a. 48.

83.1 [Droit de rappel] Dans le cas d'un salarié qui bénéficie d'un droit de rappel au travail pendant plus de six mois en vertu d'une convention collective, l'employeur n'est tenu de verser l'indemnité compensatrice qu'à compter de la première des dates suivantes:

1° à l'expiration du droit de rappel du salarié;

2° un an après la mise à pied.

[Exception] Le salarié visé au premier alinéa n'a pas droit à l'indemnité compensatrice:

1° s'il est rappelé au travail avant la date où l'employeur est tenu de verser cette indemnité et s'il travaille par la suite pour une durée au moins égale à celle de l'avis prévu dans l'article 82;

2° si le non-rappel au travail résulte d'un cas de force majeure.

83.1 [Recall privileges] In the case of an employee who, under a collective agreement, is entitled to recall privileges for more than six months, the employer is bound to pay the compensatory indemnity only from the first of the following dates:

(1) the expiry of the recall privileges of the employee;

(2) one year after layoff.

[Exceptions] An employee referred to in the first paragraph shall not be entitled to the compensatory indemnity

(1) if he is recalled before the date on which his employer is bound to pay the indemnity and if subsequently he works for a period equal to or longer than that of the notice prescribed by section 82;

(2) if he is not recalled owing to superior force.

1990, c. 73, a. 36.

83.2 [Détermination de normes différentes] Le gouvernement peut, par règlement, déterminer des normes différentes de celles qui sont visées aux articles 82 à 83.1 à l'égard des salariés régis par la Loi sur la fonction publique (L.R.Q., chapitre F-3.1.1) qui, sans être des salariés permanents, bénéficient d'un droit de rappel en vertu de leurs conditions de travail.

1990, c. 73, a. 36.

83.2 [Standards for certain public employees] The Government may, by regulation, determine standards which vary from those provided for in sections 82 to 83.1 in respect of employees governed by the Public Service Act (R.S.Q., chapter F-3.1.1) who, without being permanent employees, are entitled to recall privileges by virtue of their conditions of employment.

84. [Certificat de travail] À l'expiration du contrat de travail, un salarié peut exiger que son employeur lui délivre un certificat de travail faisant état exclusivement de la nature et de la durée de son emploi, du début et de la fin de l'exercice de ses fonctions ainsi que du nom et de l'adresse de l'employeur. Le certificat ne peut faire état de la qualité du travail ou de la conduite du salarié.

1979, c. 45, a. 84.

84. [Work certificate] At the expiry of the contract of employment, an employee may require his employer to issue to him a work certificate in which the following information, and only the following information, is set forth: the nature and the duration of his employment, the dates on which his employment began and terminated, and the name and address of the employer. The certificate shall not carry any mention of the quality of the work or the conduct of the employee.

SECTION VI.0.1

L'AVIS DE LICENCIEMENT COLLECTIF

84.0.1 [Définition] Constitue un licenciement collectif régi par la présente section une cessation de travail du fait de l'employeur, y compris une mise à pied pour une durée de six mois ou plus, qui touche au moins 10 salariés d'un même établissement au cours d'une période de deux mois consécutifs.

2002, c. 80, a. 49.

84.0.2 [Salariés non visés] N'est pas considéré comme étant un salarié visé par un licenciement collectif un salarié:

1° qui ne justifie pas de trois mois de service continu;

2° dont le contrat pour une durée déterminée ou pour une entreprise déterminée expire;

3° visé à l'article 83 de la Loi sur la fonction publique (L.R.Q., chapitre F-3.1.1);

4° qui a commis une faute grave;

5° visé à l'article 3.

2002, c. 80, a. 49.

DIVISION VI.0.1

NOTICE OF COLLECTIVE DISMISSAL

84.0.1 [Interpretation] The termination of employment by the employer, including a layoff for a period of six months or more, involving not fewer than 10 employees of the same establishment in the course of two consecutive months constitutes a collective dismissal governed by this division.

84.0.2 [Employees not affected by dismissal] The following employees are not considered to be employees affected by a collective dismissal:

(1) an employee who has less than three months of uninterrupted service;

(2) an employee whose contract for a fixed term or for a specific undertaking expires;

(3) an employee to whom section 83 of the Public Service Act (R.S.Q., chapter F-3.1.1) applies;

(4) an employee who has committed a serious fault;

(5) an employee referred to in section 3.

84.0.3 [Exceptions] La présente section ne s'applique pas:

1° à la mise à pied de salariés pour une durée indéterminée, mais effectivement inférieure à six mois;

2° à l'égard d'un établissement dont les activités sont saisonnières ou intermittentes;

3° à l'égard d'un établissement affecté par une grève ou un lock-out au sens du Code du travail (L.R.Q., chapitre C-27).

2002, c. 80, a. 49.

84.0.3 [Exceptions] This division does not apply

(1) to the layoff of employees for an indeterminate period, but in fact less than six months;

(2) in respect of an establishment whose activities are seasonal or intermittent;

(3) in respect of an establishment affected by a strike or lock-out within the meaning of the Labour Code (R.S.Q., chapter C-27).

84.0.4 [Avis] Tout employeur doit, avant de procéder à un licenciement collectif pour des raisons d'ordre technologique ou économique, en donner avis au ministre de l'Emploi et de la Solidarité sociale, dans les délais minimaux suivants:

1° huit semaines, lorsque le nombre de salariés visés par le licenciement est au moins égal à 10 et inférieur à 100;

2° 12 semaines, lorsque le nombre de salariés visés par le licenciement est au moins égal à 100 et inférieur à 300;

3° 16 semaines, lorsque le nombre de salariés visés par le licenciement est au moins égal à 300.

[Avis] Un employeur qui donne l'avis prévu au premier alinéa n'est pas dispensé de donner l'avis prévu à l'article 82.

2002, c. 80, a. 49.

84.0.4 [Notice] Every employer shall, before making a collective dismissal for technological or economic reasons, give notice to the Minister of Employment and Social Solidarity within the following minimum periods:

(1) 8 weeks, where the number of employees affected by the dismissal is at least equal to 10 and less than 100;

(2) 12 weeks, where the number of employees affected by the dismissal is at least equal to 100 and less than 300;

(3) 16 weeks, where the number of employees affected by the dismissal is at least equal to 300.

[Notice] An employer that gives the notice referred to in the first paragraph is not exempted from giving the notice required by section 82.

84.0.5 [Force majeure ou événement imprévu] En cas de force majeure ou lorsqu'un événement imprévu empêche un employeur de respecter les délais d'avis prévus à l'article 84.0.4, ce dernier doit donner un avis de licenciement collectif au ministre aussitôt qu'il est en mesure de le faire.

2002, c. 80, a. 49.

84.0.5 [Superior force or unforeseeable event] In the case of a superior force or where an unforeseeable event prevents an employer from respecting the time periods for giving notice set out in section 84.0.4, the employer shall give the Minister a notice of collective dismissal as soon as the employer is in a position to do so.

84.0.6 [Transmission et affichage de l'avis] Un employeur doit transmettre une copie de l'avis de licenciement collectif à la Commission et à l'association accréditée représentant les salariés visés par le licenciement. Il doit afficher cet avis dans un endroit visible et facilement accessible dans l'établissement concerné.

2002, c. 80, a. 49.

84.0.6 [Transmission and posting of notice] An employer must transmit a copy of the notice of collective dismissal to the Commission and the certified association representing the employees affected by the dismissal. The employer must post the notice in a conspicuous and readily accessible place in the establishment concerned.

84.0.7 [Procédure] L'avis de licenciement collectif doit être transmis au ministre à l'endroit déterminé par règlement et contenir les renseignements qui y sont prévus.

2002, c. 80, a. 49.

84.0.7 [Requirements] The notice of collective dismissal must be transmitted to the Minister at the place determined by regulation and contain the prescribed information.

84.0.8 [Consentement] Pendant le délai prévu à l'article 84.0.4, un employeur ne peut modifier le salaire d'un salarié visé par le licenciement collectif et, le cas échéant, les régimes d'assurance collective et de retraite reconnus à son lieu de travail sans le consentement écrit de ce salarié ou de l'association accréditée qui le représente.

2002, c. 80, a. 49.

84.0.8 [Consent] During the time period set out in section 84.0.4, an employer may not change the wages of an employee affected by the collective dismissal or, where applicable, the group insurance and pension plans recognized in the employee's place of employment without the written consent of that employee or the certified association representing the employee.

84.0.9 [Comité d'aide au reclassement] À la demande du ministre, l'employeur et l'association accréditée ou, en l'absence d'une telle association, les représentants choisis par les salariés visés par le licenciement collectif doivent participer sans délai à la constitution d'un comité d'aide au reclassement et collaborer à la réalisation de la mission de ce comité.

[Composition] Ce comité est composé d'un nombre égal de représentants de chaque partie ou du nombre de représentants convenu entre les parties. Chaque partie n'a droit qu'à un seul vote.

2002, c. 80, a. 49.

84.0.9 [Reclassification assistance committee] At the request of the Minister, the employer and the certified association or, in the absence of such an association, the representatives chosen by the employees affected by the collective dismissal, must, without delay, participate in the establishment of a reclassification assistance committee and collaborate in carrying out the committee's mission.

[Composition] The committee shall consist of an equal number of representatives of each party or of the number of representatives agreed on by the parties. Each party has one vote only.

84.0.10 [Mission] Le comité d'aide au reclassement a pour mission de fournir aux salariés visés par le licenciement collectif toute forme d'aide convenue entre les parties afin de minimiser les impacts du licenciement et de favoriser le maintien ou la réintégration en emploi de ces salariés.

[Devoirs] Il est notamment chargé d'évaluer la situation et les besoins des salariés visés par le licenciement, d'élaborer un plan de reclassement visant le maintien ou la réintégration en emploi de ces salariés et de veiller à la mise en oeuvre de ce plan.

2002, c. 80, a. 49.

84.0.10 [Mission] The mission of the reclassification assistance committee is to provide the employees affected by the collective dismissal with any form of assistance agreed on by the parties to minimize the impact of the dismissal and facilitate the maintenance or re-entry on the labour market of those employees.

[Responsibilities] The committee is responsible, in particular, for evaluating the situation and needs of the employees affected by the dismissal, developing a reclassification plan to facilitate the maintenance or re-entry on the labour market of those employees and seeing to the implementation of the plan.

84.0.11 [Contribution financière de l'employeur] La contribution financière de l'employeur aux coûts de fonctionnement du comité d'aide au reclassement et aux activités de reclassement est convenue entre l'employeur et le ministre.

[Montant] À défaut d'entente, la contribution financière de l'employeur est fixée, par salarié visé par le licenciement collectif, à un montant déterminé par règlement du gouvernement.

[Réclamation] En cas de défaut de l'employeur d'assumer sa contribution financière, celle-ci peut être réclamée par le ministre devant le tribunal compétent.

84.0.11 [Financial contribution of employer] The financial contribution of the employer to the operating costs of the reclassification assistance committee and to the reclassification activities shall be agreed on by the employer and the Minister.

[Amount] Failing an agreement, the financial contribution of the employer shall be an amount determined by regulation of the Government, per employee affected by the collective dismissal.

[Claim] If the employer fails to make the financial contribution, it may be claimed by the Minister before the competent court.

2002, c. 80, a. 49.

84.0.12 [Exemption] Sur demande, le ministre peut, aux conditions qu'il détermine et après avoir donné aux parties intéressées l'occasion de présenter leurs observations, exempter de l'application de tout ou partie des dispositions des articles 84.0.9 à 84.0.11 un employeur qui, dans l'établissement visé par un licenciement collectif, offre aux salariés visés par ce licenciement des mesures d'aide au reclassement qui sont équivalentes ou supérieures à celles prévues par la présente section.

84.0.12 [Exemption] On request, the Minister may, on the conditions the Minister determines, after giving the interested parties an opportunity to present observations, exempt an employer from the application of all or part of the provisions of sections 84.0.9 to 84.0.11, if the employer, in the establishment concerned by the collective dismissal, offers reclassification assistance measures to the employees affected by the dismissal that are equivalent or surpass the measures provided for in this division.

2002, c. 80, a. 49.

84.0.13 [Indemnité] L'employeur qui ne donne pas l'avis prévu à l'article 84.0.4 ou qui donne un avis d'une durée insuffisante doit verser à chaque salarié licencié une indemnité équivalente à son salaire habituel, sans tenir compte des heures supplémentaires, pour une période égale à celle de la durée ou de la durée résiduaire du délai d'avis auquel l'employeur était tenu.

[Montant du versement] Cette indemnité doit être versée au moment du licenciement ou à l'expiration d'un délai de six mois d'une mise à pied pour une durée indéterminée ou prévue pour une durée inférieure à six mois mais qui excède ce délai.

[Exception] L'employeur qui est dans l'une des situations visées à l'article 84.0.5 n'est toutefois pas tenu de verser une indemnité.

84.0.13 [Indemnity] An employer who does not give the notice prescribed by section 84.0.4 or who gives insufficient notice must pay to each dismissed employee an indemnity equal to the employee's regular wages, excluding overtime, for a period equal to the time period or remainder of the time period within which the employer was required to give notice.

[Time of payment] The indemnity must be paid at the time of the dismissal or at the end of a period of six months after a layoff of indeterminate length or a layoff expected to last less than six months but which exceeds that period.

[Exception] An employer who is in one of the situations described in section 84.0.5 is, however, not required to pay an indemnity.

2002, c. 80, a. 49.

84.0.14 [Indemnités] Les indemnités prévues aux articles 83 et 84.0.13 ne peuvent

84.0.14 [Indemnities] No employee may cumulate the indemnities provided for in

être cumulées par un même salarié. Celui-ci reçoit, toutefois, la plus élevée des indemnités auxquelles il a droit.

2002, c. 80, a. 49.

84.0.15 [Exception] Les articles 84.0.9 à 84.0.12 ne s'appliquent pas lorsque le nombre de salariés visés par le licenciement est inférieur à 50.

2002, c. 80, a. 49.

SECTION VI.1

LA RETRAITE

84.1 [Maintien au travail] Un salarié a le droit de demeurer au travail malgré le fait qu'il ait atteint ou dépassé l'âge ou le nombre d'années de service à compter duquel il serait mis à la retraite suivant une disposition législative générale ou spéciale qui lui est applicable, suivant le régime de retraite auquel il participe, suivant la convention, la sentence arbitrale qui en tient lieu ou le décret qui le régit, ou suivant la pratique en usage chez son employeur.

[Exception] Toutefois, et sous réserve de l'article 122.1 ce droit n'a pas pour effet d'empêcher un employeur ou son agent de congédier, suspendre ou déplacer ce salarié pour une cause juste et suffisante.

1982, c. 12, a. 2.

SECTION VI.2

LE TRAVAIL DES ENFANTS

84.2 [Interdiction] Il est interdit à un employeur de faire effectuer par un enfant un travail disproportionné à ses capacités ou susceptible de compromettre son éducation ou de nuire à sa santé ou à son développement physique ou moral.

1997, c. 72, a. 5; 1999, c. 52, a. 11.

84.3 [Enfant de moins de 14 ans] Il est interdit à un employeur de faire effectuer un travail par un enfant de moins de 14 ans sans avoir, au préalable, obtenu le consentement écrit du titulaire de l'autorité parentale sur cet enfant ou du tuteur de celui-ci.

sections 83 and 84.0.13. However, an employee shall receive the greater of the indemnities to which the employee is entitled.

84.0.15 [Exception] Sections 84.0.9 to 84.0.12 do not apply where the number of employees affected by the dismissal is less than 50.

DIVISION VI.1

RETIREMENT

84.1 [Voluntary retirement] An employee is entitled to continue to work notwithstanding the fact that he has reached or passed the age or number of years of service at which he should retire pursuant to a general law or special Act applicable to him, pursuant to the retirement plan to which he contributes, pursuant to the collective agreement, the arbitration award in lieu thereof or the decree governing him, or pursuant to the common practice of his employer.

[Dismissal, suspension, transfer] However, and subject to section 122.1, such right does not prevent an employer or his agent from dismissing, suspending or transferring such an employee for good and sufficient cause.

DIVISION VI.2

WORK PERFORMED BY CHILDREN

84.2 [Prohibition] No employer may have work performed by a child that is disproportionate to the child's capacity, or that is likely to be detrimental to the child's education, health or physical or moral development.

84.3 [Prohibition] No employer may have work performed by a child under the age of 14 years without first obtaining the written consent of the holder of parental authority or the tutor.

[Consentement] L'employeur doit conserver le consentement comme s'il s'agissait d'une mention au système d'enregistrement ou au registre visé au paragraphe 3° de l'article 29.

1997, c. 72, a. 5; 1999, c. 52, a. 11.

84.4 [Heures de classe] Il est interdit à un employeur de faire effectuer un travail, durant les heures de classe, par un enfant assujetti à l'obligation de fréquentation scolaire.

1999, c. 52, a. 11.

84.5 [Heures de travail] Un employeur qui fait effectuer un travail par un enfant assujetti à l'obligation de fréquentation scolaire doit faire en sorte que les heures de travail soient telles que cet enfant puisse être à l'école durant les heures de classe.

1999, c. 52, a. 11.

84.6 [Exception] Il est interdit à un employeur de faire effectuer un travail par un enfant, entre 23 heures, un jour donné, et 6 heures le lendemain, sauf s'il s'agit d'un enfant qui n'est plus assujetti à l'obligation de fréquentation scolaire ou dans le cas de la livraison de journaux ou dans tout autre cas déterminé par règlement du gouvernement.

1999, c. 52, a. 11.

84.7 [Exception] Un employeur qui fait effectuer un travail par un enfant doit faire en sorte que les heures de travail soient telles, compte tenu du lieu de résidence familiale de cet enfant, que celui-ci puisse être à cette résidence entre 23 heures, un jour donné, et 6 heures le lendemain, sauf s'il s'agit d'un enfant qui n'est plus assujetti à l'obligation de fréquentation scolaire ou dans les cas, circonstances, périodes ou conditions déterminés par règlement du gouvernement.

1999, c. 52, a. 11.

SECTION VII

DIVERSES AUTRES NORMES DU TRAVAIL

85. [Vêtements] Lorsqu'un employeur rend obligatoire le port d'un vêtement particulier, il doit le fournir gratuitement au

[Employer obligation] The employer must preserve the written consent as if it were an entry required to be made in the registration system or register referred to in paragraph 3 of section 29.

84.4 [Prohibition] No employer may have work performed during school hours by a child subject to compulsory school attendance.

84.5 [Employer obligation] An employer who has work performed by a child subject to compulsory school attendance must ensure that the child's work is scheduled so that the child is able to attend school during school hours.

84.6 [Prohibition] No employer may have work performed by a child between 11 p.m. on any given day and 6 a.m. on the following day, except in the case of a child no longer subject to compulsory school attendance, in the case of newspaper deliveries, or in any other case determined by regulation of the Government.

84.7 [Employer obligation] An employer who has work performed by a child must schedule the work so that, having regard to the location of the child's family residence, the child may be at the family residence between 11 p.m. on any given day and 6 a.m. on the following day, except in the case of a child no longer subject to compulsory school attendance or in the cases, circumstances or periods or under the conditions determined by regulation of the Government.

DIVISION VII

MISCELLANEOUS OTHER LABOUR STANDARDS

85. [Special clothing] An employer that requires the wearing of special clothing must supply it free of charge to an employee

salarié payé au salaire minimum. Dans le cas d'un salarié visé à l'un des articles 42.11 et 1019.4 de la Loi sur les impôts (L.R.Q., chapitre I-3), le salaire minimum se calcule sur le salaire augmenté des pourboires attribués en vertu de cet article 42.11 ou déclarés en vertu de cet article 1019.4 et doit au moins être équivalent au salaire minimum qui ne vise pas une catégorie particulière de salariés.

[Vêtements] L'employeur ne peut exiger une somme d'argent d'un salarié pour l'achat, l'usage ou l'entretien d'un vêtement particulier qui aurait pour effet que le salarié reçoive moins que le salaire minimum. Dans le cas d'un salarié visé à l'un des articles 42.11 et 1019.4 de la Loi sur les impôts, le salaire minimum se calcule sur le salaire augmenté des pourboires attribués en vertu de cet article 42.11 ou déclarés en vertu de cet article 1019.4 et la somme d'argent exigée de ce salarié ne peut avoir pour effet qu'il reçoive moins que le salaire minimum qui ne vise pas une catégorie particulière de salariés.

[Vêtements] L'employeur ne peut exiger d'un salarié qu'il paie pour un vêtement particulier qui l'identifie comme étant un salarié de son établissement. En outre, l'employeur ne peut exiger d'un salarié l'achat de vêtements ou d'accessoires dont il fait le commerce.

who is paid the minimum wage. In the case of an employee referred to in section 42.11 or 1019.4 of the Taxation Act (R.S.Q., chapter I-3), the minimum wage is computed on the basis of the wages increased by the tips attributed under that section 42.11 or reported under that section 1019.4, and must at least be equivalent to the minimum wage that does not apply to a particular class of employees.

[Special clothing] The employer cannot require an amount of money from an employee for the purchase, use or upkeep of special clothing if that would cause the employee to receive less than the minimum wage. In the case of an employee referred to in section 42.11 or 1019.4 of the Taxation Act, the minimum wage is computed on the basis of the wages increased by the tips attributed under that section 42.11 or reported under that section 1019.4, and the amount of money required from the employer cannot be such that the employee receives less than the minimum wage that does not apply to a particular class of employees.

[Special clothing] The employer cannot require an employee to pay for special clothing that identifies the employee as an employee of the employer's establishment. In addition, the employer cannot require an employee to purchase clothing or accessories that are items in the employer's trade.

1979, c. 45, a. 85; 1990, c. 73, a. 37; 2002, c. 80, a. 50.

85.1 [Matériel obligatoire] Lorsqu'un employeur rend obligatoire l'utilisation de matériel, d'équipement, de matières premières ou de marchandises pour l'exécution du contrat, il doit les fournir gratuitement au salarié payé au salaire minimum.

[Matériel obligatoire] L'employeur ne peut exiger une somme d'argent d'un salarié pour l'achat, l'usage ou l'entretien de matériel, d'équipement, de matières premières ou de marchandises qui aurait pour effet que le salarié reçoive moins que le salaire minimum.

[Frais] Un employeur ne peut exiger d'un salarié une somme d'argent pour payer des frais reliés aux opérations et aux charges sociales de l'entreprise.

85.1 [Required material] Where an employer requires the use of material, equipment, raw materials or merchandise in the performance of a contract, the employer must furnish them free of charge to an employee who is paid the minimum wage.

[Required material] The employer cannot require an amount of money from an employee for the purchase, use or maintenance of material, equipment, raw materials or merchandise if the payment would cause the employee to receive less than the minimum wage.

[Expenses] The employer cannot require an amount of money from an employee to pay for expenses related to the operations and mandatory employment-related costs of the enterprise.

2002, c. 80, a. 51.

85.2 [Frais de déplacement ou de formation obligatoires] Un employeur est tenu de rembourser au salarié les frais raisonnables encourus lorsque, sur demande de l'employeur, le salarié doit effectuer un déplacement ou suivre une formation.

2002, c. 80, a. 51.

86. Abrogé.

2002, c. 80, a. 52.

86.1 [Statut de salarié] Un salarié a droit au maintien de son statut de salarié lorsque les changements que l'employeur apporte au mode d'exploitation de son entreprise n'ont pas pour effet de modifier ce statut en celui d'entrepreneur non salarié.

[Plainte à la Commission] Lorsque le salarié est en désaccord avec l'employeur sur les conséquences de ces changements sur son statut de salarié, il peut adresser, par écrit, une plainte à la Commission des normes du travail. Sur réception de la plainte, celle-ci fait enquête et le premier alinéa de l'article 102 et les articles 103, 104, 106 à 110 s'appliquent, compte tenu des adaptations nécessaires.

[Refus de la Commission] En cas de refus de la Commission de donner suite à la plainte, le salarié peut, dans les 30 jours de la décision rendue en application de l'article 107, ou, le cas échéant, de l'article 107.1, demander par écrit à la Commission de déférer sa plainte à la Commission des relations du travail.

[Commission des relations du travail] À la fin de l'enquête et si la Commission accepte de donner suite à la plainte, elle défère sans délai la plainte à la Commission des relations du travail afin que celle-ci se prononce sur les conséquences de ces changements sur le statut du salarié.

[Décision] La Commission des relations du travail doit rendre sa décision dans les 60 jours du dépôt de la plainte à ses bureaux.

2002, c. 80, a. 53.

87. [Document] L'employeur doit remettre au salarié tout document d'information relatif aux normes du travail fourni par la Commission.

85.2 [Travel or training expenses] An employer is required to reimburse an employee for reasonable expenses incurred where, at the request of the employer, the employee must travel or undergo training.

86. Repealed.

86.1 [Status of employee] An employee is entitled to retain the status of employee where the changes made by the employer to the mode of operation of the enterprise do not change that status into that of a contractor without employee status.

[Complaint] Where the employee is in disagreement with the employer regarding the consequences of the changes on the status of the employee, the employee may file a complaint in writing with the Commission des normes du travail. On receipt of the complaint, the Commission shall make an inquiry and the first paragraph of section 102 and sections 103, 104 and 106 to 110 shall apply, with the necessary modifications.

[Commission's refusal] If the Commission refuses to take action following a complaint, the employee may, within 30 days of the Commission's decision under section 107 or 107.1, make a written request to the Commission for the referral of the complaint to the Commission des relations du travail.

[Commission des relations du travail] At the end of the inquiry, if the Commission agrees to take action, it shall refer the complaint without delay to the Commission des relations du travail for it to rule on the consequences of the changes on the status of the employee.

[Decision] The Commission des relations du travail shall render its decision within 60 days of the filing of the complaint at its offices.

87. [Document] The employer must transmit to the employee any information document concerning labour standards furnished by the Commission.

[Document] Il doit également, sur demande de la Commission et selon ses indications, remettre au salarié, afficher ou diffuser tout document relatif aux normes du travail qu'elle lui fournit.

[Document] The employer must also, at the request of the Commission and according to its directions, transmit to the employee, post or disseminate any document the Commission furnishes to the employer concerning labour standards.

1979, c. 45, a. 87; 1990, c. 73, a. 38; 2002, c. 80, a. 54.

SECTION VII.1
DISPARITÉS DE TRAITEMENT

87.1 [Interdiction] Une convention ou un décret ne peuvent avoir pour effet d'accorder à un salarié visé par une norme du travail, uniquement en fonction de sa date d'embauche et au regard d'une matière sur laquelle porte cette norme prévue aux sections I à V.1, VI et VII du présent chapitre, une condition de travail moins avantageuse que celle accordée à d'autres salariés qui effectuent les mêmes tâches dans le même établissement.

[Interdiction] Il en est de même au regard d'une matière correspondant à l'une de celles visées par le premier alinéa lorsqu'une norme du travail portant sur cette matière a été fixée par règlement.

DIVISION VII.1
DIFFERENCES IN TREATMENT

87.1 [Prohibition] No agreement or decree may, with respect to a matter covered by a labour standard that is prescribed by Divisions I to V.1, VI and VII of this chapter and is applicable to an employee, operate to apply to the employee, solely on the basis of the employee's hiring date, a condition of employment less advantageous than that which is applicable to other employees performing the same tasks in the same establishment.

[Prohibition] The same applies in respect of a matter corresponding to any of the matters referred to in the first paragraph where a labour standard pertaining to that matter has been fixed by regulation.

1999, c. 85, a. 2; 2002, c. 80, a. 55.

87.2 [Condition non dérogatoire] Une condition de travail fondée sur l'ancienneté ou la durée du service n'est pas dérogatoire à l'article 87.1.

87.2 [Exception] A condition of employment based on seniority or years of service does not contravene section 87.1.

1999, c. 85, a. 2.

87.3 [Fusion ou réorganisation d'une entreprise] Pour l'application de l'article 87.1, ne sont pas prises en compte les conditions de travail appliquées à un salarié à la suite d'un accommodement particulier pour une personne handicapée, ni celles qui sont temporairement appliquées à un salarié à la suite d'un reclassement ou d'une rétrogradation, d'une fusion d'entreprises ou de la réorganisation interne d'une entreprise.

[Prise en considération] De même, ne sont pas pris en compte le salaire et les règles y afférentes qui sont temporairement appliqués à un salarié pour éviter qu'il soit désavantagé en raison de son intégration à un nouveau taux de salaire, à une échelle salariale dont l'amplitude a été modifiée ou à une nouvelle échelle, pourvu que:

87.3 [Exception] The conditions of employment applied to an employee pursuant to a special arrangement for the handicapped and the conditions of employment applied temporarily to an employee following a reclassification or demotion, an amalgamation of enterprises or an internal reorganization in an enterprise shall be disregarded for the purposes of section 87.1.

[Exception] The wages and wage rules temporarily applied to an employee to prevent the employee from being disadvantaged owing to the employee's integration into a new wage rate, a wage scale whose range has been modified or a new wage scale shall also be disregarded, provided that

1° ce taux de salaire ou cette échelle salariale soit établi pour être applicable, sous réserve des situations prévues au premier alinéa, à l'ensemble des salariés qui effectuent les mêmes tâches dans le même établissement;

2° l'écart entre le salaire appliqué au salarié et le taux ou l'échelle établi pour être applicable à l'ensemble de ces salariés se résorbe progressivement, à l'intérieur d'un délai raisonnable.

(1) the wage rate or wage scale is established to be applicable, subject to the situations referred to in the first paragraph, to all employees performing the same tasks in the same establishment; and

(2) the difference between the wage applied to the employee and the rate or scale established to be applicable to all such employees is progressively eliminated within a reasonable period of time.

1999, c. 85, a. 2.

SECTION VIII
LES RÈGLEMENTS

88. [Réglementation] Le gouvernement peut faire des règlements pour exempter de l'application totale ou partielle de la section I du chapitre IV, pour le temps et aux conditions qu'il détermine, une ou plusieurs catégories de salariés qu'il désigne, notamment les cadres, les salariés à commission, les salariés des exploitations forestières, des scieries et des travaux publics, les gardiens, les salariés au pourboire, les salariés visés dans les sous-paragraphes i, ii et iii du paragraphe 10° de l'article 1, les étudiants employés dans une colonie de vacances ou dans un organisme à but non lucratif et à vocation sociale ou communautaire, tel un organisme de loisirs, et les stagiaires dans un cadre de formation ou d'intégration professionnelle reconnu par une loi.

[Normes différentes] Le gouvernement peut aussi, le cas échéant, fixer des normes différentes de celles que prévoit la section I du chapitre IV pour les salariés visés au premier alinéa.

DIVISION VIII
REGULATIONS

88. [Regulations] The Government may make regulations exempting such category or categories of employees as it may designate from the whole or a part of the application of Division I of Chapter IV, for such time and on such conditions as it may fix, namely, managerial personel, employees on commission, employees engaged in logging operations, saw mills and public works, caretakers, employees who receive gratuities or tips, employees contemplated by subparagraphs i, ii and iii of paragraph 10 of section 1, students employed in a vacation camp or in a social or community non-profit organization, such as a recreational organization, and trainees under a programme of vocational training or induction recognized by law.

[Different standards] The Government may also, as the case may be, fix standards different from those provided in Division I of Chapter IV for the employees contemplated in the first paragraph.

1979, c. 45, a. 88; 1990, c. 73, a. 39, 66; 2002, c. 80, a. 56.

89. [Réglementation] Le gouvernement peut fixer, par règlement, des normes du travail portant sur les matières suivantes:

1° le salaire minimum qui peut être établi au temps ou au rendement ou sur une autre base;

2° le bulletin de paye;

3° le montant maximum qui peut être exigé du salarié pour la chambre et la pension;

4° la semaine normale d'un salarié, notamment celle:

a) abrogé;

89. [Regulations] The Government, by regulation, may fix labour standards respecting the following matters:

(1) the minimum wage, which may be established on a time basis, a production basis or any other basis;

(2) pay sheets;

(3) the maximum amount that may be required of an employee for bed and board;

(4) the standard workweek of employees, particularly that of

(a) repealed;

b) de diverses catégories de gardiens;
c) du salarié occupé dans le commerce de l'alimentation au détail;
d) du salarié occupé dans les exploitations forestières;
e) du salarié occupé dans les scieries;
f) du salarié occupé dans les travaux publics;
g) du salarié qui travaille dans un endroit isolé, inaccessible par une route carrossable et qu'aucun système régulier de transport ne relie au réseau routier du Québec;
h) de diverses catégories de salariés effectuant sur le territoire de la région de la Baie James des travaux réalisés sous la responsabilité de Hydro-Québec, de la Société d'énergie de la Baie James ou de la Société de développement de la Baie James;
i) des catégories de salariés visés aux paragraphes 2°, 6° et 7° du premier alinéa de l'article 54;
5° abrogé;
6° les autres avantages dont un salarié peut bénéficier pendant l'absence pour cause de maladie, d'accident ou d'acte criminel, le congé de maternité, de paternité ou parental, lesquels peuvent varier selon la nature du congé ou, le cas échéant, la durée de celui-ci;
6.1° les cas et les conditions dans lesquels un congé parental peut se terminer au plus tard 104 semaines après la naissance ou, dans le cas d'une adoption, 104 semaines après que l'enfant a été confié au salarié;
6.1.1° les autres cas, conditions, délais et la durée suivant lesquels un congé de maternité, de paternité ou parental peut être fractionné en semaines;
6.2° les modalités de transmission de l'avis de licenciement collectif et les renseignements qu'il doit contenir;
6.3° le montant de la contribution financière de l'employeur aux coûts de fonctionnement du comité d'aide au reclassement et aux activités de reclassement;
7°-8° abrogés.

(b) various classes of caretakers;
(c) employees engaged in the retail food trade;
(d) employees engaged in logging operations;
(e) employees working in saw mills;
(f) employees working at public works;
(g) employees working in an isolated area that is inacessible by motor road and not connected up to the road network of Québec by any regular transport system;
(h) various categories of workers carrying out work in the James Bay territory under the authority of Hydro-Québec, the Société d'énergie de la Baie James or the Société de développement de la Baie James;
(i) the categories of employees listed in subparagraphs 2, 6 and 7 of the first paragraph of section 54;
(5) repealed;
(6) the other benefits an employee may receive during an absence owing to sickness, accident or a criminal offence, a maternity, paternity or parental leave, which may vary according to the nature of the leave or, where applicable, its length;
(6.1) the cases in which and conditions on which a parental leave may terminate at the latest 104 weeks after the birth or, in the case of adoption, 104 weeks after the child was entrusted to the employee;
(6.1.1) the other cases, conditions, times and durations prescribed for the division of a maternity, paternity or parental leave into weeks;
(6.2) the procedure for transmission of the notice of collective dismissal and the information it must contain;
(6.3) the amount of the employer's financial contribution to the operating costs of the reclassification assistance committee and to the reclassification activities;
(7)-(8) repealed.

1979, c. 45, a. 89; 1980, c. 11, a. 127; 1981, c. 23, a. 56; 1983, c. 15, a. 1; 1990, c. 73, a. 40; 2002, c. 80, a. 57; 2005, c. 13, a. 87; 2007, c. 36, a. 13.

89.1 [Interdiction non applicable] Le gouvernement peut, par règlement, déterminer les cas où l'interdiction prévue à l'article 84.6 n'est pas applicable.

89.1 [Regulations] The Government may, by regulation, determine cases in which a prohibition under section 84.6 is not applicable.

[Interdiction non applicable] Il peut aussi, de la même manière, déterminer les cas, circonstances, périodes ou conditions où l'obligation prévue à l'article 84.7 n'est pas applicable.

[Regulations] It may also, in the same manner, determine cases, circumstances, periods or conditions in or under which the obligation imposed by section 84.7 is not applicable.

1997, c. 72, a. 6; 1999, c. 52, a. 12.

90. [Réglementation] Le gouvernement peut, par règlement, soustraire de l'application totale ou partielle de la présente loi et des règlements certains établissements ou catégories d'établissements à vocation de rééducation physique, mentale ou sociale et, le cas échéant, fixer des normes du travail qui sont applicables aux personnes qui y travaillent.

90. [Regulations] The Government may, by regulation, wholly or partly exempt certain establishments or categories of establishments for physical, mental or social reeducation from this act and the regulations and, as the case may be, fix labour standards applicable to the persons working in them.

1979, c. 45, a. 90; 1990, c. 73, a. 41; 2002, c. 80, a. 58.

90.1 [Catégories de salariés ou d'employeurs] Le gouvernement peut, par règlement, soustraire de l'application de la section VI.1 et de l'article 122.1 certaines catégories de salariés ou d'employeurs.

[Réglementation rétroactive] Un règlement adopté en vertu du premier alinéa peut l'être pour avoir effet à une date d'au plus six mois antérieure à celle de son adoption.

90.1 [Exceptions] The Government may, by regulation, exempt certain categories of employees or employers from the application of Division VI.1 and section 122.1.

[Regulation] A regulation made under the first paragraph may be made to have effect on a date not over six months prior to the date on which it is made.

1982, c. 12, a. 3.

91. [Normes différentes] Les normes visées dans les articles 88 à 90 peuvent varier selon la branche d'activité et le genre de travail.

[Résidence chez l'employeur] Elles peuvent aussi varier suivant que le salarié réside ou non chez son employeur.

91. [Different standards] The standards contemplated in sections 88 to 90 may vary according to the field of activity and the type of work.

[Residence] They may also vary according to whether or not an employee resides with his employer.

1979, c. 45, a. 91; 1980, c. 5, a. 8; 1981, c. 23, a. 57; 1990, c. 73, a. 42.

92. Abrogé.

92. Repealed.

1997, c. 72, a. 7.

SECTION VIII.1

NORMES DU TRAVAIL DANS L'INDUSTRIE DU VÊTEMENT

92.1 [Responsabilités] Le gouvernement peut fixer, par règlement, après consultation des associations de salariés et des associations d'employeurs les plus représentatives de l'industrie du vêtement, pour

DIVISION VIII.1

LABOUR STANDARDS IN THE CLOTHING INDUSTRY

92.1 [Regulations] After consulting with the most representative employees' and employers' associations in the clothing industry, the Government may, by regulation, in respect of all employers and employees in the

l'ensemble des employeurs et des salariés de l'industrie du vêtement qui, n'eût été de l'expiration de l'un des décrets mentionnés au troisième alinéa de l'article 39.0.2, seraient visés par l'un de ceux-ci, des normes du travail portant sur les matières suivantes:

1° le salaire minimum qui peut être établi au temps, au rendement ou sur une autre base;

2° la semaine normale de travail;

3° les jours fériés, chômés et payés et l'indemnité afférente à ces jours, qui peut être établie au rendement ou sur une autre base;

4° la durée du congé annuel du salarié, établie en fonction de son service continu chez le même employeur, le fractionnement d'un tel congé et l'indemnité qui est afférente au congé;

5° la durée de la période de repas, avec ou sans salaire;

6° le nombre de jours d'absence du salarié, avec ou sans salaire, en raison des événements familiaux visés aux articles 80 et 80.1.

[Disposition analogue] Ce règlement peut aussi comporter toute disposition analogue à celles qui figurent, au regard d'une matière qu'il vise, dans les sections I à V.1 du chapitre IV.

[Dispositions applicables] Pour l'application de la présente loi, les articles 63 à 66, 71.1, 73, 75 à 77 et 80.2 doivent se lire, compte tenu des adaptations nécessaires, en tenant compte des dispositions édictées en application des premier et deuxième alinéas.

clothing industry that would be covered by a decree referred to in the third paragraph of section 39.0.2 had the decree not expired, fix labour standards respecting the following matters:

(1) the minimum wage, which may be established on a time basis, a production basis or any other basis;

(2) the standard workweek;

(3) paid statutory general holidays and the indemnity relating to such holidays, which may be established on a production basis or any other basis;

(4) the duration of an employee's annual leave, established according to the employee's uninterrupted service with the same employer, and the division of and indemnity relating to the leave;

(5) the duration of the meal period, with or without pay;

(6) the number of days during which an employee may be absent, with or without pay, for family events referred to in sections 80 and 80.1.

[Provisions] The regulation may also include any provision similar to the provisions appearing in Divisions I to V.1 of Chapter IV in respect of any matter covered by the regulation.

[Reference] For the purposes of this Act, sections 63 to 66, 71.1, 73, 75 to 77 and 80.2 shall be read with reference to the provisions prescribed pursuant to the first and second paragraphs, with the necessary modifications.

1999, c. 57, a. 3; 2001, c. 47, a. 1.

92.2 Abrogé.

92.2 Repealed.

2001, c. 47, a. 2.

92.3 [Programme de surveillance] La Commission se dote d'un programme adapté de surveillance pour l'application des normes du travail applicables à l'industrie du vêtement.

92.3 [Monitoring of compliance with standards] The Commission shall establish a specific program for the monitoring of compliance with the labour standards applicable in the clothing industry.

1999, c. 57, a. 3; 2001, c. 47, a. 3.

92.4 Abrogé.

92.4 Repealed.

2001, c. 47, a. 4.

SECTION IX
L'EFFET DES NORMES DU TRAVAIL

93. [Normes d'ordre public] Sous réserve d'une dérogation permise par la présente loi, les normes du travail contenues dans la présente loi et les règlements sont d'ordre public.

[Disposition nulle] Une disposition d'une convention ou d'un décret qui déroge à une norme du travail est nulle de nullité absolue.

1979, c. 45, a. 93; 1999, c. 40, a. 196.

94. [Condition de travail plus avantageuse] Malgré l'article 93, une convention ou un décret peut avoir pour effet d'accorder à un salarié une condition de travail plus avantageuse qu'une norme prévue par la présente loi ou les règlements.

1979, c. 45, a. 94; 1980, c. 5, a. 9.

95. [Sous-entrepreneur] Un employeur qui passe un contrat avec un sous-entrepreneur ou un sous-traitant, directement ou par un intermédiaire, est solidairement responsable avec ce sous-entrepreneur, ce sous-traitant et cet intermédiaire, des obligations pécuniaires fixées par la présente loi ou les règlements.

1979, c. 45, a. 95; 1994, c. 46, a. 8.

96. [Aliénation d'entreprise] L'aliénation ou la concession totale ou partielle d'une entreprise n'invalide aucune réclamation civile qui découle de l'application de la présente loi ou d'un règlement et qui n'est pas payée au moment de cette aliénation ou concession. L'ancien employeur et le nouveau sont liés solidairement à l'égard d'une telle réclamation.

1979, c. 45, a. 96; 2002, c. 80, a. 59.

97. [Aliénation d'entreprise] L'aliénation ou la concession totale ou partielle de l'entreprise, la modification de sa structure juridique, notamment, par fusion, division ou autrement n'affecte pas la continuité de l'application des normes du travail.

1979, c. 45, a. 97.

DIVISION IX
EFFECT OF LABOUR STANDARDS

93. [Standards of public order] Subject to any exception allowed by this act, the labour standards contained in this act and the regulations are of public order.

[Provision null] In an agreement or decree, any provision that contravenes a labour standard or that is inferior thereto is absolutely null.

94. [More advantageous condition of employment] Notwithstanding section 93, an agreement or a decree may grant an employee a more advantageous condition of employment than required in a standard prescribed by this act or the regulations.

95. [Subcontractor] An employer who enters into a contract with a subcontractor, directly or through an intermediary, is responsible jointly and severally with that subcontractor and that intermediary for the pecuniary obligations fixed by this act or the regulations.

96. [Alienation of an undertaking] The alienation or concession of the whole or a part of an undertaking does not invalidate any civil claim arising from the application of this act or a regulation which is not paid at the time of such alienation or concession. The former employer and the new employer are bound solidarily in respect of that claim.

97. [Alienation of an undertaking] The alienation or concession in whole or in part of the undertaking, or the modification of its juridical structure, namely by amalgamation, division or otherwise, does not affect the continuity of the application of the labour standards.

CHAPITRE V
LES RECOURS

SECTION I
LES RECOURS CIVILS

98. [Réclamation de salaire] Lorsqu'un employeur fait défaut de payer à un salarié le salaire qui lui est dû, la Commission peut, pour le compte de ce salarié, réclamer de cet employeur le salaire impayé.

CHAPTER V
RECOURSES

DIVISION I
CIVIL RECOURSES

98. [Claim of wages] Where the employer fails to pay to an employee the wage owing to him, the Commission, on behalf of that employee, may claim the unpaid wage from that employer.

1979, c. 45, a. 98; 1990, c. 73, a. 43.

99. [Réclamation d'autres avantages] Dans le cas où un employeur fait défaut de payer les autres avantages pécuniaires qui résultent de l'application de la présente loi ou d'un règlement, la Commission peut réclamer ces avantages sur la base du salaire horaire habituel du salarié et de ses pourboires déclarés et attribués en vertu des articles 42.11 et 1019.4 de la Loi sur les impôts (L.R.Q., chapitre I-3).

99. [Claim of other benefits] Where the employer fails to pay the other pecuniary benefits resulting from the application of this Act or a regulation, the Commission may claim these benefits on the basis of the usual hourly wage of the employee and his gratuities declared and allocated under sections 42.11 and 1019.4 of the Taxation Act (R.S.Q., chapter I-3).

1979, c. 45, a. 99; 1983, c. 43, a. 12; 2002, c. 80, a. 60.

100. Abrogé.

100. Repealed.

1990, c. 73, a. 44.

101. [Règlement d'une réclamation nul] Tout règlement d'une réclamation entre un employeur et un salarié qui comporte une réduction du montant réclamé est nul de nullité absolue.

101. [Settlement of a claim null] Any settlement of a claim between an employer and an employee which involves a reduction of the amount claimed is absolutely null.

1979, c. 45, a. 101; 1999, c. 40, a. 196.

102. [Plainte] Sous réserve des articles 123 et 123.1, un salarié qui croit avoir été victime d'une atteinte à un droit conféré par la présente loi ou un règlement peut adresser, par écrit, une plainte à la Commission. Une telle plainte peut aussi être adressée, pour le compte d'un salarié qui y consent par écrit, par un organisme sans but lucratif de défense des droits des salariés.

[Salarié lié à une convention collective ou un décret] Si un salarié est assujetti à une convention collective ou à un décret, le plaignant doit alors démontrer à la Commission qu'il a épuisé les recours découlant de cette convention ou de ce décret, sauf lorsque la plainte porte sur une condition de travail interdite par l'article 87.1; dans ce

102. [Complaint] Subject to sections 123 and 123.1, an employee who believes that one of his rights under this Act or a regulation has been violated may file a complaint in writing with the Commission. Such a complaint may also be filed on behalf of an employee who consents thereto in writing by a non-profit organization dedicated to the defence of employee's rights.

[Employee subject to collective agreement or decree] If an employee is subject to a collective agreement or a decree, the complainant must then prove to the Commission that he has exhausted his recourses arising out of that agreement or that decree, unless the complaint concerns a condition of employment prohibited by section 87.1; in

dernier cas, le plaignant doit plutôt démontrer à la Commission qu'il n'a pas utilisé ces recours ou que, les ayant utilisés, il s'en est désisté avant qu'une décision finale n'ait été rendue.

the latter case, the complainant must prove to the Commission that he has not exercised such recourses or that, having exercised them, he discontinued proceedings before a final decision was rendered.

1979, c. 45, a. 102; 1982, c. 12, a. 4; 1990, c. 73, a. 45; 1999, c. 85, a. 3.

103. [Identité du salarié] La Commission ne doit pas dévoiler pendant l'enquête l'identité du salarié concerné par une plainte, sauf si ce dernier y consent.

103. [Identity of an employee] The Commission shall not, during the inquiry, disclose the identity of an employee by or on behalf of whom a complaint has been filed, unless the latter consents to it.

1979, c. 45, a. 103; 1990, c. 73, a. 46.

104. [Enquête] Sur réception d'une plainte, la Commission fait enquête avec diligence.

104. [Inquiry] On receipt of a complaint, the Commission shall make an inquiry with due dispatch.

1979, c. 45, a. 104.

105. [Enquête] La Commission peut également faire enquête de sa propre initiative.

105. [Inquiry] The Commission may also make an inquiry of its own initiative.

1979, c. 45, a. 105.

106. [Plainte frivole] La Commission peut refuser de poursuivre une enquête si elle constate que la plainte est frivole ou faite de mauvaise foi.

106. [Frivolous complaint] The Commission may refuse to proceed with an inquiry if it finds that the complaint is frivolous or made in bad faith.

1979, c. 45, a. 106.

107. [Refus d'enquête] Lorsque la Commission refuse de poursuivre une enquête aux termes de l'article 106 ou lorsqu'elle constate que la plainte n'est pas fondée, elle avise le plaignant de sa décision par courrier recommandé ou certifié, lui en donne les motifs et l'informe de son droit de demander une révision de cette décision.

107. [Refusal to inquire] Where the Commission refuses to proceed with an inquiry under section 106 or where it finds that the complaint is groundless, it shall give notice of its decision to the complainant by registered or certified mail, giving the reasons therefor and informing him of his right to apply for a review of the decision.

1979, c. 45, a. 107; 1990, c. 73, a. 47; 1992, c. 26, a. 11.

107.1 [Révision de décision] Le plaignant peut, par écrit, demander une révision de la décision visée à l'article 107 dans les 30 jours de sa réception.

[Décision finale] La Commission doit rendre une décision finale, par courrier recommandé ou certifié, dans les 30 jours de la réception de la demande du plaignant.

107.1 [Application for review] The complainant may, within 30 days of receiving the decision referred to in section 107, apply in writing for a review thereof.

[Final decision] The Commission must render a final decision by registered or certified mail within 30 days of receiving the application from the complainant.

1990, c. 73, a. 48; 1992, c. 26, a. 12.

108. [Pouvoirs d'enquête] La Commission ou une personne qu'elle désigne généralement ou spécialement à cette fin, est investie, aux fins d'une enquête visée dans les articles 104 et 105 des pouvoirs et de l'immunité accordés aux commissaires nommés en vertu de la Loi sur les commissions d'enquête (L.R.Q., chapitre C-37), sauf celui d'imposer l'emprisonnement.

[Personne autorisée à enquêter] La Commission peut autoriser généralement ou spécialement une personne à enquêter sur une question relative à la présente loi ou à un règlement. Cette personne doit, sur demande, produire un certificat signé par le président attestant sa qualité.

108. [Powers of inquiry] The Commission, or any person it may designate generally or specially for that purpose, is vested, for the purposes of an inquiry contemplated in sections 104 and 105, with the powers and immunity granted to commissioners appointed under the Act respecting public inquiry commissions (R.S.Q., chapter C-37), except the power to impose imprisonment.

[Person authorized to inquire] The Commission may authorize a person generally or specially to inquire into a matter relating to this act or a regulation. Such person must, upon request, present a certificate of his authority signed by the chairman.

1979, c. 45, a. 108.

109. [Enquête] À l'occasion d'une enquête, la Commission ou une personne qu'elle désigne à cette fin peut:

1° pénétrer à une heure raisonnable en tout lieu du travail ou établissement d'un employeur et en faire l'inspection; celle-ci peut comprendre l'examen de registres, livres, comptes, pièces justificatives et autres documents;

2° exiger une information relative à l'application de la présente loi ou d'un règlement, de même que la production d'un document qui s'y rapporte.

109. [Inquiry] In proceeding with an inquiry, the Commission or any person designated by it for such purpose may

(1) enter at any reasonable time any place of work or establishment of an employer and make an inspection thereof; such inspection may include the examination of registers, books, accounts, vouchers and other documents;

(2) require any information regarding the application of this act or a regulation, and the production of any document related thereto.

1979, c. 45, a. 109.

110. [Force probante] Un document prévu par l'article 109 qui a fait l'objet d'un examen par la Commission ou par une personne qu'elle désigne, ou qui leur a été produit, peut être copié ou photocopié. Une copie ou photocopie de ce document certifié conforme à l'original par le président ou cette personne est admissible en preuve et a la même force probante que l'original.

110. [Probative value] A document contemplated in section 109 which has been examined by the Commission or a person designated by it, or which has been produced to either of them, may be copied or photocopied. Any copy or photocopy of such document certified true to the original by the chairman or that person is admissible as evidence and has the same probative value as the original.

1979, c. 45, a. 110.

111. [Mise en demeure] Lorsque, à la suite d'une enquête, la Commission est d'avis qu'une somme d'argent est due à un salarié, conformément à la présente loi ou aux règlements, elle met l'employeur en demeure par écrit de payer cette somme à la Commission dans les 20 jours de l'envoi de cette mise en demeure.

111. [Putting in default] Where, following an inquiry, the Commission considers that an amount of money is due to an employee in accordance with this act or the regulations, it shall demand, by notice in writing, that the employer pay such amount to the Commission within 20 days of the sending of the demand notice.

[Copie au salarié] La Commission envoie en même temps au salarié un avis indiquant le montant réclamé en sa faveur.

[Copy to employee] The Commission shall at the same time send a notice to the employee indicating the amount claimed on his behalf.

1979, c. 45, a. 111; 1990, c. 73, a. 49; 1992, c. 26, a. 13; 2008, c. 30, a. 6.

NON EN VIGUEUR

112. [Somme versée au salarié] À défaut par l'employeur de payer cette somme dans le délai fixé à l'article 111, la Commission peut, de son propre chef, dans les cas prévus par règlement adopté en vertu du paragraphe 6° de l'article 29, la verser au salarié dans la mesure prévue par le paragraphe 6° de l'article 39.

[Subrogation] La Commission est dès lors subrogée dans tous les droits du salarié jusqu'à concurrence de la somme ainsi payée.

NOT IN FORCE

112. [Amount paid to employee] If the employer fails to pay such amount within the time fixed in section 111, the Commission may, of its own authority in the cases provided by regulation made under paragraph 6 of section 29, pay the amount to the employee to the extent provided for in paragraph 6 of section 39.

[Subrogation] The Commission is thereupon substituted in all the rights of the employee up to the amount thus paid.

1979, c. 45, a. 112.

113. [Recours exercé par Commission] La Commission peut exercer pour le compte d'un salarié l'action appropriée à l'expiration du délai prévu par l'article 111.

[Recours] Elle peut aussi exercer à l'encontre des administrateurs d'une personne morale les recours que peut exercer un salarié envers eux.

113. [Recourse exercised by Commission] The Commission may take the appropriate action on behalf of the employee at the expiry of the time provided for in section 111.

[Recourses exercised by the Commission] The Commission may also exercise the recourses available to an employee against the directors of a legal person.

1979, c. 45, a. 113; 1990, c. 73, a. 50; 1992, c. 26, a. 14.

114. [Montant forfaitaire] La Commission peut, lorsqu'elle exerce les recours prévus par les articles 112 et 113, réclamer en sus de la somme due en vertu de la présente loi ou d'un règlement, un montant égal à 20% de cette somme. Ce montant appartient en entier à la Commission.

[Taux d'intérêt] La somme due au salarié porte intérêt, à compter de l'envoi de la mise en demeure visée dans l'article 111, au taux fixé en vertu de l'article 28 de la Loi sur le ministère du Revenu (L.R.Q., chapitre M-31).

114. [Lump sum] Where it exercises the recourses provided for in sections 112 and 113, the Commission may claim, in addition to the amount due under this act or a regulation, an amount equal to 20% of such amount. This additional amount of 20% belongs entirely to the Commission.

[Rate of interest] The amount due to the employee bears interest at the rate fixed under section 28 of the Act respecting the Ministère du Revenu (R.S.Q., chapter M-31), from the sending of the demand notice under section 111.

1979, c. 45, a. 114; 1990, c. 73, a. 51; 2008, c. 30, a. 7.

115. [Prescription] Une action civile intentée en vertu de la présente loi ou d'un règlement se prescrit par un an à compter de chaque échéance.

115. [Prescription] A civil action brought under this act or a regulation is prescribed by one year from each due date.

[Travailleurs forestiers] Cette prescription ne court qu'à partir du premier mai suivant la date d'exécution du travail quant aux salariés occupés dans les exploitations forestières.

[Logging operations] This prescription runs only from 1 May following the date of execution of the work in respect of employees engaged in logging operations.

1979, c. 45, a. 115.

116. [Prescription interrompue] Un avis d'enquête de la Commission, expédié à l'employeur par courrier recommandé ou certifié, suspend la prescription à l'égard de tous ses salariés pour six mois à compter de sa mise à la poste.

116. [Prescription interrupted] A notice of inquiry sent by the Commission to the employer by registered or certified mail suspends prescription in respect of all his employees for six months from the date of mailing.

1979, c. 45, a. 116; 1990, c. 73, a. 52; 1992, c. 26, a. 15.

117. Abrogé.

117. Repealed.

1994, c. 46, a. 9.

118. [Fraude] Au cas de fausse inscription dans le registre obligatoire ou dans le système d'enregistrement ou au cas de remise clandestine ou de toute autre fraude, la prescription ne court à l'encontre des recours de la Commission qu'à compter de la date où cette dernière a connu la fraude.

118. [Fraud] In the case of a false entry in the required register, or in the system of registration, or of a secret rebate or any other fraud, prescription runs against the Commission's recourses only from the date on which the Commission becomes aware of the fraud.

1979, c. 45, a. 118.

119. [Recours cumulés] Les recours de plusieurs salariés contre un même employeur ou les administrateurs d'une même personne morale peuvent être cumulés dans une seule demande, qu'elle soit formulée par un salarié ou par la Commission, et le total réclamé détermine la compétence du tribunal tant en première instance qu'en appel.

119. [Recourses joined] The recourses of several employees against the same employer or against the directors of the same legal person may be joined in the same suit, whether it is instituted by the employees or by the Commission, and the total amount claimed determines the jurisdiction of the court, both in first instance and in appeal.

1979, c. 45, a. 119; 1992, c. 26, a. 16.

119.1 [Instruction d'urgence] Toute poursuite intentée devant les tribunaux civils, en vertu de la présente loi, constitue une matière qui doit être instruite et jugée d'urgence.

119.1 [Preference] All proceedings brought before the civil courts under this Act constitute matters which must be heard and decided by preference.

1990, c. 73, a. 53.

120. [Sommes remises à la Commission] Après la réception d'une mise en demeure de la Commission, un employeur ne peut acquitter valablement les sommes

120. [Amount remitted to the Commission] After being put in default by the Commission, an employer cannot validly discharge the amounts forming the object of

faisant l'objet de cette réclamation qu'en en faisant remise à la Commission. Cette disposition ne s'applique pas dans le cas d'une action intentée par le salarié lui-même.

the claim except by remitting them to the Commission. This provision does not apply in the case of an action brought by the employee himself.

1979, c. 45, a. 120.

121. [Remise au salarié] Sous réserve de l'article 112 et du premier alinéa de l'article 114, la Commission remet au salarié le montant perçu en exerçant son recours.

[Déduction] La Commission doit toutefois, sur demande du ministre de l'Emploi et de la Solidarité sociale, déduire de ce montant celui remboursable en vertu de l'article 90 de la Loi sur l'aide aux personnes et aux familles (L.R.Q., chapitre A-13.1.1). La Commission remet le montant ainsi déduit au ministre de l'Emploi et de la Solidarité sociale.

121. [Amount remitted to the employee] Subject to section 112 and to the first paragraph of section 114, the Commission shall remit to the employee the amount it collects by exercising his recourse.

[Deduction] At the request of the Minister of Employment and Social Solidarity, the Commission shall deduct from that amount the amount repayable under section 90 of the Individual and Family Assistance Act (R.S.Q., chapter A-13.1.1). The Commission shall remit the amount thus deducted to the Minister of Employment and Social Solidarity.

1979, c. 45, a. 121; 1988, c. 51, a. 120; 1992, c. 44, a. 81; 1994, c. 12, a. 50; 1997, c. 63, a. 128; 1998, c. 36, a. 184; 2001, c. 44, a. 30; 2005, c. 15, a. 165.

SECTION II
RECOURS À L'ENCONTRE D'UNE PRATIQUE INTERDITE

DIVISION II
RECOURSE AGAINST PROHIBITED PRACTICES

122. [Congédiement interdit] Il est interdit à un employeur ou à son agent de congédier, de suspendre ou de déplacer un salarié, d'exercer à son endroit des mesures discriminatoires ou des représailles ou de lui imposer toute autre sanction:

1° à cause de l'exercice par ce salarié d'un droit, autre que celui visé à l'article 84.1, qui lui résulte de la présente loi ou d'un règlement;

1.1° en raison d'une enquête effectuée par la Commission dans un établissement de cet employeur;

2° pour le motif que ce salarié a fourni des renseignements à la Commission ou à l'un de ses représentants sur l'application des normes du travail ou qu'il a témoigné dans une poursuite s'y rapportant;

3° pour la raison qu'une saisie-arrêt a été pratiquée à l'égard du salarié ou peut l'être;

3.1° pour le motif que le salarié est un débiteur alimentaire assujetti à la Loi facilitant le paiement des pensions alimentaires (L.R.Q., chapitre P-2.2);

4° pour la raison qu'une salariée est enceinte;

122. [Dismissal prohibited] No employer or his agent may dismiss, suspend or transfer an employee, practise discrimination or take reprisals against him, or impose any other sanction upon him

(1) on the ground that such employee has exercised one of his rights, other than the right contemplated in section 84.1, under this Act or a regulation;

(1.1) on the ground that an inquiry is being conducted by the Commission in an establishment of the employer;

(2) on the ground that such employee has given information to the Commission or one of its representatives on the application of the labour standards or that he has given evidence in a proceeding related thereto;

(3) on the ground that a seizure by garnishment has been or may be effected against such employee;

(3.1) on the ground that such employee is a debtor of support subject to the Act to facilitate the payment of support (R.S.Q., chapter P-2.2);

(4) on the ground that such employee is pregnant;

5° dans le but d'éluder l'application de la présente loi ou d'un règlement;

6° pour le motif que le salarié a refusé de travailler au-delà de ses heures habituelles de travail parce que sa présence était nécessaire pour remplir des obligations reliées à la garde, à la santé ou à l'éducation de son enfant ou de l'enfant de son conjoint, ou en raison de l'état de santé de son conjoint, de son père, de sa mère, d'un frère, d'une soeur ou de l'un de ses grands-parents, bien qu'il ait pris les moyens raisonnables à sa disposition pour assumer autrement ces obligations.

[Salariée enceinte déplacée] Un employeur doit, de son propre chef, déplacer une salariée enceinte si les conditions de travail de cette dernière comportent des dangers physiques pour elle ou pour l'enfant à naître. La salariée peut refuser ce déplacement sur présentation d'un certificat médical attestant que ces conditions de travail ne présentent pas les dangers allégués.

(5) for the purpose of evading the application of this act or a regulation;

(6) on the ground that the employee has refused to work beyond his regular hours of work because his presence was required to fulfil obligations relating to the care, health or education of the employee's child or the child of the employee's spouse, or because of the state of health of the employee's spouse, father, mother, brother, sister or one of the employee's grandparents, even though he had taken the reasonable steps within his power to assume those obligations otherwise.

[Pregnant employee transferred] An employer must of his own initiative transfer a pregnant employee if her conditions of employment are physically dangerous to her or her unborn child. The employee may refuse the transfer by presenting a medical certificate attesting that her conditions of employment are not dangerous as alleged.

1979, c. 45, a. 122; 1980, c. 5, a. 10; 1982, c. 12, a. 5; 1990, c. 73, a. 55; 1995, c. 18, a. 95; 2002, c. 80, a. 61.

122.1 [Mise à la retraite interdite] Il est interdit à un employeur ou à son agent de congédier, suspendre ou mettre à la retraite un salarié, d'exercer à son endroit des mesures discriminatoires ou des représailles pour le motif qu'il a atteint ou dépassé l'âge ou le nombre d'années de service à compter duquel il serait mis à la retraite suivant une disposition législative générale ou spéciale qui lui est applicable, suivant le régime de retraite auquel il participe, suivant la convention, la sentence arbitrale qui en tient lieu ou le décret qui le régit, ou suivant la pratique en usage chez son employeur.

122.1 [Prohibited practices] No employer or his agent may dismiss, suspend or retire an employee, practice discrimination or take reprisals against him on the ground that he has reached or passed the age or the number of years of service at which he should retire pursuant to a general law or special Act applicable to him, pursuant to the retirement plan to which he contributes, pursuant to the collective agreement, the arbitration award in lieu thereof or the decree governing him, or pursuant to the common practice of his employer.

1982, c. 12, a. 6; 2002, c. 80, a. 62.

122.2 Abrogé.

122.2 Repealed.

2002, c. 80, a. 63.

123. [Plainte à la Commission] Un salarié qui croit avoir été victime d'une pratique interdite en vertu de l'article 122 et qui désire faire valoir ses droits doit le faire auprès de la Commission des normes du travail dans les 45 jours de la pratique dont il se plaint.

123. [Complaint to Commission] An employee who believes he has been the victim of a practice prohibited by section 122 and who wishes to assert his rights must do so before the Commission des normes du travail within 45 days of the occurrence of the practice complained of.

[Plainte à la Commission des relations du travail] Si la plainte est soumise dans ce délai à la Commission des relations du travail, le défaut de l'avoir soumise à la Commission des normes du travail ne peut être opposé au plaignant.

[Complaint to Commission des relations du travail] If the complaint is filed within that time to the Commission des relations du travail, failure to file the complaint with the Commission des normes du travail cannot be invoked against the complainant.

1979, c. 45, a. 123; 1990, c. 73, a. 57; 1999, c. 40, a. 196; 2001, c. 26, a. 140; 2002, c. 80, a. 64.

123.1 [Plainte pour mise à la retraite] L'article 123 s'applique à un salarié qui croit avoir été congédié, suspendu ou mis à la retraite pour le motif énoncé à l'article 122.1.

[Délai] Cependant, le délai pour soumettre une telle plainte est alors porté à 90 jours.

123.1 [Complaint] Section 123 applies to every employee who believes that he has been dismissed, suspended or retired on the ground set forth in section 122.1.

[Filing] However, the time limit to file such a complaint is then increased to ninety days.

1982, c. 12, a. 7; 2001, c. 26, a. 141; 2002, c. 80, a. 65.

123.2 [Présomption] La présomption qui résulte de l'application du deuxième alinéa de l'article 123.4 continue de s'appliquer pour au moins 20 semaines après le retour au travail du salarié à la fin d'un congé de maternité, d'un congé de paternité ou d'un congé parental.

123.2 [Presumption] The presumption resulting from the application of the second paragraph of section 123.4 shall continue to apply for not less than 20 weeks after the employee has returned to work at the end of a maternity or paternity leave or parental leave.

1990, c. 73, a. 58; 2002, c. 80, a. 66.

123.3 [Nomination d'une personne pour régler la plainte] La Commission peut, avec l'accord des parties, nommer une personne qui tente de régler la plainte à la satisfaction des parties.

[Éligibilité] Seule une personne n'ayant pas déjà agi dans ce dossier à un autre titre peut être nommée à cette fin par la Commission.

[Information confidentielle] Toute information, verbale ou écrite, recueillie par la personne visée au premier alinéa doit demeurer confidentielle. Cette personne ne peut être contrainte de divulguer ce qui lui a été révélé ou ce dont elle a eu connaissance dans l'exercice de ses fonctions ni de produire un document fait ou obtenu dans cet exercice devant un tribunal ou devant un organisme ou une personne exerçant des fonctions judiciaires ou quasi judiciaires, sauf en matière pénale, lorsque le tribunal estime cette preuve nécessaire pour assurer une défense pleine et entière. Malgré l'article 9 de la Loi sur l'accès aux documents des organismes publics et sur la protection des renseignements personnels (L.R.Q., chapitre A-2.1), nul n'a droit d'accès à un tel document.

123.3 [Settlement] The Commission with the agreement of the parties, may appoint a person who shall endeavour to settle the complaint to the satisfaction of the parties.

[Restriction] Only a person who has not already acted in the matter in question in another capacity may be appointed for this purpose by the Commission.

[Confidentiality] Any verbal or written information gathered by the person appointed under the first paragraph must remain confidential. He may not be compelled to divulge anything that has been revealed to him or that has come to his knowledge in the performance of his duties, or to produce before a court or before any body or person fulfilling a judicial or quasi-judicial function any document made or obtained in the performance of his duties, except in penal matters, where the court considers that such proof is necessary for a full and complete defence. Notwithstanding section 9 of the Act respecting Access to documents held by public bodies and the Protection of personal information (R.S.Q., chapter A-2.1), no person shall have a right of access to any such document.

1990, c. 73, a. 58; 1992, c. 61, a. 416.

123.4 [Commission des relations du travail] Si aucun règlement n'intervient à la suite de la réception de la plainte par la Commission des normes du travail, cette dernière défère sans délai la plainte à la Commission des relations du travail.

[Dispositions applicables] Les dispositions du Code du travail (L.R.Q., chapitre C-27) qui sont applicables à un recours relatif à l'exercice par un salarié d'un droit lui résultant de ce code s'appliquent, compte tenu des adaptations nécessaires.

[Exception] La Commission des relations du travail ne peut toutefois ordonner la réintégration d'un domestique ou d'une personne dont la fonction exclusive est d'assumer la garde ou de prendre soin d'un enfant, d'un malade, d'une personne handicapée ou d'une personne âgée dans le logement de l'employeur.

123.4 [Commission des relations du travail] If no settlement is reached following receipt of the complaint by the Commission des normes du travail, the Commission des normes du travail shall, without delay, refer the complaint to the Commission des relations du travail.

[Provisions applicable] The provisions of the Labour Code (R.S.Q., chapter C-27) applicable to a remedy relating to the exercise by an employee of a right arising out of that Code apply, with the necessary modifications.

[Exception] The Commission des relations du travail may not, however, order the reinstatement of a domestic or person whose exclusive duty is to take care of or provide care to a child or to a sick, handicapped or aged person, in the employer's dwelling.

2002, c. 80, a. 67.

123.5 [Salarié non visé par une accréditation] La Commission peut, dans une instance relative à la présente section, représenter un salarié qui ne fait pas partie d'un groupe de salariés visé par une accréditation accordée en vertu du Code du travail (L.R.Q., chapitre C-27).

123.5 [Employees not covered by certification] The Commission may, in any proceeding relating to this division, represent an employee who is not a member of a group of employees covered by a certification pursuant to the Labour Code (R.S.Q., chapter C-27).

2002, c. 80, a. 67.

SECTION II.1

RECOURS EN CAS DE HARCÈLEMENT PSYCHOLOGIQUE

DIVISION II.1

RECOURSE AGAINST PSYCHOLOGICAL HARASSMENT

123.6 [Plainte à la Commission] Le salarié qui croit avoir été victime de harcèlement psychologique peut adresser, par écrit, une plainte à la Commission. Une telle plainte peut aussi être adressée, pour le compte d'un ou de plusieurs salariés qui y consentent par écrit, par un organisme sans but lucratif de défense des droits des salariés.

123.6 [Complaint to Commission] An employee who believes he has been the victim of psychological harassment may file a complaint in writing with the Commission. Such a complaint may also be filed by a non-profit organization dedicated to the defence of employees' rights on behalf of one or more employees who consent thereto in writing.

2002, c. 80, a. 68.

123.7 [Délai] Toute plainte relative à une conduite de harcèlement psychologique doit être déposée dans les 90 jours de la dernière manifestation de cette conduite.

123.7 [Time limit] Any complaint concerning psychological harassment must be filed within 90 days of the last incidence of the offending behaviour.

2002, c. 80, a. 68.

123.8 [Enquête par la Commission] Sur réception d'une plainte, la Commission fait enquête avec diligence.

[Dispositions applicables] Les articles 103 à 110 s'appliquent à cette enquête, compte tenu des adaptations nécessaires.

2002, c. 80, a. 68.

123.8 [Inquiry] On receipt of a complaint, the Commission shall make an inquiry with due dispatch.

[Provisions applicable] Sections 103 to 110 shall apply to the inquiry, with the necessary modifications.

123.9 [Refus de la Commission] En cas de refus de la Commission de donner suite à la plainte, le salarié ou, le cas échéant, l'organisme, sur consentement écrit du salarié, peut, dans les 30 jours de la décision rendue en application de l'article 107 ou, le cas échéant, de l'article 107.1, demander par écrit à la Commission de déférer sa plainte à la Commission des relations du travail.

2002, c. 80, a. 68.

123.9 [Commission's refusal] If the Commission refuses to take action following a complaint, the employee or, if applicable, the organization with the employee's written consent, may within 30 days of the Commission's decision under section 107 or 107.1, make a written request to the Commission for the referral of the complaint to the Commission des relations du travail.

123.10 [Médiation] La Commission peut en tout temps, au cours de l'enquête et avec l'accord des parties, demander au ministre de nommer une personne pour entreprendre avec elles une médiation. La Commission peut, sur demande du salarié, l'assister et le conseiller pendant la médiation.

2002, c. 80, a. 68.

123.10 [Mediation] The Commission may, at any time, during the inquiry and with the agreement of the parties, request the Minister to appoint a person to act as a mediator. The Commission may, at the request of the employee, assist and advise the employee during mediation.

123.11 [Contrat de travail] Si le salarié est encore lié à l'employeur par un contrat de travail, il est réputé au travail pendant les séances de médiation.

2002, c. 80, a. 68.

123.11 [Contract of employment] If the employee is still bound to the employer by a contract of employment, the employee is deemed to be at work during mediation sessions.

123.12 [Commission des relations du travail] À la fin de l'enquête, si aucun règlement n'intervient entre les parties concernées et si la Commission accepte de donner suite à la plainte, elle la défère sans délai à la Commission des relations du travail.

2002, c. 80, a. 68.

123.12 [Commission des relations du travail] At the end of the inquiry, if no settlement is reached between the parties and the Commission agrees to pursue the complaint, it shall refer the complaint without delay to the Commission des relations du travail.

123.13 [Représentation] La Commission des normes du travail peut, dans une instance relative à la présente section, représenter un salarié devant la Commission des relations du travail.

2002, c. 80, a. 68.

123.13 [Representation] The Commission des normes du travail may represent an employee in a proceeding under this division before the Commission des relations du travail.

123.14 [Dispositions applicables] Les dispositions du Code du travail (L.R.Q., chapitre C-27) relatives à la Commission des relations du travail, à ses commissaires, à leurs décisions et à l'exercice de leur compétence, de même que l'article 100.12 de ce code s'appliquent, compte tenu des adaptations nécessaires, à l'exception des articles 15 à 19.

123.14 [Provisions applicable] The provisions of the Labour Code (R.S.Q., chapter C-27) relating to the Commission des relations du travail, its commissioners, their decisions and the exercise of their jurisdiction, except sections 15 to 19, as well as section 100.12 of that Code apply, with the necessary modifications.

2002, c. 80, a. 68.

123.15 [Décisions] Si la Commission des relations du travail juge que le salarié a été victime de harcèlement psychologique et que l'employeur a fait défaut de respecter ses obligations prévues à l'article 81.19, elle peut rendre toute décision qui lui paraît juste et raisonnable, compte tenu de toutes les circonstances de l'affaire, notamment:

1° ordonner à l'employeur de réintégrer le salarié;
2° ordonner à l'employeur de payer au salarié une indemnité jusqu'à un maximum équivalent au salaire perdu;
3° ordonner à l'employeur de prendre les moyens raisonnables pour faire cesser le harcèlement;
4° ordonner à l'employeur de verser au salarié des dommages et intérêts punitifs et moraux;
5° ordonner à l'employeur de verser au salarié une indemnité pour perte d'emploi;
6° ordonner à l'employeur de financer le soutien psychologique requis par le salarié, pour une période raisonnable qu'elle détermine;
7° ordonner la modification du dossier disciplinaire du salarié victime de harcèlement psychologique.

123.15 [Decisions] If the Commission des relations du travail considers that the employee has been the victim of psychological harassment and that the employer has failed to fulfil the obligations imposed on employers under section 81.19, it may render any decision it believes fair and reasonable, taking into account all the circumstances of the matter, including

(1) ordering the employer to reinstate the employee;
(2) ordering the employer to pay the employee an indemnity up to a maximum equivalent to wages lost;
(3) ordering the employer to take reasonable action to put a stop to the harassment;
(4) ordering the employer to pay punitive and moral damages to the employee;
(5) ordering the employer to pay the employee an indemnity for loss of employment;
(6) ordering the employer to pay for the psychological support needed by the employee for a reasonable period of time determined by the Commission;
(7) ordering the modification of the disciplinary record of the employee.

2002, c. 80, a. 68.

123.16 [Lésion professionnelle] Les paragraphes 2°, 4° et 6° de l'article 123.15 ne s'appliquent pas pour une période au cours de laquelle le salarié est victime d'une lésion professionnelle, au sens de la Loi sur les accidents du travail et les maladies professionnelles (L.R.Q., chapitre A-3.001), qui résulte du harcèlement psychologique.

[Lésion professionnelle] Lorsque la Commission des relations du travail estime probable, en application de l'article 123.15, que le harcèlement psychologique ait entraîné chez le salarié une lésion professionnelle,

123.16 [Employment injury] Paragraphs 2, 4 and 6 of section 123.15 do not apply to a period during which the employee is suffering from an employment injury within the meaning of the Act respecting industrial accidents and occupational diseases (R.S.Q., chapter A-3.001) that results from psychological harassment.

[Employment injury] Where the Commission des relations du travail considers it probable that, pursuant to section 123.15, the psychological harassment entailed an employment injury for the employee, it shall

elle réserve sa décision au regard des paragraphes 2°, 4° et 6°.

reserve its decision with regard to paragraphs 2, 4 and 6.

2002, c. 80, a. 68.

SECTION III
RECOURS À L'ENCONTRE D'UN CONGÉDIEMENT FAIT SANS UNE CAUSE JUSTE ET SUFFISANTE

DIVISION III
RECOURSE AGAINST DISMISSALS NOT MADE FOR GOOD AND SUFFICIENT CAUSE

124. [Plainte de congédiement] Le salarié qui justifie de deux ans de service continu dans une même entreprise et qui croit avoir été congédié sans une cause juste et suffisante peut soumettre sa plainte par écrit à la Commission des normes du travail ou la mettre à la poste à l'adresse de la Commission des normes du travail dans les 45 jours de son congédiement, sauf si une procédure de réparation, autre que le recours en dommages-intérêts, est prévue ailleurs dans la présente loi, dans une autre loi ou dans une convention.

[Défaut] Si la plainte est soumise dans ce délai à la Commission des relations du travail, le défaut de l'avoir soumise à la Commission des normes du travail ne peut être opposé au plaignant.

124. [Complaint of dismissal] An employee credited with two years of uninterrupted service in the same enterprise who believes that he has not been dismissed for a good and sufficient cause may present his complaint in writing to the Commission des normes du travail or mail it to the address of the Commission des normes du travail within 45 days of his dismissal, except where a remedial procedure, other than a recourse in damages, is provided elsewhere in this Act, in another act or in an agreement.

[Exception] If the complaint is filed with the Commission des relations du travail within this period, failure to have presented it to the Commission des normes du travail cannot be set up against the complainant.

1979, c. 45, a. 124; 1990, c. 73, a. 59; 2001, c. 26, a. 142; 2002, c. 80, a. 69.

125. [Médiation] Sur réception de la plainte, la Commission des normes du travail peut, avec l'accord des parties, nommer une personne qui tente de régler la plainte à la satisfaction des intéressés. Les deuxième et troisième alinéas de l'article 123.3 s'appliquent aux fins du présent article.

[Motifs du congédiement] La Commission des normes du travail peut exiger de l'employeur un écrit contenant les motifs du congédiement du salarié. Elle doit, sur demande, fournir une copie de cet écrit au salarié.

125. [Mediation] Upon receiving the complaint, the Commission des normes du travail may, with the agreement of the parties, appoint a person who shall endeavour to settle the complaint to the satisfaction of the interested parties. The second and third paragraphs of section 123.3 apply for the purposes of this section.

[Reasons for dismissal] The Commission des normes du travail may require from the employer a writing containing the reasons for dismissing the employee. It must provide a copy of this writing to the employee, on demand.

1979, c. 45, a. 125; 1990, c. 73, a. 60; 2001, c. 26, a. 143.

126. [Commission des relations du travail] Si aucun règlement n'intervient à la suite de la réception de la plainte par la Commission des normes du travail, cette dernière défère sans délai la plainte à la Commission des relations du travail.

126. [Commission des relations du travail] If no settlement is reached following receipt of the complaint by the Commission des normes du travail, the Commission des normes du travail shall, without delay, refer the complaint to the Commission des relations du travail.

1979, c. 45, a. 126; 1983, c. 22, a. 104; 1990, c. 73, a. 61; 2001, c. 26, a. 144; 2002, c. 80, a. 70.

126.1 [Représentation] La Commission des normes du travail peut, dans une instance relative à la présente section, représenter un salarié qui ne fait pas partie d'un groupe de salariés visé par une accréditation accordée en vertu du Code du travail (L.R.Q., chapitre C-27).

126.1 [Representation] The Commission des normes du travail may, in a proceeding under this division, represent an employee who does not belong to a group of employees to which certification has been granted under the Labour Code (R.S.Q., chapter C-27).

1997, c. 2, a. 2; 2001, c. 26, a. 145.

127. [Dispositions applicables] Les dispositions du Code du travail relatives à la Commission des relations du travail, à ses commissaires, à leurs décisions, celles relatives à l'exercice de leur compétence de même que l'article 100.12 de ce Code s'appliquent, compte tenu des adaptations nécessaires, à l'exception des articles 15 à 19.

127. [Provisions applicable] The provisions of the Labour Code respecting the Commission des relations du travail, its commissioners, their decisions and the exercise of their jurisdiction, and section 100.12 of the said Code apply, adapted as required, except sections 15 to 19.

1979, c. 45, a. 127; 1990, c. 73, a. 61; 2001, c. 26, a. 146.

128. [Pouvoirs de la Commission des relations du travail] Si la Commission des relations du travail juge que le salarié a été congédié sans cause juste et suffisante, elle peut:

1° ordonner à l'employeur de réintégrer le salarié;

2° ordonner à l'employeur de payer au salarié une indemnité jusqu'à un maximum équivalant au salaire qu'il aurait normalement gagné s'il n'avait pas été congédié;

3° rendre toute autre décision qui lui paraît juste et raisonnable, compte tenu de toutes les circonstances de l'affaire.

[Domestique] Cependant dans le cas d'un domestique ou d'une personne dont la fonction exclusive est d'assumer la garde ou de prendre soin d'un enfant, d'un malade, d'une personne handicapée ou d'une personne âgée, la Commission des relations du travail ne peut qu'ordonner le paiement au salarié d'une indemnité correspondant au salaire et aux autres avantages dont l'a privé le congédiement.

128. [Powers of Commission] Where the Commission des relations du travail considers that the employee has been dismissed without good and sufficient cause, the Commission may

(1) order the employer to reinstate the employee;

(2) order the employer to pay to the employee an indemnity up to a maximum equivalent to the wage he would normally have earned had he not been dismissed;

(3) render any other decision the Commission believes fair and reasonable, taking into account all the circumstances of the matter.

[Domestic] However, in the case of a domestic or a person whose exclusive duty is to take care of or provide care to a child or to a sick, handicapped or aged person, the Commission des relations du travail may only order the payment to the employee of an indemnity corresponding to the wage and other benefits of which he was deprived due to dismissal.

1979, c. 45, a. 128; 1981, c. 23, a. 58; 1990, c. 73, a. 62; 2001, c. 26, a. 147; 2002, c. 80, a. 71.

129. Abrogé.

129. Repealed.

2001, c. 26, a. 148.

130. [Décision sans appel] La décision de la Commission des relations du travail en

130. [Final and binding decision] The decision of the Commission des relations du

vertu de la présente section est sans appel. Elle lie l'employeur et le salarié.

travail under this division is without appeal. It shall bind both the employer and the employee.

1979, c. 45, a. 130; 1990, c. 73, a. 64; 2001, c. 26, a. 149.

131. [Transmission à la Commission] La Commission des relations du travail transmet sans délai à la Commission une copie conforme de sa décision.

131. [True Copy] The Commission des relations du travail shall send forthwith a true copy of its decision to the Commission.

1979, c. 45, a. 131; 1990, c. 73, a. 64; 2001, c. 26, a. 150.

132-135. Remplacés.

132-135. Replaced.

1990, c. 73, a. 64.

CHAPITRE VI
ABROGÉ

CHAPTER VI
REPEALED

136-138. Abrogés.

136-138. Repealed.

2002, c. 80, a. 72.

CHAPITRE VII
DISPOSITIONS PÉNALES

CHAPTER VII
PENAL PROVISIONS

139. [Infraction et peine] Commet une infraction et est passible d'une amende de 600 $ à 1 200 $ et, pour toute récidive, d'une amende de 1 200 $ à 6 000 $, l'employeur qui:

1° sciemment, détruit, altère ou falsifie

a) un registre;

b) le système d'enregistrement; ou

c) un document ayant trait à l'application de la présente loi ou d'un règlement.

2° omet, néglige ou refuse de tenir un document visé au paragraphe 1°.

139. [Offence and penalty] Every employer is guilty of an offence and is liable to a fine of $600 to $1,200 and, for any subsequent conviction, to a fine of $1,200 to $6,000, who

(1) knowingly destroys, alters or falsifies

(a) a register;

(b) the registration system;

(c) a document dealing with the carrying out of this act or a regulation;

(2) fails, neglects or refuses to keep a document contemplated in paragraph 1.

1979, c. 45, a. 139; 1986, c. 58, a. 65; 1990, c. 4, a. 609; 1991, c. 33, a. 87; 1997, c. 85, a. 367.

140. [Infraction et peine] Commet une infraction et est passible d'une amende de 600 $ à 1 200 $ et, pour toute récidive, d'une amende de 1 200 $ à 6 000 $, quiconque:

1° entrave de quelque façon que ce soit, l'action de la Commission ou d'une personne autorisée par elle, dans l'exercice de ses fonctions;

2° la trompe par réticence ou fausse déclaration;

140. [Offence and penalty] Every employer is guilty of an offence and is liable to a fine of $600 to $1,200 and, for any subsequent conviction, to a fine of $1,200 to $6,000, who

(1) hinders in any way the Commission or any person authorized by it in the discharge of their duties;

(2) deceives them by concealment or false declaration;

3° refuse de lui fournir un renseignement ou un document qu'elle a le droit d'obtenir en vertu de la présente loi;

4° cache un document ou un bien qui a rapport à une enquête;

5° est partie à une convention ayant pour objet de stipuler une condition de travail inférieure à une norme du travail adoptée en vertu de la présente loi ou des règlements; ou

6° contrevient à toute autre disposition de la présente loi ou d'un règlement.

(3) refuses to give them any information or document they are entitled to obtain under this act;

(4) conceals a document or anything related to an inquiry;

(5) is a party to an agreement stipulating conditions of employment inferior to labour standards determined under this act or the regulations; or

(6) contravenes any other provision of this act or the regulations.

1979, c. 45, a. 140; 1986, c. 58, a. 66; 1990, c. 4, a. 610; 1991, c. 33, a. 88; 1997, c. 85, a. 368.

141. [Complicité] Quiconque tente de commettre une infraction visée dans les articles 139 et 140, aide ou incite une autre personne à commettre une infraction à la présente loi ou à un règlement commet une infraction et est passible des peines prévues pour une telle infraction.

141. [Complicity] Every person who attempts to commit an offence contemplated in sections 139 and 140, or aids or incites another person to commit an offence against this act or a regulation, is guilty of an offence and liable to the penalties provided for such offence.

1979, c. 45, a. 141.

141.1 [Infraction et amende] Commet une infraction et est passible d'une amende de 1 500 $ par semaine ou partie de semaine de défaut ou de retard l'employeur qui ne donne pas l'avis requis par l'article 84.0.4 ou qui donne un avis d'une durée insuffisante.

[Amendes] Les amendes perçues en application du premier alinéa sont versées au Fonds de développement du marché du travail institué en vertu de l'article 58 de la Loi sur le ministère de l'Emploi et de la Solidarité sociale et sur la Commission des partenaires du marché du travail (L.R.Q., chapitre M-15.001).

141.1 [Offence and fine] Every employer who does not give the notice required by section 84.0.4, or who gives insufficient notice, is guilty of an offence and is liable to a fine of $1,500 for each week or part of a week of failure to comply or late compliance.

[Fines] The fines collected pursuant to the first paragraph shall be paid into the labour market development fund established under section 58 of the Act respecting the Ministère de l'Emploi et de la Solidarité sociale and the Commission des partenaires du marché du travail (R.S.Q., chapter M-15.001).

2002, c. 80, a. 73; 2007, c. 3, a. 69.

142. [Personne morale] Si une personne morale commet une infraction, un dirigeant, administrateur, employé ou agent de cette personne morale, qui a prescrit ou autorisé l'accomplissement de l'infraction ou qui y a consenti ou acquiescé, est réputé être partie à l'infraction.

142. [Legal person] Where a legal person commits an offence, every officer, director, employee or agent of that legal person who has prescribed or authorized the perpetration of the offence or agreed or was a party thereto, is deemed to be a party to the offence.

1979, c. 45, a. 142; 1999, c. 40, a. 196.

143. Abrogé.

143. Repealed.

1992, c. 61, a. 418.

144. [Poursuite pénale] Une poursuite pénale pour la sanction d'une infraction à une disposition de la présente loi se prescrit par un an depuis la date de la connaissance par le poursuivant de la perpétration de l'infraction. Toutefois, aucune poursuite ne peut être intentée s'il s'est écoulé plus de cinq ans depuis la date de la perpétration de l'infraction.

144. [Prescription] Penal proceedings for an offence under a provision of this Act shall be prescribed by one year from the date on which the prosecutor became aware of the commission of the offence. However, no proceedings may be instituted where more than five years have elapsed from the commission of the offence.

1979, c. 45, a. 144; 1992, c. 61, a. 419.

145. Abrogé.

145. Repealed.

1992, c. 61, a. 420.

146. [Preuve permise] Aucune preuve n'est permise pour établir qu'une action ou poursuite prévue par la présente loi a été intentée à la suite d'une plainte d'un dénonciateur ou pour découvrir l'identité de ce dernier.

146. [Evidence permitted] No evidence shall be permitted in view of establishing that any action or suit contemplated by this act was brought following upon the complaint of an informer, or of discovering the identity of an informer.

1979, c. 45, a. 146.

147. [Application] La Commission peut désigner parmi les membres de son personnel les personnes chargées de l'application de la présente loi.

147. [Designation] The Commission may designate from among the members of its personnel the persons who shall be entrusted with the carrying out of this Act.

1979, c. 45, a. 147; 1990, c. 4, a. 612; 1992, c. 61, a. 421.

CHAPITRE VIII

LES DISPOSITIONS DIVERSES TRANSITOIRES ET FINALES

CHAPTER VIII

MISCELLANEOUS, TRANSITIONAL AND FINAL PROVISIONS

148. Omis.

148. Omitted.

1979, c. 45, a. 148.

149. [Interprétation] Dans une loi, un règlement, une ordonnance ou une proclamation ainsi que dans un arrêté en conseil, un contrat ou tout autre document, un renvoi à la Loi sur le salaire minimum (L.R.Q., chapitre S-1) est réputé être un renvoi à la présente loi ou à la disposition équivalente de la présente loi.

149. [Interpretation] In any act, regulation, ordinance or proclamation and in any order in council, contract or other document, any reference to the Minimum Wage Act (R.S.Q., chapter S-1) is deemed to be a reference to this act or to the equivalent provision of this act.

1979, c. 45, a. 149; 1999, c. 40, a. 196.

150. Omis.

150. Omitted.

1979, c. 45, a. 150.

151. [Règlement continué en vigueur] Les règlements et les résolutions adoptés par la Commission du salaire minimum demeurent en vigueur à moins d'incompatibilité avec la présente loi, jusqu'à leur abrogation, leur modification ou leur remplacement par un règlement ou une résolution de la Commission des normes du travail.

1979, c. 45, a. 151.

151. [Regulation continued in force] Every regulation made and every resolution adopted by the Commission du salaire minimum remains in force, except where it is inconsistent with this act, until it is repealed, amended or replaced by a regulation or resolution of the Commission des normes du travail.

152. [Ordonnance continuée en vigueur] Les ordonnances adoptées par la Commission du salaire minimum concernant des matières qui peuvent faire l'objet d'un règlement en vertu des articles 88 et 89 continuent d'être en vigueur, pour les matières qui peuvent faire l'objet d'un règlement, jusqu'à leur abrogation, leur modification ou leur remplacement par un règlement adopté en vertu desdits articles. Elles ont, aux fins de la présente loi, la même valeur et le même effet qu'un règlement adopté en vertu de la présente loi.

[Exception] Malgré l'article 52, le salarié visé dans le sous-paragraphe *b* du paragraphe 4° de l'article 89 ne bénéficie d'une semaine normale qu'à compter de l'entrée en vigueur du règlement la fixant.

1979, c. 45, a. 152.

152. [Ordinances continued in force] Ordinances adopted by the Commission du salaire minimum concerning matters which may be the object of a regulation under sections 88 and 89 remain in force, in respect of matters that can be regulated, until they are repealed, amended or replaced by a regulation made under the said sections. Such ordinances have, for the purposes of this act, the same value and effect as a regulation made under this act.

[Exception] Notwithstanding section 52, an employee contemplated in subparagraph *b* of paragraph 4 of section 89 shall have a standard workweek only from the coming into force of the regulation fixing it.

153. [Succession] La Commission des normes du travail succède à la Commission du salaire minimum et, à cette fin, elle acquiert les droits de cet organisme et en assume les obligations.

1979, c. 45, a. 153.

153. [Succession] The Commission des normes du travail succeeds the Commission du salaire minimum and, for that purpose, acquires the rights and assumes the liabilities of that body.

154. [Affaires continuées] Les affaires pendantes devant la Commission du salaire minimum, ainsi que les cas non encore prescrits en vertu des dispositions qui étaient prévues par la Loi sur le salaire minimum (L.R.Q., chapitre S-1) lors de son remplacement sont continués et décidés par la Commission des normes du travail, sans reprise d'instance suivant la présente loi.

1979, c. 45, a. 154.

154. [Matters continued] Every matter pending before the Commission du salaire minimum and every case not yet prescribed under the Minimum Wage Act (R.S.Q., chapter S-1) at the time the latter is replaced, is continued and decided without continuance of suit, in accordance with this act, by the Commission des normes du travail.

155. [Secrétaire et personnel de la Commission] Le secrétaire et les membres du personnel de la Commission du salaire minimum, en fonction le 15 avril 1980,

155. [Secretary and personnel of the Commission] The secretary and the members of the personnel of the Commission du salaire minimum in office on 15 April 1980

deviennent sans autre formalité, secrétaire et membres du personnel de la Commission des normes du travail.

1979, c. 45, a. 155.

156. [Commissaire à temps partiel] Malgré l'article 8, un commissaire de la Commission du salaire minimum qui devient membre à temps partiel de la Commission des normes du travail peut, en donnant un avis à la Commission administrative des régimes de retraite et d'assurances, continuer à contribuer au régime de retraite qui lui est applicable sur la base du traitement qu'il recevrait, s'il exerçait ses fonctions à temps complet.

1979, c. 45, a. 156; 1983, c. 24, a. 88.

157. [Effet d'une convention collective] Sauf en ce qui concerne le salaire minimum et le congé de maternité qui s'appliquent à compter du 16 avril 1980, une convention collective en vigueur en vertu du Code du travail (L.R.Q., chapitre C-27) le 16 avril 1980, continue d'avoir effet jusqu'à la date de son expiration, même si elle ne contient pas l'une ou l'autre des normes du travail adoptées en vertu de la présente loi ou si l'une de ses dispositions contrevient à l'une de ces normes.

[Effet d'une convention collective] Il en va de même d'une convention collective négociée suivant le Code du travail et qui est signée dans les quatre-vingt-dix jours qui suivent le 16 avril 1980 et d'un décret dont l'adoption, la prolongation ou le renouvellement survient dans les mêmes délais.

[Application] Le premier alinéa s'applique, en l'adaptant, à un décret en vigueur le 16 avril 1980, jusqu'à la date de son expiration, de sa prolongation ou de son renouvellement.

1979, c. 45, a. 157; 1980, c. 5, a. 11.

158. [Application de la loi] La présente loi s'applique au salarié qui exerce des fonctions qui n'étaient pas assujetties à une ordonnance adoptée en vertu de la Loi sur le salaire minimum (L.R.Q., chapitre S-1), à compter de l'entrée en vigueur d'un règlement adopté en vertu du deuxième alinéa de l'article 88 et du paragraphe 4° de l'article 89 qui le concerne.

become, without other formality, the secretary and the members of the personnel of the Commission des normes du travail.

156. [Part-time commissioner] Notwithstanding section 8, a commissioner of the Commission du salaire minimum who becomes a part-time member of the Commission des normes du travail may, by giving notice to the Commission administrative des régimes de retraite et d'assurances, continue to contribute to the pension plan applicable to him on the basis of the salary he would receive if he held office on a full-time basis.

157. [Effect of a collective agreement] Except in respect of what concerns minimum wage and maternity leave, which applies from 16 April 1980, a collective agreement in force pursuant to the Labour Code (R.S.Q., chapter C-27) on 16 April 1980 continues to have effect until the date of its expiry, even where it fails to include one or another of the labour standards adopted under this act or where any of its provisions is contrary to any of such standards.

[Effect of a collective agreement] The same rule applies to a collective agreement negotiated in accordance with the Labour Code and signed within ninety days after 16 April 1980 and to a decree passed, prolonged or renewed within the same period of time.

[Decree] The first paragraph applies, mutatis mutandis, to a decree in force on 16 April 1980 until the date of its expiry prolongation or renewal.

158. [Applicability] This act applies to employees who exercise functions that were not subject to an order adopted pursuant to the Minimum Wage Act (R.S.Q., chapter S-1) from the coming into force of the regulations made under the second paragraph of section 88 and paragraph 4 of section 89 respecting them.

[Congé de maternité] Cependant, les dispositions relatives au congé de maternité s'appliquent à compter du 16 avril 1980.

[Maternity leave] However, the provisions relating to maternity leave apply from 16 April 1980.

1979, c. 45, a. 158.

158.1 [Conditions minimales de travail] Le gouvernement peut établir, par règlement, des conditions minimales de travail portant sur les matières énumérées à l'article 92.1 et applicables, jusqu'à l'entrée en vigueur du règlement pris en vertu de cet article mais pour une période n'excédant pas 42 mois à compter du 1er juillet 2000, aux salariés qui exécutent des travaux qui, s'ils avaient été exécutés avant cette date, auraient été compris dans les champs d'application de l'un des décrets mentionnés au troisième alinéa de l'article 39.0.2. Les conditions minimales de travail portant sur les matières énumérées aux paragraphes 1°, 2° et 4° du premier alinéa de l'article 92.1 peuvent varier selon les facteurs prévus à l'un ou l'autre de ces décrets pour ces matières. En outre, les heures de la semaine normale de travail peuvent être réparties selon les modalités prévues à l'un ou l'autre de ces décrets.

[Harmonisation des conditions] Le gouvernement peut également prévoir, par règlement, toute disposition qu'il juge opportune afin de favoriser l'harmonisation des conditions minimales de travail applicables à ces salariés lorsque celles-ci varient d'un décret à l'autre, notamment la variation de la durée de l'année de référence prévue à l'article 66, ainsi que toute disposition analogue à celles qui figurent, au regard d'une matière visée par ce règlement, dans les sections I à V.1 du chapitre IV.

[Dispositions applicables] Pour l'application de la présente loi, ces conditions minimales de travail sont réputées des normes du travail et les articles 63 à 66, 71.1, 73, 75 à 77 et 80.2 doivent se lire, compte tenu des adaptations nécessaires, en tenant compte des dispositions édictées en application des premier et deuxième alinéas.

158.1 [Minimum conditions of employment] The Government may, by regulation, determine minimum conditions of employment respecting the matters listed in section 92.1 applicable, until the coming into force of a regulation made under that section but for a period not exceeding 42 months beginning on 1 July 2000, to employees who perform work which, had it been performed before that date, would have been within the fields of activity covered by one of the decrees listed in the third paragraph of section 39.0.2. The minimum conditions of employment respecting the matters listed in subparagraphs 1, 2 and 4 of the first paragraph of section 92.1 may vary according to the factors specified for those matters in any of such decrees. In addition, the hours of the standard workweek may be distributed as provided for in any of such decrees.

[Harmonization of the conditions] The Government may also, by regulation, prescribe any provision it considers expedient in order to harmonize the minimum conditions of employment applicable to the employees where such conditions vary from one decree to another, in particular a variation in the duration of the reference year provided for in section 66, as well as any provision similar to the provisions appearing in Divisions I to V.1 of Chapter IV in respect of any matter covered by the regulation.

[Minimum conditions deemed labour standards] For the purposes of this Act, the minimum conditions of employment determined under this section are deemed to be labour standards, and sections 63 to 66, 71.1, 73, 75 to 77 and 80.2 shall be read with reference to the provisions prescribed pursuant to the first and second paragraphs, with the necessary modifications.

1999, c. 57, a. 4; 2001, c. 47, a. 5.

158.2 [Recours à un arbitre] Lorsqu'en raison de la nature des travaux exécutés par le salarié, une difficulté survient dans l'application des conditions minimales de travail édictées en application de l'article 158.1, la

158.2 [Arbitration, provisions applicable] Where the nature of the work performed by an employee gives rise to a difficulty in the application of the minimum conditions of employment determined under

Commission peut soumettre la difficulté à un arbitre unique comme s'il s'agissait d'un double assujettissement en vertu de la Loi sur les décrets de convention collective (L.R.Q., chapitre D-2). À cette fin, les dispositions des articles 11.4 à 11.9 de cette loi s'appliquent, compte tenu des adaptations nécessaires.

section 158.1, the Commission may refer the difficulty to a single arbitrator as if it were a case of double coverage under the Act respecting collective agreement decrees (R.S.Q., chapter D-2), and the provisions of sections 11.4 to 11.9 of that Act apply, with the necessary modifications.

1999, c. 57, a. 4.

158.3 [Soins dans le logement d'une personne] Sous réserve du paragraphe 2° de l'article 3 et sauf si l'employeur poursuit au moyen de ce travail des fins lucratives, les dispositions de la présente loi s'appliquent à l'égard d'un salarié dont la fonction exclusive est d'assumer la garde ou de prendre soin d'un enfant, d'un malade, d'une personne handicapée ou d'une personne âgée, dans le logement de cette personne, y compris, le cas échéant, d'effectuer des travaux ménagers qui sont directement reliés aux besoins immédiats de cette personne, à compter du 1er juin 2004.

[Salaire minimum] Malgré le premier alinéa, le gouvernement peut, avant le 1er juin 2004, fixer par règlement le salaire minimum payable à ce salarié, lequel peut varier selon la situation du salarié ou de l'employeur, ou selon la nature de la garde. Ce règlement peut aussi, le cas échéant, prévoir une hausse graduelle de ce salaire minimum, lequel doit atteindre celui payable aux autres salariés visés par la présente loi au plus tard le 30 juin 2006.

[Indemnités] Le gouvernement peut également, par règlement, prévoir les règles applicables au paiement à ce salarié des indemnités afférentes aux jours fériés, chômés et payés et au congé annuel.

158.3 [Care provided in a person's dwelling] Subject to paragraph 2 of section 3 and unless the work serves to procure profit to the employer, the provisions of this Act, in respect of an employee whose exclusive duty is to take care of or provide care to a child or to a sick, handicapped or aged person, in that person's dwelling, including, where so required, the performance of domestic duties that are directly related to the immediate needs of that person, apply from 1 June 2004.

[Minimum wage] Notwithstanding the first paragraph, the Government may, before 1 June 2004, fix by regulation the minimum wage payable to that employee, which may vary according to the situation of the employee or of the employer, or according to the nature of the care. The regulation may also, where applicable, provide for a gradual increase of that minimum wage, which must attain the minimum wage payable to the other employees to whom this Act applies not later than 30 June 2006.

[Indemnities] The Government may also, by regulation, prescribe rules that apply to payment to that employee of indemnities relating to statutory general holidays with pay and annual leave.

2002, c. 80, a. 74.

159. Modification intégrée au c. C-25, a. 294.1.

159. Amendment integrated into c. C-25, s. 294.1.

1979, c. 45, a. 159.

160. Modification intégrée au c. D-2, a. 16.

160. Amendment integrated into c. D-2, s. 16.

1979, c. 45, a. 160.

161. Modification intégrée au c. D-2, a. 26.

1979, c. 45, a. 161.

162. Omis.

1979, c. 45, a. 162.

163. Omis.

1979, c. 45, a. 163.

164. Omis.

1979, c. 45, a. 164.

165. Modification intégrée au c. E-15, aa. 13, 16.

1979, c. 45, a. 165.

166. Modification intégrée au c. F-1.1, aa. 4-6, 9, 17.1-17.2.

1979, c. 45, a. 166.

167. Modification intégrée au c. M-33, aa. 5.1-5.2.

1979, c. 45, a. 167.

168. Modification intégrée au c. M-33, annexe I.

1979, c. 45, a. 168.

169. [Sommes requises] Le gouvernement peut autoriser le ministre des Finances à verser ou à avancer à la Commission les sommes requises pour le paiement des traitements, allocations et indemnités ou avantages sociaux du secrétaire de la Commission, de ses membres et de son personnel et des autres dépenses nécessaires à l'application de la présente loi. La Commission doit, pour rembourser ces sommes, faire remise au ministre des Finances à même ses revenus.

1979, c. 45, a. 169.

161. Amendment integrated into c. D-2, s. 26.

162. Omitted.

163. Omitted.

164. Omitted.

165. Amendment integrated into c. E-15, ss. 13, 16.

166. Amendment integrated into c. F-1.1, ss. 4-6, 9, 17.1-17.2.

167. Amendment integrated into c. M-33, ss. 5.1-5.2.

168. Amendment integrated into c. M-33, Schedule I.

169. [Amounts required] The Government may authorize the Minister of Finance to pay or advance to the Commission the sums necessary to pay the salaries, allowances and indemnities or social benefits of the secretary of the Commission and of its members and personnel and the other expenses necessary for the application of this act. To repay these sums, the Commission must pay the Minister of Finance out of its revenue.

170. [Ministres responsables] Le ministre est chargé de l'application de la présente loi à l'exception du chapitre III.1 dont l'application relève du ministre du Revenu et des articles 84.0.1 à 84.0.7 et 84.0.9 à 84.0.12 dont l'application relève du ministre de l'Emploi et de la Solidarité sociale.

170. [Ministers responsible] The Minister is responsible for the administration of this Act, except Chapter III.1 which is under the administration of the Minister of Revenue and sections 84.0.1 to 84.0.7 and 84.0.9 to 84.0.12, which are under the administration of the Minister of Employment and Social Solidarity.

1979, c. 45, a. 170; 1994, c. 46, a. 10; 2002, c. 80, a. 75.

170.1 [Effet] Les articles 33 à 38 et 88 à 92 ont effet à compter du 20 mars 1980.

170.1 [Effect] Sections 33 to 38 and 88 to 92 have effect from 20 March 1980.

1980, c. 5, a. 14.

171. Omis.

171. Omitted.

1979, c. 45, a. 171.

172. (Cet article a cessé d'avoir effet le 17 avril 1987).

172. (This section ceased to have effect on 17 April 1987).

1982, c. 21, a. 1; R.-U., 1982, c. 11, ann. B, ptie I, a. 33.

ANNEXE I

Abrogée.

SCHEDULE I

Repealed.

1990, c. 73, a. 65.

c. [N-1.1, r. 0.1]

Règlement soustrayant certaines catégories de salariés et d'employeurs de l'application de la section VI.I et de l'article 122.1 de la Loi sur les normes du travail

Loi sur les normes du travail
(L.R.Q., c. N-1.1, a. 90.1)

1. Sont soustraits de l'application de la section VI.I de la Loi sur les normes du travail (L.R.Q., chap. N-1.1):

1° un salarié qui exerce la fonction de pompier à l'exclusion de toute autre fonction;

2° un salarié qui est membre de la Sûreté du Québec;

3° un salarié qui est en préretraite en raison de maladie, de congés accumulés ou de tout autre motif avant la date où la section VI.I de la loi entre en vigueur à son égard.

2. L'employeur d'un salarié visé à l'article 1 est soustrait de l'application de l'article 122.1 de la Loi sur les normes du travail à l'égard de ce salarié.

3. Omis.

D. 2566-83, (1983) 115 G.O. 2, 5000 (eev 83-12-28).

c. [N-1.1, r. 0.1]

Regulation exempting certain categories of employees and employers from Division VI.I and from section 122.1 of the Act respecting labour standards

An Act respecting labour standards
(R.S.Q., c. N-1.1, s. 90.1)

1. Is exempt from Division VI.I of the Act respecting labour standards (R.S.Q., c. N-1.1):

(1) an employee who works exclusively as a fireman;

(2) an employee who is a member of the Sûreté du Québec;

(3) an employee who takes an early retirement because of health reasons, accumulated holidays or for any other reason before the date on which Division VI.I of the Act comes into force in his case.

2. The employer of an employee governed by section 1 is exempt from section 122.1 of the Act respecting labour standards with respect to the said employee.

3. Omitted.

O.C. 2566-83, (1983) 115 G.O. 2, 4121 (cf 83-12-28).

c. N-1.1, r. 1

Ordonnance sur le commerce de détail de l'alimentation

Loi sur les normes du travail
(L.R.Q., c. N-1.1)

SECTION I
INTERPRÉTATION

1. Définition: Dans la présente ordonnance, les mots suivants signifient:

a) «commerce de détail de l'alimentation»: établissement dont l'activité principale, selon la Commission des normes du travail est la vente au détail de produits alimentaires aux fins de consommation en dehors de l'établissement.

Cependant, les mots «commerce de détail de l'alimentation» ne désignent pas les établissements qui se limitent à la vente de produits laitiers, de pâtisseries, de biscuits, de bonbons et chocolats, de la charcuterie;

b) «région I»: l'Île de Montréal, l'Île Jésus, l'Île Perrot, l'Île Bizard, l'Île Saint-Paul, l'Île Bigras, l'Île des Soeurs et les municipalités situées dans un rayon de 10 milles des limites de l'Île de Montréal.

L'Assomption, l'Épiphanie, Saint-Paul-l'Ermite, Repentigny, Charlemagne, Saint-Charles-de-Lachenaie, Saint-Maurice, Bois-des-Filion, Rosemère, Lorraine, Saint-Eustache, Dorion, Vaudreuil, Pointe-des-Cascades, la Réserve indienne, Verchères, Varennes, Boucherville, Longueuil, Saint-Lambert, Greenfield Park, Brossard, Sainte-Catherine-d'Alexandrie-de-Laprairie, Saint-Hubert, Saint-Bruno, Chambly, Lemoyne, La Prairie, Candiac, Châteauguay, Châteauguay-Centre, Saint-Isidore, Saint-Constant, Léry, Maple Grove, Beauharnois, Melocheville, Terrebonne, Sainte-Thérèse, Sainte-Thérèse-Ouest, Mercier, Deux-Montagnes, Delson, Mascouche, Pincourt, Oka, Saint-Joseph-du-Lac, Pointe-Calumet et Sainte-Marthe-sur-le-Lac; et les districts électoraux de Jean-Talon, Louis-Hébert, Limoilou, Saint-Sauveur, Chauveau, Lévis et Montmorency, ainsi que la ville de Bélair et les municipalités de Val Saint-Michel, Saint-Charles, Saint-Étienne-de-Beaumont et Saint-Augustin-de-Desmaures;

c. N-1.1, r. 1

Order respecting the retail food trade

An Act respecting labour standards
(R.S.Q., c. N-1.1)

DIVISION I
INTERPRETATION

1. Definitions: In this Order, the following words mean:

(a) "retail food trade establishment": any establishment whose main activity, according to the Commission des normes du travail is the retail sale of food stuffs for consumption off the premises;

However, the words "retail food trade establishment" do not mean establishments restricted to the sale of dairy products, pastry, biscuits, candy and chocolate, and coldcuts;

(b) "Region I": the Island of Montréal, Île Jésus, Île Perrot, Île Bizard, Île Saint-Paul, Île Bigras, Île des Soeurs and the municipalities located within a 10 mile radius of the limits of the Island of Montréal.

L'Assomption, l'Épiphanie, Saint-Paul-l'Ermite, Repentigny, Charlemagne, Saint-Charles-de-Lachenaie, Saint-Maurice, Bois-des-Filion, Rosemère, Lorraine, Saint-Eustache, Dorion, Vaudreuil, Pointe-des-Cascades, the Indian Reservation, Verchères, Varennes, Boucherville, Longueuil, Saint-Lambert, Greenfield Park, Brossard, Sainte-Catherine-d'Alexandrie-de-Laprairie, Saint-Hubert, Saint-Bruneau, Chambly, Lemoyne, La Prairie, Candiac, Châteauguay, Châteauguay-Centre, Saint-Isidore, Saint-Constant, Léry, Maple Grove, Beauharnois, Melocheville, Terrebonne, Sainte-Thérèse, Sainte-Thérèse-Ouest, Mercier, Deux-Montagnes, Delson, Mascouche, Pincourt, Oka, Saint-Joseph-du-Lac, Pointe-Calumet et Sainte-Marthe-sur-le-Lac; and the electoral districts of Jean-Talon, Louis-Hébert, Limoilou, Saint-Sauveur, Chauveau, Lévis and Montmorency, as also the town of Bélair and the municipalities of Val Saint-Michel, Saint-Charles, Saint-Étienne-de-Beaumont and Saint-Augustin-de-Desmaures;

c) «région II»: les cités et villes de Chicoutimi, Chicoutimi-Nord, Saint-Jean-Eudes, Rivière-du-Moulin, Port-Alfred, Bagotville et le territoire compris dans un rayon de 10 milles de leurs limites; et les cités et villes de Jonquière, Kénogami, Arvida et un rayon de 5 milles de leurs limites.

SECTION II
CHAMP D'APPLICATION

2. Salariés régis: La présente ordonnance régit les salariés auxquels s'applique la Loi sur les normes du travail (L.R.Q., c. N-1.1) et leurs employeurs dans les établissements de commerce de détail de l'alimentation des régions I et II.

3. Exclusion: L'article 4 ne s'applique pas aux gardiens.

SECTION III
DISPOSITION GÉNÉRALE

4. Semaine normale: La semaine normale de travail des salariés régis par la présente ordonnance est de 40 heures.

R.R.Q., 1981, c. N-1.1, r. 1

(c) "Region II": the cities and towns of Chicoutimi, Chicoutimi-Nord, Saint-Jean-Eudes, Rivière-du-Moulin, Port Alfred, Bagotville and the area within a 10 mile radius of their limits; and the cities and towns of Jonquière, Kénogami, Arvida and a 5 mile radius of their limits.

DIVISION II
JURISDICTION

2. Employee governed: This Order governs employees subject to the Act respecting labour standards (R.S.Q., c. N-1.1) and their employers in all retail food trade establishments in regions I and II.

3. Exclusion: Section 4 does not apply to watchmen.

DIVISION III
GENERAL PROVISION

4. Standard work week: The standard work week of the employees governed by this Order consists of 40 hours.

R.R.Q., 1981, c. N-1.1, r. 1

c. N-1.1, r. 2

Règlement sur l'exclusion des établissements visés à l'article 90 de la Loi sur les normes du travail

Loi sur les normes du travail
(L.R.Q., c. N-1.1)

1. Les établissements au sens du paragraphe *a* du premier alinéa de l'article 1 de la Loi sur les services de santé et les services sociaux pour les autochtones cris (L.R.Q., c. S-5) sont soustraits de l'application totale de la Loi sur les normes du travail et de ses règlements à l'égard des bénéficiaires au sens du paragraphe *p* du premier alinéa de l'article 1 de la Loi sur les services de santé et les services sociaux pour les autochtones cris qui y travaillent en vue de leur rééducation physique, mentale ou sociale.

R.R.Q., 1981, c. N-1.1, r. 2

c. N-1.1, r. 2

Regulation excluding the institutions subject to section 90 of the Act respecting labour standards

An Act respecting labour standards
(R.S.Q., c. N-1.1)

1. The establishments within the meaning of subparagraph *a* of the first paragraph of section 1 of the Act respecting health services and social services for Cree Native persons (R.S.Q., c. S-5) are wholly exempted of the application of the Act respecting labour standards and its regulations with respect to the recipients within the meaning of subparagraph *p* of the first paragraph of section 1 of the Act respecting health services and social services for Cree Native persons, who work in them for their physical, mental or social re-education.

R.R.Q., 1981, c. N-1.1, r. 2

c. [N-1.1, r. 2.1]

Règlement sur la levée de la suspension et sur l'application de l'article 41.1 de la Loi sur les normes du travail à l'égard de certains salariés

Loi modifiant la Loi sur les normes du travail et d'autres dispositions législatives (1990, c. 73, a. 82)

1. La suspension de l'application de l'article 41.1 de la Loi sur les normes du travail (L.R.Q., c. N-1.1), décrétée par le Règlement sur la suspension de l'application de l'article 41.1 de la Loi sur les normes du travail à l'égard de certains salariés (décret 1719-91 du 11 décembre 1991), est levée aux dates indiquées à l'article 2.

2. Sous réserve des dispositions de l'article 73 de la Loi modifiant la Loi sur les normes du travail et d'autres dispositions législatives (1990, c. 73), l'article 41.1 de la Loi sur les normes du travail s'applique à compter du:

1° 3 août 1993 à l'égard des salariés qui travaillent dans un établissement dont l'activité principale est le commerce de gros de produits alimentaires ou l'entreposage de tels produits;

2° 31 décembre 1994 à l'égard des salariés qui travaillent dans un établissement dont l'activité principale est le commerce de détail de produits alimentaires.

3. Le rajustement du taux de salaire qui résulte de l'application du paragraphe 1° de l'article 2 est différé à l'égard des salariés:

1° auxquels s'applique une convention collective au sens du Code du travail (L.R.Q., c. C-27) en vigueur le 3 août 1993;

2° visés par une convention collective au sens du Code du travail expirée le 3 août 1993 si les parties sont à cette date dans une période de négociation en vue de son renouvellement.

Dans ces cas, le rajustement du taux de salaire doit avoir été effectué à l'égard des salariés concernés, avec effet au 3 août 1993, selon la première échéance, à la date du renouvellement de la convention collective ou, le cas échéant, à la date où les salariés cessent d'être représentés par une association accréditée.

c. [N-1.1, r. 2.1]

Regulation respecting the lifting of the suspension and the application of section 41.1 of the Act respecting labour standards for certains employees

An Act to amend the Act respecting labour standards and other legislative provisions (1990, c. 73, s. 82)

1. The suspension of the application of section 41.1 of the Act respecting labour standards (R.S.Q., c. N-1.1) made by the Regulation respecting the suspension of the application of section 41.1 of the Act respecting labour standards for certain employees (Order in Council 1719-91 of 11 December 1991) is lifted on the dates indicated in section 2.

2. Subject to the provisions of section 73 of the Act to amend the Act respecting labour standards and other legislative provisions (1990, c. 73), section 41.1 of the Act respecting labour standards applies as of:

1. 3 August 1993 for employees working in an establishment whose principal activity is the wholesale trade of food products or the storage of such products;

2. 31 December 1994 for employees working in an establishment whose principal activity is the retail trade of food products.

3. The resulting wage rate adjustment from the application of paragraph 1 of section 2 is deferred for employees:

1. who are the object of a collective agreement within the meaning of the Labour Code (R.S.Q., c. C-27) effective on 3 August 1993;

2. governed by a collective agreement within the meaning of the Labour Code, expired on 3 August 1993, if the parties on that date are engaged in bargaining to renew the agreement.

In that case, the wage adjustment for the employees concerned must have become available and be effective on 3 August 1993, in accordance with the first expiry date, the date of the renewal of the collective agreement or, if such is the case, the date on which the employees ceased to be represented by an accredited association.

4. Le rajustement du taux de salaire qui résulte de l'application du paragraphe 2° de l'article 2 est différé à l'égard des salariés:

1° auxquels s'applique une convention collective au sens du Code du travail signée avant le 3 août 1993 et en vigueur le 31 décembre 1994;

2° visés par une convention collective au sens du Code du travail expirée le 31 décembre 1994 si les parties sont à cette date dans une période de négociation en vue de son renouvellement.

Dans ces cas, le rajustement du taux de salaire doit avoir été effectué à l'égard des salariés concernés, avec effet au 31 décembre 1994, selon la première échéance, à la date du renouvellement de la convention collective ou, le cas échéant, à la date où les salariés cessent d'être représentés par une association accréditée.

5. Omis.

D. 570-93, (1993) 125 G.O. 2, 3309 (eev 93-08-03).

4. The wage rate adjustment resulting from the application of paragraph 2 of section 2 is deferred for employees:

1. who are the object of a collective agreement, within the meaning of the Labour Code, signed before 3 August 1993 and effective on 31 December 1994;

2. who are the object of a collective agreement within the meaning of the Labour Code, expired on 31 December 1994, if the parties on that date are engaged in bargaining to renew the agreement.

In that case, the wage rate adjustment must be available to the employees concerned and be effective on 31 December 1994, in accordance with the first expiry date, the renewal date of the collective agreement or, if such is the case, the date on which the employees ceased to be represented by an accredited association.

5. Omitted.

O.C. 570-93, (1993) 125 G.O. 2, 2607 (cf 93-08-03).

c. N-1.1, r. 3

Règlement sur les normes du travail

Loi sur les normes du travail
(L.R.Q., c. N-1.1, a. 88, 89 et 91)

SECTION I

DÉFINITIONS ET INTERPRÉTATION

1. Dans le présent règlement, à moins que le contexte n'indique un sens différent, on entend par:

«certificat médical»: abrogée;

«congé de maternité»: abrogée;

«endroit isolé»: un endroit inaccessible par une route carrossable et qu'aucun système régulier de transport ne relie au réseau routier du Québec;

«exploitation forestière»:

1° une entreprise effectuant la coupe, l'écorçage, le tronçonnement, le transport, le chargement du bois à bord des camions, des bateaux ou wagons de chemin de fer, les usines ou établissements où l'on fait le sciage ou le façonnage du bois exclusivement pour fins des exploitations forestières, exclusion faite des travaux de transformation du bois sorti de la forêt;

2° une entreprise effectuant en forêt la construction et l'entretien des chemins, camps, écluses, piliers, facilités de chargement et de flottage;

3° une entreprise effectuant des travaux d'amélioration, d'éclaircie, de reboisement, de drainage et d'irrigation du sol, en forêt;

4° une entreprise de flottage du bois;

5° une entreprise de protection de la forêt;

6° une entreprise chargée du déboisement en vue de la construction de chemins, d'autoroutes, de barrages, de lignes de transmission, ou de tout autre travail du même genre en forêt;

7° l'entreprise d'un traiteur, d'un entrepreneur, d'un sous-traitant ou d'un intermédiaire exerçant ses activités en forêt pour le bénéfice d'une des entreprises ci-dessus mentionnées;

8° l'entreprise d'un locataire qui a obtenu à bail des droits exclusifs de chasse ou de pêche d'une partie du territoire du domaine public;

9° l'entreprise d'une association mandatée par le ministre du Loisir, de la Chasse et de la Pêche en vue de gérer la faune sur un territoire public;

10° l'entreprise d'un pourvoyeur de chasse ou de pêche;

c. N-1.1, r. 3

Regulation respecting labour standards

An Act respecting labour standards
(R.S.Q., c. N-1.1, ss. 88, 89 and 91)

DIVISION I

DEFINITIONS AND INTERPRETATION

1. In this Regulation unless the context requires otherwise, the following mean:

"medical certificate": repealed;

"maternity leave": repealed;

"remote area": an area that is inaccessible by a passable road and where no regular transport system connects it to the Québec road network;

"forestry operation":

(1) an enterprise engaged in felling, stripping, cutting into lengths, transporting and loading wood on trucks, boats or railroad cars; mills or establishments where sawing or hewing are carried out exclusively for forestry operations, save for work involved in the transformation of wood once it leaves the forest;

(2) an enterprise carrying out in the forest the construction and maintenance of roads, camps, locks, pillars, loading and floating facilities;

(3) an enterprise carrying out works to enhance, clear, reforest, drain and irrigate forest land;

(4) an enterprise to float logs;

(5) an enterprise to protect forests;

(6) an enterprise engaged in clearing for the purpose of constructing roads, highways, dams, transmission lines or any similar work in the forest;

(7) an enterprise of a jobber, contractor, subcontractor or an intermediary who carries out his activities in the forest for the benefit of one of the enterprises mentioned above;

(8) an enterprise of a lessee who leased the exclusive rights to hunt and fish part of the territory in the public land;

(9) an enterprise of an association mandated by the Minister of Recreation, Fish and Game in order to manage the wildlife on public land;

(10) an enterprise of a hunting and fishing outfitter;

«salarié au pourboire»: salarié qui reçoit habituellement des pourboires et qui travaille:

1° dans un établissement qui offre contre rémunération de l'hébergement à des touristes, y compris un établissement de camping;

2° dans un local où des boissons alcooliques sont vendues pour consommation sur place;

3° pour une entreprise qui vend, livre ou sert des repas pour consommation à l'extérieur;

4° dans un restaurant, sauf s'il s'agit d'un lieu où l'activité principale consiste à fournir des services de restauration à des clients qui commandent ou choisissent les produits à un comptoir de service et qui paient avant de manger;

«scierie»: établissement où l'on fait l'une des opérations suivantes: le sciage, le débitage, le rabotage et toutes opérations connexes telles que le séchage, l'empilement et la livraison mais ne comprend pas l'assemblage du bois;

«travaux publics»: abrogée;

«travaux sur le territoire de la région de la Baie James»: travaux effectués sur le territoire de la région de la Baie James et réalisés sous la responsabilité d'Hydro-Québec, de la Société d'énergie de la Baie James ou de la Société de développement de la Baie James.

"employee who receives gratuities or tips": an employee who ordinarily receives gratuities or tips and who works

(a) in an establishment that offers lodging to tourists in return for payment, including a campground;

(b) in a place where alcoholic beverages are sold for consumption on the premises;

(c) for an enterprise that sells, delivers or serves meals to be eaten off the premises; or

(d) in a restaurant, except if it is a place where the main activity consists in the providing of food services to customers who order or choose the items at a service counter and who pay before eating;

"sawmill": establishment where one of the following operations is carried out: sawing, cutting up, planning and all related operations such as drying, piling and delivery, but not including assembly;

"public works": repealed;

"works on the territory of the James Bay region": works carried out on the territory of the James Bay region and realized under the charge of Hydro-Québec, the Société d'énergie de la Baie James or the Société de développement de la Baie James.

R.R.Q., 1981, c. N-1.1, r. 3, a. 1; D. 1288-90, a. 1; D. 638-2003, a. 1.

SECTION II

SALAIRE MINIMUM

2. Le salaire minimum établi à la présente section ne s'applique pas aux salariés suivants:

1° l'étudiant employé dans un organisme à but non lucratif et à vocation sociale ou communautaire, tel une colonie de vacances ou un organisme de loisirs;

2° le stagiaire dans un cadre de formation professionnelle reconnu par une loi;

3° le stagiaire dans un cadre d'intégration professionnelle prévu à l'article 61 de la Loi assurant l'exercice des droits des personnes handicapées (L.R.Q., c. E-20.1);

4° le salarié entièrement rémunéré à commission qui travaille dans une activité à caractère commercial en dehors de l'établissement et dont les heures de travail sont incontrôlables;

5° abrogé;

DIVISION II

MINIMUM WAGE

2. The minimum wage established in this Division does not apply to the following employees:

(1) student employed in a non-profit organization having social or community purposes, such as a vacation camp or a recreational organization;

(2) trainee under a programme of vocational training recognized by law;

(3) trainee under a programme of vocational integration under section 61 of the Act to secure the handicapped in the exercise of their rights (R.S.Q., c. E-20.1);

(4) employee entirely on commission who works in a commercial undertaking outside the establishment and whose working-hours cannot be controlled;

(5) repealed;

*6° le salarié affecté principalement à des opérations non mécanisées reliées à la cueillette de légumes de transformation.

*(6) an employee assigned mainly to non-mechanized operations relating to the picking of processing vegetables.

R.R.Q., 1981, c. N-1.1, r. 3, a. 2; D. 638-2003, a. 2; D. 525-2004, a. 1.

3. Sous réserve de l'article 4 et sauf dans la mesure prévue à l'article 4.1, le salaire minimum payable à un salarié est de 9,50 $ l'heure.

3. Subject to section 4 and except to the extent provided for in section 4.1, the minimum wage payable to an employee is $9.50 per hour.

R.R.Q., 1981, c. N-1.1, r. 3, a. 3; D. 1394-86, a. 1; D. 1340-87, a. 1; D. 1316-88, a. 1; D. 1468-89, a. 1; D. 1288-90, a. 2; D. 1201-91, a. 1; D. 1292-92, a. 1; D. 1237-93, a. 1; D. 1375-94, a. 1; D. 1209-95, a. 1; D. 1150-96, a. 1; D. 1193-97, a. 1; D. 1148-98, a. 1; D. 1457-2000, a. 1; D. 959-2002, a. 1; D. 638-2003, a. 3; D. 327-2004, a. 1; D. 525-2004, a. 2; D. 306-2006, a. 1; D. 283-2007, a. 1; D. 311-2008, a. 1; D. 449-2009, a. 1; D. 318-2010, a. 1.

4. Le salaire minimum payable au salarié au pourboire est de 8,25 $ l'heure.

4. The minimum wage payable to an employee who receives gratuities or tips is $8.25 per hour.

R.R.Q., 1981, c. N-1.1, r. 3, a. 4; D. 1394-86, a. 1; D. 1340-87, a. 2; D. 1316-88, a. 2; D. 1468-89, a. 2; D. 1288-90, a. 3; D. 1201-91, a. 2; D. 1292-92, a. 2; D. 1237-93, a. 2; D. 1375-94, a. 2; D. 1209-95, a. 2; D. 1150-96, a. 2; D. 1193-97, a. 2; D. 1148-98, a. 2; D. 1457-2000, a. 2; D. 959-2002, a. 2; D. 638-2003, a. 4; D. 327-2004, a. 2; D. 306-2006, a. 1; D. 283-2007, a. 1; D. 311-2008, a. 2; D. 449-2009, a. 2; D. 318-2010, a. 2.

4.1 Le salaire minimum payable au salarié affecté principalement à des opérations non mécanisées reliées à la cueillette de framboises ou de fraises est établi au rendement selon les règles suivantes:

1° pour le salarié affecté à la cueillette de framboises: un montant de 2,80 $ du kilogramme;

2° pour le salarié affecté à la cueillette de fraises: un montant de 0,74 $ du kilogramme.

Toutefois, le salarié ne peut, sur une base horaire et pour des motifs hors de son contrôle et liés à l'état des champs ou des fruits, gagner moins que le salaire minimum prévu à l'article 3.

4.1 The minimum wage payable to an employee assigned mainly to non-mechanized operations relating to the picking of raspberries or strawberries is established on the basis of yield according to the following rules:

(1) for an employee assigned to the picking of raspberries: $2.80 per kilogram;

(2) for an employee assigned to the picking of strawberries: $0.74 per kilogram.

However, an employee may not, on an hourly basis and for reasons beyond the employee's control and linked to the state of the fields or fruit, earn less than the minimum wage rate prescribed in section 3.

D. 525-2004, a. 3; D. 306-2006, a. 2; D. 283-2007, a. 2; D. 311-2008, a. 3; D. 449-2009, a. 3; D. 318-2010, a. 3.

* Le paragraphe 6° de l'article 2 de ce règlement, dans sa rédaction antérieure à sa cessation d'effet prévue à l'article 3 du Règlement modifiant le Règlement sur les normes du travail, édicté par le décret numéro 283-2007 du 28 mars 2007, est édicté de nouveau et cessera d'avoir effet le 1er janvier 2011.

D. 318-2010, a. 4.

* Paragraph 6 of section 2 of the Regulation, as it read before ceasing to have effect pursuant to section 3 of the Regulation to amend the Regulation respecting labour standards, made by Order in Council 283-2007 dated 28 March 2007, is made again and will cease to have effect on 1 January 2011.

O.C. 318-2010, s. 4.

5. Abrogé.

D. 638-2003, a. 5.

SECTION III

MONTANT MAXIMUM QUI PEUT ÊTRE EXIGÉ DU SALARIÉ POUR LA CHAMBRE ET LA PENSION

6. Lorsque les conditions de travail d'un salarié l'obligent à loger ou à prendre ses repas à l'établissement ou à la résidence de l'employeur, le montant maximum qui peut être exigé du salarié pour la chambre et la pension, ou l'un ou l'autre est:

1° de 1,50 $ par repas jusqu'à concurrence de 20,00 $ par semaine;

2° de 20,00 $ par semaine pour la chambre;

3° de 40,00 $ par semaine pour la chambre et la pension.

R.R.Q., 1981, c. N-1.1, r. 3, a. 6; D. 1292-92, a. 4; D. 1224-96, a. 1.

7. L'article 6 ne s'applique pas au salarié qui travaille dans un établissement visé au paragraphe a du premier alinéa de l'article 1 de la Loi sur les services de santé et les services sociaux pour les autochtones cris (L.R.Q., c. S-5).

SECTION IV

SEMAINE NORMALE

8. Abrogé.

D. 638-2003, a. 5.

9. La semaine normale de travail du gardien qui fait la garde d'une propriété pour le compte d'une entreprise de gardiennage est de 44 heures.

La semaine normale de travail de tout autre gardien est de 60 heures.

10. La semaine normale de travail du salarié occupé dans une exploitation forestière est de 47 heures.

11. La semaine normale de travail du salarié occupé dans une scierie est de 47 heures.

12. La semaine normale de travail du salarié qui travaille dans un endroit isolé est de 55 heures.

5. Repealed.

DIVISION III

MAXIMUM AMOUNT TO BE PAID BY EMPLOYEES FOR ROOM AND MEALS

6. When working conditions oblige the employee to reside or take his meals in the employer's establishment or residence, the maximum amount he can charge an employee for a room and meals or the one or the other is:

(1) $1.50 per meal up to $20.00 per week;

(2) $20.00 per week for the room;

(3) $40.00 per week for a room and meals.

7. Section 6 does not apply to an employee who works in an establishment subject to subparagraph a of the first paragraph of section 1 of the Act respecting health services and social services for Cree Native persons (R.S.Q., c. S-5).

DIVISION IV

STANDARD WORKWEEK

8. Repealed.

9. The standard workweek of the watchman who guards a property for an enterprise supplying a surveillance service is 44 hours.

The standard workweek for any other watchman is 60 hours.

10. The standard workweek for an employee working in a forestry operation is 47 hours.

11. The standard workweek for an employee working in a sawmill is 47 hours.

12. The standard workweek for an employee working in a remote area is 55 hours.

13. La semaine normale de travail du salarié qui effectue des travaux sur le territoire de la région de la Baie James est de 55 heures.

13. The standard workweek of the employee who works on the James Bay territory is 55 hours.

SECTION V

ABROGÉE

DIVISION V

REPEALED

14. Abrogé.

14. Repealed.

D. 638-2003, a. 5.

SECTION VI

ABROGÉE

DIVISION VI

REPEALED

15-35. Abrogés.

15-35. Repealed.

D. 638-2003, a. 5.

SECTION VI.0.1

L'AVIS DE LICENCIEMENT COLLECTIF

DIVISION VI.0.1

NOTICE OF COLLECTIVE DISMISSAL

35.0.1 L'avis de licenciement collectif qui doit être donné par l'employeur au ministre, conformément à l'article 84.0.4 de la Loi sur les normes du travail, doit être transmis par la poste au ministère de l'Emploi, de la Solidarité sociale et de la Famille, à la Direction générale des opérations d'Emploi-Québec.

Cet avis prend effet à compter de la date de sa mise à la poste.

35.0.1 The notice of collective dismissal that must be given by the employer to the Minister in accordance with section 84.0.4 of the Act respecting labour standards must be sent by mail to the Ministère de l'Emploi, de la Solidarité sociale et de la Famille, Direction générale des opérations d'Emploi-Québec.

The notice of collective dismissal has effect from the date on which it is mailed.

D. 638-2003, a. 6.

35.0.2 L'avis de licenciement collectif doit contenir les renseignements suivants:

1° le nom et l'adresse de l'employeur ou de l'établissement visé;

2° le secteur d'activités;

3° le nom et l'adresse des associations de salariés, le cas échéant;

4° le motif du licenciement collectif;

5° la date prévue du licenciement collectif;

6° le nombre de salariés possiblement visés par le licenciement collectif.

35.0.2 The notice of collective dismissal must contain

(1) the name and address of the employer or establishment concerned;

(2) the sector of activity;

(3) the names and addresses of the associations of employees, where applicable;

(4) the reason for the collective dismissal;

(5) the date anticipated for the collective dismissal; and

(6) the number of employees likely to be affected by the collective dismissal.

D. 638-2003, a. 6.

SECTION VI.1
LE TRAVAIL DE NUIT DES ENFANTS

35.1 L'interdiction à un employeur de faire effectuer un travail par un enfant, entre 23 heures, un jour donné, et 6 heures le lendemain, n'est pas applicable dans le cas d'un travail effectué à titre de créateur ou d'interprète, dans les domaines de production artistique suivants: la scène y compris le théâtre, le théâtre lyrique, la musique, la danse et les variétés, le film, le disque et les autres modes d'enregistrement du son, le doublage et l'enregistrement d'annonces publicitaires.

D. 815-2000, a. 1.

35.2 L'obligation d'un employeur qui fait effectuer un travail par un enfant, de faire en sorte que les heures de travail soient telles, compte tenu du lieu de résidence familiale de cet enfant, que celui-ci puisse être à cette résidence entre 23 heures, un jour donné, et 6 heures le lendemain, n'est pas applicable dans les cas, circonstances, périodes ou conditions suivants:

1° un travail effectué à titre de créateur ou d'interprète, dans les domaines de production artistique suivants: la scène y compris le théâtre, le théâtre lyrique, la musique, la danse et les variétés, le film, le disque et les autres modes d'enregistrement du son, le doublage et l'enregistrement d'annonces publicitaires;

2° un travail effectué pour un organisme à vocation sociale ou communautaire, tels une colonie de vacances ou un organisme de loisirs, si les conditions de travail de l'enfant impliquent qu'il loge à l'établissement de l'employeur et s'il n'est pas tenu de fréquenter l'école ce lendemain.

D. 815-2000, a. 1.

SECTION VII
DISPOSITIONS TRANSITOIRES ET FINALES

36-37. Abrogés.

D. 1394-86, a. 2.

38. Abrogé.

D. 1468-89, a. 4.

DIVISION VI.1
NIGHT-TIME WORK BY CHILDREN

35.1 The prohibition against employing a child to work between 11 p.m. on any given day and 6 a.m. on the following day does not apply to work that is creation or interpretation in the following fields of artistic endeavour: the performing arts including theatre, opera, music, dance and variety entertainment, the making of films and records and other sound recordings, dubbing and the recording of commercials.

35.2 The requirement that an employer schedule a child's working hours so that, having regard to the location of the child's family residence, the child may be at that residence between 11 p.m. on any given day and 6 a.m. on the following day does not apply in the following cases, circumstances, periods or conditions:

(1) creation or interpretation in the following fields of artistic endeavour: the performing arts including theatre, opera, music, dance and variety entertainment, the making of films and records and other sound recordings, dubbing and the recording of commercials; and

(2) work for a social or community organization, such as a summer camp or a recreational organization, if the working conditions involve lodging at the employer's establishment, provided the child is not required to attend school on the following day.

DIVISION VII
TEMPORARY AND FINAL PROVISIONS

36-37. Repealed.

38. Repealed.

39. Abrogé.

D. 1394-86, a. 4.

39.1 Le paragraphe 6° de l'article 2 cesse d'avoir effet le 1er janvier 2010.

D. 525-2004, a. 4; D. 283-2007, a. 3.

ANNEXE 1

Abrogée.

D. 1468-89, a. 5.

R.R.Q., 1981, c. N-1.1, r. 3;
D. 1394-86, (1986) 118 G.O. 2, 3972 (eev 86-10-01);
D. 1340-87, (1987) 119 G.O. 2, 5543 (eev 87-10-01);
D. 1316-88, (1988) 120 G.O. 2, 4772 (eev 88-10-01);
D. 1468-89, (1989) 121 G.O. 2, 5027 (eev 89-10-01);
D. 1288-90, (1990) 122 G.O. 2, 3472 (eev 90-10-01);
L.Q. 1990, c. 73, a. 81 (eev 91-01-01);
D. 1201-91, (1991) 123 G.O. 2, 5046 (eev 91-10-01);
D. 1292-92, (1992) 124 G.O. 2, 5822 (eev 92-10-01);
D. 1237-93, (1993) 125 G.O. 2, 6512 (eev 93-10-01);
D. 1375-94, (1994) 126 G.O. 2, 5679 (eev 94-10-01);
D. 1209-95, (1995) 127 G.O. 2, 4115 (eev 95-10-01);
D. 1150-96, (1996) 128 G.O. 2, 5345 (eev 96-10-01);
D. 1224-96, (1996) 128 G.O. 2, 5599 (eev 96-11-01);
D. 1193-97, (1997) 129 G.O. 2, 5859 (eev 97-10-01);
D. 1148-98, (1998) 130 G.O. 2, 5095 (eev 98-10-01);
D. 815-2000, (2000) 132 G.O. 2, 4391 (eev 2000-07-20);
D. 1457-2000, (2000) 132 G.O. 2, 7704 (eev 2001-02-01);
D. 959-2002, (2002) 134 G.O. 2, 5901 (eev 2002-10-01);
D. 638-2003, (2003) 135 G.O. 2, 2774 (eev 2003-06-26);

39. Repealed.

39.1 Paragraph 6 of section 2 ceases to have effect on 1 January 2010.

SCHEDULE 1

Repealed.

R.R.Q., 1981, c. N-1.1, r. 3;
O.C. 1394-86, (1986) 118 G.O. 2, 2424 (cf 86-10-01);
O.C. 1340-87, (1987) 119 G.O. 2, 3255 (cf 87-10-01);
O.C. 1316-88, (1988) 120 G.O. 2, 3392 (cf 88-10-01);
O.C. 1468-89, (1989) 121 G.O. 2, 3774 (cf 89-10-01);
O.C. 1288-90, (1990) 122 G.O. 2, 2425 (cf 90-10-01);
S.Q. 1990, c. 73, s. 81 (cf 91-01-01);
O.C. 1201-91, (1991) 123 G.O. 2, 3556 (cf 91-10-01);
O.C. 1292-92, (1992) 124 G.O. 2, 4360 (cf 92-10-01);
O.C. 1237-93, (1993) 125 G.O. 2, 5126 (cf 93-10-01);
O.C. 1375-94, (1994) 126 G.O. 2, 4092 (cf 94-10-01);
O.C. 1209-95, (1995) 127 G.O. 2, 2792 (cf 95-10-01);
O.C. 1150-96, (1996) 128 G.O. 2, 3965 (cf 96-10-01);
O.C. 1224-96, (1996) 128 G.O. 2, 4102 (cf 96-11-01);
O.C. 1193-97, (1997) 129 G.O. 2, 4577 (cf 97-10-01);
O.C. 1148-98, (1998) 130 G.O. 2, 3769 (cf 98-10-01);
O.C. 815-2000, (2000) 132 G.O. 2, 3419 (cf 2000-07-20);
O.C. 1457-2000, (2000) 132 G.O. 2, 5909 (cf 2001-02-01);
O.C. 959-2002, (2002) 134 G.O. 2, 4509 (cf 2002-10-01);
O.C. 638-2003, (2003) 135 G.O. 2, 1888 (cf 2003-06-26);

D. 327-2004, (2004) 136 G.O. 2, 1647 (eev 2004-05-01);
D. 525-2004, (2004) 136 G.O. 2, 2567 (eev 2004-06-24);
D. 306-2006, (2006) 138 G.O. 2, 1513A (eev 2006-05-01);
D. 283-2007, (2007) 139 G.O. 2, 1789 (eev 2007-05-01);
D. 311-2008, (2008) 140 G.O. 2, 1587 (eev 2008-05-01);
D. 449-2009, (2009) 141 G.O. 2, 1787 (eev 2009-05-01);
D. 318-2010, (2010) 142 G.O. 2, 1338 (eev 2010-05-01).

O.C. 327-2004, (2004) 136 G.O. 2, 1187 (cf 2004-05-01);
O.C. 525-2004, (2004) 136 G.O. 2, 1729 (cf 2004-06-24);
O.C. 306-2006, (2006) 138 G.O. 2, 1229A (cf 2006-05-01);
O.C. 283-2007, (2007) 139 G.O. 2, 1309 (cf 2007-05-01);
O.C. 311-2008, (2008) 140 G.O. 2, 1087 (cf 2008-05-01);
O.C. 449-2009, (2009) 141 G.O. 2, 1307 (cf 2009-05-01);
O.C. 318-2010, (2010) 142 G.O. 2, 866 (cf 2010-05-01).

c. [N-1.1, r. 5.3]

Règlement sur les taux de cotisation

Loi sur les normes du travail
(L.R.Q., c. N-1.1, a. 29, par. 7°, a. 39.0.2; 1999, c. 57, a. 1 et 2)

1. Le taux de la cotisation prévue au premier alinéa de l'article 39.0.2 de la Loi sur les normes du travail (L.R.Q., c. N-1.1) est de 0,08 %.

2. Abrogé.

D. 1334-2003, a. 1.

3. Le présent règlement remplace le Règlement sur le prélèvement autorisé par la Loi sur les normes du travail (R.R.Q., 1981, c. N-1.1, r. 4).

4. Omis.

D. 680-2000, (2000) 132 G.O. 2, 3489
(eev 2000-07-01).
D. 1334-2003, (2003) 135 G.O. 2, 5671
(eev 2004-01-01).

c. [N-1.1, r. 5.3]

Regulation respecting contribution rates

An Act respecting labour standards
(R.S.Q., c. N-1.1, s. 29, par. 7, s. 39.0.2; 1999, c. 57, s. 1 and 2)

1. The contribution rate provided for in the first paragraph of section 39.0.2 of the Act respecting labour standards (R.S.Q., c. N-1.1) is 0.08 %.

2. Repealed.

3. This Regulation replaces the Regulation respecting the levy under the Act respecting labour standards (R.R.Q., 1981, c. N-1.1, r. 4).

4. Omitted.

O.C. 680-2000, (2000) 132 G.O. 2, 2651
(cf 2000-07-01).
O.C. 1334-2003, (2003) 135 G.O. 2, 3807
(cf 2004-01-01).

c. [N-1.1, r. 5.1]

Règlement de régie interne de la Commission des normes du travail

(L.R.Q., chap. N-1.1, art. 29, par. 1)

SECTION I
LE SCEAU

1. Le sceau corporatif de la Commission est celui dont l'impression apparaît en marge.

SECTION II
LE CONSEIL D'ADMINISTRATION

2. Les membres de la Commission forment le conseil d'administration de la Commission.

3. Le conseil d'administration exerce les pouvoirs de la Commission et notamment:

1° définit les orientations, les objectifs et les politiques relatifs à la mise en oeuvre et à l'application de la loi;

2° reçoit les rapports périodiques d'activités et obtient tous les renseignements qui lui sont nécessaires;

3° constitue des comités pour l'examen des questions qu'il détermine;

4° approuve le budget de la Commission;

5° approuve l'acquisition et la disposition d'immeubles;

6° approuve l'ouverture ou la fermeture de bureaux régionaux et sous-régionaux;

7° fait au ministre responsable les recommandations qu'il juge appropriées;

8° approuve le rapport annuel.

4. Abrogé.

D. 6-87, a. 1.

5. Le président, après consultation des membres, décide de la procédure qui doit être suivie lors des séances de la Commission.

6. Une séance peut être ajournée, par résolution, à un moment ou à une date subséquente et un nouvel avis de convocation n'est alors pas requis.

No English version

7. Toute personne peut assister aux séances du conseil d'administration si elle est invitée par le président. Elle est alors tenue à la confidentialité, sauf si les membres présents en décident autrement.

SECTION III

RÔLE ET POUVOIRS DU PRÉSIDENT-DIRECTEUR GÉNÉRAL

8. Le président-directeur général est responsable de l'administration de la Commission et de la direction de ses activités. À cet effet, il:

1° exerce tous les pouvoirs que la Loi sur la fonction publique (L.R.Q., chap. F-3.1.1) attribue aux dirigeants d'organismes;

2° voit à l'application des règlements de la Commission et s'assure que les décisions du conseil d'administration soient exécutées;

3° soumet au conseil d'administration, pour fins d'étude et d'approbation, des politiques et des propositions relatives aux orientations de la Commission dans l'application de la loi;

4° renseigne les membres du conseil d'administration sur toute question relative à l'application des politiques et sur les activités de la Commission;

5° est responsable de la préparation du budget annuel et fait, à ce propos, des recommandations au conseil d'administration;

6° prend connaissance des rapports d'activités et des rapports statistiques et les soumet à la considération du conseil d'administration;

7° analyse le rapport du Vérificateur général et le transmet au conseil d'administration avec ses commentaires;

8° négocie avec tout autre organisme les ententes nécessaires au fonctionnement de la Commission;

9° est le porte-parole officiel de la Commission;

10° désigne un remplaçant au secrétaire dans le cas où celui-ci est incapable d'agir;

11° remplit tous les autres devoirs afférents à sa tâche.

SECTION IV

LE SECRÉTAIRE

9. Les fonctions du secrétaire sont entre autres de:

1° donner tous les avis de convocation;

No English version

2° rédiger les procès-verbaux des séances du conseil d'administration;
3° conserver les archives et les documents officiels de la Commission;
4° garder le sceau corporatif de la Commission;
5° maintenir à jour la liste des membres du conseil d'administration de la Commission avec leur adresse;
6° remplir tout autre devoir relatif à ses fonctions ainsi que ceux que le conseil d'administration ou le président peuvent lui assigner.

SECTION V
LA CONVOCATION

10. Le conseil d'administration se réunit en séance régulière ou, en cas d'urgence, en séance spéciale.

11. Le secrétaire convoque une séance au lieu, à la date et à l'heure fixés par le conseil d'administration ou par le président.

No English version

12. Un avis de convocation comportant un projet d'ordre du jour est expédié par le secrétaire à chaque membre, à sa dernière adresse déclarée, au moins cinq jours ouvrables avant celui de la séance qu'il annonce.

13. L'avis de convocation et l'ordre du jour d'une séance spéciale peuvent être transmis par télégramme; le délai de convocation n'est alors que de 24 heures.

14. Une décision des membres pour fixer le lieu, la date et l'heure d'une séance constitue un avis de convocation suffisant pour les membres présents lors de son adoption, sous réserve de l'envoi par le secrétaire d'un projet d'ordre du jour au moins cinq jours ouvrables avant celui de la séance.

15. Le président, un membre ou le secrétaire peuvent inscrire des sujets à l'ordre du jour.

16. L'ordre du jour d'une séance convoquée selon l'article 13 se limite exclusivement à l'objet pour lequel elle a été convoquée.

17. Il peut être dérogé aux formalités et délais de convocation si tous les membres y consentent.

SECTION VI

DOCUMENTATION D'UNE SÉANCE

18. Le secrétaire transmet, au moins 3 jours avant la séance, à chaque membre, à sa dernière adresse déclarée, la documentation pertinente.

Par un vote des deux tiers, les membres peuvent cependant autoriser une dérogation au présent article.

SECTION VII

LE PROCÈS-VERBAL

19. Le procès-verbal d'une séance est essentiellement la consignation des décisions prises durant cette séance.

20. En l'absence d'indication contraire, une décision est réputée avoir été adoptée à l'unanimité des membres présents.

21. Si une décision est prise hors séance conformément à l'article 17 de la loi, le secrétaire doit, en rédigeant le procès-verbal de la première séance régulière qui suit, en faire mention dans le texte et en joindre une copie en annexe.

SECTION VIII

L'EXÉCUTION

22. Sauf indication contraire une décision en séance est exécutoire dès le moment où elle est prise.

SECTION IX

DÉCLARATION

23. Le président-directeur général peut désigner une personne pour faire, au nom de la Commission, une déclaration requise par la loi, sous serment ou non, dans le cadre d'une procédure judiciaire ou autrement.

SECTION X

EFFET DE COMMERCE ET SIGNATURES

24. Tous les chèques, traites, billets ou autres effets négociables sont signés, tirés, acceptés ou endossés par les personnes désignées par décision du conseil d'administration sur recommandation du président-directeur général.

No English version

25. Le conseil d'administration peut autoriser une personne à agir pour la Commission et à signer, seule ou avec d'autres, tout acte ou document de la Commission et fixer également les conditions d'exercice au mandat de cette personne.

26. La signature d'une personne désignée suivant les articles 24 et 25 peut être écrite, gravée, imprimée, lithographiée ou autrement reproduite.

No English version

SECTION XI

ENTRÉE EN VIGUEUR

27. Omis.

28. Omis.

D. 647-83, 83-03-30 (eev 83-03-30);
D. 6-87, (1987) 119 G.O. 2, 529
(eev 87-01-07).

c. [N-1.1, r. 5.2]

Règlement sur la suspension de l'application de l'article 41.1 de la Loi sur les normes du travail à l'égard de certains salariés

Loi modifiant la Loi sur les normes du travail et d'autres dispositions législatives (1990, c. 73, a. 82)

1. L'application de l'article 41.1 de la Loi sur les normes du travail (L.R.Q., c. N-1.1), édicté par l'article 13 du chapitre 73 des lois de 1990, est suspendue à l'égard des salariés qui travaillent dans un établissement dont l'activité principale est le commerce de gros ou de détail de produits alimentaires ou l'entreposage de tels produits.

2. Omis.

D. 1719-91, (1991) 123 G.O. 2, 7089 (eev 92-01-01).

c. [N-1.1, r. 5.2]

Regulation respecting the suspension of the application of section 41.1 of the Act respecting labour standards for certain employees

An Act to amend the Act respecting labour standards and other legislative provisions (1990, c. 73, s. 82)

1. The application of section 41.1 of the Act respecting labour standards (R.S.Q., c. N-1.1), enacted by section 13 of Chapter 73 of the Statutes of 1990, is suspended in respect of employees working in an establishment whose principal activity is the wholesale or retail trade of food products or the storage of such products.

2. Omitted.

O.C. 1719-91, (1991) 123 G.O. 2, 4979 (cf 92-01-01).

c. N-1.1, r. 6

Règlement sur la tenue d'un système d'enregistrement ou d'un registre

Loi sur les normes du travail
(L.R.Q., c. N-1.1, a. 29, par. 3)

1. Un employeur doit tenir un système d'enregistrement ou un registre où sont indiqués pour chacun de ses salariés, ses nom, prénoms, résidence et numéro d'assurance sociale, l'identification de son emploi et la date de son entrée au service de l'employeur ainsi que les renseignements suivants, le cas échéant, pour chaque période de paie:

a) le nombre d'heures de travail par jour;

b) le total des heures de travail par semaine;

c) le nombre d'heures supplémentaires payées ou remplacées par un congé avec la majoration applicable;

d) le nombre de jours de travail par semaine;

e) le taux du salaire;

f) la nature et le montant des primes, indemnités, allocations ou commissions versées;

g) le montant du salaire brut;

h) la nature et le montant des déductions opérées;

i) le montant du salaire net versé au salarié;

j) la période de travail qui correspond au paiement;

k) la date du paiement;

l) l'année de référence;

m) la durée de ses vacances;

n) la date de départ pour son congé annuel payé;

o) la date à laquelle le salarié a bénéficié d'un jour férié, chômé et payé ou d'un autre jour de congé, y compris les congés compensatoires afférents aux jours fériés, chômés et payés;

p) le montant des pourboires déclarés par le salarié conformément à l'article 1019.4 de la Loi sur les impôts (L.R.Q., c. I-3) édicté par l'article 242 du chapitre 85 des lois de 1997;

q) le montant des pourboires attribués au salarié par l'employeur en vertu de l'article 42.11 de la Loi sur les impôts édicté par l'article 44 du chapitre 85 des lois de 1997;

r) si le salarié est âgé de moins de 18 ans, sa date de naissance.

c. N-1.1, r. 6

Regulation respecting a registration system or the keeping of a register

An Act respecting labour standards
(R.S.Q., c. N-1.1, s. 29, par. 3)

1. An employer shall establish a registration system or keep a register in which are shown for each employee, his complete name, residence and social insurance number, his employment and the date the employee begins to work for the employer as well as the following particulars, as the case may be, for each pay period:

(*a*) the number of hours of work per day;

(*b*) the total number of hours of work per week;

(*c*) the number of overtime hours paid or compensated for by a day off with the applicable premium;

(*d*) the number of days of work per week;

(*e*) the wage rate;

(*f*) the nature and amount of premiums, indemnities, allowances or commissions paid;

(*g*) the amount of gross wages;

(*h*) the nature and amount of deductions made;

(*i*) the amount of net wages paid to the employee;

(*j*) the work period corresponding to payment;

(*k*) the date of payment;

(*l*) the reference year;

(*m*) the duration of the annual vacation;

(*n*) the departure date of the annual vacation with pay;

(*o*) the date on which the employee was entitled to a general holiday with pay or to another day of holiday, including the compensatory holidays for general holidays with pay;

(*p*) the amount of the tips reported by the employee in accordance with section 1019.4 of the Taxation Act (R.S.Q., c. I-3) enacted by section 242 of Chapter 85 of the Statutes of 1997;

(*q*) the amount of the tips attributed to the employee by the employer under section 42.11 of the Taxation Act enacted by section 44 of Chapter 85 of the Statutes of 1997;

(*r*) in the case of an employee under 18 years of age, his date of birth.

R.R.Q., 1981, c. N-1.1, r. 6, a. 1; D-901-99, a. 1; D. 679-2000, a. 2.

1.1 Abrogé.

D. 524-2004, a. 2.

1.1 Repealed.

2. Le système d'enregistrement ou le registre se rapportant à une année doit être conservé durant une période de 3 ans.

2. The system of registration or register for a given year shall be kept during a 3-year period.

3. Abrogé.

D. 524-2004, a. 3.

3. Repealed.

ANNEXE I
Abrogée

D. 524-2004, a. 4.

SCHEDULE I
Repealed

R.R.Q., 1981, c. N-1.1, r. 6.
D. 901-99, (1999) 131 G.O. 2, 3845 (eev 99-09-02).
D. 679-2000, (2000), 132 G.O. 2, 3485 (eev 2000-07-01).
D. 693-2002, (2002) 134 G.O. 2, 3468 (eev 2002-07-01).
D. 524-2004, (2004) 136 G.O. 2, 2664 (eev 2004-07-01).

R.R.Q., 1981, c. N-1.1, r. 6.
O.C. 901-99, (1999) 131 G.O. 2, 2719 (cf 99-09-02).
O.C. 679-2000, (2000) 132 G.O. 2, 2647 (cf 2000-07-01).
O.C. 693-2002, (2002) 134 G.O. 2, 2613 (cf 2002-07-01).
O.C. 524-2004, (2004) 136 G.O. 2, 1781 (cf 2004-07-01).

c. [N-1.1, r. 3.1]

Règlement sur des normes du travail particulières à certains secteurs de l'industrie du vêtement

Loi sur les normes du travail
(L.R.Q., c. N-1.1, a. 92.1)

SECTION I

DISPOSITIONS GÉNÉRALES

1. Le présent règlement s'applique aux employeurs et aux salariés de l'industrie du vêtement qui, n'eût été de leur expiration, seraient visés par l'un ou l'autre des décrets suivants:

1° le Décret sur l'industrie de la chemise pour hommes et garçons (R.R.Q., 1981, c. D-2, r. 11);

2° le Décret sur l'industrie de la confection pour dames (R.R.Q., 1981, c. D-2, r. 26);

3° le Décret sur l'industrie de la confection pour hommes (R.R.Q., 1981, c. D-2, r. 27);

4° le Décret sur l'industrie du gant de cuir (R.R.Q., 1981, c. D-2, r. 32).

2. Toute disposition des sections I à V.1 du chapitre IV de la Loi sur les normes du travail (L.R.Q., c. N-1.1) qui n'est pas incompatible avec une disposition du présent règlement s'applique aux employeurs et aux salariés visés à l'article 1.

SECTION II

SALAIRE MINIMUM

3. Le salaire minimum payable à un salarié est de 9,50 $ l'heure.

c. [N-1.1, r. 3.1]

Regulation respecting labour standards specific to certain sectors of the clothing industry

An Act respecting labour standards
(R.S.Q., c. N-1.1, s. 92.1)

DIVISION I

GENERAL

1. This Regulation applies to the employers and employees in the clothing industry who would be subject to one of the following decrees, had they not expired:

(1) the Decree respecting the men's and boys' shirt industry (R.R.Q., 1981, c. D-2, r. 11);

(2) the Decree respecting the women's clothing industry (R.R.Q., 1981, c. D-2, r. 26);

(3) the Decree respecting the men's clothing industry (R.R.Q., 1981, c. D-2, r. 27);

(4) the Decree respecting the leather glove industry (R.R.Q., 1981, c. D-2, r. 32).

2. Any provision of Divisions I to V.1 of Chapter IV of the Act respecting labour standards (R.S.Q., c. N-1.1) that is not inconsistent with a provision of this Regulation applies to the employers and employees referred to in section 1.

DIVISION II

MINIMUM WAGE

3. The minimum wage payable to an employee is $9.50 per hour.

D. 1288-2003, a. 3; D. 247-2005, a. 1; D. 307-2006, a. 1; D. 312-2008, a. 1; D. 450-2009, a. 1; D. 319-2010, a. 1.

SECTION III

SEMAINE NORMALE DE TRAVAIL

4. Aux fins du calcul des heures supplémentaires, la semaine normale de travail d'un salarié est de 39 heures.

SECTION IV

JOURS FÉRIÉS, CHÔMÉS ET PAYÉS

5. Les jours suivants sont des jours fériés et chômés:

1° le 1er janvier;

DIVISION III

STANDARD WORKWEEK

4. For the purpose of computing overtime, the standard workweek of an employee is 39 hours.

DIVISION IV

STATUTORY GENERAL HOLIDAYS WITH PAY

5. The following are statutory general holidays with pay:

(1) 1 January;

2° le 2 janvier;
3° le Vendredi saint;
4° le lundi de Pâques;
5° le lundi qui précède le 25 mai;
6° le 1er juillet ou, si cette date tombe un dimanche, le 2 juillet;
7° le premier lundi de septembre;
8° le deuxième lundi d'octobre;
9° le 25 décembre.

SECTION V

CONGÉS ANNUELS PAYÉS

6. Un salarié qui, à la fin d'une année de référence, justifie de moins d'un an de service continu chez le même employeur pendant cette période a droit à un congé annuel continu dont la durée est déterminée à raison d'un jour ouvrable pour chaque mois de service continu sans que la durée totale excède deux semaines.

7. Un salarié qui, à la fin d'une année de référence, justifie d'un an de service continu chez le même employeur pendant cette période a droit à un congé annuel d'une durée minimale de trois semaines, dont deux semaines continues.

8. Un salarié qui, à la fin d'une année de référence, justifie de trois ans de service continu chez le même employeur pendant cette période a droit à un congé annuel d'une durée minimale de quatre semaines, dont trois semaines continues.

9. L'indemnité afférente au congé annuel d'un salarié est égale à 4%, 6% ou 8% de son salaire brut pendant l'année de référence, selon que le salarié a droit à au plus deux semaines, à au moins trois semaines ou à au moins quatre semaines de congé annuel.

SECTION VI

CONGÉS POUR ÉVÉNEMENTS FAMILIAUX

10. Un salarié peut s'absenter du travail pendant trois journées consécutives, sans réduction de salaire, à l'occasion du décès ou des funérailles de son conjoint, de son enfant ou de l'enfant de son conjoint, de son père, de sa mère, d'un frère ou d'une soeur. Il peut aussi s'absenter pendant deux autres journées à cette occasion, mais sans salaire.

(2) 2 January;
(3) Good Friday;
(4) Easter Monday;
(5) the Monday preceding 25 May;
(6) 1 July, or 2 July where the 1st falls on a Sunday;
(7) the first Monday in September;
(8) the second Monday in October;
(9) 25 December.

DIVISION V

ANNUAL LEAVE WITH PAY

6. An employee who, at the end of a reference year, is credited with less than one year of uninterrupted service with the same employer during that period is entitled to an uninterrupted annual leave for a duration determined at the rate of one working day for each month of uninterrupted service, for a total leave not exceeding two weeks.

7. An employee who, at the end of a reference year, is credited with one year of uninterrupted service with the same employer during that period is entitled to an annual leave of a minimum duration of three weeks, two of which are consecutive weeks.

8. An employee who, at the end of a reference year, is credited with three years of uninterrupted service with the same employer during that period is entitled to an annual leave of a minimum duration of four weeks, three of which are consecutive weeks.

9. The indemnity relating to the annual leave is equal to 4%, 6% or 8% of the employee's gross wages during the reference year, according to whether the employee is entitled to not more than two weeks, at least three weeks or at least four weeks of annual leave.

DIVISION VI

LEAVE FOR FAMILY EVENTS

10. An employee may be absent from work for three days, without reduction of wages, by reason of the death or funeral of the employee's spouse, child or the child of the employee's spouse, or of the employee's father, mother, brother or sister. The employee may also be absent from work, without pay, for two additional days on such occasion.

11. Un salarié peut s'absenter du travail pendant une journée, sans réduction de salaire, à l'occasion du décès ou des funérailles de l'un de ses grands-parents de même que du père ou de la mère de son conjoint.

12. Un salarié peut s'absenter du travail pendant une journée, sans salaire, lors du décès ou des funérailles d'un gendre, d'une bru, de l'un de ses petits-enfants de même que d'un frère ou d'une soeur de son conjoint.

SECTION VII

DISPOSITION FINALE

13. Omis.

D. 1288-2003, (2003) 135 G.O. 2, 5391 (eev 2004-01-01).
D. 247-2005, (2005) 137 G.O. 2, 1013 (eev 2005-05-01).
D. 307-2006, (2006) 138 G.O. 2, 1514A (eev 2006-05-01).
D. 312-2008, (2008) 140 G.O. 2, 1588 (eev 2008-05-01).
D. 450-2009, (2009) 141 G.O. 2, 1788 (eev 2009-05-01).
D. 319-2010, (2010) 142 G.O. 2, 1339 (eev 2010-05-01).

11. An employee may be absent from work for one day, without reduction of wages, by reason of the death or funeral of one of the employee's grandparents, or of the father or mother of the employee's spouse.

12. An employee may be absent from work for one day, without pay, by reason of the death or funeral of a son-in-law, daughter-in-law, one of the employee's grandchildren, or of the brother or sister of the employee's spouse.

DIVISION VII

FINAL

13. Omitted.

O.C. 1288-2003, (2003) 135 G.O. 2, 3601 (cf 2004-01-01).
O.C. 247-2005, (2005) 137 G.O. 2, 705 (cf 2005-05-01).
O.C. 307-2006, (2006) 138 G.O. 2, 1230A (cf 2006-05-01).
O.C. 312-2008, (2008) 140 G.O. 2, 1088 (cf 2008-05-01).
O.C. 450-2009, (2009) 141 G.O. 2, 1308 (cf 2009-05-01).
Erratum, (2009) 141 G.O. 2, 1585.
O.C. 319-2010, (2010) 142 G.O. 2, 867 (cf 2010-05-01).

LOI SUR LES NORMES DU TRAVAIL

art. 1

Table des matières

GÉNÉRAL

1/1 Les définitions prévues à l'article 1 de la *Loi sur les normes du travail* ne constituent pas des normes au sens de la loi puisque ce sont des définitions. Donc, on ne peut se baser sur l'article 93 L.N.T. pour conclure qu'elles sont d'ordre public.

Métallurgistes unis d'Amérique, section locale 9324 c. *Compagnie Sorevco inc.*, (2003) R.J.D.T. 1751 (T.A.), D.T.E. 2003T-924 (T.A.).

1/2 Les définitions prévues à l'article 1 de la *Loi sur les normes du travail* ne constituent pas des normes d'ordre public auxquelles on ne peut déroger.
C.N.T. c. *Desjardins Sécurité financière, compagnie d'assurance-vie*, D.T.E. 2005T-122 (C.Q.), J.E. 2005-232 (C.Q.), EYB 2004-85717 (C.Q.).
Travailleuses et travailleurs unis de l'alimentation et du commerce, section locale 501 c. *Diageo Canada inc.*, (2004) R.J.D.T. 1794 (T.A.), D.T.E. 2004T-1164 (T.A.).

1/3 V. VALLÉE, G., «Reconnaître la relation de travail dans des modèles organisationnels complexes: une question de méthode?», (2008) 42 *R.J.T.* 519.

PARAGRAPHE 3

CONJOINTS

1/4 Pour avoir droit au statut de conjoint, selon les dispositions de la *Loi sur les normes du travail*, il faut qu'un salarié et sa compagne vivent maritalement depuis au moins un an.
St-Vincent c. *Industries V.M. inc.*, D.T.E. 2001T-209 (C.T.).

PARAGRAPHE 4

CONVENTION

1/5 Les règles régissant les rapports collectifs demeurent distinctes de celles applicables au contrat individuel de travail. Toutefois, le législateur québécois a énoncé les normes d'application générale dans la *Loi sur les normes du travail* qui, elle, régit explicitement les deux régimes, soit les dispositions des articles 1(4) et 93 L.N.T. Si le législateur avait voulu, lors de la réforme du *Code civil du Québec* en 1994, donner une telle portée aux dispositions du Code applicables au contrat de travail, il aurait conservé la formulation critiquée ou aurait à tout le moins été aussi explicite que dans la *Loi sur les normes du travail*.
Isidore Garon ltée c. *Tremblay; Fillion et Frères (1976) inc.* c. *Syndicat national des employés de garage du Québec inc.*, (2006) 1 R.C.S. 27, 2006 CSC 2 (par analogie).

1/6 Le contrat de travail se définit comme l'entente par laquelle une personne physique, l'employé ou le salarié, met sa force de travail à la disposition d'une autre personne, l'employeur, moyennant une rémunération, le salaire. D'où trois éléments essentiels: la prestation de travail, la rémunération et le lien de subordination.
C.N.T. c. *Immeubles Terrabelle inc.*, (1989) R.J.Q. 1307 (C.Q.), D.T.E. 89T-431 (C.Q.), J.E. 89-729 (C.Q.).

1/7 Pour que l'on puisse conclure à l'existence d'un contrat de travail au sens du droit civil et du droit du travail, il doit y avoir obligation de la part de la personne salariée de fournir un rendement de façon régulière à la satisfaction de l'employeur.
Godin c. *Collège d'extension Cartier*, D.T.E. 96T-1221 (C.T.) (révision judiciaire accueillie pour d'autres motifs: D.T.E. 98T-390 (C.S.), J.E. 98-783 (C.S.)) (désistement d'appel).

1/8 Un document, pour être considéré comme une convention, doit avoir comme conséquence soit de lier ou de contraindre à la fois l'employeur et l'employé.
Centre hospitalier de Coaticook c. *Germain*, D.T.E. 82T-858 (T.A.).

1/9 Le contrat de société, tel que prévu par les dispositions du *Code civil du Québec*, est incompatible avec le contrat de travail. Il ne peut y avoir cumul des deux types de contrat. Toutefois, le changement dans le comportement des parties peut transformer la nature de l'entente. Il en est de même pour le contrat d'association.
Bolduc c. *Conseil de direction de l'Armée du Salut du Canada (Centre Booth de Montréal)*, D.T.E. 2006T-416 (C.R.T.).

1/10 La notion de contrat de travail n'est pas définie dans la *Loi sur les normes du travail*, mais bien à l'article 2085 du *Code civil du Québec*. Le contrat de travail est défini comme étant le fait pour le salarié de s'obliger à effectuer un travail sous la direction ou le contrôle d'une autre personne, l'employeur.
Eskenazi c. *H.M.R. Foods Partnership*, D.T.E. 2002T-983 (C.T.).

1/11 Pour déterminer l'existence d'un contrat de travail, il faut procéder à l'examen global de la réalité de la relation entre les deux personnes impliquées. La qualité des personnes, la forme, le statut ou la structure juridique de leur relation, ainsi que la qualification et les modalités contractuelles ne sont que des indices permettant cette détermination.
Bolduc c. *Conseil de direction de l'Armée du Salut du Canada (Centre Booth de Montréal)*, D.T.E. 2006T-416 (C.R.T.).

1/12 Une convention peut consister en un contrat individuel de travail, une convention collective au sens du *Code du travail*, ou toute entente relative à des conditions de travail, y compris un règlement du gouvernement qui lui donne effet.
Phelps c. *Exeltor inc.*, (1993) C.T. 393, D.T.E. 93T-815 (C.T.).

1/13 Une convention collective n'est pas un règlement. Il s'agit de deux termes qui ont une signification très différente.
Eugène c. *Hôpital de réadaptation Lindsay*, D.T.E. 2007T-454 (C.R.T.).

1/14 Lorsqu'il est impossible de dissocier un contrat de travail d'une politique administrative d'embauche, celle-ci constitue une convention au sens de l'article 1(4) de la *Loi sur les normes du travail*.
Dubé c. *Secrétariat de l'action catholique de Joliette*, D.T.E. 2001T-1109 (C.A.), J.E. 2001-2111 (C.A.), REJB 2001-26586 (C.A.).

1/15 Il ressort de la définition de convention qu'elle vise clairement les conventions collectives de travail et les décrets.
Télé-alarme T.S. inc. c. *Nadeau*, D.T.E. 93T-1129 (C.S.), J.E. 93-1719 (C.S.).

1/16 Une convention collective constitue une entente relative à des conditions de travail au sens de cet article, même si elle n'est pas déposée suivant l'article 72 du *Code du travail*.
Morel c. *Parkway Chevrolet Oldsmobile Cadillac inc.*, (1983) T.A. 461, D.T.E. 83T-286 (T.A.).

1/17 Il doit s'agir d'une entente ou convention relative à des conditions de travail, ce qui est très large comme définition.
Baby c. *Orchestre symphonique de Québec inc.*, (1987) T.A. 16, D.T.E. 87T-14 (T.A.).

1/18 Un commencement de preuve est nécessaire pour prouver la simulation d'un contrat de travail.
C.N.T. c. *Radiance inc.*, D.T.E. 2002T-938 (C.Q.).

1/19 Une entente d'association conditionnelle entre différentes personnes, ne devient pas un contrat de travail implicite parce que la condition ne s'est pas réalisée.
C.N.T. c. *Ferrante*, D.T.E. 2000T-794 (C.Q.), REJB 2000-19499 (C.Q.).

1/20 Le lien contractuel est l'élément essentiel de la définition.
Fri Information Services Ltd. c. *Larouche*, (1982) C.S. 742, D.T.E. 82T-606 (C.S.), J.E. 82-836 (C.S.) (appel rejeté: C.A.M. n^{0} 500-09-001145-820, le 23 septembre 1983).

1/21 Une liste de suppléants occasionnels, tenue à jour par une commission scolaire, ne constitue pas un contrat de travail. Une telle liste n'est, à toute fin utile, qu'une banque de mises en disponibilité dans laquelle la commission scolaire doit puiser pour requérir des suppléants. Elle ne crée aucune obligation de fournir du travail, aucun droit de rappel et il n'y a aucune priorité à l'intérieur de la liste, le choix d'un remplaçant étant laissé à la discrétion de l'employeur.
C.N.T. c. *Commission des écoles catholiques de Québec*, D.T.E. 95T-887 (C.A.), J.E. 95-1527 (C.A.).

1/22 Le *Règlement sur les mesures de fin d'engagement et de stabilité d'emploi applicables aux cadres supérieurs et intermédiaires des conseils régionaux des établissements publics et des établissements privés visés aux articles 176 et 177 de la Loi sur les services de santé et les services sociaux* (D. 884-83, (1983) 115 G.O. 2, 2050) constitue une convention au sens de l'article 1(4) L.N.T.
Hôpital du Christ-Roi c. *Larouche*, D.T.E. 93T-63 (C.S.), J.E. 93-141 (C.S.) (appel accueilli pour d'autres motifs: (1997) R.J.Q. 38 (C.A.), D.T.E. 97T-58 (C.A.), J.E. 97-188 (C.A.)).

1/23 V. la jurisprudence sous l'article 82.1(2) L.N.T.

PARAGRAPHE 6

DOMESTIQUE

1/24 Une personne qui a été engagée comme apprentie coiffeuse et qui était coiffeuse lors du congédiement, n'est pas comprise dans la définition de domestique.
Roy c. *Coiffelle Enr.*, D.T.E. 82T-180 (C.T.).

PARAGRAPHE 7

EMPLOYEUR

1/25 La détermination de l'identité du véritable employeur est une question juridictionnelle.
Brasseries Molson c. *Laurin*, D.T.E. 93T-1189 (C.S.), J.E. 93-1796 (C.S.) (désistement d'appel).
Contra: *Allard* c. *Vignola*, D.T.E. 99T-191 (C.S.), J.E. 99-460 (C.S.), REJB 1998-09789 (C.S.).

1/26 Celui qui assume la direction et le contrôle réel du travail d'une personne est un employeur au sens de la loi.

C.N.T. c. *3608336 Canada inc.*, D.T.E. 2003T-856 (C.Q.), J.E. 2003-1666 (C.Q.), REJB 2003-47086 (C.Q.).
Charbonneau c. *9042-2270 Québec inc.*, D.T.E. 2004T-407 (C.R.T.).
Trottier c. *Charbonneau*, D.T.E. 87T-715 (T.T.).

1/27 Quiconque fait effectuer un travail par un salarié est un employeur en vertu de l'article 1(7) L.N.T.
Ranger c. *Clinique chiropratique St-Eustache*, D.T.E. 2003T-1013 (C.R.T.).

1/28 Selon les dispositions de la *Loi sur les normes du travail*, il n'y a qu'un seul employeur.
Société de transport de Sherbrooke c. *Ladouceur*, D.T.E. 2008T-944 (C.S.), EYB 2007-150700 (C.S.) (en appel: n^{0} 500-09-018296-079).

1/29 Pour déterminer qui est le véritable employeur il y a lieu de retenir comme éléments déterminants le lien de subordination et le contrôle de la rémunération du revenu du salarié.
Brasseries Molson c. *Laurin*, D.T.E. 93T-1189 (C.S.), J.E. 93-1796 (C.S.) (désistement d'appel).
Machebu c. *Leal*, D.T.E. 2004T-88 (C.R.T.).
Stewart c. *Musée David M. Stewart*, D.T.E. 2000T-38 (C.T.).
Bouchard c. *Ultramar ltée*, D.T.E. 99T-608 (C.T.).
V. aussi: *Tremblay* c. *Ameublements Tanguay inc.*, D.T.E. 96T-628 (C.T.).

1/30 Dans le cadre d'une relation tripartite, il faut adopter une approche globale pour rechercher le véritable employeur. Certes, la subordination juridique demeure un facteur important, mais d'autres aspects doivent être considérés dans la détermination de l'employeur: le processus de sélection, l'embauche, la discipline, l'évaluation, l'assignation des fonctions, la durée des services, etc.
C.N.T. c. *2954-2446 Québec inc.*, D.T.E. 2000T-820 (C.Q.).
Rivard c. *Realmont ltée*, (1999) R.J.D.T. 239 (C.T.), D.T.E. 99T-101 (C.T.), REJB 1998-09129 (C.T.).
Corriveau c. *Résidence St-Philippe de Windsor*, (1997) C.T. 464, D.T.E. 97T-1149 (C.T.).

1/31 La définition d'employeur ne réfère pas à une notion juridique délimitée, mais plutôt à une notion de subordination, «celui qui fait exécuter le travail», à une notion de pouvoir ou de direction plutôt que d'entité juridique.
Bourret c. *Motel Carillon Hôtel inc.*, D.T.E. 84T-686 (T.A.).

1/32 L'employeur est celui qui fait effectuer un travail par un salarié, par opposition à celui qui confie l'exécution d'un travail à un entrepreneur.
Couture-Thibault c. *Pharmajan inc.*, (1984) T.A. 326, D.T.E. 84T-423 (T.A.).

1/33 La loi ne réduit ni ne restreint la notion d'employeur à une corporation ou à une entité juridique, mais bien à un fournisseur de travail: un particulier ou un organisme, un ensemble de particuliers ou d'organismes.
Lapierre c. *Pavane Mayfair ltée*, (1985) T.A. 380, D.T.E. 85T-452 (T.A.).

1/34 Celui qui émet les chèques de paie du salarié et qui est dirigeant de l'entreprise, est l'employeur au sens de la *Loi sur les normes du travail*.
C.N.T. c. *9015-9237 Québec inc.*, D.T.E. 2000T-159 (C.Q.).

1/35 L'employeur est celui qui est le détenteur réel des pouvoirs de décider des conditions de travail, de diriger le travail, de maintenir l'emploi du salarié et d'y mettre fin.
Filali c. *113492 Canada inc.*, (1996) C.T. 434, D.T.E. 96T-941 (C.T.).

1/36 Celui qui établit les conditions de travail du salarié en tenant compte de sa disponibilité est bel et bien l'employeur.
Senez c. *Coiffure L.J.*, D.T.E. 2001T-462 (C.T.).

1/37 Est un employeur celui qui a le pouvoir d'embaucher, et ce, même si le salaire est payé par un tiers.
C.N.T. c. *Commission scolaire St-Exupéry*, D.T.E. 86T-451 (C.Q.), J.E. 86-601 (C.Q.).
Rivard c. *Realmont ltée*, (1999) R.J.D.T. 239 (C.T.), D.T.E. 99T-101 (C.T.), REJB 1998-09129 (C.T.).
Hudon c. *Thibodeau Transport inc. (Portneuf)*, D.T.E. 82T-829 (T.A.).
V. aussi: *Bourret* c. *Motel Carillon Hôtel inc.*, D.T.E. 84T-686 (T.A.).

1/38 Dans le cadre de la détermination du véritable employeur, la relation d'autorité employeur-salarié demeure l'élément qualitatif déterminant d'une relation de travail tripartite. Ainsi, est un employeur celui qui a l'autorité et le contrôle effectif sur une personne, ce qui n'est pas le cas d'une agence de location de personnel.
Tremblay c. *Ameublements Tanguay inc.*, D.T.E. 96T-628 (C.T.).

1/39 Le fait de donner à une agence de personnel le mandat de recruter et de fournir du personnel ne fait pas nécessairement des personnes ainsi recrutées des employés de l'agence elle-même. Dans ce cas, il y a un ensemble de facteurs à considérer et à évaluer, entre autres, l'intégration de la personne à l'entreprise.
Maras c. *Clinique familiale St-Vincent enr.*, D.T.E. 96T-1254 (C.T.).
V. aussi: *Rivard* c. *Realmont ltée*, (1999) R.J.D.T. 239 (C.T.), D.T.E. 99T-101 (C.T.), REJB 1998-09129 (C.T.).

1/40 L'intermédiaire entre un employeur et un salarié, soit la personne se présentant et agissant en tant qu'employeur, est reconnue comme l'employeur.
Trottier c. *Charbonneau*, D.T.E. 87T-715 (T.T.).
V. aussi: *C.N.T.* c. *Lemcovitz*, D.T.E. 90T-1288 (C.Q.).
C.N.T. c. *Immeubles Terrabelle inc.*, (1989) R.J.Q. 1307 (C.Q.), D.T.E. 89T-431 (C.Q.), J.E. 89-729 (C.Q.).
Aluminium Luc Fauteux inc. c. *Morel*, D.T.E. 88T-113 (T.T.).

1/41 Deux compagnies intimement liées, tout en étant distinctes, peuvent être considérées comme étant l'employeur du plaignant et responsables, toutes les deux, du paiement de sa réclamation, lorsqu'elles ont créé elles-mêmes cette confusion sur leur véritable identité.
C.N.T. c. *9031-5839 Québec inc.*, D.T.E. 99T-708 (C.Q.).

1/42 Pour conclure à l'unicité d'entreprise, il faut que les moyens de production soient utilisés de façon indistincte et interchangeable pour la réalisation de l'un ou de l'autre des objectifs poursuivis. L'employeur doit être celui de toutes les entreprises communes et il doit participer à toutes les décisions qui s'y prennent.

Pelletier c. *Compagnie de construction et de développement Cris ltée*, D.T.E. 2000T-622 (C.T.).

1/43 Même si un employeur fait exécuter une partie de ses activités par un sous-traitant qui a le pouvoir de gérer le personnel sous sa gouverne, il demeure répondant des congédiements qu'il a effectués.
Gagnon c. *2753-3058 Québec inc.*, D.T.E. 95T-750 (C.T.).

1/44 Un sous-traitant qui a comme mandat d'embaucher et de verser la rémunération du personnel n'est pas un employeur au sens de la *Loi sur les normes du travail*.
Rivard c. *Realmont ltée*, (1999) R.J.D.T. 239 (C.T.), D.T.E. 99T-101 (C.T.), REJB 1998-09129 (C.T.).
Filali c. *113492 Canada inc.*, (1996) C.T. 434, D.T.E. 96T-941 (C.T.).

1/45 Une entreprise ne peut être considérée comme l'employeur du plaignant lorsque aucun élément ne la rattache à ce dernier. C'est le cas d'une entreprise de services qui rend des services uniquement à ses membres, dont le plaignant ne fait pas partie.
Bonan c. *Rhostanco inc.*, (2001) R.J.D.T. 822 (C.T.), D.T.E. 2001T-537 (C.T.) (désistement de la révision judiciaire).

1/46 L'employeur est responsable des actes de ses administrateurs lorsqu'il y a ratification tacite par la compagnie de leurs actes, dans le cas où ceux-ci possèdent le pouvoir de lier l'entreprise.
C.N.T. c. *Charron*, D.T.E. 95T-428 (C.Q.).

1/47 Un gestionnaire a qui l'on n'a pas concédé l'entreprise ne peut être déclaré le véritable employeur.
Froment c. *175447 Canada inc.*, D.T.E. 93T-1223 (C.T.).

1/48 Dans le cadre de la détermination du véritable employeur, il y a lieu de s'intéresser au lien contractuel du plaignant avec la compagnie mère de la société en nom collectif pour laquelle il travaillait, et non uniquement au lien qui l'unissait à cette dernière.
Lapointe c. *BPR — Groupe-conseil*, (2007) R.J.D.T. 552 (C.R.T.), D.T.E. 2007T-497 (C.R.T.) (révision judiciaire refusée: D.T.E. 2008T-921 (C.S.), EYB 2008-150244 (C.S.)).

1/49 Est un employeur la société qui agit à titre de prête-nom afin de permettre l'acquisition d'un commerce par un tiers.
C.N.T. c. *9071-7323 Québec inc.*, D.T.E. 2000T-1097 (C.Q.).

1/50 Le gouvernement ne peut être tenu responsable, à titre d'employeur, des dommages subis par un salarié congédié d'un centre d'accueil mis en tutelle et provisoirement administré par un mandataire du ministre de la Santé et des Services sociaux.
Québec (Procureur général) c. *Cloutier*, D.T.E. 95T-1027 (C.S.), J.E. 95-1701 (C.S.).

1/51 Il ne faut pas confondre l'employeur avec les différents établissements qui composent son entreprise.
C.N.T. c. *Sidbec-Dosco inc.*, D.T.E. 90T-1286 (C.Q.).

1/52 Une fabrique est l'employeur au sens de la *Loi sur les normes du travail* lorsque c'est elle qui a engagé, qui définit la prestation de travail, les conditions de travail, qui effectue la supervision du salarié et qui, finalement, paie celui-ci.
Côté c. *Fabrique de la paroisse de St-Félicien*, D.T.E. 2009T-78 (C.R.T.).

1/53 La C.S.N. est un employeur lorsque l'exécutif de la centrale décide quand un individu va travailler comme militant libéré et quand vont cesser ses services, tout en lui versant un salaire en retour.
Gulino c. *Confédération des syndicats nationaux (C.S.N.)*, D.T.E. 89T-1202 (T.A.) (révision judiciaire refusée: C.S.M. n° 500-05-011255-898, le 1er décembre 1989).

1/54 Un partenaire d'affaires lié par un contrat de société n'est pas un employeur au sens de la *Loi sur les normes du travail* dans le cas où il n'a pas participé à l'embauche du plaignant, ne lui a jamais donné d'instructions ou de directives et n'a pas négocié les modalités de sa rémunération.
C.N.T. c. *Gervais*, D.T.E. 2007T-341 (C.Q.), EYB 2007-117311 (C.Q.).

1/55 Une compagnie numérique n'est pas un employeur s'il ne s'agit pas d'une personne morale ou physique qui fait exécuter un travail par un salarié.
Saumur c. *116806 Association Canada inc.*, (1993) C.T. 425, D.T.E. 93T-1006 (C.T.) (révision judiciaire refusée: C.S.M. n° 500-05-008928-937, le 18 octobre 1993).

1/56 V. BÉLIVEAU, N.-A., *Les normes du travail*, Cowansville, Les Éditions Yvon Blais inc., 2003, p. 20 à 27.

1/57 V. BRIÈRE, J.-Y. et VILLAGGI, J.-P., *Relations de travail*, vol. 2, (édition à feuilles mobiles), Brossard, Les Publications CCH ltée, p. 8,101 à 8,103-7.

1/58 V. DUBÉ, J.-L. et DI IORIO, N., *Les normes du travail*, 2e éd., Sherbrooke, Les Éditions Revue de droit — Université de Sherbrooke, 1992, p. 65 à 71.

PARAGRAPHE 9

SALAIRE

1/59 La définition de salaire prévue par les dispositions de l'article 1 L.N.T. ne constitue pas une norme du travail au sens de la loi. Ainsi, le caractère d'ordre public des normes du travail ne vise pas les définitions énoncées à l'article 1 L.N.T.
C.N.T. c. *Desjardins Sécurité financière, compagnie d'assurance-vie*, D.T.E. 2005T-122 (C.Q.), J.E. 2005-232 (C.Q.), EYB 2004-85717 (C.Q.).
Sobeys Québec inc. (Montréal-Nord) c. *Travailleuses et travailleurs unis de l'alimentation et du commerce, section locale 501*, D.T.E. 2004T-150 (T.A.).

1/60 Le paragraphe 9 de l'article 1 L.N.T. relatif à la définition de salaire n'est pas d'ordre public.
Syndicat national du lait inc. (CSD) c. *G.M. Lemay inc. (grief syndical)*, D.T.E. 2006T-185 (T.A.).

1/61 La définition usuelle de salaire est assimilée à la prestation versée par l'employeur au salarié en contrepartie du travail.
Trust général du Canada c. *Marois*, (1986) R.J.Q. 1029 (C.A.), J.E. 86-389 (C.A.).
V. aussi: *Beaudin* c. *Brossard (Ville de)*, D.T.E. 96T-450 (C.T.).

1/62 La notion de salaire, prévue par les dispositions de la *Loi sur les normes du travail*, doit recevoir une interprétation large et libérale pour y inclure tous les éléments qui composent la rémunération.

Sobeys Québec inc. (Montréal-Nord) c. *Travailleuses et travailleurs unis de l'alimentation et du commerce, section locale 501*, D.T.E. 2004T-150 (T.A.).
Syndicat des cols bleus regroupés de Montréal, section locale 301 c. *Montréal (Ville de)*, D.T.E. 2004T-380 (T.A.).

1/63 Le salaire, selon cette définition, peut revêtir différentes formes.
C.N.T. c. *3127648 Canada ltée (Domaine de la beauté Pierrette Duval)*, D.T.E. 2008T-151 (C.Q.).
C.N.T. c. *Lemcovitz*, D.T.E. 90T-1288 (C.Q.).
C.N.T. c. *Cogan Wire & Metal Products (1974) Ltd.*, D.T.E. 82T-830 (C.Q.), J.E. 82-1139 (C.Q.).

1/64 Constitue du salaire, la rémunération versée pour le travail et les services rendus par une personne.
Public Idée c. *Auclair*, D.T.E. 92T-699 (T.T.).

1/65 Le salaire comprend non seulement la rémunération mais également tous les avantages sociaux ayant une valeur pécuniaire, dus pour le travail exécuté ou les services rendus.
Groupe Rona-Dismat c. *Syndicat des travailleurs de l'énergie et de la chimie, section locale 107 (F.T.Q.)*, D.T.E. 92T-510 (T.A.).
St-Mars c. *Montréal (Société de transport de la Communauté urbaine de)*, (1991) T.A. 117, D.T.E. 91T-275 (T.A.).
Leduc c. *Habitabec inc.*, D.T.E. 90T-751 (T.A.), conf. par D.T.E. 94T-1240 (C.A.), J.E. 94-1752 (C.A.).

1/66 Le salaire, dans le contexte du travail contemporain, doit comprendre non seulement le montant payé pour le travail effectivement fait, mais aussi toutes les indemnités s'y rattachant, tels les bénéfices marginaux et l'indemnité de vacances.
Whittington c. *Patry*, J.E. 82-1086 (C.S.).
Bresner c. *Goldin*, (1979) C.S. 1022.
Héroux c. *Spicer*, D.T.E. 91T-208 (C.Q.).
Aubé c. *Astell*, (1988) R.J.Q. 845 (C.Q.), D.T.E. 88T-187 (C.Q.), J.E. 88-290 (C.Q.).
C.N.T. c. *Beausignol inc.*, (1987) R.J.Q. 688 (C.Q.), D.T.E. 87T-293 (C.Q.), J.E. 87-412 (C.Q.).
Boisvert c. *Nadeau*, (1982) R.L. 101 (C.Q.).
Contra: *Beloit Canada ltée* c. *Syndicat national de l'industrie métallurgique de Sorel inc.*, D.T.E. 84T-529 (T.A.).

1/67 Le salaire et la rémunération sont versés par l'employeur en contrepartie directe de la prestation de travail du salarié, ainsi que les diverses primes rattachées à l'exécution de cette prestation. La meilleure illustration du salaire est résumée dans l'adage courant que l'on retrouve en droit du travail: «Temps travaillé, temps payé.»
Compagnie de la Baie d'Hudson c. *Union des salariés du transport local et industries diverses, section locale 931 (I.B.T.)*, (2004) R.J.D.T. 767 (T.A.), D.T.E. 2004T-475 (T.A.).

1/68 Les avantages que peut recevoir un salarié à titre d'indemnité doivent avoir une valeur pécuniaire.
Alex Coulombe ltée c. *Fortier*, D.T.E. 92T-180 (C.T.).

1/69 Les journées de maladie accumulées, de même que les jours de vacances, constituent du salaire.
Domaine Cascade c. *Syndicat des salariées et salariés du Domaine Cascade*, D.T.E. 94T-1261 (T.A.).

1/70 La rémunération versée sous forme d'un *per diem* qui couvre la compensation pour services rendus, constitue un salaire au sens de la *Loi sur les normes du travail*.
Delisle c. *Centre d'accueil St-Joseph de Joliette*, D.T.E. 93T-1309 (C.T.) (révision judiciaire refusée: D.T.E. 94T-450 (C.S.)).

1/71 L'indemnité de départ n'est pas du salaire.
Aubé c. *Astell*, (1988) R.J.Q. 845 (C.Q.), D.T.E. 88T-187 (C.Q.), J.E. 88-290 (C.Q.).

1/72 Le versement de commissions constitue une forme de rémunération équivalant à salaire.
J.B. Charron ltée c. *Commission du salaire minimum*, (1980) R.P. 147 (C.A.).
C.N.T. c. *9002-8515 Québec inc.*, D.T.E. 2000T-432 (C.S.), J.E. 2000-931 (C.S.), REJB 2000-18725 (C.S.).
Commission du salaire minimum c. *Hermann Fortier inc.*, J.E. 80-584 (C.S.) (appel accueilli: C.A.M. n° 500-09-000804-807, le 3 août 1983).
C.N.T. c. *Combined Insurance Company of America*, (2008) R.J.D.T. 1113 (C.Q.), D.T.E. 2008T-718 (C.Q.), J.E. 2008-1746 (C.Q.), EYB 2008-145918 (C.Q.) (désistement d'appel).
C.N.T. c. *Distribution GVA inc.*, D.T.E. 2007T-789 (C.Q.), J.E. 2007-1778 (C.Q.), EYB 2007-123911 (C.Q.).
C.N.T. c. *Des Cormiers*, D.T.E. 99T-412 (C.Q.).
C.N.T. c. *Souline*, D.T.E. 99T-130 (C.Q.).
C.N.T. c. *2992892 Canada inc.*, D.T.E. 98T-420 (C.Q.).
3105-3440 Québec inc. c. *Boulet*, (1998) R.J.D.T. 633 (C.Q.), D.T.E. 98T-404 (C.Q.), J.E. 98-833 (C.Q.), REJB 1998-05321 (C.Q.).
C.N.T. c. *2946-9483 Québec inc.*, D.T.E. 95T-222 (C.Q.).
C.N.T. c. *Sécurité Domiciliaire R.G. inc.*, D.T.E. 89T-1066 (C.Q.).
C.N.T. c. *Cie de fiducie Canada Permanent*, (1985) C.P. 284, D.T.E. 85T-799(C.Q.), J.E. 85-929 (C.Q.).
C.N.T. c. *Société canadienne d'isolation C.O. inc.*, D.T.E. 82T-635 (C.Q.), J.E. 82-890 (C.Q.).
Commission du salaire minimum c. *Habitations du Temps inc.*, J.E. 81-486 (C.Q.).
Ruiz c. *Coencorp Consultant Corporation*, (2006) R.J.D.T. 761 (C.R.T.), D.T.E. 2006T-417 (C.R.T.).
Couture c. *Services Investors ltée*, (2000) R.J.D.T. 1730 (C.T.), D.T.E. 2000T-1171 (C.T.) (révision judiciaire refusée: D.T.E. 2001T-265 (C.S.)).
Picard c. *G.V. Bergeron*, D.T.E. 97T-826 (C.T.).
Rouse c. *Emballages Paperboard inc., division cartonnage Québec*, D.T.E. 94T-580 (C.T.).
Savard c. *Matelas Serta Bon-Aire inc.*, (1994) C.T. 441, D.T.E. 94T-1204 (C.T.).
Pietrykowski c. *Cie de fiducie du Canada le Permanent*, D.T.E. 85T-723 (T.A.) (révision judiciaire refusée: C.S.M. n° 500-05-009603-851, le 17 décembre 1985, conf. par C.A.M. n° 500-09-000056-861, le 2 octobre 1987).
St-Gelais c. *Cie de fiducie Canada Permanent*, D.T.E. 85T-362 (C.T.) (appel rejeté: T.T.Q. n° 200-52-000022-85, le 23 avril 1985).
V. aussi: *C.N.T.* c. *Entreprises Cyframe international inc.*, D.T.E. 2004T-1071 (C.Q.).

1/73 Les commissions versées après déductions constituent du salaire.
C.N.T. c. *Importations Jacsim inc.*, (2000) R.J.D.T. 177 (C.Q.), D.T.E. 2000T-57 (C.Q.), J.E. 2000-134 (C.Q.), REJB 1999-15694 (C.Q.).
Bielous c. *Agence Mark Richman ltée*, (1987) T.A. 319, D.T.E. 87T-455 (T.A.).

1/74 La *Loi sur les normes du travail* s'applique même si la personne est rémunérée entièrement sous forme de commission.
C.N.T. c. *133879 Canada inc.*, D.T.E. 99T-667 (C.T.).

1/75 Un salarié peut ne pas avoir droit à l'entièreté de la commission réclamée. C'est le cas lorsque le contrat obtenu doit être confié à un sous-traitant, faisant en sorte que la marge de profit de l'employeur est réduite.
C.N.T. c. *Reprotech inc.*, (1998) R.J.D.T. 644 (C.Q.), D.T.E. 98T-494 (C.Q.), J.E. 98-991 (C.Q.), REJB 1998-07950 (C.Q.).

1/76 Le salaire constituant la rémunération peut prendre la forme d'un paiement en honoraires.
Halkett c. *Ascofigex inc.*, (1986) R.J.Q. 2697 (C.S.), D.T.E. 86T-786 (C.S.), J.E. 86-1025 (C.S.).

1/77 La définition du terme salaire est assez large pour inclure le paiement d'honoraires.
C.N.T. c. *3608336 Canada inc.*, D.T.E. 2003T-856 (C.Q.), J.E. 2003-1666 (C.Q.), REJB 2003-47086 (C.Q.).

1/78 Les contributions de l'employeur au REER et au fonds de pension du salarié font partie du salaire au sens de la *Loi sur les normes du travail.*
Rompré c. *Costco Wholesale Canada Ltd. (Costco Trois-Rivières)*, D.T.E. 2006T-910 (C.R.T.).

1/79 Constitue du salaire, le paiement du travail au moyen du troc.
Deschamps c. *École supérieure de danse du Québec*, (1998) R.J.D.T. 1273 (C.T.), D.T.E. 98T-839 (C.T.) (révision judiciaire refusée: C.S.M. n^{0} 500-05-043110-988, le 2 octobre 1998).

1/80 Un boni de Noël versé en argent, fait nécessairement partie de la rémunération et est inclus dans la définition de salaire.
Industries Super-Métal inc. c. *Union des employés de Commerce, Local 503, C.T.C.-F.T.Q.*, D.T.E. 83T-827 (T.A.).

1/81 Le pourboire n'entre pas dans le calcul du salaire.
Brandt Service Ltd. c. *Fedorki*, (1957) B.R. 190.

1/82 La participation aux profits constitue du salaire.
C.N.T. c. *R.B.C. Dominion Valeurs mobilières inc.*, D.T.E. 94T-707 (C.S.).
C.N.T. c. *Construction canadienne & Associés inc.*, D.T.E. 98T-119 (C.Q.).
Barcana ltée c. *Boisvert*, (1984) T.A. 703, D.T.E. 84T-841 (T.A.).

1/83 Les dividendes versés à un actionnaire pour tenir lieu de rémunération sont compris dans la définition de salaire.
Visionic inc. c. *Michaud*, D.T.E. 82T-30 (C.S.), J.E. 82-50 (C.S.) (appel rejeté: C.A.Q. n^{0} 200-09-000873-817, le 3 mars 1982).

Fuller c. *Brasseries Molson*, (1994) T.A. 565, D.T.E. 94T-801 (T.A.).
Spécialités B.D.S. inc. c. *Caron*, (1988) T.A. 201, D.T.E. 88T-171 (T.A.) (révision judiciaire accueillie pour d'autres motifs: D.T.E. 88T-435 (C.S.)).
V. aussi: *Brasseries Molson* c. *Laurin*, D.T.E. 93T-1189 (C.S.), J.E. 93-1796 (C.S.) (désistement d'appel).

1/84 Le paiement du travail à la pige constitue du salaire.
Thibault c. *Publications Photo-Police inc.*, (1984) T.A. 55, D.T.E. 84T-97 (T.A.).

1/85 Constitue du salaire, le paiement du travail à l'acte.
Heutte c. *Centre médical des industries de la mode de Montréal (U.I.O.V.D.)*, D.T.E. 82T-900 (T.A.).

1/86 Est considéré comme du salaire, le paiement du travail à la pièce.
C.N.T. c. *International Forums inc.*, (1985) C.P. 1, D.T.E. 85T-8 (C.Q.), J.E. 85-17 (C.Q.).
Mailhot c. *Services d'approvisionneurs national inc.*, (1983) T.A. 1038, D.T.E. 83T-459 (T.A.).

1/87 Un chauffeur-livreur propriétaire de son camion et rémunéré selon le nombre de livraisons effectuées, reçoit néanmoins un salaire au sens de cette définition.
Mailhot c. *Services d'approvisionneurs national inc.*, (1983) T.A. 1038, D.T.E. 83T-459 (T.A.).

1/88 Pour avoir droit à un salaire, il faut évidemment que celui-ci soit dû. Bien que le salaire ne se limite pas au montant prévu pour la rémunération à taux horaire, encore faut-il que cette somme soit réellement gagnée par le salarié, et ce, au moment où il a été à l'emploi de l'employeur, et qu'elle soit donc due à la fin de la relation d'emploi pour devoir être payable.
C.N.T. c. *Compagnie Abitibi Consolidated du Canada*, D.T.E. 2008T-524 (C.Q.), EYB 2008-134201 (C.Q.) (permission d'appeler refusée: B.E. 2008BE-1145 (C.A.), EYB 2008-149739 (C.A.)).

1/89 Un employeur ne peut convenir avec un salarié d'une période d'essai pendant laquelle il ne serait pas rémunéré.
C.N.T. c. *St-Raymond Plymouth Chrysler inc.*, D.T.E. 86T-935 (C.Q.), J.E. 86-1155 (C.Q.).
V. aussi: *Commission du salaire minimum* c. *Corp. de l'Hôpital d'Youville de Sherbrooke*, J.E. 80-521 (C.S.).

1/90 V. la jurisprudence sous les articles 1(10), 83 et 93 L.N.T.

1/91 V. BICH, M.-F., «Le contrat de travail», dans *La réforme du Code civil*, t. II, Barreau du Québec et Chambre des notaires du Québec, Ste-Foy, Les Presses de l'Université Laval, 1993, p. 741, n° 45, p. 759.

1/92 V. CAZA, C., «Le contrat de travail et le *Code civil du Québec*: continuité ou rupture?», dans *Congrès annuel du Barreau du Québec (1995)*, Montréal, Formation permanente du Barreau du Québec, 1995, p. 857, p. 871 et 872.

1/93 V. DUBÉ, J.-L. et DI IORIO, N., *Les normes du travail*, 2e éd., Sherbrooke, Les Éditions Revue de droit — Université de Sherbrooke, 1992, p. 20 à 22 et 83 et ss.

PARAGRAPHE 10

SALARIÉ

Général

1/94 La détermination du statut de salarié au sens de la *Loi sur les normes du travail* relève de la compétence exclusive du commissaire.
Byrne c. *Yergeau*, D.T.E. 2002T-870 (C.A.), J.E. 2002-1684 (C.A.), REJB 2002-33506 (C.A.).
Lalande c. *Provigo Distribution inc.*, D.T.E. 98T-1059 (C.A.), J.E. 98-2031 (C.A.), REJB 1998-08026 (C.A.).
Leduc c. *Habitabec inc.*, D.T.E. 94T-1240 (C.A.), J.E. 94-1752 (C.A.).
Vézina c. *Agence universitaire de la francophonie*, D.T.E. 2008T-493 (C.S.), EYB 2008-133855 (C.S.).
Services Investors ltée c. *Cloutier*, D.T.E. 2001T-265 (C.S.).
Gagné c. *Monette*, (1998) R.J.D.T. 1531 (C.S.), D.T.E. 98T-1029 (C.S.), J.E. 98-1982 (C.S.), REJB 1998-07593 (C.S.) (appel rejeté: REJB 2001-25941 (C.A.)).
Contra: *Conseillers en placements Pemp inc.* c. *Couture*, D.T.E. 94T-1073 (C.S.), J.E. 94-1497 (C.S.) (règlement hors cour).

1/95 La décision portant sur le statut du salarié plaignant est assujettie à la norme de contrôle judiciaire de la décision raisonnable.
BPR — Groupe-conseil, s.e.n.c. c. *Commission des relations du travail*, D.T.E. 2008T-921 (C.S.), EYB 2008-150244 (C.S.).

1/96 On ne peut faire échec à la notion de salarié contenue dans la *Loi sur les normes du travail*, laquelle est d'ordre public.
C.N.T. c. *Bureau d'éthique commerciale de Montréal inc.*, D.T.E. 2000T-409 (C.Q.).
Dechamplain c. *Provigo (Maxi)*, D.T.E. 96T-387 (C.T.).
Lalande c. *Provigo Distribution inc., division Maxi A 9 (2428-7476)*, D.T.E. 94T-1132 (C.T.) (révision judiciaire refusée: C.S.M. n° 500-05-010529-947, le 21 février 1995) (appel rejeté: D.T.E. 98T-1059 (C.A.), J.E. 98-2031 (C.A.), REJB 1998-08026 (C.A.)).

1/97 Le statut de la personne plaignante doit être évalué en se basant sur la situation qui existait au moment du congédiement.
Joannette c. *Bérard*, D.T.E. 2003T-1083 (C.R.T.).
Boudriau c. *Hydro-Québec*, D.T.E. 98T-352 (C.T.).
V. cependant: *Clément* c. *Plastiques usinés Clément inc.*, D.T.E. 2003T-402 (C.R.T.).

1/98 Même si la définition de salarié au sens du *Code du travail* est essentiellement la même que celle prévue à la *Loi sur les normes du travail*, on ne peut s'inspirer de l'application restrictive de ces décisions. Chaque définition doit être interprétée dans le contexte propre à chacune des lois.
Cie de sable ltée c. *C.N.T.*, (1985) C.A. 281, D.T.E. 85T-387 (C.A.), J.E. 85-470 (C.A.) (autorisation d'appeler à la Cour suprême refusée).

1/99 La définition de salarié dans la *Loi sur les normes du travail* est beaucoup plus vaste que celle du *Code du travail*.
Visionic inc. c. *Michaud*, D.T.E. 82T-30 (C.S.), J.E. 82-50 (C.S.) (appel rejeté: C.A.Q. n° 200-09-000873-817, le 3 mars 1982).
Michaud c. *Syndicat de la fonction publique du Québec*, (2007) R.J.D.T. 191 (C.R.T.), D.T.E. 2007T-233 (C.R.T.) (révision en vertu de l'article 127 C.T. refusée).

Lamarche c. *Service d'interprétation visuelle et tactile*, (1998) R.J.D.T. 722 (C.T.), D.T.E. 98T-533 (C.T.).
Fillion c. *Club de curling Riverbend d'Alma*, (1988) T.A. 442, D.T.E. 88T-489 (T.A.).
Sklar-Peppler inc. c. *Loiselle*, (1988) T.A. 449, D.T.E. 88T-486 (T.A.).
Lajoie c. *Multi-Marques inc.*, D.T.E. 87T-160 (T.A.).

1/100 La définition de salarié prévue dans la *Loi sur les normes du travail* est beaucoup plus large que celle contenue au *Code du travail* mais, lorsqu'il s'agit d'évaluer le degré de subordination, les critères d'évaluation demeurent les mêmes.
Michaud c. *Syndicat de la fonction publique du Québec*, (2007) R.J.D.T. 191 (C.R.T.), D.T.E. 2007T-233 (C.R.T.) (révision en vertu de l'article 127 C.T. refusée).

1/101 La notion de salarié de la *Loi sur les normes du travail* est plus large que celle du *Code du travail*, elle englobe les cadres et les entrepreneurs dépendants. La Loi sur les normes prévoit notamment qu'un salarié peut être propriétaire de ses outils de travail et de sa matière première.
Girardin c. *Distribution Danièle Normand inc.*, D.T.E. 2000T-228 (T.T.).
Choquette c. *Commission de la santé et de la sécurité du travail du Québec*, D.T.E. 95T-51 (C.T.).
Lajoie c. *Multi-Marques inc.*, D.T.E. 87T-160 (T.A.).

1/102 Une personne peut être un salarié au sens de la *Loi sur les normes du travail*, sans pour autant l'être au sens du *Code du travail*.
Lajoie c. *Multi-Marques inc.*, D.T.E. 87T-160 (T.A.).

1/103 Une personne exclue du statut de salarié en vertu du *Code du travail* à cause du poste qu'elle occupe peut être un salarié au sens de la *Loi sur les normes du travail*.
Industries graphiques Cameo Crafts ltée c. *Bourbonnais*, D.T.E. 89T-178 (T.A.).

1/104 La définition de salarié est très large et comprend toute personne qui travaille pour un employeur, peu importe sa rémunération.
C.N.T. c. *Importations Jacsim inc.*, (2000) R.J.D.T. 177 (C.Q.), D.T.E. 2000T-57 (C.Q.), J.E. 2000-134 (C.Q.), REJB 1999-15694 (C.Q.).
Heutte c. *Centre médical des industries de la mode de Montréal (U.I.O.V.D.)*, D.T.E. 82T-900 (T.A.).
V. cependant la jurisprudence suivant laquelle la notion de salarié doit recevoir une interprétation restrictive.
C.N.T. c. *Hallmark Auto-Centres inc.*, (1983) C.P. 27, D.T.E. 83T-98 (C.Q.), J.E. 83-163 (C.Q.).
C.N.T. c. *Rosita Shoes Co. of Canada Ltd.*, D.T.E. 82T-581 (C.Q.), J.E. 82-837 (C.Q.).

1/105 La *Loi sur les normes du travail* s'applique à une personne travaillant pour quiconque lui fait exécuter un travail en échange d'une rémunération en monnaie courante et d'avantages pécuniaires.
C.N.T. c. *2429-5040 Québec inc.*, D.T.E. 96T-602 (C.Q.), J.E. 96-1040 (C.Q.).
Mousseau c. *Ste-Lucie-des-Laurentides (Municipalité de)*, (2000) R.J.D.T. 648 (C.T.), D.T.E. 2000T-543 (C.T.).

1/106 Pour être un «salarié» au sens de l'article 124 de la *Loi sur les normes du travail*, le plaignant doit bénéficier d'un contrat de travail et il doit justifier de deux ans de travail dans une même entreprise.

Fri Information Services Ltd. c. *Larouche*, (1982) C.S. 742, D.T.E. 82T-606 (C.S.), J.E. 82-836 (C.S.) (appel rejeté: C.A.M. n° 500-09-001145-820, le 23 septembre 1983).

1/107 Pour réclamer du salaire, il faut être un salarié qui a suivi la procédure d'embauche applicable chez l'employeur pour créer un lien d'emploi.
C.N.T. c. *Fondation Mira inc.*, D.T.E. 98T-717 (C.Q.).

1/108 Les trois critères universellement reconnus pour définir un salarié au sens de l'article 1(10) L.N.T. sont: la prestation de travail, l'existence d'un lien de subordination qui n'exige aucunement l'exclusivité, et la rémunération.
C.N.T. c. *9002-8515 Québec inc.*, D.T.E. 2000T-432 (C.S.), J.E. 2000-931 (C.S.), REJB 2000-18725 (C.S.).
Ordre des arpenteurs-géomètres du Québec c. *Poulin*, D.T.E. 99T-670 (C.S.), J.E. 99-1466 (C.S.), REJB 1999-13858 (C.S.).
C.N.T. c. *3127648 Canada ltée (Domaine de la beauté Pierrette Duval)*, D.T.E. 2008T-151 (C.Q.).
C.N.T. c. *Distribution GVA inc.*, D.T.E. 2007T-789 (C.Q.), J.E. 2007-1778 (C.Q.), EYB 2007-123911 (C.Q.).
C.N.T. c. *Desrochers*, D.T.E. 2001T-681 (C.Q.).
C.N.T. c. *Des Cormiers*, D.T.E. 99T-412 (C.Q.).
C.N.T. c. *Souline*, D.T.E. 99T-130 (C.Q.).
C.N.T. c. *2992892 Canada inc.*, D.T.E. 98T-420 (C.Q.).
3105-3440 Québec inc. c. *Boulet*, (1998) R.J.D.T. 633 (C.Q.), D.T.E. 98T-404 (C.Q.), J.E. 98-833 (C.Q.), REJB 1998-05321 (C.Q.).
C.N.T. c. *2429-5040 Québec inc.*, D.T.E. 96T-602 (C.Q.), J.E. 96-1040 (C.Q.).
C.N.T. c. *2946-9483 Québec inc.*, D.T.E. 95T-222 (C.Q.).
C.N.T. c. *Entretien sanitaire Waterville inc.*, D.T.E. 93T-479 (C.Q.).
C.N.T. c. *Immeubles Terrabelle inc.*, (1989) R.J.Q. 1307 (C.Q.), D.T.E. 89T-431 (C.Q.), J.E. 89-729 (C.Q.).
C.N.T. c. *Sécurité Domiciliaire R.G. inc.*, D.T.E. 89T-1066 (C.Q.).
Couture c. *Services Investors ltée*, (2000) R.J.D.T. 1730 (C.T.), D.T.E. 2000T-1171 (C.T.) (révision judiciaire refusée: D.T.E. 2001T-265 (C.S.)).
Mousseau c. *Ste-Lucie-des-Laurentides (Municipalité de)*, (2000) R.J.D.T. 648 (C.T.), D.T.E. 2000T-543 (C.T.).
C.N.T. c. *133879 Canada inc.*, D.T.E. 99T-667 (C.T.).
Charland c. *Automobiles Simard inc.*, D.T.E. 99T-70 (C.T.).
Fortin c. *Publivision inc.*, (1999) R.J.D.T. 1731 (C.T.), D.T.E. 99T-932 (C.T.).
Beaudin c. *Brossard (Ville de)*, D.T.E. 96T-450 (C.T.).
Savard c. *Matelas Serta Bon-Aire inc.*, (1994) C.T. 441, D.T.E. 94T-1204 (C.T.).
Doyon c. *H. & R. Block Canada inc.*, D.T.E. 93T-1130 (C.T.) (révision judiciaire refusée: C.S.M. n° 500-05-011141-932, le 19 octobre 1993).
Leduc c. *Habitabec inc.*, D.T.E. 90T-751 (T.A.), conf. par D.T.E. 94T-1240 (C.A.), J.E. 94-1752 (C.A.).
Spécialités B.D.S. inc. c. *Caron*, (1988) T.A. 201, D.T.E. 88T-171 (T.A.) (révision judiciaire accueillie pour d'autres motifs: D.T.E. 88T-435 (C.S.)).
Huot c. *Manoir Richelieu*, (1984) T.A. 696, D.T.E. 84T-826 (T.A.).

1/109 Pour déterminer s'il existe une relation employeur-employé les critères sont: le droit de donner des ordres et des instructions, la nature de la rémunération et la propriété des outils.

Commission du salaire minimum c. *Centre national du bilinguisme ltée*, (1971) C.S. 502.
Commission du salaire minimum c. *Fuller Brush Co. Ltd.*, (1969) R.D.T. 277 (C.Q.).
C.N.T. c. *133879 Canada inc.*, D.T.E. 99T-667 (C.T.).

1/110 La notion de salarié se caractérise par la prestation de travail, l'existence d'un lien de subordination, ainsi que la rémunération. La présence d'un lien contractuel entre l'employeur et le salarié est également essentielle.
C.N.T. c. *3608336 Canada inc.*, D.T.E. 2003T-856 (C.Q.), J.E. 2003-1666 (C.Q.), REJB 2003-47086 (C.Q.).

1/111 Pour évaluer si une personne détient le statut de salarié, il faut tenir compte de la direction et du contrôle auxquels est soumis celui-ci, c'est-à-dire sa subordination juridique à un employeur de même que de la propriété des moyens de production, du risque de pertes et des chances de profits, ainsi que de l'intégration aux activités de l'entreprise.
Gendron c. *Denicourt & Cossette, notaires*, (1997) C.T. 305, D.T.E. 97T-851 (C.T.) (révision judiciaire refusée: D.T.E. 98T-52 (C.S.)) (désistement d'appel).

1/112 La définition de salarié couvre indubitablement, en plus du salarié ordinaire, l'artisan et l'entrepreneur indépendant.
Messageries Dynamiques c. *Deslierres*, (1987) R.J.Q. 1396 (C.S.), D.T.E. 87T-519 (C.S.), J.E. 87-750 (C.S.), conf. sur d'autres points par *sub nom. Dazé* c. *Messageries dynamiques*, (1991) R.D.J. 195 (C.A.), D.T.E. 90T-538 (C.A.), J.E. 90-678 (C.A.).

1/113 Ce n'est pas le titre attribué à l'emploi qui est déterminant pour évaluer s'il s'agit d'un salarié, mais bien les fonctions exécutées.
Hôpital Crescent inc. c. *Commission du salaire minimum*, (1969) B.R. 1147.
C.N.T. c. *3127648 Canada ltée (Domaine de la beauté Pierrette Duval)*, D.T.E. 2008T-151 (C.Q.).
C.N.T. c. *Bureau d'éthique commerciale de Montréal inc.*, D.T.E. 2000T-409 (C.Q.).

1/114 La subordination ou la relation d'autorité employeur-salarié demeure l'élément qualificatif déterminant.
C.N.T. c. *Laiterie Perrette ltée*, D.T.E. 84T-761 (C.S.).
Commission du salaire minimum c. *Corp. de l'Hôpital d'Youville de Sherbrooke*, J.E. 80-521 (C.S.).
Commission du salaire minimum c. *Hermann Fortier inc.*, J.E. 80-584 (C.S.) (appel accueilli: C.A.M. n° 500-09-000804-807, le 3 août 1983).
Commission du salaire minimum c. *Centre national du Bilinguisme ltée*, (1971) C.S. 502.
C.N.T. c. *Blouin*, D.T.E. 2009T-63 (C.Q.), J.E. 2009-147 (C.Q.), EYB 2008-152566 (C.Q.).
C.N.T. c. *9039-5367 Québec inc.*, D.T.E. 2001T-1175 (C.Q.), J.E. 2001-2232 (C.Q.), REJB 2001-27955 (C.Q.).
C.N.T. c. *Importations Jacsim inc.*, (2000) R.J.D.T. 177 (C.Q.), D.T.E. 2000T-57 (C.Q.), J.E. 2000-134 (C.Q.), REJB 1999-15694 (C.Q.).
Commission du salaire minimum c. *Habitations du temps inc.*, J.E. 81-486 (C.Q.).
Girardin c. *Distribution Danièle Normand inc.*, D.T.E. 2000T-228 (T.T.).
Bastien c. *Québec (Gouvernement du)*, (1984) T.T. 7, D.T.E. 84T-98 (T.T.).
Eskenazi c. *H.M.R. Foods Partnership*, D.T.E. 2002T-983 (C.T.).
Grant c. *9069-3581 Québec inc.*, D.T.E. 2001T-154 (C.T.).

Senez c. *Coiffure L.J.*, D.T.E. 2001T-462 (C.T.).
Couture c. *Services Investors ltée*, (2000) R.J.D.T. 1730 (C.T.), D.T.E. 2000T-1171 (C.T.) (révision judiciaire refusée: D.T.E. 2001T-265 (C.S.)).
Labrie-Langlois c. *20 du Rhône Condominium*, D.T.E. 2000T-720 (C.T.).
Choquette c. *Commission de la santé et de la sécurité du travail du Québec*, D.T.E. 95T-51 (C.T.).
Sklar-Peppler inc. c. *Loiselle*, (1988) T.A. 449, D.T.E. 88T-486 (T.A.).
Mailhot c. *Services d'approvisionneurs national inc.*, (1983) T.A. 1038, D.T.E. 83T-459 (T.A.).
Contra: *C.N.T.* c. *Société canadienne d'isolation C.O. inc.*, D.T.E. 82T-635 (C.Q.), J.E. 82-890 (C.Q.).

1/115 La notion de lien de subordination a été assouplie par la jurisprudence au cours des années, compte tenu du fait que les travailleurs exercent de plus en plus leur travail de façon autonome, jouissant d'une liberté dans son exécution tout en étant néanmoins subordonnés à leur employeur.
C.N.T. c. *9002-8515 Québec inc.*, D.T.E. 2000T-432 (C.S.), J.E. 2000-931 (C.S.), REJB 2000-18725 (C.S.).

1/116 La subordination économique est suffisante pour justifier le lien de subordination nécessaire à la relation employeur-salarié au sens de la *Loi sur les normes du travail*.
Fillion c. *Club de curling Riverbend d'Alma*, (1988) T.A. 442, D.T.E. 88T-489 (T.A.).
Couture-Thibault c. *Pharmajan inc.*, (1984) T.A. 326, D.T.E. 84T-423 (T.A.).
Huot c. *Manoir Richelieu*, (1984) T.A. 696, D.T.E. 84T-826 (T.A.).
Thibault c. *Publications Photo-Police inc.*, (1984) T.A. 55, D.T.E. 84T-97 (T.A.).

1/117 La présence d'un lien contractuel est essentielle pour être considéré comme un salarié.
Fri Information Services Ltd. c. *Larouche*, (1982) C.S. 742, D.T.E. 82T-606 (C.S.), J.E. 82-836 (C.S.) (appel rejeté: C.A.M. n° 500-09-001145-820, le 23 septembre 1983).
Spécialités B.D.S. inc. c. *Caron*, (1988) T.A. 201, D.T.E. 88T-171 (T.A.) (révision judiciaire accueillie pour d'autres motifs: D.T.E. 88T-435 (C.S.)).
Commission du salaire minimum c. *Zone de ski Mauricie inc.*, (1980) C.P. 79.

1/118 Si l'employeur peut appliquer à la personne la sanction capitale du congédiement, la relation qui existe entre eux ne peut être qu'un lien d'employeur à salarié.
C.N.T. c. *Cie de fiducie Canada Permanent*, (1985) C.P. 284, D.T.E. 85T-799 (C.Q.), J.E. 85-929 (C.Q.).
Commission du salaire minimum c. *Dubois Chemicals of Canada*, (1972) R.D.T. 582 (C.Q.).
V. aussi: *C.N.T.* c. *Investissements Delseca inc.*, C.S.M. n° 500-05-017148-816, le 9 septembre 1983.
C.N.T. c. *Beaurivage*, (1981) C.P. 47, J.E. 81-459 (C.Q.).
Pietrykowski c. *Cie de fiducie du Canada le Permanent*, D.T.E. 85T-723 (T.A.) (révision judiciaire refusée: C.S.M. n° 500-05-009603-851, le 17 décembre 1985, conf. par C.A.M. n° 500-09-000056-861, le 2 octobre 1987).
Barcana ltée c. *Boisvert*, (1984) T.A. 703, D.T.E. 84T-841 (T.A.).

1/119 Est un salarié celui qui a un lien de dépendance vis-à-vis l'employeur, qui porte l'uniforme fourni, qui utilise un véhicule identifié à l'employeur et dont le lien de subordination fait en sorte qu'il peut sévir contre lui.
Produits Shell Canada ltée c. *Martin*, D.T.E. 88T-260 (C.S.).

Droit à un salaire

1/120 Pour être considéré comme un salarié il est essentiel d'avoir droit à un salaire.
C.N.T. c. *2992892 Canada inc.*, D.T.E. 98T-420 (C.Q.).
C.N.T. c. *Pensionnat Académie Pasteur inc.*, D.T.E. 93T-253 (C.Q.).
C.N.T. c. *Cogan Wire & Metal Products (1974) Ltd.*, D.T.E. 82T-830 (C.Q.), J.E. 82-1139 (C.Q.).
Guimont c. *Lévesque, Beaubien, Geoffrion inc.*, D.T.E. 91T-610 (C.T.).
V. aussi: *C.N.T.* c. *Laiterie Perrette ltée*, D.T.E. 84T-761 (C.S.).
Commission du salaire minimum c. *Zone de ski Mauricie inc.*, (1980) C.P. 79.

1/121 Le fait d'être rémunéré à l'acte n'enlève pas le statut de salarié à une personne.
Lamy c. *Centre de santé d'Eastman*, D.T.E. 95T-396 (C.T.).

1/122 Le fait d'être rétribuée sous forme de commission n'enlève pas le statut de salarié à une personne.
C.N.T. c. *Desrochers*, D.T.E. 2001T-681 (C.Q.).
C.N.T. c. *Souline*, D.T.E. 99T-130 (C.Q.).
Couture c. *Services Investors ltée*, (2000) R.J.D.T. 1730 (C.T.), D.T.E. 2000T-1171 (C.T.) (révision judiciaire refusée: D.T.E. 2001T-265 (C.S.)).
C.N.T. c. *133879 Canada inc.*, D.T.E. 99T-667 (C.T.).

1/123 Pour être considéré comme un salarié, il suffit de travailler pour un employeur et d'obtenir un salaire.
Taskos c. *104880 Canada inc.*, (1987) R.J.Q. 2574 (C.S.), D.T.E. 87T-984 (C.S.), J.E. 87-1220 (C.S.).
C.N.T. c. *9071-7323 Québec inc.*, D.T.E. 2000T-1097 (C.Q.).
C.N.T. c. *Société canadienne d'isolation C.O. inc.*, D.T.E. 82T-635 (C.Q.), J.E. 82-890 (C.Q.).

1/124 «(...) "employee" means a person who works for an employer and who is entitled to a wage (...).»
Chapdelaine c. *Canada Employment and Immigration Commission*, (1987) 72 N.R. 1 (C.A.F.).

Fardeau de la preuve

1/125 Lorsque les critères généralement reconnus pour qu'existe une relation d'employeur à employé sont en preuve, il revient à l'employeur d'établir que le salarié n'en est pas un.
C.N.T. c. *Centre médical Hochelaga (1982) inc.*, D.T.E. 2007T-568 (C.Q.).
C.N.T. c. *Paquette*, (2000) R.J.D.T. 169 (C.Q.), D.T.E. 2000T-17 (C.Q.), J.E. 2000-38 (C.Q.), REJB 1999-15508 (C.Q.).
C.N.T. c. *Marois*, D.T.E. 86T-573 (C.Q.).
Sklar-Peppler inc. c. *Loiselle*, (1988) T.A. 449, D.T.E. 88T-486 (T.A.).
Caza c. *Hudson's Bay Whole Sale*, D.T.E. 83T-800 (T.A.).

Personnel cadre

1/126 Le cadre n'est pas exclu de la définition de salarié.
C.N.T. c. *D. Bertrand & Fils inc.*, (2001) R.J.D.T. 1765 (C.Q.), D.T.E. 2001T-992 (C.Q.), J.E. 2001-1889 (C.Q.), REJB 2001-27273 (C.Q.).

C.N.T. c. *Fleur de Lys tennis, racquet-ball, squash inc.*, (1986) R.J.Q. 1502 (C.Q.), D.T.E. 86T-401 (C.Q.), J.E. 86-549 (C.Q.).
Belpaire c. *Trace créative inc.*, D.T.E. 94T-340 (C.T.).
Forano inc. c. *Thomassin*, D.T.E. 82T-495 (T.A.).
V. cependant la jurisprudence sous l'article 3(6) L.N.T.

1/127 Les dispositions de la *Loi sur les normes du travail* n'excluent pas l'employé cadre de la notion de salarié, et ce, quel que soit son statut hiérarchique dans l'entreprise, à moins évidemment que celui-ci n'agisse à titre de cadre supérieur.
C.N.T. c. *D. Bertrand & Fils inc.*, (2001) R.J.D.T. 1765 (C.Q.), D.T.E. 2001T-992 (C.Q.), J.E. 2001-1889 (C.Q.), REJB 2001-27273 (C.Q.).

1/128 Les représentants de l'employeur et le personnel de direction ne sont pas exclus à titre de salarié.
Industries graphiques Cameo Crafts ltée c. *Bourbonnais*, D.T.E. 89T-178 (T.A.).
Smecker c. *P.C. Édition junior*, D.T.E. 89T-1205 (C.T.) (révision judiciaire refusée: D.T.E. 90T-460 (C.S.)).

1/129 Un officier-administrateur d'une entreprise est inclus dans la notion de salarié.
Fri information Services Ltd. c. *Larouche*, (1982) C.S. 742, D.T.E. 82T-606 (C.S.), J.E. 82-836 (C.S.) (appel rejeté: C.A.M. n° 500-09-001145-820, le 23 septembre 1983).
Public idée c. *Auclair*, D.T.E. 92T-699 (T.T.).
Eskenazi c. *H.M.R. Foods Partnership*, D.T.E. 2002T-983 (C.T.).
Brault c. *Balances Leduc & Thibeault inc.*, D.T.E. 89T-911 (T.A.).
André c. *Harvey's*, (1987) T.A. 67, D.T.E. 87T-179 (T.A.).

1/130 La fonction d'actionnaire ou d'administrateur de l'entreprise n'exclut pas le statut de salarié. Toutefois, pour reconnaître ce statut à une personne, on doit pouvoir constater qu'elle est subordonnée à une autre personne, l'employeur.
Bélanger c. *Axios inc.*, D.T.E. 2004T-510 (C.R.T.).
Eskenazi c. *H.M.R. Foods Partnership*, D.T.E. 2002T-983 (C.T.).

1/131 Une personne ne perd pas son statut de salarié du fait qu'elle s'adjoint momentanément un aide qu'elle surveille directement, et ce, même si elle le rémunère.
C.N.T. c. *Immeubles Terrabelle inc.*, (1989) R.J.Q. 1307 (C.Q.), D.T.E. 89T-431 (C.Q.), J.E. 89-729 (C.Q.).
V. aussi: *C.N.T.* c. *International Forums inc.*, (1985) C.P. 1, D.T.E. 85T-8 (C.Q.), J.E. 85-17 (C.Q.).
Couture c. *Services Investors ltée*, (2000) R.J.D.T. 1730 (C.T.), D.T.E. 2000T-1171 (C.T.) (révision judiciaire refusée: D.T.E. 2001T-265 (C.S.)).
Couture-Thibault c. *Pharmajan inc.*, (1984) T.A. 326, D.T.E. 84T-423 (T.A.).
V. aussi dans un contexte différent: *Lajoie* c. *Multi-Marques inc.*, D.T.E. 87T-160 (T.A.).

Emploi parallèle

1/132 La personne qui occupe un emploi parallèle au sien mais qui y exerce une fonction sans rapport avec celui-ci, ne perd pas son statut de salarié.
C.N.T. c. *Des Cormiers*, D.T.E. 99T-412 (C.Q.).

C.N.T. c. *2429-5040 Québec inc.*, D.T.E. 96T-602 (C.Q.), J.E. 96-1040 (C.Q.).
C.N.T. c. *Immeubles Terrabelle inc.*, (1989) R.J.Q. 1307 (C.Q.), D.T.E. 89T-431 (C.Q.), J.E. 89-729 (C.Q.).

1/133 La *Loi sur les normes du travail* n'exige pas qu'un salarié travaille exclusivement pour un employeur afin de ne pas perdre son statut de salarié.
C.N.T. c. *Blouin*, D.T.E. 2009T-63 (C.Q.), J.E. 2009-147 (C.Q.), EYB 2008-152566 (C.Q.).

Mise à pied

1/134 La personne mise à pied pour moins de six mois, n'est pas un salarié durant cette période. Le lien contractuel entre employeur et employé, s'il subsiste, ne revêt qu'une forme imparfaite.
C.N.T. c. *Cie de sable ltée*, (1985) C.A. 281, D.T.E. 85T-387 (C.A.), J.E. 85-470 (C.A.).
V. aussi: *Internote Canada inc.* c. *C.N.T.*, (1989) R.J.Q. 2097 (C.A.), D.T.E. 89T-845 (C.A.), J.E. 89-1285 (C.A.).

1/135 Une personne mise à pied sans droit de rappel et sans qu'il n'existe une réalité prochaine de retour au travail, n'est pas un salarié.
Cloutier c. *G.T.E. Sylvania Canada ltée*, D.T.E. 90T-211 (T.A.).

1/136 La personne en grève ou en lock-out n'est pas un salarié au sens de cette loi.
C.N.T. c. *Bondex international (Canada) ltée*, (1988) R.J.Q. 1403 (C.S.), D.T.E. 88T-481 (C.S.), J.E. 88-727 (C.S.).
Contra: *C.N.T.* c. *Garage Lucien Côté ltée*, D.T.E. 86T-19 (C.S.).
C.N.T. c. *Manufacture Sorel inc.*, (1984) C.S. 747, D.T.E. 84T-671 (C.S.), J.E. 84-703 (C.S.) (appel rejeté sur requête).
V. également la jurisprudence sous l'article 82 L.N.T.

Emploi saisonnier, occasionnel

1/137 La personne qui complète un travail saisonnier ne peut réclamer le statut de salarié, si elle ne fournit pas de prestation de travail et s'il est impossible pour elle d'en fournir une au moment de sa réclamation.
Hudon c. *Alma (Ville d')*, D.T.E. 87T-200 (C.T.).

1/138 Cumule du service continu le pompier volontaire travaillant occasionnellement, puisque le poste de pompier volontaire est créé dans les municipalités pour répondre à un besoin ponctuel, soit lorsqu'il y a un incendie, événement qui est non prévisible, donc non déterminé à l'avance. C'est lors de la création d'une liste de pompiers volontaires que le lien d'emploi se crée entre la municipalité et le pompier, et non à chaque événement.
Mousseau c. *Ste-Lucie-des-Laurentides (Municipalité de)*, (2000) R.J.D.T. 648 (C.T.), D.T.E. 2000T-543 (C.T.).

1/139 Le statut d'employé surnuméraire ou occasionnel n'empêche pas une personne d'être un salarié.
C.N.T. c. *Commission scolaire St-Exupéry*, D.T.E. 86T-451 (C.Q.), J.E. 86-601 (C.Q.).
V. aussi: *Malouf* c. *Vêtements pour enfants United ltée*, D.T.E. 87T-996 (T.A.).

1/140 Le salarié qui subit fréquemment l'interruption de sa prestation de travail par des contrats successifs qui varient non seulement en matière de durée mais également en matière de tâches, ne cumule pas du service continu, surtout si, à la fin de ses contrats, il est mis à pied, sans promesse de rappel et sans obligation de rester disponible pour qui que ce soit.
Pelletier c. *Compagnie de construction et de développement Cris ltée*, D.T.E. 2000T-622 (C.T.).

Pigiste

1/141 Le statut de pigiste n'empêche pas une personne d'être considérée comme un salarié.
Publications Le Peuple, division de Groupe Quebecor inc. c. *Vallerand*, D.T.E. 95T-765 (C.S.), conf. D.T.E. 94T-985 (C.T.).
Thibault c. *Publications Photo-Police inc.*, (1984) T.A. 55, D.T.E. 84T-97 (T.A.).

1/142 Le fait de ne pas effectuer de retenues à la source n'est pas concluant pour la détermination du statut de salarié.
Paradis c. *Nault*, (1981) R.L. 76 (C.Q.).
Heutte c. *Centre médical des industries de la mode de Montréal (U.I.O.V.D.)*, D.T.E. 82T-900 (T.A.).

Bénévolat

1/143 Le travailleur bénévole n'est pas un salarié au sens de la *Loi sur les normes du travail*.
Doucet c. *Maison Dehon*, D.T.E. 95T-749 (C.T.).

1/144 Cette définition évite de rendre illégal le travail bénévole.
Commission du salaire minimum c. *Zone de ski Mauricie inc.*, (1980) C.P. 79.

1/145 Le remboursement des dépenses engagées, ou le fait de fournir un repas, n'enlève pas le statut de travailleur bénévole.
Lavallée c. *Ordre loyal des Moose, loge 2004 Lachine*, (2002) R.J.D.T. 1634 (C.T.), D.T.E. 2002T-1108 (C.T.).

1/146 La personne forcée d'accepter une période d'évaluation gratuite comme condition d'embauche est un salarié durant cette période.
Commission du salaire minimum c. *Corp. de l'Hôpital d'Youville de Sherbrooke*, J.E. 80-521 (C.S.).
C.N.T. c. *St-Raymond Plymouth Chrysler inc.*, D.T.E. 86T-935 (C.Q.), J.E. 86-1155 (C.Q.).
V. aussi: *Richard* c. *Jules Baillot & Fils ltée*, D.T.E. 97T-1005 (C.Q.).

1/147 La personne qui offre ses services pour effectuer des travaux accessoires à l'enseignement donné par des professeurs, à qui aucune forme de contrôle des heures de travail n'est imposée, qui n'a pas les clés de l'établissement et ne reçoit aucune forme de rémunération, n'est pas un salarié, mais un bénévole.
C.N.T. c. *Pensionnat Académie Pasteur inc.*, D.T.E. 93T-253 (C.Q.).

1/148 La personne qui travaille sous la supervision d'un supérieur et qui doit signaler ses absences ainsi que veiller à se faire remplacer, n'est pas un bénévole mais un salarié.

Lavallée c. *Ordre loyal des Moose, loge 2004 Lachine*, (2002) R.J.D.T. 1634 (C.T.), D.T.E. 2002T-1108 (C.T.).

1/149 L'étudiant qui est engagé par un bureau d'avocats dans un but éducatif de formation professionnelle n'est pas un salarié au sens de la *Loi sur les normes du travail*.
C.N.T. c. *Boggia*, D.T.E. 92T-732 (C.Q.).

1/150 Un stagiaire n'est pas un salarié, tout simplement parce que l'on ne compte pas sur ses services, puisqu'il est plutôt là pour apprendre.
Beaudin c. *Brossard (Ville de)*, D.T.E. 96T-450 (C.T.).
V. aussi: *C.N.T.* c. *Edphy international inc.*, (2000) R.J.D.T. 191 (C.Q.), D.T.E. 2000T-256 (C.Q.).

1/151 Le ministre du culte d'une société religieuse n'est pas un salarié, compte tenu de la nature des obligations qu'il a contractées à l'endroit de cette société, lorsqu'il s'agit, entre autres, d'une prestation de travail bénévole. En effet, puisque la personne n'est pas obligée, pour un temps limité et moyennant rémunération, d'effectuer un travail sous la direction ou le contrôle de la société, elle n'est pas un salarié, et ce, en tenant compte qu'elle a choisi de devenir membre, ensuite de s'associer et de participer à une société religieuse qui, en retour, lui a donné les moyens d'exercer sa foi.
Bolduc c. *Conseil de direction de l'Armée du Salut du Canada (Centre Booth de Montréal)*, D.T.E. 2006T-416 (C.R.T.).

Divers

1/152 Est une salariée, la personne qui reçoit un salaire et qui travaille sous la direction de son mari administrateur du commerce, actif de la communauté.
Levert c. *Ferronnerie Montréal-Nord Enrg.*, D.T.E. 88T-490 (T.A.).
V. aussi: *Malouf* c. *Vêtements pour enfants United ltée*, D.T.E. 87T-996 (T.A.).

1/153 Un membre du comité d'inspection professionnelle de l'Ordre des arpenteurs-géomètres peut être considéré comme un salarié.
Ordre des arpenteurs-géomètres du Québec c. *Poulin*, D.T.E. 99T-670 (C.S.), J.E. 99-1466 (C.S.), REJB 1999-13858 (C.S.).

1/154 Est un salarié, le concierge habitant un immeuble, responsable de l'entretien des lieux et de la perception des loyers.
Cléroux-Strasbourg c. *Gagnon*, (1986) R.J.Q. 2820 (C.A.), D.T.E. 86T-831 (C.A.), J.E. 86-1083 (C.A.).
C.N.T. c. *Lemcovitz*, D.T.E. 90T-1288 (C.Q.).
C.N.T. c. *Immeubles Terrabelle inc.*, (1989) R.J.Q. 1307 (C.Q.), D.T.E. 89T-431 (C.Q.), J.E. 89-729 (C.Q.).
Chibi c. *Sebag*, D.T.E. 2002T-631 (C.T.) (désistement de la révision judiciaire).
Contra: *C.N.T.* c. *Cie de fiducie Canada Permanent*, D.T.E. 83T-601 (C.Q.), J.E. 83-840 (C.Q.).

1/155 Un arbitre et juge de lignes au hockey n'est pas un salarié, mais un entrepreneur indépendant, compte tenu du fait que sa subordination est quasi inexistante et qu'il reçoit une rémunération fixe.
C.N.T. c. *Association de hockey junior du Québec (1969) inc.*, D.T.E. 2002T-500 (C.Q.).

1/156 La personne qui agit comme esthéticienne dans un bureau d'esthétique et qui est sous la supervision et le contrôle d'une autre personne n'est pas un entrepreneur indépendant, mais un salarié.
C.N.T. c. *Des Cormiers*, D.T.E. 99T-412 (C.Q.).

1/157 N'est pas une salariée, l'épouse aidant son conjoint dans l'entretien d'un immeuble, si l'employeur n'a jamais exigé que celle-ci effectue quelque tâche que ce soit. Le fait que le salarié et son épouse décident de se partager le travail n'a pas pour effet d'établir entre l'épouse et l'employeur un lien de subordination nécessaire à l'existence du statut de salarié, si l'employeur n'a jamais exigé de l'épouse qu'elle effectue une prestation de travail, et ce, malgré le fait que le chèque de paie du salarié ait été séparé entre les époux pour des considérations d'ordre fiscal.
Labrecque c. *Domaine des Prairies, phase 2*, D.T.E. 94T-986 (C.T.).

1/158 Un prêtre enseignant n'est pas un salarié si le donneur d'ouvrage n'est pas un employeur mais un mandataire à qui l'Ordinaire du diocèse a confié un mandat pastoral.
Corp. du petit séminaire de St-Georges de Beauce c. *Cliche*, D.T.E. 85T-285 (C.S.), J.E. 85-383 (C.S.).

1/159 Le technicien en échographie d'un centre hospitalier qui est embauché par un groupe de médecins et dont le salaire est versé par une fondation de recherche, est un employé de l'hôpital, et ce, en fonction de la subordination juridique et économique.
Hôpital général juif Sir Mortimer B. Davis c. *Boufekane*, D.T.E. 2006T-506 (C.R.T.) (révision judiciaire refusée: C.S.M. n° 500-17-031158-069, le 5 décembre 2006).

1/160 Pour déterminer si une enseignante est une salariée, il faut voir qui du ministère de l'Éducation ou du collège, a l'autorité pour décider des charges de travail et de l'élaboration du cadre d'enseignement qui lui est imposé.
Collège d'affaires Ellis inc. c. *Lafleur*, D.T.E. 83T-535 (C.S.) (appel rejeté: C.A.M. n° 500-09-000620-831, le 11 octobre 1984).

1/161 Un juge de la Cour provinciale n'est pas un salarié au sens de cette loi.
Bastien c. *Québec (Gouvernement du)*, (1984) T.T. 7, D.T.E. 84T-98 (T.T.).

1/162 Un membre du Tribunal administratif du Québec n'est pas un salarié, au sens de la *Loi sur les normes du travail*, puisqu'il y a absence de lien de subordination.
Québec (Procureure générale) c. *Monette*, D.T.E. 2002T-132 (C.S.), J.E. 2002-272 (C.S.), REJB 2001-30006 (C.S.).

1/163 La personne qui agit comme apprenti cordonnier est un salarié au sens de la *Loi sur les normes du travail*.
C.N.T. c. *Desrochers*, D.T.E. 2001T-681 (C.Q.).

1/164 Une personne libérée de ses fonctions régulières afin de travailler pour sa centrale syndicale à la demande de celle-ci, est un salarié de cette centrale.
Gulino c. *Confédération des syndicats nationaux (C.S.N.)*, D.T.E. 89T-1202 (T.A.) (révision judiciaire refusée: C.S.M. n° 500-05-011255-898, le 1er décembre 1989).

1/165 N'est pas un salarié le représentant régional d'un syndicat qui occupe un poste électif. En effet, dans ce cas, il y a absence de contrat de travail et de lien de

subordination, ce qui caractérise la notion de salarié que l'on retrouve au paragraphe 10 de l'article 1 L.N.T.
Michaud c. *Syndicat de la fonction publique du Québec*, (2007) R.J.D.T. 191 (C.R.T.), D.T.E. 2007T-233 (C.R.T.) (révision en vertu de l'article 127 C.T. refusée).

1/166 La personne qui occupe un poste électif est un salarié car le législateur n'a pas distingué les personnes recevant un salaire pour ce travail.
Nadeau c. *Association unie des compagnons et apprentis de l'industrie de la plomberie et de l'ajustage de tuyauterie des États-Unis et du Canada, local 796, (F.A.T.-C.O.I.)*, D.T.E. 83T-488 (T.A.).

DISTINCTION SALARIÉ-ENTREPRENEUR

Général

1/167 «One who contracts to do a specific piece of work, furnishing his own assistance, and executing the work either entirely in accordance with his own ideas, or in accordance with a plan previously given to him by the person for whom the work is done, without being subject to the orders of the latter in respect to the details of the work, is an independent contractor, and not a servant.»
Lambert c. *Blanchette*, (1926) 40 B.R. 370.

1/168 «In earlier cases a single test, such as the presence or absence of control, was often relied on to determine whether the case was one of master and servant, (...). In the more complex conditions of modern industry, more complicated tests have often to be applied. It has been suggested that a fourfold test would in some cases be more appropriate, a complex involving (1) control; (2) ownership of the tools; (3) chance of profit; (4) risk of loss. Control in itself is not always conclusive. (...). In many cases the question can only be settled by examining the whole of the various elements which constitute the relationship between the parties. In this way it is in some cases possible to decide the issue by raising as the crucial question whose business is it, or in other words by asking whether the party is carrying on the business, in the sense of carrying it on for himself or on his own behalf and not merely for a superior.»
Montreal c. *Montreal Locomotive Works Ltd.*, (1947) 1 D.L.R. 161 (P.C.).
V. aussi: *C.N.T.* c. *Pouliot*, D.T.E. 99T-1047 (C.Q.), J.E. 99-2138 (C.Q.), REJB 1999-15281 (C.Q.).

1/169 Les principaux éléments du contrat d'entreprise sont non limitativement: le mode adopté pour la rémunération, le droit pour l'entrepreneur de choisir ses employés, de fixer leurs salaires, de les diriger et de les renvoyer, la responsabilité en dommages en cas de défaut d'exécution, et surtout, l'absence de lien de subordination et l'indépendance de l'entrepreneur vis-à-vis sa méthode de travail, ainsi que, l'exécution de celui-ci en dehors de la direction et du contrôle de la compagnie qui l'engage.

Le contrat de louage d'ouvrage se distingue du contrat d'entreprise surtout par le caractère de subordination qu'il attribue à l'employé.
Québec Asbestos Corp. c. *Couture*, (1929) R.C.S. 166.
Côté c. *Rheault*, (1962) B.R. 797.

1/170 Pour déterminer s'il s'agit d'un salarié, d'un travailleur indépendant ou autonome ou d'un entrepreneur, les principaux critères sont:

1) L'existence de l'élément de profit ou du risque de perte;
2) L'obligation de rendement et de production;

3) La façon dont quelqu'un peut être embauché ou congédié;
4) Le lien de préposition, de subordination;
5) Lorsqu'une personne, dans l'exécution de ses fonctions, peut, par sa faute, erreur ou négligence, entraîner la responsabilité de celui qui la paie;
6) Lorsque la marchandise ou les instruments de travail sont fournis à l'employé par l'employeur;
7) L'obligation d'aviser s'il y a absence du travail;
8) L'obligation de faire rapport, que ce soit chaque jour, semaine ou mois;
9) L'obligation de faire le travail soi-même et non par d'autres;
10) Le comportement employeur-employé relativement à l'assurance-chômage, la Régie des rentes du Québec, les plans d'assurance-maladie.

C.N.T. c. *Blouin*, D.T.E. 2009T-63 (C.Q.), J.E. 2009-147 (C.Q.), EYB 2008-152566 (C.Q.).
C.N.T. c. *Combined Insurance Company of America*, (2008) R.J.D.T. 1113 (C.Q.), D.T.E. 2008T-718 (C.Q.), J.E. 2008-1746 (C.Q.), EYB 2008-145918 (C.Q.) (désistement d'appel).
C.N.T. c. *Thibert*, D.T.E. 2008T-412 (C.Q.), EYB 2008-130069 (C.Q.).
C.N.T. c. *Coopérative de travailleurs de confection de vêtements 4 Saisons de St-Tite*, D.T.E. 2006T-287 (C.Q.), J.E. 2006-592 (C.Q.), EYB 2006-101805 (C.Q.).
C.N.T. c. *9025-1331 Québec inc.*, D.T.E. 2004T-206 (C.Q.).
C.N.T. c. *Desrochers*, D.T.E. 2001T-681 (C.Q.).
C.N.T. c. *Girard*, D.T.E. 99T-774 (C.Q.).
C.N.T. c. *Publicité Promobile inc.*, C.P. Jonquière, n° 165-02-000167-855, le 21 juillet 1986.
Poitras c. *Ultramar ltée*, D.T.E. 2003T-723 (C.R.T.).
V. aussi: *C.N.T.* c. *Périphériques Cor-bit inc.*, D.T.E. 2001T-703 (C.Q.), J.E. 2001-1374 (C.Q.), REJB 2001-25148 (C.Q.).
Rivard c. *9048-3082 Québec inc.*, D.T.E. 2000T-1023 (C.Q.).
Chibi c. *Sebag*, D.T.E. 2002T-631 (C.T.) (désistement de la révision judiciaire).
Poirier c. *Chocolat Le meilleur au monde Canada ltée*, D.T.E. 2000T-719 (C.T.).

1/171 Pour déterminer s'il s'agit d'un contrat d'entreprise ou d'un louage de services, il importe peu de savoir comment un employé reçoit sa rémunération et au nom de qui les achats de matériaux sont effectués: le critère, en l'occurrence, est le degré de subordination et de surveillance qu'exerce celui qui fait faire les travaux sur celui qui le exécute.
Watchstraps inc. c. *Poupart ltée*, (1962) C.S. 273.

1/172 Essentiellement, ce qui distingue le contrat de travail du contrat d'entreprise est le degré de contrôle exercé par le donneur d'ouvrage. Il est établi que le salarié fournit sa prestation de travail sous la direction ou le contrôle de l'employeur tandis que, dans le cas de l'entrepreneur, celui-ci a le libre choix des moyens d'exécution de sa prestation de services puisqu'il n'existe entre lui et le client aucun lien de subordination.
C.N.T. c. *Combined Insurance Company of America*, (2008) R.J.D.T. 1113 (C.Q.), D.T.E. 2008T-718 (C.Q.), J.E. 2008-1746 (C.Q.), EYB 2008-145918 (C.Q.) (désistement d'appel).

1/173 Indépendamment de la qualification que les parties peuvent donner à leur relation, il faut s'en remettre à la définition de salarié prévue à la *Loi sur les normes du travail*. Pour déterminer s'il s'agit d'un contrat ou d'un contrat d'entreprise, il faut évaluer les indices de dépendance et d'autonomie entourant

la situation du travailleur d'après les termes du contrat, les circonstances immédiates de sa conclusion et la conduite subséquente des parties. Les critères qui sont les plus significatifs à titre d'indices de subordination sont les suivants:
— absence d'espoir de bénéfices et de risque de pertes, tâches et manières de les remplir précisées par un apprentissage, consignes habituelles, vérification du travail sur place et remontrances, le cas échéant.

Les indices d'autonomie sont les suivants:
— travail à temps partiel, travail parallèle et absence d'horaire imposé.

C.N.T. c. *Gestion Louis Feuiltault inc.*, D.T.E. 99T-1118 (C.Q.), J.E. 99-2281 (C.Q.), REJB 1999-15457 (C.Q.).

1/174 L'engagement de celui qui entreprend la construction d'un bâtiment et conserve la direction complète des travaux sans intervention de la part du propriétaire est, par sa nature, non un simple contrat de louage de services, mais un contrat d'entreprise, même si les matériaux sont fournis par le propriétaire et si le constructeur est rémunéré à l'heure pour ses services et ceux de ses employés.
Isabelle c. *Isabelle*, (1967) C.S. 498.

1/175 Le salarié se distingue de l'entrepreneur parce qu'il ne travaille pas pour lui-même mais pour l'employeur, à qui il est uni par un lien de subordination, la jurisprudence a d'abord établi qu'il s'agissait d'une subordination juridique caractérisée par le contrôle exercé par l'employeur sur le salarié. Avec l'apparition des emplois d'ordre technique et professionnel, la jurisprudence a admit qu'il y avait subordination lorsque l'employeur a la faculté de déterminer, d'encadrer et de contrôler, même à distance, l'exécution du travail.

Enfin, la notion de dépendance économique, qui dépend de la propriété des outils de production, du contrôle sur le travail et de la possibilité, pour la personne, de faire des profits ou des pertes, a été substituée à celle de dépendance juridique.

C.N.T. c. *Paquette*, (2000) R.J.D.T. 169 (C.Q.), D.T.E. 2000T-17 (C.Q.), J.E. 2000-38 (C.Q.), REJB 1999-15508 (C.Q.).
Lamy c. *Centre de santé d'Eastman*, D.T.E. 95T-396 (C.T.).
Fillion c. *Club de curling Riverbend d'Alma*, (1988) T.A. 442, D.T.E. 88T-489 (T.A.).
Couture-Thibault c. *Pharmajan inc.*, (1984) T.A. 326, D.T.E. 84T-423 (T.A.).
V. aussi: *Couture* c. *Services Investors ltée*, (2000) R.J.D.T. 1730 (C.T.), D.T.E. 2000T-1171 (C.T.) (révision judiciaire refusée: D.T.E. 2001T-265 (C.S.)).
Spécialités B.D.S. inc. c. *Caron*, (1988) T.A. 201, D.T.E. 88T-171 (T.A.) (révision judiciaire accueillie pour d'autres motifs: D.T.E. 88T-435 (C.S.)).

1/176 Lorsqu'il s'agit de déterminer si un particulier est un salarié ou un travailleur indépendant, il faut prendre en considération: engagement, congédiement, modalité de rémunération, heures de travail, subordination, contrôle de l'exécution du travail, intégration du travailleur à l'entreprise, attitude des parties quant à leurs relations, possibilité de profit, risque de perte, etc.
C.N.T. c. *Blouin*, D.T.E. 2009T-63 (C.Q.), J.E. 2009-147 (C.Q.), EYB 2008-152566 (C.Q.).
C.N.T. c. *Combined Insurance Company of America*, (2008) R.J.D.T. 1113 (C.Q.), D.T.E. 2008T-718 (C.Q.), J.E. 2008-1746 (C.Q.), EYB 2008-145918 (C.Q.) (désistement d'appel).
C.N.T. c. *Centre médical Hochelaga (1982) inc.*, D.T.E. 2007T-568 (C.Q.).

C.N.T. c. *Paquette*, (2000) R.J.D.T. 169 (C.Q.), D.T.E. 2000T-17 (C.Q.), J.E. 2000-38 (C.Q.), REJB 1999-15508 (C.Q.).
C.N.T. c. *Beaurivage*, (1981) C.P. 47, J.E. 81-459 (C.Q.).
Couture c. *Services Investors ltée*, (2000) R.J.D.T. 1730 (C.T.), D.T.E. 2000T-1171 (C.T.) (révision judiciaire refusée: D.T.E. 2001T-265 (C.S.)).
Simard c. *Mutuelle du Canada (La), compagnie d'assurance sur la vie*, D.T.E. 2000T-33 (C.T.).
V. aussi: *C.N.T.* c. *9088-8454 Québec inc.*, D.T.E. 2004T-1020 (C.Q.).
C.N.T. c. *Mollinger*, D.T.E. 96T-472 (C.Q.), J.E. 96-838 (C.Q.).
C.N.T. c. *2429-5040 Québec inc.*, D.T.E. 96T-602 (C.Q.), J.E. 96-1040 (C.Q.).
Sklar-Peppler inc. c. *Loiselle*, (1988) T.A. 449, D.T.E. 88T-486 (T.A.).
Couture-Thibault c. *Pharmajan inc.*, (1984) T.A. 326, D.T.E. 84T-423 (T.A.).

1/177 Même s'il peut être difficile de faire la distinction entre un salarié et un entrepreneur, la jurisprudence met désormais davantage l'accent sur les critères économiques de la notion de subordination que sur les critères purement contractuels.
C.N.T. c. *Destination Internet inc.*, D.T.E. 98T-973 (C.Q.).
Heutte c. *Centre médical des industries de la mode de Montréal (U.I.O.V.D.)*, D.T.E. 82T-900 (T.A.).
V. aussi: *C.N.T.* c. *Desrochers*, D.T.E. 2001T-681 (C.Q.).

1/178 Pour être en présence d'un salarié et non d'un entrepreneur indépendant, il doit y avoir une obligation d'exécution personnelle du travail.
C.N.T. c. *9002-8515 Québec inc.*, D.T.E. 2000T-432 (C.S.), J.E. 2000-931 (C.S.), REJB 2000-18725 (C.S.).

1/179 Doit être considérée comme un entrepreneur indépendant toute personne qui, dans l'exécution de son travail, n'est pas obligée de suivre les directives d'autrui.
Claveau c. *Syndicat des producteurs de bois du Saguenay–Lac-St-Jean*, D.T.E. 99T-825 (C.T.).

1/180 La distinction entre salarié et travailleur indépendant se fait en examinant dans son ensemble la situation réelle de la personne concernée et en considérant qu'il s'agit là d'une question d'état qui découle d'une volonté d'indépendance et de profit.
Halkett c. *Ascofigex inc.*, (1986) R.J.Q. 2697 (C.S.), D.T.E. 86T-786 (C.S.), J.E. 86-1025 (C.S.).
Gordon c. *Southam inc. (The Gazette)*, D.T.E. 91T-218 (T.A.).
Fillion c. *Club de curling Riverbend d'Alma*, (1988) T.A. 442, D.T.E. 88T-489 (T.A.).

1/181 Une personne dont la rémunération consiste à pouvoir bénéficier de 20% des revenus n'est pas, pour ce seul motif, un entrepreneur indépendant, surtout lorsqu'il existe un lien de subordination entre le plaignant et l'employeur.
C.N.T. c. *Desjardins*, D.T.E. 99T-1099 (C.Q.), J.E. 99-2235 (C.Q.), REJB 1999-15506 (C.Q.).

1/182 Celui que l'on qualifie contractuellement d'entrepreneur indépendant doit être considéré comme un salarié lorsque sa relation en est une de subordination, en présence d'une clause d'exclusivité de services, moyennant salaire.
C.N.T. c. *2992892 Canada inc.*, D.T.E. 98T-420 (C.Q.).
Lajoie c. *Multi-Marques inc.*, D.T.E. 87T-160 (T.A.).
Padveen c. *London Life, Cie d'assurance-vie*, D.T.E. 84T-421 (T.A.) (révision judiciaire refusée: D.T.E. 85T-187 (C.S.)).

Contra: *C.N.T.* c. *Frederick Dickson and Co.*, J.E. 81-822 (C.Q.).
Mailhot c. *Services d'approvisionneurs national inc.*, (1983) T.A. 1038, D.T.E. 83T-459 (T.A.).

1/183 Est un salarié et non un travailleur indépendant, la personne qui tire 97% de son revenu annuel de son employeur, car de ce fait, il y a existence d'un lien de subordination financière entre les parties. Il en est ainsi particulièrement lorsque cette personne ne peut se faire remplacer, qu'elle doit fournir un certain rendement et doit remettre un plan hebdomadaire de ses activités, ce qui fait en sorte que l'employeur principal contrôle son travail.
Savard c. *Matelas Serta Bon-Aire inc.*, (1994) C.T. 441, D.T.E. 94T-1204 (C.T.).

1/184 La personne qui n'exerce aucune fonction de gestionnaire est un salarié au sens de la *Loi sur les normes du travail.*
C.N.T. c. *9031-5839 Québec inc.*, D.T.E. 99T-708 (C.Q.).

1/185 Un travailleur indépendant doit avoir la possibilité réelle de ne pas être dépendant d'un seul employeur.
C.N.T. c. *Deschambault*, D.T.E. 83T-776 (C.Q.).
Couture c. *Services Investors ltée*, (2000) R.J.D.T. 1730 (C.T.), D.T.E. 2000T-1171 (C.T.) (révision judiciaire refusée: D.T.E. 2001T-265 (C.S.)).

1/186 Il y a contrat d'entreprise et non contrat de louage de services lorsque la rémunération reçue est à risque.
Charland c. *Automobiles Simard inc.*, D.T.E. 99T-70 (C.T.).
Routliffe c. *St. Andrews Presbyterian Church*, (1992) C.T. 542, D.T.E. 92T-922 (C.T.).

1/187 La personne qui peut se faire remplacer sans l'autorisation de l'employeur, n'est pas un salarié mais un entrepreneur.
Routliffe c. *St. Andrews Presbyterian Church*, (1992) C.T. 542, D.T.E. 92T-922 (C.T.).

1/188 Est un salarié et non un travailleur indépendant, la personne qui doit s'inspirer de la philosophie donnée par l'employeur, lui fournir certains renseignements administratifs ou cliniques, travailler en exclusivité pour celui-ci, aviser à l'avance de la date de ses vacances, soumettre un plan d'organisation pour cette période et qui a droit à un salaire.
Delisle c. *Centre d'accueil St-Joseph de Joliette*, D.T.E. 93T-1309 (C.T.) (révision judiciaire refusée: D.T.E. 94T-450 (C.S.)).

1/189 Est un salarié et non un travailleur indépendant, la personne qui ne jouit pas de la liberté ou de la discrétion caractéristique à l'entrepreneur indépendant, et qui peut se faire remplacer seulement avec l'accord de l'employeur. L'absence d'heures de travail prédéterminées et de contrôle exercé par l'employeur importe peu. De plus, on ne peut déduire qu'il n'y a pas exclusivité de service du fait qu'une personne occupe d'autres emplois sans rapport avec le sien.
Déry c. *Blier inc.*, D.T.E. 93T-896 (C.T.).

1/190 Est un salarié et non un travailleur indépendant, la personne dont le cadre de travail est totalement déterminé par l'employeur, qui ne jouit donc pas

de la liberté ou de la discrétion caractéristique de l'entrepreneur indépendant, et qui ne peut se faire remplacer.
C.N.T. c. *9039-5367 Québec inc.*, D.T.E. 2001T-1175 (C.Q.), J.E. 2001-2232 (C.Q.), REJB 2001-27955 (C.Q.).
Boucher c. *Commission scolaire de l'Énergie*, D.T.E. 2003T-443 (C.R.T.) (révision judiciaire refusée: D.T.E. 2005T-65 (C.S.)).
Lamarche c. *Service d'interprétation visuelle et tactile*, (1998) R.J.D.T. 722 (C.T.), D.T.E. 98T-533 (C.T.).

1/191 Un consultant en informatique n'est pas nécessairement un entrepreneur indépendant mais un salarié, si l'on ne peut arriver à la conclusion que l'on est en présence d'un véritable contrat d'entreprise.
C.N.T. c. *9088-8454 Québec inc.*, D.T.E. 2004T-1020 (C.Q.).

1/192 Un poseur de céramique qui doit exécuter une prestation personnelle de travail est un entrepreneur dépendant, et non un travailleur indépendant, lorsque c'est l'entreprise qui retient ses services qui détermine le travail général à exécuter, tout en exerçant un encadrement, notamment par le biais de la vérification des factures qui lui sont adressées.
Renaud c. *Gestion D.M. Roy inc.*, D.T.E. 2004T-509 (C.R.T.).

1/193 La personne qui livre du courrier au moyen de son propre véhicule pour le compte d'une entreprise, est un salarié si elle fournit une prestation de travail pour laquelle elle reçoit une rémunération et si elle est sous la supervision d'une autre personne.
Rivard c. *9048-3082 Québec inc.*, D.T.E. 2000T-1023 (C.Q.).

1/194 La personne qui exécute des tâches d'entretien et de réparation d'un système de chauffage à l'huile par le biais d'un contrat d'entreprise, pour une compagnie pétrolière, est un entrepreneur indépendant en l'absence de prestation personnelle de travail.
Fleurant c. *Ultramar ltée*, D.T.E. 2004T-359 (C.R.T.).

1/195 Une couturière qui travaille à domicile est une salariée et non un travailleur indépendant, malgré la qualification de sous-traitant contenue à son contrat de travail et malgré le fait qu'elle utilise ses propres outils de travail, et ce, même si elle se déclare travailleuse autonome aux autorités fiscales.
C.N.T. c. *Coopérative de travailleurs de confection de vêtements 4 Saisons de St-Tite*, D.T.E. 2006T-287 (C.Q.), J.E. 2006-592 (C.Q.), EYB 2006-101805 (C.Q.).

1/196 Un notaire n'est pas un travailleur indépendant mais un salarié lorsque ses conditions de travail et l'exercice de son travail sont déterminés par les notaires qui l'ont embauché.
Gendron c. *Denicourt & Cossette, notaires*, (1997) C.T. 305, D.T.E. 97T-851 (C.T.) (révision judiciaire refusée: D.T.E. 98T-52 (C.S.)) (désistement d'appel).

1/197 L'avocat qui adhère à un contrat de société avec d'autres avocats de façon libre et volontaire n'est pas un salarié, mais un entrepreneur indépendant.
Joannette c. *Bérard*, D.T.E. 2003T-1083 (C.R.T.).

1/198 Un livreur de colis qui doit suivre des instructions quant aux méthodes de travail, qui n'a aucune marge de manoeuvre quant au territoire à couvrir, de

même qu'à l'égard des clients à servir, n'est pas un entrepreneur indépendant mais un salarié.
C.N.T. c. *9039-5367 Québec inc.*, D.T.E. 2001T-1175 (C.Q.), J.E. 2001-2232 (C.Q.), REJB 2001-27955 (C.Q.).

1/199 Une barmaid qui reçoit une rémunération à pourboire et à l'égard de laquelle n'est effectuée aucune déduction à la source sur ses revenus et sa rémunération, n'est pas un entrepreneur indépendant mais une salariée, et ce, compte tenu principalement du lien de subordination la liant à l'employeur.
C.N.T. c. *Blouin*, D.T.E. 2009T-63 (C.Q.), J.E. 2009-147 (C.Q.), EYB 2008-152566 (C.Q.).

1/200 La personne membre d'un groupe de musiciens, qui reçoit un cachet pour les spectacles auxquels elle participe, dont le salaire ne fait l'objet d'aucune retenue, qui exécute certains contrats extérieurs pour lesquels elle est rémunérée, qui n'est pas payée durant les semaines de relâche du groupe et qui fournit ses instruments de musique, n'est pas un salarié, mais un travailleur indépendant.
Laurier c. *Fontaine*, D.T.E. 93T-72 (C.Q.), J.E. 93-185 (C.Q.).

1/201 Un représentant aux ventes, devenu agent autorisé de l'entreprise, n'est pas un entrepreneur indépendant s'il ne bénéficie pas d'une autonomie financière et s'il est subordonné au donneur d'ouvrage.
Rouse c. *Emballages Paperboard inc., division cartonnage Québec*, D.T.E. 94T-580 (C.T.).
V. aussi: *Couture* c. *Services Investors ltée*, (2000) R.J.D.T. 1730 (C.T.), D.T.E. 2000T-1171 (C.T.) (révision judiciaire refusée: D.T.E. 2001T-265 (C.S.)).

1/202 Un représentant aux ventes n'est pas un entrepreneur indépendant, s'il y a absence de risque de perte et de profit et s'il y a exclusivité de service.
Émond c. *Immeubles Anchorages inc.*, D.T.E. 2005T-987 (C.R.T.).

1/203 Un spécialiste en commercialisation de logiciels est un entrepreneur indépendant et non un salarié, lorsqu'il détermine ses propres heures de travail, qu'il utilise ses propres outils et qu'il y a une possibilité de pertes ou de profits, et ce, surtout si cette personne a la capacité d'avoir recours à des sous-traitants.
Bélanger c. *Axios inc.*, D.T.E. 2004T-510 (C.R.T.).

1/204 Un représentant aux ventes est un entrepreneur indépendant si la personne a adopté, par son comportement, ce statut plutôt que celui de salarié ou d'entrepreneur dépendant.
C.N.T. c. *133879 Canada inc.*, D.T.E. 99T-667 (C.T.).

1/205 Un agent d'assurances est un entrepreneur indépendant et non un salarié, s'il n'y a pas de véritable lien de subordination entre lui et l'employeur.
Simard c. *Mutuelle du Canada (La), compagnie d'assurance sur la vie*, D.T.E. 2000T-33 (C.T.).

1/206 Un ingénieur qui agit à titre de consultant externe lors du démarrage d'un projet d'affaires, à qui on confie des tâches consistant à effectuer certaines vérifications et à préparer des documents afin d'obtenir du financement auprès des instances gouvernementales, n'est pas un salarié mais un associé, et ce, en l'absence de lien de subordination.
C.N.T. c. *Thibert*, D.T.E. 2008T-412 (C.Q.), EYB 2008-130069 (C.Q.).

1/207 Un gérant des ventes dans le domaine de l'assurance de personnes, compte tenu notamment de sa prestation de travail, du contrôle exercé par l'employeur et du lien de subordination, est un salarié et non un entrepreneur indépendant.
C.N.T. c. *Combined Insurance Company of America*, (2008) R.J.D.T. 1113 (C.Q.), D.T.E. 2008T-718 (C.Q.), J.E. 2008-1746 (C.Q.), EYB 2008-145918 (C.Q.) (désistement d'appel).

1/208 La personne qui agit à titre de vice-président d'une entreprise est un salarié si elle ne bénéficie pas d'une autonomie et est subordonnée au donneur de l'ouvrage.
C.N.T. c. *Girard*, D.T.E. 99T-774 (C.Q.).

1/209 Un négociateur professionnel qui travaille sur le parquet de la bourse, qui est assujetti à des directives précises d'une compagnie, créant un lien de subordination réel et constant, n'est pas un entrepreneur indépendant mais un salarié.
C.N.T. c. *R.B.C. Dominion Valeurs mobilières inc.*, D.T.E. 94T-707 (C.S.).

1/210 Le haut niveau d'autonomie qui découle, en principe, du statut d'un professionnel dans l'exercice de son travail n'est pas incompatible ou inconciliable avec un lien de subordination juridique, lorsque l'activité du travailleur s'intègre dans un cadre tracé par l'employeur et s'effectue à son avantage.
C.N.T. c. *Paquette*, (2000) R.J.D.T. 169 (C.Q.), D.T.E. 2000T-17 (C.Q.), J.E. 2000-38 (C.Q.), REJB 1999-15508 (C.Q.).

1/211 Un consultant auprès d'une commission scolaire est un salarié et non un entrepreneur indépendant, compte tenu du fait qu'il doit informer son employeur de ses déplacements ainsi que de la date de ses congés annuels et qu'il doit également requérir une autorisation afin d'effectuer certains déplacements.
Boucher c. *Commission scolaire de l'Énergie*, D.T.E. 2003T-443 (C.R.T.) (révision judiciaire refusée: D.T.E. 2005T-65 (C.S.)).

1/212 Un agent s'occupant du fonctionnement d'une station-service avec dépanneur et lave-auto, est un salarié et non un entrepreneur indépendant.
Poitras c. *Ultramar ltée*, D.T.E. 2003T-723 (C.R.T.).

1/213 La personne qui effectue la vente de l'essence n'est pas un salarié, mais un entrepreneur indépendant.
Émond c. *Union des motoneigistes Lac-St-Jean-Est inc.*, D.T.E. 2005T-437 (C.R.T.).

1/214 Un guide touristique qui est dans les faits un travailleur saisonnier, même s'il bénéficie de beaucoup d'autonomie dans son travail, compte tenu qu'il peut refuser des affectations et prendre des vacances comme il l'entend, est un salarié et non un entrepreneur indépendant puisqu'il existe un lien de subordination entre celui-ci et l'agence de voyages qui l'embauche.
Calderon c. *134343 Canada inc.*, D.T.E. 2008T-629 (C.R.T.).

1/215 N'est pas un salarié mais un entrepreneur indépendant, un guide touristique dont les services rendus ne sont pas contrôlés par le donneur d'ouvrage, soit une agence de voyages.
Breton c. *Géo Tours inc.*, D.T.E. 2005T-237 (C.R.T.) (révision en vertu de l'article 127 C.T. refusée).

1/216 Celui qui fait exécuter tout son travail par quelqu'un d'autre sans autorisation préalable, n'est pas un salarié.
C.N.T. c. *Deschambault*, D.T.E. 83T-776 (C.Q.).

1/217 Une personne peut être un entrepreneur aux fins des lois fiscales et demeurer un salarié au sens de la *Loi sur les normes du travail*.
North American Automobile Association Ltd. c. *C.N.T.*, D.T.E. 93T-429 (C.A.), J.E. 93-735 (C.A.).
C.N.T. c. *9002-8515 Québec inc.*, D.T.E. 2000T-432 (C.S.), J.E. 2000-931 (C.S.), REJB 2000-18725 (C.S.).
C.N.T. c. *3127648 Canada ltée (Domaine de la beauté Pierrette Duval)*, D.T.E. 2008T-151 (C.Q.).
C.N.T. c. *Distribution GVA inc.*, D.T.E. 2007T-789 (C.Q.), J.E. 2007-1778 (C.Q.), EYB 2007-123911 (C.Q.).
C.N.T. c. *9088-8454 Québec inc.*, D.T.E. 2004T-1020 (C.Q.).
C.N.T. c. *Importations Jacsim inc.*, (2000) R.J.D.T. 177 (C.Q.), D.T.E. 2000T-57 (C.Q.), J.E. 2000-134 (C.Q.), REJB 1999-15694 (C.Q.).
C.N.T. c. *Paquette*, (2000) R.J.D.T. 169 (C.Q.), D.T.E. 2000T-17 (C.Q.), J.E. 2000-38 (C.Q.), REJB 1999-15508 (C.Q.).
C.N.T. c. *Girard*, D.T.E. 99T-774 (C.Q.).
C.N.T. c. *Sécurité Domiciliaire R.G. inc.*, D.T.E. 89T-1066 (C.Q.).
C.N.T. c. *International Forums inc.*, (1985) C.P. 1, D.T.E. 85T-8 (C.Q.), J.E. 85-17 (C.Q.).
Pétroles inc. et les Pétroles Irving inc. (Les) c. *Syndicat International des travailleurs des Industries pétrolières, chimiques et atomiques, locaux 9-700 à 9-704*, (1979) T.T. 209 (par analogie).
Union des employés de commerce, local 500 (R.C.I.A.) c. *Gohier Automobiles ltée*, (1971) T.T. 29 (par analogie).
Couture c. *Services Investors ltée*, (2000) R.J.D.T. 1730 (C.T.), D.T.E. 2000T-1171 (C.T.) (révision judiciaire refusée: D.T.E. 2001T-265 (C.S.)).
Lamarche c. *Service d'interprétation visuelle et tactile*, (1998) R.J.D.T. 722 (C.T.), D.T.E. 98T-533 (C.T.).
Lamy c. *Centre de santé d'Eastman*, D.T.E. 95T-396 (C.T.).
Leduc c. *Habitabec inc.*, D.T.E. 90T-751 (T.A.), conf. par D.T.E. 94T-1240 (C.A.), J.E. 94-1752 (C.A.).
Couture-Thibault c. *Pharmajan inc.*, (1984) T.A. 326, D.T.E. 84T-423 (T.A.).
Heutte c. *Centre médical des industries de la mode de Montréal (U.I.O.V.D.)*, D.T.E. 82T-900 (T.A.).
V. aussi: *Milette* c. *9081-2017 Québec inc. (Transport MRB)*, D.T.E. 2008T-687 (C.R.T.).
Contra: *C.N.T.* c. *Entretien sanitaire Waterville inc.*, D.T.E. 93T-479 (C.Q.).
C.N.T. c. *Deschambault*, D.T.E. 83T-776 (C.Q.).
C.N.T. c. *Frederick Dickson and Co.*, J.E. 81-822 (C.Q.).
Commission du salaire minimum c. *Viceroy Construction Co. Ltd.*, J.E. 78-293 (C.Q.).

1/218 Le comportement d'une personne à l'égard des autorités fiscales ne constitue pas l'élément principal dans la détermination de son statut. Il s'agit uniquement d'un élément parmi d'autres.
C.N.T. c. *Blouin*, D.T.E. 2009T-63 (C.Q.), J.E. 2009-147 (C.Q.), EYB 2008-152566 (C.Q.).
Poirier c. *Chocolat Le meilleur au monde Canada ltée*, D.T.E. 2000T-719 (C.T.).

1/219 Le fait que le salarié se soit déclaré travailleur autonome auprès des autorités fiscales, qu'il ait été considéré comme travailleur au sens de la *Loi sur les accidents du travail et les maladies professionnelles* (L.R.Q., c. A-3.001) et comme employé aux fins de l'obtention de prestations d'assurance-emploi n'est pas déterminant pour établir son statut en vertu des dispositions de la *Loi sur les normes du travail*.
C.N.T. c. *Combined Insurance Company of America*, (2008) R.J.D.T. 1113 (C.Q.), D.T.E. 2008T-718 (C.Q.), J.E. 2008-1746 (C.Q.), EYB 2008-145918 (C.Q.) (désistement d'appel).

1/220 Il est bien établi qu'une personne peut posséder un statut en vertu des lois du travail et un autre en vertu des lois fiscales. Dans certaines circonstances particulières, il se peut même que l'incorporation ne fasse pas perdre le statut de salarié à l'égard de l'employeur.
Poulin c. *Services financiers F.B.N. inc.*, (2002) R.J.D.T. 734 (C.T.), D.T.E. 2002T-520 (C.T.) (révision judiciaire refusée: (2002) R.J.D.T. 1080 (C.S.), D.T.E. 2002T-673 (C.S.), J.E. 2002-1273 (C.S.), REJB 2002-32660 (C.S.)) (appel rejeté: (2003) R.J.Q. 365 (C.A.), (2003) R.J.D.T. 17 (C.A.), D.T.E. 2003T-179 (C.A.), J.E. 2003-344 (C.A.), REJB 2003-37127 (C.A.)) (autorisation d'appeler à la Cour suprême refusée).
V. aussi: *Milette* c. *9081-2017 Québec inc. (Transport MRB)*, D.T.E. 2008T-687 (C.R.T.).

1/221 L'enregistrement d'une dénomination sociale et le fait que des retenues à la source ne soient pas effectuées sur le salaire du plaignant, ne modifient pas nécessairement son statut qui peut demeurer celui de salarié au sens de l'article 1(10) L.N.T.
Milette c. *9081-2017 Québec inc. (Transport MRB)*, D.T.E. 2008T-687 (C.R.T.).

1/222 Le degré élevé d'autonomie d'un dentiste n'est pas inconciliable avec l'existence d'un lien de subordination juridique, d'autant plus que l'utilité de celui-ci s'intègre au cadre tracé par l'employeur et que son travail est effectué au bénéfice exclusif de ce dernier, et ce, sans risque de perte.
C.N.T. c. *Paquette*, (2000) R.J.D.T. 169 (C.Q.), D.T.E. 2000T-17 (C.Q.), J.E. 2000-38 (C.Q.), REJB 1999-15508 (C.Q.).
Budai c. *Pearl*, D.T.E. 95T-1374 (T.T.).

Entrepreneur dépendant

1/223 Le texte de cet article comprend deux parties: l'une, courte, vague et ambiguë, évoque le salarié ordinaire; l'autre, longue, imprécise et restrictive, définit l'entrepreneur dit dépendant pour l'assimiler au salarié.
C.N.T. c. *Immeubles Terrabelle inc.*, (1989) R.J.Q. 1307 (C.Q.), D.T.E. 89T-431 (C.Q.), J.E. 89-729 (C.Q.).

1/224 Les conditions énumérées aux sous-paragraphes i, ii et iii de l'article 1(10) L.N.T. sont cumulatives.
C.N.T. c. *Immeubles Terrabelle inc.*, (1989) R.J.Q. 1307 (C.Q.), D.T.E. 89T-431 (C.Q.), J.E. 89-729 (C.Q.).
Contra: *Couture-Thibault* c. *Pharmajan inc.*, (1984) T.A. 326, D.T.E. 84T-423 (T.A.).

1/225 L'entrepreneur dépendant est d'abord et avant tout une personne qui s'oblige envers une autre à exécuter un travail déterminé, selon les méthodes et conformément aux moyens que cette personne détermine.
Girardin c. *Distribution Danièle Normand inc.*, D.T.E. 2000T-228 (T.T.).

1/226 La notion de salarié au sens de la *Loi sur les normes du travail* comprend non seulement toute personne qui travaille pour un employeur et qui a droit à un salaire, mais également certains travailleurs autonomes.
Émond c. *Union des motoneigistes Lac-St-Jean-Est inc.*, D.T.E. 2005T-437 (C.R.T.).
Claveau c. *Syndicat des producteurs de bois du Saguenay–Lac-St-Jean*, D.T.E. 99T-825 (C.T.).
Leduc c. *Habitabec inc.*, D.T.E. 90T-751 (T.A.), conf. par D.T.E. 94T-1240 (C.A.), J.E. 94-1752 (C.A.).

1/227 La notion de salarié prévue par la *Loi sur les normes du travail* englobe celle de l'entrepreneur dépendant. Il n'est pas nécessaire que l'employeur ait un pouvoir immédiat de contrôle et de direction sur le travail d'une personne, afin que l'on puisse conclure à l'existence d'une relation employeur-salarié. Il lui suffit de posséder le pouvoir de déterminer le cadre de travail dans lequel celle-ci doit évoluer. Il s'agit d'un lien de subordination juridique.
C.N.T. c. *Pouliot*, D.T.E. 99T-1047 (C.Q.), J.E. 99-2138 (C.Q.), REJB 1999-15281 (C.Q.).

1/228 L'entrepreneur dépendant bénéficiant d'une subordination juridique moins étroite est un salarié, parce qu'il demeure intimement lié à son employeur en ce qu'il en est directement dépendant économiquement.
Produits Shell Canada ltée c. *Martin*, D.T.E. 88T-260 (C.S.).
C.N.T. c. *Laiterie Perrette ltée*, D.T.E. 84T-761 (C.S.).
Commission du salaire minimum c. *Hermann Fortier inc.*, J.E. 80-584 (C.S.) (appel accueilli: C.A.M. n° 500-09-000804-807, le 3 août 1983).
C.N.T. c. *Sécurité domiciliaire R.G. inc.*, D.T.E. 89T-1066 (C.Q.).
Jasmin c. *Gérard M. Perrault inc.*, D.T.E. 85T-948 (C.Q.).
Provost c. *Bureau d'éthique commerciale de Montréal inc.*, (1999) R.J.D.T. 233 (C.T.), D.T.E. 99T-102 (C.T.).
Rouse c. *Emballages Paperboard inc., division cartonnage Québec*, D.T.E. 94T-580 (C.T.).
Spécialités B.D.S. inc. c. *Caron*, (1988) T.A. 201, D.T.E. 88T-171 (T.A.) (révision judiciaire accueillie pour d'autres motifs: D.T.E. 88T-435 (C.S.)).
Lajoie c. *Multi-Marques inc.*, D.T.E. 87T-160 (T.A.).
Pietrykowski c. *Cie de fiducie du Canada le Permanent*, D.T.E. 85T-723 (T.A.) (révision judiciaire refusée: C.S.M. n° 500-05-009603-851, le 17 décembre 1985, conf. par C.A.M. n° 500-09-000056-861, le 2 octobre 1987).
Couture-Thibault c. *Pharmajan inc.*, (1984) T.A. 326, D.T.E. 84T-423 (T.A.).
Thibault c. *Publications Photo-Police inc.*, (1984) T.A. 55, D.T.E. 84T-97 (T.A.).

1/229 La définition de salarié comprend un travailleur partie à un contrat en vertu duquel il remplit certaines obligations dans un contexte donné. Cette définition couvre notamment le cas d'une personne dont la rémunération provient d'un employeur, déduction faite des frais d'exécution du contrat. Il faut donc scruter le lien de subordination non seulement sur le plan juridique, mais aussi sur le plan pécuniaire.
Rouse c. *Emballages Paperboard inc., division cartonnage Québec*, D.T.E. 94T-580 (C.T.).

Actionnaire ou propriétaire

1/230 Une personne ne peut être à la fois associée, propriétaire et employeur, et réclamer le statut de salarié.
C.N.T. c. *Système électronique Rayco ltée*, D.T.E. 91T-762 (C.Q.).

1/231 Une personne ne peut être un associé d'une entreprise, liée par un contrat de société, et se réclamer comme étant un salarié, et ce, en fonction de la définition de la *Loi sur les normes du travail.*
Clutz c. *K.P.M.G. Canada*, D.T.E. 98T-1245 (C.T.), REJB 1998-08294 (C.T.).

1/232 Le détenteur d'actions travaillant pour lui-même, l'entrepreneur au sens classique du mot légal, n'ont rien à voir ici: la *Loi sur les normes du travail* ne les englobe pas.
C.N.T. c. *Cogan Wire & Metal Products (1974) Ltd.*, D.T.E. 82T-830 (C.Q.), J.E. 82-1139 (C.Q.).

1/233 Il est possible, dans le cadre de la relation d'emploi, d'avoir un statut de salarié et un statut d'actionnaire, les deux faisant partie intégrante de cette relation. Il suffit d'établir l'élément de subordination.
Décarie c. *Produits pétroliers d'Auteuil inc.*, (1986) R.J.Q. 2471 (C.A.), D.T.E. 86T-728 (C.A.), J.E. 86-944 (C.A.) (autorisation d'appeler à la Cour suprême refusée).
Visionic inc. c. *Michaud*, D.T.E. 82T-30 (C.S.), J.E. 82-50 (C.S.) (appel rejeté: C.A.Q. n° 200-09-000873-817, le 3 mars 1982).
C.N.T. c. *Centre médical Hochelaga (1982) inc.*, D.T.E. 2007T-568 (C.Q.).
Lapointe c. *BPR — Groupe-conseil*, (2007) R.J.D.T. 552 (C.R.T.), D.T.E. 2007T-497 (C.R.T.) (révision judiciaire refusée: D.T.E. 2008T-921 (C.S.), EYB 2008-150244 (C.S.)).
Grant c. *9069-3581 Québec inc.*, D.T.E. 2001T-154 (C.T.).
Brault c. *Balances Leduc & Thibeault inc.*, D.T.E. 89T-911 (T.A.).
Genest c. *St-Laurent, Cie de réassurance*, D.T.E. 88T-115 (T.A.).
Spécialités B.D.S. inc. c. *Caron*, (1988) T.A. 201, D.T.E. 88T-171 (T.A.) (révision judiciaire accueillie pour d'autres motifs: D.T.E. 88T-435 (C.S.)).
André c. *Harvey's*, (1987) T.A. 67, D.T.E. 87T-179 (T.A.).
Marché à GO-GO Alma inc. c. *Tremblay*, (1987) T.A. 517, D.T.E. 87T-744 (T.A.).
Barcana ltée c. *Boisvert*, (1984) T.A. 703, D.T.E. 84T-841 (T.A.).
Contra: *C.N.T.* c. *Système électronique Rayco ltée*, D.T.E. 91T-762 (C.Q.).

1/234 Le fait d'être actionnaire minoritaire ou administrateur d'une société n'a pas d'importance dans la détermination du statut de salarié au sens de la *Loi sur les normes du travail*, puisqu'un actionnaire ou un administrateur peut se mettre au service de cette société contre rémunération.
Lapointe c. *BPR — Groupe-conseil*, (2007) R.J.D.T. 552 (C.R.T.), D.T.E. 2007T-497 (C.R.T.) (révision judiciaire refusée: D.T.E. 2008T-921 (C.S.), EYB 2008-150244 (C.S.)).
Huot c. *Oblic Coiffure inc.*, D.T.E. 97T-926 (C.T.).

1/235 La personne qui incorpore sa compagnie et qui fait verser sa rémunération à celle-ci tout en se déclarant aux autorités fiscales comme un travailleur autonome n'est pas comprise dans la définition de salarié.
Dazé c. *Messageries Dynamiques*, (1991) R.D.J. 195 (C.A.), D.T.E. 90T-538 (C.A.), J.E. 90-678 (C.A.).

Vachon c. *Martin*, D.T.E. 88T-606 (C.S.).
Messageries Dynamiques c. *Deslierres*, (1987) R.J.Q. 1396 (C.S.), D.T.E. 87T-519 (C.S.), J.E. 87-750 (C.S.).
Systèmes de communication Incotel ltée c. *Marcotte*, D.T.E. 88T-355 (C.Q.), J.E. 88-550 (C.Q.).
Martel c. *Société pour la prévention de la cruauté envers les animaux (canadienne)*, D.T.E. 2008T-152 (C.R.T.).
Cormier c. *Desjardins Sécurité financière*, D.T.E. 2006T-41 (C.R.T.).
Claveau c. *Syndicat des producteurs de bois du Saguenay–Lac-St-Jean*, D.T.E. 99T-825 (C.T.).
Jacques c. *C. Itoh & Cie (Canada) ltée*, (1992) C.T. 518, D.T.E. 92T-837 (C.T.).
Sklar-Peppler inc. c. *Loiselle*, (1988) T.A. 449, D.T.E. 88T-486 (T.A.).
Spécialités B.D.S. inc. c. *Caron*, (1988) T.A. 201, D.T.E. 88T-171 (T.A.) (révision judiciaire accueillie pour d'autres motifs: D.T.E. 88T-435 (C.S.)).
Bielous c. *Agence Mark Richman ltée*, (1987) T.A. 319, D.T.E. 87T-455 (T.A.).

Cependant, une personne peut être un salarié au sens de la *Loi sur les normes du travail* lorsqu'elle n'a jamais eu l'intention de s'incorporer, de fonder une compagnie ou de devenir autonome, mais que ce régime lui a été imposé de force par l'employeur.
Deere c. *Marler & Associates*, (2000) R.J.D.T. 1084 (C.T.), D.T.E. 2000T-843 (C.T.).
Leduc c. *Habitabec inc.*, D.T.E. 90T-751 (T.A.), conf. par D.T.E. 94T-1240 (C.A.), J.E. 94-1752 (C.A.).
V. aussi: *C.N.T.* c. *2429-5040 Québec inc.*, D.T.E. 96T-602 (C.Q.), J.E. 96-1040 (C.Q.).
Venne c. *Industries Westroc ltée*, (2003) R.J.D.T. 797 (C.R.T.), D.T.E. 2003T-562 (C.R.T.).

1/236 Une personne physique constituée en société par l'incorporation d'une entreprise, est un salarié lorsqu'il existe, entre autres, une prestation exclusive de services. Il en est ainsi lorsqu'il existe un lien de subordination d'ordre juridique et économique entre les parties, surtout lorsque la personne physique est intégrée dans l'entreprise et a une obligation d'exécution personnelle, que l'employeur contrôle l'exécution de son travail et d'autres éléments comme les réunions, les cartes professionnelles et les bons de commande.

Ainsi, peu importe sa forme, il existe un contrat de travail lorsqu'il y a subordination, qui est l'acceptation de l'existence et de l'exercice du pouvoir de l'employeur de diriger le travail et d'en fixer les conditions.

Au sens de la *Loi sur les normes du travail*, la définition du terme salarié n'exclut pas expressément la personne morale. La détermination du lien de droit entre les parties découle de l'examen global de la réalité de la relation entre celles-ci. Cette analyse doit se faire peu importe la forme, le statut, la qualification contractuelle des parties, la structure juridique de leur relation et la qualité des personnes. En somme, l'existence d'une personne morale dans la relation n'est qu'un élément additionnel à évaluer.

Services financiers F.B.N. inc. c. *Chaumont*, (2003) R.J.Q. 365 (C.A.), (2003) R.J.D.T. 17 (C.A.), D.T.E. 2003T-179 (C.A.), J.E. 2003-344 (C.A.), REJB 2003-37127 (C.A.) (autorisation d'appeler à la Cour suprême refusée).

Maréchal c. *Quebecor Média inc. (Québec Livres)*, (2003) R.J.D.T. 319 (C.R.T.), D.T.E. 2003T-113 (C.R.T.).

V. aussi: *Venne* c. *Industries Westroc ltée*, (2003) R.J.D.T. 797 (C.R.T.), D.T.E. 2003T-562 (C.R.T.).

1/237 La personne ayant acquis et exploité une franchise n'est pas un salarié mais un entrepreneur indépendant.
Dechamplain c. *Provigo (Maxi)*, D.T.E. 96T-387 (C.T.).
Lalande c. *Provigo Distribution inc., division Maxi A 9 (2428-7476)*, D.T.E. 94T-1132 (C.T.) (révision judiciaire refusée: C.S.M. n^0 500-05-010529-947, le 21 février 1995) (appel rejeté: D.T.E. 98T-1059 (C.A.), J.E. 98-2031 (C.A.), REJB 1998-08026 (C.A.)).

1/238 Le simple enregistrement d'une raison sociale ne change pas le statut du salarié travaillant à commission, en entrepreneur indépendant.
C.N.T. c. *2946-9483 Québec inc.*, D.T.E. 95T-222 (C.Q.).
C.N.T. c. *Sécurité domiciliaire R.G. inc.*, D.T.E. 89T-1066 (C.Q.).
Buth c. *Collège d'enseignement général et professionnel John Abbott*, D.T.E. 96T-295 (C.T.) (révision judiciaire refusée: C.S.M. n^0 500-05-015627-969, le 14 août 1996).
Contra: *Systèmes de communication Incotel ltée* c. *Marcotte*, D.T.E. 88T-355 (C.Q.), J.E. 88-550 (C.Q.).

1/239 Le concept de salarié peut comprendre le poste de président directeur général, s'il existe un contrat qui crée un lien contractuel et qui distingue suffisamment ce poste de celui de président du conseil d'administration.
Fri Information Services Ltd. c. *Larouche*, (1982) C.S. 742, D.T.E. 82T-606 (C.S.), J.E. 82-836 (C.S.) (appel rejeté: C.A.M. n^0 500-09-001145-820, le 23 septembre 1983).
Beaudoin c. *Mount Royal Filon Corp.*, D.T.E. 87T-294 (T.A.).
V. aussi: *Spécialités B.D.S. inc.* c. *Caron*, (1988) T.A. 201, D.T.E. 88T-171 (T.A.) (révision judiciaire accueillie pour d'autres motifs: D.T.E. 88T-435 (C.S.)).
Public idée c. *Auclair*, D.T.E. 92T-699 (T.T.).
V. cependant la jurisprudence sous l'article 3(6) L.N.T.

1/240 La personne qui occupe le poste de vice-président d'une entreprise peut être un salarié si, dans les faits, malgré son titre, il y a absence de véritable pouvoir décisionnel.
Grant c. *9069-3581 Québec inc.*, D.T.E. 2001T-154 (C.T.).

Sous-traitant

1/241 Un individu partie à un contrat de sous-traitance peut être considéré comme salarié.
Bouchard c. *Comité paritaire de l'entretien d'édifices publics*, D.T.E. 88T-552 (C.S.).

Travailleur payé à commission

1/242 Les commissions reçues par un salarié ne peuvent suffire à lui conférer le statut d'entrepreneur indépendant.
C.N.T. c. *Distribution GVA inc.*, D.T.E. 2007T-789 (C.Q.), J.E. 2007-1778 (C.Q.), EYB 2007-123911 (C.Q.).
Massa c. *Viger*, D.T.E. 2006T-179 (C.Q.), J.E. 2006-402 (C.Q.), EYB 2005-101729 (C.Q.).
C.N.T. c. *9079-6038 Québec inc. (Maxxcom, Système de sécurité)*, D.T.E. 2005T-986 (C.Q.).
C.N.T. c. *Bureau d'éthique commerciale de Montréal inc.*, D.T.E. 2000T-409 (C.Q.).
Huot c. *Manoir Richelieu*, (1984) T.A. 696, D.T.E. 84T-826 (T.A.).

1/243 Est un salarié et non un travailleur indépendant le vendeur à commission, relativement indépendant, rémunéré suivant un système de commissions payées avec avances à valoir sur les ventes futures.
C.N.T. c. *9079-6038 Québec inc. (Maxxcom, Système de sécurité)*, D.T.E. 2005T-986 (C.Q.).
3105-3440 Québec inc. c. *Boulet*, (1998) R.J.D.T. 633 (C.Q.), D.T.E. 98T-404 (C.Q.), J.E. 98-833 (C.Q.), REJB 1998-05321 (C.Q.).
C.N.T. c. *Sécurité domiciliaire R.G. inc.*, D.T.E. 89T-1066 (C.Q.).
C.N.T. c. *Société canadienne d'Isolation C.O. inc.*, D.T.E. 82T-635 (C.Q.), J.E. 82-890 (C.Q.).
Commission du salaire minimum c. *Fast Typesetters of Canada Ltd.*, (1976) C.P. 308.

1/244 Même si un contrat de travail désigne la personne salariée comme un travailleur autonome, l'employeur ne peut pour autant se soustraire à l'application de la *Loi sur les normes du travail*, qui est d'ordre public. Ainsi, dès que le vendeur à commission est soumis à une forme quelconque de contrôle, il doit être considéré comme un salarié au sens de la *Loi sur les normes du travail.*
Massa c. *Viger*, D.T.E. 2006T-179 (C.Q.), J.E. 2006-402 (C.Q.), EYB 2005-101729 (C.Q.).
C.N.T. c. *Sanitation du Québec M.M. inc.*, D.T.E. 97T-75 (C.Q.).

1/245 Le vendeur à commission est un travailleur indépendant s'il s'est déclaré et comporté ainsi vis-à-vis les autorités fiscales et s'il y a absence de retenues d'impôt à la source sur sa rémunération.
C.N.T. c. *9025-1331 Québec inc.*, D.T.E. 2004T-206 (C.Q.).
C.N.T. c. *Frederick Dickson and Co.*, J.E. 81-822 (C.Q.).
Commission du salaire minimum c. *Viceroy Construction Co. Ltd.*, J.E. 78-293 (C.Q.).
Joly c. *True North Properties Ltd.*, D.T.E. 2005T-770 (C.R.T.).
Godin c. *Collège d'extension Cartier*, D.T.E. 96T-1221 (C.T.) (révision judiciaire accueillie pour d'autres motifs: D.T.E. 98T-390 (C.S.), J.E. 98-783 (C.S.)) (désistement d'appel).

1/246 Un représentant de commerce est un salarié et non un entrepreneur indépendant. En effet, le concept de subordination englobe le pouvoir général d'organisation et d'administration du travail d'une personne sur une autre.
C.N.T. c. *Sécurité domiciliaire R.G. inc.*, D.T.E. 89T-1066 (C.Q.).

1/247 Le vendeur entièrement rémunéré à commission est un salarié.
C.N.T. c. *Distribution GVA inc.*, D.T.E. 2007T-789 (C.Q.), J.E. 2007-1778 (C.Q.), EYB 2007-123911 (C.Q.).
C.N.T. c. *Bureau d'éthique commerciale de Montréal inc.*, D.T.E. 2000T-409 (C.Q.).
Richard c. *Jules Baillot & Fils ltée*, D.T.E. 97T-1005 (C.Q.).
C.N.T. c. *Cie de fiducie Canada Permanent*, (1985) C.P. 284, D.T.E. 85T-799 (C.Q.), J.E. 85-929 (C.Q.).
Pietrykowski c. *Cie de fiducie du Canada le Permanent*, D.T.E. 85T-723 (T.A.) (révision judiciaire refusée: C.S.M. n° 500-05-009603-851, le 17 décembre 1985, conf. par C.A.M. n° 500-09-000056-861, le 2 octobre 1987).
St-Gelais c. *Cie de fiducie Canada Permanent*, D.T.E. 85T-362 (C.T.) (appel rejeté: T.T.Q. n° 200-52-000022-85, le 23 avril 1985).
Contra: *Commission du salaire minimum* c. *Habitations du temps inc.*, J.E. 81-486 (C.Q.).

1/248 Un vendeur payé entièrement à commission, même s'il peut bénéficier d'une grande liberté, demeure un salarié et non un entrepreneur indépendant, puisque c'est le lien de subordination qui le lie à l'employeur et qui est déterminant.
C.N.T. c. *Importations Jacsim inc.*, (2000) R.J.D.T. 177 (C.Q.), D.T.E. 2000T-57 (C.Q.), J.E. 2000-134 (C.Q.), REJB 1999-15694 (C.Q.).
Lessard c. *Montre International célébrité inc.*, D.T.E. 2007T-177 (C.R.T.).
V. aussi: *Lapointe* c. *J.R. Benny enr.*, D.T.E. 2004T-762 (C.R.T.).

1/249 Le représentant rémunéré entièrement à commission peut, selon son degré d'autonomie ou de subordination, être un entrepreneur indépendant et non un salarié.
C.N.T. c. *Périphériques Cor-bit inc.*, D.T.E. 2001T-703 (C.Q.), J.E. 2001-1374 (C.Q.), REJB 2001-25148 (C.Q.).
Joly c. *True North Properties Ltd.*, D.T.E. 2005T-770 (C.R.T.).

1/250 Un représentant aux ventes, entièrement rémunéré à commission, qui n'est pas tenu de fournir un travail personnel et qui encourt d'importants risques de pertes n'est pas un salarié, mais un entrepreneur indépendant.
Girardin c. *Distribution Danièle Normand inc.*, D.T.E. 2000T-228 (T.T.).

1/251 Un coordonnateur dont la rémunération est établie en fonction des ventes effectuées par les représentants sous sa direction, est un entrepreneur indépendant et non un salarié.
Desrochers c. *Corporation de distribution des fonds d'éducation globale*, D.T.E. 2006T-782 (C.R.T.).

1/252 Le travailleur rémunéré à la pièce qui tire 100% de son revenu d'un seul et unique employeur est un salarié de celui-ci.
C.N.T. c. *Paquette*, (2000) R.J.D.T. 169 (C.Q.), D.T.E. 2000T-17 (C.Q.), J.E. 2000-38 (C.Q.), REJB 1999-15508 (C.Q.).
Lessard c. *Montre International célébrité inc.*, D.T.E. 2007T-177 (C.R.T.).
Picard c. *G.V. Bergeron*, D.T.E. 97T-826 (C.T.).

1/253 Celui qui touche des commissions versées après déductions est un salarié.
Bielous c. *Agence Mark Richman ltée*, (1987) T.A. 319, D.T.E. 87T-455 (T.A.).
V. aussi: *C.N.T.* c. *3127648 Canada ltée (Domaine de la beauté Pierrette Duval)*, D.T.E. 2008T-151 (C.Q.).

1/254 Un vendeur à commission qui est responsable d'un kiosque de vente et de réparation d'aspirateurs peut être un entrepreneur indépendant.
C.N.T. c. *Gestion Louis Feuiltault inc.*, D.T.E. 99T-1118 (C.Q.), J.E. 99-2281 (C.Q.), REJB 1999-15457 (C.Q.).

1/255 Un vendeur d'unités résidentielles payé à commission peut ne pas être un entrepreneur indépendant, mais bien un salarié, si les indices d'autonomie ne sont pas suffisants pour faire de celui-ci un travailleur autonome.
C.N.T. c. *9002-8515 Québec inc.*, D.T.E. 2000T-432 (C.S.), J.E. 2000-931 (C.S.), REJB 2000-18725 (C.S.).
V. cependant: *Joly* c. *True North Properties Ltd.*, D.T.E. 2005T-770 (C.R.T.).

1/256 Un apprenti cordonnier, entièrement rémunéré à commission, est un salarié et non un entrepreneur indépendant.
C.N.T. c. *Desrochers*, D.T.E. 2001T-681 (C.Q.).

1/257 Un chauffeur-livreur de courrier entièrement payé à commission n'est pas un mandataire ni un entrepreneur indépendant, mais un salarié, et ce, compte tenu du lien de subordination et de contrôle de l'employeur sur celui-ci.
C.N.T. c. *2992892 Canada inc.*, D.T.E. 98T-420 (C.Q.).

Travailleur à domicile

1/258 Une couturière qui travaille à domicile est une salariée et non un travailleur indépendant, malgré la qualification de sous-traitant contenue à son contrat de travail et malgré le fait qu'elle utilise ses propres outils de travail, et ce, même si elle se déclare travailleuse autonome aux autorités fiscales.
C.N.T. c. *Coopérative de travailleurs de confection de vêtements 4 Saisons de St-Tite*, D.T.E. 2006T-287 (C.Q.), J.E. 2006-592 (C.Q.), EYB 2006-101805 (C.Q.).

1/259 Est un salarié et non un entrepreneur indépendant, la personne qui effectue un travail à domicile qui est rémunérée à la pièce, et dont le donneur d'ouvrage n'a aucun contrôle sur les heures de travail.
C.N.T. c. *International Forums inc.*, (1985) C.P. 1, D.T.E. 85T-8 (C.Q.), J.E. 85-17 (C.Q.).
Contra: *C.N.T.* c. *Deco Plans inc.*, D.T.E. 89T-299 (C.Q.), J.E. 89-536 (C.Q.).

Divers

1/260 Une gérante de production, compte tenu de ses tâches, est une salariée.
P.C. Junior Édition c. *Tribunal du travail*, D.T.E. 90T-460 (C.S.).

1/261 Une costumière-styliste affectée à la production d'une série télévisée est une salariée.
Fortin c. *Publivision inc.*, (1999) R.J.D.T. 1731 (C.T.), D.T.E. 99T-932 (C.T.).

1/262 Un comptable est un salarié s'il reçoit son chèque de paie avec déductions à la source à chaque semaine, est à l'emploi exclusif de l'employeur, travaille sous l'autorité d'un chef comptable, n'a aucun employé sous sa direction et n'a aucune autorité pour signer les chèques.
Jasmin c. *Gérard M. Perrault inc.*, D.T.E. 85T-948 (C.Q.).

1/263 Une directrice artistique d'une entreprise oeuvrant dans le domaine du graphisme est une salariée.
Belpaire c. *Trace créative inc.*, D.T.E. 94T-340 (C.T.).

1/264 Un salarié a droit à la sécurité d'emploi que prévoit la *Loi sur les normes du travail,* sans égard à son statut d'étudiant ou de salarié à temps partiel. On ne peut créer deux catégories de salariés, soit ceux dont on est certain qu'ils ne finiront pas leurs jours dans l'entreprise et ceux au sujet desquels on est convaincu du contraire. La *Loi sur les normes du travail,* qui est d'ordre public, n'autorise pas une telle distinction.
Boire c. *Boulangerie Gadoua*, D.T.E. 97T-1374 (C.T.).

1/265 La personne qui fréquente un bureau de professionnels dans un but de formation professionnelle et qui est instruite en ce sens n'est pas un salarié.
C.N.T. c. *Boggia*, D.T.E. 92T-732 (C.Q.).
Bernard, Beaudry, société d'avocats, S.E.N.C. c. *Byrne*, (1999) R.J.D.T. 1147 (T.T.), D.T.E. 99T-826 (T.T.), REJB 1999-13440 (T.T.) (révision judiciaire refusée: D.T.E.

2000T-36 (C.S.)) (appel rejeté: D.T.E. 2002T-870 (C.A.), J.E. 2002-1684 (C.A.), REJB 2002-33506 (C.A.)).

1/266 N'est pas un salarié celui qui reçoit une somme de 30 $ par semaine, lorsqu'il s'agit d'une simple récompense. Cette situation ne peut correspondre à la définition d'exécution de travail au sens des dispositions du paragraphe 1(10) de la *Loi sur les normes du travail.*
C.N.T. c. *Girard*, D.T.E. 96T-1473 (C.Q.).

1/267 Lorsqu'une personne exécute une prestation de travail pour un associé qui a conclu un partenariat d'affaires avec une autre personne, elle n'est pas nécessairement un salarié, et ce, compte tenu du contrat de société intervenu entre les associés.
C.N.T. c. *Gervais*, D.T.E. 2007T-341 (C.Q.), EYB 2007-117311 (C.Q.).

1/268 Pour conclure à l'existence d'un contrat de société, il doit y avoir une entente relative au partage des bénéfices d'une entreprise commune entre les associés.
C.N.T. c. *Restaurants L'Oeuforie inc.*, D.T.E. 98T-799 (C.Q.), J.E. 98-1615 (C.Q.), REJB 1998-07869 (C.Q.).

1/269 Est un salarié, le gérant et agent d'affaires d'un syndicat local qui reçoit une rémunération bien qu'il soit aussi membre du conseil d'administration.
Union internationale des journaliers d'Amérique du Nord c. *Gendron*, D.T.E. 85T-248 (T.A.).

1/270 Une esthéticienne d'un salon d'esthétique et de coiffure exploité par une compagnie n'est pas un entrepreneur, mais un salarié, dans le cas où elle doit rendre une prestation personnelle de travail et compte tenu également du lien de subordination qui l'unit à l'employeur.
C.N.T. c. *3127648 Canada ltée (Domaine de la beauté Pierrette Duval)*, D.T.E. 2008T-151 (C.Q.).

1/271 Un vendeur d'assurances qui travaille dans les bureaux de l'employeur, avec l'équipement de celui-ci, sous la surveillance d'un gérant et pour qui on déduit les impôts à la source, les assurances et le fonds de pension, à même son salaire, est un salarié.
Padveen c. *London Life, Cie d'assurance-vie*, D.T.E. 84T-421 (T.A.) (révision judiciaire refusée: D.T.E. 85T-187 (C.S.)).

1/272 V. la jurisprudence sous l'article 1(9) L.N.T.

1/273 V. AUDET, G., BONHOMME, R., GASCON, C. et COURNOYER-PROULX, M., *Le congédiement en droit québécois en matière de contrat individuel de travail*, vol. 1, 3e éd. (édition à feuilles mobiles), Cowansville, Éditions Yvon Blais, p. 16-4 à 16-12.

1/274 V. BÉLANGER, J., BLOUIN R. et al. (dir.), *Le statut de salarié en milieu de travail*, 40e congrès des relations industrielles de l'Université Laval, Ste-Foy, Les Presses de l'Université Laval, 1985.

1/275 V. BÉLIVEAU, N.-A., *Les normes du travail*, Cowansville, Les Éditions Yvon Blais inc., 2003, p. 28 à 83.

1/276 V. BÉLIVEAU, N.-A., *La situation juridique de la femme enceinte au travail*, Cowansville, Les Éditions Yvon Blais inc., 1993, p. 8 et ss.

1/277 V. BICH, M.-F., «Contrat de travail et *Code civil du Québec* — Rétrospective, perspectives et expectatives», dans *Développements récents en droit du travail (1996)*, Formation permanente du Barreau du Québec, Cowansville, Les Éditions Yvon Blais inc., 1996, p. 189.

1/278 V. BICH, M.-F., «Le contrat de travail», dans *La réforme du Code civil*, t. II, Barreau du Québec et Chambre des notaires du Québec, Ste-Foy, Les Presses de l'Université Laval, 1993, p. 741, n°s 21 à 33, p. 751 à 755.

1/279 V. BLOUIN, R. et LÉVESQUE, J., *Contrat individuel de travail*, Direction générale de la recherche, ministère du Travail et de la Main-d'oeuvre, Gouvernement du Québec, 30 juin 1971.

1/280 V. BONHOMME, R., GASCON, C. et LESAGE, L., *The Employment Contract under the Civil Code of Quebec*, Cowansville, Les Éditions Yvon Blais inc., 1994, p. 7 à 13.

1/281 V. BRIÈRE, J.-Y., «Le Big Bang de l'emploi ou la confrontation de la Loi sur les normes et des emplois atypiques», dans *Emploi précaire et non-emploi: droits recherchés*, UQAM, Actes de la 5e Journée en droit social et du travail, Cowansville, Les Éditions Yvon Blais inc., 1994, p. 1.

1/282 V. BRIÈRE, J.-Y., «Le *Code civil du Québec* et la *Loi sur les normes du travail*: convergence ou divergence?», (1994) 49 *R.I.* 104, 109 à 117.

1/283 V. BRIÈRE, J.-Y. et VILLAGGI, J.-P., *Relations de travail*, vol. 2, (édition à feuilles mobiles), Brossard, Les Publications CCH ltée, p. 8,109 à 8,125-18.

1/284 V. CAZA, C., «L'embarquement pour un tour d'horizon des développements récents concernant la *Loi sur les normes du travail*», dans *Développements récents en droit du travail (1997)*, Formation permanente du Barreau du Québec, Cowansville, Les Éditions Yvon Blais inc., 1997, p. 229, p. 234 et ss.

1/285 V. CAZA, C., «Le contrat de travail et le *Code civil du Québec*: continuité ou rupture?», dans *Congrès annuel du Barreau du Québec (1995)*, Montréal, Formation permanente du Barreau du Québec, 1995, p. 857, p. 871 et 872.

1/286 V. CHALIFOUX, D., «Vers une nouvelle relation commettant-préposé», (1984) 44 *R. du B.* 815.

1/287 V. DESCÔTEAUX, G., «Les normes du travail, étude comparative Canada — Québec», (1979) 10 *R.G.D.* 215.

1/288 V. DOUCET, R., «La résiliation du contrat de travail en droit québécois», (1974) 9 *R.J.T.* 249.

1/289 V. DUBÉ, J.-L. et DI IORIO, N., *Les normes du travail*, 2e éd., Sherbrooke, Les Éditions Revue de droit — Université de Sherbrooke, 1992, p. 15 à 62.

1/290 V. GAGNON, J.D., «Les notions de salarié en droit du travail», dans Bélanger, R., Blouin, R. et al. (dir.), *Le statut de salarié en milieu de travail*, Ste-Foy, Les Presses de l'Université Laval, 1985, p. 33.

1/291 V. GAGNON, R.P., *Le droit du travail du Québec*, 6e éd. (mis à jour par LANGLOIS KRONSTRÖM DESJARDINS, S.E.N.C.R.L. sous la dir. de BERNARD, Y., SASSEVILLE, A. et CLICHE, B.), Cowansville, Les Éditions Yvon Blais inc., 2008, p. 143 à 148.

1/292 V. GAGNON, R.P., LEBEL, L. et VERGE, P., *Droit du travail*, 2e éd., Ste-Foy, Les Presses de l'Université Laval, 1991, p. 149 à 151.

1/293 V. GOYETTE, R.M., «La réforme de la *Loi sur les normes du travail*: les points saillants», dans *Développements récents en droit du travail (2003)*, Formation permanente du Barreau du Québec, Cowansville, Les Éditions Yvon Blais inc., 2003, p. 71.

1/294 V. GOYETTE, R.M., «À la recherche du véritable statut: salarié ou travailleur autonome», dans *Développements récents en droit du travail (1998)*, Formation permanente du Barreau du Québec, Cowansville, Les Éditions Yvon Blais inc., 1998, p. 19.

1/295 V. HÉBERT, G. et TRUDEAU, G., *Les normes minimales du travail au Canada et au Québec*, Cowansville, Les Éditions Yvon Blais inc., 1987, p. 38 à 42.

1/296 V. LAPORTE, P., *Le traité du recours à l'encontre d'un congédiement sans cause juste et suffisante (en vertu de la Loi sur les normes du travail, article 124)*, Montréal, Wilson & Lafleur ltée, 1992, p. 18 à 40.

1/297 V. MASSE, C., «Le nouveau *Code civil du Québec* et l'entrepreneur précaire», dans *Emploi précaire et non-emploi: droits recherchés*, UQAM, Actes de la 5e Journée en droit social et du travail, Cowansville, Les Éditions Yvon Blais inc., 1994, p. 37.

1/298 V. MORIN, F., «Être et ne pas être à la fois salarié! ou Les arrêts *Garon / Fillion* et le *Code civil du Québec* — Suites et poursuites», dans *Développements récents en droit du travail (2006)*, Formation continue du Barreau du Québec, Cowansville, Les Éditions Yvon Blais inc., 2006, p. 19.

1/299 V. MORIN, F., «Le contrat de travail: fiction et réalité!», dans *Développements récents en droit du travail (2005)*, Formation permanente du Barreau du Québec, Cowansville, Les Éditions Yvon Blais inc., 2005, p. 179.

1/300 V. MORIN, F., «Le salarié, nouvelle conception civiliste!», (1996) 51 *R.I.* 5.

1/301 V. MORIN, F., «La double personnalité d'un concierge!», (1986) 41 *R.I.* 835.

1/302 V. MORIN, F., «Pour un titre deuxième au Code du travail portant sur la relation individuelle de travail», (1974) 20 *McGill L.J.* 414.

1/303 V. POIRIER, M., «L'économie générale de la nouvelle loi: une mise à jour de la Loi du salaire minimum?», dans *La détermination des conditions minimales* *de travail par l'État — Une loi: son économie et sa portée*, 35e congrès des relations industrielles de l'Université Laval, Ste-Foy, Les Presses de l'Université Laval, 1980, p. 33.

1/304 V. ROUSSEAU, A., «Le contrat individuel de travail», dans Mallette, N. (dir.), *La gestion des relations du travail au Québec; le cadre juridique et institutionnel*, Montréal, McGraw-Hill, 1980, p. 13 à 33.

1/305 V. TOUCHETTE, G. et WELLS, G., «La détermination du statut de salarié», (1966-67) 8 *C. de D.* 309.

1/306 V. TRUDEAU, G., «La jurisprudence élaborée par les commissaires du travail dans le cadre de leur nouvelle compétence en matière de congédiement sans cause juste et suffisante», (1992) 52 *R. du B.* 803.

1/307 V. VERGE, P., «Le dépassement du contrat individuel à durée déterminée», (1978) 33 *R.I.* 680.

PARAGRAPHE 11

SEMAINE

1/308 Il faut interpréter le terme semaine utilisé à l'article 122.2 L.N.T. (disposition abrogée, voir maintenant l'article 79.1 L.N.T.) comme correspondant à sept jours consécutifs.
Doucet c. *Scabrini Média inc.*, D.T.E. 2003T-724 (C.R.T.).
Letts c. *Gasco, Grignon, Laporte*, D.T.E. 92T-1159 (C.T.).

1/309 Le calcul du délai en cas d'absence pour maladie ou d'accident doit s'effectuer à partir du premier jour d'absence pour maladie et à partir de cette date, les semaines doivent être calculées en blocs consécutifs de sept jours.
Reinlein c. *Laboratoires Abbott ltée*, D.T.E. 2003T-960 (C.R.T.).
Abboud c. *Gestion Ramair inc.*, D.T.E. 93T-565 (C.T.).
Pelletier c. *B.G. Checo international ltée*, D.T.E. 93T-1306 (C.T.).

PARAGRAPHE 12

SERVICE CONTINU

Général

1/310 La question de la continuité du service constitue une condition préliminaire à l'exercice de la compétence du commissaire et toute erreur à ce sujet est révisable par voie d'évocation, même s'il s'agit d'une erreur raisonnable.
Malo c. *Côté-Desbiolles*, (1995) R.J.Q. 1686 (C.A.), D.T.E. 95T-827 (C.A.), J.E. 95-1438 (C.A.) (autorisation d'appeler à la Cour suprême refusée).
Bergeron c. *Métallurgie Frontenac ltée*, (1992) R.J.Q. 2656 (C.A.), D.T.E. 92T-1248 (C.A.), J.E. 92-1655 (C.A.).
Boucher c. *Centre de placement spécialisé du Portage (C.P.S.P.)*, (1993) R.D.J. 137 (C.A.), D.T.E. 92T-552 (C.A.), J.E. 92-1695 (C.A.).
Contra: *Publications Dumont (1988) inc.* c. *Doré*, D.T.E. 2000T-59 (C.A.), J.E. 2000-136 (C.A.), REJB 1999-15538 (C.A.).

Disco Bar Le Globe inc. c. *Commissaire général du travail*, D.T.E. 96T-1474 (C.S.), J.E. 96-2254 (C.S.) (appel rejeté sur requête).
Dorval (Cité de) c. *St-Georges*, D.T.E. 96T-1379 (C.S.) (appel rejeté: C.A.M. n° 500-09-003295-961, le 18 mai 2000).

1/311 L'interprétation de la notion de service continu prévue à l'article 1(12) L.N.T. relève de la compétence unique et spécialisée du commissaire. Une décision rendue à ce propos est assujettie à la norme de contrôle de l'erreur manifestement déraisonnable.
Spooner c. *Bussière*, D.T.E. 2003T-637 (C.S.).

1/312 La norme de contrôle judiciaire en ce qui concerne la détermination de la notion de service continu est celle de la décision correcte.
Kaur c. *Rouleau*, D.T.E. 2002T-846 (C.S.), J.E. 2002-1639 (C.S.), REJB 2002-33995 (C.S.).

1/313 La nouvelle définition du service continu que l'on retrouve à l'article 1(12) L.N.T. accorde au décideur la discrétion pour déterminer si les circonstances particulières permettent de conclure à la continuité du service, et ce, malgré l'interruption de la prestation de travail.
Gjerek c. *Noranda inc., division C.C.R.*, D.T.E. 95T-913 (C.T.).
Contra: *Gagné* c. *Monette*, (1998) R.J.D.T. 1531 (C.S.), D.T.E. 98T-1029 (C.S.), J.E. 98-1982 (C.S.), REJB 1998-07593 (C.S.) (appel rejeté: REJB 2001-25941 (C.A.)).

1/314 Le service continu constitue une norme du travail au sens de la *Loi sur les normes du travail*.
Delisle c. *2544-0751 Québec inc.*, D.T.E. 2001T-1156 (C.T.).

1/315 La détermination de la nature véritable d'une interruption temporaire de travail est une question de fait. Le commissaire a compétence pour déterminer s'il y a eu résiliation du contrat de travail interrompant le service continu du salarié.
Thetford Mines (Ville de) c. *Gagnon*, D.T.E. 95T-22 (C.S.).

1/316 Un arbitre de griefs peut ne pas appliquer les dispositions de la *Loi sur les normes du travail* quant à la notion de service continu, mais il peut utiliser cette notion et le sens qu'elle lui donne aux fins de l'interprétation de la convention collective.
Syndicat national des employées et employés municipaux de Tracy c. *Tracy (Ville de)*, D.T.E. 95T-695 (T.A.).

1/317 On ne peut faire échec à la notion de service continu prévue dans la *Loi sur les normes du travail*, laquelle est d'ordre public.
Dechamplain c. *Provigo (Maxi)*, D.T.E. 96T-387 (C.T.).
Lalande c. *Provigo Distribution inc., division Maxi A 9 (2428-7476)*, D.T.E. 94T-1132 (C.T.) (révision judiciaire refusée: C.S.M. n° 500-05-010529-947, le 21 février 1995) (appel rejeté: D.T.E. 98T-1059 (C.A.), J.E. 98-2031 (C.A.), REJB 1998-08026 (C.A.)).
Syndicat des interprètes professionnels c. *Collège d'enseignement général et professionnel du Vieux Montréal (griefs individuels, Martin Léveillé et autres)*, D.T.E. 2006T-739 (T.A.).

1/318 La notion de service continu prévue dans la *Loi sur les normes du travail* et celle d'ancienneté que l'on retrouve dans les conventions collectives, sont deux notions bien différentes.
Syndicat des employés d'Albert Perron inc. (CSN) c. *Albert Perron inc. (Denis Vallée)*, D.T.E. 2007T-348 (T.A.).
Provigo Distribution inc. (division Laval) c. *Travailleuses et travailleurs unis de l'alimentation et du commerce, section locale 501*, D.T.E. 2002T-749 (T.A.).
Syndicat national des employées et employés municipaux de Tracy c. *Tracy (Ville de)*, D.T.E. 95T-695 (T.A.).

1/319 La durée du service continu d'un salarié et l'ancienneté sont deux notions différentes. Il est bien établi qu'en vertu de l'article 1(12) L.N.T., le salarié bénéficie d'une durée de service continu, et ce, malgré le congé pour études de celui-ci qui n'interrompt pas le lien d'emploi. Cependant, la *Loi sur les normes du travail* ne protège pas les droits d'ancienneté. Ainsi, en l'absence d'une entente individuelle ou collective, l'acquisition, le maintien ou la perte d'un droit d'ancienneté doit découler d'une règle claire et connue des parties pour constituer une condition de travail susceptible d'être protégée par les dispositions de l'article 59 C.T.
Syndicat des travailleuses et travailleurs des centres de la petite enfance de Montréal et Laval-CSN c. *Centre de la petite enfance de Pointe-St-Charles (Tina Poirier)*, D.T.E. 2006T-773 (T.A.).

1/320 Pour qu'il y ait service continu, il importe que la continuité de la relation contractuelle découle d'un seul contrat de travail à durée indéterminée, d'un contrat à durée déterminée qui fut reconduit ou de la succession de plusieurs contrats à durée déterminée, à la condition expresse qu'il n'y ait pas eu de rupture du lien d'emploi.
Collège d'affaires Ellis inc. c. *Lafleur*, D.T.E. 83T-535 (C.S.) (appel rejeté: C.A.M. n° 500-09-000620-831, le 11 octobre 1984).
Syndicat des interprètes professionnels c. *Collège d'enseignement général et professionnel du Vieux Montréal (griefs individuels, Martin Léveillé et autres)*, D.T.E. 2006T-739 (T.A.).
St-Nicéphore (Corp. mun. de) c. *Côté*, (1984) T.A. 161, D.T.E. 84T-213 (T.A.).

1/321 Le service continu vise la durée ininterrompue pendant laquelle un salarié est lié au même employeur par un contrat de travail sans qu'il y ait résiliation du contrat.
Hotel Copper Co. 2162-6817 Québec inc. c. *Côté*, D.T.E. 85T-269 (T.A.).
S. Huot (1976) inc. c. *Syndicat des travailleurs de la métallurgie de Québec inc.*, D.T.E. 84T-222 (T.A.).
Laboratoires Nordic inc. c. *Dubois*, (1982) T.A. 913, D.T.E. 82T-859 (T.A.).

1/322 La définition de «service continu» que l'on retrouve à l'article 1(12) L.N.T. fait appel à une période où un salarié est lié à un employeur dans une même entreprise. La définition n'emploie pas l'expression «même employeur», mais «à l'employeur», c'est-à-dire quiconque fait effectuer un travail par un salarié.
Télé-alarme T.S. inc. c. *Nadeau*, D.T.E. 93T-1129 (C.S.), J.E. 93-1719 (C.S.).

1/323 Est exclu de cette notion, le contrat de travail à durée déterminée sans clause de reconduction tacite. La seule addition de contrats particularisés et temporaires ne fait pas naître un contrat à durée indéterminée. Lorsque le contrat arrive à échéance, il y a interruption du service continu surtout en

l'absence de promesse ou de droit de rappel permettant au salarié d'être assuré d'obtenir le contrat d'une année à l'autre.
C.N.T. c. *Commission des écoles catholiques de Québec*, D.T.E. 95T-887 (C.A.), J.E. 95-1527 (C.A.).
Commission scolaire des Milles-Îles c. *C.N.T.*, D.T.E. 94T-797 (C.A.), J.E. 94-1166 (C.A.).
C.N.T. c. *Technologies industrielles S.N.C. inc.*, D.T.E. 99T-502 (C.Q.).
Bélanger c. *Commission scolaire des Rives-du-Saguenay*, D.T.E. 2008T-574 (C.R.T.).
Souccar c. *131427 Canada inc.*, D.T.E. 2008T-644 (C.R.T.) (révision en vertu de l'article 127 C.T. refusée: D.T.E. 2009T-46 (C.R.T.)) (requête en révision judiciaire: n° 500-17-047666-097).
Bouledroua c. *Bodycote Essais de matériaux Canada inc. (Technitrol Bodycote)*, D.T.E. 2006T-313 (C.R.T.).
Proulx c. *St-Alexis-de-Matapédia (Municipalité de)*, D.T.E. 2003T-683 (C.R.T.).
Murdochville (Ville de) c. *Poirier*, D.T.E. 95T-724 (T.T.) (révision judiciaire refusée: D.T.E. 96T-797 (C.S.)).
Doucet c. *Maison Dehon*, D.T.E. 95T-749 (C.T.).
C.S.R. de Lanaudière c. *Blanchet-Provost*, D.T.E. 84T-265 (T.A.).
V. aussi: *Société d'électrolyse et de chimie Alcan ltée* c. *C.N.T.*, D.T.E. 95T-448 (C.A.), J.E. 95-773 (C.A.).

1/324 Il peut y avoir service continu lorsque des contrats à durée déterminée se succèdent. Cette continuité peut naître notamment lorsqu'on ne peut constater, entre la fin d'un contrat et le début de l'autre, un intervalle suffisant pour permettre l'occupation du poste par une autre personne. Aux fins de l'application de la *Loi sur les normes du travail*, ce qui importe, c'est la durée ininterrompue de la relation employeur-employé, même si l'exécution du travail est elle-même interrompue.
C.N.T. c. *Commission des écoles catholiques de Québec*, D.T.E. 95T-887 (C.A.), J.E. 95-1527 (C.A.).
Commission scolaire Berthier Nord-Joli c. *Beauséjour*, (1988) R.J.Q. 639 (C.A.), D.T.E. 88T-261 (C.A.), J.E. 88-414 (C.A.).
Carrier c. *Peignes à métier L.P.L. inc.*, (2000) R.J.D.T. 1103 (C.T.), D.T.E. 2000T-748 (C.T.).
Syndicat des interprètes professionnels c. *Collège d'enseignement général et professionnel du Vieux Montréal (griefs individuels, Martin Léveillé et autres)*, D.T.E. 2006T-739 (T.A.).

1/325 Le service ne peut être continu lorsqu'il y a interruption de la relation juridique, dans le cadre du renouvellement de plusieurs contrats à durée déterminée.
Proulx c. *St-Alexis-de-Matapédia (Municipalité de)*, D.T.E. 2003T-683 (C.R.T.).
Langlois c. *Société Asbestos ltée*, D.T.E. 83T-852 (T.A.).

1/326 Le fait que le salarié plaignant ait changé d'établissement n'a pas pour conséquence d'interrompre le service continu lorsque celui-ci n'a pas cessé de travailler pour le même employeur.
Cantin c. *Société des casinos du Québec inc. (Casino de Charlevoix)*, D.T.E. 2007T-771 (C.R.T.) (révision en vertu de l'article 127 C.T. refusée).

1/327 Le service continu est la durée ininterrompue du lien d'emploi et non la période de temps travaillée durant la période de référence.

Imprimerie Montréal-Granby c. *Syndicat québécois de l'imprimerie et des communications, local 145*, (1986) T.A. 412, D.T.E. 86T-504 (T.A.).

1/328 Le critère principal servant à évaluer la continuité du service, ce n'est pas que des services aient été fournis continuellement, mais plutôt que le salarié ait eu continuellement un lien d'emploi avec son employeur.
Baby c. *Orchestre symphonique de Québec inc.*, (1987) T.A. 16, D.T.E. 87T-14 (T.A.).

1/329 Le service continu n'est pas interrompu par l'expiration d'un contrat à durée déterminée.
Malo c. *Côté-Desbiolles*, (1995) R.J.Q. 1686 (C.A.), D.T.E. 95T-827 (C.A.), J.E. 95-1438 (C.A.) (autorisation d'appeler à la Cour suprême refusée).
Commission scolaire Berthier Nord-Joli c. *Beauséjour*, (1988) R.J.Q. 639 (C.A.), D.T.E. 88T-261 (C.A.), J.E. 88-414 (C.A.).
Produits Shell Canada ltée c. *Martin*, D.T.E. 88T-260 (C.S.).
Collège d'affaires Ellis inc. c. *Lafleur*, D.T.E. 83T-535 (C.S.) (appel rejeté: C.A.M. n⁰ 500-09-000620-831, le 11 octobre 1984).
C.N.T. c. *Université du Québec à Trois-Rivières*, D.T.E. 86T-545 (C.Q.), J.E. 86-752 (C.Q.).
Guérin c. *Collège d'enseignement général et professionnel d'Alma*, D.T.E. 2007T-919 (C.R.T.).
Tardif c. *Office municipal d'habitation de La Pocatière*, D.T.E. 2007T-366 (C.R.T.).
Boily c. *Corp. de l'École polytechnique de Montréal*, (2001) R.J.D.T. 168 (C.T.), D.T.E. 2001T-60 (C.T.) (règlement hors cour partiel).
Rivest c. *Collège de Maisonneuve*, D.T.E. 2000T-455 (C.T.).
Ménard c. *Collège de Maisonneuve*, D.T.E. 99T-415 (C.T.).
Deschamps c. *École supérieure de danse du Québec*, (1998) R.J.D.T. 1273 (C.T.), D.T.E. 98T-839 (C.T.) (révision judiciaire refusée: C.S.M. n⁰ 500-05-043110-988, le 2 octobre 1998).
Syndicat des interprètes professionnels c. *Collège d'enseignement général et professionnel du Vieux Montréal (griefs individuels, Martin Léveillé et autres)*, D.T.E. 2006T-739 (T.A.).
Meunier c. *Université du Québec à Trois-Rivières*, D.T.E. 91T-81 (T.A.).
Commission scolaire catholique de Sherbrooke c. *De Billy*, D.T.E. 90T-1353 (T.A.).
Chamberland c. *Commission scolaire des Chutes-de-la-Chaudière*, D.T.E. 89T-1141 (T.A.), conf. par *sub nom. Chamberland* c. *Desnoyers*, D.T.E. 90T-993 (C.S.).
Contra: *C.N.T.* c. *Commission des écoles catholiques de Québec*, D.T.E. 95T-887 (C.A.), J.E. 95-1527 (C.A.).
Boucher-Lamothe c. *Commission scolaire des Rivières, École Monseigneur Desranleau*, D.T.E. 89T-1203 (T.A.).
Commission scolaire d'Iberville c. *Lapointe*, (1989) T.A. 534, D.T.E. 89T-494 (T.A.).
Bédard c. *Cie Mask-Rite ltée*, (1988) T.A. 464, D.T.E. 88T-485 (T.A.).
Fillion c. *Club de curling Riverbend d'Alma*, (1988) T.A. 442, D.T.E. 88T-489 (T.A.).
Académie Michèle Provost inc. c. *Chalouhi*, D.T.E. 87T-805 (T.A.).
Lajoie c. *Multi-Marques inc.*, D.T.E. 87T-160 (T.A.).
Leroy c. *Sephardic Hebrew High School*, D.T.E. 87T-637 (T.A.).
Dorion c. *Blanchet*, D.T.E. 86T-199 (T.A.).
Massé c. *Jardin d'enfants bilingue de Lorraine*, (1983) T.A. 832, D.T.E. 83T-879 (T.A.).

1/330 Il n'y a pas lieu, en fonction de la *Loi sur les normes du travail*, de faire une distinction entre les salariés qui ont un contrat à durée indéterminée et ceux

qui ont un contrat à durée déterminée. Une succession de contrats à durée déterminée peut conduire à l'existence d'un contrat à durée indéterminée.
Brouillette c. *Pilon ltée*, (2000) R.J.D.T. 1035 (C.T.), D.T.E. 2000T-699 (C.T.) (requête en révision judiciaire: n° 550-05-009964-001).

1/331 Il n'y a pas de service continu dans le cas où le travail est exécuté sur appel et où le salarié est appelé à remplacer de temps à autre des salariés absents pour maladie ou autre cause, si rien ne l'oblige à être disponible pour travailler chez l'employeur, et si rien n'oblige ce dernier à lui offrir un nombre minimal de jours de travail. Dans ce cas, c'est le lien d'emploi et non seulement l'exécution du travail qui est interrompu.
Commission scolaire des Milles-Îles c. *C.N.T.*, D.T.E. 94T-797 (C.A.), J.E. 94-1166 (C.A.).

1/332 La personne qui occupe un poste à statut temporaire, bénéficiant de contrats successifs à durée déterminée, où l'on observe la rupture du lien d'emploi à la fin de chaque contrat, ne cumule pas de service continu, et ce, surtout lorsque chaque embauche du salarié fait l'objet d'un contrat particulier et est précédé d'un examen pré-embauche et qu'aucune disponibilité n'est exigée de la part de celui-ci.
Technologies industrielles S.N.C. inc. c. *Vaillancourt*, D.T.E. 2001T-294 (C.A.), REJB 2001-23163 (C.A.).

1/333 La durée du service continu court jusqu'à la résiliation du contrat de travail.
C.N.T. c. *Vêtements Victoriaville inc.*, (1988) R.J.Q. 555 (C.Q.), D.T.E. 88T-114 (C.Q.), J.E. 88-170 (C.Q.).

1/334 La notion de service continu ne peut s'appliquer qu'à la période où une personne est au service d'un employeur. Ainsi, le fait de se comporter en actionnaire et en administrateur fait en sorte que l'on ne peut reconnaître à cette personne le statut de salarié.
Huot c. *Oblic Coiffure inc.*, D.T.E. 97T-926 (C.T.).

1/335 Le service continu s'attache à l'entreprise, quel que soit celui qui l'administre.
Ventes Mercury des Laurentides inc. c. *Bergevin*, D.T.E. 88T-153 (C.A.).
Produits Pétro-Canada inc. c. *Moalli*, (1987) R.J.Q. 261 (C.A.), D.T.E. 87T-58 (C.A.), J.E. 87-135 (C.A.).
C.N.T. c. *Gestion Chare inc.*, D.T.E. 88T-674 (C.Q.) (règlement hors cour).

1/336 Les parties à un contrat de travail ne peuvent convenir d'une entente rétablissant la continuité d'un service qui a été interrompu.
Produits Pétro-Canada inc. c. *Moalli*, (1987) R.J.Q. 261 (C.A.), D.T.E. 87T-58 (C.A.), J.E. 87-135 (C.A.).
C.N.T. c. *Chirurgiens vasculaires associés de Québec*, D.T.E. 2000T-1022 (C.Q.).
Gaboriault c. *Usco inc.*, D.T.E. 2001T-558 (C.T.).
Kapsch c. *Transformateurs Marcus Exacta du Canada ltée*, (1995) C.T. 353, D.T.E. 95T-789 (C.T.).
Brière c. *Provigo Distribution inc., division Montréal, secteur gros*, (1992) C.T. 530, D.T.E. 92T-897 (C.T.).
Productions du Cirque du Soleil inc. c. *Pelletier*, D.T.E. 91T-1300 (T.A.).
Deschamps c. *Centre du confort de Montréal, division E.S.F. ltée*, (1983) T.A. 465, D.T.E. 83T-432 (T.A.).
Laboratoires Nordic inc. c. *Dubois*, (1982) T.A. 913, D.T.E. 82T-859 (T.A.).

Richard c. *Caisse populaire de St-Charles Borromée*, D.T.E. 82T-901 (T.A.).
Contra: *Groupe Purdel inc., division des produits de la mer* c. *Gagnon*, D.T.E. 88T-242 (C.S.).

1/337 La continuité du service doit s'apprécier selon les paramètres de la *Loi sur les normes du travail*, et non en fonction de la volonté des parties.
Bergeron c. *Publications Dumont (1988) inc.*, (1996) C.T. 268, D.T.E. 96T-691 (C.T.) (révision judiciaire refusée: C.S. Hull, n° 550-05-002841-966, le 5 septembre 1996) (appel rejeté: D.T.E. 2000T-59 (C.A.), J.E. 2000-136 (C.A.), REJB 1999-15538 (C.A.)).

1/338 Il n'est pas nécessaire qu'il y ait remise d'un avis écrit pour interrompre le service continu.
Cloutier c. *G.T.E. Sylvania Canada ltée*, D.T.E. 90T-211 (T.A.).

Calcul du service continu

1/339 Le calcul du service continu ne constitue par un droit substantif, mais bien une manière d'appliquer le droit de réclamer, et le salarié peut additionner les services rendus pour le bénéfice de l'employeur avant l'entrée en vigueur de la Loi sur les normes.
C.N.T. c. *Frank White Entreprises inc.*, (1984) C.P. 232, D.T.E. 84T-800 (C.Q.), J.E. 84-893 (C.Q.).

1/340 Il y a lieu de faire une distinction entre la conclusion d'un contrat de travail et le début de la prestation de travail. En effet, le calcul du service continu commence à compter du début de la prestation de travail et non à compter de la conclusion du contrat et se termine lorsque l'employeur rompt le contrat de travail.
Martel c. *Bois d'énergie inc.*, D.T.E. 2006T-710 (C.R.T.).
Gagné c. *Chambly (Ville de)*, (1997) C.T. 301, D.T.E. 97T-758 (C.T.), conf. par (1998) R.J.D.T. 1531 (C.S.), D.T.E. 98T-1029 (C.S.), J.E. 98-1982 (C.S.), REJB 1998-07593 (C.S.) (appel rejeté: REJB 2001-25941 (C.A.)).

1/341 La période d'évaluation d'un candidat n'entre pas dans la détermination et la computation du service continu. Par ailleurs, la *Loi sur les normes du travail* prévoit que le service continu est interrompu le jour du congédiement du salarié.
Bertrand c. *Ambulances Abitémis inc.*, D.T.E. 99T-503 (C.T.).

1/342 La computation du nombre d'années de service continu ne se fait pas jour par jour, mais plutôt de la première à la dernière journée de travail.
Boucher c. *Pliages Apaulo inc.*, D.T.E. 96T-148 (C.T.).

1/343 Le temps travaillé à titre de travailleur autonome n'est pas couvert par la loi et ne peut être comptabilisé comme étant du service continu.
Bielous c. *Agence Mark Richman ltée*, (1987) T.A. 319, D.T.E. 87T-455 (T.A.).
V. également sous *Mise à pied*.

1/344 Le temps travaillé à titre de cadre supérieur doit être comptabilisé comme étant du service continu, si le congédiement a lieu lorsque la personne est redevenue un simple salarié.
Lozeau c. *Suspension J.C. Beauregard inc.*, (1998) R.J.D.T. 1268 (C.T.), D.T.E. 98T-863 (C.T.).

1/345 La personne qui alterne entre du travail bénévole et du travail rémunéré n'accumule pas de service continu.
Doucet c. *Maison Dehon*, D.T.E. 95T-749 (C.T.).

Aliénation d'entreprise

1/346 L'aliénation de l'entreprise ne modifie pas le service continu d'un salarié pour les fins de l'article 124 L.N.T.
Ventes Mercury des Laurentides inc. c. *Bergevin*, D.T.E. 88T-153 (C.A.).
Martin c. *Cie d'assurances du Canada sur la vie*, (1987) R.J.Q. 514 (C.A.), D.T.E. 87T-247 (C.A.), J.E. 87-357 (C.A.).
Produits Pétro-Canada inc. c. *Moalli*, (1987) R.J.Q. 261 (C.A.), D.T.E. 87T-58 (C.A.), J.E. 87-135 (C.A.).
Favreau c. *Société en commandite Le Longueuil*, D.T.E. 90T-1104 (T.A.).
Buffet de la Brasserie Molière c. *Charbonneau*, D.T.E. 88T-509 (T.A.).
Contra: *Caisse populaire St-Robert de Montréal* c. *Bergevin*, D.T.E. 84T-743 (C.S.).
Gestion Place Victoria inc. c. *Deslierres*, (1983) C.S. 461, D.T.E. 83T-584 (C.S.), J.E. 83-742 (C.S.).
C.N.T. c. *Vincelli*, D.T.E. 82T-701 (C.Q.), J.E. 82-1025 (C.Q.).
André c. *Harvey's*, (1987) T.A. 67, D.T.E. 87T-179 (T.A.).

1/347 Il n'y a pas maintien du service continu lorsque le vendeur congédie un salarié et que l'acquéreur ne le réembauche pas.
Speer Canada (1988) inc. c. *Cloutier*, D.T.E. 90T-1203 (C.S.), J.E. 90-1484 (C.S.) (appel rejeté sur requête).
C.N.T. c. *Vêtements Victoriaville inc.*, (1988) R.J.Q. 555 (C.Q.), D.T.E. 88T-114 (C.Q.), J.E. 88-170 (C.Q.).
C.N.T. c. *L.S. Tarshis ltée*, (1985) C.P. 267, D.T.E. 85T-747 (C.Q.), J.E. 85-876 (C.Q.).
Larue c. *149444 Canada inc.*, D.T.E. 89T-982 (T.A.).

1/348 Il y a interruption du service continu et résiliation du contrat de travail dans le cas de vente en justice, car il s'agit d'une vente pour fins de liquidation.
Bergeron c. *Métallurgie Frontenac ltée*, (1992) R.J.Q. 2656 (C.A.), D.T.E. 92T-1248 (C.A.), J.E. 92-1655 (C.A.).
C.N.T. c. *Cie de gestion Welfab*, (1989) R.J.Q. 2547 (C.S.), D.T.E. 89T-949 (C.S.), J.E. 89-1436 (C.S.) (appel accueilli pour d'autres motifs: D.T.E. 99T-481 (C.A.), J.E. 99-1050 (C.A.), REJB 1999-12108 (C.A.)).
C.N.T. c. *Banque nationale du Canada*, D.T.E. 88T-282 (C.S.).
C.N.T. c. *Delta Granite inc.*, D.T.E. 85T-798 (C.S.), J.E. 85-927 (C.S.).
C.N.T. c. *Allied Cigar Corp.*, (1985) C.P. 292, D.T.E. 85T-783 (C.Q.), J.E. 85-931 (C.Q.).
Cloutier c. *Fortier-Babin*, (1987) T.A. 416, D.T.E. 87T-594 (T.A.).
Contra: *Groupe Purdel inc., division des produits de la mer* c. *Gagnon*, D.T.E. 88T-242 (C.S.).

Suspension ou interruption du travail

1/349 La suspension ou l'interruption de la prestation de travail sans qu'il y ait une rupture du lien d'emploi ne porte pas atteinte à la continuité des services du salarié.
Thetford Mines (Ville de) c. *Gagnon*, D.T.E. 95T-22 (C.S.).
C.N.T. c. *148983 Canada ltée*, D.T.E. 2002T-331 (C.Q.).

Guérin c. *Collège d'enseignement général et professionnel d'Alma*, D.T.E. 2007T-919 (C.R.T.).
Carrier c. *Peignes à métier L.P.L. inc.*, (2000) R.J.D.T. 1103 (C.T.), D.T.E. 2000T-748 (C.T.).
Rivest c. *Collège de Maisonneuve*, D.T.E. 2000T-455 (C.T.).
Hillock c. *Technologies industrielles S.N.C. inc.*, D.T.E. 98T-975 (C.T.).
Lemay c. *Québec (Ministère du Revenu)*, D.T.E. 94T-244 (C.T.).
Émond c. *La Malbaie (Ville de)*, D.T.E. 92T-184 (T.A.).
Groupe Purdel inc. (Division des produits de la mer) c. *Dupuis-Cloutier*, (1987) T.A. 529, D.T.E. 87T-767 (T.A.).
Chemise Lapointe inc. c. *Drouin*, D.T.E. 86T-407 (T.A.).
Lemay c. *Remtec inc.*, D.T.E. 84T-802 (T.A.).
Thomas c. *Surveyer, Nenniger & Chenevert inc.*, D.T.E. 83T-957 (T.A.).
Heutte c. *Centre médical des industries de la mode de Montréal (U.I.O.V.D.)*, D.T.E. 82T-900 (T.A.).

1/350 Dans la mesure où il n'y a jamais eu démission, congédiement ni licenciement, le service continu n'est pas interrompu.
Bergeron c. *Publications Dumont (1988) inc.*, (1996) C.T. 268, D.T.E. 96T-691 (C.T.) (révision judiciaire refusée: C.S. Hull, n° 550-05-002841-966, le 5 septembre 1996) (appel rejeté: D.T.E. 2000T-59 (C.A.), J.E. 2000-136 (C.A.), REJB 1999-15538 (C.A.)).

1/351 Le salarié demeure lié à son employeur par un contrat de travail, même si l'exécution du travail a été interrompue sans qu'il y ait résiliation du contrat.
Racine c. *Vallerand*, D.T.E. 94T-1307 (C.S.) (règlement hors cour).
Carrier c. *Peignes à métier L.P.L. inc.*, (2000) R.J.D.T. 1103 (C.T.), D.T.E. 2000T-748 (C.T.).

1/352 En acceptant de travailler pour un nouvel employeur, le salarié résilie son contrat de travail avec l'employeur précédent.
Kapsch c. *Transformateurs Marcus Exacta du Canada ltée*, (1995) C.T. 353, D.T.E. 95T-789 (C.T.).

1/353 Il y a service continu malgré le fait que le salarié ait travaillé, successivement, pour deux sociétés, si ces dernières appartiennent au même employeur.
Bernard c. *Multi-recyclage S.D. inc.*, (1998) R.J.D.T. 187 (C.T.), D.T.E. 98T-15 (C.T.).

1/354 Il y a accumulation du service continu même si la prestation de travail du salarié est interrompue par le déménagement de l'entreprise.
Heutte c. *Centre médical des industries de la mode de Montréal (U.I.O.V.D.)*, D.T.E. 82T-900 (T.A.).

1/355 La cessation temporaire de la prestation de travail à la demande de l'employeur ne met pas fin au service continu. Dans un tel cas, il n'y a pas de rupture du lien d'emploi.
Lacasse c. *Service de prévention Microtec inc.*, D.T.E. 97T-459 (C.T.).

1/356 Il y a accumulation du service continu lorsqu'il y a une durée ininterrompue de la relation de travail employeur-enseignant même si, dans les faits, l'exécution du travail est interrompue.

Bérard c. *Commission scolaire du Pays-des-Bleuets*, (2006) R.J.D.T. 744 (C.R.T.), D.T.E. 2006T-396 (C.R.T.).
D'Andréa c. *Commission scolaire de Laval*, D.T.E. 2001T-1176 (C.T.).
Meunier c. *Université du Québec à Trois-Rivières*, D.T.E. 91T-81 (T.A.).
Commission scolaire catholique de Sherbrooke c. *De Billy*, D.T.E. 90T-1353 (T.A.).
Académie Michèle Provost inc. c. *Chalouhi*, D.T.E. 87T-805 (T.A.).
Bélanger Herr c. *Collège français (1965) inc.*, D.T.E. 83T-956 (T.A.).
Contra: *C.N.T.* c. *Commission des écoles catholiques de Québec*, D.T.E. 95T-887 (C.A.), J.E. 95-1527 (C.A.).
Bélanger c. *Commission scolaire des Rives-du-Saguenay*, D.T.E. 2008T-574 (C.R.T.).

1/357 Le fait, pour un salarié, d'avoir exercé pendant un certain temps des fonctions de cadre supérieur, n'a pas d'incidence sur la computation des années de service continu.
C.N.T. c. *D. Bertrand & Fils inc.*, (2001) R.J.D.T. 1765 (C.Q.), D.T.E. 2001T-992 (C.Q.), J.E. 2001-1889 (C.Q.), REJB 2001-27273 (C.Q.).

1/358 L'abolition de poste met fin au lien d'emploi et au service continu.
Ménard c. *Optigo ltée*, D.T.E. 91T-48 (T.A.).

1/359 L'impossibilité temporaire d'offrir du travail au salarié suspend le contrat de travail mais ne le rompt pas.
Raymond c. *Landry Automobile ltée*, (1992) T.A. 272, D.T.E. 92T-372 (T.A.).

1/360 L'interruption du service continu par une mise à pied, d'une durée de plus de six mois, en l'absence d'une promesse de retour au travail assimilable à un droit de rappel, constitue un licenciement surtout lorsqu'il y a eu interruption totale des activités de l'entreprise pendant cette période.
Martel c. *Bois d'énergie inc.*, D.T.E. 2006T-710 (C.R.T.).

Sanctions disciplinaires

1/361 La suspension indéterminée n'affecte pas le service continu car il n'y a pas de rupture du lien d'emploi.
Bacon c. *Caisse populaire Desjardins de Godbout*, D.T.E. 87T-768 (T.A.).

1/362 Il n'y a pas d'interruption du service continu lorsqu'un salarié est réintégré dans ses fonctions avec tous ses droits et privilèges, après un congédiement, même s'il y a réintégration sans rétroactivité salariale.
Grenier c. *Dessie inc.*, (1986) T.A. 103, D.T.E. 86T-127 (T.A.).
V. aussi: *Kelly* c. *Taxi Coop 525-5191*, (1988) T.A. 428, D.T.E. 88T-463 (T.A.).

Assurance-chômage et autres indemnités

1/363 Il n'y a pas rupture du lien d'emploi du fait que l'employé reçoit des prestations d'assurance-chômage durant la mise à pied.
Sabourin c. *Pavages Dorval inc.*, D.T.E. 86T-108 (T.A.).
St-Nicéphore (Corp. Mun. de) c. *Côté*, (1984) T.A. 161, D.T.E. 84T-213 (T.A.).

1/364 Il n'y a pas interruption de la continuité des services par le simple paiement d'une indemnité de vacances et la réception de prestations d'assurance-chômage.

Doyon c. *H. & R. Block Canada inc.*, D.T.E. 93T-1130 (C.T.) (révision judiciaire refusée: C.S.M. n° 500-05-011141-932, le 19 octobre 1993).
Restaurant Dunns inc. c. *Jeanson*, D.T.E. 90T-1029 (T.A.) (révision judiciaire refusée: C.S.M. n° 500-05-009920-909, le 24 octobre 1990).
Buffet de la Brasserie Molière c. *Charbonneau*, D.T.E. 88T-509 (T.A.).
Chemise Lapointe inc. c. *Drouin*, D.T.E. 86T-407 (T.A.).
Joseph c. *Dalfen ltée*, D.T.E. 84T-375 (T.A.).
Contra: *Pronovost* c. *Atelier de carrosserie et mécanique Damo St-Laurent inc.*, (1984) T.A. 171, D.T.E. 84T-252 (T.A.).
Lacombe c. *Gestion Canadienne Alpha*, D.T.E. 82T-510 (T.A.).

1/365 Ni la remise du relevé d'emploi après chaque période de travail, ni le petit nombre d'heures de travail et le nombre de périodes sans travail n'ont d'incidence sur le service continu.
Bastien c. *Cie de la Baie d'Hudson*, D.T.E. 87T-159 (T.A.).

1/366 Il y a résiliation du contrat de travail lorsque l'employeur remet l'indemnité de vacances, de licenciement et le dernier chèque de paye, mettant ainsi fin au service continu.
C.N.T. c. *L.S. Tarshis ltée*, (1985) C.P. 267, D.T.E. 85T-747 (C.Q.), J.E. 85-876 (C.Q.).
Larue c. *149444 Canada inc.*, D.T.E. 89T-982 (T.A.).
Lacombe c. *Gestion canadienne Alpha*, D.T.E. 82T-510 (T.A.).
Piché c. *Aberton Textiles Ltd.*, (1981) 2 R.S.A. 92.
V. aussi: *Béland* c. *2536-3011 Québec inc.*, D.T.E. 90T-755 (T.A.).
Pronovost c. *Atelier de carrosserie et mécanique Damo St-Laurent inc.*, (1984) T.A. 171, D.T.E. 84T-252 (T.A.).
Contra: *Restaurant Dunns inc.* c. *Jeanson*, D.T.E. 90T-1029 (T.A.) (révision judiciaire refusée: C.S.M. n° 500-05-009920-909, le 24 octobre 1990).
Buffet de la Brasserie Molière c. *Charbonneau*, D.T.E. 88T-509 (T.A.).
Ateliers Roland Gingras inc. c. *Desroches*, (1987) T.A. 600, D.T.E. 87T-876 (T.A.) (révision judiciaire refusée: (1988) R.J.Q. 523 (C.S.), D.T.E. 88T-154 (C.S.), J.E. 88-248 (C.S.)).
Chemise Lapointe inc. c. *Drouin*, D.T.E. 86T-407 (T.A.).
Joseph c. *Dalfen ltée*, D.T.E. 84T-375 (T.A.).

Mise à pied

1/367 La mise à pied sans garantie de retour au travail a comme effet de mettre fin au service continu.
Schmidt c. *Groupe B.M.R. inc.*, D.T.E. 2000T-470 (C.T.).
Productions du Cirque du Soleil inc. c. *Pelletier*, D.T.E. 91T-1300 (T.A.).
Cloutier c. *G.T.E. Sylvania Canada ltée*, D.T.E. 90T-211 (T.A.).
Meloche c. *Procter & Gamble inc.*, D.T.E. 90T-65 (T.A.).
V. aussi: *Gulino* c. *Confédération des syndicats nationaux (C.S.N.)*, D.T.E. 89T-1202 (T.A.) (révision judiciaire refusée: C.S.M. n° 500-05-011255-898, le 1er décembre 1989).

1/368 La continuité du service n'est pas interrompue par la mise à pied car il n'y a pas à ce moment de rupture définitive du lien d'emploi.
C.N.T. c. *Lumilec inc.*, D.T.E. 97T-244 (C.Q.).

Labanowska c. *Grands magasins Towers inc.*, (1991) R.J.Q. 1157 (C.Q.), D.T.E. 91T-413 (C.Q.), J.E. 91-667 (C.Q.).
C.N.T. c. *Studio Sylvain Dethioux inc.*, D.T.E. 90T-934 (C.Q.).
Ladouceur c. *Compumédia Design (1996) inc.*, D.T.E. 2002T-538 (C.T.).
Bouchard c. *9019-6718 Québec inc.*, D.T.E. 2000T-1198 (C.T.) (révision judiciaire refusée: D.T.E. 2001T-435 (C.S.)).
Boucher c. *Pliages Apaulo inc.*, D.T.E. 96T-148 (C.T.).
Langis c. *Garderie populaire Champagneur inc.*, D.T.E. 92T-838 (C.T.).
Raymond c. *Landry Automobile ltée*, (1992) T.A. 272, D.T.E. 92T-372 (T.A.).
Tremblay c. *Coopérative forestière Ferland Boileau*, D.T.E. 89T-700 (T.A.).
Ateliers Roland Gingras inc. c. *Desroches*, (1987) T.A. 600, D.T.E. 87T-876 (T.A.) (révision judiciaire refusée: (1988) R.J.Q. 523 (C.S.), D.T.E. 88T-154 (C.S.), J.E. 88-248 (C.S.)).

1/369 Le service continu doit être calculé sans tenir compte des mises à pied saisonnières. En effet, la mise à pied ne constitue pas une rupture définitive du lien contractuel puisqu'elle donne droit au rappel.
Malo c. *Côté-Desbiolles*, (1995) R.J.Q. 1686 (C.A.), D.T.E. 95T-827 (C.A.), J.E. 95-1438 (C.A.) (autorisation d'appeler à la Cour suprême refusée).
Internote Canada inc. c. *C.N.T.*, (1989) R.J.Q. 2097 (C.A.), D.T.E. 89T-845 (C.A.), J.E. 89-1285 (C.A.).
Labanowska c. *Grands magasins Towers inc.*, (1991) R.J.Q. 1157 (C.Q.), D.T.E. 91T-413 (C.Q.), J.E. 91-667 (C.Q.).
Nieto c. *Travailleurs unis de l'alimentation et du commerce, section locale 501 (TUAC)*, D.T.E. 2008T-858 (C.R.T.) (règlement hors cour).
Fournier c. *Corporation de développement de la rivière Madeleine*, D.T.E. 2007T-624 (C.R.T.).
Djemaï c. *Clôtures Bénor inc.*, (2001) R.J.D.T. 1900 (C.T.), D.T.E. 2001T-1130 (C.T.).
Bélanger c. *Société nationale des Québécois et des Québécoises de la capitale*, D.T.E. 99T-391 (C.T.).
Doyon c. *H. & R. Block Canada inc.*, D.T.E. 93T-1130 (C.T.) (révision judiciaire refusée: C.S.M. n° 500-05-011141-932, le 19 octobre 1993).
Émond c. *La Malbaie (Ville de)*, D.T.E. 92T-184 (T.A.).
Baby c. *Orchestre symphonique de Québec inc.*, (1987) T.A. 16, D.T.E. 87T-14 (T.A.).
Fréreault-Leroux c. *Oratoire St-Joseph du Mont-Royal*, D.T.E. 87T-98 (T.A.).
Groupe Purdel inc. (Division des produits de la mer) c. *Dupuis-Cloutier*, (1987) T.A. 529, D.T.E. 87T-767 (T.A.).
Sabourin c. *Pavages Dorval inc.*, D.T.E. 86T-108 (T.A.).
St-Nicéphore (Corp. mun. de) c. *Côté*, (1984) T.A. 161, D.T.E. 84T-213 (T.A.).
Bédard c. *Club de Curling Légion inc.*, (1981) 3 R.S.A. 234.
V. aussi: *Meloche* c. *Procter & Gamble inc.*, D.T.E. 90T-65 (T.A.).
Contra: *Murdochville (Ville de)* c. *St-Laurent*, D.T.E. 84T-584 (T.A.).

1/370 La notion de service continu s'applique même s'il s'agit d'un travail saisonnier. En effet, l'utilisation par l'employeur d'une liste d'ancienneté pour le rappel au travail et la gestion particulière de l'entreprise peuvent faire en sorte que les salariés doivent être rappelés d'une année à l'autre.
Fruits de mer Gascons ltée c. *C.N.T.*, (2004) R.J.Q. 1135 (C.A.), (2004) R.J.D.T. 437 (C.A.), D.T.E. 2004T-333 (C.A.), J.E. 2004-706 (C.A.), REJB 2004-55215 (C.A.).
V. aussi: *Fournier* c. *Corporation de développement de la rivière Madeleine*, D.T.E. 2007T-624 (C.R.T.).

Rousseau c. *Ste-Rita (Municipalité de)*, (2007) R.J.D.T. 565 (C.R.T.), D.T.E. 2007T-501 (C.R.T.) (révision judiciaire refusée: D.T.E. 2008T-193 (C.S.)).

1/371 En présence de contrats de travail successifs, il y a application du service continu si l'interruption du travail est imputable aux aléas de la saison artistique du plaignant.
Radacovsky c. *Grands Ballets canadiens de Montréal*, D.T.E. 2006T-169 (C.R.T.).

1/372 L'alternance d'un travail temporaire saisonnier à un travail permanent ne fait pas en sorte qu'il n'y ait pas de service continu applicable, puisqu'il s'agit de contrats successifs.
Loyer c. *Supérieur propane inc.*, D.T.E. 98T-423 (C.T.).
V. aussi: *Hillock* c. *Technologies industrielles S.N.C. inc.*, D.T.E. 98T-975 (C.T.).
Pelletier c. *Association chasse et pêche de la Désert inc.*, D.T.E. 98T-823 (C.T.) (révision judiciaire refusée: C.S. Labelle, n^{0} 565-05-000028-986, le 14 août 1998).

1/373 N'accumule pas du service continu le salarié qui occupe un emploi saisonnier affiché par avis public à chaque année, qui doit postuler chaque fois pour obtenir le poste, lequel requiert l'adoption par le conseil municipal d'une résolution et que les représentants de l'employeur remettent au salarié un avis de cessation d'emploi où est cochée la mention «date de retour non prévue». Dans ce cadre, on ne peut conclure à la tacite reconduction d'un contrat de travail. À la fin de chaque contrat, il y a interruption de la relation juridique. Il ne peut s'agir d'un contrat à durée indéterminée dont l'exécution est suspendue pendant un certain temps.
C.N.T. c. *Tourville (Municipalité de)*, D.T.E. 97T-421 (C.Q.).

1/374 Les mises à pied sporadiques n'interrompent pas le service continu d'un salarié effectuant des remplacements sur appel.
Langis c. *Garderie populaire Champagneur inc.*, D.T.E. 92T-838 (C.T.).

1/375 Un chauffeur à temps partiel sur appel qui effectue des remplacements ponctuels n'accumule pas de service continu, puisqu'il y a interruption de la prestation de travail, et ce, compte tenu des questions liées à la périodicité et à la régularité de la relation d'emploi.
Schmidt c. *Groupe B.M.R. inc.*, D.T.E. 2000T-470 (C.T.).

1/376 Le salarié qui peut s'attendre à être rappelé à échéance plus ou moins longue, cumule du service continu quand il a travaillé pour l'employeur pour faire du remplacement rendu nécessaire par des situations particulières ou des besoins partagés. En effet, au delà de la durée déterminée des affectations du salarié, il peut s'établir entre celui-ci et l'employeur un lien d'emploi en vertu duquel l'un offre une disponibilité continue sur laquelle l'autre compte pour combler des besoins particuliers. La réalité du lien d'emploi de l'employé temporaire n'est pas une succession de contrat à durée déterminée mais bien une disponibilité continue pour répondre aux besoins de l'employeur.
Société d'électrolyse et de chimie Alcan ltée c. *C.N.T.*, D.T.E. 95T-448 (C.A.), J.E. 95-773 (C.A.), conf. D.T.E. 94T-434 (C.Q.).

1/377 L'article 1(12) L.N.T. admet clairement l'applicabilité de la notion de mise à pied temporaire au contrat individuel de travail.

Laurier auto inc. c. *Paquet*, (1987) R.J.Q. 804 (C.A.), D.T.E. 87T-321 (C.A.), J.E. 87-484 (C.A.).

Absence, congé, maladie

1/378 Le congé d'études n'interrompt pas la continuité du service si le lien d'emploi est maintenu.
Chemise Lapointe inc. c. *Drouin*, D.T.E. 86T-407 (T.A.).

1/379 Le fait d'obliger un salarié à suivre un cours durant l'automne avant d'occuper un emploi la saison suivante ne peut être interprété comme un indice d'interruption du service continu ou de l'emploi.
Doyon c. *H. & R. Block Canada inc.*, D.T.E. 93T-1130 (C.T.) (révision judiciaire refusée: C.S.M. n^{0} 500-05-011141-932, le 19 octobre 1993).

1/380 La maladie n'interrompt pas le service continu, en effet, cette notion réfère à la continuité du contrat de travail et non à l'exécution de la prestation de travail.
Labelle c. *Clinique dentaire Roxane & Serge Bélisle*, D.T.E. 2002T-937 (C.T.).
Lemay c. *Québec (Ministère du Revenu)*, D.T.E. 94T-244 (C.T.).
Syndicat des employés du Centre hospitalier régional de Lanaudière c. *Centre hospitalier régional de Lanaudière*, D.T.E. 90T-887 (T.A.).
Buffet de la Brasserie Molière c. *Charbonneau*, D.T.E. 88T-509 (T.A.).
Coopérative régionale des consommateurs de Tilly c. *Travailleurs unis de l'alimentation et du commerce, local 503*, D.T.E. 88T-37 (T.A.).
S. Huot (1976) inc. c. *Syndicat des travailleurs de la métallurgie de Québec inc.*, D.T.E. 84T-222 (T.A.).

1/381 Le congé de maternité n'interrompt pas le service continu.
Groupe Purdel inc. (Division des produits de la mer) c. *Dupuis-Cloutier*, (1987) T.A. 529, D.T.E. 87T-767 (T.A.).
Bélanger Herr c. *Collège français (1965) inc.*, D.T.E. 83T-956 (T.A.).
V. cependant: *Kaur* c. *Rouleau*, D.T.E. 2002T-846 (C.S.), J.E. 2002-1639 (C.S.), REJB 2002-33995 (C.S.).

1/382 La notion de service continu comprend les absences causées par un accident de travail.
Carbonneau c. *N. Morrissette Canada inc.*, D.T.E. 90T-780 (T.A.).
S. Huot (1976) inc. c. *Syndicat des travailleurs de la métallurgie de Québec inc.*, D.T.E. 84T-222 (T.A.).

1/383 Le congé sans solde interrompt temporairement la prestation de travail, mais non la durée du service continu.
Académie Michèle Provost inc. c. *Chalouhi*, D.T.E. 87T-805 (T.A.).
Groupe Purdel inc. (Division des produits de la mer) c. *Dupuis-Cloutier*, (1987) T.A. 529, D.T.E. 87T-767 (T.A.).
Société des alcools du Québec (S.A.Q.) c. *Syndicat des employés de magasins et de bureaux de la S.A.Q.*, D.T.E. 82T-192 (T.A.).
V. aussi: *Syndicat des fonctionnaires municipaux de Sorel (C.S.N.)* c. *Sorel (Ville de)*, D.T.E. 89T-1086 (T.A.).

Cependant, un congé sans solde interrompra le service continu du salarié si celui-ci n'a pas obtenu d'autorisation préalable pour prendre un tel congé.
Paradis c. *Raymond, Chabot, Paré & Associés*, D.T.E. 95T-223 (C.T.).

1/384 La notion de service continu inclut les absences dues à une grève légale.
S. Huot (1976) inc. c. *Syndicat des travailleurs de la métallurgie de Québec inc.*, D.T.E. 84T-222 (T.A.).

Divers

1/385 Il n'y a pas de service continu lorsque, entre chaque période de suppléance, le poste d'un professeur suppléant est occupé par une autre personne.
Germain c. *Commission scolaire Chutes-Montmorency*, D.T.E. 92T-369 (T.A.).
Commission des écoles catholiques de Montréal c. *Côté*, D.T.E. 89T-823 (T.A.).
V. aussi: *C.N.T.* c. *Commission des écoles catholiques*, D.T.E. 90T-912 (C.Q.), conf. par D.T.E. 95T-887 (C.A.), J.E. 95-1527 (C.A.).
Meloche c. *Procter & Gamble inc.*, D.T.E. 90T-65 (T.A.).
Chamberland c. *Commission scolaire des Chutes-de-la-Chaudière*, D.T.E. 89T-1141 (T.A.) (révision judiciaire refusée: D.T.E. 90T-993 (C.S.)).

1/386 Même si une personne a signé plusieurs contrats d'entreprise avec une autre personne, pour laquelle elle effectue des livraisons, elle demeure quand même un salarié.
Lapointe c. *J.R. Benny enr.*, D.T.E. 2004T-762 (C.R.T.).

1/387 N'accumule pas de service continu, la personne assujettie à des contrats provisoires, qui prennent fin dès le retour du salarié remplacé, compte tenu du fait que ces contrats ne sont sujets à aucun renouvellement automatique ni à aucune reconduction tacite.
C.N.T. c. *Commission des écoles catholiques de Québec*, D.T.E. 95T-887 (C.A.), J.E. 95-1527 (C.A.).
Bélanger c. *Commission scolaire des Rives-du-Saguenay*, D.T.E. 2008T-574 (C.R.T.).
V. aussi: *Bouledroua* c. *Bodycote Essais de matériaux Canada inc. (Technitrol Bodycote)*, D.T.E. 2006T-313 (C.R.T.).

1/388 Le service continu n'est pas rompu pour le seul motif qu'une personne, qui fait l'objet d'une mise à pied, se trouve un emploi ailleurs durant cette période. Cette façon d'agir du salarié ne peut être assimilée à une démission.
Fama c. *Primiani Chesterfield inc.*, D.T.E. 98T-647 (C.T.).

1/389 Le fait pour un salarié de n'avoir jamais retiré son fonds de retraite avant la fin de son emploi, ne permet pas de conclure à un quelconque caractère ininterrompu de cet emploi, compte tenu du fait que le salarié a déjà été mis à pied auparavant.
Siggia c. *Industries U.D.T. inc.*, D.T.E. 2000T-921 (C.T.) (révision judiciaire refusée: D.T.E. 2001T-515 (C.S.)).

1/390 N'accumule pas de service continu d'un contrat à l'autre, l'enseignant suppléant occasionnel dont le nom est inscrit dans une banque de noms de personnes disponibles et qui n'a droit à aucun rang ni à aucune priorité.
C.N.T. c. *Commission des écoles catholiques*, D.T.E. 90T-912 (C.Q.), conf. par D.T.E. 95T-887 (C.A.), J.E. 95-1527 (C.A.).

1/391 La promotion d'un salarié à un poste de direction d'une entreprise ne peut équivaloir à une résiliation de son contrat de travail et à l'interruption du service continu au sens de la *Loi sur les normes du travail*.
Marshall c. *Jesta I.S. inc.*, D.T.E. 2004T-362 (C.R.T.).

3/2 L'exclusion prévue à l'article 3(2) L.N.T. ne vise pas les employés d'une garderie.
Garderie coopérative «Au pays des lutins» c. *Blanchette*, D.T.E. 82T-222 (T.A.).

3/3 Doit bénéficier de la Loi sur les normes, le salarié qui travaille dans un établissement hébergeant des personnes âgées moyennant rémunération.
Commission du salaire minimum c. *McKeage*, (1969) B.R. 711.

3/4 Lorsqu'un employeur tire un profit de l'exploitation d'une résidence d'accueil pour personnes âgées, il y a poursuite de fins lucratives et l'exception de la loi ne s'applique pas.
Dary c. *Nocera*, D.T.E. 99T-482 (C.T.) (révision judiciaire refusée: D.T.E. 99T-1003 (C.S.)).

3/5 Pour qu'une personne soit exclue de l'application de la Loi sur les normes en vertu de l'article 3(2), on doit être en présence des éléments suivants:
1) Le travail doit s'effectuer dans un logement servant de résidence à une personne;
2) Le service doit être dispensé à une personne âgée;
3) Ce service doit consister à la garder ou à prendre soin d'elle en plus d'effectuer des menus travaux;
4) Les fonctions doivent se limiter uniquement à ce travail;
5) L'employeur ne doit pas poursuivre des fins lucratives au moyen de ce travail.

Dalcourt c. *Sanft*, (1994) C.T. 1, D.T.E. 94T-206 (C.T.).

3/6 Pour bénéficier de l'exclusion prévue par les dispositions de l'article 3(2) L.N.T., il est nécessaire que le travail du salarié soit effectué de façon ponctuelle, au sens de sporadique. L'exclusion vise des situations particulières, qui peuvent se définir comme un travail d'appoint ou des actions ponctuelles. D'ailleurs, le texte anglais renforce cette interprétation en utilisant l'expression «occasional basis».
C.N.T. c. *Deschênes*, D.T.E. 2007T-477 (C.Q.), EYB 2007-119655 (C.Q.).

3/7 Pour que l'exclusion s'applique, il ne faut pas que l'employeur poursuive, au moyen du travail du salarié, des fins lucratives.
C.N.T. c. *Pouliot*, D.T.E. 99T-1047 (C.Q.), J.E. 99-2138 (C.Q.), REJB 1999-15281 (C.Q.).
Proulx c. *Garderie L'éveil des chérubins*, D.T.E. 2000T-821 (C.T.).

PARAGRAPHE 3

3/8 Le salarié régi par la *Loi sur les relations du travail, la formation professionnelle et la gestion de la main-d'oeuvre dans l'industrie de la construction* (L.R.Q., c. R-20) ne peut bénéficier des avantages prévus dans la *Loi sur les normes du travail*, sauf quant aux normes relatives aux droits parentaux suivant les articles 80 à 81.17 L.N.T.
Liberté c. *Otis Canada inc.*, D.T.E. 94T-109 (T.T.).

3/9 L'exclusion prévue à l'article 3(3) L.N.T. s'explique du fait que le *Décret de la construction* prévoit une protection plus grande que celle offerte par la Loi sur les normes.
Entreprises Vibec inc. c. *Audet*, (1990) T.A. 725, D.T.E. 90T-1162 (T.A.).

1/392 Il y a continuité du service chez un même employeur malgré le fait que le plaignant ait travaillé pour deux boutiques. Elles constituent un seul «fournisseur» de travail, les mêmes actionnaires contrôlent les deux compagnies qui exploitent deux commerces semblables, la gestion est faite par la même personne et la fiche d'emploi du plaignant est identifiée au nom des deux compagnies.
Lapierre c. *Pavane Mayfair ltée*, (1985) T.A. 380, D.T.E. 85T-452 (T.A.).

1/393 Le contrat de travail conclu avec un étudiant durant l'été qui ne contient aucune promesse, aucun droit de rappel et aucune disposition engageant l'une ou l'autre des parties pour l'avenir ne peut permettre à celui-ci de cumuler du service continu d'une année à l'autre. De plus, la nature des activités d'une entreprise ne peut laisser présumer que le salarié sera rappelé d'une année à l'autre, comme cela peut être le cas dans le milieu de l'enseignement ou pour certaines activités municipales.
Gjerek c. *Noranda inc., division C.C.R.*, D.T.E. 95T-913 (C.T.).

1/394 On ne peut conclure que la simple passation d'entrevues de sélection, à chaque saison pour les anciens employés, puisse être considérée comme un indice permettant de conclure qu'il y a rupture du lien d'emploi d'une saison à l'autre.
Doyon c. *H. & R. Block Canada inc.*, D.T.E. 93T-1130 (C.T.) (révision judiciaire refusée: C.S.M. n° 500-05-011141-932, le 19 octobre 1993).

1/395 Pour déterminer s'il y a service continu au sens de la *Loi sur les normes du travail*, il n'est pas important que l'employeur ait reconnu ou non de l'ancienneté au salarié pour la période de temps où il n'avait pas le statut d'employé permanent.
Loyer c. *Supérieur propane inc.*, D.T.E. 98T-423 (C.T.).

1/396 V. la jurisprudence sous l'article 82 L.N.T. à *Rupture du lien d'emploi et mise à pied*.

1/397 V. la jurisprudence sous les articles 96 et 97 L.N.T.

1/398 V. la jurisprudence sous l'article 124 L.N.T. à SERVICE CONTINU.

1/399 V. BRIÈRE, J.-Y., «Le *Code civil du Québec* et la *Loi sur les normes du travail*: convergence ou divergence?», (1994) 49 *R.I.* 104, 117 à 119.

1/400 V. BRIÈRE, J.-Y. et VILLAGGI, J.-P., *Relations de travail*, vol. 2, (édition à feuilles mobiles), Brossard, Les Publications CCH ltée, p. 8,131 à 8,145.

1/401 V. CAZA, C., «L'embarquement pour un tour d'horizon des développements récents concernant la *Loi sur les normes du travail*», dans *Développements récents en droit du travail (1997)*, Formation permanente du Barreau du Québec, Cowansville, Les Éditions Yvon Blais inc., 1997, p. 229, p. 238 et ss.

1/402 V. DUBÉ, J.-L. et DI IORIO, N., *Les normes du travail*, 2e éd., Sherbrooke, Les Éditions Revue de droit — Université de Sherbrooke, 1992, p. 446 à 464.

1/403 V. GAGNON, R.P., LEBEL, L. et VERGE, P., *Droit du travail*, 2e éd., Ste-Foy, Les Presses de l'Université Laval, 1991, p. 108 à 110.

1/404 V. LAPORTE, P., *Le traité du recours à l'encontre d'un congédiement sans cause juste et suffisante (en vertu de la Loi sur les normes du travail, article 124)*, Montréal, Wilson & Lafleur ltée, 1992, p. 60 à 93.

art. 2

APPLICATION DE LA LOI

2/1 Est un salarié la personne qui exécute le travail à domicile, et ce, sans heures fixes, car la loi s'applique au salarié quel que soit l'endroit où il exécute son travail.
C.N.T. c. *International Forums inc.*, (1985) C.P. 1, D.T.E. 85T-8 (C.Q.), J.E. 85-17 (C.Q.).

2/2 Le législateur, par la *Loi sur les normes du travail* a voulu protéger tous les salariés sur le territoire de la province afin qu'ils touchent pour un travail donné une rémunération minimale contre laquelle aucune convention privée ne saurait prévaloir.
C.N.T. c. *Cie minière I.O.C.*, (1987) R.J.Q. 1359 (C.S.), D.T.E. 87T-479 (C.S.), J.E. 87-715 (C.S.), inf. pour d'autres motifs à D.T.E. 95T-397 (C.A.), J.E. 95-672 (C.A.).

PARAGRAPHE 1

2/3 Exploiter une entreprise au Québec, signifie au sens de la Loi sur les normes, qu'un employeur fait affaires au Québec, sur une base continue et avec une certaine permanence, en offrant des services ou du travail par l'intermédiaire d'un ou de plusieurs employés.
Ladouceur c. *Almico Plastics Canada inc.*, D.T.E. 90T-490 (T.A.).
Brunet c. *M. Loeb Ltd.*, (1983) T.A. 818, D.T.E. 83T-904 (T.A.).

2/4 Est assujetti à la *Loi sur les normes du travail* l'employeur qui a un pied à terre au Québec, même si le siège social est situé à l'extérieur de la province.
Commission du salaire minimum c. *Dubois Chemicals of Canada*, (1972) R.D.T. 582 (C.Q.).

2/5 Un citoyen des États-Unis d'Amérique qui réside dans ce pays et qui exerce des fonctions d'informaticien pour un employeur québécois, n'est pas visé par les dispositions de la *Loi sur les normes du travail*.
Holm c. *Groupe CGI inc.*, (2008) R.J.D.T. 1631 (C.R.T.), D.T.E. 2008T-954 (C.R.T.).

2/6 La règle prévue par les dispositions du premier paragraphe de l'article 2 L.N.T. permet au salarié appelé à travailler au Québec et à l'extérieur de profiter des avantages de la *Loi sur les normes du travail* à condition que son employeur soit rattaché au territoire du Québec par le biais de l'un des éléments suivants: sa résidence, son domicile, son entreprise, son siège social ou encore son bureau.
Stewart c. *Brospec inc.*, D.T.E. 2000T-1024 (C.T.).

2/7 La Loi sur les normes ne s'applique pas à une entreprise de transport interprovincial et international.
Thetford transport ltée c. *Gagnon*, (1985) T.A. 506, D.T.E. 85T-606 (T.A.).

2/8 La *Loi sur les normes du travail* ne s'applique pas à une entreprise qui offre des services de restauration et d'entretien ménager à une entreprise de chemin de fer, puisqu'il s'agit d'un service vital, fondamental et essentiel.

C.N.T. c. *Aramark Québec inc.*, D.T.E. 2005T-1082 (C.S.), J.E. 2005-2195 (C.S.), EYB 2005-97505 (C.S.) (appel rejeté: C.A.Q. n° 200-09-005426-058, le 1er mai 2007).

PARAGRAPHE 2

N.B. Ce paragraphe a été modifié par l'article 1 de L.Q. 2002, c. 80 qui a supprimé les mots «, pourvu que, selon la loi du lieu de son travail, il n'ait pas droit à un salaire minimum».

2/9 La *Loi sur les normes du travail* ne s'applique pas au salarié qui est réputé domicilié à Mexico, son lieu de résidence.
Laguë c. *Québec (Ministère des Relations internationales)*, (1999) R.J.D.T. 601 (C.T.), D.T.E. 99T-390 (C.T.).

2 al. 2

État lié

2/10 La *Loi sur les normes du travail* lie, par le biais du deuxième alinéa de l'article 2, la Commission des courses du Québec.
Commission des courses du Québec c. *Normandin*, D.T.E. 93T-1262 (C.S.), J.E. 93-1876 (C.S.).

2/11 Il est vrai que la *Loi sur les normes du travail* lie l'État. Toutefois, il faut que les conditions en vue de son application soient présentes, à savoir l'existence d'un contrat de travail par opposition à toute autre forme de convention et le fait que l'origine de la relation contractuelle ou sa continuation ne dépende ni du pouvoir discrétionnaire du gouvernement ni de la satisfaction de critères définis dans une loi.
Québec (Procureure générale) c. *Monette*, D.T.E. 2002T-132 (C.S.), J.E. 2002-272 (C.S.), REJB 2001-30006 (C.S.).

art. 3

N.B. L'article 3 a été modifié par la *Loi modifiant la Loi sur les normes du travail relativement aux absences et aux congés*, L.Q. 2007, c. 36.

APPLICATION DE LA LOI

PARAGRAPHE 2

3/1 Un salarié ne peut se prévaloir de la Loi sur les normes si sa fonction principale est de garder des enfants, et ce, même s'il effectue accessoirement des travaux ménagers.
C.N.T. c. *Breton-Martel*, J.E. 81-1142 (C.Q.).
Downs c. *Sawchyn*, D.T.E. 95T-790 (C.T.).
V. aussi: *C.N.T.* c. *Poulin*, (1999) R.J.D.T. 1615 (C.Q.), D.T.E. 99T-958 (C.Q.), J.E. 99-1999 (C.Q.), REJB 1999-15280 (C.Q.).

3/10 Le salarié dont la rémunération est fixée par un décret adopté sous l'empire de la *Loi sur les décrets de convention collective* (L.R.Q., c. D-2) n'est pas visé par l'exclusion de l'article 3(3) L.N.T.
Lamontagne c. *Immeubles Corneille inc.*, D.T.E. 83T-625 (C.T.).

3/11 C'est la *Loi sur les normes du travail* et non la *Loi sur les relations du travail, la formation professionnelle et la gestion de la main-d'oeuvre dans l'industrie de la construction* qui s'applique à l'aide-électricien qui effectue de multiples travaux hors chantier et dans le secteur résidentiel.
C.N.T. c. *Lumilec inc.*, D.T.E. 97T-244 (C.Q.).

3/12 L'exclusion prévue à l'article 3(3) L.N.T. s'applique au salarié régi par la *Loi sur les relations du travail, la formation professionnelle et la gestion de la main-d'oeuvre dans l'industrie de la construction*, et ce, même si le salarié n'était pas détenteur d'un certificat de compétence durant la période couverte par la réclamation.
C.N.T. c. *Démolition Bélair inc.*, D.T.E. 94T-855 (C.Q.).

3/13 La Confédération des syndicats nationaux n'est pas un employeur de l'industrie de la construction.
Gulino c. *Confédération des syndicats nationaux (C.S.N.)*, D.T.E. 89T-1202 (T.A.) (révision judiciaire refusée: C.S.M. n° 500-05-011255-898, le 1er décembre 1989).

3/14 Il ne peut y avoir application de l'exception prévue à l'article 3(4) L.N.T. si le poste occupé par le salarié échappe à la juridiction de l'autre loi.
Buth c. *Collège d'enseignement général et professionnel John Abbott*, D.T.E. 96T-295 (C.T.) (révision judiciaire refusée: C.S.M. n° 500-05-015627-969, le 14 août 1996).

PARAGRAPHE 4

3/15 Un huissier dont la rémunération est déterminée par le *Tarif d'honoraires et des frais de transport des huissiers* (R.R.Q., 1981, c. H-4, r. 3), adopté en vertu de la *Loi sur les huissiers de justice* (L.R.Q., c. H-4), est un salarié et non un entrepreneur indépendant, et ce, dans le cas où il existe en tout temps un lien de subordination entre ce dernier et l'employeur.
Paquette & Associés c. *Côté-Desbiolles*, D.T.E. 97T-1240 (C.S.) (règlement hors cour).

3/16 Un plaignant dont le salaire est fixé par un décret adopté en vertu de la *Loi sur les décrets de convention collective* (L.R.Q., c. D-2), n'est pas lié par l'exception des dispositions de l'article 3(4) L.N.T. Le salaire du plaignant étant déterminé par une convention collective et non par le gouvernement, ce sont les effets de cette convention collective qui sont étendus à l'ensemble des salariés d'une industrie ou d'un commerce, que ce soit dans une région donnée, ou dans toute la province de Québec.
Cimon c. *Daniel St-Louis (Auto spécialités DSL)*, (2007) R.J.D.T. 485 (C.R.T.), D.T.E. 2007T-342 (C.R.T.).

PARAGRAPHE 5

3/17 Pour exclure un étudiant de l'application de l'une ou de toutes les dipositions de la Loi sur les normes il faut qu'une disposition le prévoie expressément.
C.N.T. c. *St-Raymond Plymouth Chrysler inc.*, D.T.E. 86T-935 (C.Q.), J.E. 86-1155 (C.Q.).

3/18 La personne qui effectue un stage obligatoire et non rémunéré dans une colonie de vacances et qui rend des services à l'entreprise, est un salarié si ses tâches sont identiques à celles accomplies par d'autres employés, à l'exception du fait qu'une supervision est exercée à une fréquence de deux à trois fois par jour.
C.N.T. c. *Edphy international inc.*, (2000) R.J.D.T. 191 (C.Q.), D.T.E. 2000T-256 (C.Q.).

PARAGRAPHE 6

CADRE SUPÉRIEUR

Général

3/19 Relativement à la détermination du statut de cadre supérieur d'une personne, la norme de contrôle judiciaire applicable est celle de la décision raisonnable.
Caisse d'économie Émerillon c. *Bernier*, D.T.E. 2003T-825 (C.S.), J.E. 2003-1627 (C.S.), REJB 2003-45983 (C.S.) (appel rejeté: (2005) R.J.Q. 1341 (C.A.), (2005) R.J.D.T. 682 (C.A.), D.T.E. 2005T-461 (C.A.), J.E. 2005-920 (C.A.), EYB 2005-89483 (C.A.)).

3/20 L'article 3(6) de la *Loi sur les normes du travail* limitant le champ de compétence du commissaire, c'est à la suite d'une analyse pragmatique et fonctionnelle de cette disposition, du tribunal visé et de l'objet de la législation qu'il est possible de conclure que la décision portant sur la notion de «cadre supérieur» est soumise ou non à la norme de contrôle de l'erreur manifestement déraisonnable.
Pie IX Dodge Chrysler inc. c. *Marchand*, (1998) R.J.Q. 2382 (C.S.), (1998) R.J.D.T. 1161 (C.S.), D.T.E. 98T-921 (C.S.), J.E. 98-1775 (C.S.), REJB 1998-08813 (C.S.) (règlement hors cour).

3/21 La notion de cadre supérieur prévue par les dispositions de la *Loi sur les normes du travail* doit être interprétée de façon restrictive, car elle constitue une exception au régime général établi par la loi. Ce n'est qu'une minime partie de l'ensemble des cadres d'une entreprise qui est visée par cette exclusion.
Vézina c. *Agence universitaire de la Francophonie*, (2009) R.J.D.T. 117 (C.R.T.), D.T.E. 2009T-40 (C.R.T.) (règlement hors cour).
Household Finance Corp. of Canada c. *Garon*, (1992) T.A. 109, D.T.E. 92T-183 (T.A.).

3/22 Les dispositions de l'article 3(6) L.N.T. relatives à la définition de cadre supérieur doivent être interprétées restrictivement.
Chevanelle c. *J.A. Léveillé & Fils (1990) inc.*, D.T.E. 2003T-198 (C.R.T.).

3/23 La question de savoir si un salarié est un cadre supérieur au sens de l'article 3(6) L.N.T. n'a rien à voir avec une question de compétence ou de juridiction.
El-Mir c. *Monette*, D.T.E. 2002T-1033 (C.S.).
Allard c. *Vignola*, D.T.E. 99T-191 (C.S.), J.E. 99-460 (C.S.), REJB 1998-09789 (C.S.).
Dostie c. *Bélanger*, D.T.E. 95T-429 (C.S.), J.E. 95-734 (C.S.).
Contra: *General Electric Canada Inc.* c. *Couture*, (2002) R.J.Q. 1913 (C.S.), (2002) R.J.D.T. 1049 (C.S.), D.T.E. 2002T-711 (C.S.), J.E. 2002-1366 (C.S.), REJB 2002-32900 (C.S.).
Conseillers en placements Pemp inc. c. *Couture*, D.T.E. 94T-1073 (C.S.), J.E. 94-1497 (C.S.) (règlement hors cour).

3/24 Il n'appartient pas à la Cour supérieure de se prononcer sur le statut de salarié. La détermination d'un tel statut est une question de fait, donc de preuve, qui relève strictement de la Commission des relations du travail.
Vézina c. *Agence universitaire de la francophonie*, D.T.E. 2008T-493 (C.S.), EYB 2008-133855 (C.S.).

3/25 C'est au moment du congédiement que le commissaire doit apprécier la situation pour déterminer le statut de celui qui veut se prévaloir des dispositions de la *Loi sur les normes du travail*, à savoir s'il s'agit d'un cadre supérieur.
Solaris Québec inc. c. *Drolet*, D.T.E. 95T-118 (C.S.).
C.N.T. c. *Chambly Radios communications cellulaires inc.*, (2003) R.J.Q. 291 (C.Q.), (2003) R.J.D.T. 201 (C.Q.), D.T.E. 2003T-6 (C.Q.), J.E. 2003-31 (C.Q.), REJB 2002-36768 (C.Q.).
Pinard c. *Comité de développement touristique et économique de Godbout*, D.T.E. 2009T-172 (C.R.T.) (en révision).
Vézina c. *Agence universitaire de la Francophonie*, (2009) R.J.D.T. 117 (C.R.T.), D.T.E. 2009T-40 (C.R.T.) (règlement hors cour).
Lapointe c. *Stal Beauté inc.*, D.T.E. 2008T-539 (C.R.T.).
Lapointe c. *BPR — Groupe-conseil*, (2007) R.J.D.T. 552 (C.R.T.), D.T.E. 2007T-497 (C.R.T.) (révision judiciaire refusée: D.T.E. 2008T-921 (C.S.), EYB 2008-150244 (C.S.)).
Rozlonkowski c. *Estrie-International 2007 inc.*, D.T.E. 2006T-265 (C.R.T.).
Chevanelle c. *J.A. Léveillé & Fils (1990) inc.*, D.T.E. 2003T-198 (C.R.T.).
Roseberry c. *Aliments 2000 (1987) inc.*, D.T.E. 2001T-762 (C.T.) (requête en révision judiciaire: n° 200-05-015347-011).
Household Finance Corp. of Canada c. *Garon*, (1992) T.A. 109, D.T.E. 92T-183 (T.A.).
V. aussi: *C.N.T.* c. *D. Bertrand & Fils inc.*, (2001) R.J.D.T. 1765 (C.Q.), D.T.E. 2001T-992 (C.Q.), J.E. 2001-1889 (C.Q.), REJB 2001-27273 (C.Q.).
Fleury c. *Technologies avancées de fibres (A.F.T.) inc.*, D.T.E. 2004T-181 (C.R.T.) (révision judiciaire refusée: D.T.E. 2005T-76 (C.A.)).
Boudriau c. *Hydro-Québec*, D.T.E. 98T-352 (C.T.).

3/26 Le fait qu'un salarié ait été cadre supérieur pendant un certain temps n'a pas d'incidence sur la computation des années de service continu, tel que défini à l'article 1(12) L.N.T.
C.N.T. c. *D. Bertrand & Fils inc.*, (2001) R.J.D.T. 1765 (C.Q.), D.T.E. 2001T-992 (C.Q.), J.E. 2001-1889 (C.Q.), REJB 2001-27273 (C.Q.).

3/27 L'exclusion du cadre supérieur de la protection prévue à la *Loi sur les normes du travail* est étroitement liée au pouvoir décisionnel du commissaire quant à l'opportunité de réintégrer ou non un salarié.
Dostie c. *Bélanger*, D.T.E. 95T-429 (C.S.), J.E. 95-734 (C.S.).

Critères d'identification

3/28 Le cadre supérieur est celui qui participe à l'élaboration des politiques de gestion et à la planification stratégique de l'entreprise. Il doit détenir un grand pouvoir décisionnel et non simplement un pouvoir de coordonner les activités de l'entreprise ou d'appliquer les politiques de gestion élaborées par la haute direction. Il est aussi nécessaire d'examiner le contexte particulier de l'entreprise pour déterminer si une personne est ou non un cadre supérieur.

C.N.T. c. *Beaulieu*, (2001) R.J.D.T. 10 (C.A.), D.T.E. 2001T-107 (C.A.), J.E. 2001-259 (C.A.), REJB 2001-21823 (C.A.).
C.N.T. c. *Lalancette*, D.T.E. 2009T-157 (C.Q.), EYB 2008-148251 (C.Q.).
C.N.T. c. *Fondation Gérard-Delage*, D.T.E. 2008T-934 (C.Q.), EYB 2008-150411 (C.Q.).
C.N.T. c. *Groupe Nexio inc.*, D.T.E. 2007T-54 (C.Q.), EYB 2006-111339 (C.Q.).
C.N.T. c. *Plomberie Gaetan Gagné ltée*, D.T.E. 2007T-625 (C.Q.), EYB 2007-120986 (C.Q.).
C.N.T. c. *S2I inc.*, (2005) R.J.D.T. 200 (C.Q.), D.T.E. 2005T-20 (C.Q.), J.E. 2005-32 (C.Q.), EYB 2004-80851 (C.Q.).
Guindon c. *Corporation de sécurité Garda World*, D.T.E. 2009T-174 (C.R.T.) (requête en révision judiciaire: n^{0} 500-17-048698-099).
Pinard c. *Comité de développement touristique et économique de Godbout*, D.T.E. 2009T-172 (C.R.T.) (en révision).
Vézina c. *Agence universitaire de la Francophonie*, (2009) R.J.D.T. 117 (C.R.T.), D.T.E. 2009T-40 (C.R.T.) (règlement hors cour).
St-Cyr c. *Compagnie Commonwealth Plywood ltée*, D.T.E. 2008T-394 (C.R.T.).
Bellemare c. *2543-3012 Québec inc.*, D.T.E. 2007T-299 (C.R.T.).
Bergeron c. *Agence métropolitaine de transport*, (2007) R.J.D.T. 1588 (C.R.T.), D.T.E. 2007T-896 (C.R.T.) (requête en révision judiciaire: n^{0} 500-17-039344-075).
Foisy c. *Centre de défense des droits de la Montérégie*, D.T.E. 2007T-812 (C.R.T.).
Arseneault c. *Gotar Technologies inc.*, D.T.E. 2006T-504 (C.R.T.).
Morin c. *Carrière Union ltée*, D.T.E. 2006T-395 (C.R.T.) (révision en vertu de l'article 127 C.T. refusée: D.T.E. 2006T-887 (C.R.T.)) (désistement de la révision judiciaire).
Paré c. *Charles Morissette inc.*, D.T.E. 2006T-334 (C.R.T.).
Letellier c. *Fédération des coopératives d'habitation de la Mauricie et du Centre du Québec*, D.T.E. 2004T-534 (C.R.T.).
Chabot c. *Plomberie Albert Paradis inc.*, (1993) C.T. 62, D.T.E. 93T-302 (C.T.).

3/29 Les critères et les indices permettant d'identifier un cadre supérieur sont le niveau hiérarchique qu'il occupe dans la structure organisationnelle et le pouvoir décisionnel qu'il détient dans l'entreprise.
C.N.T. c. *Beaulieu*, (2001) R.J.D.T. 10 (C.A.), D.T.E. 2001T-107 (C.A.), J.E. 2001-259 (C.A.), REJB 2001-21823 (C.A.).
Dostie c. *Bélanger*, D.T.E. 95T-429 (C.S.), J.E. 95-734 (C.S.).
C.N.T. c. *Lalancette*, D.T.E. 2009T-157 (C.Q.), EYB 2008-148251 (C.Q.).
C.N.T. c. *Fondation Gérard-Delage*, D.T.E. 2008T-934 (C.Q.), EYB 2008-150411 (C.Q.).
C.N.T. c. *Groupe Nexio inc.*, D.T.E. 2007T-54 (C.Q.), EYB 2006-111339 (C.Q.).
C.N.T. c. *Plomberie Gaetan Gagné ltée*, D.T.E. 2007T-625 (C.Q.), EYB 2007-120986 (C.Q.).
C.N.T. c. *S2I inc.*, (2005) R.J.D.T. 200 (C.Q.), D.T.E. 2005T-20 (C.Q.), J.E. 2005-32 (C.Q.), EYB 2004-80851 (C.Q.).
C.N.T. c. *D. Bertrand & Fils inc.*, (2001) R.J.D.T. 1765 (C.Q.), D.T.E. 2001T-992 (C.Q.), J.E. 2001-1889 (C.Q.), REJB 2001-27273 (C.Q.).
C.N.T. c. *Ste-Séraphine (Municipalité de la paroisse de)*, D.T.E. 94T-755 (C.Q.).
Guindon c. *Corporation de sécurité Garda World*, D.T.E. 2009T-174 (C.R.T.) (requête en révision judiciaire: n^{0} 500-17-048698-099).
Pinard c. *Comité de développement touristique et économique de Godbout*, D.T.E. 2009T-172 (C.R.T.) (en révision).
Vézina c. *Agence universitaire de la Francophonie*, (2009) R.J.D.T. 117 (C.R.T.), D.T.E. 2009T-40 (C.R.T.) (règlement hors cour).

St-Cyr c. *Compagnie Commonwealth Plywood ltée*, D.T.E. 2008T-394 (C.R.T.).
Bergeron c. *Agence métropolitaine de transport*, (2007) R.J.D.T. 1588 (C.R.T.), D.T.E. 2007T-896 (C.R.T.) (requête en révision judiciaire: n° 500-17-039344-075).
Foisy c. *Centre de défense des droits de la Montérégie*, D.T.E. 2007T-812 (C.R.T.).
Arseneault c. *Gotar Technologies inc.*, D.T.E. 2006T-504 (C.R.T.).
Paré c. *Charles Morissette inc.*, D.T.E. 2006T-334 (C.R.T.).
Chaulk c. *Agence de permis Nova*, (1998) R.J.D.T. 197 (C.T.), D.T.E. 98T-53 (C.T.).
Brisson c. *9027-4580 Québec inc.*, (1997) C.T. 452, D.T.E. 97T-1118 (C.T.) (révision judiciaire refusée: D.T.E. 99T-549 (C.S.)) (désistement d'appel).
Ferland c. *Stéréo Plus électronique F.G. Thetford-Mines inc.*, D.T.E. 96T-1153 (C.T.).

3/30 Pour déterminer si une personne est ou non un cadre supérieur, les critères les plus importants sont sa participation à l'élaboration des orientations politiques de l'entreprise et son pouvoir décisionnel.
C.N.T. c. *Beaulieu*, (2001) R.J.D.T. 10 (C.A.), D.T.E. 2001T-107 (C.A.), J.E. 2001-259 (C.A.), REJB 2001-21823 (C.A.).
C.N.T. c. *S2I inc.*, (2005) R.J.D.T. 200 (C.Q.), D.T.E. 2005T-20 (C.Q.), J.E. 2005-32 (C.Q.), EYB 2004-80851 (C.Q.).
Lapointe c. *Stal Beauté inc.*, D.T.E. 2008T-539 (C.R.T.).
Arseneault c. *Gotar Technologies inc.*, D.T.E. 2006T-504 (C.R.T.).
Paré c. *Charles Morissette inc.*, D.T.E. 2006T-334 (C.R.T.).

3/31 Pour déterminer si une personne est un cadre supérieur, il faut tenir compte des facteurs suivants: le rôle, la fonction, l'importance de l'individu au sein de l'entreprise et du fait que celui-ci dirige, à toutes fins utiles, celle-ci.
Lauzon c. *Pain Deux-Montagnes inc.*, D.T.E. 94T-407 (C.T.).

3/32 En cette matière, il importe d'évaluer deux éléments essentiels afin d'établir le statut d'une personne: le contexte particulier de l'entreprise et les fonctions exercées à l'époque concomitante du congédiement.
Mornard c. *Union des artistes*, D.T.E. 2003T-850 (C.R.T.).

3/33 L'appréciation des critères pour déterminer si une personne est un cadre supérieur doit se faire eu égard à l'ensemble de l'entreprise.
C.N.T. c. *Restaurants L'Oeuforie inc.*, D.T.E. 98T-799 (C.Q.), J.E. 98-1615 (C.Q.), REJB 1998-07869 (C.Q.).
Rivard c. *Atlantic Packaging Products Ltd.*, D.T.E. 98T-389 (C.T.).

3/34 Deux éléments prédominants servent à déterminer si un salarié est un cadre supérieur, soit le niveau hiérarchique et le pouvoir décisionnel. Le niveau hiérarchique se définit comme étant la situation d'un employé dans l'organisation d'une entreprise par rapport à d'autres employés. Il ne permet pas à lui seul de conclure au statut de cadre supérieur, il faut qu'à ce niveau hiérarchique corresponde un pouvoir décisionnel équivalent. Cela signifie que le salarié doit jouer un rôle primordial dans la gestion du personnel et en ce qui a trait au pouvoir décisionnel de lier l'entreprise et les tiers.
Ferland c. *Stéréo Plus électronique F.G. Thetford-Mines inc.*, D.T.E. 96T-1153 (C.T.).

3/35 Pour définir ce qu'est un grade supérieur il y a lieu de tenir compte des critères suivants:

1) Déterminer si le salarié fait partie de la haute direction de l'entreprise et, par voie de conséquence, s'il participe réellement et activement à l'orientation de l'entreprise ainsi qu'à l'élaboration de ses politiques et stratégies;
2) Les relations du salarié avec le propriétaire de l'entreprise: à savoir s'il relève directement du président de l'entreprise ou de son conseil d'administration, que celle-ci soit une corporation, une association, une société ou une coopérative;
3) La gestion de l'entreprise: c'est-à-dire s'il participe aux orientations et aux politiques de gestion, s'il élabore les stratégies pour assurer la rentabilité ou la croissance de l'entreprise;
4) La gérance et la supervision du personnel: soit la question de savoir s'il gère ou supervise du personnel cadre, intermédiaire ou inférieur;
5) Les conditions de travail: en l'occurrence s'il fait partie des personnes les mieux payées de l'entreprise;
6) L'arrivée et la progression dans l'entreprise.

Pie IX Dodge Chrysler inc. c. *Marchand*, (1998) R.J.Q. 2382 (C.S.), (1998) R.J.D.T. 1161 (C.S.), D.T.E. 98T-921 (C.S.), J.E. 98-1775 (C.S.), REJB 1998-08813 (C.S.) (règlement hors cour).
Conseillers en placements Pemp inc. c. *Couture*, D.T.E. 94T-1073 (C.S.), J.E. 94-1497 (C.S.) (règlement hors cour).
C.N.T. c. *Chambly Radios communications cellulaires inc.*, (2003) R.J.Q. 291 (C.Q.), (2003) R.J.D.T. 201 (C.Q.), D.T.E. 2003T-6 (C.Q.), J.E. 2003-31 (C.Q.), REJB 2002-36768 (C.Q.).
C.N.T. c. *D. Bertrand & Fils inc.*, (2001) R.J.D.T. 1765 (C.Q.), D.T.E. 2001T-992 (C.Q.), J.E. 2001-1889 (C.Q.), REJB 2001-27273 (C.Q.).
Pinard c. *Comité de développement touristique et économique de Godbout*, D.T.E. 2009T-172 (C.R.T.) (en révision).
Lapointe c. *Stal Beauté inc.*, D.T.E. 2008T-539 (C.R.T.).
Brandwein c. *Congrégation Beth-El*, (2003) R.J.D.T. 294 (C.R.T.), D.T.E. 2003T-92 (C.R.T.) (révision judiciaire refusée: D.T.E. 2005T-365 (C.A.)).
Lavoie c. *Bon L. Canada inc.*, D.T.E. 2001T-512 (C.T.) (révision judiciaire refusée: C.S.M. n° 500-05-064634-015, le 13 septembre 2001).
Boulanger c. *Cercueils André inc.*, D.T.E. 2000T-408 (C.T.).
Bourget c. *Association Agaparc*, (1999) R.J.D.T. 1193 (C.T.), D.T.E. 99T-773 (C.T.).
Brisson c. *9027-4580 Québec inc.*, (1997) C.T. 452, D.T.E. 97T-1118 (C.T.) (révision judiciaire refusée: D.T.E. 99T-549 (C.S.)) (désistement d'appel).
Deschamps c. *Garderie Patachou*, (1995) C.T. 72, D.T.E. 95T-340 (C.T.).

3/36 Le critère déterminant permettant d'identifier un cadre supérieur consiste à se demander si le cadre participe à l'élaboration ou à la définition des orientations et des politiques générales de l'entreprise. Le fait de relever directement du président, de pouvoir engager l'entreprise envers des tiers, et ce, même pour des sommes considérables, ou encore d'occuper un poste de niveau hiérarchique élevé dans l'entreprise n'est pas déterminant en soi.
Brisson c. *9027-4580 Québec inc.*, (1997) C.T. 452, D.T.E. 97T-1118 (C.T.) (révision judiciaire refusée: D.T.E. 99T-549 (C.S.)) (désistement d'appel).
V. aussi: *Boulanger* c. *Cercueils André inc.*, D.T.E. 2000T-408 (C.T.).

3/37 Pour conclure qu'une personne est un cadre supérieur ou non, il faut se demander si elle joue un véritable rôle dans la détermination des politiques et des grandes orientations de l'entreprise.
Boudriau c. *Hydro-Québec*, D.T.E. 98T-352 (C.T.).

3/38 Le cadre supérieur est celui ou celle qui fait partie du groupe restreint des individus participant à l'élaboration de la planification stratégique de l'entreprise et qui sont chargés de mettre en place des politiques et des programmes cohérents avec la mission que s'est donnée l'entreprise.
General Electric Canada Inc. c. *Couture*, (2002) R.J.Q. 1913 (C.S.), (2002) R.J.D.T. 1049 (C.S.), D.T.E. 2002T-711 (C.S.), J.E. 2002-1366 (C.S.), REJB 2002-32900 (C.S.).
C.N.T. c. *Fondation Gérard-Delage*, D.T.E. 2008T-934 (C.Q.), EYB 2008-150411 (C.Q.).
C.N.T. c. *Boulangerie De Mailly inc.*, D.T.E. 2002T-114 (C.Q.).
Cameron c. *Salluit (Municipalité du village de)*, D.T.E. 2005T-769 (C.R.T.).
Mornard c. *Union des artistes*, D.T.E. 2003T-850 (C.R.T.).
Proulx c. *Solutions Brenrose inc.*, D.T.E. 2003T-879 (C.R.T.).
El-Mir c. *Absorbe-plus inc.*, D.T.E. 2002T-372 (C.T.) (révision judiciaire refusée: D.T.E. 2002T-1033 (C.S.)).
Gagnon c. *Tennis Montréal inc.*, D.T.E. 2002T-1083 (C.T.) (révision judiciaire refusée: C.S.M. n^{0} 500-05-075115-020, le 1er mai 2003).
Ozan-Groulx c. *Distribution Acra ltée (Bulletin voyages)*, D.T.E. 2000T-1071 (C.T.).
Allard c. *Association internationale des travailleurs de ponts, de fer structural et ornemental, section locale 823*, D.T.E. 98T-152 (C.T.) (révision judiciaire refusée: D.T.E. 99T-191 (C.S.), J.E. 99-460 (C.S.), REJB 1998-09789 (C.S.)).
Bérubé c. *Association coopérative étudiante du Collège de Valleyfield*, D.T.E. 94T-183 (C.T.).
Cuinet c. *Société canadienne des pneus Michelin ltée*, D.T.E. 94T-437 (C.T.).
Household Finance Corp. of Canada c. *Garon*, (1992) T.A. 109, D.T.E. 92T-183 (T.A.).

3/39 Pour déterminer si l'on est en présence d'un cadre supérieur, il y a lieu de tenir compte des fonctions du salarié au sein de l'entreprise, de l'importance de ses tâches au moment de son congédiement, de sa participation véritable aux orientations de l'entreprise, de la grande autonomie dont il peut jouir, du pouvoir décisionnel qu'il possède quant à l'embauche et au congédiement du personnel de même qu'à la détermination du salaire de certains employés.
Solaris Québec inc. c. *Drolet*, D.T.E. 95T-118 (C.S.).

3/40 Pour qualifier une personne de cadre supérieur, il faut qu'elle détienne un poste élevé au sein de l'entreprise, généralement un lien direct avec le conseil d'administration. Elle doit être impliquée dans le choix des orientations de l'entreprise, ainsi que dans les décisions les plus importantes.
Cameron c. *Salluit (Municipalité du village de)*, D.T.E. 2005T-769 (C.R.T.).
Duchemin c. *St-Georges (Municipalité du village de)*, D.T.E. 98T-589 (C.T.).

3/41 Il y a lieu de tenir compte de la taille de l'entreprise dans la détermination du statut de cadre supérieur. En effet, les paramètres élaborés par la jurisprudence pourraient ne pas être interprétés de la même façon lorsqu'il s'agit d'une petite entreprise plutôt que d'une grande.
Ozan-Groulx c. *Distribution Acra ltée (Bulletin voyages)*, D.T.E. 2000T-1071 (C.T.).

3/42 Le cadre supérieur est la personne investie d'un commandement et qui dépend directement soit d'un conseil d'administration, soit du président ou du directeur général.

Entreprises de pipe-line universel ltée c. *Prévost*, (1990) 26 Q.A.C. 228, D.T.E. 88T-549 (C.A.), J.E. 88-804 (C.A.).
Booth c. *B.G. Checo International Ltd.*, D.T.E. 87T-46 (C.S.).
Bérubé c. *Association coopérative étudiante du Collège de Valleyfield*, D.T.E. 94T-183 (C.T.).
Spina c. *E.M.C. Marbre et céramique européen (1985) inc.*, (1992) C.T. 148, D.T.E. 92T-439 (C.T.).

3/43 Pour être considéré comme un cadre supérieur, il faut que la personne bénéficie d'une certaine autonomie ainsi que d'un pouvoir discrétionnaire et décisionnel quasi illimité.
Dussault c. *Luminaires Liliane Auger ltée*, D.T.E. 92T-1096 (C.T.).

3/44 La perte de pouvoir d'une personne et celle du droit de vote au conseil d'administration n'entraînent pas nécessairement la perte du statut de cadre supérieur. Inversement, le fait d'être membre d'un conseil d'administration n'accorde pas nécessairement le statut de salarié. Pour déterminer ce statut, il faut examiner la nature des fonctions exercées, les responsabilités et le contexte de leur exercice; le titre ou l'appellation importe peu. Enfin, l'évaluation doit être faite au moment de la rupture du lien d'emploi.
Feres c. *Centre d'apprentissage alternatif Feres*, D.T.E. 2000T-1121 (C.T.).

3/45 Un actionnaire, un administrateur ou un membre d'un conseil d'administration n'est pas nécessairement un cadre supérieur de l'entreprise. Les différents titres attribués à une personne importent peu, lorsque celle-ci détient ces rôles dans une même entreprise, seules les tâches accomplies à titre d'employé, les responsabilités et les fonctions sont utiles pour déterminer si elle est un cadre supérieur.

Les critères permettant de qualifier ou non une personne de cadre supérieur sont le niveau hiérarchique qu'elle occupe dans la structure organisationnelle de l'entreprise et le niveau des décisions lui incombant, ce dernier critère étant le plus important.

Le niveau hiérarchique dans l'entreprise implique que la personne que l'on veut qualifier de cadre supérieur a le droit de donner des ordres ou de demander des choses, d'exiger l'obéissance et de punir s'il le faut. Ce droit est inhérent à la direction et à la coordination de l'ensemble du personnel et des activités. De plus, le niveau décisionnel implique quant à lui, en plus des éléments précédemment énumérés, que la personne que l'on qualifie de cadre supérieur, participe à l'élaboration de décisions politiques de l'entreprise, de programmes, à la planification stratégique et au choix des mesures correctives à appliquer en fonction des résultats recherchés.
Chabot c. *Plomberie Albert Paradis inc.*, (1993) C.T. 62, D.T.E. 93T-302 (C.T.).

3/46 Une appellation d'emploi pouvant être trompeuse, il faut s'en remettre aux responsabilités et aux fonctions réellement exercées par la personne qui prétend ne pas être un cadre supérieur.
C.N.T. c. *Lalancette*, D.T.E. 2009T-157 (C.Q.), EYB 2008-148251 (C.Q.).

3/47 Le titre de la personne concernée n'est pas un élément fondamental dans la détermination du statut de cadre supérieur.
Lapointe c. *Stal Beauté inc.*, D.T.E. 2008T-539 (C.R.T.).

Cas d'application

3/48 La personne qui a le pouvoir d'engager et de congédier, qui conçoit les plans d'action et de développement de la stratégie et des orientations de l'entreprise, qui a le pouvoir de négocier des ententes commerciales avec des tiers et qui établit les prévisions budgétaires, est un cadre supérieur, même si elle a à soumettre ses décisions au conseil d'administration pour approbation, et ce, dans le contexte d'une petite entreprise où le personnel est restreint et où elle doit accomplir certaines tâches manuelles.
Bérubé c. *Association coopérative étudiante du Collège de Valleyfield*, D.T.E. 94T-183 (C.T.).

3/49 La personne dont les fonctions consistent à organiser et à coordonner la mise en application des politiques et des programmes élaborés par la direction et qui ne participe d'aucune façon à la planification stratégique de l'employeur n'est pas un cadre supérieur, et ce, même s'il est responsable des procédés, de l'entretien, de la qualité, du respect des politiques, des affectations de travail, de la discipline, de la production et de la direction des sous-traitants.
Cuinet c. *Société canadienne des pneus Michelin ltée*, D.T.E. 94T-437 (C.T.).

3/50 N'exerce pas les pouvoirs d'un cadre supérieur, la personne qui doit se référer à son supérieur pour toute question relativement importante et dont la liberté de manoeuvre ne dépasse pas le niveau de l'administration quotidienne de l'entreprise.
Gosselin c. *Burotec ventes services et locations inc.*, (1992) C.T. 525, D.T.E. 92T-896 (C.T.).

3/51 N'occupe pas un poste de cadre supérieur, le salarié ne détenant pas les attributions normalement réservées à un tel poste et qui n'a pas le pouvoir d'engager l'entreprise à l'égard des tiers.
Burke c. *Canadian Fine Color Co.*, D.T.E. 93T-252 (C.T.).

3/52 Le seul fait pour une personne d'engager l'employeur auprès des tiers n'est pas suffisant pour qu'elle se voie accorder le statut de cadre supérieur.
Chabot c. *Plomberie Albert Paradis inc.*, (1993) C.T. 62, D.T.E. 93T-302 (C.T.).

3/53 L'expression «cadre supérieur» oblige à conclure que seul celui qui occupe une position supérieure dans la hiérarchie de l'entreprise doit être considéré comme tel; ce qui exclut le cadre moyen ou cadre intermédiaire.
Sawant c. *2700620 Canada inc.*, D.T.E. 94T-1366 (C.S.), J.E. 94-1956 (C.S.).

3/54 La personne occupant le poste de superviseur, lequel se situe au quatrième niveau sur les six qui existent dans l'organigramme de l'entreprise, n'est pas un cadre supérieur.
Malo c. *Industries Pantorama inc.*, (1995) C.T. 56, D.T.E. 95T-286 (C.T.) (révision judiciaire refusée: C.S.M. n° 500-05-014650-947, le 1er février 1995).

3/55 Le salaire n'est pas un critère déterminant pour évaluer le statut d'un employé dans l'entreprise.
Cuinet c. *Société canadienne des pneus Michelin ltée*, D.T.E. 94T-437 (C.T.).

3/56 N'exerce pas le pouvoir d'un cadre supérieur, la personne qui ne participe d'aucune façon aux décisions de l'entreprise, qui n'est pas membre du conseil

d'administration, ni de la haute direction et à qui il est interdit de s'exprimer sur l'organisation de l'entreprise.
Malo c. *Industries Pantorama inc.*, (1995) C.T. 56, D.T.E. 95T-286 (C.T.) (révision judiciaire refusée: C.S.M. n° 500-05-014650-947, le 1er février 1995).

3/57 Est un cadre supérieur, l'employé le mieux rémunéré de l'entreprise, bénéficiant d'un régime de participation aux profits et de l'usage d'un véhicule fourni par l'employeur, ainsi que d'une assurance-maladie et d'une assurance-salaire identiques à celles qui couvrent les principaux actionnaires, et ce, s'il a les pouvoirs de congédier et d'engager des salariés.
Pulice c. *Moishes inc.*, D.T.E. 94T-406 (C.T.).

3/58 Une gérante d'une centrale d'alarmes, responsable du personnel, de l'embauche et de la planification de la formation, n'est pas un cadre supérieur si elle n'est pas investie d'une autorité hiérarchique supérieure et si elle ne participe pas aux décisions d'orientation de l'entreprise. En effet, le cadre supérieur doit jouir d'une grande autonomie, d'une large discrétion et d'un pouvoir décisionnel important pour être reconnu tel. De plus, la participation financière d'un employé à une entreprise n'est d'aucune utilité pour déterminer son statut, à moins que cela ne lui donne en contrepartie une autorité quelconque.
Gauthier c. *Surveillance d'alarme 24 heures du Québec inc.*, (1997) C.T. 79, D.T.E. 97T-340 (C.T.).

3/59 N'est pas un cadre supérieur, le directeur régional d'une entreprise d'assurance-vie qui n'a pas un poste dans la haute direction de l'entreprise, qui ne relève pas directement du président de l'entreprise, qui ne décide ni de l'embauchage ni du congédiement du personnel relevant de sa responsabilité et qui ne participe pas non plus à la définition des orientations et des politiques de gestion de l'entreprise.
Dussault c. *London Life, Cie d'assurance-vie*, D.T.E. 93T-866 (C.T.).

3/60 Le directeur des ventes d'une compagnie qui participe aux orientations de l'entreprise, qui jouit d'une grande autonomie et qui a le pouvoir décisionnel quant à l'embauche et au congédiement du personnel de même qu'à la détermination du salaire de certains employés, est un cadre supérieur exclu de l'application de la *Loi sur les normes du travail*.
Pie IX Dodge Chrysler inc. c. *Marchand*, (1998) R.J.Q. 2382 (C.S.), (1998) R.J.D.T. 1161 (C.S.), D.T.E. 98T-921 (C.S.), J.E. 98-1775 (C.S.), REJB 1998-08813 (C.S.) (règlement hors cour).
Solaris Québec inc. c. *Drolet*, D.T.E. 95T-118 (C.S.).
V. aussi: *Boulanger* c. *Cercueils André inc.*, D.T.E. 2000T-408 (C.T.).

3/61 Le directeur des ventes qui ne détient aucun pouvoir décisionnel relativement aux stratégies et politiques de l'entreprise ne peut être qualifié de cadre supérieur, et ce, même s'il bénéficie d'une grande autonomie, d'un salaire élevé et d'une discrétion certaine, ceci étant lié à sa grande expérience dans le secteur pour lequel il travaille.
Zarbatany c. *Corporation Guess? Canada*, D.T.E. 2007T-16 (C.R.T.).

3/62 La personne qui est en charge du personnel et du fonctionnement de l'entreprise, qui bénéficie d'un pouvoir discrétionnaire et décisionnel, ainsi que d'une autonomie, est un cadre supérieur.
C.N.T. c. *Chambly Radios communications cellulaires inc.*, (2003) R.J.Q. 291 (C.Q.), (2003) R.J.D.T. 201 (C.Q.), D.T.E. 2003T-6 (C.Q.), J.E. 2003-31 (C.Q.), REJB 2002-36768 (C.Q.).

3/63 Un vice-président aux ventes, salarié actionnaire qui participe à l'élaboration des orientations et des stratégies de développement de l'entreprise, est un cadre supérieur.
Merovitz c. *D.B.A. Status Furniture/2695065 Canada inc.*, D.T.E. 2001T-885 (C.T.).

3/64 La personne qui agit à titre de vice-président aux ventes peut être un cadre supérieur selon les critères qui doivent être considérés, compte tenu des pouvoirs décisionnels dont elle jouit relativement aux stratégies et aux politiques de l'entreprise.
C.N.T. c. *Lalancette*, D.T.E. 2009T-157 (C.Q.), EYB 2008-148251 (C.Q.).

3/65 Une vice-présidente aux ventes et marketing qui participe à la planification stratégique ainsi qu'aux orientations et aux politiques de l'entreprise, est un cadre supérieur.
Lapointe c. *Stal Beauté inc.*, D.T.E. 2008T-539 (C.R.T.).

3/66 Un directeur régional des ventes peut être qualifié de cadre supérieur, et ce, compte tenu de son pouvoir hiérarchique et de son pouvoir décisionnel.
Dostie c. *Bélanger*, D.T.E. 95T-429 (C.S.), J.E. 95-734 (C.S.).

3/67 Le vice-président au développement des affaires n'est pas nécessairement un cadre supérieur, en l'absence de pouvoir décisionnel de celui-ci relativement aux stratégies et politiques de l'entreprise.
Lapointe c. *BPR — Groupe-conseil*, (2007) R.J.D.T. 552 (C.R.T.), D.T.E. 2007T-497 (C.R.T.) (révision judiciaire refusée: D.T.E. 2008T-921 (C.S.), EYB 2008-150244 (C.S.)).

3/68 Le directeur général d'une caisse d'épargne et de crédit est un cadre supérieur.
Caisse d'économie Émerillon c. *Bernier*, D.T.E. 2003T-825 (C.S.), J.E. 2003-1627 (C.S.), REJB 2003-45983 (C.S.) (appel rejeté: (2005) R.J.Q. 1341 (C.A.), (2005) R.J.D.T. 682 (C.A.), D.T.E. 2005T-461 (C.A.), J.E. 2005-920 (C.A.), EYB 2005-89483 (C.A.)).

3/69 Le directeur intérimaire d'une PME qui ne s'occupe que de la coordination des activités de celle-ci, n'est pas un cadre supérieur lorsqu'il y a absence de pouvoir décisionnel relativement aux stratégies et aux politiques de l'entreprise.
C.N.T. c. *Plomberie Gaetan Gagné ltée*, D.T.E. 2007T-625 (C.Q.), EYB 2007-120986 (C.Q.).

3/70 Un directeur de construction qui coordonne les travaux, voit au respect des plans et devis par les entrepreneurs, contrôle les coûts, l'échéancier et préside aux réunions d'un chantier de construction, n'est pas un cadre supérieur.
C.N.T. c. *Beaulieu*, (2001) R.J.D.T. 10 (C.A.), D.T.E. 2001T-107 (C.A.), J.E. 2001-259 (C.A.), REJB 2001-21823 (C.A.).

3/71 Le directeur de projets d'une entreprise de génie civil est un cadre supérieur, compte tenu qu'il participe à la planification stratégique, ainsi qu'aux orientations et aux politiques de l'entreprise.
Paré c. *Charles Morissette inc.*, D.T.E. 2006T-334 (C.R.T.).

3/72 Un vice-président foresterie qui participe à la planification stratégique ainsi qu'aux orientations et aux politiques de l'entreprise est un cadre supérieur.
St-Cyr c. *Compagnie Commonwealth Plywood ltée*, D.T.E. 2008T-394 (C.R.T.).

3/73 Un agent chargé de projets à l'Agence métropolitaine de transport n'est pas un cadre supérieur.
Bergeron c. *Agence métropolitaine de transport*, (2007) R.J.D.T. 1588 (C.R.T.), D.T.E. 2007T-896 (C.R.T.) (requête en révision judiciaire: n⁰ 500-17-039344-075).

3/74 Est un cadre supérieur, la directrice générale d'une garderie qui occupe le rang hiérarchique le plus élevé, qui est la seule dirigeante de l'organisme en poste à temps plein, assumant un rôle clé dans la prise de toutes les décisions concernant la gestion de la garderie, agissant sans intermédiaire avec les propriétaires de l'entreprise, soit les parents membres de l'organisme sans but lucratif. De plus, si elle gère l'entreprise, voit à l'application des décisions prises par le conseil d'administration, et joue un rôle primordial sur le plan de la gestion des ressources humaines en participant à l'embauche et au congédiement des employés. Et ce, même si son salaire ne correspond pas à celui versé habituellement à un cadre supérieur d'entreprise, elle doit être considérée comme telle.
Deschamps c. *Garderie Patachou*, (1995) C.T. 72, D.T.E. 95T-340 (C.T.).
V. aussi: *Feres* c. *Centre d'apprentissage alternatif Feres*, D.T.E. 2000T-1121 (C.T.).

3/75 N'est pas un cadre supérieur un notaire s'il n'occupe pas le plus haut niveau hiérarchique de l'entreprise. Il ne l'est pas non plus, sur le plan décisionnel, s'il ne participe pas à la détermination des orientations et des politiques d'ensemble de l'entreprise, ni à la détermination des moyens de mise en oeuvre de ces décisions ou à l'élaboration du plan stratégique et s'il ne contrôle ni n'évalue globalement la performance des programmes et des ressources humaines en fonction des résultats attendus.
Gendron c. *Denicourt & Cossette, notaires*, (1997) C.T. 305, D.T.E. 97T-851 (C.T.) (révision judiciaire refusée: D.T.E. 98T-52 (C.S.)) (désistement d'appel).
V. aussi: *C.N.T.* c. *Plomberie Gaetan Gagné ltée*, D.T.E. 2007T-625 (C.Q.), EYB 2007-120986 (C.Q.).

3/76 Un vice-président contrôleur au service de la comptabilité d'une entreprise, qui exerce une simple autorité professionnelle à l'égard d'un groupe restreint d'employés, ne peut être considéré comme un cadre supérieur, et ce, même s'il relève directement de l'autorité du président de l'entreprise.
Kucyniak c. *3090-9626 Québec inc.*, D.T.E. 95T-1143 (C.T.) (requête en révision judiciaire: n⁰ 500-05-008877-951).

3/77 La personne qui était responsable de la Direction de l'administration et des finances d'un organisme international qui a été rétrogradée au moment du congédiement à un poste d'administrateur en finances, n'est pas un cadre supérieur.
Vézina c. *Agence universitaire de la Francophonie*, (2009) R.J.D.T. 117 (C.R.T.), D.T.E. 2009T-40 (C.R.T.) (règlement hors cour).

3/78 Le directeur des finances et de l'administration d'une entreprise, supervisant le service de la comptabilité, analysant les états financiers et qui voit à l'amélioration des contrôles internes administratifs ainsi qu'à préparer le budget, n'est pas un cadre supérieur.
Quessy c. *Industries Lyster inc.*, D.T.E. 2005T-790 (C.R.T.).

3/79 Indépendamment de l'importance de la municipalité à laquelle appartient un secrétaire-trésorier, celui-ci jouit du statut légal établi par un ensemble de règles précisant ses devoirs et ses responsabilités, ce qui le qualifie de cadre supérieur au sens de la *Loi sur les normes du travail.*
C.N.T. c. *Ste-Séraphine (Municipalité de la paroisse de)*, D.T.E. 94T-755 (C.Q.).
Duchemin c. *St-Georges (Municipalité du village de)*, D.T.E. 98T-589 (C.T.).
V. aussi: *Cameron* c. *Salluit (Municipalité du village de)*, D.T.E. 2005T-769 (C.R.T.).

3/80 Même si la *Loi sur l'instruction publique* (L.R.Q., c. I-13.3) stipule que le secrétaire général d'une commission scolaire est un officier public, cela ne fait pas nécessairement de cette personne un cadre supérieur au sens de la *Loi sur les normes du travail.*
Drouin c. *Commission scolaire protestante St-Maurice*, D.T.E. 95T-997 (C.T.).

3/81 L'administrateur local pour l'éducation d'une commission scolaire autochtone est un cadre supérieur si sa participation aux décisions et aux questions importantes est subordonnée au rôle du conseil ou du comité exécutif.
Commission scolaire crie c. *Commission des relations du travail*, D.T.E. 2005T-315 (C.S.).

3/82 Le surintendant des terrains, dans un club de golf public, n'est pas nécessairement un cadre supérieur.
Bourget c. *Association Agaparc*, (1999) R.J.D.T. 1193 (C.T.), D.T.E. 99T-773 (C.T.).

3/83 Le gérant général d'un restaurant qui dirige plusieurs employés est un cadre supérieur.
Pulice c. *Moishes inc.*, D.T.E. 94T-406 (C.T.).

3/84 Un gérant de bar à temps partiel qui ne participe pas aux décisions d'orientation de l'entreprise et qui gère simplement l'activité de celle-ci, suivant des directives précises et en encadrement étroit, même s'il embauche, évalue et congédie le personnel, n'est pas un cadre supérieur.
Bradet c. *Brasserie Les Raftsmen*, D.T.E. 97T-1057 (C.T.) (désistement de la révision judiciaire).

3/85 Un cuisinier qui agit à titre de responsable de la cuisine d'un restaurant n'est pas un cadre supérieur.
C.N.T. c. *Boulangerie De Mailly inc.*, D.T.E. 2002T-114 (C.Q.).

3/86 La personne-ressource d'une petite entreprise exerçant ses activités dans le domaine de la restauration n'est pas nécessairement un cadre supérieur.
C.N.T. c. *Restaurants L'Oeuforie inc.*, D.T.E. 98T-799 (C.Q.), J.E. 98-1615 (C.Q.), REJB 1998-07869 (C.Q.).

3/87 Une personne qui agit à titre de gestionnaire des ressources humaines, dans le cadre du règlement des griefs et de la négociation de conventions

collectives, n'est pas un cadre supérieur si elle ne participe pas à la planification stratégique ainsi qu'aux orientations et aux politiques de l'entreprise.
Guindon c. *Corporation de sécurité Garda World*, D.T.E. 2009T-174 (C.R.T.) (requête en révision judiciaire: n^{0} 500-17-048698-099).

3/88 Le directeur général d'une coopérative est un cadre supérieur.
Bérubé c. *Association coopérative étudiante du Collège de Valleyfield*, D.T.E. 94T-183 (C.T.).

3/89 Le gérant d'affaires d'un syndicat est un cadre supérieur s'il participe aux orientations de l'entreprise.
Allard c. *Association internationale des travailleurs de ponts, de fer structural et ornemental, section locale 823*, D.T.E. 98T-152 (C.T.) (révision judiciaire refusée: D.T.E. 99T-191 (C.S.), J.E. 99-460 (C.S.), REJB 1998-09789 (C.S.)).

3/90 Le directeur des finances et de l'administration d'un syndicat professionnel qui participe à l'élaboration des décisions politiques de l'organisme, n'est pas un cadre supérieur mais un cadre intermédiaire.
Mornard c. *Union des artistes*, D.T.E. 2003T-850 (C.R.T.).

3/91 Le directeur général régional de journaux hebdomadaires, d'un service de distribution, d'une imprimerie et d'un service aux éditeurs, n'est pas nécessairement un cadre supérieur s'il ne participe pas à l'élaboration ou à la définition des orientations et de la politique générale de l'entreprise, compte tenu du fait qu'il n'a aucun pouvoir décisionnel sur l'élaboration ou l'adoption de ces normes.
Brisson c. *9027-4580 Québec inc.*, (1997) C.T. 452, D.T.E. 97T-1118 (C.T.) (révision judiciaire refusée: D.T.E. 99T-549 (C.S.)) (désistement d'appel).
V. aussi: *Clair* c. *Journal de St-Bruno inc.*, D.T.E. 2000T-970 (C.T.).

3/92 Est un cadre supérieur, la vice-présidente et directrice générale qui est l'épouse du président d'une entreprise qui publie un magazine destiné aux grossistes et aux agences de voyages.
Ozan-Groulx c. *Distribution Acra ltée (Bulletin voyages)*, D.T.E. 2000T-1071 (C.T.).

3/93 La personne qui détient le titre de concepteur technologique senior, vice-président et actionnaire d'une entreprise, est un cadre supérieur même si elle ne gère ni ne supervise les salariés, et ce, si elle participe au développement de la société en intervenant dans les orientations technologiques et stratégiques.
Arseneault c. *Gotar Technologies inc.*, D.T.E. 2006T-504 (C.R.T.).

3/94 N'est pas un cadre supérieur, le directeur de la restauration d'un hôtel qui occupe le deuxième rang après le directeur général et dont le rôle et l'autonomie sont restreints dans la prise de décision importante par plusieurs politiques et directives provenant du siège social de l'entreprise.
Matte c. *Hôtels et villégiatures Canadian Pacifique — Le château Montebello*, (1994) C.T. 50, D.T.E. 94T-293 (C.T.).
V. aussi: *C.N.T.* c. *Hôtel et villégiature du lac Delage inc.*, D.T.E. 98T-645 (C.Q.), REJB 1998-06196 (C.Q.).

3/95 Est un cadre supérieur, le gestionnaire unique d'une petite entreprise qui est aussi actionnaire de cette dernière et qui doit répondre de ses actes au conseil d'administration.
Thomassin c. *Structure d'acier Orléans inc.*, D.T.E. 99T-933 (C.T.).

3/96 Le gérant de production qui dirige une boulangerie, entreprise familiale, est un cadre supérieur.
Lauzon c. *Pain Deux-Montagnes inc.*, D.T.E. 94T-407 (C.T.).

3/97 Un directeur de la production n'est pas un cadre supérieur en l'absence de véritable pouvoir décisionnel.
Lavoie c. *Bon L. Canada inc.*, D.T.E. 2001T-512 (C.T.) (révision judiciaire refusée: C.S.M. n° 500-05-064634-015, le 13 septembre 2001).

3/98 Le contrôleur d'une entreprise qui est responsable des opérations courantes de celle-ci et qui ne participe pas à ses décisions majeures, n'est pas un cadre supérieur.
C.N.T. c. *Échafaudage Falardeau inc.*, D.T.E. 2001T-106 (C.Q.).

3/99 Même si un contremaître relève directement du président de l'entreprise et qu'il reçoit le salaire le plus élevé, il n'est pas un cadre supérieur, et ce, même s'il est informé des décisions prises et que son opinion peut être à l'occasion sollicitée, puisqu'il ne participe pas à la gestion de l'entreprise ni à l'élaboration de ses orientations et politiques.
Bellemare c. *2543-3012 Québec inc.*, D.T.E. 2007T-299 (C.R.T.).

3/100 Le contrôleur d'une PME n'est pas nécessairement un cadre supérieur au sens de la *Loi sur les normes du travail*.
Roseberry c. *Aliments 2000 (1987) inc.*, D.T.E. 2001T-762 (C.T.) (requête en révision judiciaire: n° 200-05-015347-011).

3/101 La personne responsable d'un centre d'appel qui relève directement du président de l'entreprise n'est pas un cadre supérieur.
Proulx c. *Solutions Brenrose inc.*, D.T.E. 2003T-879 (C.R.T.).

3/102 Le chef pompier d'une municipalité n'est pas nécessairement un officier nommé conformément au *Code municipal du Québec*, l'excluant automatiquement de l'application de la *Loi sur les normes du travail*.
Mousseau c. *Ste-Lucie-des-Laurentides (Municipalité de)*, (2000) R.J.D.T. 648 (C.T.), D.T.E. 2000T-543 (C.T.).

3/103 Le contremaître général d'une usine qui participe au comité de gestion de l'entreprise, mais qui ne détient aucun pouvoir décisionnel relativement aux stratégies et politiques de celle-ci, n'est pas un cadre supérieur.
Morin c. *Carrière Union ltée*, D.T.E. 2006T-395 (C.R.T.) (révision en vertu de l'article 127 C.T. refusée: D.T.E. 2006T-887 (C.R.T.)) (désistement de la révision judiciaire).

3/104 Un gérant d'usine n'est pas nécessairement un cadre supérieur.
Rivard c. *Atlantic Packaging Products Ltd.*, D.T.E. 98T-389 (C.T.).

3/105 Un gérant de service qui a sous sa responsabilité un superviseur et une équipe d'une trentaine d'employés spécialisés n'est pas un cadre supérieur.
C.N.T. c. *3564762 Canada inc.*, D.T.E. 2003T-939 (C.Q.), J.E. 2003-1793 (C.Q.), REJB 2003-47052 (C.Q.).

3/106 La personne qui porte le titre de directeur d'une entreprise familiale et qui a un mandat relié à l'assurance qualité d'un logiciel n'est pas nécessairement un cadre supérieur.
C.N.T. c. *S2I inc.*, (2005) R.J.D.T. 200 (C.Q.), D.T.E. 2005T-20 (C.Q.), J.E. 2005-32 (C.Q.), EYB 2004-80851 (C.Q.).

3/107 Un directeur d'atelier d'une entreprise multinationale n'est pas un cadre supérieur.
Cuinet c. *Société canadienne des pneus Michelin ltée*, D.T.E. 94T-437 (C.T.).

3/108 Un directeur des ateliers qui occupe le cinquième échelon dans la hiérarchie de l'entreprise n'est pas un cadre supérieur. La participation à un comité de nature administrative ne change rien au statut du salarié.
C.N.T. c. *Carnaval de Québec inc.*, D.T.E. 2007T-893 (C.Q.), EYB 2007-129005 (C.Q.).

3/109 Un courtier en douane qui est responsable de la gestion du service d'importation-exportation, de même que des ventes de l'entreprise, n'est pas un cadre supérieur.
Chevanelle c. *J.A. Léveillé & Fils (1990) inc.*, D.T.E. 2003T-198 (C.R.T.).

3/110 Un responsable des comptes-clients qui n'a pas un degré d'autonomie exclusif à ses mandats, n'est pas un cadre supérieur, et ce, compte tenu que d'autres personnes détiennent le même niveau hiérarchique que le salarié dans l'entreprise.
Chaulk c. *Agence de permis Nova*, (1998) R.J.D.T. 197 (C.T.), D.T.E. 98T-53 (C.T.).

3/111 Une coordonnatrice d'un organisme communautaire n'est pas nécessairement un cadre supérieur de l'entreprise.
Forest c. *Collectif plein de bon sens*, D.T.E. 2004T-158 (C.R.T.).
Bouchard c. *Centre Bonne-Entente*, D.T.E. 96T-503 (C.T.).

3/112 Une coordonnatrice d'un organisme communautaire de défense des droits des personnes peut être considérée comme un cadre supérieur, et ce, compte tenu de ses fonctions.
Foisy c. *Centre de défense des droits de la Montérégie*, D.T.E. 2007T-812 (C.R.T.).

3/113 Le vice-président responsable des ventes et du marketing qui a le pouvoir de négocier et de conclure des contrats et qui gère également les ressources humaines de l'entreprise est un cadre supérieur.
El-Mir c. *Absorbe-plus inc.*, D.T.E. 2002T-372 (C.T.) (révision judiciaire refusée: D.T.E. 2002T-1033 (C.S.)).

3/114 La personne qui détient le poste de vice-président, développement des affaires, d'une entreprise de haute technologie, n'est pas nécessairement un cadre supérieur.
Fleury c. *Technologies avancées de fibres (A.F.T.) inc.*, D.T.E. 2004T-181 (C.R.T.) (révision judiciaire refusée: D.T.E. 2005T-76 (C.A.)).

3/115 Le vice-président responsable de la gestion et de la structure informatique d'une entreprise, n'est pas nécessairement un cadre supérieur.
C.N.T. c. *Groupe Nexio inc.*, D.T.E. 2007T-54 (C.Q.), EYB 2006-111339 (C.Q.).

3/116 La personne qui occupe le poste de directeur général d'un organisme sans but lucratif est un cadre supérieur.
Letellier c. *Fédération des coopératives d'habitation de la Mauricie et du Centre du Québec*, D.T.E. 2004T-534 (C.R.T.).
Tessier c. *Centre-étape, atelier de formation pour les femmes inc.*, D.T.E. 2003T-611 (C.R.T.).
Gagnon c. *Tennis Montréal inc.*, D.T.E. 2002T-1083 (C.T.) (révision judiciaire refusée: C.S.M. n° 500-05-075115-020, le 1er mai 2003).

3/117 La directrice générale d'un organisme sans but lucratif qui offre des services et des activités à des personnes âgées, est un cadre supérieur, et ce, compte tenu qu'elle s'occupe de la gestion des ressources humaines et matérielles et qu'elle participe à l'élaboration des politiques et des orientations de l'entreprise.
Potier c. *Centre communautaire Le Rendez-vous des aînés(es) (Laval) inc.*, D.T.E. 2006T-115 (C.R.T.).

3/118 La directrice générale d'un organisme sans but lucratif qui a des pouvoirs décisionnels relativement aux stratégies et politiques de l'entreprise, est un cadre supérieur.
C.N.T. c. *Fondation Gérard-Delage*, D.T.E. 2008T-934 (C.Q.), EYB 2008-150411 (C.Q.).

3/119 Le directeur général d'un organisme à but non lucratif, compte tenu des critères à considérer et en l'absence de pouvoir décisionnel, n'est pas un cadre supérieur, et ce, vu le rôle prépondérant du conseil d'administration.
Pinard c. *Comité de développement touristique et économique de Godbout*, D.T.E. 2009T-172 (C.R.T.) (en révision).

3/120 Le vice-président d'une entreprise de conseillers en matière de placement et de gestion de portefeuilles de valeurs mobilières, est un cadre supérieur.
Conseillers en placements Pemp inc. c. *Couture*, D.T.E. 94T-1073 (C.S.), J.E. 94-1497 (C.S.) (règlement hors cour).

3/121 Un rabbin n'est pas un cadre supérieur, même s'il dispose d'une autonomie professionnelle, en l'absence d'un véritable pouvoir décisionnel sur le plan administratif.
Brandwein c. *Congrégation Beth-El*, (2003) R.J.D.T. 294 (C.R.T.), D.T.E. 2003T-92 (C.R.T.) (révision judiciaire refusée: D.T.E. 2005T-365 (C.A.)).

Divers

3/122 En ne faisant pas de la situation du secrétaire-trésorier de la Société d'agriculture, une exception prévue à l'article 3 de la *Loi sur les normes du travail*, le législateur a voulu en cette matière, donner préséance aux dispositions de la *Loi sur les sociétés d'agriculture* (L.R.Q., c. S-25) plutôt qu'aux effets du salaire minimum édicté par l'article 40 L.N.T.
Crawford c. *Société d'agriculture d'Argenteuil*, D.T.E. 96T-1144 (C.Q.), J.E. 96-1869 (C.Q.).

3/123 V. AUDET, G., BONHOMME, R., GASCON, C. et COURNOYER-PROULX, M., *Le congédiement en droit québécois en matière de contrat individuel de travail*, vol. 1, 3e éd. (édition à feuilles mobiles), Cowansville, Éditions Yvon Blais, p. 16-12 à 16-30.

3/124 V. BÉLIVEAU, N.-A., *Les normes du travail*, Cowansville, Les Éditions Yvon Blais inc., 2003, p. 57 à 73.

3/125 V. BRIÈRE, J.-Y., «Principaux amendements à la Loi sur les normes du travail et jurisprudence récente et marquante», dans *Développements récents en droit du travail (1991)*, Formation permanente du Barreau du Québec, Cowansville, Les Éditions Yvon Blais inc., 1991, p. 1, p. 7.

3/126 V. CAZA, C., «L'embarquement pour un tour d'horizon des développements récents concernant la *Loi sur les normes du travail*», dans *Développements récents en droit du travail (1997)*, Formation permanente du Barreau du Québec, Cowansville, Les Éditions Yvon Blais inc., 1997, p. 229, p. 250 et ss.

3/127 V. DUBÉ, J.-L. et DI IORIO, N., *Les normes du travail*, 2e éd., Sherbrooke, Les Éditions Revue de droit — Université de Sherbrooke, 1992, p. 60 à 62.

3/128 V. LAPORTE, P., *Le traité du recours à l'encontre d'un congédiement sans cause juste et suffisante (en vertu de la Loi sur les normes du travail, article 124)*, Montréal, Wilson & Lafleur ltée, 1992, p. 40.

art. 5

5/1 La Commission des normes du travail n'est pas un tribunal administratif. Elle ne possède pas une compétence exclusive en matière de normes du travail. En effet, il n'est dit nulle part dans la *Loi sur les normes du travail* que celle-ci possède une telle compétence en ces matières.
Association des policiers provinciaux du Québec c. *Québec (Procureur général)*, D.T.E. 97T-458 (C.A.), J.E. 97-825 (C.A.).

5/2 Selon l'article 5 L.N.T., la réception d'une plainte officielle est une option parmi tant d'autres dans le rôle de surveillant des normes qui est dévolu à la Commission des normes du travail.
Jordan-Doherty c. *Loblaw Québec ltée (Loblaws)*, D.T.E. 2000T-348 (C.T.).

5/3 La Commission des normes du travail, ou les personnes qu'elle désigne sont, en vertu de la L.N.T., chargées de prévenir, détecter ou réprimer des infractions aux lois, au sens de l'article 28 de la *Loi sur l'accès aux documents des organismes publics et sur la protection des renseignements personnels* (L.R.Q., c. A-2.1).
Église de scientologie c. *C.N.T.*, (1987) C.A.I. 200.

art. 22

IMMUNITÉ

22/1 La Commission des normes du travail n'est pas à l'abri des recours de droit commun, malgré l'immunité dont elle jouit à l'égard des recours extraordinaires. En tant que corporation au sens du *Code civil du Bas-Canada*, elle doit répondre de sa faute si celle-ci cause un dommage.

Club de Golf Murray Bay inc. c. *C.N.T.*, (1986) R.J.Q. 950 (C.A.), D.T.E. 86T-266 (C.A.), J.E. 86-374 (C.A.).
V. aussi: *C.N.T.* c. *2420-9611 Québec inc.*, D.T.E. 2002T-187 (C.Q.), J.E. 2002-344 (C.Q.), REJB 2002-30105 (C.Q.).

22/2 Il ne saurait y avoir de recours à l'encontre de la Commission des normes du travail en l'absence d'abus de droit. Ainsi, l'on ne peut parler de poursuite abusive de la part de la Commission lorsque la version du salarié permet de penser qu'il s'agit d'un congédiement déguisé alors que les prétentions de l'employeur sont à l'effet contraire.
C.N.T. c. *Cercueils André (1992) inc.*, D.T.E. 96T-538 (C.Q.), J.E. 96-944 (C.Q.).

22/3 Pour qu'une réclamation en dommages dirigée contre la Commission des normes du travail soit accueillie, l'employeur doit établir que celle-ci était de mauvaise foi et que le recours intenté était de toute évidence voué à l'échec.
C.N.T. c. *Fondation Gérard-Delage*, D.T.E. 2008T-934 (C.Q.), EYB 2008-150411 (C.Q.).

22/4 La Commission des normes du travail bénéficie d'une immunité, et ce, en fonction de l'article 22 L.N.T. Ainsi, sauf en ce qui concerne une question de compétence, aucun des recours prévus aux articles 33 et 834 à 846 du *Code de procédure civile* ne peut être exercé ni aucune injonction accordée contre celle-ci.
Matériaux à bas prix ltée c. *C.N.T.*, D.T.E. 2005T-811 (C.S.), J.E. 2005-1653 (C.S.), EYB 2005-94460 (C.S.).

art. 39

POUVOIRS DE LA COMMISSION

PARAGRAPHE 5

39/1 Un salarié ne saurait renoncer aux bénéfices de la Loi sur les normes, il a toujours le droit d'en profiter, celle-ci étant d'ordre public.
400 Club Ltd. (The) c. *Commission du salaire minimum*, (1956) B.R. 713.
C.N.T. c. *Beaurivage*, (1981) C.P. 47, J.E. 81-459 (C.Q.).
Commission du salaire minimum c. *Restaurant Nirvana (1973) inc.*, (1980) R.L. 503 (C.Q.).
Commission du salaire minimum c. *Navigation Harvey et Frères inc.*, (1974) R.D.T. 378 (C.Q.).

PARAGRAPHE 8

39/2 Exceptionnellement et contrairement à l'article 59 du *Code de procédure civile*, la Commission des normes du travail peut plaider l'intérêt d'une autre personne et exercer le droit de celle-ci, en réclamant d'un employeur, le salaire dû à un employé.
Neiderer c. *Small*, (1987) R.J.Q. 2671 (C.Q.), D.T.E. 87T-999 (C.Q.), J.E. 87-1227 (C.Q.).

39/3 Un employeur peut interroger au préalable le salarié au profit duquel la Commission des normes du travail intente un recours.
C.N.T. c. *Groupe Explo-nature*, (1984) R.D.J. 118 (C.A.), D.T.E. 84T-454 (C.A.).
C.N.T. c. *Restaurants Pastificio (Québec) inc.*, (1983) C.P. 266, D.T.E. 83T-950 (C.Q.), J.E. 83-1149 (C.Q.).
Contra: *Commission du salaire minimum* c. *Papamonoliodakis*, (1972) R.P. 417 (C.Q.).

39/4 La Commission des normes du travail exerce le recours prévu à l'article 39(8) en vertu des pouvoirs législatifs qui lui sont attribués et non pas à titre de mandataire du salarié.
Boisvert c. *Fabspec inc.*, D.T.E. 2007T-619 (C.Q.), EYB 2007-120808 (C.Q.).
C.N.T. c. *Normandin*, D.T.E. 93T-957 (C.Q.), J.E. 93-1488 (C.Q.).

39/5 Ni le *Code civil du Québec* ni la *Loi sur les normes du travail* n'oblige le salarié à opter pour l'un ou l'autre des recours et rien dans la *Loi sur les normes du travail* n'oblige le salarié à avoir recours à celle-ci. Un salarié a pleinement le droit d'exercer son recours soit en vertu du Code civil, soit en vertu de la *Loi sur les normes du travail.*
Boisvert c. *Fabspec inc.*, D.T.E. 2007T-619 (C.Q.), EYB 2007-120808 (C.Q.).

39/6 Lorsque la créance résulte à la fois de la loi et de l'existence d'un contrat, il s'agit d'une petite créance ayant pour cause un contrat, et non pas d'une créance ayant pour cause la loi seule.
C.N.T. c. *Mollinger*, D.T.E. 96T-472 (C.Q.), J.E. 96-838 (C.Q.).
Allard c. *Constructions Jean-Louis Thiffault inc. (Les)*, (1978) C.P. 390, J.E. 78-596 (C.Q.).

N.B. Depuis L.Q. 2002, c. 7, art. 148, qui a remplacé notamment l'article 953 C.P.C., il n'est plus utile de faire la distinction entre une obligation contractuelle ou extracontractuelle et une obligation qui découle de la loi seule.

39/7 Il est bien établi que la *Loi sur les normes du travail* est d'ordre public, ce qui donne à la Commission des normes du travail des pouvoirs et des droits particuliers, différents de ceux du salarié. Elle peut intenter son recours non pas en vertu d'une cession de créance, mais bien suivant la *Loi sur les normes du travail.*
C.N.T. c. *Urgel Bourgie ltée*, D.T.E. 96T-1512 (C.Q.).

39/8 L'opposition ou la renonciation du salarié n'ont aucun effet sur l'habilité de la Commission des normes du travail à agir en justice.
C.N.T. c. *9092-5553 Québec inc.*, (2004) R.J.Q. 2680 (C.A.), (2004) R.J.D.T. 1431 (C.A.), D.T.E. 2004T-1072 (C.A.), J.E. 2004-2045 (C.A.), REJB 2004-71995 (C.A.).
Transport Tilly Inc. c. *Commission du salaire minimum*, J.E. 78-1018 (C.A.).

39/9 Un employeur ne peut invoquer une transaction ou opposer compensation à la Commission des normes du travail.
C.N.T. c. *Normandin*, D.T.E. 93T-957 (C.Q.), J.E. 93-1488 (C.Q.).
C.N.T. c. *2162-5199 Québec inc.*, C.Q.Q. n° 200-02-003573-880, le 10 juillet 1990.

39/10 L'employeur ne peut plaider compensation en défense à une réclamation de la Commission des normes du travail pour un congé annuel impayé. En effet, il n'invoque pas l'existence d'une dette certaine, liquide, exigible et la Commission n'est pas réciproquement débitrice dans la relation employeur-employé.
C.N.T. c. *Urgel Bourgie ltée*, D.T.E. 96T-1512 (C.Q.).
V. aussi: *Syndicat des employés de Germain Larivière inc.* c. *Germain Larivière 1970 ltée (grief syndical)*, D.T.E. 2009T-115 (T.A.).
V. cependant: *C.N.T.* c. *Emco Ltd.*, D.T.E. 99T-1174 (C.Q.), J.E. 99-2370 (C.Q.), REJB 1999-15928 (C.Q.).

39/11 Un moyen de défense fondé sur la compensation judiciaire n'est pas opposable à la Commission des normes du travail lorsqu'il vise des dettes personnelles des salariés. En effet, la Commission des normes du travail n'agit pas à titre de mandataire des salariés. L'autorité qu'elle exerce lui vient de la loi. De plus, pour qu'il y ait compensation, il faut que les conditions de validité de celle-ci soient présentes.
C.N.T. c. *Romtech Technologie inc.*, D.T.E. 2001T-318 (C.Q.).
V. aussi: *C.N.T.* c. *Essor Assurances placements conseils inc.*, (2007) R.J.D.T. 1015 (C.Q.), D.T.E. 2007T-591 (C.Q.), J.E. 2007-1354 (C.Q.), EYB 2007-120971 (C.Q.).

39/12 Il y a lieu de faire une distinction entre les concepts de la compensation légale et de la compensation judiciaire. En matière de compensation judiciaire, l'employeur ne pourrait opposer à la Commission des normes du travail une réclamation pour laquelle elle n'est aucunement débitrice, d'autant plus qu'elle n'agit pas à titre de mandataire du salarié mais qu'elle tient son mandat de la loi elle-même. Lorsqu'il y a compensation légale qui est opérée validement entre deux dettes liquides et exigibles, et ce, avant que la Commission ne soit saisie d'une plainte d'un salarié, rien n'empêche alors un employeur d'opposer cette compensation à cette dernière afin de justifier l'extinction d'une créance.
C.N.T. c. *Essor Assurances placements conseils inc.*, (2007) R.J.D.T. 1015 (C.Q.), D.T.E. 2007T-591 (C.Q.), J.E. 2007-1354 (C.Q.), EYB 2007-120971 (C.Q.).

39/13 Il est possible d'opposer compensation légale à la Commission des normes du travail pour une dette liquide et exigible du salarié.
C.N.T. c. *2837617 Canada Ltd.*, D.T.E. 99T-594 (C.Q.).
C.N.T. c. *Emco Ltd.*, D.T.E. 99T-1174 (C.Q.), J.E. 99-2370 (C.Q.), REJB 1999-15928 (C.Q.).
V. aussi: *C.N.T.* c. *Ballin inc.*, D.T.E. 2002T-503 (C.Q.), J.E. 2002-899 (C.Q.), REJB 2002-31977 (C.Q.).

PARAGRAPHE 9

39/14 L'article 39(9) L.N.T. permet à la Commission des normes du travail d'argumenter et d'être présente devant un tribunal lorsqu'un débat porte sur la *Loi sur les normes du travail*.
Neiderer c. *Small*, (1987) R.J.Q. 684 (C.Q.), D.T.E. 87T-295 (C.Q.), J.E. 87-327 (C.Q.).

39/15 V. la jurisprudence sous l'article 93 L.N.T.

art. 39.1

N.B. L'article 39.1 a été abrogé par la *Loi modifiant la Loi sur les normes du travail et d'autres dispositions législatives*, L.Q. 2002, c. 80.

39.1/1 L'agriculture comprend un aspect de transformation d'un milieu naturel en vue d'une production. Cette transformation exige une intervention humaine dont le degré peut varier selon le type d'agriculture.
C.N.T. c. *Pépinière Fleur de lys inc.*, (1989) R.J.Q. 2249 (C.Q.), D.T.E. 89T-811 (C.Q.), J.E. 89-1250 (C.Q.).

39.1/2 «Agriculture means farming in its broadest sense and this includes what is commonly known as Chicken Farms.»
Commission du salaire minimum c. *Ferme Renil ltée*, (1968) B.R. 423.

39.1/3 L'article 39.1 L.N.T. ne s'applique pas à des salariés travaillant à la mise en valeur d'une ferme avicole exploitée par une compagnie.
Commission du salaire minimum c. *Ferme Renil ltée*, (1968) B.R. 423.

39.1/4 Le fait qu'un employeur vende des pommes provenant de productions autres que la sienne ne lui fait pas perdre le statut de ferme.
Pomme du St-Laurent Enr. c. *Fournier*, (1990) T.A. 711, D.T.E. 90T-1148 (T.A.).

PARAGRAPHE 1

39.1/5 Le mot habituel ne peut justifier que l'on exclue de la notion de salarié ceux qui sont employés pour des périodes particulières.
Pomme du St-Laurent Enr. c. *Fournier*, (1990) T.A. 711, D.T.E. 90T-1148 (T.A.).

PARAGRAPHE 2

39.1/6 Même si à certaines périodes il y a plus de trois salariés, cette main-d'oeuvre supplémentaire ne fait pas en sorte qu'on puisse dire qu'il y a concours habituel de plus de trois salariés. Le mot habituel ne signifie pas régulier.
Entreprises avicoles de St-Pie c. *Lacroix*, D.T.E. 90T-326 (T.A.).

39.1/7 V. MORAN, P.-J. et TRUDEAU, G., «Le salariat agricole au Québec», (1991) 46 *R.I.* 159.

art. 40

40/1 La *Loi sur les normes du travail* s'applique lorsque les parties conviennent d'un taux de salaire moindre que le taux minimum fixé par règlement.
Trépanier c. *Faucher*, (1965) C.S. 326.

40/2 Nul employeur ne peut faire travailler un de ses salariés, sans lui payer le salaire minimum que le gouvernement est autorisé à fixer.

Middleton c. *Montreal Standard, a division of Canadian Newspapers Co.*, D.T.E. 85T-947 (C.S.), conf. par (1989) R.J.Q. 1101 (C.A.), D.T.E. 89T-429 (C.A.), J.E. 89-723 (C.A.).
Taskos c. *104880 Canada inc.*, (1987) R.J.Q. 2574 (C.S.), D.T.E. 87T-984 (C.S.), J.E. 87-1220 (C.S.).
Syndicat des cols blancs de Gatineau c. *Gatineau (Ville de)*, D.T.E. 85T-592 (C.S.), J.E. 85-719 (C.S.).
Richard c. *Jules Baillot & Fils ltée*, D.T.E. 97T-1005 (C.Q.).
C.N.T. c. *Girard*, D.T.E. 96T-1473 (C.Q.).
Hôpital St-Denis c. *Syndicat québécois des employées et employés de service*, Arbitrage — Santé et services sociaux, 97A-53.

Même si le travail est exécuté à domicile.
Couture-Thibault c. *Pharmajan inc.*, (1984) T.A. 326, D.T.E. 84T-423 (T.A.).

40/3 L'ordre public exige que le salarié touche le salaire minimum pour toutes ses heures de travail.
Massa c. *Viger*, D.T.E. 2006T-179 (C.Q.), J.E. 2006-402 (C.Q.), EYB 2005-101729 (C.Q.).
C.N.T. c. *Immeubles Terrabelle inc.*, (1989) R.J.Q. 1307 (C.Q.), D.T.E. 89T-431 (C.Q.), J.E. 89-729 (C.Q.).

40/4 L'ordre public exige que le salarié touche un salaire pour toutes ses heures de travail.
C.N.T. c. *Pouliot*, D.T.E. 2006T-746 (C.Q.).
C.N.T. c. *Entreprises Cyframe international inc.*, D.T.E. 2004T-1071 (C.Q.).
Tremblay c. *Entretien Beau-gazon S.E.N.C.*, (1998) R.J.D.T. 204 (C.T.), D.T.E. 98T-151 (C.T.).

40/5 Rien n'interdit à un employeur de limiter le nombre d'heures à être effectué dans un temps donné et de fixer un salaire global pour ce travail, pourvu que le salaire minimum soit respecté.
C.N.T. c. *Immeubles Terrabelle inc.*, (1989) R.J.Q. 1307 (C.Q.), D.T.E. 89T-431 (C.Q.), J.E. 89-729 (C.Q.).

40/6 Il ne peut y avoir renonciation par un salarié à son droit à un salaire.
C.N.T. c. *Pouliot*, D.T.E. 2006T-746 (C.Q.).
C.N.T. c. *St-Raymond Plymouth Chrysler inc.*, D.T.E. 86T-935 (C.Q.), J.E. 86-1155 (C.Q.).
V. aussi: *Trois-Rivières-Ouest (Ville de)* c. *Association des policiers-pompiers de Trois-Rivières-Ouest inc.*, D.T.E. 2003T-673 (T.A.).

40/7 Il est contraire à l'ordre public d'exiger d'un salarié qu'il se présente au travail sans être rémunéré.
Beaudoin c. *Motel Le montagnard inc.*, D.T.E. 96T-769 (C.T.) (appel rejeté: T.T.M. n° 500-28-000285-965, le 18 décembre 1996).

40/8 Un employeur ne peut réduire le salaire minimum en payant moins d'heures que le nombre réellement travaillé par le salarié.
C.N.T. c. *Centre Lux ltée*, D.T.E. 94T-999 (C.Q.), J.E. 94-1422 (C.Q.).
Commission du salaire minimum c. *Restaurant Nirvana (1973) inc.*, (1980) R.L. 503 (C.Q.).

40/9 Un employeur ne peut convenir avec un employé d'une période d'essai pendant laquelle ce dernier ne serait pas rémunéré.
Commission du salaire minimum c. *Corp. de l'hôpital d'Youville de Sherbrooke*, J.E. 80-521 (C.S.).
Richard c. *Jules Baillot & Fils ltée*, D.T.E. 97T-1005 (C.Q.).
C.N.T. c. *St-Raymond Plymouth Chrysler inc.*, D.T.E. 86T-935 (C.Q.), J.E. 86-1155 (C.Q.).
Hôpital St-Denis c. *Syndicat québécois des employées et employés de service*, Arbitrage — Santé et services sociaux, 97A-53.

40/10 Un employeur ne peut refuser de rémunérer un salarié pendant la période de formation préalable au début de la prestation de travail de l'employé.
Levasseur c. *Agence de placement Hélène Roy ltée*, D.T.E. 2002T-669 (C.T.).

40/11 La présence obligatoire sur les lieux de travail dans le but de recevoir de l'information et des directives doit être considérée comme du temps travaillé entraînant nécessairement une rémunération.
C.N.T. c. *2859-0818 Québec inc.*, D.T.E. 96T-108 (C.Q.).
Beaudoin c. *Motel Le montagnard inc.*, D.T.E. 96T-769 (C.T.) (appel rejeté: T.T.M. n° 500-28-000285-965, le 18 décembre 1996).

40/12 La présence non obligatoire sur les lieux de travail dans le but de recevoir de l'information et des instructions pour améliorer les conditions de travail du salarié peut, également, être considérée comme du temps travaillé entraînant le paiement d'une rémunération.
C.N.T. c. *McInnis*, D.T.E. 98T-288 (C.Q.).

40/13 Lorsqu'un employeur exige du salarié qu'il assume et assure une présence obligatoire à une heure donnée au début de la journée, il doit nécessairement payer le salarié pour cette période de temps.
C.N.T. c. *Comité local de développement de L'Anse-à-Valleau*, D.T.E. 2004T-63 (C.Q.).

40/14 Le salaire minimum est dû à un salarié rémunéré à la commission, et ce, même s'il n'a effectué aucune vente.
Richard c. *Jules Baillot & Fils ltée*, D.T.E. 97T-1005 (C.Q.).
Commission du salaire minimum c. *Habitations du temps inc.*, J.E. 81-486 (C.Q.).

40/15 Le salarié entièrement rémunéré à commission ne peut exiger le salaire minimum s'il travaille dans une activité à caractère commercial en dehors de l'établissement et que ses heures sont incontrôlables.
Commission du salaire minimum c. *Dominion Life Insurance Co.*, J.E. 80-408 (C.Q.).
V. aussi: *Richard* c. *Jules Baillot & Fils ltée*, D.T.E. 97T-1005 (C.Q.).

40/16 Nul employeur ne peut faire exécuter un travail par un salarié sans rémunération, en guise de mesure disciplinaire.
Syndicat des cols blancs de Gatineau c. *Gatineau (Ville de)*, D.T.E. 85T-592 (C.S.), J.E. 85-719 (C.S.).

40/17 Relativement au concierge d'un immeuble, il incombe à l'employeur d'établir que le nombre d'heures est déraisonnable eu égard à la nature de l'immeuble et non à la rémunération. C'est à l'employeur de décrire la tâche qu'il confie à son employé et de limiter le nombre d'heures de travail.

Cléroux-Strasbourg c. *Gagnon*, (1986) R.J.Q. 2820 (C.A.), D.T.E. 86T-831 (C.A.), J.E. 86-1083 (C.A.).
C.N.T. c. *Place Bishop*, D.T.E. 2001T-412 (C.Q.).
Dans le cas d'une hôtesse de salon funéraire, voir:
C.N.T. c. *Urgel Bourgie ltée*, D.T.E. 96T-1409 (C.S.), J.E. 96-2162 (C.S.).
Dans le cas d'un employé d'une colonie de vacances, voir:
C.N.T. c. *Edphy international inc.*, (2000) R.J.D.T. 191 (C.Q.), D.T.E. 2000T-256 (C.Q.).

40/18 V. la jurisprudence sous les articles 49 à 101 et 52 et 53 L.N.T.

40/19 V. la jurisprudence sous l'article 2 du *Règlement sur les normes du travail.*

40/20 V. DUBÉ, J.-L. et DI IORIO, N., *Les normes du travail*, 2e éd., Sherbrooke, Les Éditions Revue de droit — Université de Sherbrooke, 1992, p. 92 à 95.

40/21 V. GOYETTE, R.M., «La réforme de la *Loi sur les normes du travail*: les points saillants», dans *Développements récents en droit du travail (2003)*, Formation permanente du Barreau du Québec, Cowansville, Les Éditions Yvon Blais inc., 2003, p. 71.

40/22 V. TRUDEAU, G., «Les normes minimales du travail: bilan et éléments de prospective», dans Blouin, R. (dir.), *Vingt-cinq ans de pratique en relations industrielles au Québec*, Cowansville, Les Éditions Yvon Blais inc., 1990, p. 1085, p. 1098 et 1099.

art. 40.1

N.B. L'article 40.1 a été abrogé par la *Loi modifiant la Loi favorisant le développement de la formation de la main-d'oeuvre et d'autres dispositions législatives*, L.Q. 2007, c. 3.

40.1/1 Les dispositions de l'article 40.1 de la *Loi sur les normes du travail* ne s'appliquent pas à un apprenti cordonnier, entièrement rémunéré à commission, qui ne participe pas au régime d'apprentissage.
C.N.T. c. *Desrochers*, D.T.E. 2001T-681 (C.Q.).

art. 41

41/1 Le salaire minimum doit être payé en argent et non sous forme d'avantages évaluables en argent, telle la fourniture d'un appartement.
C.N.T. c. *Immeubles Yamiro inc.*, D.T.E. 2002T-562 (C.Q.).
C.N.T. c. *Centre Lux ltée*, D.T.E. 94T-999 (C.Q.), J.E. 94-1422 (C.Q.).
C.N.T. c. *Mario Barone inc.*, D.T.E. 92T-462 (C.Q.).
C.N.T. c. *Lemcovitz*, D.T.E. 90T-1288 (C.Q.).
C.N.T. c. *Cie de fiducie Canada Permanent*, D.T.E. 83T-601 (C.Q.), J.E. 83-840 (C.Q.).

41/2 De même, il est interdit à un employeur d'opérer compensation pour le loyer minime dont bénéficie un concierge.
C.N.T. c. *Investissements Delseca inc.*, C.S.M. n° 500-05-017148-816, le 9 septembre 1983.
C.N.T. c. *Lelako inc.*, C.Q.M. n° 500-02-051133-812, le 10 décembre 1982.

41/3 On ne peut retenir comme élément du salaire, la valeur des repas pris par un salarié.
Commission du salaire minimum c. *Restaurant l'Oiseau Bleu Enr. (Le)*, (1965) R.D.T. 195 (C. Mag.).

41/4 Il est interdit à un employeur de déduire du salaire minimum la valeur d'un espace de garage qu'il fournit au salarié.
C.N.T. c. *Cie de fiducie Canada Permanent*, D.T.E. 83T-601 (C.Q.), J.E. 83-840 (C.Q.).

41/5 La valeur de l'usage d'une automobile ne doit pas entrer dans le calcul du salaire minimum.
Commission du salaire minimum c. *City Buick Pontiac ltée*, J.E. 77-27 (C.Q.).

art. 41.1

41.1/1 L'article 41.1 L.N.T. exige que le tribunal examine les tâches effectuées par les salariés à temps partiel et par les autres catégories d'employés. Ensuite, s'il en conclut que tous les autres salariés effectuent les mêmes tâches dans le même établissement, il doit déterminer si l'employeur a prouvé un motif justifiant que les salariés à temps partiel reçoivent un taux horaire inférieur aux autres employés.
Maison Simons inc. c. *C.N.T.*, D.T.E. 96T-18 (C.A.), J.E. 96-85 (C.A.).

41.1/2 Même si l'article 41.1 L.N.T. n'est pas incorporé à une convention collective, un arbitre de griefs a compétence pour l'appliquer et l'interpréter dans le cadre des griefs qui lui sont soumis, si la convention collective stipule qu'aucune de ces clauses ne doit être moins avantageuse que ce qu'une loi édicte en faveur des salariés.
Épiciers unis Métro-Richelieu inc. c. *Laberge*, D.T.E. 97T-33 (C.S.).

41.1/3 Un employeur doit payer deux catégories de salarié, soit des vendeuses à temps partiel et des vendeuses «à temps court», le même salaire, et ce, même si celles-ci exécutent des tâches spécifiques propres à chacune d'elle, si dans les faits, la structure des tâches établie n'est pas respectée et qu'en somme les vendeuses, autant à temps partiel qu'«à temps court», effectuent le même travail.
Maison Simons inc. c. *C.N.T.*, D.T.E. 96T-18 (C.A.), J.E. 96-85 (C.A.).

41.1/4 Une rôtisserie n'est pas un établissement où l'on exploite principalement un commerce au détail de produits alimentaires. En effet, les repas préparés dans une rôtisserie ne sont pas des produits alimentaires au sens du *Règlement sur la suspension de l'application de l'article 41.1 de la Loi sur les normes du travail à l'égard de certains salariés* (D. 1719-91, (1991) 123 G.O. 2, 7089).
C.N.T. c. *Claude et Marcel Martin inc.*, D.T.E. 94T-987 (C.Q.) (règlement hors cour).

41.1/5 Dans le cas où les règles de progression salariale ne se font pas selon le même barème pour les salariés à temps partiel et les salariés permanents, il peut en résulter des taux de salaire inférieurs pour ceux dont la progression n'augmenterait pas au même rythme, ce qui va à l'encontre des dispositions de l'article 41.1 L.N.T.
Union internationale des travailleuses et travailleurs unis de l'alimentation et du commerce, section locale 501 c. *Provigo Distribution inc., division Laval*, D.T.E. 2001T-355 (T.A.).

41.1/6 Il est prévu par les dispositions du deuxième alinéa de l'article 41.1 L.N.T. que, si le taux de salaire est de plus de deux fois le salaire minimum, alors le premier alinéa ne s'applique pas, c'est-à-dire qu'il sera permis dans un tel cas qu'il y ait un écart de salaire entre les salariés à temps partiel et les salariés réguliers, même si cet écart est basé uniquement sur le fait que les salariés à temps partiel travaillent moins d'heures par semaine que les salariés réguliers. Toutefois, si les parties avaient prévu un écart entre le taux applicable aux salariés à temps partiel et celui applicable aux salariés réguliers, mais qu'en tout état de cause le taux de salaire des salariés à temps partiel était de plus du double du salaire minimum, alors l'écart pourrait exister et il n'y aurait pas de contravention aux dispositions de l'article 41.1 L.N.T. Ainsi, le fait que le taux horaire de base du salarié régulier est plus que le double du salaire minimum ne change rien à la dérogation à cette disposition.
Union internationale des travailleuses et travailleurs unis de l'alimentation et du commerce, section locale 1991-P c. *Agropur (division Natrel) (grief syndical)*, D.T.E. 2008T-393 (T.A.).

41.1/7 V. CAZA, C., «L'embarquement pour un tour d'horizon des développements récents concernant la *Loi sur les normes du travail*», dans *Développements récents en droit du travail (1997)*, Formation permanente du Barreau du Québec, Cowansville, Les Éditions Yvon Blais inc., 1997, p. 229, p. 261 et ss.

art. 42

42/1 Un salarié a le droit d'exiger de recevoir son salaire en espèces et on ne peut le forcer à être rémunéré autrement.
Giguère c. *Centura Québec*, (1983) T.T. 455, D.T.E. 83T-801 (T.T.).

42/2 Un salarié est en droit d'exiger de recevoir son salaire en argent, et ce, quel que soit le procédé utilisé.
Montréal (Ville de) c. *Association des pompiers de Montréal inc.*, D.T.E. 82T-874 (T.A.).

42/3 Un employeur ne peut valablement payer un employé en marchandises tels des biens périssables et des boissons.
C.N.T. c. *Beausignol inc.*, (1987) R.J.Q. 688 (C.Q.), D.T.E. 87T-293 (C.Q.), J.E. 87-412 (C.Q.).

42/4 Un employeur ne peut imposer à un salarié le virement bancaire comme procédé de paiement du salaire.
Lapointe c. *Ti-frère centre de liquidation de tapis et décoration M.B. inc.*, D.T.E. 87T-481 (C.T.).

42/5 Le paiement du salaire par virement bancaire est légal si une convention collective n'empêche pas l'employeur de payer l'employé de cette façon et lorsqu'une autorisation a été donnée par le salarié.
Syndicat des employés du Centre d'accueil Cartier c. *Centre de réadaptation Cartier*, Arbitrage — Santé et services sociaux, 88A-272.

art. 43

43/1 L'employeur a discrétion pour fixer la fréquence de la paie en vertu de ses droits de direction, lesquels ne sont limités que par l'article 43 de la *Loi sur les normes du travail*.
Syndicat national des employés(ées) de l'Hôtel-Dieu de Gaspé (F.A.S. - C.S.N.) c. *Centre hospitalier l'Hôtel-Dieu de Gaspé*, Arbitrage — Santé et services sociaux, 93A-161.
LaSalle (Ville de) c. *Syndicat canadien de la Fonction publique, section locale 232 (F.T.Q.)*, D.T.E. 90T-208 (T.A.).
Syndicat des travailleurs(euses) de la résidence Dorchester c. *Centre d'accueil Providence Auclair et Dorchester, local 298 (F.T.Q.)*, Arbitrage — Affaires sociales, 87A-324.
V. aussi: *Syndicat des salariés(ées) de l'Hôpital St-Louis de Windsor (F.A.S. — C.S.N.)* c. *Hôpital St-Louis de Windsor inc.*, Arbitrage — Santé et services sociaux, 93A-209.

43/2 Il est possible pour un employeur de modifier la fréquence et la date du versement du salaire ou de décaler le moment du versement de la paie tout en respectant les dispositions de l'article 43 L.N.T.
CLSC-CHSLD du Val St-François (CHSLD du Val St-François) c. *Syndicat des salariés du Centre hospitalier de Windsor*, Arbitrage — Santé et services sociaux, 97A-103.
V. aussi: *Syndicat canadien de la fonction publique, section locale 3709* c. *St-Joseph-du-Lac (Municipalité de)*, D.T.E. 2004T-840 (T.A.).

43/3 L'article 43 L.N.T. prescrit le nombre maximum de jours qui peuvent séparer deux paies succcessives. Cette disposition n'est d'aucune utilité pour déterminer la période de travail qui doit correspondre à une paie donnée.
Union internationale des travailleurs et travailleuses unis de l'alimentation et du commerce, section locale 503 c. *Manoir Richelieu inc. (établissements hôtel et restaurant)*, D.T.E. 98T-493 (T.A.).

43/4 Est une norme d'ordre public, la norme prévue à l'article 43 L.N.T. prévoyant que le salarié a droit de réclamer d'être payé et de l'être à intervalles réguliers pour la prestation de travail qu'il a fournie.
Bouberaouat c. *Groupe Tecnum inc.*, (2005) R.J.D.T. 1641 (C.R.T.), D.T.E. 2005T-989 (C.R.T.).

art. 46

46/1 La loi exige d'une façon impérieuse que le salarié sache ce qu'il reçoit comme étant le contenu total du contrat d'engagement et sa juste rémunération.
Commission du salaire minimum c. *Restaurant Nirvana (1973) inc.*, (1980) R.L. 503 (C.Q.).

46/2 L'arbitre de griefs a compétence pour trancher la question soulevée par le grief fondé sur les dispositions de l'article 46 L.N.T., puisque celles-ci font partie intégrante de chaque convention collective compte tenu qu'elles sont d'ordre public. S'il ne tranche pas un litige fondé sur de telles dispositions, il commet alors une erreur qui autorise la Cour à intervenir.
Syndicat national de l'automobile, de l'aérospatiale, du transport et des autres travailleuses et travailleurs du Canada (TCA-Canada) c. *Corriveau*, D.T.E. 2006T-12 (C.S.), EYB 2005-98437 (C.S.).

46/3 Le but de l'article 46 L.N.T. est de faire connaître au salarié les heures travaillées, les heures supplémentaires, etc. L'employeur peut se conformer à cette disposition en indiquant sur le bulletin de paie de la semaine suivante, les informations pertinentes de la semaine précédente.
Syndicat des employés municipaux de Sacré-Coeur (F.E.M.S.Q.) c. *Sacré-Coeur (Mun.)*, (1985) T.A. 429, D.T.E. 85T-524 (T.A.).

46/4 Le fait pour un salarié d'exprimer sa préférence à être payé en argent liquide ne constitue pas en soi un renoncement à obtenir un bulletin de paie, que tout employeur doit remettre à chacun de ses salariés.
Dian-David c. *Shinder*, D.T.E. 2002T-281 (C.T.).

46/5 Un salarié est en droit d'exiger de connaître la nature et le montant des déductions faites par son employeur sur son salaire.
Perzow c. *Dunkley*, D.T.E. 82T-262 (T.T.).

46/6 L'article 46 L.N.T. vise le droit du salarié de recevoir un bulletin de paie complet qui doit indiquer notamment le montant des pourboires déclarés par celui-ci.
Château Mont-Tremblant inc. c. *Syndicat national de l'automobile, de l'aérospatiale, du transport et des autres travailleuses et travailleurs du Canada (TCA-Canada)*, D.T.E. 2005T-327 (T.A.) (révision judiciaire refusée: D.T.E. 2006T-12 (C.S.), EYB 2005-98437 (C.S.)).
Rood-Pasquini c. *Restaurant Mirada inc.*, (1985) C.T. 49, D.T.E. 85T-87 (C.T.).

46/7 Le but visé par les dispositions de l'article 46 L.N.T. est de permettre au salarié de vérifier le calcul de son salaire. Cet article prévoit l'énumération des données que l'employeur doit obligatoirement fournir. Toutefois, cette disposition ne peut être utilisée pour imposer à celui-ci un fardeau plus lourd que celui prévu. Ainsi, l'employeur n'a pas à remettre au salarié quelque document que ce soit avec son bulletin de paie.
Syndicat national de l'automobile, de l'aérospatiale, du transport et des autres travailleuses et travailleurs du Canada (TCA-Canada) c. *Corriveau*, D.T.E. 2006T-12 (C.S.), EYB 2005-98437 (C.S.).

46/8 En matière de réclamation salariale, il y a lieu d'accorder une plus grande valeur probante au témoignage de l'employé qu'à celui de l'employeur, en l'absence d'un registre de paie.
C.N.T. c. *Gaudette-Gobeil*, D.T.E. 93T-568 (C.Q.), J.E. 93-950 (C.Q.).
Dian-David c. *Shinder*, D.T.E. 2002T-281 (C.T.).

art. 48

48/1 Selon les dispositions de l'article 48 L.N.T., le bulletin de paie est un document provenant de l'employeur, dont l'acceptation par le salarié n'emporte pas renonciation au paiement du solde. Ainsi, il ne peut servir de commencement de preuve par écrit.
C.N.T. c. *Conseillers Info-oriente inc.*, D.T.E. 2004T-741 (C.Q.).

art. 49

N.B. L'article 49 a été modifié par la *Loi modifiant la Loi sur les normes du travail et d'autres dispositions législatives*, L.Q. 2002, c. 80. Par cette modification, il y a eu ajout par le législateur d'un second alinéa avant le troisième. Toutefois, cet ajout ne change pas l'état du droit antérieur, ainsi la jurisprudence élaborée relativement à l'ancien article demeure utile.

49/1 L'article 49 L.N.T. est d'ordre public et doit primer une convention collective qui y déroge.
Syndicat des professionnels de la Commission des écoles catholiques de Montréal c. *Moalli*, (1991) R.D.J. 521 (C.A.), D.T.E. 91T-679 (C.A.), J.E. 91-1026 (C.A.).

49/2 L'article 49 L.N.T. ne doit pas être interprété de façon libérale mais plutôt de manière restrictive.
C.N.T. c. *Centre Lux ltée*, D.T.E. 94T-999 (C.Q.), J.E. 94-1422 (C.Q.).
Lopes c. *9163-1234 Québec inc. (Moulin Rouge)*, D.T.E. 2008T-897 (C.R.T.).

49/3 La prohibition prévue à l'article 49 L.N.T. ne vise que les dettes envers les tiers, qui pourraient être recouvrées par le biais de l'employeur et non celles liquides et exigibles de l'employé envers l'employeur.
Syndicat des professionnels de la Commission des écoles catholiques de Montréal c. *Moalli*, (1991) R.D.J. 521 (C.A.), D.T.E. 91T-679 (C.A.), J.E. 91-1026 (C.A.).
Syndicat des professionnels et professionnelles du réseau scolaire du Québec (C.E.Q.) c. *Commission scolaire de La Mitis*, (1989) R.L. 603 (C.A.), D.T.E. 90T-105 (C.A.), J.E. 90-172 (C.A.).
C.N.T. c. *Trois-Rivières (Ville de)*, D.T.E. 2006T-68 (C.S.) (appel rejeté: C.A.Q. n° 200-09-005451-064, le 16 octobre 2007).
Presse ltée (La) c. *Jasmin*, (1987) R.J.Q. 2632 (C.S.), D.T.E. 87T-1021 (C.S.), J.E. 87-1267 (C.S.).
C.N.T. c. *Essor Assurances placements conseils inc.*, (2007) R.J.D.T. 1015 (C.Q.), D.T.E. 2007T-591 (C.Q.), J.E. 2007-1354 (C.Q.), EYB 2007-120971 (C.Q.).
C.N.T. c. *Créances garanties du Canada ltée*, (2006) R.J.D.T. 1063 (C.Q.), D.T.E. 2006T-624 (C.Q.) (appel rejeté: (2008) R.J.D.T. 1021 (C.A.), D.T.E. 2008T-675 (C.A.), J.E. 2008-1642 (C.A.), EYB 2008-141629 (C.A.)).
Syndicat des employés de Germain Larivière inc. c. *Germain Larivière 1970 ltée (grief syndical)*, D.T.E. 2009T-115 (T.A.).
Kruger inc. c. *Syndicat canadien des communications, de l'énergie et du papier, section locale 136*, (2001) R.J.D.T. 1366 (T.A.), D.T.E. 2001T-696 (T.A.).
Bose Canada inc. c. *Métallurgistes unis d'Amérique, section locale 7708*, (1996) T.A. 905, D.T.E. 96T-1331 (T.A.).

McMahon Essaim inc. c. *Union des employés de commerce, local 504 (T.U.A.C.)*, D.T.E. 90T-776 (T.A.).
Syndicat professionnel des diététistes du Québec (C.E.Q.) c. *Hôtel-Dieu de Roberval*, D.T.E. 90T-1031 (T.A.).
Ethier c. *Mondo Rubber International inc.*, (1989) T.A. 578, D.T.E. 89T-519 (T.A.).
Desjardins c. *Société des alcools du Québec*, (1986) T.A. 410, D.T.E. 86T-491 (T.A.).
Sabini c. *Servico ltée / Ltd.*, (1982) C.T. 66, D.T.E. 82T-235 (C.T.).
Hôpital chinois de Montréal c. *Syndicat canadien de la fonction publique, section locale 2948*, Arbitrage — Santé et services sociaux, 96A-38.
V. aussi: *Comité paritaire de l'industrie de l'automobile de Montréal et du district* c. *Gasoline Station Montreal Taxicab ltée*, D.T.E. 91T-1308 (C.A.), J.E. 91-1790 (C.A.).
Frappier c. *Commission scolaire Crie*, D.T.E. 90T-1094 (C.A.), J.E. 90-1331 (C.A.).
Thériault c. *Chemisco inc.*, (1991) C.T. 376, D.T.E. 91T-1147 (C.T.).
Contra: *Association des cadres scolaires du Québec* c. *Syndicat des employés de l'Association des cadres scolaires du Québec*, (1983) T.A. 693, D.T.E. 83T-566 (T.A.).

49/4 Pour opérer compensation légale, il faut que les deux dettes soient liquides, exigibles et non litigieuses.
C.N.T. c. *3608336 Canada inc.*, D.T.E. 2003T-856 (C.Q.), J.E. 2003-1666 (C.Q.), REJB 2003-47086 (C.Q.).
C.N.T. c. *Gestion À Hauteur d'hommes inc.*, D.T.E. 2001T-40 (C.Q.).
Lopes c. *9163-1234 Québec inc. (Moulin Rouge)*, D.T.E. 2008T-897 (C.R.T.).
Thériault c. *Chemisco inc.*, (1991) C.T. 376, D.T.E. 91T-1147 (C.T.).
Syndicat des employés de Germain Larivière inc. c. *Germain Larivière 1970 ltée (grief syndical)*, D.T.E. 2009T-115 (T.A.).
Delta Hôtels ltée c. *Syndicat des travailleuses et travailleurs du Delta Centre-ville (C.S.N.)*, D.T.E. 2000T-1070 (T.A.).

49/5 Pour pouvoir opérer compensation, il doit y avoir une demande reconventionnelle faite par l'employeur.
C.N.T. c. *Gestion À Hauteur d'hommes inc.*, D.T.E. 2001T-40 (C.Q.).

49/6 L'article 49 L.N.T. n'exige pas d'autorisation écrite pour que l'employeur puisse retenir sur le salaire une somme qui est clairement due et n'autorise pas non plus un salarié à refuser une telle autorisation. Depuis la décision *Syndicat des professionnels et professionnelles du réseau scolaire du Québec (CEQ)* c. *Commission scolaire de La Mitis* ((1989) R.L. 603 (C.A.), D.T.E. 90T-105 (C.A.), J.E. 90-172 (C.A.)) on ne peut plus prétendre en toute bonne foi et en toute apparence que la loi a un autre sens. Une telle façon de faire irait à l'encontre de toute stabilité juridique.
Distribution Trans-Canada Kébec Disque c. *Michaud*, (1996) T.T. 214, D.T.E. 96T-198 (T.T.).

49/7 L'article 49 L.N.T. ne s'applique pas lorsque la somme ayant fait l'objet d'une retenue ne constitue pas une dette envers un tiers pouvant être recouvrée par le biais d'un employeur complaisant. Des dépenses téléphoniques, qu'un employeur estime trop élevées, ne peuvent être déduites du salaire de l'employé, puisqu'il ne s'agit pas d'une dette exigible dont la compensation s'opère par l'effet de la loi.
C.N.T. c. *Groupe Publi-Saturn II inc.*, D.T.E. 99T-829 (C.Q.).

49/8 L'article 49 L.N.T. vise les retenues sur le salaire faites au bénéfice d'un tiers et permet à un employeur de les faire sans le consentement exprès du salarié. Pour ce qui est des autres déductions, le consentement du salarié est nécessaire. Cependant, l'article 49 L.N.T. n'empêche pas un employeur de récupérer une somme que lui doit un salarié par compensation. La dette doit cependant être certaine, liquide et exigible au sens de l'article 1673 du *Code civil du Québec.*
Syndicat des professionnelles et professionnels des services sociaux de Québec (C.S.N.) c. *Centre de réadaptation La Triade*, Arbitrage — Santé et services sociaux, 96A-77.

49/9 Lorsque la Commission des normes du travail poursuit pour le compte d'un salarié, l'employeur ne peut invoquer la compensation contre celle-ci. En effet, elle ne détient pas de cession de créance du salarié mais une autorisation de la loi.
C.N.T. c. *2162-5199 Québec inc.*, C.Q.Q. n° 200-02-003573-880, le 10 juillet 1990.
Commission du salaire minimum c. *Compagnie Miron ltée*, (1982) R.L. 410 (C.Q.).
Commission du salaire minimum c. *Venizelos*, J.E. 80-383 (C.Q.).
Commission du salaire minimum c. *Boucher-Bergeron*, (1978) C.P. 262.
V. aussi: *C.N.T.* c. *R.B.C. Dominion Valeurs mobilières inc.*, D.T.E. 94T-707 (C.S.).

49/10 Il ne peut y avoir de retenue sur le salaire lorsqu'elle est prohibée par une convention collective.
C. Barber ltée c. *Union des employés de transport local et industries diverses, local 931*, D.T.E. 88T-973 (T.A.).

49/11 Les principes de droit civil ne doivent pas contrevenir à une convention collective, qui ne permet aucune récupération, ni surtout à l'article 49 L.N.T., disposition d'ordre public interdisant une retenue sur le salaire.
Association des cadres scolaires du Québec c. *Syndicat des employés de l'Association des cadres scolaires du Québec*, (1983) T.A. 693, D.T.E. 83T-566 (T.A.).

49/12 L'article 49 L.N.T. prévoit les cas où l'employeur peut effectuer une retenue sur le salaire et c'est seulement lorsqu'il y est contraint et non pas lorsqu'il le fait de sa propre volonté qu'il y est autorisé.
Union internationale des travailleurs et travailleuses unis de l'alimentation et du commerce, section locale 501 c. *Bois et placages généraux ltée*, (1995) T.A. 301, D.T.E. 95T-1195 (T.A.).
C.U.M. c. *Syndicat professionnel des ingénieurs de la ville de Montréal et de la C.U.M.*, (1985) T.A. 658, D.T.E. 85T-811 (T.A.).
V. aussi: *Rimouski (Ville de)* c. *Syndicat des employées et employés de bureau de la ville de Rimouski*, (1993) T.A. 883, D.T.E. 93T-1155 (T.A.).

49/13 L'article 49 L.N.T. vise à empêcher un employeur de retenir à son profit quelque somme que ce soit à moins d'y être contraint par une loi, par un règlement ou par une convention collective, ou d'y être autorisé par un écrit du salarié. L'article 49 L.N.T. écarte les règles de compensation prévues aux articles 1672 à 1682 du *Code civil du Québec*, qui permettent d'effacer une dette lorsque deux parties sont mutuellement débitrice et créancière l'une de l'autre et qu'aucune des créances n'est contestée. Du seul fait d'une contestation ou de l'absence d'autorisation du salarié, la dette perd son caractère de liquidité et d'exigibilité, et le prélèvement devient alors illégal.

Union internationale des travailleurs et travailleuses unis de l'alimentation et du commerce, section locale 501 c. *Bois et placages généraux ltée*, (1995) T.A. 301, D.T.E. 95T-1195 (T.A.).
V. aussi: *Hôpital chinois de Montréal* c. *Syndicat canadien de la fonction publique, section locale 2948*, Arbitrage — Santé et services sociaux, 96A-38.

49/14 L'employeur ne contrevient pas à la loi, s'il détient du salarié une autorisation pour effectuer une retenue et si cette autorisation n'a pas été révoquée.
Caisse populaire Stadacona c. *Syndicat des travailleurs de la Caisse populaire Stadacona (C.S.N.)*, D.T.E. 86T-254 (T.A.).

49/15 L'article 49 L.N.T. n'a pas comme effet d'empêcher le recouvrement d'un trop-perçu ou d'opérer compensation pour une somme qui est due à l'employeur. Celui-ci peut donc se rembourser du préjudice subi, l'article 49 L.N.T. couvrant cette situation à titre de pertes issues d'erreurs ou d'omissions.
Métivier c. *R.B.C. Dominion valeurs mobilières inc.*, D.T.E. 2003T-523 (C.S.), J.E. 2003-1051 (C.S.), REJB 2003-40891 (C.S.).

49/16 L'autorisation de la retenue doit être donnée par écrit à défaut de quoi le tribunal n'est pas tenu de la considérer.
Côté c. *Placements M. & A. Brown inc.*, D.T.E. 87T-956 (C.Q.), J.E. 87-1193 (C.Q.).

49/17 Il ne peut y avoir de retenue sur le salaire au sens de l'article 49 L.N.T. pour des dettes que l'employeur a consenties à effacer.
C.N.T. c. *R.B.C. Dominion Valeurs mobilières inc.*, D.T.E. 94T-707 (C.S.).

49/18 Rien n'interdit à l'employeur d'exiger, comme condition d'emploi, le remboursement des déficits de caisse. Ce qui est illégal, c'est de retenir une somme sur le salaire sans l'autorisation du salarié.
Beauclair c. *Tanguay Auto électrique inc.*, D.T.E. 91T-154 (C.T.).

49/19 La demande de l'employeur d'être remboursé des déficits de caisse ne peut être assimilée à une retenue sur le salaire au sens de l'article 49 L.N.T., un tel remboursement constituant plutôt un paiement d'une dette liquide et exigible de l'employé.
Sabini c. *Servico ltée / Ltd.*, (1982) C.T. 66, D.T.E. 82T-235 (C.T.).
V. aussi: *Robert* c. *Olifruits ltée*, (1986) C.T. 141, D.T.E. 86T-403 (C.T.).
Desjardins c. *Société des alcools du Québec*, (1986) T.A. 410, D.T.E. 86T-491 (T.A.).

49/20 Pour pouvoir plaider la compensation, l'employeur doit prouver qu'il existe une convention claire, selon laquelle les avances sur commissions constituent un prêt remboursable au départ si le compte du salarié est déficitaire.
C.N.T. c. *Foyers Don-Bar (1996) inc.*, D.T.E. 98T-780 (C.Q.).
V. également: *Syndicat des employés de Germain Larivière inc.* c. *Germain Larivière 1970 ltée (grief syndical)*, D.T.E. 2009T-115 (T.A.).

49/21 Un employeur peut retenir un montant si un vendeur quitte l'entreprise lorsque celui-ci reçoit des avances sur commission, et ce, dans le cas où il y aurait des annulations de vente. Comme cette façon de faire de l'employeur n'a jamais été contestée et comme l'employeur a versé aux vendeurs les sommes qui pouvaient leur être dues, la compensation peut s'appliquer.

Syndicat des employés de Germain Larivière inc. c. *Germain Larivière 1970 ltée (grief syndical)*, D.T.E. 2009T-115 (T.A.).

49/22 Un administrateur d'une entreprise peut invoquer les moyens de défense que celle-ci aurait pu alléguer, sauf s'il y a chose jugée sur la question en litige.
C.N.T. c. *Lafrenière*, (2004) R.J.D.T. 595 (C.Q.), D.T.E. 2004T-439 (C.Q.), J.E. 2004-900 (C.Q.), REJB 2004-60394 (C.Q.).

49/23 La récupération à même la paie des sommes manquantes de la caisse d'un employé peut se justifier par une clause de maintien de toute coutume ayant trait aux conditions de travail prévue à une convention collective.
Voyageur inc. c. *Syndicat des employés du terminus du transport Voyageur (C.S.N.)*, (1987) T.A. 259, D.T.E. 87T-385 (T.A.).

49/24 Un employeur ne peut retenir sur le salaire de l'employé certaines sommes dues et que le salarié a déjà reçues, en l'absence de condition résolutoire permettant de récupérer rétroactivement les sommes versées. En effet, un employeur ne peut agir unilatéralement et illégalement.
C.N.T. c. *Nature-O-Fruits inc.*, D.T.E. 2006T-439 (C.Q.), J.E. 2006-936 (C.Q.), EYB 2005-106364 (C.Q.).

49/25 L'article 49 L.N.T. rend irrévocable l'adhésion à un régime supplémentaire de rentes, et ce, même si la clause pertinente de la convention collective n'a pas été reconduite.
Hôtellerie des gouverneurs inc. (Auberge des gouverneurs, Place Haute-Ville) c. *Union des employés de la restauration, local 8470, métallurgistes unis d'Amérique*, (1986) T.A. 117, D.T.E. 86T-134 (T.A.).

49/26 Un employeur ne peut retenir sur le salaire de son employé les dépenses liées à un programme de formation, malgré une entente visant le remboursement des dépenses connexes signée par les parties, s'il y a une différence entre les versions anglaise et française des deux textes.
C.N.T. c. *Fabrication Dimethaid inc.*, D.T.E. 2003T-662 (C.Q.), J.E. 2003-1253 (C.Q.), REJB 2003-43290 (C.Q.).

49/27 La retenue sur salaire est autorisée conformément aux prescriptions du deuxième alinéa de l'article 49 L.N.T. lorsque l'employé d'une coopérative forestière consent par écrit à verser un pourcentage de son salaire hebdomadaire en guise de souscription à des parts sociales.
C.N.T. c. *Coopérative forestière de Girardville*, D.T.E. 2009T-64 (C.Q.), EYB 2008-152555 (C.Q.).

49/28 V. BRIÈRE, J.-Y. et VILLAGGI, J.-P., *Relations de travail*, vol. 2, (édition à feuilles mobiles), Brossard, Les Publications CCH ltée, p. 8,316 à 8,319.

49/29 V. DUBÉ, J.-L. et DI IORIO, N., *Les normes du travail*, 2e éd., Sherbrooke, Les Éditions Revue de droit — Université de Sherbrooke, 1992, p. 95 à 100.

49/30 V. GAGNON, R.P., LEBEL, L. et VERGE, P., *Droit du travail*, 2e éd., Ste-Foy, Les Presses de l'Université Laval, 1991, p. 238 et 239.

art. 50

N.B. L'article 50 a été modifié par la *Loi modifiant la Loi sur les normes du travail et d'autres dispositions législatives*, L.Q. 2002, c. 80. Le législateur a changé et clarifié les règles relatives au pourboire. Toutefois, ces modifications ne changent pas la jurisprudence et l'état du droit antérieurs. Elles ont pour effet que l'employeur doit remettre entièrement le pourboire au salarié qui a rendu le service. De plus, les normes relatives au partage ou à la convention de partage viennent clarifier certaines situations.

50/1 Comme la question du partage des pourboires est une question mixte de fait et de droit, c'est la norme de la décision manifestement déraisonnable qui doit s'appliquer en matière de révision judiciaire.
Travailleuses et travailleurs unis de l'alimentation et du commerce, section locale 503 c. *Manoir Richelieu ltée*, D.T.E. 2007T-730 (C.A.), J.E. 2007-1666 (C.A.), EYB 2007-123336 (C.A.).

50/2 La modification apportée par le législateur aux dispositions de l'article 50 L.N.T. n'a pas eu pour effet d'empêcher l'employeur d'effectuer, à la demande des salariés, la gestion d'une convention de partage de pourboires. Le législateur voulait plutôt que tout ce qui était qualifié de frais de service (donc de pourboires) soit remis intégralement au salarié.
Travailleuses et travailleurs unis de l'alimentation et du commerce, section locale 503 c. *Manoir Richelieu ltée*, D.T.E. 2007T-730 (C.A.), J.E. 2007-1666 (C.A.), EYB 2007-123336 (C.A.).

50/3 Un arbitre de griefs n'a pas compétence pour trancher un grief lorsque, au départ, il n'y a pas de contestation quant à la portée des dispositions de la convention collective et que le débat entre les parties se situe uniquement sur la façon d'interpréter et d'appliquer l'article 50 L.N.T. relatif au partage des pourboires.
Manoir Richelieu ltée c. *Rondeau*, D.T.E. 2006T-321 (C.S.) (appel rejeté: D.T.E. 2007T-730 (C.A.), J.E. 2007-1666 (C.A.), EYB 2007-123336 (C.A.)) (dossier retourné à l'arbitre: D.T.E. 2009T-116 (T.A.) (requête en révision judiciaire: n° 200-17-010873-099)).

50/4 Pour déterminer s'il s'agit d'un employé à pourboires, il faut examiner s'il est d'usage que les travailleurs occupant un tel genre d'emploi reçoivent des pourboires. Si en général, des pourboires sont perçus par les salariés de cette catégorie, et si, à plus forte raison, l'employé concerné reçoit en fait des pourboires, quelle que soit leur importance, il est un employé à pourboires.
C.N.T. c. *Cinémas Le Paradis inc.*, (1984) C.P. 153, D.T.E. 84T-647 (C.Q.), J.E. 84-669 (C.Q.).

50/5 Une somme remise à l'employeur mais à être versée aux commis de bar en vue de leur fournir une certaine compensation pour le manque à gagner dont ils ont été privé par le fait d'une promotion, constitue un pourboire versé indirectement.
Thursday's restaurant & bar inc. c. *Roy*, (1984) T.T. 98, D.T.E. 84T-264 (T.T.).

50/6 L'article 50 L.N.T. qui prévoit que le pourboire reste la propriété exclusive du salarié est une disposition d'ordre public. Il ne peut y avoir dérogation à cette obligation que si elle respecte toutes les conditions de l'article 94 L.N.T.
C.N.T. c. *Gestion À Hauteur d'hommes inc.*, D.T.E. 2001T-40 (C.Q.).

50/7 Le pourboire appartient au salarié à qui le client l'a destiné.
C.N.T. c. *Kyoto Restaurant Ltée*, J.E. 81-755 (C.Q.).
Commission du salaire minimum c. *Restaurant Nirvana (1973) Inc.*, (1980) R.L. 503 (C.Q.).
Émond c. *147564 Canada inc.*, D.T.E. 2001T-1154 (C.T.).

50/8 L'employeur qui vend des forfaits de repas «incluant le service», peut embaucher des personnes au salaire minimum sans que ces dernières puissent réclamer de pourboires pour le service aux tables.
C.N.T. c. *Entailleur inc. (L')*, D.T.E. 99T-368 (C.S.).

50/9 Le pourboire versé directement ou indirectement par un client au salarié appartient de droit à ce dernier.
Lalonde c. *Restaurant Château Dining Room Regd*, (1985) C.T. 154, D.T.E. 85T-284 (C.T.).
Bogemans c. *Gérard Masse inc.*, (1984) C.T. 44, D.T.E. 84T-115 (C.T.).

50/10 Un employeur ne peut contraindre un salarié à lui remettre les pourboires qu'il reçoit ou considérer que ceux-ci font partie de son salaire.
Brandt Service Ltd. c. *Fedorki*, (1957) B.R. 190.
V. aussi: *Émond* c. *147564 Canada inc.*, D.T.E. 2001T-1154 (C.T.).

50/11 Il est interdit de faire travailler un salarié sans autre rémunération que les pourboires.
Hôtel Tadoussac (1983) inc. c. *Union des employés de commerce, local 503*, D.T.E. 84T-618 (T.A.).

50/12 L'arbitre de griefs ne peut forcer un employeur à donner accès au syndicat aux factures des banquets, dans le cas où la convention collective ne comporte aucune disposition obligeant l'employeur à remettre la facturation au syndicat dans le but de lui permettre de vérifier le taux des pourboires du service des banquets.
Château Mont-Tremblant inc. c. *Syndicat national de l'automobile, de l'aérospatiale, du transport et des autres travailleuses et travailleurs du Canada (TCA-Canada)*, D.T.E. 2005T-327 (T.A.) (révision judiciaire refusée: D.T.E. 2006T-12 (C.S.), EYB 2005-98437 (C.S.)).

50/13 Les frais d'administration ne sont pas visés par la notion de pourboire. De plus, aucune norme n'existe dans la *Loi sur les normes du travail* fixant un pourboire minimal que le salarié doit recevoir.
C.N.T. c. *Auberge du lac Sacacomie inc.*, D.T.E. 2003T-298 (C.S.), REJB 2003-41253 (C.S.).

50/14 En fonction des dispositions de l'article 50 L.N.T., les frais d'administration doivent apparaître à la note de service pour que l'on puisse les retenir. Sinon, il ne s'agit pas de frais d'administration, mais bien de frais de service, et ils doivent être remis au serveur. La *Loi sur les normes du travail* est venue préciser que le pourboire versé directement ou indirectement par le client n'appartient pas à l'employeur. Ainsi, si c'est ce dernier qui le perçoit, il doit le remettre entièrement au salarié. Toutefois, si la note ne distingue pas les frais de service des frais d'administration, il est impossible de s'assurer que les dispositions de la *Loi sur les normes du travail* sont respectées. Pour que l'article 50 L.N.T. ait une

portée réelle et utile, il faut l'interpréter comme forçant l'employeur à faire cette distinction dans la note du client.
Manoir Richelieu ltée (établissement restaurant) c. *Travailleuses et travailleurs unis de l'alimentation et du commerce, section locale 503 (grief collectif)*, D.T.E. 2009T-116 (T.A.) (requête en révision judiciaire: n° 200-17-010873-099).
Manoir Rouville-Campbell c. *Union des chauffeurs de camions, hommes d'entrepôts et autres ouvriers, Teamsters Québec, section locale 106 (F.T.Q.)*, D.T.E. 2004T-1125 (T.A.) (désistement de la révision judiciaire).

50/15 Les pourboires perçus par le salarié font partie du salaire et des autres avantages dont il faut tenir compte dans l'établissement du montant de l'indemnité.
Lalonde c. *Restaurant Château Dining Room Regd*, (1985) C.T. 154, D.T.E. 85T-284 (C.T.).
Au petit coin breton inc. c. *Union des employés de restauration du Québec, local 102*, (1985) T.A. 720, D.T.E. 85T-857 (T.A.).

50 al. 3

50/16 Une convention de partage de pourboires ne contrevient pas aux dispositions de l'article 50 L.N.T. et n'est pas nulle de plein droit lorsqu'elle se produit entre salariés qui participent à un même genre de services.
C.N.T. c. *Cie Baie-Comeau ltée*, (1985) C.P. 210, D.T.E. 85T-608 (C.Q.), J.E. 85-737 (C.Q.).
C.N.T. c. *Club de golf Islesmere inc.*, (1985) C.P. 270, D.T.E. 85T-746 (C.Q.), J.E. 85-878 (C.Q.).
Émond c. *147564 Canada inc.*, D.T.E. 2001T-1154 (C.T.).

50/17 Une entente de partage des pourboires n'est pas valide si elle ne présente pas un caractère libre et volontaire.
C.N.T. c. *3979229 Canada inc.*, (2008) R.J.D.T. 1058 (C.S.), D.T.E. 2008T-700 (C.S.), J.E. 2008-1706 (C.S.), EYB 2008-145462 (C.S.) (en appel: n° 500-09-019014-083).

50/18 Seul le salarié est une partie intéressée relativement au débat entourant le partage des pourboires, puisque les dispositions de l'article 50 L.N.T. excluent expressément l'employeur de cette question.
Manoir Richelieu ltée c. *Rondeau*, D.T.E. 2006T-321 (C.S.) (appel rejeté: D.T.E. 2007T-730 (C.A.), J.E. 2007-1666 (C.A.), EYB 2007-123336 (C.A.)) (dossier retourné à l'arbitre: D.T.E. 2009T-116 (T.A.) (requête en révision judiciaire: n° 200-17-010873-099)).

50/19 Depuis le 1er mai 2003, il y a prohibition de l'imposition d'un partage des pourboires par l'employeur. Donc, s'il existait, en cette matière, une politique de l'employeur en vigueur dans une entreprise avant le 1er mai 2003, elle n'était pas alors illégale.
Syndicat national de l'automobile, de l'aérospatiale, du transport et des autres travailleuses et travailleurs du Canada (T.C.A.-Canada) c. *Hôtel Fairmont Tremblant inc.*, D.T.E. 2004T-941 (T.A.).

50/20 La *Loi sur les normes du travail* n'interdit pas le partage des pourboires avec un administrateur ou une personne désignée par un employeur pour effectuer les tâches d'un salarié. Elle n'interdit pas non plus à une entreprise et à ses salariés d'établir une politique de partage des pourboires.
C.N.T. c. *9084-8284 Québec inc.*, D.T.E. 2003T-829 (C.Q.).

50 al. 4

50/21 L'employeur doit tenir compte des pourboires déclarés qu'il a attribués à un salarié pour les fins de calcul de l'indemnité afférente au congé prévue à l'article 74 L.N.T.
Hôtels F.L. ltée c. *Leboeuf*, D.T.E. 85T-517 (C.S.).
Au petit coin breton inc. c. *Union des employés de restauration du Québec, local 102*, (1985) T.A. 720, D.T.E. 85T-857 (T.A.).
Hilton Canada inc. c. *Syndicat des employés de l'hôtel Hilton (C.S.N.)*, D.T.E. 85T-544 (T.A.).

50/22 V. la jurisprudence sous l'article 74 L.N.T.

50/23 V. la jurisprudence sous l'article 4 du *Règlement sur les normes du travail*.

50/24 V. BRIÈRE, J.-Y. et VILLAGGI, J.-P., *Relations de travail*, vol. 2, (édition à feuilles mobiles), Brossard, Les Publications CCH ltée, p. 8,313 à 8,315.

50/25 V. DUBÉ, J.-L. et DI IORIO, N., *Les normes du travail*, 2e éd., Sherbrooke, Les Éditions Revue de droit — Université de Sherbrooke, 1992, p. 102 à 107.

50/26 V. HÉBERT, G., «Les normes du travail à caractère économique au Canada et au Québec», (1986) 17 *R.G.D.* 45.

art. 50.1

N.B. L'article 50.1 a été modifié par la *Loi modifiant la Loi sur les normes du travail et d'autres dispositions législatives*, L.Q. 2002, c. 80. La nature de la modification apportée par le législateur à l'article 50.1 L.N.T. ne change pas la jurisprudence antérieure.

50.1/1 Les dispositions de l'article 50.1 L.N.T. prévoient qu'un employeur ne peut exiger d'un salarié qu'il paie les frais reliés à l'utilisation d'une carte de crédit au-delà de la proportion des frais attribuables au pourboire. Il y a une différence entre la répartition des pourboires entre salariés et la notion de pourboire qui est versé directement ou encore indirectement par le client et qui appartient en propre au salarié. Ainsi, rien dans la *Loi sur les normes du travail* n'interdit à un employeur de facturer un pourcentage quelconque à sa clientèle pour les frais de service incluant le pourboire et les frais d'administration.
C.N.T. c. *Auberge du lac Sacacomie inc.*, D.T.E. 2003T-298 (C.S.), REJB 2003-41253 (C.S.).

art. 52

N.B. L'article 52 a été modifié par la *Loi modifiant la Loi sur les normes du travail et d'autres dispositions législatives*, L.Q. 2002, c. 80. La nature de la modification apportée par le législateur à l'article 52 L.N.T. quant à la durée de la semaine normale de travail ne change pas la jurisprudence antérieure.

52/1 Cette norme minimale de travail a comme objectif la santé des travailleurs.
Bell Canada c. *Québec (Commission de la santé et de la sécurité du travail)*, (1988) 1 R.C.S. 749.

52/2 Les heures qui doivent être prises en considération dans le calcul de la semaine normale de travail sont celles effectivement consacrées à l'exécution des tâches, celles occupées à la pause café selon l'article 59 L.N.T. (disposition abrogée, voir l'art. 57(2) L.N.T.) et, enfin, celles pendant lesquelles les salariés sont obligés d'attendre sur les lieux du travail qu'on leur confie une tâche, selon l'article 57(1) L.N.T.

De plus, lorsque la situation se présente, il faut également tenir compte des dispositions de l'article 56 L.N.T., relatives aux congés annuels et aux jours fériés. Cependant, les périodes de repas prévues à l'article 79 L.N.T. ne peuvent être considérées dans le calcul de la semaine normale de travail puisque la loi exige que ces périodes soient consacrées au repos. C'est pourquoi un employeur n'est pas contraint de les payer, hormis le cas prévu au deuxième alinéa de l'article 79 L.N.T.
Plastique Micron inc. c. *Blouin*, (2003) R.J.Q. 1070 (C.A.), (2003) R.J.D.T. 631 (C.A.), D.T.E. 2003T-389 (C.A.), J.E. 2003-773 (C.A.), REJB 2003-39877 (C.A.).

52/3 La semaine normale de travail évoque une notion unique, une seule norme, soit la semaine normale de 40 heures fixée par la Loi sur les normes et non la semaine prévue à une convention collective.
Société d'électrolyse et de chimie Alcan ltée, division d'aluminium du Canada ltée, énergie électrique, Québec c. *Syndicat national des employés de bureau (département énergie électrique)*, D.T.E. 88T-1081 (T.A.).

52/4 Les dispositions de l'article 52 L.N.T. établissent une semaine normale de travail de 40 heures aux fins du calcul des heures supplémentaires seulement. Cet article ne prescrit pas que tout salarié, auquel la loi s'applique, a droit à une semaine normale de travail de 40 heures. Il n'interdit pas non plus qu'un salarié soit appelé à travailler plus de 40 heures par semaine.
Syndicat canadien des communications, de l'énergie et du papier, section locale 420 c. *Smurfit-Stone – Usine – Pontiac (grief syndical)*, D.T.E. 2008T-871 (T.A.) (requête en révision judiciaire: n° 555-17-000017-084).

52/5 L'article 52 L.N.T. ne confère pas au salarié le droit de refuser de travailler au-delà de 40 heures, sauf si l'employeur l'obligeait à accepter un congé compensatoire au lieu d'une rémunération majorée.
Giguère c. *Centura Québec*, (1983) T.T. 455, D.T.E. 83T-801 (T.T.).
Goudie c. *Tyme Télécom inc.*, (1982) C.T. 71, D.T.E. 82T-223 (C.T.).

52/6 Lorsqu'une convention collective de travail prévoit une semaine de travail normale plus courte que celle prévue à la *Loi sur les normes du travail*, aux fins

du calcul des heures supplémentaires, il n'y a pas lieu de se référer à la *Loi sur les normes du travail* pour le paiement de l'excédent.
Vaudreuil (Ville de) c. *Syndicat canadien de la fonction publique, section locale 1432*, (1993) T.A. 693, D.T.E. 93T-949 (T.A.).

52/7 Un employeur ne peut faire de convention avec ses employés pour éviter le paiement d'heures supplémentaires et offrir des conditions moindres que ce que prévoit la Loi sur les normes.
Jasmin c. *Gérard M. Perrault inc.*, D.T.E. 85T-948 (C.Q.).
Matthias c. *Conso Graber Canada inc.*, D.T.E. 86T-934 (T.T.).

52/8 Le droit d'exiger d'un salarié qu'il fasse des heures supplémentaires constitue un droit de la direction résiduaire qui ne peut être limité que par une loi ou une convention collective.
Gaudreau c. *Industries d'acier inoxydable ltée*, D.T.E. 86T-729 (T.A.).

52/9 Il revient à l'employeur de limiter le nombre d'heures de travail. S'il ne le fait pas, le salarié peut consacrer le temps nécessaire pour l'accomplissement de ses tâches.
Cléroux-Strasbourg c. *Gagnon*, (1986) R.J.Q. 2820 (C.A.), D.T.E. 86T-831 (C.A.), J.E. 86-1083 (C.A.).
C.N.T. c. *3979229 Canada inc.*, (2008) R.J.D.T. 1058 (C.S.), D.T.E. 2008T-700 (C.S.), J.E. 2008-1706 (C.S.), EYB 2008-145462 (C.S.) (en appel: n° 500-09-019014-083).
C.N.T. c. *Immeubles R. Savignac inc.*, (2002) R.J.D.T. 1527 (C.S.), D.T.E. 2002T-1107 (C.S.), REJB 2002-35495 (C.S.).
C.N.T. c. *Urgel Bourgie ltée*, D.T.E. 96T-1409 (C.S.), J.E. 96-2162 (C.S.).
C.N.T. c. *Comité local de développement de L'Anse-à-Valleau*, D.T.E. 2004T-63 (C.Q.).
C.N.T. c. *Boucher*, D.T.E. 2003T-16 (C.Q.).
C.N.T. c. *Assurexperts Guy Lapointe inc.*, D.T.E. 2002T-934 (C.Q.).
C.N.T. c. *Edphy international inc.*, (2000) R.J.D.T. 191 (C.Q.), D.T.E. 2000T-256 (C.Q.).
C.N.T. c. *Roy*, D.T.E. 99T-630 (C.Q.).
C.N.T. c. *Immeubles Terrabelle inc.*, (1989) R.J.Q. 1307 (C.Q.), D.T.E. 89T-431 (C.Q.), J.E. 89-729 (C.Q.).
V. aussi: *C.N.T.* c. *Maison de la jeunesse à Val-des-Lacs inc.*, D.T.E. 2008T-153 (C.Q.), EYB 2007-130057 (C.Q.).

52/10 Le seul droit que protège la Loi sur les normes, concernant les heures supplémentaires est le droit à une rémunération majorée, l'employeur n'étant nullement obligé de répartir les heures supplémentaires suivant l'ancienneté des salariés.
Gaucher Lefebvre c. *Buanderie Magog inc.*, D.T.E. 85T-851 (C.T.).

52/11 Le cadre intermédiaire qui reçoit un salaire fixe, nonobstant le nombre d'heures travaillées, ne peut réclamer le paiement d'heures supplémentaires s'il s'agit de conditions de travail acceptées par celui-ci.
C.N.T. c. *Beaulieu*, (2001) R.J.D.T. 10 (C.A.), D.T.E. 2001T-107 (C.A.), J.E. 2001-259 (C.A.), REJB 2001-21823 (C.A.).

52/12 L'article 52 L.N.T. est inapplicable lorsque le salarié n'est pas payé à l'heure et que le salaire hebdomadaire versé est nettement supérieur aux exigences minimales de la *Loi sur les normes du travail*.
C.N.T. c. *Technimeca International Corp.*, D.T.E. 2008T-875 (C.Q.), EYB 2008-149469 (C.Q.).

52/13 Une absence pour cause de maladie ou d'activités syndicales ne peut être assimilée à un jour de travail aux fins du calcul des heures supplémentaires.
Alcan Société d'électrolyse et de chimie Alcan ltée (Arvida), une division d'aluminium du Canada ltée c. *Syndicat national des policiers d'Alcan Saguenay — Lac-St-Jean*, (1983) T.A. 732, D.T.E. 83T-602 (T.A.).

52/14 L'article 52 L.N.T. prévoit qu'une semaine normale de travail est de 40 heures, cependant l'article 53 L.N.T. permet l'étalement des heures sur une base autre qu'hebdomadaire.
Productions Champlain (Supersuite) c. *Syndicat national des travailleurs et travailleuses en communication, section locale 614*, D.T.E. 95T-76 (T.A.).

52/15 V. la jurisprudence sous l'article 55 L.N.T.

art. 53

53/1 L'autorisation d'étalement des heures de travail ne peut être accordée si l'employeur n'en a pas fait la demande préalablement au dépôt de la plainte du salarié.
E. Gagnon et Fils ltée c. *D'Assylva*, D.T.E. 82T-325 (T.T.).

53/2 L'article 53 L.N.T. crée une exception en permettant l'étalement des heures de travail. Cette exception n'est permise qu'à la condition que la moyenne des heures de travail, durant un cycle donné d'étalement des heures, soit équivalente à la norme de 40 heures prévue à l'article 52 L.N.T. Par voie de conséquence, si la condition de l'étalement n'est pas rencontrée, c'est-à-dire si la moyenne des heures ne correspond pas durant le cycle d'étalement à 40 heures par semaine, tel étalement n'est pas valide et c'est la règle générale prévue par les dispositions de l'article 52 L.N.T. qui s'applique. Dans une telle situation, pour toute heure travaillée au-delà de 40 heures dans une semaine donnée, le salarié a droit de recevoir une majoration de 50% de son taux horaire. Les dispositions de l'article 53 L.N.T. sont claires et l'on ne peut y ajouter une condition supplémentaire pour permettre l'étalement.
Syndicat canadien des communications, de l'énergie et du papier, section locale 420 c. *Smurfit-Stone – Usine – Pontiac (grief syndical)*, D.T.E. 2008T-871 (T.A.) (requête en révision judiciaire: n° 555-17-000017-084).

53/3 En l'absence de règles claires relatives à l'étalement annuel des heures de travail dans la convention collective, il y a lieu de s'en remettre aux dispositions de la *Loi sur les normes du travail*.
Fraternité des policiers de Mirabel inc. c. *Mirabel (Ville de)*, D.T.E. 2005T-430 (T.A.).

53/4 Un arbitre de griefs n'a pas le pouvoir de substituer une disposition de la *Loi sur les normes du travail* à une clause d'une convention collective, sauf en cas d'incompatibilité entre les deux, ce qui n'est pas le cas lorsque l'étalement des heures est inférieur à la norme permise par la *Loi sur les normes du travail*.
Productions Champlain (Supersuite) c. *Syndicat national des travailleurs et travailleuses en communication, section locale 614*, D.T.E. 95T-76 (T.A.).

53/5 Selon les dispositions du second alinéa de l'article 53 L.N.T., une convention collective peut prévoir l'étalement des heures de travail sur une base autre qu'hebdomadaire. Cet étalement doit être «aux mêmes conditions», soit ce qui est prévu au premier alinéa de l'article 53 L.N.T., c'est-à-dire que la moyenne des heures de travail doit être équivalente à la norme de 40 heures. Si la moyenne hebdomadaire prévue par la convention collective est supérieure à 40 heures, l'étalement est illégal, car contraire à la *Loi sur les normes du travail*.
Syndicat canadien des communications, de l'énergie et du papier, section locale 420 c. *Smurfit-Stone – Usine – Pontiac (grief syndical)*, D.T.E. 2008T-871 (T.A.) (requête en révision judiciaire: n^{0} 555-17-000017-084).

art. 54

Table des matières

PARAGRAPHE 2

54/1 Compte tenu que l'article 54 L.N.T. exclut expressément l'étudiant occupant un emploi d'été, moniteur dans un camp de jour ou employé dans un organisme sans but lucratif, des dispositions de l'article 52 L.N.T., il est clair que le législateur a souhaité qu'un tel emploi soit soumis à l'application de la loi, avec certaines particularités.

Ainsi, un organisme sans but lucratif qui engage des étudiants pour travailler dans un camp de jour, pendant l'été, ne peut être assimilé à un employeur ordinaire, au sens usuel du terme et au sens de la *Loi sur les normes du travail*, le législateur ayant choisi de le reconnaître expressément dans la loi par l'introduction de diverses mesures d'exception.
C.N.T. c. *Centre de loisir St-Sacrement inc.*, D.T.E. 2004T-997 (C.Q.).

PARAGRAPHE 3

CADRE

Général

54/2 Les cadres sont exclus de l'application de certaines dispositions de la *Loi sur les normes du travail*. Cependant, ces exclusions doivent être spécifiques.
C.N.T. c. *Fleur de Lys tennis, racquet-ball, squash inc.*, (1986) R.J.Q. 1502 (C.Q.), D.T.E. 86T-401 (C.Q.), J.E. 86-549 (C.Q.).
Brousseau c. *R. Godreau Automobile (1989) ltée*, (1992) R.J.Q. 1037 (C.S.), D.T.E. 92T-418 (C.S.), J.E. 92-603 (C.S.).

Pouvoir décisionnel

54/3 Deux conditions sont exigées pour reconnaître le statut de cadre: l'existence d'une fonction de direction et l'exercice d'un pouvoir décisionnel.
McDuff c. *Cenpro inc.*, D.T.E. 83T-495 (C.S.), J.E. 83-682 (C.S.).
C.N.T. c. *Romtech Technologie inc.*, D.T.E. 2001T-318 (C.Q.).
Dugas c. *Métaux Tremblay inc.*, D.T.E. 88T-675 (C.Q.).
V. aussi: *Couture* c. *Volcano inc.*, (1984) C.S. 546, D.T.E. 84T-449 (C.S.), J.E. 84-496 (C.S.).
Watters c. *Société André Brouard inc.*, D.T.E. 86T-222 (C.Q.), J.E. 86-322 (C.Q.).

54/4 Le critère fondamental à évaluer lors de la détermination du statut de cadre est le pouvoir décisionnel exercé par l'employé.
C.N.T. c. *Coopérative régionale des consommateurs de Portneuf*, D.T.E. 83T-732 (C.Q.).

54/5 Le terme cadre ne fait pas référence à un non-salarié mais à celui qui occupe une fonction de direction. Le cadre est le représentant supérieur, à pouvoir décisionnel, de l'entrepreneur ou de l'entreprise tant vis-à-vis des employés que des tiers.
C.N.T. c. *Cogan Wire & Metal Products (1974) Ltd.*, D.T.E. 82T-830 (C.Q.), J.E. 82-1139 (C.Q.).

54/6 Pour qu'un salarié soit reconnu comme étant un cadre, il faut qu'il ait des subalternes sous ses ordres, qu'il supervise des fonctions, qu'il ait le pouvoir d'embaucher ou de congédier, qu'il détienne quelque pouvoir décisionnel. En somme, il faut qu'il exerce des fonctions d'encadrement.
C.N.T. c. *3586804 Canada inc.*, D.T.E. 2002T-692 (C.Q.).

54/7 Dans une entreprise, il y a des salariés affectés à l'exécution sous les directives d'autres salariés chargés d'indiquer la manière d'exécuter l'ouvrage, de surveiller les travaux, de faire rapport à l'échelon supérieur de direction; les seconds sont des cadres car ils sont l'ensemble des chefs de l'entreprise, ils en sont le noyau.
Prévost c. *Entreprises de pipe-line universel ltée*, (1985) C.S. 476, D.T.E. 85T-368 (C.S.), J.E. 85-451 (C.S.), conf. par D.T.E. 88T-549 (C.A.), J.E. 88-804 (C.A.).

Hiérarchie

54/8 Pour décider si un employé est un cadre, les tribunaux examinent si l'employé en question exerce une certaine fonction de direction, s'il a un certain

pouvoir décisionnel. Le fait qu'un employé qui exerce un certain pouvoir décisionnel et qui a une fonction de direction, soit lui-même soumis à l'autorité de son supérieur hiérarchique (cadre supérieur), ne lui fait pas perdre son caractère de cadre (cadre moyen ou intermédiaire).
Sawant c. *2700620 Canada inc.*, D.T.E. 94T-1366 (C.S.), J.E. 94-1956 (C.S.).
McDuff c. *Cenpro inc.*, D.T.E. 83T-495 (C.S.), J.E. 83-682 (C.S.).

54/9 Les tribunaux ont interprété de façon de plus en plus libérale le mot cadre, l'étendant même aux fonctions de stagiaire gérant. La tendance actuelle est d'inclure dans cette expression même les cadres de niveau inférieur dans la hiérarchie des cadres d'une entreprise.
Internote Canada inc. c. *C.N.T.*, (1989) R.J.Q. 2097 (C.A.), D.T.E. 89T-845 (C.A.), J.E. 89-1285 (C.A.).

54/10 Le terme salarié doit être interprété restrictivement et dès qu'un employé exerce une fonction de direction, il devient cadre.
C.N.T. c. *Hallmark Auto-Centres inc.*, (1983) C.P. 27, D.T.E. 83T-98 (C.Q.), J.E. 83-163 (C.Q.).
V. aussi: *Alarie* c. *Dor-Val Mfg.*, D.T.E. 83T-438 (C.S.), J.E. 83-660 (C.S.).
Watters c. *Société André Brouard inc.*, D.T.E. 86T-222 (C.Q.), J.E. 86-322 (C.Q.).
C.N.T. c. *Rosita Shoes Co. of Canada Ltd.*, D.T.E. 82T-581 (C.Q.), J.E. 82-837 (C.Q.).

54/11 Un employé doit être considéré comme un cadre dès qu'il exerce une fonction de direction qu'il soit cadre supérieur, cadre intermédiaire ou cadre inférieur.
Chabot c. *Constructions Cris (Québec) ltée*, D.T.E. 88T-309 (C.S.).
C.N.T. c. *Distribution aux consommateurs inc.*, D.T.E. 83T-482 (C.S.), J.E. 83-651 (C.S.).
C.N.T. c. *Rosita Shoes Co. of Canada Ltd.*, D.T.E. 82T-581 (C.Q.), J.E. 82-837 (C.Q.).

54/12 Il est légitime de rechercher dans la version anglaise la précision qui semble manquer à la version française. Une telle approche permet de constater qu'on a voulu exclure les «executive officers» par opposition aux cadres «staff». Les éléments à considérer sont donc l'exercice de l'autorité patronale et la liberté de manoeuvre du salarié.
C.N.T. c. *Foucray Canada inc.*, (1983) C.P. 43, D.T.E. 83T-428 (C.Q.), J.E. 83-567 (C.Q.).

Statut de l'employé

54/13 Le seul fait qu'un employé ne fasse pas partie du personnel syndiqué n'implique pas qu'il soit un cadre de l'entreprise.
Côté c. *Placements M. & A. Brown inc.*, D.T.E. 87T-956 (C.Q.), J.E. 87-1193 (C.Q.).

54/14 Ce sont les pouvoirs de gestion et de direction qui déterminent si une personne est un cadre et non son statut.
Robinson c. *Sécurigest inc.*, D.T.E. 90T-1015 (C.S.).

Autonomie, autorité, pouvoir de lier l'employeur

54/15 Est un cadre, celui qui jouit d'un grand degré d'autonomie dans son travail, et qui a l'autorité nécessaire pour engager l'employeur dans certains types de décisions.
Landry c. *Deloitte Haskins and Sells*, D.T.E. 88T-33 (C.S.), J.E. 88-117 (C.S.).
Vigeant c. *Canadian Thermos Products Ltd.*, D.T.E. 88T-295 (C.S.).

54/16 L'employé qui n'a aucun subalterne sous ses ordres et qui n'exerce aucun pouvoir décisionnel n'est pas un cadre.
Darney c. *Kirk Equipment Ltd.*, (1989) R.J.Q. 891 (C.S.), D.T.E. 89T-356 (C.S.), J.E. 89-603 (C.S.).
Brown c. *Gordon Capital Corp.*, (1986) R.J.Q. 1459 (C.S.), D.T.E. 86T-371 (C.S.), J.E. 86-521 (C.S.).

54/17 Un contrôleur d'une petite entreprise qui a une latitude pour conseiller le président sur les décisions importantes et pour prendre lui-même des décisions d'administration courante est un cadre.
C.N.T. c. *Ébénisterie D.C.G. ltée*, D.T.E. 92T-436 (C.Q.).

54/18 Les compétences, les responsabilités, l'autorité pour négocier des contrats et des prix même si sujets à approbation font d'une personne ayant de tels pouvoirs, un cadre.
Nyveen c. *Russell Food Equipment Ltd.*, D.T.E. 88T-294 (C.S.).

54/19 Est un cadre celui qui a le pouvoir d'embaucher et de congédier, de faire des achats et d'engager la responsabilité de la compagnie vis-à-vis les fournisseurs.
C.N.T. c. *Cie de gestion Welfab*, (1989) R.J.Q. 2547 (C.S.), D.T.E. 89T-949 (C.S.), J.E. 89-1436 (C.S.) (appel accueilli pour d'autres motifs: D.T.E. 99T-481 (C.A.), J.E. 99-1050 (C.A.), REJB 1999-12108 (C.A.)).

54/20 Est un cadre, celui qui coordonne tous les achats, participe à des réunions de la direction, est payé à la semaine, se déplace parfois à l'extérieur de l'entreprise et n'a pas d'horaire fixe et rigide.
Morency c. *Swecan International ltée*, D.T.E. 86T-582 (C.Q.).

Titre du salarié

54/21 Le titre n'est pas nécessairement un critère pour déterminer si une personne est cadre. Il faut plutôt rechercher si celle-ci est une personne réellement en autorité, si elle a des pouvoirs d'engager et de congédier, si elle a la capacité de fixer les conditions de travail, si elle donne des ordres.
C.N.T. c. *Fleur de Lys tennis, racquet-ball, squash inc.*, (1986) R.J.Q. 1502 (C.Q.), D.T.E. 86T-401 (C.Q.), J.E. 86-549 (C.Q.).
V. aussi: *White* c. *E.D. Eastern Ltd.*, D.T.E. 89T-141 (C.S.).

54/22 Le titre donné à une personne crée une présomption qu'elle est cadre, présomption qui se repousse par preuve contraire.
C.N.T. c. *Studio Sylvain Dethioux inc.*, D.T.E. 90T-934 (C.Q.).

54/23 Le titre de gérant crée une présomption de fait suivant laquelle l'employé occupe et exerce des fonctions de direction.
Landry c. *Deloitte Haskins and Sells*, D.T.E. 88T-33 (C.S.), J.E. 88-117 (C.S.).

Personnel spécialisé

54/24 Une personne occupant une fonction hautement spécialisée n'est pas un cadre si elle n'a pas d'autorité, de fonctions administratives ni de discrétion.
Wilks c. *Harrington, Division of Ingersoll-Rand Canada inc.*, D.T.E. 87T-508 (C.S.).

Gérant

54/25 Le stagiaire à la gérance, l'assistant gérant et le gérant d'un magasin sont des cadres s'ils exercent un pouvoir décisionnel.
C.N.T. c. *Distribution aux consommateurs inc.*, D.T.E. 83T-482 (C.S.), J.E. 83-651 (C.S.).

54/26 Le gérant d'un bureau de comptable est un cadre s'il a le pouvoir de contrôler et de diriger d'autres employés et s'il dirige une partie de l'entreprise.
C.N.T. c. *Studio Sylvain Dethioux inc.*, D.T.E. 90T-934 (C.Q.).

54/27 Est un cadre le gérant du service des pièces d'une entreprise de location.
Luneau c. *Location Val-d'Or ltée*, D.T.E. 2003T-1136 (C.Q.).

54/28 Est un cadre le gérant de division qui a un pouvoir décisionnel quant à la fixation du prix des biens vendus dans son territoire, qui détermine ses heures de travail et qui a carte blanche dans le choix de ses clients.
Bergeron c. *Emballages Purity ltée*, D.T.E. 84T-731 (C.S.), J.E. 84-811 (C.S.).
Couture c. *Volcano inc.*, (1984) C.S. 546, D.T.E. 84T-449 (C.S.), J.E. 84-496 (C.S.).

54/29 Le gérant d'une concession qui n'exerce aucune fonction de direction au sens usuel de ce mot et qui n'a aucun pouvoir décisionnel ou de contrôle n'est pas un cadre.
C.N.T. c. *Laiterie Perrette ltée*, D.T.E. 84T-761 (C.S.).

Directeur, assistant directeur

54/30 Le directeur général d'un hôtel est un cadre.
Daviault c. *Nouvelle auberge de Sherbrooke inc.*, D.T.E. 86T-347 (C.S.).

54/31 L'employé qui exerce les fonctions de direction des activités de l'entrepôt est un cadre.
Watters c. *Société André Brouard inc.*, D.T.E. 86T-222 (C.Q.), J.E. 86-322 (C.Q.).

54/32 Une directrice qui agit à titre de conseillère fiscale et qui ne détient aucun pouvoir décisionnel n'est pas un cadre.
C.N.T. c. *176614 Canada inc.*, D.T.E. 2002T-280 (C.Q.).

54/33 Est un cadre l'assistant directeur qui organise et dirige les employés, effectue des tâches relevant du directeur lorsqu'il est absent, fait les entrevues de sélection des candidats, fait des recommandations au directeur en ce qui concerne le congédiement, participe à toutes les réunions administratives de directeurs, et ce, même s'il est soumis à un supérieur hiérarchique.
C.N.T. c. *Restaurants Wendy du Canada inc.*, D.T.E. 85T-56 (C.Q.).
V. aussi: *Barabé* c. *F. Pilon inc.*, (1987) R.J.Q. 390 (C.S.), D.T.E. 87T-132 (C.S.), J.E. 87-245 (C.S.).
Quintal c. *Fabricville International ltée*, D.T.E. 89T-552 (C.Q.).
Bérubé c. *Marcel E. Savard inc.*, D.T.E. 88T-15 (C.Q.).

C.N.T. c. *Hallmark Auto-Centres inc.*, (1983) C.P. 27, D.T.E. 83T-98 (C.Q.), J.E. 83-163 (C.Q.).
Auger c. *Motel Le Totem*, (1981) 3 R.S.A. 132.

Secrétaire

54/34 Une secrétaire de la direction des relations publiques qui n'a aucun employé sous sa surveillance immédiate et qui n'exerce aucune fonction de direction n'est pas cadre.
Studer c. *Consolidated-Bathurst inc.*, D.T.E. 84T-535 (C.Q.).

54/35 Un secrétaire-trésorier d'une municipalité en raison de ses fonctions est un cadre.
C.N.T. c. *Stukely-Sud (Corp.)*, (1983) C.P. 29, D.T.E. 83T-187 (C.Q.), J.E. 83-260 (C.Q.).

Divers

54/36 En raison de ses fonctions, un inspecteur municipal est un cadre.
C.N.T. c. *St-Magloire-de-Bellechasse (Municipalité de)*, D.T.E. 98T-976 (C.Q.).

54/37 Le représentant d'une maison de courtage qui n'exerce aucun pouvoir décisionnel n'est pas un cadre.
Brown c. *Gordon Capital Corp.*, (1986) R.J.Q. 1459 (C.S.), D.T.E. 86T-371 (C.S.), J.E. 86-521 (C.S.).

54/38 Un technicien senior (technical engineer) qui n'est pas appelé à prendre de décisions ni à donner des conseils qui influencent les politiques de l'employeur n'est pas un cadre.
Laboratoires Abbot ltée c. *Ahuja*, D.T.E. 83T-439 (C.S.), J.E. 83-659 (C.S.) (appel rejeté: C.A.M. n⁰ 500-09-000865-832, le 14 janvier 1987 (C.A.P. 87C-54)).

54/39 N'est pas un cadre l'officier supérieur des opérations qui assure la sécurité où il se trouve, il ne s'agit que d'un exécuteur des ordres qui lui sont donnés par d'autres officiers.
C.N.T. c. *Pinkerton du Québec ltée*, D.T.E. 84T-142 (C.Q.), J.E. 84-150 (C.Q.).

54/40 Un chef de services de location à long terme n'est pas un cadre, mais un salarié s'il n'exerce pas d'autorité patronale sur les employés et s'il ne peut prendre de décisions liant l'employeur envers les autres employés et envers les tiers.
Lefebvre c. *Location de camions Ryder ltée*, D.T.E. 85T-899 (C.S.), J.E. 85-1071 (C.S.).

54/41 N'est pas un cadre, celui qui a des responsabilités essentiellement techniques et artistiques.
Belpaire c. *Trace créative inc.*, D.T.E. 94T-340 (C.T.).

54/42 Une municipalité n'est pas une entreprise au sens de l'article 54(3) L.N.T. car ses objectifs n'ont rien de commercial ou d'économique et elle ne produit absolument rien.
Stukely-Sud (Municipalité de) c. *Pariseau*, (1984) R.L. 503 (C.Q.).

54/43 Un cadre ne peut réclamer aucune somme pour les heures supplémentaires à moins d'une entente préalable avec l'employeur.
Champagne c. *Club de golf Lévis inc.*, D.T.E. 87T-548 (C.Q.).
Contra: *C.N.T.* c. *2861496 Canada inc.*, D.T.E. 95T-345 (C.Q.).

54/44 Même si la durée de la semaine normale, aux fins du calcul des heures supplémentaires, ne s'applique pas à un cadre, ce dernier a tout de même le droit d'exiger d'être payé au taux horaire habituel pour toutes et chacune des heures travaillées. Lorsque aucun taux horaire n'a été déterminé, la réclamation du cadre est valide si sa paie est inférieure au montant que l'on obtient en multipliant le total des heures travaillées par le salaire minimum en vigueur.
C.N.T. c. *2861496 Canada inc.*, D.T.E. 95T-345 (C.Q.).

54/45 Une personne n'a pas droit au paiement des heures supplémentaires lorsqu'elle est rémunérée selon un salaire annuel. De plus, la simple inscription d'un taux horaire au bulletin de paie est insuffisante pour conclure à une rémunération sur une base horaire.
C.N.T. c. *Solutions Mindready inc.*, D.T.E. 2006T-1036 (C.Q.), EYB 2006-110749 (C.Q.).

54/46 Même si un salarié, qui agit à titre de cadre, n'a pas le droit d'être payé à taux majoré en ce qui concerne les heures supplémentaires, il a quand même le droit d'exiger que toutes les heures travaillées lui soient payées, et ce, compte tenu de l'ordre public.
Lalanne c. *St-Jean-sur-Richelieu (Ville de)*, D.T.E. 2001T-117 (C.S.), J.E. 2001-312 (C.S.), REJB 2001-22048 (C.S.) (règlement hors cour).

54/47 V. la jurisprudence sous l'article 3(6) L.N.T.

PARAGRAPHE 4

54/48 Le salarié dont on ne peut contrôler les heures de travail ne peut réclamer des heures supplémentaires.
Barnes Investigation Bureau Ltd. c. *Minimum Wage Commission (The)*, (1960) B.R. 409.
C.N.T. c. *Nordikeau inc.*, D.T.E. 2009T-118 (C.Q.), EYB 2008-153432 (C.Q.).
C.N.T. c. *Gestion des infrastructures pour l'entretien GIE Technologies inc.*, D.T.E. 2005T-93 (C.Q.).
C.N.T. c. *Confort Expert inc.*, D.T.E. 94T-728 (C.Q.).
V. aussi: *C.N.T.* c. *International Forums inc.*, (1985) C.P. 1, D.T.E. 85T-8 (C.Q.), J.E. 85-17 (C.Q.).

54/49 Pour conclure qu'un salarié travaille «en dehors de l'établissement» au sens des dispositions de l'article 54(4) L.N.T., il n'est pas essentiel qu'il n'y travaille jamais. Il faut plutôt qu'une partie importante et constante de son travail soit régulièrement effectuée en dehors des lieux du travail que lui assigne son employeur, lequel ne peut, dans ce cas, vérifier ses entrées et ses sorties.
Fédération des infirmières et infirmiers du Québec c. *Syndicat des employées de la Fédération des infirmières et infirmiers du Québec (Daniel Fournier)*, D.T.E. 2005T-908 (T.A.).

54/50 Pour que l'article 54(4) L.N.T. s'applique, il faut que les heures soient incontrôlables, et non seulement difficiles à contrôler. L'inaction de l'employeur à

mettre en place un système de vérification plus approprié des heures travaillées, ne peut désavantager le salarié au profit de l'employeur.
C.N.T. c. *Sables Dickie inc.*, D.T.E. 2000T-183 (C.Q.).

54/51 L'exception prévue par les dispositions de l'article 54(4) L.N.T. est applicable dans les cas où, à cause de l'éloignement, de l'isolement ou du nombre de projets confiés à un salarié, celui-ci doit nécessairement travailler à l'extérieur de l'établissement de son employeur et jouit d'une autonomie qui ne permet pas à l'employeur de contrôler ses heures de travail.
C.N.T. c. *Nordikeau inc.*, D.T.E. 2009T-118 (C.Q.), EYB 2008-153432 (C.Q.).

54/52 Il faut distinguer ce qui est impossible de ce qui est difficile à contrôler en ce qui concerne l'application de la durée de la semaine de travail à un salarié qui travaille en dehors de l'établissement et dont les heures de travail sont incontrôlables.
C.N.T. c. *Compagnie de construction Cris (Québec) ltée*, D.T.E. 93T-1188 (C.Q.), J.E. 93-1798 (C.Q.).

54/53 L'employeur ne peut invoquer les dispositions de l'article 54(4) L.N.T. si le travail du salarié est exécuté entièrement dans son établissement.
C.N.T. c. *Carnaval de Québec inc.*, D.T.E. 2007T-893 (C.Q.), EYB 2007-129005 (C.Q.).

54/54 Lorsque c'est l'employeur qui soulève une exception à la *Loi sur les normes du travail*, qui est une loi remédiatrice adoptée en faveur du salarié, il lui revient de prouver que l'exception s'applique.
C.N.T. c. *Nordikeau inc.*, D.T.E. 2009T-118 (C.Q.), EYB 2008-153432 (C.Q.).
C.N.T. c. *Compagnie de construction Cris (Québec) ltée*, D.T.E. 93T-1188 (C.Q.), J.E. 93-1798 (C.Q.).

PARAGRAPHE 6

54/55 Les salariés d'un établissement de pêche ont droit à un repos hebdomadaire de 24 heures consécutives.
E. Gagnon et Fils ltée c. *D'Assylva*, D.T.E. 82T-325 (T.T.).

PARAGRAPHE 7

54/56 Le travailleur agricole est celui qui transforme un milieu naturel en vue d'une production.
C.N.T. c. *Pépinière Fleur de Lys inc.*, (1989) R.J.Q. 2249 (C.Q.), D.T.E. 89T-811 (C.Q.), J.E. 89-1250 (C.Q.).

54/57 Les dispositions de l'article 54 de la *Loi sur les normes du travail* prévoient une exception à la règle de l'article 52 L.N.T. relative à la semaine normale de travail en énumérant les catégories de salariés qui n'y sont pas assujettis. Il faut interpréter cette exception de manière restrictive afin que la règle générale produise son plein effet et que seules soient exclues de son application les situations réellement et expressément prévues par le législateur.

Le travailleur agricole est celui dont la prestation de travail consiste à accomplir des travaux agricoles, reliés notamment à la production de fruits et légumes, au nombre desquels se trouvent la mise en terre des plants, leur entretien et la récolte. Ainsi, par voie de conséquence, il y a lieu de mentionner qu'il importe peu

que les fruits et légumes soient cultivés dans un champ ou dans une serre car, dans l'expression «travailleur agricole», l'accent n'est pas mis sur l'endroit où la culture est effectuée, mais sur le type de travail exécuté par le travailleur.
Serres du St-Laurent inc., établissement de Ste-Marthe c. *Travailleuses et travailleurs unis de l'alimentation et du commerce, section locale 501 (grief patronal)*, D.T.E. 2008T-835 (T.A.).

54/58 V. BRIÈRE, J.-Y. et VILLAGGI, J.-P., *Relations de travail*, vol. 2, (édition à feuilles mobiles), Brossard, Les Publications CCH ltée, p. 8,347 à 8,352.

54/59 V. CAZA, C., «L'embarquement pour un tour d'horizon des développements récents concernant la *Loi sur les normes du travail*», dans *Développements récents en droit du travail (1997)*, Formation permanente du Barreau du Québec, Cowansville, Les Éditions Yvon Blais inc., 1997, p. 229, p. 250 et ss.

54/60 V. DUBÉ, J.-L. et DI IORIO, N., *Les normes du travail*, 2e éd., Sherbrooke, Les Éditions Revue de droit — Université de Sherbrooke, 1992, p. 196 à 207.

art. 55

55/1 Le salarié qui n'est pas exclu des dispositions concernant la semaine normale de travail a le droit d'être rémunéré pour les heures supplémentaires.
Dugas c. *Métaux Tremblay inc.*, D.T.E. 88T-675 (C.Q.).
V. aussi: *C.N.T.* c. *3586804 Canada inc.*, D.T.E. 2002T-692 (C.Q.).

55/2 Une entente sur le salaire ne peut faire échec à l'application de cet article d'ordre public.
C.N.T. c. *Pouliot*, D.T.E. 2006T-746 (C.Q.).
C.N.T. c. *Romtech Technologie inc.*, D.T.E. 2001T-318 (C.Q.).
C.N.T. c. *Roy*, D.T.E. 99T-630 (C.Q.).
Beaudoin c. *Asselin*, D.T.E. 90T-132 (C.Q.).

55/3 Selon les dispositions de la *Loi sur les normes du travail*, dans certaines circonstances, même si un salarié n'exécute pas de travail, il doit être rémunéré. Ce temps payé ne doit pas être utilisé dans le but de calculer ses heures supplémentaires. En effet, la *Loi sur les normes du travail* requiert que du travail ait été effectué, en plus de la semaine normale, pour comptabiliser des heures supplémentaires. Ainsi, les articles 56, 57 et 59 L.N.T. sont des exceptions qui permettent à un salarié d'inclure dans le calcul des heures supplémentaires des heures payées mais non travaillées.
Syndicat de l'industrie de l'imprimerie de St-Hyacinthe (C.S.D.) c. *Imprimeries Transcontinental inc. (division St-Hyacinthe)*, D.T.E. 2001T-406 (T.A.) (révision judiciaire refusée: D.T.E. 2001T-987 (C.S.)) (appel rejeté: D.T.E. 2003T-394 (C.A.), J.E. 2003-774 (C.A.), REJB 2003-39878 (C.A.)).

55/4 Une convention collective ne peut prévoir que le salarié sera payé à taux simple, après avoir travaillé le nombre d'heures prévu à la *Loi sur les normes du travail* pour la durée d'une semaine normale de travail. Une telle entente est illégale et nulle de plein droit en vertu de l'article 93 L.N.T.

Kruger inc., division du carton c. *Syndicat canadien de l'énergie et du papier, section locale 216 (grief collectif)*, D.T.E. 2008T-111 (T.A.).
Alimentation YVN Ratté inc. c. *Union internationale des travailleurs et travailleuses unis de l'alimentation et du commerce, section locale 503*, D.T.E. 99T-1020 (T.A.).

55/5 Le droit du travail ne reconnaît pas la modification unilatérale d'un contrat de travail par l'employeur. Ainsi, il ne saurait y avoir de modification unilatérale quant à la méthode de calcul du salaire individuel du salarié faisant en sorte que celui-ci ne puisse avoir droit aux heures supplémentaires prévues par la *Loi sur les normes du travail*.
C.N.T. c. *Groupe Harnois inc.*, D.T.E. 2007T-17 (C.A.), J.E. 2007-46 (C.A.), EYB 2006-111199 (C.A.).

55/6 Les dispositions de l'article 55 L.N.T. relatives au paiement des heures supplémentaires au taux majoré, sont inapplicables lorsque le salarié n'est pas payé à l'heure et que le salaire hebdomadaire versé est nettement supérieur aux exigences minimales de la *Loi sur les normes du travail*.
C.N.T. c. *Technimeca International Corp.*, D.T.E. 2008T-875 (C.Q.), EYB 2008-149469 (C.Q.).

55/7 Un salarié est justifié de refuser de travailler en surtemps au taux régulier, lorsqu'il a demandé préalablement d'être rémunéré selon la Loi sur les normes, au taux majoré.
Goudie c. *Tyme Télécom inc.*, (1982) C.T. 71, D.T.E. 82T-223 (C.T.).

55/8 Un salarié a le droit d'exiger que les heures supplémentaires soient payées en argent.
Giguère c. *Centura Québec*, (1983) T.T. 455, D.T.E. 83T-801 (T.T.).

55/9 Le salarié qui participe à des activités de loisirs après la journée de travail ne peut réclamer des heures supplémentaires.
C.N.T. c. *Opcan*, D.T.E. 84T-467 (C.S.).

55/10 La compensation en temps des heures supplémentaires effectuées par le salarié doit respecter les exigences énoncées à l'article 55 L.N.T.
C.N.T. c. *Carnaval de Québec inc.*, D.T.E. 2007T-893 (C.Q.), EYB 2007-129005 (C.Q.).

55/11 Le fait d'être un organisme à but non lucratif et de ne pas avoir comme pratique de payer des heures supplémentaires, ne peut écarter l'application de l'article 55 L.N.T. qui est d'ordre public.
C.N.T. c. *Maison de la jeunesse à Val-des-Lacs inc.*, D.T.E. 2008T-153 (C.Q.), EYB 2007-130057 (C.Q.).
C.N.T. c. *Fondation Achille Tanguay*, D.T.E. 2003T-1105 (C.Q.).

55/12 Le paiement des heures supplémentaires tel que prévu par les articles 52 et 55 L.N.T. annihile toute convention moins avantageuse.
C.N.T. c. *Place Bishop*, D.T.E. 2001T-412 (C.Q.).
Jasmin c. *Gérard M. Perrault inc.*, D.T.E. 85T-948 (C.Q.).
Fédération des infirmières et infirmiers du Québec c. *Centre hospitalier régional de Lanaudière*, D.T.E. 92T-428 (T.A.).

55/13 Il faut que la preuve soit prépondérante pour indemniser un salarié eu égard aux heures supplémentaires réclamées.
C.N.T. c. *Maison de la jeunesse à Val-des-Lacs inc.*, D.T.E. 2008T-153 (C.Q.), EYB 2007-130057 (C.Q.).
C.N.T. c. *Girard*, D.T.E. 96T-1473 (C.Q.).

55/14 Il ne peut y avoir de réclamation pour le paiement d'heures supplémentaires lorsqu'elles ont été effectuées sans autorisation préalable et à l'insu de l'employeur.
C.N.T. c. *Maison de la jeunesse à Val-des-Lacs inc.*, D.T.E. 2008T-153 (C.Q.), EYB 2007-130057 (C.Q.).
C.N.T. c. *Centre de loisirs métropolitain pour handicapés visuels*, D.T.E. 95T-528 (C.Q.).

55/15 Même si le nombre d'heures travaillées peut avoir un caractère invraisemblable, il doit être fait droit à la réclamation lorsque ces heures ont été rémunérées par l'employeur par le passé.
C.N.T. c. *176614 Canada inc.*, D.T.E. 2002T-280 (C.Q.).

55/16 Un employeur ne peut pas payer uniquement les heures supplémentaires que le salarié facture lui-même au client. La *Loi sur le normes du travail* ne prévoit pas une telle distinction. Le salarié a le droit d'être rémunéré au taux majoré pour tout travail exécuté au-delà de la semaine normale de travail.
Cadieux c. *Service de gaz naturel Laval inc.*, D.T.E. 93T-331 (C.Q.), J.E. 93-604 (C.Q.).

55/17 Il est toujours possible pour les parties de référer à la *Loi sur les normes du travail* dans leur convention collective, ce qui donne compétence à l'arbitre de griefs pour interpréter la Loi, notamment les dispositions ayant trait aux heures supplémentaires.
Québec (Ministère de la Justice) c. *Association des juristes de l'État*, D.T.E. 2001T-1168 (T.A.).

55/18 V. BRIÈRE, J.-Y. et VILLAGGI, J.-P., *Relations de travail*, vol. 2, (édition à feuilles mobiles), Brossard, Les Publications CCH ltée, p. 8,342 à 8,347.

55/19 V. DUBÉ, J.-L. et DI IORIO, N., *Les normes du travail*, 2e éd., Sherbrooke, Les Éditions Revue de droit — Université de Sherbrooke, 1992, p. 119 à 122.

55/20 V. HÉBERT, G., «Les normes du travail à caractère économique au Canada et au Québec», (1986) 17 *R.G.D.* 45.

55/21 V. TRUDEAU, G., «Les normes minimales du travail: bilan et éléments de prospective», dans Blouin, R. (dir.), *Vingt-cinq ans de pratique en relations industrielles au Québec*, Cowansville, Les Éditions Yvon Blais inc., 1990, p. 1085, p. 1098 et 1099 à 1100.

art. 56

56/1 L'article 56 L.N.T. est une norme impérative en deçà de laquelle les parties n'ont pas la liberté de contracter.

Plastique Micron inc. c. *Blouin*, (2003) R.J.Q. 1070 (C.A.), (2003) R.J.D.T. 631 (C.A.), D.T.E. 2003T-389 (C.A.), J.E. 2003-773 (C.A.), REJB 2003-39877 (C.A.).
Agropur Coopérative (e.v. Beauceville) c. *Teamsters Québec, section locale 1999 (FTQ-CTC) (grief collectif)*, D.T.E. 2006T-592 (T.A.).

56/2 La norme de contrôle en matière de révision judiciaire concernant l'interprétation de l'article 56 de la *Loi sur les normes du travail* par un arbitre de griefs est celle de la décision raisonnable *simpliciter.*
Uniboard Canada inc. (division Val-d'Or) c. *Laplante*, D.T.E. 2004T-1062 (C.S.).

56/3 Lorsque l'arbitre de griefs doit se prononcer sur l'applicabilité de l'article 56 L.N.T., sa décision est soumise à la norme de contrôle de la décision correcte, et ce, compte tenu qu'il s'agit d'une question de droit sur laquelle il n'a aucune compétence particulière.
Travailleuses et travailleurs unis de l'alimentation et du commerce, section locale 503 c. *Roy*, D.T.E. 2007T-379 (C.S.) (appel accueilli à la seule fin de retourner le dossier à l'arbitrage: C.A.Q. n^{0} 200-09-005868-077, le 21 avril 2008).

56/4 Seuls les jours fériés, chômés et payés sont assimilés à des jours de travail. Ce qui exclut les jours fériés, travaillés et payés. Ainsi un salarié en service un jour férié doit recevoir la double rémunération mentionnée à l'article 63 L.N.T.
Boulangerie d'Asbestos inc. c. *Syndicat des salariés de la Boulangerie d'Asbestos (C.S.D.)*, (1988) T.A. 657, D.T.E. 88T-736 (T.A.).

56/5 La notion de congés fériés chômés et payés fait référence à des jours où, n'eût été d'un congé, le salarié aurait normalement travaillé.
Uniboard Canada inc. (division Val-d'Or) c. *Laplante*, D.T.E. 2004T-1062 (C.S.).

56/6 Le congé férié doit être inclus dans le calcul des 40 heures au-delà desquelles les heures supplémentaires doivent être payées.
Exposervice Standard inc. c. *Union des routiers, brasseries, liqueurs douces et ouvriers de diverses industries, local 1999*, D.T.E. 86T-648 (T.A.).

56/7 L'article 56 L.N.T. relatif au calcul des heures supplémentaires, n'est pas qu'une simple modalité d'application, il est d'ordre public. Ainsi, il doit y avoir computation des jours fériés dans le total des heures travaillées pendant une semaine donnée.

Par conséquent, les heures supplémentaires non travaillées, dans le cas de jours fériés, doivent être considérées comme des heures travaillées aux fins du calcul des heures supplémentaires.
Travailleuses et travailleurs unis de l'alimentation et du commerce, section locale 503 c. *Roy*, D.T.E. 2007T-379 (C.S.) (appel accueilli à la seule fin de retourner le dossier à l'arbitrage: C.A.Q. n^{0} 200-09-005868-077, le 21 avril 2008).
Agropur Coopérative (e.v. Beauceville) c. *Teamsters Québec, section locale 1999 (FTQ-CTC) (grief collectif)*, D.T.E. 2006T-592 (T.A.).
Groupe de décoration domiciliaire Impérial (Canada) U.L.C. c. *Syndicat des employées et employés des papiers peints Berkley (C.S.N.)*, D.T.E. 2003T-314 (T.A.) (règlement hors cour).
Syndicat des travailleuses et travailleurs d'Héma-Québec Montréal (C.S.N.) c. *Héma-Québec*, D.T.E. 2003T-393 (T.A.).

56/8 La règle énoncée à l'article 56 L.N.T. ne permet pas d'affirmer que les heures des congés annuels doivent, dans tous les cas et pour toute fin, être ajoutées au temps réel pendant lequel le salarié exerce ses fonctions. Il n'en est ainsi, suivant le texte même de l'article, qu'aux fins de calcul des heures supplémentaires. Suivant la règle d'interprétation bien connue *expressio unius est exclusio alterius*, les limites établies dans un texte de loi, concernant les circonstances permettant l'application des règles qui y sont contenues, s'opposent à ce que ces mêmes règles reçoivent application dans d'autres cas.
Travailleuses et travailleurs de l'alimentation et du commerce, TUAC 500 c. *Super C Richelieu (G. Vachon)*, D.T.E. 2008T-465 (T.A.).

56/9 Contrairement à ce qui est prévu à l'article 56 L.N.T., lorsque la convention collective ne prévoit nulle part que les jours fériés doivent être assimilés à des jours de travail, il ne saurait y avoir paiement.
Cambior inc. (Mine Géant dormant) c. *Métallurgistes unis d'Amérique, section locale 4796*, D.T.E. 96T-494 (T.A.).

56/10 Les articles 56 et 60 L.N.T. sont en association directe et immédiate. Les jours fériés, chômés et payés sont ceux de l'article 60 et le mot «chômés» signifie la même chose aux deux articles.
Boulangerie d'Asbestos inc. c. *Syndicat des salariés de la Boulangerie d'Asbestos (C.S.D.)*, (1988) T.A. 657, D.T.E. 88T-736 (T.A.).

56/11 L'article 56 L.N.T. n'indique pas que les jours fériés, chômés et payés sont ceux visés à l'article 60 L.N.T. Il constitue plutôt une norme de travail, de portée générale, qui s'applique à toute convention collective et à laquelle on ne peut déroger.
Agropur Coopérative (e.v. Beauceville) c. *Teamsters Québec, section locale 1999 (FTQ-CTC) (grief collectif)*, D.T.E. 2006T-592 (T.A.).

56/12 Un employeur doit inclure dans le calcul de la paie hebdomadaire des salariés à temps partiel, le nombre d'heures correspondant à celles qu'ils auraient faites n'eut été du congé férié, dans le calcul des heures supplémentaires, lorsque la convention collective prévoit la conformité automatique avec une loi d'ordre public.
Coopérative de Dorchester c. *Syndicat démocratique des salariés de la coopérative de Dorchester*, D.T.E. 87T-472 (T.A.).

56/13 Même si une convention collective comporte des conditions de travail plus avantageuses que celles prévues à la *Loi sur les normes du travail*, cela n'entraîne pas une exclusion automatique de l'article 56 L.N.T., auquel le législateur n'a permis aucune dérogation.
Agropur Coopérative (e.v. Beauceville) c. *Teamsters Québec, section locale 1999 (FTQ-CTC) (grief collectif)*, D.T.E. 2006T-592 (T.A.).

56/14 Une absence pour cause de maladie ou d'activités syndicales ne peut être assimilée à un jour de travail aux fins du calcul des heures supplémentaires.
Alcan Société d'électrolyse et de chimie Alcan ltée (Arvida), une division d'aluminium du Canada ltée c. *Syndicat national des policiers d'Alcan Saguenay — Lac-St-Jean*, (1983) T.A. 732, D.T.E. 83T-602 (T.A.).

56/15 V. la jurisprudence sous les articles 52 à 55 et 60 L.N.T.

art. 57

N.B. L'article 57 a été modifié par la *Loi modifiant la Loi sur les normes du travail et d'autres dispositions législatives*, L.Q. 2002, c. 80. La nature des ajouts effectués par le législateur à l'article 57 L.N.T. ne change pas nécessairement la jurisprudence antérieure.

57/1 Il n'est pas permis de déroger aux dispositions de l'article 57 L.N.T. De plus, une convention collective ne peut prévoir une condition de travail contraire à la *Loi sur les normes du travail*.
Rassemblement des employés techniciens ambulanciers-paramédics du Québec (FSSS-CSN) c. *Coopérative des employés techniciens ambulanciers de la Montérégie (CETAM) (grief syndical)*, (2009) R.J.D.T. 277 (T.A.), D.T.E. 2009T-12 (T.A.) (requête en révision judiciaire: n° 500-17-047098-085).
RETAQ-CSN c. *CETAM (Coopérative des techniciens ambulanciers de la Montérégie) (Gino Tremblay et grief collectif)*, (2006) R.J.D.T. 897 (T.A.), D.T.E. 2006T-450 (T.A.) (requête en révision judiciaire: n° 500-17-030716-065).

57/2 Pour que la présomption prévue à l'article 57 L.N.T. s'applique, il faut que l'on retrouve trois conditions:

1) Il faut que le salarié soit à la disposition de son employeur;
2) Il faut que le salarié soit sur les lieux de travail;
3) Enfin, il faut que le salarié soit obligé d'attendre qu'on lui donne du travail.

La présomption qui découle de cet article est une présomption *juris tantum*, laquelle peut être réfutée par le non-respect de certaines conditions par opposition à une présomption *juris et de jure*, laquelle ne peut être réfutée.
C.N.T. c. *3979229 Canada inc.*, (2008) R.J.D.T. 1058 (C.S.), D.T.E. 2008T-700 (C.S.), J.E. 2008-1706 (C.S.), EYB 2008-145462 (C.S.) (en appel: n° 500-09-019014-083).
C.N.T. c. *Immeubles R. Savignac inc.*, (2002) R.J.D.T. 1527 (C.S.), D.T.E. 2002T-1107 (C.S.), REJB 2002-35495 (C.S.).
C.N.T. c. *Pouliot*, D.T.E. 2006T-746 (C.Q.).
Rivard c. *Zaveco ltée*, D.T.E. 2008T-957 (C.R.T.).
Rassemblement des employés techniciens ambulanciers-paramédics du Québec (FSSS-CSN) c. *Coopérative des employés techniciens ambulanciers de la Montérégie (CETAM) (grief syndical)*, (2009) R.J.D.T. 277 (T.A.), D.T.E. 2009T-12 (T.A.) (requête en révision judiciaire: n° 500-17-047098-085).
RETAQ-CSN c. *CETAM (Coopérative des techniciens ambulanciers de la Montérégie) (Gino Tremblay et grief collectif)*, (2006) R.J.D.T. 897 (T.A.), D.T.E. 2006T-450 (T.A.) (requête en révision judiciaire: n° 500-17-030716-065).
Cie minière Québec-Cartier c. *Métallurgistes unis d'Amérique, section locale 5778*, D.T.E. 93T-167 (T.A.).
V. aussi: *Syndicat de l'industrie de l'imprimerie de St-Hyacinthe inc.* c. *Fortier*, D.T.E. 2001T-987 (C.S.) (appel rejeté: D.T.E. 2003T-394 (C.A.), J.E. 2003-774 (C.A.), REJB 2003-39878 (C.A.)).
C.N.T. c. *Boucher*, D.T.E. 2003T-16 (C.Q.).

57/3 Les parties à une convention collective ne peuvent restreindre, par le biais de la définition de «lieux de travail», la portée et, du même coup, la nature de la norme du travail formulée par les dispositions de l'article 57(1) L.N.T.

Rassemblement des employés techniciens ambulanciers-paramédics du Québec (FSSS-CSN) c. *Coopérative des employés techniciens ambulanciers de la Montérégie (CETAM) (grief syndical)*, (2009) R.J.D.T. 277 (T.A.), D.T.E. 2009T-12 (T.A.) (requête en révision judiciaire: n° 500-17-047098-085).

57/4 La situation visée par les dispositions de l'article 57 L.N.T. est celle où le salarié n'étant pas chez lui est tenu captif en attendant qu'on lui donne du travail à exécuter.
C.N.T. c. *Immeubles R. Savignac inc.*, (2002) R.J.D.T. 1527 (C.S.), D.T.E. 2002T-1107 (C.S.), REJB 2002-35495 (C.S.).

57/5 Un salarié ne peut fonder une réclamation sur l'article 57 L.N.T., s'il n'est pas tenu d'être présent à heures fixes sur les lieux du travail, si aucune disponibilité précise ne lui est demandée et s'il n'est pas question qu'il attende qu'on lui donne du travail.
Dunkley c. *Perzow*, D.T.E. 83T-427 (C.T.).
Syndicat national des employés de l'hôpital Jean-Talon (F.A.S.-C.S.N.) c. *Hôpital Jean-Talon*, Arbitrage — Santé et services sociaux, 92A-140.

57/6 Un tribunal d'arbitrage a compétence pour déterminer si les parties à une convention collective ont respecté ou non le troisième paragraphe de l'article 57 L.N.T. Ce faisant, celui-ci ne modifie pas la convention collective mais assure le respect d'une loi d'ordre public en vertu de l'article 93 L.N.T.

De plus, même si la convention collective a été négociée alors que le paragraphe 3 de l'article 57 L.N.T. n'existait pas encore et que, par la suite, les parties n'ont pas discuté de son contenu, ce silence ne peut être interprété comme une reconnaissance implicite du fait que la convention collective satisfaisait aux exigences de la loi.
Syndicat national de la sylviculture (SNS-CSN) c. *Aménagement forestier Vertech inc. (grief collectif)*, D.T.E. 2007T-523 (T.A.) (révision judiciaire refusée: C.S. Trois-Rivières, n° 400-17-001405-071, le 30 octobre 2007).

57/7 La jurisprudence majoritaire considère que la disponibilité ne constitue pas une période de travail. Les dispositions de l'article 57 L.N.T. traitent du rappel au travail, mais non d'un système de disponibilité ou de garde.
Métallurgistes unis d'Amérique, section locale 9414 c. *Emballage St-Jean ltée*, D.T.E. 2004T-449 (T.A.).

57/8 Contrairement aux dispositions de l'article 79 al. 2 L.N.T. qui imposent la rémunération de la période de repas du seul fait que le salarié n'est pas autorisé à quitter son poste de travail, les dispositions de l'article 57(1) L.N.T. exigent, pour qu'un salarié soit considéré réputé au travail, qu'il soit obligé d'attendre du travail. Les dispositions de l'article 57(1) L.N.T. n'imposent pas cependant que le salarié soit à son poste de travail. Il suffit qu'il soit sur les lieux de travail.
Rassemblement des employés techniciens ambulanciers-paramédics du Québec (FSSS-CSN) c. *Coopérative des employés techniciens ambulanciers de la Montérégie (CETAM) (grief syndical)*, (2009) R.J.D.T. 277 (T.A.), D.T.E. 2009T-12 (T.A.) (requête en révision judiciaire: n° 500-17-047098-085).
RETAQ-CSN c. *CETAM (Coopérative des techniciens ambulanciers de la Montérégie) (Gino Tremblay et grief collectif)*, (2006) R.J.D.T. 897 (T.A.), D.T.E. 2006T-450 (T.A.) (requête en révision judiciaire: n° 500-17-030716-065).

57/9 On ne peut, dans une convention collective, indiquer que «les lieux de travail sont les endroits où la personne salariée se situe dans le seul but d'exécuter un travail dans le cadre de ses fonctions». Les salariés, durant la période de repas, ne peuvent être réputés au travail au sens de l'article 57 L.N.T. puisque le fait de manger introduit un autre but que celui d'exécuter un travail, la condition de disponibilité n'étant plus remplie. Le même raisonnement vaut pour la troisième condition formulée par les dispositions de l'article 57(1) L.N.T.: parce qu'il mange — et donc effectue une autre activité que celle d'exécuter son travail — le salarié, en l'espèce un technicien ambulancier, ne se trouve plus dans une position où il est obligé d'attendre qu'on lui donne du travail. Par voie de conséquence, l'ajout de cette condition — soit, pour un salarié, de se trouver en disponibilité complète, totale et absolue — est contraire aux dispositions de la norme prévue à l'article 57(1) L.N.T. et elle est illégale. Il est entendu que, pour être réputé au travail, un salarié doit être à la disposition de l'employeur, la disposition étant la faculté d'user des services d'une personne en tout temps. En conclusion, c'est nécessairement le cas des techniciens ambulanciers pendant leur période de repas.
Rassemblement des employés techniciens ambulanciers-paramédics du Québec (FSSS-CSN) c. *Coopérative des employés techniciens ambulanciers de la Montérégie (CETAM) (grief syndical)*, (2009) R.J.D.T. 277 (T.A.), D.T.E. 2009T-12 (T.A.) (requête en révision judiciaire: n° 500-17-047098-085).

57/10 Le salarié qui décide d'opter pour le service offert par l'employeur, soit le transport sur les lieux du travail, ne peut bénéficier de la protection prévue par l'article 57 L.N.T. En effet, le temps d'attente avant le départ de l'autobus ne fait pas en sorte que le salarié attende qu'on lui donne du travail au sens de l'article 57 L.N.T., lorsque c'est l'employé lui-même qui a choisi ce service fourni par l'employeur.
C.N.T. c. *Inventaires de l'Est inc.*, D.T.E. 2002T-1085 (C.S.), conf. par D.T.E. 2007T-178 (C.A.), J.E. 2007-439 (C.A.), EYB 2007-112160 (C.A.).

57/11 Un salarié n'est pas nécessairement à la disposition de son employeur durant le transport le menant à son lieu de travail.
C.N.T. c. *Lafrenière*, (2004) R.J.D.T. 595 (C.Q.), D.T.E. 2004T-439 (C.Q.), J.E. 2004-900 (C.Q.), REJB 2004-60394 (C.Q.).

57/12 Pour qu'un déplacement soit couvert par l'article 57(3) L.N.T., il faut qu'il y ait une exigence de la part de l'employeur. En effet, un salarié n'est pas à la disposition de son employeur durant le déplacement qui le mène sur le lieu de son travail: aucun lien de subordination juridique n'existe entre un employeur et le salarié pendant ce déplacement. Les dispositions de cet article ne s'appliquent que lorsque la prestation de travail du salarié est commencée, et pas avant. Tel est le cas d'une aide domestique qui est chargée par son employeur de visiter plusieurs bénéficiaires à leur domicile chaque jour. Le temps pour se rendre à l'établissement de l'employeur ne peut faire l'objet d'une rémunération, mais celui pour se rendre, à l'intérieur de son horaire de travail, chez un bénéficiaire, l'est.

Ainsi, dans le cas d'un employeur forestier, si l'employeur n'a pas d'usine où les salariés doivent se rendre pour exécuter leur prestation de travail, mais que l'employeur assigne aux salariés le site sur un territoire forestier où ils devront exécuter leurs tâches, le temps de déplacement peut être considéré comme du temps de travail.
Syndicat national de la sylviculture (SNS-CSN) c. *Société d'exploitation des ressources de la Vallée inc. (griefs collectifs)*, D.T.E. 2007T-545 (T.A.).

57/13 Les déplacements d'un travailleur forestier entre le bureau ou un sous-bureau et les terrains à aménager, lorsqu'ils sont exigés par l'employeur, sont couverts par les dispositions de l'article 57(3) L.N.T.
Syndicat national de la sylviculture (SNS-CSN) c. *Aménagement forestier Vertech inc. (grief collectif)*, D.T.E. 2007T-523 (T.A.) (révision judiciaire refusée: C.S. Trois-Rivières, n° 400-17-001405-071, le 30 octobre 2007).

57/14 L'article 57 L.N.T. ne s'applique pas lorsque les modalités de déplacement du salarié, dans le cadre d'un colloque, n'ont pas été déterminées par l'employeur et que certaines de ces modalités ont été établies en fonction des considérations personnelles du salarié.
Syndicat des professionnelles et des professionnels du gouvernement du Québec, section locale N-03 (SPGQ) c. *Cégep André-Laurendeau (Katerina Kwasniakova)*, D.T.E. 2008T-754 (T.A.).

57/15 Un syndicat ne peut fonder sa réclamation uniquement sur l'article 57 L.N.T. Le grief doit concerner l'interprétation ou l'application de la convention collective et non une disposition de la *Loi sur les normes du travail*.
Camoplast inc., division mode c. *Syndicat des travailleurs du vêtement de Richmond*, D.T.E. 92T-1030 (T.A.).

57/16 Un concierge ne peut être réputé au travail lorsqu'il habite sur les lieux de travail, car il n'est aucunement obligé d'attendre que son employeur vienne lui donner du travail.
C.N.T. c. *Immeubles R. Savignac inc.*, (2002) R.J.D.T. 1527 (C.S.), D.T.E. 2002T-1107 (C.S.), REJB 2002-35495 (C.S.).
C.N.T. c. *Lemcovitz*, D.T.E. 90T-1288 (C.Q.).
C.N.T. c. *Cie de fiducie Canada Permanent*, D.T.E. 83T-601 (C.Q.), J.E. 83-840 (C.Q.).

57/17 La période de repas de trente minutes des techniciens ambulanciers doit être rémunérée par l'employeur en vertu des dispositions de l'article 57(1) L.N.T., et ce, compte tenu que ces salariés sont réputés être au travail pendant cette période en fonction de la nature même de leur travail.
RETAQ-CSN c. *CETAM (Coopérative des techniciens ambulanciers de la Montérégie) (Gino Tremblay et grief collectif)*, (2006) R.J.D.T. 897 (T.A.), D.T.E. 2006T-450 (T.A.) (requête en révision judiciaire: n° 500-17-030716-065).

57/18 Le salarié qui attend qu'on lui donne du travail est nécessairement à la disposition de l'employeur, mais l'inverse n'est pas vrai.
C.N.T. c. *Immeubles R. Savignac inc.*, (2002) R.J.D.T. 1527 (C.S.), D.T.E. 2002T-1107 (C.S.), REJB 2002-35495 (C.S.).

57/19 Une hôtesse de salon funéraire qui habite au-dessus de celui-ci, dont la sonnerie de la porte est reliée à son logement, faisant en sorte que sa présence n'est pas requise en tout temps et que l'employeur peut s'assurer qu'une personne est présente sur les lieux pour répondre aux demandes de la clientèle, est à la disposition de l'employeur. En effet, même si elle n'est pas physiquement à son lieu de travail, elle est obligée d'attendre qu'on lui donne du travail. Dans ces circonstances, la salariée est réputée être au travail.
C.N.T. c. *Urgel Bourgie ltée*, D.T.E. 96T-1409 (C.S.), J.E. 96-2162 (C.S.).

57/20 La salariée coiffeuse qui, entre deux rendez-vous, doit se tenir disponible au cas ou une cliente viendrait sans rendez-vous, est réputée être au travail.
C.N.T. c. *Gaudette-Gobeil*, D.T.E. 93T-568 (C.Q.), J.E. 93-950 (C.Q.).

57/21 Un cuisinier responsable de la cuisine d'un restaurant qui doit demeurer sur place et être disponible, au cas où des clients se présenteraient au restaurant, est visé par l'exception de l'article 57 L.N.T.
C.N.T. c. *Boulangerie De Mailly inc.*, D.T.E. 2002T-114 (C.Q.).

57/22 Lorsque, à la demande de l'employeur, un préposé aux bénéficiaires doit être présent durant toute la nuit dans une résidence pour personnes âgées, il doit être rémunéré pour toutes les heures de présence.
C.N.T. c. *Pouliot*, D.T.E. 2006T-746 (C.Q.).

57/23 Le salarié de garde à domicile muni d'un téléavertisseur n'est pas sur les lieux de travail pendant sa période de disponibilité et n'a pas droit au paiement de ses heures de disponibilité.
Syndicat des infirmières et infirmiers de l'est du Québec c. *Côté*, D.T.E. 91T-332 (C.S.).

57/24 Une gardienne d'enfants qui effectue de la surveillance de nuit au domicile du parent est à la disposition de l'employeur et est obligée d'attendre qu'on lui donne du travail. Elle a donc droit au paiement de ses heures de disponibilité.
C.N.T. c. *Deschênes*, D.T.E. 2007T-477 (C.Q.), EYB 2007-119655 (C.Q.).

57/25 Les agents de groupe chargés d'animer les activités des jeunes adultes du programme «Katimavik» ne sont pas réputés être au travail durant les heures de loisirs qui suivent les activités régulières de la journée.
C.N.T. c. *Opcan*, D.T.E. 84T-467 (C.S.).

57/26 Un concierge d'un terrain de camping peut être fondé à faire une réclamation pour les heures travaillées, lorsque sa présence sur les lieux du travail est exigée durant toutes les heures d'ouverture.
C.N.T. c. *Camping Colonie Notre-Dame inc.*, D.T.E. 2003T-1061 (C.Q.), J.E. 2003-2025 (C.Q.), REJB 2003-48492 (C.Q.).

57/27 Les salariés d'une colonie de vacances de qui on exige qu'ils soient disponibles en tout temps, mais qui sont payés uniquement sur une base de six heures par jour, ont droit, en vertu de l'article 57 L.N.T., à la rémunération pour toutes les heures où ils sont disponibles. En effet, en vertu de cette disposition, le salarié est réputé être au travail lorsqu'il est à la disposition de son employeur, sur les lieux du travail, et qu'il est obligé d'attendre qu'on lui donne de l'ouvrage.
C.N.T. c. *Edphy international inc.*, (2000) R.J.D.T. 191 (C.Q.), D.T.E. 2000T-256 (C.Q.).

57/28 Le temps de répit du salarié est une période d'attente et de disponibilité au sens de l'article 57 L.N.T.
C.N.T. c. *Boucher*, D.T.E. 2003T-16 (C.Q.).

57/29 L'employeur n'est pas obligé de donner une pause café, mais s'il accorde ce privilège, le temps écoulé durant cette pause doit être payé au salarié.
C.N.T. c. *Nouveautés Luxor (Canada) ltée*, D.T.E. 87T-478 (C.Q.), J.E. 87-718 (C.Q.).

57/30 La période de repos doit être déterminée en tenant compte des besoins de l'établissement.
Beauport (Ville de) c. *Syndicat des employés municipaux de Beauport, section locale 2224 (S.C.F.P.)*, D.T.E. 91T-752 (T.A.).
Syndicat professionnel des infirmières et infirmiers du Bas St-Laurent (F.S.P.I.I.Q.) c. *Hôpital des Monts*, Arbitrage — Santé et services sociaux, 88A-156.

57/31 Selon l'article 59 L.N.T. (maintenant abrogé), ainsi que selon le sens commun, un salarié en pause café est réputé être au travail.
Syndicat international des communications graphiques, section locale 41M c. *Imprimerie Quebecor Magog*, D.T.E. 94T-972 (T.A.).

57/32 L'évaluation de l'interprétation d'un droit prévu à la convention collective et de sa comparaison avec une disposition de la *Loi sur les normes du travail* ne requiert pas une analyse exhaustive, car le tribunal d'arbitrage bénéficie des enseignements de la jurisprudence. Il en ressort que l'arbitre de griefs exerce sa compétence accessoire lorsqu'il décide de cette comparaison. Sa sentence arbitrale est donc soumise à la norme de la décision raisonnable. Lorsqu'un arbitre de griefs statue sur le sens des dispositions de l'article 57(4) L.N.T., cet exercice échappe à sa compétence spécialisée. Or, c'est l'expertise quant à la question précise soulevée qui détermine le degré de déférence, et non l'expertise générale du décideur administratif.
Collines-de-l'Outaouais (MRC des) c. *Mallette*, D.T.E. 2008T-834 (C.S.), EYB 2008-148112 (C.S.) (en appel: n° 500-09-019098-086).

57/33 Les dispositions de l'article 57(4) L.N.T. ne s'appliquent qu'à la formation exigée par l'employeur.
C.N.T. c. *Ste-Monique (Municipalité de)*, D.T.E. 2007T-668 (C.Q.).
Association des policières et policiers de la région sherbrookoise c. *Régie intermunicipale de police de la région sherbrookoise*, D.T.E. 2005T-207 (T.A.).

57/34 La réussite d'un cours de secourisme, exigé par un client de l'employeur, ne correspond pas à la période de formation exigée par l'employeur telle que prévue par les dispositions de l'article 57(4) L.N.T.
Union des agents de sécurité du Québec, Métallurgistes unis d'Amérique, section locale 8922 c. *Sécurité Kolossal inc. (grief syndical)*, D.T.E. 2006T-235 (T.A.).

57/35 Les dispositions de l'article 57(4) L.N.T. ne s'appliquent pas lorsque la participation à la formation ou au perfectionnement du personnel est volontaire.
Syndicat national de l'automobile, de l'aérospatiale, du transport et des autres travailleuses et travailleurs du Canada, section locale 4511, TCA-Canada c. *Globocam (Anjou) inc. (griefs individuels, Sébastien Auclair et autres)*, D.T.E. 2007T-191 (T.A.).

57/36 La formation est un concept plus englobant que le concept de cours, puisqu'elle vise l'ensemble des procédés qui permettent l'acquisition ou la mise à jour des connaissances recherchées. Ainsi, on peut considérer que la préparation, l'étude et les travaux scolaires font partie intégrante du processus de formation.
Fraternité des policiers de la Ville de Terrebonne inc. c. *Terrebonne (Ville de)*, D.T.E. 2005T-230 (T.A.).

57/37 L'article 57(4) L.N.T. comporte deux éléments essentiels: la période de formation et le caractère obligatoire de la présence du salarié à cette formation.

Il faut noter également qu'il existe une différence entre une période de formation et une exigence professionnelle.
Commission scolaire des Laurentides c. *Syndicat des employés de la Commission scolaire des Laurentides*, D.T.E. 2004T-899 (T.A.).

57/38 Il faut faire une distinction entre le fait que la formation soit accessible et que l'employeur approuve la participation de l'un de ses salariés et le fait qu'il ait requis cette formation.
Collines-de-l'Outaouais (MRC des) c. *Mallette*, D.T.E. 2008T-834 (C.S.), EYB 2008-148112 (C.S.) (en appel: n° 500-09-019098-086).

57/39 Lorsque l'employeur exige d'une éducatrice en service de garde qu'elle réussisse un cours en secourisme qui est mis sur pied par l'employeur, il doit rémunérer celle-ci puisqu'il s'agit d'une période de formation au sens de l'article 57(4) L.N.T.
Commission scolaire des Laurentides c. *Syndicat des employés de la Commission scolaire des Laurentides*, D.T.E. 2004T-899 (T.A.).

57/40 On peut affirmer que les heures d'études personnelles d'un salarié constituent de la formation au sens des dispositions de l'article 57(4) L.N.T.
Collines-de-l'Outaouais (MRC des) c. *Mallette*, D.T.E. 2008T-834 (C.S.), EYB 2008-148112 (C.S.) (en appel: n° 500-09-019098-086).

57/41 Le temps consacré à l'étude et à des travaux en dehors des heures de classe, pour des cours suivis à la demande de l'employeur, constitue une période de formation.
Collines-de-l'Outaouais (MRC des) c. *Mallette*, D.T.E. 2008T-834 (C.S.), EYB 2008-148112 (C.S.) (en appel: n° 500-09-019098-086).
Fraternité des policières et policiers de Joliette c. *Joliette (Régie intermunicipale de police de la région de) (griefs individuels, Karine St-Jean et un autre)*, D.T.E. 2007T-517 (T.A.).
Fraternité des policiers de la Ville de Terrebonne inc. c. *Terrebonne (Ville de)*, D.T.E. 2005T-230 (T.A.).
Fraternité des policières et policiers de la ville de Saguenay inc. c. *Saguenay (Ville de)*, D.T.E. 2004T-713 (T.A.) (désistement de la révision judiciaire).

art. 58

58/1 Le salarié a droit à une indemnité de présence s'il est inhabituel qu'il soit rappelé au travail pour une période de moins de trois heures ou si la nature de son travail n'exige pas qu'il se présente au travail à plusieurs reprises durant la journée.
Syndicat des infirmières et infirmiers de l'Est du Québec c. *Résidence Mont-Joli*, Arbitrage — Santé et services sociaux, 93A-305.
Centre hospitalier de Matane c. *Syndicat professionnel des techniciens en radiologie médicale du Québec*, D.T.E. 89T-280 (T.A.).

58/2 L'article 58 L.N.T. ne défend nullement à un employeur de requérir un salarié pour travailler moins de trois heures consécutives, mais, s'il le fait, il doit verser une indemnité égale à trois heures du salaire horaire habituel.

Société d'administration et de gestion Quadra inc. c. *Union des employés de commerce, local 502*, D.T.E. 87T-420 (T.A.).

58/3 Le salarié qui fait l'objet d'un rappel au travail a droit à une indemnité égale à trois heures de son salaire horaire habituel, et ce, malgré que la convention collective de travail prévoie une rémunération inférieure, la *Loi sur les normes du travail* étant d'ordre public.
Fraternité internationale des ouvriers en électricité, section locale 2365 c. *Télébec ltée*, D.T.E. 93T-1304 (T.A.).

58/4 Constitue un cas fortuit, la fermeture d'une usine à cause d'une panne d'électricité.
Cie générale manufacturière ltée c. *Métallurgistes unis d'Amérique, local 7885*, D.T.E. 85T-309 (T.A.).
Vitriers et travailleurs du verre, section locale 1135 c. *A. et D. Prévost inc.*, (1985) T.A. 453, D.T.E. 85T-529 (T.A.).

58/5 La nature du travail d'infirmière ou ses conditions d'exécution ne font pas en sorte qu'il soit habituellement exécuté en entier à l'intérieur d'une période de trois heures.
Syndicat des infirmières et infirmiers de l'Est du Québec c. *Résidence Mont-Joli*, Arbitrage — Santé et services sociaux, 93A-305.

58/6 L'accompagnement d'un bénéficiaire à l'hôpital est une tâche qui est ordinairement effectuée en moins de trois heures et donc couvert par l'exception prévue à l'article 58 al. 3 L.N.T.
Manoir St-Patrice inc. c. *Union des employés(ées) de service, section locale 298 — F.T.Q.*, Arbitrage — Santé et services sociaux, 93A-41.
Manoir St-Patrice inc. c. *Union des employés(ées) de service, section locale 298 — F.T.Q.*, Arbitrage — Santé et services sociaux, 93A-170.

58/7 Lorsque les conditions d'exécution du travail font en sorte que celui-ci est généralement effectué en entier à l'intérieur d'une période de trois heures, il n'y a pas lieu d'indemniser le salarié dans le cas où le besoin déterminé par l'employeur se limite à l'encadrement de périodes particulières et que le travail se fait habituellement durant ces périodes.
Centre jeunesse de Québec (Mont d'Youville) c. *Syndicat canadien de la fonction publique, section locale 3545*, Arbitrage — Santé et services sociaux, 96A-293.

58/8 L'instance appropriée qui a juridiction pour l'application de l'indemnité de présence au travail est la Commission des normes du travail et non le Tribunal d'arbitrage sauf si le droit à l'indemnité est prévu dans la convention collective.
Cie générale manufacturière ltée c. *Métallurgistes unis d'Amérique, local 7885*, D.T.E. 85T-309 (T.A.).
V. aussi: *Vitriers et travailleurs du verre, section locale 1135* c. *A. et D. Prévost inc.*, (1985) T.A. 453, D.T.E. 85T-529 (T.A.).

58/9 V. la jurisprudence sous l'article 93 L.N.T.

58/10 V. ROY, A., «Impacts d'une catastrophe naturelle sur les relations de travail au Québec», dans *Les catastrophes naturelles et l'état du droit (1998)*, Formation permanente du Barreau du Québec, Cowansville, Les Éditions Yvon Blais inc., 1998, p. 1.

art. 59

N.B. L'article 59 a été abrogé par la *Loi modifiant la Loi sur les normes du travail et d'autres dispositions législatives*, L.Q. 2002, c. 80.

art. 59.1

N.B. L'article 59.1 a été modifié par la *Loi modifiant la Loi sur les normes du travail et d'autres dispositions législatives*, L.Q. 2002, c. 80. La nature des ajouts effectués par le législateur à l'article 59.1 L.N.T. ne change pas la jurisprudence antérieure.

59.1/1 La norme de contrôle applicable quant à la question de l'interprétation de la notion «d'une convention collective» est celle de la décision correcte.
Société de transport de Sherbrooke c. *Ladouceur*, D.T.E. 2008T-944 (C.S.), EYB 2007-150700 (C.S.) (en appel: n° 500-09-018296-079).

59.1/2 L'indemnité pour des jours fériés s'applique à un salarié qui ne bénéficie pas, en vertu d'une convention collective, d'un nombre de jours chômés et payés au moins égal au nombre de jours prévus à l'article 60 L.N.T. en sus de la Fête nationale.
C.N.T. c. *Béatrice Foods inc.*, D.T.E. 97T-1172 (C.Q.).
St-Étienne-des-Grès (Municipalité de) c. *Syndicat régional des employées et employés municipaux de la Mauricie (CSN) (grief syndical et Réal Boisvert)*, D.T.E. 2007T-444 (T.A.).

59.1/3 L'expression «d'une convention collective» que l'on retrouve à l'article 59.1 L.N.T. ne se limite pas à la convention collective de première ligne s'il est établi que le salarié a aussi le bénéfice d'une autre convention collective avec le même employeur. En effet, la *Loi sur les normes du travail* n'instaure pas autant de personnalités distinctes de l'employeur qu'il y a de conventions collectives.
Société de transport de Sherbrooke c. *Ladouceur*, D.T.E. 2008T-944 (C.S.), EYB 2007-150700 (C.S.) (en appel: n° 500-09-018296-079).

59.1/4 Il n'y a pas lieu de faire droit à la réclamation du salarié qui demande le versement d'une indemnité, lorsque celui-ci bénéficie de congés fériés accordés par la convention collective.
Alde c. *Fiset*, (2003) R.J.Q. 1385 (C.A.), (2003) R.J.D.T. 641 (C.A.), D.T.E. 2003T-498 (C.A.), J.E. 2003-1004 (C.A.), REJB 2003-41165 (C.A.) (autorisation d'appeler à la Cour suprême refusée).
V. aussi: *Syndicat de l'enseignement de Louis-Hémon* c. *Commission scolaire du Pays-des-Bleuets (grief syndical)*, D.T.E. 2008T-602 (T.A.).
Syndicat démocratique des salariés du Château Frontenac (C.S.D.) c. *Château Frontenac*, D.T.E. 2004T-1058 (T.A.).

art. 60

N.B. L'article 60 a été modifié par la *Loi modifiant la Loi sur les normes du travail et d'autres dispositions législatives*, L.Q. 2002, c. 80. La nature des ajouts effectués par le législateur à l'article 60 L.N.T. ne change pas la jurisprudence antérieure.

60/1 La *Loi sur les normes du travail* ne peut accorder un congé férié additionnel au salarié dont la convention collective de travail contient déjà plus de congés que la loi elle-même.
Université Laval c. *Syndicat des employés de l'Université Laval*, (1982) T.A. 786, D.T.E. 82T-15 (T.A.).
V. aussi: *Boulangerie d'Asbestos inc.* c. *Syndicat des salariés de la Boulangerie d'Asbestos (C.S.D.)*, (1988) T.A. 657, D.T.E. 88T-736 (T.A.).

60/2 Le système d'embauche des salariés surnuméraires à statut précaire qui travaillent habituellement et fréquemment les journées de la semaine correspondant aux journées prévues comme étant fériées et chômées suivant les dispositions de la *Loi sur les normes du travail,* ne peut pas équivaloir à une façon d'éluder l'application des normes minimales du travail qui sont d'ordre public.
C.N.T. c. *Béatrice Foods inc.*, D.T.E. 97T-1172 (C.Q.).

60/3 Les jours fériés doivent être rémunérés lorsqu'ils correspondent à un jour ouvrable pour un salarié, ce qui signifie un jour où ce dernier serait normalement appelé à travailler, et ce, compte tenu de la nature des activités de l'entreprise et de son horaire de travail.
C.N.T. c. *Entreprises P. Dorais inc.*, D.T.E. 98T-285 (C.Q.).

N.B. Avant L.Q. 2002, c. 80, il était question de jour ouvrable à l'article 62 L.N.T. ayant trait au calcul de l'indemnité.

60/4 L'expression «jour ouvrable» prévue par les dispositions de l'article 62 L.N.T. (avant L.Q. 2002, c. 80) fait référence à la journée de la semaine qu'un salarié consacre normalement à son travail de façon constante ou régulière ou à la journée d'une semaine où il travaille habituellement. Il en est ainsi, à titre d'exemple, si le lundi est un jour ouvrable pour le salarié qui travaille fréquemment sur appel le lundi.
C.N.T. c. *Béatrice Foods inc.*, D.T.E. 97T-1172 (C.Q.).
V. aussi: *Fruits de mer Gascons ltée* c. *C.N.T.*, (2004) R.J.Q. 1135 (C.A.), (2004) R.J.D.T. 437 (C.A.), D.T.E. 2004T-333 (C.A.), J.E. 2004-706 (C.A.), REJB 2004-55215 (C.A.).

60/5 Il n'appartient pas à la Cour supérieure, selon le mécanisme de règlement des litiges prévu par la *Loi sur le régime syndical applicable à la Sûreté du Québec* (L.R.Q., c. R-14), de se prononcer sur le droit des policiers provinciaux au paiement de la journée de la fête nationale à titre de jour férié additionnel.
Association des policiers provinciaux du Québec c. *Québec (Procureur général)*, D.T.E. 99T-411 (C.S.), REJB 1999-11811 (C.S.) (en appel: n^{0} 500-09-007997-992).

60/6 V. DUBÉ, J.-L. et DI IORIO, N., *Les normes du travail*, 2e éd., Sherbrooke, Les Éditions Revue de droit — Université de Sherbrooke, 1992, p. 125 à 129.

60/7 V. GOYETTE, R.M., «La réforme de la *Loi sur les normes du travail*: les points saillants», dans *Développements récents en droit du travail (2003)*, Formation permanente du Barreau du Québec, Cowansville, Les Éditions Yvon Blais inc., 2003, p. 71.

60/8 V. HÉBERT, G., «Les normes du travail à caractère économique au Canada et au Québec», (1986) 17 *R.G.D.* 45.

art. 62

N.B. L'article 62 a été remplacé par la *Loi modifiant la Loi sur les normes du travail et d'autres dispositions législatives*, L.Q. 2002, c. 80.

art. 63

63/1 L'article 63 L.N.T. n'impose pas à l'employeur l'obligation de verser un salaire majoré au salarié de service un jour férié. Le salarié doit recevoir strictement le salaire qui correspond au travail effectué ou au temps de travail.
Boulangerie d'Asbestos inc. c. *Syndicat des salariés de la Boulangerie d'Asbestos (C.S.D.)*, (1988) T.A. 657, D.T.E. 88T-736 (T.A.).

63/2 Il ne saurait y avoir d'entente particulière conclue en violation de l'article 63 L.N.T.
C.N.T. c. *Fondation Achille Tanguay*, D.T.E. 2003T-1105 (C.Q.).

art. 65

N.B. L'article 65 a été modifié par la *Loi modifiant la Loi sur les normes du travail et d'autres dispositions législatives*, L.Q. 2002, c. 80. La nature des modifications apportées par le législateur à l'article 65 L.N.T. change l'état du droit et la jurisprudence applicable. Le lecteur doit donc faire les adaptations nécessaires quant à l'utilisation de la jurisprudence, le cas échéant.

65/1 Pour avoir droit aux jours fériés prévus à la *Loi sur les normes du travail*, le salarié doit bénéficier de soixante jours de service continu chez le même employeur (obligation qui se retrouvait à l'art. 65 L.N.T. avant L.Q. 2002, c. 80, art. 21). Ainsi, en cas d'aliénation d'entreprise, si le vendeur ne s'engage pas à reprendre le salarié ni l'acheteur à le réembaucher au moment de l'aliénation, le salarié ne peut avoir droit à l'indemnité pour congés fériés.
C.N.T. c. *2735-3861 Québec inc.*, D.T.E. 95T-620 (C.Q.), J.E. 95-1075 (C.Q.).

65/2 Le salarié a droit à une indemnité pour les jours fériés s'il remplit les conditions mentionnées à la *Loi sur les normes du travail* en ce qui a trait au service continu. Ainsi, seul le salarié qui justifie de soixante jours de service continu au sens de l'article 65 L.N.T. (tel qu'il se lisait avant L.Q. 2002, c. 80, art. 21) peut réclamer cette indemnité.
C.N.T. c. *Sables Dickie inc.*, D.T.E. 2000T-183 (C.Q.).

65/3 Le salarié disponible pour travailler le jour ouvrable précédant ou suivant un jour férié mais qui ne travaille pas parce que l'employeur n'a pas besoin de ses services n'a pas droit au paiement du congé férié. On ne peut considérer comme absent un salarié à qui l'employeur n'a pas préalablement demandé de travailler.

Tribune (1982) inc. (La) c. *Syndicat canadien des communications, de l'énergie et du papier*, D.T.E. 96T-76 (T.A.) (révision judiciaire refusée: C.S. St-François, n° 450-05-000798-955, le 9 avril 1996).

art. 66

66/1 À défaut de disposition concernant l'année de référence dans une convention collective, il faut se reporter aux dispositions de la *Loi sur les normes du travail*.
Mont-Joli (Ville de) c. *Syndicat des employés municipaux de Mont-Joli (C.S.N.)*, D.T.E. 85T-960 (T.A.).

66/2 L'employeur ne peut limiter conventionnellement la période de référence de douze mois.
Garderie les petits chatons inc. c. *Syndicat des travailleuses de la garderie les petits chatons inc.*, (1987) T.A. 742, D.T.E. 87T-1030 (T.A.).

66/3 Le congé annuel ne peut être pris pendant l'année de référence.
Commission du salaire minimum c. *Compagnie Miron ltée*, (1982) R.L. 410 (C.Q.).

66/4 On peut conclure que les vacances prises durant la période de référence n'empêchent pas le salarié de réclamer son indemnité de vacances si son emploi se termine avant l'expiration de la période de référence.
C.N.T. c. *Service de gestion Lo & Wong ltée*, D.T.E. 99T-591 (C.Q.), J.E. 99-1292 (C.Q.), REJB 1999-12659 (C.Q.).

66/5 Il faut recevoir un salaire pendant la période de référence pour avoir droit à l'indemnité de congé annuel.
Centre hospitalier Pierre-Boucher c. *Association des techniciens en diététique du Québec inc.*, Arbitrage — Affaires sociales, 85A-155.

66/6 V. la jurisprudence sous l'article 74 L.N.T.

art. 67

67/1 Un salarié ne peut prendre par anticipation des jours de vacances qui devraient être pris pendant une autre période annuelle.
C.N.T. c. *Léger*, D.T.E. 85T-55 (C.Q.).

N.B. Depuis L.Q. 2002, c. 80, art. 22, l'employeur peut permettre que le congé soit pris par anticipation.

art. 69

69/1 L'article 69 L.N.T. établit une norme minimale en ce qui concerne la période de trois semaines de congé continues.

General Motors du Canada ltée c. *Syndicat national des travailleurs et travailleuses de l'automobile, de l'aérospatiale et de l'outillage agricole du Canada, section locale 1163*, (1994) T.A. 776, D.T.E. 94T-974 (T.A.).

69/2 L'article 69 L.N.T. prévoit expressément qu'un salarié ayant droit à trois semaines de vacances peut les prendre de façon continue.
Association des employés du supermarché G. Breton inc. c. *Supermarché G. Breton inc.*, D.T.E. 99T-449 (T.A.).
General Motors du Canada ltée c. *Syndicat national des travailleurs et travailleuses de l'automobile, de l'aérospatiale et de l'outillage agricole du Canada, section locale 1163*, (1994) T.A. 776, D.T.E. 94T-974 (T.A.).

69/3 Un employeur ne peut imposer à ses salariés de prendre trois semaines de vacances d'une façon discontinue, à des dates qu'ils n'ont pas choisies.
Aliments Delisle ltée c. *Association des employés des Aliments Delisle*, D.T.E. 92T-1192 (T.A.).

69/4 Toute clause relative aux vacances annuelles insérée dans une convention collective doit respecter les dispositions des articles 69 et 93 L.N.T., sinon elle s'annule de plein droit, à moins que cette convention n'établisse une condition de travail plus avantageuse pour les salariés, comme le prévoit l'article 94 L.N.T.
General Motors du Canada ltée c. *Syndicat national des travailleurs et travailleuses de l'automobile, de l'aérospatiale et de l'outillage agricole du Canada, section locale 1163*, (1994) T.A. 776, D.T.E. 94T-974 (T.A.).

69/5 La norme établie à l'article 69 L.N.T. ne peut faire l'objet d'une compensation avec autre chose qu'une condition correspondante de même nature ayant le même objet.
General Motors du Canada ltée c. *Syndicat national des travailleurs et travailleuses de l'automobile, de l'aérospatiale et de l'outillage agricole du Canada, section locale 1163*, (1994) T.A. 776, D.T.E. 94T-974 (T.A.).

art. 70

N.B. L'article 70 a été modifié par la *Loi modifiant la Loi sur les normes du travail et d'autres dispositions législatives*, L.Q. 2002, c. 80. La nature des ajouts effectués par le législateur à l'article 70 L.N.T. ne modifie pas l'état du droit et la jurisprudence antérieure. Celle-ci demeure pertinente en y faisant les adaptations nécessaires, le cas échéant.

L'article 70 a également été modifié par la *Loi modifiant la Loi sur les normes du travail relativement aux absences et aux congés*, L.Q. 2007, c. 36.

70/1 La règle du congé annuel est une disposition d'ordre public à laquelle on ne peut déroger. Ainsi, un salarié ne peut prendre par anticipation des jours de vacances qui devraient être pris pendant une autre période annuelle.
Commission scolaire de l'Industrie c. *Boisvert*, D.T.E. 99T-1104 (C.Q.), J.E. 99-2278 (C.Q.), REJB 1999-15456 (C.Q.).
C.N.T. c. *Léger*, D.T.E. 85T-55 (C.Q.).

N.B. Depuis L.Q. 2002, c. 80, art. 22, l'employeur peut permettre que le congé soit pris par anticipation.

70/2 La règle ayant trait au congé annuel est une disposition d'ordre public à laquelle il ne peut être dérogé. Le congé annuel doit être pris dans les douze mois suivant la fin de la période de référence, soit après le 30 avril de chaque année.
C.N.T. c. *Nestlé Canada inc.*, D.T.E. 2008T-282 (C.Q.), EYB 2008-130825 (C.Q.) (en appel: n° 500-09-018573-089).
C.N.T. c. *Académie Marie-Laurier inc.*, D.T.E. 2000T-346 (C.Q.).

70/3 Il est impossible de déroger à la règle du congé annuel. L'employeur ne peut donc remplacer ce congé par une indemnité compensatoire et une pratique passée ne peut accorder moins que ce que prévoit la *Loi sur les normes du travail*, qui est d'ordre public.
Thursday Restaurant et bar inc. (Hôtel de la Montagne) c. *Union des routiers, brasseries, liqueurs douces et ouvriers de diverses industries, section locale 1999 (Teamsters)*, D.T.E. 98T-587 (T.A.).

70/4 En vertu de la Loi sur les normes, l'employeur doit consentir à un salarié une période minimale de congé annuel, mais il n'a pas l'obligation d'accorder un congé sans solde.
Mele c. *Dales Canada inc.*, D.T.E. 90T-1131 (C.T.).

70/5 L'article 70 L.N.T. n'accorde aucune garantie de vacances au salarié en congé de maladie.
Groupe Quebecor inc., division imprimerie Dumont inc. c. *Union de l'imprimerie et des communications, local N 41, (U.I. de I. et C.G.)*, D.T.E. 84T-735 (T.A.).

70/6 Le fait qu'un salarié ait pu bénéficier de vacances payées pendant l'année de référence ne le prive pas pour autant du droit de prendre, au cours des douze mois qui suivent, le congé annuel que lui accorde la *Loi sur les normes du travail*.
Commission scolaire de l'Industrie c. *Boisvert*, D.T.E. 99T-1104 (C.Q.), J.E. 99-2278 (C.Q.), REJB 1999-15456 (C.Q.).

70/7 Pour permettre le report du congé annuel au-delà de l'année courante, le texte de la convention collective doit le prévoir expressément.
Syndicat canadien de la fonction publique, section locale 961 c. *Repentigny (Ville de)*, D.T.E. 92T-155 (T.A.).

N.B. Depuis L.Q. 2002, c. 80, art. 22, l'employeur peut, dans certaines circonstances, permettre que le congé soit reporté à l'année suivante.

70/8 L'employeur qui veut se soustraire de l'application des dispositions de l'article 70 L.N.T. doit établir que le congé anticipé a été accordé au salarié à la demande de celui-ci. De plus, le fait que le salarié ait pu choisir sa date de vacances n'équivaut pas à une demande de congé anticipé dans le cadre de cette disposition. Également, même si une politique de l'employeur est plus généreuse, elle contrevient aux dispositions de la loi. Le fait pour l'employeur d'avoir permis à son salarié de prendre des journées de vacances durant une année de référence ne peut le soustraire à son obligation de payer l'indemnité afférente au congé annuel.
C.N.T. c. *Nestlé Canada inc.*, D.T.E. 2008T-282 (C.Q.), EYB 2008-130825 (C.Q.) (en appel: n° 500-09-018573-089).

70/9 La prescription pour le congé annuel se calcule à partir de la fin du délai d'une année de référence. Le droit au congé se prescrit donc deux ans après l'année de référence.
Bell Rinfret et Cie ltée c. *Bertrand*, D.T.E. 88T-297 (C.A.).
C.N.T. c. *Académie Marie-Laurier inc.*, D.T.E. 2000T-346 (C.Q.).

C.N.T. c. *International Forums inc.*, (1985) C.P. 1, D.T.E. 85T-8 (C.Q.), J.E. 85-17 (C.Q.). V. aussi: *C.N.T.* c. *Chirurgiens vasculaires associés de Québec*, D.T.E. 2000T-1022 (C.Q.).

70/10 Lorsque les vacances des salariés ont été prises durant la période de référence et qu'il y a par la suite réclamation civile par la Commission des normes du travail compte tenu que les salariés ont démissionné, il n'y a pas lieu qu'il y ait une poursuite pénale plutôt qu'une poursuite civile afin d'éviter le paiement d'une double indemnité à l'endroit des plaignants.
C.N.T. c. *Nestlé Canada inc.*, D.T.E. 2008T-282 (C.Q.), EYB 2008-130825 (C.Q.) (en appel: n° 500-09-018573-089).
V. aussi: *C.N.T.* c. *Académie Marie-Laurier inc.*, D.T.E. 2000T-346 (C.Q.).

70/11 V. la jurisprudence sous les articles 115 et 122(1) L.N.T.

art. 71

71/1 Le congé annuel ne peut être fractionné au gré de l'employeur.
Commission du salaire minimum c. *Compagnie Miron ltée*, (1982) R.L. 410 (C.Q.).

71/2 L'article 71 L.N.T. établit bien que c'est le salarié qui peut demander le fractionnement de ses vacances; c'est un droit qui lui est dévolu et une convention collective ne peut prévoir que l'employeur, lorsqu'il décide de fermer son entreprise pour la période du congé annuel, puisse exiger de ses salariés qu'ils renoncent à l'avantage conféré par une loi d'ordre public, de bénéficier d'un congé d'une durée minimale de trois semaines continues s'ils rencontrent, par ailleurs, les autres conditions de la Loi sur les normes pour y avoir droit.
General Motors du Canada ltée c. *Syndicat national des travailleurs et travailleuses de l'automobile, de l'aérospatiale et de l'outillage agricole du Canada, section locale 1163*, (1994) T.A. 776, D.T.E. 94T-974 (T.A.).

71/3 L'alinéa 3 de l'article 71 L.N.T. ne déroge pas à l'article 69 L.N.T.; il prévoit plutôt que les parties peuvent prévoir le fractionnement du congé annuel en plus de deux périodes ou encore l'interdire, selon leur volonté commune. Lorsque le législateur a prévu, au troisième alinéa de l'article 71 L.N.T., qu'une disposition particulière d'une convention collective peut prévoir un fractionnement des vacances en plus de deux périodes, il a laissé intacte la règle du premier alinéa de l'article 71 suivant laquelle le salarié peut demander à son employeur qui ne ferme pas son établissement pour la période du congé annuel de prendre ses vacances en deux périodes. En conséquence, une convention collective ne peut prévoir la négociation du fractionnement des vacances en deux périodes; ce droit appartient au salarié et le syndicat ne peut rien négocier à cet égard. Le syndicat et l'employeur ne peuvent prévoir de dispositions particulières que sur la portion de plus de deux périodes.
General Motors du Canada ltée c. *Syndicat national des travailleurs et travailleuses de l'automobile, de l'aérospatiale et de l'outillage agricole du Canada, section locale 1163*, (1994) T.A. 776, D.T.E. 94T-974 (T.A.).

71/4 Un employeur ne peut se fonder sur l'article 71 L.N.T. pour refuser la demande du salarié de fractionner son congé annuel si cela ne lui cause aucun inconvénient. Ainsi, le refus systématique d'un employeur, par le biais d'une directive, de rejeter toute demande de fractionnement est abusive, discriminatoire et arbitraire.
Rock Forest (Ville de) c. *Syndicat national des employés municipaux de Rock Forest (C.S.N.)*, D.T.E. 98T-60 (T.A.).

71/5 V. DUBÉ, J.-L. et DI IORIO, N., *Les normes du travail*, 2e éd., Sherbrooke, Les Éditions Revue de droit — Université de Sherbrooke, 1992, p. 143 à 145.

art. 72

72/1 Le salarié a le droit de connaître d'avance son choix de vacances de façon à les planifier selon ses désirs, ses goûts, ses besoins, et ceux de sa famille.
Montréal (Ville de) c. *Syndicat canadien de la Fonction publique, section locale 301*, (1988) T.A. 19, D.T.E. 88T-21 (T.A.).

72/2 Tout employeur possède le droit de fixer les vacances de ses salariés à un moment qui touche le moins les activités de son entreprise. Cela ne signifie pas qu'il peut revenir sur la parole donnée, au gré des circonstances, puisque le salarié aussi a le droit de pouvoir planifier son congé annuel. C'est dans cet esprit que le législateur a adopté l'article 72 L.N.T. qui oblige l'employeur à communiquer au moins un mois à l'avance la date du congé annuel.
Mainville c. *2745-7563 Québec inc.*, D.T.E. 2000T-206 (C.T.).

72/3 Le droit de connaître la date de ses vacances quatre semaines à l'avance ne vise que le congé annuel prévu aux articles 66 à 71 de la *Loi sur les normes du travail* et non les semaines supplémentaires consenties par l'employeur.
Acier C.M.C. inc. c. *Dawson*, D.T.E. 96T-504 (T.T.).

72/4 Le droit de l'employeur de choisir la période de vacances de ses employés est confirmé par l'article 72 L.N.T. Toutefois, ce droit doit être exercé pour des raisons légitimes, sans abus ni mauvaise foi.
Association des employés du supermarché G. Breton inc. c. *Supermarché G. Breton inc.*, D.T.E. 99T-449 (T.A.).

72/5 L'article 72 L.N.T. implique que l'employeur ne peut changer la date du congé annuel à l'intérieur des quatre semaines précédant celles d'abord établies.
Acier C.M.C. inc. c. *Dawson*, D.T.E. 96T-504 (T.T.).

art. 73

73/1 Les dispositions de l'article 73 L.N.T. reconnaissent qu'une convention collective peut permettre à un employeur de verser une rémunération compensatrice en lieu et place d'une partie du congé annuel auquel aurait autrement droit un salarié. Cependant, pour ce faire, il doit s'agir d'une disposition particulière de la convention. En effet, les dispositions de la *Loi sur les normes du travail* concernant le congé annuel n'autorisent qu'exceptionnellement la prise du congé annuel par voie d'équivalence.
Association des techniciens et techniciennes en diététique du Québec c. *Hôpital du St-Sacrement*, Arbitrage — Santé et services sociaux, 96A-250.

art. 74

N.B. L'article 74 a été modifié par la *Loi modifiant la Loi sur les normes du travail et d'autres dispositions législatives*, L.Q. 2002, c. 80 et par la *Loi modifiant la Loi sur les normes du travail relativement aux absences et aux congés*, L.Q. 2007, c. 36.

Table des matières

INDEMNITÉ DE CONGÉ ANNUEL

Général

74/1 L'indemnité afférente au congé annuel a pour but de procurer au salarié l'occasion de se reposer pendant un certain temps, puis de reprendre le travail.
C.N.T. c. *Montréal (Ville de)*, (2000) R.J.D.T. 545 (C.Q.), D.T.E. 2000T-325 (C.Q.), J.E. 2000-704 (C.Q.), REJB 2000-17171 (C.Q.).

74/2 Les normes du travail prévues à l'article 74 L.N.T. sont d'ordre public.
C.N.T. c. *Cie de construction Cris (Québec) ltée*, D.T.E. 89T-495 (C.Q.).
Commission scolaire des Chic-Chocs c. *Syndicat des travailleurs de l'enseignement de l'Est du Québec*, D.T.E. 2004T-1009 (T.A.).
Syndicat des travailleuses et travailleurs de la Caisse populaire Desjardins de Malartic (C.S.N.) c. *Caisse populaire Desjardins de Malartic*, D.T.E. 2003T-998 (T.A.).
Fédération des travailleurs du papier et de la forêt c. *Domtar inc.*, D.T.E. 86T-419 (T.A.).

74/3 L'indemnité pour congé annuel est basée sur l'accumulation par le salarié des heures nécessaires de travail et autres prestations pour se construire un congé annuel.
C.N.T. c. *Montréal (Ville de)*, (2000) R.J.D.T. 545 (C.Q.), D.T.E. 2000T-325 (C.Q.), J.E. 2000-704 (C.Q.), REJB 2000-17171 (C.Q.).

74/4 Il ne saurait y avoir de transaction concernant l'indemnité afférente au congé annuel. Ces matières sont d'ordre public et on ne peut y déroger.
C.N.T. c. *Normandin*, D.T.E. 93T-957 (C.Q.), J.E. 93-1488 (C.Q.).

74/5 La norme de contrôle applicable en matière de révision judiciaire relativement à une décision d'un arbitre de griefs quant à la méthode de calcul de l'indemnité de congé annuel, est celle de la décision raisonnable *simpliciter*.
Provigo Distribution inc. c. *Corriveau*, D.T.E. 2006T-801 (C.S.), EYB 2006-107624 (C.S.).

74/6 Il n'appartient pas à l'arbitre de griefs, dans le cadre du mandat qui lui est confié pour trancher les griefs, de faire appliquer les dispositions de la *Loi sur les normes du travail*, à défaut d'une indication expresse prévoyant qu'une de ces dispositions fait partie intégrante d'une convention collective, et ce, même si les salariés reçoivent une indemnité moindre que celle prévue par l'article 74 L.N.T.
Provigo Distribution inc. c. *Corriveau*, D.T.E. 2006T-801 (C.S.), EYB 2006-107624 (C.S.).
E. Harnois ltée c. *Syndicat des employés de la biscuiterie Harnois de Joliette*, D.T.E. 99T-89 (T.A.).
Siemens Electric ltée c. *Syndicat national des travailleurs et travailleuses de l'automobile, de l'aérospatiale et de l'outillage agricole du Canada*, D.T.E. 94T-466 (T.A.).
V. cependant: *Syndicat des travailleuses et travailleurs de la Caisse populaire Desjardins de Malartic (C.S.N.)* c. *Caisse populaire Desjardins de Malartic*, D.T.E. 2003T-998 (T.A.).

74/7 Pour avoir droit à l'indemnité afférente au congé annuel, le demandeur doit établir qu'il est un salarié au sens de l'article 1(10) de la *Loi sur les normes du travail*.
Laurier c. *Fontaine*, D.T.E. 93T-72 (C.Q.), J.E. 93-185 (C.Q.).

74/8 Le fait d'avoir été congédié pour avoir commis une faute grave, n'a pas d'incidence sur le droit au paiement du congé annuel.
C.N.T. c. *3564762 Canada inc.*, D.T.E. 2003T-939 (C.Q.), J.E. 2003-1793 (C.Q.), REJB 2003-47052 (C.Q.).

74/9 L'article 74 L.N.T. consacre le principe du gain des vacances pendant la période de référence.
Groupe Quebecor inc., division imprimerie Dumont inc. c. *Union de l'imprimerie et des communications, local N 41, (U.I. de I. et C.G.)*, D.T.E. 84T-735 (T.A.).

74/10 Les dispositions de l'article 74 L.N.T. visent à contrer la diminution de l'indemnité de congé annuel qu'a pu causer l'absence du salarié au cours de l'année de référence. La *Loi sur les normes du travail* n'empêche donc pas la diminution de l'indemnité de congé annuel, en vertu d'une convention collective, dès lors que l'indemnité minimale prévue à la loi est assurée.
Centrale des professionnelles et professionnels de la santé c. *Centre hospitalier Pierre-Boucher*, D.T.E. 97T-1476 (T.A.), Arbitrage — Santé et services sociaux, 97A-162.

74/11 Même si l'article 74 L.N.T. prévoit que le salarié visé a droit à une indemnité égale à la moyenne hebdomadaire du salaire gagné au cours de la période travaillée, multipliée par deux ou trois selon le nombre de semaines de vacances auxquelles il a droit en vertu de la loi, l'employeur doit calculer l'indemnité en tenant compte du nombre de semaines auxquelles le salarié a droit en vertu de la convention collective applicable.
Syndicat des travailleuses et travailleurs de la Caisse populaire Desjardins de Malartic (C.S.N.) c. *Caisse populaire Desjardins de Malartic*, D.T.E. 2003T-998 (T.A.).

74/12 Le service continu d'un salarié, aux fins du calcul de sa paie de vacances, équivaut à la durée de son lien d'emploi.
Travailleuses et travailleurs unis de l'alimentation et du commerce, section locale 501 c. *Autobus Boucherville inc.*, D.T.E. 2004T-278 (T.A.).

74/13 L'indemnité de vacances doit être considérée comme étant incluse dans la notion de salaire tel que définie à l'article 1(9) de la loi.
C.N.T. c. *Beausignol inc.*, (1987) R.J.Q. 688 (C.Q.), D.T.E. 87T-293 (C.Q.), J.E. 87-412 (C.Q.).
Contra: *C.N.T.* c. *Rehel*, D.T.E. 96T-420 (C.Q.).

74/14 Un employeur ne peut prétendre être exempté de l'obligation de payer l'indemnité de congé annuel au moment de la résiliation du contrat, pour le motif qu'il a permis au salarié de prendre des vacances pendant la période de référence.
C.N.T. c. *Académie Marie-Laurier inc.*, D.T.E. 2000T-346 (C.Q.).

Mode de paiement

74/15 Un employeur ne peut valablement payer l'indemnité de congé annuel en victuailles et en boissons, il a l'obligation de la payer en espèce ou par chèque.
C.N.T. c. *Beausignol inc.*, (1987) R.J.Q. 688 (C.Q.), D.T.E. 87T-293 (C.Q.), J.E. 87-412 (C.Q.).

74/16 L'employeur qui paie l'indemnité de congé annuel par portion pendant l'année de référence, peut être forcé à la fin de celle-ci à payer de nouveau cette indemnité, sans avoir droit à la répétition de l'indu, et ce, compte tenu de l'article 75 L.N.T.
C.N.T. c. *S2I inc.*, (2005) R.J.D.T. 200 (C.Q.), D.T.E. 2005T-20 (C.Q.), J.E. 2005-32 (C.Q.), EYB 2004-80851 (C.Q.).
C.N.T. c. *Compogest inc.*, D.T.E. 2003T-490 (C.Q.).
C.N.T. c. *Rehel*, D.T.E. 96T-420 (C.Q.).
Guérin c. *Paquet*, D.T.E. 88T-630 (C.Q.).
V. aussi: *C.N.T.* c. *Nestlé Canada inc.*, D.T.E. 2008T-282 (C.Q.), EYB 2008-130825 (C.Q.) (en appel: n° 500-09-018573-089).

Calcul

74/17 Le 4% d'indemnité afférente au congé annuel se calcule sur la base du salaire brut et non pas à partir de la rémunération majorée de 4% annuellement.
Fruits de mer Gascons ltée c. *C.N.T.*, (2004) R.J.Q. 1135 (C.A.), (2004) R.J.D.T. 437 (C.A.), D.T.E. 2004T-333 (C.A.), J.E. 2004-706 (C.A.), REJB 2004-55215 (C.A.).
Commission du salaire minimum c. *Navigation Harvey et Frères inc.*, (1974) R.D.T. 378 (C.Q.).
V. aussi: *Convoyeur continental et usinage ltée* c. *Métallurgistes unis d'Amérique, section locale 7811*, D.T.E. 93T-757 (T.A.).

74/18 Aucune disposition de la *Loi sur les normes du travail* ne limite l'application de l'indemnité de 6% aux trois premières semaines de vacances.
Syndicat des communications graphiques, section locale 41 M c. *Gazette (The), une division de Canwest Mediaworks (grief syndical)*, D.T.E. 2006T-402 (T.A.).

74/19 L'article 74 L.N.T. ne distinguant pas les sources du salaire, le décideur n'a donc pas à considérer isolément les différents postes que peut occuper un salarié dans l'entreprise. Il doit uniquement tenir compte du salaire total versé par l'employeur afin de s'assurer que le salarié touche bien une indemnité de vacances égale à 4% du salaire brut total.
Commission scolaire des Trois-Lacs c. *Gagnon*, D.T.E. 2002T-462 (C.S.).
V. aussi: *Syndicat des fonctionnaires municipaux de Montréal (S.C.F.P.)* c. *Montréal (Ville de)*, D.T.E. 2004T-52 (T.A.).

74/20 Pour le calcul de l'indemnité de congé annuel due à un employé auxiliaire qui s'est absenté pour cause de maladie, d'accident ou de congé de maternité, l'expression «salaire gagné» signifie que l'on doit retenir la notion de globalité de la rémunération et que l'on doit tenir compte des jours fériés et de la somme forfaitaire qui vise à compenser l'absence de toute chance d'avancement d'échelon d'un employé auxiliaire.
C.N.T. c. *Montréal (Ville de)*, (2000) R.J.D.T. 545 (C.Q.), D.T.E. 2000T-325 (C.Q.), J.E. 2000-704 (C.Q.), REJB 2000-17171 (C.Q.).

Interruption du travail ou du lien d'emploi

74/21 Le salarié qui ne travaille pas durant l'année de référence n'a droit à aucune indemnité de congé annuel.
Mont-Joli (Ville de) c. *Syndicat des employés municipaux de Mont-Joli (C.S.N.)*, D.T.E. 85T-960 (T.A.).
V. aussi: *Imprimerie Montréal-Granby* c. *Syndicat québécois de l'imprimerie et des communications, local 145*, (1986) T.A. 412, D.T.E. 86T-504 (T.A.).

74/22 Relativement au congé annuel, il y a maintien du lien d'emploi lorsqu'il y a absence pour un congé autorisé.
C.N.T. c. *148983 Canada ltée*, D.T.E. 2002T-331 (C.Q.).

74/23 Aucune norme n'oblige un employeur à accorder un congé annuel payé en fonction du service continu ou de la durée du lien d'emploi si l'exécution du travail a été interrompue.
Syndicat des fonctionnaires municipaux de Sorel (C.S.N.) c. *Sorel (Ville de)*, D.T.E. 89T-1086 (T.A.).

Absence

— Général

74/24 L'article 74 L.N.T. reconnaît au salarié le droit à une indemnité équivalente à l'indemnité afférente au congé annuel lorsque son absence le priverait d'une partie de l'indemnité de congé.
Syndicat des employés du Centre hospitalier régional de Lanaudière c. *Centre hospitalier régional de Lanaudière*, D.T.E. 90T-887 (T.A.).

— Période de préavis

74/25 Un salarié ne peut réclamer d'indemnité de vacances pour la période de préavis; n'étant pas au travail, il ne peut réclamer une «paie de vacances».
Daigneault c. *Coopexcel, coopérative agricole*, D.T.E. 92T-450 (C.S.).

— Accident du travail

74/26 Un accidenté du travail qui reçoit des indemnités de remplacement du revenu de la Commission de la santé et de la sécurité du travail a droit à l'indemnité de congé annuel, s'il a été incapable de prendre ses vacances au cours des 12 mois suivant l'année de référence. Il n'y a pas double indemnité. L'indemnité de remplacement du revenu est payée en vertu d'une loi différente, pour des raisons différentes et par un créancier différent.
Kraft ltée c. *C.N.T.*, (1989) R.J.Q. 2678 (C.A.), D.T.E. 89T-1104 (C.A.), J.E. 89-1593 (C.A.).

— Congé de maternité

74/27 Une salariée absente de son travail en raison d'un congé de maternité ne doit pas être pénalisée quant au montant hebdomadaire qui lui est alloué à titre de congé annuel.
Syndicat des employé(e)s de bureau de Larochelle & Frères, division de Multi-Marques (C.S.N.) c. *Larochelle & Frères, division de Multi-Marques inc.*, D.T.E. 91T-1376 (T.A.) (révision judiciaire refusée: C.S. St-François, n° 450-05-001172-911, le 20 février 1992).

74/28 Selon l'article 74 L.N.T., le salarié a droit à une indemnité afférente au congé annuel dans la mesure où il a reçu un salaire brut durant l'année de référence. Aussi, l'on prévoit que, exceptionnellement, il y a paiement d'une indemnité de congé annuel si le salarié s'est absenté de son travail pour cause de maladie ou d'accident ou pour un congé de maternité. Cette exception doit être interprétée restrictivement. En cette matière, il faut distinguer le droit au retrait préventif du droit à un congé spécial de maternité selon l'article 81.5.1 L.N.T.; dans le premier cas, la salariée ayant dû cesser de fournir sa prestation de travail, elle ne peut obtenir une indemnité de congé annuel.
C.N.T. c. *Chérubins de Médicis inc.*, (2006) R.J.D.T. 681 (C.Q.), D.T.E. 2006T-333 (C.Q.), EYB 2006-102459 (C.Q.).

74/29 Les dispositions de l'article 74 al. 2 L.N.T. ne confèrent pas à une salariée, absente pour congé de maternité, le droit à l'indemnité de congé annuel si elle n'a fourni aucune prestation de travail durant l'année de référence.
Teamsters Québec, section locale 1999 c. *Loews Hôtel Vogue*, D.T.E. 2004T-376 (T.A.) (révision judiciaire refusée: D.T.E. 2004T-708 (C.S.)).

74/30 L'employeur ne peut refuser de payer l'indemnité afférente au congé annuel quand la salariée s'est absentée pour une partie de l'année à cause d'un congé de maternité.
C.N.T. c. *Jonquière (Ville de)*, D.T.E. 82T-523 (C.Q.), J.E. 82-786 (C.Q.).

74/31 L'interprétation des articles 74 et 81.15.1 L.N.T. permet de conclure que le législateur a voulu que la période de référence ne soit pas indivisible afin de déterminer la paie de vacances due lorsqu'une salariée réintègre son emploi à la suite d'un congé de maternité. L'employeur doit donc, conformément à la *Loi sur les normes du travail*, calculer la paie de vacances en fonction du salaire et des avantages effectivement reçus au cours de l'année de référence. Cet article 81.15.1 L.N.T. établit que la salariée a droit à l'accroissement des avantages et du salaire reliés à son poste de travail durant son congé de maternité, de la même façon qu'une salariée conserve et accumule de l'ancienneté sans fournir de prestation de travail. L'intention du législateur n'est pas que cet article assure le paiement du salaire et des avantages auxquels la salariée aurait eu droit si elle était restée au travail.
Teamsters Québec, section locale 1999 c. *Loews Hôtel Vogue*, D.T.E. 2004T-376 (T.A.) (révision judiciaire refusée: D.T.E. 2004T-708 (C.S.)).

74/32 V. BRIÈRE, J.-Y. et VILLAGGI, J.-P., *Relations de travail*, vol. 2, (édition à feuilles mobiles), Brossard, Les Publications CCH ltée, p. 8,372 à 8,379-5.

74/33 V. DUBÉ, J.-L. et DI IORIO, N., *Les normes du travail*, 2e éd., Sherbrooke, Les Éditions Revue de droit — Université de Sherbrooke, 1992, p. 139 à 142.

74/34 V. HÉBERT, G., «Les normes du travail à caractère économique au Canada et au Québec», (1986) 17 *R.G.D.* 45.

art. 76

76/1 Même si une personne ne bénéficie pas de vacances dans son contrat de travail, elle a quand même droit à une indemnité lorsque celui-ci est résilié, et ce, en fonction du salaire brut gagné pendant l'année de référence en cours.
C.N.T. c. *Paquette*, (2000) R.J.D.T. 169 (C.Q.), D.T.E. 2000T-17 (C.Q.), J.E. 2000-38 (C.Q.), REJB 1999-15508 (C.Q.).
V. aussi: *Forget* c. *Crown Metal Packaging, l.p.*, D.T.E. 2007T-554 (C.Q.), EYB 2007-122894 (C.Q.).

76/2 Même si l'article 76 L.N.T. prévoit qu'au moment de la résiliation du contrat de travail, le remboursement des vacances est dû, l'inverse n'est pas nécessairement vrai pour autant. Le versement de la paie de vacances peut être un indice de résiliation du contrat de travail, mais pas une preuve déterminante.
Renaud c. *9032-5499 Québec inc.*, D.T.E. 2004T-268 (C.R.T.).

art. 77

N.B. L'article 77 a été modifié par la *Loi modifiant la Loi sur les normes du travail et d'autres dispositions législatives*, L.Q. 2002, c. 80. La nature des modifications apportées par le législateur à l'article 77 L.N.T. ne change pas l'état du droit et la jurisprudence antérieure.

PARAGRAPHE 2

77/1 Les dispositions de l'article 77 L.N.T. créent une exception au droit à l'indemnité afférente au congé annuel en ce qui concerne, entre autres, les étudiants au service d'un organisme sans but lucratif à vocation sociale ou communautaire.
C.N.T. c. *Association régionale de kin-ball Lanaudière*, D.T.E. 2006T-36 (C.Q.).

77/2 L'organisme concerné doit être à la fois à but non lucratif et à vocation sociale ou communautaire.
C.N.T. c. *Edphy inc.*, (1984) C.S. 403, D.T.E. 84T-388 (C.S.), J.E. 84-414 (C.S.).

77/3 Les étudiants à l'emploi d'une ville ou d'une municipalité ne sont pas visés par cette exception puisqu'une ville ou municipalité n'est pas un organisme à but non lucratif et à vocation sociale ou communautaire.
C.N.T. c. *Outremont (Ville d')*, (1986) R.J.Q. 1737 (C.Q.), D.T.E. 86T-482 (C.Q.), J.E. 86-647 (C.Q.).

PARAGRAPHE 5

77/4 La section IV de la *Loi sur les normes du travail* ne s'applique pas à un courtier en assurance de dommages, et ce, peu importe qu'il agisse occasionnellement à titre de préposé à la clientèle, puisqu'il est toujours investi de son titre.

C.N.T. c. *Agence d'assurances Bouffard, Gratton, Laurin et Associés inc.*, D.T.E. 98T-691 (C.Q.), J.E. 98-1381 (C.Q.), REJB 1998-08592 (C.Q.).

art. 78

N.B. L'article 78 a été modifié par la *Loi modifiant la Loi sur les normes du travail et d'autres dispositions législatives*, L.Q. 2002, c. 80. La jurisprudence antérieure à la date de la modification apportée par le législateur à l'article 78 L.N.T. demeure pertinente en y faisant les adaptations nécessaires.

78/1 Un salarié a droit à un repos hebdomadaire d'une durée minimale de 32 heures, et ce, même si les dispositions relatives à la semaine normale de travail ne s'appliquent pas dans l'établissement où il travaille.
E. Gagnon et Fils ltée c. *D'Assylva*, D.T.E. 82T-325 (T.T.).

78/2 Une convention collective ne peut permettre à un employeur de demander à un salarié de travailler à taux simple pendant dix jours consécutifs. Cette pratique est incompatible avec l'article 78 L.N.T. qui est une disposition d'ordre public.
Compagnie Christie Brown, division de Nabisco Brands ltée c. *Syndicat international des travailleurs et travailleuses de la boulangerie, de la confiserie et du tabac, section locale 350*, D.T.E. 94T-973 (T.A.).

78/3 Les dispositions de l'article 78 L.N.T. édictent qu'un salarié a droit à un repos hebdomadaire d'une durée minimale de 32 heures consécutives. Cet article est d'ordre public et vient ajouter une restriction à l'exercice d'un rappel au travail, par un employeur, dans le cadre d'un service de garde.
CH de Lachine c. *Association professionnelle des technologistes médicaux du Québec*, Arbitrage — Santé et services sociaux, 97A-228.

art. 79

79/1 L'article 79 L.N.T. n'est pas d'ordre public puisqu'il est permis d'y déroger par le biais d'une convention collective ou par décret.
Landry c. *Cliche*, D.T.E. 2007T-185 (C.S.), EYB 2007-113083 (C.S.).
Contra: *Repentigny (Ville de)* c. *Syndicat canadien de la Fonction publique, section locale 961*, (1989) T.A. 709, D.T.E. 89T-789 (T.A.).

79/2 Il est possible de déroger aux règles prévues à l'article 79 L.N.T. à la condition que ces dérogations soient inscrites dans une convention collective ou dans un décret. Une convention collective peut comporter une disposition contraire à la loi, et cela, tant au niveau des règles prévues au premier alinéa qu'à l'égard de celles qui sont énoncées au second alinéa de l'article 79 L.N.T. La dérogation permise est en effet générale puisque la période visée au deuxième alinéa est celle que prévoit le premier alinéa.
RETAQ-CSN c. *CETAM (Coopérative des techniciens ambulanciers de la Montérégie) (Gino Tremblay et grief collectif)*, (2006) R.J.D.T. 897 (T.A.), D.T.E. 2006T-450 (T.A.) (requête en révision judiciaire: n° 500-17-030716-065).

79/3 Lorsque le salarié doit demeurer à son poste, la période doit être rémunérée. On peut exiger sa présence sur les lieux pour fins de surveillance, vérification et observation, mais pas dans le but de maintenir son rythme de production.
Domtar inc. c. *Syndicat canadien des travailleurs du papier, section locale 1492*, (1992) R.L. 420 (C.A.), D.T.E. 91T-1406 (C.A.), J.E. 91-1791 (C.A.).
C.N.T. c. *3979229 Canada inc.*, (2008) R.J.D.T. 1058 (C.S.), D.T.E. 2008T-700 (C.S.), J.E. 2008-1706 (C.S.), EYB 2008-145462 (C.S.) (en appel: n° 500-09-019014-083).
Matador Convertisseurs Cie c. *Commission de la santé et de la sécurité du travail du Québec*, D.T.E. 93T-482 (C.S.).
C.N.T. c. *Garderie Tantie inc.*, D.T.E. 2003T-276 (C.Q.).

79/4 Ce n'est pas parce que seul l'article 79 L.N.T. traite expressément de la période de repas que c'est uniquement cette disposition qui s'applique. Cet article énonce, à son premier alinéa, la règle selon laquelle le salarié a droit à une période pour le repas de trente minutes sans salaire. Ce n'est qu'exceptionnellement, lorsque le salarié n'est pas autorisé à quitter son poste de travail, que la pause doit être rémunérée. De plus, la réserve mentionnée au paragraphe 2 de l'article 57 L.N.T. vise à éviter une incompatibilité entre cette disposition et l'article 79 L.N.T. Par ailleurs, l'analyse de tout litige relatif à la période de repas doit nécessairement commencer par la disposition législative qui en traite, soit l'article 79 L.N.T. Cette disposition a cependant la particularité de permettre qu'une convention collective ou un décret y déroge.
Rassemblement des employés techniciens ambulanciers-paramédics du Québec (FSSS-CSN) c. *Coopérative des employés techniciens ambulanciers de la Montérégie (CETAM) (grief syndical)*, (2009) R.J.D.T. 277 (T.A.), D.T.E. 2009T-12 (T.A.) (requête en révision judiciaire: n° 500-17-047098-085).

79/5 Un salarié n'a pas nécessairement le droit d'être rémunéré pour des heures supplémentaires en raison du fait qu'il est tenu de demeurer dans l'établissement de son employeur pendant l'heure de son repas. En effet, l'article 79 L.N.T. ne s'applique pas lorsqu'une disposition d'un décret contient des mesures différentes.
Landry c. *Cliche*, D.T.E. 2007T-185 (C.S.), EYB 2007-113083 (C.S.).

79/6 Lorsque le salarié n'est pas autorisé à quitter son poste de travail, il doit y avoir rémunération pour la période de repas. En effet, il incombe à l'employeur de prendre les mesures nécessaires pour permettre aux salariés d'exercer leurs droits en vertu de l'article 79 L.N.T.
C.N.T. c. *2859-0818 Québec inc.*, D.T.E. 96T-108 (C.Q.).

79/7 Même si la *Loi sur les normes du travail* crée une obligation d'accorder une pause repas au salarié, elle n'oblige pas celui-ci à s'y soumettre. Si un employeur veut faire respecter la consigne relativement à la pause repas, il doit en aviser immédiatement le salarié.
C.N.T. c. *Sables Dickie inc.*, D.T.E. 2000T-183 (C.Q.).

79/8 Pour obtenir le salaire équivalant à une période de repas, le salarié doit faire la preuve qu'il est dans l'impossibilité de prendre son repas du fait de son employeur. Dans ce type de réclamation il y a deux critères à examiner, soit en premier lieu la présence d'instructions précises pour les repas et également la disponibilité des salariés eu égard aux obligations fixées par l'employeur.

Québec (Commission des normes du travail) c. *2628-9173 Québec inc.*, LPJ-96-5765 (C.Q.).

79/9 Le salarié d'une garderie doit être rémunéré lorsqu'il prend sa pause repas dans l'établissement afin de respecter le ratio éducateur-enfants.
C.N.T. c. *Garderie Tantie inc.*, D.T.E. 2003T-276 (C.Q.).

79/10 En vertu de l'article 79 L.N.T., il ne suffit pas à un salarié de démontrer qu'il était disponible et en attente de travail selon l'article 57 L.N.T. pour avoir droit à la rémunération correspondant à sa période de repas; il doit de plus démontrer qu'il n'était pas autorisé à quitter son poste de travail.
C.N.T. c. *Cèdres (Les), centre d'accueil pour personnes âgées*, D.T.E. 94T-1174 (C.Q.).
V. aussi: *Syndicat professionnel des infirmières et infirmiers de Trois-Rivières* c. *Centre d'hébergement de soins de longue durée Le Trifluvien*, Arbitrage — Santé et services sociaux, 96A-266.

79/11 La période de repas est une période chômée, pendant laquelle l'employeur ne peut exiger d'un employé qu'il continue à travailler, même s'il est nécessaire que le salarié demeure à son poste ou sur les lieux du travail et même si le travail est peu exigeant. De plus, le fait de permettre à un salarié de travailler contre rémunération sans avoir la possibilité de bénéficier d'une pause repas de trente minutes, est contraire à la lettre et à l'esprit de l'article 79 L.N.T.
Syndicat des employées et employés professionnels et de bureau, section locale 57 c. *Commission scolaire Marie-Victorin (grief syndical)*, (2007) R.J.D.T. 1650 (T.A.), D.T.E. 2007T-826 (T.A.) (requête en révision judiciaire: n° 505-17-003434-075).

79/12 La modification de l'horaire de travail du salarié pour respecter la pause repas obligatoire prévue à l'article 79 L.N.T., peut entraîner une diminution de salaire, sans que la mesure de l'employeur constitue une sanction.
Mongeau c. *Resto-casino (Le cabaret du Casino de Montréal)*, D.T.E. 2002T-14 (C.T.).

79/13 V. DUBÉ, J.-L. et DI IORIO, N., *Les normes du travail*, 2e éd., Sherbrooke, Les Éditions Revue de droit — Université de Sherbrooke, 1992, p. 146 et 147.

art. 79.1

N.B. L'article 79.1 a été modifié par la *Loi modifiant la Loi sur les normes du travail relativement aux absences et aux congés*, L.Q. 2007, c. 36.

Table des matières

GÉNÉRAL

79.1/1 La Cour supérieure doit faire preuve de la plus grande retenue à l'égard d'une décision de la Commission des relations du travail rendue en vertu de l'article 79.1 L.N.T. Les décisions de cette Commission sont assujetties à la norme de contrôle de la décision manifestement déraisonnable.
St-Onge c. *Commission des relations du travail*, D.T.E. 2007T-234 (C.S.), EYB 2007-113975 (C.S.) (appel rejeté: C.A.M. n° 500-09-017516-071, le 25 septembre 2007).

79.1/2 Il n'appartient pas à la Cour supérieure de substituer son opinion à celle de la Commission des relations du travail quant à l'appréciation de la preuve.
St-Onge c. *Commission des relations du travail*, D.T.E. 2007T-234 (C.S.), EYB 2007-113975 (C.S.) (appel rejeté: C.A.M. n° 500-09-017516-071, le 25 septembre 2007).

79.1/3 Le rôle du commissaire consiste à évaluer si le motif invoqué au soutien de la décision existe et, si tel est le cas, si c'est le véritable motif. Il n'a pas à décider si la mesure apparaît trop rigoureuse ou prématurée ou encore si le plaignant était aussi malade qu'il le prétend.
Zheng c. *Harvey et Associés, s.e.n.c.r.l.*, D.T.E. 2006T-1061 (C.R.T.).
Chamaillard c. *Agence de recouvrement ARC (corporation)*, D.T.E. 2005T-966 (C.R.T.).
Doré c. *Richard Clément (Comptoir d'essence R. Clément enr.)*, D.T.E. 2000T-1124 (C.T.).
Lavallée c. *Abitibi-Price inc., division Azerty*, D.T.E. 95T-701 (C.T.).

Goldwater c. *Centre hospitalier de St. Mary*, D.T.E. 94T-542 (C.T.) (révision judiciaire refusée: C.S.M. n⁰ 500-05-005095-946, le 19 mai 1994).
Gagnon c. *F.D.L. Cie*, (1993) C.T. 228, D.T.E. 93T-609 (C.T.) (révision judiciaire refusée: C.S.M. n⁰ 500-05-004277-933, le 18 octobre 1993).
Gagnon c. *Best Glove Manufacturing Ltd.*, D.T.E. 92T-405 (C.T.).
Sévigny c. *Kraft General Food Canada*, D.T.E. 92T-314 (C.T.).

79.1/4 La protection prévue à l'article 79.1 L.N.T. ne s'applique pas du seul fait de la proximité d'une absence pour cause de maladie. Le salarié doit établir des faits additionnels tendant à démontrer la volonté de l'employeur de congédier pour maladie.
Marquis c. *Produits Berkel ltée*, D.T.E. 92T-835 (C.T.).
V. cependant: *B. (S.)* c. *Magasin M...*, (1997) C.T. 495, D.T.E. 97T-1416 (C.T.).

79.1/5 L'esprit de l'article 79.1 L.N.T. est de protéger les employés contre des congédiements abusifs pour cause de maladie. La seule exception étant le cas où les conséquences de la maladie ou le caractère répétitif des absences constituent une cause juste et suffisante justifiant la mesure imposée.
Lebel c. *Au Petit Goret (1979) inc.*, D.T.E. 92T-893 (C.T.).
V. aussi: *Djemaï* c. *Clôtures Bénor inc.*, (2001) R.J.D.T. 1900 (C.T.), D.T.E. 2001T-1130 (C.T.).

79.1/6 Un salarié ne peut invoquer sa maladie à l'appui de sa baisse de productivité, puisque la *Loi sur les normes du travail* protège celui qui s'absente pour maladie et non le fait de la maladie elle-même.
Gagnon c. *Sajy Communications inc. (Groupimage)*, D.T.E. 2004T-183 (C.R.T.).

79.1/7 Il est bien établi qu'un employeur, qu'il soit une grande ou une petite entreprise, doit composer avec les inconvénients issus du congé de maladie que peut prendre l'un de ses salariés, s'il est prescrit par le médecin traitant de celui-ci.
Gaudreau c. *Lasers Multi-tech inc.*, D.T.E. 2001T-840 (C.T.).

79.1/8 Le législateur a édicté une norme d'ordre public à l'article 79.1 L.N.T. et, ainsi, la légalité d'une sanction en raison d'une absence pour cause de maladie doit s'examiner en fonction de cette disposition. Une entente privée ne saurait empêcher cet examen, à moins qu'elle ne constitue une transaction postérieure à la sanction.
Hétu c. *Hôpital Ste-Justine*, (2001) R.J.D.T. 200 (C.T.), D.T.E. 2001T-155 (C.T.).

79.1/9 Le salarié doit respecter ses obligations contractuelles, même s'il bénéficie de la présomption légale dans le cadre d'une plainte basée sur l'article 79.1 L.N.T. Quant à l'employeur, il n'a aucune obligation d'accommoder le salarié, de le soustraire de ses fonctions ou encore de lui offrir un autre poste.
Nadon c. *Bristol-Myers Squibb Canada inc., groupe pharmaceutique Bristol-Myers Squibb*, (1998) R.J.D.T. 1254 (C.T.), D.T.E. 98T-800 (C.T.) (appel rejeté: D.T.E. 99T-593 (T.T.)).

79.1/10 La protection ne s'applique pas à un salarié congédié avant de s'absenter pour maladie.
Lapierre c. *Vin conseil (Québec) ltée*, D.T.E. 99T-354 (C.T.).
Témèse c. *Centre pré-scolaire Montessori*, D.T.E. 99T-592 (C.T.).
Lozeau c. *Suspension J.C. Beauregard inc.*, (1998) R.J.D.T. 1268 (C.T.), D.T.E. 98T-863 (C.T.).

Labonté c. *Garage Grégoire Lapointe inc.*, D.T.E. 91T-1314 (C.T.).
V. aussi: *Doré* c. *Richard Clément (Comptoir d'essence R. Clément enr.)*, D.T.E. 2000T-1124 (C.T.).

79.1/11 Cette disposition peut difficilement s'appliquer lorsque la mesure est décidée avant l'absence pour cause de maladie.
Communications Québécor inc. c. *Leduc*, D.T.E. 2000T-649 (T.T.).
V. aussi: *Guindon* c. *Corporation de sécurité Garda World*, D.T.E. 2009T-174 (C.R.T.) (requête en révision judiciaire: n° 500-17-048698-099).

79.1/12 Le salarié doit aviser son employeur avant de quitter son lieu de travail. Cependant, dans certaines circonstances, un salarié malade, indisposé, subissant un malaise ou éprouvant un problème psychosomatique ou une autre complication de même nature, peut décider unilatéralement de quitter son bureau afin de prendre soin de lui. Il lui importe, toutefois, de justifier par la suite cette absence pour cause de maladie.
Ruiz c. *Coencorp Consultant Corp.*, D.T.E. 2003T-444 (C.R.T.).

79.1/13 L'accident survenu avant que la Loi sur les normes n'entre en vigueur, est couvert, si la sanction a été imposée postérieurement à l'entrée en vigueur.
Leduc c. *Centre d'accueil Marie-Lorraine inc.*, (1991) C.T. 384, D.T.E. 91T-1200 (C.T.).
V. aussi: *Martin-Ménard* c. *École d'Argenteuil*, D.T.E. 93T-62 (C.T.).

79.1/14 L'impossibilité d'obtenir le témoignage du médecin de la salariée fait en sorte que le certificat médical qui, en d'autres circonstances, aurait pu faire foi de la maladie de celle-ci, devient alors une preuve discutable de la réalité.
Ouellet c. *SIDAC Plaza St-Hubert*, D.T.E. 2000T-37 (C.T.).

79.1/15 Les droits de direction de l'employeur sont limités par l'article 79.1 L.N.T. qui empêche celui-ci de congédier un salarié au motif qu'il s'est absenté pour cause de maladie ou d'accident.
Feijoo c. *Société des casinos du Québec inc.*, D.T.E. 2008T-216 (C.R.T.).
Théorêt c. *Bodycote Essais de matériaux Canada inc. (Technitrol Bodycote)*, D.T.E. 2008T-99 (C.R.T.) (règlement hors cour).
Doyon c. *Entreprises Jacques Despars inc.*, (2007) R.J.D.T. 1089 (C.R.T.), D.T.E. 2007T-645 (C.R.T.) (révision en vertu de l'article 127 C.T. refusée: D.T.E. 2008T-22 (C.R.T.)).
Quenneville c. *Agence de recouvrement TCR ltée*, D.T.E. 2006T-116 (C.R.T.) (requête en révision judiciaire: n° 500-17-029248-062).
Salon d'optique A.R. Laoun inc. c. *Leroux*, D.T.E. 95T-649 (T.T.).
Brideau c. *Lepco Distribution inc.*, D.T.E. 99T-1121 (C.T.).
Leduc c. *Centre d'accueil Marie-Lorraine inc.*, (1991) C.T. 384, D.T.E. 91T-1200 (C.T.).
V. aussi: *Guilmain* c. *Uni-select inc.*, D.T.E. 2003T-1165 (C.R.T.) (révision judiciaire refusée: C.S.M. n° 500-17-018315-039, le 23 février 2004).
Lefebvre c. *125852 Canada ltée*, D.T.E. 96T-473 (C.T.).
Q.I.T.-Fer et titane Inc. c. *Syndicat des ouvriers du fer et du titane*, D.T.E. 94T-828 (T.A.).
Tardif c. *Société immobilière L'Exécutif inc.*, D.T.E. 92T-1245 (C.T.).

79.1/16 L'absence pour maladie ne peut évidemment constituer une autre cause juste et suffisante de congédiement.

Duguay c. *Blais*, D.T.E. 2009T-188 (C.R.T.) (révision en vertu de l'article 127 C.T. refusée).
Feijoo c. *Société des casinos du Québec inc.*, D.T.E. 2008T-216 (C.R.T.).
Doyon c. *Entreprises Jacques Despars inc.*, (2007) R.J.D.T. 1089 (C.R.T.), D.T.E. 2007T-645 (C.R.T.) (révision en vertu de l'article 127 C.T. refusée: D.T.E. 2008T-22 (C.R.T.)).
Hughes c. *Entreprises de soudure Aérospatiale inc.*, D.T.E. 2006T-646 (C.R.T.).
Gravel c. *Centre de la petite enfance La Veilleuse*, (2003) R.J.D.T. 1236 (C.R.T.), D.T.E. 2003T-852 (C.R.T.).
Ménard c. *Montréal (Société de transport de la Communauté urbaine de)*, (1999) R.J.D.T. 178 (T.T.), D.T.E. 99T-286 (T.T.), REJB 1999-11073 (T.T.).

79.1/17 La plainte déposée selon l'article 79.1 L.N.T. doit être rejetée si l'employeur établit une autre cause juste et suffisante de congédiement qui ne soit pas liée à l'état de santé du salarié.
Jean-Baptiste c. *Produits automobiles S.M.P. ltée*, (1999) R.J.D.T. 546 (C.T.), D.T.E. 99T-365 (C.T.) (désistement de la révision judiciaire).

79.1/18 L'article 79.1 L.N.T. crée une nouvelle norme de travail ayant un caractère d'ordre public et ne vise pas un recours relatif à une obligation ou un droit parental.
Martin-Ménard c. *École d'Argenteuil*, D.T.E. 93T-62 (C.T.).

79.1/19 Un employeur ne peut invoquer les inconvénients découlant de l'absence au travail pour cause de maladie ou d'accident d'un salarié pour lui en faire reproche, car c'est précisément ce que vise à empêcher l'article 79.1 L.N.T.
Oliva-Zamora c. *Société d'administration Casco inc.*, D.T.E. 2002T-163 (T.T.) (règlement hors cour).
Cascades inc. c. *Larochelle*, D.T.E. 99T-189 (T.T.).
Sain c. *Multi-Démolition S.D.*, (1994) T.T. 248, D.T.E. 94T-505 (T.T.).
Gaucher c. *3090-1599 Québec inc.*, D.T.E. 99T-132 (C.T.).
Therrien c. *Brault et Martineau inc.*, D.T.E. 99T-934 (C.T.).

79.1/20 Les inconvénients causés par des absences répétitives sont de l'ordre de ceux auxquels un employeur peut s'attendre en pareil cas; il doit distribuer les tâches du salarié absent ou, au besoin, faire appel à un remplaçant.
Salon d'optique A.R. Laoun inc. c. *Leroux*, D.T.E. 95T-649 (T.T.).

79.1/21 La prérogative de l'employeur, quant au choix de ses employés, demeure limitée par l'article 79.1 L.N.T., qui empêche l'employeur de congédier un salarié au motif qu'il s'est absenté pour cause de maladie ou d'accident.
Tibbitts c. *Service pétrolier Techsan Canada ltée*, (1992) C.T. 10, D.T.E. 92T-70 (C.T.).

79.1/22 Un employeur ne peut invoquer une convention collective comme fondement de l'exercice de son droit de gestion si celle-ci va à l'encontre de l'article 79.1 L.N.T., lequel est d'ordre public.
Centre Butters-Savoy inc. c. *St-Laurent*, (1994) T.T. 488, D.T.E. 94T-1131 (T.T.).

79.1/23 S'il est vrai qu'un salarié à l'essai peut être traité de façon plus discrétionnaire quant aux reproches qu'on peut lui faire, cela n'autorise aucunement l'employeur à lui dénier les droits socialement protégés par une loi d'ordre public.

Le droit d'un salarié de s'absenter brièvement pour cause de maladie est reconnu au salarié après des états de services suffisants.
Centre d'accueil de Buckingham c. *Chenier*, D.T.E. 94T-753 (T.T.) (révision judiciaire accueillie, dossier retourné au T.T.: D.T.E. 95T-82 (C.S.)) (appel rejeté: D.T.E. 95T-597 (T.T.)).

79.1/24 Même au terme d'une période de probation, lors de laquelle l'employeur jouit d'une grande discrétion pour apprécier le salarié selon ses propres critères, il faut quand même que cette appréciation repose sur des faits prouvés et non sur des suppositions, des conjectures, voire des élucubrations.
Feijoo c. *Société des casinos du Québec inc.*, D.T.E. 2008T-216 (C.R.T.).

79.1/25 On ne peut reprocher à un employeur d'exiger le retour au travail d'un salarié lorsqu'il considère que celui-ci est apte au travail et que le médecin qui l'a examiné à sa demande lui confirme ce fait. Dans de telles circonstances, sa conviction quant à son aptitude à faire le travail ne peut alors être jugée déraisonnable.
St-Germain c. *Cose inc.*, D.T.E. 97T-208 (C.T.).
V. aussi: *Lanouette* c. *Novartis Pharma Canada inc.*, D.T.E. 2006T-335 (C.R.T.).
Recochem inc. c. *Joseph*, D.T.E. 2002T-710 (T.T.).

Troisième alinéa

79.1/26 Il est possible de cumuler le recours de l'article 79.1 L.N.T. et celui prévu à l'article 32 de la *Loi sur les accidents du travail et les maladies professionnelles* (L.R.Q., c. A-3.001).
Mathieu c. *I. Magid inc.*, (1992) C.T. 59, D.T.E. 92T-315 (C.T.).

79.1/27 L'article 79.1 L.N.T. ne s'applique pas lorsque l'absence du salarié est causée par un accident du travail.
Gordon c. *Association de la communauté noire de LaSalle*, D.T.E. 2002T-959 (C.T.).

79.1/28 Une plainte en vertu de l'article 79.1 L.N.T. n'est pas nécessairement irrecevable s'il y a eu une décision de la Commission des lésions professionnelles qui a conclu à l'existence d'une lésion professionnelle et qu'il y a absence ultérieure du salarié, et ce, lorsque aucune preuve ne permet de relier l'absence subséquente à la lésion professionnelle.
Lekx c. *Fibres JC inc.*, D.T.E. 2008T-898 (C.R.T.) (en révision).

79.1/29 Les dispositions de l'article 79.1 L.N.T. ne s'applique pas lorsque le salarié prétend que sa maladie est une maladie professionnelle au sens de la *Loi sur les accidents du travail et les maladies professionnelles*.
Beaurivage c. *Motel Auberge Le Vicomte de Laval*, D.T.E. 99T-313 (C.T.).

ABSENCE POUR MALADIE

Notion

79.1/30 L'interprétation du mot maladie relève de la compétence du commissaire et il faut lui donner son sens usuel.
Meza c. *Howmet Cercast (Canada) inc.*, D.T.E. 2000T-110 (C.T.).
Chamberland c. *Bas Giltex inc.*, (1992) C.T. 177, D.T.E. 92T-646 (C.T.).

79.1/31 Compte tenu du fait que le commissaire n'est ni médecin ni spécialiste, il n'est donc pas en mesure de trancher un débat face à des opinions médicales contradictoires quant à l'attitude au travail du salarié.
Flibotte c. *Aciers Lalime inc.*, D.T.E. 2001T-317 (C.T.).

79.1/32 L'ignorance par l'employeur de l'état de maladie du salarié n'a aucune incidence.
Ruiz c. *Coencorp Consultant Corp.*, D.T.E. 2003T-444 (C.R.T.).

79.1/33 La consommation abusive d'alcool peut constituer une maladie.
Therrien c. *Brault et Martineau inc.*, D.T.E. 99T-934 (C.T.).

79.1/34 Il y a lieu de ne pas confondre l'absence pour maladie et l'absence autorisée par l'employeur qui se concrétise lorsque le salarié manifeste son intention de revenir au travail et que l'employeur demande au salarié d'attendre avant de revenir.
Pelletier c. *B.G. Checo international ltée*, D.T.E. 93T-1306 (C.T.).

79.1/35 Le fait de ne pas se sentir bien dans son travail ne constitue pas une maladie.
Papaeconomou c. *Pratt & Whitney Canada inc.*, D.T.E. 99T-287 (C.T.).
V. cependant: *Ruiz* c. *Coencorp Consultant Corp.*, D.T.E. 2003T-444 (C.R.T.).

79.1/36 Un employeur ne peut inclure dans le calcul des absences pour maladie, les absences pour du temps accumulé compensé dans le cadre d'un horaire variable ou les absences pour congé annuel et pour des congés fériés, parce qu'il s'agit d'heures et de jours qui ne peuvent être computés comme des absences au sens de la *Loi sur les normes du travail*.

Le salarié doit être considéré comme au service de l'employeur pendant de telles absences autorisées.
Pellino c. *Systèmes électroniques Matrox ltée*, D.T.E. 93T-610 (C.T.) (par analogie).

79.1/37 Les journées d'absence isolées, au cours de la période de 12 mois, ne peuvent être prises en considération qu'une fois les 26 semaines d'absence calculées.
Côté c. *Bell Helicopter Textron (division de Textron Canada ltée)*, (2002) R.J.D.T. 1141 (C.T.), D.T.E. 2002T-712 (C.T.) (révision judiciaire refusée: D.T.E. 2003T-114 (C.S.), J.E. 2003-214 (C.S.), REJB 2002-37175 (C.S.)).

79.1/38 C'est la date de la décision de l'employeur de rompre le lien d'emploi qu'il faut retenir pour le calcul du délai de 26 semaines. Il importe peu au sens de l'article 79.1 L.N.T. que l'information ait été communiquée au salarié plus tard. Celui-ci n'a pas à être privé de ses droits parce qu'on juge qu'il vaut mieux attendre pour lui annoncer la mauvaise nouvelle.
Reinlein c. *Laboratoires Abbott ltée*, D.T.E. 2003T-960 (C.R.T.).

79.1/39 Peut être considérée comme juste et suffisante, une cause directement liée à l'absence pour maladie d'un salarié, à titre d'exemple le fait que ce dernier n'a pas été suffisamment malade pour refuser de reprendre son poste.
Gendron c. *Centre d'hébergement St-Rédempteur*, (1998) R.J.D.T. 1667 (T.T.), D.T.E. 98T-1243 (T.T.).

79.1/40 Lorsqu'une absence d'un salarié est de plus de 26 semaines au cours des 12 derniers mois, la plainte doit être rejetée.

Mantegna c. *Société en commandite Canadelle*, D.T.E. 2007T-390 (C.R.T.).
Côté c. *Bell Helicopter Textron (division de Textron Canada ltée)*, (2002) R.J.D.T. 1141 (C.T.), D.T.E. 2002T-712 (C.T.) (révision judiciaire refusée: D.T.E. 2003T-114 (C.S.), J.E. 2003-214 (C.S.), REJB 2002-37175 (C.S.)).
Beaudoin c. *Marchands en alimentation Agora inc.*, (1999) R.J.D.T. 1695 (C.T.), D.T.E. 99T-980 (C.T.).
V. aussi: *Doucet* c. *Scabrini Média inc.*, D.T.E. 2003T-724 (C.R.T.).

79.1/41 En fonction du droit fondamental au respect de sa vie privée, un salarié n'est pas tenu de divulguer la nature précise de sa maladie, surtout lorsqu'il n'y a pas de motifs raisonnables de croire qu'il y a abus, fraude, excès, dépassement d'un seuil raisonnable, absence de longue durée, etc.
Oliva-Zamora c. *Société d'administration Casco inc.*, D.T.E. 2002T-163 (T.T.) (règlement hors cour).
V. aussi: *Dufresne* c. *Drainamar inc. SARP-Drainamar*, D.T.E. 2006T-835 (C.R.T.).

79.1/42 L'existence d'une maladie au sens des dispositions de la *Loi sur les normes du travail* peut être prouvée par ouï-dire.
Guindon c. *Corporation de sécurité Garda World*, D.T.E. 2009T-174 (C.R.T.) (requête en révision judiciaire: n⁰ 500-17-048698-099).

79.1/43 Malgré l'application de la présomption, le congédiement d'un salarié peut ne pas résulter de son absence pour maladie, lorsque le retour au travail de celui-ci s'est déroulé normalement et lorsque la décision de l'employeur de résilier le contrat apparaît être l'aboutissement d'un processus d'évaluation de rendement initié bien avant l'absence pour maladie.
Binette c. *Réno-Dépôt inc.*, (2007) R.J.D.T. 1101 (C.R.T.), D.T.E. 2007T-721 (C.R.T.).

79.1/44 Le fait de mettre fin à l'emploi d'un salarié, au motif qu'il a dépassé le nombre de jours d'absence pour cause de maladie, permis par la convention collective, ne constitue pas une mesure légale.
Tountas c. *Boulevard Produits de bureau inc. (Corporate Express Produits de bureau inc.)*, D.T.E. 2002T-38 (C.T.).

79.1/45 Lorsqu'un salarié s'absente durant plus de 26 semaines au cours d'une même période, le commissaire doit rejeter la plainte pour cause d'absence de compétence. Cependant, les absences dues au fait que l'employeur refuse le certificat d'aptitude remis par le salarié ne doivent pas être computées lorsque la production du certificat médical permet au plaignant de reprendre son travail. Si l'employeur doute de la capacité du salarié à cet égard, il doit le faire examiner par un autre médecin.
Boulianne c. *3087-9373 Québec inc.*, (1996) C.T. 525, D.T.E. 96T-1152 (C.T.), inf. pour d'autres motifs par (1997) T.T. 113, D.T.E. 97T-98 (T.T.).
V. aussi: *Zakaib* c. *Société de commercialisation Amtrack mode inc.*, D.T.E. 99T-752 (C.T.).
Agatiello c. *Pratt et Whitney Canada inc.*, D.T.E. 98T-447 (C.T.).

79.1/46 Une absence de plus de 26 semaines ne constitue pas nécessairement une cause juste et suffisante de congédiement au sens de l'article 124 L.N.T.

Pilon c. *S & C Electric Canada Ltd.*, (2008) R.J.D.T. 1171 (C.R.T.), D.T.E. 2008T-542 (C.R.T.) (désistement de la révision judiciaire).
Lauzon-Chayer c. *Loumania inc.*, D.T.E. 2003T-853 (C.R.T.) (règlement hors cour).
Parisé c. *Services ménagers Roy (hôtellerie) ltée*, (2000) R.J.D.T. 237 (C.T.), D.T.E. 2000T-90 (C.T.).

79.1/47 Les semaines d'absence se calculent en périodes de sept jours consécutifs à compter du premier jour d'absence du salarié.
Reinlein c. *Laboratoires Abbott ltée*, D.T.E. 2003T-960 (C.R.T.).

79.1/48 Relativement à l'absence du travail d'un salarié, l'on ne doit pas tenir compte de la période où celui-ci est en mise à pied, compte tenu du fait qu'à ce moment-là sa présence au travail n'est pas requise.
Djemaï c. *Clôtures Bénor inc.*, (2001) R.J.D.T. 1900 (C.T.), D.T.E. 2001T-1130 (C.T.).

79.1/49 La durée de l'absence du salarié doit être calculée en tenant compte de la date de la fin de l'incapacité telle que prévue au certificat d'aptitude au travail fourni par le salarié, certificat faisant état d'une visite médicale même si le médecin n'a pas signé le document, l'absence de signature ne constituant qu'un simple vice de forme.
Joseph c. *Recochem inc.*, D.T.E. 2000T-650 (C.T.).

79.1/50 Le fait de souffrir d'une bronchite asthmatique, nécessitant un arrêt de travail, constitue une maladie.
Collard c. *Médis services pharmaceutiques et de santé inc.*, D.T.E. 2000T-35 (C.T.).

79.1/51 Si l'horaire d'un salarié ne prévoit pas d'affectation les fins de semaine, le fait que ce dernier soit disponible l'une de ces journées ne peut empêcher son employeur d'en tenir compte lors du calcul de la durée de son absence. Rien ne justifie non plus l'exclusion des jours fériés dans la compilation des absences pour maladie de plus d'un jour, et ce, même si la pratique veut qu'un employé en congé lors d'un jour férié soit réputé au travail aux fins salariales.
Bureau c. *Bombardier inc., groupe aéronautique de Bombardier*, D.T.E. 99T-851 (C.T.).

Examen médical

79.1/52 Un employeur peut exiger qu'un de ses salariés subisse un examen médical pourvu qu'il agisse de bonne foi, de manière raisonnable et avec prudence. Le droit de l'employeur de contrôler l'état de santé d'un de ses salariés s'accompagne de l'obligation pour celui-ci d'aller subir l'examen.
Collard c. *Médis services pharmaceutiques et de santé inc.*, D.T.E. 2000T-35 (C.T.).
Labelle c. *Bell Helicopter Textron*, D.T.E. 95T-752 (C.T.).

79.1/53 L'employeur qui doute des motifs du salarié pour son absence ou, s'il veut les contester, peut recourir à une expertise médicale, ce que le salarié doit accepter en tout temps.
Duguay c. *Blais*, D.T.E. 2009T-188 (C.R.T.) (révision en vertu de l'article 127 C.T. refusée).
Quenneville c. *Agence de recouvrement TCR ltée*, D.T.E. 2006T-116 (C.R.T.) (requête en révision judiciaire: n° 500-17-029248-062).

79.1/54 Il est indéniable qu'un salarié a le droit de s'absenter pour cause de maladie, cependant, l'employeur a aussi le droit de vérifier le bien-fondé de cette absence et de connaître la date de retour au travail du salarié.
Béland c. *Sucre Lantic ltée*, D.T.E. 97T-1026 (C.T.).

79.1/55 Il est abusif de prétendre que seul un médecin peut attester d'une maladie permettant à un salarié de s'absenter de son travail conformément à l'article 79.1 L.N.T. Toute personne normale est certes capable d'identifier lorsqu'elle se sent bien ou mal, lorsqu'elle est malade ou en bonne santé.
Moor c. *Canadelle, une division de la société en commandite Canadelle*, D.T.E. 2005T-1022 (C.R.T.).
Khawam c. *Pratt et Whitney Canada inc.*, D.T.E. 93T-1026 (C.T.).
Chamberland c. *Bas Giltex inc.*, (1992) C.T. 177, D.T.E. 92T-646 (C.T.).

79.1/56 Un employeur ne peut, en l'absence d'expertise médicale, décider qu'un salarié n'est pas apte à reprendre le travail, si ce dernier détient un rapport médical le déclarant apte.
Roy c. *2753 5632 Québec inc.*, D.T.E. 92T-343 (C.T.).
Leduc c. *Centre d'accueil Marie-Lorraine inc.*, (1991) C.T. 384, D.T.E. 91T-1200 (C.T.).

Certificat médical

79.1/57 Compte tenu des circonstances, il peut être inadmissible qu'un employeur exige l'accès à tout le dossier médical de son salarié. Une telle exigence peut contrevenir à la *Charte des droits et libertés de la personne* et à la *Loi sur la protection des renseignements personnels dans le secteur privé* (L.R.Q., c. P-39.1).
Katz c. *Jas A. Ogilvy (détail) inc.*, (2001) R.J.D.T. 141 (T.T.), D.T.E. 2001T-240 (T.T.).
V. aussi: *Gionest* c. *Hôtel motel Manoir Percé inc.*, D.T.E. 2004T-862 (C.R.T.).

79.1/58 Il revient au salarié de justifier son absence du travail par un certificat médical.
Harnois c. *Novartis Pharma Canada inc.*, D.T.E. 2006T-168 (C.R.T.).
Lanouette c. *Novartis Pharma Canada inc.*, D.T.E. 2006T-335 (C.R.T.).

79.1/59 Le défaut pour un salarié de respecter l'obligation de produire un certificat médical ne constitue pas nécessairement une cause juste et suffisante de congédiement ou de suspension.
Garneau c. *Service de reliure Montréal ltée*, D.T.E. 97T-737 (T.T.).
Centre d'accueil de Buckingham c. *Chenier*, D.T.E. 94T-753 (T.T.) (révision judiciaire accueillie, dossier retourné au T.T.: D.T.E. 95T-82 (C.S.)) (appel rejeté: D.T.E. 95T-597 (T.T.)).
Grenier c. *Services alimentaires C.V.C. inc.*, (1995) C.T. 38, D.T.E. 95T-226 (C.T.).

79.1/60 Les refus répétés du salarié de présenter un certificat médical afin de justifier ses absences constituent une autre cause juste et suffisante de congédiement.
Santerre c. *Maisons usinées Côté inc.*, D.T.E. 2006T-906 (C.R.T.).

79.1/61 Afin de bénéficier de la présomption, le salarié n'a pas l'obligation de produire un certificat médical établissant qu'il a bel et bien été absent pour cause de maladie. S'il déclare être absent pour ce motif et qu'il n'y a pas de raison d'en douter, la présomption s'applique. Les dispositions de l'article 79.1 L.N.T. ne visent pas à protéger que les salariés dont l'absence pour cause de maladie est attestée par un certificat médical.

Quenneville c. *Agence de recouvrement TCR ltée*, D.T.E. 2006T-116 (C.R.T.) (requête en révision judiciaire: n⁰ 500-17-029248-062).

79.1/62 Pour bénéficier de la présomption prévue par les dispositions de la *Loi sur les normes du travail*, un salarié n'a pas l'obligation de présenter à son employeur un certificat médical justifiant son absence.
Santerre c. *Maisons usinées Côté inc.*, D.T.E. 2006T-906 (C.R.T.).

79.1/63 L'allégation de négligence à fournir un certificat médical valable peut n'être qu'un prétexte pour se débarrasser d'un salarié.
Recochem inc. c. *Joseph*, D.T.E. 2002T-710 (T.T.).
V. aussi: *Gionest* c. *Hôtel motel Manoir Percé inc.*, D.T.E. 2004T-862 (C.R.T.).

79.1/64 Un employeur ne peut reprocher au salarié le fait que certains des certificats médicaux ne contiennent pas de diagnostic. En effet, le certificat médical n'a que pour but de motiver une absence et d'indiquer la date prévue de retour au travail. Ainsi, l'employeur n'a pas besoin de connaître la maladie dont souffre le salarié, à moins que cela n'ait une incidence sur son travail. Si tel est le cas, il doit demander au salarié de fournir ces détails.
Duguay c. *Blais*, D.T.E. 2009T-188 (C.R.T.) (révision en vertu de l'article 127 C.T. refusée).
Villeneuve c. *Ameublements Québéko inc.*, D.T.E. 2001T-390 (C.T.).

79.1/65 Que le salarié ait remis un certificat médical avant ou après avoir su qu'il était congédié importe peu, si les deux événements se sont produits presque en même temps, ce qui justifie d'accorder le bénéfice du doute au salarié et de reconnaître la concomitance de la maladie et de la sanction.
Bédard c. *Association québécoise de l'industrie de la pêche*, D.T.E. 98T-387 (C.T.).

ÉTABLISSEMENT DE LA PRÉSOMPTION

N.B. Pour la présomption, voir l'article 123.4 al. 2 L.N.T. qui réfère aux dispositions du *Code du travail*. Voir l'article 17 de ce Code.

79.1/66 Pour bénéficier de la présomption prévue par les dispositions de l'article 123.4 L.N.T., le salarié malade doit nécessairement s'être absenté de son travail.
Belrive Construction inc. c. *Charbonneau*, D.T.E. 2001T-132 (T.T.).

79.1/67 Le délai de 26 semaines prévu à l'article 79.1 L.N.T. doit être calculé à partir de la date effective où le travailleur s'absente pour maladie. À partir de cette date, les semaines doivent être calculées en blocs consécutifs de sept jours, selon l'article 1(11) L.N.T.

De plus, pour que la présomption édictée à cet article s'applique, le travailleur doit effectuer à l'intérieur de la période de 26 semaines des démarches pour reprendre son emploi auprès de son employeur. La forme de ces démarches importe peu.
Abboud c. *Gestion Ramair inc.*, D.T.E. 93T-565 (C.T.).

79.1/68 Pour que la présomption s'applique, le salarié doit prouver que le motif véritable de la perte de son emploi est son absence pour cause de maladie, ce qui n'est pas le cas lorsque celui-ci est licencié à cause de la réorganisation administrative due à la fusion de deux entreprises.
Martel c. *Corp. des aliments I.D.*, D.T.E. 2000T-492 (C.T.).

79.1/69 Pour que la présomption s'applique, le salarié doit prouver l'existence d'une maladie, ce qui n'est pas le cas lorsqu'il présente un certificat médical non daté et que le témoignage de son médecin traitant est imprécis. En effet, de tels faits posent des problèmes de crédibilité envers le plaignant.
Moor c. *Canadelle, une division de la société en commandite Canadelle*, D.T.E. 2005T-1022 (C.R.T.).

79.1/70 Afin de bénéficier de la présomption le salarié doit établir: son lieu d'emploi, le droit qui lui résulte de la loi, la terminaison de son emploi et la concomitance entre la terminaison de son emploi et le droit invoqué.
Thérien c. *Crown Cork & Seal inc.*, (1993) C.T. 57, D.T.E. 93T-218 (C.T.).

79.1/71 On ne peut raisonnablement admettre que le seul fait de pouvoir justifier d'une absence est suffisant pour bénéficier de la protection de la *Loi sur les normes du travail*.
Sain c. *Multi-Démolition S.D.*, (1994) T.T. 248, D.T.E. 94T-505 (T.T.).

79.1/72 La présomption s'applique lorsqu'il y a proximité entre l'absence du salarié pour cause de maladie et la mesure qui est contestée.
Wilkinson c. *9051-4471 Québec inc.*, D.T.E. 2004T-89 (C.R.T.).
Katz c. *Jas A. Ogilvy (détail) inc.*, (2001) R.J.D.T. 141 (T.T.), D.T.E. 2001T-240 (T.T.).
Royer c. *Nova Fabtech, division de Nova Bus Corp.*, D.T.E. 98T-68 (C.T.), conf. par D.T.E. 98T-692 (T.T.), REJB 1998-06232 (T.T.).

79.1/73 La présomption ne peut s'appliquer s'il n'y a pas de concomitance. Ainsi, un délai de six mois entre le retour au travail et le congédiement fait en sorte que la présomption ne s'applique pas.
Hudon c. *S.M.K. Speedy International Inc. (Le Roi du silencieux Speedy)*, D.T.E. 2003T-1137 (C.R.T.) (révision judiciaire refusée: D.T.E. 2004T-909 (C.S.), REJB 2004-55438 (C.S.)).

79.1/74 Pour que la présomption prévue à l'article 79.1 L.N.T. s'applique, il doit y avoir une certaine concomitance entre l'absence pour maladie et la sanction prise par l'employeur.

L'exigence de cette concomitance peut toutefois être atténuée lorsque la nature de la maladie n'est connue de l'employeur que le jour avant la sanction prise à l'égard du salarié, même si les absences remontent à quelques temps.
Page-Earl c. *Compagnie de mobilier Bombay du Canada inc.*, (1994) C.T. 163, D.T.E. 94T-543 (C.T.).

79.1/75 Le critère de la concomitance ne peut être considéré aux fins de l'application de l'article 79.1 L.N.T., cela viderait cet article de son sens, puisque le droit de s'absenter pour cause de maladie est protégé pendant une période de 12 mois.
Djemaï c. *Clôtures Bénor inc.*, (2001) R.J.D.T. 1900 (C.T.), D.T.E. 2001T-1130 (C.T.).
Dicaire c. *Entretien d'édifices Pinkham et Fils inc.*, D.T.E. 96T-688 (C.T.).

79.1/76 Pour bénéficier de la présomption le plaignant doit démontrer l'existence d'une concomitance entre l'absence et la mesure imposée, qu'il est un salarié qui justifie d'au moins trois mois de service continu et qu'il s'est absenté moins de 26 semaines pendant les 12 mois précédant la mesure prise à son égard.
Paré c. *Structures Breton inc.*, D.T.E. 2007T-298 (C.R.T.).
Zheng c. *Harvey et Associés, s.e.n.c.r.l.*, D.T.E. 2006T-1061 (C.R.T.).

Chamaillard c. *Agence de recouvrement ARC (corporation)*, D.T.E. 2005T-966 (C.R.T.).
De Vries Stadelaar c. *C & D Aerospace Canada*, D.T.E. 2005T-388 (C.R.T.).
Forcier c. *Classified Media (Canada) Holdings Inc.*, D.T.E. 2005T-967 (C.R.T.).
Lehman c. *Pratt & Whitney Canada inc.*, D.T.E. 2004T-44 (C.R.T.) (révision judiciaire refusée: EYB 2005-94534 (C.S.)).
Machebu c. *Leal*, D.T.E. 2004T-88 (C.R.T.).
Thibodeau c. *Syscan international inc.*, D.T.E. 2004T-579 (C.R.T.).
Doucet c. *Scabrini Média inc.*, D.T.E. 2003T-724 (C.R.T.).
Goldie c. *Plastiques Terpac inc.*, D.T.E. 2003T-703 (C.R.T.).
Gravel c. *Centre de la petite enfance La Veilleuse*, (2003) R.J.D.T. 1236 (C.R.T.), D.T.E. 2003T-852 (C.R.T.).
Hôpital St-Jude de Laval c. *Rivest*, D.T.E. 97T-529 (T.T.).
Trois-Rivières Nissan inc. c. *Blais*, LPJ-94-2129 (T.T.).
Lévesque c. *Fédération des caisses populaires de Québec*, D.T.E. 2002T-348 (C.T.).
Sauvageau c. *Agence de sécurité Mirado inc.*, D.T.E. 2001T-87 (C.T.).
Collard c. *Médis services pharmaceutiques et de santé inc.*, D.T.E. 2000T-35 (C.T.).
Beaurivage c. *Motel Auberge Le Vicomte de Laval*, D.T.E. 99T-313 (C.T.).
Bédard c. *Alimentation Yvon Ratté inc.*, D.T.E. 99T-651 (C.T.).
Brosseau c. *Clinique dentaire Mathieu et Jussaume*, D.T.E. 99T-548 (C.T.).
Gaucher c. *3090-1599 Québec inc.*, D.T.E. 99T-132 (C.T.).
Gignac c. *Versabec inc.*, D.T.E. 99T-828 (C.T.).
Témèse c. *Centre pré-scolaire Montessori*, D.T.E. 99T-592 (C.T.).
Therrien c. *Brault et Martineau inc.*, D.T.E. 99T-934 (C.T.).
Papaconstantinou c. *2848-5217 Québec inc.*, D.T.E. 97T-1085 (C.T.).
St-Germain c. *Cose inc.*, D.T.E. 97T-208 (C.T.).
Boulianne c. *3087-9373 Québec inc.*, (1996) C.T. 525, D.T.E. 96T-1152 (C.T.) (appel accueilli en partie pour d'autres motifs: (1997) T.T. 113, D.T.E. 97T-98 (T.T.)).
Dussault c. *Placement de personnel Marie-Andrée Laforce inc.*, D.T.E. 93T-632 (C.T.).
Nicolazzo c. *Copiscope inc.*, D.T.E. 93T-1307 (C.T.).
Pelletier c. *Nutrite inc.*, (1993) C.T. 40, D.T.E. 93T-114 (C.T.).
Rose c. *Entreprises Frankel ltée*, (1993) C.T. 389, D.T.E. 93T-813 (C.T.).
Shuster c. *Gestion N.S.I. inc.*, D.T.E. 93T-111 (C.T.).
Gagnon c. *Best Glove Manufacturing Ltd.*, D.T.E. 92T-405 (C.T.).
Léger c. *Produits chimiques Expro inc.*, D.T.E. 92T-1292 (C.T.).
Novoa c. *Agers Holdings Ltd.*, D.T.E. 92T-1246 (C.T.).
Roy c. *2753 5632 Québec inc.*, D.T.E. 92T-343 (C.T.).
Sévigny c. *Kraft General Food Canada*, D.T.E. 92T-314 (C.T.).
Tardif c. *Société immobilière L'Exécutif inc.*, D.T.E. 92T-1245 (C.T.).
Tibbitts c. *Service pétrolier Techsan Canada ltée*, (1992) C.T. 10, D.T.E. 92T-70 (C.T.).
Bailey c. *A. Gold & Sons Ltd.*, D.T.E. 91T-1401 (C.T.).
Labonté c. *Garage Grégoire Lapointe inc.*, D.T.E. 91T-1314 (C.T.).
Tellier c. *Urgel Bourgie ltée*, (1991) C.T. 387, D.T.E. 91T-1280 (C.T.).
V. aussi: *Bossé* c. *Katz Déli à l'ancienne*, D.T.E. 92T-368 (C.T.).

79.1/77 Pour que la présomption s'applique en faveur du salarié qui dépose une plainte en vertu de l'article 79.1 L.N.T., celui-ci doit faire la preuve de certains éléments: il doit avoir le statut de salarié, avoir fait l'objet d'un congédiement et avoir exercé un droit résultant de la *Loi sur les normes du travail,* soit le droit de s'absenter pour cause de maladie.
Ouellet c. *SIDAC Plaza St-Hubert*, D.T.E. 2000T-37 (C.T.).
Béland c. *Sucre Lantic ltée*, D.T.E. 97T-1026 (C.T.).

79.1/78 La présomption peut s'appliquer malgré l'aveu de la part de l'employé à l'effet que celui-ci ne s'est pas absenté du travail pour cause de maladie pendant au plus 26 semaines au cours des 12 derniers mois, l'employeur ayant renoncé à se prévaloir de cet aveu.
Martel c. *Corp. des aliments I.D.*, D.T.E. 2000T-492 (C.T.).

79.1/79 La présomption s'applique, et ce, même si la décision de congédier un salarié est prise avant le début de son absence pour cause de maladie. C'est le congédiement lui-même, et non la décision de congédier, qui est déterminant lorsqu'il s'agit de savoir s'il y a concomitance entre le congédiement et l'absence et s'il y a lieu d'appliquer la présomption.
Informatech inc. c. *Bass*, D.T.E. 95T-527 (T.T.).
Côté c. *Bell Helicopter Textron (division de Textron Canada ltée)*, (2002) R.J.D.T. 1141 (C.T.), D.T.E. 2002T-712 (C.T.) (révision judiciaire refusée: D.T.E. 2003T-114 (C.S.), J.E. 2003-214 (C.S.), REJB 2002-37175 (C.S.)).
V. cependant: *Syndicat canadien de la fonction publique, section locale 3783* c. *Glaxo Smith Kline Biologiques, Amérique du Nord (Vicky Vermette)*, D.T.E. 2007T-579 (T.A.).

79.1/80 La présomption ne s'applique pas dans le cas où l'absence pour cause de maladie est postérieure à l'avis de fin d'emploi.
Gatien-Théberge c. *Domogetech inc. — Alarme Expert ltée*, (1997) C.T. 163, D.T.E. 97T-588 (C.T.).
V. aussi: *Ouellette* c. *Maison de la famille des Pays-d'en-Haut*, D.T.E. 2003T-851 (C.R.T.).

79.1/81 La présomption ne s'applique pas dans le cas où l'absence pour cause de maladie est postérieure au déplacement du salarié.
Lavoie c. *Multidev Technologies inc.*, D.T.E. 2006T-37 (C.R.T.) (révision en vertu de l'article 127 C.T. refusée) (révision judiciaire refusée: C.S.M. n° 500-17-031035-069, le 16 mai 2007).

79.1/82 Le fait de réclamer un congé de maladie est suffisant en soi pour établir la présomption, surtout lorsque le congédiement et la demande de congé de maladie sont concomitants, et ce, même si le congédiement est survenu pendant l'absence.
Godin c. *S. Rossy inc.*, D.T.E. 95T-1272 (C.T.).
V. aussi: *Thibodeau* c. *Syscan international inc.*, D.T.E. 2004T-579 (C.R.T.).

79.1/83 La preuve d'une absence pour cause de maladie est nécessaire à l'établissement de la présomption prévue à la *Loi sur les normes du travail*.
Gauvin c. *Centre de la petite enfance Mamuse et Méduque inc.*, D.T.E. 2003T-587 (C.R.T.).

79.1/84 L'employeur doit avoir connaissance de la maladie au moment du congédiement.
Pigeon c. *Chrysler Ste-Agathe inc.*, D.T.E. 94T-984 (C.T.).

79.1/85 Le fait que l'employeur soit au courant ou non de l'état de santé du salarié n'est pas un élément constitutif de la présomption. Pour que celle-ci s'applique, il suffit de démontrer que le salarié s'est absenté pour cause de maladie et qu'il y a concomitance entre cette absence et le congédiement.

Meilleur c. *Québec (Ministère de l'Emploi, de la Solidarité sociale et de la Famille)*, D.T.E. 2008T-458 (C.R.T.) (révision en vertu de l'article 127 C.T. refusée).
Santerre c. *Maisons usinées Côté inc.*, D.T.E. 2006T-906 (C.R.T.).
B. (S.) c. *Magasin M...*, (1997) C.T. 495, D.T.E. 97T-1416 (C.T.).
Gadreau c. *Avantec Métal inc.*, D.T.E. 95T-342 (C.T.).
Syndicat canadien de la fonction publique, section locale 3783 c. *Glaxo Smith Kline Biologiques, Amérique du Nord (Vicky Vermette)*, D.T.E. 2007T-579 (T.A.).

79.1/86 Dès que la maladie est l'un des facteurs pris en considération pour congédier un salarié ou s'avère l'incident culminant ayant provoqué le congédiement, le geste de l'employeur devient illégal.
Bissonnette c. *Novartis Pharma Canada inc.*, D.T.E. 2007T-745 (C.R.T.) (en révision).
Gervais c. *Ethica Clinical Research Inc. / Ethica Recherche clinique*, D.T.E. 2007T-983 (C.R.T.).
Salon d'optique A.R. Laoun inc. c. *Leroux*, D.T.E. 95T-649 (T.T.).
Hétu c. *Hôpital Ste-Justine*, (2001) R.J.D.T. 200 (C.T.), D.T.E. 2001T-155 (C.T.).
Dicaire c. *Entretien d'édifices Pinkham et Fils inc.*, D.T.E. 96T-688 (C.T.).

79.1/87 Lorsque le congédiement survient alors que le salarié est en congé de maladie, il faut présumer que celui-ci a été congédié en raison de son absence.
Vandal c. *Ressorts Cascades inc.*, D.T.E. 2001T-436 (C.T.).

79.1/88 Lorsque le salarié s'est déchargé de son fardeau de preuve en prouvant un motif valable d'absence pour maladie, dès lors, il appartient à l'employeur de faire la preuve que le plaignant ne s'est pas absenté pour cause de maladie ou d'accident.
Wilkinson c. *9051-4471 Québec inc.*, D.T.E. 2004T-89 (C.R.T.).
Lebel c. *Au Petit Goret (1979) inc.*, D.T.E. 92T-893 (C.T.).
Novoa c. *Agers Holdings Ltd.*, D.T.E. 92T-1246 (C.T.).
Roy c. *2753 5632 Québec inc.*, D.T.E. 92T-343 (C.T.).

79.1/89 En présence d'une présomption légale, l'employeur doit établir des éléments suffisamment prépondérants, forts, étoffés et convaincants pour renverser celle-ci.
Dicaire c. *Entretien d'édifices Pinkham et Fils inc.*, D.T.E. 96T-688 (C.T.).

79.1/90 Pour renverser la présomption l'employeur doit établir une cause juste et suffisante de rupture du lien d'emploi qui n'est pas reliée à l'état de santé du salarié.
Lanouette c. *Novartis Pharma Canada inc.*, D.T.E. 2006T-335 (C.R.T.).
St-Germain c. *Cose inc.*, D.T.E. 97T-208 (C.T.).
Bailey c. *A. Gold & Sons Ltd.*, D.T.E. 91T-1401 (C.T.).
V. aussi: *Dussault* c. *Placement de personnel Marie-Andrée Laforce inc.*, D.T.E. 93T-632 (C.T.).

NOTION DE CAUSE JUSTE ET SUFFISANTE

79.1/91 Un employeur peut en tout temps congédier un salarié s'il démontre une cause juste et suffisante, étant entendu que le simple fait d'être absent pour cause de maladie ou d'accident pendant au plus 26 semaines au cours des 12 derniers mois n'est pas une telle cause juste et suffisante. Si, par ailleurs, l'absence excède 26 semaines et que le salarié ne justifie pas de deux ans de

service continu, la décision de l'employeur n'est plus assujettie à la loi. Il en va cependant autrement si le salarié justifie de deux ans de service continu, car l'employeur devra encore démontrer une cause juste et suffisante selon l'article 124 L.N.T.
Wohl c. *Joly*, D.T.E. 96T-291 (C.S.).
Parisé c. *Services ménagers Roy (hôtellerie) ltée*, (2000) R.J.D.T. 237 (C.T.), D.T.E. 2000T-90 (C.T.).

79.1/92 Il revient à l'employeur de convaincre le commissaire par des moyens justes et suffisants que le salarié est inapte à satisfaire raisonnablement aux exigences de l'emploi, et ce, conformément à l'article 79.1 L.N.T.
Lefebvre c. *125852 Canada ltée*, D.T.E. 96T-473 (C.T.).

79.1/93 L'adoption de l'article 79.1 L.N.T. n'a pas eu pour effet de modifier la façon d'interpréter la notion de cause juste et suffisante prévue à l'article 124 L.N.T. En effet, les articles 79.1 et 124 L.N.T. ne poursuivent pas les mêmes finalités, ne s'appliquent pas nécessairement au même salarié et mettent en place des mécanismes d'adjudication différents. En adoptant l'article 79.1 L.N.T., le législateur a pris bien soin de ne pas toucher l'application possible de l'article 124 L.N.T., comme l'indique d'ailleurs l'article 79.1 L.N.T.
Wohl c. *Joly*, D.T.E. 96T-291 (C.S.).
V. aussi: *Parisé* c. *Services ménagers Roy (hôtellerie) ltée*, (2000) R.J.D.T. 237 (C.T.), D.T.E. 2000T-90 (C.T.).

79.1/94 L'employeur possède le droit de déroger à l'article 79.1 L.N.T. si les conséquences de la maladie ou de l'accident constituent une cause juste et suffisante, selon les circonstances.
Centre Butters-Savoy inc. c. *St-Laurent*, (1994) T.T. 488, D.T.E. 94T-1131 (T.T.).

79.1/95 Un employeur peut toujours mettre fin à l'emploi d'un salarié lorsque celui-ci est incapable, dans un avenir prévisible, d'occuper son emploi de façon constante et efficace sans danger pour lui-même, ses compagnons de travail et les biens de l'entreprise.
Jean-Baptiste c. *Produits automobiles S.M.P. ltée*, (1999) R.J.D.T. 546 (C.T.), D.T.E. 99T-365 (C.T.) (désistement de la révision judiciaire).

79.1/96 Un incident culminant ne saurait être ce qu'interdit précisément la loi. L'absence pour cause de maladie ne saurait constituer l'autre cause juste et suffisante d'une mesure disciplinaire. Ce qui est illégal ne peut être la cause juste d'un congédiement.
Larivée-Côté c. *Restaurant Joli-Moulin inc.*, D.T.E. 94T-108 (T.T.).

79.1/97 Pour déterminer si la décision de l'employeur est juste et suffisante en matière de congédiement dans le cas d'absence pour maladie, l'employeur doit faire la preuve, non seulement des dossiers d'absence excessive ou chronique, mais il doit prouver l'incapacité de l'employé de fournir sa prestation de travail à l'avenir.
Wohl c. *Joly*, D.T.E. 96T-291 (C.S.).

SERVICE CONTINU

79.1/98 Pour que le recours prévu à l'article 79.1 L.N.T. ne soit pas ouvert à un salarié parce que, au moment de son absence pour maladie il ne justifiait pas de

trois mois de service continu, il aurait fallu que le législateur l'indique clairement, comme il l'a fait à l'article 82 L.N.T. Ainsi, le salarié peut déposer une plainte pour congédiement illégal s'il atteint trois mois de service continu durant son absence pour maladie.
Lemay c. *Québec (Ministère du Revenu)*, D.T.E. 94T-244 (C.T.).

79.1/99 Les trois mois de service continu sont atteints à la première minute du premier jour du quatrième mois suivant le jour où le salarié débute sa prestation de travail.
Nicolazzo c. *Copiscope inc.*, D.T.E. 93T-1307 (C.T.).

79.1/100 Pour qu'une plainte soit recevable relativement à une absence pour maladie ou accident, le salarié doit avoir cumulé trois mois de service continu au début de son absence.
Gaudreault c. *Placements Melcor inc. (Le Nouvel Hôtel La Saguenéenne)*, D.T.E. 2005T-316 (C.R.T.).
St-Onge c. *Colmatec inc.*, D.T.E. 2005T-1096 (C.R.T.) (révision en vertu de l'article 127 C.T. refusée: (2006) R.J.D.T. 715 (C.R.T.), D.T.E. 2006T-336 (C.R.T.)) (révision judiciaire refusée: D.T.E. 2007T-234 (C.S.), EYB 2007-113975 (C.S.)) (appel rejeté: C.A.M. n^{0} 500-09-017516-071, le 25 septembre 2007).

79.1/101 Les trois mois de service continu prévu à l'article 79.1 L.N.T. doivent se computer en tenant compte de l'absence pour maladie du salarié.
Levasseur c. *Agence de placement Hélène Roy ltée*, D.T.E. 2002T-669 (C.T.).
Lefebvre c. *125852 Canada ltée*, D.T.E. 96T-473 (C.T.).

CONGÉDIEMENT

Général

79.1/102 Le terme congédiement doit être interprété dans un sens large qui vise toute forme de terminaison d'emploi à l'initiative de l'employeur.
Thibodeau c. *Syscan international inc.*, D.T.E. 2004T-579 (C.R.T.).
Wilkinson c. *9051-4471 Québec inc.*, D.T.E. 2004T-89 (C.R.T.).
Balthazard-Généreux c. *Collège Montmorency*, (1998) R.J.D.T. 660 (T.T.), D.T.E. 98T-388 (T.T.), REJB 1998-04947 (T.T.).
Gordon c. *Association de la communauté noire de LaSalle*, D.T.E. 2002T-959 (C.T.).
Tellier c. *Urgel Bourgie ltée*, (1991) C.T. 387, D.T.E. 91T-1280 (C.T.).

79.1/103 Le seul fait que le salarié n'ait pas été repris au travail après avoir tenté de remettre à l'employeur un document attestant qu'il était en mesure de le faire, doit être assimilé à une rupture du lien d'emploi décidée unilatéralement par l'employeur.
Lefebvre c. *125852 Canada ltée*, D.T.E. 96T-473 (C.T.).

79.1/104 Le congédiement dû à la remise d'un certificat médical par le salarié à l'employeur est interdit par l'article 79.1 L.N.T.
Novoa c. *Agers Holdings Ltd.*, D.T.E. 92T-1246 (C.T.).

79.1/105 Le retrait de priorité sur la liste de rappel équivaut à un refus d'emploi.
Balthazard-Généreux c. *Collège Montmorency*, (1998) R.J.D.T. 660 (T.T.), D.T.E. 98T-388 (T.T.), REJB 1998-04947 (T.T.).

Démission

79.1/106 Il revient à l'employeur de repousser le fardeau de preuve, qui est le sien, de démontrer que le salarié refuse de retourner au travail.
D.M.C. Transat inc. — division Kilomètre Voyages c. *Carrier*, D.T.E. 2002T-583 (T.T.).

79.1/107 Est justifié, le congédiement en raison du comportement démissionnaire du salarié, surtout lorsqu'il ne peut convaincre l'employeur du bien-fondé de son absence supposément justifiée par de nombreuses et différentes maladies décrites dans divers certificats médicaux.
Khawam c. *Pratt et Whitney Canada inc.*, D.T.E. 93T-1026 (C.T).
V. aussi: *Wilkinson* c. *9051-4471 Québec inc.*, D.T.E. 2004T-89 (C.R.T.).

79.1/108 L'on ne saurait prétendre à une démission valide lorsque le consentement du salarié est vicié par une erreur relative à son état de santé.
Doucet c. *Scabrini Média inc.*, D.T.E. 2003T-724 (C.R.T.).

79.1/109 Il doit se dégager de la conduite du salarié une intention claire de démissionner, car celle-ci ne se présume pas.
Guillemette c. *Fabrimet inc.*, (2005) R.J.D.T. 1232 (C.R.T.), D.T.E. 2005T-772 (C.R.T.).
Machebu c. *Leal*, D.T.E. 2004T-88 (C.R.T.).
Gaudreau c. *Lasers Multi-tech inc.*, D.T.E. 2001T-840 (C.T.).
McInnis c. *Clinique de médecine industrielle et préventive du Québec inc.*, D.T.E. 2001T-1043 (C.T.).
Chamberland c. *Bas Giltex inc.*, (1992) C.T. 177, D.T.E. 92T-646 (C.T.).

79.1/110 Le refus pour un salarié de se présenter au travail constitue l'abandon de son emploi, soit une démission.
D.M.C. Transat inc. — division Kilomètre Voyages c. *Carrier*, D.T.E. 2002T-583 (T.T.).

79.1/111 L'omission de donner suite à un ordre de se présenter au travail constitue un abandon d'emploi et une démission.
2325-3396 Québec inc. c. *Ferraro*, D.T.E. 2001T-315 (T.T.) (révision judiciaire refusée: C.S.M. n° 500-05-064755-018, le 9 juillet 2001).

79.1/112 Le fait pour un salarié de ne pas communiquer avec son employeur pendant quelques jours ne constitue pas nécessairement l'expression claire d'une volonté de laisser son emploi.
Machebu c. *Leal*, D.T.E. 2004T-88 (C.R.T.).

79.1/113 Pour annuler une démission dont le caractère est libre et volontaire, malgré le fait que l'employeur ait pu avoir été brusque avec le salarié, il faut une preuve d'incapacité mentale ou de détresse psychologique.
Dupuis c. *Club de golf de Beloeil*, (2001) R.J.D.T. 108 (T.T.), D.T.E. 2001T-65 (T.T.).

79.1/114 Il n'y a pas de démission lorsque des pressions sont exercées sur le salarié pour qu'il renonce à son emploi. Il y a alors absence de consentement valide, puisque l'état psychologique du salarié peut être perturbé.
Ward c. *Château sur le Lac Ste-Geneviève inc.*, D.T.E. 2001T-930 (C.T.).

79.1/115 L'on ne saurait conclure à démission lorsque celle-ci est refusée par l'employeur.
Prince c. *Cap-de-la-Madeleine (Ville de)*, D.T.E. 98T-718 (C.T.).

79.1/116 Le refus par le salarié de travailler assis, pour cause de certaines limitations fonctionnelles, constitue une démission et non un congédiement.
De Vries Stadelaar c. *C & D Aerospace Canada*, D.T.E. 2005T-388 (C.R.T.).

79.1/117 Un employeur qui prétend qu'un salarié a démissionné peut difficilement faire la preuve, après le rejet de cet argument par le commissaire, d'une autre cause juste et suffisante de congédiement.
Doucet c. *Scabrini Média inc.*, D.T.E. 2003T-724 (C.R.T.).

79.1/118 La provocation de l'employeur par la réprimande publique du salarié causant ainsi son départ, constitue une atteinte à la dignité du travailleur et donc un congédiement déguisé et non une démission.
Forbes c. *Québec Loisirs inc.*, D.T.E. 2001T-929 (C.T.).

79.1/119 Constitue un congédiement déguisé, le départ du salarié à la suite du partage de ses tâches avec un autre employé entraînant une réduction de salaire.
Mignelli c. *Seigneurie Pontiac Buick inc.*, (2006) R.J.D.T. 772 (C.R.T.), D.T.E. 2006T-419 (C.R.T.).

Déplacement

79.1/120 La modification de l'horaire de travail équivaut à un déplacement et au refus de réintégrer le salarié après son absence pour maladie.
Bourdon c. *96721 Canada Ltd.*, D.T.E. 92T-1295 (C.T.).

79.1/121 La diminution des heures de travail d'un salarié peut constituer un changement majeur dans l'horaire de travail de celui-ci et équivaloir à un déplacement illégal au sens de la *Loi sur les normes du travail*.
Balthazard-Généreux c. *Collège Montmorency*, (1998) R.J.D.T. 660 (T.T.), D.T.E. 98T-388 (T.T.), REJB 1998-04947 (T.T.).
Papaconstantinou c. *2848-5217 Québec inc.*, D.T.E. 97T-1085 (C.T.).

79.1/122 Peut constituer un déplacement illégal, la diminution de salaire en raison d'une réduction des heures de travail, l'affectation différente ou l'application d'un horaire désavantageux.
Gingras c. *Gestion Pargo inc. — Brûlerie Tatum Café*, D.T.E. 98T-777 (C.T.).

79.1/123 Le fait pour un salarié de toucher un salaire hebdomadaire moins avantageux résultant d'une réduction de ses heures de travail suffit pour conclure qu'il y a déplacement au sens de l'article 79.1 L.N.T.
Centre Butters-Savoy inc. c. *St-Laurent*, (1994) T.T. 488, D.T.E. 94T-1131 (T.T.).

79.1/124 Un déplacement est illégal si l'employeur ne peut établir par prépondérance de preuve les faits justifiant sa décision.
Guillemette c. *Fabrimet inc.*, (2005) R.J.D.T. 1232 (C.R.T.), D.T.E. 2005T-772 (C.R.T.).
Dicaire c. *Entretien d'édifices Pinkham et Fils inc.*, D.T.E. 96T-688 (C.T.).

79.1/125 Le déplacement du salarié d'un quart de travail de jour à un quart de travail de soir est illégal si l'employeur ne peut établir par prépondérance de preuve les faits justifiant sa décision.
Paré c. *Structures Breton inc.*, D.T.E. 2007T-298 (C.R.T.).

79.1/126 La perte de responsabilités pour un salarié peut constituer un déplacement.
Forbes c. *Québec Loisirs inc.*, D.T.E. 2001T-929 (C.T.).

79.1/127 La décision de l'employeur de déplacer un salarié est légale si elle est fondée sur des motifs à la fois économiques et organisationnels.
Royer c. *Nova Fabtech, division de Nova Bus Corp.*, D.T.E. 98T-68 (C.T.), conf. par D.T.E. 98T-692 (T.T.), REJB 1998-06232 (T.T.).
V. aussi: *Lavoie* c. *Multidev Technologies inc.*, D.T.E. 2006T-37 (C.R.T.) (révision en vertu de l'article 127 C.T. refusée) (révision judiciaire refusée: C.S.M. n° 500-17-031035-069, le 16 mai 2007).

79.1/128 L'affectation d'un salarié dans un autre local, sans modification de responsabilités ni de poste, ne peut constituer un déplacement au sens de la loi.
Communications Québécor inc. c. *Leduc*, D.T.E. 2000T-649 (T.T.).

Non-renouvellement d'un contrat à durée déterminée

79.1/129 Le congédiement inclut le non-renouvellement d'un contrat à durée déterminée.
Gordon c. *Association de la communauté noire de LaSalle*, D.T.E. 2002T-959 (C.T.).

79.1/130 Le non-renouvellement d'un contrat de travail à cause de la maladie du salarié ne peut constituer une autre cause juste et suffisante de congédiement, surtout lorsque l'employeur refuse de l'accommoder en ne lui permettant pas d'effectuer un retour progressif au travail.
Paradis c. *Spoutnik Créativité Marketing inc.*, (2005) R.J.D.T. 1221 (C.R.T.), D.T.E. 2005T-755 (C.R.T.).

Suspension

79.1/131 Le fait d'être placé sur une liste de rappel équivaut à un congédiement, ou à tout le moins, à une suspension.
Leduc c. *Centre d'accueil Marie-Lorraine inc.*, (1991) C.T. 384, D.T.E. 91T-1200 (C.T.).

79.1/132 Une suspension de dix jours pour une absence d'une demi-journée peut être illégale, lorsqu'il y a une preuve que l'employeur veut justifier un congédiement en agissant de la sorte.
Pelletier c. *Nutrite Inc.*, (1993) C.T. 40, D.T.E. 93T-114 (C.T.).

79.1/133 La suspension d'un salarié en raison de la difficulté d'obtenir de son médecin qu'il fournisse un certificat médical, ne peut avoir été imposée pour une cause juste et suffisante.
Katz c. *Jas A. Ogilvy (détail) inc.*, (2001) R.J.D.T. 141 (T.T.), D.T.E. 2001T-240 (T.T.).

AUTRE CAUSE JUSTE ET SUFFISANTE

Abolition de poste

79.1/134 Une abolition de poste pour motifs d'ordre économique, telle qu'invoquée par l'employeur, ne constitue pas une cause juste et suffisante de congédiement si celui-ci à choisi de garder un remplaçant du salarié en absence pour maladie.
Reinlein c. *Laboratoires Abbott ltée*, D.T.E. 2003T-960 (C.R.T.).
Gaudreau c. *Lasers Multi-tech inc.*, D.T.E. 2001T-840 (C.T.).
Émard c. *St. Lawrence Textiles inc.*, D.T.E. 95T-1173 (C.T.).
V. aussi: *Dugas* c. *Pompaction inc.*, D.T.E. 2001T-241 (T.T.).

79.1/135 Lorsque l'employeur fait valoir que la cessation d'emploi du salarié s'inscrit dans le contexte d'un licenciement collectif partiel des employés de l'entreprise, il doit, entre autres, prouver les éléments suivants, soit: 1) que la réalité des difficultés financières ainsi que la nécessité de la réorganisation structurelle qui a suivi, sont les causes qui sont à l'origine de la cessation partielle des opérations de l'entreprise; 2) la justification et la rationalité de la décision subséquente de procéder à l'abolition du poste du plaignant, après avoir tenté de trouver une solution de rechange; 3) l'absence de considération déraisonnable, abusive, discriminatoire, arbitraire ou dictée par la mauvaise foi ayant motivé le choix de licencier le salarié plaignant plutôt que d'autres personnes salariées, maintenues en poste.
Forcier c. *Classified Media (Canada) Holdings Inc.*, D.T.E. 2005T-967 (C.R.T.).

79.1/136 L'abolition de poste due à un transfert des activités vers une autre usine de l'employeur constitue une cause juste et suffisante de résiliation du contrat de travail, si la décision de l'employeur apparaît ni arbitraire, ni injuste, ni déraisonnable.
Lehman c. *Pratt & Whitney Canada inc.*, D.T.E. 2004T-44 (C.R.T.) (révision judiciaire refusée: EYB 2005-94534 (C.S.)).

79.1/137 L'abolition d'un poste et la création d'un autre comportant des modifications non substantielles des tâches peut n'être qu'un prétexte pour se débarrasser d'un salarié.
Quirion c. *Croisée des chemins*, D.T.E. 96T-940 (C.T.).

79.1/138 L'abolition de poste dans le cadre d'une réorganisation administrative, entraînant l'embauche d'un nouveau salarié à un salaire inférieur, peut constituer une autre cause juste et suffisante de congédiement.
De Coeli c. *Aro inc.*, D.T.E. 2005T-1020 (C.R.T.).

79.1/139 L'abolition de poste liée à des difficultés financières qui ont été prouvées, à une restructuration et une réorientation des activités de l'entreprise, constitue une autre cause juste et suffisante de congédiement.
Thibodeau c. *Syscan international inc.*, D.T.E. 2004T-579 (C.R.T.).

Absence de motivation, attitude insatisfaisante

79.1/140 Le manquement par un salarié a son obligation de civilité constitue une cause juste et suffisante de congédiement.
Lavallée c. *Abitibi-Price inc., division Azerty*, D.T.E. 95T-701 (C.T.).

79.1/141 L'attitude au travail du salarié, son manque d'esprit d'équipe, de collaboration et d'entraide constituent une autre cause juste et suffisante de congédiement.
Hamel c. *Alimentation Couche-tard inc.*, LPJ-94-2319 (T.T.).

79.1/142 Les problèmes d'attitude et de comportement qu'affiche le salarié avec ses collègues de travail et son employeur constituent une autre cause juste et suffisante de congédiement.
Zheng c. *Harvey et Associés, s.e.n.c.r.l.*, D.T.E. 2006T-1061 (C.R.T.).

79.1/143 Le manque de collaboration au travail de la part du salarié ne constitue pas une cause juste et suffisante de congédiement lorsque l'employeur sait que le salarié est malade et absent précisément pour cette cause.
Pigeon c. *Chrysler Ste-Agathe inc.*, D.T.E. 94T-984 (C.T.).

79.1/144 L'attitude intransigeante d'un salarié, vis-à-vis l'offre d'affectation temporaire de l'employeur, en arrêt de travail en raison des effets secondaires consécutifs à la prise d'un médicament constitue une cause juste et suffisante de suspension.
Ballou c. *S.K.W. Canada inc.*, D.T.E. 94T-1074 (C.T.).

79.1/145 La réticence manifeste du salarié à concentrer uniquement ses efforts à une fonction déterminée par l'employeur peut constituer une autre cause juste et suffisante de congédiement.
Tanguay c. *Alfred Couture ltée*, LPJ-94-1974 (T.T.).

79.1/146 Le manque d'intérêt manifesté par le salarié peut constituer une autre cause juste et suffisante de congédiement qui n'est pas un prétexte, et ce, dans le cas d'un salarié en période de probation.
Syndicat canadien de la fonction publique, section locale 3783 c. *Glaxo Smith Kline Biologiques, Amérique du Nord (Vicky Vermette)*, D.T.E. 2007T-579 (T.A.).

79.1/147 L'attitude négative d'un salarié dans ses nouvelles fonctions, confiées à son retour au travail à la suite d'une absence pour cause de maladie, ne constitue pas une autre cause juste et suffisante de congédiement si l'employeur ne lui a pas accordé un certain délai pour lui permettre d'exécuter ses nouvelles fonctions et pour lui annoncer la nature de la sanction qui suivrait s'il persistait dans son attitude négative.
Royer c. *Nova Fabtech, division de Nova Bus Corp.*, D.T.E. 98T-68 (C.T.), conf. par D.T.E. 98T-692 (T.T.), REJB 1998-06232 (T.T.).

79.1/148 Ne constituent pas nécessairement une autre cause juste et suffisante de congédiement, les mauvaises relations d'un salarié avec certains employés, surtout lorsque la preuve démontre que le mauvais état des relations ne résulte pas uniquement du seul fait du plaignant.
Pagé c. *Cosmair Canada inc.*, D.T.E. 94T-141 (C.T.) (appel accueilli: T.T.M. n° 500-28-000013-94, le 17 mai 1994).

79.1/149 Le non-respect de l'autorité de l'employeur par des colères et des injures, constitue une autre cause juste et suffisante de congédiement.
Chamaillard c. *Agence de recouvrement ARC (corporation)*, D.T.E. 2005T-966 (C.R.T.).

79.1/150 Il y a cause juste et suffisante de congédiement lorsque le comportement du salarié l'empêche d'exécuter son travail à cause de la nature de sa maladie.
Verreault c. *Café Laurier*, (1991) C.T. 381, D.T.E. 91T-1199 (C.T.).

Absentéisme et retard

79.1/151 Les absences d'un salarié, justifiées par le fait qu'il n'est pas en état physique pour fournir sa prestation de travail en raison d'un abus d'alcool commis la veille, sont des inconvénients pour l'employeur et constituent une autre cause juste et suffisante de congédiement.
Therrien c. *Brault et Martineau inc.*, D.T.E. 99T-934 (C.T.).

79.1/152 La loi impose à l'employeur de faire la distinction entre l'absence fautive et celle attribuable à la maladie. Ainsi, si l'employeur accepte la raison donnée par le salarié pour justifier son absence, il ne peut par la suite traiter celle-ci comme une absence injustifiée.
Quenneville c. *Agence de recouvrement TCR ltée*, D.T.E. 2006T-116 (C.R.T.) (requête en révision judiciaire: n° 500-17-029248-062).

79.1/153 Un employeur peut mettre fin à l'emploi d'un salarié qui est absent pour plus de 26 semaines, et ce, sans pour autant contrevenir aux dispositions de l'article 79.1 L.N.T.
Arthrolab inc. c. *Commission des relations du travail*, D.T.E. 2008T-540 (C.S.), J.E. 2008-1315 (C.S.), EYB 2008-134559 (C.S.) (en appel: n° 500-09-018840-082).

79.1/154 Constitue une cause juste et suffisante de congédiement d'un employé, les absences injustifiées obtenues en laissant faussement croire à l'employeur qu'il suit la consigne de son médecin.
Pelletier c. *B.G. Checo international ltée*, D.T.E. 93T-1306 (C.T.).

79.1/155 L'absence d'un salarié pendant une journée ne constitue pas une autre cause juste et suffisante de sanction.
Pelletier c. *Sixpro inc.*, D.T.E. 2004T-739 (C.R.T.).
Gaucher c. *3090-1599 Québec inc.*, D.T.E. 99T-132 (C.T.).

79.1/156 L'absence du salarié lors des convocations de l'employeur et l'omission d'aviser celui-ci de sa maladie constituent une autre cause juste et suffisante de congédiement.
Vézina c. *Centre d'écoute et de prévention suicide Drummond*, D.T.E. 2004T-760 (C.R.T.).

79.1/157 L'absence pour cause de maladie, ayant précipité le congédiement, est une mesure entachée d'illégalité.
Brideau c. *Lepco Distribution inc.*, D.T.E. 99T-1121 (C.T.).
V. aussi: *Williams* c. *Bell Actimédia services inc.*, D.T.E. 2002T-349 (C.T.).

79.1/158 L'insouciance et la négligence du salarié à aviser son employeur des motifs de son départ de l'entreprise, constituent une autre cause juste et suffisante de congédiement.
Innocent c. *Univers Gestion multi-voyages inc. (Haïti Air Charter)*, D.T.E. 2000T-746 (C.T.).

79.1/159 Même si l'employeur, qui veut résilier le contrat d'un salarié en probation, dispose d'une discrétion beaucoup plus grande que lorsqu'il s'agit d'un employé permanent, cette situation de fait ne lui permet pas pour autant de congédier un salarié pour cause de maladie.
Villeneuve c. *Ameublements Québéko inc.*, D.T.E. 2001T-390 (C.T.).

79.1/160 Le fait de s'absenter du travail en ne précisant pas la nature de sa maladie ne constitue pas une autre cause juste et suffisante. En effet, il ne peut y avoir bris du lien de confiance sur cette base, car le salarié a droit au respect de sa vie privée.
Pelletier c. *Sixpro inc.*, D.T.E. 2004T-739 (C.R.T.).

79.1/161 Constitue une autre cause juste et suffisante de congédiement, l'utilisation par le salarié du prétexte d'une maladie pour tenter de justifier son absence.
Lanouette c. *Novartis Pharma Canada inc.*, D.T.E. 2006T-335 (C.R.T.).

79.1/162 Le refus de se présenter à un examen médical, soit à une contre-expertise demandée par l'employeur, constitue une autre cause juste et suffisante de congédiement.
Collard c. *Médis services pharmaceutiques et de santé inc.*, D.T.E. 2000T-35 (C.T.).

Agression

79.1/163 La tentative d'agression par un salarié à l'endroit d'un contremaître ne constitue pas nécessairement une autre cause juste et suffisante de congédiement, en présence de facteurs atténuants pour le salarié.
Djemaï c. *Clôtures Bénor inc.*, (2001) R.J.D.T. 1900 (C.T.), D.T.E. 2001T-1130 (C.T.).

Alcool et drogues

79.1/164 L'état d'ivresse récidivant d'un salarié constitue une autre cause juste et suffisante de congédiement surtout lorsque celui-ci nie souffrir d'alcoolisme.
Godin c. *S. Rossy inc.*, D.T.E. 95T-1272 (C.T.).

79.1/165 Le refus du salarié de se soigner, lorsque celui-ci souffre d'alcoolisme, constitue une autre cause juste et suffisante de congédiement dans le cas où l'employeur a servi un ultimatum très clair à celui-ci et un délai précis pour agir.
Bédard c. *Association québécoise de l'industrie de la pêche*, D.T.E. 98T-387 (C.T.).

79.1/166 La consommation d'alcool et de médicaments de façon abusive, qui rend le salarié agressif avec la clientèle et lui fait causer des accidents avec les véhicules des clients de l'employeur, est une conséquence de la maladie au sens de l'article 79.4 L.N.T., constituant une autre cause juste et suffisante de congédiement.
Rose c. *Entreprises Frankel ltée*, (1993) C.T. 389, D.T.E. 93T-813 (C.T.).

Conflit de personnalités

79.1/167 Constitue un prétexte pour se débarrasser d'un salarié, le fait de n'avoir rien de concret à reprocher à un employé avec lequel l'employeur ne peut être familier ou envers qui il éprouve une certaine gêne.
Larivée-Côté c. *Restaurant Joli-Moulin inc.*, D.T.E. 94T-108 (T.T.).

79.1/168 Le refus du salarié de réintégrer son emploi durant une supposée absence due à la maladie, dont la véritable cause est le conflit de personnalités qui l'oppose à son supérieur, peut constituer une cause juste et suffisante de congédiement.
Harnois c. *Novartis Pharma Canada inc.*, D.T.E. 2006T-168 (C.R.T.).

Défaut d'aviser l'employeur

79.1/169 L'omission du salarié d'aviser de son impossibilité de travailler constitue une autre cause juste et suffisante de congédiement dans une entreprise où un employé absent doit absolument être remplacé pour que les opérations continuent.
Sain c. *Multi-Démolition S.D.*, (1994) T.T. 248, D.T.E. 94T-505 (T.T.).

79.1/170 L'insouciance et l'indifférence du salarié quant à la nécessité d'aviser au préalable son employeur de son absence constituent une autre cause juste et suffisante de congédiement, surtout lorsqu'il y a eu progression des sanctions.
Bérubé c. *Rousseau Métal inc.*, D.T.E. 2008T-486 (C.R.T.).

Fraude

79.1/171 Il n'y a pas de cause juste de congédiement dans le fait pour un salarié de faire une fausse déclaration au syndic de la faillite dans le but de conserver son automobile. En effet, l'employeur n'en subit aucun préjudice s'il s'agit d'un acte criminel qui n'a aucun lien avec l'emploi.
Pelletier c. *Nutrite inc.*, (1993) C.T. 40, D.T.E. 93T-114 (C.T.).

79.1/172 La fraude du système d'assurance-salaire constitue une cause juste de congédiement.
Sévigny c. *Kraft General Food Canada*, D.T.E. 92T-314 (C.T.).

Incapacité physique ou psychologique

79.1/173 En matière de handicap, le rôle du commissaire consiste à vérifier si l'employeur s'est dégagé de son obligation d'accommodement en faisant la preuve d'une contrainte excessive. Par la suite, après avoir constaté ses efforts pour accommoder le salarié plaignant, il doit vérifier si aucune entente n'a été possible en raison de l'entêtement ou du manque de collaboration de ce dernier. Un commissaire peut conclure que, puisque le salarié plaignant n'a pas tenté de collaborer par le passé pour rechercher un poste lui convenant, que l'employeur est libéré de son obligation à cet égard. Dans les faits, l'obligation d'accommodement de l'employeur naît au moment où il prend connaissance des limitations fonctionnelles du plaignant et, par conséquent, de son handicap.
Alix c. *Prodair Canada ltée*, (2007) R.J.D.T. 1132 (C.R.T.), D.T.E. 2007T-749 (C.R.T.).

79.1/174 Chaque employeur est soumis à une obligation d'accommodement dans la mesure où la contrainte n'est pas excessive. Les mesures prises par l'employeur doivent être appliquées de manière souple et conforme au bon sens. Ainsi, la décision d'un employeur de ne pas renouveler le contrat de travail d'un salarié n'est pas fondée dans le cas où le salarié a réalisé des tâches d'agent d'un autre poste que le sien durant environ 18 mois, et ce, à la satisfaction de son employeur, surtout lorsque ce dernier n'a considéré aucune autre avenue pour composer avec le handicap du salarié et qu'il a négligé de lui offrir un autre poste disponible.
Savard c. *Québec (Gouvernement du) (Ministère de la Justice)*, D.T.E. 2006T-675 (C.R.T.).

Incompétence et rendement insuffisant

79.1/175 L'existence d'une période d'essai, ne dispense pas l'employeur d'établir une preuve suffisamment convaincante du rendement insatisfaisant de la salariée pour repousser la présomption.
Lalande c. *Terrebonne (Ville de)*, (2005) R.J.D.T. 1205 (C.R.T.), D.T.E. 2005T-665 (C.R.T.).

79.1/176 Constitue une autre cause juste et suffisante, le congédiement résultant d'une évaluation négative quant au rendement insuffisant du salarié pendant sa période d'essai de six mois.
Lemay c. *Québec (Ministère du Revenu)*, D.T.E. 94T-244 (C.T.).

79.1/177 Faute d'une évaluation sérieuse de la compétence d'un salarié, l'allégation selon laquelle il aurait des difficultés d'apprentissage est frivole et apparaît comme un prétexte, et non comme un motif réel de congédiement.
Milliard c. *Lavery, de Billy*, D.T.E. 96T-196 (T.T.).

79.1/178 Un employeur ne peut prétendre que la simple absence du salarié équivaut à un problème de rendement et à une autre cause juste et suffisante de congédiement. En effet, l'adoption par le législateur des articles 79.1 et ss. L.N.T. vise à éviter qu'un employeur utilise la maladie comme critère dappréciation du rendement.
Hughes c. *Entreprises de soudure Aérospatiale inc.*, D.T.E. 2006T-646 (C.R.T.).

79.1/179 L'incompétence peut n'être qu'un prétexte pour camoufler le véritable motif du congédiement, soit l'absence du salarié pour cause de maladie.
Goldie c. *Plastiques Terpac inc.*, D.T.E. 2003T-703 (C.R.T.).
Gadreau c. *Avantec Métal inc.*, D.T.E. 95T-342 (C.T.).

79.1/180 La persistance des problèmes de rendement et de comportement constitue une autre cause juste et suffisante de congédiement.
Lord c. *Conseillers financiers T.E. ltée (Jambro inc.)*, D.T.E. 99T-881 (C.T.).

79.1/181 La forte baisse du rendement et des ventes d'un salarié justifie le congédiement lorsque celui-ci est annoncé avant l'absence pour maladie.
Gagnon c. *Best Glove Manufacturing Ltd.*, D.T.E. 92T-405 (C.T.).
V. aussi: *B. (S.)* c. *Magasin M...*, (1997) C.T. 495, D.T.E. 97T-1416 (C.T.).

79.1/182 Quelques omissions ou erreurs faites au cours des semaines précédant le congédiement ne constituent pas une autre cause juste et suffisante de congédiement.
Trois-Rivières Nissan inc. c. *Blais*, LPJ-94-2129 (T.T.).

79.1/183 Les erreurs dans l'accomplissement du travail par le salarié constituent une autre cause juste et suffisante de congédiement.
Burns c. *Airport Steel & Tubing Ltd. (Acier Aéroport ltée)*, D.T.E. 2005T-1076 (C.R.T.).

79.1/184 Quelques fautes relatives aux relevés de temps du salarié et des conversations prolongées avec des clients ne constituent pas une autre cause juste et suffisante de congédiement.
Papaconstantinou c. *2848-5217 Québec inc.*, D.T.E. 97T-1085 (C.T.).

79.1/185 Le fait de ne pas atteindre les objectifs fixés par l'employeur, dans le délai requis, peut constituer la cause véritable du congédiement.
Bédard c. *Alimentation Yvon Ratté inc.*, D.T.E. 99T-651 (C.T.).

79.1/186 L'allégation de rendement insatisfaisant d'un salarié peut constituer uniquement un prétexte pour se débarrasser d'un employé qui revient d'un congé de maladie.
Guillemette c. *Fabrimet inc.*, (2005) R.J.D.T. 1232 (C.R.T.), D.T.E. 2005T-772 (C.R.T.).

79.1/187 Le rendement insatisfaisant du salarié et son attitude à l'égard de la clientèle peuvent constituer une autre cause juste et suffisante de congédiement.
Doré c. *Richard Clément (Comptoir d'essence R. Clément enr.)*, D.T.E. 2000T-1124 (C.T.).

79.1/188 Le rendement insatisfaisant du salarié ainsi que son attitude négative et son manque de motivation constituent une autre cause juste et suffisante de congédiement.
Kumar c. *Beco Industries, l.p. / Industries Beco, s.e.c.*, D.T.E. 2008T-911 (C.R.T.).

79.1/189 Le rendement insatisfaisant d'un salarié basé sur une baisse de productivité et sur des difficultés à travailler en équipe constitue une autre cause juste et suffisante de congédiement.
Gagnon c. *Sajy Communications inc. (Groupimage)*, D.T.E. 2004T-183 (C.R.T.).

79.1/190 Le rendement insatisfaisant du salarié constitue une autre cause juste et suffisante de congédiement.
Gervais c. *Ethica Clinical Research Inc. / Ethica Recherche clinique*, D.T.E. 2007T-983 (C.R.T.).

79.1/191 Constitue une autre cause juste de congédiement, la mauvaise tenue du rayon de la boulangerie du magasin de l'employeur lorsque les motifs d'insatisfaction ont été transmis au salarié à quelques reprises sans qu'il s'améliore d'aucune façon, et surtout, lorsque l'absence pour maladie n'a pas encore débuté au moment du congédiement.
Nadeau c. *Provigo Distribution inc. (division Héritage)*, D.T.E. 93T-814 (T.T.).

Insubordination

79.1/192 Les motifs d'insubordination invoqués par l'employeur peuvent n'être que des prétextes pour sévir en réalité contre le salarié à la suite d'une absence motivée qu'il considère comme non fondée.
Hôpital St-Jude de Laval c. *Rivest*, D.T.E. 97T-529 (T.T.).
Papaconstantinou c. *2848-5217 Québec inc.*, D.T.E. 97T-1085 (C.T.).
St-Germain c. *Cose inc.*, D.T.E. 97T-208 (C.T.).

79.1/193 Le refus pour un salarié de se soumettre à un examen médical demandé par l'employeur est un geste d'insubordination constituant une autre cause juste et suffisante de congédiement.
Dufresne c. *Drainamar inc. SARP-Drainamar*, D.T.E. 2006T-835 (C.R.T.).
Chartrand c. *Québec (Ministère du Revenu)*, (1997) C.T. 295, D.T.E. 97T-760 (C.T.).
Labelle c. *Bell Helicopter Textron*, D.T.E. 95T-752 (C.T.).
V. aussi: *Béland* c. *Sucre Lantic ltée*, D.T.E. 97T-1026 (C.T.).

79.1/194 Le refus de porter un harnais de sécurité exigé par l'employeur et par la Commission de la santé et de la sécurité du travail, constitue une autre cause juste et suffisante de congédiement.
Santerre c. *Maisons usinées Côté inc.*, D.T.E. 2006T-906 (C.R.T.).

79.1/195 L'omission de se présenter à un rendez-vous médical, et le refus d'autoriser l'accès à l'ensemble de son dossier médical, ne peuvent être que des prétextes utilisés afin de se débarrasser d'un salarié malade.
Katz c. *Jas A. Ogilvy (détail) inc.*, (2001) R.J.D.T. 141 (T.T.), D.T.E. 2001T-240 (T.T.).

79.1/196 Les nombreux actes d'insubordination, allant du simple refus d'acceptation d'une tâche avec ou sans injure au geste concret, tel que déchirer des pages de l'agenda de son supérieur, ainsi que l'utilisation d'un langage abusif accompagné de menaces de mort, justifient le congédiement.
Hôpital St-Jude de Laval c. *Rivest*, D.T.E. 97T-529 (T.T.).
Gagnon c. *F.D.L. Cie*, (1993) C.T. 228, D.T.E. 93T-609 (C.T.) (révision judiciaire refusée: C.S.M. n° 500-05-004277-933, le 18 octobre 1993).

Licenciement pour motifs d'ordre économique

79.1/197 Les motifs d'ordre économique qui établissent les difficultés financières d'une entreprise justifient le congédiement d'un salarié lorsqu'il n'y a aucun lien entre le congédiement et l'absence pour maladie.
Jeanty c. *Calko (Canada) inc.*, D.T.E. 2005T-384 (C.R.T.).
Centre de l'auto Poulin inc. c. *Breault*, D.T.E. 93T-1176 (C.T.).

79.1/198 Les difficultés économiques reliées à la récession constituent une cause juste et suffisante de congédiement lorsque aucun indice ne relie celui-ci à l'absence pour maladie.
Bailey c. *A. Gold & Sons Ltd.*, D.T.E. 91T-1401 (C.T.).

79.1/199 Les motifs d'ordre économique soumis par l'employeur ayant entraîné l'abolition du poste du salarié, dans le cadre d'une entreprise qui connaît un important va-et-vient où il est facile pour l'employeur de replacer le salarié et dans le cas où cette entreprise connaît une croissance soutenue, ne constituent pas nécessairement des motifs valables.
Urgel Bourgie ltée c. *Beauchamp*, D.T.E. 96T-708 (C.S.) (règlement hors cour).
V. aussi: *Théorêt* c. *Bodycote Essais de matériaux Canada inc. (Technitrol Bodycote)*, D.T.E. 2008T-99 (C.R.T.) (règlement hors cour).

79.1/200 Les motifs d'ordre économique peuvent constituer un prétexte pour se débarrasser d'un salarié ayant pris un congé de maladie.
Gaudreau c. *Lasers Multi-tech inc.*, D.T.E. 2001T-840 (C.T.).

79.1/201 Un salarié travaillant pour un employeur en difficultés financières, qui s'absente pour maladie, n'a aucun droit particulier en vertu des lois du travail. Il ne peut invoquer aucun droit au maintien de ses conditions de travail, quelles qu'elles soient. Sa maladie ne lui donne pas le moindre droit à cet égard.
Centre de l'auto Poulin inc. c. *Breault*, D.T.E. 93T-1176 (C.T.).

Négligence

79.1/202 Le manque de collaboration du salarié, exprimé par sa non-disponibilité, constitue une autre cause juste et suffisante de congédiement.
Machebu c. *Leal*, D.T.E. 2004T-88 (C.R.T.).

79.1/203 La négligence dans l'exécution du travail ne peut justifier un congédiement faute de directives concernant l'exécution du travail et faute de preuve que l'on a donné de telles directives au salarié.
Dussault c. *Placement de personnel Marie-Andrée Laforce inc.*, D.T.E. 93T-632 (C.T.).

79.1/204 Il n'y a pas cause juste et suffisante de congédiement si l'employeur allègue les retards et la négligence du salarié, s'il n'a jamais averti celui-ci, et lorsque d'autres salariés en ont davantage et qu'ils n'ont jamais été disciplinés.
Nicolazzo c. *Copiscope inc.*, D.T.E. 93T-1307 (C.T.).

79.1/205 La mauvaise qualité du travail du salarié, observée depuis quelques mois, la négligence de sa part ainsi que des problèmes dans ses relations avec ses collègues constituent une autre cause juste et suffisante de congédiement.
Témèse c. *Centre pré-scolaire Montessori*, D.T.E. 99T-592 (C.T.).

Vol

79.1/206 Le vol de sommes devant faire l'objet de dépôts bancaires par un salarié constitue une autre cause juste et suffisante de congédiement.
Page-Earl c. *Compagnie de mobilier Bombay du Canada inc.*, (1994) C.T. 163, D.T.E. 94T-543 (C.T.).

79.1/207 Le fait de retenir sans droit et de manière préméditée le paiement d'un client, alors que le salarié a été avisé de ne pas agir de la sorte, constitue une autre cause juste et suffisante de congédiement, puisqu'il s'agit d'un vol et d'un manquement à l'obligation de loyauté.
Renaud c. *Gestion D.M. Roy inc.*, D.T.E. 2004T-509 (C.R.T.).

Divers

79.1/208 La simple exécution d'une entente avec un salarié qui n'a pas excédé un certain taux d'absences prévu dans cette convention, ne peut constituer une autre cause juste et suffisante de congédiement sans autre examen par le commissaire.
Hétu c. *Hôpital Ste-Justine*, (2001) R.J.D.T. 200 (C.T.), D.T.E. 2001T-155 (C.T.).

79.1/209 Ne constituent pas une autre cause juste de congédiement les activités personnelles compatibles avec la prescription médicale, dans le cas d'absence pour maladie.
Léger c. *Produits chimiques Expro inc.*, D.T.E. 92T-1292 (C.T.).

79.1/210 Constitue une autre cause juste et suffisante de congédiement, la demande, par un client de l'employeur, de retrait d'un salarié, qui agit à titre d'agent de sécurité, pour le non-respect des directives à l'effet qu'il ne doit pas y avoir de fraternisation avec les employés du client.
Sauvageau c. *Agence de sécurité Mirado inc.*, D.T.E. 2001T-87 (C.T.).

79.1/211 L'insatisfaction de l'employeur, qui est sans rapport avec l'absence pour cause de maladie du salarié, ne peut constituer une autre cause juste et suffisante de congédiement.
Gignac c. *Versabec inc.*, D.T.E. 99T-828 (C.T.).

79.1/212 L'interprétation stricte des dispositions d'une convention collective par l'employeur, peut constituer un prétexte pour se débarrasser d'un salarié qui s'est absenté pour cause de maladie.
Allard c. *Provigo Distribution inc. (division Maxi)*, D.T.E. 2003T-491 (C.R.T.).

79.1/213 Le comportement du salarié amenant l'employeur à croire qu'il ne veut plus reprendre son travail, puisqu'il se retire lui-même d'un milieu de travail qu'il jugeait insatisfaisant, constitue une autre cause juste de congédiement, suffisante pour repousser la présomption légale établie en faveur du salarié.
St-Germain c. *Cose inc.*, D.T.E. 97T-208 (C.T.).

79.1/214 La modification de l'horaire de travail du salarié par l'employeur, dont l'objectif est la rentabilisation des activités de l'entreprise, ne constitue pas un prétexte dans le cas du refus du salarié d'accepter la modification.
Arseneault c. *Aramark Québec inc.*, D.T.E. 2001T-208 (C.T.).

79.1/215 La maladie ne peut être considérée comme un incident culminant pour sévir contre le salarié.
Brosseau c. *Clinique dentaire Mathieu et Jussaume*, D.T.E. 99T-548 (C.T.).

79.1/216 L'obligation pour un employeur de protéger la santé du salarié, en vertu de l'article 2087 du *Code civil du Québec*, peut être un motif pour mettre fin à l'emploi d'un salarié et constituer une autre cause juste et suffisante de congédiement.
Nadon c. *Bristol-Myers Squibb Canada inc., groupe pharmaceutique Bristol-Myers Squibb*, (1998) R.J.D.T. 1254 (C.T.), D.T.E. 98T-800 (C.T.) (appel rejeté: D.T.E. 99T-593 (T.T.)).

79.1/217 L'apparence physique d'un salarié ne peut constituer une autre cause juste et suffisante de congédiement.
Verreault c. *9075-7154 Québec inc.*, (2003) R.J.D.T. 1258 (C.R.T.), D.T.E. 2003T-612 (C.R.T.).

79.1/218 La critique publique de son employeur constitue un manquement à l'obligation de loyauté et une autre cause juste et suffisante de congédiement.
Lecompte c. *Collège de Champigny*, D.T.E. 2005T-771 (C.R.T.).

79.1/219 Peut constituer une autre cause juste et suffisante de congédiement le fait pour un salarié d'occuper un autre emploi pendant une absence pour cause de maladie.
Goldwater c. *Centre hospitalier de St. Mary*, D.T.E. 94T-542 (C.T.) (révision judiciaire refusée: C.S.M. n° 500-05-005095-946, le 19 mai 1994).

79.1/220 V. la jurisprudence sous l'article 1(12) L.N.T.

79.1/221 V. AUDET, G., BONHOMME, R., GASCON, C. et COURNOYER-PROULX, M., *Le congédiement en droit québécois en matière de contrat individuel de travail*, vol. 2, 3e éd. (édition à feuilles mobiles), Cowansville, Éditions Yvon Blais, p. 44-1 à 51-2.

79.1/222 V. BÉLIVEAU, N.-A., *Les normes du travail*, Cowansville, Les Éditions Yvon Blais inc., 2003, p. 165 à 175.

79.1/223 V. BRIÈRE, J.-Y., «Principaux amendements à la Loi sur les normes du travail et jurisprudence récente et marquante», dans *Développements récents en droit du travail (1991)*, Formation permanente du Barreau du Québec, Cowansville, Les Éditions Yvon Blais inc., 1991, p. 1, p. 25 à 27.

79.1/224 V. CAZA, C., «L'embarquement pour un tour d'horizon des développements récents concernant la *Loi sur les normes du travail*», dans *Développements récents en droit du travail (1997)*, Formation permanente du Barreau du Québec, Cowansville, Les Éditions Yvon Blais inc., 1997, p. 229, p. 296 et ss.

79.1/225 V. COTNOIR, J., RIVEST, R.L. et SOFIO, S., «La protection accordée par la *Loi sur les normes du travail* en matière d'absence pour cause de maladie: diagnostics et pronostics», dans *Développements récents en droit du travail (2002)*, Formation permanente du Barreau du Québec, Cowansville, Les Éditions Yvon Blais inc., 2002, p. 63.

79.1/226 V. DUBÉ, J.-L. et DI IORIO, N., *Les normes du travail*, 2e éd., Sherbrooke, Les Éditions Revue de droit — Université de Sherbrooke, 1992, p. 363 à 365.

79.1/227 V. GAGNON, R.P., LEBEL, L. et VERGE, P., *Droit du travail*, 2e éd., Ste-Foy, Les Presses de l'Université Laval, 1991, p. 187 et 188.

79.1/228 V. GOYETTE, R.M., «La réforme de la *Loi sur les normes du travail*: les points saillants», dans *Développements récents en droit du travail (2003)*, Formation permanente du Barreau du Québec, Cowansville, Les Éditions Yvon Blais inc., 2003, p. 71.

79.1/229 V. LAMY, F., «Définir le harcèlement et la violence psychologique en milieu syndiqué: les hésitations des uns, les difficultés des autres», dans *Développements récents en droit du travail (2003)*, Formation permanente du Barreau du Québec, Cowansville, Les Éditions Yvon Blais inc., 2003, p. 179.

79.1/230 V. NADEAU, J.-A., «L'encadrement juridique de l'invalidité de courte et de longue durée», dans *Développements récents en droit du travail (1995)*, Formation permanente du Barreau du Québec, Cowansville, Les Éditions Yvon Blais inc., 1995, p. 169.

art. 79.2

N.B. L'article 79.2 a été remplacé par la *Loi modifiant la Loi sur les normes du travail relativement aux absences et aux congés*, L.Q. 2007, c. 36.

79.2/1 L'article 79.2 L.N.T. n'a pas pour effet de modifier l'obligation qui incombe à tout salarié, en vertu de son contrat de travail, d'aviser son employeur advenant un défaut de pouvoir exécuter le travail pour lequel il a été engagé. Cet avis doit être donné avant le début de la prestation de travail, sauf en cas de force majeure, ceci pour permettre à l'employeur de minimiser les inconvénients résultant de cette absence justifiée.
Sain c. Multi-Démolition S.D., (1994) T.T. 248, D.T.E. 94T-505 (T.T.).

79.2/2 L'article 79.2 L.N.T. impose au salarié l'obligation d'aviser son employeur dans l'éventualité de son incapacité de pouvoir exécuter sa prestation de travail. Sauf en cas de force majeure, cet avis doit être donné avant le début de la prestation de travail, et ce, afin de minimiser les inconvénients résultant de l'absence du salarié. Il s'agit du bon sens élémentaire qui veut qu'on n'avise pas à la dernière minute et, encore moins, qu'on ne prévienne pas du tout de son impossibilité de se présenter au travail.
Bérubé c. *Rousseau Métal inc.*, D.T.E. 2008T-486 (C.R.T.).

79.2/3 Le salarié a, en tout temps, l'obligation d'aviser son employeur dès que possible de son absence. Il s'agit du corollaire de l'obligation première du salarié, qui est de fournir sa prestation de travail.
Syndicat canadien de la fonction publique, section locale 3156 c. *Entrelacs (Municipalité d') (S.M.)*, D.T.E. 2008T-953 (T.A.).

79.2/4 Il est prévu par les dispositions de l'article 79.2 L.N.T. que, pour bénéficier du droit de s'absenter selon l'article 79.1 L.N.T., le salarié doit aviser l'employeur le plus tôt possible de son absence et des motifs de celle-ci. Cette règle vaut non seulement pour le début de l'absence, mais aussi par la suite, lorsqu'une nouvelle période d'absence est autorisée.
Guilbault c. *Girardin Minibus inc.*, D.T.E. 2009T-223 (C.R.T.).

79.2/5 Le fait pour un salarié de téléphoner à son employeur pour l'informer qu'il ne se sent pas bien est suffisant pour démontrer que l'absence a lieu pour une raison médicale.
Pelletier c. *Sixpro inc.*, D.T.E. 2004T-739 (C.R.T.).

79.2/6 La simple transmission par télécopieur d'un certificat médical ne permet pas de conclure que le salarié se conforme aux dispositions de l'article 79.2 L.N.T. lui imposant l'obligation d'aviser l'employeur le plus tôt possible de son absence et des motifs de celle-ci. De plus, le salarié ne peut se satisfaire d'envois répétés de certificats médicaux, sans aucune explication, rédigés par des médecins différents et dont un seul pose un diagnostic.
Vézina c. *Centre d'écoute et de prévention suicide Drummond*, D.T.E. 2004T-760 (C.R.T.).

art. 79.4

N.B. L'article 79.4 a été modifié par la *Loi modifiant la Loi sur les normes du travail relativement aux absences et aux congés*, L.Q. 2007, c. 36.

79.4/1 Un employeur doit faire tout ce qui est en son pouvoir pour faciliter le retour au travail d'une personne qui s'est absentée durant une période relativement longue, surtout lorsque c'est la maladie qui a justifié cette absence. L'obligation de réintégration de l'employeur implique qu'il doit mettre en oeuvre les démarches nécessaires pour assurer la reprise du travail.
Bissonnette c. *Novartis Pharma Canada inc.*, D.T.E. 2007T-745 (C.R.T.) (en révision).

79.4/2 Une directive concernant les modalités de retour au travail après une absence de plus de quatre semaines peut s'inscrire dans les balises imposées à

l'employeur selon l'article 79.4 L.N.T. quant à son obligation de ne pas modifier l'emploi du travailleur malade. Cette règle générale, bien que raisonnable, ne peut toutefois plus être appliquée automatiquement depuis l'entrée en vigueur de l'article 79.4 L.N.T. En présence d'un salarié réclamant ce nouveau droit à la suite d'une absence pour congé de maladie, l'employeur doit prouver que la durée de l'absence du salarié l'a rendu contre-productif dans l'affectation première qui se poursuit toujours. Cet accommodement est un minimum exigé par les nouvelles dispositions de la *Loi sur les normes du travail*, en dépit de la lourdeur administrative que leur application peut entraîner.
Centre Butters-Savoy inc. c. *St-Laurent*, (1994) T.T. 488, D.T.E. 94T-1131 (T.T.).
V. aussi: *Paradis* c. *Spoutnik Créativité Marketing inc.*, (2005) R.J.D.T. 1221 (C.R.T.), D.T.E. 2005T-755 (C.R.T.).

79.4/3 La période d'absence dont il est fait mention à l'article 79.4 L.N.T. ne peut faire référence qu'aux absences autorisées par les dispositions de l'article 79.1 L.N.T. En effet, si le législateur avait voulu accorder le droit au salarié de récupérer son poste habituel après une absence pour cause de maladie ou d'accident, peu importe la durée de l'absence, il n'aurait pas précisé une durée à l'article 79.1 L.N.T.
Faustin c. *Laboratoires Confab inc.*, D.T.E. 2008T-350 (C.R.T.) (révision en vertu de l'article 127 C.T. refusée).

79.4/4 Le même salaire dont parle l'article 79.4 L.N.T. vise la rémunération effective par période de paie, et non le critère abstrait du taux horaire.
Centre Butters-Savoy inc. c. *St-Laurent*, (1994) T.T. 488, D.T.E. 94T-1131 (T.T.).

79.4/5 Un salarié n'a pas le droit d'acquérir des congés personnels payés pendant son absence, et ce, en vertu de l'article 79.4 L.N.T., puisque l'objectif recherché par cette disposition est de faire en sorte qu'une maladie ou un accident ne cause pas au salarié qui doit s'absenter une perte de droits ou d'avantages à son retour au travail, et non de le dédommager pour tout ce qu'il a pu perdre parce qu'il n'a pas fourni sa prestation de travail.
Syndicat national de l'automobile, de l'aérospatiale, du transport et des autres travailleuses et travailleurs du Canada (TCA-Canada) c. *Prévost Car inc.*, (2005) R.J.D.T. 434 (T.A.), D.T.E. 2005T-134 (T.A.).

79.4/6 En fonction des dispositions de l'article 79.4 L.N.T., aux fins de l'avancement d'échelon et de l'établissement du salaire, l'employeur doit créditer au salarié qui revient au travail à la suite d'une absence pour cause de maladie ou d'accident, les heures correspondant à la semaine normale de travail pour chaque semaine d'absence du salarié. En effet, les échelons salariaux constituent une composante essentielle et intrinsèque du salaire et il y a lieu de les prendre en considération dans le cas du salarié qui a été absent du travail et qui réintègre celui-ci.
Union internationale des travailleuses et travailleurs unis de l'alimentation et du commerce, section locale 1991-P (FAT-COI-CTC-FTQ, TUAC Canada) c. *Provigo Distribution inc., centre de distribution, viandes (grief syndical)*, D.T.E. 2009T-137 (T.A.).

79.4/7 En matière de plainte selon l'article 79.1 L.N.T., il n'y a pas lieu de se poser la question de savoir si le salarié a fait l'objet d'un congédiement déguisé ou autre. En effet, il suffit de constater qu'au retour d'une absence pour maladie ou

accident, le salarié a le droit de réintégrer le poste habituel qu'il occupait avant son départ, à défaut de quoi il peut valablement soutenir avoir fait l'objet d'une sanction illégale, ce qui est explicitement interdit. Seule une absence prolongée peut autoriser un employeur à affecter le salarié à un autre poste.
Sain c. *Multi-Démolition S.D.*, (1994) T.T. 248, D.T.E. 94T-505 (T.T.).

79.4/8 Malgré l'absentéisme et le manque d'assiduité du salarié, un employeur ne peut mettre fin à son emploi s'il ne peut établir le caractère permanent de l'incapacité liée à l'état de santé du travailleur.
Lévesque c. *Fédération des caisses populaires de Québec*, D.T.E. 2002T-348 (C.T.).

79.4/9 Lorsqu'un employeur met fin à l'emploi d'un salarié à cause du caractère répétitif de ses absences, il doit, entre autres, démontrer l'impact que ceci peut avoir sur l'entreprise. Il doit également démontrer l'incapacité du salarié d'effectuer son travail dans un avenir prévisible compte tenu de la nature de sa maladie.
Forand c. *Isofab inc.*, D.T.E. 2002T-115 (C.T.).

79.4/10 Le caractère répétitif des absences du salarié à cause de sa maladie ayant des conséquences sur la production et les autres salariés, ceci constitue une autre cause juste et suffisante de congédiement.
Meza c. *Howmet Cercast (Canada) inc.*, D.T.E. 2000T-110 (C.T.).

79.4/11 Les absences répétées reliées à une lésion professionnelle antérieure constituent une cause juste et suffisante de congédiement.
Dufour c. *Gestiparc inc.*, D.T.E. 95T-1342 (C.T.).

79.4/12 L'employeur doit démontrer que le caractère répétitif des absences du salarié lui a causé de tels inconvénients que cela constitue une cause juste et suffisante de congédiement.
Hétu c. *Hôpital Ste-Justine*, (2001) R.J.D.T. 200 (C.T.), D.T.E. 2001T-155 (C.T.).

79.4/13 L'absentéisme répété d'un salarié est un motif suffisant de fin d'emploi qui constitue une autre cause juste et suffisante de congédiement.
Marleau c. *Systèmes électroniques Matrox ltée*, D.T.E. 99T-504 (C.T.).

79.4/14 Les nombreuses et longues absences découlant de la maladie du salarié constituent une autre cause juste et suffisante de congédiement.
Zakaib c. *Société de commercialisation Amtrack mode inc.*, D.T.E. 99T-752 (C.T.).

79.4/15 La disponibilité insuffisante d'un salarié ne peut constituer une autre cause juste et suffisante de congédiement, lorsque la maladie est prise en considération par l'employeur dans sa décision de congédier.
Bhérer c. *Société des casinos du Québec inc. (casino de Charlevoix)*, D.T.E. 96T-1220 (C.T.).

79.4/16 Un taux d'absentéisme élevé ne constitue pas nécessairement une autre cause juste et suffisante de congédiement si les absences sont motivées par des certificats médicaux et si l'employeur ne démontre pas qu'au moment où il a décidé de congédier le salarié, celui-ci était incapable d'occuper son emploi dans un avenir raisonnablement prévisible, et ce, surtout si l'employeur n'en subit aucun préjudice.
Villeneuve c. *Ameublements Québéko inc.*, D.T.E. 2001T-390 (C.T.).

79.4/17 L'absence du salarié due à des limitations fonctionnelles ne peut être qu'un prétexte pour se débarrasser de celui-ci, lorsque le dossier comprend des opinions médicales contradictoires quant à son attitude au travail.
Flibotte c. *Aciers Lalime inc.*, D.T.E. 2001T-317 (C.T.).

79.4/18 Le refus du salarié détenant un poste d'adjoint à la direction d'accepter une affectation dans un poste d'adjoint au site Internet, compatible avec ses limitations fonctionnelles, constitue une autre cause juste et suffisante de congédiement, l'employeur ayant rempli son obligation d'accommodement.
Gagnon c. *Prologue inc.*, D.T.E. 2008T-487 (C.R.T.).

79.4/19 L'emploi comparable se définit comme un emploi se rapprochant de celui autrefois exercé ou assimilable à ce dernier. Ainsi, un employeur peut déplacer un salarié pourvu que son salaire et, le cas échéant, par exemple, un régime de retraite et d'assurance soient maintenus.
Arseneault c. *Aramark Québec inc.*, D.T.E. 2001T-208 (C.T.).

79.4/20 Pour prétendre qu'un emploi est comparable ou équivalent, l'employeur doit, à tout le moins, faire une preuve pertinente en ce sens.
Vlayen c. *Régie intermunicipale de police de Montcalm*, D.T.E. 2001T-108 (C.T.).

art. 79.6

79.6/1 L'indemnité à laquelle le salarié peut avoir droit peut être payable à partir de la date prévue du retour au travail jusqu'à la date de la fin d'un contrat de sous-traitance.
Lamonde c. *9120-3406 Québec inc. (Infoglobe)*, D.T.E. 2009T-210 (C.R.T.) (requête en révision judiciaire: n^{0} 200-17-011039-096).

art. 79.7

79.7/1 Les dispositions de l'article 79.7 L.N.T. créent des conditions de travail minimales que doit respecter toute convention collective.
Vêtements S & F Canada ltée c. *Bureau conjoint de Montréal*, D.T.E. 2005T-543 (T.A.).

79.7/2 Les dispositions de l'article 79.7 L.N.T. sont d'ordre public et, en vertu de l'article 94 L.N.T., les parties à une convention collective peuvent y déroger si elles accordent une condition de travail plus avantageuse.
Syndicat canadien des communications, de l'énergie et du papier, section locale 175 c. *Pétro-Canada – Raffinerie de Montréal (Serge Perron et grief syndical)*, D.T.E. 2007T-125 (T.A.).

79.7/3 Les absences qui sont prévues à l'article 79.7 L.N.T. comprennent également les retards puisqu'un congé peut être fractionné en journées et qu'une journée peut aussi être fractionnée. Toutefois, le fractionnement de la journée en heures ou autrement est permis uniquement si l'employeur y consent.

Lomex inc. c. *Union internationale des travailleuses et travailleurs unis de l'alimentation et de commerce, section locale 1991-P FAT-COI-CTC-FTQ TUAC Canada (Denis Beauchemin)*, D.T.E. 2006T-566 (T.A.).

79.7/4 Seuls le père et la mère d'un enfant peuvent bénéficier du droit de s'absenter de leur travail pour s'occuper de celui-ci.
St-Vincent c. *Industries V.M. inc.*, D.T.E. 2001T-209 (C.T.).

79.7/5 Seuls le père et la mère d'un enfant peuvent bénéficier du droit de s'absenter de leur travail pour s'occuper de celui-ci. Les beaux-parents ne font pas partie de l'énumération prévue par les dispositions de l'article 79.7 L.N.T.
Syndicat canadien des communications, de l'énergie et du papier, section locale 175 c. *Pétro-Canada – Raffinerie de Montréal (Serge Perron et grief syndical)*, D.T.E. 2007T-125 (T.A.).

79.7/6 Pour bénéficier de la présomption le salarié doit établir qu'il a pris les moyens raisonnables à sa disposition pour assumer autrement ses obligations et pour limiter la durée du congé, et qu'il a fait les efforts nécessaires pour aviser son employeur le plus tôt possible.
Tardif c. *27359975 Québec inc.*, D.T.E. 96T-419 (C.T.).
Fortin c. *Nettoyeurs professionnels de conduits d'air Q.C.*, D.T.E. 92T-1291 (C.T.).

79.7/7 Afin de justifier une absence du travail, le salarié doit respecter certaines conditions: un avis préalable à son employeur et prendre les moyens raisonnables à sa disposition pour limiter la prise et la durée du congé. Ces conditions doivent être respectées pour qu'un salarié puisse invoquer ses obligations familiales au soutien d'une absence du travail.
Syndicat des pompières et pompiers du Québec, section locale Ste-Agathe-des-Monts c. *Ste-Agathe-des-Monts (Ville de) (griefs individuels, Sylvain Tremblay et autres)*, D.T.E. 2008T-670 (T.A.).

79.7/8 Le salarié peut s'absenter du travail pour remplir notamment des obligations reliées à la santé de son enfant, pourvu:

1) Que l'absence n'excède pas cinq jours;
2) Qu'elle soit reliée à la santé de son enfant mineur;
3) Que sa présence soit nécessaire auprès de l'enfant;
4) Que les circonstances expliquant l'absence soit imprévisibles et indépendantes de la volonté du salarié;
5) Que le salarié ait pris tous les moyens raisonnables à sa disposition pour assumer autrement ses obligations parentales.

Fontaine c. *Services alimentaires Laniel inc.*, D.T.E. 95T-593 (C.T.).

79.7/9 L'article 79.7 L.N.T. oblige le salarié à aviser son employeur le plus tôt possible de son absence afin de permettre à celui-ci de pourvoir à son remplacement. Un tel avis permet également à l'employeur de vérifier l'authenticité du motif de l'absence du salarié. Également, l'expression «peut s'absenter du travail» implique nécessairement que le salarié fournit une prestation de travail ou, encore, qu'il est apte au travail. Les dispositions de l'article 79.7 L.N.T. sont conçues afin de permettre à des salariés qui sont normalement obligés de travailler, de prendre congé pour des raisons familiales ou parentales. Le législateur n'a pas voulu viser les personnes qui sont en incapacité, donc déjà en congé. Par voie de conséquence, le salarié qui est absent pour cause de maladie à long

terme ne peut prétendre aux congés mentionnés à l'article 79.7 L.N.T. Ces congés ne se superposent pas au congé de maladie de longue durée.
Mantegna c. *Société en commandite Canadelle*, D.T.E. 2007T-390 (C.R.T.).

79.7/10 L'obligation d'utiliser les moyens raisonnables à la disposition du salarié pour limiter la durée du congé prévu à l'article 79.7 L.N.T. ne comprend pas celle d'être rémunéré.
Syndicat canadien des communications, de l'énergie et du papier, section locale 175 c. *Pétro-Canada – Raffinerie de Montréal (Serge Perron et grief syndical)*, D.T.E. 2007T-125 (T.A.).

79.7/11 Le salarié doit démontrer que sa présence auprès de l'enfant était nécessaire, après qu'il eut pris tous les moyens raisonnables à sa disposition pour remplir autrement ses obligations liées à la santé de l'enfant. Ainsi, bien que sa présence ait été utile, voire réconfortante, entre autres, pour sa compagne, elle n'était pas essentielle ni nécessaire au sens de l'article 81.2 L.N.T. (article remplacé par L.Q. 2002, c. 80).
St-Vincent c. *Industries V.M. inc.*, D.T.E. 2001T-209 (C.T.).

79.7/12 Une situation de fait, bien que prévisible, peut correspondre aux mots «en raison de circonstances imprévisibles ou hors de son contrôle» lorsque les circonstances sont indépendantes de la volonté du salarié.
Plourde c. *Placements Monfer inc.*, (1993) C.T. 32, D.T.E. 93T-110 (C.T.).

79.7/13 Dans le cas où le salarié n'a pas avisé son employeur qu'il voulait se prévaloir des dispositions de l'article 79.7 L.N.T., on peut difficilement conclure, à première vue, que ce dernier l'a sanctionné en raison d'une absence pour obligations familiales.
Mantegna c. *Société en commandite Canadelle*, D.T.E. 2007T-390 (C.R.T.).

79.7/14 Le départ du salarié attribuable à une obligation familiale, soit le fait de se rendre d'urgence au chevet de sa femme, est un droit protégé par les dispositions de l'article 79.7 L.N.T., et ce, malgré l'omission d'obtenir le consentement du supérieur immédiat puisqu'il s'agit d'une situation d'urgence en fonction de l'état de santé du conjoint.
Ouellette c. *SSAB Hardox*, D.T.E. 2006T-572 (C.R.T.).

79.7/15 Un employeur ne peut congédier un salarié du fait que celui-ci l'a avisé tardivement de son intention de s'absenter pour participer à une réunion de parents à l'école de son enfant.
Deblois c. *9080-7934 Québec inc. (Restaurant Miami Déli)*, D.T.E. 2008T-798 (C.R.T.).

79.7/16 Le fait de quitter son poste pour une raison pratique, le salarié et son père voyageant dans la même voiture, ne constitue pas un motif justifiant la nécessité de s'absenter afin de porter assistance à sa mère. Le salarié aurait pu, dans cette situation, envisager d'autres moyens raisonnables afin de poursuivre son travail. Il ne s'agit pas pour le fils d'une situation urgente, imprévisible et indépendante de sa volonté, l'amenant à partir rapidement et sans avoir au préalable obtenu l'autorisation de l'employeur.
Ouellette c. *SSAB Hardox*, D.T.E. 2006T-572 (C.R.T.).

79.7/17 V. la jurisprudence sous l'article 122(6) L.N.T.

79.7/18 V. BÉLIVEAU, N.-A., *Les normes du travail*, Cowansville, Les Éditions Yvon Blais inc., 2003, p. 175 à 205.

79.7/19 V. CAZA, C., «L'embarquement pour un tour d'horizon des développements récents concernant la *Loi sur les normes du travail*», dans *Développements récents en droit du travail (1997)*, Formation permanente du Barreau du Québec, Cowansville, Les Éditions Yvon Blais inc., 1997, p. 229, p. 262 et ss.

art. 79.8

N.B. L'article 79.8 a été modifié par la *Loi modifiant la Loi sur les normes du travail relativement aux absences et aux congés*, L.Q. 2007, c. 36.

79.8/1 Les dispositions de l'article 79.8 L.N.T. créent des conditions de travail minimales que doit respecter toute convention collective.
Vêtements S & F Canada ltée c. *Bureau conjoint de Montréal*, D.T.E. 2005T-543 (T.A.).

79.8/2 L'absence du salarié pendant une semaine pour se rendre au chevet de sa mère constitue une raison valable d'absence au sens des dispositions de l'article 79.8 L.N.T. Une raison valable d'absence doit s'apprécier du point de vue du salarié et non uniquement à partir des inconvénients liés au fonctionnement de l'entreprise de l'employeur. L'article 79.8 L.N.T. permet à un salarié de s'absenter lorsque sa présence est requise auprès de sa mère en raison d'une grave maladie. Les termes «présence requise» utilisés par le législateur n'exigent pas une preuve de nécessité absolue. Donc, même si la mère reçoit des soins du personnel médical et de ses autres enfants, la présence d'une autre personne auprès d'elle est considérée comme requise au sens de cette disposition.
Vêtements S & F Canada ltée c. *Bureau conjoint de Montréal*, D.T.E. 2005T-543 (T.A.).

79.8/3 La *Loi sur les normes du travail* ne définit pas le terme «grave» utilisé à l'article 79.8 al. 1 L.N.T. Manifestement, celui-ci n'est pas synonyme de l'expression «potentiellement mortelle» utilisée au deuxième alinéa de cette disposition. Ainsi, il y a lieu de conclure que la gravité de la maladie prévue au premier alinéa est moindre qu'une maladie potentiellement mortelle.
Payen c. *Centre d'hébergement de la Villa-les-Tilleuls inc.*, D.T.E. 2008T-456 (C.R.T.).

79.8/4 L'article 79.8 L.N.T. oblige le salarié à aviser son employeur le plus tôt possible de son absence afin de permettre à celui-ci de pourvoir à son remplacement. Un tel avis permet également à l'employeur de vérifier l'authenticité du motif de l'absence du salarié. Également, l'expression «peut s'absenter du travail» implique nécessairement que le salarié fournit une prestation de travail ou, encore, qu'il est apte au travail. Les dispositions de l'article 79.8 L.N.T. sont conçues afin de permettre à des salariés qui sont normalement obligés de travailler, de prendre congé pour des raisons familiales ou parentales. Le législateur n'a pas voulu viser les personnes qui sont en incapacité, donc déjà en congé. Par voie de conséquence, le salarié qui est absent pour cause de maladie à long

terme ne peut prétendre aux congés mentionnés à l'article 79.8 L.N.T. Ces congés ne se superposent pas au congé de maladie de longue durée.
Mantegna c. *Société en commandite Canadelle*, D.T.E. 2007T-390 (C.R.T.).

79.8/5 Il revient au salarié de prouver que son absence du travail est liée au fait que sa présence était requise auprès d'une des personnes indiquées à cet article, soit en raison d'une grave maladie ou d'un grave accident, pour que la présomption s'applique. À défaut d'une telle preuve, la présomption ne peut s'appliquer.
Mourelatos c. *Garderie éducative Le futur de l'enfant inc.*, D.T.E. 2007T-220 (C.R.T.).

79.8/6 Dans le cas où le salarié n'a pas avisé son employeur qu'il voulait se prévaloir des dispositions de l'article 79.8 L.N.T., on peut difficilement conclure, à première vue, que ce dernier l'a sanctionné en raison d'une absence pour obligations familiales.
Mantegna c. *Société en commandite Canadelle*, D.T.E. 2007T-390 (C.R.T.).

art. 80

N.B. L'article 80 a été modifié par la *Loi modifiant la Loi sur les normes du travail et d'autres dispositions législatives*, L.Q. 2002, c. 80.

80/1 Le salarié qui veut bénéficier de la présomption résultant de l'absence pour congé de deuil, doit établir un lien logique entre cette absence et la mesure prise contre lui.
Nadeau c. *Provigo Distribution inc. (division Héritage)*, D.T.E. 93T-814 (T.T.).

art. 81

81/1 Le second alinéa de l'article 81 L.N.T. n'accorde que le droit à l'absence et non à la rémunération.
Association internationale des machinistes et des travailleurs de l'aéroastronautique, local 712 c. *Canadair ltée*, (1984) T.A. 145, D.T.E. 84T-197 (T.A.).

art. 81.1

N.B. L'article 81.1 a été modifié par la *Loi modifiant la Loi sur les normes du travail et d'autres dispositions législatives*, L.Q. 2002, c. 80 et par la *Loi modifiant la Loi sur l'assurance parentale et d'autres dispositions législatives*, L.Q. 2005, c. 13.

81.1/1 La présomption s'applique lorsque le salarié est congédié après avoir exercé son droit au congé parental.
Mathieu c. *I. Magid inc.*, (1992) C.T. 59, D.T.E. 92T-315 (C.T.).

81.1/2 V. CAZA, C., «L'embarquement pour un tour d'horizon des développements récents concernant la *Loi sur les normes du travail*», dans *Développements* *récents en droit du travail (1997)*, Formation permanente du Barreau du Québec, Cowansville, Les Éditions Yvon Blais inc., 1997, p. 229, p. 262 et ss.

art. 81.2

N.B. L'article 81.2 a été remplacé par la *Loi modifiant la Loi sur les normes du travail et d'autres dispositions législatives*, L.Q. 2002, c. 80 (voir l'article 79.7 L.N.T.).

art. 81.3

81.3/1 Les dispositions de l'article 81.3 L.N.T. consacrent le droit d'une salariée enceinte de s'absenter «sans salaire» pour un examen médical relié à sa grossesse. Ainsi, si la salariée n'avait pas été congédiée, elle n'aurait pas été rémunérée pour ses absences. Par voie de conséquence, compte tenu qu'il s'agit dans tous les cas de replacer la salariée dans l'état où elle se serait retrouvée n'eût été de son congédiement, il ne peut y avoir réclamation pour les visites médicales.
Deschênes c. *MS Restaurant inc.*, (2006) R.J.D.T. 1506 (C.R.T.), D.T.E. 2006T-974 (C.R.T.).

art. 81.4

N.B. L'article 81.4 a été modifié par la *Loi modifiant la Loi sur les normes du travail et d'autres dispositions législatives*, L.Q. 2002, c. 80.

81.4/1 Un congé de maternité étendu par les parties à 52 semaines, ne peut être considéré comme une simple modalité d'application de la norme prévue à l'article 81.4 L.N.T.
Azur Caoutchouc Canada inc. c. *Chassé*, D.T.E. 95T-1200 (T.T.).

81.4/2 Voir les commentaires particuliers du juge Lesage sur l'application de l'article 15 du *Règlement sur les normes du travail* (maintenant abrogé) dans:
Azur Caoutchouc Canada inc. c. *Chassé*, D.T.E. 95T-1200 (T.T.).

81.4/3 V. CAZA, C., «L'embarquement pour un tour d'horizon des développements récents concernant la *Loi sur les normes du travail*», dans *Développements récents en droit du travail (1997)*, Formation permanente du Barreau du Québec, Cowansville, Les Éditions Yvon Blais inc., 1997, p. 229, p. 264 et ss.

art. 81.5

N.B. L'article 81.5 a été modifié par la *Loi modifiant la Loi sur les normes du travail et d'autres dispositions législatives*, L.Q. 2002, c. 80 et par la *Loi modifiant la Loi sur l'assurance parentale et d'autres dispositions législatives*, L.Q. 2005, c. 13.

81.5/1 L'article 81.5 L.N.T. accorde à la salariée une discrétion quant au moment de la prise du congé de maternité, qu'elle seule peut exercer, par l'accomplissement des formalités prévues à l'article 81.6 L.N.T.
Grégoire, Bellavance & Associés ltée, syndics c. *Marcoux*, D.T.E. 91T-763 (T.T.).
Rocchia c. *Sample Dress Manufacturing Corp.*, D.T.E. 83T-721 (C.T.).

81.5/2 Le droit au congé de maternité appartient à la salariée et on ne peut la forcer à donner un avis écrit d'une durée supérieure à ce qui est prévu à la *Loi sur les normes du travail* qui est d'ordre public.
Chaput c. *Paysagement Clin d'oeil inc.*, D.T.E. 2003T-400 (C.R.T.).

81.5/3 V. CAZA, C., «L'embarquement pour un tour d'horizon des développements récents concernant la *Loi sur les normes du travail*», dans *Développements récents en droit du travail (1997)*, Formation permanente du Barreau du Québec, Cowansville, Les Éditions Yvon Blais inc., 1997, p. 229, p. 265.

art. 81.6

81.6/1 La *Loi sur les normes du travail* ne prévoit pas un droit absolu et sans condition aux congés de maternité et parentaux: elle établit des normes et des conditions quant à l'exercice de ces droits qui sont protégés lorsqu'ils sont exercés convenablement.
Patrinostro c. *J.M. Rowen & Associés inc.*, D.T.E. 92T-1293 (C.T.).

81.6/2 L'article 81.6 L.N.T. n'est pas d'ordre public et le défaut de la salariée de donner l'avis à l'employeur, n'entraînera la déchéance du droit que si l'employeur n'y a pas renoncé ou s'il subit un préjudice en raison de l'absence de l'avis.
Château Lingerie M.F.G. Co. c. *Bhatt*, D.T.E. 85T-90 (C.A.), J.E. 85-158 (C.A.).
Buanderie Ste-Agathe inc. c. *Bellec*, D.T.E. 83T-873 (T.T.).
Bussière-Jacques c. *Religieuses de Jésus-Marie (Collège Jésus-Marie)*, D.T.E. 83T-980 (T.T.).
Vachon c. *Assurances Morin, Laporte et associés*, D.T.E. 90T-632 (C.T.).
Malka c. *Corp. d'éclairage du Québec inc.*, D.T.E. 87T-199 (C.T.).
Beaugrand c. *Restaurant Claude St-Jean*, D.T.E. 86T-546 (C.T.).
Carrier-Bisier c. *Bondex international (Canada) ltée*, D.T.E. 83T-142 (C.T.).
Roy c. *Coiffelle Enr.*, D.T.E. 82T-180 (C.T.).
V. aussi: *101566 Canada inc.* c. *Denis*, D.T.E. 90T-1202 (T.T.).

81.6/3 L'intention de quitter son emploi doit être communiquée par écrit.
Grégoire, Bellavance & Associés ltée, syndics c. *Marcoux*, D.T.E. 91T-763 (T.T.).

81.6/4 V. la jurisprudence sous l'article 81.14 L.N.T.

81.6/5 V. BÉLIVEAU, N.-A., *La situation juridique de la femme enceinte au travail*, Cowansville, Les Éditions Yvon Blais inc., 1993, p. 8 et ss.

81.6/6 V. CAZA, C., «L'embarquement pour un tour d'horizon des développements récents concernant la *Loi sur les normes du travail*», dans *Développements récents en droit du travail (1997)*, Formation permanente du Barreau du Québec,

Cowansville, Les Éditions Yvon Blais inc., 1997, p. 229, p. 265 et ss.

art. 81.10

N.B. L'article 81.10 a été modifié par la *Loi modifiant la Loi sur les normes du travail et d'autres dispositions législatives*, L.Q. 2002, c. 80 et par la *Loi modifiant la Loi sur l'assurance parentale et d'autres dispositions législatives*, L.Q. 2005, c. 13.

81.10/1 La date de la naissance n'est pas significative quant au droit du père ou de la mère, même si elle est antérieure à celle de l'entrée en vigueur de la loi, ils ont droit au congé parental.
Rainville c. *Supermarché M.G. inc.*, (1992) T.T. 122, D.T.E. 92T-290 (T.T.).

81.10/2 La *Loi sur les normes du travail* prévoit le droit à un congé parental, mais non de façon absolue ou inconditionnelle. L'exercice de ce droit est protégé lorsqu'il est exercé d'une manière appropriée au contexte de l'emploi en cause.
Blais c. *Centres Jeunesse de Montréal*, D.T.E. 95T-424 (C.T.).

81.10/3 Le congé parental équivaut à un congé autorisé au sens d'une convention collective, et ce, compte tenu que le droit au congé parental est prévu dans la *Loi sur les normes du travail* qui est d'ordre public. Ainsi, un congé autorisé par une loi d'ordre public doit nécessairement être considéré comme un congé autorisé aux termes d'une convention collective. Par voie de conséquence, l'employeur doit reconnaître l'accumulation de l'ancienneté pendant la durée d'un congé parental.
Montréal (Service de police de la Ville de) c. *Fraternité des policières et policiers de Montréal (griefs individuels, Marie-Julie Durand et une autre)*, D.T.E. 2006T-226 (T.A.).

81.10/4 Par l'adoption des dispositions concernant le congé parental, le législateur a voulu précisément protéger l'emploi des salariés qui veulent assumer leurs responsabilités parentales.
Achkar c. *Industries Promatek ltée*, (1996) C.T. 44, D.T.E. 96T-41 (C.T.).

81.10/5 En l'absence d'une disposition expresse dans une convention collective permettant au salarié qui n'offre aucune prestation de travail, ce qui est le cas du salarié se prévalant d'un congé parental, de bénéficier du salaire, des vacances, des jours fériés et des congés de maladie, il ne peut y avoir droit.
Montréal (Service de police de la Ville de) c. *Fraternité des policières et policiers de Montréal (griefs individuels, Marie-Julie Durand et une autre)*, D.T.E. 2006T-226 (T.A.).

81.10/6 Pour avoir droit au congé parental, le salarié n'a pas à démontrer qu'il est disponible pour s'occuper de son enfant.
Blais c. *Québec (Ville de)*, (1998) R.J.D.T. 1278 (C.T.), D.T.E. 98T-956 (C.T.) (appel rejeté: (1999) R.J.D.T. 163 (T.T.), D.T.E. 99T-67 (T.T.), REJB 1998-10046 (T.T.)).

81.10/7 Le congé parental de 52 semaines peut être pris à temps plein ou à temps partiel.

Syndicat des employés de magasins et de bureaux de la S.A.Q. c. *Société des alcools du Québec*, (1994) T.A. 827, D.T.E. 94T-970 (T.A.).

81.10/8 Il apparaît logique et conforme à l'esprit de la loi qu'un salarié occasionnel puisse être adéquatement informé des possibilités d'emploi ou de travail pouvant survenir durant son congé parental. Toutefois, le salarié doit se déclarer disponible durant ce congé parental, pour pouvoir avoir le loisir d'accepter ou de refuser les remplacements offerts par l'employeur durant cette période.
Blais c. *Centres Jeunesse de Montréal*, D.T.E. 95T-424 (C.T.).

81.10/9 V. CAZA, C., «L'embarquement pour un tour d'horizon des développements récents concernant la *Loi sur les normes du travail*», dans *Développements récents en droit du travail (1997)*, Formation permanente du Barreau du Québec, Cowansville, Les Éditions Yvon Blais inc., 1997, p. 229, p. 267 et ss.

art. 81.12

N.B. L'article 81.12 a été modifié par la *Loi modifiant la Loi sur les normes du travail et d'autres dispositions législatives*, L.Q. 2002, c. 80.

81.12/1 Aucune autorisation de l'employeur n'est nécessaire pour prendre un congé, il suffit de donner un avis de trois semaines.
Rainville c. *Supermarché M.G. inc.*, (1992) T.T. 122, D.T.E. 92T-290 (T.T.).

art. 81.13

N.B. L'article 81.13 a été modifié par la *Loi modifiant la Loi sur les normes du travail et d'autres dispositions législatives*, L.Q. 2002, c. 80.

art. 81.14

N.B. L'article 81.14 a été modifié par la *Loi modifiant la Loi sur les normes du travail et d'autres dispositions législatives*, L.Q. 2002, c. 80.

81.14/1 La simple omission de la salariée de transmettre l'avis ne peut constituer une démission.
Château Lingerie M.F.G. Co. c. *Bhatt*, D.T.E. 85T-90 (C.A.), J.E. 85-158 (C.A.).
Bussière-Jacques c. *Religieuses de Jésus-Marie (Collège Jésus-Marie)*, D.T.E. 83T-980 (T.T.).
Carrier-Bisier c. *Bondex international (Canada) ltée*, D.T.E. 83T-142 (C.T.).
V. aussi: *Rocchia* c. *Sample Dress Manufacturing Corp.*, D.T.E. 83T-721 (C.T.).

81.14/2 Le défaut de se présenter au travail à la date prévue constitue une forme légale de démission.
Patrinostro c. *J.M. Rowen & Associés inc.*, D.T.E. 92T-1293 (C.T.).
Malka c. *Corp. d'éclairage du Québec inc.*, D.T.E. 87T-199 (C.T.).

V. aussi: *Syndicat démocratique des employés de garage du Saguenay-Lac-St-Jean* c. *Corp. intermunicipale de transport du Saguenay*, (1996) T.A. 863, D.T.E. 96T-1250 (T.A.).

81.14/3 Pour que la présomption de démission s'applique, il faut une date précise de retour au travail et le non-respect de l'avis écrit.
Hylands c. *Canadian Tire (Gestion J.G. Roy inc.)*, D.T.E. 93T-506 (C.T.).

81.14/4 Il y a présomption de démission lorsque la salariée ne revient pas au travail à la date de retour au travail prévue dans l'avis qu'elle est censée avoir donné à l'employeur au début de son congé de maternité.
Plastique D.C.N. inc. c. *Syndicat national des salariés du nylon et du plastique de Warwick et de la région*, D.T.E. 96T-763 (T.A.) (révision judiciaire refusée: C.S. Arthabaska, n^{0} 415-05-000258-961, le 12 août 1996).

81.14/5 L'article 81.14 L.N.T. vise à protéger l'employeur dans les cas où une employée ne respecte pas ses engagements, issus d'un avis formel ou non, ou ne donne aucun signe de vie. C'est dans un tel cas que le délai de 18 semaines prévu à l'article 81.4 L.N.T., revêt toute son importance.
Hylands c. *Canadian Tire (Gestion J.G. Roy inc.)*, D.T.E. 93T-506 (C.T.).

81.14/6 On ne doit pas conclure automatiquement à l'application mathématique des 18 semaines de congé de maternité. Un employeur et une salariée peuvent très bien convenir de manière informelle d'une date de retour au travail.
Hylands c. *Canadian Tire (Gestion J.G. Roy inc.)*, D.T.E. 93T-506 (C.T.).

81.14/7 La présomption de démission ne s'applique pas lorsque la salariée ne revient pas au travail à la date prévue, si elle bénéficie d'un congé de maternité spécial.
Bussière-Jacques c. *Religieuses de Jésus-Marie (Collège Jésus-Marie)*, D.T.E. 83T-980 (T.T.).

81.14/8 L'article 81.14 L.N.T. doit s'interpréter à la lumière de l'article 128 L.N.T. Ainsi selon cet article, si la salariée a une cause juste et suffisante de ne pas se rapporter au travail, l'employeur ne peut la congédier.
Morissette c. *Marché Victoria inc.*, (1987) T.A. 556, D.T.E. 87T-804 (T.A.).

81.14/9 La *Loi sur les normes du travail* n'impose pas à l'employeur l'obligation de «courir après» la salariée bénéficiant du droit d'être réintégrée. Il incombe à cette dernière d'exiger le respect de ses droits.
Beaugrand c. *Restaurant Claude St-Jean*, D.T.E. 86T-546 (C.T.).

81.14/10 Ne constitue pas un grief au sens traditionnel du terme, les conséquences d'une décision administrative de l'employeur fondée sur les dispositions de l'article 81.14 de la *Loi sur les normes du travail*.
Syndicat démocratique des employés de garage du Saguenay-Lac-St-Jean c. *Corp. intermunicipale de transport du Saguenay*, (1996) T.A. 863, D.T.E. 96T-1250 (T.A.).

81.14/11 V. BÉLIVEAU, N.-A., *La situation juridique de la femme enceinte au travail*, Cowansville, Les Éditions Yvon Blais inc., 1993, p. 8 et ss.

art. 81.15

N.B. L'article 81.15 a été remplacé par la *Loi modifiant la Loi sur les normes du travail et d'autres dispositions législatives*, L.Q. 2002, c. 80.

81.15/1 La somme qu'un employeur verse à un syndicat de façon mensuelle pour chaque heure de travail accomplie par les salariés, ne peut être considérée comme une cotisation d'assurance collective au sens des dispositions de la *Loi sur les normes du travail*. L'employeur n'a donc pas l'obligation de continuer à la verser pendant le congé de maternité, le congé de paternité ou le congé parental d'un salarié.
Syndicat des ouvriers du fer et du titane (CSN) c. *QIT — Fer et titane inc. (grief collectif)*, D.T.E. 2007T-634 (T.A.).

art. 81.15.1

GÉNÉRAL

81.15.1/1 L'article 81.15.1 L.N.T. constitue une norme du travail.
Gravel c. *Coopérative fédérée de Québec*, (1986) C.T. 10, D.T.E. 86T-126 (C.T.).

81.15.1/2 Le paragraphe 5 de l'article 122 L.N.T. qui interdit le congédiement dans le but d'éluder l'application de la loi ou des règlements, vise aussi l'article 81.15.1 L.N.T.
Cappco Tubular c. *Montpetit*, (1990) T.T. 286, D.T.E. 90T-753 (T.T.).

81.15.1/3 Un arbitre de griefs peut tenir compte de l'article 81.15.1 L.N.T. lorsqu'il a à interpréter et à appliquer une convention collective.
Bacon America Inc. c. *Poulin*, D.T.E. 2003T-216 (C.S.), J.E. 2003-435 (C.S.), REJB 2003-37145 (C.S.).

81.15.1/4 L'application de l'article 81.15.1 L.N.T. est limitée par l'article 81.17, qui vise à éviter que l'on confère à la salariée un avantage dont elle n'aurait pas bénéficié si elle était restée au travail.
Gélineau c. *Bergevin*, D.T.E. 91T-1246 (C.S.).

81.15.1/5 Ce n'est pas parce qu'une salariée enceinte exerce un retrait préventif qu'elle bénéficie des dispositions de la *Loi sur les normes du travail*, surtout si elle n'a jamais suivi les prescriptions de cette loi.
Simard c. *Bar Chez Raspoutine*, D.T.E. 90T-725 (T.T.).

81.15.1/6 Le retour au travail est subordonné à la santé de la mère.
Bell Canada c. *Québec (Commission de la santé et de la sécurité du travail)*, (1988) 1 R.C.S. 749.

81.15.1 al. 1

81.15.1/7 Le poste régulier est l'occupation habituelle de la salariée enceinte au moment où elle bénéficie de son congé de maternité.

Daigneault c. *Olivetti Canada ltée*, (1992) T.T. 102, D.T.E. 92T-230 (T.T.).
Sayer c. *General Motors*, (1983) T.T. 238, D.T.E. 83T-69 (T.T.).
Lemaire c. *Pavillon du Parc inc.*, D.T.E. 83T-948 (C.T.).
V. aussi: *Mathieu* c. *Journal La Voix du Sud*, D.T.E. 92T-1372 (C.T.).

81.15.1/8 L'employeur a l'obligation de replacer la salariée dans le poste qu'elle occupait au moment de son départ pour le congé de maternité.
Deschênes c. *Clinique dentaire Pierre Richard*, D.T.E. 2008T-235 (C.R.T.).
Verner c. *Bureau d'audiences publiques sur l'environnement*, D.T.E. 95T-995 (T.T.).
Daigneault c. *Olivetti Canada ltée*, (1992) T.T. 102, D.T.E. 92T-230 (T.T.).
101566 Canada inc. c. *Denis*, D.T.E. 90T-1202 (T.T.).
Pavillon du Parc inc. c. *Lemaire*, D.T.E. 84T-206 (T.T.).
Mercier c. *9029-4695 Québec inc.*, D.T.E. 98T-318 (C.T.).
V. aussi: *Proulx* c. *Garderie L'éveil des chérubins*, D.T.E. 2000T-821 (C.T.).

81.15.1/9 Les avantages dont parle l'article 81.15.1 al. 1 L.N.T. sont ceux qui sont reliés au poste régulier et ne comprennent pas ce qui est relié au traitement, dont le paiement des congés chômés.
Commission du salaire minimum c. *Cégep François-Xavier-Garneau*, (1981) C.P. 237, J.E. 81-981 (C.Q.).
V. aussi: *Syndicat national des employés de l'aluminium d'Arvida inc., section des employés de bureau* c. *Société d'électrolyse et de chimie Alcan ltée (Arvida)*, D.T.E. 93T-921 (T.A.).
Plastic Decorators inc. c. *Association internationale des machinistes et des travailleurs de l'aéroastronautique, section locale 631 (F.T.Q. — C.T.Q.)*, D.T.E. 89T-881 (T.A.).
Syndicat international des travailleurs de la boulangerie, confiserie et du tabac, section locale 55 (F.A.T. — C.O.I. — C.T.C. — F.T.Q.) c. *Boulangerie Pom ltée*, (1989) T.A. 169, D.T.E. 89T-103 (T.A.).
Contra: *C.N.T.* c. *Jonquière (Ville de)*, D.T.E. 82T-523 (C.Q.), J.E. 82-786 (C.Q.).

81.15.1/10 Les avantages dont il est fait mention à l'article 81.15.1 al. 1 L.N.T. sont ceux dont le salarié bénéficie en vertu de son contrat individuel de travail ou de la convention collective.
Centre hospitalier Le Gardeur c. *Syndicat des physiothérapeutes et des thérapeutes en réadaptation physique du Québec*, D.T.E. 99T-363 (T.A.).

81.15.1/11 La somme qu'un employeur verse à un syndicat de façon mensuelle pour chaque heure de travail accomplie par les salariés, ne peut être considérée comme une cotisation d'assurance collective au sens des dispositions de la *Loi sur les normes du travail*. L'employeur n'a donc pas l'obligation de continuer à la verser pendant le congé de maternité, le congé de paternité ou le congé parental d'un salarié.
Syndicat des ouvriers du fer et du titane (CSN) c. *QIT — Fer et titane inc. (grief collectif)*, D.T.E. 2007T-634 (T.A.).

81.15.1/12 Les dispositions de l'article 81.15.1 de la *Loi sur les normes du travail* ne garantissent à la salariée que son poste habituel.
Messageries de presse Benjamin inc. c. *Union des routiers, brasseries, liqueurs douces et ouvriers de diverses industries, section locale 1999 (Teamsters Québec)*, (2001) R.J.D.T. 1517 (T.A.), D.T.E. 2001T-824 (T.A.).

81.15.1/13 Dans l'exercice du droit à un congé de maternité et à la réintégration de la salariée à son poste de travail à la fin de ce congé, il ne s'agit pas de rechercher une intention coupable chez l'employeur mais simplement de vérifier si l'exercice normal d'un tel droit a été empêché par un comportement que celui-ci peut justifier sérieusement et véritablement. Par ailleurs, le fait qu'un employeur puisse se tromper de bonne foi à l'égard des droits d'une salariée ainsi protégée par la loi, ne peut lui donner le droit de ne pas la réintégrer. Si l'employeur oublie qu'il a attribué à la plaignante un poste permanent qui s'est libéré, cet oubli ne saurait être une cause juste et suffisante pour la priver de sa réintégration éventuelle.
Société immobilière Trans-Québec inc. c. *Labbée*, D.T.E. 94T-799 (T.T.).
V. aussi: *Proulx* c. *Garderie L'éveil des chérubins*, D.T.E. 2000T-821 (C.T.).

81.15.1/14 L'interprétation des articles 74 et 81.15.1 L.N.T. permet de conclure que le législateur a voulu que la période de référence ne soit pas indivisible afin de déterminer la paie de vacances due lorsqu'une salariée réintègre son emploi à la suite d'un congé de maternité. L'employeur doit donc, conformément à la *Loi sur les normes du travail*, calculer la paie de vacances en fonction du salaire et des avantages effectivement reçus au cours de l'année de référence. Cet article 81.15.1 L.N.T. établit que la salariée a droit à l'accroissement des avantages et du salaire reliés à son poste de travail durant son congé de maternité, de la même façon qu'une salariée conserve et accumule de l'ancienneté sans fournir de prestation de travail. L'intention du législateur n'est pas que cet article assure le paiement du salaire et des avantages auxquels la salariée aurait eu droit si elle était restée au travail.
Teamsters Québec, section locale 1999 c. *Loews Hôtel Vogue*, D.T.E. 2004T-376 (T.A.) (révision judiciaire refusée: D.T.E. 2004T-708 (C.S.)).

81.15.1/15 Les dispositions de l'article 81.15.1 L.N.T. ont un caractère prospectif et non rétroactif, elles protègent les avantages acquis par un salarié au moment de son départ et lui garantissent qu'il bénéficiera de ceux obtenus par les autres salariés pendant son absence, le cas échéant. Ainsi, en fonction des dispositions d'une convention collective, un employeur est en droit de réduire certains avantages de salariés bénéficiant d'un congé parental, soit les bénéfices découlant des congés de maladie, des jours fériés, du congé annuel, et ce, proportionnellement à la durée de leur congé de paternité ou de leur congé parental.
Association des policiers de Thetford Mines c. *Thetford Mines (Ville de) (Carl Dubreuil et un autre)*, (2008) R.J.D.T. 548 (T.A.), D.T.E. 2008T-206 (T.A.) (révision judiciaire refusée: C.S. Frontenac, n⁰ 235-17-000012-084, le 28 avril 2009).

81.15.1/16 Les droits et les avantages qu'une salariée possédait avant son congé de maternité ou congé parental sont protégés par l'article 81.15.1 L.N.T. lorsqu'elle retourne au travail. Toutefois, cet article n'a pas de portée rétroactive.

En l'espèce, étant donné que la salariée aurait dû fournir une prestation de travail durant l'année de référence pour bénéficier d'une indemnité de congé annuel, l'employeur était justifié de ne pas lui accorder une telle indemnité à son retour au travail. En effet, cette indemnité n'est pas un avantage relié à l'emploi, mais plutôt un avantage relié à la prestation de travail.
CSSS Pierre-Boucher (CLSC Simonne-Monet-Chartrand) c. *Alliance du personnel professionnel et technique de la santé et des services sociaux (APTS) (France Legault)*, D.T.E. 2009T-215 (T.A.).
Syndicat des employées et employés de l'usine de transformation de la volaille de Ste-Rosalie (CSN) c. *Olymel, s.e.c. (établissement de Ste-Rosalie) (Rachel Birtz)*, D.T.E. 2007T-865 (T.A.).

81.15.1/17 Les congés de maladie prévus dans une banque de congés d'une convention collective sont des avantages liés à la prestation de travail du salarié, non à l'emploi.
Fraternité des policières et policiers de Carignan c. *Carignan (Ville de) (Martine Grenier)*, D.T.E. 2006T-588 (T.A.).

81.15.1/18 Les dispositions de l'article 81.15.1 L.N.T. visent les avantages acquis avant le départ d'un salarié et ceux obtenus par les autres salariés pendant son absence, c'est-à-dire l'ensemble des avantages qui s'appliquent à tous, sans exception, tel, par exemple, le cas d'une augmentation salariale. Toutefois, quant aux avantages qui découlent de la situation personnelle d'un salarié, entre autres l'expérience accumulée qui procure un avancement d'échelon, ils ne sont pas visés par cet article.
Syndicat des employées et employés de bureau de la Ville de Rimouski c. *Rimouski (Ville de) (Kathy Lepage)*, D.T.E. 2009T-204 (T.A.).
V. cependant: *Jewish People's Schools and Peretz Schools Inc.* c. *Federation of Teachers of Jewish Schools*, (2002) R.J.D.T. 395 (T.A.), D.T.E. 2002T-151 (T.A.).

81.15.1/19 Est assimilé à un congédiement, le fait pour l'employeur de ne pas respecter l'obligation de réinstaller à son poste la salariée bénéficiant d'un congé de maternité.
Lachapelle c. *Caisse populaire Desjardins de Lavaltrie*, (2000) R.J.D.T. 608 (T.T.), D.T.E. 2000T-471 (T.T.).
Beaugrand c. *Restaurant Claude St-Jean*, D.T.E. 86T-546 (C.T.).

81.15.1/20 Le fait de retenir les services d'une salariée permanente pour une journée lors de son retour au travail, ne satisfait pas les obligations prévues par la Loi sur les normes si le poste existe toujours au retour de celle-ci.
Lynch c. *Manoir Le Corbusier Enr.*, D.T.E. 90T-657 (C.T.).

81.15.1/21 Un employeur ne peut modifier la classification d'un poste dans le but d'éviter la réintégration d'une salariée revenant d'un congé de maternité.
Verner c. *Bureau d'audiences publiques sur l'environnement*, D.T.E. 95T-995 (T.T.).

81.15.1/22 La salariée a le droit d'être réintégrée, même si cela implique l'apprentissage d'une nouvelle méthode de travail.
Morin c. *Morin, Fortin, Samson et associés ltée*, (1989) C.T. 110, D.T.E. 89T-465 (C.T.).

81.15.1/23 Il incombe à l'employeur de démontrer que la salariée est incapable d'occuper son poste habituel et d'accomplir les tâches d'un poste nouvellement créé.
Blais c. *Lavery, de Billy*, D.T.E. 96T-197 (T.T.).

81.15.1/24 Les motifs d'ordre économique faisant en sorte qu'il y a réintégration tardive de la salariée ne peuvent être qu'un prétexte pour ne pas réintégrer celle-ci, dans le cas où l'employeur garde à son emploi sa remplaçante.
Mercier c. *9029-4695 Québec inc.*, D.T.E. 98T-318 (C.T.).

81.15.1/25 L'offre de travail à temps partiel faite par une salariée n'a pas à être entérinée par un employeur. En effet, il n'appartient pas à la salariée de déterminer ses conditions de retour au travail. La *Loi sur les normes du travail* ne lui permet pas d'obtenir un poste à sa convenance; elle prévoit plutôt le retour au

travail dans le poste occupé avant le départ pour un congé de maternité.
Rancourt c. *Southwest One Pharmacy inc.*, D.T.E. 95T-965 (C.T.).

81.15.1/26 Le droit à la promotion est un droit protégé par la *Loi sur les normes du travail* et ce droit doit être reconnu à la salariée en congé de maternité. Ainsi, celle-ci est en droit de prétendre à toute promotion découlant de la création d'un nouveau poste ou d'un poste devenu vacant pendant son absence.
Syndicat national des employés de l'aluminium d'Arvida inc., section des employés de bureau c. *Société d'électrolyse et de chimie Alcan ltée (Arvida)*, D.T.E. 93T-921 (T.A.).

81.15.1 al. 2

81.15.1/27 Le poste de conseillère pédagogique n'est pas un poste comparable à celui de directrice d'une garderie. Ce dernier poste est au sommet de la hiérarchie et relève du conseil d'administration, alors que le poste de conseillère relève de la directrice.
Bernard c. *Garderie Au petit nuage*, (1994) C.T. 290, D.T.E. 94T-704 (C.T.).

81.15.1/28 L'article 81.15.1 al. 2 ne crée pas de droits et privilèges qui n'existent pas déjà, il n'impose l'obligation à l'employeur de reconnaître ces droits et privilèges que s'ils existent.
123391 Canada ltée c. *Paquet*, D.T.E. 90T-606 (T.T.) (révision judiciaire refusée: C.S.Q. n° 200-05-001145-908, le 29 novembre 1990).

81.15.1/29 La réintégration d'un salarié dans un poste de travail représentant une diminution substantielle en pourboires, n'équivaut pas à une affectation dans un emploi comparable.
Tisseur c. *91633 Canada ltée*, D.T.E. 2001T-158 (C.T.).

81.15.1/30 Au terme de son congé parental, la salariée doit se voir reconnaître tous les droits et privilèges et ce n'est pas parce qu'elle a fait suivre ce congé de vacances qu'elle perd ce droit. La présomption d'illégalité ne cesse pas de s'appliquer au lendemain d'un congé parental.
Paquet c. *Montréal (Ville de)*, D.T.E. 2008T-846 (C.R.T.).

81.15.1/31 En matière d'abolition de poste d'une salariée en congé de maternité, le commissaire a la compétence pour déterminer si les motifs invoqués par l'employeur ne sont que des prétextes.
Blais c. *Lavery, de Billy*, D.T.E. 96T-197 (T.T.).
Control Data Canada ltée c. *Di Paolo*, D.T.E. 85T-945 (T.T.).
Brault et Bouthillier c. *Marion*, D.T.E. 82T-96 (T.T.).
Carrière c. *D. et G. Matériaux de Construction inc.*, D.T.E. 84T-161 (C.T.).

81.15.1/32 L'employeur est tenu de donner à la salariée enceinte les mêmes droits qu'aux autres quant au rappel au travail.
Deschamps c. *Honeywell Amplitrol inc.*, D.T.E. 84T-320 (C.T.).

81.15.1/33 À défaut de convention expresse ou de pratique équivalente au sujet de l'ancienneté dans l'entreprise, l'employeur n'a pas l'obligation de respecter celle-ci, on doit alors s'en remettre à l'honnêteté et à la normalité du comportement de l'employeur.
Bauhart-Hamel c. *Laboratoires alimentaires Bio-Lalonde, services de surveillance S.G.S. inc.*, (1992) T.T. 71, D.T.E. 92T-135 (T.T.).

81.15.1/34 L'employeur est tenu de respecter le critère de l'ancienneté prévu à la convention collective même si cela fait en sorte que la salariée se retrouve à un autre poste que le sien à son retour de congé de maternité suivi d'un congé parental.
Blais c. *Lavery, de Billy*, D.T.E. 96T-197 (T.T.).
Hébert c. *Garderie éducative Citronnelle*, (1994) C.T. 451, D.T.E. 94T-1170 (C.T.).

81.15.1/35 V. BÉLIVEAU, N.-A., *La situation juridique de la femme enceinte au travail*, Cowansville, Les Éditions Yvon Blais inc., 1993, p. 8 et ss.

81.15.1/36 V. CAZA, C., «L'embarquement pour un tour d'horizon des développements récents concernant la *Loi sur les normes du travail*», dans *Développements récents en droit du travail (1997)*, Formation permanente du Barreau du Québec, Cowansville, Les Éditions Yvon Blais inc., 1997, p. 229, p. 269.

art. 81.16

N.B. L'article 81.16 a été abrogé par la *Loi modifiant la Loi sur les normes du travail et d'autres dispositions législatives*, L.Q. 2002, c. 80.

81.16/1 En l'absence de dispositions dans une convention collective visant le congé parental et de règlement gouvernemental sur les avantages dont un salarié peut bénéficier pendant cette période, il n'y a pas lieu de reconnaître d'avantages sociaux au salarié.
Durocher c. *A.B.B. Systèmes ingénierie combustion*, (1992) C.T. 24, D.T.E. 92T-136 (C.T.).
Montréal (Service de police de la Ville de) c. *Fraternité des policières et policiers de Montréal (griefs individuels, Marie-Julie Durand et une autre)*, D.T.E. 2006T-226 (T.A.).

art. 81.17

N.B. L'article 81.17 a été modifié par la *Loi modifiant la Loi sur les normes du travail et d'autres dispositions législatives*, L.Q. 2002, c. 80.

81.17/1 Malgré l'aliénation de l'entreprise durant le congé de maternité, la salariée enceinte a droit au maintien de son emploi.
Papazafiris c. *Murielle Raymond inc.*, (1983) T.T. 449, D.T.E. 83T-633 (T.T.).
Boudreault c. *S.P.R. Société de promotion de Rapid-Graphic inc.*, (1988) C.T. 417, D.T.E. 88T-1019 (C.T.).

81.17/2 Les dispositions de la *Loi sur les normes du travail* ne sauraient imposer à l'employeur l'obligation de garder à son emploi une salariée enceinte qui ne peut accomplir son travail régulier au détriment des droits acquis des autres employés ou de lui créer de nouveaux droits qu'elle n'aurait pas autrement.
Lelièvre c. *Industries Valcartier inc.*, D.T.E. 82T-324 (C.T.).

art. 81.18

QUESTIONS DE COMPÉTENCE OU JURIDICTIONNELLES

N.B. En ce qui concerne la question de la norme de contrôle judiciaire, il est à noter que depuis l'affaire *Dunsmuir* c. *Nouveau-Brunswick* ((2008) 1 R.C.S. 190, 2008 CSC 9), il n'y a plus que deux normes de contrôle applicables en matière de révision judiciaire. Également, les critères d'analyse pour choisir la norme de contrôle applicable ont été modifiés par cette décision.

81.18/1 L'interprétation des faits relève de façon exclusive de la compétence de la Commission des relations du travail. Il ne saurait y avoir intervention de la Cour supérieure à moins d'erreur manifestement déraisonnable, clairement irrationnelle et de toute évidence non conforme à la réalité.
Allaire c. *Research House Inc. (Québec Recherches)*, (2008) R.J.D.T. 1 (C.A.), D.T.E. 2008T-3 (C.A.), J.E. 2008-48 (C.A.), EYB 2007-126997 (C.A.).

81.18/2 L'interprétation de ce qui constitue du harcèlement psychologique au sens des dispositions de la *Loi sur les normes du travail* est au coeur de la compétence même de la Commission des relations du travail. Il n'appartient donc pas aux tribunaux supérieurs d'évaluer à sa place la crédibilité ainsi que la valeur probante des témoignages qu'elle a entendus et de court-circuiter l'exercice des pouvoirs qui lui sont dévolus.
Breton c. *Paquette*, D.T.E. 2008T-423 (C.S.), EYB 2008-132722 (C.S.).

81.18/3 En matière de révision judiciaire, c'est maintenant la norme de la décision raisonnable qui s'applique en ce qui concerne la question de savoir s'il y a eu refus justifié de recevoir une preuve non pertinente en ce qui a trait au fardeau de preuve imposé au salarié plaignant.
Breton c. *Paquette*, D.T.E. 2008T-423 (C.S.), EYB 2008-132722 (C.S.).

81.18/4 C'est l'erreur manifestement déraisonnable qui est la norme de contrôle d'une décision rendue par un arbitre de griefs en matière de harcèlement psychologique.
Syndicat démocratique des employés de Garage Saguenay—Lac-St-Jean (CSD) c. *Côté*, (2006) R.J.D.T. 1054 (C.S.), D.T.E. 2006T-814 (C.S.), J.E. 2006-1759 (C.S.), EYB 2006-109306 (C.S.) (appel rejeté: C.A.Q. n° 200-09-005720-062, le 24 avril 2008).

81.18/5 C'est la norme de contrôle de l'erreur manifestement déraisonnable qui s'applique lors de la révision judiciaire d'une décision de la Commission des relations du travail se prononçant sur l'existence ou non de harcèlement psychologique de la part de l'employeur.

Mailloux c. *Commission des relations du travail*, D.T.E. 2008T-242 (C.S.), J.E. 2008-633 (C.S.), EYB 2008-129834 (C.S.).

81.18/6 C'est la norme de contrôle de la décision correcte qui s'applique lors de la révision judiciaire d'une décision d'un arbitre de griefs portant sur la question de l'autorité de la chose jugée entre une décision de la Commission des lésions professionnelles et l'arbitrage de griefs.
Syndicat canadien des communications, de l'énergie et du papier-SCEP (Association canadienne des employés en télécommunications-ACET) c. *Amdocs Gestion de services canadiens inc.*, (2009) R.J.D.T. 39 (C.S.), D.T.E. 2009T-199 (C.S.), EYB 2009-154379 (C.S.) (règlement hors cour).

GÉNÉRAL

81.18/7 Les dispositions de la *Loi sur les normes du travail* concernant le harcèlement psychologique envoient un puissant signal: l'assurance d'un milieu de travail exempt de harcèlement psychologique qui devient une norme minimale de travail.
Marois c. *Commission des droits de la personne et des droits de la jeunesse*, (2006) R.J.D.T. 1147 (C.R.T.), D.T.E. 2006T-694 (C.R.T.) (requête en sursis rejetée: D.T.E. 2006T-996 (C.S.)) (révision judiciaire refusée: C.S.M. n^{0} 500-17-032266-069, le 13 novembre 2006).

81.18/8 Puisque le législateur a inclus dans la *Loi sur les normes du travail* les dispositions relatives au harcèlement psychologique, il a voulu que le milieu de travail en soit exempt. Qui plus est, les salariés sont en droit de s'attendre à ce qu'il n'y ait pas de harcèlement sexuel, et encore moins de menaces de mort, sur les lieux du travail, ce qui excède évidemment le simple stade du harcèlement. Tout employeur doit donc prendre les moyens raisonnables pour éliminer le problème de harcèlement et doit faire preuve de beaucoup plus de rigueur lorsqu'il s'agit de menaces de mort.
Fraternité indépendante des travailleurs industriels (FITI) c. *Meubles Laurier ltée (André Paradis)*, D.T.E. 2009T-155 (T.A.).

81.18/9 Le harcèlement psychologique peut constituer une «mesure» imposée par un employeur qui veut sanctionner un salarié exerçant un droit prévu par les dispositions du *Code du travail*.
S.D. c. *Québec (Gouvernement du) (Société de l'assurance automobile du Québec)*, (2009) R.J.D.T. 205 (C.R.T.), D.T.E. 2009T-162 (C.R.T.).

81.18/10 Les éléments constitutifs du harcèlement psychologique sont: 1) une conduite vexatoire; 2) qui se manifeste par des agissements répétés; 3) qui sont hostiles ou non désirés; 4) qui portent atteinte à la dignité ou à l'intégrité; et 5) qui entraînent un milieu de travail néfaste. L'on ne peut exiger que la conduite vexatoire se manifeste par des agissements eux-mêmes vexatoires. En effet, retenir une telle démarche pourrait écarter de l'analyse des éléments pertinents jugés anodins et occulter ainsi une situation de véritable harcèlement. Relativement au critère de la répétition, des gestes qui, au départ, sont anodins, plus ou moins graves, peuvent, à la suite de leur accumulation, produire les conséquences néfastes du harcèlement. De plus, il n'est pas nécessaire que les gestes qui constituent le harcèlement soient incessants. Quant aux actes non désirés, ils font référence à des gestes non nécessairement hostiles, mais dont on peut aisément se passer.

Par voie de conséquence, il faut considérer l'ensemble des circonstances pour conclure aux gestes non désirés, car le contexte, le milieu et la culture du travail comptent pour beaucoup dans l'évaluation de ce qui est acceptable dans un milieu de travail donné. Également, il existe une distinction fondamentale entre l'atteinte à la dignité et l'atteinte à l'intégrité physique ou psychologique. La première ne commande pas la preuve de séquelles qui se perpétuent, au contraire de la seconde. Par conséquent, le fardeau de la preuve est différent dans une situation ou dans une autre. Un milieu de travail néfaste est donc un milieu défavorable pour le salarié, dans lequel il ne peut s'épanouir ni se réaliser. Celui-ci est créé non pas par le travail en soi, mais par les actions répétées qui constituent la conduite vexatoire, actions qui alourdissent le climat, lequel devient malheureux et inhospitalier.

Le décideur doit donc être prudent lorsqu'il apprécie les faits, car plusieurs situations, tels les conflits de personnalités, les malentendus, le stress et les conflits non réglés, peuvent être la source de plaintes de harcèlement alors que, en réalité, les faits ne remplissent pas les conditions nécessaires à l'établissement du harcèlement psychologique. Le critère d'appréciation de la preuve est celui de la personne raisonnable placée dans une même situation.

Syndicat des employées et employés de métiers d'Hydro-Québec, section locale 1500 SCFP-FTQ c. *Hydro-Québec (Gabriel Dionne)*, (2008) R.J.D.T. 235 (T.A.), D.T.E. 2008T-74 (T.A.).

81.18/11 En matière de harcèlement psychologique, l'existence d'une conduite vexatoire doit s'apprécier de façon objective en fonction de la personne raisonnable placée dans les mêmes circonstances. Les caractéristiques personnelles de la prétendue victime peuvent être prises en considération afin d'établir si celle-ci a subi du harcèlement psychologique, cependant la théorie du «crâne fragile» doit être utilisée avec une grande prudence. En effet, les caractéristiques personnelles d'une personne ne doivent pas être la norme de référence pour conclure si, dans la société civile, la personne raisonnable placée dans les mêmes circonstances que la prétendue victime aurait considéré être victime de harcèlement psychologique. Face à une personne agressive, il faut analyser les faits à la lumière du critère fondamental de référence, soit celui de la personne raisonnable non agressive placée dans les mêmes circonstances que le salarié plaignant, notamment lorsque son agressivité est déraisonnable et non fondée.

Olymel, s.e.c. / Iberville c. *Teamsters Québec, section locale 1999 (Huguette Beaulieu)*, (2008) R.J.D.T. 316 (T.A.), D.T.E. 2008T-75 (T.A.).

81.18/12 Pour conclure à l'existence d'une situation de harcèlement psychologique au travail, il faut démontrer que, pour une personne raisonnable placée dans des circonstances similaires, la conduite du présumé harceleur remplit les cinq éléments de la définition prévue à l'article 81.18 L.N.T., ces cinq éléments devant tous être présents.

Pour qu'un seul incident constitue du harcèlement psychologique, il doit être le reflet d'une conduite grave portant atteinte à la dignité ou à l'intégrité physique du plaignant. La preuve doit, notamment, démontrer que la présumée victime a subi des conséquences néfastes et que les gestes dont elle a été l'objet ont porté atteinte à sa dignité ou à son intégrité.

Syndicat canadien des communications, de l'énergie et du papier (SCEP), section locale A c. *Compagnie A (B.D.)*, D.T.E. 2007T-471 (T.A.).

81.18/13 La définition de harcèlement psychologique contenue à l'article 81.18 L.N.T. est restrictive, limitant la portée du concept de harcèlement psychologique uniquement à ce qui y est exprimé.
Syndicat canadien de la fonction publique, section locale 2915 (SCFP) c. *Baie-Comeau (Ville de) (Bobby Lévesque)*, (2005) R.J.D.T. 1984 (T.A.), D.T.E. 2005T-1118 (T.A.).

81.18/14 En matière de plainte pour harcèlement psychologique, la situation doit être étudiée globalement et non pas cas par cas.
Hilaregy c. *9139-3249 Québec inc. (Restaurant Poutine La Belle Province)*, D.T.E. 2006T-550 (C.R.T.) (révision en vertu de l'article 127 C.T. refusée).

81.18/15 La conduite vexatoire s'apprécie de façon objective en fonction de la personne raisonnable, normalement diligente et prudente, placée dans les mêmes circonstances.
Côté c. *CHSLD de la MRC de Champlain*, D.T.E. 2007T-391 (C.R.T.) (en révision).
Bangia c. *Nadler Danino, s.e.n.c.*, (2006) R.J.D.T. 1200 (C.R.T.), D.T.E. 2006T-818 (C.R.T.) (révision en vertu de l'article 127 C.T. refusée).

81.18/16 L'analyse du caractère répété doit se faire globalement afin de déceler l'aspect harcelant ou non des comportements, paroles, gestes ou actes.
A c. *Restaurant A*, D.T.E. 2007T-160 (C.R.T.).

81.18/17 Pour que l'on puisse conclure à du harcèlement psychologique en milieu de travail, trois conditions doivent être présentes: 1) une conduite vexatoire; 2) qui occasionne une atteinte à la dignité ou à l'intégrité; et 3) un milieu de travail néfaste pour le salarié.
A c. *Restaurant A*, D.T.E. 2007T-160 (C.R.T.).
Breton c. *Compagnie d'échantillons «National» ltée*, (2007) R.J.D.T. 138 (C.R.T.), D.T.E. 2007T-55 (C.R.T.) (révision judiciaire refusée: D.T.E. 2008T-423 (C.S.), EYB 2008-132722 (C.S.)).
Dumont c. *Matériaux Blanchet inc.*, D.T.E. 2007T-260 (C.R.T.) (révision en vertu de l'article 127 C.T. refusée) (révision judiciaire refusée: C.S.Q. n⁰ 200-17-008560-070, le 18 décembre 2007).
Malette c. *3948331 Canada inc. (Allure Concept Mode)*, D.T.E. 2007T-235 (C.R.T.).

81.18/18 Le harcèlement psychologique comprend quatre éléments. En premier lieu, c'est une conduite vexatoire constituée par des comportements, paroles, actions ou gestes hostiles ou non désirés. Ensuite, ces comportements, paroles, actions ou gestes doivent être répétés, sauf dans le cas d'une conduite grave. De plus, la conduite vexatoire doit porter atteinte à la dignité ou à l'intégrité psychologique ou physique de la victime. Finalement, cette conduite doit entraîner un milieu de travail néfaste pour le salarié.
Association du personnel de soutien du Collège A c. *Collège A (F.S.)*, (2007) R.J.D.T. 1247 (T.A.), D.T.E. 2007T-660 (T.A.) (requête en révision judiciaire: n⁰ 500-17-037967-075).

81.18/19 Selon la définition prévue à l'article 81.18 L.N.T., quatre conditions sont exigées pour constater la présence de harcèlement psychologique. Ces conditions sont conjonctives, c'est-à-dire cumulatives, et non pas disjonctives, c'est-à-dire compensatoires. L'absence d'un seul de ces quatre facteurs a pour effet le rejet de la plainte de harcèlement psychologique.

Garneau c. *Viandes P.P. Hallé ltée*, D.T.E. 2008T-459 (C.R.T.) (révision en vertu de l'article 127 C.T. refusée: D.T.E. 2008T-824 (C.R.T.)).
Syndicat de la fonction publique du Québec c. *Québec (Gouvernement du) (Colombe Leblanc)*, D.T.E. 2008T-814 (T.A.).
CPE Luminou c. *Syndicat des travailleuses et des travailleurs des centres de la petite enfance de Montréal et de Laval (Tania Biggio)*, D.T.E. 2006T-582 (T.A.).

81.18/20 Il faut analyser les comportements, paroles, actes ou gestes que le salarié reproche au présumé harceleur afin d'évaluer globalement ceux qui sont hostiles ou encore non désirés. Cependant, les comportements qui découlent d'une situation normale dans un contexte de relations de travail, de l'exercice légitime des droits de la direction, d'une situation conflictuelle, de la conduite du salarié lui-même ou d'une attitude de victimisation, ne peuvent constituer du harcèlement psychologique au sens de la loi.
Lizotte c. *Alimentation Coop La Pocatière*, D.T.E. 2008T-543 (C.R.T.) (révision en vertu de l'article 127 C.T. refusée).

81.18/21 En matière de harcèlement psychologique en milieu de travail, la conduite vexatoire se manifeste par les caractères répétitifs, hostiles, non désirés des différents comportements, paroles, actes ou gestes, le critère d'appréciation de la conduite vexatoire étant celui de la victime raisonnable. Cependant, ce critère n'est pas absolu pour ce qui est de l'appréciation de l'atteinte à la dignité ou à l'intégrité de même qu'en ce qui a trait au milieu de travail néfaste. De plus, la preuve doit être appréciée de façon globale, en gardant une perspective d'ensemble de la situation. Il faut ajouter que la perception suggestive de la victime demeure pertinente mais non déterminante, tout comme l'intention malicieuse du harceleur, qui pourrait avoir un effet sur les dommages et intérêts punitifs, entre autres. Enfin, la dignité fait référence au respect, à l'estime de soi et à l'amour-propre d'une personne. De façon générale, pour qu'il y ait atteinte à la dignité, il n'est pas nécessaire qu'il y ait des séquelles définitives. Par ailleurs, quant à l'atteinte à l'intégrité psychologique ou physique, elle doit, en premier lieu, laisser des marques ou des séquelles et, en second lieu, occasionner un déséquilibre physique, psychologique ou émotif plus que fugace, sans qu'il soit nécessairement permanent.
Vézina c. *Agence universitaire de la Francophonie*, (2009) R.J.D.T. 117 (C.R.T.), D.T.E. 2009T-40 (C.R.T.) (règlement hors cour).
Frère c. *6343112 Canada inc.*, D.T.E. 2008T-741 (C.R.T.).
Ouimet-Jourdain c. *Hammami*, D.T.E. 2008T-645 (C.R.T.).
Soucy c. *Québec (Office municipal d'habitation de)*, D.T.E. 2008T-609 (C.R.T.).
Breton c. *Compagnie d'échantillons «National» ltée*, (2007) R.J.D.T. 138 (C.R.T.), D.T.E. 2007T-55 (C.R.T.) (révision judiciaire refusée: D.T.E. 2008T-423 (C.S.), EYB 2008-132722 (C.S.)).
Dian c. *Pêcheries Norref Québec inc.*, D.T.E. 2007T-1008 (C.R.T.).
Dumont c. *Matériaux Blanchet inc.*, D.T.E. 2007T-260 (C.R.T.) (révision en vertu de l'article 127 C.T. refusée) (révision judiciaire refusée: C.S.Q. n° 200-17-008560-070, le 18 décembre 2007).
G.S. c. *H.F.*, (2007) R.J.D.T. 1050 (C.R.T.), D.T.E. 2007T-590 (C.R.T.) (révision en vertu de l'article 127 C.T. refusée: D.T.E. 2007T-963 (C.R.T.)).
Malette c. *3948331 Canada inc. (Allure Concept Mode)*, D.T.E. 2007T-235 (C.R.T.).
S.H. c. *Compagnie A*, D.T.E. 2007T-722 (C.R.T.).
Fédération des professionnèles (CSN) c. *Corporation du Centre hospitalier Pierre-Janet (Chantal Dubois)*, D.T.E. 2007T-1023 (T.A.) (requête en révision judiciaire: n° 550-17-003451-075).

Université A c. *Syndicat des professeures et professeurs de l'Université A (grief syndical)*, D.T.E. 2007T-601 (T.A.).
V. aussi: *Landesman* c. *Encore Automotive*, D.T.E. 2007T-393 (C.R.T.).

81.18/22 Le harcèlement psychologique peut être défini comme une conduite inacceptable qui ne peut être appréciée qu'en examinant une situation dans son ensemble, situation qui, parfois, peut être définie dans le temps et, parfois, peut s'échelonner au cours d'une assez longue période avant que la victime puisse prétendre qu'elle est harcelée. Ainsi, prendre conscience qu'on est victime de harcèlement psychologique, surtout dans le cas où il s'agit d'une série de gestes, de paroles, de comportements plus ou moins graves, nécessite souvent un certain écoulement du temps.
Fédération des infirmières et infirmiers du Québec (FIIQ) c. *Centre de santé et de services sociaux de Québec-Nord (CLSC Orléans) (Lysanne St-Laurent)*, D.T.E. 2007T-66 (T.A.).

81.18/23 Le harcèlement sur les lieux du travail se définit comme étant: toute conduite abusive qui se manifeste entre autres par des comportements, des paroles, des actes, des gestes et des écrits pouvant porter atteinte à la personnalité, à la dignité ou à l'intégrité psychique ou physique d'une personne, qui met en péril son emploi ou encore, qui dégrade le climat de travail.
A c. *Restaurant A*, D.T.E. 2007T-160 (C.R.T.).
Hotel Four Points c. *Union des employées et employés de la restauration, métallurgistes unis d'Amérique, section locale 9400*, D.T.E. 2004T-527 (T.A.) (par analogie).
V. aussi: *Association du personnel de soutien du Collège Vanier* c. *Collège Vanier (Burt Covit)*, D.T.E. 2008T-603 (T.A.).

81.18/24 Un milieu de travail qui ne permet pas la réalisation, de façon saine, des objectifs liés au contrat de travail, est un milieu de travail néfaste.
A c. *Restaurant A*, D.T.E. 2007T-160 (C.R.T.).
Bangia c. *Nadler Danino, s.e.n.c.*, (2006) R.J.D.T. 1200 (C.R.T.), D.T.E. 2006T-818 (C.R.T.) (révision en vertu de l'article 127 C.T. refusée).

81.18/25 Le harcèlement psychologique peut résulter d'une conduite vexatoire qui peut être définie comme étant un comportement qui peut blesser quelqu'un, le contrarier, le peiner.
Collège de Rivière-du-Loup c. *Syndicat des professeurs du Cégep de Rivière-du-Loup (grief syndical)*, D.T.E. 2006T-158 (T.A.).

81.18/26 Le harcèlement psychologique est caractérisé généralement par des conduites hostiles ou non désirées ainsi que par des conduites vexatoires. Une conduite vexatoire est une conduite humiliante, offensante et abusive qui blesse la personne qui la subit ou qui lui cause du tort. Une conduite hostile ou non désirée résulte de comportements, de paroles, d'actes ou d'attitudes reprochables; elle doit être perçue nécessairement comme hostile ou non désirée. Ainsi, des paroles blessantes et injurieuses, un langage violent, injurieux, harcelant de même que le manque de respect constituent du harcèlement psychologique.
Fonderie Laroche ltée c. *Syndicat démocratique des salariées et salariés de la Fonderie Laroche (CSD)*, D.T.E. 2005T-274 (T.A.).

81.18/27 Le harcèlement psychologique vise essentiellement une manière d'agir ou un comportement inapproprié qui entraîne des conséquences préjudiciables.

La notion de harcèlement psychologique se compose de cinq éléments: 1) une conduite vexatoire; 2) qui se manifeste de façon répétitive; 3) de manière hostile ou non désirée; 4) portant atteinte à la dignité ou à l'intégrité du salarié; et 5) qui entraîne un milieu de travail néfaste.

Le tribunal saisi d'une plainte pour harcèlement psychologique se doit d'apprécier les faits dans une perspective globale et à partir du point de vue objectif de la victime présumée, c'est-à-dire en se référant aux critères de la personne raisonnable, normalement diligente et prudente, placée dans les mêmes circonstances que celle-ci. En cette matière il n'est pas pertinent de s'interroger sur l'intention malicieuse du harceleur. Telle preuve n'est pas requise puisque le législateur n'a pas voulu punir le coupable mais redresser la situation, tout comme en matière de discrimination.

En matière de harcèlement psychologique la responsabilité de l'employeur est objectivement engagée dès qu'un cadre ou un salarié sous sa direction s'adonne à une forme de harcèlement tel que défini par les dispositions de l'article 81.18 L.N.T., et ce, indépendamment de l'intention malveillante du harceleur.

Toutefois, en tout temps, le harcèlement psychologique doit être distingué des situations problématiques associées aux rapports sociaux conflictuels et aux phénomènes de victimisation ou de personnalité paranoïde. Ainsi, en ce qui a trait au conflit de personnalités, le harcèlement n'apparaîtra que si l'un des belligérants adopte une conduite vexatoire répétée et hostile mettant en cause l'intégrité et la dignité ainsi que le milieu de travail de l'autre. Relativement au phénomène de victimisation, il se reconnaît au manque de gravité ou à l'exagération de la conduite vexatoire dénoncée, à l'absence d'hostilité réelle du harceleur présumé et à l'absence de volonté du dénonciateur de trouver une solution à la situation.

En tout temps, l'exercice des droits de direction d'un employeur ne constitue un abus que si celui-ci agit de manière déraisonnable; cet abus ne peut être assimilé à du harcèlement que s'il remplit les critères essentiels de la définition prévue par les dispositions de l'article 81.18 L.N.T.

Vézina c. *Agence universitaire de la Francophonie*, (2009) R.J.D.T. 117 (C.R.T.), D.T.E. 2009T-40 (C.R.T.) (règlement hors cour).

Cheikh-Bandar c. *Pfizer Canada inc.*, D.T.E. 2008T-306 (C.R.T.) (révision judiciaire refusée: D.T.E. 2008T-877 (C.S.), J.E. 2008-2110 (C.S.), EYB 2008-149144 (C.S.)).

Gagné c. *Société immobilière du Québec*, D.T.E. 2008T-541 (C.R.T.) (révision en vertu de l'article 127 C.T. refusée).

Garneau c. *Viandes P.P. Hallé ltée*, D.T.E. 2008T-459 (C.R.T.) (révision en vertu de l'article 127 C.T. refusée: D.T.E. 2008T-824 (C.R.T.)).

Lizotte c. *Alimentation Coop La Pocatière*, D.T.E. 2008T-543 (C.R.T.) (révision en vertu de l'article 127 C.T. refusée).

Soucy c. *Québec (Office municipal d'habitation de)*, D.T.E. 2008T-609 (C.R.T.).

A c. *Restaurant A*, D.T.E. 2007T-160 (C.R.T.).

St-Boniface (Municipalité de) c. *Syndicat des travailleuses et travailleurs de St-Boniface (CSN) (Céline Lemay)*, D.T.E. 2009T-168 (T.A.).

Centre de santé et de services sociaux du Sud-Ouest — Verdun (Résidence Yvon-Brunet) c. *Syndicat des employés de la Résidence Yvon-Brunet (CSN) (griefs individuels, Daniel Trudel et autres)*, (2008) R.J.D.T. 346 (T.A.), D.T.E. 2008T-126 (T.A.).

Syndicat de la fonction publique du Québec c. *Québec (Gouvernement du) (Colombe Leblanc)*, D.T.E. 2008T-814 (T.A.).

Syndicat des professeures et professeurs de l'Université de Sherbrooke (SPPUS) c. *Université de Sherbrooke (Andrius Valevicius)*, D.T.E. 2008T-297 (T.A.).

Association du personnel de soutien du Collège A c. *Collège A (F.S.)*, (2007) R.J.D.T. 1247 (T.A.), D.T.E. 2007T-660 (T.A.) (requête en révision judiciaire: n° 500-17-037967-075).
Fédération des professionnèles (CSN) c. *Corporation du Centre hospitalier Pierre-Janet (Chantal Dubois)*, D.T.E. 2007T-1023 (T.A.) (requête en révision judiciaire: n° 550-17-003451-075).
Syndicat des salariées et salariés des Caisses populaires du Saguenay—Lac-St-Jean (CSN) c. *Caisses populaires du Saguenay—Lac-St-Jean — Caisse populaire de Laterrière (grief collectif)*, D.T.E. 2007T-972 (T.A.).
Université A c. *Syndicat des professeures et professeurs de l'Université A (grief syndical)*, D.T.E. 2007T-601 (T.A.).
Capital HRS c. *Teamsters Québec, section locale 69 (FTQ) (Sophie Clouet)*, (2006) R.J.D.T. 318 (T.A.), D.T.E. 2006T-231 (T.A.).
Centre hospitalier régional de Trois-Rivières (Pavillon St-Joseph) c. *Syndicat professionnel des infirmières et infirmiers de Trois-Rivières (Syndicat des infirmières et infirmiers Mauricie—Coeur-du-Québec) (Lisette Gauthier)*, (2006) R.J.D.T. 397 (T.A.), D.T.E. 2006T-209 (T.A.).
V. aussi: *Syndicat canadien de la fonction publique, section locale 3280* c. *Commission scolaire des Grandes-Seigneuries (J.G.)*, D.T.E. 2008T-767 (T.A.).
Syndicat de la fonction publique du Québec c. *Bibliothèque nationale du Québec (Pierre Perrault)*, D.T.E. 2008T-144 (T.A.).
Syndicat des travailleuses et travailleurs du Centre jeunesse A (PARA) — CSN c. *Centre jeunesse A (Y.L.)*, D.T.E. 2007T-542 (T.A.).

81.18/28 En matière de harcèlement psychologique, ce n'est pas d'abord et avant tout la conduite de la victime présumée qui doit être examinée. En effet, cette référence à la conduite de la victime peut porter à confusion. Ainsi, une plainte de cette nature ne devrait pas être vue ou perçue comme une audience mettant en cause, au premier titre, la conduite, la façon de faire ou d'agir de la personne qui formule ce type de reproche. L'examen d'une plainte de harcèlement psychologique doit d'abord tenir compte de la version des événements relatés par la personne qui s'en plaint.

En second lieu, il est nécessaire pour le décideur de prendre en considération les explications, atténuations et négations de la partie opposée. Il faut par la suite évaluer si, compte tenu de l'ensemble de la preuve entendue, du contexte, des personnes présentes ainsi que des faits généraux ou particuliers, la prétention de harcèlement psychologique est ou non fondée. Également, il n'y a pas lieu de déterminer ce qu'une personne raisonnable aurait ou n'aurait pas conclu dans les circonstances, mais de décider, en fonction de la preuve et du droit, si le reproche de harcèlement psychologique était fondé ou non. Cette norme d'évaluation est pertinente en situation de plainte pour harcèlement sexuel. Toutefois, elle ne peut se substituer au fait que c'est l'adjudicateur, et non cet étalon théorique qu'est la personne raisonnable, qui doit évaluer si les faits et comportements reprochés constituent, eu égard à l'ensemble des circonstances du dossier et du droit applicable, du harcèlement psychologique.
Union des employés de service, section locale 800 (FTQ) c. *McGill University (Marie-Claire Duperval)*, D.T.E. 2008T-225 (T.A.).

81.18/29 Pour qu'il y ait harcèlement psychologique, l'on doit être en présence de tous les éléments décrits par les dispositions de l'article 81.18 L.N.T. Il est établi qu'une conduite vexatoire est la manifestation de gestes, de paroles, de comportements ou d'attitudes qui humilient ou blessent quelqu'un dans son amour-propre et qui lui causent des tourments. De plus, en règle générale, il faut que ces gestes, paroles ou comportements se répètent dans le temps. L'analyse de l'affaire par un décideur doit se faire globalement et non fait par fait, afin d'y déceler le caractère harcelant ou non des comportements, paroles ou gestes. De plus, ceux-ci doivent être hostiles ou non désirés. Quant au terme «hostile», il fait référence à un sentiment d'inimitié, d'opposition, voire à un comportement d'ennemi. Quant à la notion de «comportement non désiré», elle renvoie plutôt à une manifestation qui n'a pas été souhaitée par la victime, et ce, que celle-ci ait exprimé ou non sa désapprobation avant l'événement.

Toutefois, il faut noter que, dans certains cas, le silence de la victime peut être un facteur important dans l'analyse du bien-fondé de la plainte en matière de harcèlement psychologique. Aussi, la conduite vexatoire doit nécessairement porter atteinte soit à la dignité, soit à l'intégrité physique ou psychologique du salarié. La preuve doit également démontrer que l'atteinte chez le plaignant a laissé des marques ou des séquelles qui, sans être nécessairement permanentes, compromettent de façon plus que fugace l'équilibre physique, psychologique ou émotif de la victime. Également, il faut considérer qu'un milieu de travail est néfaste lorsqu'il est nuisible et dommageable et qu'il ne permet pas de réaliser de façon saine les objectifs liés au contrat de travail.

Ainsi, il serait périlleux de prendre comme unique point d'analyse d'une conduite la seule perception du salarié plaignant puisque cette dernière peut être celle d'une personne ayant des problèmes de victimisation ou souffrant de paranoïa. De plus, chaque individu, en raison de ses traits de personnalité, de son éducation, de sa religion et de son milieu de vie, réagit différemment à une même situation, voire à une même conduite. C'est pourquoi la conduite vexatoire doit s'apprécier de façon objective en fonction de la personne raisonnable, normalement diligente et prudente, placée dans les mêmes circonstances.

Charbonnier c. *Stroms' Entreprises Ltd.*, D.T.E. 2008T-117 (C.R.T.).
Ouimet-Jourdain c. *Hammami*, D.T.E. 2008T-645 (C.R.T.).
Roy c. *Camp-école Trois-Saumons inc.*, D.T.E. 2008T-35 (C.R.T.).
Turcotte c. *Éditions forestières inc.*, D.T.E. 2008T-610 (C.R.T.).
A c. *Restaurant A*, D.T.E. 2007T-160 (C.R.T.).
Compagnie A c. *L.B.*, (2007) R.J.D.T. 1077 (C.R.T.), D.T.E. 2007T-650 (C.R.T.).
Bangia c. *Nadler Danino, s.e.n.c.*, (2006) R.J.D.T. 1200 (C.R.T.), D.T.E. 2006T-818 (C.R.T.) (révision en vertu de l'article 127 C.T. refusée).
Association du personnel de soutien du Collège A c. *Collège A (F.S.)*, (2007) R.J.D.T. 1247 (T.A.), D.T.E. 2007T-660 (T.A.) (requête en révision judiciaire: n° 500-17-037967-075).
V. aussi: *Landesman* c. *Encore Automotive*, D.T.E. 2007T-393 (C.R.T.).
Syndicat de la fonction publique du Québec c. *Bibliothèque nationale du Québec (Pierre Perrault)*, D.T.E. 2008T-144 (T.A.).

81.18/30 Les dispositions de l'article 81.18 L.N.T. définissent le harcèlement psychologique comme une conduite vexatoire. Pour déterminer si cela s'est produit, il faut analyser la preuve en adoptant le modèle subjectif/objectif, soit en se demandant si une personne raisonnable, dans la même situation que le salarié, estimerait qu'elle subit du harcèlement psychologique au sens de cet article.

Hilaregy c. *9139-3249 Québec inc. (Restaurant Poutine La Belle Province)*, D.T.E. 2006T-550 (C.R.T.) (révision en vertu de l'article 127 C.T. refusée).
Fédération des infirmières et infirmiers du Québec (FIIQ) c. *Centre de santé et de services sociaux de Québec-Nord (CLSC Orléans) (Lysanne St-Laurent)*, D.T.E. 2007T-66 (T.A.).

Syndicat catholique des ouvriers du textile, section locale 10 c. *Difco Tissus de performance inc. (Jean Grenier)*, (2007) R.J.D.T. 818 (T.A.), D.T.E. 2007T-465 (T.A.).
Emballages Polystar inc. c. *Syndicat des travailleuses et travailleurs de Polystar et Polyfilm (C.S.N.)*, D.T.E. 2004T-921 (T.A.).

81.18/31 La définition de harcèlement psychologique implique de tenir compte de la personnalité du salarié qui subit le harcèlement allégué (critère subjectif), des paroles, des actes ou des gestes prononcés et posés (critère esthétique), de l'atteinte à la dignité ou à l'intégrité psychologique du salarié (critère éthique) et des conséquences sur la prestation de travail du salarié (critère matériel).
Syndicat canadien de la fonction publique, section locale 2915 (SCFP) c. *Baie-Comeau (Ville de) (Bobby Lévesque)*, (2005) R.J.D.T. 1984 (T.A.), D.T.E. 2005T-1118 (T.A.).

81.18/32 Une situation de harcèlement psychologique s'apprécie de façon objective en vérifiant si les gestes et les attitudes allégués sont ceux qu'une personne raisonnable ne peut désirer.
Clair Foyer inc. c. *Syndicat régional des travailleuses et travailleurs de Clair Foyer inc. (CSN) (Marie-Hélène Dubois)*, D.T.E. 2005T-1119 (T.A.).

81.18/33 En matière de harcèlement psychologique, la version du salarié plaignant doit être analysée en fonction du critère de la victime raisonnable. En premier lieu, c'est la conduite de la prétendue victime qu'il faut examiner, compte tenu du fait que la définition de harcèlement psychologique a introduit des éléments qui ne se comprennent que du point de vue de celle-ci. Toutefois, il faut éviter que l'appréciation de la conduite de la victime ne soit purement subjective et, à cette fin, le critère qui a été retenu est celui de la personne raisonnable, normalement diligente et prudente placée dans les mêmes circonstances. En second lieu, il peut être approprié de tenir compte, le cas échéant, d'une preuve d'acte similaire, et ce, compte tenu des circonstances. Notamment, les versions contradictoires doivent s'apprécier en fonction des critères usuels en semblable matière.
Ste-Anne-des-Lacs (Municipalité de) c. *Syndicat canadien de la fonction publique, section locale 3894 (Mario Vattelli)*, D.T.E. 2008T-888 (T.A.).

81.18/34 Le harcèlement psychologique se traduit par une conduite répétée, qui a pour effet d'atteindre l'intégrité psychologique ou physique d'une personne de manière non désirée par celle-ci. Une conduite se produisant à une seule occasion peut aussi constituer du harcèlement si sa gravité est telle qu'elle entraîne les mêmes effets qu'une conduite répétée. Pour déterminer s'il y a eu du harcèlement, il faut appliquer un test qui comporte à la fois une dimension objective et une dimension subjective. Il consiste à se demander si une personne raisonnable, bien informée des circonstances et placée dans une situation semblable à celle vécue par la personne en cause, dont elle possède des attributs semblables, aurait conclu à une situation de harcèlement psychologique.
Turgeon c. *Gestion KCL West inc., Équipement fédéral inc. — division de gestion KCL West inc.*, D.T.E. 2008T-61 (C.R.T.).
Malette c. *3948331 Canada inc. (Allure Concept Mode)*, D.T.E. 2007T-235 (C.R.T.).
Saargumi Québec, division encapsulation c. *Métallurgistes unis d'Amérique, section locale 9414*, D.T.E. 2005T-234 (T.A.).

81.18/35 Une situation conflictuelle au travail n'engendre pas nécessairement et forcément du harcèlement psychologique. C'est le critère objectif d'appréciation de la conduite de la victime présumée qui permet de distinguer la situation conflictuelle du harcèlement psychologique. Dans une situation conflictuelle, la conduite des deux parties en litige est centrée sur l'objet même du litige à résoudre, tandis que dans une situation de harcèlement, la conduite de l'une des parties est centrée sur l'autre, de manière répétitive et hostile, et met en cause sa dignité ou son intégrité.
Dumont c. *Matériaux Blanchet inc.*, D.T.E. 2007T-260 (C.R.T.) (révision en vertu de l'article 127 C.T. refusée) (révision judiciaire refusée: C.S.Q. n° 200-17-008560-070, le 18 décembre 2007).
St-Boniface (Municipalité de) c. *Syndicat des travailleuses et travailleurs de St-Boniface (CSN) (Céline Lemay)*, D.T.E. 2009T-168 (T.A.).
Centre hospitalier régional de Trois-Rivières (Pavillon St-Joseph) c. *Syndicat professionnel des infirmières et infirmiers de Trois-Rivières (Syndicat des infirmières et infirmiers Mauricie—Coeur-du-Québec) (Lisette Gauthier)*, (2006) R.J.D.T. 397 (T.A.), D.T.E. 2006T-209 (T.A.).

81.18/36 La définition de l'article 81.18 L.N.T. étend le sens de harcèlement psychologique à un seul cas, alors que le sens ordinaire du harcèlement psychologique consiste à harceler sans répit par de petites attaques réitérées ou de rapides assauts incessants. Toutefois, le législateur précise ce en quoi une seule conduite peut constituer du harcèlement psychologique. Il parle alors de l'effet nocif continu d'une seule conduite grave et il rattache cet effet à la personne salariée. Ainsi, le terme «continu» accolé à l'effet nocif d'une seule conduite grave ne doit pas être considéré comme signifiant un effet nocif perpétuel, car il ne faut pas prétendre qu'il faut un temps infini pour faire cesser les effets d'une conduite grave et limitée dans le temps. Ainsi, une plainte de dérogation au droit à un travail exempt de harcèlement psychologique qui repose sur une seule conduite, doit démontrer de façon prépondérante que cette conduite est grave et produit un effet nocif continu sur le salarié.
Syndicat canadien de la fonction publique, section locale 2915 (SCFP) c. *Baie-Comeau (Ville de) (Bobby Lévesque)*, (2005) R.J.D.T. 1984 (T.A.), D.T.E. 2005T-1118 (T.A.).

81.18/37 La notion de harcèlement suppose que des gestes ou des paroles sont non sollicités, qu'ils ont un caractère oppressif, qu'ils ont pour objectif la soumission, qu'ils créent un préjudice et qu'ils portent atteinte à l'intégrité physique ou psychologique de la personne qui en est victime.
Syndicat de la fonction publique du Québec c. *Québec (Ministère du Revenu)*, D.T.E. 2003T-366 (T.A.) (par analogie).

81.18/38 Il faut évaluer la présence ou non du harcèlement psychologique selon le critère de la personne raisonnable placée dans la même situation. Il y a lieu de contextualiser la situation et de voir s'il y a exercice normal des droits de la direction. Enfin, il faut tenir compte de l'attitude et du comportement du salarié plaignant.
Dupuis c. *Commission scolaire de la Riveraine*, D.T.E. 2008T-821 (C.R.T.) (révision en vertu de l'article 127 C.T. refusée: D.T.E. 2009T-85 (C.R.T.)) (requête en révision judiciaire: n° 405-17-000958-087).

81.18/39 Ce n'est pas parce qu'une conduite vexatoire n'a entraîné aucune blessure ou maladie qu'elle n'est pas susceptible d'avoir porté atteinte à la dignité ou à l'intégrité psychologique ou physique de la personne qui en a été l'objet.
Breton c. *Compagnie d'échantillons «National» ltée*, (2007) R.J.D.T. 138 (C.R.T.), D.T.E. 2007T-55 (C.R.T.) (révision judiciaire refusée: D.T.E. 2008T-423 (C.S.), EYB 2008-132722 (C.S.)).
Roc c. *Poulbec inc.*, (2007) R.J.D.T. 1533 (C.R.T.), D.T.E. 2007T-792 (C.R.T.).

81.18/40 Même s'il n'y a pas, dans la législation fédérale, d'assise législative à la prohibition du harcèlement psychologique, cela ne signifie pas qu'il soit impossible à un employé d'une entreprise de compétence fédérale de formuler un grief basé sur un tel motif, les arbitres pouvant s'inspirer de la définition du harcèlement psychologique prévue dans la *Loi sur les normes du travail*.

La jurisprudence sur la question du harcèlement psychologique est à l'effet de reconnaître l'obligation de l'employeur d'assurer un cadre convenable d'exécution du travail au salarié, ce qui exclut, notamment, l'existence d'un contexte de harcèlement, quel qu'en soit le motif. Cette obligation, qui découle du contrat individuel de travail, s'applique à l'employeur même en milieu syndiqué, peu importe que la convention collective prohibe expressément le harcèlement psychologique ou non.
Société canadienne des postes c. *Syndicat des travailleuses et travailleurs des postes (factrices et facteurs ruraux et suburbains) (Claire Pouliot)*, (2005) R.J.D.T. 1398 (T.A.), D.T.E. 2005T-806 (T.A.).

81.18/41 Le harcèlement psychologique peut être assimilé à un abus de pouvoir ou à un exercice abusif, injuste et déraisonnable des droits de la direction.
Binette c. *Réno-Dépôt inc.*, (2007) R.J.D.T. 1101 (C.R.T.), D.T.E. 2007T-721 (C.R.T.).
Syndicat de la fonction publique du Québec c. *Québec (Ministère du Revenu)*, (2004) R.J.D.T. 1340 (T.A.), D.T.E. 2004T-814 (T.A.).

81.18/42 Les dispositions de la *Loi sur les normes du travail* relatives au harcèlement psychologique ont modifié la façon de vérifier si l'employeur exerce son pouvoir de direction conformément aux règles du droit du travail disciplinaire collectif. Avant la mise en vigueur de ces dispositions, le contenu de l'obligation de maintenir un milieu de travail exempt de harcèlement psychologique variait selon les circonstances. En règle générale, une plainte de harcèlement psychologique était rejetée si l'employeur démontrait qu'il exerçait son pouvoir de gérance uniformément à l'égard de l'ensemble des salariés sans faire aucune distinction entre eux.

Les dispositions relatives au harcèlement psychologique modifient ce point de vue. La plainte de harcèlement psychologique s'examine en fonction de celui qui se plaint et non pas en fonction de l'exercice du droit de gérance sur les salariés. Le droit à un milieu de travail exempt de harcèlement psychologique a changé de base. Il s'est déplacé du concept collectif pour s'individualiser.

Par voie de conséquence, l'arbitre saisi d'un grief basé sur le droit du salarié à un milieu de travail exempt de harcèlement psychologique ne doit pas se limiter à vérifier si l'employeur a exercé son pouvoir de gérance de façon raisonnable par rapport aux gestes qu'il pose à l'égard de l'ensemble des salariés, mais il doit plutôt vérifier si ce pouvoir est exercé sans harcèlement psychologique, et ce, au regard du salarié concerné.
Syndicat canadien de la fonction publique, section locale 2915 (SCFP) c. *Baie-Comeau (Ville de) (Bobby Lévesque)*, (2005) R.J.D.T. 1984 (T.A.), D.T.E. 2005T-1118 (T.A.).

81.18/43 La notion de harcèlement psychologique ne vise pas toutes les interventions faites par un représentant de l'employeur auprès d'un salarié. Un représentant de l'employeur est en droit d'exercer son rôle qui est de s'assurer que les salariés respectent les règles et usages en vigueur dans le milieu de travail et qu'ils fournissent une prestation de travail acceptable.

Ainsi, le fait de signaler au salarié, pendant de nombreux mois, les erreurs et omissions qu'il a commises et de lui indiquer les directives à suivre afin de se corriger, ne constitue pas du harcèlement psychologique.

La notion de harcèlement psychologique ne doit pas être étendue à toute situation dans laquelle un employeur peut légitimement intervenir, conformément à ses droits de direction, dans la mesure où cette intervention vise le bien-être de l'organisation ou amène un salarié à agir correctement.

Union des routiers, brasseries, liqueurs douces et ouvriers de diverses industries, section locale 1999 c. *Brasserie Labatt ltée*, (2004) R.J.D.T. 309 (T.A.), D.T.E. 2004T-279 (T.A.).

V. aussi: *Syndicat des travailleuses et travailleurs des postes* c. *Société canadienne des postes (Sandra Gauthier)*, D.T.E. 2007T-131 (T.A.).

Aramark Québec inc. c. *Syndicat des travailleuses et travailleurs d'Aramark — division Bombardier (CSN)*, D.T.E. 2005T-15 (T.A.).

81.18/44 L'exercice discrétionnaire du droit de direction de l'employeur ne peut constituer un abus que s'il est exercé de manière déraisonnable et cet abus ne peut constituer du harcèlement psychologique que s'il satisfait à tous les éléments essentiels de la définition prévue à l'article 81.18 L.N.T.

Côté c. *CHSLD de la MRC de Champlain*, D.T.E. 2007T-391 (C.R.T.) (en révision).

St-Boniface (Municipalité de) c. *Syndicat des travailleuses et travailleurs de St-Boniface (CSN) (Céline Lemay)*, D.T.E. 2009T-168 (T.A.).

Centre hospitalier régional de Trois-Rivières (Pavillon St-Joseph) c. *Syndicat professionnel des infirmières et infirmiers de Trois-Rivières (Syndicat des infirmières et infirmiers Mauricie—Coeur-du-Québec) (Lisette Gauthier)*, (2006) R.J.D.T. 397 (T.A.), D.T.E. 2006T-209 (T.A.).

81.18/45 Il est bien établi que le salarié doit fournir la prestation de travail convenue dans son contrat de travail et en assurer une régularité dans le cadre du pouvoir de direction de l'employeur. Ce dernier doit permettre l'exécution de la prestation de travail et payer la rémunération contractuelle.

En cas de divergence entre l'employeur et le salarié sur l'application des conditions de travail, le principe de la relation d'emploi du contrat de travail fait en sorte que le salarié doit obéir d'abord et porter plainte ensuite. À ce principe, il y a une exception: le salarié peut refuser d'exécuter la prestation de travail si l'exécution l'expose à un danger pour sa santé, sa sécurité ou son intégrité physique.

Toute allégation d'infraction au droit prévu à l'article 81.19 L.N.T. ne confère pas au salarié le droit de refuser d'exécuter la prestation de travail convenue ni de différer la régularité de son exécution, même si l'employeur commet les actes et gestes caractéristiques du harcèlement psychologique au sens de l'article 81.18 L.N.T.

Toutefois, le salarié peut refuser de travailler si le harcèlement psychologique constitue un danger pour sa santé, sa sécurité ou son intégrité physique ou psychologique. Hormis ces situations, le salarié doit respecter la règle d'obéir d'abord, se plaindre ensuite et accomplir la prestation de travail convenue même si l'exercice du pouvoir de gérance de l'employeur est empreint de harcèlement psychologique.

Syndicat canadien de la fonction publique, section locale 2915 (SCFP) c. *Baie-Comeau (Ville de) (Bobby Lévesque)*, (2005) R.J.D.T. 1984 (T.A.), D.T.E. 2005T-1118 (T.A.).

81.18/46 On ne peut conclure à une situation de harcèlement psychologique au travail sans qu'il y ait une preuve d'abus de pouvoir.
Syndicat catholique des ouvriers du textile, section locale 10 c. *Difco Tissus de performance inc. (Jean Grenier)*, (2007) R.J.D.T. 818 (T.A.), D.T.E. 2007T-465 (T.A.).

CAS D'APPLICATION NE CONSTITUANT PAS DU HARCÈLEMENT PSYCHOLOGIQUE

81.18/47 Des problèmes relationnels de la part d'un représentant de l'employeur à l'égard du salarié, en l'absence de preuve d'hostilité et de l'intention de porter atteinte à la dignité de celui-ci, ne peuvent constituer du harcèlement psychologique.
Breton c. *Compagnie d'échantillons «National» ltée*, (2007) R.J.D.T. 138 (C.R.T.), D.T.E. 2007T-55 (C.R.T.) (révision judiciaire refusée: D.T.E. 2008T-423 (C.S.), EYB 2008-132722 (C.S.)).
Syndicat des fonctionnaires municipaux de Ville A (SCFP) c. *A (Ville) (É.C.)*, D.T.E. 2007T-717 (T.A.).
Université A c. *Syndicat des professeures et professeurs de l'Université A (grief syndical)*, D.T.E. 2007T-601 (T.A.).
Emballages Polystar inc. c. *Syndicat des travailleuses et travailleurs de Polystar et Polyfilm (C.S.N.)*, D.T.E. 2004T-921 (T.A.).
V. aussi: *Frère* c. *6343112 Canada inc.*, D.T.E. 2008T-741 (C.R.T.).

81.18/48 Des problèmes de relations entre le salarié plaignant et ses collègues de travail ainsi qu'entre le plaignant et ses supérieurs ne constituent pas du harcèlement psychologique dans le contexte d'un conflit de personnalités où les personnes ont des relations tendues et difficiles durant la période pertinente. Il ne peut y avoir de harcèlement psychologique dans le cas où le salarié plaignant voit des traitements empreints de discrimination, des injustices, de l'abus de confiance et du harcèlement alors que l'employeur invoque les impératifs de la gestion efficace de son entreprise et les problèmes de comportement du salarié plaignant.
Union des employés de service, section locale 800 (FTQ) c. *McGill University (Marie-Claire Duperval)*, D.T.E. 2008T-225 (T.A.).

81.18/49 Il faut faire une différence entre les situations de harcèlement psychologique et les situations de conflit au travail. Le conflit au travail est marqué de reproches nommés, alors que le harcèlement psychologique ou moral se manifeste généralement par le non-dit et la dissimulation. Le conflit est une source de renouvellement et de réorganisation, puisqu'il oblige à se remettre en question. Ainsi, les paroles et gestes hostiles et non désirés, de même que l'attitude du supérieur immédiat, constituent l'exercice normal des droits de la direction en l'absence de conduite vexatoire.
Turcotte c. *Éditions forestières inc.*, D.T.E. 2008T-610 (C.R.T.).

81.18/50 Il faut faire une distinction entre un conflit de travail et ce qui constitue du harcèlement psychologique.
Syndicat module du Nord québécois (CSN) c. *Centre de santé Inuulitsivik (Module du Nord québécois) (Claude Brachet)*, D.T.E. 2008T-768 (T.A.).

81.18/51 L'exercice discrétionnaire du droit de direction de l'employeur ne peut constituer du harcèlement psychologique que s'il est exercé de manière déraisonnable. Ainsi, les critiques devant les collègues, l'attitude du supérieur, l'intervention de celui-ci dans le champ de compétence d'un directeur des ressources humaines, en l'absence de conduite vexatoire, constituent l'exercice normal des droits de direction.
Soucy c. *Québec (Office municipal d'habitation de)*, D.T.E. 2008T-609 (C.R.T.).

81.18/52 Le fait qu'un employeur adopte un style plus strict ou encore plus contrôlant ne permet pas nécessairement de conclure à du harcèlement psychologique au sens de la définition de la *Loi sur les normes du travail*. Il faut que l'adoption de cette mesure par l'employeur soit abusive ou exercée de manière indue, c'est-à-dire inappropriée, discriminatoire, menaçante, offensante, malicieuse ou, encore, inéquitable.
Syndicat de la fonction publique du Québec c. *Québec (Gouvernement du) (Colombe Leblanc)*, D.T.E. 2008T-814 (T.A.).

81.18/53 Le fait pour un employeur de faire subir plusieurs examens médicaux à un travailleur qui est atteint d'une maladie et qui veut obtenir un poste, ne constitue pas du harcèlement psychologique.
Syndicat des cols bleus regroupés de Montréal, section locale 301 c. *Montréal (Ville de) (arrondissement de St-Laurent) (André Colin)*, D.T.E. 2007T-622 (T.A.).

81.18/54 Le fait, pour l'employeur, de faire connaître ses attentes, même fermement, lorsqu'il constate que ses directives ne sont pas suivies, de même que le fait, pour la plaignante, de considérer inappropriés des paroles et des gestes de certains collègues masculins de travail, et de se sentir isolée, ne constituent pas nécessairement du harcèlement psychologique.
Côté c. *Recyclovesto inc.*, D.T.E. 2008T-173 (C.R.T.).

81.18/55 Les paroles, l'attitude et les propos du supérieur du salarié, de même que ses critiques relativement à l'exécution de son travail, ne constituent pas du harcèlement psychologique.
Béchard c. *Couche-Tard inc.*, D.T.E. 2008T-413 (C.R.T.).

81.18/56 Les gestes, les paroles ainsi que l'attitude du supérieur et sa réaction à l'égard du salarié quant à l'exercice par celui-ci d'un recours auprès de la Commission de la santé et de la sécurité du travail, ne constituent pas du harcèlement psychologique.
Gagné c. *Société immobilière du Québec*, D.T.E. 2008T-541 (C.R.T.) (révision en vertu de l'article 127 C.T. refusée).

81.18/57 L'attitude autoritaire et condescendante de la part d'un collègue de travail de même que les propos agressifs et insultants de celui-ci, ne constituent pas nécessairement du harcèlement psychologique.
Association du personnel de soutien du Collège Vanier c. *Collège Vanier (Burt Covit)*, D.T.E. 2008T-603 (T.A.).

81.18/58 Une situation conflictuelle à laquelle le salarié plaignant n'a pas su faire face en tant que gestionnaire ne constitue pas du harcèlement psychologique, et ce, même s'il y a eu des paroles et des gestes irrespectueux et même s'il y

a eu une attitude hostile de la part du personnel. Ainsi, en l'absence d'agissements ou d'actes abusifs répétés qui blessent ou humilient la victime, il ne saurait y avoir de harcèlement psychologique lorsqu'il y a absence de conduite vexatoire.
Roy c. *Camp-école Trois-Saumons inc.*, D.T.E. 2008T-35 (C.R.T.).

81.18/59 Le fait de donner à un salarié quelques consignes visant la bonne marche des opérations et de les répéter parce que celui-ci refuse d'obtempérer ou cherche à les contourner, ne peut constituer un acte de harcèlement psychologique, et ce, dans le contexte où ces interventions répétées sont nécessaires, justes, pondérées et qu'elles ne couvrent pas un autre dessein que la bonne exécution des tâches professionnelles confiées au salarié.
Syndicat des fonctionnaires municipaux de Montréal (SCFP) c. *Montréal (Ville de) (Gilles Tremblay)*, D.T.E. 2009T-72 (T.A.).

81.18/60 Les reproches d'un employeur formulés devant des clients et l'attitude brusque de celui-ci à l'égard du salarié ne constituent pas du harcèlement psychologique, et ce, compte tenu qu'il y a absence de conduite vexatoire.
Malette c. *3948331 Canada inc. (Allure Concept Mode)*, D.T.E. 2007T-235 (C.R.T.).

81.18/61 Des paroles blessantes, des critiques devant des collègues de travail, l'attitude dénigrante d'une directrice des ressources humaines à l'égard du salarié plaignant peuvent constituer l'exercice normal des droits de la direction sans lien avec un conflit de personnalités compte tenu qu'il s'agit d'événements ponctuels non répétitifs qui relèvent de rapports sociaux difficiles ou de conflits. Il ne s'agit pas nécessairement de harcèlement psychologique au sens de la définition retenue par le législateur.
Breton c. *Compagnie d'échantillons «National» ltée*, (2007) R.J.D.T. 138 (C.R.T.), D.T.E. 2007T-55 (C.R.T.) (révision judiciaire refusée: D.T.E. 2008T-423 (C.S.), EYB 2008-132722 (C.S.)).

81.18/62 L'attitude froide, sèche et impatiente d'un représentant de l'employeur, bien qu'elle ait été non désirée, n'est pas hostile ni vexatoire. Il ne peut donc s'agir de harcèlement psychologique au sens de la *Loi sur les normes du travail*.
Syndicat catholique des ouvriers du textile, section locale 10 c. *Difco Tissus de performance inc. (Jean Grenier)*, (2007) R.J.D.T. 818 (T.A.), D.T.E. 2007T-465 (T.A.).

81.18/63 Des regards peuvent constituer la manifestation d'une conduite ou d'un comportement harcelant. Toutefois, pour en arriver à une telle conclusion, il faut qu'il y ait une répétitivité dans cette façon de faire et que celle-ci ait des répercussions sur la personne qui subit les regards négatifs.
Union internationale des travailleuses et travailleurs unis de l'alimentation et du commerce, section locale 766-P c. *Kraft Canada inc. (usine de LaSalle, Québec)*, (2004) R.J.D.T. 1258 (T.A.), D.T.E. 2004T-734 (T.A.).

81.18/64 Des reproches de la part d'un supérieur envoyés par courriel à un professeur d'université, même s'ils sont interprétés en partie comme de l'intimidation, ne constituent pas nécessairement du harcèlement psychologique.
Université A c. *Syndicat des professeures et professeurs de l'Université A (grief syndical)*, D.T.E. 2007T-601 (T.A.).

81.18/65 Les limites d'accompagnement de collègues qui sont imposées au salarié par l'employeur, les contrôles plus rapprochés dont il peut faire l'objet, de même que les inconvénients qu'ont entraînés ces restrictions peuvent résulter des difficultés professionnelles du salarié et non de faits et gestes répréhensibles de la part de ses supérieurs. Ces contrôles et restrictions ne constituent pas du harcèlement psychologique compte tenu qu'il n'y a pas eu d'abus d'autorité ni d'actes malicieux rendant le milieu de travail néfaste.
Syndicat des fonctionnaires municipaux de Ville A (SCFP) c. *A (Ville) (É.C.)*, D.T.E. 2007T-717 (T.A.).

81.18/66 Le comportement inapproprié et la perte de maîtrise du recteur d'une université à l'égard de professeurs, et ce, en l'absence de caractère hostile et non désiré des gestes, ne constituent pas une conduite vexatoire et du harcèlement psychologique.
Syndicat des professeures et professeurs de l'Université de Sherbrooke (SPPUS) c. *Université de Sherbrooke (Andrius Valevicius)*, D.T.E. 2008T-297 (T.A.).

81.18/67 Relève du droit de la direction et ne constitue pas du harcèlement psychologique le fait de soumettre des employés à une surveillance étroite, de leur imposer des mesures disciplinaires pour un motif valable, de les obliger à satisfaire à des exigences propres à la nature des fonctions, etc. Ainsi, les événements prévisibles dans le cadre habituel des relations de travail, qui représentent l'exercice normal du droit de direction de l'employeur, doivent être distingués du harcèlement psychologique au travail.
Côté c. *CHSLD de la MRC de Champlain*, D.T.E. 2007T-391 (C.R.T.) (en révision).

81.18/68 En matière d'application de mesure disciplinaire ou non disciplinaire, si le comportement de l'employeur ne s'écarte pas d'une conduite raisonnable à l'égard d'une personne qui éprouve indéniablement de la difficulté à s'adapter à ses fonctions, il ne peut y avoir de harcèlement psychologique. En effet, même si certains actes ont pu entacher la dignité du salarié plaignant et que certaines décisions de la direction peuvent s'être révélées fort discutables, l'exercice discrétionnaire des droits de direction de l'employeur ne peut constituer un abus que s'il est appliqué de manière déraisonnable et cet abus ne peut constituer du harcèlement que s'il satisfait aux éléments essentiels de la définition se trouvant à l'article 81.18 L.N.T.
Binette c. *Réno-Dépôt inc.*, (2007) R.J.D.T. 1101 (C.R.T.), D.T.E. 2007T-721 (C.R.T.).

81.18/69 L'attitude froide et distante de l'employeur ne constitue pas du harcèlement psychologique, puisqu'il s'agit d'une perception suggestive de la plaignante fondée exclusivement sur des impressions.
La Rue c. *Centre vétérinaire Daubigny inc.*, (2007) R.J.D.T. 1513 (C.R.T.), D.T.E. 2007T-808 (C.R.T.).

81.18/70 Des relations personnelles et professionnelles difficiles ne constituent pas du harcèlement psychologique.
Côté c. *Fabrique de la paroisse de St-Félicien*, D.T.E. 2009T-78 (C.R.T.).

81.18/71 Un conflit interpersonnel ouvert, l'insubordination et le manque de respect ne constituent pas nécessairement du harcèlement psychologique. En effet, le conflit est souvent marqué de reproches nommés, alors que le harcèlement

dit moral se manifeste plutôt généralement par le non-dit et la dissimulation. Le conflit est une source de renouvellement et de réorganisation, puisqu'il oblige à se remettre en question. Par contre, le harcèlement psychologique met en relief une relation dominant-dominé. La victime est plus souvent qu'autrement et habituellement déroutée par les comportements et les attitudes du harceleur. Ce sont ces attaques soutenues, parfois anodines, mais presque toujours inexplicables par la situation ou son contexte, qui suscitent le malaise et la remise en question puis, à terme, portent atteinte à l'intégrité psychologique.
Foisy c. *Centre de défense des droits de la Montérégie*, D.T.E. 2007T-812 (C.R.T.).

81.18/72 Tout employeur a le droit d'exiger le respect de l'horaire de travail par son salarié. Le fait de rappeler cette exigence ne peut constituer du harcèlement psychologique.
Bourque c. *Centre de santé des Etchemins*, D.T.E. 2006T-314 (C.R.T.) (révision en vertu de l'article 127 C.T. refusée).

81.18/73 La modification de l'horaire de travail d'un salarié qui subit également une surveillance étroite, ne constitue pas du harcèlement psychologique puisqu'il s'agit de l'exercice normal des droits de la direction.
Ste-Anne-des-Lacs (Municipalité de) c. *Syndicat canadien de la fonction publique, section locale 3894 (Mario Vattelli)*, D.T.E. 2008T-888 (T.A.).

81.18/74 Le réaménagement de l'horaire de travail du salarié, les discussions pour l'inviter à prendre sa retraite, les modifications à sa tâche, l'embauche d'un nouvel employé et le déménagement de son bureau, sont l'exercice non abusif des droits de la direction et ne constituent pas du harcèlement psychologique en l'absence d'une conduite vexatoire.
Lemm c. *Centre universitaire de santé McGill*, D.T.E. 2008T-116 (C.R.T.).

81.18/75 Le refus de l'employeur d'exclure une étudiante d'un stage supervisé par le salarié plaignant, ne constitue pas du harcèlement psychologique, et ce, dans le cas où la compétence, l'intégrité et la qualité du travail du salarié n'ont pas été mises en doute, surtout s'il n'y a pas eu d'agissements abusifs, insidieux et répétés de la part de l'employeur.
Collège de Rivière-du-Loup c. *Syndicat des professeurs du Cégep de Rivière-du-Loup (grief syndical)*, D.T.E. 2006T-158 (T.A.).

81.18/76 Les interventions relatives aux exigences de l'entreprise, aux méthodes de travail et au rendement du plaignant ne constituent pas du harcèlement psychologique en l'absence de conduite vexatoire. Il s'agit plutôt de l'exercice normal des droits de la direction. Un milieu de travail peut engendrer du stress, des conflits, des inconvénients, de l'insatisfaction et des bouleversements sans qu'il en découle nécessairement une conduite vexatoire ou du harcèlement psychologique.
Charbonnier c. *Stroms' Entreprises Ltd.*, D.T.E. 2008T-117 (C.R.T.).

81.18/77 L'on ne peut considérer que, en exprimant sa perception selon laquelle le directeur exerçait du harcèlement psychologique à son égard, le plaignant a tenu des propos injurieux à l'encontre de celui-ci. Une telle conclusion aurait pour effet de causer l'appréhension d'une contrainte pour l'exercice des droits du plaignant à un milieu de travail exempt de harcèlement psychologique, prévus à l'article 81.19 L.N.T.

Société des loteries du Québec c. *Syndicat des travailleuses et travailleurs de Loto-Québec (CSN) (Ghislain Houde)*, D.T.E. 2005T-880 (T.A.).

81.18/78 L'attitude ferme et intransigeante de la direction relativement à l'exécution de la prestation de travail du salarié constitue l'exercice normal des droits de la direction et non du harcèlement psychologique.
Olymel, s.e.c. / Iberville c. *Teamsters Québec, section locale 1999 (Huguette Beaulieu)*, (2008) R.J.D.T. 316 (T.A.), D.T.E. 2008T-75 (T.A.).

81.18/79 L'attitude froide du supérieur, de même que les propos agressifs, l'isolement, les railleries et les menaces, ainsi que la modification des tâches du salarié ne constituent pas nécessairement du harcèlement psychologique, et ce, compte tenu du contexte dans lequel les gestes ont été posés et les paroles ont été prononcées.
St-Boniface (Municipalité de) c. *Syndicat des travailleuses et travailleurs de St-Boniface (CSN) (Céline Lemay)*, D.T.E. 2009T-168 (T.A.).

81.18/80 Une attitude désobligeante, inappropriée ne constitue pas en soi du harcèlement psychologique.
Union internationale des travailleuses et travailleurs unis de l'alimentation et du commerce, section locale 766-P c. *Kraft Canada inc. (usine de LaSalle, Québec)*, (2004) R.J.D.T. 1258 (T.A.), D.T.E. 2004T-734 (T.A.).

81.18/81 L'attitude froide, condescendante ou agressive du supérieur du plaignant de même que des paroles blessantes et humiliantes ne constituent pas nécessairement du harcèlement psychologique s'il n'y a pas de conduite vexatoire et s'il n'y a pas répétition de ce qui est reproché. En effet, l'exercice normal des droits de la direction dans le cadre et dans le contexte de problèmes organisationnels ne peut porter atteinte à l'intégrité psychologique.
Syndicat des salariées et salariés des Caisses populaires du Saguenay—Lac-St-Jean (CSN) c. *Caisses populaires du Saguenay—Lac-St-Jean — Caisse populaire de Laterrière (grief collectif)*, D.T.E. 2007T-972 (T.A.).

81.18/82 L'humiliation et le traitement distinct du salarié de celui accordé aux collègues de travail, ne constituent pas nécessairement du harcèlement psychologique, mais plutôt l'exercice normal des droits de la direction.
Dupuis c. *Commission scolaire de la Riveraine*, D.T.E. 2008T-821 (C.R.T.) (révision en vertu de l'article 127 C.T. refusée: D.T.E. 2009T-85 (C.R.T.)) (requête en révision judiciaire: n° 405-17-000958-087).

81.18/83 La confection d'une évaluation de rendement ne constitue pas du harcèlement psychologique puisque signifier à un salarié que son comportement doit s'améliorer fait partie des droits de la direction. Aussi, bien que le fait d'imposer des mesures disciplinaires puisse, dans certains cas, constituer un geste vexatoire, il faut que ces mesures aient un caractère injuste et non fondé, sinon il ne s'agit que de l'exercice légitime des droits de la direction.
Syndicat de la fonction publique du Québec c. *Bibliothèque nationale du Québec (Pierre Perrault)*, D.T.E. 2008T-144 (T.A.).

81.18/84 Les paroles et les gestes du supérieur du salarié plaignant, de même que l'utilisation d'un ton sec et du caractère gras dans les courriels lui étant adressés relativement à l'application d'un code vestimentaire, ne constituent

pas du harcèlement psychologique, car il y a absence de conduite vexatoire puisqu'il s'agit de l'exercice normal des droits de la direction, surtout lorsqu'il y a résistance au changement de la part du salarié plaignant qui agit à titre de représentant aux ventes.
Turgeon c. *Gestion KCL West inc., Équipement fédéral inc. — division de gestion KCL West inc.*, D.T.E. 2008T-61 (C.R.T.).

81.18/85 Les remarques et critiques de l'employeur relativement au rendement du salarié ne constituent pas du harcèlement psychologique surtout en présence d'une perception subjective du salarié et de sa condition psychologique extrêmement fragile, et ce, en tenant compte du fait qu'il a de la difficulté à accepter les remarques du supérieur.
Syndicat des travailleuses et travailleurs des postes c. *Société canadienne des postes (Sandra Gauthier)*, D.T.E. 2007T-131 (T.A.).

81.18/86 Des remarques générales et isolées ne constituent pas en elles-mêmes du harcèlement psychologique. Pour constituer du harcèlement psychologique, il faut que le salarié plaignant établisse des faits précis, des séquelles, des éléments répétitifs temporels et il doit démontrer que les conduites invoquées étaient vexatoires. De plus, il importe qu'à l'époque pertinente le salarié plaignant ait signifié son désaccord quant à la façon de s'exprimer et au vocabulaire utilisé par son employeur. À titre d'exemple, que le supérieur du plaignant ait, à une seule occasion, oublié de saluer le salarié plaignant ne constitue pas du harcèlement psychologique. De même, le fait pour l'employeur de demander au salarié plaignant d'effectuer son travail selon les directives, ne peut constituer du harcèlement psychologique puisque le lien de subordination entre un employeur et un salarié impose à ce dernier d'exécuter son travail selon les directives. Ne constituent pas non plus du harcèlement psychologique les réponses plus sèches du patron alors que le salarié plaignant a modifié les textes qu'on lui a dictés malgré plusieurs avertissements.
Bangia c. *Nadler Danino, s.e.n.c.*, (2006) R.J.D.T. 1200 (C.R.T.), D.T.E. 2006T-818 (C.R.T.) (révision en vertu de l'article 127 C.T. refusée).

81.18/87 Le fait pour un jeune enseignant remplaçant inexpérimenté et qui manque d'assurance de tenir des propos sexistes, arrogants, méprisants et humiliants, ne constitue pas nécessairement du harcèlement psychologique.
Champlain Regional College St. Lawrence Campus Teacher's Union c. *Cégep Champlain — Campus St-Lawrence (Champlain Regional College — St. Lawrence Campus) (Louise Gauthier)*, D.T.E. 2006T-921 (T.A.).

81.18/88 Les propos racistes et les critiques formulées de façon répétée à l'endroit d'un salarié, sont des paroles blessantes et humiliantes qui n'ont pas leur place dans un milieu de travail. Toutefois, pour conclure à du harcèlement psychologique, le salarié doit prouver qu'il s'agit dans les faits d'une conduite vexatoire qui a porté atteinte à sa dignité ou à son intégrité.
Dian c. *Pêcheries Norref Québec inc.*, D.T.E. 2007T-1008 (C.R.T.).

81.18/89 Faire un commentaire déplacé ou, encore, faire une blague d'un goût discutable ne donnent pas ouverture à du harcèlement psychologique.
Syndicat de la fonction publique du Québec c. *Québec (Gouvernement du) (Colombe Leblanc)*, D.T.E. 2008T-814 (T.A.).

81.18/90 Le fait de parler avec fermeté et d'utiliser un ton élevé pour interpeller le salarié devant d'autres personnes n'est vraisemblablement pas la meilleure façon d'agir, mais dans ce cas on ne peut y voir une conduite vexatoire portant atteinte à la dignité du salarié. De plus, l'insinuation sur les capacités mentales du salarié peut être blessante et même humiliante, mais elle ne constitue pas un signe de harcèlement psychologique. Aussi, même si le geste de soulever le menton du salarié pour lui montrer qu'il doit écouter son supérieur est inapproprié, un tel geste n'a pas porté atteinte à la dignité de celui-ci et ne constitue pas une conduite vexatoire.
Fédération des infirmières et infirmiers du Québec (FIIQ) c. *Centre de santé et de services sociaux de Québec-Nord (CLSC Orléans) (Lysanne St-Laurent)*, D.T.E. 2007T-66 (T.A.).

81.18/91 Le fait pour un directeur d'école de hausser le ton et de faire preuve d'impatience face à l'intransigeance d'un salarié qui refuse de participer à une enquête sur le harcèlement psychologique, ne constitue pas du harcèlement psychologique.
Champlain Regional College St. Lawrence Campus Teacher's Union c. *Cégep Champlain — Campus St-Lawrence (Champlain Regional College — St. Lawrence Campus) (Louise Gauthier)*, D.T.E. 2006T-921 (T.A.).

81.18/92 Le fait pour le supérieur du plaignant de signaler ses observations et critiques auprès de celui-ci au moyen de nombreux autocollants apposés dans ses rapports ne constitue pas du harcèlement psychologique.
Syndicat des fonctionnaires municipaux de Montréal (SCFP) c. *Montréal (Ville de) (Gilles Tremblay)*, D.T.E. 2009T-72 (T.A.).

81.18/93 Lorsque l'analyse globale de la situation permet de conclure qu'un employeur peut se révéler directif, voire abrupt à l'occasion, cela ne démontre pas nécessairement que ce sont des gestes et des comportements qui sont hostiles ou non désirés au sens de la définition du harcèlement psychologique.

Pour réussir quant à une plainte de harcèlement psychologique, les éléments apportés par le salarié ne doivent pas être trop généraux ou constituer des gestes isolés. Entre autres, il faut qu'une personne raisonnable puisse voir sa dignité ou son intégrité menacée.
Hilaregy c. *9139-3249 Québec inc. (Restaurant Poutine La Belle Province)*, D.T.E. 2006T-550 (C.R.T.) (révision en vertu de l'article 127 C.T. refusée).

81.18/94 Des actes indécents perçus comme un jeu par l'une des victimes en l'absence de conduite vexatoire ne constituent pas du harcèlement psychologique au sens de l'article 81.18 L.N.T.
Syndicat canadien des communications, de l'énergie et du papier (SCEP), section locale A c. *Compagnie A (B.D.)*, D.T.E. 2007T-471 (T.A.).

81.18/95 Le comportement agressif, intransigeant et irrespectueux du salarié à l'endroit de son supérieur ainsi que le refus d'établir un dialogue sont liés au phénomène de victimisation. Le salarié ne peut, alors, avoir été victime de harcèlement psychologique. Si conduite vexatoire et hostile il y a eu contre lui, c'est lui-même qui en est l'unique instigateur.
Centre hospitalier régional de Trois-Rivières (Pavillon St-Joseph) c. *Syndicat professionnel des infirmières et infirmiers de Trois-Rivières (Syndicat des infirmières et infirmiers Mauricie—Coeur-du-Québec) (Lisette Gauthier)*, (2006) R.J.D.T. 397 (T.A.), D.T.E. 2006T-209 (T.A.).

CAS D'APPLICATION CONSTITUANT DU HARCÈLEMENT PSYCHOLOGIQUE

81.18/96 Le fait pour un représentant de l'employeur de lancer un cri de mort à l'égard d'un salarié peut constituer du harcèlement psychologique, lorsqu'un tel comportement entraîne un effet nocif continu à l'égard du plaignant.
Syndicat canadien de la fonction publique, section locale 2915 (SCFP) c. *Baie-Comeau (Ville de) (Bobby Lévesque)*, (2005) R.J.D.T. 1984 (T.A.), D.T.E. 2005T-1118 (T.A.).

81.18/97 Des paroles, des gestes, l'utilisation d'un langage abusif, des cris et des critiques devant les clients et les collègues du salarié plaignant, constituent du harcèlement psychologique.
Ouimet-Jourdain c. *Hammami*, D.T.E. 2008T-645 (C.R.T.).

81.18/98 Le fait de s'adresser au salarié plaignant d'un ton fâché, menaçant, le visage rouge, en frappant une table du poing ou en pointant le salarié du doigt et en lui faisant constamment des reproches constitue du harcèlement psychologique, puisqu'il s'agit d'un comportement hostile, répété qui permet de conclure à une conduite vexatoire. Il est entendu que ni une réorganisation d'un service, ni aucun autre motif ne peuvent fonder un supérieur à faire preuve d'abus de pouvoir en s'adressant à un salarié sur un ton colérique et en le dénigrant.
Lévesque c. *Québec (Ministère de la Sécurité publique)*, D.T.E. 2007T-902 (C.F.P.).

81.18/99 L'exercice d'une mesure disciplinaire ou non disciplinaire, soit la rétrogradation et la suspension du salarié en l'absence d'explication, et le fait que son supérieur tienne des propos dénigrants et humiliants à son endroit, constituent une conduite vexatoire et une atteinte à la dignité et à l'intégrité psychologique du salarié entraînant un milieu de travail néfaste, constituant par le fait même du harcèlement psychologique.
Vézina c. *Agence universitaire de la Francophonie*, (2009) R.J.D.T. 117 (C.R.T.), D.T.E. 2009T-40 (C.R.T.) (règlement hors cour).

81.18/100 Les menaces de congédiement et les appels téléphoniques de la part d'un directeur à ses subalternes peuvent constituer du harcèlement psychologique, compte tenu de l'exercice abusif de son autorité.
Pelletier c. *Sécuritas Canada ltée*, (2004) R.J.D.T. 1588 (C.R.T.), D.T.E. 2004T-1149 (C.R.T.).

81.18/101 Des paroles blessantes, le fait de déprécier la valeur du travail d'un collègue et de le ridiculiser devant les élèves, de même que l'ironie et le sarcasme dans un contexte particulier, peuvent porter atteinte à la dignité d'une personne et constituer du harcèlement psychologique.
Association du personnel de soutien du Collège A c. *Collège A (F.S.)*, (2007) R.J.D.T. 1247 (T.A.), D.T.E. 2007T-660 (T.A.) (requête en révision judiciaire: n° 500-17-037967-075).

81.18/102 Des propos humiliants, des menaces de congédiement, des tracasseries administratives relativement à l'état de santé du salarié de même que le contrôle excessif de sa prestation de travail sont des éléments qui constituent du harcèlement psychologique.

Cégep Beauce-Appalaches c. *Syndicat des enseignantes et des enseignants du Cégep Beauce-Appalaches (griefs individuels, Jean Couture et un autre)*, D.T.E. 2009T-73 (T.A.) (requête en révision judiciaire: n° 200-17-010865-095).

81.18/103 Des paroles, des remarques déplacées et humiliantes, des critiques formulées devant des collègues de travail ne constituent pas l'exercice normal des droits de direction mais doivent plutôt être considérées comme du harcèlement psychologique.
Garofalo c. *Mansarde bleue inc.*, D.T.E. 2008T-220 (C.R.T.).

81.18/104 Des propos racistes à l'endroit d'un collègue dans un milieu de travail multiethnique, constituent une forme de harcèlement psychologique. Il s'agit alors d'une conduite vexatoire qui se manifeste par des propos hostiles.
Syndicat des communications graphiques, section locale 41M c. *Montreal Gazette Group inc., a division of Southam Publications, a CanWest Company (Pierre Verdon)*, D.T.E. 2007T-755 (T.A.).

81.18/105 Des paroles blessantes, de l'animosité et des fausses accusations de vol constituent du harcèlement psychologique.
Morin-Arpin c. *Ovide Morin inc.*, D.T.E. 2007T-961 (C.R.T.).

81.18/106 Le fait de soupçonner et d'accuser une salariée de vol et de malversation sans procéder à quelque investigation que ce soit, de même que le fait de fouiller son sac à main et de verrouiller les portes du commerce afin de l'empêcher de partir, constituent du harcèlement psychologique.
Marcoux c. *Hongwei*, D.T.E. 2009T-189 (C.R.T.) (révision en vertu de l'article 127 C.T. refusée).

81.18/107 Des regards menaçants et intimidants qui ont des répercussions négatives sur le salarié ainsi que des gestes posés dans l'intention de porter atteinte à la dignité de celui-ci, constituent une conduite vexatoire et du harcèlement psychologique.
Union internationale des travailleuses et travailleurs unis de l'alimentation et du commerce, section locale 766-P c. *Kraft Canada inc. (usine de LaSalle, Québec)*, (2004) R.J.D.T. 1258 (T.A.), D.T.E. 2004T-734 (T.A.).

81.18/108 L'agression, les voies de fait et les menaces de mort de la part d'un collègue de travail constituent du harcèlement psychologique puisqu'il s'agit d'une conduite vexatoire.
Roc c. *Poulbec inc.*, (2007) R.J.D.T. 1533 (C.R.T.), D.T.E. 2007T-792 (C.R.T.).

81.18/109 Les menaces de mort, les contraintes physiques, les colères, l'attitude agressive et belliqueuse à l'égard du salarié plaignant constituent du harcèlement psychologique.
Charbonneau c. *Groupe Johanne Verdon inc.*, D.T.E. 2009T-61 (C.R.T.) (révision en vertu de l'article 127 C.T. refusée).

81.18/110 Constitue du harcèlement psychologique le fait pour un salarié de bloquer intentionnellement le passage de son collègue de travail, de foncer sur lui avec un chariot élévateur, de faire preuve de violence verbale ainsi que de le menacer d'agression physique.

D. Bertrand & Fils inc. c. *Syndicat des salariées et salariés de l'entrepôt D. Bertrand & Fils Chicoutimi — CSN (Carol Boudreault)*, D.T.E. 2007T-228 (T.A.).

81.18/111 Un coup de marteau, de même que des paroles hostiles et non désirées ainsi que de l'intimidation à l'égard de la plaignante à la suite du dépôt de sa plainte à la Commission de la santé et de la sécurité du travail pour agression de la part d'un collègue, constituent une conduite vexatoire, une atteinte à la dignité de la salariée et, par le fait même, du harcèlement psychologique.
Landesman c. *Encore Automotive*, D.T.E. 2007T-393 (C.R.T.).

81.18/112 Des paroles et des gestes, tels un coup d'échelle, des menaces faites avec le poing, le non-respect des limitations fonctionnelles du salarié plaignant en le forçant à soulever un poids contre-indiqué par son médecin traitant, ainsi que le fait de lui lancer des pancartes, constituent du harcèlement psychologique au sens des dispositions de l'article 81.18 L.N.T.
Lalonde c. *Pavages Chenail inc.*, D.T.E. 2007T-392 (C.R.T.).

81.18/113 Les conflits qui engendrent de l'animosité entre plusieurs personnes ainsi que la multiplication de l'usage de propos dénigrants et des attaques personnelles, constituent une conduite vexatoire qui a un caractère répété et hostile, qui porte atteinte à la dignité et compromet le climat de travail, constituant ainsi du harcèlement psychologique.
Syndicat des travailleuses et travailleurs du Centre jeunesse A (PARA) — CSN c. *Centre jeunesse A (Y.L.)*, D.T.E. 2007T-542 (T.A.).

81.18/114 Les manquements à l'obligation de civilité, les menaces et l'intimidation à l'endroit de collègues de travail portent atteinte à la dignité et à l'intégrité et entraînent un milieu de travail néfaste constituant du harcèlement psychologique.
Syndicat des employées et employés de métiers d'Hydro-Québec, section locale 1500 SCFP-FTQ c. *Hydro-Québec (Gabriel Dionne)*, (2008) R.J.D.T. 235 (T.A.), D.T.E. 2008T-74 (T.A.).

81.18/115 Des gestes menaçants et répétés à l'égard d'une personne constituent du harcèlement psychologique.
Saargumi Québec, division encapsulation c. *Métallurgistes unis d'Amérique, section locale 9414*, D.T.E. 2005T-234 (T.A.).

81.18/116 Une surveillance excessive des faits et gestes du salarié, des critiques au sujet de sa prestation de travail ainsi que l'imposition de directives particulières peuvent constituer du harcèlement psychologique.
Syndicat des fonctionnaires municipaux de Montréal (SCFP) c. *Montréal (Ville de) (Gilles Tremblay)*, D.T.E. 2009T-72 (T.A.).

81.18/117 Les propos blessants et humiliants de la part du supérieur du plaignant, ainsi que les reproches formulés devant des tiers, l'usage excessif du téléavertisseur, soit de quinze à vingt fois par jour dans le but de joindre le salarié et de lui demander ce qu'il fait, constituent du harcèlement psychologique.
Centre de santé et de services sociaux du Sud-Ouest — Verdun (Résidence Yvon-Brunet) c. *Syndicat des employés de la Résidence Yvon-Brunet (CSN) (griefs individuels, Daniel Trudel et autres)*, (2008) R.J.D.T. 346 (T.A.), D.T.E. 2008T-126 (T.A.).

81.18/118 Des remarques déplacées devant des collègues de travail et des clients ainsi que l'affectation à des tâches dégradantes sur un court laps de temps et de manière répétitive, soit de sortir les déchets domestiques, de ranger les pneus d'hiver, de sortir un quai de l'eau et de faire du covoiturage avec un collègue de travail, constituent du harcèlement psychologique.
Ouellon c. *130055 Canada inc.*, D.T.E. 2009T-207 (C.R.T.) (en révision).

81.18/119 Des paroles blessantes et des gestes irrespectueux, soit des sacres et des attouchements sexuels à l'endroit de la salariée, constituent du harcèlement psychologique. C'est une conduite vexatoire qui a porté atteinte à la dignité de la plaignante et qui a rendu son milieu de travail néfaste.
A c. *Restaurant A*, D.T.E. 2007T-160 (C.R.T.).
V. aussi: *C.C.* c. *Gestion A. Bossé inc.*, D.T.E. 2008T-800 (C.R.T.) (requête en révision judiciaire: n° 250-05-001368-083).

81.18/120 Des paroles blessantes, des gestes irrespectueux, l'attitude du supérieur du plaignant et de ses collègues de travail, de même que des agressions physiques, constituent manifestement du harcèlement psychologique puisque c'est une conduite vexatoire qui a porté atteinte à la dignité et à l'intégrité physique et psychologique du salarié.
Roy c. *Maisons Laprise*, D.T.E. 2008T-238 (C.R.T.).

81.18/121 Des paroles, des propos blessants et humiliants de la part du supérieur du salarié, de même qu'un comportement belliqueux, antagoniste ou menaçant visant les caractéristiques personnelles du salarié, soit ses croyances et son mode de vie, constituent une conduite vexatoire portant atteinte à la dignité et à l'intégrité physique et psychologique du salarié. On peut alors conclure à du harcèlement psychologique.
Cheikh-Bandar c. *Pfizer Canada inc.*, D.T.E. 2008T-306 (C.R.T.) (révision judiciaire refusée: D.T.E. 2008T-877 (C.S.), J.E. 2008-2110 (C.S.), EYB 2008-149144 (C.S.)).

81.18/122 Des paroles, des insinuations et des propos blessants et humiliants de la part d'un supérieur à l'égard d'une agente de services correctionnels ayant réussi un concours de promotion pour un emploi de chef d'unité, qui a une relation amoureuse avec un subalterne, constituent du harcèlement psychologique, car il y a atteinte à la dignité et à l'intégrité de la personne.
A.H. c. *Québec (Ministère de la Sécurité publique)*, D.T.E. 2008T-811 (C.F.P.) (révision judiciaire refusée: C.S.M. n° 500-17-045053-082, le 13 février 2009).

81.18/123 Le refus de donner du travail au plaignant et les multiples modifications de ses conditions de travail constituent du harcèlement psychologique puisqu'il s'agit d'une conduite vexatoire. Ces actes hostiles et non désirés ont porté atteinte à la dignité du salarié entraînant un milieu de travail néfaste.
Baillie c. *Technologies Digital Shape inc.*, D.T.E. 2008T-219 (C.R.T.) (révision judiciaire refusée: C.S.M. n° 500-17-047766-095, le 17 avril 2009).

81.18/124 Constitue du harcèlement psychologique le fait pour certains salariés d'adopter une attitude désobligeante et irrespectueuse à l'égard d'un salarié, attitude qui se traduit par un refus systématique de travailler avec le plaignant ou, encore, par des gestes dénigrants à son égard tels que des mimiques, des

haussements d'épaules ou des mouvements d'impatience lors de ses interventions pendant des réunions d'équipe.
Clair Foyer inc. c. *Syndicat régional des travailleuses et travailleurs de Clair Foyer inc. (CSN) (Marie-Hélène Dubois)*, D.T.E. 2005T-1119 (T.A.).

81.18/125 On doit conclure à du harcèlement psychologique en présence du déplacement du salarié, de son isolement, des mesures disciplinaires ou non disciplinaires prises à son endroit, des tracasseries administratives, de l'augmentation de ses tâches, des propos vexants, des conditions de travail difficiles de même que de l'insistance de son employeur pour qu'il signe un contrat de prêt de service, alors que le salarié estimait que son transfert constituait une affectation au sens de la convention collective.
S.D. c. *Québec (Gouvernement du) (Société de l'assurance automobile du Québec), (*2009) R.J.D.T. 205 (C.R.T.), D.T.E. 2009T-162 (C.R.T.).

81.18/126 Même si la taquinerie est la fine fleur de l'amitié, elle peut, dans certains cas, se transformer en harcèlement psychologique. Ainsi, lorsque la personne qui est visée par les taquineries ou par certains gestes physiques, tels le tirage de couettes et les coups de doigt sur l'épaule, manifeste d'une façon claire sa désapprobation et son désir que cela cesse, la continuation de tels comportements à répétition peut facilement devenir du harcèlement. Le harcèlement, disséqué geste par geste, parole par parole, indépendamment de l'ensemble, peut n'être rien de répréhensible. C'est la juxtaposition de toutes ces paroles ou de tous ces gestes qui fait en sorte que ce qui était une plaisanterie ou un geste relativement anodin peut devenir avec le temps parfaitement insupportable.
Conseil canadien des Teamsters c. *Purolator Courrier ltée*, (2005) R.J.D.T. 374 (T.A.), D.T.E. 2005T-87 (T.A.).

UNE SEULE CONDUITE GRAVE

81.18/127 Une conduite unique peut constituer du harcèlement psychologique si son caractère est objectivement grave. Le niveau de gravité pourra, entre autres, être mesuré en fonction de l'effet nocif continu que cette conduite pourrait produire chez une personne raisonnable.
Compagnie A c. *L.B.*, (2007) R.J.D.T. 1077 (C.R.T.), D.T.E. 2007T-650 (C.R.T.).

81.18/128 Il n'est pas toujours nécessaire pour le tribunal d'entreprendre une longue dissertation afin de qualifier la conduite et les propos adressés à une victime lors d'un incident de dégradants et d'hostiles. Il n'est pas nécessaire non plus que la victime de harcèlement psychologique soit sous les soins médicaux ou ait perdu des journées de travail pour qualifier une conduite de grave au sens des dispositions de la loi. L'intensité de l'attaque subie par la victime ainsi que les effets nocifs qu'elle a ressentis à la suite de l'agression, peuvent faire en sorte qu'il s'agit d'une seule conduite grave au sens du second alinéa de l'article 81.18 L.N.T.
Syndicat québécois des employées et employés de service, section locale 298 (FTQ) c. *Résidence Berthiaume-du-Tremblay (Sylvie Dionne)*, D.T.E. 2008T-872 (T.A.) (requête en révision judiciaire: n° 500-17-045489-088).

81.18/129 Les conditions prévues par la *Loi sur les normes du travail* pour conclure à une conduite vexatoire imposent de ne pas se limiter à un seul élément isolé mais de maintenir une perspective d'ensemble de la situation. Cette règle de droit s'applique également lorsque l'on invoque une seule conduite grave au sens

de la loi; il est alors pertinent et nécessaire de la situer dans son contexte. De plus, le seul fait qu'une personne se sente humiliée ou menacée par la conduite d'un supérieur ou d'un collègue ne suffit pas pour qualifier la conduite de vexatoire ou de grave. Cette situation doit être analysée objectivement, et toutes les autres conditions prévues par la loi doivent être remplies.
Syndicat canadien de la fonction publique, section locale 1910 c. *Témiscaming (Ville de) (Richard Dufresne)*, D.T.E. 2007T-1022 (T.A.).

81.18/130 Le fait d'être victime d'une violente attaque verbale absolument intolérable dans un milieu de travail, constitue une seule conduite grave au sens des dispositions de l'article 81.18 L.N.T.
Barre c. *2533-0507 Québec inc.*, (2007) R.J.D.T. 115 (C.R.T.), D.T.E. 2007T-81 (C.R.T.) (révision en vertu de l'article 127 C.T. refusée: (2007) R.J.D.T. 1077 (C.R.T.), D.T.E. 2007T-650 (C.R.T.)).

81.18/131 Le fait de menacer un salarié de son poing en tenant des propos vulgaires, injurieux et racistes constitue une seule conduite grave au sens du second alinéa de l'article 81.18 L.N.T.
Syndicat québécois des employées et employés de service, section locale 298 (FTQ) c. *Résidence Berthiaume-du-Tremblay (Sylvie Dionne)*, D.T.E. 2008T-872 (T.A.) (requête en révision judiciaire: n^{0} 500-17-045489-088).

81.18/132 Lorsque des paroles blessantes et humiliantes formulées par un supérieur à l'égard d'un salarié ont un effet nocif continu sur ce dernier, cette conduite vexatoire constitue par le fait même du harcèlement psychologique.
Fédération des professionnèles (CSN) c. *Corporation du Centre hospitalier Pierre-Janet (Chantal Dubois)*, D.T.E. 2007T-1023 (T.A.) (requête en révision judiciaire: n^{0} 550-17-003451-075).

81.18/133 Un niveau de langage inapproprié ne constitue pas nécessairement une seule conduite grave, au sens des dispositions de l'article 81.18 L.N.T.
Béchard c. *Couche-Tard inc.*, D.T.E. 2008T-413 (C.R.T.).

81.18/134 Se livrer à des voies de fait et proférer des menaces de mort constituent une seule conduite grave portant atteinte à la dignité ou à l'intégrité psychologique ou physique de la victime, entraînant pour celle-ci un milieu de travail néfaste et produisant un effet nocif continu.
Roc c. *Poulbec inc.*, (2007) R.J.D.T. 1533 (C.R.T.), D.T.E. 2007T-792 (C.R.T.).

81.18/135 Des gestes à caractère sexuel, soit des gestes irrespectueux et des attouchements sexuels, commis lors d'un événement unique constituent des manifestations de harcèlement psychologique.
G.S. c. *H.F.*, (2007) R.J.D.T. 1050 (C.R.T.), D.T.E. 2007T-590 (C.R.T.) (révision en vertu de l'article 127 C.T. refusée: D.T.E. 2007T-963 (C.R.T.)).

81.18/136 L'attouchement sexuel par le supérieur de la salariée plaignante lors d'une fête de Noël, soit le fait de lui avoir touché un sein en glissant un glaçon dans son chandail, constitue une seule conduite grave au sens de l'article 81.18 L.N.T. puisqu'un tel comportement a porté atteinte à la dignité de la plaignante.
S.H. c. *Compagnie A*, D.T.E. 2007T-722 (C.R.T.).

81.18/137 Le fait qu'un représentant de l'employeur ait frappé à la porte de ses employées féminines au milieu de la nuit lors d'un congrès afin de partager leur chambre ainsi que son indifférence lorsqu'il a imposé à la plaignante de partager son lit avec un supérieur, démontrent un manque flagrant de jugement. En s'immisçant ainsi dans l'intimité de la plaignante, le directeur a fait preuve d'un comportement abusif qui constitue une seule conduite grave au sens de l'article 81.18 L.N.T. Cependant, malgré que cette conduite répréhensible ait porté atteinte à la dignité de la salariée plaignante, il n'y a pas de harcèlement psychologique si la preuve ne permet pas de conclure qu'elle a entraîné un effet nocif continu chez elle.
Lizotte c. *Alimentation Coop La Pocatière*, D.T.E. 2008T-543 (C.R.T.) (révision en vertu de l'article 127 C.T. refusée).

81.18/138 L'attitude agressive de la part du supérieur, soit le fait pour celui-ci de sortir du bureau des contremaîtres pour poursuivre le salarié plaignant jusqu'au vestiaire des employés, et le fait également d'y avoir une bousculade et des conversations à deux pouces du visage, constituent du harcèlement psychologique, soit une conduite vexatoire qui est grave.
Ville A c. *Syndicat des cols bleus de la Ville A (CSN) (G.F.)*, (2007) R.J.D.T. 862 (T.A.), D.T.E. 2007T-515 (T.A.).

81.18/139 L'attitude agressive de l'employeur qui répète au salarié que s'il reste au travail, il mettra beaucoup de pression sur lui, il devra «y donner» et qu'il est capable d'écraser, le tout dit sur un ton et avec une gestuelle sans équivoque, constitue une seule conduite grave équivalant à du harcèlement psychologique, puisqu'un tel comportement porte atteinte à la dignité du salarié et produit sur lui un effet nocif continu.
Dumont c. *Matériaux Blanchet inc.*, D.T.E. 2007T-260 (C.R.T.) (révision en vertu de l'article 127 C.T. refusée) (révision judiciaire refusée: C.S.Q. n° 200-17-008560-070, le 18 décembre 2007).

81.18/140 Le fait d'isoler un salarié après une ordonnance de réintégration émise par un arbitre, d'obstruer les vitres de la classe du salarié gardien d'enfants, de même que l'intrusion permanente dans sa vie privée par des médias et la création d'un site Web hébergeant une pétition contre la violence en garderie, constituent une conduite grave ayant un effet continu puisqu'elle porte atteinte à la réputation, à la dignité et à l'intégrité du salarié plaignant. On est alors en présence de harcèlement psychologique.
Syndicat des travailleuses et travailleurs en garderie de Montréal et Laval (CSN) c. *Centre de la petite enfance La garderie du Manoir inc. (Maryse Dubeau)*, (2007) R.J.D.T. 1851 (T.A.), D.T.E. 2007T-906 (T.A.).

81.18/141 Le transfert ou le déplacement du salarié d'un lieu de travail à un autre ne constitue pas nécessairement une seule conduite grave assimilable à du harcèlement psychologique.
Syndicat de la fonction publique du Québec c. *Québec (Gouvernement du) (Colombe Leblanc)*, D.T.E. 2008T-814 (T.A.).

81.18/142 Faire pivoter une chaise de manière à ce que le plaignant tombe par terre ne constitue pas du harcèlement psychologique par une seule conduite grave. Même si un tel événement peut être répréhensible et condamnable, il ne permet pas de conclure qu'une personne raisonnable se sentirait victime de

harcèlement psychologique. Il s'agit plutôt d'un événement non prémédité et imprévisible. En effet, la seule conduite doit être d'une gravité telle qu'elle produit, dès qu'elle se manifeste, un effet nocif continu dans le milieu de travail du salarié. Il n'est pas nécessaire alors d'évaluer l'ensemble des comportements, paroles, actes ou gestes dans un espace-temps déterminé; cette conduite possède, dès qu'elle se manifeste, tous les attributs et caractéristiques pour produire de façon continue pour l'avenir un effet nocif dans le milieu de travail du salarié.
Capital HRS c. *Teamsters Québec, section locale 69 (FTQ) (Sophie Clouet)*, (2006) R.J.D.T. 318 (T.A.), D.T.E. 2006T-231 (T.A.).
V. aussi: *Dian* c. *Pêcheries Norref Québec inc.*, D.T.E. 2007T-1008 (C.R.T.).

81.18/143 L'attitude des supérieurs du salarié de même que des paroles grivoises et le manque de civilité ne constituent pas du harcèlement psychologique.
Syndicat des fonctionnaires municipaux de Ville A (SCFP) c. *A (Ville) (É.C.)*, D.T.E. 2007T-717 (T.A.).

81.18/144 Le langage abusif et la réaction de colère de la part d'un supérieur à l'égard du plaignant, ne constituent pas la manifestation d'une seule conduite grave au sens de la *Loi sur les normes du travail* lorsqu'il y a absence d'atteinte à la dignité ou à l'intégrité du salarié.
Syndicat canadien de la fonction publique, section locale 1910 c. *Témiscaming (Ville de) (Richard Dufresne)*, D.T.E. 2007T-1022 (T.A.).

81.18/145 L'embauche par l'employeur d'une personne ayant agressé le salarié plaignant constitue une seule conduite grave au sens des dispositions de l'article 81.18 L.N.T. puisqu'il s'agit d'une conduite vexatoire et d'une atteinte à l'intégrité psychologique et à la dignité.
Côté c. *Recyclovesto inc.*, D.T.E. 2008T-173 (C.R.T.).

PREUVE ET PROCÉDURE

81.18/146 La personne qui allègue le harcèlement psychologique doit en faire la démonstration. En somme, c'est à elle que revient le fardeau de la preuve.
Gagné c. *Société immobilière du Québec*, D.T.E. 2008T-541 (C.R.T.) (révision en vertu de l'article 127 C.T. refusée).
Côté c. *CHSLD de la MRC de Champlain*, D.T.E. 2007T-391 (C.R.T.) (en révision).
Dumont c. *Matériaux Blanchet inc.*, D.T.E. 2007T-260 (C.R.T.) (révision en vertu de l'article 127 C.T. refusée) (révision judiciaire refusée: C.S.Q. n° 200-17-008560-070, le 18 décembre 2007).
Héroux c. *Montréal (Ville de)*, D.T.E. 2007T-924 (C.R.T.).
Malette c. *3948331 Canada inc. (Allure Concept Mode)*, D.T.E. 2007T-235 (C.R.T.).
S.H. c. *Compagnie A*, D.T.E. 2007T-722 (C.R.T.).
Olymel, s.e.c. / Iberville c. *Teamsters Québec, section locale 1999 (Huguette Beaulieu)*, (2008) R.J.D.T. 316 (T.A.), D.T.E. 2008T-75 (T.A.).
Syndicat catholique des ouvriers du textile, section locale 10 c. *Difco Tissus de performance inc. (Jean Grenier)*, (2007) R.J.D.T. 818 (T.A.), D.T.E. 2007T-465 (T.A.).
Hotel Four Points c. *Union des employées et employés de la restauration, métallurgistes unis d'Amérique, section locale 9400*, D.T.E. 2004T-527 (T.A.).
Syndicat de la fonction publique du Québec c. *Québec (Ministère du Revenu)*, D.T.E. 2003T-366 (T.A.).

81.18/147 Il appartient au syndicat de faire la preuve de tous les faits qui permettront à un arbitre de griefs de conclure à du harcèlement psychologique. Il n'appartient pas au médecin de convaincre l'arbitre de l'existence ou non du harcèlement.
Syndicat des salariées et salariés des Caisses populaires du Saguenay—Lac-St-Jean (CSN) c. *Caisses populaires du Saguenay—Lac-St-Jean — Caisse populaire de Laterrière (grief collectif)*, D.T.E. 2007T-972 (T.A.).

81.18/148 Les éléments énoncés à l'article 81.18 L.N.T. sont cumulatifs et doivent tous être prouvés par le salarié plaignant.
Héroux c. *Montréal (Ville de)*, D.T.E. 2007T-924 (C.R.T.).

81.18/149 Le concept de dignité prévu par les dispositions de l'article 81.18 L.N.T. se confond avec celui de respect. L'atteinte à l'intégrité psychologique ne se mesure pas aisément et son évaluation exige une expertise médicale.
CPE Luminou c. *Syndicat des travailleuses et des travailleurs des centres de la petite enfance de Montréal et de Laval (Tania Biggio)*, D.T.E. 2006T-582 (T.A.).

81.18/150 Celui qui allègue être victime de harcèlement psychologique doit transmettre à l'employeur, par ordre chronologique, la liste des reproches et récriminations sur lesquels il fonde sa prétention (dates, événements, circonstances), et ce, pour chacun des éléments constitutifs du harcèlement psychologique.
Aéroports de Montréal c. *Alliance de la fonction publique du Canada (Pierre Nadon)*, D.T.E. 2008T-86 (T.A.).
Syndicat des employées et employés professionnels et de bureau, section locale 574 (publicité) c. *Presse ltée (La) (Marc Noël)*, (2008) R.J.D.T. 790 (T.A.), D.T.E. 2008T-274 (T.A.).

81.18/151 Le syndicat doit fournir une description sommaire des faits à l'origine d'un grief de harcèlement psychologique.
Métallurgistes unis d'Amérique, section locale 9414 c. *Outillages K & K ltée (Stéphane Bellavance)*, D.T.E. 2006T-754 (T.A.).

81.18/152 Il y a lieu de faire droit à la requête pour précisions lorsque la plainte pour harcèlement psychologique est vague et imprécise.
Syndicat canadien de la fonction publique, section locale 313 c. *Hôpital Rivière-des-Prairies (grief syndical)*, D.T.E. 2007T-210 (T.A.).

81.18/153 En matière de communication de la preuve, si l'exposé sommaire remis par le plaignant à l'employeur expose les reproches, les agressions verbales et les mesures d'intimidation dont il prétend avoir été victime, ainsi que le nom des personnes qui ont fait preuve de tels comportements et qu'il énonce également la période au cours de laquelle les divers événements ont eu lieu, ces précisions sont suffisantes pour que l'employeur connaisse les faits qui feront l'objet du débat. Enfin, il serait abusif d'obliger le salarié plaignant à indiquer les dates et les heures exactes où le harcèlement psychologique a pu être commis.
Masson c. *Compagnie Wal-Mart du Canada, Magasins Wal-Mart Canada inc.*, (2007) R.J.D.T. 1559 (C.R.T.), D.T.E. 2007T-811 (C.R.T.) (révision en vertu de l'article 127 C.T. refusée: D.T.E. 2008T-23 (C.R.T.)).

81.18/154 Le droit à une défense pleine et entière suppose que l'employeur obtienne en temps utile, du plaignant ou du syndicat, les précisions nécessaires qui lui permettront de se situer dans le litige et de répondre adéquatement aux accusations de harcèlement psychologique qui pèsent contre lui. Le plaignant de même que le syndicat doivent collaborer avec l'employeur pour lui permettre de procéder diligemment à une enquête.
Syndicat international des travailleuses et travailleurs de la boulangerie, confiserie et du tabac, section locale 333 c. *Sucre Lantic ltée (raffinerie de Montréal) (Chantal Dallaire)*, D.T.E. 2007T-763 (T.A.).

81.18/155 Le droit à une défense pleine et entière est respecté lorsque le salarié plaignant remet à l'employeur un exposé sommaire des faits de même que la liste des témoins qu'il compte produire avec une indication de la teneur de leur témoignage.
L'Heureux c. *Commission des droits de la personne et des droits de la jeunesse*, D.T.E. 2007T-56 (C.R.T.) (requête en sursis rejetée) (désistement de la révision).

81.18/156 Le droit à une défense pleine et entière est respecté lorsque le syndicat précise les circonstances de lieu et de temps, ainsi que la nature des comportements, des paroles, des actes ou des gestes reprochés.
Gestion ADC inc. (Résidence LG2) Teamsters Québec, section locale 1999 (Annie Pelletier), D.T.E. 2008T-180 (T.A.).

81.18/157 Le salarié plaignant qui veut obtenir de son employeur, avant l'audience, copie du rapport d'enquête interne portant sur sa plainte de harcèlement psychologique, doit démontrer que la production de ce document, à cette étape préliminaire, est nécessaire et pertinente.
Bergeron c. *Union des municipalités du Québec*, D.T.E. 2008T-548 (C.R.T.).

81.18/158 La partie plaignante doit fournir, avant le début de l'enquête, certaines précisions afin de permettre à l'employeur de bien comprendre les faits sur lesquels se fonde l'allégation de harcèlement psychologique. Le plaignant doit indiquer en quoi chacune des personnes visées aurait eu une conduite vexatoire envers lui. Il doit préciser la nature de cette conduite et la date à laquelle elle s'est produite, de même qu'il doit spécifier dans quelles circonstances les paroles alléguées ont été prononcées.
Syndicat des cols bleus regroupés de Montréal, section locale 301 c. *Kirkland (Ville de) (Maurice Pelletier)*, D.T.E. 2008T-731 (T.A.).

81.18/159 La communication des faits à l'employeur n'a pas besoin d'être exhaustive en ce que le syndicat n'est pas forclos d'en ajouter au moment de l'administration de sa preuve. Les précisions requises par l'employeur sont suffisantes dans la mesure où sont fournies à celui-ci les données de nature à lui permettre de comprendre sur quoi reposent les allégations de harcèlement psychologique, de manière qu'il puisse réagir pour se défendre.

Ainsi, tout en s'assurant qu'une expertise médicale demeure confidentielle, le syndicat doit transmettre à l'employeur les références factuelles qui figurent dans cette expertise en y ajoutant les éléments de faits nécessaires à la compréhension du litige.
Syndicat des spécialistes et professionnels d'Hydro-Québec, section locale 4250 (SCFP-FTQ) c. *Hydro-Québec (Nathalie Bonin)*, D.T.E. 2007T-782 (T.A.).

81.18/160 Pour que l'on puisse conclure à une situation de harcèlement psychologique, il ne suffit pas qu'un plaignant se dise vexé par la conduite d'une autre personne: il est nécessaire que la preuve démontre l'existence d'une véritable conduite vexatoire.
Clair Foyer inc. c. *Syndicat des employés de Clair Foyer inc. (Lise Gauthier-Verville)*, D.T.E. 2005T-983 (T.A.).

81.18/161 Dans certains cas de harcèlement psychologique, une preuve médicale peut être utile pour démontrer l'atteinte physique ou psychologique ou l'étendue des dommages. Toutefois, elle n'est pas indispensable pour établir le caractère grave d'une conduite, l'atteinte à la dignité et l'effet nocif continu ni pour justifier l'octroi d'une indemnité à titre de dommages moraux.
Compagnie A c. *L.B.*, (2007) R.J.D.T. 1077 (C.R.T.), D.T.E. 2007T-650 (C.R.T.).

81.18/162 Outre le fait que le critère de la constatation du harcèlement psychologique par une victime est celui de la personne raisonnable, il importe dans tous les cas de retrouver le lien de causalité entre le geste commis et le résultat. Le salarié plaignant doit prouver la relation entre, d'une part, les gestes et les paroles de l'employeur et, d'autre part, son état, qui doit avoir subi une atteinte à la dignité ou à l'intégrité psychologique et il doit prouver l'existence d'un milieu de travail néfaste qui en résulte. Compte tenu que le harcèlement psychologique constitue l'une des fautes les plus graves en matière de relations de travail, il importe dans tous les cas que l'accusation respecte les exigences de la loi puisqu'il n'existe pas de présomption en faveur du salarié plaignant.
CPE Luminou c. *Syndicat des travailleuses et des travailleurs des centres de la petite enfance de Montréal et de Laval (Tania Biggio)*, D.T.E. 2006T-582 (T.A.).

81.18/163 Une partie n'a pas besoin d'avoir accès aux renseignements obtenus par la Commission des normes du travail durant son enquête pour que le droit à une défense pleine et entière soit respecté. En effet, ces informations ne sont pas des éléments de preuve pouvant être soumis à l'occasion d'une audience devant la Commission des relations du travail puisqu'il s'agirait d'accepter à l'avance une preuve par ouï-dire. Également, ces renseignements n'ont pas de valeur probante devant la Commission des relations du travail puisqu'elle ne peut décider du bien-fondé des plaintes qu'à partir de la preuve présentée devant elle.
Compagnie Wal-Mart du Canada (Magasins Wal-Mart Canada inc.) c. *Masson*, D.T.E. 2008T-23 (C.R.T.), conf. (2007) R.J.D.T. 1559 (C.R.T.), D.T.E. 2007T-811 (C.R.T.).
L'Heureux c. *Commission des droits de la personne et des droits de la jeunesse*, D.T.E. 2007T-56 (C.R.T.) (requête en sursis rejetée) (désistement de la révision).

81.18/164 Il n'appartient pas à la Commission des relations du travail d'évaluer la validité de l'enquête administrative menée par la Commission des normes du travail.
Compagnie Wal-Mart du Canada (Magasins Wal-Mart Canada inc.) c. *Masson*, D.T.E. 2008T-23 (C.R.T.), conf. (2007) R.J.D.T. 1559 (C.R.T.), D.T.E. 2007T-811 (C.R.T.).

81.18/165 Un décideur a compétence pour admettre en preuve des faits survenus avant l'entrée en vigueur des dispositions de la *Loi sur les normes du travail* relatives au harcèlement psychologique.
Fédération des infirmières et infirmiers du Québec (FIIQ) c. *Centre de santé et de services sociaux de Québec-Nord (CLSC Orléans) (Lysanne St-Laurent)*, D.T.E. 2007T-66 (T.A.).

Lévesque c. *Québec (Ministère de la Sécurité publique)*, D.T.E. 2007T-902 (C.F.P.).
Comeau c. *Québec (Ministère du Revenu)*, (2005) R.J.D.T. 1453 (C.F.P.), D.T.E. 2005T-725 (C.F.P.).

81.18/166 Si le harcèlement psychologique est prouvé, une preuve relative à des incidents postérieurs au dépôt de la plainte peut alors être présentée afin de démontrer que l'employeur n'a rien fait pour assurer un milieu de travail exempt de harcèlement psychologique, conformément à l'article 81.19 L.N.T. Toutefois, si la preuve des faits antérieurs au dépôt de la plainte révèle l'absence de harcèlement, le tribunal doit alors écarter la preuve de faits postérieurs. En effet, cette preuve n'aura aucune pertinence puisque, l'élément essentiel du recours étant rejeté, le tribunal doit conclure que l'employeur a respecté son obligation d'assurer au plaignant un climat de travail exempt de harcèlement psychologique.
Travailleuses et travailleurs unis de l'alimentation et du commerce, section locale 501 c. *Sobeys Québec inc. (Rhéal Fontaine)*, D.T.E. 2007T-867 (T.A.).

81.18/167 Le décideur a compétence pour étudier les faits postérieurs au dépôt d'une plainte pour harcèlement psychologique, puisque la *Loi sur les normes du travail* prévoit qu'un employeur doit prendre les mesures nécessaires afin de faire cesser le harcèlement psychologique. En ce sens, il est logique d'analyser ce qui se passe après le dépôt d'une plainte pour harcèlement.
St-Boniface (Municipalité de) c. *Syndicat des travailleuses et travailleurs de St-Boniface (CSN) (Céline Lemay)*, D.T.E. 2009T-168 (T.A.).

81.18/168 En fonction de la nature particulière du harcèlement psychologique, tel que défini dans la *Loi sur les normes du travail*, il y a lieu de rejeter l'objection à la recevabilité en preuve de faits antérieurs à l'incident à l'origine d'un grief. Le refus de cette preuve équivaudrait à empêcher le syndicat de faire la démonstration que l'incident dénoncé par les griefs est l'élément culminant d'une série de comportements ou de gestes qui constituaient du harcèlement à l'égard des plaignants. Il s'agit là d'une question de fond.
Expertech Bâtisseur de réseaux c. *Syndicat canadien des communications, de l'énergie et du papier (SCEP)*, D.T.E. 2005T-512 (T.A.).
V. aussi: *Québec (Ville de)* c. *Syndicat du personnel occasionnel de Québec (FISA) (Nicolas Grenier)*, (2008) R.J.D.T. 1809 (T.A.), D.T.E. 2008T-946 (T.A.).

81.18/169 Afin de déterminer s'il y a eu du harcèlement psychologique, une plus grande importance doit être accordée au témoignage du salarié directement touché qu'à la version de l'employeur.
Saargumi Québec, division encapsulation c. *Métallurgistes unis d'Amérique, section locale 9414*, D.T.E. 2005T-234 (T.A.).

81.18/170 N'est pas recevable le témoignage d'un ex-salarié dans le but de faire la preuve de caractère d'une directrice des ressources humaines de l'entreprise. La valeur probante d'un tel témoignage est minime par rapport à son effet préjudiciable – lequel est substantiel, compte tenu du risque de confusion dans l'analyse de la question en litige – et aussi parce qu'il aura inévitablement pour conséquence d'éterniser inutilement le débat devant le commissaire. De plus, la façon dont la directrice peut avoir agi avec d'autres employés avant l'embauche du salarié plaignant est peu pertinente pour répondre à la question en litige en matière de harcèlement psychologique.

Breton c. *Compagnie d'échantillons «National» ltée*, (2007) R.J.D.T. 138 (C.R.T.), D.T.E. 2007T-55 (C.R.T.) (révision judiciaire refusée: D.T.E. 2008T-423 (C.S.), EYB 2008-132722 (C.S.)).

81.18/171 On ne doit pas nécessairement tenir compte du comportement d'une prétendue victime de harcèlement psychologique lorsque vient le temps de décider si la conduite adoptée par le prétendu harceleur est vexatoire. Ainsi, même en présence d'une certaine faute contributive de la victime, rien n'empêche d'examiner la conduite du salarié visé par la plainte de harcèlement psychologique afin de décider si elle est vexatoire. Autrement dit, ce n'est pas parce que la prétendue victime aurait provoqué son harceleur présumé que l'on ne peut conclure que ce dernier a adopté une conduite vexatoire à l'endroit de la victime.
Emballages Polystar inc. c. *Syndicat des travailleuses et travailleurs de Polystar et Polyfilm (C.S.N.)*, D.T.E. 2004T-921 (T.A.).

81.18/172 Une décision de la Commission des lésions professionnelles concluant que le salarié n'a pas subi de harcèlement psychologique a l'autorité de la chose jugée dans le cas où le grief s'appuie sur les mêmes faits et vise le même objectif que la demande de réclamation pour lésion professionnelle.
Association canadienne des employés en télécommunications c. *Amdocs Gestion de services canadiens inc. (Robert Lachance)*, D.T.E. 2008T-338 (T.A.) (par analogie) (révision judiciaire refusée: (2009) R.J.D.T. 39 (C.S.), D.T.E. 2009T-199 (C.S.), EYB 2009-154379 (C.S.)) (règlement hors cour).

81.18/173 Il n'y a pas chose jugée entre une décision de la Commission de la santé et de la sécurité du travail qui conclut que le salarié n'a pas subi de harcèlement psychologique ni de lésion professionnelle et un grief relatif au harcèlement psychologique.
Syndicat international des travailleuses et travailleurs de la boulangerie, confiserie et du tabac, section locale 333 c. *Sucre Lantic ltée (raffinerie de Montréal) (Chantal Dallaire)*, D.T.E. 2007T-763 (T.A.).

81.18/174 Un salarié peut cumuler une plainte dans laquelle il allègue avoir subi une lésion professionnelle au sens de la *Loi sur les accidents du travail et les maladies professionnelles* (L.R.Q., c. A-3.001) et une plainte basée sur le harcèlement psychologique au sens de l'article 81.18 L.N.T. En effet, il n'y a pas identité de cause ni d'objet entre les deux recours.
Ha c. *Hôpital Chinois de Montréal*, (2007) R.J.D.T. 1023 (C.R.T.), D.T.E. 2007T-549 (C.R.T.).
V. aussi: *Abouelella* c. *Société hôtelière Hunsons inc.*, (2009) R.J.D.T. 261 (C.R.T.), D.T.E. 2009T-226 (C.R.T.).

81.18/175 Un arbitre de griefs n'est pas lié par le libellé de la réclamation et, le cas échéant, il peut fixer des dommages différents de ceux qui sont demandés.
Syndicat canadien de la fonction publique, section locale 2915 (SCFP) c. *Baie-Comeau (Ville de) (Bobby Lévesque)*, (2005) R.J.D.T. 1984 (T.A.), D.T.E. 2005T-1118 (T.A.).

81.18/176 Il n'est pas nécessairement opportun de réunir une plainte basée sur les articles 81.18 et ss. L.N.T. à une autre déposée en vertu de l'article 124 L.N.T. lorsque cette dernière n'a pas nécessairement d'incidence sur celle qui invoque du

harcèlement psychologique. De plus, tout employeur est en droit de préparer et de présenter sa défense comme il l'entend.
Ferrere c. *131427 Canada inc.*, D.T.E. 2007T-223 (C.R.T.).

81.18/177 Il est possible de présenter une requête en irrecevabilité pour rejet de la plainte du salarié plaignant dès que celui-ci a terminé sa preuve de l'existence d'une conduite vexatoire.
Héroux c. *Montréal (Ville de)*, D.T.E. 2007T-924 (C.R.T.).

81.18/178 V. BOUCHARD, M., «Le salarié atteint d'une lésion psychologique: la fin d'emploi est-elle encore possible?», dans *L'ABC des cessations d'emploi et des indemnités de départ (2006)*, Formation continue du Barreau du Québec, Cowansville, Les Éditions Yvon Blais inc., 2006, p. 63.

81.18/179 V. BOUCHER, J.C., «Le harcèlement psychologique et la Commission des relations du travail – Prise un!», dans *Développements récents en droit municipal (2007)*, Formation continue du Barreau du Québec, Cowansville, Les Éditions Yvon Blais inc., 2007, p. 173.

81.18/180 V. BOURGAULT, J., *Le harcèlement psychologique au travail: les nouvelles dispositions de la Loi sur les normes et leur intégration dans le régime légal préexistant*, Montréal, Wilson & Lafleur ltée, 2006.

81.18/181 V. CANTIN, I. et CANTIN, J.-M., *Politiques contre le harcèlement au travail et réflexions sur le harcèlement psychologique*, 2e éd., Cowansville, Les Éditions Yvon Blais inc., 2006.

81.18/182 V. CANTIN, J.-M., *L'abus d'autorité au travail: une forme de harcèlement=Abuse of Authority in the Workplace: A Form of Harassment*, Scarborough, Carswell, 2000.

81.18/183 V. CLICHE, B., VEILLEUX, P., BOUCHARD, F., HOUPERT, C., LATULIPPE, É., CORMIER, I. et RAYMOND, M.-P., *Le harcèlement et les lésions psychologiques*, Cowansville, Les Éditions Yvon Blais inc., 2005.

81.18/184 V. HIRIGOYEN, M.-F., *Malaise dans le travail: harcèlement moral: démêler le vrai du faux*, Paris, Éditions La Découverte et Syros, 2001.

81.18/185 V. HIRIGOYEN, M.-F., *Le harcèlement moral: la violence perverse au quotidien*, Paris, Éditions La Découverte et Syros, 1998.

81.18/186 V. LAMY, F., «Définir le harcèlement et la violence psychologique en milieu syndiqué: les hésitations des uns, les difficultés des autres», dans *Développements récents en droit du travail (2003)*, Formation permanente du Barreau du Québec, Cowansville, Les Éditions Yvon Blais inc., 2003, p. 179.

81.18/187 V. LEYMANN, H., *La persécution au travail*, Paris, Éditions du Seuil, 1996.

81.18/188 V. POIRIER, G., RIVEST, R.L. et FRÉCHETTE, H., *Les nouvelles normes de protection en cas de harcèlement psychologique au travail: une approche moderne*, Cowansville, Les Éditions Yvon Blais inc., 2004.

81.18/189 V. PRONOVOST, S., «La violence psychologique au travail à l'aune du régime d'indemnisation des lésions professionnelles», dans *Développements récents en droit de la santé et sécurité au travail (2003)*, Formation permanente du Barreau du Québec, Cowansville, Les Éditions Yvon Blais inc., 2003, p. 109.

81.18/190 V. RIVEST, R.L. et TELLIER, J., «Le harcèlement psychologique: prise 2 – Entrée en scène de la Commission des relations du travail», dans *Développements récents en droit du travail (2007)*, Formation continue du Barreau du Québec, Cowansville, Les Éditions Yvon Blais inc., 2007, p. 43.

81.18/191 V. SABOURIN, D., «Quoi de neuf chez les arbitres de griefs? Obligation d'accommodement, harcèlement psychologique et application de l'arrêt *Isidore Garon*», dans *Développements récents en droit du travail (2007)*, Formation continue du Barreau du Québec, Cowansville, Les Éditions Yvon Blais inc., 2007, p. 135.

81.18/192 V. VÉZINA, K., «Le harcèlement psychologique: la problématique du milieu scolaire», (2005) 18 *R.J.E.U.L.* 63.

art. 81.19

81.19/1 Les dispositions législatives sur le harcèlement psychologique ne touchent pas les relations des employés les uns par rapport aux autres. Ces dispositions créent une nouvelle obligation à l'employeur, mais ne modifient pas les obligations et les voies d'action possibles entre coemployés au regard desquelles les règles de droit antérieures demeurent.
G.D. c. *Centre de santé et des services sociaux A*, (2008) R.J.D.T. 663 (C.A.), D.T.E. 2008T-374 (C.A.), J.E. 2008-889 (C.A.), EYB 2008-131910 (C.A.) (autorisation d'appeler à la Cour suprême refusée).

81.19/2 Il appartient à l'employeur de démontrer qu'il a respecté les obligations que lui imposent les dispositions de l'article 81.19 L.N.T.
Cheikh-Bandar c. *Pfizer Canada inc.*, D.T.E. 2008T-306 (C.R.T.) (révision judiciaire refusée: D.T.E. 2008T-877 (C.S.), J.E. 2008-2110 (C.S.), EYB 2008-149144 (C.S.)).
Breton c. *Compagnie d'échantillons «National» ltée*, (2007) R.J.D.T. 138 (C.R.T.), D.T.E. 2007T-55 (C.R.T.) (révision judiciaire refusée: D.T.E. 2008T-423 (C.S.), EYB 2008-132722 (C.S.)).
Dumont c. *Matériaux Blanchet inc.*, D.T.E. 2007T-260 (C.R.T.) (révision en vertu de l'article 127 C.T. refusée) (révision judiciaire refusée: C.S.Q. n° 200-17-008560-070, le 18 décembre 2007).

81.19/3 Il revient à l'employeur de prendre les moyens raisonnables pour prévenir le harcèlement psychologique dans le milieu de travail et, s'il est informé de son existence, il doit prendre les moyens nécessaires pour y mettre fin.
Côté c. *Recyclovesto inc.*, D.T.E. 2008T-173 (C.R.T.).
Bourque c. *Centre de santé des Etchemins*, D.T.E. 2006T-314 (C.R.T.) (révision en vertu de l'article 127 C.T. refusée).

81.19/4 Relativement à une plainte de harcèlement psychologique, les précisions qui doivent être communiquées à l'employeur ne doivent pas seulement lui permettre de profiter d'une défense pleine et entière, mais elles doivent également lui donner la possibilité de satisfaire à l'obligation que lui impose l'article 81.19 L.N.T., soit de prendre les moyens raisonnables pour prévenir le harcèlement.
Syndicat des spécialistes et professionnels d'Hydro-Québec, section locale 4250 (SCFP-FTQ) c. *Hydro-Québec (Nathalie Bonin)*, D.T.E. 2007T-782 (T.A.).

81.19/5 Les dispositions de l'article 81.19 L.N.T. impliquent une action préventive de la part de l'employeur, qu'il soit de statut privé ou public. Il doit préparer des directives internes comprenant des mesures appropriées et des mécanismes d'intervention adaptés et diligents, et ce, au moindre signalement donné en ce sens au sujet de quelque possible défaillance. Autrement dit, la prévention du harcèlement psychologique par l'employeur doit être active et non seulement réactive.
Syndicat des fonctionnaires municipaux de Montréal (SCFP) c. *Montréal (Ville de) (Gilles Tremblay)*, D.T.E. 2009T-72 (T.A.).

81.19/6 Les dispositions de la *Loi sur les normes du travail* qui interdisent le harcèlement psychologique n'ont pas pour objectif de punir l'auteur du harcèlement; elles visent à éliminer l'atteinte illicite à la dignité ou à l'intégrité des personnes qui en sont victimes. On a donc imposé à l'employeur l'obligation de prendre les moyens raisonnables afin de prévenir ou de faire cesser toute forme de harcèlement psychologique au travail. Ainsi, sa responsabilité est engagée lorsqu'un cadre ou un salarié sous sa direction s'adonne à une forme de harcèlement répondant à la définition prévue par les dispositions de la loi, et ce, sans égard à l'intention malveillante du harceleur. C'est en tenant compte du contexte et de la situation d'ensemble que les faits et gestes mis en preuve doivent être appréciés par le décideur.
Centre de santé et de services sociaux du Sud-Ouest — Verdun (Résidence Yvon-Brunet) c. *Syndicat des employés de la Résidence Yvon-Brunet (CSN) (griefs individuels, Daniel Trudel et autres)*, (2008) R.J.D.T. 346 (T.A.), D.T.E. 2008T-126 (T.A.).

81.19/7 L'employeur doit prendre les moyens raisonnables afin de prévenir et de faire cesser le harcèlement psychologique au travail. Les obligations qui incombent à l'employeur sont, dans les faits, des obligations de moyens. Par voie de conséquence, non seulement l'employeur est tenu de prendre tous les moyens raisonnables pour prévenir le harcèlement psychologique au travail et y mettre fin, mais il doit aussi agir avec prudence et diligence. Si l'employeur manque à son devoir de fournir un milieu de travail sain et exempt de harcèlement, il ne respecte pas toutes ses obligations, il engage nécessairement sa responsabilité et sera ainsi tenu d'indemniser la victime.

De plus, l'adoption d'une politique de prévention et de gestion du harcèlement constitue une mesure d'exonération de l'employeur. Toutefois, il est tenu de l'appliquer correctement et rigoureusement. Ainsi, même en présence d'une politique qui remplit les critères d'efficacité recherchés, sa conduite est déterminante dans l'établissement des redressements. L'employeur est tenu d'agir dès qu'il a connaissance d'une conduite indésirable de la part d'une personne. Il ne doit pas attendre le dépôt d'une plainte officielle en harcèlement psychologique ni se réfugier derrière sa politique.
Association du personnel de soutien du Collège A c. *Collège A (F.S.)*, (2008) R.J.D.T. 1762 (T.A.), D.T.E. 2008T-853 (T.A.).

81.19/8 Il revient à l'employeur, à titre d'obligation générale, d'assurer un milieu de travail sain et sécuritaire.
Syndicat des employées et employés de métiers d'Hydro-Québec, section locale 1500 SCFP-FTQ c. *Hydro-Québec (Gabriel Dionne)*, (2008) R.J.D.T. 235 (T.A.), D.T.E. 2008T-74 (T.A.).

81.19/9 Un employeur ne peut exiger l'administration d'une preuve préalable et convaincante avant d'intervenir.
Syndicat des fonctionnaires municipaux de Montréal (SCFP) c. *Montréal (Ville de) (Gilles Tremblay)*, D.T.E. 2009T-72 (T.A.).

81.19/10 Les dispositions de la *Loi sur les normes du travail* prévoient que l'employeur a la responsabilité d'assurer à ses salariés un milieu de travail exempt de harcèlement psychologique. À défaut, il peut être tenu responsable des actes des salariés qui violent cette obligation. L'employeur doit donc formuler des exigences claires concernant le respect mutuel, sur les plans tant professionnel que relationnel, et informer les salariés que des conduites vexatoires ne sont pas tolérées, sans quoi sa responsabilité sera mise en cause.
Clair Foyer inc. c. *Syndicat régional des travailleuses et travailleurs de Clair Foyer inc. (CSN) (Marie-Hélène Dubois)*, D.T.E. 2005T-1119 (T.A.).

81.19/11 Un employeur est justifié de congédier un salarié quand ses propos et son attitude créent un climat malsain pour ses collègues et ses supérieurs puisque ce salarié a fait preuve d'intimidation, de menaces et de dénigrement. En somme, un employeur peut mettre fin à l'emploi d'un salarié lorsque la fin d'emploi repose essentiellement sur l'incapacité de celui-ci à remplir son obligation de civilité dans son milieu de travail.
Syndicat de l'automobile, de l'aérospatiale, du transport et des autres travailleuses et travailleurs du Canada (TCA-Canada), section locale 1044 c. *Gecko Électronique inc. (Marie-Claude Rood)*, D.T.E. 2007T-788 (T.A.).

81.19/12 En matière de harcèlement psychologique au travail, seul l'employeur doit prendre les moyens pour le prévenir et le faire cesser lorsqu'il est porté à sa connaissance. L'employeur a une obligation générale de prévention et de correction aux fins d'assurer à ses salariés un milieu de travail exempt de harcèlement psychologique, et ce, quelle que soit sa source. La loi ne limite pas la responsabilité de l'employeur en cette matière à l'égard de ses représentants, cadres ou dirigeants. Le harcèlement psychologique peut également être le fait de salariés.
Syndicat des employées et employés de métiers d'Hydro-Québec, section locale 1500 (SCFP-FTQ) c. *Hydro-Québec (Adrien Prescott)*, (2006) R.J.D.T. 462 (T.A.), D.T.E. 2006T-302 (T.A.).

81.19/13 Même si l'auteur du harcèlement psychologique n'est pas le représentant de l'employeur, ce dernier a une responsabilité tant en vertu de l'article 2087 du *Code civil du Québec* qu'en vertu de l'article 81.19 L.N.T. De plus, comme le grief de harcèlement psychologique est un grief de nature continue, la conduite vexatoire doit s'appliquer dans un espace-temps raisonnable.
Capital HRS c. *Teamsters Québec, section locale 69 (FTQ) (Sophie Clouet)*, (2006) R.J.D.T. 318 (T.A.), D.T.E. 2006T-231 (T.A.).

81.19/14 L'employeur doit prendre les mesures préventives nécessaires pour assurer à son personnel un milieu de travail sain et, si une situation de

harcèlement psychologique se produit, la faire cesser. Également, le principe d'unicité de direction au sein d'une entreprise implique que les manquements des autres salariés de l'employeur, et particulièrement de ceux qui exercent des fonctions d'autorité, sont, de ce fait, imputables à celui-ci.
Association du personnel de soutien du Collège Vanier c. *Collège Vanier (Burt Covit)*, D.T.E. 2008T-603 (T.A.).

81.19/15 L'employeur manque à ses obligations lorsqu'il omet de prendre les moyens raisonnables pour prévenir le harcèlement psychologique, dont il est directement l'auteur, à travers des paroles, des actes et des gestes de la gérante de l'établissement.
Morin-Arpin c. *Ovide Morin inc.*, D.T.E. 2007T-961 (C.R.T.).

81.19/16 La responsabilité d'un employeur est directement en cause si celui-ci a fait défaut de remplir ses obligations.

Tel est le cas en l'espèce puisque les gestes reprochés, qui constituent une seule conduite grave, ont été commis par le propriétaire d'un pub à l'endroit d'une serveuse. Celui-ci était donc en relation d'autorité avec la plaignante et la consommation d'alcool alléguée ne saurait soustraire l'employeur à ses obligations.
S.H. c. *Compagnie A*, D.T.E. 2007T-722 (C.R.T.).

81.19/17 Il revient à l'employeur de prendre les mesures nécessaires pour prévenir le harcèlement psychologique ou le faire cesser. Les dispositions de l'article 2087 du *Code civil du Québec* vont dans le même sens en spécifiant que l'employeur doit prendre les mesures appropriées reliées à la nature du travail, dans le but de protéger la santé, la sécurité et la dignité du salarié. Il faut donc conclure que le législateur a voulu non seulement prohiber le harcèlement psychologique, mais également favoriser un milieu de travail sain.
Fédération des infirmières et infirmiers du Québec (FIIQ) c. *Centre de santé et de services sociaux de Québec-Nord (CLSC Orléans) (Lysanne St-Laurent)*, D.T.E. 2007T-66 (T.A.).

81.19/18 L'employeur a le fardeau de démontrer qu'il a rempli ses obligations de prendre les moyens nécessaires pour prévenir le harcèlement psychologique et, lorsqu'une telle conduite est portée à sa connaissance, pour la faire cesser.
Breton c. *Compagnie d'échantillons «National» ltée*, (2007) R.J.D.T. 138 (C.R.T.), D.T.E. 2007T-55 (C.R.T.) (révision judiciaire refusée: D.T.E. 2008T-423 (C.S.), EYB 2008-132722 (C.S.)).
Compagnie A c. *L.B.*, (2007) R.J.D.T. 1077 (C.R.T.), D.T.E. 2007T-650 (C.R.T.).

81.19/19 Tout employeur doit jouer un rôle actif lorsqu'une plainte de harcèlement psychologique est portée à sa connaissance. Entre autres, il lui revient de faire enquête lorsqu'une plainte ou un grief est déposé.
SCFP, section locale 2294 c. *Châteauguay (Ville de) (grief syndical)*, D.T.E. 2006T-104 (T.A.).

81.19/20 Les faits postérieurs à un grief ne sont pas admissibles pour décider si un employeur a fait preuve de harcèlement psychologique à l'égard d'un salarié, à moins que ces faits ne soient une suite des faits antérieurs. Toutefois, ils sont pertinents, le cas échéant, pour vérifier si l'employeur a pris les moyens raisonnables pour prévenir le harcèlement psychologique et, lorsqu'une telle conduite est portée à sa connaissance, pour la faire cesser.

Syndicat canadien de la fonction publique, section locale 2915 (SCFP) c. *Baie-Comeau (Ville de) (Bobby Lévesque)*, (2005) R.J.D.T. 1984 (T.A.), D.T.E. 2005T-1118 (T.A.).

81.19/21 En ce qui concerne le harcèlement psychologique, la preuve de faits postérieurs est recevable dans la mesure où ceux-ci sont intimement liés aux faits initiaux et qu'ils permettent de comprendre la situation réelle qui existait au moment où la plainte est née.

La preuve des faits postérieurs peut couvrir un très large spectre et s'étendre éventuellement jusqu'au moment du dernier jour d'audience. De plus, le recours exercé selon le premier alinéa de l'article 81.18 L.N.T. vise à dénoncer des comportements qui s'échelonnent dans le temps et qui auraient pour effet de bafouer le droit d'un salarié à un milieu de travail exempt de harcèlement. Toutefois, le fait d'exercer un tel recours ne dispense pas l'employeur de respecter son obligation prévue par les dispositions de l'article 81.19 L.N.T. Celle-ci persiste avec la même intensité tant et aussi longtemps que le lien d'emploi est maintenu, et ce, même si l'audition de la plainte est déjà amorcée. Ainsi, un décideur saisi d'un recours alléguant du harcèlement psychologique ne doit pas se limiter à ne considérer que la preuve précédant une date précise et faire abstraction de tous les faits subséquents qui s'inscrivent dans la même foulée. Cependant, dans tous les cas, les conditions de recevabilité d'une preuve de faits postérieurs doivent continuer à s'appliquer afin de s'assurer d'une administration efficace de la justice et du respect des droits de toutes les parties en cause.
Syndicat des employées et employés professionnels et de bureau, section locale 574 (publicité) c. *Presse ltée (La) (Marc Noël)*, (2008) R.J.D.T. 790 (T.A.), D.T.E. 2008T-274 (T.A.).

81.19/22 L'employeur ne prend pas les moyens raisonnables pour prévenir le harcèlement psychologique ni pour le faire cesser lorsqu'il a été porté à sa connaissance certains faits et qu'il ne prête pas foi aux déclarations du salarié plaignant ni à ses démarches pour dénouer une situation, surtout s'il ne lui apporte pas le soutien auquel il aurait été en droit de s'attendre, même s'il y a eu un mandat donné pour la tenue d'une enquête externe, et ce, dans le contexte où aucune mesure administrative ou disciplinaire n'est imposée au supérieur immédiat afin qu'il modifie son comportement.
Lévesque c. *Québec (Ministère de la Sécurité publique)*, D.T.E. 2007T-902 (C.F.P.).

81.19/23 En matière de harcèlement psychologique, l'employeur n'a pas à prendre parti pour l'un ou l'autre des salariés. Il doit poser des gestes et faire en sorte d'éviter qu'une telle situation ne se reproduise sur les lieux du travail.
Capital HRS c. *Teamsters Québec, section locale 69 (FTQ) (Sophie Clouet)*, (2006) R.J.D.T. 318 (T.A.), D.T.E. 2006T-231 (T.A.).

81.19/24 Le contexte difficile et l'exaspération des participants lors d'une rencontre avec l'employeur ne dispensent pas ce dernier de son obligation d'intervenir afin de protéger la dignité et l'intégrité des membres de son personnel.
Barre c. *2533-0507 Québec inc.*, (2007) R.J.D.T. 115 (C.R.T.), D.T.E. 2007T-81 (C.R.T.) (révision en vertu de l'article 127 C.T. refusée: (2007) R.J.D.T. 1077 (C.R.T.), D.T.E. 2007T-650 (C.R.T.)).

81.19/25 Lorsque le salarié plaignant opte pour un retrait du travail, au lieu d'aviser un membre de la direction, l'on ne peut tenir alors l'employeur

responsable d'avoir manqué à son obligation de fournir un milieu de travail exempt de harcèlement psychologique.
Garneau c. *Viandes P.P. Hallé ltée*, D.T.E. 2008T-459 (C.R.T.) (révision en vertu de l'article 127 C.T. refusée: D.T.E. 2008T-824 (C.R.T.)).

81.19/26 Le congédiement du salarié par l'employeur peut être un moyen raisonnable pour faire cesser une conduite vexatoire, et ce, conformément aux dispositions de l'article 81.19 L.N.T.
D. Bertrand & Fils inc. c. *Syndicat des salariées et salariés de l'entrepôt D. Bertrand & Fils Chicoutimi — CSN (Carol Boudreault)*, D.T.E. 2007T-228 (T.A.).

art. 81.20

81.20/1 Tout grief qui conteste du harcèlement psychologique au travail doit être analysé à la lumière de la définition du harcèlement psychologique qui est incorporée à toute convention collective. Dans tous les cas, il faut nécessairement déterminer s'il y a eu une conduite vexatoire, laquelle doit en principe se manifester de façon répétitive et de manière hostile ou, encore, non désirée. Également, le décideur doit établir si cette conduite a porté atteinte à la dignité ou à l'intégrité psychologique ou physique du salarié et si elle a entraîné un milieu de travail néfaste. Par ailleurs, le harcèlement psychologique ne peut reposer sur de simples perceptions ou insinuations.
Champlain Regional College St. Lawrence Campus Teacher's Union c. *Cégep Champlain — Campus St-Lawrence (Champlain Regional College — St. Lawrence Campus) (Louise Gauthier)*, D.T.E. 2006T-921 (T.A.).

81.20/2 Il n'est pas nécessaire, aux fins de l'application de l'article 81.20 L.N.T., que le grief soit signé par le salarié, et ce, compte tenu, entre autres, de l'obligation de représentation du syndicat prévue par le *Code du travail* du Québec.
SCFP, section locale 2294 c. *Châteauguay (Ville de) (grief syndical)*, D.T.E. 2006T-104 (T.A.).

81.20/3 Les dispositions de la *Loi sur les normes du travail* qui donnent compétence à la Commission des relations du travail en matière de harcèlement psychologique, sont d'ordre public.
Eugène c. *Hôpital de réadaptation Lindsay*, D.T.E. 2007T-454 (C.R.T.).

81.20/4 Les articles 81.18 à 81.20 L.N.T. relatifs au harcèlement psychologique sont d'ordre public et sont réputés faire partie de toute convention collective. Ainsi, un salarié plaignant peut se fonder sur ces dispositions pour déposer un grief exigeant que l'employeur prenne les moyens nécessaires afin que cesse une situation de harcèlement psychologique. Il s'agit d'un recours distinct de celui prévu aux articles 42 et 44 de la *Loi sur les services de santé et les services sociaux* (L.R.Q., c. S-4.2) qui peut être exercé contre un médecin.
Syndicat des professionnelles et professionnels en soins de santé du Centre hospitalier de l'Université de Montréal (FIIQ) c. *Centre hospitalier de l'Université de Montréal (CHUM) — Hôpital Notre-Dame (Nathalie Desjardins)*, D.T.E. 2006T-587 (T.A.) (révision judiciaire refusée: (2007) R.J.D.T. 945 (C.S.), D.T.E. 2007T-537 (C.S.), J.E. 2007-1267 (C.S.), EYB 2007-120558 (C.S.)).

81.20/5 C'est la Commission des relations du travail qui a compétence générale exclusive en matière de plainte pour harcèlement psychologique et la seule exception à cette compétence est si une convention collective est en vigueur et que le salarié a le droit de déposer un grief. Il doit alors exercer le recours prévu à la convention collective. Tel n'est pas le cas toutefois lorsque le salarié est visé uniquement par une accréditation, mais qu'il n'y a pas encore de convention collective au sens du *Code du travail* le jour du dépôt de sa plainte.
Calcuttawala c. *Conseil du Québec — Unite Here*, (2006) R.J.D.T. 1472 (C.R.T.), D.T.E. 2006T-949 (C.R.T.).

81.20/6 Les dispositions de l'article 81.20 L.N.T. sont d'ordre public. Ainsi, une procédure interne de traitement des plaintes, instaurée par l'employeur, ne peut se substituer à la procédure de grief et empêcher un salarié de faire trancher sa plainte par un arbitre de griefs.
Dérosema c. *Syndicat national de l'automobile, de l'aérospatiale, du transport et des autres travailleuses et travailleurs du Canada (TCA-Canada)*, D.T.E. 2009T-161 (C.R.T.).

81.20/7 Un salarié qui n'est pas régi par une convention collective et qui n'est pas nommé en vertu de la *Loi sur la fonction publique* (L.R.Q., c. F-3.1.1), peut porter plainte pour harcèlement psychologique devant la Commission des normes du travail.
Trudeau c. *Noël*, D.T.E. 2005T-100 (C.Q.), J.E. 2005-228 (C.Q.), EYB 2004-85715 (C.Q.).

81.20/8 La Commission des relations du travail est le seul tribunal compétent pour décider d'une plainte de harcèlement psychologique, et ce, à l'exception du cas du salarié qui dispose d'un recours en vertu d'une convention collective et du salarié nommé en vertu de la *Loi sur la fonction publique* dont les conditions de travail ne sont pas régies par une convention collective. Ce dernier doit soumettre sa plainte à la Commission de la fonction publique.
Eugène c. *Hôpital de réadaptation Lindsay*, D.T.E. 2007T-454 (C.R.T.).

81.20/9 Le processus de plainte prévu à la *Loi sur les services de santé et les services sociaux* (L.R.Q., c. S-4.2) ne dépouille pas l'arbitre de griefs de sa compétence pour déterminer si l'employeur a enfreint les dispositions de l'article 81.19 L.N.T.
Centre hospitalier de l'Université de Montréal — Hôpital Notre-Dame c. *Abramowitz*, (2007) R.J.D.T. 945 (C.S.), D.T.E. 2007T-537 (C.S.), J.E. 2007-1267 (C.S.), EYB 2007-120558 (C.S.).

81.20/10 Pour que les dispositions relatives au harcèlement psychologique soient réputées faire partie du *Règlement sur certaines conditions de travail applicables aux cadres des agences et des établissements de santé et de services sociaux* (D. 1218-96, (1996) 128 G.O. 2, 5749), il aurait fallu que le législateur le dise de façon explicite dans la *Loi sur les normes du travail*.
Eugène c. *Hôpital de réadaptation Lindsay*, D.T.E. 2007T-454 (C.R.T.).

art. 82

Table des matières

PRÉAVIS

Objectif

82/1 L'objectif principal de l'obligation de donner le préavis est de consentir au salarié un délai raisonnable pour qu'il ait le temps de se trouver un nouvel emploi et de permettre à l'employeur de trouver un nouvel employé.
Rizzo & Rizzo Shoes Ltd. (Re), (1998) 1 R.C.S. 27 (par analogie).
Barrette c. *Crabtree (Succession de)*, (1993) 1 R.C.S. 1027 (par analogie).
C.N.T. c. *Chantiers Davie ltée*, (1987) R.J.Q. 1949 (C.A.), D.T.E. 87T-824 (C.A.), J.E. 87-1011 (C.A.).
Cie de sable ltée c. *C.N.T.*, (1985) C.A. 281, D.T.E. 85T-387 (C.A.), J.E. 85-470 (C.A.) (autorisation d'appeler à la Cour suprême refusée).
Colombia Builders Supplies Co. c. *Bartlett*, (1967) B.R. 111 (par analogie).
C.N.T. c. *134185 Canada ltée*, D.T.E. 98T-892 (C.Q.).
C.N.T. c. *Ivi inc.*, (1987) R.J.Q. 2265 (C.Q.), D.T.E. 87T-875 (C.Q.), J.E. 87-1089 (C.Q.).

82/2 Le but de l'article 82 L.N.T. n'est pas d'accorder le droit à une indemnité de départ, mais plutôt d'imposer à l'employeur une obligation de prévenir le salarié d'une rupture d'emploi prédéterminée de façon à ce qu'il puisse s'ajuster à la situation.
C.N.T. c. *Cie minière I.O.C.*, D.T.E. 95T-397 (C.A.), J.E. 95-672 (C.A.), inf. pour d'autres motifs: (1987) R.J.Q. 1359 (C.S.), D.T.E. 87T-479 (C.S.), J.E. 87-715 (C.S.).
C.N.T. c. *F.X. Drolet inc.*, (1987) R.J.Q. 584 (C.S.), D.T.E. 87T-177 (C.S.), J.E. 87-294 (C.S.).

82/3 L'objectif visé par les dispositions de l'article 82 L.N.T. est d'informer le salarié que le lien d'emploi sera rompu incessamment et qu'il devra se trouver un autre travail. Il ne s'agit pas d'enrichir le salarié indûment mais de le prévenir.
C.N.T. c. *Commission scolaire de Laval*, D.T.E. 2003T-539 (C.Q.).

82/4 Le but de l'article 82 L.N.T. est d'obtenir une indemnité compensatrice pour l'employé congédié sans le préavis réglementaire.
C.N.T. c. *Turcotte*, D.T.E. 88T-776 (C.Q.).

82/5 Lors d'une action en réclamation d'une indemnité de préavis, suite à un congédiement, le tribunal doit prendre en considération les différentes circonstances aggravantes et atténuantes du dossier et, dans le cas de fautes répétitives, s'assurer que l'employeur a respecté la règle de la progression des sanctions.
C.N.T. c. *134185 Canada ltée*, D.T.E. 98T-892 (C.Q.).

82/6 L'article 82 L.N.T. ne crée pas à l'égard des parties d'obligations contractuelles visant à protéger le salarié du préjudice qu'il est susceptible de subir à la suite d'une mise à pied ou d'un licenciement. Il édicte les normes auxquelles l'employeur devra obéir avant de poser le geste qui privera l'employé de son gagne-pain.
C.N.T. c. *Internote Canada inc.*, (1985) C.S. 383, D.T.E. 85T-335 (C.S.), J.E. 85-412 (C.S.), conf. par (1989) R.J.Q. 2097 (C.A.), D.T.E. 89T-845 (C.A.), J.E. 89-1285 (C.A.).

82/7 L'objectif du préavis prévu à l'article 82 de la *Loi sur les normes du travail* est d'aviser le salarié. Une disposition d'une convention collective prévoyant que l'avis peut être donné avant ou après le mouvement de main-d'oeuvre est nulle puisqu'elle contrevient à l'article 82 L.N.T. qui est d'ordre public.
C.N.T. c. *Compagnie de papier de St-Raymond ltée*, (1997) R.J.Q. 366 (C.A.), D.T.E. 97T-183 (C.A.), J.E. 97-375 (C.A.).

Champ d'application

82/8 Lorsque la convention collective est silencieuse en ce qui concerne le préavis de cessation d'emploi, c'est la Commission des normes du travail qui a compétence et non l'arbitre de griefs.
Aliments Krispy Kernels inc. c. *Gagnon*, (2002) R.J.D.T. 509 (C.S.), D.T.E. 2002T-322 (C.S.), J.E. 2002-601 (C.S.), REJB 2002-31030 (C.S.) (appel rejeté: (2003) R.J.D.T. 629 (C.A.), D.T.E. 2003T-375 (C.A.), J.E. 2003-729 (C.A.), REJB 2003-39352 (C.A.)).

82/9 Le salarié syndiqué peut se prévaloir de l'article 82 L.N.T. car la *Loi sur les normes du travail* n'exclut pas de son champ d'application les salariés syndiqués.
Richard c. *Maison Robert-Riendeau inc.*, D.T.E. 94T-656 (C.S.).
C.N.T. c. *Cie minière I.O.C.*, (1987) R.J.Q. 1359 (C.S.), D.T.E. 87T-479 (C.S.), J.E. 87-715 (C.S.), inf. pour d'autres motifs à D.T.E. 95T-397 (C.A.), J.E. 95-672 (C.A.).
Desmarais c. *Association Épervier de La Tuque inc.*, D.T.E. 94T-391 (C.Q.).

82/10 L'article 82 L.N.T. vise toutes les formes de congédiement, de licenciement ou de mise à pied sans égard à leurs motifs.
C.N.T. c. *Chantiers Davie ltée*, (1987) R.J.Q. 1949 (C.A.), D.T.E. 87T-824 (C.A.), J.E. 87-1011 (C.A.).
C.N.T. c. *Guide de Montréal-Nord inc.*, D.T.E. 88T-863 (C.Q.).
C.N.T. c. *Provigo (distribution) inc.*, (1986) R.J.Q. 912 (C.Q.), D.T.E. 86T-257 (C.Q.), J.E. 86-349 (C.Q.).

82/11 Lors d'une grève ou d'un lock-out l'employeur demeure assujetti à l'obligation de donner le préavis.
C.N.T. c. *Garage Lucien Côté ltée*, D.T.E. 86T-19 (C.S.).
C.N.T. c. *Manufacture Sorel inc.*, (1984) C.S. 747, D.T.E. 84T-671 (C.S.), J.E. 84-703 (C.S.) (appel rejeté sur requête).

82/12 L'article 82 L.N.T. ne s'applique pas en matière de suspension disciplinaire, il ne vise que la cessation d'emploi.
C.N.T. c. *Kraft ltée*, D.T.E. 87T-777 (C.S.).

82/13 Les avis disciplinaires donnés en application des dispositions d'une convention collective ne peuvent équivaloir au préavis.
C.N.T. c. *Sport Maska inc.*, D.T.E. 89T-204 (C.Q.).

82/14 L'acceptation d'une nouvelle fonction au sein de la même entreprise rend applicable l'article 82 L.N.T.
Brassard c. *Centre hospitalier St-Vincent de Paul*, D.T.E. 84T-149 (C.S.), J.E. 84-186 (C.S.).

82/15 V. la jurisprudence sous l'article 82.1 L.N.T.

Interprétation

82/16 L'article 82 L.N.T. force l'employeur à donner un préavis minimal à ses employés, donc à procurer un avantage précis, dérogatoire au droit commun. Il faut l'interpréter de façon large et libérale.
Lemelin c. *Transport Intrabec (1986) inc.*, D.T.E. 89T-175 (T.A.).

82/17 Lorsqu'il y a un conflit entre l'application d'un décret et de la *Loi sur les normes du travail*, ce sont les dispositions les plus généreuses qui s'appliquent.
Comité paritaire de l'industrie de l'automobile des Cantons de l'Est (1971) c. *Nolan P. ltée*, (1988) R.J.Q. 582 (C.Q.), D.T.E. 88T-169 (C.Q.), J.E. 88-281 (C.Q.).

Norme minimale

82/18 L'article 82 L.N.T. ne fixe qu'une norme minimale, le salarié peut réclamer davantage si ce minimum ne représente pas une indemnité ou un préavis raisonnable.
Transports Kingsway ltée c. *Laperrière*, D.T.E. 93T-197 (C.A.), J.E. 93-370 (C.A.).
Domtar inc. c. *St-Germain*, (1991) R.J.Q. 1271 (C.A.), D.T.E. 91T-604 (C.A.), J.E. 91-927 (C.A.).
Rousseau c. *Gilles Cloutier et Associés, courtiers en assurance-vie inc.*, D.T.E. 2005T-322 (C.S.).
Wisener c. *Fine Togs Co.*, D.T.E. 99T-837 (C.S.), J.E. 99-1784 (C.S.), REJB 1999-13730 (C.S.).
Benoît c. *Squibb Canada inc.*, D.T.E. 88T-528 (C.S.).
Nyveen c. *Russell Food Equipment Ltd.*, D.T.E. 88T-294 (C.S.).
St-Germain c. *Pro Optic inc.*, D.T.E. 88T-293 (C.S.).
Caron c. *Gillette Canada inc.*, D.T.E. 87T-756 (C.S.), J.E. 87-948 (C.S.).
Hannan c. *G. Famery plomberie & chauffage inc.*, D.T.E. 85T-317 (C.S.), J.E. 85-422 (C.S.).
Bergeron c. *Emballages Purity ltée*, D.T.E. 84T-731 (C.S.), J.E. 84-811 (C.S.).
Pouliot c. *Texaco Canada inc.*, D.T.E. 84T-409 (C.S.), J.E. 84-450 (C.S.).
Boisvert c. *Fabspec inc.*, D.T.E. 2007T-619 (C.Q.), EYB 2007-120808 (C.Q.).
Bilodeau c. *Séminaire St-Alphonse*, D.T.E. 99T-865 (C.Q.), J.E. 99-1849 (C.Q.), REJB 1999-14800 (C.Q.).
Eugène Baillargeon Autos ltée c. *Vigneault*, D.T.E. 89T-1017 (C.Q.).
Comité paritaire de l'industrie de l'automobile des Cantons de l'Est (1971) c. *Nolan P. ltée*, (1988) R.J.Q. 582 (C.Q.), D.T.E. 88T-169 (C.Q.), J.E. 88-281 (C.Q.).

Contra: *Dumont* c. *Radio Etchemin inc.*, D.T.E. 88T-188 (C.S.).
Vigeant c. *Canadian Thermos Products Ltd.*, D.T.E. 88T-295 (C.S.).
Booth c. *B.G. Checo International Ltd.*, D.T.E. 87T-46 (C.S.).
Wilks c. *Harrington, Division of Ingersoll-Rand Canada inc.*, D.T.E. 87T-508 (C.S.).

82/19 Les dispositions permettant la résiliation du contrat de travail, sans avis ou prévoyant un préavis plus court que les normes minimales établies par la loi, sont nulles et sans effet car contraires à l'ordre public.
Rizzo & Rizzo Shoes Ltd. (Re), (1998) 1 R.C.S. 27 (par analogie).
Machtinger c. *HOJ Industries Ltd.*, (1992) 1 R.C.S. 986 (par analogie).
Montreal Standard c. *Middleton*, (1989) R.J.Q. 1101 (C.A.), D.T.E. 89T-429 (C.A.), J.E. 89-723 (C.A.).
Van Coillie c. *Humeur Design inc.*, (2001) R.J.D.T. 89 (C.Q.), D.T.E. 2001T-275 (C.Q.), J.E. 2001-621 (C.Q.), REJB 2001-23474 (C.Q.).
Grosso c. *Métropolitaine Cie d'assurance-vie*, (1983) T.A. 1061, D.T.E. 83T-1003 (T.A.).

82/20 Les normes édictées à l'article 82 L.N.T. sont précises et ne peuvent faire l'objet d'une compensation avec autre chose qu'une condition correspondante, de même nature et ayant le même objet.
Baribeau & Fils inc. c. *C.N.T.*, D.T.E. 96T-823 (C.A.), J.E. 96-1424 (C.A.).
Montreal Standard c. *Middleton*, (1989) R.J.Q. 1101 (C.A.), D.T.E. 89T-429 (C.A.), J.E. 89-723 (C.A.).

82/21 Un employé peut réclamer davantage que le minimum s'il établit que cela ne constitue pas une indemnité ou un avis raisonnable; ce critère doit s'appliquer tant aux cadres qu'aux autres salariés.
Hannan c. *G. Famery plomberie & chauffage inc.*, D.T.E. 85T-317 (C.S.), J.E. 85-422 (C.S.).

82/22 L'employé cadre a droit à un préavis plus long que celui prévu à l'article 82 L.N.T.
Gaucher c. *M. Filiault Distributeur ltée*, D.T.E. 95T-103 (C.S.), LPJ-94-2460 (C.S.).
Pongs c. *Dales Canada inc.*, D.T.E. 91T-1288 (C.S.).
Prévost c. *Entreprises de pipe-line universel ltée*, (1985) C.S. 476, D.T.E. 85T-368 (C.S.), J.E. 85-451 (C.S.), conf. par D.T.E. 88T-549 (C.A.), J.E. 88-804 (C.A.).
Couture c. *Volcano inc.*, (1984) C.S. 546, D.T.E. 84T-449 (C.S.), J.E. 84-496 (C.S.).
McDuff c. *Cenpro inc.*, D.T.E. 83T-495 (C.S.), J.E. 83-682 (C.S.).
Anastasiou c. *Avon Canada inc.*, D.T.E. 94T-390 (C.Q.).
Labanowska c. *Grands magasins Towers inc.*, (1991) R.J.Q. 1157 (C.Q.), D.T.E. 91T-413 (C.Q.), J.E. 91-667 (C.Q.).
Pierre c. *Chez Delmo inc.*, D.T.E. 91T-464 (C.Q.).
Watters c. *Société André Brouard inc.*, D.T.E. 86T-222 (C.Q.), J.E. 86-322 (C.Q.).

82/23 Un salarié ne peut réclamer deux semaines supplémentaires en vertu de l'article 82 L.N.T. s'il reçoit un délai-congé qui couvre plus que les deux semaines de préavis prévues à la *Loi sur les normes du travail*.
Cloutier c. *Carrière Bernier ltée*, D.T.E. 94T-911 (C.S.).

Rupture du lien d'emploi et mise à pied

82/24 L'avis de cessation d'emploi remis par l'employeur lors de la vente de son entreprise et l'encaissement des chèques de vacances constituent une résiliation

du contrat de travail. Le service bien que non interrompu a alors cessé d'être continu.
C.N.T. c. *L.S. Tarshis ltée*, (1985) C.P. 267, D.T.E. 85T-747 (C.Q.), J.E. 85-876 (C.Q.).
Lacombe c. *Gestion canadienne Alpha*, D.T.E. 82T-510 (T.A.).
V. aussi: *Forget* c. *Restaurant Le Limousin inc.*, (1982) T.A. 927, D.T.E. 82T-837 (T.A.).

82/25 Il y a lieu de faire la distinction entre le licenciement et la mise à pied aux fins du préavis.
Prévost c. *Entreprises de pipe-line universel ltée*, (1985) C.S. 476, D.T.E. 85T-368 (C.S.), J.E. 85-451 (C.S.), conf. par D.T.E. 88T-549 (C.A.), J.E. 88-804 (C.A.).
C.N.T. c. *Jourplex ltée*, D.T.E. 90T-240 (C.Q.).
C.N.T. c. *Centre d'économie alimentaire de Berthier inc.*, D.T.E. 86T-607 (C.Q.), J.E. 86-845 (C.Q.).
C.N.T. c. *Pinkerton du Québec ltée*, D.T.E. 84T-142 (C.Q.), J.E. 84-150 (C.Q.).

82/26 Le fait de ne pas donner le préavis n'a pas pour effet d'annuler le licenciement ni de continuer le lien d'emploi.
Val d'Or (Ville de) c. *Union des policiers de Val d'Or*, D.T.E. 87T-252 (T.A.).

82/27 Le fait de réduire le nombre d'heures de travail d'un salarié ne constitue pas en soi un licenciement ou une mise à pied puisqu'il n'y a pas de rupture du lien d'emploi.
C.N.T. c. *Vincelli*, D.T.E. 82T-701 (C.Q.), J.E. 82-1025 (C.Q.).

82/28 Durant la mise à pied, le lien contractuel entre employeur et employé, s'il subsiste, ne revêt qu'une forme imparfaite où le rappel est conditionné par les besoins de l'entreprise et où la disponibilité de l'employé dépend de la seule volonté de ce dernier.
Cie de sable ltée c. *C.N.T.*, (1985) C.A. 281, D.T.E. 85T-387 (C.A.), J.E. 85-470 (C.A.) (autorisation d'appeler à la Cour suprême refusée).
C.N.T. c. *Cie minière I.O.C.*, (1987) R.J.Q. 1359 (C.S.), D.T.E. 87T-479 (C.S.), J.E. 87-715 (C.S.), inf. pour d'autres motifs à D.T.E. 95T-397 (C.A.), J.E. 95-672 (C.A.).
Labanowska c. *Grands magasins Towers inc.*, (1991) R.J.Q. 1157 (C.Q.), D.T.E. 91T-413 (C.Q.), J.E. 91-667 (C.Q.).

82/29 L'article 82 L.N.T. ne peut faire en sorte que toute mise à pied prévue pour plus de six mois constitue une résiliation de contrat.
Demers c. *Campeau Corp.*, D.T.E. 84T-843 (T.A.).

82/30 Le salarié mis à pied pour une période indéterminée, mais pour moins de six mois, n'a pas droit à un préavis de licenciement si l'entreprise ferme définitivement ses portes pendant cette période de mise à pied.
Cie de sable ltée c. *C.N.T.*, (1985) C.A. 281, D.T.E. 85T-387 (C.A.), J.E. 85-470 (C.A.) (autorisation d'appeler à la Cour suprême refusée).
C.N.T. c. *Cie minière I.O.C.*, (1987) R.J.Q. 1359 (C.S.), D.T.E. 87T-479 (C.S.), J.E. 87-715 (C.S.), inf. pour d'autres motifs à D.T.E. 95T-397 (C.A.), J.E. 95-672 (C.A.).
Labanowska c. *Grands magasins Towers inc.*, (1991) R.J.Q. 1157 (C.Q.), D.T.E. 91T-413 (C.Q.), J.E. 91-667 (C.Q.).

82/31 L'avis de licenciement remis au salarié mis à pied, qui travaille généralement moins de six mois par année étant donné le caractère saisonnier de son

emploi, est valide et ne donne pas ouverture à l'indemnité compensatrice prévue à l'article 83 L.N.T., à moins que la mise à pied, à l'époque où elle a été effectuée, n'ait été dans les faits, qu'une pure décision de licenciement.
C.N.T. c. *Cie minière I.O.C.*, D.T.E. 95T-397 (C.A.), J.E. 95-672 (C.A.).

82/32 Le droit au préavis ne s'applique pas pour une mise à pied prévue pour une période de moins de six mois.
Scierie Taschereau inc. c. *«Local C» de la coopérative de travail Taschereau*, D.T.E. 84T-614 (T.A.).

82/33 Le fait pour un salarié de travailler pour un tiers employeur durant une mise à pied, ne rend pas irrecevable le droit au préavis, si le salarié n'a pas refusé de se présenter au travail en raison de cet emploi occupé chez un tiers.
C.N.T. c. *Industries Hancan inc.*, D.T.E. 95T-221 (C.Q.).

82/34 Le refus pour une salariée d'occuper un poste au retour d'un congé de maternité, lorsque son véritable poste est toujours disponible, constitue un congédiement déguisé donnant droit au préavis.
C.N.T. c. *Barrette*, D.T.E. 95T-199 (C.Q.).

82/35 La mise à pied ou le licenciement peuvent dans les faits cacher un congédiement.
C.N.T. c. *148983 Canada ltée*, D.T.E. 2002T-331 (C.Q.).

82/36 L'article 82 L.N.T. s'applique en matière de congédiement déguisé. Lorsqu'un employeur décide unilatéralement de modifier de façon substantielle les conditions essentielles du contrat de travail du salarié qui n'accepte pas ces changements et quitte son emploi, son départ ne constitue pas une démission mais un congédiement. Un tel comportement de l'employeur n'est pas permis même s'il peut, dans l'exercice de son pouvoir de direction, apporter des modifications aux conditions de travail du salarié selon les besoins de l'entreprise et l'orientation qu'il entend donner aux activités de celle-ci.
C.N.T. c. *Braille Jymico inc.*, D.T.E. 2003T-246 (C.Q.).

Obligations employé-employeur

82/37 L'employeur doit, pour mettre fin au contrat de travail, donner au salarié l'avis écrit prévu à l'article 82 L.N.T.
Racine c. *Vallerand*, D.T.E. 94T-1307 (C.S.) (règlement hors cour).

82/38 Le droit au préavis est une norme du travail et l'employeur doit avertir l'employé, dans un délai suffisant, de son intention de résilier le contrat de travail.
Pronovost c. *Atelier de carrosserie et mécanique Damo St-Laurent inc.*, (1984) T.A. 171, D.T.E. 84T-252 (T.A.).

82/39 L'employé qui quitte son travail doit donner à l'employeur un préavis suffisant.
C.N.T. c. *Centre Lux ltée*, D.T.E. 94T-999 (C.Q.), J.E. 94-1422 (C.Q.).
Burns c. *Action Chevrolet-Oldsmobile inc.*, D.T.E. 93T-997 (C.Q.), J.E. 93-1558 (C.Q.).
Dufresne c. *Dorion*, D.T.E. 86T-223 (C.Q.), J.E. 86-321 (C.Q.).
C.N.T. c. *Cie américaine de fer et métaux inc.*, (1985) C.P. 351, D.T.E. 85T-921 (C.Q.), J.E. 85-1067 (C.Q.).
Commission du salaire minimum c. *Boucher-Bergeron*, (1978) C.P. 262.

Mondor c. *Pesant*, (1872) 4 R.L. 382 (C. de Cir.).
V. aussi: *Chas. Chapman Co.* c. *153291 Canada inc.*, (1992) R.J.Q. 705 (C.S.), D.T.E. 92T-272 (C.S.), J.E. 92-424 (C.S.).
Contra: *Gauvin* c. *Richard*, (1933) 71 C.S. 517.

82/40 Le refus du salarié de travailler pendant la période de préavis entraîne la perte du droit de réclamer une indemnité de cessation d'emploi.
C.N.T. c. *Viandes Seficlo inc.*, D.T.E. 86T-590 (C.Q.).
C.N.T. c. *Cie américaine de fer et métaux inc.*, (1985) C.P. 351, D.T.E. 85T-921 (C.Q.), J.E. 85-1067 (C.Q.).
Matthias c. *Conso Graber Canada inc.*, D.T.E. 86T-934 (T.T.).

82/41 Durant la période du préavis, l'employeur peut exiger la prestation de travail correspondant au salaire et le salarié ne peut exiger l'indemnité compensatrice que si l'employeur a omis de donner le préavis ou a donné un préavis insuffisant.
Montreal Standard c. *Middleton*, (1989) R.J.Q. 1101 (C.A.), D.T.E. 89T-429 (C.A.), J.E. 89-723 (C.A.).

82/42 Pendant la période de préavis, le salarié doit continuer de travailler pour avoir droit en contrepartie à son salaire jusqu'au jour de son départ. Inversement, l'employeur peut mettre fin au contrat en donnant lui aussi un avis de congé dont la durée est prédéterminée par la loi.
C.N.T. c. *Gaudette-Gobeil*, D.T.E. 93T-568 (C.Q.), J.E. 93-950 (C.Q.).
C.N.T. c. *Cie américaine de fer et métaux inc.*, (1985) C.P. 351, D.T.E. 85T-921 (C.Q.), J.E. 85-1067 (C.Q.).

82/43 Le fait de donner un préavis de licenciement n'exempte pas le salarié de fournir sa prestation de travail durant la période du préavis à moins que l'employeur n'en décide autrement en lui donnant l'indemnité en même temps que le préavis.
C.N.T. c. *Viandes Seficlo inc.*, D.T.E. 86T-590 (C.Q.).

82/44 Un employeur peut renoncer à son droit d'exiger que le salarié travaille pendant la durée de l'avis, mais il ne peut pas priver celui-ci de son droit de recevoir son salaire.
C.N.T. c. *Gaudette-Gobeil*, D.T.E. 93T-568 (C.Q.), J.E. 93-950 (C.Q.).

82/45 Un employeur ne peut refuser de payer le salaire durant la période de préavis de démission.
C.N.T. c. *Compogest inc.*, D.T.E. 2003T-490 (C.Q.).

82/46 Lorsque la rupture est le fait de l'employeur qui en a pris l'initiative, le départ du salarié en cours de préavis ne peut être assimilé à une démission.
Cyr c. *Bistro Le Mouton noir*, D.T.E. 2006T-310 (C.R.T.).
Guillemette c. *Fabrimet inc.*, (2005) R.J.D.T. 1232 (C.R.T.), D.T.E. 2005T-772 (C.R.T.).
Matthias c. *Conso Graber Canada inc.*, D.T.E. 86T-934 (T.T.).

82/47 Si l'employeur ne laisse pas travailler le salarié pendant la période de préavis, il doit verser l'indemnité à laquelle le salarié a droit, la loi étant d'ordre public.
C.N.T. c. *Publications Lachute inc.*, D.T.E. 92T-645 (C.Q.).

C.N.T. c. *Extermination St-Michel ltée*, D.T.E. 88T-27 (C.Q.).
C.N.T. c. *Olier Grisé & Cie*, D.T.E. 88T-373 (C.Q.).
C.N.T. c. *114737 Canada inc.*, D.T.E. 87T-761 (C.Q.).
C.N.T. c. *Cie américaine de fer et métaux inc.*, (1985) C.P. 351, D.T.E. 85T-921 (C.Q.), J.E. 85-1067 (C.Q.).
V. aussi: *Hamon* c. *Sport Terrebonne (1986) inc.*, D.T.E. 88T-586 (C.Q.).

82/48 Un salarié ne peut réclamer d'indemnité compensatrice lorsqu'il a avisé l'employeur qu'il quittera à une date déterminée et qu'il se ravise, si l'employeur lui demande alors de quitter à ladite date.
C.N.T. c. *Jourplex ltée*, D.T.E. 90T-240 (C.Q.).

82/49 Une vive discussion entre le salarié et l'employeur n'exonère pas ce dernier de verser au salarié l'indemnité compensatrice lorsque l'initiative de mettre fin au contrat de travail relève de lui.
C.N.T. c. *Lumilec inc.*, D.T.E. 97T-244 (C.Q.).

82/50 Un salarié ne peut réclamer d'indemnité compensatrice lorsqu'il prend l'initiative de mettre fin au contrat de travail, c'est-à-dire lorsqu'il démissionne de façon libre et volontaire.
C.N.T. c. *Croisières Charlevoix inc.*, D.T.E. 2009T-18 (C.Q.), EYB 2008-151104 (C.Q.).
ChemAction inc. c. *Clermont*, D.T.E. 2008T-725 (C.Q.), J.E. 2008-1789 (C.Q.), EYB 2008-146396 (C.Q.).
C.N.T. c. *Fournitures La Sacoche inc.*, D.T.E. 2007T-34 (C.Q.), EYB 2006-111785 (C.Q.).
C.N.T. c. *Quesnel*, D.T.E. 99T-798 (C.Q.), J.E. 99-1693 (C.Q.), REJB 1999-14484 (C.Q.).
C.N.T. c. *Vêtements Lithium Mfr. inc.*, D.T.E. 99T-689 (C.Q.).
3105-3440 Québec inc. c. *Boulet*, (1998) R.J.D.T. 633 (C.Q.), D.T.E. 98T-404 (C.Q.), J.E. 98-833 (C.Q.), REJB 1998-05321 (C.Q.).
C.N.T. c. *Exposition E.r.a. Cie ltée*, LPJ-95-0155 (C.Q.).
C.N.T. c. *Carrefour de la prévention du Lac-St-Jean inc.*, D.T.E. 93T-1232 (C.Q.), J.E. 93-1835 (C.Q.).
C.N.T. c. *Jean Therrien, courtiers d'assurances ltée*, D.T.E. 89T-722 (C.Q.).

Cependant, les récriminations d'un salarié vis-à-vis de ses conditions de travail, qu'il juge insatisfaisantes, ne constituent pas nécessairement la manifestation clairement exprimée par celui-ci de sa volonté d'abandonner son travail et de renoncer à l'indemnité de préavis.
C.N.T. c. *Prime Litho inc.*, D.T.E. 94T-752 (C.Q.).
C.N.T. c. *Centre d'économie alimentaire de Berthier inc.*, D.T.E. 86T-607 (C.Q.), J.E. 86-845 (C.Q.).
V. aussi: *C.N.T.* c. *Pièces d'auto universelles inc.*, D.T.E. 98T-1000 (C.Q.).

82/51 Une démission ne devient pas un congédiement du seul fait que l'employeur renonce à son droit au délai de congé raisonnable que doit lui offrir le salarié avant de mettre fin au contrat de travail.
ChemAction inc. c. *Clermont*, D.T.E. 2008T-725 (C.Q.), J.E. 2008-1789 (C.Q.), EYB 2008-146396 (C.Q.).

82/52 Un salarié qui annonce sa démission sans que celle-ci soit effective immédiatement a droit à un préavis si l'employeur le congédie pendant la période précédant la prise d'effet de la démission.
C.N.T. c. *S2I inc.*, (2005) R.J.D.T. 200 (C.Q.), D.T.E. 2005T-20 (C.Q.), J.E. 2005-32 (C.Q.), EYB 2004-80851 (C.Q.).
C.N.T. c. *Sports du temps inc.*, D.T.E. 97T-1004 (C.Q.).

82/53 Le droit de démissionner appartient au salarié et la démission s'apprécie différemment selon que l'intention d'exercer ce droit est ou non exprimée. Elle se présume uniquement si la conduite du salarié est incompatible avec une autre interprétation.
C.N.T. c. *J.E. Mondou ltée*, D.T.E. 99T-187 (C.Q.).

82/54 Il appartient à l'employeur de prouver que le salarié a démissionné.
C.N.T. c. *Bureau d'éthique commerciale de Montréal inc.*, D.T.E. 2000T-410 (C.Q.).
C.N.T. c. *Prime Litho inc.*, D.T.E. 94T-752 (C.Q.).

82/55 Hormis la preuve directe d'une démission, celui qui l'invoque doit établir son existence par présomptions ou preuve circonstancielle.
C.N.T. c. *2331-3547 Québec inc.*, D.T.E. 99T-907 (C.Q.).

82/56 Si le comportement du salarié exprime davantage le désir de garder son emploi plutôt que de le quitter, on ne peut présumer qu'il y a eu démission.
C.N.T. c. *2331-3547 Québec inc.*, D.T.E. 99T-907 (C.Q.).

82/57 Une lettre de l'employeur évoquant la démission du salarié, qui aurait déserté son poste malgré l'avis de rappel, ne peut constituer l'assise de l'abandon par interprétation. En effet, les dispositions de l'article 93 L.N.T. prévoient qu'un salarié ne peut renoncer à ses droits.
C.N.T. c. *Industries graphiques Caméo Crafts ltée*, D.T.E. 96T-1127 (C.Q.).

82/58 Lorsque le salarié démissionne à la suite d'un changement de lieu de travail, il ne peut réclamer d'indemnité de préavis puisqu'un tel changement ne constitue pas une modification substantielle de ses conditions de travail.
C.N.T. c. *Centre de loisirs métropolitain pour handicapés visuels*, D.T.E. 95T-528 (C.Q.).

Remise de l'avis

82/59 Il incombe à l'employeur de prouver la remise de l'avis puisque c'est lui qui a l'obligation de le donner.
C.N.T. c. *Bureau d'éthique commerciale de Montréal inc.*, D.T.E. 2000T-410 (C.Q.).
C.N.T. c. *Lumilec inc.*, D.T.E. 97T-244 (C.Q.).
Pronovost c. *Atelier de carrosserie et mécanique Damo St-Laurent inc.*, (1984) T.A. 171, D.T.E. 84T-252 (T.A.).

82/60 Lorsque l'employeur est tenu de donner l'avis de cessation d'emploi, il peut le donner au salarié ou à son mandataire autorisé.
Tremblay c. *Aliments Interbake ltée*, D.T.E. 85T-749 (C.Q.), J.E. 85-877 (C.Q.).

82/61 Le préavis verbal de l'employeur au salarié est non conforme à la *Loi sur les normes du travail*. L'employeur doit donner un avis écrit.
C.N.T. c. *Lumilec inc.*, D.T.E. 97T-244 (C.Q.).

Contenu du préavis

82/62 Le préavis doit indiquer au salarié à quel moment l'employeur prévoit le mettre à pied, sans lui donner nécessairement une date précise. Il faut examiner chaque entreprise pour déterminer cette précision.
Mil Davie inc. c. *Syndicat des travailleurs du chantier naval de Lauzon inc.*, D.T.E. 89T-296 (T.A.).

82/63 Un avis prévu à une convention collective constitue un préavis au sens de la Loi sur les normes et même s'il s'adresse au syndicat, il vaut comme préavis aux salariés qui en sont membres.
C.N.T. c. *Domtar inc.*, (1989) R.J.Q. 2130 (C.A.), D.T.E. 89T-846 (C.A.), J.E. 89-1288 (C.A.).

82/64 Le fait d'aviser par écrit un syndicat n'est pas un préavis au sens des dispositions de l'article 82 L.N.T. En effet, un préavis est un avertissement par lequel une personne porte à la connaissance d'une autre son intention d'accomplir un acte ou d'exercer un recours.
C.N.T. c. *Compagnie de papier de St-Raymond ltée*, (1997) R.J.Q. 366 (C.A.), D.T.E. 97T-183 (C.A.), J.E. 97-375 (C.A.).

82/65 L'avis qui indique seulement que le salarié sera licencié dès que l'usine fermera ses portes est insuffisant.
C.N.T. c. *136860 Canada inc.*, D.T.E. 93T-1005 (C.Q.), J.E. 93-1557 (C.Q.).

Computation du préavis

82/66 Le préavis exigé par la Loi sur les normes ne peut être computé durant les semaines de congé-maladie consenties contractuellement.
Brisson c. *Société Sandwell ltée*, (1984) C.P. 88, D.T.E. 84T-437 (C.Q.), J.E. 84-458 (C.Q.).

82/67 La computation du délai de la mise à pied commence le jour qui suit celui où l'employé a cessé de travailler.
C.N.T. c. *Forano inc.*, D.T.E. 85T-919 (C.S.), J.E. 85-1065 (C.S.).

82/68 Le temps de travail consacré volontairement, à la demande de l'employeur à la suite du congédiement, ne peut être considéré comme faisant partie de la période de délai-congé.
Champagne c. *Club de golf Lévis inc.*, D.T.E. 87T-548 (C.Q.).

Recours découlant de la convention collective

82/69 L'équivalent en nature de cette disposition, contenu dans une convention collective, doit porter directement sur la durée du préavis de mise à pied, et par le truchement du recours à la procédure de griefs, ouvrir le recours à une indemnité compensatrice.
C.N.T. c. *Campeau Corp.*, (1989) R.J.Q. 2108 (C.A.), D.T.E. 89T-848 (C.A.), J.E. 89-1286 (C.A.) (autorisation d'appeler à la Cour suprême refusée).

82/70 L'existence d'une convention collective de travail n'empêche pas l'application des dispositions de l'article 82 L.N.T. en faveur des salariés liés par cette convention et qui sont mis à pied.
C.N.T. c. *Campeau Corp.*, (1989) R.J.Q. 2108 (C.A.), D.T.E. 89T-848 (C.A.), J.E. 89-1286 (C.A.) (autorisation d'appeler à la Cour suprême refusée).

82/71 Pour empêcher l'application des dispositions de l'article 82 L.N.T., une convention collective doit contenir des dispositions équivalentes ou supérieures en nature à celles prévues dans la loi.
Baribeau & Fils inc. c. *C.N.T.*, D.T.E. 96T-823 (C.A.), J.E. 96-1424 (C.A.).
Association des employés de Montréal PVC c. *Plastiques PVC Montréal ltée (Kamal Pannag)*, D.T.E. 2005T-609 (T.A.).

82/72 L'avis exigé à l'article 82 L.N.T. est tout à fait compatible avec le régime collectif du travail prévu par convention collective.
Syndicat des travailleuses et travailleurs du Réseau du Suroît (CSN) c. *CSSS du Suroît (Lise Proulx)*, D.T.E. 2008T-30 (T.A.).

82/73 L'article 82 L.N.T. ne s'applique pas lorsqu'une convention collective prévoit une norme plus avantageuse.
C.N.T. c. *Producteurs de sucre d'érable du Québec*, (1986) R.J.Q. 2763 (C.Q.), D.T.E. 86T-814 (C.Q.), J.E. 86-1057 (C.Q.).
V. aussi: *Maison du café London et National* c. *Union des employées et employés de service, section locale 800*, D.T.E. 94T-578 (T.A.).

Cumul de recours

82/74 Un salarié peut cumuler le recours prévu à l'article 82 L.N.T. à celui de la convention collective prévoyant la réintégration pour congédiement sans cause juste.
C.N.T. c. *Sport Maska inc.*, D.T.E. 89T-204 (C.Q.).

82/75 Les recours fondés sur les articles 82 et 124 L.N.T. sont différents, n'ont pas les mêmes faits générateurs et peuvent être cumulés.
Mondia distribution c. *Cornil*, D.T.E. 87T-151 (C.S.).
C.N.T. c. *Guide de Montréal-Nord inc.*, D.T.E. 88T-863 (C.Q.).
C.N.T. c. *Turcotte*, D.T.E. 88T-776 (C.Q.).
Contra: *C.N.T.* c. *Maheu et Noiseux inc.*, D.T.E. 89T-229 (C.Q.).

Renonciation aux autres recours

82/76 L'acceptation par un salarié de l'indemnité, tenant lieu de préavis, ne constitue ni une acceptation du geste de l'employeur ni une renonciation à tout autre recours.
Télé-alarme T.S. inc. c. *Nadeau*, D.T.E. 93T-1129 (C.S.), J.E. 93-1719 (C.S.).
Fonderie St-Hyacinthe ltée c. *Syndicat des salariés de la fonderie St-Hyacinthe (C.S.D.)*, D.T.E. 84T-223 (T.A.).
Syndicat national des employés de commerce et de bureau du comté Lapointe c. *Provigo (distribution) inc. (établissement 402)*, (1984) T.A. 517, D.T.E. 84T-642 (T.A.).
Rioux c. *F.D.L. Co. ltée*, (1981) 1 R.S.A. 97, D.T.E. 82T-803 (T.A.).

Litispendance

82/77 Il n'y a pas de litispendance entre un recours en dommages-intérêts intenté par un salarié devant la Cour supérieure et un recours réclamant l'indemnité de préavis prévu par les dispositions des articles 82 et ss. L.N.T. exercé par la Commission des normes du travail.
C.N.T. c. *Buck Consultants Ltd.*, D.T.E. 97T-1206 (C.Q.).

82/78 V. la jurisprudence sous les articles 82.1 et 83 L.N.T.

82/79 V. AUDET, G., BONHOMME, R., GASCON, C. et COURNOYER-PROULX, M., *Le congédiement en droit québécois en matière de contrat individuel de travail*, vol. 2, 3e éd. (édition à feuilles mobiles), Cowansville, Éditions Yvon Blais, p. 22-1 à 23-3.

82/80 V. BÉLIVEAU, N.-A., *Les normes du travail*, Cowansville, Les Éditions Yvon Blais inc., 2003, p. 205 à 212.

82/81 V. BENAROCHE, P.L., «Droits et obligations de l'employeur face au recrutement d'employés et aux références après l'emploi», dans *Développements récents en droit du travail (1995)*, Formation permanente du Barreau du Québec, Cowansville, Les Éditions Yvon Blais inc., 1995, p. 101.

82/82 V. BRIÈRE, J.-Y., «Le *Code civil du Québec* et la *Loi sur les normes du travail*: convergence ou divergence?», (1994) 49 *R.I.* 104, 119 à 124.

82/83 V. BRIÈRE, J.-Y., «Principaux amendements à la Loi sur les normes du travail et jurisprudence récente et marquante», dans *Développements récents en droit du travail (1991)*, Formation permanente du Barreau du Québec, Cowansville, Les Éditions Yvon Blais inc., 1991, p. 1, p. 20 à 22.

82/84 V. BRIÈRE, J.-Y. et VILLAGGI, J.-P., *Relations de travail*, vol. 2, (édition à feuilles mobiles), Brossard, Les Publications CCH ltée, p. 8,521 à 8,527.

82/85 V. CAZA, C., «L'embarquement pour un tour d'horizon des développements récents concernant la *Loi sur les normes du travail*», dans *Développements récents en droit du travail (1997)*, Formation permanente du Barreau du Québec, Cowansville, Les Éditions Yvon Blais inc., 1997, p. 229, p. 270 et ss.

82/86 V. DOUCET, R., «La résiliation du contrat de travail en droit québécois», (1974) 9 *R.J.T.* 249.

82/87 V. DUBÉ, J.-L. et DI IORIO, N., *Les normes du travail*, 2e éd., Sherbrooke, Les Éditions Revue de droit — Université de Sherbrooke, 1992, p. 154 à 182, 212 à 216 et 220 à 233.

82/88 V. GAGNON, R.P., LEBEL, L. et VERGE, P., *Droit du travail*, 2e éd., Ste-Foy, Les Presses de l'Université Laval, 1991, p. 121 à 127.

82/89 V. HÉBERT, G. et TRUDEAU, G., *Les normes minimales du travail au Canada et au Québec*, Cowansville, Les Éditions Yvon Blais inc., 1987, p. 142 à 147.

82/90 V. L'HEUREUX, J., «De la destitution et de la réduction de traitement des fonctionnaires ou employés municipaux qui ne sont pas des salariés au sens du *Code du travail*», (1981) 41 *R. du B.* 317.

82/91 V. MORIN, F., *Rapports collectifs du travail*, 2e éd., Montréal, Les Éditions Thémis inc., 1991, p. 51 à 57.

82/92 V. MORIN, F., «Un préavis de licenciement ou son équivalent», (1988) 43 *R.I.* 943.

82/93 V. THORNICROFT, K., «Labour Law – Termination of Employment – Contractual Notice Less than Required by Employment Standards Act, R.S.O. 1980 – Is Employee Entitled to Statutory Notice or Reasonable Notice?: *Machtinger* v. *HOJ Industries Limited*; *Lefebvre* v. *HOJ Industries Limited*», (1993) 72 *R. du B. can.* 85.

82/94 V. TRENT, P. et POIRIER, K., «L'indemnité de fin d'emploi: où en sommes-nous?», dans *Un abécédaire des cessations d'emploi et des indemnités de départ (2005)*, Formation permanente du Barreau du Québec, Cowansville, Les Éditions Yvon Blais inc., 2005, p. 155.

82/95 V. TURCOTTE, A., «Évolution jurisprudentielle relative aux règles gouvernant la cessation du contrat individuel de travail», (1978) 33 *R.I.* 544.

art. 82.1

GÉNÉRAL

82.1/1 Il faut faire une distinction entre la notion de service continu et celle de contrat pour une durée indéterminée, compte tenu des dispositions de l'article 82.1 L.N.T. qui différencie ces deux notions.
C.N.T. c. *Edphy international inc.*, D.T.E. 99T-99 (C.Q.).

82.1/2 Même s'il n'y a pas litispendance entre une action en dommages-intérêts intentée par le salarié devant la Cour supérieure et un recours en vertu de la *Loi sur les normes du travail* entrepris par la Commission, il peut y avoir lieu d'ordonner l'arrêt des procédures pour permettre au juge de la Cour supérieure de statuer sur les circonstances entourant la rupture du lien d'emploi.
C.N.T. c. *Realmont ltée*, D.T.E. 99T-100 (C.Q.), J.E. 99-309 (C.Q.), REJB 1998-10868 (C.Q.).

PARAGRAPHE 1

82.1/3 Le terme «mois» réfère à un «mois du calendrier», soit l'espace de temps compris entre un quantième quelconque d'un mois et le quantième du mois suivant.
Roy c. *Génération Nouveau monde inc. (Terra Nostra)*, D.T.E. 98T-113 (T.T.).

82.1/4 Pour que l'article 82 L.N.T. s'applique, l'employé doit avoir accompli chez le même employeur trois mois de service continu.
Maison Quebco inc. c. *St-Pierre*, D.T.E. 84T-563 (C.S.).
Landry c. *Jardin Rose (Opérations) ltée (Le)*, LPJ-94-1950 (C.Q.).
C.N.T. c. *Beausignol inc.*, (1987) R.J.Q. 688 (C.Q.), D.T.E. 87T-293 (C.Q.), J.E. 87-412 (C.Q.).
Paradis c. *Cie Crawley et McCracken ltée*, D.T.E. 87T-33 (C.Q.).

82.1/5 Ne bénéficie pas de trois mois de service continu, le salarié qui détient un emploi saisonnier dans une colonie de vacances et dont l'engagement n'est pas renouvelé automatiquement d'année en année.
C.N.T. c. *Edphy international inc.*, D.T.E. 99T-99 (C.Q.).

82.1/6 L'employé ayant complété trois mois de service continu au moment de son congédiement a droit à l'avis prévu à l'article 82 L.N.T.
Potvin c. *G. & W. Freightways Ltd.*, D.T.E. 88T-644 (C.Q.).
C.N.T. c. *Vincelli*, D.T.E. 82T-701 (C.Q.), J.E. 82-1025 (C.Q.).

82.1/7 Le salarié bénéficiant de moins de trois mois de service continu n'a pas droit à l'avis, ni à l'indemnité compensatrice. Cependant, il peut toujours y avoir droit en vertu du droit commun.
Carignan c. *Infasco Division Ivaco inc.*, D.T.E. 89T-118 (C.S.), J.E. 89-286 (C.S.).
Rouleau c. *Variétés Deschênes inc.*, D.T.E. 89T-161 (C.Q.).
Paradis c. *Cie Crawley et McCracken ltée*, D.T.E. 87T-33 (C.Q.).
Cyr c. *Guerreri*, D.T.E. 83T-811 (C.Q.).
V. aussi: *Sabourin* c. *Regroupement des personnes handicapées, secteur Nicolet-Bécancour inc.*, (1981) R.L. 215 (C.Q.).

82.1/8 L'article 82.1 L.N.T. ne réfère à la notion de service continu que pour computer le délai de trois mois qui rend un employé éligible au préavis.
Cie de sable ltée c. *C.N.T.*, (1985) C.A. 281, D.T.E. 85T-387 (C.A.), J.E. 85-470 (C.A.) (autorisation d'appeler à la Cour suprême refusée).

82.1/9 V. la jurisprudence sous les articles 1(12) et 97 L.N.T.

82.1/10 V. BÉLIVEAU, N.-A., *Les normes du travail*, Cowansville, Les Éditions Yvon Blais inc., 2003, p. 212 à 215.

82.1/11 V. CAZA, C., «L'embarquement pour un tour d'horizon des développements récents concernant la *Loi sur les normes du travail*», dans *Développements récents en droit du travail (1997)*, Formation permanente du Barreau du Québec, Cowansville, Les Éditions Yvon Blais inc., 1997, p. 229, p. 278.

82.1/12 V. DUBÉ, J.-L. et DI IORIO, N., *Les normes du travail*, 2e éd., Sherbrooke, Les Éditions Revue de droit — Université de Sherbrooke, 1992, p. 183 à 185.

PARAGRAPHE 2

82.1/13 Pour que l'exception visée à l'article 82.1(2) L.N.T. s'applique, il faut être en présence de trois éléments:

1) Il doit y avoir deux parties;
2) Une entente doit avoir été conclue entre elles concernant les conditions de travail et la prestation de service;
3) Cette entente doit être expirée.

C.N.T. c. *Société d'électrolyse et de chimie Alcan ltée*, D.T.E. 94T-434 (C.Q.), conf. par D.T.E. 95T-448 (C.A.), J.E. 95-773 (C.A.).

82.1/14 La décision du commissaire, en vertu des articles 122 et 124 L.N.T., ne peut avoir pour effet de dénaturer le contrat à durée déterminée conclu entre l'employeur et le salarié.
C.N.T. c. *Commission scolaire de Laval*, D.T.E. 2003T-539 (C.Q.).

82.1/15 Pour qu'un contrat soit considéré comme un contrat à durée déterminée, d'une part, il faut que la condition ainsi envisagée soit indépendante de la volonté des parties quant à sa résiliation et, d'autre part, il doit faire l'objet d'une entente expresse à cet effet, qu'elle soit écrite ou verbale.

C.N.T. c. *Société d'électrolyse et de chimie Alcan ltée*, D.T.E. 94T-434 (C.Q.), conf. par D.T.E. 95T-448 (C.A.), J.E. 95-773 (C.A.).

82.1/16 Pour déterminer si le contrat de travail est d'une durée déterminée ou non, il faut se reporter dans le temps, à l'étape préliminaire des relations employeur-employé et voir si la date à laquelle le contrat prend fin est fixée à l'avance ou si l'échéance est sujette à l'arrivée d'un événement.
C.N.T. c. *Campeau Corp.*, (1989) R.J.Q. 2108 (C.A.), D.T.E. 89T-848 (C.A.), J.E. 89-1286 (C.A.) (autorisation d'appeler à la Cour suprême refusée).

82.1/17 Lorsque c'est l'employeur qui décide unilatéralement de prolonger le contrat de travail ou de mettre à pied un salarié, le tout en fonction des besoins de l'entreprise, nous ne sommes pas en présence d'un contrat à durée déterminée ni en présence d'un contrat qui expire.
C.N.T. c. *Société d'électrolyse et de chimie Alcan ltée*, D.T.E. 94T-434 (C.Q.), conf. par D.T.E. 95T-448 (C.A.), J.E. 95-773 (C.A.).

82.1/18 Le fait que le salaire soit calculé sur une base annuelle n'implique pas qu'il s'agit d'un contrat à durée déterminée.
Domtar inc. c. *St-Germain*, (1991) R.J.Q. 1271 (C.A.), D.T.E. 91T-604 (C.A.), J.E. 91-927 (C.A.).

82.1/19 Le contrat de travail dont l'exécution est à caractère cyclique n'en devient pas pour autant un contrat à durée déterminée.
C.N.T. c. *Industries Hancan inc.*, D.T.E. 95T-221 (C.Q.).
C.N.T. c. *Agropur coopérative agro-alimentaire*, D.T.E. 87T-57 (C.Q.).

82.1/20 L'employé bénéficiant d'un contrat à durée déterminée n'a pas droit à l'indemnité de préavis malgré le fait qu'il occupe un emploi saisonnier.
C.N.T. c. *2735-3861 Québec inc.*, D.T.E. 95T-620 (C.Q.), J.E. 95-1075 (C.Q.).

82.1/21 Le sens du mot contrat, s'entend d'un contrat individuel et non collectif, puisqu'il faut le relier avec les mots durée déterminée.
C.N.T. c. *Cie minière I.O.C.*, (1987) R.J.Q. 1359 (C.S.), D.T.E. 87T-479 (C.S.), J.E. 87-715 (C.S.), inf. pour d'autres motifs à D.T.E. 95T-397 (C.A.), J.E. 95-672 (C.A.).

82.1/22 Le sens de l'expression «entreprise déterminée», est lié à la durée plus ou moins déterminée de l'emploi. C'est selon la nature de l'entreprise qu'il faut chercher si l'emploi peut devenir déterminé dans le temps pour l'employé, de par son caractère saisonnier.
C.N.T. c. *Cie minière I.O.C.*, (1987) R.J.Q. 1359 (C.S.), D.T.E. 87T-479 (C.S.), J.E. 87-715 (C.S.), inf. pour d'autres motifs à D.T.E. 95T-397 (C.A.), J.E. 95-672 (C.A.).

82.1/23 La succession de nombreuses prestations de travail pendant onze ans ainsi que l'existence d'un lien juridique employeur-employé ne concordent pas avec la notion de contrat à durée déterminée.
Société d'électrolyse et de chimie Alcan ltée c. *C.N.T.*, D.T.E. 95T-448 (C.A.), J.E. 95-773 (C.A.), conf. D.T.E. 94T-434 (C.Q.).

82.1/24 Une convention collective n'est pas un contrat à durée déterminée, car elle n'exclut point le contrat individuel de travail de chaque employé.
C.N.T. c. *Campeau Corp.*, (1989) R.J.Q. 2108 (C.A.), D.T.E. 89T-848 (C.A.), J.E. 89-1286 (C.A.) (autorisation d'appeler à la Cour suprême refusée).
C.N.T. c. *Hawker Siddeley Canada inc.*, (1989) R.J.Q. 2123 (C.A.), D.T.E. 89T-847 (C.A.), J.E. 89-1287 (C.A.).
Andrews c. *Wait*, D.T.E. 92T-173 (C.Q.), J.E. 92-174 (C.Q.) (règlement hors cour).
C.N.T. c. *Ivi inc.*, (1987) R.J.Q. 2265 (C.Q.), D.T.E. 87T-875 (C.Q.), J.E. 87-1089 (C.Q.).
Contra: *C.N.T.* c. *Producteurs de sucre d'érable du Québec*, (1986) R.J.Q. 2763 (C.Q.), D.T.E. 86T-814 (C.Q.), J.E. 86-1057 (C.Q.).

82.1/25 Il n'y a pas lieu d'assimilier les notions de contrat de travail et de convention collective, ce sont des notions distinctes, bien que corrélatives. Ainsi, ce n'est pas parce qu'il y a une convention collective en vigueur que le contrat de travail est pour une durée déterminée.
C.N.T. c. *Bondex international (Canada) ltée*, (1988) R.J.Q. 1403 (C.S.), D.T.E. 88T-481 (C.S.), J.E. 88-727 (C.S.).

82.1/26 C'est l'emploi qui permet d'établir s'il s'agit d'une entreprise déterminée. Une telle entreprise est circonscrite dans le temps et dans le travail à exécuter. On ne peut désigner comme telle une entreprise qui fonctionne depuis quarante ans.
C.N.T. c. *136860 Canada inc.*, D.T.E. 93T-1005 (C.Q.), J.E. 93-1557 (C.Q.).

82.1/27 V. AUDET, G., BONHOMME, R., GASCON, C. et COURNOYER-PROULX, M., *Le congédiement en droit québécois en matière de contrat individuel de travail*, vol. 2, 3e éd. (édition à feuilles mobiles), Cowansville, Éditions Yvon Blais, p. 24-1 à 24-4.

82.1/28 V. BÉLIVEAU, N.-A., *Les normes du travail*, Cowansville, Les Éditions Yvon Blais inc., 2003, p. 215 à 223.

82.1/29 V. BRIÈRE, J.-Y., «Principaux amendements à la Loi sur les normes du travail et jurisprudence récente et marquante», dans *Développements récents en droit du travail (1991)*, Formation permanente du Barreau du Québec, Cowansville, Les Éditions Yvon Blais inc., 1991, p. 1, p. 22 et 23.

82.1/30 V. BRIÈRE, J.-Y. et VILLAGGI, J.-P., *Relations de travail*, vol. 2, (édition à feuilles mobiles), Brossard, Les Publications CCH ltée, p. 8,542 à 8,544.

82.1/31 V. CAZA, C., «L'embarquement pour un tour d'horizon des développements récents concernant la *Loi sur les normes du travail*», dans *Développements récents en droit du travail (1997)*, Formation permanente du Barreau du Québec, Cowansville, Les Éditions Yvon Blais inc., 1997, p. 229, p. 278 à 280.

82.1/32 V. COUTU, M., «Le non-renouvellement du contrat de travail à durée déterminée: Évolution comparée du droit français et de la jurisprudence québécoise récente», (1986) 46 *R. du B.* 57, 69 à 83.

82.1/33 V. DOUCET, R., «La résiliation du contrat de travail en droit québécois», (1974) 9 *R.J.T.* 249.

82.1/34 V. DUBÉ, J.-L. et DI IORIO, N., *Les normes du travail*, 2e éd., Sherbrooke, Les Éditions Revue de droit — Université de Sherbrooke, 1992, p. 185 à 191.

82.1/35 V. GAGNON, R.P., LEBEL, L. et VERGE, P., *Droit du travail*, 2e éd., Ste-Foy, Les Presses de l'Université Laval, 1991, p. 121 à 127.

82.1/36 V. HÉBERT, G. et TRUDEAU, G., *Les normes minimales du travail au Canada et au Québec*, Cowansville, Les Éditions Yvon Blais inc., 1987, p. 142 à 147.

82.1/37 V. LAPORTE, P., «Les modes de cessation du contrat individuel de travail et l'impact de la Loi sur les normes du travail», dans Blouin, R. (dir.), *Vingt-cinq ans de pratique en relations industrielles au Québec*, Cowansville, Les Éditions Yvon Blais inc., 1990, p. 557, p. 563 à 565.

82.1/38 V. MORIN, F., «Un préavis de licenciement ou son équivalent», (1988) 43 *R.I.* 943.

82.1/39 V. TURCOTTE, A., «Évolution jurisprudentielle relative aux règles gouvernant la cessation du contrat individuel de travail», (1978) 33 *R.I.* 544.

PARAGRAPHE 3

Général

82.1/40 «La notion de faute grave s'apprécie en fonction de critères subjectifs et il faut considérer plusieurs éléments, à savoir, l'âge du salarié, son intention, les conséquences naturelles et probables du manquement, la relation avec une tierce personne, les conflits de personnalité, le comportement répréhensible, le dossier disciplinaire, etc.»
C.N.T. c. *Cie de publicité Trans-public ltée*, D.T.E. 83T-737 (C.Q.).

82.1/41 La faute grave est la faute sérieuse qui rend indispensable une rupture immédiate, que ce soit à cause d'un seul incident d'une telle gravité qu'il nécessite un renvoi à l'instant même, ou à cause d'un comportement répétitif adopté par l'employé malgré les avertissements de l'employeur.
Liberty Mutual Insurance Co. c. *C.N.T.*, (1990) R.D.J. 421 (C.A.), D.T.E. 90T-872 (C.A.), J.E. 90-1479 (C.A.).
Poulin c. *Immeubles Québec West Wakefield ltée*, D.T.E. 88T-370 (C.S.).
C.N.T. c. *Bradco ltée*, D.T.E. 2002T-162 (C.Q.).
C.N.T. c. *Papineau Performance inc.*, D.T.E. 2002T-258 (C.Q.).
C.N.T. c. *134185 Canada ltée*, D.T.E. 98T-892 (C.Q.).
C.N.T. c. *Compagnie T. Eaton ltée*, D.T.E. 97T-1281 (C.Q.).
C.N.T. c. *Centre de pneu Papineau (1982) inc.*, D.T.E. 87T-407 (C.Q.), J.E. 87-608 (C.Q.).
C.N.T. c. *Brasserie La houblonnière inc.*, (1986) R.J.Q. 2887 (C.Q.), D.T.E. 86T-888 (C.Q.), J.E. 86-1133 (C.Q.).
C.N.T. c. *Provigo (distribution) inc.*, (1986) R.J.Q. 912 (C.Q.), D.T.E. 86T-257 (C.Q.), J.E. 86-349 (C.Q.).

C.N.T. c. *Investissements Trized ltée*, (1985) C.P. 273, D.T.E. 85T-748 (C.Q.), J.E. 85-879 (C.Q.).
C.N.T. c. *Kraft ltée*, (1983) C.P. 40, D.T.E. 83T-337 (C.Q.), J.E. 83-489 (C.Q.).
C.N.T. c. *Saneco inc.*, (1983) C.P. 36, D.T.E. 83T-323 (C.Q.), J.E. 83-466 (C.Q.).
C.N.T. c. *Beverini inc.*, D.T.E. 82T-702 (C.Q.), J.E. 82-967 (C.Q.).
Cercle québécois de la coiffure et de l'esthétique inc. c. *Salon Cité-bourg inc.*, D.T.E. 98T-469 (T.A.).

82.1/42 La notion de motif sérieux que l'on retrouve à l'article 2094 C.C.Q. recoupe celle de faute grave au sens de l'article 82.1(3) L.N.T. Par motif sérieux, il faut entendre un geste posé dont la gravité objective est telle qu'il ne puisse être toléré sous aucun prétexte et qu'il soit de nature à briser à tout jamais le lien de confiance nécessaire entre l'employé et l'employeur et ainsi provoquer la cessation immédiate de la relation employeur-employé.
McKenna c. *Société littéraire et historique de Québec (Literary & Historical Society of Quebec)*, D.T.E. 2008T-141 (C.Q.), J.E. 2008-393 (C.Q.), EYB 2008-130703 (C.Q.).

82.1/43 L'expression faute grave du salarié doit être interprétée selon le sens ordinaire et usuel.
Liberty Mutual Insurance Co. c. *C.N.T.*, (1990) R.D.J. 421 (C.A.), D.T.E. 90T-872 (C.A.), J.E. 90-1479 (C.A.).

82.1/44 La faute partielle n'existe pas, ou il y a faute grave ou il y a absence de faute grave.
C.N.T. c. *N. Morrissette Canada inc.*, D.T.E. 90T-571 (C.Q.), J.E. 90-712 (C.Q.).
C.N.T. c. *Studio Sylvain Dethioux inc.*, D.T.E. 90T-934 (C.Q.).

82.1/45 La notion de faute grave fait référence à une faute d'une gravité et d'une intensité telles qu'elle ne peut être excusée par les circonstances. Donc, il s'agit d'une faute qui, en l'absence d'un congédiement, est susceptible de porter atteinte à la bonne marche de l'entreprise.
C.N.T. c. *3564762 Canada inc.*, D.T.E. 2003T-939 (C.Q.), J.E. 2003-1793 (C.Q.), REJB 2003-47052 (C.Q.).

82.1/46 Il faut faire une distinction entre la faute grave et la cause juste et suffisante de congédiement car la cause juste ne permet pas nécessairement de congédier sans préavis.
C.N.T. c. *Compagnie T. Eaton ltée*, D.T.E. 97T-1281 (C.Q.).
C.N.T. c. *Cie de publicité Trans-public ltée*, D.T.E. 83T-737 (C.Q.).
C.N.T. c. *Kraft ltée*, (1983) C.P. 40, D.T.E. 83T-337 (C.Q.), J.E. 83-489 (C.Q.).

82.1/47 La notion de faute grave n'est pas limitée aux cas rendant indispensable la rupture immédiate du lien d'emploi. Il suffit que le comportement justifie le renvoi.
C.N.T. c. *Centre de pneu Papineau (1982) inc.*, D.T.E. 87T-407 (C.Q.), J.E. 87-608 (C.Q.).
C.N.T. c. *Investissements Trized ltée*, (1985) C.P. 273, D.T.E. 85T-748 (C.Q.), J.E. 85-879 (C.Q.).

82.1/48 Une faute grave peut provenir d'un incident isolé ou d'une série d'incidents répétés et sanctionnés, qui doivent porter atteinte à la bonne marche de l'entreprise si on n'y remédie pas immédiatement par un congédiement.
C.N.T. c. *N. Morrissette Canada inc.*, D.T.E. 90T-571 (C.Q.), J.E. 90-712 (C.Q.).
C.N.T. c. *Provigo (distribution) inc.*, (1986) R.J.Q. 912 (C.Q.), D.T.E. 86T-257 (C.Q.), J.E. 86-349 (C.Q.).

82.1/49 En l'absence d'avertissement sérieux, des actes répétitifs ne peuvent constituer une faute grave.
C.N.T. c. *Centre d'accueil Edmond Laurendeau*, (1987) R.J.Q. 1449 (C.Q.), D.T.E. 87T-518 (C.Q.), J.E. 87-751 (C.Q.).

82.1/50 Doit être considérée comme une faute grave toute conduite répréhensible susceptible de porter atteinte à la bonne marche de l'entreprise, s'il n'y est pas remédié par un congédiement immédiat.
Liberty Mutual Insurance Co. c. *C.N.T.*, (1990) R.D.J. 421 (C.A.), D.T.E. 90T-872 (C.A.), J.E. 90-1479 (C.A.).
C.N.T. c. *Compagnie T. Eaton ltée*, D.T.E. 97T-1281 (C.Q.).

82.1/51 La sanction maximale que représente le congédiement sans préavis ne doit être appliquée que lorsque les faits reprochés sont d'une gravité telle qu'ils mettent en danger le bon fonctionnement de l'entreprise.
C.N.T. c. *Cie de publicité Trans-public ltée*, D.T.E. 83T-737 (C.Q.).

82.1/52 La faute grave en est une qui requiert le congédiement immédiat.
Brisson c. *Société Sandwell ltée*, (1984) C.P. 88, D.T.E. 84T-437 (C.Q.), J.E. 84-458 (C.Q.).

82.1/53 Le salarié qui commet une faute grave pendant la période du préavis peut être congédié sur-le-champ sans avoir droit à l'indemnité compensatrice pour la période non écoulée.
C.N.T. c. *Lechter & Segal*, D.T.E. 87T-121 (C.Q.).

82.1/54 Le congédiement administratif donne droit à l'avis parce que l'employeur ne peut invoquer dans ce cas la faute grave du salarié.
C.N.T. c. *Centre d'accueil Edmond Laurendeau*, (1987) R.J.Q. 1449 (C.Q.), D.T.E. 87T-518 (C.Q.), J.E. 87-751 (C.Q.).

82.1/55 Il revient à l'employeur d'établir par prépondérance de preuve que le congédiement sans préavis est justifié.
C.N.T. c. *Papineau Performance inc.*, D.T.E. 2002T-258 (C.Q.).

Absentéisme

82.1/56 L'absence d'un salarié sans justification sérieuse le jour de l'inventaire annuel ne constitue pas une faute grave.
C.N.T. c. *Saneco inc.*, (1983) C.P. 36, D.T.E. 83T-323 (C.Q.), J.E. 83-466 (C.Q.).

82.1/57 Une accumulation d'incidents d'absentéisme constitue une faute grave.
C.N.T. c. *Kraft ltée*, (1983) C.P. 40, D.T.E. 83T-337 (C.Q.), J.E. 83-489 (C.Q.).

82.1/58 L'absentéisme ne constitue pas en soi une faute grave.
C.N.T. c. *Centre d'accueil Edmond Laurendeau*, (1987) R.J.Q. 1449 (C.Q.), D.T.E. 87T-518 (C.Q.), J.E. 87-751 (C.Q.).
V. cependant: *C.N.T.* c. *Compagnie T. Eaton ltée*, D.T.E. 97T-1281 (C.Q.).

82.1/59 L'absentéisme régulier dû à la maladie ne constitue pas une faute grave mais une inhabilité à occuper un emploi.
Brisson c. *Société Sandwell ltée*, (1984) C.P. 88, D.T.E. 84T-437 (C.Q.), J.E. 84-458 (C.Q.).

82.1/60 L'absentéisme non fautif du salarié ne constitue pas une faute grave au sens de l'article 82.1 L.N.T.
Syndicat des travailleuses et travailleurs du Réseau du Suroît (CSN) c. *CSSS du Suroît (Lise Proulx)*, D.T.E. 2008T-30 (T.A.).

82.1/61 L'absentéisme et l'alcoolisme ne sont pas en soi des manquements graves, mais peuvent le devenir s'ils rendent le comportement du salarié préjudiciable aux intérêts de l'entreprise.
C.N.T. c. *Domaine de Rouville inc.*, D.T.E. 83T-736 (C.Q.).
C.N.T. c. *Pavage jérômien inc.*, D.T.E. 83T-735 (C.Q.).

82.1/62 Les absences fréquentes et les retards du salarié ne constituent pas une faute grave.
C.N.T. c. *Restaurant Fal inc.*, D.T.E. 98T-215 (C.Q.).

82.1/63 Les absences fréquentes reliées à un problème d'alcool constituent une faute grave.
C.N.T. c. *Centre de pneu Papineau (1982) inc.*, D.T.E. 87T-407 (C.Q.), J.E. 87-608 (C.Q.).

Concurrence du salarié

82.1/64 Constitue une faute grave le fait de faire compétition à son employeur.
C.N.T. c. *Reprotech inc.*, (1998) R.J.D.T. 644 (C.Q.), D.T.E. 98T-494 (C.Q.), J.E. 98-991 (C.Q.), REJB 1998-07950 (C.Q.).
C.N.T. c. *Pompe & Filtration nord-est inc.*, D.T.E. 83T-733 (C.Q.).

82.1/65 Ne constitue pas une faute grave, l'annonce de l'intention de quitter son emploi pour aller chez un compétiteur.
C.N.T. c. *Immeubles Gadoury inc.*, D.T.E. 93T-958 (C.Q.), J.E. 93-1489 (C.Q.).
C.N.T. c. *Publications Lachute inc.*, D.T.E. 92T-645 (C.Q.).
C.N.T. c. *Extermination St-Michel ltée*, D.T.E. 88T-27 (C.Q.).
C.N.T. c. *Olier Grisé & Cie*, D.T.E. 88T-373 (C.Q.).
C.N.T. c. *114737 Canada inc.*, D.T.E. 87T-761 (C.Q.).
C.N.T. c. *Cie américaine de fer et métaux inc.*, (1985) C.P. 351, D.T.E. 85T-921 (C.Q.), J.E. 85-1067 (C.Q.).

82.1/66 Ne constitue pas une faute grave et un manquement à l'obligation de loyauté du salarié, le fait d'acquérir une entreprise concurrente à celle de son propre employeur.
C.N.T. c. *Ofrigidaire Alimentation inc.*, D.T.E. 99T-1119 (C.Q.), J.E. 99-2282 (C.Q.), REJB 1999-15528 (C.Q.).

82.1/67 Le fait de quitter son emploi pour aller chez un compétiteur sans donner de préavis constitue une faute grave, car il s'agit de la transgression du devoir de loyauté.
C.N.T. c. *Reprotech inc.*, (1998) R.J.D.T. 644 (C.Q.), D.T.E. 98T-494 (C.Q.), J.E. 98-991 (C.Q.), REJB 1998-07950 (C.Q.).
C.N.T. c. *Papeterie bloc notes inc.*, D.T.E. 86T-547 (C.Q.), J.E. 86-753 (C.Q.).

82.1/68 Le fait pour un employé d'utiliser les services des salariés de son employeur à des fins personnelles n'est pas une faute grave.
C.N.T. c. *Cie de publicité Trans-public ltée*, D.T.E. 83T-737 (C.Q.).

Insubordination

82.1/69 L'acte d'insubordination grave est une faute grave justifiant le congédiement sans préavis.
Liberty Mutual Insurance Co. c. *C.N.T.*, (1990) R.D.J. 421 (C.A.), D.T.E. 90T-872 (C.A.), J.E. 90-1479 (C.A.).
V. aussi: *C.N.T.* c. *Compagnie T. Eaton ltée*, D.T.E. 97T-1281 (C.Q.).

82.1/70 L'acte d'insubordination mineur ne peut constituer une faute grave.
C.N.T. c. *Studio Sylvain Dethioux inc.*, D.T.E. 90T-934 (C.Q.).
C.N.T. c. *Cie de publicité Trans-public ltée*, D.T.E. 83T-737 (C.Q.).
C.N.T. c. *Saneco inc.*, (1983) C.P. 36, D.T.E. 83T-323 (C.Q.), J.E. 83-466 (C.Q.).
C.N.T. c. *Beverini inc.*, D.T.E. 82T-702 (C.Q.), J.E. 82-967 (C.Q.).

82.1/71 Le refus d'obéir à un ordre de l'employeur ne constitue pas une faute grave pouvant justifier un congédiement sans préavis.
C.N.T. c. *Studio Sylvain Dethioux inc.*, D.T.E. 90T-934 (C.Q.).

82.1/72 Le fait de refuser de travailler sous les ordres d'un contremaître en particulier, sans justification apparente, constitue une faute grave.
C.N.T. c. *Yvon Fournier ltée*, D.T.E. 83T-738 (C.Q.).

82.1/73 Le refus du salarié de signer un contrat de travail qui modifie ses conditions de travail ne constitue pas de l'insubordination et n'est pas une faute grave justifiant le congédiement immédiat.
C.N.T. c. *Syntagme inc.*, D.T.E. 93T-742 (C.Q.), J.E. 93-1254 (C.Q.).

82.1/74 L'assaut délibéré de l'employé contre son supérieur immédiat constitue une faute grave qui nécessite le renvoi immédiat.
C.N.T. c. *Union Carbide du Canada ltée*, (1986) R.J.Q. 1498 (C.Q.), D.T.E. 86T-402 (C.Q.), J.E. 86-548 (C.Q.).

Vol

82.1/75 Le vol est une faute grave justifiant le congédiement sur-le-champ sans préavis.
C.N.T. c. *134185 Canada ltée*, D.T.E. 98T-892 (C.Q.).
C.N.T. c. *Ébénisterie D.C.G. ltée*, D.T.E. 92T-436 (C.Q.).
C.N.T. c. *Nettoyeur de choix inc.*, D.T.E. 92T-229 (C.Q.).
C.N.T. c. *Papeterie bloc notes inc.*, D.T.E. 86T-547 (C.Q.), J.E. 86-753 (C.Q.).
C.N.T. c. *Investissements Trized ltée*, (1985) C.P. 273, D.T.E. 85T-748 (C.Q.), J.E. 85-879 (C.Q.).

82.1/76 Un vol commis dans l'exercice de ses fonctions constitue une faute grave, même si l'employé n'est pas congédié sur-le-champ.
C.N.T. c. *Investissements Trized ltée*, (1985) C.P. 273, D.T.E. 85T-748 (C.Q.), J.E. 85-879 (C.Q.).

82.1/77 Le vol de temps et les réclamations de dépenses non effectuées constituent une faute grave.
C.N.T. c. *Prémoulé inc.*, D.T.E. 91T-506 (C.Q.).

82.1/78 Le stratagème utilisé par une serveuse de bar consistant à s'approprier des sommes qui auraient normalement dû être remises à l'employeur, constitue une faute grave.
C.N.T. c. *Taverne Le Chalan inc.*, D.T.E. 2002T-892 (C.Q.).

82.1/79 Le fait d'avoir voulu avantager son neveu en omettant de transmettre au service de la comptabilité une facture concernant du travail fait sur son véhicule, ne constitue pas nécessairement une faute grave au point de mériter un congédiement sans préavis.
C.N.T. c. *Auto Métivier inc.*, D.T.E. 97T-72 (C.Q.).

82.1/80 L'employeur qui a renoncé à invoquer le motif de vol au moment de la cessation d'emploi du salarié en indiquant plutôt manque de travail, ne peut deux ans plus tard demander au salarié de lui rembourser le préavis qu'il lui a versé.
Pharmesspoir inc. c. *Cyr*, D.T.E. 2009T-4 (C.Q.), EYB 2008-154420 (C.Q.).

Divers

82.1/81 Commet une faute grave, le salarié qui quitte son poste de travail d'agent de sécurité et qui incite d'autres salariés à le suivre dans un mouvement de protestation.
C.N.T. c. *Pinkerton du Québec ltée*, D.T.E. 84T-142 (C.Q.), J.E. 84-150 (C.Q.).

82.1/82 L'omission pour le salarié de dévoiler, lors de son embauche, qu'il devait respecter une ordonnance de prohibition l'empêchant de travailler dans le secteur d'activités de l'employeur, constitue une faute grave.
C.N.T. c. *3564762 Canada inc.*, D.T.E. 2003T-939 (C.Q.), J.E. 2003-1793 (C.Q.), REJB 2003-47052 (C.Q.).

82.1/83 Le refus d'effectuer des heures supplémentaires tel que requis et sans motif valable constitue une faute grave.
Gladu c. *Reckitt & Colman (Canada) inc.*, D.T.E. 84T-691 (C.Q.), J.E. 84-759 (C.Q.).

82.1/84 Le fait pour le salarié d'enfreindre son devoir de confidentialité en s'appropriant des documents appartenant à l'employeur, constitue un manquement à son obligation de loyauté et une faute grave.
C.N.T. c. *Maison corporative Design communications inc.*, D.T.E. 2000T-88 (C.Q.), REJB 1999-15783 (C.Q.).

82.1/85 Le défaut de fournir certains rapports de travail malgré les avertissements à ce sujet, ne constitue pas une faute grave.
C.N.T. c. *Cie de publicité Trans-public ltée*, D.T.E. 83T-737 (C.Q.).

82.1/86 Le manquement à un règlement d'entreprise, par l'omission de respecter les règles relatives à la santé et à la sécurité du travail, ne constitue pas nécessairement une faute grave en l'absence d'avertissement clair quant aux conséquences de l'attitude du salarié.
C.N.T. c. *Papineau Performance inc.*, D.T.E. 2002T-258 (C.Q.).

82.1/87 Le déficit d'inventaire causé par le fait que des articles ont été donnés aux clients à titre promotionnel et la négligence du salarié de produire des rapports hebdomadaires à l'employeur, ne constituent pas nécessairement des gestes entraînant une faute grave.
C.N.T. c. *Bradco ltée*, D.T.E. 2002T-162 (C.Q.).

82.1/88 Ne commet pas une faute grave, le salarié qui ne divulgue pas une offre d'emploi à laquelle il réfléchit.
Cercle québécois de la coiffure et de l'esthétique inc. c. *Salon Cité-bourg inc.*, D.T.E. 98T-469 (T.A.).

82.1/89 L'utilisation à des fins personnelles de l'ordinateur de l'employeur ne constitue pas une faute grave, compte tenu, entre autres, de l'absence de politique claire à cet égard, d'intention malicieuse de la part du salarié et de préjudice subi par l'employeur.
C.N.T. c. *Bourse de Montréal inc.*, (2002) R.J.Q. 807 (C.Q.), (2002) R.J.D.T. 617 (C.Q.), D.T.E. 2002T-373 (C.Q.), J.E. 2002-667 (C.Q.), REJB 2002-31243 (C.Q.).

82.1/90 Les fautes de négligence, d'insouciance, de lenteur et de non-rentabilité peuvent autoriser un congédiement, mais ne constituent pas une faute grave faisant perdre le droit au préavis et rendant indispensable un congédiement immédiat.
C.N.T. c. *EMI Group Canada inc.*, D.T.E. 98T-1197 (C.Q.).
C.N.T. c. *N. Morrissette Canada inc.*, D.T.E. 90T-571 (C.Q.), J.E. 90-712 (C.Q.).
C.N.T. c. *Sport Maska inc.*, D.T.E. 89T-204 (C.Q.).
C.N.T. c. *Dostie*, D.T.E. 83T-734 (C.Q.).

82.1/91 Le rendement insatisfaisant d'un salarié ne constitue pas une faute grave si la situation ne compromet pas la bonne marche de l'entreprise.
C.N.T. c. *EMI Group Canada inc.*, D.T.E. 98T-1197 (C.Q.).

82.1/92 Constitue une faute grave le fait d'être trouvé endormi pour la deuxième fois, alors que le salarié est en devoir à titre d'agent de sécurité.
C.N.T. c. *Pinkerton du Québec ltée*, D.T.E. 84T-142 (C.Q.), J.E. 84-150 (C.Q.).

82.1/93 Le fait de gifler un autre salarié et d'interrompre une séance de dictée de façon intempestive est une conduite constituant une faute grave.
C.N.T. c. *Lechter & Segal*, D.T.E. 87T-121 (C.Q.).

82.1/94 Constitue une faute grave le fait de tenir, à maintes reprises, des propos racistes à l'endroit d'un collègue de travail, justifiant ainsi le congédiement sans préavis.
C.N.T. c. *Automobiles Rimar inc.*, D.T.E. 2004T-670 (C.Q.), REJB 2004-65740 (C.Q.).

82.1/95 L'état d'ébriété d'un salarié devant lui-même contrôler des clients intoxiqués par l'alcool constitue une faute grave.
C.N.T. c. *Brasserie La houblonnière inc.*, (1986) R.J.Q. 2887 (C.Q.), D.T.E. 86T-888 (C.Q.), J.E. 86-1133 (C.Q.).

82.1/96 V. ARGUIN, P., BRISSETTE, N. et RIVEST, R.L., «La notion de faute grave en matière de congédiement sans préavis», (1989) 49 *R. du B.* 375.

82.1/97 V. AUDET, G., BONHOMME, R., GASCON, C. et COURNOYER-PROULX, M., *Le congédiement en droit québécois en matière de contrat individuel de travail*, vol. 2, 3e éd. (édition à feuilles mobiles), Cowansville, Éditions Yvon Blais, p. 26-1 à 26-14.

82.1/98 V. BÉLIVEAU, N.-A., *Les normes du travail*, Cowansville, Les Éditions Yvon Blais inc., 2003, p. 223 à 233.

82.1/99 V. BRIÈRE, J.-Y. et VILLAGGI, J.-P., *Relations de travail*, vol. 2, (édition à feuilles mobiles), Brossard, Les Publications CCH ltée, p. 8,537 à 8,541.

82.1/100 V. CAZA, C., «L'embarquement pour un tour d'horizon des développements récents concernant la *Loi sur les normes du travail*», dans *Développements récents en droit du travail (1997)*, Formation permanente du Barreau du Québec, Cowansville, Les Éditions Yvon Blais inc., 1997, p. 229, p. 280 et 281.

82.1/101 V. DOUCET, R., «La résiliation du contrat de travail en droit québécois», (1974) 9 *R.J.T.* 249.

82.1/102 V. DUBÉ, J.-L. et DI IORIO, N., *Les normes du travail*, 2e éd., Sherbrooke, Les Éditions Revue de droit — Université de Sherbrooke, 1992, p. 169 à 182.

82.1/103 V. GAGNON, R.P., LEBEL, L. et VERGE, P., *Droit du travail*, 2e éd., Ste-Foy, Les Presses de l'Université Laval, 1991, p. 121 à 127.

82.1/104 V. HÉBERT, G. et TRUDEAU, G., *Les normes minimales du travail au Canada et au Québec*, Cowansville, Les Éditions Yvon Blais inc., 1987, p. 142 à 147.

PARAGRAPHE 4

82.1/105 Le cas fortuit prévu à l'article 82.1(4) L.N.T. est celui qui se produit au moment où prend effet par la force des choses, la mise à pied ou le licenciement.
C.N.T. c. *Campeau Corp.*, (1989) R.J.Q. 2108 (C.A.), D.T.E. 89T-848 (C.A.), J.E. 89-1286 (C.A.) (autorisation d'appeler à la Cour suprême refusée).
V. aussi: *C.N.T.* c. *Hawker Siddeley Canada inc.*, (1989) R.J.Q. 2123 (C.A.), D.T.E. 89T-847 (C.A.), J.E. 89-1287 (C.A.).
Internote Canada inc. c. *C.N.T.*, (1989) R.J.Q. 2097 (C.A.), D.T.E. 89T-845 (C.A.), J.E. 89-1285 (C.A.).
Industries Amisco ltée c. *Syndicat des salariées et salariés des Industries Amisco ltée (CSD) (grief collectif)*, D.T.E. 2007T-890 (T.A.).

82.1/106 La notion de cas fortuit doit être interprétée selon la définition de l'article 17 du *Code civil du Bas-Canada* (maintenant art. 1470 C.C.Q.).
C.N.T. c. *Aliments Lido Capri (1988) inc.*, D.T.E. 92T-1337 (C.S.).

Alimentation Roy & Fils ltée (In re): C.N.T. c. *Tremblay*, (1985) C.S. 47, D.T.E. 85T-57 (C.S.), J.E. 85-97 (C.S.).

82.1/107 Pour être en présence d'un cas fortuit il faut retrouver: l'extériorité de l'événement, l'imprévisibilité, l'irrésistibilité et l'impossibilité d'exécution.
C.N.T. c. *Ivi inc.*, (1987) R.J.Q. 2265 (C.Q.), D.T.E. 87T-875 (C.Q.), J.E. 87-1089 (C.Q.).

82.1/108 Il doit y avoir une preuve que la rupture du lien d'emploi résulte d'un cas fortuit.
C.N.T. c. *Industries Hancan inc.*, D.T.E. 95T-221 (C.Q.).

82.1/109 Une fois la preuve faite du dépassement des six mois de mise à pied, le fardeau de prouver l'imprévisibilité quant à l'expectative de sa durée incombe à l'employeur.
C.N.T. c. *Cie minière I.O.C.*, D.T.E. 95T-397 (C.A.), J.E. 95-672 (C.A.).
C.N.T. c. *Campeau Corp.*, (1989) R.J.Q. 2108 (C.A.), D.T.E. 89T-848 (C.A.), J.E. 89-1286 (C.A.) (autorisation d'appeler à la Cour suprême refusée).

82.1/110 Ce qui pour un débiteur ne saurait être un cas fortuit est susceptible de le devenir pour un autre, et seule une analyse sérieuse de chaque situation factuelle permet de déterminer jusqu'à quel point il y a lieu d'être exigeant quant à la preuve requise de l'existence de caractères nécessaires à la formation du cas fortuit.
C.N.T. c. *Campeau Corp.*, (1989) R.J.Q. 2108 (C.A.), D.T.E. 89T-848 (C.A.), J.E. 89-1286 (C.A.) (autorisation d'appeler à la Cour suprême refusée).

82.1/111 Est valable et exonératoire une défense fondée sur une erreur commise de bonne foi par un employeur dans ses prévisions quant à la durée éventuelle de la mise à pied et, à plus forte raison, sur la survenance, après le début de la mise à pied, d'événements imprévus et non normalement prévisibles, même si de tels événements ne constituent pas un cas fortuit au sens strict.
C.N.T. c. *Campeau Corp.*, (1989) R.J.Q. 2108 (C.A.), D.T.E. 89T-848 (C.A.), J.E. 89-1286 (C.A.) (autorisation d'appeler à la Cour suprême refusée).
V. aussi: *C.N.T.* c. *Hawker Siddeley Canada inc.*, (1989) R.J.Q. 2123 (C.A.), D.T.E. 89T-847 (C.A.), J.E. 89-1287 (C.A.).
Internote Canada inc. c. *C.N.T.*, (1989) R.J.Q. 2097 (C.A.), D.T.E. 89T-845 (C.A.), J.E. 89-1285 (C.A.).

82.1/112 L'imprévisibilité de l'impact d'une récession économique qui évolue défavorablement constitue un cas fortuit.
C.N.T. c. *Hawker Siddeley Canada inc.*, (1989) R.J.Q. 2123 (C.A.), D.T.E. 89T-847 (C.A.), J.E. 89-1287 (C.A.).
Tremblay c. *Aliments Interbake ltée*, D.T.E. 85T-749 (C.Q.), J.E. 85-877 (C.Q.).

82.1/113 L'employeur affecté par une récession économique qui dure depuis un certain temps et qui ne montre aucun signe de reprise, ne peut invoquer cas fortuit.
C.N.T. c. *Campeau Corp.*, (1989) R.J.Q. 2108 (C.A.), D.T.E. 89T-848 (C.A.), J.E. 89-1286 (C.A.) (autorisation d'appeler à la Cour suprême refusée).
C.N.T. c. *Cie minière I.O.C.*, (1987) R.J.Q. 1359 (C.S.), D.T.E. 87T-479 (C.S.), J.E. 87-715 (C.S.), inf. pour d'autres motifs à D.T.E. 95T-397 (C.A.), J.E. 95-672 (C.A.).

82.1/114 La survenance d'une récession économique ne constitue pas automatiquement un cas fortuit.
C.N.T. c. *Hawker Siddeley Canada inc.*, (1989) R.J.Q. 2123 (C.A.), D.T.E. 89T-847 (C.A.), J.E. 89-1287 (C.A.).
Surveyer, Nenniger et Chênevert inc. c. *Thomas*, D.T.E. 89T-640 (C.A.), J.E. 89-1041 (C.A.).

82.1/115 On considère qu'une récession économique obligeant à effectuer des mises à pied est un cas fortuit.
Tremblay c. *Aliments Interbake ltée*, D.T.E. 85T-749 (C.Q.), J.E. 85-877 (C.Q.).

82.1/116 Une faillite prévisible, n'étant pas le fait d'un événement extérieur, n'est pas un cas fortuit.
Andrews c. *Wait*, D.T.E. 92T-173 (C.Q.), J.E. 92-174 (C.Q.) (règlement hors cour).

82.1/117 Selon la *Loi sur les normes d'emploi* de l'Ontario (L.R.O. 1980, c. 137), la cessation d'emploi résultant de la faillite d'un employeur peut permettre au salarié d'obtenir une indemnité de licenciement et une indemnité de cessation d'emploi en conformité avec les dispositions de celle-ci.
Rizzo & Rizzo Shoes Ltd. (Re), (1998) 1 R.C.S. 27 (par analogie).

82.1/118 Une démarche volontaire pour inciter la prise de possession de l'entreprise par une institution financière ne peut constituer un cas fortuit.
C.N.T. c. *Cie de gestion Welfab*, (1989) R.J.Q. 2547 (C.S.), D.T.E. 89T-949 (C.S.), J.E. 89-1436 (C.S.) (appel accueilli pour d'autres motifs: D.T.E. 99T-481 (C.A.), J.E. 99-1050 (C.A.), REJB 1999-12108 (C.A.)).

82.1/119 La perte subite de la clientèle de l'entreprise sans le fait ou la faute de l'employeur constitue un cas fortuit.
C.N.T. c. *Baribeau & Fils inc.*, D.T.E. 90T-992 (C.S.), J.E. 90-1204 (C.S.), conf. pour d'autres motifs à D.T.E. 96T-823 (C.A.), J.E. 96-1424 (C.A.).

82.1/120 De longues démarches pour vendre l'actif d'une entreprise ne relèvent pas du cas fortuit.
C.N.T. c. *Entreprises Boivin inc.*, D.T.E. 90T-1130 (C.Q.).

82.1/121 Pour que la prise de possession de l'actif par la banque constitue un cas fortuit l'employeur doit prouver le caractère extérieur, imprévisible et irrésistible de la situation.
C.N.T. c. *Aliments Lido Capri (1988) inc.*, D.T.E. 92T-1337 (C.S.).

82.1/122 Constituent un cas fortuit les conditions climatiques rendant impossible l'approvisionnement de l'entreprise en matières premières.
C.N.T. c. *Producteurs de sucre d'érable du Québec*, (1986) R.J.Q. 2763 (C.Q.), D.T.E. 86T-814 (C.Q.), J.E. 86-1057 (C.Q.).

82.1/123 Des accidents techniques produits en série ne sont pas des cas fortuits, ils ne rencontrent pas le caractère de l'extériorité de l'événement.
C.N.T. c. *Ivi inc.*, (1987) R.J.Q. 2265 (C.Q.), D.T.E. 87T-875 (C.Q.), J.E. 87-1089 (C.Q.).

82.1/124 Un incendie qui détruit totalement une entreprise peut être considéré comme un cas fortuit, s'il empêche de continuer le commerce indépendamment de

la volonté du propriétaire. Il s'agit d'une force imprévisible, irrésistible et non imputable à la victime.
Alimentation Roy & Fils ltée (In re): C.N.T. c. *Tremblay*, (1985) C.S. 47, D.T.E. 85T-57 (C.S.), J.E. 85-97 (C.S.).

82.1/125 La grève légale ne constitue pas un cas fortuit.
C.N.T. c. *Manufacture Sorel inc.*, (1984) C.S. 747, D.T.E. 84T-671 (C.S.), J.E. 84-703 (C.S.) (appel rejeté sur requête).

82.1/126 Une défense d'imprévisibilité de la durée de la mise à pied ou de cas fortuit est applicable en matière de grève.
C.N.T. c. *F.X. Drolet inc.*, (1987) R.J.Q. 584 (C.S.), D.T.E. 87T-177 (C.S.), J.E. 87-294 (C.S.).

82.1/127 L'employeur qui a décrété un lock-out dans le respect du *Code du travail*, demeure assujetti à l'obligation de donner le préavis.
C.N.T. c. *Garage Lucien Côté ltée*, D.T.E. 86T-19 (C.S.).

82.1/128 Le cas fortuit n'exonère pas l'employeur de l'obligation de donner un préavis raisonnable.
Hannan c. *G. Famery plomberie & chauffage inc.*, D.T.E. 85T-317 (C.S.), J.E. 85-422 (C.S.).

82.1/129 V. AUDET, G., BONHOMME, R., GASCON, C. et COURNOYER-PROULX, M., *Le congédiement en droit québécois en matière de contrat individuel de travail*, vol. 2, 3e éd. (édition à feuilles mobiles), Cowansville, Éditions Yvon Blais, p. 26-14 à 26-20.

82.1/130 V. BÉLIVEAU, N.-A., *Les normes du travail*, Cowansville, Les Éditions Yvon Blais inc., 2003, p. 233 à 235.

82.1/131 V. BRIÈRE, J.-Y., «Principaux amendements à la Loi sur les normes du travail et jurisprudence récente et marquante», dans *Développements récents en droit du travail (1991)*, Formation permanente du Barreau du Québec, Cowansville, Les Éditions Yvon Blais inc., 1991, p. 1, p. 24.

82.1/132 V. BRIÈRE, J.-Y. et VILLAGGI, J.-P., *Relations de travail*, vol. 2, (édition à feuilles mobiles), Brossard, Les Publications CCH ltée, p. 8,544 à 8,548.

82.1/133 V. DUBÉ, J.-L. et DI IORIO, N., *Les normes du travail*, 2e éd., Sherbrooke, Les Éditions Revue de droit — Université de Sherbrooke, 1992, p. 191 à 194.

82.1/134 V. GAGNON, R.P., LEBEL, L. et VERGE, P., *Droit du travail*, 2e éd., Ste-Foy, Les Presses de l'Université Laval, 1991, p. 121 à 127.

82.1/135 V. HÉBERT, G. et TRUDEAU, G., *Les normes minimales du travail au Canada et au Québec*, Cowansville, Les Éditions Yvon Blais inc., 1987, p. 142 à 147.

82.1/136 V. ROY, A., «Impacts d'une catastrophe naturelle sur les relations de travail au Québec», dans *Les catastrophes naturelles et l'état du droit (1998)*, Formation permanente du Barreau du Québec, Cowansville, Les Éditions Yvon Blais inc., 1998, p. 1.

art. 83

INDEMNITÉ COMPENSATRICE

Général

83/1 L'objet de ce recours est de permettre au salarié de réclamer une indemnité compensatrice lorsque l'employeur a omis de donner le préavis requis.
Liberty Mutual Insurance Co. c. *C.N.T.*, (1990) R.D.J. 421 (C.A.), D.T.E. 90T-872 (C.A.), J.E. 90-1479 (C.A.).

83/2 L'article 83 L.N.T., qui prévoit une indemnité de licenciement tenant lieu de préavis lorsqu'un employeur n'a pas donné le préavis requis par la *Loi sur les normes du travail,* vise à protéger les employés des effets néfastes du bouleversement économique que l'absence d'une possibilité de chercher un autre emploi peut entraîner.
Rizzo & Rizzo Shoes Ltd. (Re), (1998) 1 R.C.S. 27 (par analogie).

83/3 L'article 83 L.N.T. énonce la sanction que devra subir l'employeur qui ne s'est pas conformé à l'article 82 L.N.T.
C.N.T. c. *Internote Canada inc.*, (1985) C.S. 383, D.T.E. 85T-335 (C.S.), J.E. 85-412 (C.S.), conf. par (1989) R.J.Q. 2097 (C.A.), D.T.E. 89T-845 (C.A.), J.E. 89-1285 (C.A.).

83/4 Il revient à l'employeur d'établir la justification de l'absence de préavis.
C.N.T. c. *Compagnie T. Eaton ltée*, D.T.E. 97T-1281 (C.Q.).

83/5 Si l'employeur veut faire une demande de compensation contre un salarié, il doit non seulement prouver qu'il bénéficie d'une dette liquide et exigible contre lui, mais il doit également faire la preuve d'une telle créance.
C.N.T. c. *Compagnie T. Eaton ltée*, D.T.E. 97T-1281 (C.Q.).

83/6 Le commissaire n'a pas le pouvoir d'ordonner à l'employeur de payer l'indemnité de préavis.
Cordeau c. *Garda du Québec ltée*, D.T.E. 82T-397 (T.T.).

83/7 Ce sont les tribunaux de droit commun qui ont compétence pour décider si le préavis était requis lors du congédiement et s'il doit être remboursé.
Étude Martine Hamel c. *Lamoureux*, (1991) T.T. 222, D.T.E. 91T-564 (T.T.).

83/8 L'indemnité prévue par l'article 83 L.N.T. est une compensation en dommages à la suite de la rupture du lien contractuel de travail, qui doit être octroyée lorsque ce fait est sans cause.
Hannan c. *G. Famery plomberie & chauffage inc.*, D.T.E. 85T-317 (C.S.), J.E. 85-422 (C.S.).

83/9 L'indemnité de départ n'est pas du salaire et n'est pas exigible en même temps que le salaire.
Aubé c. *Astell*, (1988) R.J.Q. 845 (C.Q.), D.T.E. 88T-187 (C.Q.), J.E. 88-290 (C.Q.).
Contra: *Héroux* c. *Spicer*, D.T.E. 91T-208 (C.Q.).

83/10 L'indemnité de licenciement ne doit pas être confondue avec l'indemnité de fin d'emploi prévue par une convention collective.

Montreal Standard c. *Middleton*, (1989) R.J.Q. 1101 (C.A.), D.T.E. 89T-429 (C.A.), J.E. 89-723 (C.A.).
Henderson Barwick inc. c. *Métallurgistes unis d'Amérique, section locale 8990*, D.T.E. 95T-641 (T.A.).
Crown, Cork & Seal Canada inc. c. *Syndicat international des communications graphiques, section locale 555*, (1991) T.A. 5, D.T.E. 91T-64 (T.A.).
Interlitho inc. c. *Syndicat international des arts graphiques (local 555-27-L)*, (1984) T.A. 733, D.T.E. 84T-874 (T.A.).

83/11 Une indemnité tenant lieu de préavis et une prime de licenciement versée en fonction d'une convention collective constituent deux réalités différentes. Il n'y a pas lieu de soustraire la première de la seconde.
Owens Corning Canada c. *Syndicat canadien des communications, de l'énergie et du papier, section locale 821*, D.T.E. 99T-522 (T.A.).

83/12 L'employeur effectuant une mise à pied pour une période indéterminée prévue pour moins de six mois ou pour une période déterminée de moins de six mois peut s'exonérer, si la mise à pied dure plus de six mois, s'il prouve qu'au moment de la mise à pied il était raisonnable de prévoir qu'elle durerait moins de six mois. À cet effet l'employeur devra également démontrer qu'il a fait diligence raisonnable pour aviser les salariés s'il est devenu apparent que la période de manque de travail excéderait la durée limitée.
C.N.T. c. *Campeau Corp.*, (1989) R.J.Q. 2108 (C.A.), D.T.E. 89T-848 (C.A.), J.E. 89-1286 (C.A.) (autorisation d'appeler à la Cour suprême refusée).
C.N.T. c. *Hawker Siddeley Canada inc.*, (1989) R.J.Q. 2123 (C.A.), D.T.E. 89T-847 (C.A.), J.E. 89-1287 (C.A.).
Internote Canada inc. c. *C.N.T.*, (1989) R.J.Q. 2097 (C.A.), D.T.E. 89T-845 (C.A.), J.E. 89-1285 (C.A.).
V. aussi: *C.N.T.* c. *Agropur coopérative agro-alimentaire*, D.T.E. 87T-57 (C.Q.).
C.N.T. c. *Ivi inc.*, (1987) R.J.Q. 2265 (C.Q.), D.T.E. 87T-875 (C.Q.), J.E. 87-1089 (C.Q.).

83/13 Les dispositions de l'article 83 L.N.T. imposent à chaque employeur de donner un avis écrit à un salarié avant de le mettre à pied pour six mois ou plus ou, sinon, de payer une indemnité compensatrice. L'indemnité devrait être versée au moment de la mise à pied pour une mise à pied de six mois ou à l'expiration d'un délai de six mois, dans le cas d'une mise à pied dont la durée est indéterminée.
Aubin c. *Cartons St-Laurent inc.*, D.T.E. 2002T-582 (C.S.).

83/14 Un employeur peut éviter de payer l'indemnité de mise à pied, dans le cas d'une mise à pied de moins de six mois, s'il donne un avis suffisant préalablement à la fin du contrat de travail du salarié.
C.N.T. c. *Autobus Aston inc.*, (1996) R.J.Q. 2031 (C.Q.), D.T.E. 96T-914 (C.Q.), J.E. 96-1549 (C.Q.).

83/15 L'indemnité due au salarié doit être versée au moment de la mise à pied lorsque sa durée prévue est de plus de six mois. C'est le cas lorsque la mise à pied a un caractère définitif, de sorte qu'il n'y a aucune possibilité de rappel au travail.
Hector Jolicoeur inc. c. *Teamsters — Québec, section locale 931*, D.T.E. 98T-664 (T.A.).

83/16 Une réclamation pour indemnité, à la suite d'une mise à pied ou d'un congédiement, n'est pas une réclamation résultant de services rendus, au sens de l'article 96 de la *Loi sur les compagnies* (L.R.Q., c. C-38).

Barrette c. *Crabtree (Succession de)*, (1993) 1 R.C.S. 1027 (par analogie).
Alde c. *Fiset*, (2003) R.J.Q. 1385 (C.A.), (2003) R.J.D.T. 641 (C.A.), D.T.E. 2003T-498 (C.A.), J.E. 2003-1004 (C.A.), REJB 2003-41165 (C.A.) (autorisation d'appeler à la Cour suprême refusée).
Aubé c. *Astell*, (1988) R.J.Q. 845 (C.Q.), D.T.E. 88T-187 (C.Q.), J.E. 88-290 (C.Q.).
V. aussi: *C.N.T.* c. *Morin*, D.T.E. 2006T-171 (C.Q.).

83/17 L'administrateur d'une société qui a fait faillite n'est pas personnellement responsable du paiement de l'indemnité de préavis prévue à l'article 83 L.N.T. puisque ladite indemnité n'est pas une dette reliée aux services exécutés au sens de l'article 119 de la *Loi canadienne sur les sociétés par actions* (L.R.C. (1985), ch. C-44).
Thompson c. *Masson*, (2000) R.J.D.T. 1548 (C.A.), D.T.E. 2000T-1132 (C.A.), J.E. 2000-2199 (C.A.), REJB 2000-20972 (C.A.).
Allaire c. *Timoschuk*, D.T.E. 95T-634 (C.Q.), J.E. 95-1139 (C.Q.).

83/18 Ne peut être déduite de la réclamation du salarié, une somme reçue en vertu des dispositions de l'article 83 L.N.T. à titre d'indemnité dans le but de compenser la perte de commissions sur les ventes que le salarié aurait réalisées durant les deux semaines de préavis qui lui ont été versées.
Veilleux c. *Parquet Royal inc.*, D.T.E. 2000T-933 (C.Q.).

83/19 La décision rendue en vertu de l'article 124 L.N.T. rejetant une plainte pour motif de faute grave constitue chose jugée quant à la réclamation d'indemnité compensatrice.
Liberty Mutual Insurance Co. c. *C.N.T.*, (1990) R.D.J. 421 (C.A.), D.T.E. 90T-872 (C.A.), J.E. 90-1479 (C.A.).
C.N.T. c. *Garderie de la Place Ville-Marie*, D.T.E. 95T-1303 (C.Q.).
V. cependant: *C.N.T.* c. *D. Bertrand & Fils inc.*, (2001) R.J.D.T. 1765 (C.Q.), D.T.E. 2001T-992 (C.Q.), J.E. 2001-1889 (C.Q.), REJB 2001-27273 (C.Q.).
C.N.T. c. *Location de linge Métro ltée*, D.T.E. 96T-768 (C.Q.).
C.N.T. c. *Barrette*, D.T.E. 95T-199 (C.Q.).

83/20 Le fait pour un salarié de se trouver un autre emploi dès le début de la période requise pour l'avis de cessation d'emploi ne minimise pas l'obligation de l'employeur d'avoir à payer l'indemnité de cessation d'emploi, la *Loi sur les normes du travail* étant d'ordre public.
C.N.T. c. *Cercueils André (1992) inc.*, D.T.E. 96T-538 (C.Q.), J.E. 96-944 (C.Q.).

83/21 Il est possible qu'un salarié n'ait droit à aucune indemnité de préavis en vertu de l'article 83 L.N.T. compte tenu de l'effet de la décision du commissaire qui a accueilli sa plainte selon l'article 122 L.N.T. et qui a replacé le salarié dans l'état où il se trouvait avant le congédiement. De plus, le fait que le salarié ne se soit pas prévalu de l'ordonnance de réintégration ne lui confère pas davantage le droit de réclamer une telle indemnité.
Viaud c. *Services Press-Pak inc.*, D.T.E. 94T-544 (C.T.).

Calcul de l'indemnité

83/22 Ce n'est pas le rôle de l'inspecteur de la Commission de décider de la méthode de calcul applicable mais plutôt celui du juge saisi du litige.
Internote Canada inc. c. *C.N.T.*, (1989) R.J.Q. 2097 (C.A.), D.T.E. 89T-845 (C.A.), J.E. 89-1285 (C.A.).

83/23 L'absence de dispositions précises sur le mode de calcul d'une indemnité ne constitue pas une impasse juridique interdisant au fonctionnaire de trouver une base équitable de calcul.
C.N.T. c. *Cie de fiducie Canada Permanent*, (1985) C.P. 284, D.T.E. 85T-799 (C.Q.), J.E. 85-929 (C.Q.).

83/24 Dans le calcul de l'indemnité on ne doit pas tenir compte des heures supplémentaires effectuées par le salarié.
C.N.T. c. *Internote Canada inc.*, (1985) C.S. 383, D.T.E. 85T-335 (C.S.), J.E. 85-412 (C.S.), conf. par (1989) R.J.Q. 2097 (C.A.), D.T.E. 89T-845 (C.A.), J.E. 89-1285 (C.A.).

Cumul

83/25 Le salarié ayant obtenu le préavis mentionné à l'article 82 L.N.T. ne peut obtenir d'autres indemnités compensatrices de salaire ni de vacances dépassant cette période.
Studer c. *Consolidated-Bathurst inc.*, D.T.E. 84T-535 (C.Q.).

83/26 On peut cumuler l'indemnité de préavis et les dommages-intérêts (art. 124 L.N.T.) dus pour un congédiement injustifié. En effet, l'indemnité de préavis ne dédommage que pour le préjudice causé par le caractère brusque de la rupture.
C.N.T. c. *Guide de Montréal-Nord inc.*, D.T.E. 88T-863 (C.Q.).
C.N.T. c. *Turcotte*, D.T.E. 88T-776 (C.Q.).
C.N.T. c. *Julien Loiselle inc.*, (1985) C.P. 295, D.T.E. 85T-819 (C.Q.), J.E. 85-950 (C.Q.).
C.N.T. c. *Placements Sogelan*, (1985) C.P. 151, D.T.E. 85T-499 (C.Q.), J.E. 85-607 (C.Q.).

83/27 Le fait de recevoir l'indemnité prévue par l'article 83 L.N.T. ne prive pas le plaignant de l'exercice de son recours en vertu des articles 122 et ss. L.N.T.
D. & K. restaurants ltée c. *Raby*, D.T.E. 82T-408 (T.T.).
Vivier c. *Industrielle (L') Cie d'assurance sur la vie*, (1983) C.T. 48, D.T.E. 83T-186 (C.T.).

83/28 Les recours prévus aux articles 83 et 124 L.N.T. peuvent être cumulés parce qu'ils sont distincts et permettent à un salarié de faire sanctionner des droits différents pour des motifs différents.
Liberty Mutual Insurance Co. c. *C.N.T.*, (1990) R.D.J. 421 (C.A.), D.T.E. 90T-872 (C.A.), J.E. 90-1479 (C.A.).
C.N.T. c. *Location de linge Métro ltée*, D.T.E. 96T-768 (C.Q.).
C.N.T. c. *Compagnie de construction Lazar inc.*, D.T.E. 92T-870 (C.Q.).
V. aussi: *C.N.T.* c. *D. Bertrand & Fils inc.*, (2001) R.J.D.T. 1765 (C.Q.), D.T.E. 2001T-992 (C.Q.), J.E. 2001-1889 (C.Q.), REJB 2001-27273 (C.Q.).

83/29 Les recours prévus à la *Loi sur les normes du travail* et à la *Loi sur les accidents du travail et les maladies professionnelles* (L.R.Q., c. A-3.001) sont différents et peuvent être cumulés.
C.N.T. c. *Transport Gilles Lemieux inc.*, D.T.E. 89T-174 (C.Q.).

Divers

83/30 Lorsque le salarié avise son employeur qu'il quittera à une date déterminée, ce dernier peut exiger qu'il quitte à la date prévue sans être tenu de lui payer l'indemnité compensatrice.
C.N.T. c. *Jourplex ltée*, D.T.E. 90T-240 (C.Q.).

83/31 Une agence de recrutement de personnel qui assume le paiement du salaire est également responsable du paiement de l'indemnité de préavis même si elle ne reçoit pas la prestation de travail et qu'il n'existe aucun lien de subordination entre elle et le salarié.
C.N.T. c. *2548-9576 Québec inc.*, D.T.E. 92T-1034 (C.Q.), J.E. 92-1428 (C.Q.).

83/32 La loi étant d'ordre public, on ne peut opposer à un employé une renonciation à ses droits en cas d'acceptation de sommes qui lui sont dues.
Martin c. *Crédit immobilier inc.*, (1982) T.A. 840, D.T.E. 82T-261 (T.A.).
Rioux c. *F.D.L. Co. ltée*, (1981) 1 R.S.A. 97, D.T.E. 82T-803 (T.A.).

83/33 V. la jurisprudence sous les articles 82 et 82.1 L.N.T.

83/34 V. AUDET, G., BONHOMME, R., GASCON, C. et COURNOYER-PROULX, M., *Le congédiement en droit québécois en matière de contrat individuel de travail*, vol. 2, 3e éd. (édition à feuilles mobiles), Cowansville, Éditions Yvon Blais, p. 27-1 à 27-5 et 29-1 à 29-13.

83/35 V. BRIÈRE, J.-Y., «Principaux amendements à la Loi sur les normes du travail et jurisprudence récente et marquante», dans *Développements récents en droit du travail (1991)*, Formation permanente du Barreau du Québec, Cowansville, Les Éditions Yvon Blais inc., 1991, p. 1, p. 24.

83/36 V. BRIÈRE, J.-Y. et VILLAGGI, J.-P., *Relations de travail*, vol. 2, (édition à feuilles mobiles), Brossard, Les Publications CCH ltée, p. 8,558 à 8,565.

83/37 V. CAZA, C., «L'embarquement pour un tour d'horizon des développements récents concernant la *Loi sur les normes du travail*», dans *Développements récents en droit du travail (1997)*, Formation permanente du Barreau du Québec, Cowansville, Les Éditions Yvon Blais inc., 1997, p. 229, p. 281 et ss.

83/38 V. DUBÉ, J.-L. et DI IORIO, N., *Les normes du travail*, 2e éd., Sherbrooke, Les Éditions Revue de droit — Université de Sherbrooke, 1992, p. 161 à 167, 227 à 230.

83/39 V. HÉBERT, G. et TRUDEAU, G., *Les normes minimales du travail au Canada et au Québec*, Cowansville, Les Éditions Yvon Blais inc., 1987, p. 142 à 147.

art. 83.1

83.1/1 Un employeur n'a pas à payer l'indemnité de préavis lorsque le salarié est rappelé au travail avant l'expiration du délai d'un an prévu à l'article 83.1 L.N.T. et

qu'il travaille, par la suite, de façon continue pendant une durée au moins égale à la durée de l'avis auquel il aurait eu droit en application de l'article 82 L.N.T.
C.N.T. c. *Georges Nadeau et Fils ltée*, D.T.E. 96T-1060 (C.Q.).

83.1/2 Le paiement prévu à l'article 83.1 L.N.T. a lieu un an après le début de la mise à pied ou encore à l'échéance du droit de rappel au travail, selon la première de ces deux dates. Ainsi, un grief déposé avant l'échéance de l'une de ces deux dates est prématuré.
Bombardier inc. c. *Syndicat des employés de Bombardier, La Pocatière*, D.T.E. 95T-418 (T.A.).
V. aussi: *Syndicat national des travailleuses et travailleurs des pâtes et cartons de Jonquière inc.* c. *9020-7200 Québec inc. (Cascades Fjordcell inc.)*, (2005) R.J.D.T. 564 (T.A.), D.T.E. 2005T-201 (T.A.).
V. cependant: *Industries Amisco ltée* c. *Syndicat des salariées et salariés des Industries Amisco ltée (CSD) (grief collectif)*, D.T.E. 2007T-890 (T.A.).

83.1/3 Une mise à pied n'est pas un congédiement étant donné que celle-ci n'a pas pour effet de rompre le lien d'emploi. Un employeur n'est pas tenu de verser à un salarié mis à pied en vertu de l'article 83.1 L.N.T. une indemnité compensatrice avant l'expiration du délai d'un an qui suit la mise à pied, s'il bénéficie d'un droit de rappel de plus de six mois. L'employeur peut retenir le paiement de l'indemnité compensatrice jusqu'à l'expiration du terme si, entre-temps, il décide de rappeler le salarié au travail. Ce dernier perd alors son droit à l'indemnité. Lorsque le salarié met fin à son emploi avant la fin du délai d'un an, il rompt le lien d'emploi mais prive également l'employeur de son droit de le rappeler au travail, ce qui le décharge de son obligation de payer l'indemnité compensatrice prévue à la Loi.
C.N.T. c. *Northern Telecom Canada ltée*, D.T.E. 98T-149 (C.Q.), REJB 1997-04009 (C.Q.).

83.1/4 L'employeur n'est tenu de verser une indemnité que lorsque le droit de rappel du salarié est expiré ou encore un an après la mise à pied. S'il y a réalisation de l'une ou l'autre de ces conditions, l'employeur est tenu de verser une indemnité compensatrice.
Bose Canada inc. c. *Métallurgistes unis d'Amérique, section locale 7708*, (1996) T.A. 905, D.T.E. 96T-1331 (T.A.).

83.1/5 Une mise à pied ne peut commencer plus tôt que le premier jour où le salarié est sans travail. Aussi, jusqu'à la première heure de travail du premier jour de sa mise à pied, il est toujours possible, en théorie, que le salarié soit rappelé au travail par l'employeur. Il en est ainsi pour la question du rappel au travail. Celui-ci est effectif le premier jour où le salarié effectue le travail demandé par son employeur et non le jour où on lui signifie qu'il est rappelé au travail.
C.N.T. c. *S. Huot inc.*, D.T.E. 2005T-340 (C.Q.).

83.1/6 En matière de préavis de licenciement, le point de départ du délai de prescription pour déposer un grief est le moment où l'employeur déroge à la convention collective par des faits dont le salarié ou le syndicat a connaissance.
Compagnie d'échantillons «National» ltée c. *Syndicat des travailleuses et travailleurs d'Échantillons National (CSN) (Jean-Pierre Imbeault)*, D.T.E. 2007T-930 (T.A.).

83.1/7 Un salarié ne renonce pas à l'application d'une loi d'ordre public s'il démissionne lors de sa mise à pied renonçant ainsi au droit de rappel prévu à l'article 83.1 de la *Loi sur les normes du travail*.
C.N.T. c. *Northern Telecom Canada ltée*, D.T.E. 98T-149 (C.Q.), REJB 1997-04009 (C.Q.).

art. 84

84/1 Le commissaire peut ordonner à l'employeur de produire un certificat de travail conforme à l'article 84 L.N.T.
Kelly c. *Taxi Coop 525-5191*, (1988) T.A. 428, D.T.E. 88T-463 (T.A.).

84/2 L'article 84 L.N.T. relatif au certificat de travail n'a pas pour effet de limiter les pouvoirs prévus à l'article 128(3) L.N.T. Le commissaire peut ordonner qu'une lettre de référence comportant plus que les mentions obligatoires soit remise au salarié.
Joannette c. *Pièces d'Auto Richard ltée*, (1993) C.T. 398, D.T.E. 93T-867 (C.T.).

84/3 L'ancien employeur d'une personne peut transmettre à des employeurs potentiels des informations sur la qualité du travail et la conduite du salarié, et ce, nonobstant les dispositions de l'article 84 L.N.T., lorsqu'il y a eu autorisation écrite en ce sens.
Fortier c. *Université de Sherbrooke*, D.T.E. 2006T-223 (C.Q.).

84/4 V. BICH, M.-F., «Le contrat de travail», dans *La réforme du Code civil*, t. II, Barreau du Québec et Chambre des notaires du Québec, Ste-Foy, Les Presses de l'Université Laval, 1993, p. 741, n°s 21 à 33, p. 788 et 789.

84/5 V. BRIÈRE, J.-Y., «Le *Code civil du Québec* et la *Loi sur les normes du travail*: convergence ou divergence?», (1994) 49 *R.I.* 104, 124 à 126.

84/6 V. D'AOUST, C. et NAUFAL, E., «La lettre de recommandation et la règle de droit», (1993) 24 *R.G.D.* 433.

art. 84.0.1

84.0.1/1 Pour qu'il y ait licenciement collectif au sens des dispositions de l'article 84.0.1 L.N.T., il faut que la cessation d'emploi touche au minimum 10 salariés.
Syndicat national des travailleuses et travailleurs des pâtes et cartons de Jonquière inc. c. *9020-7200 Québec inc. (Cascades Fjordcell inc.)*, (2005) R.J.D.T. 564 (T.A.), D.T.E. 2005T-201 (T.A.).

84.0.1/2 Les dispositions sur le licenciement collectif créent un régime d'indemnisation distinct de celui qui s'applique aux cas individuels. Ces indemnités ne sont pas cumulables par le salarié. Chaque indemnité doit être versée selon les modalités propres à chacun de ces deux régimes. Par voie de conséquence, les

délais prévus à l'article 83.1 L.N.T. ne s'appliquent pas au versement de l'indemnité prévue à l'article 84.0.13 L.N.T. lors d'un licenciement collectif.
C.N.T. c. *MPI Moulin à papier de Portneuf inc.*, D.T.E. 2007T-201 (C.S.), J.E. 2007-480 (C.S.), EYB 2006-114112 (C.S.).

84.0.1/3 Dès que les circonstances imposent la remise d'un avis de licenciement, l'employeur doit le remettre, sans quoi il doit convaincre par une preuve prépondérante que c'est de bonne foi qu'il a considéré que la durée de la mise à pied allait être inférieure à six mois, ou qu'il ne pouvait prévoir qu'elle allait être supérieure. Sans une telle preuve, il faut conclure qu'il y a licenciement collectif et dès lors l'indemnité de licenciement est exigible, et ce, si toutes les autres conditions prévues par la loi sont rencontrées.
Industries Amisco ltée c. *Syndicat des salariées et salariés des Industries Amisco ltée (CSD) (grief collectif)*, D.T.E. 2007T-890 (T.A.).

84.0.1/4 Pour qu'il y ait licenciement collectif, soit une cessation de travail du fait de l'employeur selon l'une des conditions mentionnées à l'article 84.0.1 L.N.T., il doit y avoir une interruption collective du travail.
Syndicat des employées et employés des Industries Tanguay (CSN) c. *Industries Tanguay, une division de Le groupe Canam Manac inc. (griefs syndicaux)*, (2007) R.J.D.T. 1163 (T.A.), D.T.E. 2007T-544 (T.A.).

84.0.1/5 Seuls les salariés qui sont au travail au moment du licenciement collectif peuvent faire l'objet d'une interruption collective du travail. En effet, l'employeur qui donne un avis de licenciement collectif a le droit d'exiger une prestation de travail des salariés visés durant la période couverte par cet avis.
Syndicat des employées et employés des Industries Tanguay (CSN) c. *Industries Tanguay, une division de Le groupe Canam Manac inc. (griefs syndicaux)*, (2007) R.J.D.T. 1163 (T.A.), D.T.E. 2007T-544 (T.A.).

84.0.1/6 Les dispositions des articles 84.0.1 et ss. de la *Loi sur les normes du travail* relatives à l'avis de licenciement collectif sont d'ordre public et, en l'absence de preuve d'une incompatibilité avec le régime collectif de travail, elles font partie intégrante de chaque convention collective. Ainsi, et par voie de conséquence, l'arbitre de griefs a compétence pour décider si l'employeur a correctement appliqué ces dispositions.
Syndicat national de l'automobile, de l'aérospatiale, du transport et des autres travailleuses et travailleurs du Canada (TCA-Canada) c. *AGC Flat Glass North America Ltd. (grief syndical)*, D.T.E. 2009T-178 (T.A.) (requête en révision judiciaire: n° 200-17-011694-098).

art. 84.0.4

84.0.4/1 L'article 84.0.4 L.N.T., relatif au calcul du délai pour donner l'avis au ministre, ne fait pas référence à la notion d'établissement. Cependant, les dispositions de cet article doivent être interprétées en tenant compte de l'article 84.0.1 L.N.T. qui associe le licenciement collectif à un licenciement de salariés dans un établissement de l'employeur. Relativement à cette notion d'établissement, on ne peut affirmer que le législateur ait voulu lui donner le même sens que la notion

d'entreprise. L'établissement, tel que défini par la jurisprudence, doit comporter une vie organisationnelle et constituer une unité de gestion où l'employeur concentre une série d'éléments matériels et intellectuels lui permettant d'atteindre une partie de ses objectifs.
Syndicat canadien des communications, de l'énergie et du papier c. *Entourage Solutions technologiques*, D.T.E. 2005T-255 (T.A.).

84.0.4/2 Tout employeur doit donner un avis de licenciement collectif au ministre dans le délai prévu par la loi. S'il ne donne pas l'avis, ou s'il donne un avis d'une durée insuffisante, l'employeur doit alors verser à chaque salarié licencié une indemnité équivalant à son salaire habituel pour la même période. L'employeur doit également donner par écrit, à chacun des salariés licenciés, un préavis de cessation d'emploi selon la durée de son service continu ou lui verser une indemnité en tenant lieu.
C.N.T. c. *Industries Troie inc.*, (2009) R.J.D.T. 87 (C.Q.), D.T.E. 2009T-60 (C.Q.), J.E. 2009-146 (C.Q.), EYB 2008-152333 (C.Q.).

84.0.4/3 Le salarié licencié d'un établissement de son employeur, qui refuse d'être déplacé dans un autre établissement de celui-ci régi par une autre convention collective, exerce un droit qui ne remet pas en cause celui de recevoir l'indemnité de licenciement prévue à l'article 84.0.4 L.N.T. L'employé n'a aucune obligation d'accepter l'offre de supplantation ou de déplacement dans un autre établissement de son employeur. L'avis et l'indemnité de licenciement collectif s'appliquent à l'établissement où travaille normalement le salarié, et la seule façon pour l'employeur d'échapper à son obligation de verser l'indemnité consiste à ne pas mettre fin à l'emploi du salarié de son établissement où il travaille pendant une période équivalant à la durée de l'avis. De plus, le salarié qui perd son emploi à l'établissement où il travaille, ne perd pas son droit à l'indemnité s'il se trouve un emploi ou refuse un emploi chez un autre employeur, y compris un autre établissement de l'employeur régi par une autre convention collective.
Olymel, s.e.c. — Établissement St-Simon c. *Syndicat des travailleurs d'Olympia (CSN) (grief syndical)*, (2007) R.J.D.T. 764 (T.A.), D.T.E. 2007T-473 (T.A.).

84.0.4/4 Rien dans les dispositions de l'article 84.0.4 L.N.T. n'oblige l'employeur à donner un avis de licenciement collectif à chacun des salariés visés.
Syndicat des employées et employés des Industries Tanguay (CSN) c. *Industries Tanguay, une division de Le groupe Canam Manac inc. (griefs syndicaux)*, (2007) R.J.D.T. 1163 (T.A.), D.T.E. 2007T-544 (T.A.).

84.0.4/5 Le fardeau de la preuve imposé à l'employeur à l'occasion d'une mise à pied est celui de démontrer sa bonne foi dans l'exercice du droit de gérance. De plus, la bonne foi ne doit pas être reliée à la décision de remettre l'avis de licenciement mais plutôt à celle de ne pas le remettre. Il faut donc considérer que, dès qu'il y a une mise à pied collective dont la durée prévisible est de plus de six mois, la règle est la remise d'un avis à cet effet au ministre de l'Emploi et de la Solidarité sociale et à chaque salarié visé par le préavis tenant lieu de l'indemnité de licenciement prévue à l'article 82 L.N.T. Cette règle découle d'une obligation d'ordre public, visant à protéger les salariés de même que la communauté affectée par un licenciement collectif.

Toutefois, l'exception à cette règle survient lorsque la durée de la mise à pied n'exige pas l'application de l'article 84.0.1 L.N.T. ou que, de bonne foi, l'employeur a erré ou ne pouvait prévoir que celle-ci serait d'une telle durée au moment où il a

procédé à une mise à pied collective. Ainsi, l'étude de la décision de l'employeur de ne pas remettre l'avis doit tenir compte des circonstances particulières à chaque situation où une mise à pied collective a été effectuée, dès le début de celle-ci ou de son annonce, ou pendant la mise à pied, selon l'évolution des événements.
Industries Amisco ltée c. *Syndicat des salariées et salariés des Industries Amisco ltée (CSD) (grief collectif)*, D.T.E. 2007T-890 (T.A.).

art. 84.0.5

84.0.5/1 Le législateur, en utilisant deux termes distincts, a voulu illustrer deux situations différentes. Relativement à l'expression «événement imprévu», même si elle est moins exigeante que celle de «force majeure», elle doit néanmoins être évaluée avec rigueur. La perte subite et importante d'un contrat constitue, dans le contexte, un événement imprévu.
C.N.T. c. *Industries Troie inc.*, (2009) R.J.D.T. 87 (C.Q.), D.T.E. 2009T-60 (C.Q.), J.E. 2009-146 (C.Q.), EYB 2008-152333 (C.Q.).

art. 84.0.6

84.0.6/1 Il n'y a aucun délai minimal pour que l'employeur transmette une copie de l'avis de licenciement à l'association accréditée représentant les salariés visés par le licenciement.
Syndicat canadien des communications, de l'énergie et du papier c. *Entourage Solutions technologiques*, D.T.E. 2005T-255 (T.A.).

84.0.6/2 Rien dans les dispositions de l'article 84.0.4 L.N.T. n'oblige l'employeur à donner un avis de licenciement collectif à chacun des salariés visés.
Syndicat des employées et employés des Industries Tanguay (CSN) c. *Industries Tanguay, une division de Le groupe Canam Manac inc. (griefs syndicaux)*, (2007) R.J.D.T. 1163 (T.A.), D.T.E. 2007T-544 (T.A.).

art. 84.0.13

84.0.13/1 L'indemnité prévue par les dispositions de l'article 84.0.13 L.N.T. ne devient exigible qu'à partir de la date de prise d'effet du licenciement collectif.
Syndicat des employées et employés des Industries Tanguay (CSN) c. *Industries Tanguay, une division de Le groupe Canam Manac inc. (griefs syndicaux)*, (2007) R.J.D.T. 1163 (T.A.), D.T.E. 2007T-544 (T.A.).

84.0.13/2 Ce n'est pas la décision de licencier les salariés qui donne naissance au droit de déposer un grief, mais l'omission de verser la compensation prévue. En outre, ce sont plutôt les faits qui font état du défaut de paiement, de la décision ou de la volonté de l'employeur en ce sens, dont le syndicat doit prendre connaissance objectivement ou subjectivement pour évaluer s'il doit soumettre un grief. Ce n'est donc pas le moment du licenciement ou celui de la fin de la période de six mois de la mise à pied qui constitue le point de départ du délai de

prescription, mais le moment où le syndicat a connaissance des faits qui indiquent le défaut de l'employeur de respecter l'obligation qui lui est faite de verser l'indemnité.
Industries Amisco ltée c. *Syndicat des salariées et salariés des Industries Amisco ltée (CSD) (grief collectif)*, D.T.E. 2007T-890 (T.A.).

84.0.13/3 Pour soumettre un grief contestant le défaut de verser une indemnité de licenciement, il faut d'abord que le droit à l'indemnité ait été acquis ou que cette dernière soit exigible, ce qui ne peut être le cas que dans les situations suivantes: 1) lorsque, au départ, il est prévu que la mise à pied durera plus de six mois; 2) lorsque, lors de la mise à pied, l'employeur sait qu'elle risque d'excéder six mois; 3) lorsque, pendant la mise à pied mais avant que la période de six mois ne soit écoulée, l'employeur réalise qu'elle durera ou risque de durer plus de six mois; 4) lorsque la mise à pied excède six mois.
Industries Amisco ltée c. *Syndicat des salariées et salariés des Industries Amisco ltée (CSD) (grief collectif)*, D.T.E. 2007T-890 (T.A.).

art. 84.1

84.1/1 En matière de retraite, le test consiste à se demander si le salarié aurait vu son emploi terminé en l'absence de régime ou de pratique de retraite obligatoire, et si le salarié a perdu son emploi par pure coïncidence, au moment où il a atteint l'âge prédéterminé.
Benfey c. *Labour Court*, D.T.E. 85T-569 (C.S.), conf. par D.T.E. 87T-180 (C.A.).

84.1/2 Mettre à la retraite légalement signifie terminer avec bénéfice de la pension selon un régime exempt ou présumé exempt de toute date de terminaison d'emploi. Mettre à la retraite ne signifie pas terminer l'emploi en vertu du régime pourvu que l'employeur ait des raisons de continuer à appliquer le régime. Ainsi, la loi ne dit pas qu'un employeur peut continuer à appliquer la clause d'âge d'un régime s'il a des raisons justes et suffisantes de maintenir un régime de mise à la retraite obligatoire. La loi veut pour terminer un emploi, une cause qui ne soit pas l'atteinte de l'âge «prévu».
Benfey c. *Labour Court*, D.T.E. 85T-569 (C.S.), conf. par D.T.E. 87T-180 (C.A.).

84.1/3 Le droit prévu à l'article 84.1 L.N.T., lequel peut faire l'objet d'une plainte en vertu des articles 122.1 et 123.1 L.N.T., vise le cas d'un salarié qui a été mis à la retraite à l'âge normal, soit à un moment où il pouvait prendre sa retraite sans réduction actuarielle. Une retraite anticipée ne satisfait pas à cette condition.
Antonius c. *Hydro-Québec*, D.T.E. 95T-1175 (C.T.) (permission d'appeler refusée: T.T.M. n° 500-52-000047-951, le 21 septembre 1995) (révision judiciaire refusée: C.S.M. n° 500-05-017824-960, le 11 décembre 1996) (appel rejeté: D.T.E. 99T-71 (C.A.), J.E. 99-259 (C.A.), REJB 1998-09664 (C.A.)) (autorisation d'appeler à la Cour suprême refusée).

84.1/4 Un employeur qui offre une retraite anticipée sans réduction actuarielle à un salarié, cinq ans avant qu'il y soit admissible et huit ans avant l'âge normal de la retraite, ne contrevient nullement aux articles 84.1 et 122(5) L.N.T.
Thérien c. *Crown Cork & Seal inc.*, (1993) C.T. 57, D.T.E. 93T-218 (C.T.).

84.1/5 L'âge de la retraite est l'âge minimum à partir duquel un salarié peut être mis à la retraite en touchant ses prestations de retraite sans pénalité actuarielle.
Poitras c. *Versatile Vickers inc.*, D.T.E. 83T-483 (C.T.).

84.1/6 L'âge normal de la retraite est l'âge auquel un salarié régi par un régime de retraite, une convention, une sentence arbitrale tenant lieu de convention collective, un décret ou une pratique en usage, pourrait bénéficier d'une pleine retraite sans pénalité actuarielle s'il quitte son emploi avant l'âge fixé par le régime, la convention, le décret, la pratique, l'usage ou la loi.
Laliberté c. *Shell Canada ltée*, (1996) C.T. 441, D.T.E. 96T-1033 (C.T.).

84.1/7 Le législateur n'a rien prévu pour les salariés en voie d'atteindre l'âge de la retraite. Cette législation vise à préserver le droit du salarié de se retirer à l'âge normal de la retraite et aussi le droit de demeurer au travail.
Margharitis c. *Aeterna-Vie, Cie d'assurances*, (1985) T.T. 193, D.T.E. 85T-361 (T.T.).
Sirois c. *Laval (Ville de)*, D.T.E. 83T-417 (C.T.).

84.1/8 Bien que l'article 84.1 L.N.T. consacre le droit du salarié de demeurer au travail, il ne va pas jusqu'à lui assurer que les conditions de travail demeureront inchangées après l'âge de la retraite. Sous réserve des dispositions de la loi ou d'une convention collective, l'employeur peut continuer à exercer ses droits de gérance.
Ki Song Oh c. *Université Concordia*, (1982) C.T. 307, D.T.E. 82T-878 (C.T.).

84.1/9 La protection accordée par l'article 84.1 L.N.T. vise seulement ceux qui ont atteint ou dépassé l'âge normal de la retraite.
Margharitis c. *Aeterna-Vie, Cie d'assurances*, (1985) T.T. 193, D.T.E. 85T-361 (T.T.).
Garand c. *Monitronik ltée*, D.T.E. 84T-304 (T.T.).
Thérien c. *Crown Cork & Seal inc.*, (1993) C.T. 57, D.T.E. 93T-218 (C.T.).
St-Pierre c. *Mont-Bruno Ford inc.*, D.T.E. 91T-156 (C.T.).
Millette c. *Hydro-Québec*, (1983) C.T. 296, D.T.E. 83T-949 (C.T.).
Poitras c. *Versatile Vickers inc.*, D.T.E. 83T-483 (C.T.).

84.1/10 La simple possibilité de prendre une retraite administrative, constituant un privilège et non un droit selon le régime de retraite en vigueur chez l'employeur, n'est pas protégée par les dispositions prohibant la mise à la retraite prévue à la *Loi sur les normes du travail*.
Antonius c. *Hydro-Québec*, D.T.E. 95T-1175 (C.T.) (permission d'appeler refusée: T.T.M. n° 500-52-000047-951, le 21 septembre 1995) (révision judiciaire refusée: C.S.M. n° 500-05-017824-960, le 11 décembre 1996) (appel rejeté: D.T.E. 99T-71 (C.A.), J.E. 99-259 (C.A.), REJB 1998-09664 (C.A.)) (autorisation d'appeler à la Cour suprême refusée).

84.1/11 Les dispositions de l'article 84.1 L.N.T. n'interdisent pas le déplacement d'un salarié, seuls la mise à la retraite ou le congédiement sont visés.
Thomson c. *McGill University*, (1989) C.T. 267, D.T.E. 89T-741 (C.T.).

84.1/12 L'abolition de poste d'un salarié refusant d'être mis à la retraite ne viole pas les articles 84.1 et 122.1 L.N.T. lorsqu'il s'agit d'une véritable restructuration de l'entreprise.
Lauzon c. *Centre hospitalier Ste-Jeanne d'Arc*, D.T.E. 88T-482 (T.T.).

84.1/13 Une fausse déclaration quant à l'âge du salarié et le refus de signer un document de démission ne constituent pas une cause juste et suffisante de congédiement.
Savignac c. *Albion Robco inc.*, D.T.E. 83T-896 (C.T.).

84.1/14 Constitue une cause juste et suffisante de congédiement, l'impossibilité pour le salarié de fournir une bonne prestation de travail.
McEvoy c. *École Sacré-Coeur de Montréal*, (1985) C.T. 258, D.T.E. 85T-482 (C.T.).

84.1/15 Des causes multiples qui ne sont en fait que des incidents montés en épingle ne constituent qu'un prétexte et non une autre cause juste et suffisante de congédiement.
Ste-Marie c. *Louis Vuitton North America inc.*, D.T.E. 98T-531 (C.T.), REJB 1998-05745 (C.T.) (révision judiciaire refusée: C.S.M. n° 500-05-041082-981, le 17 juillet 1998).

84.1/16 L'inaptitude à remplir adéquatement sa fonction et à s'adapter aux nouvelles exigences constitue une cause juste et suffisante de déplacement.
Gauron c. *Société coopérative agricole Lotbinière*, (1983) C.T. 293, D.T.E. 83T-550 (C.T.).

84.1/17 Le commissaire a juridiction pour interpréter une entente modifiant le régime de rentes et la convention collective.
Presse ltée (La) c. *Pouliot*, D.T.E. 84T-30 (T.T.).

84.1/18 V. la jurisprudence sous l'article 122.1 L.N.T.

84.1/19 V. AUDET, G., BONHOMME, R., GASCON, C. et COURNOYER-PROULX, M., *Le congédiement en droit québécois en matière de contrat individuel de travail*, vol. 2, 3e éd. (édition à feuilles mobiles), Cowansville, Éditions Yvon Blais, p. 32-1 à 35-10.

84.1/20 V. DUBÉ, J.-L. et DI IORIO, N., *Les normes du travail*, 2e éd., Sherbrooke, Les Éditions Revue de droit — Université de Sherbrooke, 1992, p. 356 à 363.

art. 85

N.B. L'article 85 a été modifié par la *Loi modifiant la Loi sur les normes du travail et d'autres dispositions législatives*, L.Q. 2002, c. 80. La nature des modifications apportées par le législateur à l'article 85 L.N.T. ne change pas la jurisprudence antérieure à cette date, celle-ci demeure pertinente en y faisant les adaptations nécessaires.

85/1 Il est interdit à un employeur de déduire du salaire minimum l'achat, l'entretien ou la réparation d'un uniforme dont il rend le port obligatoire.
C.N.T. c. *Poulets d'Arvida inc.*, J.E. 81-831 (C.Q.).

85/2 Un employeur ne peut légalement exiger d'un salarié qu'il supporte le coût d'un uniforme dont le port est obligatoire pour exécuter son travail.
Boucher c. *Café central Coaticook*, D.T.E. 2008T-471 (C.R.T.).
Aux Petits Délices G.T. inc. c. *Leclerc*, D.T.E. 99T-133 (T.T.).
Gagné c. *Bo-regard Enr.*, D.T.E. 97T-1059 (C.T.).

85/3 Un chemisier fait partie de l'uniforme au sens des dispositions de l'article 85 L.N.T.
Aux Petits Délices G.T. inc. c. *Leclerc*, D.T.E. 99T-133 (T.T.).

85/4 Un employeur contrevient à la *Loi sur les normes du travail* en demandant au salarié, rémunéré au salaire minimum, de supporter une partie du coût de l'uniforme.
Aux Petits Délices G.T. inc. c. *Leclerc*, D.T.E. 99T-133 (T.T.).

art. 85.1

85.1/1 Les termes «frais d'opération» équivalent à l'expression «dépenses d'exploitation» en comptabilité générale, soit une dépense qu'il convient d'inscrire immédiatement à titre de charges plutôt que de la capitaliser, étant donné que l'entreprise n'en retirera des avantages que pendant l'exercice en cours. Ainsi, les coûts des permis de travail obligatoires dans plusieurs provinces et territoires du Canada, constituent des frais nécessaires à l'exploitation d'une entreprise et sont interdits par l'article 85.1 L.N.T.
C.N.T. c. *Créances garanties du Canada ltée*, (2006) R.J.D.T. 1063 (C.Q.), D.T.E. 2006T-624 (C.Q.) (appel rejeté: (2008) R.J.D.T. 1021 (C.A.), D.T.E. 2008T-675 (C.A.), J.E. 2008-1642 (C.A.), EYB 2008-141629 (C.A.)).

85.1/2 Les dispositions de l'article 85.1 L.N.T. visent à assurer au salarié la totalité de sa rémunération et visent également à le protéger contre certaines exigences de l'employeur qui auraient pour effet de retrancher de son salaire diverses contributions et frais.

Enfin, les dispositions de cet article ne font pas de distinction entre les salariés rémunérés au salaire minimum et les autres salariés.
Créances garanties du Canada ltée c. *C.N.T.*, (2008) R.J.D.T. 1021 (C.A.), D.T.E. 2008T-675 (C.A.), J.E. 2008-1642 (C.A.), EYB 2008-141629 (C.A.).

art. 85.2

85.2/1 Pour qu'un employeur soit tenu de rembourser à un salarié des frais pour effectuer un déplacement ou suivre une formation, il faut qu'il ait demandé ou exigé la participation du salarié à l'une ou l'autre de ces activités. Ainsi, l'employeur n'est pas tenu de rembourser à un salarié des frais s'il a plutôt offert des cours spécialisés et que le salarié s'est prévalu de cette offre.
Centre du camion Mabo inc. c. *Guay*, D.T.E. 2005T-420 (C.Q.).
Syndicat national de l'automobile, de l'aérospatiale, du transport et des autres travailleuses et travailleurs du Canada, section locale 4511, TCA-Canada c. *Globocam (Anjou) inc. (griefs individuels, Sébastien Auclair et autres)*, D.T.E. 2007T-191 (T.A.).

85.2/2 L'entente intervenue entre un employeur et un salarié par laquelle ce dernier s'est engagé à rembourser une partie des frais de formation reçue, est

illégale et contraire à la *Loi sur les normes du travail* si elle a été signée dans le cadre de pressions indues de l'employeur.
Services d'inspection BG inc. c. *Duclos*, D.T.E. 2009T-27 (C.Q.), EYB 2008-151788 (C.Q.) (permission d'appeler refusée: B.E. 2009BE-68 (C.A.)).

art. 87.1

87.1/1 C'est la norme de contrôle de la décision correcte qui s'applique lorsque les conditions de travail contenues dans une convention collective entrent en conflit avec une disposition d'ordre public tel l'article 87.1 L.N.T.
Coopérative de services à domicile de la MRC de Montmagny c. *Cliche*, D.T.E. 2008T-565 (C.S.), EYB 2008-135178 (C.S.).

87.1/2 Le cadre d'application de l'article 87.1 L.N.T. est: 1) l'assujettissement à une condition de travail moins avantageuse que celle dont bénéficient d'autres salariés effectuant les mêmes tâches; 2) la distinction établie uniquement en fonction de la date d'embauche; 3) la distinction quant à une matière visée par l'une ou l'autre des normes prévues aux sections I à VI (art. 39.1 à 84) et à la section VII (art. 85 à 87) du chapitre IV de la *Loi sur les normes du travail*; 4) le tempérament prévu à l'article 87.2 L.N.T.
Syndicat national de l'industrie de la chaux de Lime Ridge (C.S.D.) c. *Graymont (Québec) inc. (usine de Marbleton)*, (2003) R.J.D.T. 910 (T.A.), D.T.E. 2003T-318 (T.A.).

87.1/3 L'article 87.1 L.N.T. s'applique lorsque les dispositions d'une convention collective accordent à un salarié, uniquement en fonction de sa date d'embauche, une condition de travail moins avantageuse que celle accordée à un autre salarié qui effectue les mêmes tâches dans le même établissement.
C.N.T. c. *Progistix-Solutions inc.*, (2008) R.J.D.T. 727 (C.Q.), D.T.E. 2008T-416 (C.Q.), EYB 2008-132626 (C.Q.) (en appel: n° 500-09-018646-083).
C.N.T. c. *Sherbrooke (Ville de)*, D.T.E. 2006T-462 (C.Q.), J.E. 2006-992 (C.Q.), EYB 2006-104199 (C.Q.).
Syndicat canadien de la fonction publique, section locale 2589 c. *Sept-Îles (Office municipal d'habitation de Ville de) (griefs individuels, Katy Boucher et autres)*, D.T.E. 2008T-321 (T.A.).

87.1/4 Les dispositions de l'article 87.1 L.N.T. énoncent qu'une convention collective ne peut avoir pour effet d'accorder à un salarié visé par une norme du travail une condition de travail moins avantageuse, basée uniquement en fonction de sa date d'embauche en ce qui concerne, entre autres: le salaire, la durée du travail, les jours fériés, chômés et payés, les congés annuels payés, les repos et diverses formes de congés (maladie, accident, raison familiale et parentale), l'avis de cessation d'emploi ainsi que diverses autres normes du travail (uniforme, outil de travail, etc.).
C.N.T. c. *Sherbrooke (Ville de)*, D.T.E. 2006T-462 (C.Q.), J.E. 2006-992 (C.Q.), EYB 2006-104199 (C.Q.).
V. aussi: *Métallurgistes unis d'Amérique, section locale 6839* c. *Infasco, division d'Ifast-groupe (griefs patronaux et griefs individuels)*, D.T.E. 2009T-205 (T.A.) (requête en révision judiciaire: n° 755-17-000979-099).

87.1/5 La *Loi sur les normes du travail* ne remet pas en cause les dispositions conventionnelles dûment négociées, comme les suivantes: 1) préférence dans l'octroi d'un poste, en fonction de l'ancienneté; 2) durée de congé annuel et montant de la paie de vacances plus avantageux selon la durée du service acquise par le salarié; 3) échelles de salaires prévoyant des taux plus avantageux en fonction de l'accroissement de la durée de service.
Syndicat national de l'industrie de la chaux de Lime Ridge (C.S.D.) c. *Graymont (Québec) inc. (usine de Marbleton)*, (2003) R.J.D.T. 910 (T.A.), D.T.E. 2003T-318 (T.A.).

87.1/6 L'article 87.1 L.N.T. s'applique uniquement aux conditions de travail du salarié visé par une norme prévue aux sections I à VI (art. 39.1 à 84) et VII (art. 85 à 87) du chapitre IV (art. 39.1 à 97) de la *Loi sur les normes du travail*. Ainsi, les remises sur achat ou politiques d'escompte sur achat n'étant pas mentionnées comme étant des conditions de travail d'un salarié visé par une norme, il faut donc en déduire qu'elles sont exclues de la protection accordée à cet article. En conséquence, la modification par l'employeur d'une politique d'escompte sur achat ne contrevient pas aux dispositions de cet article.
Compagnie de la Baie d'Hudson c. *Union des salariés du transport local et industries diverses, section locale 931 (I.B.T.)*, (2004) R.J.D.T. 767 (T.A.), D.T.E. 2004T-475 (T.A.).

87.1/7 Un arbitre de différends ne peut accorder aux salariés hors échelle une augmentation salariale identique à celle consentie aux autres salariés. Ce faisant, il rend une sentence arbitrale déraisonnable, car elle favorise le maintien de conditions de travail moins avantageuses pour ces derniers, et ce, pour un même travail; il s'agit d'une disparité de traitement qui contrevient aux dispositions des articles 87.1 et 87.3 L.N.T.
Provigo Québec inc. c. *Girard*, (2008) R.J.D.T. 1453 (C.S.), D.T.E. 2008T-765 (C.S.), EYB 2008-147015 (C.S.) (en appel: n° 200-09-006465-089).

87.1/8 L'objet des dispositions de l'article 87.1 L.N.T. n'est pas de pénaliser les salariés déjà en place lors de la création d'une deuxième échelle salariale moins avantageuse, mais de faire en sorte que les nouveaux salariés soient traités de la même manière pour l'exécution des mêmes tâches.
Métallurgistes unis d'Amérique, section locale 6839 c. *Infasco, division d'Ifastgroupe (griefs patronaux et griefs individuels)*, D.T.E. 2009T-205 (T.A.) (requête en révision judiciaire: n° 755-17-000979-099).

87.1/9 L'application de l'article 87.1 L.N.T., qui interdit les «clauses orphelins», nécessite devant l'arbitre de griefs une démonstration étoffée du lien de droit et des faits, plutôt qu'une simple et vague référence à celui-ci.
Sobeys c. *Travailleuses et travailleurs unis de l'alimentation et du commerce, section locale 501 (grief collectif)*, D.T.E. 2005T-801 (T.A.).

87.1/10 Il est interdit à un arbitre d'accorder des augmentations de salaire différentes selon la date d'embauche du salarié. En effet, une telle façon de procéder contrevient aux dispositions d'ordre public de la loi.
Coopérative de services à domicile de la MRC de Montmagny c. *Cliche*, D.T.E. 2008T-565 (C.S.), EYB 2008-135178 (C.S.).

87.1/11 Les conditions de travail que l'arbitre de différends établit dans une convention collective ne doivent pas entrer en conflit avec une loi d'ordre public,

telle la *Loi sur les normes du travail* et, plus particulièrement, l'article 87.1 L.N.T.
Coopérative de services à domicile de la MRC de Montmagny c. *Cliche*, D.T.E. 2008T-565 (C.S.), EYB 2008-135178 (C.S.).

art. 87.3

87.3/1 Un employeur ne met pas fin à une disparité dans un délai raisonnable lorsqu'il maintient cet état pendant toute la durée d'une convention collective.
C.N.T. c. *Progistix-Solutions inc.*, (2008) R.J.D.T. 727 (C.Q.), D.T.E. 2008T-416 (C.Q.), EYB 2008-132626 (C.Q.) (en appel: n° 500-09-018646-083).

art. 88

88/1 L'exclusion visant les étudiants employés dans un organisme à but non lucratif et à vocation sociale ou communautaire ne s'applique pas lorsqu'il s'agit d'une colonie de vacances qui est un organisme à but lucratif et à vocation sociale.
C.N.T. c. *Edphy inc.*, (1984) C.S. 403, D.T.E. 84T-388 (C.S.), J.E. 84-414 (C.S.).

88/2 L'usage du mot notamment peut indiquer que la liste d'exceptions prévues par l'article 88 L.N.T. n'est pas exhaustive.
C.N.T. c. *Edphy inc.*, (1984) C.S. 403, D.T.E. 84T-388 (C.S.), J.E. 84-414 (C.S.).

art. 93

Table des matières

NORMES D'ORDRE PUBLIC

Général

93/1 La *Loi sur les normes du travail* est une loi remédiatrice destinée à corriger le déséquilibre des forces entre employeur et employé en imposant le respect de certaines normes par des dispositions d'ordre public.
Martin c. *Cie d'assurances du Canada sur la vie*, (1987) R.J.Q. 514 (C.A.), D.T.E. 87T-247 (C.A.), J.E. 87-357 (C.A.).
C.N.T. c. *Maison de la jeunesse à Val-des-Lacs inc.*, D.T.E. 2008T-153 (C.Q.), EYB 2007-130057 (C.Q.).

93/2 Il est bien établi que la *Loi sur les normes du travail* a été adoptée pour répondre à un besoin social, soit la protection d'une grande majorité de salariés qui, au moment de leur congédiement sans cause juste et suffisante, ne peuvent bénéficier des dispositions spécifiques d'une convention collective. En créant, à certaines conditions, la présomption d'un congédiement sans cause juste et suffisante et en aménageant un mécanisme souple de réparation, le législateur a su remédier aux lacunes que peut comporter l'examen du contrat de travail sous l'angle du droit civil. Sans créer une garantie d'emploi, la *Loi sur les normes du travail* procure une certaine sécurité aux salariés et amortit le choc personnel et financier qui suit le congédiement.
Bon L Canada inc. c. *Béchara*, (2004) R.J.Q. 2359 (C.A.), (2004) R.J.D.T. 923 (C.A.), D.T.E. 2004T-863 (C.A.), J.E. 2004-1703 (C.A.), REJB 2004-69780 (C.A.) (autorisation d'appeler à la Cour suprême refusée).
C.N.T. c. *Maison de la jeunesse à Val-des-Lacs inc.*, D.T.E. 2008T-153 (C.Q.), EYB 2007-130057 (C.Q.).

93/3 La *Loi sur les normes du travail* contient l'ensemble des normes minimales que tout employeur est tenu de respecter. D'ailleurs, il ne peut être dérogé à ces normes légales qui sont d'ordre public.
Commission scolaire des Sommets c. *Rondeau*, (2006) R.J.D.T. 543 (C.S.), D.T.E. 2006T-345 (C.S.), EYB 2006-102547 (C.S.) (appel rejeté: C.A.Q. n° 200-09-005566-069, le 2 juin 2008).
V. aussi: *Mont-Tremblant (Ville de)* c. *Poulin*, (2006) R.J.D.T. 821 (C.R.T.), D.T.E. 2006T-530 (C.R.T.) (révision judiciaire refusée: D.T.E. 2006T-1090 (C.S.)) (appel rejeté: D.T.E. 2008T-562 (C.A.), J.E. 2008-1355 (C.A.)).

93/4 Les dispositions de la *Loi sur les normes du travail* sont d'ordre public.
Wyke c. *Optimal Robotics (Canada) Corp.*, (2003) R.J.D.T. 1273 (C.R.T.), D.T.E. 2003T-828 (C.R.T.) (révisions en vertu de l'article 127 C.T. refusées: D.T.E. 2004T-844 (C.R.T.)).

93/5 Les normes sont d'ordre public et les dérogations qui y sont mentionnées doivent s'interpréter restrictivement.
Montreal Standard c. *Middleton*, (1989) R.J.Q. 1101 (C.A.), D.T.E. 89T-429 (C.A.), J.E. 89-723 (C.A.).
C.N.T. c. *Association régionale de kin-ball Lanaudière*, D.T.E. 2006T-36 (C.Q.).
Serres du St-Laurent inc., établissement de Ste-Marthe c. *Travailleuses et travailleurs unis de l'alimentation et du commerce, section locale 501 (grief patronal)*, D.T.E. 2008T-835 (T.A.).
General Motors du Canada ltée c. *Syndicat national des travailleurs et travailleuses de l'automobile, de l'aérospatiale et de l'outillage agricole du Canada, section locale 1163*, (1994) T.A. 776, D.T.E. 94T-974 (T.A.).

93/6 La *Loi sur les normes du travail* est d'ordre public et l'on doit lui donner une interprétation libérale, compte tenu de l'évolution sociale et des impératifs qui en découlent.
Bon L Canada inc. c. *Béchara*, (2004) R.J.Q. 2359 (C.A.), (2004) R.J.D.T. 923 (C.A.), D.T.E. 2004T-863 (C.A.), J.E. 2004-1703 (C.A.), REJB 2004-69780 (C.A.) (autorisation d'appeler à la Cour suprême refusée).
Malo c. *Côté-Desbiolles*, (1995) R.J.Q. 1686 (C.A.), D.T.E. 95T-827 (C.A.), J.E. 95-1438 (C.A.) (autorisation d'appeler à la Cour suprême refusée).

École Weston inc. c. *Tribunal du travail*, (1993) R.J.Q. 708 (C.A.), D.T.E. 93T-356 (C.A.), J.E. 93-642 (C.A.).
Brousseau c. *R. Godreau Automobile (1989) ltée*, (1992) R.J.Q. 1037 (C.S.), D.T.E. 92T-418 (C.S.), J.E. 92-603 (C.S.).
C.N.T. c. *Association régionale de kin-ball Lanaudière*, D.T.E. 2006T-36 (C.Q.).
C.N.T. c. *S2I inc.*, (2005) R.J.D.T. 200 (C.Q.), D.T.E. 2005T-20 (C.Q.), J.E. 2005-32 (C.Q.), EYB 2004-80851 (C.Q.).
C.N.T. c. *Boucher*, D.T.E. 2003T-16 (C.Q.).
C.N.T. c. *Normandin*, D.T.E. 93T-957 (C.Q.), J.E. 93-1488 (C.Q.).
Cossette c. *Ed Archambault Musique inc.*, (1998) R.J.D.T. 1248 (C.T.), D.T.E. 98T-758 (C.T.), REJB 1998-06780 (C.T.) (révision judiciaire refusée: C.S.M. n° 500-05-042423-986, le 6 novembre 1998) (règlement hors cour).
V. aussi: *Syndicat des professionnels de la Commission des écoles catholiques de Montréal* c. *Moalli*, (1991) R.D.J. 521 (C.A.), D.T.E. 91T-679 (C.A.), J.E. 91-1026 (C.A.).
Martin c. *Cie d'assurances du Canada sur la vie*, (1987) R.J.Q. 514 (C.A.), D.T.E. 87T-247 (C.A.), J.E. 87-357 (C.A.).
Produits Pétro-Canada inc. c. *Moalli*, (1987) R.J.Q. 261 (C.A.), D.T.E. 87T-58 (C.A.), J.E. 87-135 (C.A.).

93/7 L'ordre public dont il est question à l'article 93 L.N.T. se rapporte, comme dans la plupart des lois qui traitent de cette notion, à un aspect contractuel; un contrat ne peut contredire les termes d'une loi d'ordre public. Par ailleurs, le fait de dire que les dispositions d'une loi sont d'ordre public ne rend pas inopérantes les dispositions incompatibles d'une autre loi. Lorsque le législateur vise ce but, il doit le dire expressément. La *Loi sur les normes du travail* ne contient aucune indication en ce sens. Ainsi, l'article 221 du *Code municipal du Québec* (L.R.Q., c. C-27.1), lequel permet à la municipalité de congédier un inspecteur sans cause juste et suffisante, n'est donc pas inopérant.
Notre-Dame-de-la-Merci (Municipalité de) c. *Bureau du commissaire général du travail*, (1995) R.J.Q. 113 (C.S.), D.T.E. 95T-23 (C.S.), J.E. 95-88 (C.S.), conf. par D.T.E. 98T-319 (C.A.), J.E. 98-659 (C.A.).

Préséance sur une convention collective ou une entente individuelle

93/8 Les règles régissant les rapports collectifs demeurent distinctes de celles applicables au contrat individuel de travail. Toutefois, le législateur québécois a énoncé les normes d'application générale dans la *Loi sur les normes du travail* qui, elle, régit explicitement les deux régimes, soit les dispositions des articles 1(4) et 93 L.N.T. Si le législateur avait voulu, lors de la réforme du *Code civil du Québec* en 1994, donner une telle portée aux dispositions du Code applicables au contrat de travail, il aurait conservé la formulation critiquée ou aurait à tout le moins été aussi explicite que dans la *Loi sur les normes du travail*.
Isidore Garon ltée c. *Tremblay; Fillion et Frères (1976) inc.* c. *Syndicat national des employés de garage du Québec inc.*, (2006) 1 R.C.S. 27, 2006 CSC 2 (par analogie).

93/9 Ce sont les droits et obligations substantiels des normes du travail qui sont inclus dans les conventions collectives, et non les recours et les procédures. Toutefois, le seul recours qui existe pour faire valoir le contenu d'une convention collective — que ce contenu ait été explicitement négocié par les parties ou encore qu'il découle de l'incorporation implicite des conditions de travail établies dans une loi — est l'arbitrage de griefs. Ainsi, le mandat de l'arbitre peut être limité à vérifier si la cessation d'emploi du salarié plaignant est contraire aux dispositions

substantielles de la *Loi sur les normes du travail*, et ce, à partir de la procédure d'arbitrage de griefs prévue à une convention collective.
Syndicat des salariées et salariés de la Fédération régionale de l'UPA de St-Jean—Valleyfield c. *Fédération régionale de l'UPA de St-Jean—Valleyfield (Sylvain Allard)*, (2005) R.J.D.T. 1374 (T.A.), D.T.E. 2005T-780 (T.A.).

93/10 La *Loi sur les normes du travail* est une loi d'ordre public qui lie la Couronne et dont l'objectif est d'assurer, en matière de conditions de travail, une protection minimale au salarié qui ne dispose d'aucun autre recours.
Beauchamp c. *Québec (Ministère des Communautés culturelles et de l'Immigration)*, (1994) C.T. 207, D.T.E. 94T-370 (C.T.).

93/11 Les normes contenues à la *Loi sur les normes du travail* constituent un minimum obligatoire, auquel ne peuvent déroger ni les contrats individuels ni les conventions collectives sous peine de nullité. Il ne peut y avoir entente entre les parties pour en éviter l'application, ni stratagème pour la contourner.
Produits Pétro-Canada inc. c. *Moalli*, (1987) R.J.Q. 261 (C.A.), D.T.E. 87T-58 (C.A.), J.E. 87-135 (C.A.).
Télé-Alarme T.S. inc. c. *Nadeau*, D.T.E. 93T-1129 (C.S.), J.E. 93-1719 (C.S.).
C.N.T. c. *9039-5367 Québec inc.*, D.T.E. 2001T-1175 (C.Q.), J.E. 2001-2232 (C.Q.), REJB 2001-27955 (C.Q.).
Groupe de décoration domiciliaire Impérial (Canada) U.L.C. c. *Syndicat des employées et employés des papiers peints Berkley (C.S.N.)*, D.T.E. 2003T-314 (T.A.) (règlement hors cour).
Syndicat des travailleuses et travailleurs d'Héma-Québec Montréal (C.S.N.) c. *Héma-Québec*, D.T.E. 2003T-393 (T.A.).
Gagnon c. *2753-3058 Québec inc.*, D.T.E. 95T-750 (C.T.).
Paul c. *9010-5115 Québec inc.*, D.T.E. 95T-1049 (C.T.).
General Motors du Canada ltée c. *Syndicat national des travailleurs et travailleuses de l'automobile, de l'aérospatiale et de l'outillage agricole du Canada, section locale 1163*, (1994) T.A. 776, D.T.E. 94T-974 (T.A.).
Moncion c. *Marché Jean Renaud inc.*, (1994) C.T. 199, D.T.E. 94T-313 (C.T.).
V. aussi: *Fraternité des policiers de la Ville de Terrebonne inc.* c. *Terrebonne (Ville de)*, D.T.E. 2005T-230 (T.A.).

93/12 Les dispositions de la *Loi sur les normes du travail* sont d'ordre public et elles sont réputées faire partie intégrante de toute convention collective.
Syndicat des employées et employés de métiers d'Hydro-Québec, section locale 1500 (SCFP-FTQ) c. *Hydro-Québec (Adrien Prescott)*, (2006) R.J.D.T. 462 (T.A.), D.T.E. 2006T-302 (T.A.).

93/13 La *Loi sur les normes du travail* fixe les normes minimales de travail qui doivent être appliquées par tout employeur de concert avec les règles négociées de la convention collective.
Travailleuses et travailleurs unis de l'alimentation et du commerce, section locale 503 c. *Roy*, D.T.E. 2007T-379 (C.S.) (appel accueilli à la seule fin de retourner le dossier à l'arbitrage: C.A.Q. n° 200-09-005868-077, le 21 avril 2008).

93/14 La Loi sur les normes est d'ordre public et une disposition d'une convention collective qui y déroge est nulle de plein droit.
Waterville T.G. inc. c. *Houde*, (1991) T.T. 194, D.T.E. 91T-336 (T.T.).

Syndicat canadien des communications, de l'énergie et du papier, section locale 420 c. *Smurfit-Stone – Usine – Pontiac (grief syndical)*, D.T.E. 2008T-871 (T.A.) (requête en révision judiciaire: n° 555-17-000017-084).
General Motors du Canada ltée c. *Syndicat national des travailleurs et travailleuses de l'automobile, de l'aérospatiale et de l'outillage agricole du Canada, section locale 1163*, (1994) T.A. 776, D.T.E. 94T-974 (T.A.).
Phelps c. *Exeltor inc.*, (1993) C.T. 393, D.T.E. 93T-815 (C.T.).

93/15 Nul besoin d'une clause d'intégration dans une convention collective pour que la *Loi sur les normes du travail* puisse s'appliquer à une situation donnée puisqu'il s'agit d'une loi d'ordre public.
C.N.T. c. *Claude et Marcel Martin inc.*, D.T.E. 94T-987 (C.Q.) (règlement hors cour).

93/16 Même en l'absence d'une mention à l'effet que la convention collective doit automatiquement être modifiée lorsqu'une loi ou un règlement d'ordre public prévoit une condition supérieure, la convention ne pourrait déroger à une disposition d'ordre public de la *Loi sur les normes du travail*, et ce, en fonction des dispositions de l'article 93 L.N.T.
Plastipro Canada ltée c. *Bureau conjoint de Montréal, syndicat du vêtement, textile et autres industries (F.T.Q.-C.T.C.)*, D.T.E. 2004T-386 (T.A.).

93/17 L'arbitre nommé en vertu du *Code du travail* pour disposer d'un grief déposé à l'encontre d'un congédiement sans cause juste et suffisante peut et doit déclarer nulle de plein droit toute disposition de la convention collective limitant sa compétence en deçà de ce que prévoit l'article 128 L.N.T., du moins lorsque le salarié justifie du service continu requis.
Phelps c. *Exeltor inc.*, (1993) C.T. 393, D.T.E. 93T-815 (C.T.).

93/18 L'article 93 L.N.T. ne réfère pas à l'ensemble de la convention collective, mais décrète qu'une disposition d'une convention ou d'un décret qui déroge à une norme du travail est nulle de plein droit.
C.N.T. c. *Ivi inc.*, (1987) R.J.Q. 2265 (C.Q.), D.T.E. 87T-875 (C.Q.), J.E. 87-1089 (C.Q.).
Phelps c. *Exeltor inc.*, (1993) C.T. 393, D.T.E. 93T-815 (C.T.).
Syndicat des infirmières et infirmiers de l'Est du Québec c. *Résidence Mont-Joli*, Arbitrage — Santé et services sociaux, 93A-305.

93/19 Un employeur ne peut se retrancher derrière les dispositions d'une convention collective, car la *Loi sur les normes du travail* est d'ordre public et a priorité.
Deschamps c. *Honeywell Amplitrol inc.*, D.T.E. 84T-320 (C.T.).

93/20 L'article 93 L.N.T. s'applique lorsqu'on ne peut démontrer qu'une clause spécifique d'une convention collective est plus avantageuse qu'une norme du travail.
Montréal (Ville de) c. *Association des pompiers de Montréal inc.*, D.T.E. 82T-874 (T.A.).

93/21 Une convention collective ne peut contenir de dispositions moins avantageuses que ce que prévoit la *Loi sur les normes du travail*.
Rizzo & Rizzo Shoes Ltd. (Re), (1998) 1 R.C.S. 27 (par analogie).

Montreal Standard c. *Middleton*, (1989) R.J.Q. 1101 (C.A.), D.T.E. 89T-429 (C.A.), J.E. 89-723 (C.A.).
Kruger inc., division du carton c. *Syndicat canadien de l'énergie et du papier, section locale 216 (grief collectif)*, D.T.E. 2008T-111 (T.A.).
Au petit coin breton inc. c. *Union des employés de restauration du Québec, local 102*, (1985) T.A. 720, D.T.E. 85T-857 (T.A.).

93/22 On ne peut, par une entente individuelle, déroger à cette loi d'ordre public.
Palerme c. *Café El Paso inc.*, (1965) R.D.T. 46 (C.S.).
Trépanier c. *Faucher*, (1965) C.S. 326.
C.N.T. c. *Rehel*, D.T.E. 96T-420 (C.Q.).
C.N.T. c. *International Forums inc.*, (1985) C.P. 1, D.T.E. 85T-8 (C.Q.), J.E. 85-17 (C.Q.).
C.N.T. c. *Stukely-Sud (Corp.)*, (1983) C.P. 29, D.T.E. 83T-187 (C.Q.), J.E. 83-260 (C.Q.).
C.N.T. c. *Beaurivage*, (1981) C.P. 47, J.E. 81-459 (C.Q.).
Commission du salaire minimum c. *Cantin*, (1965) R.D.T. 198 (C. Mag.).
Commission du salaire minimum c. *Restaurant l'Oiseau Bleu Enr. (Le)*, (1965) R.D.T. 195 (C. Mag.).
V. aussi: *C.N.T.* c. *Compagnie de construction Cris (Québec) ltée*, D.T.E. 93T-1188 (C.Q.), J.E. 93-1798 (C.Q.).

93/23 La *Loi sur les normes du travail*, qui est d'ordre public, a préséance sur le *Code civil du Québec*.
Association des cadres scolaires du Québec c. *Syndicat des employés de l'Association des cadres scolaires du Québec*, (1983) T.A. 693, D.T.E. 83T-566 (T.A.).

93/24 La forme que revêt l'engagement d'un salarié n'est d'aucune importance quant à l'application de cette loi d'ordre public.
Cléroux-Strasbourg c. *Gagnon*, (1986) R.J.Q. 2820 (C.A.), D.T.E. 86T-831 (C.A.), J.E. 86-1083 (C.A.).

93/25 Sont nulles et sans effet les clauses d'un contrat prévoyant un préavis inférieur aux normes minimales établies par la Loi sur les normes.
Machtinger c. *HOJ Industries Ltd.*, (1992) 1 R.C.S. 986 (par analogie).
Montreal Standard c. *Middleton*, (1989) R.J.Q. 1101 (C.A.), D.T.E. 89T-429 (C.A.), J.E. 89-723 (C.A.).
C.N.T. c. *Centre Lux ltée*, D.T.E. 94T-999 (C.Q.), J.E. 94-1422 (C.Q.).
Grosso c. *Métropolitaine Cie d'assurance-vie*, (1983) T.A. 1061, D.T.E. 83T-1003 (T.A.).

93/26 Un contrat de vente intervenu entre deux employeurs ne peut avoir pour effet d'écarter les droits d'un salarié au dépôt d'une plainte en vertu de l'article 124 L.N.T.
Télé-Alarme T.S. inc. c. *Nadeau*, D.T.E. 93T-1129 (C.S.), J.E. 93-1719 (C.S.).

93/27 Une entente levant l'obstacle au maintien de l'emploi d'un salarié qui atteindrait l'âge de 65 ans pendant la durée d'une convention collective, dans l'attente d'un consensus plus précis, n'est pas une dérogation à l'article 93 L.N.T.
Presse ltée (La) c. *Pouliot*, D.T.E. 84T-30 (T.T.).

Renonciation au bénéfice de la loi

93/28 La *Loi sur les normes du travail* est une loi d'ordre public et les parties à un contrat de travail ne peuvent y déroger, et ce, même si elles sont de bonne foi. Ses dispositions prévalent sur la renonciation même expresse à chacun des droits dévolus au salarié.
C.N.T. c. *3979229 Canada inc.*, (2008) R.J.D.T. 1058 (C.S.), D.T.E. 2008T-700 (C.S.), J.E. 2008-1706 (C.S.), EYB 2008-145462 (C.S.) (en appel: n° 500-09-019014-083).
C.N.T. c. *9039-5367 Québec inc.*, D.T.E. 2001T-1175 (C.Q.), J.E. 2001-2232 (C.Q.), REJB 2001-27955 (C.Q.).
C.N.T. c. *Vêtements Lithium Mfr. inc.*, D.T.E. 99T-689 (C.Q.).
C.N.T. c. *Gaudette-Gobeil*, D.T.E. 93T-568 (C.Q.), J.E. 93-950 (C.Q.).

93/29 Un salarié ne peut renoncer ou être forcé de renoncer à un avantage que lui procure la Loi sur les normes. De même, une telle renonciation n'empêche pas l'application de celle-ci.
400 Club Ltd. (The) c. *Commission du salaire minimum*, (1956) B.R. 713.
Télé-Alarme T.S. inc. c. *Nadeau*, D.T.E. 93T-1129 (C.S.), J.E. 93-1719 (C.S.).
Palerme c. *Café El Paso inc.*, (1965) R.D.T. 46 (C.S.).
C.N.T. c. *Blouin*, D.T.E. 2009T-63 (C.Q.), J.E. 2009-147 (C.Q.), EYB 2008-152566 (C.Q.).
C.N.T. c. *Carnaval de Québec inc.*, D.T.E. 2007T-893 (C.Q.), EYB 2007-129005 (C.Q.).
C.N.T. c. *D. Bertrand & Fils inc.*, (2001) R.J.D.T. 1765 (C.Q.), D.T.E. 2001T-992 (C.Q.), J.E. 2001-1889 (C.Q.), REJB 2001-27273 (C.Q.).
C.N.T. c. *2429-5040 Québec inc.*, D.T.E. 96T-602 (C.Q.), J.E. 96-1040 (C.Q.).
Côté c. *Placements M. & A. Brown inc.*, D.T.E. 87T-956 (C.Q.), J.E. 87-1193 (C.Q.).
C.N.T. c. *St-Raymond Plymouth Chrysler inc.*, D.T.E. 86T-935 (C.Q.), J.E. 86-1155 (C.Q.).
C.N.T. c. *Beaurivage*, (1981) C.P. 47, J.E. 81-459 (C.Q.).
Commission du salaire minimum c. *Restaurant Nirvana (1973) inc.*, (1980) R.L. 503 (C.Q.).
Commission du salaire minimum c. *Navigation Harvey et Frères inc.*, (1974) R.D.T. 378 (C.Q.).
Commission du salaire minimum c. *Cantin*, (1965) R.D.T. 198 (C. Mag.).
Matthias c. *Conso Graber Canada inc.*, D.T.E. 86T-934 (T.T.).
Boucher c. *Pliages Apaulo inc.*, D.T.E. 96T-148 (C.T.).

93/30 Un syndicat ne peut renoncer au nom de ses membres à une disposition d'ordre public prévue à la *Loi sur les normes du travail*; seul le salarié peut le faire personnellement, mais pas à l'avance, il peut y renoncer seulement lorsque le droit est acquis, c'est-à-dire né et actuel.
General Motors du Canada ltée c. *Syndicat national des travailleurs et travailleuses de l'automobile, de l'aérospatiale et de l'outillage agricole du Canada, section locale 1163*, (1994) T.A. 776, D.T.E. 94T-974 (T.A.).

93/31 La partie la plus faible, en faveur de laquelle la loi d'ordre public a été édictée, peut renoncer à son bénéfice puisque sa violation n'est sanctionnée que par une nullité relative. Toutefois, la renonciation n'est valide que si elle intervient après que ladite partie a acquis le droit qui découle de cette loi. C'est alors seulement qu'elle peut faire un choix éclairé entre la protection que la loi lui

accorde et les avantages qu'elle compte obtenir de son cocontractant en échange de la renonciation à cette protection.
Garcia Transport ltée c. *Cie Trust Royal*, (1992) 2 R.C.S. 499.
C.N.T. c. *S2I inc.*, (2005) R.J.D.T. 200 (C.Q.), D.T.E. 2005T-20 (C.Q.), J.E. 2005-32 (C.Q.), EYB 2004-80851 (C.Q.).
V. aussi: *C.N.T.* c. *D. Bertrand & Fils inc.*, (2001) R.J.D.T. 1765 (C.Q.), D.T.E. 2001T-992 (C.Q.), J.E. 2001-1889 (C.Q.), REJB 2001-27273 (C.Q.).
Cossette c. *Ed Archambault Musique inc.*, (1998) R.J.D.T. 1248 (C.T.), D.T.E. 98T-758 (C.T.), REJB 1998-06780 (C.T.) (révision judiciaire refusée: C.S.M. n° 500-05-042423-986, le 6 novembre 1998) (règlement hors cour).

93/32 Le fait d'attendre la rupture de son lien d'emploi, avant de porter plainte à la Commission des normes du travail, ne signifie pas qu'il y ait une renonciation aux bénéfices de la loi.
C.N.T. c. *9039-5367 Québec inc.*, D.T.E. 2001T-1175 (C.Q.), J.E. 2001-2232 (C.Q.), REJB 2001-27955 (C.Q.).
C.N.T. c. *Desjardins*, D.T.E. 99T-1099 (C.Q.), J.E. 99-2235 (C.Q.), REJB 1999-15506 (C.Q.).

93/33 On ne peut opposer à un salarié, une renonciation à ses droits en cas d'acceptation de sa part des sommes qui lui sont dues.
Martin c. *Crédit immobilier inc.*, (1982) T.A. 840, D.T.E. 82T-261 (T.A.).
Rioux c. *F.D.L. Co. ltée*, (1981) 1 R.S.A. 97, D.T.E. 82T-803 (T.A.).

93/34 On ne peut opposer à un salarié qu'il a renoncé au préavis que la Loi sur les normes lui garantit en raison de sa période de service continu, du fait qu'il a produit une réclamation dans la faillite de son employeur et qu'il a encaissé son dividende.
C.N.T. c. *Mécanique M. Blanchet inc.*, D.T.E. 2004T-508 (C.Q.), J.E. 2004-1052 (C.Q.), REJB 2004-61288 (C.Q.).

93/35 La renonciation du salarié à se prévaloir de la procédure de grief ne signifie pas que ce dernier a renoncé à une procédure de réparation prévue dans une convention collective au sens de l'article 124 L.N.T. et, ainsi, au recours prévu à cette disposition. Il est, certes, possible de renoncer à une disposition d'ordre public, mais seulement lorsque le droit qui y est prévu est acquis.
Perreault c. *Volcano Technologies inc.*, D.T.E. 98T-590 (C.T.).

93/36 L'on ne peut opposer une fin de non-recevoir (estoppel) à une disposition d'ordre public contenue dans la *Loi sur les normes du travail* puisqu'elle a préséance sur toutes conventions privées, lesquelles ne peuvent déroger aux lois qui intéressent l'ordre public et les bonnes moeurs.
General Motors du Canada ltée c. *Syndicat national des travailleurs et travailleuses de l'automobile, de l'aérospatiale et de l'outillage agricole du Canada, section locale 1163*, (1994) T.A. 776, D.T.E. 94T-974 (T.A.).

93/37 L'acceptation par un salarié d'un salaire inférieur au salaire minimum n'empêche pas celui-ci, ni la Commission de réclamer par la suite la différence entre ce salaire et le salaire minimum.
Palerme c. *Café El Paso inc.*, (1965) R.D.T. 46 (C.S.).
C.N.T. c. *9039-5367 Québec inc.*, D.T.E. 2001T-1175 (C.Q.), J.E. 2001-2232 (C.Q.), REJB 2001-27955 (C.Q.).
V. aussi: *C.N.T.* c. *Deschênes*, D.T.E. 2007T-477 (C.Q.), EYB 2007-119655 (C.Q.).

93/38 Les parties n'ont pas la liberté de déroger à une norme du travail par les clauses d'un contrat individuel de travail, ainsi, un salarié ne peut renoncer à l'avance au recours prévu à l'article 124 L.N.T.
Martin c. *Cie d'assurances du Canada sur la vie*, (1987) R.J.Q. 514 (C.A.), D.T.E. 87T-247 (C.A.), J.E. 87-357 (C.A.).
Boucher c. *Pliages Apaulo inc.*, D.T.E. 96T-148 (C.T.).
Voyer c. *Alimentation Jonlac inc.*, D.T.E. 90T-1102 (T.A.).

93/39 Un employeur ne peut s'entendre avec un salarié afin d'éviter le paiement d'heures supplémentaires et ainsi offrir des conditions de travail moindres que ce que prévoit la *Loi sur les normes du travail*.
C.N.T. c. *Sables Dickie inc.*, D.T.E. 2000T-183 (C.Q.).
V. aussi: *C.N.T.* c. *Carnaval de Québec inc.*, D.T.E. 2007T-893 (C.Q.), EYB 2007-129005 (C.Q.).

93/40 L'acceptation par un salarié des bénéfices d'une rente de retraite anticipée, versée par l'employeur, ne libère pas ce dernier de ses obligations légales prévues à la *Loi sur les normes du travail*.
C.N.T. c. *Cie minière I.O.C.*, D.T.E. 95T-397 (C.A.), J.E. 95-672 (C.A.).

93/41 L'acceptation par un salarié d'un contrat de vente d'actions ne peut l'empêcher de réclamer le préavis prévu par les dispositions de la *Loi sur les normes du travail*.
C.N.T. c. *D. Bertrand & Fils inc.*, (2001) R.J.D.T. 1765 (C.Q.), D.T.E. 2001T-992 (C.Q.), J.E. 2001-1889 (C.Q.), REJB 2001-27273 (C.Q.).

93/42 Une clause de résiliation ne donnant pas droit au préavis, signée par un salarié lors de la prise en charge de l'entreprise par un gestionnaire, ne peut lui être opposée, et ce, compte tenu des dispositions de l'article 93 L.N.T.
Paul c. *9010-5115 Québec inc.*, D.T.E. 95T-1049 (C.T.).

Juridiction

93/43 Lorsqu'un arbitre de griefs doit interpréter les dispositions de la *Loi sur les normes du travail* pour disposer d'un grief, il interprète et applique une loi non constitutive de portée générale. Il doit alors décider de son applicabilité au cas qui lui est soumis.
Syndicat des employées et employés de soutien du Cégep André-Laurendeau c. *Lavoie*, D.T.E. 2007T-354 (C.S.), EYB 2007-113496 (C.S.) (appel rejeté: D.T.E. 2007T-970 (C.A.), J.E. 2007-2239 (C.A.), EYB 2007-125888 (C.A.)).

93/44 Il est maintenant établi que si une règle est incompatible avec le régime collectif des relations de travail, elle ne peut être incorporée dans la convention collective et elle doit être exclue. Toutefois, si elle s'avère compatible et qu'il s'agit d'une norme supplétive ou impérative, l'arbitre a compétence pour l'appliquer. La subordination du contrat individuel au régime collectif permet de réconcilier les intérêts collectifs avec les intérêts individuels là où ces derniers peuvent subsister sans entraver la bonne marche des relations collectives. Ainsi, par le mécanisme de l'incorporation des normes impératives compatibles et le recours aux conditions implicites, le régime collectif forme un ensemble juridique cohérent. Tout ce qui est inscrit au *Code civil du Québec* n'est donc pas

incorporé implicitement dans une convention collective, seulement ce qui est compatible.
Isidore Garon ltée c. *Tremblay; Fillion et Frères (1976) inc.* c. *Syndicat national des employés de garage du Québec inc.*, (2006) 1 R.C.S. 27, 2006 CSC 2 (par analogie).

93/45 Un tribunal d'arbitrage a compétence pour décider qu'une disposition de la convention déroge aux normes, qui, selon l'article 93 L.N.T. sont d'ordre public, et ordonner à l'employeur de s'y conformer.
Interlitho inc. c. *Syndicat international des arts graphiques (local 555-27-L)*, (1984) T.A. 733, D.T.E. 84T-874 (T.A.).
V. aussi: *Syndicat des infirmières et infirmiers de l'Est du Québec* c. *Résidence Mont-Joli*, Arbitrage — Santé et services sociaux, 93A-305.

93/46 Le fait que les parties à une convention collective n'accordent pas le droit au grief lorsqu'il s'agit de contester les motifs de l'employeur de ne pas réengager un salarié, ne peut pas être interprété comme une contravention à la *Loi sur les normes du travail*, le salarié conservant ses recours en vertu de cette Loi.
Syndicat de l'enseignement de l'Estrie c. *Commission scolaire des Sommets*, D.T.E. 2000T-422 (C.S.).

93/47 Le non-respect d'une loi et la dérogation possible de la convention à cette loi relèvent des tribunaux de droit commun, sauf exception spécifique.
York division Borg Warner c. *Syndicat des métallos, local 6333*, (1986) T.A. 161, D.T.E. 86T-211 (T.A.).

93/48 Les dispositions de la *Loi sur les normes du travail*, lesquelles sont réputées écrites dans une convention collective, sont d'ordre public. Ainsi, un arbitre ne peut refuser de prendre en considération ces dispositions sous prétexte qu'elles débordent du cadre de sa compétence.
Gélineau c. *Bergevin*, D.T.E. 91T-1246 (C.S.).

93/49 L'arbitre de griefs a compétence pour donner effet à une disposition de la *Loi sur les normes du travail*, dans la mesure où il doit se référer à cette disposition pour décider du grief dont il est saisi.
Fraternité internationale des ouvriers en électricité, section locale 2365 c. *Télébec ltée*, D.T.E. 93T-1304 (T.A.).

93/50 Ce n'est pas parce qu'une loi est d'ordre public que l'arbitre peut l'incorporer dans une convention collective de sorte qu'une violation de la loi devienne une mésentente arbitrable.
C.N.T. c. *Béatrice Foods inc.*, D.T.E. 97T-1172 (C.Q.).
E. Harnois ltée c. *Syndicat des employés de la biscuiterie Harnois de Joliette*, D.T.E. 99T-89 (T.A.).
Hôpital Charles Lemoyne c. *Association professionnelle des technologistes médicaux du Québec*, D.T.E. 93T-946 (T.A.).
Société d'électrolyse et de chimie Alcan ltée (division énergie électrique) c. *Syndicat national des employés de bureau — département énergie électrique*, D.T.E. 86T-290 (T.A.).

93/51 À moins d'indication claire dans la *Loi sur les normes du travail*, aucune disposition de cette loi n'est réputée intégrée dans une convention collective. La simple allégation d'une contravention à la *Loi sur les normes du travail* ne

saurait donc donner ouverture, en soi, à la procédure de griefs prévue à une convention collective. Cependant, l'article 100.12*a*) du *Code du travail* permet d'incorporer à la convention collective une ou des dispositions législatives, dans la mesure où cela est nécessaire pour décider d'un grief ou d'une matière pour laquelle l'arbitre de griefs a compétence selon la convention collective.
Super C, division d'Épiciers unis Métro-Richelieu inc. c. *Union internationale des travailleurs et travailleuses unis de l'alimentation et du commerce, section locale 500*, D.T.E. 95T-1427 (T.A.) (révision judiciaire refusée: D.T.E. 97T-33 (C.S.)).

93/52 Une objection à la juridiction peut, dans le cas d'un recours prévu dans une loi d'ordre public, toujours être soulevée, en tout état de cause, à n'importe quel moment au cours de l'audition ou de la plaidoirie.
Simard c. *Groupe S.N.C.*, D.T.E. 85T-334 (C.T.).

Dispositions d'ordre public

93/53 On ne peut faire échec à l'application de la notion de salarié contenue dans les dispositions de la *Loi sur les normes du travail*, car celle-ci est d'ordre public.
C.N.T. c. *Bureau d'éthique commerciale de Montréal inc.*, D.T.E. 2000T-409 (C.Q.).
Landry c. *Matériaux à bas prix ltée*, D.T.E. 2004T-1098 (C.R.T.).

93/54 La règle des vacances annuelles est une disposition d'ordre public à laquelle il ne peut être dérogé.
C.N.T. c. *Léger*, D.T.E. 85T-55 (C.Q.).
V. aussi: *C.N.T.* c. *Beaurivage*, (1981) C.P. 47, J.E. 81-459 (C.Q.).

93/55 La règle du paiement des jours fériés est une disposition d'ordre public à laquelle on ne peut déroger.
C.N.T. c. *Béatrice Foods inc.*, D.T.E. 97T-1172 (C.Q.).

93/56 Le recours prévu à l'article 124 L.N.T., constitue une norme de travail.
Malo c. *Côté-Desbiolles*, (1995) R.J.Q. 1686 (C.A.), D.T.E. 95T-827 (C.A.), J.E. 95-1438 (C.A.) (autorisation d'appeler à la Cour suprême refusée).
Martin c. *Cie d'assurances du Canada sur la vie*, (1987) R.J.Q. 514 (C.A.), D.T.E. 87T-247 (C.A.), J.E. 87-357 (C.A.).
Produits Pétro-Canada inc. c. *Moalli*, (1987) R.J.Q. 261 (C.A.), D.T.E. 87T-58 (C.A.), J.E. 87-135 (C.A.).
Produits Shell Canada ltée c. *Martin*, D.T.E. 88T-260 (C.S.).
Schneidman c. *London Life, Cie d'assurance-vie*, D.T.E. 95T-1372 (C.T.).
Phelps c. *Exeltor inc.*, (1993) C.T. 393, D.T.E. 93T-815 (C.T.).

93/57 L'article 124 L.N.T. ne constitue pas une norme minimale de travail et ne peut être implicitement incorporé aux conventions collectives.
Commission scolaire des Sommets c. *Rondeau*, (2006) R.J.D.T. 543 (C.S.), D.T.E. 2006T-345 (C.S.), EYB 2006-102547 (C.S.) (appel rejeté: C.A.Q. n° 200-09-005566-069, le 2 juin 2008).
V. aussi: *Mont-Tremblant (Ville de)* c. *Poulin*, (2006) R.J.D.T. 821 (C.R.T.), D.T.E. 2006T-530 (C.R.T.) (révision judiciaire refusée: D.T.E. 2006T-1090 (C.S.)) (appel rejeté: D.T.E. 2008T-562 (C.A.), J.E. 2008-1355 (C.A.)).

93/58 Une clause d'un contrat individuel de travail restreignant le droit d'un salarié de contester un congédiement sans cause juste et suffisante suivant

l'article 124 L.N.T., doit être déclarée nulle de plein droit et inopposable au commissaire saisi d'une plainte à l'encontre du congédiement.
Martin c. *Cie d'assurances du Canada sur la vie*, (1987) R.J.Q. 514 (C.A.), D.T.E. 87T-247 (C.A.), J.E. 87-357 (C.A.).
Phelps c. *Exeltor inc.*, (1993) C.T. 393, D.T.E. 93T-815 (C.T.).

93/59 Est nulle toute clause d'une convention collective qui viendrait faire échec au recours prévu à l'article 124 L.N.T. en raison du caractère d'ordre public de la loi. Tel serait le cas si un syndicat renonçait à l'avance, pour l'ensemble des salariés, à l'utilisation du recours prévu par la loi. Toutefois, les parties à une convention collective ne dérogent pas à une norme d'ordre public lorsque le recours prévu à l'article 124 L.N.T. est toujours disponible au salarié, pour autant qu'il dépose sa plainte conformément à la loi.
Commission scolaire des Sommets c. *Rondeau*, (2006) R.J.D.T. 543 (C.S.), D.T.E. 2006T-345 (C.S.), EYB 2006-102547 (C.S.) (appel rejeté: C.A.Q. n° 200-09-005566-069, le 2 juin 2008).
V. aussi: *Mont-Tremblant (Ville de)* c. *Poulin*, (2006) R.J.D.T. 821 (C.R.T.), D.T.E. 2006T-530 (C.R.T.) (révision judiciaire refusée: D.T.E. 2006T-1090 (C.S.)) (appel rejeté: D.T.E. 2008T-562 (C.A.), J.E. 2008-1355 (C.A.)).

93/60 Le fait que les dispositions des articles 122 et 124 L.N.T. soient d'ordre public ne rend pas inopérantes les dispositions incompatibles d'une autre loi.
Pothier c. *Notre-Dame-de-la-Merci (Municipalité de)*, D.T.E. 98T-319 (C.A.), J.E. 98-659 (C.A.).

93/61 En vertu de l'article 93 L.N.T. le droit au préavis, reconnu par la Loi sur les normes est une norme du travail.
Pronovost c. *Atelier de carrosserie et mécanique Damo St-Laurent inc.*, (1984) T.A. 171, D.T.E. 84T-252 (T.A.).

93/62 Le droit à une indemnité juste et raisonnable et le droit à la réintégration dans son emploi découlent des dispositions d'ordre public de la *Loi sur les normes du travail.*
Société de gestion Hyber ltée (Syndic de), D.T.E. 98T-114 (C.S.), J.E. 98-155 (C.S.).

93/63 La *Loi sur les normes du travail* est une loi d'ordre public qui fixe les conditions minimales reconnues à un salarié. Ainsi, malgré l'erreur de la Commission des normes du travail dans la confection d'une mise en demeure, omettant une semaine d'indemnité tenant lieu de préavis, le salarié a quand même droit à l'indemnité totale.
C.N.T. c. *Location de linge Métro ltée*, D.T.E. 96T-768 (C.Q.).

93/64 La renonciation par un salarié au préavis de l'article 1668 du *Code civil du Bas-Canada* (maintenant art. 2091 C.C.Q.) est valide.
Paradis c. *Cie Crawley et McCracken ltée*, D.T.E. 87T-33 (C.Q.).

N.B. Cette situation n'est plus légale, compte tenu des prescriptions impératives de l'article 2092 C.C.Q.

93/65 La *Loi sur les normes du travail*, qui est d'ordre public, a préséance sur les dispositions d'un contrat de travail et les règles de droit commun.
Bingo Les Saules inc. c. *C.N.T.*, D.T.E. 99T-289 (C.S.) (appel rejeté sur requête).

93/66 Il ne peut y avoir de transaction par laquelle la Commission des normes du travail accepte un règlement sans même avoir le consentement du salarié concerné puisque les dispositions de la *Loi sur les normes du travail* sont des dispositions d'ordre public pour lesquelles il ne peut y avoir de dérogation.
Québec (Commission des normes du travail) c. *2628-9173 Québec inc.*, LPJ-96-5765 (C.Q.).

93/67 Une ville ne peut adopter de règlement concernant le salaire minimum, parce que cela est contraire à la *Loi sur les normes du travail* et à l'ordre public.
Syndicat des cols blancs de Gatineau c. *Gatineau (Ville de)*, D.T.E. 85T-592 (C.S.), J.E. 85-719 (C.S.).

93/68 Il est contraire à l'ordre public d'exiger d'un salarié de se présenter au travail sans être rémunéré.
Beaudoin c. *Motel Le montagnard inc.*, D.T.E. 96T-769 (C.T.) (appel rejeté: T.T.M. n° 500-28-000285-965, le 18 décembre 1996).

93/69 Il est contraire à l'ordre public d'exiger d'un salarié qu'il soit présent pendant toute la nuit dans une résidence pour personnes âgées en lui payant seulement une partie des heures de présence.
C.N.T. c. *Pouliot*, D.T.E. 2006T-746 (C.Q.).

93/70 Est une norme d'ordre public, la norme prévue à l'article 43 L.N.T. prévoyant que le salarié a droit de réclamer d'être payé et de l'être à intervalles réguliers pour la prestation de travail qu'il a fournie.
Bouberaouat c. *Groupe Tecnum inc.*, (2005) R.J.D.T. 1641 (C.R.T.), D.T.E. 2005T-989 (C.R.T.).

93/71 Un salarié peut refuser de participer au partage des pourboires, puisqu'il a le droit de les recevoir selon des dispositions d'ordre public. De plus, il s'agit d'une exception à la règle «obéir d'abord, se plaindre ensuite».
Émond c. *147564 Canada inc.*, D.T.E. 2001T-1154 (C.T.).

93/72 Aucun contrat ne peut contredire les termes de l'article 97 L.N.T. puisqu'il s'agit d'une disposition d'ordre public.
Kucyniak c. *3090-9626 Québec inc.*, D.T.E. 95T-1143 (C.T.) (requête en révision judiciaire: n° 500-05-008877-951).

Divers

93/73 L'expression «normes du travail» se rapporte à tout droit et tout avantage que la loi confère au salarié.
Produits Pétro-Canada inc. c. *Moalli*, (1987) R.J.Q. 261 (C.A.), D.T.E. 87T-58 (C.A.), J.E. 87-135 (C.A.).
C.N.T. c. *S2I inc.*, (2005) R.J.D.T. 200 (C.Q.), D.T.E. 2005T-20 (C.Q.), J.E. 2005-32 (C.Q.), EYB 2004-80851 (C.Q.).

93/74 Les définitions prévues à l'article 1 de la *Loi sur les normes du travail* ne constituent pas des normes au sens de la loi puisque ce sont des définitions. Donc, on ne peut se baser sur l'article 93 L.N.T. pour conclure qu'elles sont d'ordre public.
Métallurgistes unis d'Amérique, section locale 9324 c. *Compagnie Sorevco inc.*, (2003) R.J.D.T. 1751 (T.A.), D.T.E. 2003T-924 (T.A.).

93/75 Les définitions prévues à l'article 1 de la *Loi sur les normes du travail* ne constituent pas des normes d'ordre public auxquelles on ne peut déroger.
C.N.T. c. *Desjardins Sécurité financière, compagnie d'assurance-vie*, D.T.E. 2005T-122 (C.Q.), J.E. 2005-232 (C.Q.), EYB 2004-85717 (C.Q.).
Travailleuses et travailleurs unis de l'alimentation et du commerce, section locale 501 c. *Diageo Canada inc.*, (2004) R.J.D.T. 1794 (T.A.), D.T.E. 2004T-1164 (T.A.).

93/76 La définition de salaire prévue par les dispositions de l'article 1 L.N.T. ne constitue pas une norme du travail au sens de la loi. Ainsi, le caractère d'ordre public des normes du travail ne vise pas les définitions énoncées à l'article 1 L.N.T.
C.N.T. c. *Desjardins Sécurité financière, compagnie d'assurance-vie*, D.T.E. 2005T-122 (C.Q.), J.E. 2005-232 (C.Q.), EYB 2004-85717 (C.Q.).
Sobeys Québec inc. (Montréal-Nord) c. *Travailleuses et travailleurs unis de l'alimentation et du commerce, section locale 501*, D.T.E. 2004T-150 (T.A.).

93/77 Le paragraphe 9 de l'article 1 L.N.T. relatif à la définition de salaire n'est pas d'ordre public.
Syndicat national du lait inc. (CSD) c. *G.M. Lemay inc. (grief syndical)*, D.T.E. 2006T-185 (T.A.).

93/78 Un employeur ne peut, par subterfuge, priver un salarié des avantages prévus à une loi d'ordre public.
Commission du salaire minimum c. *City Buick Pontiac ltée*, J.E. 77-27 (C.Q.).

93/79 Que l'octroi d'un boni soit conditionnel à un avis de départ de sept jours, n'est pas contraire à l'ordre public.
Tremblay c. *Entreprises minières Redpath ltée*, D.T.E. 89T-305 (C.Q.).

93/80 Une clause abusive d'un contrat de travail qui empêche un salarié de profiter des bénéfices de la *Loi sur les normes du travail* est inopposable à celui-ci.
C.N.T. c. *Desjardins Sécurité financière, compagnie d'assurance-vie*, D.T.E. 2005T-122 (C.Q.), J.E. 2005-232 (C.Q.), EYB 2004-85717 (C.Q.).

93/81 Un règlement qui empêche un employé d'utiliser à son profit l'argent de son employeur ne constitue pas une disposition qui déroge à une norme du travail.
Radio Shack c. *Gratton*, D.T.E. 90T-458 (T.A.).

93/82 Un contrat type, préparé à l'avance, n'est pas nécessairement un contrat d'adhésion contenant des clauses abusives.
C.N.T. c. *Camions international Élite ltée*, (2000) R.J.Q. 1641 (C.Q.), (2000) R.J.D.T. 565 (C.Q.), D.T.E. 2000T-473 (C.Q.), J.E. 2000-1035 (C.Q.), REJB 2000-18716 (C.Q.).

93/83 V. la jurisprudence sous l'article 94 L.N.T.

93/84 V. BAUDOUIN, J.-L. et JOBIN, P.-G., *Les obligations*, 6e éd. par JOBIN, P.-G. avec la collaboration de VÉZINA, N., Cowansville, Les Éditions Yvon Blais inc., 2005, nos 135 et ss., p. 201 et ss.

93/85 V. BÉLIVEAU, N.-A., *Les normes du travail*, Cowansville, Les Éditions Yvon Blais inc., 2003, p. 269 à 273.

93/86 V. BERNARD, P., *La notion d'ordre public en droit administratif*, Paris, Librairie générale de droit et de jurisprudence, 1962.

93/87 V. BICH, M.-F., «Contrat de travail et *Code civil du Québec* — Rétrospective, perspectives et expectatives», dans *Développements récents en droit du travail (1996)*, Formation permanente du Barreau du Québec, Cowansville, Les Éditions Yvon Blais inc., 1996, p. 189, p. 262 à 267.

93/88 V. BICH, M.-F., «Le contrat de travail», dans *La réforme du Code civil*, t. II, Barreau du Québec et Chambre des notaires du Québec, Ste-Foy, Les Presses de l'Université Laval, 1993, p. 741, n°s 21 à 33, p. 781 à 785.

93/89 V. BRIÈRE, J.-Y. et VILLAGGI, J.-P., *Relations de travail*, vol. 2, (édition à feuilles mobiles), Brossard, Les Publications CCH ltée, p. 8,461 à 8,465.

93/90 V. CAZA, C., «Le contrat de travail et le *Code civil du Québec*: continuité ou rupture?», dans *Congrès annuel du Barreau du Québec (1995)*, Montréal, Formation permanente du Barreau du Québec, 1995, p. 857, p. 902 à 904.

93/91 V. COIPEL, M., «La liberté contractuelle et la conciliation optimale du juste et de l'utile», (1990) 24 *R.J.T.* 485.

93/92 V. DE VAREILLES-SOMMIÈRES, M., *Des lois d'ordre public et de la dérogation aux lois*, Paris, Librairie Cotillon, 1899.

93/93 V. DUBÉ, J.-L. et DI IORIO, N., *Les normes du travail*, 2e éd., Sherbrooke, Les Éditions Revue de droit — Université de Sherbrooke, 1992, p. 240 à 246.

93/94 V. DUPONT, R. et LESAGE, L., «L'arrêt *Isidore Garon*», dans *L'ABC des cessations d'emploi et des indemnités de départ (2006)*, Formation continue du Barreau du Québec, Cowansville, Les Éditions Yvon Blais inc., 2006, p. 39.

93/95 V. FARJAT, G., *L'ordre public économique*, Paris, Librairie générale de droit et de jurisprudence, 1963.

93/96 V. GAGNON, R.P., LEBEL, L. et VERGE, P., *Droit du travail*, 2e éd., Ste-Foy, Les Presses de l'Université Laval, 1991, p. 152 à 153.

93/97 V. LAPORTE, P., «Le caractère d'ordre public des dispositions de la Loi sur les normes du travail», (1987) 42 *R.I.* 398.

93/98 V. LLOYD, D., *Public Policy: a comparative study in English and French Law*, University of London, The Athlone Press, 1953.

93/99 V. MIGNAULT, P.-B., *Le droit civil canadien*, t. 1, Montréal, C. Théoret, 1895, p. 121 à 128.

93/100 V. MORIN, F., *Rapports collectifs du travail*, 2e éd., Montréal, Les Éditions Thémis inc., 1991, p. 426 et 427.

93/101 V. PATRY, R., «Les sanctions de la violation de la règle d'ordre public dans les conventions entre particuliers», (1957-58) 3 *C. de D.* 92.

93/102 V. PERRAULT, A., «Ordre public et bonnes moeurs», (1949) 9 *R. du B.* 1.

93/103 V. RIPERT, G., «L'ordre économique et la liberté contractuelle», dans *Recueil d'études sur les sources du droit en l'honneur de François Gény*, t. II: *Les sources du droit*, Paris, Librairie du Recueil Sirey, 1934, p. 347 à 353.

93/104 V. THORNICROFT, K., «Labour Law – Termination of Employment – Contractual Notice Less than Required by Employment Standards Act, R.S.O. 1980 – Is Employee Entitled to Statutory Notice or Reasonable Notice?: *Machtinger* v. *HOJ Industries Limited*; *Lefebvre* v. *HOJ Industries Limited*», (1993) 72 *R. du B. can.* 85.

art. 94

94/1 La *Loi sur les normes du travail* est d'ordre public et un employeur ne peut y déroger à moins de consentir des conditions de travail plus avantageuses pour les salariés.
Lalanne c. *St-Jean-sur-Richelieu (Ville de)*, D.T.E. 2001T-117 (C.S.), J.E. 2001-312 (C.S.), REJB 2001-22048 (C.S.) (règlement hors cour).

94/2 L'article 94 L.N.T. n'exclut pas les normes de la loi ni ne déclare que celles-ci doivent être oubliées. Il édicte que, du moment que la norme minimale est respectée, la convention peut être plus avantageuse.
C.N.T. c. *Ivi inc.*, (1987) R.J.Q. 2265 (C.Q.), D.T.E. 87T-875 (C.Q.), J.E. 87-1089 (C.Q.).
Beloit Canada ltée c. *Syndicat national de l'industrie métallurgique de Sorel inc. (C.S.N.)*, D.T.E. 92T-367 (T.A.).

94/3 La méthode d'analyse à appliquer pour déterminer si les dispositions d'une convention collective violent la *Loi sur les normes du travail* consiste à vérifier, dans un premier temps, quelle est la norme prévue par la *Loi sur les normes du travail* et, ensuite, vérifier si les dispositions de la convention collective s'y conforment.
Plastique Micron inc. c. *Blouin*, (2003) R.J.Q. 1070 (C.A.), (2003) R.J.D.T. 631 (C.A.), D.T.E. 2003T-389 (C.A.), J.E. 2003-773 (C.A.), REJB 2003-39877 (C.A.).
Syndicat canadien des communications, de l'énergie et du papier, section locale 420 c. *Smurfit-Stone – Usine – Pontiac (grief syndical)*, D.T.E. 2008T-871 (T.A.) (requête en révision judiciaire: n° 555-17-000017-084).

94/4 Les ententes dérogatoires l'emportent sur les normes minimales en autant qu'elles offrent plus d'avantages pour le salarié.
Hull (Cité de) c. *Commission du salaire minimum*, (1983) C.A. 186, D.T.E. 83T-166 (C.A.), J.E. 83-229 (C.A.).
Commission du salaire minimum c. *Cie de Transport St-Maurice*, (1976) C.P. 37.
Commission du salaire minimum c. *Boisvert*, (1972) R.D.T. 145 (C.Q.).
RETAQ-CSN c. *CETAM (Coopérative des techniciens ambulanciers de la Montérégie) (Gino Tremblay et grief collectif)*, (2006) R.J.D.T. 897 (T.A.), D.T.E. 2006T-450 (T.A.) (requête en révision judiciaire: n° 500-17-030716-065).

94/5 Les parties à une convention collective ne peuvent négocier des conditions de travail globalement plus généreuses, pour un certain nombre de salariés, que celles prévues à la *Loi sur les normes du travail*, mais moins généreuses pour les salariés ayant moins de cinq ans de service continu.
Fraternité des policiers de Le Gardeur — Charlemagne inc. c. *Le Gardeur (Ville de)*, D.T.E. 99T-1158 (T.A.).

94/6 La *Loi sur les normes du travail* est une loi d'ordre public à laquelle on ne peut déroger par une convention collective, à moins que celle-ci n'accorde une condition de travail plus avantageuse.
Québec (Ville de) c. *Blais*, (1999) R.J.D.T. 163 (T.T.), D.T.E. 99T-67 (T.T.), REJB 1998-10046 (T.T.).
Rimouski (Ville de) c. *Fraternité des policiers de Rimouski*, D.T.E. 96T-251 (T.A.).
Syndicat des infirmières et infirmiers de l'Est du Québec c. *Résidence Mont-Joli*, Arbitrage — Santé et services sociaux, 93A-305.
Exposervice Standard inc. c. *Union des routiers, brasseries, liqueurs douces et ouvriers de diverses industries, local 1999*, D.T.E. 86T-648 (T.A.).

94/7 La *Loi sur les normes du travail* ne vise que la protection des normes minimales. Ainsi, le calcul du salaire, aux fins d'une convention collective, peut se faire en excluant de ce montant certains des éléments que mentionne la définition de salaire prévue à la *Loi sur les normes du travail*, du moment que le résultat n'a pas pour effet d'accorder à l'employé moins que ce qui est prévu à la loi.
Syndicat canadien de la fonction publique, section locale 2808 (employés de bureau) c. *Ménard*, D.T.E. 98T-244 (C.S.), REJB 1998-04463 (C.S.) (appel rejeté: C.A.Q. n° 200-09-001898-987, le 12 septembre 2000).

94/8 Pour qu'une convention collective prime la *Loi sur les normes du travail* ou un règlement, elle ne doit qu'y ajouter des dispositions plus avantageuses, sans retrancher ou diminuer ce que la loi ou le règlement reconnaissent.
Waterville T.G. inc. c. *Houde*, D.T.E. 90T-1057 (T.T.) (révision judiciaire accueillie pour d'autres motifs: (1990) R.J.Q. 2861 (C.S.), D.T.E. 90T-1311 (C.S.), J.E. 90-1649 (C.S.)).
Syndicat des communications graphiques, section locale 41 M c. *Gazette (The), une division de Canwest Mediaworks (grief syndical)*, D.T.E. 2006T-402 (T.A.).

94/9 L'article 94 L.N.T. édicte qu'une convention peut avoir pour effet d'accorder à un salarié des conditions de travail plus avantageuses qu'une norme prévue par la loi, mais cela ne signifie pas qu'une telle convention acquiert alors le caractère juridique d'une norme.
Azur Caoutchouc Canada inc. c. *Chassé*, D.T.E. 95T-1200 (T.T.).

94/10 Lorsqu'une partie invoque en arbitrage de griefs l'application des dispositions de la *Loi sur les normes du travail*, il est plus que raisonnable que l'arbitre interprète d'abord les dispositions de la convention collective puisque l'article 94 L.N.T. indique qu'une convention peut avoir pour effet d'accorder à un salarié une condition de travail plus avantageuse qu'une norme prévue par la loi ou les règlements. Cependant, lorsque l'arbitre de griefs conclut que les dispositions de la convention ne s'appliquent pas à un type de salarié qui occupe plus d'un emploi, il est tenu dans ce cas de vérifier l'effet des dispositions de la *Loi sur les normes du travail*. Si l'arbitre omet d'appliquer ou même de considérer l'application de la Loi, il rend alors une décision manifestement déraisonnable.

Syndicat des employées et employés de soutien du Cégep André-Laurendeau c. *Lavoie*, D.T.E. 2007T-354 (C.S.), EYB 2007-113496 (C.S.) (appel rejeté: D.T.E. 2007T-970 (C.A.), J.E. 2007-2239 (C.A.), EYB 2007-125888 (C.A.)).

94/11 Lorsqu'il s'agit de déterminer si une clause d'une convention collective est plus généreuse qu'une norme, il faut comparer les dispositions de la convention relatives à la condition de travail avec une norme précise de même nature et ayant le même objet.
Baribeau & Fils inc. c. *C.N.T.*, D.T.E. 96T-823 (C.A.), J.E. 96-1424 (C.A.).
Montreal Standard c. *Middleton*, (1989) R.J.Q. 1101 (C.A.), D.T.E. 89T-429 (C.A.), J.E. 89-723 (C.A.).
Commission scolaire des Trois-Lacs c. *Morin*, D.T.E. 2003T-1024 (C.S.), J.E. 2003-1972 (C.S.), REJB 2003-48535 (C.S.).
C.N.T. c. *Ivi inc.*, (1987) R.J.Q. 2265 (C.Q.), D.T.E. 87T-875 (C.Q.), J.E. 87-1089 (C.Q.).
Waterville T.G. inc. c. *Houde*, (1991) T.T. 194, D.T.E. 91T-336 (T.T.).
Syndicat démocratique des salariés du Château Frontenac (C.S.D.) c. *Château Frontenac*, D.T.E. 2004T-1058 (T.A.).
Fraternité des policiers de Le Gardeur — Charlemagne inc. c. *Le Gardeur (Ville de)*, D.T.E. 99T-1158 (T.A.).
General Motors du Canada ltée c. *Syndicat national des travailleurs et travailleuses de l'automobile, de l'aérospatiale et de l'outillage agricole du Canada, section locale 1163*, (1994) T.A. 776, D.T.E. 94T-974 (T.A.).
Syndicat des employés de magasins et de bureaux de la S.A.Q. c. *Société des alcools du Québec*, (1994) T.A. 827, D.T.E. 94T-970 (T.A.).
Syndicat canadien de la fonction publique, section locale 961 c. *Repentigny (Ville de)*, D.T.E. 92T-155 (T.A.).
Contra: *C.N.T.* c. *Cie minière I.O.C.*, (1987) R.J.Q. 1359 (C.S.), D.T.E. 87T-479 (C.S.), J.E. 87-715 (C.S.), inf. pour d'autres motifs à D.T.E. 95T-397 (C.A.), J.E. 95-672 (C.A.).
C.N.T. c. *Producteurs de sucre d'érable du Québec*, (1986) R.J.Q. 2763 (C.Q.), D.T.E. 86T-814 (C.Q.), J.E. 86-1057 (C.Q.).

94/12 Il revient à l'employeur de prouver qu'une condition de travail est plus avantageuse qu'une norme du travail prévue à la Loi sur les normes.
Montréal (Ville de) c. *Association des pompiers de Montréal inc.*, D.T.E. 82T-874 (T.A.).

94/13 Les dispositions de l'article 79.7 L.N.T. sont d'ordre public et, en vertu de l'article 94 L.N.T., les parties à une convention collective peuvent y déroger si elles accordent une condition de travail plus avantageuse.
Syndicat canadien des communications, de l'énergie et du papier, section locale 175 c. *Pétro-Canada – Raffinerie de Montréal (Serge Perron et grief syndical)*, D.T.E. 2007T-125 (T.A.).

94/14 Les dérogations aux normes minimales du travail doivent s'interpréter restrictivement.
Montreal Standard c. *Middleton*, (1989) R.J.Q. 1101 (C.A.), D.T.E. 89T-429 (C.A.), J.E. 89-723 (C.A.).
C.N.T. c. *Stukely-Sud (Corp.)*, (1983) C.P. 29, D.T.E. 83T-187 (C.Q.), J.E. 83-260 (C.Q.).

94/15 On ne peut réclamer la sanction des clauses d'une convention particulière plus avantageuse que les normes du travail en ayant recours aux mécanismes prévus par la loi pour la sanction des normes qui y sont édictées.
Réal Leblanc et associés inc. c. *Gagnon*, (1988) T.T. 433, D.T.E. 88T-900 (T.T.).

94/16 L'article 94 L.N.T. ne force pas à conclure, lorsque la semaine prévue à une convention est de 35 heures, que le surtemps est dû à partir de la 36ème heure.
Société d'électrolyse et de chimie Alcan ltée, division d'aluminium du Canada ltée, énergie électrique, Québec c. *Syndicat national des employés de bureau (département énergie électrique)*, D.T.E. 88T-1081 (T.A.).

94/17 La faculté de prendre un congé compensatoire au lieu du paiement en numéraire peut constituer une condition de travail plus avantageuse, dans la mesure où elle est possible, à l'option du salarié sur une base ponctuelle.
Giguère c. *Centura Québec*, (1983) T.T. 455, D.T.E. 83T-801 (T.T.).

94/18 Le simple fait que le congé pour raisons familiales prévu à l'article 79.7 L.N.T. soit un congé sans solde, alors qu'un congé prévu par une convention collective est rémunéré, ne suffit pas pour conclure à une condition de travail plus avantageuse.
Syndicat canadien des communications, de l'énergie et du papier, section locale 175 c. *Pétro-Canada – Raffinerie de Montréal (Serge Perron et grief syndical)*, D.T.E. 2007T-125 (T.A.).

94/19 Le fait qu'un salarié puisse bénéficier de vacances anticipées ne fait pas en sorte que celui-ci bénéficie d'une condition plus avantageuse.
Commission scolaire de l'Industrie c. *Boisvert*, D.T.E. 99T-1104 (C.Q.), J.E. 99-2278 (C.Q.), REJB 1999-15456 (C.Q.).

94/20 Le fait de prendre des vacances anticipées est une convention à l'avantage du salarié au sens de l'article 94 L.N.T., et est donc valide.
C.N.T. c. *Léger*, D.T.E. 85T-55 (C.Q.).

94/21 V. la jurisprudence et la doctrine sous l'article 93 L.N.T.

94/22 V. BRIÈRE, J.-Y. et VILLAGGI, J.-P., *Relations de travail*, vol. 2, (édition à feuilles mobiles), Brossard, Les Publications CCH ltée, p. 8,465 à 8,465-5.

94/23 V. DUBÉ, J.-L. et DI IORIO, N., *Les normes du travail*, 2e éd., Sherbrooke, Les Éditions Revue de droit — Université de Sherbrooke, 1992, p. 246 à 250.

94/24 V. GAGNON, R.P., LEBEL, L. et VERGE, P., *Droit du travail*, 2e éd., Ste-Foy, Les Presses de l'Université Laval, 1991, p. 152 et 153.

94/25 V. LAPORTE, P., «Le caractère d'ordre public des dispositions de la Loi sur les normes du travail», (1987) 42 *R.I.* 398.

94/26 V. MORIN, F., *Rapports collectifs du travail*, 2e éd., Montréal, Les Éditions Thémis inc., 1991, p. 426 et 427.

art. 95

95/1 La solidarité entre un entrepreneur et un sous-traitant ne s'applique que dans le cas de recours intentés par la Commission.
Raby c. *Industries I.T.T. Québec ltée*, D.T.E. 83T-1004 (C.Q.).

V. aussi: *C.N.T.* c. *9039-5367 Québec inc.*, D.T.E. 2001T-1175 (C.Q.), J.E. 2001-2232 (C.Q.), REJB 2001-27955 (C.Q.).

95/2 Le sens du concept de sous-entrepreneur ou de sous-traitant implique la prise en charge, en tout ou en partie, d'un marché, d'un travail ou d'une charge quelconque conclu à l'origine par un autre.
C.N.T. c. *Hôtel Motel Mingan inc.*, (1986) R.J.Q. 1 (C.Q.), D.T.E. 86T-12 (C.Q.), J.E. 86-19 (C.Q.).

95/3 La compagnie qui agit à titre d'employeur, dont dépend un sous-traitant, est solidairement responsable du paiement des sommes dues aux salariés.
C.N.T. c. *9039-5367 Québec inc.*, D.T.E. 2001T-1175 (C.Q.), J.E. 2001-2232 (C.Q.), REJB 2001-27955 (C.Q.).

95/4 Celui qui se constitue payeur du salaire de l'employé doit être tenu responsable de la réclamation de la Commission des normes du travail.
C.N.T. c. *Distribution GVA inc.*, D.T.E. 2007T-789 (C.Q.), J.E. 2007-1778 (C.Q.), EYB 2007-123911 (C.Q.).
C.N.T. c. *Melenny Productions inc.*, D.T.E. 99T-824 (C.Q.), J.E. 99-1737 (C.Q.), REJB 1999-13632 (C.Q.).

art. 96

N.B. L'article 96 a été modifié par la *Loi modifiant la Loi sur les normes du travail et d'autres dispositions législatives*, L.Q. 2002, c. 80. La nature de la modification apportée à l'article 96 L.N.T. par le législateur, quant au fait de ne pas exclure la vente en justice de son application, change l'état du droit et la jurisprudence antérieure. Le lecteur doit donc faire les adaptations nécessaires.

GÉNÉRAL

96/1 L'article 96 L.N.T. modifie les règles des articles 1022 et 1023 du *Code civil du Bas-Canada* (maintenant art. 1433, 1439, 1440 et 1453 C.C.Q.) en ce qu'il veut protéger les travailleurs contre les changements de propriétaires des entreprises qui les emploient.
C.N.T. c. *Foodcorp Ltd.*, (1988) R.J.Q. 2289 (C.Q.), D.T.E. 88T-775 (C.Q.), J.E. 88-1081 (C.Q.).
V. aussi: *Produits Pétro-Canada inc.* c. *Moalli*, (1987) R.J.Q. 261 (C.A.), D.T.E. 87T-58 (C.A.), J.E. 87-135 (C.A.).
Korngold c. *Cosigma Lavalin inc.*, D.T.E. 90T-824 (T.A.).

96/2 Les dispositions de l'article 96 L.N.T. sont d'ordre public et elles visent à protéger la réclamation impayée d'un salarié.
C.N.T. c. *3979229 Canada inc.*, (2008) R.J.D.T. 1058 (C.S.), D.T.E. 2008T-700 (C.S.), J.E. 2008-1706 (C.S.), EYB 2008-145462 (C.S.) (en appel: n° 500-09-019014-083).

96/3 Les notions d'aliénation et de concession d'entreprise que l'on retrouve à l'article 96 L.N.T. sont des concepts juridiques qui relèvent du droit civil, qui

doivent recevoir l'acceptation la plus large qui soit et être interprétées de façon libérale.
C.N.T. c. *3979229 Canada inc.*, (2008) R.J.D.T. 1058 (C.S.), D.T.E. 2008T-700 (C.S.), J.E. 2008-1706 (C.S.), EYB 2008-145462 (C.S.) (en appel: n° 500-09-019014-083).

96/4 L'article 96 L.N.T. est le pendant de l'article 45 du *Code du travail* du Québec.
U.E.S., Local 298 c. *Bibeault*, (1988) 2 R.C.S. 1048.
Bergeron c. *Métallurgie Frontenac ltée*, (1992) R.J.Q. 2656 (C.A.), D.T.E. 92T-1248 (C.A.), J.E. 92-1655 (C.A.).
C.N.T. c. *Banque nationale du Canada*, D.T.E. 88T-282 (C.S.).
C.N.T. c. *Delta Granite inc.*, D.T.E. 85T-798 (C.S.), J.E. 85-927 (C.S.).
C.N.T. c. *Erdan*, (1985) C.P. 353, D.T.E. 85T-956 (C.Q.), J.E. 85-1085 (C.Q.).
C.N.T. c. *Frank White Entreprises inc.*, (1984) C.P. 232, D.T.E. 84T-800 (C.Q.), J.E. 84-893 (C.Q.).

96/5 Bien que l'article 96 L.N.T. doive être interprété d'une façon large et libérale, son libellé est restreint aux termes «employeur» et «nouvel employeur», plutôt qu'«acquéreur» ou tout autre synonyme.
C.N.T. c. *9015-1051 Québec inc.*, (1998) R.J.D.T. 137 (C.Q.), D.T.E. 98T-50 (C.Q.), J.E. 98-187 (C.Q.), REJB 1997-03924 (C.Q.).
C.N.T. c. *Villa Notre Dame de Lourdes*, (1988) R.J.Q. 1965 (C.Q.), D.T.E. 88T-629 (C.Q.), J.E. 88-901 (C.Q.).
C.N.T. c. *Erdan*, (1985) C.P. 353, D.T.E. 85T-956 (C.Q.), J.E. 85-1085 (C.Q.).

96/6 L'article 96 L.N.T. fait référence à une réclamation déjà existante, c'est-à-dire déjà formulée au moment de l'aliénation d'entreprise.
Papazafiris c. *Murielle Raymond inc.*, (1983) T.T. 449, D.T.E. 83T-633 (T.T.).
V. aussi: *C.N.T.* c. *Mécaniques Ron Toohey inc.*, D.T.E. 86T-638 (C.Q.).
C.N.T. c. *Erdan*, (1985) C.P. 353, D.T.E. 85T-956 (C.Q.), J.E. 85-1085 (C.Q.).

96/7 Pour que l'article 96 L.N.T. trouve application, il faut que, dans les faits, il se soit produit un transfert du droit de propriété des biens et actifs, meubles et immeubles, tangibles et intangibles, de l'entreprise.
Zizian c. *ECA Quality Verifications Inc.*, D.T.E. 2009T-146 (C.S.), EYB 2008-154166 (C.S.).

96/8 L'article 96 L.N.T. vise les réclamations civiles nées avant l'aliénation de l'entreprise mais qui ne sont pas encore payées au moment de l'aliénation ou de la concession.
Télé-Alarme T.S. inc. c. *Nadeau*, D.T.E. 93T-1129 (C.S.), J.E. 93-1719 (C.S.).

96/9 Un juge de la Cour supérieure n'est pas lié par la décision de la Commission des relations du travail en ce qui concerne l'applicabilité de l'article 96 L.N.T.
3979229 Canada inc. c. *Commission des relations du travail*, (2005) R.J.D.T. 170 (C.S.), D.T.E. 2005T-179 (C.S.), J.E. 2005-329 (C.S.), EYB 2005-85727 (C.S.).

ALIÉNATION D'ENTREPRISE

96/10 L'existence d'un lien de droit est intrinsèque aux concepts juridiques de l'aliénation et de la concession. Ceux-ci se définissent en fonction du lien qui unit le détenteur d'un droit à celui qui en acquiert l'usage. De même, la volonté de se

départir du droit de propriété ou du droit d'exploitation de l'entreprise est essentielle à la survenance d'une aliénation ou d'une concession.
U.E.S., Local 298 c. *Bibeault*, (1988) 2 R.C.S. 1048.
Bergeron c. *Métallurgie Frontenac ltée*, (1992) R.J.Q. 2656 (C.A.), D.T.E. 92T-1248 (C.A.), J.E. 92-1655 (C.A.).
Boucher c. *Centre de placement spécialisé du Portage (C.P.S.P.)*, (1993) R.D.J. 137 (C.A.), D.T.E. 92T-552 (C.A.), J.E. 92-1695 (C.A.).
C.N.T. c. *3979229 Canada inc.*, (2008) R.J.D.T. 1058 (C.S.), D.T.E. 2008T-700 (C.S.), J.E. 2008-1706 (C.S.), EYB 2008-145462 (C.S.) (en appel: n° 500-09-019014-083).
C.N.T. c. *Banque Nationale du Canada*, D.T.E. 95T-343 (C.S.).
C.N.T. c. *Muscles & Mets inc.*, D.T.E. 96T-1125 (C.Q.).
C.N.T. c. *Services Canparc ltée*, D.T.E. 91T-761 (C.Q.).
Fournier c. *Corporation de développement de la rivière Madeleine*, D.T.E. 2007T-624 (C.R.T.).
Côté c. *Centre local de développement de la Ville de Saguenay*, D.T.E. 2005T-217 (C.R.T.).
Banque Royale du Canada c. *Perry*, (1991) T.T. 429, D.T.E. 91T-1174 (T.T.).
Contra: *C.N.T.* c. *9032-1092 Québec inc.*, D.T.E. 99T-186 (C.Q.).

96/11 Les concepts d'aliénation et de concession reposent sur la transmission volontaire du droit de propriété ou encore du droit d'exploitation. Cette définition n'écarte pas la possibilité qu'un intermédiaire intervienne dans la relation juridique, mais elle confirme que la décision d'aliéner ou de concéder ne relève que de la personne titulaire du droit de propriété de l'entreprise.
U.E.S., Local 298 c. *Bibeault*, (1988) 2 R.C.S. 1048.
C.N.T. c. *3979229 Canada inc.*, (2008) R.J.D.T. 1058 (C.S.), D.T.E. 2008T-700 (C.S.), J.E. 2008-1706 (C.S.), EYB 2008-145462 (C.S.) (en appel: n° 500-09-019014-083).

96/12 Relativement à l'application de l'article 96 L.N.T., un transfert de salariés de l'ancien au nouvel employeur est nécessaire. Notamment, pour déterminer s'il y a continuité d'exploitation de l'entreprise par le nouvel employeur, il faut examiner certains critères: le lieu de l'établissement, les moyens d'action, l'ensemble de l'équipement commercial, l'inventaire, les services offerts, les fournisseurs, la clientèle, le nom du commerce et la finalité de l'entreprise.
C.N.T. c. *3979229 Canada inc.*, (2008) R.J.D.T. 1058 (C.S.), D.T.E. 2008T-700 (C.S.), J.E. 2008-1706 (C.S.), EYB 2008-145462 (C.S.) (en appel: n° 500-09-019014-083).

96/13 L'existence d'un lien de droit n'est pas une norme du travail relevant de la compétence et de l'expertise de l'arbitre, mais plutôt une question préliminaire à l'exercice de sa compétence.
Boucher c. *Centre de placement spécialisé du Portage (C.P.S.P.)*, (1993) R.D.J. 137 (C.A.), D.T.E. 92T-552 (C.A.), J.E. 92-1695 (C.A.).
Bergeron c. *Métallurgie Frontenac ltée*, (1992) R.J.Q. 2656 (C.A.), D.T.E. 92T-1248 (C.A.), J.E. 92-1655 (C.A.).

96/14 Pour l'application de l'article 96 L.N.T., il faut démontrer le maintien de la continuité de l'entreprise originale par le nouvel employeur. Pour ce faire, on peut tenir compte notamment du lieu de l'établissement, des moyens d'action, de l'ensemble de l'équipement commercial, des biens en inventaire, des services

offerts, des fournisseurs et de la clientèle, du nom du commerce, de la finalité de l'entreprise.
U.E.S., Local 298 c. *Bibeault*, (1988) 2 R.C.S. 1048.
C.N.T. c. *9032-1092 Québec inc.*, D.T.E. 99T-186 (C.Q.).

96/15 Le terme entreprise se définit en fonction du transfert du salarié.
Favreau c. *Société en commandite Le Longueuil*, D.T.E. 90T-1104 (T.A.).

96/16 L'entreprise consiste en un ensemble organisé suffisant des moyens qui permettent substantiellement la poursuite en tout ou en partie d'activités précises. Ces moyens, selon les circonstances, peuvent parfois être limités à des éléments juridiques ou techniques ou matériels ou incorporels.
U.E.S., Local 298 c. *Bibeault*, (1988) 2 R.C.S. 1048.
C.N.T. c. *3979229 Canada inc.*, (2008) R.J.D.T. 1058 (C.S.), D.T.E. 2008T-700 (C.S.), J.E. 2008-1706 (C.S.), EYB 2008-145462 (C.S.) (en appel: n° 500-09-019014-083).
C.N.T. c. *Villa Notre Dame de Lourdes*, (1988) R.J.Q. 1965 (C.Q.), D.T.E. 88T-629 (C.Q.), J.E. 88-901 (C.Q.).
Mode Amazone c. *Comité conjoint de Montréal de l'Union internationale des ouvriers du vêtement pour dames*, (1983) T.T. 227, D.T.E. 83T-447 (T.T.).
V. aussi: *Feres* c. *Centre d'apprentissage alternatif Feres*, D.T.E. 2000T-1121 (C.T.).

96/17 Des filiales n'oeuvrant pas dans un même secteur d'activités sont des entreprises distinctes.
Brière c. *Provigo Distribution inc., division Montréal, secteur gros*, (1992) C.T. 530, D.T.E. 92T-897 (C.T.).

96/18 Un salarié ne peut justifier de deux ans de service continu dans l'entreprise d'un employeur, et ce, même s'il a travaillé durant plus de deux ans dans deux entreprises faisant partie de la même société de portefeuille.
Amyot c. *Capitale (La), Compagnie d'assurances générales inc.*, (1996) C.T. 47, D.T.E. 96T-106 (C.T.).
Brière c. *Provigo Distribution inc., division Montréal, secteur gros*, (1992) C.T. 530, D.T.E. 92T-897 (C.T.).

96/19 Une salariée ne peut justifier de deux ans de service continu dans l'entreprise de l'employeur même si elle a travaillé dans le même établissement pendant plus de deux ans si le contrat qui la liait avec son dernier employeur n'a duré que quelques mois, aucun lien juridique n'existant entre cet employeur et celui pour qui la plaignante avait travaillé auparavant.
Reynders c. *A.B.M. international ltée*, D.T.E. 98T-1198 (C.T.).
Corriveau c. *Résidence St-Philippe de Windsor*, (1997) C.T. 464, D.T.E. 97T-1149 (C.T.).
Bélanger c. *Office municipal d'habitation de Ville d'Anjou*, C.M. 94045062, le 14 mai 1996.

96/20 La rétrocession et la reprise de possession de l'entreprise constituent une concession ou une aliénation d'entreprise.
C.N.T. c. *9015-1051 Québec inc.*, (1998) R.J.D.T. 137 (C.Q.), D.T.E. 98T-50 (C.Q.), J.E. 98-187 (C.Q.), REJB 1997-03924 (C.Q.).
C.N.T. c. *Foodcorp Ltd.*, (1988) R.J.Q. 2289 (C.Q.), D.T.E. 88T-775 (C.Q.), J.E. 88-1081 (C.Q.).

96/21 Il ne peut y avoir aliénation d'entreprise au sens de l'article 96 L.N.T. lorsque les conditions d'une offre d'achat, prévues au contrat de vente, ne sont pas réalisées.
C.N.T. c. *Pépin*, D.T.E. 92T-404 (C.Q.), J.E. 92-570 (C.Q.).
V. aussi: *C.N.T.* c. *9015-1051 Québec inc.*, (1998) R.J.D.T. 137 (C.Q.), D.T.E. 98T-50 (C.Q.), J.E. 98-187 (C.Q.), REJB 1997-03924 (C.Q.).

96/22 La prise de possession par une institution financière, des actifs d'une entreprise, dans le seul but de liquider l'actif de celle-ci, ne constitue pas une aliénation ou concession d'entreprise.
C.N.T. c. *Banque Nationale du Canada*, D.T.E. 95T-343 (C.S.).
C.N.T. c. *Cie de gestion Welfab*, (1989) R.J.Q. 2547 (C.S.), D.T.E. 89T-949 (C.S.), J.E. 89-1436 (C.S.) (appel accueilli pour d'autres motifs: D.T.E. 99T-481 (C.A.), J.E. 99-1050 (C.A.), REJB 1999-12108 (C.A.)).
C.N.T. c. *Banque nationale du Canada*, D.T.E. 88T-282 (C.S.).
C.N.T. c. *Cie de gestion Thomcor ltée*, D.T.E. 86T-265 (C.S.), J.E. 86-400 (C.S.).
C.N.T. c. *Muscles & Mets inc.*, D.T.E. 96T-1125 (C.Q.).
C.N.T. c. *Allied Cigar Corp.*, (1985) C.P. 292, D.T.E. 85T-783 (C.Q.), J.E. 85-931 (C.Q.).

96/23 Si l'institution financière continue d'opérer le commerce, il y a alors une concession ou une aliénation de l'entreprise.
C.N.T. c. *Cie de gestion Thomcor ltée*, D.T.E. 86T-265 (C.S.), J.E. 86-400 (C.S.).
C.N.T. c. *L.S. Tarshis ltée*, (1985) C.P. 267, D.T.E. 85T-747 (C.Q.), J.E. 85-876 (C.Q.).

96/24 Le délaissement volontaire des actifs d'une entreprise en faveur du créancier hypothécaire ne constitue pas une concession d'entreprise au sens de l'article 96 L.N.T.
C.N.T. c. *Banque Nationale du Canada*, D.T.E. 95T-343 (C.S.).

RESPONSABILITÉ DE L'EMPLOYEUR

96/25 Les obligations imposées par la loi sont rattachées à l'entreprise, quel que soit son propriétaire ou celui qui l'administre.
C.N.T. c. *9032-1092 Québec inc.*, D.T.E. 99T-186 (C.Q.).
C.N.T. c. *Gestion Chare inc.*, D.T.E. 88T-674 (C.Q.) (règlement hors cour).
C.N.T. c. *Frank White Entreprises inc.*, (1984) C.P. 232, D.T.E. 84T-800 (C.Q.), J.E. 84-893 (C.Q.).
C.N.T. c. *Cogan Wire & Metal Products (1974) Ltd.*, D.T.E. 82T-830 (C.Q.), J.E. 82-1139 (C.Q.).
Prévost c. *Pilonex inc.*, (1982) T.A. 904, D.T.E. 82T-717 (T.A.).

96/26 Le concept d'entreprise édicté par l'article 96 L.N.T. ne se limite pas uniquement aux titres de propriété.
C.N.T. c. *9032-1092 Québec inc.*, D.T.E. 99T-186 (C.Q.).

96/27 En raison de la nature personnelle du droit qu'il confère, l'article 96 L.N.T. pose comme condition de base le transfert de salariés auprès du nouvel employeur.
U.E.S., local 298 c. *Bibeault*, (1988) 2 R.C.S. 1048.
C.N.T. c. *Pépin*, D.T.E. 92T-404 (C.Q.), J.E. 92-570 (C.Q.).

C.N.T. c. *Villa Notre Dame de Lourdes*, (1988) R.J.Q. 1965 (C.Q.), D.T.E. 88T-629 (C.Q.), J.E. 88-901 (C.Q.).
Favreau c. *Société en commandite Le Longueuil*, D.T.E. 90T-1104 (T.A.).

96/28 Lorsqu'il y a transfert des salariés au nouvel acquéreur, les réclamations civiles découlant de la *Loi sur les normes du travail* et de son application sont protégées.
Poirier c. *Bachand*, D.T.E. 92T-1097 (C.T.).

96/29 Les premier et deuxième employeurs sont liés conjointement et solidairement à l'égard de la partie de la réclamation se terminant à la date de l'aliénation et le deuxième employeur est le seul responsable de la réclamation postérieure à cette date.
Bédard c. *Colonial Packaging Co. (Emballages Colonial ltée)*, D.T.E. 84T-139 (T.T.).

96/30 La responsabilité solidaire et conjointe suppose qu'il y ait eu aliénation ou concession totale ou partielle d'une entreprise.
Isidore Garon ltée c. *Tremblay; Fillion et Frères (1976) inc.* c. *Syndicat national des employés de garage du Québec inc.*, (2006) 1 R.C.S. 27, 2006 CSC 2 (par analogie).
C.N.T. c. *Muscles & Mets inc.*, D.T.E. 96T-1125 (C.Q.).
C.N.T. c. *Immeubles Terrabelle inc.*, (1989) R.J.Q. 1307 (C.Q.), D.T.E. 89T-431 (C.Q.), J.E. 89-729 (C.Q.).
V. aussi: *C.N.T.* c. *9015-1051 Québec inc.*, (1998) R.J.D.T. 137 (C.Q.), D.T.E. 98T-50 (C.Q.), J.E. 98-187 (C.Q.), REJB 1997-03924 (C.Q.).

96/31 Des personnes peuvent être condamnées solidairement lorsqu'elles ont exploité successivement une résidence pour personnes âgées.
C.N.T. c. *Pouliot*, D.T.E. 99T-1047 (C.Q.), J.E. 99-2138 (C.Q.), REJB 1999-15281 (C.Q.).

96/32 Compte tenu que les dispositions de l'article 96 L.N.T. édictent une responsabilité solidaire, le salarié a la faculté de poursuivre l'un ou l'autre des deux employeurs qui l'ont employé ou, encore, les deux à la fois. L'obligation solidaire aura lieu dans la mesure où la réclamation a été produite par le salarié avant la transmission de l'entreprise.
C.N.T. c. *3979229 Canada inc.*, (2008) R.J.D.T. 1058 (C.S.), D.T.E. 2008T-700 (C.S.), J.E. 2008-1706 (C.S.), EYB 2008-145462 (C.S.) (en appel: n° 500-09-019014-083).

96/33 La solidarité ne joue pas même si la majorité des salariés se retrouvent au service du nouvel employeur. Il faut qu'il y ait eu aliénation ou concession totale ou partielle d'une entreprise pour qu'il y ait application de cette règle de droit.
C.N.T. c. *Muscles & Mets inc.*, D.T.E. 96T-1125 (C.Q.).

96/34 Pour que l'acquéreur d'une entreprise soit solidairement responsable d'une réclamation intentée en vertu de la Loi sur les normes, il faut que le salarié ait produit celle-ci avant l'aliénation.
C.N.T. c. *Mécaniques Ron Toohey inc.*, D.T.E. 86T-638 (C.Q.).
C.N.T. c. *Erdan*, (1985) C.P. 353, D.T.E. 85T-956 (C.Q.), J.E. 85-1085 (C.Q.).

96/35 L'obligation solidaire créée par l'article 96 L.N.T. n'existe que si l'employé fait encore partie de l'entreprise lors de l'aliénation.
C.N.T. c. *Villa Notre Dame de Lourdes*, (1988) R.J.Q. 1965 (C.Q.), D.T.E. 88T-629 (C.Q.), J.E. 88-901 (C.Q.).
C.N.T. c. *Erdan*, (1985) C.P. 353, D.T.E. 85T-956 (C.Q.), J.E. 85-1085 (C.Q.).
V. aussi: *C.N.T.* c. *Mécaniques Ron Toohey inc.*, D.T.E. 86T-638 (C.Q.).

96/36 Le fait de cesser momentanément d'exploiter activement une entreprise dans le but de la vendre n'entraîne pas la responsabilité conjointe et solidaire de l'ancien et du nouvel employeur qui acquiert l'entreprise du fiduciaire.
C.N.T. c. *Delta Granite inc.*, D.T.E. 85T-798 (C.S.), J.E. 85-927 (C.S.).

96/37 Il n'y a pas d'aliénation ou de concession totale ou partielle d'une entreprise par le fait de la rétrocession de l'actif du franchisé au franchiseur, lequel a concédé un nouveau contrat de franchise à une autre entreprise.
C.N.T. c. *Muscles & Mets inc.*, D.T.E. 96T-1125 (C.Q.).

96/38 Le fait que le vendeur d'une entreprise omette d'informer l'acquéreur qu'une réclamation est pendante, même si dans un affidavit il déclare avoir énuméré tous les créanciers de l'entreprise, n'empêche pas l'acquéreur d'être lié par la réclamation.
Gabriel c. *Racine*, D.T.E. 84T-136 (C.T.) (appel accueilli pour d'autres motifs: T.T.M. n° 500-28-000087-841, le 13 juillet 1984).

96/39 Lors de la prise de possession par une banque, le séquestre ne continue pas les activités de l'entreprise originale si son rôle consiste uniquement à réaliser la garantie de l'institution financière.
Bellavance c. *Klein*, D.T.E. 99T-850 (C.S.), J.E. 99-1501 (C.S.), REJB 1999-13464 (C.S.).

96/40 Pour que l'article 96 L.N.T. s'applique, il n'est pas nécessaire que la réclamation ait été faite avant la rétrocession. L'expression «qui n'est pas payée au moment de cette aliénation ou concession» n'est qu'une qualification normale de la nature de la réclamation; elle n'a pas pour but de lui attribuer un effet passé. S'il en était autrement, les salariés seraient pénalisés en cas de rétrocession rapide, car seulement ceux qui en auraient été informés à l'avance pourraient réclamer leur dû auprès de l'ancien comme du nouvel employeur.
C.N.T. c. *9015-1051 Québec inc.*, (1998) R.J.D.T. 137 (C.Q.), D.T.E. 98T-50 (C.Q.), J.E. 98-187 (C.Q.), REJB 1997-03924 (C.Q.).

96/41 V. la jurisprudence sous l'article 97 L.N.T.

96/42 V. BÉLIVEAU, N.-A., *Les normes du travail*, Cowansville, Les Éditions Yvon Blais inc., 2003, p. 278 à 298.

96/43 V. BRIÈRE, J.-Y. et VILLAGGI, J.-P., *Relations de travail*, vol. 2, (édition à feuilles mobiles), Brossard, Les Publications CCH ltée, p. 8,471 à 8,489-12.

96/44 V. DUBÉ, J.-L. et DI IORIO, N., *Les normes du travail*, 2e éd., Sherbrooke, Les Éditions Revue de droit — Université de Sherbrooke, 1992, p. 254 à 263, 266 à 268, 270 à 279.

96/45 V. GAGNON, R.P., LEBEL, L. et VERGE, P., *Droit du travail*, 2e éd., Ste-Foy, Les Presses de l'Université Laval, 1991, p. 152 et 153.

96/46 V. MORIN, F., *Rapports collectifs du travail*, 2e éd., Montréal, Les Éditions Thémis inc., 1991, p. 384 à 394.

art. 97

Table des matières

GÉNÉRAL

97/1 L'article 97 L.N.T. apparaît comme une disposition destinée à protéger la mise en application de l'ensemble des normes du travail prévues par la loi et la continuité de l'application des droits individuels découlant des normes du travail.
Produits Pétro-Canada inc. c. *Moalli*, (1987) R.J.Q. 261 (C.A.), D.T.E. 87T-58 (C.A.), J.E. 87-135 (C.A.).
V. aussi: *Daigneault* c. *Coopexcel, coopérative agricole*, D.T.E. 92T-450 (C.S.).

97/2 Les dispositions de l'article 97 L.N.T. sont d'ordre public et elles visent à assurer la continuité de l'application des normes du travail auprès de l'acquéreur.
C.N.T. c. *3979229 Canada inc.*, (2008) R.J.D.T. 1058 (C.S.), D.T.E. 2008T-700 (C.S.), J.E. 2008-1706 (C.S.), EYB 2008-145462 (C.S.) (en appel: no 500-09-019014-083).

97/3 Les notions d'aliénation et de concession d'entreprise que l'on retrouve à l'article 97 L.N.T. sont des concepts juridiques qui relèvent du droit civil, qui doivent recevoir l'acceptation la plus large qui soit et être interprétées de façon libérale.
C.N.T. c. *3979229 Canada inc.*, (2008) R.J.D.T. 1058 (C.S.), D.T.E. 2008T-700 (C.S.), J.E. 2008-1706 (C.S.), EYB 2008-145462 (C.S.) (en appel: no 500-09-019014-083).

97/4 Il faut éviter d'interpréter la *Loi sur les normes du travail* à la seule lumière des règles de droit civil.
Boyer c. *Hewitt Equipment ltée*, (1988) R.J.Q. 2112 (C.A.), D.T.E. 88T-656 (C.A.), J.E. 88-1117 (C.A.).
Commission scolaire Berthier Nord-Joli c. *Beauséjour*, (1988) R.J.Q. 639 (C.A.), D.T.E. 88T-261 (C.A.), J.E. 88-414 (C.A.).

97/5 Par le biais de l'article 97 L.N.T., le législateur a créé une fiction juridique par laquelle deux employeurs distincts deviennent liés comme un seul employeur.
Labranche c. *V.T.M.S.A. inc.*, D.T.E. 96T-448 (C.T.).

97/6 L'objet de l'article 97 L.N.T. est d'écarter l'effet du principe traditionnel de droit civil qu'est la relativité des contrats.
Boyer c. *Hewitt Equipment ltée*, (1988) R.J.Q. 2112 (C.A.), D.T.E. 88T-656 (C.A.), J.E. 88-1117 (C.A.).
Martin c. *Cie d'assurances du Canada sur la vie*, (1987) R.J.Q. 514 (C.A.), D.T.E. 87T-247 (C.A.), J.E. 87-357 (C.A.).
Produits Pétro-Canada inc. c. *Moalli*, (1987) R.J.Q. 261 (C.A.), D.T.E. 87T-58 (C.A.), J.E. 87-135 (C.A.).
Papazafiris c. *Murielle Raymond inc.*, (1983) T.T. 449, D.T.E. 83T-633 (T.T.).
Lamarche c. *Service d'interprétation visuelle et tactile*, (1998) R.J.D.T. 722 (C.T.), D.T.E. 98T-533 (C.T.).
Paul c. *9010-5115 Québec inc.*, D.T.E. 95T-1049 (C.T.).
Moncion c. *Marché Jean Renaud inc.*, (1994) C.T. 199, D.T.E. 94T-313 (C.T.).
Korngold c. *Cosigma Lavalin inc.*, D.T.E. 90T-824 (T.A.).
V. aussi: *C.N.T.* c. *Foodcorp Ltd.*, (1988) R.J.Q. 2289 (C.Q.), D.T.E. 88T-775 (C.Q.), J.E. 88-1081 (C.Q.).

97/7 Les questions d'aliénation, ou de concession totale ou partielle de l'entreprise, relèvent de l'expertise particulière de la Commission des relations du travail et la norme de contrôle applicable est celle de la décision manifestement déraisonnable.
Vlayen c. *Commission des relations du travail*, (2005) R.J.D.T. 744 (C.S.), D.T.E. 2005T-549 (C.S.).

97/8 Aucun délai ni aucune procédure formelle ne sont exigés pour faire constater l'application de l'article 97 L.N.T. Une simple lettre est suffisante pour permettre à un commissaire d'examiner s'il y a effectivement eu concession totale ou partielle de l'entreprise.
Jacklin c. *Atelier G. Meunier et Fils inc.*, D.T.E. 2001T-865 (C.T.).

97/9 Il n'y a pas d'application de l'article 97 L.N.T., lorsque le recours exercé par le salarié est un recours en dommages-intérêts. Ce sont plutôt les règles du droit civil qui s'appliquent.
Daigneault c. *Coopexcel, coopérative agricole*, D.T.E. 92T-450 (C.S.).
Contra: *Brousseau* c. *R. Godreau Automobile (1989) ltée*, (1992) R.J.Q. 1037 (C.S.), D.T.E. 92T-418 (C.S.), J.E. 92-603 (C.S.).

97/10 L'article 97 L.N.T. ne s'applique pas en présence d'une concession partielle d'une entreprise fédérale.
Labbé c. *Service de santé Marleen Tassé ltée*, D.T.E. 95T-699 (C.T.).

97/11 L'on doit donner à l'article 97 L.N.T. la même étendue et la même portée que l'article 45 du *Code du travail* puisque le législateur a utilisé la même conception, dans ces deux lois relatives au droit du travail.
Malo c. *Côté-Desbiolles*, (1995) R.J.Q. 1686 (C.A.), D.T.E. 95T-827 (C.A.), J.E. 95-1438 (C.A.) (autorisation d'appeler à la Cour suprême refusée).
Boucher c. *Centre de placement spécialisé du Portage (C.P.S.P.)*, (1993) R.D.J. 137 (C.A.), D.T.E. 92T-552 (C.A.), J.E. 92-1695 (C.A.).
Valois c. *Papiers Marlboro inc.*, D.T.E. 2008T-19 (C.R.T.).
Papazafiris c. *Murielle Raymond inc.*, (1983) T.T. 449, D.T.E. 83T-633 (T.T.).
Nayani c. *S.P. Myers (Canada) inc.*, D.T.E. 83T-224 (T.A.).

97/12 Les dispositions de l'article 97 L.N.T. visent à assurer aux salariés que leurs conditions de travail ne seront pas diminuées en raison d'une aliénation d'entreprise. Elles ne visent pas à protéger les salariés qui cherchent à obtenir un droit de rachat de service qu'ils n'avaient pas lors de la fusion de leur entreprise.
Asselin c. *Commission du régime de retraite des fonctionnaires de la Ville de Montréal*, D.T.E. 2004T-64 (C.A.), J.E. 2004-164 (C.A.), REJB 2003-51541 (C.A.).

97/13 L'article 97 L.N.T. n'accorde pas un droit, mais bien une manière d'appliquer le droit de réclamer.
C.N.T. c. *Barbecue Central inc.*, D.T.E. 84T-190 (C.Q.), J.E. 84-217 (C.Q.).
C.N.T. c. *Frank White Entreprises inc.*, (1984) C.P. 232, D.T.E. 84T-800 (C.Q.), J.E. 84-893 (C.Q.).
C.N.T. c. *Saneco inc.*, (1983) C.P. 36, D.T.E. 83T-323 (C.Q.), J.E. 83-466 (C.Q.).

97/14 L'article 97 L.N.T. s'applique au salarié cadre et non-cadre.
Brousseau c. *R. Godreau Automobile (1989) ltée*, (1992) R.J.Q. 1037 (C.S.), D.T.E. 92T-418 (C.S.), J.E. 92-603 (C.S.).

97/15 Dès qu'il y a transmission d'entreprise l'article 97 L.N.T. s'applique de plein droit.
Gabriel c. *Racine*, D.T.E. 84T-136 (C.T.) (appel accueilli pour d'autres motifs: T.T.M. n° 500-28-000087-841, le 13 juillet 1984).

97/16 Une plainte portée contre un employeur est automatiquement transmise au nouvel acquéreur de l'entreprise, puisque les dispositions de l'article 97 de la *Loi sur les normes du travail* s'appliquent de plein droit.
Jacklin c. *Atelier G. Meunier et Fils inc.*, D.T.E. 2001T-865 (C.T.).

97/17 Le fait que le nouvel acquéreur de l'entreprise n'ait pas reçu copie de la plainte du salarié ne constitue pas un obstacle à l'application de l'article 97 de la *Loi sur les normes du travail*, pourvu que l'on remédie à cette situation avant le début de l'audience.
Jacklin c. *Atelier G. Meunier et Fils inc.*, D.T.E. 2001T-865 (C.T.).

97/18 L'article 97 L.N.T. est plutôt prospectif dans son application et n'a aucun effet rétroactif.
Ventes Mercury des Laurentides inc. c. *Bergevin*, (1983) C.S. 463, D.T.E. 83T-431 (C.S.), J.E. 83-566 (C.S.), conf. par D.T.E. 88T-153 (C.A.).
C.N.T. c. *Barbecue Central inc.*, D.T.E. 84T-190 (C.Q.), J.E. 84-217 (C.Q.).
C.N.T. c. *Frank White Entreprises inc.*, (1984) C.P. 232, D.T.E. 84T-800 (C.Q.), J.E. 84-893 (C.Q.).
C.N.T. c. *Saneco inc.*, (1983) C.P. 36, D.T.E. 83T-323 (C.Q.), J.E. 83-466 (C.Q.).
Autobus de l'Estrie inc. c. *Lafontaine*, D.T.E. 83T-13 (T.A.).
Lacombe c. *Gestion canadienne Alpha*, D.T.E. 82T-510 (T.A.).

97/19 Même si le législateur a omis de donner un effet rétroactif à la *Loi sur les normes du travail* par une disposition affirmative, celle-ci par implication affecte tous les contrats de travail qui ne tombent pas sous la protection d'une convention collective ou d'une loi particulière sans égard au fait que tel contrat de travail soit ou non postérieur à l'adoption de la loi.
Martin c. *Cie d'assurances du Canada sur la vie*, (1987) R.J.Q. 514 (C.A.), D.T.E. 87T-247 (C.A.), J.E. 87-357 (C.A.).

97/20 Même si la loi n'indique pas que l'article 97 L.N.T. aura un effet rétroactif, il ne faut pas oublier que le principe de non-rétroactivité n'existe qu'en considération des droits acquis; or, on ne peut prétendre que les articles 124 ou 97 L.N.T. créent un droit en faveur de l'employeur.
Savard c. *M.B. Data Processing*, D.T.E. 82T-857 (T.A.).

97/21 Le recours prévu à l'article 124 L.N.T. constitue une norme du travail au sens de l'article 97 L.N.T.
Ventes Mercury des Laurentides inc. c. *Bergevin*, D.T.E. 88T-153 (C.A.).
Martin c. *Cie d'assurances du Canada sur la vie*, (1987) R.J.Q. 514 (C.A.), D.T.E. 87T-247 (C.A.), J.E. 87-357 (C.A.).
Produits Pétro-Canada inc. c. *Moalli*, (1987) R.J.Q. 261 (C.A.), D.T.E. 87T-58 (C.A.), J.E. 87-135 (C.A.).
Groupe Purdel inc., division des produits de la mer c. *Gagnon*, D.T.E. 88T-242 (C.S.).
Papazafiris c. *Murielle Raymond inc.*, (1983) T.T. 449, D.T.E. 83T-633 (T.T.).
Jacklin c. *Atelier G. Meunier et Fils inc.*, D.T.E. 2001T-865 (C.T.).
Janes c. *Transcorp Immobilier inc.*, (1999) R.J.D.T. 260 (C.T.), D.T.E. 99T-314 (C.T.).
Ménard c. *Wal-Mart Canada inc.*, D.T.E. 98T-187 (C.T.) (révision judiciaire refusée: D.T.E. 98T-719 (C.S.)) (désistement d'appel).
Béland c. *2536-3011 Québec inc.*, D.T.E. 90T-755 (T.A.).
Buffet de la Brasserie Molière c. *Charbonneau*, D.T.E. 88T-509 (T.A.).
Robitaille c. *Entreprises Des Gagnés ltée*, (1987) T.A. 351, D.T.E. 87T-480 (T.A.).
Centre médical Drummond inc. c. *Yergeau-Brunelle*, D.T.E. 84T-96 (T.A.).
Huot c. *Manoir Richelieu*, (1984) T.A. 696, D.T.E. 84T-826 (T.A.).
Lemay c. *Remtec inc.*, D.T.E. 84T-802 (T.A.).
Papineau c. *Industries Henri Mitchell ltée*, D.T.E. 84T-13 (T.A.).
Racine c. *Renault Canardière inc.*, D.T.E. 83T-567 (T.A.).
Choisnet c. *97725 Canada ltée*, D.T.E. 82T-142 (T.A.).
Contra: *Caisse populaire St-Robert de Montréal* c. *Bergevin*, D.T.E. 84T-743 (C.S.).
Gestion Place Victoria inc. c. *Deslierres*, (1983) C.S. 461, D.T.E. 83T-584 (C.S.), J.E. 83-742 (C.S.).
C.N.T. c. *Vincelli*, D.T.E. 82T-701 (C.Q.), J.E. 82-1025 (C.Q.).
Tremblay c. *Entreprises Myrja inc. et/ou Massicotte Sports Experts*, (1986) T.A. 319, D.T.E. 86T-409 (T.A.).

CONTINUITÉ D'ENTREPRISE

97/22 L'article 97 L.N.T. assure la continuité des normes du travail malgré le changement d'employeur.
Chauvette c. *Méthot (Résidence Louis Bourg)*, D.T.E. 2006T-547 (C.R.T.).
Jacklin c. *Atelier G. Meunier et Fils inc.*, D.T.E. 2001T-865 (C.T.).
Boudreault c. *S.P.R. Société de promotion de Rapid-Graphic inc.*, (1988) C.T. 417, D.T.E. 88T-1019 (C.T.).

97/23 La rédaction de l'article 97 L.N.T. confère au terme continuité un sens large en renvoyant à la notion d'entreprise elle-même, sans égard à sa structure juridique, son aliénation, sa concession ou encore sa modification totale ou partielle.
Plante c. *Procure de Monsieur Matte inc.*, D.T.E. 83T-54 (T.A.).

97/24 Deux conditions sont essentielles pour que les dispositions de l'article 97 L.N.T. s'appliquent. On doit constater la continuité d'entreprise et également être en présence d'un lien de droit entre l'ancien et le nouvel employeur. Il existe une distinction entre la notion de continuité d'entreprise, laquelle repose strictement sur des éléments factuels, et le critère de l'existence d'un lien de droit, lequel relève strictement d'une situation de droit précise. On doit retrouver, dans les lois pertinentes, l'intention du législateur d'assurer une véritable succession ou un transfert des droits et obligations d'une entité à l'autre, pour qu'il puisse y avoir continuité de l'application des normes du travail, soit notamment l'aliénation et la concession d'entreprise.
Québec (Procureur général) c. *Commission des relations du travail*, (2005) R.J.D.T. 1591 (C.S.), D.T.E. 2005T-1049 (C.S.), J.E. 2005-2096 (C.S.), EYB 2005-97132 (C.S.).

97/25 La question de la continuité d'entreprise est une condition préliminaire à l'existence de la compétence du commissaire. Toute erreur à ce sujet constitue une erreur juridictionnelle sujette à révision judiciaire même s'il s'agit d'une erreur non déraisonnable.
Boucher c. *Centre de placement spécialisé du portage (C.P.S.P.)*, (1993) R.D.J. 137 (C.A.), D.T.E. 92T-552 (C.A.), J.E. 92-1695 (C.A.).
Bergeron c. *Métallurgie Frontenac ltée*, (1992) R.J.Q. 2656 (C.A.), D.T.E. 92T-1248 (C.A.), J.E. 92-1655 (C.A.).
V. aussi: *Québec (Procureur général)* c. *Commission des relations du travail*, (2005) R.J.D.T. 1591 (C.S.), D.T.E. 2005T-1049 (C.S.), J.E. 2005-2096 (C.S.), EYB 2005-97132 (C.S.).

97/26 L'article 97 L.N.T. crée une continuité d'application des normes du travail au profit du salarié malgré le changement de propriétaire.
C.N.T. c. *Barbecue Central inc.*, D.T.E. 84T-190 (C.Q.), J.E. 84-217 (C.Q.).
Cloutier c. *2740-9218 Québec inc. (Resto Bar Le Club Sandwich)*, D.T.E. 2008T-305 (C.R.T.) (règlement hors cour).
Chauvette c. *Méthot (Résidence Louis Bourg)*, D.T.E. 2006T-547 (C.R.T.).
Tremblay c. *G. Riendeau et Fils inc.*, D.T.E. 2005T-1077 (C.R.T.) (révision judiciaire accueillie pour d'autres motifs: (2007) R.J.D.T. 432 (C.S.), D.T.E. 2007T-436 (C.S.), J.E. 2007-1008 (C.S.), EYB 2007-118476 (C.S.)) (homologation de la convention: n° 500-09-017696-071, le 12 septembre 2007).
Ménard c. *Place Bonaventure inc.*, (1987) T.A. 381, D.T.E. 87T-559 (T.A.).

97/27 L'article 97 L.N.T. se rattache à l'entreprise de l'employeur plutôt qu'à sa personne physique. La propriété de l'entreprise peut être modifiée par une aliénation, mais l'employeur demeure toujours la même entreprise.
André c. *Harvey's*, (1987) T.A. 67, D.T.E. 87T-179 (T.A.).
V. aussi: *Nayani* c. *S.P. Myers (Canada) inc.*, D.T.E. 83T-224 (T.A.).

97/28 Il y a application de l'article 97 L.N.T. lorsqu'il n'y a pas de changement ni dans les buts poursuivis, ni dans la clientèle, ni dans les baux, ni dans les conditions de travail des salariés.
Plante c. *177881 Canada inc. (Lady Sandra du Canada ltée)*, D.T.E. 2007T-546 (C.R.T.).
Veilleux c. *2000414 Ontario inc.*, D.T.E. 2003T-348 (C.R.T.).
Janes c. *Transcorp Immobilier inc.*, (1999) R.J.D.T. 260 (C.T.), D.T.E. 99T-314 (C.T.).

Potvin c. *Service de garde Benoît-Duhamel*, D.T.E. 91T-935 (C.T.).
V. aussi: *Dimeo* c. *Société des alcools du Québec*, D.T.E. 2002T-279 (C.T.) (requête en révision judiciaire: n° 500-05-072504-028).
Amyot c. *Capitale (La), Compagnie d'assurances générales inc.*, (1996) C.T. 47, D.T.E. 96T-106 (C.T.).
Brière c. *Provigo Distribution inc., division Montréal, secteur gros*, (1992) C.T. 530, D.T.E. 92T-897 (C.T.).

97/29 Il y a application du service continu lorsque le salarié travaille pour plusieurs employeurs de façon successive, en autant que ces différents employeurs exploitent la même entreprise.
Diraddo c. *Groupe Pages jaunes Cie*, D.T.E. 2005T-1103 (C.R.T.) (révision en vertu de l'article 127 C.T. refusée).
Gaul c. *2967-8729 Québec inc.*, D.T.E. 98T-958 (C.T.), REJB 1998-06779 (C.T.).
Laporte c. *Climatisation Bativac inc.*, (1998) R.J.D.T. 739 (C.T.), D.T.E. 98T-695 (C.T.).

97/30 Le législateur a attaché les obligations de la loi à l'entreprise, et elles font partie du passif lorsqu'il y a achat ou transformation quelconque de la structure juridique de l'employeur. Ainsi, la nouvelle personne légale en est rendue responsable par le jeu des articles 96 et 97 L.N.T.
C.N.T. c. *Cogan Wire & Metal Products (1974) Ltd.*, D.T.E. 82T-830 (C.Q.), J.E. 82-1139 (C.Q.).

97/31 Pour que deux entreprises soient considérées comme une seule et même entité, il faut que les moyens de production soient utilisés de façon indistincte et interchangeable pour la réalisation des objectifs poursuivis.
Malette c. *3948331 Canada inc. (Allure Concept Mode)*, D.T.E. 2007T-235 (C.R.T.).
Riopel c. *Versant Média inc.*, D.T.E. 2004T-212 (C.R.T.).
Rivard c. *Dion, Durrell & Associates Inc.*, D.T.E. 2003T-1135 (C.R.T.).
Dimeo c. *Société des alcools du Québec*, D.T.E. 2002T-279 (C.T.) (requête en révision judiciaire: n° 500-05-072504-028).
Laporte c. *Climatisation Bativac inc.*, (1998) R.J.D.T. 739 (C.T.), D.T.E. 98T-695 (C.T.).

97/32 Le terme «autrement» englobe le changement de gestionnaire dans une entreprise. Cependant, on doit retrouver un lien de droit entre l'ancien et le nouveau gestionnaire pour que l'article 97 L.N.T. s'applique.
Huot c. *Manoir Richelieu*, (1984) T.A. 696, D.T.E. 84T-826 (T.A.).

97/33 La présence d'un lien de droit est une condition requise et essentielle pour conclure à l'application de l'article 97 L.N.T.
U.E.S., Local 298 c. *Bibeault*, (1988) 2 R.C.S. 1048.
Boucher c. *Centre de placement spécialisé du Portage (C.P.S.P.)*, (1993) R.D.J. 137 (C.A.), D.T.E. 92T-552 (C.A.), J.E. 92-1695 (C.A.).
Bergeron c. *Métallurgie Frontenac ltée*, (1992) R.J.Q. 2656 (C.A.), D.T.E. 92T-1248 (C.A.), J.E. 92-1655 (C.A.).
C.N.T. c. *3979229 Canada inc.*, (2008) R.J.D.T. 1058 (C.S.), D.T.E. 2008T-700 (C.S.), J.E. 2008-1706 (C.S.), EYB 2008-145462 (C.S.) (en appel: n° 500-09-019014-083).
C.N.T. c. *Services Canparc ltée*, D.T.E. 91T-761 (C.Q.).

Cloutier c. *2740-9218 Québec inc. (Resto Bar Le Club Sandwich)*, D.T.E. 2008T-305 (C.R.T.) (règlement hors cour).
St-Martin c. *Gestion Cromwell inc.*, D.T.E. 2008T-672 (C.R.T.).
Fournier c. *Corporation de développement de la rivière Madeleine*, D.T.E. 2007T-624 (C.R.T.).
Plante c. *177881 Canada inc. (Lady Sandra du Canada ltée)*, D.T.E. 2007T-546 (C.R.T.).
Vlayen c. *Régie intermunicipale de police de Montcalm*, (2004) R.J.D.T. 720 (C.R.T.), D.T.E. 2004T-332 (C.R.T.) (révision judiciaire refusée: (2005) R.J.D.T. 744 (C.S.), D.T.E. 2005T-549 (C.S.)).
Frigon c. *Moisan Aubert Gagné Daigle*, D.T.E. 2003T-1167 (C.R.T.).
Veilleux c. *2000414 Ontario inc.*, D.T.E. 2003T-348 (C.R.T.).
Banque Royale du Canada c. *Perry*, (1991) T.T. 429, D.T.E. 91T-1174 (T.T.).
Dimeo c. *Société des alcools du Québec*, D.T.E. 2002T-279 (C.T.) (requête en révision judiciaire: n° 500-05-072504-028).
Gaboriault c. *Usco inc.*, D.T.E. 2001T-558 (C.T.).
Racine c. *Orviande inc.*, D.T.E. 2001T-606 (C.T.).
Fortin c. *Publivision inc.*, (1999) R.J.D.T. 1731 (C.T.), D.T.E. 99T-932 (C.T.).
Bruneau c. *Roux*, D.T.E. 98T-862 (C.T.).
Gaul c. *2967-8729 Québec inc.*, D.T.E. 98T-958 (C.T.), REJB 1998-06779 (C.T.).
Perreault c. *Volcano Technologies inc.*, D.T.E. 98T-590 (C.T.).
Reynders c. *A.B.M. international ltée*, D.T.E. 98T-1198 (C.T.).
Labranche c. *V.T.M.S.A. inc.*, D.T.E. 96T-448 (C.T.).
Dalpé c. *Services d'entretien Fany inc.*, D.T.E. 95T-526 (C.T.) (appel rejeté: T.T.M. n° 500-28-000053-95, le 10 mai 1995).
St-Amant c. *Provigo Distribution inc.*, (1994) C.T. 407, D.T.E. 94T-1048 (C.T.).
V. aussi: *Québec (Procureur général)* c. *Commission des relations du travail*, (2005) R.J.D.T. 1591 (C.S.), D.T.E. 2005T-1049 (C.S.), J.E. 2005-2096 (C.S.), EYB 2005-97132 (C.S.).

97/34 Pour conclure à un lien de droit, il faut que le premier employeur accepte de céder son entreprise à un nouvel employeur. Ainsi, en l'absence d'une aliénation, d'une concession ou d'une modification de la structure juridique, il ne peut être question de continuité d'entreprise en vue d'assurer la protection de l'emploi.
St-Martin c. *Gestion Cromwell inc.*, D.T.E. 2008T-672 (C.R.T.).
Frigon c. *Moisan Aubert Gagné Daigle*, D.T.E. 2003T-1167 (C.R.T.).

97/35 L'article 97 L.N.T. ne s'applique pas dans le cas de concession partielle d'entreprise, où il n'existe aucun lien de droit entre les deux employeurs successifs.
Dalpé c. *Services d'entretien Fany inc.*, D.T.E. 95T-526 (C.T.) (appel rejeté: T.T.M. n° 500-28-000053-95, le 10 mai 1995).
For Net inc. c. *Fonds F.I.C. inc.*, D.T.E. 85T-917 (T.A.).
Huot c. *Manoir Richelieu*, (1984) T.A. 696, D.T.E. 84T-826 (T.A.).

97/36 En l'absence de lien de droit entre deux sous-traitants successifs, il ne peut y avoir continuité d'entreprise.
C.N.T. c. *Services Canparc ltée*, D.T.E. 91T-761 (C.Q.).
Gaboriault c. *Usco inc.*, D.T.E. 2001T-558 (C.T.).
Reynders c. *A.B.M. international ltée*, D.T.E. 98T-1198 (C.T.).
Labranche c. *V.T.M.S.A. inc.*, D.T.E. 96T-448 (C.T.).

Dalpé c. *Services d'entretien Fany inc.*, D.T.E. 95T-526 (C.T.) (appel rejeté: T.T.M. n° 500-28-000053-95, le 10 mai 1995).

97/37 Il ne peut y avoir aliénation ou continuité d'entreprise lorsque le seul rapprochement qu'on peut faire entre deux corporations subventionnées par le gouvernement fédéral repose sur l'identité du donneur d'ouvrage et de subventions, l'identité du travail et la possibilité d'engager le personnel mis à pied par l'organisme disparu et s'il n'existe aucun lien juridique, ni aucune relation d'intérêt ou de connaissance entre les administrateurs des deux organismes.
Boucher c. *Centre de placement spécialisé du Portage (C.P.S.P.)*, (1993) R.D.J. 137 (C.A.), D.T.E. 92T-552 (C.A.), J.E. 92-1695 (C.A.).
Côté c. *Centre local de développement de la Ville de Saguenay*, D.T.E. 2005T-217 (C.R.T.).
V. aussi: *Fournier* c. *Corporation de développement de la rivière Madeleine*, D.T.E. 2007T-624 (C.R.T.).

97/38 Il n'y a pas de lien de droit entre deux entreprises, lorsque le transfert des activités ne relève pas de la volonté des parties, mais plutôt de l'effet de la loi. Également, l'intégration des employés d'une entreprise à une autre n'est pas un critère qui, à lui seul, suffit pour prouver l'aliénation de l'entreprise, d'autant moins que cette opération n'est pas automatique parce qu'elle est assortie de conditions fixées par le Conseil du trésor. De plus, l'intention du législateur ne peut se présumer et, pour établir une aliénation d'entreprise, il faut que la loi prévoie des règles de succession à cet effet.
Vlayen c. *Régie intermunicipale de police de Montcalm*, (2004) R.J.D.T. 720 (C.R.T.), D.T.E. 2004T-332 (C.R.T.) (révision judiciaire refusée: (2005) R.J.D.T. 744 (C.S.), D.T.E. 2005T-549 (C.S.)).
V. aussi: *Québec (Procureur général)* c. *Commission des relations du travail*, (2005) R.J.D.T. 1591 (C.S.), D.T.E. 2005T-1049 (C.S.), J.E. 2005-2096 (C.S.), EYB 2005-97132 (C.S.).

97/39 Dans le cas de fusion de compagnies, il y a un lien direct et une continuité entre chacune des compagnies qui se succèdent, et ce, malgré le changement de noms et de structures de l'entreprise.
Racine c. *Orviande inc.*, D.T.E. 2001T-606 (C.T.).
Tremblay c. *Multi-Marques inc.*, D.T.E. 86T-548 (T.A.).

97/40 Le transfert de la gestion d'une entreprise à une autre, même sans contrat formel, constitue une modification de sa structure juridique et donne ainsi ouverture à la protection prévue à l'article 97 L.N.T.
Valois c. *Papiers Marlboro inc.*, D.T.E. 2008T-19 (C.R.T.).

97/41 Le changement de structure d'un syndicat n'affecte pas l'application de l'article 97 L.N.T.
Nadeau c. *Association unie des compagnons et apprentis de l'industrie de la plomberie et de l'ajustage de tuyauterie des États-Unis et du Canada, local 796, (F.A.T.-C.O.I.)*, D.T.E. 83T-488 (T.A.).

97/42 Il y a application du service continu malgré la modification de la structure de l'entreprise, si les éléments sont insuffisants pour conclure à la division de l'entreprise initiale.
Feres c. *Centre d'apprentissage alternatif Feres*, D.T.E. 2000T-1121 (C.T.).

97/43 Le changement de nom de l'employeur, qui est un changement théorique d'employeur, survenu lors de la création d'une nouvelle compagnie n'annihile pas l'effet de l'article 97 L.N.T.
André c. *Harvey's*, (1987) T.A. 67, D.T.E. 87T-179 (T.A.).

97/44 L'absence d'osmose entre deux sociétés qui sont des entreprises distinctes, mais qui sont dans les faits des partenaires commerciaux, empêche de conclure à l'aliénation ou à la concession de l'entreprise.
Rivard c. *Dion, Durrell & Associates Inc.*, D.T.E. 2003T-1135 (C.R.T.).

97/45 Il y a continuité d'entreprise lorsqu'il y a concession partielle de l'entreprise d'entretien ménager, laquelle a été confiée à une autre compagnie.
Tissot c. *A.B.M. International inc.*, D.T.E. 2000T-673 (C.T.).
Geoffroy c. *Imspec inc.*, D.T.E. 97T-182 (C.T.).

97/46 N'affecte pas la continuité de l'application des normes du travail, le fait pour le propriétaire d'une entreprise de constituer une corporation et d'y transférer les actifs de l'entreprise.
C.N.T. c. *Cogan Wire & Metal Products (1974) Ltd.*, D.T.E. 82T-830 (C.Q.), J.E. 82-1139 (C.Q.).
Bédard c. *Colonial Packaging Co. (Emballages Colonial ltée)*, D.T.E. 84T-139 (T.T.).

97/47 La vente d'un immeuble constitue une aliénation d'entreprise au sens des dispositions de l'article 97 L.N.T.
Garneau c. *Soeurs de la Charité d'Ottawa*, D.T.E. 2008T-595 (C.R.T.).

97/48 La vente des actifs d'une entreprise constitue une aliénation d'entreprise.
Ventes Mercury des Laurentides inc. c. *Bergevin*, D.T.E. 88T-153 (C.A.).
C.N.T. c. *Frank White Entreprises inc.*, (1984) C.P. 232, D.T.E. 84T-800 (C.Q.), J.E. 84-893 (C.Q.).
Bédard c. *Colonial Packaging Co. (Emballages Colonial ltée)*, D.T.E. 84T-139 (T.T.).
Boudreault c. *S.P.R. Société de promotion de Rapid-Graphic inc.*, (1988) C.T. 417, D.T.E. 88T-1019 (C.T.).

97/49 La mise de fonds d'un employeur dans l'entreprise du nouvel employeur ne peut être associée à une aliénation d'entreprise permettant l'application de l'article 97 L.N.T.
Kapsch c. *Transformateurs Marcus Exacta du Canada ltée*, (1995) C.T. 353, D.T.E. 95T-789 (C.T.).

97/50 La dissolution d'une société, qui est l'extinction de la personnalité morale d'une association, ne peut être comparée à l'aliénation d'une entreprise ou à la modification de sa structure juridique au sens de l'article 97 L.N.T. Ainsi, il ne peut y avoir de lien de droit entre une entreprise et une autre lorsqu'il y a eu extinction des pouvoirs et des obligations des associés de la première entreprise.
Trottier-Fackini c. *Hébert, Denault, société en nom collectif*, D.T.E. 2000T-327 (C.T.).

97/51 Il n'y a pas d'aliénation d'entreprise dans le cas où il y a transfert de la distribution d'un produit par l'employeur à un nouveau distributeur, lorsque le tout se fait

sans échange entre les représentants de l'employeur et ceux du nouveau distributeur, lequel a été contacté par un intermédiaire, pour le compte du fabricant.
Moreau c. *Distributions J.C.B. Dionne inc.*, D.T.E. 96T-145 (C.T.).

97/52 La vente d'un fonds de commerce constitue une aliénation d'entreprise.
C.N.T. c. *Erdan*, (1985) C.P. 353, D.T.E. 85T-956 (C.Q.), J.E. 85-1085 (C.Q.).

97/53 Il y a aliénation d'entreprise lorsque le nouvel employeur se porte acquéreur de l'actif de l'entreprise du propriétaire précédent.
Monette c. *9029-2814 Québec inc.*, D.T.E. 97T-825 (C.T.).

97/54 Des immeubles administrés par une société de placement constituent un commerce et leur aliénation n'affecte pas la continuité de l'application des normes du travail.
Ouellet c. *Placements A. Jain inc.*, D.T.E. 82T-496 (T.A.).

97/55 On ne peut conclure que la vente d'une succursale par une fédération de magasins coopératifs à une coopérative régionale puisse entraîner l'application de l'article 97 L.N.T. et l'obligation pour la coopérative régionale de prendre à son service un ex-salarié de la fédération.
Dassylva c. *Cooprix*, D.T.E. 82T-470 (T.A.).

97/56 La prise de possession des actifs d'une corporation par un fiduciaire, non pas en vue de continuer les opérations de celle-ci, mais dans le seul but de la vendre à son profit et pour celui des obligataires conformément à la loi, ne constitue pas une concession d'entreprise.
Gilbert c. *Samuel, Fils & Cie (Québec) ltée*, D.T.E. 99T-797 (C.S.), J.E. 99-1692 (C.S.), REJB 1999-14457 (C.S.) (appel rejeté: REJB 2002-31730 (C.A.)).
C.N.T. c. *Cie de gestion Welfab*, (1989) R.J.Q. 2547 (C.S.), D.T.E. 89T-949 (C.S.), J.E. 89-1436 (C.S.) (appel accueilli pour d'autres motifs: D.T.E. 99T-481 (C.A.), J.E. 99-1050 (C.A.), REJB 1999-12108 (C.A.)).
C.N.T. c. *Banque nationale du Canada*, D.T.E. 88T-282 (C.S.).
C.N.T. c. *Cie de gestion Thomcor ltée*, D.T.E. 86T-265 (C.S.), J.E. 86-400 (C.S.).
C.N.T. c. *Allied Cigar Corp.*, (1985) C.P. 292, D.T.E. 85T-783 (C.Q.), J.E. 85-931 (C.Q.).

97/57 Il y a continuité d'entreprise et continuité d'application des normes du travail lorsqu'une société a exercé sa garantie hypothécaire à l'endroit d'une entreprise en difficulté financière, et qu'elle a continué l'exploitation de celle-ci. Par ces faits, elle devient l'employeur au sens de l'application de l'article 124 L.N.T.
Marshall c. *Jesta I.S. inc.*, D.T.E. 2004T-362 (C.R.T.).

97/58 La prise de possession des actifs d'une entreprise par une banque, dans le seul but de la liquider, lorsque celle-ci demeure active et opérationnelle ne constitue pas une aliénation.
Banque Royale du Canada c. *Perry*, (1991) T.T. 429, D.T.E. 91T-1174 (T.T.).

97/59 Il y a concession ou aliénation de l'entreprise si le fiduciaire prend possession des biens dans le but de continuer le commerce afin d'éponger la dette.
C.N.T. c. *Cie de gestion Thomcor ltée*, D.T.E. 86T-265 (C.S.), J.E. 86-400 (C.S.).

97/60 Il y a continuité d'entreprise lorsque le syndic de faillite n'est qu'un administrateur provisoire de celle-ci, dans le but unique de la vendre à quelqu'un d'autre.
6460925 Canada inc. (Décor Maison Lady Sandra inc./Lady Sandra Home Fashions inc.) c. *Ferraro*, D.T.E. 2007T-616 (C.R.T.).

97/61 Il y a continuité d'entreprise lorsque la vente de l'actif par le syndic a pour but la continuation des opérations par le nouvel employeur.
Plante c. *177881 Canada inc. (Lady Sandra du Canada ltée)*, D.T.E. 2007T-546 (C.R.T.).

97/62 L'exception de la vente en justice n'étant pas mentionnée à l'article 97 L.N.T., une telle vente n'affecte pas la continuité de l'application des normes.
Groupe Purdel inc., division des produits de la mer c. *Gagnon*, D.T.E. 88T-242 (C.S.).
C.N.T. c. *Cie de gestion Thomcor ltée*, D.T.E. 86T-265 (C.S.), J.E. 86-400 (C.S.).
C.N.T. c. *Mécanique M. Blanchet inc.*, D.T.E. 2004T-508 (C.Q.), J.E. 2004-1052 (C.Q.), REJB 2004-61288 (C.Q.).
C.N.T. c. *L.S. Tarshis ltée*, (1985) C.P. 267, D.T.E. 85T-747 (C.Q.), J.E. 85-876 (C.Q.).
Bonan c. *Samson, Bélair/Deloitte & Touche inc.*, (2001) R.J.D.T. 1264 (C.T.), D.T.E. 2001T-839 (C.T.) (désistement de la révision judiciaire).
Delisle c. *2544-0751 Québec inc.*, D.T.E. 2001T-1156 (C.T.).
Janes c. *Transcorp Immobilier inc.*, (1999) R.J.D.T. 260 (C.T.), D.T.E. 99T-314 (C.T.).
Perreault c. *Volcano Technologies inc.*, D.T.E. 98T-590 (C.T.).
Kucyniak c. *3090-9626 Québec inc.*, D.T.E. 95T-1143 (C.T.) (requête en révision judiciaire: n° 500-05-008877-951).
Paul c. *9010-5115 Québec inc.*, D.T.E. 95T-1049 (C.T.).

97/63 Selon les dispositions de l'article 97 L.N.T., l'aliénation ou la concession totale ou partielle d'une entreprise ainsi que la modification de sa structure juridique n'interrompent pas la continuité de l'application des normes du travail. Deux conditions doivent être présentes pour conclure à l'application de cette disposition: 1) l'existence d'un lien de droit entre le vendeur et l'acquéreur; 2) la continuité de l'entreprise.
C.N.T. c. *Mécanique M. Blanchet inc.*, D.T.E. 2004T-508 (C.Q.), J.E. 2004-1052 (C.Q.), REJB 2004-61288 (C.Q.).

97/64 La continuité de l'application des normes du travail ne se trouve pas affectée par la vente en justice. Le service continu peut cependant être interrompu par une telle vente.
C.N.T. c. *L.S. Tarshis ltée*, (1985) C.P. 267, D.T.E. 85T-747 (C.Q.), J.E. 85-876 (C.Q.).

97/65 Lorsqu'il y a interruption du service continu en raison d'une vente forcée, il ne peut y avoir application de l'article 124 L.N.T.
Beaulieu c. *9009-1356 Québec inc.*, D.T.E. 97T-14 (C.T.) (ultérieur: (1997) T.T. 232, D.T.E. 97T-473 (T.T.)) (révision judiciaire refusée: D.T.E. 97T-946 (C.S.)) (en appel: n° 200-09-001487-971).

97/66 La vente effectuée par un syndic de faillite est assimilée à une vente en justice ayant pour conséquence d'interrompre le service continu.
C.N.T. c. *136860 Canada inc.*, D.T.E. 93T-1005 (C.Q.), J.E. 93-1557 (C.Q.).

97/67 Il ne peut y avoir d'aliénation, concession d'entreprise ou modification de sa structure juridique par fusion, division ou autrement, lorsqu'il y a eu vente du syndic dûment autorisée par jugement de la Cour.
Bergeron c. *Métallurgie Frontenac ltée*, (1992) R.J.Q. 2656 (C.A.), D.T.E. 92T-1248 (C.A.), J.E. 92-1655 (C.A.).

97/68 La vente en justice des biens mobiliers par un syndic, en cas de faillite de l'employeur, n'empêche pas l'application de l'article 97 L.N.T.
Paul c. *9010-5115 Québec inc.*, D.T.E. 95T-1049 (C.T.).

97/69 L'article 2097 du *Code civil du Québec* est une disposition d'ordre public qui assure le maintien du contrat de travail et rend l'acheteur solidairement responsable de tout recours s'y rapportant exercé contre le vendeur. Cette disposition s'applique même en cas de vente en justice, à laquelle la vente pour cause de faillite doit être assimilée, dans la mesure où il y a continuité d'entreprise. Ainsi, le contrat de travail et les recours qui en découlent, dont notamment la plainte en vertu de l'article 124 L.N.T., sont protégés par l'article 2097 du *Code civil du Québec*.
Janes c. *Transcorp Immobilier inc.*, (1999) R.J.D.T. 260 (C.T.), D.T.E. 99T-314 (C.T.).
Leblanc c. *Industries Cover inc. / Vitrerie Bouchard (1994) inc.*, (1995) C.T. 364, D.T.E. 95T-854 (C.T.).
V. aussi: *Bonan* c. *Samson, Bélair / Deloitte & Touche inc.*, (2001) R.J.D.T. 1264 (C.T.), D.T.E. 2001T-839 (C.T.) (désistement de la révision judiciaire).

97/70 Malgré les dispositions de l'article 2097 du *Code civil du Québec*, qui prévoit que l'aliénation de l'entreprise ne met pas fin au contrat de travail, il faut noter que l'article 97 L.N.T. doit être interprété de façon à conclure que la vente en justice interrompt le service continu.
Beaulieu c. *9009-1356 Québec inc.*, D.T.E. 97T-14 (C.T.) (ultérieur: (1997) T.T. 232, D.T.E. 97T-473 (T.T.)) (révision judiciaire refusée: D.T.E. 97T-946 (C.S.)) (en appel: n° 200-09-001487-971).

97/71 Le fait qu'un représentant de l'employeur garantisse au salarié que ce sera comme avant son embauche en ce qui a trait à ses conditions de travail, ne peut être interprété comme la preuve d'une continuité, au sens de l'article 97 L.N.T.
C.N.T. c. *Chirurgiens vasculaires associés de Québec*, D.T.E. 2000T-1022 (C.Q.).

97/72 V. *infra* à *Service continu et maintien de l'emploi*.

RESPONSABILITÉ DE L'EMPLOYEUR

Général

97/73 Lorsque le nouvel employeur respecte le contrat de travail des salariés de l'ancien employeur, il y a application automatique des normes du travail.
Ferris c. *Produits Pétro-Canada inc.*, D.T.E. 85T-332 (T.A.), conf. par (1987) R.J.Q. 261 (C.A.), D.T.E. 87T-58 (C.A.), J.E. 87-135 (C.A.).
C.N.T. c. *Gestion Chare inc.*, D.T.E. 88T-674 (C.Q.) (règlement hors cour).
C.N.T. c. *Mécaniques Ron Toohey inc.*, D.T.E. 86T-638 (C.Q.).

C.N.T. c. *Barbecue Central inc.*, D.T.E. 84T-190 (C.Q.), J.E. 84-217 (C.Q.).
C.N.T. c. *Frank White Entreprises inc.*, (1984) C.P. 232, D.T.E. 84T-800 (C.Q.), J.E. 84-893 (C.Q.).
C.N.T. c. *Cogan Wire & Metal Products (1974) Ltd.*, D.T.E. 82T-830 (C.Q.), J.E. 82-1139 (C.Q.).
Leroux c. *Société générale du cinéma*, D.T.E. 85T-85 (T.A.).
Brunet c. *M. Loeb Ltd.*, (1983) T.A. 818, D.T.E. 83T-904 (T.A.).
Racine c. *Renault Canardière inc.*, D.T.E. 83T-567 (T.A.).
Prévost c. *Pilonex inc.*, (1982) T.A. 904, D.T.E. 82T-717 (T.A.).
Contra: *C.N.T.* c. *Vincelli*, D.T.E. 82T-701 (C.Q.), J.E. 82-1025 (C.Q.).
Larue c. *149444 Canada inc.*, D.T.E. 89T-982 (T.A.).

97/74 Le transfert d'activités d'un employeur à un autre ne modifie nullement les obligations de l'employeur.
Gagnon c. *2753-3058 Québec inc.*, D.T.E. 95T-750 (C.T.).
St-Amant c. *Provigo Distribution inc.*, (1994) C.T. 407, D.T.E. 94T-1048 (C.T.).
Tardif c. *Société immobilière L'Exécutif inc.*, D.T.E. 92T-1245 (C.T.).
Tibbitts c. *Service pétrolier Techsan Canada ltée*, (1992) C.T. 10, D.T.E. 92T-70 (C.T.).

97/75 Il y a continuité de l'application des normes lorsqu'il y a transfert d'un salarié d'un employeur à l'autre, même si telle n'est pas l'intention de l'acquéreur.
Favreau c. *Société en commandite Le Longueuil*, D.T.E. 90T-1104 (T.A.).
V. aussi: *Paul* c. *9010-5115 Québec inc.*, D.T.E. 95T-1049 (C.T.).

97/76 L'intention du vendeur de garantir l'acquéreur contre toute réclamation des salariés ne peut libérer ce dernier des obligations que la loi lui impose par le biais de l'article 97 L.N.T.
Pronovost c. *Atelier de carrosserie et mécanique Damo St-Laurent inc.*, (1984) T.A. 171, D.T.E. 84T-252 (T.A.).

97/77 L'article 97 L.N.T. n'est pas une disposition qui garantit la sécurité d'emploi; il ne prolonge pas le contrat de travail du salarié à moins d'un engagement exprès du nouvel acquéreur. Cet article prévoit plutôt que l'aliénation d'une entreprise ne met pas fin de plein droit au contrat de travail lorsque le nouvel employeur garde à son service le salarié de l'employeur cédant, à ce moment-là le contrat de travail peut se continuer tacitement, sans formalité, aux mêmes conditions.
C.N.T. c. *2735-3861 Québec inc.*, D.T.E. 95T-620 (C.Q.), J.E. 95-1075 (C.Q.).

97/78 L'article 97 L.N.T. ne peut forcer l'acquéreur d'une entreprise à engager automatiquement et aux mêmes conditions les employés qui y travaillent. Celui-ci n'est pas tenu de conserver à son service les anciens employés ou de justifier son refus d'embaucher un salarié à l'emploi du vendeur cédant.
Moncion c. *Marché Jean Renaud inc.*, (1994) C.T. 199, D.T.E. 94T-313 (C.T.).
Rouse c. *Emballages Paperboard inc., division cartonnage Québec*, (1994) C.T. 445, D.T.E. 94T-1203 (C.T.).
Tremblay c. *Entreprises Myrja inc. et/ou Massicotte Sports Experts*, (1986) T.A. 319, D.T.E. 86T-409 (T.A.).
V. aussi: *C.N.T.* c. *2735-3861 Québec inc.*, D.T.E. 95T-620 (C.Q.), J.E. 95-1075 (C.Q.).
Bruneau c. *Roux*, D.T.E. 98T-862 (C.T.).
Labbé c. *Service de santé Marleen Tassé ltée*, D.T.E. 95T-699 (C.T.).

97/79 L'acquéreur d'une entreprise n'est pas lié aux salariés de l'aliénateur en l'absence d'une volonté expresse ou tacite à cet effet établissant un lien de droit entre les deux.
Brousseau c. *R. Godreau Automobile (1989) ltée*, (1992) R.J.Q. 1037 (C.S.), D.T.E. 92T-418 (C.S.), J.E. 92-603 (C.S.).
Speer Canada (1988) inc. c. *Cloutier*, D.T.E. 90T-1203 (C.S.), J.E. 90-1484 (C.S.) (appel rejeté sur requête).
C.N.T. c. *Vêtements Victoriaville inc.*, (1988) R.J.Q. 555 (C.Q.), D.T.E. 88T-114 (C.Q.), J.E. 88-170 (C.Q.).
Béland c. *2536-3011 Québec inc.*, D.T.E. 90T-755 (T.A.).
Favreau c. *Société en commandite Le Longueuil*, D.T.E. 90T-1104 (T.A.).

Service continu et maintien de l'emploi

97/80 L'article 97 L.N.T. vise à lier le nouvel employeur dans la continuité de l'application des normes du travail seulement et non pas à le lier au service continu du salarié de l'employeur précédent.
Hotel Copper Co. 2162-6817 Québec inc. c. *Côté*, D.T.E. 85T-269 (T.A.).

97/81 L'article 97 L.N.T. fait en sorte que le lien d'emploi se perpétue d'un employeur à l'autre malgré l'aliénation de l'entreprise et malgré le fait que l'employeur cédant ait licencié tout son personnel, si le nouvel employeur a réembauché ce personnel.
Télé-Alarme T.S. inc. c. *Nadeau*, D.T.E. 93T-1129 (C.S.), J.E. 93-1719 (C.S.).
Ménard c. *Wal-Mart Canada inc.*, D.T.E. 98T-187 (C.T.) (révision judiciaire refusée: D.T.E. 98T-719 (C.S.)) (désistement d'appel).
Dussault c. *Placement de personnel Marie-Andrée Laforce inc.*, D.T.E. 93T-632 (C.T.).
V. aussi: *St-Amant* c. *Provigo Distribution inc.*, (1994) C.T. 407, D.T.E. 94T-1048 (C.T.).

97/82 Malgré le fait que l'employeur ait aliéné son entreprise, le salarié conserve le droit de contester sa cessation d'emploi en alléguant qu'il s'agit d'un congédiement.
Lazaro c. *9049-8833 Québec inc.*, D.T.E. 2003T-1134 (C.R.T.).

97/83 Il y a continuité de l'application des normes du travail lorsqu'un salarié passe d'un employeur à un autre qui a acquis l'actif de l'entreprise, même si telle n'est pas l'intention de l'acquéreur.
Monette c. *9029-2814 Québec inc.*, D.T.E. 97T-825 (C.T.).

97/84 L'acquéreur d'une entreprise doit démontrer une cause juste et suffisante pour ne pas réembaucher un salarié licencié par l'employeur cédant.
Moncion c. *Marché Jean Renaud inc.*, (1994) C.T. 199, D.T.E. 94T-313 (C.T.).

97/85 Le fait de ne pas réembaucher un salarié peut équivaloir à un congédiement au sens de l'article 124 L.N.T. considérant que l'aliénation de l'entreprise n'interrompt pas la continuité de l'application des normes du travail selon l'article 97 L.N.T.
Bonan c. *Samson, Bélair/Deloitte & Touche inc.*, (2001) R.J.D.T. 1264 (C.T.), D.T.E. 2001T-839 (C.T.) (désistement de la révision judiciaire).
Geoffroy c. *Imspec inc.*, D.T.E. 97T-182 (C.T.).

97/86 Même si l'article 97 L.N.T. crée une continuité nonobstant l'aliénation de l'entreprise, cette disposition ne rend pas automatique le réembauchage du salarié par le nouveau propriétaire. Cependant, cela ne signifie pas que celui-ci est libéré de toute obligation envers le personnel de l'entreprise qu'il acquiert.
Bérubé c. *Compagnie distributrice du St-Laurent (C.D.S.) 1996 ltée*, D.T.E. 2002T-333 (C.T.).

97/87 Le vendeur d'une entreprise ne peut mettre fin au contrat de travail de ses salariés pour la simple raison qu'il vend son entreprise, de sorte que l'acquéreur puisse repartir à neuf et engager qui il veut, et ce, en tenant compte de l'article 2097 C.C.Q. Toutefois, à la suite de l'achat d'une entreprise, l'acquéreur a certes le droit d'en modifier la structure administrative ou de réduire le nombre de salariés pour remédier à des difficultés financières, comme tout propriétaire peut le faire dans son entreprise, mais il est alors soumis, au regard du contrat des salariés, au respect des normes édictées à la *Loi sur les normes du travail*. L'acquéreur doit alors justifier la fin d'emploi imposée au salarié. Il doit faire la preuve d'une réorganisation administrative ou de difficultés financières pour justifier le licenciement, ou faire la preuve d'une cause juste et suffisante pour expliquer le congédiement.
Cloutier c. *2740-9218 Québec inc. (Resto Bar Le Club Sandwich)*, D.T.E. 2008T-305 (C.R.T.) (règlement hors cour).
Sirois c. *Cam-expert*, D.T.E. 2003T-589 (C.R.T.).
Veilleux c. *2000414 Ontario inc.*, D.T.E. 2003T-348 (C.R.T.).
Martin c. *3070336 Canada inc.*, D.T.E. 96T-231 (C.T.).
Dans le cas de la cessation d'emploi décidée par le vendeur, voir: *Lazaro* c. *9049-8833 Québec inc.*, D.T.E. 2003T-1134 (C.R.T.).

97/88 Il y a perte du service continu lorsque l'employeur cédant licencie ses salariés lors de la vente de son entreprise et que le nouvel acquéreur réembauche ceux-ci.
C.N.T. c. *2735-3861 Québec inc.*, D.T.E. 95T-620 (C.Q.), J.E. 95-1075 (C.Q.).
C.N.T. c. *Vêtements Victoriaville inc.*, (1988) R.J.Q. 555 (C.Q.), D.T.E. 88T-114 (C.Q.), J.E. 88-170 (C.Q.).
C.N.T. c. *L.S. Tarshis ltée*, (1985) C.P. 267, D.T.E. 85T-747 (C.Q.), J.E. 85-876 (C.Q.).
Bruneau c. *Roux*, D.T.E. 98T-862 (C.T.).
Larue c. *149444 Canada inc.*, D.T.E. 89T-982 (T.A.).
Forget c. *Restaurant Le Limousin inc.*, (1982) T.A. 927, D.T.E. 82T-837 (T.A.).
Voir aussi en vertu du nouvel article 124 L.N.T.: *Moncion* c. *Marché Jean Renaud inc.*, (1994) C.T. 199, D.T.E. 94T-313 (C.T.).

97/89 Lorsque le vendeur de l'entreprise résilie le contrat de travail et que le salarié continue à travailler pour ce nouvel employeur la durée du service continu reprend à zéro.
C.N.T. c. *L.S. Tarshis ltée*, (1985) C.P. 267, D.T.E. 85T-747 (C.Q.), J.E. 85-876 (C.Q.).
Lacombe c. *Gestion canadienne Alpha*, D.T.E. 82T-510 (T.A.).

97/90 La continuité de service et la continuité de l'application des normes sont deux principes différents. Ainsi, l'article 97 L.N.T. n'est pas une disposition garantissant la sécurité d'emploi et il ne prolonge pas le contrat du salarié à moins d'engagement exprès par le nouvel acquéreur, celui-ci peut toujours négocier un nouveau contrat avec le salarié ou simplement ne pas le réengager.
C.N.T. c. *Vincelli*, D.T.E. 82T-701 (C.Q.), J.E. 82-1025 (C.Q.).

97/91 Seule la résiliation du contrat de travail lors de la cession ou du changement de vocation de l'entreprise fait perdre au salarié le service continu accumulé chez l'ancien employeur.
Contant c. *Station de service Sylvain Charron inc.*, D.T.E. 93T-480 (C.T.).
Pronovost c. *Atelier de carrosserie et mécanique Damo St-Laurent inc.*, (1984) T.A. 171, D.T.E. 84T-252 (T.A.).

97/92 Une modification de structure juridique d'un entreprise n'a pas pour effet d'interrompre la computation des années de service des salariés de cette entreprise.
Poirier c. *Pir-Vir inc.*, D.T.E. 86T-184 (T.A.).

97/93 Un salarié est réputé travailler pour une même entreprise malgré l'aliénation de celle-ci. C'est le cas lorsque celui-ci a continué son travail sans changement chez un sous-traitant, même s'il y a eu aliénation de l'entreprise.
Racine c. *Orviande inc.*, D.T.E. 2001T-606 (C.T.).

97/94 L'aliénation d'entreprise ne brise pas le lien d'emploi du salarié et n'interrompt pas la durée de son service continu. Ainsi, les différentes sociétés ayant participé à une transaction deviennent l'employeur du plaignant. Elles doivent assumer ensemble les obligations d'un employeur au sens de la loi à titre de successeur des droits et obligations de l'ancien employeur.
Garneau c. *Soeurs de la Charité d'Ottawa*, D.T.E. 2008T-595 (C.R.T.).

97/95 Le rachat d'une franchise ne peut mettre fin au service continu d'un salarié.
St-Amant c. *Provigo Distribution inc.*, (1994) C.T. 407, D.T.E. 94T-1048 (C.T.).

97/96 L'ancienneté et le service continu du salarié accumulés avant et après la vente ne sont pas affectés par l'aliénation de l'entreprise.
C.N.T. c. *Frank White Entreprises inc.*, (1984) C.P. 232, D.T.E. 84T-800 (C.Q.), J.E. 84-893 (C.Q.).

97/97 La modification du statut du salarié en cours d'emploi n'affecte pas le fait que celui-ci a travaillé de façon continue pour le même employeur, et ce, malgré la renonciation aux avantages que lui procure son premier contrat de travail.
Rouse c. *Emballages Paperboard inc., division cartonnage Québec*, (1994) C.T. 445, D.T.E. 94T-1203 (C.T.).
V. aussi: *Sanford* c. *McGill University (MacDonald Campus)*, D.T.E. 96T-600 (C.T.) (révision judiciaire refusée: C.S.M. n° 500-05-018213-965, le 10 octobre 1996).

97/98 La décision personnelle du salarié de changer d'employeur en allant travailler pour une entreprise distincte, qui est une filiale de la compagnie mère, ne fait pas en sorte qu'il peut y avoir service continu d'une entreprise à l'autre.
Dagenais c. *B.L.C. Valeurs mobilières inc.*, D.T.E. 2002T-1111 (C.T.).
V. aussi: *Bassong* c. *Fédération des caisses Desjardins du Québec*, D.T.E. 2005T-463 (C.R.T.).

97/99 L'aliénation d'une entreprise n'affecte pas la continuité de l'application du droit de la salariée enceinte au maintien de son emploi.
Papazafiris c. *Murielle Raymond inc.*, (1983) T.T. 449, D.T.E. 83T-633 (T.T.).
Boudreault c. *S.P.R. Société de promotion de Rapid-Graphic inc.*, (1988) C.T. 417, D.T.E. 88T-1019 (C.T.).

97/100 Même si certaines entreprises ont un actionnaire majoritaire commun et partagent divers services administratifs, une plainte dirigée contre l'une des entreprises sera irrecevable si le plaignant n'a pas effectué deux ans de service continu à cet endroit.
Société d'automation Tecnex (1983) ltée c. *Sopata*, D.T.E. 84T-270 (T.A.).

97/101 En cas de fusion d'entreprises se produisant après une absence pour maladie d'un salarié, protégé par les dispositions de l'article 122.2 L.N.T. (aujourd'hui les articles 79.1 et 79.4 L.N.T.), il doit y avoir réintégration de celui-ci dans ses fonctions, puisque l'article 97 L.N.T. prévoit que la fusion d'entreprises n'interrompt pas la continuité de l'application des normes du travail. D'ailleurs, l'article 2097 du *Code civil du Québec* va dans le même sens.
Boulianne c. *3087-9373 Québec inc.*, (1996) C.T. 525, D.T.E. 96T-1152 (C.T.) (appel accueilli en partie pour d'autres motifs: (1997) T.T. 113, D.T.E. 97T-98 (T.T.)).

97/102 V. la jurisprudence sous l'article 96 L.N.T.

97/103 V. la jurisprudence sous l'article 82 L.N.T. à *Rupture du lien d'emploi et mise à pied*.

97/104 V. la jurisprudence sous l'article 124 L.N.T. à SERVICE CONTINU.

97/105 V. BÉLIVEAU, N.-A., *Les normes du travail*, Cowansville, Les Éditions Yvon Blais inc., 2003, p. 278 à 298.

97/106 V. BICH, M.-F., «Contrat de travail et *Code civil du Québec* — Rétrospective, perspectives et expectatives», dans *Développements récents en droit du travail (1996)*, Formation permanente du Barreau du Québec, Cowansville, Les Éditions Yvon Blais inc., 1996, p. 189, p. 289 à 300.

97/107 V. BICH, M.-F., «Le contrat de travail», dans *La réforme du Code civil*, t. II, Barreau du Québec et Chambre des notaires du Québec, Ste-Foy, Les Presses de l'Université Laval, 1993, p. 741, n°s 21 à 33, p. 771 à 774.

97/108 V. BONHOMME, R., GASCON, C. et LESAGE, L., *The Employment Contract under the Civil Code of Quebec*, Cowansville, Les Éditions Yvon Blais inc., 1994, p. 91 à 105.

97/109 V. BRIÈRE, J.-Y., «Le *Code civil du Québec* et la *Loi sur les normes du travail*: convergence ou divergence?», (1994) 49 *R.I.* 104, 126 à 130.

97/110 V. BRIÈRE, J.-Y. et VILLAGGI, J.-P., *Relations de travail*, vol. 2, (édition à feuilles mobiles), Brossard, Les Publications CCH ltée, p. 8,471 à 8,489-13.

97/111 V. BRODY, B., LAPORTE, P. et ROSS, C., «L'application de l'article 97 de la Loi sur les normes du travail lors de recours à l'encontre d'un congédiement sans cause juste et suffisante», (1985) 45 *R. du B.* 249.

97/112 V. CAZA, C., «L'embarquement pour un tour d'horizon des développements récents concernant la *Loi sur les normes du travail*», dans *Développements récents en droit du travail (1997)*, Formation permanente du Barreau du Québec, Cowansville, Les Éditions Yvon Blais inc., 1997, p. 229, p. 282 et ss.

97/113 V. CAZA, C., «Le contrat de travail et le *Code civil du Québec*: continuité ou rupture?», dans *Congrès annuel du Barreau du Québec (1995)*, Montréal, Formation permanente du Barreau du Québec, 1995, p. 857, p. 880 à 888.

97/114 V. DAVIS, T.M., «L'effet de l'aliénation de l'entreprise sur le contrat de travail à la lumière de l'article 2097 C.c.Q.», dans *Développements récents en droit du travail (1997)*, Formation permanente du Barreau du Québec, Cowansville, Les Éditions Yvon Blais inc., 1997, p. 95.

97/115 V. DUBÉ, J.-L. et DI IORIO, N., *Les normes du travail*, 2e éd., Sherbrooke, Les Éditions Revue de droit — Université de Sherbrooke, 1992, p. 254 à 265, 271 à 287.

97/116 V. GAGNON, R.P., LEBEL, L. et VERGE, P., *Droit du travail*, 2e éd., Ste-Foy, Les Presses de l'Université Laval, 1991, p. 152 et 153.

97/117 V. GRATTON, L., «La transmission d'entreprise, le *Code du travail*, la *Loi sur les normes du travail* et le *Code civil du Québec*», (2002) 1 *C.P. du N.* 123.

97/118 V. LAPORTE, P., *Le traité du recours à l'encontre d'un congédiement sans cause juste et suffisante (en vertu de la Loi sur les normes du travail, article 124)*, Montréal, Wilson & Lafleur ltée, 1992, p. 72 à 93.

97/119 V. LaROCHE, C., «L'article 2097 C.c.Q.: la continuation du contrat de travail, un leurre?», dans *Développements récents en droit du travail (1999)*, Formation permanente du Barreau du Québec, Cowansville, Les Éditions Yvon Blais inc., 1999, p. 131.

97/120 V. LESAGE, L. et BONHOMME, R., «Le maintien du contrat de travail dans le cas d'une aliénation de l'entreprise — Un bilan de la jurisprudence rendue au sujet de l'article 2097 du *Code civil du Québec*», (1999) 7 *Repères* 222.

97/121 V. MORIN, F., *Rapports collectifs du travail*, 2e éd., Montréal, Les Éditions Thémis inc., 1991, p. 384 à 394.

97/122 V. OUIMET, H., «Commentaires sur l'affaire *Produits Pétro-Canada* c. *Moalli*», (1987) 47 *R. du B.* 852.

97/123 V. POUSSON, A., «Cession d'entreprise et relations du travail», (1993) 34 *C. de D.* 847.

art. 98

98/1 Une entreprise de transport routier qui effectue régulièrement et continuellement des déplacements extraprovinciaux est une entreprise fédérale.
Léo Beauregard & Fils (Canada) ltée c. *C.N.T.*, (2000) R.J.Q. 1075 (C.A.), (2000) R.J.D.T. 453 (C.A.), D.T.E. 2000T-351 (C.A.), J.E. 2000-792 (C.A.), REJB 2000-17481 (C.A.).

98/2 L'entreprise qui oeuvre dans le domaine de la téléphonie, soit la vente d'appareils et de temps d'antenne et qui est en charge de la procédure de mise en activité des appareils, ne relève pas de la compétence fédérale, mais bien de la compétence provinciale, puisque cette entreprise n'est pas assez intégrée et connexe à l'entreprise fédérale dont elle est un agent qui, elle, est assujettie à la compétence fédérale.
C.N.T. c. *Chambly Radios communications cellulaires inc.*, (2003) R.J.Q. 291 (C.Q.), (2003) R.J.D.T. 201 (C.Q.), D.T.E. 2003T-6 (C.Q.), J.E. 2003-31 (C.Q.), REJB 2002-36768 (C.Q.).
V. aussi: *C.N.T.* c. *3986543 Canada inc.*, D.T.E. 2004T-699 (C.Q.), J.E. 2004-1435 (C.Q.), REJB 2004-66337 (C.Q.).

98/3 La Commission des normes du travail n'est pas l'ayant cause du salarié pour qui elle agit en qualité statutaire.
Liberty Mutual Insurance Co. c. *C.N.T.*, (1990) R.D.J. 421 (C.A.), D.T.E. 90T-872 (C.A.), J.E. 90-1479 (C.A.).
Transport Tilly Inc. c. *Commission du salaire minimum*, J.E. 78-1018 (C.A.).

98/4 La Commission des normes du travail n'agit pas comme mandataire du salarié, elle tient son mandat de la loi.
Commission du salaire minimum c. *Venizelos*, J.E. 80-383 (C.Q.).

98/5 Un employeur peut invoquer la compensation légale contre un salarié sans mettre en cause celui-ci. Il peut le faire dans le cadre de sa défense, sans la présence du salarié. Par contre, lorsque le débat a lieu entre la Commission des normes du travail et l'employeur, il ne saurait y avoir compensation pour défaut de paiement d'un délai-congé raisonnable par le salarié puisque la Commission des normes n'est pas mandataire de ce dernier.
C.N.T. c. *Secret de Marilyn inc.*, D.T.E. 96T-1470 (C.Q.), J.E. 96-2255 (C.Q.).

98/6 Un employeur ne peut opposer compensation légale à l'égard d'une réclamation effectuée par la Commission des normes du travail, si la compensation ne peut s'opérer de plein droit. Aussi, la Commission des normes du travail n'est pas la mandataire du salarié au nom duquel elle réclame. La Commission détient son mandat directement de la *Loi sur les normes du travail*, qui est une loi d'ordre public. De plus, lorsque aucune cession de créance ne s'est opérée entre le salarié et la Commission, il ne saurait y avoir compensation entre les personnes qui ne sont pas débitrices ni créancières l'une de l'autre.
C.N.T. c. *Cousineau*, D.T.E. 2004T-1021 (C.Q.), J.E. 2004-1965 (C.Q.), REJB 2004-71192 (C.Q.).

98/7 Le recours exercé par la Commission des normes du travail découle d'une subrogation légale inédite.
C.N.T. c. *Restaurants Pastificio (Québec) inc.*, (1983) C.P. 266, D.T.E. 83T-950 (C.Q.), J.E. 83-1149 (C.Q.).

98/8 La Cour supérieure a compétence *ratione materiae* pour entendre une réclamation de la Commission des normes du travail pour du salaire qui serait dû à des employés avant qu'ils soient assujettis à une convention collective, alors qu'ils étaient en période de formation.
C.N.T. c. *Montréal (Communauté urbaine de)*, D.T.E. 2001T-886 (C.S.), J.E. 2001-1681 (C.S.), REJB 2001-26383 (C.S.) (appel rejeté: REJB 2002-29502 (C.A.)).

98/9 Les articles 98 et 121 L.N.T. assujettissent le recours civil des salariés à un mécanisme particulier. Ainsi, la requête en jugement déclaratoire, prévue par les dispositions des articles 453 et ss. C.P.C., n'est pas le recours approprié lorsqu'il s'agit de déterminer la durée du service continu des travailleurs saisonniers aux fins du calcul de leur indemnité de congé annuel.
Fruits de mer Gascons ltée c. *Brotherton*, (2000) R.J.D.T. 1597 (C.S.), D.T.E. 2000T-1200 (C.S.), J.E. 2000-2285 (C.S.), REJB 2000-21621 (C.S.).

98/10 La *Loi sur les normes du travail* n'enlève aucun des droits du salarié de revendiquer en justice ce qu'il croit lui être dû.
C.N.T. c. *Campeau Corp.*, (1989) R.J.Q. 2108 (C.A.), D.T.E. 89T-848 (C.A.), J.E. 89-1286 (C.A.) (autorisation d'appeler à la Cour suprême refusée).
Hamel c. *Fermos inc.*, (1990) T.A. 448, D.T.E. 90T-752 (T.A.).

98/11 Lorsque la Commission des normes du travail est d'avis que le droit au paiement des heures supplémentaires découle d'une entente intervenue entre le salarié et l'employeur, elle peut exercer un recours puisque l'article 98 L.N.T. l'autorise à réclamer, pour le compte d'un salarié, le salaire qui lui est dû, ce qui inclut la rémunération prévue dans un contrat.
C.N.T. c. *Solutions Mindready inc.*, D.T.E. 2006T-1036 (C.Q.), EYB 2006-110749 (C.Q.).

98/12 La conclusion d'une quittance est un obstacle empêchant un salarié de s'adresser à la Division des petites créances de la Cour du Québec.
Péloquin c. *Emballage Performant inc.*, D.T.E. 98T-891 (C.Q.).

98/13 Une transaction non signée par le salarié plaignant ne constitue pas un moyen de non-recevabilité à l'encontre d'une réclamation d'indemnité.
C.N.T. c. *Entreprises de construction Gaston Morin (1979) ltée*, D.T.E. 2002T-786 (C.Q.).

98/14 Le dol, le mensonge ou la fausse représentation d'un salarié à son employeur constituent une fin de non-recevoir opposable au recours qu'il pourrait vouloir exercer, ou que la Commission des normes du travail pourrait vouloir exercer en son nom, contre son employeur.
Corp. Cité-joie inc. c. *C.N.T.*, (1994) R.J.Q. 2425 (C.A.), D.T.E. 94T-1099 (C.A.), J.E. 94-1551 (C.A.).

98/15 La réclamation pour salaire et vacances d'un salarié ayant décidé de se faire justice lui-même en s'appropriant l'argent de la caisse de son employeur, constitue une fin de non-recevoir à sa réclamation.
C.N.T. c. *9071-7323 Québec inc.*, D.T.E. 2000T-1097 (C.Q.).

98/16 Il ne saurait y avoir de demande reconventionnelle d'un employeur à l'égard de la Commission des normes du travail, puisque celle-ci agit au nom des salariés aux fins de l'application de la *Loi sur les normes du travail* seulement.
C.N.T. c. *Desjardins*, D.T.E. 99T-1099 (C.Q.), J.E. 99-2235 (C.Q.), REJB 1999-15506 (C.Q.).
Contra: *C.N.T.* c. *Fournitures La Sacoche inc.*, D.T.E. 2007T-34 (C.Q.), EYB 2006-111785 (C.Q.).
C.N.T. c. *2420-9611 Québec inc.*, D.T.E. 2002T-187 (C.Q.), J.E. 2002-344 (C.Q.), REJB 2002-30105 (C.Q.).

98/17 Il ne saurait y avoir de demande reconventionnelle contre la Commission des normes du travail, sauf s'il est prouvé qu'elle a persisté à exercer un recours manifestement non fondé qui ne peut s'appuyer sur aucune disposition de la *Loi sur les normes du travail*.
C.N.T. c. *Braille Jymico inc.*, D.T.E. 2003T-246 (C.Q.).

98/18 Il ne saurait y avoir de demande reconventionnelle contre la Commission des normes du travail lorsque la preuve ne permet pas de conclure que les représentants de celle-ci ont agi de mauvaise foi et exercé un recours frivole, abusif et uniquement fondé sur le sentiment de vengeance du salarié. La Commission des normes du travail ne peut à la fois être juge et partie lorsqu'elle intervient pour un salarié en vertu des pouvoirs qui lui sont conférés par la *Loi sur les normes du travail* et elle respecte cette obligation si la documentation fournie par l'employeur ne lui permet pas de conclure que la réclamation du salarié est totalement injustifiée.
C.N.T. c. *Fournitures La Sacoche inc.*, D.T.E. 2007T-34 (C.Q.), EYB 2006-111785 (C.Q.).

98/19 Lorsque la Commission des normes du travail entreprend une poursuite contre un employeur, ce dernier ne peut réclamer un délai-congé raisonnable contre le salarié puisque ce recours équivaut à une demande reconventionnelle contre une tierce partie.
C.N.T. c. *Secret de Marilyn inc.*, D.T.E. 96T-1470 (C.Q.), J.E. 96-2255 (C.Q.).

98/20 Un employeur peut se porter demandeur reconventionnel contre son ancien employé, pour le compte duquel la Commission des normes du travail agit à titre de réclamante, dans la mesure où la réclamation résulte de la même source que la demande principale ou d'une source connexe.
C.N.T. c. *Ventes Morstowe International ltée*, D.T.E. 2004T-1102 (C.Q.), J.E. 2004-2104 (C.Q.), REJB 2004-71999 (C.Q.) (désistement du jugement le 15 juin 2005) (règlement hors cour).

98/21 Un employeur peut appliquer une clause pénale et retenir les sommes que lui doit le salarié, à titre de salaire et d'indemnité, lorsque ce dernier ne respecte pas son obligation de donner un préavis avant de démissionner.
C.N.T. c. *Motos Daytona inc.*, D.T.E. 2008T-174 (C.Q.), J.E. 2008-437 (C.Q.), EYB 2008-129325 (C.Q.) (permission d'appeler accordée: B.E. 2008BE-682 (C.A.), EYB 2008-133416 (C.A.)).

98/22 Un salarié ne peut intervenir dans le cadre d'un recours exercé par la Commission des normes du travail pour présenter une réclamation plus élevée et bénéficier d'une interruption de la prescription prévue par les dispositions du *Code civil du Québec*.
C.N.T. c. *Corporation du parc régional du Mont Grand-Fonds inc.*, D.T.E. 2001T-821 (C.Q.), J.E. 2001-1532 (C.Q.), REJB 2001-25126 (C.Q.) (appel rejeté: D.T.E. 2002T-385 (C.A.), J.E. 2002-715 (C.A.), REJB 2002-30662 (C.A.)).

98/23 Un salarié n'est pas partie au litige entre la Commission des normes du travail et l'employeur. Lorsqu'il choisit de ne pas poursuivre personnellement son employeur pour recouvrer son salaire, on peut présumer que le salarié consent à ce que la Commission retienne une partie de la version de l'employeur et puisse ainsi réduire la réclamation.
C.N.T. c. *Conseillers Info-oriente inc.*, D.T.E. 2004T-741 (C.Q.).

98/24 En matière de réclamation de salaire et de commissions, la Cour doit se référer à l'entente conclue à l'embauche, puisqu'il s'agit de la loi des parties. La politique unilatérale de l'employeur ne peut s'appliquer au salarié, à moins que celui-ci en accepte le contenu et les termes.
C.N.T. c. *Gilbert-tech inc.*, D.T.E. 2000T-723 (C.Q.), J.E. 2000-1477 (C.Q.), REJB 2000-20300 (C.Q.).

98/25 Même si un recours a été rejeté contre certains administrateurs, il n'y a pas nécessairement chose jugée, en l'absence de condamnation contre l'employeur, dans le cas où il ne s'agit pas de la même cause ni des mêmes parties.
C.N.T. c. *Bettan*, D.T.E. 2004T-558 (C.Q.), J.E. 2004-1138 (C.Q.), REJB 2004-61911 (C.Q.).

98/26 Dans le contexte d'une action en réclamation de salaires, vu la confusion créée par les codéfendeurs à l'égard des salariés relativement à l'identité véritable de l'employeur, les codéfendeurs doivent être tenus solidairement responsables du paiement de la réclamation.
C.N.T. c. *Tavaras*, D.T.E. 2007T-296 (C.Q.), EYB 2006-111074 (C.Q.).
C.N.T. c. *9031-5839 Québec inc.*, D.T.E. 99T-708 (C.Q.).

98/27 Pour que la Commission des normes du travail obtienne gain de cause lors d'une action en réclamation de salaire, elle doit faire la preuve que la personne qu'elle poursuit est bien propriétaire de l'entreprise pour laquelle le salarié a travaillé.
C.N.T. c. *2848-8443 Québec inc.*, D.T.E. 98T-214 (C.Q.).

98/28 Une offre de démission conditionnelle ne constitue pas en soi une démission.
Szyk c. *Corporation Jet Worldwide*, D.T.E. 2007T-424 (C.Q.), J.E. 2007-1006 (C.Q.), EYB 2007-118297 (C.Q.).

98/29 La conclusion d'une transaction nécessite l'accord non ambigu des deux contractants. Ainsi, l'encaissement d'un chèque portant la mention paiement final ne constitue pas une fin de non-recevoir à la réclamation de commissions par un salarié.
C.N.T. c. *Foyers Don-Bar (1996) inc.*, D.T.E. 2006T-975 (C.Q.), J.E. 2006-2109 (C.Q.), EYB 2006-110314 (C.Q.).

98/30 La preuve de paiement est un moyen de défense possible et reconnu par le *Code civil du Québec*. Ainsi, même si un employeur n'a pas contesté le recours de la Commission des normes du travail, l'administrateur de l'entreprise qui est maintenant poursuivi peut opposer à la Commission le paiement complet de la réclamation du salarié, ce dernier ne pouvant recevoir deux fois l'indemnité de congé annuel à laquelle il a droit.
C.N.T. c. *Lacharité*, D.T.E. 2002T-499 (C.Q.).

98/31 Lorsqu'un procureur incite un témoin à utiliser son rapport pour répondre aux questions plutôt que de se fier à sa seule mémoire, il ne peut se dégager, même implicitement, une volonté claire et évidente de renoncer au privilège de non-divulgation. Il en est ainsi lorsque le témoin ne prend pas l'initiative de trouver des réponses aux questions dans le rapport, mais répond à une invitation expresse de la partie adverse.

C.N.T. c. *Corporation de sécurité Garda World*, D.T.E. 2005T-1024 (C.A.), J.E. 2005-1970 (C.A.), EYB 2005-96538 (C.A.).

98/32 V. ARGUIN, P. et RIVEST, R.L., «Les conditions d'exercice du recours civil par la Commission des normes du travail pour le compte d'un salarié», (1987) 47 *R. du B.* 705.

98/33 V. DUBÉ, J.-L. et DI IORIO, N., *Les normes du travail*, 2e éd., Sherbrooke, Les Éditions Revue de droit — Université de Sherbrooke, 1992, p. 299 et ss.

98/34 V. GAGNON, R.P., LEBEL, L. et VERGE, P., *Droit du travail*, 2e éd., Ste-Foy, Les Presses de l'Université Laval, 1991, p. 250 à 252.

art. 101

101/1 Il ne peut y avoir renonciation de la part d'un salarié à quelque indemnité que ce soit, sans que telle renonciation soit nulle.
Côté c. *Placements M. & A. Brown inc.*, D.T.E. 87T-956 (C.Q.), J.E. 87-1193 (C.Q.).
Neiderer c. *Small*, (1987) R.J.Q. 684 (C.Q.), D.T.E. 87T-295 (C.Q.), J.E. 87-327 (C.Q.).

101/2 Les dispositions de l'article 101 L.N.T. sont d'ordre public. Celles-ci empêchent un employeur de régler à moindre coût avec un salarié un litige que ce dernier a présenté à la Commission des normes du travail.
C.N.T. c. *La Corbeille*, D.T.E. 2002T-350 (C.Q.).

101/3 Aucune convention privée ne peut prévaloir sur la *Loi sur les normes du travail.*
C.N.T. c. *Cie minière I.O.C.*, (1987) R.J.Q. 1359 (C.S.), D.T.E. 87T-479 (C.S.), J.E. 87-715 (C.S.), inf. pour d'autres motifs à D.T.E. 95T-397 (C.A.), J.E. 95-672 (C.A.).

101/4 V. la jurisprudence sous les articles 93 et 94 L.N.T.

art. 102

102/1 La réserve prévue à l'article 102 L.N.T. eu égard aux articles 123 et 123.1 L.N.T. s'applique à toute la section traitant des réclamations pécuniaires, soit les articles 98 à 121 L.N.T. La rédaction de cette réserve peut paraître maladroite puisqu'en fait elle ne figure qu'au premier alinéa de cet article, mais on ne doit pas perdre de vue que la *Loi sur les normes du travail* vise à créer des recours simples et efficaces afin que le salarié obtienne son dû. Ainsi, un salarié peut déposer en même temps un grief selon sa convention collective et une plainte à l'encontre d'une pratique interdite.
Balthazard-Généreux c. *Collège Montmorency*, (1997) T.T. 118, D.T.E. 97T-142 (T.T.) (ultérieur: D.T.E. 98T-67 (C.T.), inf. par (1998) R.J.D.T. 660 (T.T.), D.T.E. 98T-388 (T.T.), REJB 1998-04947 (T.T.)).

102/2 Épuiser les recours suppose qu'on a tenté de s'engager dans le processus conventionnel, qu'on a tenté de le mener à bien et qu'on a utilisé toutes ses ressources.
C.N.T. c. *Chantiers Davie ltée*, (1987) R.J.Q. 1949 (C.A.), D.T.E. 87T-824 (C.A.), J.E. 87-1011 (C.A.).

102/3 Le mot recours utilisé au deuxième alinéa de l'article 102 L.N.T. fait référence à une demande ayant un lien quelconque avec le droit d'agir reconnu à la Commission des normes du travail par la *Loi sur les normes du travail*. C'est seulement ce genre de recours qu'un salarié doit épuiser avant de se plaindre à la Commission.
C.N.T. c. *Cie minière I.O.C.*, D.T.E. 95T-397 (C.A.), J.E. 95-672 (C.A.).

102/4 Pour qu'un salarié soit tenu d'épuiser ses recours en vertu des dispositions d'une convention collective, avant de s'adresser à la Commission des normes du travail, il faut entre autres que la convention collective contienne des dispositions équivalentes à celles prévues par la *Loi sur les normes du travail*. De plus, un arbitre de griefs a compétence pour trancher un grief eu égard à une question relative à la *Loi sur les normes du travail* lorsque la disposition attributive de compétence de la convention collective est large.
C.N.T. c. *Compagnie de papier de St-Raymond ltée*, (1997) R.J.Q. 366 (C.A.), D.T.E. 97T-183 (C.A.), J.E. 97-375 (C.A.).

102/5 L'exigence de l'épuisement des recours préalables ne doit recevoir application que dans la mesure où il existe une convention collective ou un décret en vigueur au moment où le salarié porte plainte, que cette convention ou décret contienne des dispositions équivalentes en nature à celles prévues à la *Loi sur les normes du travail* et qu'il y soit prévu un mécanisme approprié et efficace pour faire valoir et adjuger de la violation des droits conférés.
C.N.T. c. *Cie minière I.O.C.*, D.T.E. 95T-397 (C.A.), J.E. 95-672 (C.A.).
C.N.T. c. *Campeau Corp.*, (1989) R.J.Q. 2108 (C.A.), D.T.E. 89T-848 (C.A.), J.E. 89-1286 (C.A.) (autorisation d'appeler à la Cour suprême refusée).
C.N.T. c. *Domtar inc.*, (1989) R.J.Q. 2130 (C.A.), D.T.E. 89T-846 (C.A.), J.E. 89-1288 (C.A.).
C.N.T. c. *Hawker Siddeley Canada inc.*, (1989) R.J.Q. 2123 (C.A.), D.T.E. 89T-847 (C.A.), J.E. 89-1287 (C.A.).
C.N.T. c. *Montréal (Ville de)*, (2000) R.J.D.T. 545 (C.Q.), D.T.E. 2000T-325 (C.Q.), J.E. 2000-704 (C.Q.), REJB 2000-17171 (C.Q.).
C.N.T. c. *Béatrice Foods inc.*, D.T.E. 97T-1172 (C.Q.).
C.N.T. c. *Industries graphiques Caméo Crafts ltée*, D.T.E. 96T-1127 (C.Q.).
Balthazard-Généreux c. *Collège Montmorency*, (1997) T.T. 118, D.T.E. 97T-142 (T.T.) (ultérieur: D.T.E. 98T-67 (C.T.), inf. par (1998) R.J.D.T. 660 (T.T.), D.T.E. 98T-388 (T.T.), REJB 1998-04947 (T.T.)).
Lecavalier c. *Montréal (Ville de)*, D.T.E. 97T-460 (T.T.), conf. D.T.E. 97T-55 (C.T.).
V. aussi: *C.N.T.* c. *Compagnie de papier de St-Raymond ltée*, (1997) R.J.Q. 366 (C.A.), D.T.E. 97T-183 (C.A.), J.E. 97-375 (C.A.).

102/6 Les salariés régis par une convention collective doivent d'abord recourir à l'arbitrage pour faire valoir leurs prétentions relatives à une réclamation.
Villeneuve c. *Tribunal du travail*, (1988) R.J.Q. 275 (C.A.), D.T.E. 88T-118 (C.A.), J.E. 88-171 (C.A.).
C.N.T. c. *Montréal (Ville de)*, D.T.E. 2002T-939 (C.Q.), J.E. 2002-1804 (C.Q.), REJB 2002-34720 (C.Q.).

C.N.T. c. *Société de la Place des arts*, (1998) R.J.D.T. 639 (C.Q.), D.T.E. 98T-444 (C.Q.).
C.N.T. c. *Claude et Marcel Martin inc.*, D.T.E. 94T-987 (C.Q.) (règlement hors cour).
C.N.T. c. *Vêtements Victoriaville inc.*, (1988) R.J.Q. 555 (C.Q.), D.T.E. 88T-114 (C.Q.), J.E. 88-170 (C.Q.).
Provigo magasin 8003 c. *Union des employés de commerce, local 503*, D.T.E. 85T-683 (T.A.).

102/7 Le salarié doit épuiser ses recours en vertu de l'article 102 L.N.T., même s'il y a plusieurs accréditations syndicales et des conventions collectives distinctes pour chaque établissement de l'employeur. Le litige relève quand même de la compétence d'un arbitre de griefs et non des tribunaux judiciaires, puisque la nature même et l'essence du litige tombent dans le champ d'application de la convention collective.
Dessercom inc. c. *Plante*, D.T.E. 2004T-605 (C.A.), J.E. 2004-1222 (C.A.), REJB 2004-64993 (C.A.).

102/8 En vertu des dispositions de l'article 102 L.N.T., un salarié assujetti à une convention collective doit démontrer à la Commission des normes du travail qu'il a épuisé les recours découlant de la convention avant de déposer une plainte devant elle. Aussi, lorsqu'une convention collective stipule qu'aucune de ces dispositions ne doit être inférieure à ce qu'une loi édicte en faveur des salariés, un arbitre de griefs a compétence pour l'appliquer ou l'interpréter dans le cadre des griefs qui lui sont soumis.
Épiciers unis Métro-Richelieu inc. c. *Laberge*, D.T.E. 97T-33 (C.S.).

102/9 Le salarié a l'obligation d'utiliser le contenu et le mécanisme procédural de l'entente collective qui le protège.
Yelle c. *C.N.T.*, D.T.E. 95T-558 (C.A.), J.E. 95-977 (C.A.).
C.N.T. c. *Campeau Corp.*, (1989) R.J.Q. 2108 (C.A.), D.T.E. 89T-848 (C.A.), J.E. 89-1286 (C.A.) (autorisation d'appeler à la Cour suprême refusée).

102/10 Lorsqu'une procédure de grief est prévue à la convention collective et qu'elle est accessible au salarié concerné, il doit s'en prévaloir, avant de recourir à la *Loi sur les normes du travail*.
C.N.T. c. *Producteurs de sucre d'érable du Québec*, (1986) R.J.Q. 2763 (C.Q.), D.T.E. 86T-814 (C.Q.), J.E. 86-1057 (C.Q.).

102/11 L'article 102 L.N.T. n'a aucune incidence sur la plainte déposée à l'encontre d'une pratique interdite selon les dispositions des articles 123 et 123.1 L.N.T., et ce, nonobstant tout autre recours qu'un salarié croit avoir. En effet, s'il veut se plaindre d'une pratique interdite, il peut et il doit exercer le recours en temps utile selon la *Loi sur les normes du travail*.
Lecavalier c. *Montréal (Ville de)*, D.T.E. 97T-460 (T.T.), conf. D.T.E. 97T-55 (C.T.).

102/12 Un salarié assujetti à un décret ne peut porter plainte à la Commission avant d'avoir épuisé ses recours découlant du décret qui le régit.
Nicholson c. *Station de service Gilles Guenette inc.*, (1984) T.T. 310, D.T.E. 84T-669 (T.T.).

102/13 Le salarié qui veut faire valoir une réclamation de nature pécuniaire, en s'appuyant sur l'article 81.15 L.N.T. (aujourd'hui l'article 81.15.1 L.N.T.), doit

d'abord s'adresser aux tribunaux civils, après avoir épuisé ses recours en vertu de la convention collective.
Roberge c. *Hôtel-Dieu de Sorel*, D.T.E. 97T-623 (C.T.), conf. pour d'autres motifs par (1997) T.T. 398, D.T.E. 97T-929 (T.T.), conf. par D.T.E. 98T-185 (C.S.) (désistement d'appel).

102/14 Lorsque la convention est muette sur le droit réclamé et que les parties n'ont pas prévu que la *Loi sur les normes du travail* modifie leur convention, il revient à la Commission des normes du travail de régler la réclamation.
C.N.T. c. *Montréal (Ville de)*, (2000) R.J.D.T. 545 (C.Q.), D.T.E. 2000T-325 (C.Q.), J.E. 2000-704 (C.Q.), REJB 2000-17171 (C.Q.).
C.N.T. c. *Béatrice Foods inc.*, D.T.E. 97T-1172 (C.Q.).
Société d'électrolyse et de chimie Alcan ltée (division énergie électrique) c. *Syndicat national des employés de bureau — département énergie électrique*, D.T.E. 86T-290 (T.A.).
V. aussi: *C.N.T.* c. *Industries graphiques Caméo Crafts ltée*, D.T.E. 96T-1127 (C.Q.).

102/15 La Cour supérieure a compétence *ratione materiae* pour entendre une réclamation de la Commission des normes du travail pour du salaire qui serait dû à des employés avant qu'ils soient assujettis à une convention collective, alors qu'ils étaient en période de formation.
C.N.T. c. *Montréal (Communauté urbaine de)*, D.T.E. 2001T-886 (C.S.), J.E. 2001-1681 (C.S.), REJB 2001-26383 (C.S.) (appel rejeté: REJB 2002-29502 (C.A.)).

102/16 Un salarié qui est assujetti à une convention collective doit démontrer à la Commission des relations du travail qu'il a épuisé les recours découlant de celle-ci, à moins que la plainte ne porte sur une condition de travail interdite par les dispositions de l'article 87.1 L.N.T. Dans ce dernier cas, le plaignant doit plutôt démontrer le contraire, soit qu'il n'a pas utilisé le recours prévu à la convention, ou encore, l'ayant utilisé, qu'il s'est désisté avant qu'une décision ne soit rendue.
C.N.T. c. *Sherbrooke (Ville de)*, D.T.E. 2006T-462 (C.Q.), J.E. 2006-992 (C.Q.), EYB 2006-104199 (C.Q.).

102/17 Les dispositions de l'article 102 L.N.T. n'exigent l'épuisement des recours, en vertu d'une convention collective, que dans le cas des réclamations de nature pécuniaire couvertes par la section relative aux recours civils de la *Loi sur les normes du travail*. Dans le cas d'un recours basé sur l'article 124 L.N.T., non seulement on n'exige pas du plaignant qu'il épuise son recours à l'arbitrage, avant de se prévaloir de l'article 124 L.N.T., mais on lui interdit tout simplement de le faire. Le seul fait qu'il bénéficie d'une autre procédure de réparation l'empêche de recourir à l'article 124 L.N.T.
Lecavalier c. *Montréal (Ville de)*, D.T.E. 97T-55 (C.T.) (appel rejeté: D.T.E. 97T-460 (T.T.)).

102/18 Un salarié peut s'adresser à la Commission des normes du travail pour réclamer l'indemnité de préavis même s'il s'est désisté de son grief contestant le congédiement.
C.N.T. c. *Sport Maska inc.*, D.T.E. 89T-204 (C.Q.).

102/19 Un arbitre de griefs agissant en vertu du *Code du travail* ne peut octroyer un avantage prévu à *Loi sur les normes du travail*, si celui-ci n'est pas

prévu par la convention collective. Le seul remède étant la plainte selon l'article 102 L.N.T.
C.N.T. c. *Béatrice Foods inc.*, D.T.E. 97T-1172 (C.Q.).
Alcan Société d'électrolyse et de chimie Alcan ltée (Arvida), une division d'aluminium du Canada ltée c. *Syndicat national des policiers d'Alcan Saguenay — Lac-St-Jean*, (1983) T.A. 732, D.T.E. 83T-602 (T.A.).

102/20 V. AUDET, G., BONHOMME, R., GASCON, C. et COURNOYER-PROULX, M., *Le congédiement en droit québécois en matière de contrat individuel de travail*, vol. 2, 3e éd. (édition à feuilles mobiles), Cowansville, Éditions Yvon Blais, p. 30-1 à 30-8.

102/21 V. BRIÈRE, J.-Y. et VILLAGGI, J.-P., *Relations de travail*, vol. 2, (édition à feuilles mobiles), Brossard, Les Publications CCH ltée, p. 8,601 à 8,610.

102/22 V. DUBÉ, J.-L. et DI IORIO, N., *Les normes du travail*, 2e éd., Sherbrooke, Les Éditions Revue de droit — Université de Sherbrooke, 1992, p. 289 à 293.

102/23 V. GAGNON, R.P., LEBEL, L. et VERGE, P., *Droit du travail*, 2e éd., Ste-Foy, Les Presses de l'Université Laval, 1991, p. 248 et 249.

102/24 V. LEFEBVRE, S., PARADIS, I. et RIVEST, R.L., «La Commission des normes du travail: ses pouvoirs et compétences en matière de processus d'enquête et d'intervention judiciaire», dans *Développements récents en droit du travail (2003)*, Formation permanente du Barreau du Québec, Cowansville, Les Éditions Yvon Blais inc., 2003, p. 287.

102/25 V. VEILLEUX, D., «L'arbitre de grief face à une compétence renouvelée...», (2004) 64 *R. du B.* 217.

art. 103

103/1 Le consentement du plaignant à la divulgation de son nom pendant la durée de l'enquête ne comprend pas la communication générale des renseignements le concernant ni, *a fortiori*, la communication des documents qui ont été préparés par la Commission des normes du travail dans le cadre de l'enquête.
Église de scientologie c. *C.N.T.*, (1987) C.A.I. 200.

art. 106

106/1 Le dépôt d'une plainte par des salariés réclamant l'indemnité de préavis à la même époque que s'amorce des négociations syndicales-patronales, ne peut suffire à rendre le geste illégal et de mauvaise foi, quoique posé dans un désir d'exercer une pression sur leur employeur.
C.N.T. c. *Campeau Corp.*, (1989) R.J.Q. 2108 (C.A.), D.T.E. 89T-848 (C.A.), J.E. 89-1286 (C.A.) (autorisation d'appeler à la Cour suprême refusée).

art. 107.1

107.1/1 Le droit de révision d'un salarié est un fait nouveau permettant la réouverture du dossier de la Commission des normes du travail en vertu de l'article 107.1 L.N.T.
C.N.T. c. *Blouin*, D.T.E. 2009T-63 (C.Q.), J.E. 2009-147 (C.Q.), EYB 2008-152566 (C.Q.).

art. 108

108/1 En fonction des articles 108 L.N.T. et 16 de la *Loi sur les commissions d'enquête* (L.R.Q., c. C-37), aucune réclamation en dommages et intérêts ne peut être dirigée contre la Commission des normes du travail.
Matériaux à bas prix ltée c. *C.N.T.*, D.T.E. 2005T-811 (C.S.), J.E. 2005-1653 (C.S.), EYB 2005-94460 (C.S.).

art. 111

111/1 Le but visé par l'article 111 L.N.T. est d'éviter un circuit d'actions et de faire en sorte que l'employeur ne soit pas appelé à répondre à la même poursuite venant de deux sources, l'employé et la Commission.
Internote Canada inc. c. *C.N.T.*, (1989) R.J.Q. 2097 (C.A.), D.T.E. 89T-845 (C.A.), J.E. 89-1285 (C.A.).

111/2 En vertu des articles 111 et 113 L.N.T., la Commission des normes du travail n'acquière le droit d'exercer un recours pour le compte d'un salarié qu'après l'envoi d'une mise en demeure et uniquement si, à la suite de la réception par le salarié de l'avis lui indiquant les sommes réclamées en sa faveur, celui-ci omet, dans les vingt jours suivants l'envoi de cet avis, d'informer la Commission de son intention de poursuivre lui-même.
C.N.T. c. *Campeau Corp.*, (1989) R.J.Q. 2108 (C.A.), D.T.E. 89T-848 (C.A.), J.E. 89-1286 (C.A.) (autorisation d'appeler à la Cour suprême refusée).

111/3 La mise en demeure est un préalable nécessaire à la naissance du droit de la Commission des normes du travail d'exercer pour le compte d'un salarié l'action appropriée.
C.N.T. c. *2627-4043 Québec inc.*, (1994) R.J.Q. 1647 (C.S.), D.T.E. 94T-802 (C.S.), J.E. 94-1168 (C.S.) (appel rejeté: C.A.M. n° 500-09-000622-944, le 6 juin 1994).
C.N.T. c. *Blouin*, D.T.E. 2009T-63 (C.Q.), J.E. 2009-147 (C.Q.), EYB 2008-152566 (C.Q.).
C.N.T. c. *Gilbert*, J.E. 81-754 (C.Q.).

111/4 L'article 111 L.N.T. ne crée qu'une obligation, celle d'envoyer l'avis.
Internote Canada inc. c. *C.N.T.*, (1989) R.J.Q. 2097 (C.A.), D.T.E. 89T-845 (C.A.), J.E. 89-1285 (C.A.).

111/5 La Commission des normes du travail peut dans une action réclamer plus que le quantum de la réclamation indiqué dans la mise en demeure.
C.N.T. c. *Location de linge Métro ltée*, D.T.E. 96T-768 (C.Q.).

111/6 La Commission des normes du travail n'a qu'à prouver l'envoi de l'avis au salarié et non sa réception, pour que naisse son droit d'action.
Internote Canada inc. c. *C.N.T.*, (1989) R.J.Q. 2097 (C.A.), D.T.E. 89T-845 (C.A.), J.E. 89-1285 (C.A.).

111/7 C'est pendant le délai de vingt jours que le salarié peut intenter une action, du moment que son recours n'est pas prescrit.
C.N.T. c. *2627-4043 Québec inc.*, (1994) R.J.Q. 1647 (C.S.), D.T.E. 94T-802 (C.S.), J.E. 94-1168 (C.S.) (appel rejeté: C.A.M. n^{0} 500-09-000622-944, le 6 juin 1994).

art. 113

113/1 L'article 113 L.N.T. ne peut donner ouverture à l'exercice d'un recours en vertu du *Code du travail*.
Lefebvre c. *Woo*, D.T.E. 91T-971 (C.T.).

113/2 En vertu de l'article 113 L.N.T., le statut de salarié, tel que défini par la *Loi sur les normes du travail*, est une condition essentielle pour un recours exercé par la Commission des normes du travail.
C.N.T. c. *Immeubles R. Savignac inc.*, (2002) R.J.D.T. 1527 (C.S.), D.T.E. 2002T-1107 (C.S.), REJB 2002-35495 (C.S.).

113/3 Un arbitre de griefs n'a pas juridiction pour statuer sur une réclamation ayant comme source la *Loi sur les normes du travail* ou ses règlements.
Cité de la santé de Laval c. *Syndicat canadien de la Fonction publique*, D.T.E. 89T-274 (T.A.).
Cie générale manufacturière ltée c. *Métallurgistes unis d'Amérique, local 7885*, D.T.E. 85T-309 (T.A.).
Vitriers et travailleurs du verre, section locale 1135 c. *A. et D. Prévost inc.*, (1985) T.A. 453, D.T.E. 85T-529 (T.A.).
Alcan Société d'électrolyse et de chimie Alcan ltée (Arvida), une division d'aluminium du Canada ltée c. *Syndicat national des policiers d'Alcan Saguenay — Lac-St-Jean*, (1983) T.A. 732, D.T.E. 83T-602 (T.A.).

113/4 La Commission des normes du travail ne peut faire valoir une réclamation pour le compte d'un failli, étant donné que la cession de biens a comme effet de faire passer le patrimoine de celui-ci au syndic de faillite.
C.N.T. c. *S.P. Myers*, D.T.E. 83T-568 (C.Q.), J.E. 83-744 (C.Q.).

113/5 La Commission des normes du travail peut faire valoir une réclamation pour le compte d'un salarié, mais non pour le compte d'un travailleur agissant à titre d'entrepreneur indépendant.
C.N.T. c. *R.B.C. Dominion Valeurs mobilières inc.*, D.T.E. 94T-707 (C.S.).

113/6 Les pouvoirs conférés à la Commission des normes du travail ne couvrent pas toutes les réclamations que peut avoir un salarié quant à son emploi. À titre

d'exemple, un recours relativement à l'omission d'un mandataire d'une banque de respecter les réclamations prioritaires est une action en dommages-intérêts fondée sur le droit civil et non pas, à l'égard d'une banque, une réclamation de salaires que la Commission des normes est autorisée à poursuivre.
Banque de Montréal c. *C.N.T.*, D.T.E. 99T-481 (C.A.), J.E. 99-1050 (C.A.), REJB 1999-12108 (C.A.).

113/7 Un employeur ne peut proposer à la Commission des normes du travail qui poursuit en vertu de l'article 113 L.N.T., une compensation qui ne s'est pas déjà opérée de plein droit entre l'employeur et le salarié antérieurement à la réclamation de la Commission.
C.N.T. c. *Immeubles R. Savignac inc.*, (2002) R.J.D.T. 1527 (C.S.), D.T.E. 2002T-1107 (C.S.), REJB 2002-35495 (C.S.).
C.N.T. c. *Emco Ltd.*, D.T.E. 99T-1174 (C.Q.), J.E. 99-2370 (C.Q.), REJB 1999-15928 (C.Q.).
C.N.T. c. *Urgel Bourgie ltée*, D.T.E. 96T-1512 (C.Q.).

113/8 Le terme «exercé» n'a pas le sens de signifier une demande en justice et le fait pour une personne d'intenter une action, si elle n'a aucun intérêt pour le faire, ne peut interrompre la prescription pour d'autres salariés.
C.N.T. c. *2627-4043 Québec inc.*, (1994) R.J.Q. 1647 (C.S.), D.T.E. 94T-802 (C.S.), J.E. 94-1168 (C.S.) (appel rejeté: C.A.M. n° 500-09-000622-944, le 6 juin 1994).

113/9 L'article 113 L.N.T. permet à la Commission des normes du travail d'intenter un seul recours contre les administrateurs d'une société pour le compte de tous les salariés.
C.N.T. c. *Barré*, D.T.E. 91T-1146 (C.S.).
V. aussi: *Pyrogenesis inc. (Proposition de)*, D.T.E. 2005T-239 (C.S.), J.E. 2005-384 (C.S.), EYB 2004-85683 (C.S.).

113/10 L'article 113 L.N.T. permet à la Commission des normes du travail de poursuivre les administrateurs d'une société faillie pour le salaire dû à un salarié.
Pyrogenesis inc. (Proposition de), D.T.E. 2005T-239 (C.S.), J.E. 2005-384 (C.S.), EYB 2004-85683 (C.S.).
C.N.T. c. *Haillot*, D.T.E. 2000T-19 (C.Q.), J.E. 2000-39 (C.Q.), REJB 1999-16141 (C.Q.).

113/11 Le défaut de paiement dans le cadre d'une transaction conclue entre la Commission des normes du travail et l'employeur peut entraîner la responsabilité personnelle de l'administrateur.
C.N.T. c. *Viel*, D.T.E. 2005T-341 (C.Q.).

113/12 La notion d'administrateur, prévue par les dispositions de l'article 113 de la *Loi sur les normes du travail*, doit correspondre à la notion d'administrateur d'une personne morale au sens des dispositions de l'article 83 de la *Loi sur les compagnies* (L.R.Q., c. C-38), laquelle comprend l'administrateur de fait.
C.N.T. c. *Brunelle*, D.T.E. 2005T-66 (C.Q.), J.E. 2005-117 (C.Q.), EYB 2004-81673 (C.Q.).

113/13 Le droit conféré à la Commission des normes du travail par l'article 113 L.N.T. est un titre analogue au sens de l'article 397(3) du *Code de procédure civile*.
C.N.T. c. *Groupe Explo-Nature*, (1984) R.D.J. 118 (C.A.), D.T.E. 84T-454 (C.A.).

Comité paritaire des éboueurs de la région de Montréal c. *Service sanitaire Verdun (1980) inc.*, D.T.E. 84T-611 (C.S.), J.E. 84-645 (C.S.).
C.N.T. c. *Restaurants Pastificio (Québec) inc.*, (1983) C.P. 266, D.T.E. 83T-950 (C.Q.), J.E. 83-1149 (C.Q.).

113/14 La nature de la créance du salarié ne change pas, même si c'est la Commission des normes du travail qui exerce le recours.
C.N.T. c. *Constantin*, (1994) R.J.Q. 1429 (C.Q.), D.T.E. 94T-504 (C.Q.), J.E. 94-824 (C.Q.).

113/15 V. la jurisprudence sous l'article 102 L.N.T.

113/16 V. BONHOMME, R. et BÉLIVEAU, N.-A., «La responsabilité civile des administrateurs en matière de droit du travail: les principales dispositions législatives québécoises», dans *Développements récents en droit du travail (1996)*, Formation permanente du Barreau du Québec, Cowansville, Les Éditions Yvon Blais inc., 1996, p. 49.

113/17 V. DUBÉ, J.-L. et DI IORIO, N., *Les normes du travail*, 2e éd., Sherbrooke, Les Éditions Revue de droit — Université de Sherbrooke, 1992, p. 298 à 301.

113/18 V. GAGNON, R.P., LEBEL, L. et VERGE, P., *Droit du travail*, 2e éd., Ste-Foy, Les Presses de l'Université Laval, 1991, p. 250 et 251.

art. 114

114/1 L'attribution du montant forfaitaire prévu à l'article 114 L.N.T. n'est pas automatique. Le tribunal conserve une certaine discrétion pour imposer une pénalité, lorsque l'employeur est en mesure de prouver sa bonne foi, dans un litige où la question juridique soulevée présente des difficultés certaines.
C.N.T. c. *Cie de gestion Thomcor ltée*, D.T.E. 86T-265 (C.S.), J.E. 86-400 (C.S.).
C.N.T. c. *Nordikeau inc.*, D.T.E. 2009T-118 (C.Q.), EYB 2008-153432 (C.Q.).
C.N.T. c. *Nestlé Canada inc.*, D.T.E. 2008T-282 (C.Q.), EYB 2008-130825 (C.Q.) (en appel: no 500-09-018573-089).
C.N.T. c. *Technimeca International Corp.*, D.T.E. 2008T-875 (C.Q.), EYB 2008-149469 (C.Q.).
C.N.T. c. *Fournitures La Sacoche inc.*, D.T.E. 2007T-34 (C.Q.), EYB 2006-111785 (C.Q.).
C.N.T. c. *Desjardins Sécurité financière, compagnie d'assurance-vie*, D.T.E. 2005T-122 (C.Q.), J.E. 2005-232 (C.Q.), EYB 2004-85717 (C.Q.).
C.N.T. c. *9079-6038 Québec inc. (Maxxcom, Système de sécurité)*, D.T.E. 2005T-986 (C.Q.).
C.N.T. c. *S2I inc.*, (2005) R.J.D.T. 200 (C.Q.), D.T.E. 2005T-20 (C.Q.), J.E. 2005-32 (C.Q.), EYB 2004-80851 (C.Q.).
C.N.T. c. *Cousineau*, D.T.E. 2004T-1021 (C.Q.), J.E. 2004-1965 (C.Q.), REJB 2004-71192 (C.Q.).
C.N.T. c. *Assurexperts Guy Lapointe inc.*, D.T.E. 2002T-934 (C.Q.).

C.N.T. c. *Paquette*, (2000) R.J.D.T. 169 (C.Q.), D.T.E. 2000T-17 (C.Q.), J.E. 2000-38 (C.Q.), REJB 1999-15508 (C.Q.).
C.N.T. c. *Centre Lux ltée*, D.T.E. 94T-999 (C.Q.), J.E. 94-1422 (C.Q.).
V. aussi: *C.N.T.* c. *Sables Dickie inc.*, D.T.E. 2000T-183 (C.Q.).

114/2 Lorsque l'employeur est de bonne foi et que sa contestation de la réclamation de la Commission des normes du travail constitue l'exercice légitime d'un droit, il n'y a pas lieu de lui imposer le paiement de l'indemnité de 20%.
C.N.T. c. *Maison de la jeunesse à Val-des-Lacs inc.*, D.T.E. 2008T-153 (C.Q.), EYB 2007-130057 (C.Q.).
C.N.T. c. *9079-6038 Québec inc. (Maxxcom, Système de sécurité)*, D.T.E. 2005T-986 (C.Q.).
C.N.T. c. *Académie Marie-Laurier inc.*, D.T.E. 2000T-346 (C.Q.).

114/3 La bonne foi de l'employeur et le soutien d'une thèse erronée, mais non déraisonnable, sont des facteurs qui peuvent conduire le tribunal à ne pas accorder la pénalité de 20%.
C.N.T. c. *Nordikeau inc.*, D.T.E. 2009T-118 (C.Q.), EYB 2008-153432 (C.Q.).
C.N.T. c. *S2I inc.*, (2005) R.J.D.T. 200 (C.Q.), D.T.E. 2005T-20 (C.Q.), J.E. 2005-32 (C.Q.), EYB 2004-80851 (C.Q.).
C.N.T. c. *3608336 Canada inc.*, D.T.E. 2003T-856 (C.Q.), J.E. 2003-1666 (C.Q.), REJB 2003-47086 (C.Q.).
C.N.T. c. *Compagnie de Construction Cris (Québec) ltée*, D.T.E. 93T-1188 (C.Q.), J.E. 93-1798 (C.Q.).
V. cependant: *C.N.T.* c. *Bertrand*, D.T.E. 2006T-724 (C.Q.), J.E. 2006-1568 (C.Q.), EYB 2006-107139 (C.Q.).

114/4 Lorsqu'un employeur est de bonne foi, il n'y a pas lieu de lui ordonner de payer l'indemnité prévue à l'article 114 L.N.T.
C.N.T. c. *Braille Jymico inc.*, D.T.E. 2003T-246 (C.Q.).

114/5 La bonne foi et la bonne collaboration de l'employeur peuvent dispenser celui-ci de payer l'indemnité réclamée en vertu de l'article 114 L.N.T.
C.N.T. c. *Fournitures La Sacoche inc.*, D.T.E. 2007T-34 (C.Q.), EYB 2006-111785 (C.Q.).

114/6 La bonne foi de l'employeur et la relation d'amitié qui le liait au salarié sont des motifs justifiant le fait de ne pas accorder la pénalité de 20%.
C.N.T. c. *Girard*, D.T.E. 96T-1473 (C.Q.).

114/7 Il n'y a pas lieu d'accorder à la Commission des normes du travail l'indemnité prévue à l'article 114 L.N.T., lorsqu'il y a ambiguïté quant au statut du salarié plaignant.
C.N.T. c. *Centre médical Hochelaga (1982) inc.*, D.T.E. 2007T-568 (C.Q.).

114/8 L'article 114 L.N.T. ne traite pas de la violation ni de l'atteinte à la loi ou aux règlements. Ici, l'institution pour le compte d'un salarié d'un recours civil constitue le seul critère d'application de cet article et, bien qu'aucune autre condition ne soit exigée relativement au recouvrement d'une somme forfaitaire, celui-ci demeure tout de même soumis à la discrétion du tribunal. Cette disposition crée une source de financement pour la Commission des normes du travail et à

moins de circonstances exceptionnelles, l'indemnité de 20% doit être accordée en sa faveur, et ce, indépendamment de la bonne foi de l'employeur.
C.N.T. c. *Béatrice Foods inc.*, D.T.E. 97T-1172 (C.Q.).
V. aussi: *C.N.T.* c. *S2I inc.*, (2005) R.J.D.T. 200 (C.Q.), D.T.E. 2005T-20 (C.Q.), J.E. 2005-32 (C.Q.), EYB 2004-80851 (C.Q.).

114/9 Un arbitre de griefs qui se réfère à la *Loi sur les normes du travail*, alors que la réponse au problème qui lui est soumis réside d'abord dans la convention collective, qu'il doit analyser et interpréter ou parachever, commet une erreur de droit en refusant d'exercer sa compétence, équivalant à un excès de juridiction.
Commission scolaire Marie-Victorin c. *Morin*, D.T.E. 99T-1087 (C.S.).

114/10 Compte tenu que l'attribution d'une pénalité est discrétionnaire, elle ne saurait être imposée contre un organisme sans but lucratif qui ne possède pas les fonds nécessaires pour payer, dans le contexte où il réussit à subsister grâce à l'acharnement des administrateurs bénévoles et aux subventions des différents paliers de gouvernement.
C.N.T. c. *Comité local de développement de L'Anse-à-Valleau*, D.T.E. 2004T-63 (C.Q.).

114/11 Il ne saurait y avoir de condamnation de l'employeur à payer l'indemnité forfaitaire lorsque celui-ci a agi avec bonne foi et qu'il a fait preuve de diligence raisonnable.
C.N.T. c. *Blouin*, D.T.E. 2009T-63 (C.Q.), J.E. 2009-147 (C.Q.), EYB 2008-152566 (C.Q.).

114/12 L'employeur peut démontrer qu'il a fait preuve de diligence raisonnable, dans le but d'éviter le paiement de la pénalité de 20%.
Constructions Bouladier ltée c. *Office de la construction du Québec*, (1985) C.A. 505, D.T.E. 85T-702 (C.A.), J.E. 85-829 (C.A.).
C.N.T. c. *Paquette*, (2000) R.J.D.T. 169 (C.Q.), D.T.E. 2000T-17 (C.Q.), J.E. 2000-38 (C.Q.), REJB 1999-15508 (C.Q.).

114/13 Les dispositions de l'article 114 L.N.T. ne créent aucune faute de responsabilité stricte ou absolue, de sorte que la Commission des normes du travail doit établir de prime abord le droit de «réclamer en sus de la somme due (…) le montant égal à 20% de cette somme».
C.N.T. c. *Centre Lux ltée*, D.T.E. 94T-999 (C.Q.), J.E. 94-1422 (C.Q.).

114/14 Le deuxième alinéa de l'article 114 L.N.T. n'est pas inconstitutionnel.
Internote Canada inc. c. *C.N.T.*, (1989) R.J.Q. 2097 (C.A.), D.T.E. 89T-845 (C.A.), J.E. 89-1285 (C.A.).

114/15 La pénalité prévue par les dispositions de l'article 114 L.N.T. ne doit pas être traitée comme le sont les infractions de nature pénale prévues aux articles 139 à 147 L.N.T.
C.N.T. c. *Béatrice Foods inc.*, D.T.E. 97T-1172 (C.Q.).

114/16 L'indemnité de 20% ne peut être assimilée à l'accessoire d'un contrat de travail à l'instar d'une indemnité de jours fériés. Le droit à cette indemnité découle de la loi seule puisqu'il n'existe aucun lien contractuel entre la Commission des normes du travail et un employeur poursuivi. Ainsi, la Division des

petites créances de la Cour du Québec n'est pas compétente quant à cette portion de la réclamation.
C.N.T. c. *Constantin*, (1994) R.J.Q. 1429 (C.Q.), D.T.E. 94T-504 (C.Q.), J.E. 94-824 (C.Q.).

114/17 Seule la Commission des normes du travail peut réclamer un montant égal à 20% de la somme due, lequel sert à son financement, et ce, dès l'envoi de la mise en demeure.
C.N.T. c. *Buck Consultants Ltd.*, D.T.E. 97T-1206 (C.Q.).

114/18 L'employeur doit être condamné à payer l'indemnité de 20% lorsqu'il agit unilatéralement et illégalement en soustrayant des paies du salarié des sommes litigieuses, plutôt que d'agir avec la bonne foi exigée par les dispositions de l'article 6 du *Code civil du Québec*.
C.N.T. c. *Nature-O-Fruits inc.*, D.T.E. 2006T-439 (C.Q.), J.E. 2006-936 (C.Q.), EYB 2005-106364 (C.Q.).

114/19 La responsabilité des administrateurs relativement à l'indemnité prévue à l'article 114 L.N.T. est solidaire. Il importe peu qu'un administrateur participe ou non à l'administration de la compagnie pour qu'il soit responsable. Cependant, il peut y avoir un partage de la responsabilité entre les administrateurs eux-mêmes, aux fins de rembourser celui ou ceux qui ont été condamnés à payer le tout aux employés.
C.N.T. c. *Bertrand*, D.T.E. 2006T-724 (C.Q.), J.E. 2006-1568 (C.Q.), EYB 2006-107139 (C.Q.).

art. 115

115/1 L'article 115 L.N.T. établit une règle de procédure et non une règle de droit substantif. Pour ce motif, on ne peut lui accorder le caractère d'ordre public attribuable à une norme du travail de la nature de celles énumérées au chapitre IV de la loi qui comprend les articles 39.1 à 97 L.N.T.
TUAC, section locale 500 c. *Provigo Distribution inc. (Loblaws de Lasalle) (Dino DiFruscia)*, D.T.E. 2005T-747 (T.A.).

115/2 Le terme échéance se définit comme «la date à laquelle l'exécution d'une obligation, d'un paiement est exigible».
Internote Canada inc. c. *C.N.T.*, (1989) R.J.Q. 2097 (C.A.), D.T.E. 89T-845 (C.A.), J.E. 89-1285 (C.A.).

115/3 Il y a prescription du recours par un an à compter de chaque échéance.
Boisvert c. *Fabspec inc.*, D.T.E. 2007T-619 (C.Q.), EYB 2007-120808 (C.Q.).
C.N.T. c. *Coencorp Consultant Corporation*, D.T.E. 2005T-737 (C.Q.).
9122-9385 Québec inc. c. *Lafleur*, D.T.E. 2003T-661 (C.Q.), J.E. 2003-1252 (C.Q.), REJB 2003-43439 (C.Q.).
C.N.T. c. *International Forums inc.*, (1985) C.P. 1, D.T.E. 85T-8 (C.Q.), J.E. 85-17 (C.Q.).
Jasmin c. *Gérard M. Perrault inc.*, D.T.E. 85T-948 (C.Q.).
V. aussi: *Rivard* c. *9048-3082 Québec inc.*, D.T.E. 2000T-1023 (C.Q.).

115/4 Le recours de la Commission des normes du travail en paiement de salaires impayés, contre les administrateurs d'une entreprise qui a fait faillite, se prescrit par un an du jour de la faillite.
C.N.T. c. *Legault*, (1997) R.J.Q. 2086 (C.A.), D.T.E. 97T-899 (C.A.), J.E. 97-1582 (C.A.).

115/5 La prescription est d'un an de chaque échéance et non un an et vingt jours, plus ou moins, selon le délai encouru pour l'envoi de la mise en demeure, en vertu de l'article 111 L.N.T.
C.N.T. c. *2627-4043 Québec inc.*, (1994) R.J.Q. 1647 (C.S.), D.T.E. 94T-802 (C.S.), J.E. 94-1168 (C.S.) (appel rejeté: C.A.M. n° 500-09-000622-944, le 6 juin 1994).

115/6 Une demande de remboursement, par un employeur, d'une somme payée en trop, doit être effectuée dans le délai d'un an prévu à l'article 115 L.N.T.
C.N.T. c. *Importations Jacsim inc.*, (2000) R.J.D.T. 177 (C.Q.), D.T.E. 2000T-57 (C.Q.), J.E. 2000-134 (C.Q.), REJB 1999-15694 (C.Q.).

115/7 Le salarié qui a intenté son action dans le délai prescrit par l'article 115 L.N.T. peut invoquer, à son bénéfice, l'interruption de la prescription en vertu de l'article 2896 C.C.Q.
Sawant c. *2700620 Canada inc.*, D.T.E. 94T-1366 (C.S.), J.E. 94-1956 (C.S.).

115/8 Il s'agit d'une prescription simple et non d'un délai de déchéance.
Taskos c. *104880 Canada inc.*, (1987) R.J.Q. 2574 (C.S.), D.T.E. 87T-984 (C.S.), J.E. 87-1220 (C.S.).

115/9 Le tribunal doit soulever d'office le délai de déchéance du droit prévu à la L.N.T.
Labanowska c. *Grands magasins Towers inc.*, (1991) R.J.Q. 1157 (C.Q.), D.T.E. 91T-413 (C.Q.), J.E. 91-667 (C.Q.).

115/10 En ce qui concerne l'indemnité de vacances annuelles, la prescription se calcule à partir de l'expiration d'un an suivant la fin de l'année de référence.
Bell Rinfret et Cie ltée c. *Bertrand*, D.T.E. 88T-297 (C.A.).
J.B. Charron ltée c. *Commission du salaire minimum*, (1980) R.P. 147 (C.A.).
C.N.T. c. *Académie Marie-Laurier inc.*, D.T.E. 2000T-346 (C.Q.).
C.N.T. c. *International Forums inc.*, (1985) C.P. 1, D.T.E. 85T-8 (C.Q.), J.E. 85-17 (C.Q.).
Commission du salaire minimum c. *Fuller Brush Co. Ltd.*, (1969) R.D.T. 277 (C.Q.).
V. aussi: *Lemieux* c. *Lois Canada inc.*, D.T.E. 88T-647 (C.Q.).
Contra: *Fruits de mer Gascons ltée* c. *C.N.T.*, (2004) R.J.Q. 1135 (C.A.), (2004) R.J.D.T. 437 (C.A.), D.T.E. 2004T-333 (C.A.), J.E. 2004-706 (C.A.), REJB 2004-55215 (C.A.).

115/11 Le délai de prescription d'un an pour intenter un recours civil, dans le cadre d'une mise à pied, commence six mois après le début de celle-ci.
C.N.T. c. *Industries graphiques Caméo Crafts ltée*, D.T.E. 96T-1127 (C.Q.).

115/12 Lorsque le recours du salarié est fondé sur les dispositions du *Code civil du Québec*, et non sur la *Loi sur les normes du travail*, c'est l'article 2085 C.C.Q. qui s'applique, et non l'article 115 L.N.T.
Hamel c. *Gaudreau & Associés*, D.T.E. 2001T-588 (C.Q.).

115/13 En cas de lock-out le délai de prescription se calcule non pas à compter de la date du lock-out, mais à compter de la date de la réception de l'avis de licenciement.
C.N.T. c. *Bondex international (Canada) ltée*, (1988) R.J.Q. 1403 (C.S.), D.T.E. 88T-481 (C.S.), J.E. 88-727 (C.S.).

115/14 La prescription pour les travailleurs forestiers ne commence à courir qu'à compter du 1er mai suivant la date à laquelle les salaires sont devenus dus.
Commission du salaire minimum c. *Three Island Camp*, (1974) C.A. 154.

115/15 Le terme échéance signifie la date à laquelle l'exécution d'une obligation, ou d'un paiement, est exigée.
Martel c. *Club de golf Orléans inc.*, D.T.E. 2002T-1143 (C.Q.).

115/16 V. BRIÈRE, J.-Y. et VILLAGGI, J.-P., *Relations de travail*, vol. 2, (édition à feuilles mobiles), Brossard, Les Publications CCH ltée, p. 8,639 à 8,645.

115/17 V. DUBÉ, J.-L. et DI IORIO, N., *Les normes du travail*, 2e éd., Sherbrooke, Les Éditions Revue de droit — Université de Sherbrooke, 1992, p. 308 et 309.

art. 116

116/1 L'article 116 L.N.T. donne le privilège à la Commission des normes du travail, d'interrompre la prescription d'une action par le seul fait d'une réclamation par écrit à partir du jour de sa mise à la poste. Cette réclamation écrite est assimilable à l'émission d'un bref selon l'article 2892 du *Code civil du Québec*.
Commission du salaire minimum c. *Mitchel Lincoln Packaging Ltd.*, (1981) C.S. 413, J.E. 81-411 (C.S.).
V. aussi: *C.N.T.* c. *Coencorp Consultant Corporation*, D.T.E. 2005T-737 (C.Q.).

116/2 L'avis d'enquête fait en vertu des dispositions de l'article 116 L.N.T. n'équivaut pas à une procédure introductive d'instance, comme pouvait l'être l'avis requis par l'article 30 de la *Loi du salaire minimum* (S.R.Q. 1964, c. 144). Au surplus, il y a lieu de faire une distinction entre la suspension d'une prescription telle que prévue par l'article 116 L.N.T. et l'interruption de la prescription, tel que le prévoyait alors l'article 30 de la *Loi du salaire minimum*. En effet, la suspension ne fait qu'arrêter temporairement la prescription, tandis que son interruption détruit la période écoulée antérieurement.
C.N.T. c. *Blouin*, D.T.E. 2009T-63 (C.Q.), J.E. 2009-147 (C.Q.), EYB 2008-152566 (C.Q.).

116/3 L'avis d'enquête suspend la prescription en cours, mais ne fait pas revivre une réclamation déjà éteinte par prescription.
J.B. Charron ltée c. *Commission du salaire minimum*, (1980) R.P. 147 (C.A.).

116/4 L'avis écrit d'un employeur par lequel il prévient le salarié de sa décision de retenir le paiement de l'indemnité de préavis, et ce, en vertu des articles 82 et ss. L.N.T., suspend la prescription puisqu'il s'agit de la reconnaissance d'un droit.
C.N.T. c. *9125-5935 Québec inc.*, D.T.E. 2006T-623 (C.Q.), J.E. 2006-1306 (C.Q.), EYB 2006-106235 (C.Q.).

116/5 Une lettre par laquelle la Commission informe l'employeur qu'elle annule se réclamation, a pour effet d'annuler l'interruption de prescription faite par la réclamation.
Commission du salaire minimum c. *Mitchel Lincoln Packaging Ltd.*, (1981) C.S. 413, J.E. 81-411 (C.S.).

116/6 V. BRIÈRE, J.-Y. et VILLAGGI, J.-P., *Relations de travail*, vol. 2, (édition à feuilles mobiles), Brossard, Les Publications CCH ltée, p. 8,639 à 8,645.

116/7 V. DUBÉ, J.-L. et DI IORIO, N., *Les normes du travail*, 2e éd., Sherbrooke, Les Éditions Revue de droit — Université de Sherbrooke, 1992, p. 310 à 312.

art. 119

119/1 Lorsque des salariés ont choisi d'agir en commun, dans une même action, il faut présumer que c'est la Cour supérieure qui est compétente si le total réclamé fait en sorte que c'est celle-ci qui doit entendre la demande. Il faut conclure que le législateur entendait que la règle du cumul s'applique à ce type d'action, sans distinguer la situation du mandat en vertu de l'article 59 du *Code de procédure civile* de celle de la simple juxtaposition de demandeurs dans une même action. Cette interprétation respecte davantage le principe voulant que la Cour supérieure demeure le tribunal de droit commun au Québec et qu'une dérogation à sa compétence doive être explicite.
Amyot c. *Arseneau*, D.T.E. 2000T-190 (C.A.), J.E. 2000-424 (C.A.), REJB 2000-16405 (C.A.).

119/2 C'est le total réclamé par chacun des demandeurs qui détermine la compétence du tribunal en première instance comme en appel.
Acier Fasco ltée c. *Chénier*, (1983) R.D.J. 403 (C.A.), J.E. 83-813 (C.A.).
C.N.T. c. *R.B.C. Dominion Valeurs mobilières inc.*, D.T.E. 94T-707 (C.S.).

119/3 L'article 119 L.N.T. ne s'applique pas si le fondement juridique de l'action est l'article 119 de la *Loi canadienne sur les sociétés par actions* (L.R.C. (1985), ch. C-44).
Levasseur c. *Flam*, (1985) R.D.J. 339 (C.A.), J.E. 85-558 (C.A.).
V. cependant l'article 113 L.N.T.

art. 120

120/1 En matière de réclamation salariale, le litige n'a lieu qu'entre la Commission et l'employeur. De ce fait, l'employeur ne peut faire une demande reconventionnelle dans le but de recouvrer quelque somme que ce soit du salarié.
C.N.T. c. *Croisières Charlevoix inc.*, D.T.E. 2009T-18 (C.Q.), EYB 2008-151104 (C.Q.).
C.N.T. c. *Toutant*, D.T.E. 84T-14 (C.Q.), J.E. 84-28 (C.Q.).
Commission du salaire minimum c. *Venizelos*, J.E. 80-383 (C.Q.).

120/2 L'employeur doit poursuivre directement le salarié en recouvrement des sommes dues.
Commission du salaire minimum c. *Boucher-Bergeron*, (1978) C.P. 262.

120/3 Lorsqu'un recours en réclamation d'un préavis est toujours pendant, est inopposable à la Commission des normes du travail la quittance signée dans le cadre d'une vente d'actions.
C.N.T. c. *D. Bertrand & Fils inc.*, (2001) R.J.D.T. 1765 (C.Q.), D.T.E. 2001T-992 (C.Q.), J.E. 2001-1889 (C.Q.), REJB 2001-27273 (C.Q.).

art. 121

121/1 La Commission des normes du travail est un organisme qui reçoit des sommes pour le compte de l'employé et qui agit comme fidéicommissaire.
Dupont c. *Boutin*, J.E. 89-181 (C.S.).

121/2 La Commission des normes du travail n'a pas à alléguer dans la déclaration qu'elle remettra au salarié le montant perçu.
Commission du salaire minimum c. *Quartier Latin inc.*, (1950) C.S. 399.

art. 122

N.B. L'article 122 a été modifié par la *Loi modifiant la Loi sur les normes du travail et d'autres dispositions législatives*, L.Q. 2002, c. 80. La nature des modifications apportées par le législateur à l'article 122 L.N.T. fait en sorte que la jurisprudence antérieure à cette date demeure pertinente en y faisant les adaptations nécessaires, le cas échéant.

Table des matières

GÉNÉRAL

122/1 Pour pouvoir bénéficier du recours instauré par les articles 122 et 123 L.N.T., il est nécessaire d'être un salarié au sens de la *Loi sur les normes du travail.*
Guimont c. *Lévesque, Beaubien, Geoffrion inc.*, D.T.E. 91T-610 (C.T.).
V. également la jurisprudence sous l'article 1(10) L.N.T.

122/2 Le recours prévu à l'article 122 L.N.T. constitue une norme du travail au sens de l'article 97 L.N.T.
Bédard c. *Colonial Packaging Co. (Emballages Colonial ltée)*, D.T.E. 84T-139 (T.T.).
Papazafiris c. *Murielle Raymond inc.*, (1983) T.T. 449, D.T.E. 83T-633 (T.T.).
Perry c. *Technologies Lanpar inc.*, D.T.E. 91T-531 (C.T.), appel accueilli pour d'autres motifs à (1991) T.T. 429, D.T.E. 91T-1174 (T.T.).
Boudreault c. *S.P.R. Société de promotion de Rapid-Graphic inc.*, (1988) C.T. 417, D.T.E. 88T-1019 (C.T.).
Gabriel c. *Racine*, D.T.E. 84T-136 (C.T.) (appel accueilli pour d'autres motifs: T.T.M. n° 500-28-000087-841, le 13 juillet 1984).

122/3 Une plainte déposée en vertu de l'article 122 L.N.T., alléguant une pratique interdite, a un caractère essentiellement individuel.
Mongeau c. *Resto-casino (Le cabaret du Casino de Montréal)*, D.T.E. 2002T-14 (C.T.).

122/4 Il est bien établi que l'on ne peut congédier partie pour un motif légal et partie pour un motif illégal, et penser que seront pesés ces motifs pour donner possiblement force déterminante au motif légal; le motif illégal vient entacher irrémédiablement la décision prise.
9110-3309 Québec inc. (Urbana Mobilier urbain) c. *Commission des relations du travail*, D.T.E. 2007T-100 (C.S.), EYB 2006-112130 (C.S.).

122/5 V. BÉLIVEAU, N.-A., *Les normes du travail*, Cowansville, Les Éditions Yvon Blais inc., 2003, p. 345 à 362 et 378 à 439.

COMPÉTENCE

N.B. En ce qui concerne la question de la norme de contrôle judiciaire, il est à noter que depuis l'affaire *Dunsmuir* c. *Nouveau-Brunswick* ((2008) 1 R.C.S. 190, 2008 CSC 9), il n'y a plus que deux normes de contrôle applicables en matière de révision judiciaire. Également, les critères d'analyse pour choisir la norme de contrôle applicable ont été modifiés par cette décision.

Questions constitutionnelles

122/6 Le commissaire qui entend une plainte en vertu des articles 122 et 123 de la *Loi sur les normes du travail* n'exerce pas les fonctions classiques d'un tribunal ayant à adjuger sur des droits privés, il administre du droit nouveau qui n'existait pas en 1867.

Les pouvoirs ainsi accordés au commissaire et au tribunal n'ont pas été conférés en violation de l'article 96 de la *Loi constitutionnelle de 1867*, ils sont constitutionnels.
Hôtel Plaza de la Chaudière c. *Brière*, (1983) C.S. 97, D.T.E. 83T-18 (C.S.), J.E. 83-52 (C.S.), appel accueilli pour d'autres motifs à (1988) R.J.Q. 2040 (C.A.), D.T.E.

88T-759 (C.A.), J.E. 88-1080 (C.A.) (autorisation d'appeler à la Cour suprême refusée) (par analogie).
Di Leo c. *Hétu*, (1982) C.S. 442, D.T.E. 82T-266 (C.S.), J.E. 82-427 (C.S.) (appel rejeté sur requête).
Restaurants et motels Inter-cité inc. c. *Vassart*, (1981) C.S. 1052, J.E. 81-1036 (C.S.).

122/7 Le commissaire n'a pas compétence pour entendre une plainte en vertu de la *Loi sur les normes du travail* lorsque l'entreprise échappe à la compétence provinciale en matière de relations de travail, et ce, du moment que l'employeur démontre qu'il y est soustrait en raison de la nature de ses activités. L'absence de compétence du commissaire doit être constatée sans que l'employeur n'ait à justifier une quelconque démarche visant à faire reconnaître la nature fédérale de son entreprise.
Transport R.M.T. inc. c. *Racicot*, D.T.E. 95T-768 (C.S.), J.E. 95-1437 (C.S.).

122/8 La fonction de secrétaire d'un conseil de bande indienne est liée à l'accomplissement des objectifs d'une loi fédérale et les relations de travail en découlant relèvent de la compétence fédérale.
Pageot c. *Cree Nation of Wemindji*, D.T.E. 95T-490 (C.T.).

Général

122/9 Le commissaire n'a pas compétence pour se prononcer sur la validité du contrat individuel de travail, cela relève des tribunaux de droit commun.
Hôtel-Dieu d'Alma c. *Potvin*, (1987) T.T. 47, D.T.E. 87T-61 (T.T.).

122/10 Le commissaire n'a pas la compétence pour juger des matières relatives au recours civil prévu à la section I du Chapitre V de la *Loi sur les normes du travail*.
Gravel c. *Coopérative fédérée de Québec*, (1986) C.T. 10, D.T.E. 86T-126 (C.T.).

122/11 N'est pas de la compétence du commissaire, statuant sur une plainte déposée en vertu de l'article 122 L.N.T., de forcer un employeur à respecter toutes les obligations que lui impose la Loi.
Provost c. *Bureau d'éthique commerciale de Montréal inc.*, (1999) R.J.D.T. 233 (C.T.), D.T.E. 99T-102 (C.T.).

122/12 En matière de congédiement, selon les articles 122 et ss. L.N.T., le commissaire doit tester la légalité de la sanction imposée par l'employeur au salarié puni. Pour ce faire, il vérifiera si la présomption de congédiement illégal, lorsque établie en faveur du salarié, a été repoussée par la démonstration d'une autre cause que celle de l'exercice d'un droit en vertu de la *Loi sur les normes du travail* et, dans l'hypothèse où une faute commise par le salarié est démontrée, le commissaire doit se poser la question suivante: cette faute est-elle le véritable motif, la *causa causans* du congédiement, et ce, par opposition à un prétexte?
Lamy c. *Kraft ltée*, (1991) R.D.J. 61 (C.A.), D.T.E. 91T-49 (C.A.), J.E. 91-114 (C.A.) (par analogie).
Décarie c. *Produits pétroliers d'Auteuil inc.*, (1986) R.J.Q. 2471 (C.A.), D.T.E. 86T-728 (C.A.), J.E. 86-944 (C.A.) (autorisation d'appeler à la Cour suprême refusée).
C.N.T. c. *Mia inc.*, D.T.E. 85T-590 (C.A.) (autorisation d'appeler à la Cour suprême refusée).

Citipark, a Division of Citicom inc. c. *Burke*, (1988) T.T. 223, D.T.E. 88T-434 (T.T.).
Morris c. *Villa Amanda inc.*, D.T.E. 88T-728 (T.T.).
Control Data Canada ltée c. *Di Paolo*, D.T.E. 85T-945 (T.T.).
Service et ventes Montréal inc. — Montréal Service et Sales inc. c. *Rémillard*, D.T.E. 85T-5 (T.T.).
Rollin c. *Acklands ltée*, D.T.E. 84T-257 (T.T.).
Brault et Bouthillier c. *Marion*, D.T.E. 82T-96 (T.T.).
Chartrand c. *Wyeth-Ayerst Canada inc.*, D.T.E. 96T-1299 (C.T.).
Gagnon c. *F.D.L. Cie*, (1993) C.T. 228, D.T.E. 93T-609 (C.T.) (révision judiciaire refusée: C.S.M. n° 500-05-004277-933, le 18 octobre 1993).
Gauron c. *Société coopérative agricole Lotbinière*, (1983) C.T. 293, D.T.E. 83T-550 (C.T.).

122/13 Le commissaire a compétence pour déterminer si la cause invoquée par l'employeur constitue la véritable cause du congédiement. La cause invoquée peut exister dans les faits sans pour autant être la véritable cause. Dans l'appréciation des faits il peut tenir compte de l'usage et du bon sens. En ce faisant, le tribunal et le commissaire n'imposent aucune obligation de fonctionnement à l'employeur, ils ne font que scruter selon la preuve s'il a agi raisonnablement plutôt que capricieusement, de façon à déterminer si sa discrétion de direction dissimule un prétexte.
C.N.T. c. *Mia inc.*, D.T.E. 85T-590 (C.A.) (autorisation d'appeler à la Cour suprême refusée).
Cie de volailles Maxi ltée c. *Lorrain*, D.T.E. 88T-975 (C.S.), J.E. 88-1304 (C.S.).
Chartray c. *U.A.P. inc.*, (2000) R.J.D.T. 1653 (T.T.), D.T.E. 2000T-1173 (T.T.).
Grégoire c. *Joly*, (2000) R.J.D.T. 625 (T.T.), D.T.E. 2000T-514 (T.T.).
Mathieu c. *I. Magid inc.*, (1992) C.T. 59, D.T.E. 92T-315 (C.T.).

122/14 Le commissaire a compétence pour vérifier si, à partir d'un contexte donné dont la convention collective fait partie, le comportement de l'employeur s'explique de façon cohérente et raisonnable, et ce, par opposition à un prétexte.
Khawam c. *Pratt et Whitney Canada inc.*, D.T.E. 93T-1026 (C.T.).

122/15 Ce recours ne permet pas au commissaire de décider de la justesse ou de la mesure de la sanction conséquente: il n'a pas à apprécier le bien-fondé de la sanction prise par l'employeur ni à y substituer son jugement, sans égard au fait que le congédiement ou la sanction ait été approprié ou non à la cause véritable qui doit être différente d'un prétexte.
Giguère c. *Cie Kenworth du Canada (division de Paccar du Canada ltée)*, (1990) R.J.Q. 2485 (C.A.), D.T.E. 90T-1204 (C.A.), J.E. 90-1483 (C.A.) (autorisation d'appeler à la Cour suprême refusée).
Chamaillard c. *Agence de recouvrement ARC (corporation)*, D.T.E. 2005T-966 (C.R.T.).
Jeanson c. *R. Marcil & Frères inc.*, D.T.E. 2005T-988 (C.R.T.).
Trân c. *Cognicase*, D.T.E. 2003T-274 (C.R.T.).
Ballou c. *S.K.W. Canada inc.*, D.T.E. 94T-1074 (C.T.).
Gagnon c. *F.D.L. Cie*, (1993) C.T. 228, D.T.E. 93T-609 (C.T.) (révision judiciaire refusée: C.S.M. n° 500-05-004277-933, le 18 octobre 1993).
Gagnon c. *Best Glove Manufacturing Ltd.*, D.T.E. 92T-405 (C.T.).

122/16 La compétence de la Commission des relations du travail est limitée à la constatation de l'existence de l'un des motifs énumérés à l'article 122 L.N.T.,

disposition attributive de compétence, et à confirmer ou à annuler, par voie de conséquence, la mesure du congédiement: le congédiement est légal ou il ne l'est pas.
Mueller Canada inc. c. *Ouellette*, (2004) R.J.Q. 1397 (C.A.), (2004) R.J.D.T. 459 (C.A.), D.T.E. 2004T-561 (C.A.), J.E. 2004-1170 (C.A.), REJB 2004-62041 (C.A.) (autorisation d'appeler à la Cour suprême refusée).

122/17 En matière de plainte déposée en vertu de l'article 122 L.N.T., le commissaire doit rechercher la véritable cause du congédiement. Dans ce cas, il doit évaluer essentiellement la sincérité de l'employeur. Ainsi, s'il accorde davantage de crédibilité à celui-ci, il privilégiera sa version des faits au détriment des prétentions du salarié. En somme, le commissaire doit uniquement chercher à savoir si l'employeur aurait agi de la même façon, n'eût été de l'exercice d'un droit par le salarié.
Provost c. *Hakim*, D.T.E. 97T-1315 (C.A.), J.E. 97-2076 (C.A.), REJB 1997-03065 (C.A.).
Di Lillo c. *Services financiers groupe Investors inc.*, D.T.E. 2009T-158 (C.R.T.).
Bérubé c. *Rousseau Métal inc.*, D.T.E. 2008T-486 (C.R.T.).
Chartray c. *U.A.P. inc.*, (2000) R.J.D.T. 1653 (T.T.), D.T.E. 2000T-1173 (T.T.).

122/18 Le rôle du commissaire, lorsqu'il a à analyser les faits susceptibles de constituer une autre cause juste et suffisante pour renverser la présomption de l'article 122 L.N.T., consiste à se demander si l'employeur a prouvé l'existence d'une autre cause, sans évaluer son caractère juste et suffisant comme s'il s'agissait d'un grief. Il doit simplement déterminer si elle constitue un prétexte ou non. Par ailleurs, lorsqu'il étudie une plainte en vertu de l'article 124 L.N.T., le commissaire doit aller plus loin et s'interroger sur le caractère juste et suffisant de la sanction.
Tanguay c. *Alfred Couture ltée*, LPJ-94-1974 (T.T.).

122/19 Le commissaire a le pouvoir de qualifier de congédiement le non-renouvellement d'un contrat à durée déterminée.
École Weston inc. c. *Tribunal du travail*, (1993) R.J.Q. 708 (C.A.), D.T.E. 93T-356 (C.A.), J.E. 93-642 (C.A.).
Moore c. *Cie Montréal Trust*, (1988) R.J.Q. 2339 (C.A.), D.T.E. 88T-878 (C.A.), J.E. 88-1182 (C.A.) (autorisation d'appeler à la Cour suprême refusée).

122/20 La norme de contrôle judiciaire applicable à l'encontre d'une décision du commissaire rendue en fonction des articles 122 et ss. L.N.T. n'est pas la justesse de la décision du tribunal mais le critère de la décision manifestement déraisonnable.
Beaupré (Ville de) c. *Commission des relations du travail*, D.T.E. 2007T-816 (C.S.).
Fréchette c. *Commission des relations du travail*, D.T.E. 2007T-500 (C.S.).
9110-3309 Québec inc. (Urbana Mobilier urbain) c. *Commission des relations du travail*, D.T.E. 2007T-100 (C.S.), EYB 2006-112130 (C.S.).
Ericsson Canada c. *Plante*, D.T.E. 2004T-930 (C.S.), REJB 2004-55439 (C.S.).
Roberge c. *Tribunal du travail*, D.T.E. 98T-185 (C.S.) (désistement d'appel).

122/21 Le commissaire doit tenir compte des lois particulières en cause dans l'appréciation d'une cause juste et suffisante de congédiement.
Commission scolaire de Chicoutimi c. *Tribunal du travail*, D.T.E. 91T-788 (C.S.), conf. par (1996) R.D.J. 85 (C.A.), D.T.E. 96T-78 (C.A.), J.E. 96-177 (C.A.).

122/22 Le commissaire a le pouvoir, en vertu des articles 124 et 151 du *Code du travail*, de transformer une plainte soumise en vertu de la *Loi sur les normes du travail* en une plainte déposée selon le *Code du travail*.
Villeneuve c. *Tribunal du travail*, (1988) R.J.Q. 275 (C.A.), D.T.E. 88T-118 (C.A.), J.E. 88-171 (C.A.).

122/23 Un tribunal d'arbitrage ne peut valablement être saisi d'une plainte relative à l'application de l'article 122 L.N.T.
Créations Canadelles ltée c. *Fraternité unie des charpentiers et menuisiers d'Amérique, local 2877*, (1985) T.A. 542, D.T.E. 85T-648 (T.A.).

122/24 La durée du service continu du salarié ne doit pas entrer en ligne de compte relativement à une plainte déposée en vertu de l'article 122 L.N.T.
Lackie c. *A.R. Concorde inc. (Eddy's Pub)*, D.T.E. 2002T-668 (C.T.).

122/25 Lorsque la *Loi sur les normes du travail* ne s'applique pas à un salarié, elle ne peut évidemment lui conférer aucun droit. Dans ce cadre, l'on ne peut concevoir que celui-ci puisse alors exercer un droit conféré par cette loi et qu'il puisse en subir des représailles.
Romeo c. *W.E. Canning inc.*, D.T.E. 98T-1129 (C.T.).

122/26 Pour qu'un salarié puisse validement renoncer à l'exercice d'un droit, il faut qu'un recours existe au moment de la renonciation.
Hétu c. *Hôpital Ste-Justine*, (2001) R.J.D.T. 200 (C.T.), D.T.E. 2001T-155 (C.T.).

Licenciement

122/27 La loi ne couvrant pas les cas de licenciement, le commissaire doit vérifier les faits afin de déterminer la véritable nature du renvoi pour ensuite apprécier, s'il y a lieu, la preuve de l'employeur sur la cause du renvoi, afin de déterminer s'il ne s'agit pas d'un simple prétexte.
Control Data Canada ltée c. *Di Paolo*, D.T.E. 85T-945 (T.T.).
Service et ventes Montréal inc. — Montréal Service et Sales inc. c. *Rémillard*, D.T.E. 85T-5 (T.T.).

122/28 Le licenciement peut constituer un congédiement au sens de l'article 122 L.N.T.
Lamy c. *Kraft ltée*, (1991) R.D.J. 61 (C.A.), D.T.E. 91T-49 (C.A.), J.E. 91-114 (C.A.) (par analogie).
Cappco Tubular c. *Montpetit*, (1990) T.T. 286, D.T.E. 90T-753 (T.T.).
Club de golf de Sherbrooke inc. c. *Hurdle*, (1984) T.T. 339, D.T.E. 84T-759 (T.T.).
Boucher c. *Manufacture de chaussures Excel ltée*, (1983) C.T. 41, D.T.E. 83T-141 (C.T.).
V. cependant: *Mathieu* c. *Ouellet*, D.T.E. 95T-1434 (T.T.), suivant lequel la distinction entre congédiement et licenciement est sans intérêt lorsqu'il s'agit d'une plainte en vertu de l'article 122 L.N.T.

122/29 Le commissaire a compétence pour déterminer si les motifs économiques invoqués par l'employeur sont les causes réelles et sérieuses de la mise à pied ou s'il s'agit plutôt d'un prétexte.
C.N.T. c. *Mia inc.*, D.T.E. 85T-590 (C.A.) (autorisation d'appeler à la Cour suprême refusée).
Grégoire c. *Joly*, (2000) R.J.D.T. 625 (T.T.), D.T.E. 2000T-514 (T.T.).

Control Data Canada ltée c. *Di Paolo*, D.T.E. 85T-945 (T.T.).
Rollin c. *Acklands ltée*, D.T.E. 84T-257 (T.T.).
Office municipal d'habitation de Québec c. *Savard-Landry*, D.T.E. 83T-687 (T.T.).

122/30 En matière d'abolition de poste et de réduction du personnel, la prise en considération du dossier d'assiduité des travailleurs, pour choisir le salarié à licencier, constitue un critère objectif.
Trân c. *Cognicase*, D.T.E. 2003T-274 (C.R.T.).

122/31 Le commissaire peut exiger que l'employeur prouve non seulement les difficultés économiques alléguées, mais qu'il justifie également le choix du salarié mis à pied.
Dugas c. *Pompaction inc.*, D.T.E. 2001T-241 (T.T.).
Vêtements Cédar ltée c. *Kasprack*, D.T.E. 85T-916 (T.T.) (révision judiciaire refusée: D.T.E. 86T-259 (C.S.)).
Rollin c. *Acklands ltée*, D.T.E. 84T-257 (T.T.).
Ranger c. *Bureau d'expertise des assureurs ltée*, (2001) R.J.D.T. 1911 (C.T.), D.T.E. 2001T-1155 (C.T.) (désistement de la révision judiciaire).
Lecours c. *Paysagiste Rive-Sud ltée*, D.T.E. 93T-1261 (C.T.).
Durand c. *Salons de chaussures Pavane Mayfair ltée*, D.T.E. 89T-892 (C.T.).
Boucher c. *Manufacture de chaussures Excel ltée*, (1983) C.T. 41, D.T.E. 83T-141 (C.T.).
Carrier-Bisier c. *Bondex international (Canada) ltée*, D.T.E. 83T-142 (C.T.).
Lacasse c. *Hershey Y.S. Candies*, D.T.E. 83T-164 (C.T.).
Contra: *Décarie* c. *Produits pétroliers d'Auteuil inc.*, (1986) R.J.Q. 2471 (C.A.), D.T.E. 86T-728 (C.A.), J.E. 86-944 (C.A.) (autorisation d'appeler à la Cour suprême refusée).

Ancienneté

122/32 Le commissaire a compétence pour vérifier, après avoir conclu que la mesure prise par l'employeur est motivée par un manque de travail, si l'employeur a tenu compte de l'ancienneté.
C.N.T. c. *Mia inc.*, D.T.E. 85T-590 (C.A.) (autorisation d'appeler à la Cour suprême refusée).
Contra: *Décarie* c. *Produits pétroliers d'Auteuil inc.*, (1986) R.J.Q. 2471 (C.A.), D.T.E. 86T-728 (C.A.), J.E. 86-944 (C.A.) (autorisation d'appeler à la Cour suprême refusée).

122/33 L'application du critère d'ancienneté n'est pas une question d'appréciation de la preuve mais relève de la connaissance judiciaire, soit du bon sens et de l'usage, connaissance du domaine d'un tribunal spécialisé.
Kasprack c. *Tribunal du travail*, D.T.E. 86T-259 (C.S.).

122/34 En matière de licenciement, il appartient à l'employeur de justifier d'une façon raisonnable pourquoi un salarié a été choisi plutôt qu'un autre qui a moins d'ancienneté.
Boyer c. *Hewitt Equipment ltée*, (1988) R.J.Q. 2112 (C.A.), D.T.E. 88T-656 (C.A.), J.E. 88-1117 (C.A.), inf. D.T.E. 85T-633 (C.S.), J.E. 85-759 (C.S.).
C.N.T. c. *Mia inc.*, D.T.E. 85T-590 (C.A.) (autorisation d'appeler à la Cour suprême refusée).
Kasprack c. *Tribunal du travail*, D.T.E. 86T-259 (C.S.).

Grégoire c. *Joly*, (2000) R.J.D.T. 625 (T.T.), D.T.E. 2000T-514 (T.T.).
Entreprises Jean-Robert Girard inc. c. *Masson*, D.T.E. 84T-323 (T.T.) (révision judiciaire refusée: C.S.M. n° 500-05-002950-846, le 10 avril 1984) (par analogie).
Letarte (Fraguyse Enrg.) c. *Johnston*, D.T.E. 82T-191 (T.T.) (par analogie).
Outils coupants International c. *Joseph*, D.T.E. 82T-693 (T.T.) (par analogie).
Contra: *Décarie* c. *Produits pétroliers d'Auteuil inc.*, (1986) R.J.Q. 2471 (C.A.), D.T.E. 86T-728 (C.A.), J.E. 86-944 (C.A.) (autorisation d'appeler à la Cour suprême refusée).
Air Cargo service Sept-Îles inc. c. *Bouchard*, D.T.E. 83T-960 (C.S.).

122/35 Dans les cas de mise à pied en raison de difficultés économiques ou de réorganisation administrative et en l'absence de pratique établie à l'effet contraire, l'employeur doit respecter le principe de l'ancienneté.
Lecours c. *Paysagiste Rive-Sud ltée*, D.T.E. 93T-1261 (C.T.).
Vachon c. *Assurances Morin, Laporte et associés*, D.T.E. 90T-632 (C.T.).
Carrière c. *D. et G. Matériaux de construction inc.*, D.T.E. 84T-161 (C.T.).
V. aussi: *Bailey* c. *A. Gold & Sons Ltd.*, D.T.E. 91T-1401 (C.T.).

122/36 Même si un employeur n'est pas tenu de respecter les années de service dans le choix des salariés qu'il licencie, qu'il met à pied ou qu'il rappelle au travail, son choix doit tout de même être appuyé sur des motifs objectifs, impartiaux et non inspirés d'éléments subjectifs propres à l'employé visé.
Mondor c. *Bi-op inc.*, D.T.E. 2003T-346 (C.R.T.).

122/37 Étant donné l'absence d'indication relativement au respect de l'ancienneté dans la *Loi sur les normes du travail*, il faut s'en remettre à l'honnêteté et la normalité du comportement de l'employeur.
Bauhart-Hamel c. *Laboratoires alimentaires Bio-Lalonde, services de surveillance S.G.S. inc.*, (1992) T.T. 71, D.T.E. 92T-135 (T.T.).

122/38 Le commissaire n'a pas compétence pour reconnaître l'ancienneté d'un salarié.
Alex Coulombe ltée c. *Fortier*, D.T.E. 92T-180 (C.T.).

Période d'essai

122/39 Même s'il est vrai que l'on doit être moins exigeant pour apprécier la cause juste et suffisante dans le cas d'un salarié en période d'essai, il faut cependant qu'il s'agisse d'une cause non reliée à une pratique prohibée par la *Loi sur les normes du travail*.
Centre d'accueil de Buckingham c. *Chenier*, D.T.E. 94T-753 (T.T.) (révision judiciaire accueillie, dossier retourné au T.T.: D.T.E. 95T-82 (C.S.)) (appel rejeté: D.T.E. 95T-597 (T.T.)).

122/40 Dans le contexte d'une période d'essai, l'employeur a une latitude beaucoup plus grande quant à l'évaluation du salarié et à sa décision de le conserver ou non à son service.
Payen c. *Centre d'hébergement de la Villa-les-Tilleuls inc.*, D.T.E. 2008T-456 (C.R.T.).

MESURES INTERDITES À L'EMPLOYEUR

Congédiement v. également à *Licenciement*

122/41 Les termes «congédié» et «congédiement» doivent recevoir une interprétation assez large afin de ne pas rendre illusoire la protection accordée par l'article 122 L.N.T. et devraient couvrir toute forme de terminaison d'emploi.
United Last Co. Ltd. c. *Tribunal du travail*, (1973) R.D.T. 423 (C.A.) (par analogie).
Lizotte c. *Plante*, D.T.E. 88T-52 (C.S.).
Payen c. *Centre d'hébergement de la Villa-les-Tilleuls inc.*, D.T.E. 2008T-456 (C.R.T.).
Mondor c. *Bi-op inc.*, D.T.E. 2003T-346 (C.R.T.).
Grégoire c. *Joly*, (2000) R.J.D.T. 625 (T.T.), D.T.E. 2000T-514 (T.T.).
Fortin c. *Consultants B.P.R., S.E.N.C.*, D.T.E. 97T-1340 (T.T.).
Cappco Tubular c. *Montpetit*, (1990) T.T. 286, D.T.E. 90T-753 (T.T.).
Club de golf de Sherbrooke inc. c. *Hurdle*, (1984) T.T. 339, D.T.E. 84T-759 (T.T.).
Rollin c. *Acklands ltée*, D.T.E. 84T-257 (T.T.).
Tellier c. *Urgel Bourgie ltée*, (1991) C.T. 387, D.T.E. 91T-1280 (C.T.).
Rood-Pasquini c. *Restaurant Mirada inc.*, (1985) C.T. 49, D.T.E. 85T-87 (C.T.).
St-Gelais c. *Cie de fiducie Canada Permanent*, D.T.E. 85T-362 (C.T.) (appel rejeté: T.T.Q. n⁰ 200-52-000022-85, le 23 avril 1985).

122/42 Dans certaines circonstances, il n'est pas nécessaire qu'il y ait rupture du lien d'emploi pour conclure à l'existence d'un congédiement déguisé.
Lamontagne c. *Encore Automobile ltée*, D.T.E. 2000T-1095 (C.T.).

122/43 Pour conclure à un congédiement déguisé, il faut que les conditions de travail soient modifiées à un point tel que le lien d'emploi ne puisse être considéré avoir subsisté à d'aussi grands bouleversements.
Caisse populaire Île-Perrot c. *Bélanger*, D.T.E. 96T-144 (T.T.).
Forbes c. *Québec Loisirs inc.*, D.T.E. 2001T-929 (C.T.).

122/44 Il faut interpréter largement l'expression congédiement afin de couvrir toutes les formes de rupture du lien d'emploi, y compris un non-retour au travail.
Mondor c. *Bi-op inc.*, D.T.E. 2003T-346 (C.R.T.).

122/45 Le refus de la part d'un employeur de payer au salarié toutes les heures travaillées constitue une modification substantielle des conditions de travail et un congédiement.
Tremblay c. *Entretien Beau-gazon S.E.N.C.*, (1998) R.J.D.T. 204 (C.T.), D.T.E. 98T-151 (C.T.).

122/46 La notion de congédiement couvre toutes les formes de cessation d'emploi, y compris la mise à pied temporaire.
Ranger c. *Bureau d'expertise des assureurs ltée*, (2001) R.J.D.T. 1911 (C.T.), D.T.E. 2001T-1155 (C.T.) (désistement de la révision judiciaire).

122/47 Le geste de l'employeur de réduire d'une façon substantielle les heures de travail d'un salarié équivaut à un congédiement.
Couture c. *Entreprises Camway ltée*, D.T.E. 91T-185 (C.T.).
Lemieux c. *Bar salon Le contact Enrg.*, D.T.E. 82T-621 (C.T.).

122/48 Le non-rappel au travail à la suite d'une mise à pied temporaire peut être assimilé à un congédiement.
Mondor c. *Bi-op inc.*, D.T.E. 2003T-346 (C.R.T.).
Lavigne et Frères inc. c. *Deland*, (1988) T.T. 249, D.T.E. 88T-510 (T.T.).
Ranger c. *Bureau d'expertise des assureurs ltée*, (2001) R.J.D.T. 1911 (C.T.), D.T.E. 2001T-1155 (C.T.) (désistement de la révision judiciaire).
Rood-Pasquini c. *Restaurant Mirada inc.*, (1985) C.T. 49, D.T.E. 85T-87 (C.T.).
Boucher c. *Manufacture de chaussures Excel ltée*, (1983) C.T. 41, D.T.E. 83T-141 (C.T.).

122/49 Les dispositions de l'article 122 L.N.T. ne peuvent recevoir application lorsqu'un employeur décide non pas de congédier, mais de ne pas embaucher un professionnel, par exemple après un stage de formation terminé avec succès.
Byrne c. *Yergeau*, D.T.E. 2002T-870 (C.A.), J.E. 2002-1684 (C.A.), REJB 2002-33506 (C.A.).

122/50 La fin d'emploi, due à l'échec de la période d'essai du salarié, constitue un congédiement.
Payen c. *Centre d'hébergement de la Villa-les-Tilleuls inc.*, D.T.E. 2008T-456 (C.R.T.).

122/51 Une suspension indéfinie peut être assimilée à un congédiement.
St-Gelais c. *Cie de fiducie Canada Permanent*, D.T.E. 85T-362 (C.T.) (appel rejeté: T.T.Q. n^{0} 200-52-000022-85, le 23 avril 1985).

122/52 La rétrogradation par des modifications substantielles et unilatérales constitue un congédiement déguisé.
Paquette c. *123391 Canada ltée*, D.T.E. 90T-277 (C.T.), appel accueilli pour d'autres motifs à D.T.E. 90T-606 (T.T.).

122/53 V. la jurisprudence sous l'article 124 L.N.T. à CONGÉDIEMENT.

Déplacement

122/54 Les articles 84.1 et 122.1 L.N.T. n'interdisent pas le déplacement d'un salarié, contrairement aux dispositions des articles 122 L.N.T. et 15 du *Code du travail*.
Thomson c. *McGill University*, (1989) C.T. 267, D.T.E. 89T-741 (C.T.).

122/55 Il y a déplacement illégal lorsque la nouvelle affectation entraîne des modifications substantielles sur le plan du travail à effectuer.
Deschênes c. *Clinique dentaire Pierre Richard*, D.T.E. 2008T-235 (C.R.T.).
Fattahi c. *Québec (Ministère de la Sécurité publique)*, D.T.E. 2007T-666 (C.R.T.).
Raymond c. *Garage Réjean Roy inc.*, D.T.E. 2004T-1041 (C.R.T.).
Guilbert c. *Côté et Blouin, optométristes*, D.T.E. 99T-709 (T.T.) (règlement hors cour).
Gellatly c. *Manufacturiers Kovac inc.*, D.T.E. 2000T-870 (C.T.).
Roy c. *Montréal (Ville de)*, D.T.E. 91T-934 (C.T.).
Gravel c. *F.W. Woolworth Co.*, D.T.E. 84T-597 (C.T.).

122/56 Il n'est pas nécessaire d'être titulaire d'un poste pour avoir été déplacé. Pour qu'il y ait déplacement, il suffit que le salarié, en l'occurrence un employé

occasionnel, soit affecté à une tâche substantiellement différente de celle qu'il détenait auparavant.
Fattahi c. *Québec (Ministère de la Sécurité publique)*, D.T.E. 2007T-666 (C.R.T.).
Centre Butters-Savoy inc. c. *St-Laurent*, (1994) T.T. 488, D.T.E. 94T-1131 (T.T.).

122/57 Un déplacement ne peut être assimilé à un congédiement déguisé si le plaignant n'a jamais démissionné ou été renvoyé à cette occasion.
Savard c. *Taverne du Boulevard inc.*, D.T.E. 91T-707 (C.T.).
V. aussi: *Caisse populaire Île-Perrot* c. *Bélanger*, D.T.E. 96T-144 (T.T.).

122/58 Il n'y a nul besoin de prouver une baisse de salaire ou une modification de fonction pour qu'une plainte de déplacement soit maintenue, il suffit qu'il y ait modification du lieu d'accomplissement du travail.
Bellingham nettoyeurs et tailleurs ltée c. *St-Hilaire*, D.T.E. 83T-530 (T.T.).

122/59 Il y a lieu de conclure au déplacement lorsque la nature des fonctions et les exigences physiques de la nouvelle affectation du salarié sont différentes bien que l'appellation de l'emploi n'ait pas changé.
Hébert c. *Garderie éducative Citronnelle*, (1994) C.T. 451, D.T.E. 94T-1170 (C.T.).

122/60 Le fait d'exercer une occupation comportant des avantages substantiellement différents en terme d'horaire, de régularité de travail et de rémunération, constitue un déplacement.
Caisse populaire Île-Perrot c. *Bélanger*, D.T.E. 96T-144 (T.T.).

122/61 Pour qu'il y ait déplacement, il doit y avoir changement de poste, ce qui n'est pas le cas du simple changement de l'horaire de travail.
Simard c. *Bar chez Raspoutine*, D.T.E. 90T-242 (C.T.), appel rejeté pour d'autres motifs à D.T.E. 90T-725 (T.T.).
Gagné-Marcil c. *Auberge des gouverneurs*, D.T.E. 86T-857 (C.T.).
V. cependant: *Howard* c. *122596 Canada inc.*, D.T.E. 88T-898 (C.T.).
Larocque c. *Créations White Sister inc.*, (1988) C.T. 115, D.T.E. 88T-340 (C.T.), où l'on a conclu qu'un changement de poste n'est pas une condition essentielle pour qu'une plainte de déplacement soit maintenue.

122/62 Le retrait de la liste de paie ne constitue pas un déplacement. Ce dernier s'entend généralement d'un changement au niveau du travail lui-même, par exemple: mutation d'un poste à un autre, changement d'horaire ou du nombre d'heures, changement d'itinéraire ou de lieu de travail, etc.
Provost c. *Bureau d'éthique commerciale de Montréal inc.*, (1999) R.J.D.T. 233 (C.T.), D.T.E. 99T-102 (C.T.).

122/63 Le déplacement implique la mutation d'un poste à un autre, tandis que la réduction des heures de travail surtout lorsqu'il s'agit d'un travail à temps partiel, ne constitue pas un déplacement.
Huard c. *Cohen*, D.T.E. 84T-72 (T.T.).

122/64 Constitue un déplacement illégal le changement du lieu de travail et le partage des clients avec un autre vendeur, occasionnant une diminution substantielle des revenus.
Lamontagne c. *Encore Automobile ltée*, D.T.E. 2000T-1095 (C.T.).

122/65 La réduction des heures de travail d'une salariée enceinte en raison de son état constitue un déplacement.
Howard c. *122596 Canada inc.*, D.T.E. 88T-898 (C.T.).
Larocque c. *Créations White Sister inc.*, (1988) C.T. 115, D.T.E. 88T-340 (C.T.).

122/66 La perte de revenus occasionnée par l'octroi d'une autre affectation constitue un déplacement.
Tisseur c. *91633 Canada ltée*, D.T.E. 2001T-158 (C.T.).

122/67 Ne constitue pas un déplacement illégal, le fait de déplacer un salarié devenu inapte à remplir ses fonctions et à s'adapter aux nouvelles exigences.
Gauron c. *Société coopérative agricole Lotbinière*, (1983) C.T. 293, D.T.E. 83T-550 (C.T.).

122/68 Le fait de réintégrer une salariée, à son retour de congé de maternité, dans le poste où elle avait été déplacée temporairement en raison de son état constitue un déplacement illégal.
Sayer c. *General Motors*, (1983) T.T. 238, D.T.E. 83T-69 (T.T.).

122/69 Lorsque le rendement d'une salariée laisse à désirer, l'employeur est justifié de déplacer celle-ci à un autre poste malgré le fait qu'elle revienne d'un congé de maternité.
Pellino c. *Systèmes électroniques Matrox ltée*, D.T.E. 93T-610 (C.T.).

122/70 Constitue un déplacement illégal le retour sur une liste de rappel, d'une salariée enceinte, devenue permanente par une affectation de remplacement d'une employée en congé sans solde.
Pavillon du Parc inc. c. *Lemaire*, D.T.E. 84T-206 (T.T.).

122/71 Constitue un déplacement illégal, lors du retour de congé de maternité d'une salariée, le fait de l'affecter à un emploi à temps partiel au lieu d'un emploi régulier.
Proulx c. *Garderie L'éveil des chérubins*, D.T.E. 2000T-821 (C.T.).

122/72 Le fait d'être muté d'un poste de directrice d'une garderie à celui de conseillère pédagogique entraîne une suppression ou, à tout le moins, une diminution du pouvoir décisionnel et du niveau de responsabilité, constituant un déplacement illégal.
Bernard c. *Garderie Au petit nuage*, (1994) C.T. 290, D.T.E. 94T-704 (C.T.).

122/73 L'article 122 L.N.T. s'applique indépendamment des dispositions de la *Loi sur la santé et la sécurité du travail* (L.R.Q., c. S-2.1) sur le retrait préventif, en ce qui concerne le déplacement de la salariée enceinte.
Di Peco c. *Canadelle inc.*, D.T.E. 96T-260 (C.T.).
V. la jurisprudence sous les articles 122(4) et 123.2 L.N.T.

122/74 Un employeur qui modifie l'itinéraire que parcourait un chauffeur-livreur, procède à un déplacement illégal.
Bellingham nettoyeurs et tailleurs ltée c. *St-Hilaire*, D.T.E. 83T-530 (T.T.).

Suspension

122/75 Le refus par un employeur de laisser travailler un salarié équivaut à une suspension.
Grenier c. *Services alimentaires C.V.C. inc.*, (1995) C.T. 38, D.T.E. 95T-226 (C.T.).

122/76 La suspension indéterminée d'un salarié constitue un congédiement déguisé.
Lavoie c. *Avensys inc.*, D.T.E. 2004T-492 (C.R.T.) (révision judiciaire accueillie en partie: D.T.E. 2005T-858 (C.S.), EYB 2005-94598 (C.S.)) (appel principal accueilli et appel incident rejeté: D.T.E. 2006T-573 (C.A.), J.E. 2006-1220 (C.A.), EYB 2006-106096 (C.A.)).

Mesures de représailles ou discriminatoires

122/77 Une mesure est discriminatoire lorsqu'elle traite un individu ou un groupe d'individus autrement que d'autres et à leur détriment.
Gaucher c. *3090-1599 Québec inc.*, D.T.E. 99T-132 (C.T.).
Durocher c. *A.B.B. Systèmes ingénierie combustion*, (1992) C.T. 24, D.T.E. 92T-136 (C.T.).

122/78 L'expression «mesure de représailles» signifie toute mesure de vengeance prise par l'employeur contre un salarié en riposte à l'exercice d'un droit découlant de la Loi sur les normes.
Produits alimentaires Grandma ltée (division I.T.C. Canada) c. *Forget*, (1985) T.T. 355, D.T.E. 85T-734 (T.T.) (par analogie).

122/79 Pour pouvoir réussir dans son recours, le salarié doit démontrer qu'une mesure de représailles est survenue au cours des 45 jours ayant précédé le dépôt de sa plainte.
Paquet c. *Montréal (Ville de)*, D.T.E. 2008T-846 (C.R.T.).

122/80 Le non-réengagement ou le non-renouvellement d'un contrat à durée déterminée peut constituer une «mesure de représailles» ou une «mesure discriminatoire».
École Weston inc. c. *Tribunal du travail*, (1993) R.J.Q. 708 (C.A.), D.T.E. 93T-356 (C.A.), J.E. 93-642 (C.A.).
Meilleur c. *Québec (Ministère de l'Emploi, de la Solidarité sociale et de la Famille)*, D.T.E. 2008T-458 (C.R.T.) (révision en vertu de l'article 127 C.T. refusée).

122/81 Le retrait de la lettre «F» pour *full time*, inscrite près du nom du salarié dans la grille horaire, ne constitue pas une sanction lorsque celui-ci ne subit aucun changement quant à son horaire de travail ni quant à ses autres conditions de travail.
Gaucher c. *3090-1599 Québec inc.*, D.T.E. 99T-132 (C.T.).

122/82 Le non-rappel au travail d'un salarié en congé parental, ayant omis d'inscrire son nom sur une liste de rappel, ne peut constituer une mesure discriminatoire ou de représailles.
Blais c. *Centres Jeunesse de Montréal*, D.T.E. 95T-424 (C.T.).

122/83 Pourrait constituer une contravention à l'article 122 L.N.T., le retrait, pendant la durée des procédures, d'une affectation d'un professeur d'université à la suite du dépôt d'un grief alléguant du harcèlement psychologique.

Université du Québec à Trois-Rivières c. *Syndicat des professeures et des professeurs de l'Université du Québec à Trois-Rivières (René LeSage)*, (2008) R.J.D.T. 781 (T.A.), D.T.E. 2008T-298 (T.A.).

122/84 Ne constituent pas des mesures de représailles les modifications par l'employeur d'un poste, des fonctions et des responsabilités d'un salarié lorsque ces modifications interviennent dans le cours normal des affaires de l'entreprise. En effet, malgré l'annulation d'un congédiement et l'ordonnance de réintégration, l'employeur conserve ses prérogatives de gestion sur son entreprise.
Larocque c. *Corp. E.M.C. du Canada*, (2004) R.J.D.T. 213 (C.R.T.), D.T.E. 2004T-256 (C.R.T.) (révision judiciaire refusée: C.S.M. n° 500-17-019748-048, le 12 juillet 2005).

122/85 Le retard à rappeler un salarié au travail peut constituer une mesure discriminatoire ou de représailles.
Gingras c. *Gestion Pargo inc. — Brûlerie Tatum Café*, D.T.E. 98T-777 (C.T.).

122/86 La modification de l'horaire de travail du salarié, entraînant une diminution de salaire, ne constitue pas une mesure discriminatoire ou de représailles ni une sanction.
Mongeau c. *Resto-casino (Le cabaret du Casino de Montréal)*, D.T.E. 2002T-14 (C.T.).

122/87 La réduction des heures de travail peut constituer une mesure de représailles à la suite de l'exercice d'un droit par le salarié.
Raymond c. *Garage Réjean Roy inc.*, D.T.E. 2004T-1041 (C.R.T.).

122/88 La modification des conditions de travail, soit l'horaire de travail du salarié et l'obligation de travailler les fins de semaines, ne constitue pas nécessairement une mesure discriminatoire ou de représailles.
Vézina c. *Barbotine inc.*, (1999) R.J.D.T. 1663 (C.T.), D.T.E. 99T-911 (C.T.).

122/89 Une modification du cadre de travail, tel le fait de modifier l'horaire de travail d'un salarié, est assimilable à une mesure discriminatoire ou de représailles.
Arseneault c. *Aramark Québec inc.*, D.T.E. 2001T-208 (C.T.).

DÉMISSION vs CONGÉDIEMENT DÉGUISÉ

122/90 Une démission implique une intention claire exprimée par le salarié, ne laissant aucun doute, et un élément subjectif, soit la conduite des parties au moment et après la rupture du lien d'emploi.
Cadet c. *Imprimeries Transcontinental, s.e.n.c.*, D.T.E. 2007T-300 (C.R.T.).
Genest c. *Placement de personnel Marie-Andrée Laforce inc.*, (2000) R.J.D.T. 1644 (T.T.), D.T.E. 2000T-971 (T.T.).
Perzow c. *Dunkley*, D.T.E. 82T-262 (T.T.).
McMillan c. *H.L. Blachford ltée*, D.T.E. 2002T-1168 (C.T.).
Tardif c. *27359975 Québec inc.*, D.T.E. 96T-419 (C.T.).
Chamberland c. *Bas Giltex inc.*, (1992) C.T. 177, D.T.E. 92T-646 (C.T.).
Loiseau c. *Restaurant Le Routier Enrg.*, D.T.E. 89T-177 (C.T.).
Bogemans c. *Gérard Masse inc.*, (1984) C.T. 44, D.T.E. 84T-115 (C.T.).
Beauvais c. *Camps Ford inc.*, D.T.E. 83T-777 (C.T.).
Carrier-Bisier c. *Bondex international (Canada) ltée*, D.T.E. 83T-142 (C.T.).

122/91 Pour déterminer s'il y a démission de la part d'un salarié, il faut examiner l'intention qu'avait celui-ci de même que la conduite antérieure et postérieure des parties.
Dallaire c. *M4S inc.*, D.T.E. 2006T-725 (C.R.T.).
Rivard c. *Realmont ltée*, (1999) R.J.D.T. 239 (C.T.), D.T.E. 99T-101 (C.T.), REJB 1998-09129 (C.T.).

122/92 En l'absence de preuve directe, il doit y avoir preuve de faits précis, graves et concordants permettant de conclure, à la renonciation d'un droit et à la démission.
Marcoux c. *Hongwei*, D.T.E. 2009T-189 (C.R.T.) (révision en vertu de l'article 127 C.T. refusée).
Perzow c. *Dunkley*, D.T.E. 82T-262 (T.T.).
Goudie c. *Tyme Télécom inc.*, (1982) C.T. 71, D.T.E. 82T-223 (C.T.).

122/93 On ne peut conclure à la démission lorsque la conduite du salarié est compatible avec un désir de conserver son emploi.
Matthias c. *Conso Graber Canada inc.*, D.T.E. 86T-934 (T.T.).

122/94 Une lettre de démission signée sur la foi de fausses déclarations de l'employeur ne rompt pas le lien d'emploi.
Harbec c. *Masseau*, D.T.E. 90T-1265 (C.T.).

122/95 Le congédiement déguisé est la démission résultant d'une stratégie élaborée par l'employeur pour la provoquer en prenant des mesures remettant en question le contrat de travail: rétrogradation, déplacement, etc. Le nom anglais de cette forme de congédiement rend bien cette idée: on dit «constructive dismissal». En français, on emploie aussi «congédiement par induction». Cette expression rend mieux l'idée du bris de conduite de l'employeur envers le salarié afin qu'il se congédie lui-même.
Gingras c. *Gestion Pargo inc. — Brûlerie Tatum Café*, D.T.E. 98T-777 (C.T.).
Pelletier c. *Nutrite inc.*, (1993) C.T. 40, D.T.E. 93T-114 (C.T.).

122/96 Lorsqu'un employeur donne à un salarié le choix entre démissionner ou être congédié, c'est qu'il a lui-même décidé de la rupture du contrat de travail, ne laissant au salarié que le choix de la modalité.
Hamel c. *Alimentation Couche-tard inc.*, LPJ-94-2319 (T.T.).

122/97 Même si la rupture du lien d'emploi est le fait du salarié, selon une jurisprudence récente, il y a présomption de congédiement, et non démission, si c'est à la suite du refus de ce dernier d'accepter une modification substantielle d'une condition essentielle de son contrat de travail. De plus, cette présomption existe indépendamment du recours exercé.
Tremblay c. *Entretien Beau-gazon S.E.N.C.*, (1998) R.J.D.T. 204 (C.T.), D.T.E. 98T-151 (C.T.).

122/98 Il y a congédiement déguisé et non démission lorsque les modifications imposées sont telles qu'elles équivalent à une résiliation du contrat de travail.
Couture c. *Entreprises Camway ltée*, D.T.E. 91T-185 (C.T.).

122/99 Pour qu'il y ait congédiement déguisé, il faut que l'employeur change de manière significative les conditions essentielles du contrat de travail du salarié. Si

ce n'est pas le cas et que le salarié n'accepte pas les modifications de l'employeur, en quittant son emploi il choisit alors de démissionner.
St-Vincent c. *Industries V.M. inc.*, D.T.E. 2001T-209 (C.T.).

122/100 Les modifications substantielles et unilatérales imposées par un employeur, qui ont amené un salarié à démissionner, constituent un congédiement déguisé.
Paquette c. *123391 Canada ltée*, D.T.E. 90T-277 (C.T.), appel accueilli pour d'autres motifs à D.T.E. 90T-606 (T.T.).

122/101 Il y a congédiement déguisé et non démission lorsqu'un salarié est forcé de démissionner à la suite d'une réduction substantielle de ses heures de travail.
Lemieux c. *Bar salon Le contact Enrg.*, D.T.E. 82T-621 (C.T.).

122/102 On ne peut prétendre systématiquement, qu'une démission donnée en raison d'une décision de l'employeur de congédier est bel et bien un congédiement.
Guertin c. *Kraft ltée*, D.T.E. 85T-200 (T.T.).
Contra: *Landry* c. *Comterm inc.*, D.T.E. 84T-410 (C.S.), J.E. 84-451 (C.S.).

122/103 Le fait pour un salarié de signer une lettre de démission pendant un interrogatoire qui dure une journée entière et au cours duquel des enquêteurs font allusion à des poursuites criminelles annihile le caractère libre et volontaire de la démission. Dans ces circonstances, on doit conclure qu'il s'agit plutôt d'un congédiement déguisé.
Page-Earl c. *Compagnie de mobilier Bombay du Canada inc.*, (1994) C.T. 163, D.T.E. 94T-543 (C.T.).

122/104 Le refus du salarié de travailler parce qu'une mésentente l'oppose à l'employeur est un geste qui peut constituer une démission.
Provost c. *131427 Canada inc.*, D.T.E. 2003T-137 (C.R.T.).
Talbot c. *Investissements Imqua inc.*, (1997) C.T. 346, D.T.E. 97T-886 (C.T.).
Beauclair c. *Tanguay Auto électrique inc.*, D.T.E. 91T-154 (C.T.).
Béliveau c. *Laval Nettoyeur-Quatre inc.*, D.T.E. 90T-724 (C.T.).
V. aussi: *Société hôtelière Hunsons inc.* c. *Lungarini*, D.T.E. 2004T-740 (T.T.).
Savaria c. *Jean bleu inc.*, (1997) C.T. 481, D.T.E. 97T-1208 (C.T.), conf. par D.T.E. 98T-588 (T.T.).

122/105 Le rejet par le salarié d'une offre de rappel au travail, dans le contexte d'une réorganisation administrative de l'entreprise, ne constitue pas un congédiement déguisé mais une démission.
Bourgouin c. *Bodycote Essais de matériaux Canada inc.*, D.T.E. 2005T-281 (C.R.T.).

122/106 Le refus du salarié de l'offre de travail à temps partiel ne constitue pas nécessairement une démission.
Dosda c. *Ferme Brien & Fils inc.*, D.T.E. 2002T-1084 (C.T.).

122/107 Le fait pour un salarié de quitter le travail, après deux semaines, sans aucune explication et en réclamant le poste et le bureau qui étaient les siens avant son départ en congé, constitue un départ volontaire et non pas un congédiement.
Gellatly c. *Manufacturiers Kovac inc.*, D.T.E. 2000T-870 (C.T.).

122/108 Le fait de ne jamais daigner répondre aux demandes écrites d'explications de son employeur amène à conclure à la démission.
Zakaib c. *Société de commercialisation Amtrack mode inc.*, D.T.E. 99T-752 (C.T.).
V. aussi: *Dallaire* c. *M4S inc.*, D.T.E. 2006T-725 (C.R.T.).

122/109 Le fait de ne pas être intéressé à partager ses pourboires n'indique nullement l'intention de mettre fin à son emploi.
Émond c. *147564 Canada inc.*, D.T.E. 2001T-1154 (C.T.).
Bogemans c. *Gérard Masse inc.*, (1984) C.T. 44, D.T.E. 84T-115 (C.T.).

122/110 Le départ d'un salarié à la suite d'une rétrogradation, d'une baisse de salaire, ainsi qu'une perte significative de ses responsabilités, peut constituer une démission.
123391 Canada ltée c. *Paquet*, D.T.E. 90T-606 (T.T.) (révision judiciaire refusée: C.S.Q. n^{0} 200-05-001145-908, le 29 novembre 1990).

122/111 Le refus d'effectuer du temps supplémentaire ne peut être assimilé à une démission, lorsque c'est l'employeur qui prend l'initiative de mettre fin à la relation contractuelle.
Goudie c. *Tyme Télécom inc.*, (1982) C.T. 71, D.T.E. 82T-223 (C.T.).

122/112 Le fait pour un salarié de quitter son emploi lorsqu'il devient évident que l'employeur ne veut pas le payer ne constitue pas une démission.
Senez c. *Coiffure L.J.*, D.T.E. 2001T-462 (C.T.).

122/113 Le refus du salarié de travailler parce que l'employeur omet ou refuse de lui verser le salaire qui lui est dû ne peut constituer une démission.
Bouberaouat c. *Groupe Tecnum inc.*, (2005) R.J.D.T. 1641 (C.R.T.), D.T.E. 2005T-989 (C.R.T.).

122/114 Le non-retour au travail du salarié et le fait de ne pas réclamer de relevé de cessation d'emploi ne permettent pas nécessairement de conclure à une démission.
Renaud c. *Gestion D.M. Roy inc.*, D.T.E. 2004T-509 (C.R.T.).

122/115 Le défaut de retour au travail de la salariée enceinte à la date prévue dans un avis ne constitue pas une démission, si l'employeur a accepté entretemps de la considérer comme salariée de son entreprise en lui offrant le choix entre deux postes de travail.
Simard c. *Bar chez Raspoutine*, D.T.E. 90T-242 (C.T.), appel rejeté pour d'autres motifs à D.T.E. 90T-725 (T.T.).

122/116 Le défaut par une salariée de donner un avis écrit pour informer l'employeur de son intention de se prévaloir d'un congé de maternité, ne peut équivaloir à une démission.
Hylands c. *Canadian Tire (Gestion J.G. Roy inc.)*, D.T.E. 93T-506 (C.T.).
Carrier-Bisier c. *Bondex international (Canada) ltée*, D.T.E. 83T-142 (C.T.).

122/117 L'agression verbale du salarié par l'employeur qui contrevient ainsi à son obligation de protéger la santé, la sécurité et la dignité de ses employés et qui provoque la démission du salarié, peut constituer un prétexte pour se débarrasser de celui-ci.
Petridis c. *Assurance André Birbilas inc.*, D.T.E. 2003T-138 (C.R.T.).

122/118 Constitue un congédiement déguisé, le départ du salarié à la suite du partage de ses tâches avec un autre employé entraînant une réduction de salaire.
Mignelli c. *Seigneurie Pontiac Buick inc.*, (2006) R.J.D.T. 772 (C.R.T.), D.T.E. 2006T-419 (C.R.T.).

122/119 Le refus pour une salariée d'occuper son poste à temps plein lors de son retour au travail après un congé de maternité, constitue une démission.
Rancourt c. *Southwest One Pharmacy inc.*, D.T.E. 95T-965 (C.T.).

122/120 Des menaces de démission et de quitter l'entreprise ne peuvent constituer une démission si le salarié n'est jamais passé aux actes.
Tremblay c. *G. Riendeau et Fils inc.*, D.T.E. 2005T-1077 (C.R.T.) (révision judiciaire accueillie pour d'autres motifs: (2007) R.J.D.T. 432 (C.S.), D.T.E. 2007T-436 (C.S.), J.E. 2007-1008 (C.S.), EYB 2007-118476 (C.S.)) (homologation de la convention: n^0 500-09-017696-071, le 12 septembre 2007).

122/121 Le fait de demander de se faire expédier une formule de cessation d'emploi n'est pas suffisant pour conclure à une démission.
Beauvais c. *Camps Ford inc.*, D.T.E. 83T-777 (C.T.).

122/122 V. la jurisprudence sous l'article 124 L.N.T. à *Démission*.

CONGÉDIEMENT vs NON-RÉENGAGEMENT

122/123 Le non-réengagement ou le non-renouvellement du contrat d'un salarié peut constituer un congédiement illégal au sens de l'article 122 L.N.T.
École Weston inc. c. *Tribunal du travail*, (1993) R.J.Q. 708 (C.A.), D.T.E. 93T-356 (C.A.), J.E. 93-642 (C.A.).
Moore c. *Cie Montréal Trust*, (1988) R.J.Q. 2339 (C.A.), D.T.E. 88T-878 (C.A.), J.E. 88-1182 (C.A.) (autorisation d'appeler à la Cour suprême refusée).
Meilleur c. *Québec (Ministère de l'Emploi, de la Solidarité sociale et de la Famille)*, D.T.E. 2008T-458 (C.R.T.) (révision en vertu de l'article 127 C.T. refusée).
Paradis c. *Spoutnik Créativité Marketing inc.*, (2005) R.J.D.T. 1221 (C.R.T.), D.T.E. 2005T-755 (C.R.T.).
Imam c. *École polytechnique de Montréal*, D.T.E. 90T-1146 (T.T.).
D'Andréa c. *Commission scolaire de Laval*, D.T.E. 2001T-1176 (C.T.).
Labrie-Langlois c. *20 du Rhône Condominium*, D.T.E. 2000T-720 (C.T.).
V. aussi: *Commission scolaire Berthier Nord-Joli* c. *Beauséjour*, (1988) R.J.Q. 639 (C.A.), D.T.E. 88T-261 (C.A.), J.E. 88-414 (C.A.) (par analogie).

122/124 Lorsqu'une relation stable s'établit entre un employeur et un travailleur à la suite de renouvellements successifs de contrats temporaires de travail, ce travailleur se trouve dans une situation qui équivaut, à certains égards à celle du travailleur dont le contrat de travail vaut pour une période indéterminée. Le non-renouvellement du contrat de travail qui survient alors équivaut à la cessation d'un contrat à durée indéterminée, donc à un licenciement ou à un congédiement, et il donne lieu au même recours.
Imam c. *École polytechnique de Montréal*, D.T.E. 90T-1146 (T.T.).

122/125 Un contrat à durée déterminée qui se termine suivant les dispositions qui y sont prévues, ne constitue pas un congédiement, s'il n'y a pas d'expectative légitime de possibilité de renouvellement.
École supérieure des ballets jazz du Québec c. *Juaneda*, (1984) T.T. 207, D.T.E. 84T-448 (T.T.) (révision judiciaire refusée: C.S.M. n° 500-05-007395-849, le 12 septembre 1984).
Hudon c. *Alma (Ville d')*, D.T.E. 87T-200 (C.T.).

122/126 Le non-renouvellement d'un contrat de travail pour des motifs d'ordre économique, compte tenu d'un déficit budgétaire, peut constituer une autre cause juste et suffisante de congédiement.
D'Andréa c. *Commission scolaire de Laval*, D.T.E. 2001T-1176 (C.T.).

122/127 En matière de non-renouvellement de contrat, il faut tenir compte des obligations découlant d'une loi particulière.
Commission scolaire de Chicoutimi c. *Tribunal du travail*, D.T.E. 91T-788 (C.S.), conf. par (1996) R.D.J. 85 (C.A.), D.T.E. 96T-78 (C.A.), J.E. 96-177 (C.A.).

122/128 Le non-renouvellement d'un engagement d'une durée indéterminée renouvelable de semaine en semaine, reconduit durant plus d'une année, constitue un congédiement.
Auclair c. *Nouvelle Auberge de Sherbrooke inc.*, D.T.E. 82T-125 (T.T.).

122/129 Pour conclure qu'un contrat de travail est à durée déterminée et non renouvelable, il faut que les parties aient préalablement fixé une échéance à leur relation contractuelle en prévoyant, soit un terme extinctif, soit la réalisation d'une condition résolutoire.
Lemyre c. *Distribution Magna vision*, D.T.E. 85T-724 (C.T.).

122/130 V. la jurisprudence sous les articles 122(1) et 124 L.N.T. à *Non-renouvellement d'un contrat à durée déterminée.*

122/131 V. BRIÈRE, J.-Y., «Principaux amendements à la Loi sur les normes du travail et jurisprudence récente et marquante», dans *Développements récents en droit du travail (1991)*, Formation permanente du Barreau du Québec, Cowansville, Les Éditions Yvon Blais inc., 1991, p. 1, p. 25 à 27.

122/132 V. BRIÈRE, J.-Y. et VILLAGGI, J.-P., *Relations de travail*, vol. 2, (édition à feuilles mobiles), Brossard, Les Publications CCH ltée, p. 8,671 à 8,693-9.

122/133 V. COUTU, M., «Le non-renouvellement du contrat de travail à durée déterminée: Évolution comparée du droit français et de la jurisprudence québécoise récente», (1986) 46 *R. du B.* 57.

122/134 V. DUBÉ, J.-L. et DI IORIO, N., *Les normes du travail*, 2e éd., Sherbrooke, Les Éditions Revue de droit — Université de Sherbrooke, 1992, p. 313 à 328.

122/135 V. GAGNON, R.P., *Le droit du travail du Québec*, 6e éd. (mis à jour par LANGLOIS KRONSTRÖM DESJARDINS, S.E.N.C.R.L. sous la dir. de BERNARD, Y., SASSEVILLE, A. et CLICHE, B.), Cowansville, Les Éditions Yvon Blais inc., 2008, p. 143, 172 à 174 et 191 à 193.

122/136 V. GOYETTE, R.M., «La réforme de la *Loi sur les normes du travail*: les points saillants», dans *Développements récents en droit du travail (2003)*, Formation permanente du Barreau du Québec, Cowansville, Les Éditions Yvon Blais inc., 2003, p. 71.

122/137 V. HÉBERT, G. et TRUDEAU, G., *Les normes minimales du travail au Canada et au Québec*, Cowansville, Les Éditions Yvon Blais inc., 1987.

122(1)

Table des matières

GÉNÉRAL

122/138 Un commissaire saisi d'une plainte en vertu de l'article 122 L.N.T., doit décider de celle-ci comme s'il s'agissait d'une plainte en vertu des articles 15 et ss. du *Code du travail*.
Villeneuve c. *Tribunal du travail*, (1988) R.J.Q. 275 (C.A.), D.T.E. 88T-118 (C.A.), J.E. 88-171 (C.A.).

122/139 Dans le cadre d'un recours fondé sur l'article 122(1) L.N.T., la compétence du commissaire est limitée; il ne peut intervenir que lorsqu'un salarié exerce un droit résultant de la *Loi sur les normes du travail* ou d'un règlement qui en découle.
Distribution Trans-Canada Kébec Disque c. *Michaud*, (1996) T.T. 214, D.T.E. 96T-198 (T.T.).

122/140 La présomption s'applique, lorsque le salarié démontre qu'il a effectivement exercé un droit, qu'il a été l'objet d'une mesure prohibée et qu'il est plausible qu'il ait été traité ainsi en raison de l'exercice de ce droit.
Quijada-Lagos c. *Action couture Enr., division de 122585 Canada ltée*, D.T.E. 92T-1373 (C.T.).

122/141 La présomption peut s'appliquer à un salarié travaillant sur la base d'un contrat à durée déterminée.
Schwartz c. *Frank W. Horner inc.*, D.T.E. 83T-48 (C.T.).

122/142 Pour pouvoir bénéficier du recours instauré par les articles 122 à 123 L.N.T. il n'est pas nécessaire que l'exercice d'un droit ait eu lieu chez l'employeur qui congédie.
Portelance c. *Dunkin Donuts Piermart ltée*, (1987) R.D.J. 52 (C.A.), D.T.E. 87T-158 (C.A.).
Gagné c. *Secom Plus inc.*, (1998) R.J.D.T. 736 (C.T.), D.T.E. 98T-561 (C.T.).
General Motors of Canada Ltd. c. *Allaire*, (1979) T.T. 46 (par analogie).
Hôpital du St-Sacrement, Québec c. *Lesage*, (1975) T.T. 320 (par analogie).

122/143 Pour déterminer si la présomption est établie, il faut se reporter au moment de l'exercice du droit allégué.
Lizotte c. *Solutions Mindready inc.*, D.T.E. 2007T-548 (C.R.T.).

122/144 Il n'est pas essentiel, pour prétendre exercer un droit, que celui-ci soit effectivement fondé; il suffit que la prétention du salarié ne soit pas frivole, c'est-à-dire qu'elle soit plausible à première vue. Il suffit de démontrer qu'il a voulu s'en prévaloir de bonne foi et avec apparence de droit pour que la présomption s'applique.
Calita c. *Pharmacie Linda Frayne & John Di Genova*, D.T.E. 2007T-1004 (C.R.T.).
Lizotte c. *Solutions Mindready inc.*, D.T.E. 2007T-548 (C.R.T.).
Investissements Tsatas ltée c. *Sagues*, D.T.E. 84T-422 (T.T.).
Perzow c. *Dunkley*, D.T.E. 82T-262 (T.T.).
Tardif c. *27359975 Québec inc.*, D.T.E. 96T-419 (C.T.).
Belpaire c. *Trace créative inc.*, D.T.E. 94T-340 (C.T.).
V. aussi: *Fortin* c. *Consultants B.P.R. (S.E.N.C.)*, D.T.E. 99T-366 (C.T.) (appel rejeté: T.T.Q. n° 200-28-000004-991, le 29 mars 1999).

122/145 L'exercice d'un droit peut prendre plusieurs formes. Ainsi, une simple demande faite à l'employeur dans le but de bénéficier d'un droit résultant de la *Loi sur les normes du travail* peut suffire. Il en va de même pour la demande de renseignements auprès de la Commission des normes du travail.
Jordan-Doherty c. *Loblaw Québec ltée (Loblaws)*, D.T.E. 2000T-348 (C.T.).

122/146 Le commissaire n'a pas à se demander si la plainte qui représente l'exercice d'un droit et qui fait naître automatiquement la présomption, est bien fondée ou même si une telle plainte paraît avoir des chances d'être maintenue.
Citipark, a Division of Citicom inc. c. *Burke*, (1988) T.T. 223, D.T.E. 88T-434 (T.T.).
Morris c. *Villa Amanda inc.*, D.T.E. 88T-728 (T.T.).
Électrolux Canada, division de Consolidated Foods du Canada ltée c. *Perron*, D.T.E. 83T-724 (T.T.).
Bogemans c. *Gérard Masse inc.*, (1984) C.T. 44, D.T.E. 84T-115 (C.T.).

122/147 La simple croyance en l'exercice d'un droit ne suffit pas, l'exercice du droit doit résulter de l'application de la *Loi sur les normes du travail* et non d'une autre loi.
Centre du pneu Papineau (1982) inc. c. *Lorrain*, D.T.E. 84T-832 (C.S.).
Simard c. *Bar chez Raspoutine*, D.T.E. 90T-725 (T.T.).
Dallaire c. *École supérieure de danse du Québec*, D.T.E. 87T-944 (C.T.).
Nantel c. *Coca Cola ltée*, D.T.E. 87T-760 (C.T.).
Jochim c. *Pierre Brunet Station-Service*, D.T.E. 84T-512 (C.T.).
Mirab c. *Service d'entretien ménager Royal Enr.*, D.T.E. 84T-126 (C.T.).

122/148 Pour que la présomption s'applique, le salarié doit démontrer qu'il a fait valoir ou qu'il a exercé un droit prévu par la *Loi sur les normes du travail* à l'encontre de l'employeur, et qu'il y a une certaine concomitance avec la mesure imposée.
Imam c. *École polytechnique de Montréal*, D.T.E. 90T-1146 (T.T.).
Pelletier c. *Nutrite inc.*, (1993) C.T. 40, D.T.E. 93T-114 (C.T.).
Mathieu c. *I. Magid inc.*, (1992) C.T. 59, D.T.E. 92T-315 (C.T.).

122/149 La concomitance entre l'exercice d'un droit prévu à la loi et le congédiement permet au commissaire de conclure à l'existence de la présomption, malgré l'absence de conflit à ce sujet.
Boutique Amandine c. *Levy*, D.T.E. 82T-148 (T.T.).
Perzow c. *Dunkley*, D.T.E. 82T-262 (T.T.).

122/150 La présomption s'applique à un salarié qui est congédié quelques jours après avoir porté plainte à la Commission en vertu des articles 122(5) et 124 L.N.T. et lorsque ses supérieurs connaissaient cette intention.
Électrolux Canada, division de Consolidated Foods du Canada ltée c. *Perron*, D.T.E. 83T-724 (T.T.) et (1984) C.T. 250, D.T.E. 84T-534 (C.T.) (quantum).

122/151 Pour que la présomption s'applique, il faut que le salarié démontre au commissaire qu'il a fait valoir le droit invoqué avant son congédiement, et ce, même si l'employeur l'ignore.
Père du Meuble inc. (Le) c. *Warren*, D.T.E. 84T-71 (T.T.).
Lorangé c. *Centre communautaire juridique de Montréal*, D.T.E. 82T-179 (C.T.).

122/152 Pour bénéficier de la présomption l'employé n'est pas tenu de démontrer et de prouver que l'employeur savait qu'il a exercé un droit.
Crépeau c. *Marché Roxboro inc.*, D.T.E. 85T-86 (C.T.).

122/153 Celui qui dépose une plainte, doit démontrer non pas qu'il détient un droit mais qu'il a exercé celui-ci.
Centre du pneu Papineau (1982) inc. c. *Lorrain*, D.T.E. 84T-832 (C.S.).
Dixmier c. *Société canadienne de la Croix-Rouge*, D.T.E. 84T-372 (C.T.).

122/154 L'exercice d'un recours constitue l'exercice d'un droit.
Vêtements Cédar ltée c. *Kasprack*, D.T.E. 85T-916 (T.T.) (révision judiciaire refusée: D.T.E. 86T-259 (C.S.)).
Électrolux Canada, division de Consolidated Foods du Canada ltée c. *Perron*, D.T.E. 83T-724 (T.T.).
Therrien c. *Cie de volailles Maxi ltée*, D.T.E. 90T-873 (C.T.).
Décarie c. *Produits pétroliers d'Auteuil inc.*, D.T.E. 85T-24 (C.T.) (révision judiciaire accueillie pour d'autres motifs: D.T.E. 85T-477 (C.S.), conf. par (1986) R.J.Q. 2471 (C.A.), D.T.E. 86T-728 (C.A.), J.E. 86-944 (C.A.)) (autorisation d'appeler à la Cour suprême refusée).
V. cependant: *Thursday's restaurant & bar inc.* c. *Roy*, (1984) T.T. 98, D.T.E. 84T-264 (T.T.), où l'on a jugé qu'il ne faut pas confondre l'exercice d'un droit résultant de la loi et l'exercice d'un recours reconnu par la loi, on peut constater l'existence du premier sans qu'il y ait nécessairement exercice du second.

122/155 L'exercice d'un recours selon l'article 124 L.N.T. constitue l'exercice d'un droit prévu à la Loi.

Décarie c. *Produits pétroliers d'Auteuil inc.*, D.T.E. 85T-24 (C.T.) (révision judiciaire accueillie pour d'autres motifs: D.T.E. 85T-477 (C.S.), conf. par (1986) R.J.Q. 2471 (C.A.), D.T.E. 86T-728 (C.A.), J.E. 86-944 (C.A.)) (autorisation d'appeler à la Cour suprême refusée).

122/156 Une entente entre les parties, lors d'un congé de maternité de la salariée en ce qui concerne l'absence de 52 semaines, est une convention privée n'ayant pas le caractère d'une norme du travail ni d'un droit protégé pouvant faire l'objet, un an plus tard, d'un recours en vertu de l'article 123 L.N.T.
Azur Caoutchouc Canada inc. c. *Chassé*, D.T.E. 95T-1200 (T.T.).

PLAINTES ET DEMANDES DE RENSEIGNEMENTS

122/157 Le paragraphe 2 de l'article 122 L.N.T. doit être interprété largement de façon à permettre la réalisation pleine de son objet, soit la protection du salarié qui entre en contact avec la Commission des normes du travail.
Jordan-Doherty c. *Loblaw Québec ltée (Loblaws)*, D.T.E. 2000T-348 (C.T.).

122/158 Le seul fait de faire valoir ses droits au moyen de plaintes devant la Commission des normes du travail et la Commission des relations du travail suffit pour faire naître la présomption en faveur du salarié.
Ouellette c. *SSAB Hardox*, D.T.E. 2008T-236 (C.R.T.).

122/159 Le dépôt d'une plainte à la Commission des normes du travail constitue l'exercice d'un droit résultant de la *Loi sur les normes du travail* ou d'un règlement.
Morin-Arpin c. *Ovide Morin inc.*, D.T.E. 2007T-961 (C.R.T.).
Genest c. *Placement de personnel Marie-Andrée Laforce inc.*, (2000) R.J.D.T. 1644 (T.T.), D.T.E. 2000T-971 (T.T.).
Morris c. *Villa Amanda inc.*, D.T.E. 88T-728 (T.T.).
Vêtements Cédar ltée c. *Kasprack*, D.T.E. 85T-916 (T.T.) (révision judiciaire refusée: D.T.E. 86T-259 (C.S.)).
Électrolux Canada, division de Consolidated Foods du Canada ltée c. *Perron*, D.T.E. 83T-724 (T.T.).
Couture c. *Centres jeunesse de la Montérégie*, (2000) R.J.D.T. 1672 (C.T.), D.T.E. 2000T-924 (C.T.).
Lamontagne c. *Encore Automobile ltée*, D.T.E. 2000T-1095 (C.T.).
Mecugni c. *Silonex inc.*, (2000) R.J.D.T. 1746 (C.T.), D.T.E. 2000T-1175 (C.T.).
Gaucher c. *3090-1599 Québec inc.*, D.T.E. 99T-132 (C.T.).
Zakaib c. *Société de commercialisation Amtrack mode inc.*, D.T.E. 99T-752 (C.T.).
Gagné c. *Secom Plus inc.*, (1998) R.J.D.T. 736 (C.T.), D.T.E. 98T-561 (C.T.).
Papaconstantinou c. *2848-5217 Québec inc.*, D.T.E. 97T-1085 (C.T.).
Roy c. *Disque Améric inc.*, D.T.E. 97T-906 (C.T.).
Boucher c. *Pliages Apaulo inc.*, D.T.E. 96T-148 (C.T.).
Décarie c. *Produits pétroliers d'Auteuil inc.*, D.T.E. 85T-24 (C.T.) (révision judiciaire accueillie pour d'autres motifs: D.T.E. 85T-477 (C.S.), conf. par (1986) R.J.Q. 2471 (C.A.), D.T.E. 86T-728 (C.A.), J.E. 86-944 (C.A.)) (autorisation d'appeler à la Cour suprême refusée).
Langlois c. *5755 de Gaspé inc.*, (1983) C.T. 284, D.T.E. 83T-559 (C.T.).

122/160 Le dépôt d'une plainte pour harcèlement psychologique à la Commission des normes du travail constitue l'exercice d'un droit résultant de la *Loi sur les normes du travail* ou d'un règlement.

Marcoux c. *Hongwei*, D.T.E. 2009T-189 (C.R.T.) (révision en vertu de l'article 127 C.T. refusée).
Foisy c. *Centre de défense des droits de la Montérégie*, D.T.E. 2007T-812 (C.R.T.).

122/161 Le dépôt d'une plainte pour harcèlement psychologique ne peut constituer l'exercice d'un droit résultant de la *Loi sur les normes du travail* lorsqu'il n'y a pas de concomitance entre ce dépôt et la sanction de l'employeur.
Côté c. *CHSLD de la MRC de Champlain*, D.T.E. 2007T-391 (C.R.T.) (en révision).

122/162 Ne constitue pas l'exercice d'un droit le fait d'avoir déposé une plainte à la Commission des normes du travail l'année précédente.
Hudon c. *Alma (Ville d')*, D.T.E. 87T-200 (C.T.).

122/163 Le dépôt d'une plainte pour harcèlement psychologique à la Commission des relations du travail constitue l'exercice d'un droit résultant de la *Loi sur les normes du travail* ou d'un règlement.
Calita c. *Pharmacie Linda Frayne & John Di Genova*, D.T.E. 2007T-1004 (C.R.T.).

122/164 Ne constitue pas l'exercice d'un droit résultant de la *Loi sur les normes du travail*, la lettre envoyée à l'employeur l'avisant de l'intention d'intenter un recours lorsque ce document est vague et imprécis, et ce, dans le contexte où le salarié n'a pas subi de sanction de l'employeur à la suite de cet envoi.
Trout c. *Sabex 2002 inc.*, D.T.E. 2004T-159 (C.R.T.).

122/165 Une demande de renseignements à la Commission des normes du travail ne constitue pas l'exercice d'un recours, lequel équivaudrait à l'exercice d'un droit.
Jordan-Doherty c. *Loblaw Québec ltée (Loblaws)*, D.T.E. 2000T-348 (C.T.).

122/166 Le dépôt d'une requête en fixation d'indemnité constitue l'exercice d'un droit résultant de la *Loi sur les normes du travail.*
Gatien-Théberge c. *Domogetech inc. — Alarme Expert ltée*, (1997) C.T. 163, D.T.E. 97T-588 (C.T.).

122/167 Malgré l'annulation du congédiement d'un salarié et une ordonnance de réintégration, un employeur conserve ses prérogatives de gestion de son entreprise et il peut modifier les postes, les fonctions et les responsabilités de ses employés dans le cours normal de ses affaires.
Larocque c. *Corp. E.M.C. du Canada*, (2004) R.J.D.T. 213 (C.R.T.), D.T.E. 2004T-256 (C.R.T.) (révision judiciaire refusée: C.S.M. n° 500-17-019748-048, le 12 juillet 2005).

122/168 Un employeur ne peut congédier un salarié parce que celui-ci s'est prévalu de son droit de faire appel à la Commission des normes du travail, afin d'établir quels étaient ses droits eu égard à sa rémunération.
Fortin c. *3103-0323 Québec inc.*, D.T.E. 2003T-323 (T.T.).

122/169 Les renseignements ne sont pas limités uniquement à ceux concernant le salarié qui les fournit. Il peut s'agir d'une situation qui ne le touche pas directement. Le salarié n'a pas non plus à démontrer qu'il avait l'intention de dénoncer une situation.
Jordan-Doherty c. *Loblaw Québec ltée (Loblaws)*, D.T.E. 2000T-348 (C.T.).

122/170 Des démarches préliminaires, une simple communication pour effectuer des vérifications auprès de la Commission des normes du travail, constituent l'exercice d'un droit et suffisent pour faire naître la présomption en faveur d'un salarié.
Lopes c. *9163-1234 Québec inc. (Moulin Rouge)*, D.T.E. 2008T-897 (C.R.T.).
Bouberaouat c. *Groupe Tecnum inc.*, (2005) R.J.D.T. 1641 (C.R.T.), D.T.E. 2005T-989 (C.R.T.).
Fortin c. *3103-0323 Québec inc.*, D.T.E. 2003T-323 (T.T.).
Mondor c. *Bi-op inc.*, D.T.E. 2003T-346 (C.R.T.).
Trottier c. *Charbonneau*, D.T.E. 87T-715 (T.T.).
Électrolux Canada, division de Consolidated Foods du Canada ltée c. *Perron*, D.T.E. 83T-724 (T.T.).
North American Motor Motel Corp. c. *Thomas*, (1980) T.T. 103.
Lackie c. *A.R. Concorde inc. (Eddy's Pub)*, D.T.E. 2002T-668 (C.T.).
Lavallée c. *Ordre loyal des Moose, loge 2004 Lachine*, (2002) R.J.D.T. 1634 (C.T.), D.T.E. 2002T-1108 (C.T.).
Talbot c. *Investissements Imqua inc.*, (1997) C.T. 346, D.T.E. 97T-886 (C.T.).
Beauvais c. *Camps Ford inc.*, D.T.E. 83T-777 (C.T.).
Lemieux c. *Bar salon Le contact Enrg.*, D.T.E. 82T-621 (C.T.).
Contra: *Robert* c. *Olifruits ltée*, (1986) C.T. 141, D.T.E. 86T-403 (C.T.).

122/171 Une demande de renseignements à la Commission des normes du travail relativement à la validité d'un contrat de travail et une demande, auprès de l'employeur, de modifications de certaines clauses afin qu'elles soient conformes à la loi, constituent l'exercice d'un droit résultant de la *Loi sur les normes du travail*.
Cloutier c. *2740-9218 Québec inc. (Resto Bar Le Club Sandwich)*, D.T.E. 2008T-305 (C.R.T.) (règlement hors cour).
Filion c. *Service de personnel Berlys inc.*, D.T.E. 2000T-515 (C.T.).

122/172 La demande d'un salarié, concernant la situation d'un collègue, auprès de la Commission des normes du travail constitue une demande de renseignements à la Commission et l'exercice d'un droit.
Jordan-Doherty c. *Loblaw Québec ltée (Loblaws)*, D.T.E. 2000T-348 (C.T.).

122/173 L'exercice d'un droit se concrétise par la demande faite directement à l'employeur d'en bénéficier, même s'il n'y a pas alors eu de démarches auprès de la Commission.
Giguère c. *Centura Québec*, (1983) T.T. 455, D.T.E. 83T-801 (T.T.).

122/174 Constitue l'exercice d'un droit résultant de la *Loi sur les normes du travail*, une demande de renseignements à la Commission des normes du travail effectuée par un tiers qui a reçu le mandat à cet effet.
Filion c. *Service de personnel Berlys inc.*, D.T.E. 2000T-515 (C.T.).

SALAIRE, COMMISSIONS ET POURBOIRES

122/175 Les réclamations salariales ou de commissions, découlant de l'application de la *Loi sur les normes du travail* ou d'un de ses règlements constituent l'exercice d'un droit.
Johnson c. *Beaupré (Ville de)*, D.T.E. 2007T-644 (C.R.T.) (désistement de la révision judiciaire).
Bouberaouat c. *Groupe Tecnum inc.*, (2005) R.J.D.T. 1641 (C.R.T.), D.T.E. 2005T-989 (C.R.T.).

Cormier c. *Groupe L.M.B. Experts-conseils (1992) inc.*, (1997) T.T. 249, D.T.E. 97T-530 (T.T.).
Alary c. *Voyages Jaro inc.*, D.T.E. 95T-312 (T.T.), conf. par D.T.E. 95T-857 (C.S.).
Moore c. *Cie Montréal Trust*, (1985) T.T. 277, D.T.E. 85T-550 (T.T.) (révision judiciaire cassée en appel: (1988) R.J.Q. 2339 (C.A.), D.T.E. 88T-878 (C.A.), J.E. 88-1182 (C.A.)) (autorisation d'appeler à la Cour suprême refusée).
Dubois c. *Immeubles Imbrook ltée*, (1984) T.T. 53, D.T.E. 84T-140 (T.T.).
Gagné c. *9032-5481 Québec inc.*, D.T.E. 2002T-87 (C.T.).
Senez c. *Coiffure L.J.*, D.T.E. 2001T-462 (C.T.).
Labrie-Langlois c. *20 du Rhône Condominium*, D.T.E. 2000T-720 (C.T.).
Kiopini c. *Tidan inc. — Les placements Melcor*, D.T.E. 98T-317 (C.T.).
Tremblay c. *Entretien Beau-gazon S.E.N.C.*, (1998) R.J.D.T. 204 (C.T.), D.T.E. 98T-151 (C.T.).
Racine c. *2857-1495 Québec inc.*, D.T.E. 97T-372 (C.T.).
Buth c. *Collège d'enseignement général et professionnel John Abbott*, D.T.E. 96T-295 (C.T.) (révision judiciaire refusée: C.S.M. n° 500-05-015627-969, le 14 août 1996).
Bélanger c. *Gauthier & Khieu*, D.T.E. 92T-16 (C.T.).
Forget c. *Entreprises B.C.P. ltée*, D.T.E. 84T-799 (C.T.).

122/176 Le refus de travailler sans salaire constitue l'exercice d'un droit résultant de la loi.
Bouberaouat c. *Groupe Tecnum inc.*, (2005) R.J.D.T. 1641 (C.R.T.), D.T.E. 2005T-989 (C.R.T.).
Beaudoin c. *Motel Le montagnard inc.*, D.T.E. 96T-769 (C.T.) (appel rejeté: T.T.M. n° 500-28-000285-965, le 18 décembre 1996).
Quijada-Lagos c. *Action couture Enr., division de 122585 Canada ltée*, D.T.E. 92T-1373 (C.T.).

122/177 Le refus par un salarié de signer une lettre d'entente reconnaissant qu'aucune compensation ou rémunération ne lui est versée pour le temps passé en formation, constitue l'exercice d'un droit résultant de la *Loi sur les normes du travail* ou d'un règlement.
Johnson c. *Beaupré (Ville de)*, D.T.E. 2007T-644 (C.R.T.) (désistement de la révision judiciaire).

122/178 Ne constitue pas l'exercice d'un droit le refus de travailler sans rémunération durant la période des travaux hors pêche, lorsque le salarié reçoit une rémunération globale.
Athot c. *Barrette*, D.T.E. 2007T-857 (C.S.), EYB 2007-125651 (C.S.).

122/179 Le fait de demander une avance de salaire, lorsque celui-ci n'est pas versé conformément aux dispositions de l'article 43 L.N.T., constitue l'exercice d'un droit résultant de la *Loi sur les normes du travail* ou d'un règlement.
Racine c. *2857-1495 Québec inc.*, D.T.E. 97T-372 (C.T.).

122/180 Le fait de demander que son salaire soit versé périodiquement, conformément aux dispositions de l'article 43 L.N.T., constitue l'exercice d'un droit résultant de la *Loi sur les normes du travail* ou d'un règlement.
Bouberaouat c. *Groupe Tecnum inc.*, (2005) R.J.D.T. 1641 (C.R.T.), D.T.E. 2005T-989 (C.R.T.).
Cormier c. *Groupe L.M.B. Experts-conseils (1992) inc.*, (1997) T.T. 249, D.T.E. 97T-530 (T.T.).

122/181 Constitue l'exercice d'un droit résultant de la *Loi sur les normes du travail*, le fait pour un salarié de refuser que l'employeur exerce des retenues sur son salaire en remboursement pour de la vaisselle brisée, ayant pour effet d'abaisser sa rémunération en deçà du salaire minimum.
Bergeron c. *2971-4821 Québec inc.*, D.T.E. 98T-112 (C.T.) (appel du salarié accueilli et appel de l'employeur rejeté: D.T.E. 98T-920 (T.T.)).

122/182 Constitue l'exercice d'un droit, le fait de s'informer à la Commission des normes du travail sur la décision de l'employeur d'imposer le virement bancaire comme mode de paiement du salaire et d'exprimer à celui-ci son désaccord à ce sujet.
Lapointe c. *Ti-Frère centre de liquidation de tapis et décoration M.B. inc.*, D.T.E. 87T-481 (C.T.).

122/183 Constitue l'exercice d'un droit la réclamation d'une indemnité pour les jours fériés.
Page c. *Auberge Ripplecove (1985) inc.*, D.T.E. 2001T-186 (C.T.).

122/184 Le fait de communiquer avec la Commission des normes du travail pour s'enquérir de la légalité des déductions faites sur son salaire constitue l'exercice d'un droit résultant de la loi.
Beauclair c. *Tanguay Auto électrique inc.*, D.T.E. 91T-154 (C.T.).

122/185 Le fait d'effectuer des démarches auprès de son employeur pour connaître la nature et le montant des déductions opérés sur son salaire, constitue l'exercice d'un droit.
Perzow c. *Dunkley*, D.T.E. 82T-262 (T.T.).

122/186 Le fait d'informer son employeur de l'illégalité d'une retenue sur le salaire contrairement à la prescription de l'article 49 L.N.T., constitue l'exercice d'un droit.
Thériault c. *Chemisco inc.*, (1991) C.T. 376, D.T.E. 91T-1147 (C.T.).
Béliveau c. *Laval Nettoyeur-Quatre inc.*, D.T.E. 90T-724 (C.T.).

122/187 Constitue l'exercice d'un droit résultant de la loi, le refus du salarié de rembourser un déficit de caisse alors qu'il a signé, lors de son embauche, un document mentionnant qu'il devait rembourser toute somme perdue ou non réclamée à la clientèle, ce document ne constituant pas une convention permettant à l'employeur d'effectuer des retenues sur le salaire du plaignant afin de recouvrer des sommes prétendument dues.
Lopes c. *9163-1234 Québec inc. (Moulin Rouge)*, D.T.E. 2008T-897 (C.R.T.).

122/188 Le refus du salarié de signer l'autorisation de retenue sur le salaire selon l'article 49 L.N.T., ne constitue pas l'exercice d'un droit résultant de la loi.
Distribution Trans-Canada Kébec Disque c. *Michaud*, (1996) T.T. 214, D.T.E. 96T-198 (T.T.).

122/189 Le fait pour un salarié d'informer son employeur qu'il s'adressera à la Commission des normes du travail étant donné que l'on augmente son nombre d'heures, sans que son salaire soit modifié, constitue l'exercice d'un droit au sens de l'article 122(1) L.N.T.
Beauchamp c. *Urgel Bourgie ltée*, D.T.E. 95T-1373 (C.T.), conf. par D.T.E. 96T-708 (C.S.), inf. D.T.E. 96T-175 (T.T.) (règlement hors cour).

122/190 Le fait de refuser de travailler à commissions seulement ne constitue pas l'exercice d'un droit résultant de la loi.
Lamarre c. *Distributeurs médicaux Mansfield ltée*, D.T.E. 84T-232 (T.T.).

122/191 Le refus de participer à l'implantation d'une nouvelle politique de partage des pourboires, qui est illégale au sens de la *Loi sur les normes du travail*, constitue l'exercice d'un droit.
Émond c. *147564 Canada inc.*, D.T.E. 2001T-1154 (C.T.).

122/192 Le manquement à un règlement d'entreprise portant sur le partage des pourboires constitue une autre cause juste et suffisante de congédiement.
Rochette c. *Côté (Restaurant William 1er)*, D.T.E. 2006T-66 (C.R.T.).

122/193 La réclamation des pourboires auprès de son employeur constitue l'exercice d'un droit résultant de la *Loi sur les normes du travail.*
Investissements Tsatas ltée c. *Sagues*, D.T.E. 84T-422 (T.T.).
Thursday's restaurant & bar inc. c. *Roy*, (1984) T.T. 98, D.T.E. 84T-264 (T.T.).

122/194 La déclaration des pourboires faite par le salarié en vertu de la *Loi concernant les travailleurs au pourboire de la restauration et de l'hôtellerie* (L.Q. 1983, c. 43) constitue l'exercice d'un droit résultant de la *Loi sur les normes du travail*, qui oblige l'employeur à inscrire sur le bulletin de paie le montant des pourboires déclarés par le salarié.
Rood-Pasquini c. *Restaurant Mirada inc.*, (1985) C.T. 49, D.T.E. 85T-87 (C.T.).

122/195 Ne constitue pas l'exercice d'un droit résultant de la *Loi sur les normes du travail*, la réclamation de salaire découlant de la *Loi sur les décrets de convention collective* (L.R.Q., c. D-2).
Fraygui c. *A.L.B. enr.*, D.T.E. 96T-1182 (C.T.).

122/196 La réclamation du salarié pour l'obtention de ses relevés de paie constitue l'exercice d'un droit au sens de l'article 122(1) L.N.T.
Dian-David c. *Shinder*, D.T.E. 2002T-281 (C.T.).
Paul c. *9010-5115 Québec inc.*, D.T.E. 95T-1049 (C.T.).

HEURES SUPPLÉMENTAIRES

122/197 Constitue l'exercice d'un droit résultant de la *Loi sur les normes du travail*, le fait de réclamer le paiement du travail effectué en temps supplémentaire.
Urgel Bourgie ltée c. *Beauchamp*, D.T.E. 96T-708 (C.S.) (règlement hors cour).
Provost c. *131427 Canada inc.*, D.T.E. 2003T-137 (C.R.T.).
Distribution Est, service métropolitain inc. c. *Roy*, D.T.E. 92T-894 (T.T.).
Alex Coulombe ltée c. *Fortier*, D.T.E. 91T-1009 (T.T.).
Matthias c. *Conso Graber Canada inc.*, D.T.E. 86T-934 (T.T.).
Bédard c. *Colonial Packaging Co. (Emballages Colonial ltée)*, D.T.E. 84T-139 (T.T.).
Giguère c. *Centura Québec*, (1983) T.T. 455, D.T.E. 83T-801 (T.T.).
Boutique Amandine c. *Lévy*, D.T.E. 82T-148 (T.T.).
Da Ponte c. *Restaurant Alexandre inc.*, D.T.E. 2000T-1123 (C.T.).
Gaudreau c. *Jardin Jouvence inc. — Floralies Jouvence Enr.*, D.T.E. 97T-1178 (C.T.).
Van Deynse c. *Roch Fréchette et Fils inc.*, D.T.E. 94T-291 (C.T.).
Bélanger c. *Gauthier & Khieu*, D.T.E. 92T-16 (C.T.).
Loiseau c. *Restaurant Le Routier Enrg.*, D.T.E. 89T-177 (C.T.).

Forget c. *Entreprises B.C.P. ltée*, D.T.E. 84T-799 (C.T.).
Langlois c. *5755 de Gaspé inc.*, (1983) C.T. 284, D.T.E. 83T-559 (C.T.).

122/198 Le salarié a, en réclamant de son employeur une rémunération pour du travail supplémentaire, exercé un droit résultant de la *Loi sur les normes du travail*, même s'il ignorait à l'époque qu'il agissait ainsi.
Père du Meuble inc. (Le) c. *Warren*, D.T.E. 84T-71 (T.T.).
Forget c. *Entreprises B.C.P. ltée*, D.T.E. 84T-799 (C.T.).

122/199 La demande pour être payé à taux simple majoré de 50% constitue l'exercice d'un droit prévu à l'article 55 L.N.T.
Belpaire c. *Trace créative inc.*, D.T.E. 94T-340 (C.T.).
Goudie c. *Tyme Télécom inc.*, (1982) C.T. 71, D.T.E. 82T-223 (C.T.).

122/200 Le fait de demander à son empoyeur la possibilité d'utiliser les heures supplémentaires accumulées dans une banque, constitue l'exercice d'un droit.
S.N.C. Lavalin inc. c. *Lemelin*, D.T.E. 99T-751 (T.T.).

122/201 La présomption ne s'applique pas, car il n'y a pas l'exercice d'un droit, lorsque le salarié ne réclame pas auprès de la direction le paiement d'heures supplémentaires, mais se contente d'en parler à un collègue de travail qui n'a aucune autorité dans l'entreprise.
Systèmes Weighpack inc. c. *Laforce*, D.T.E. 2002T-1060 (T.T.) (révision judiciaire refusée: C.S.M. n° 500-05-074964-022, le 21 février 2003).

122/202 Le refus d'effectuer des heures supplémentaires faute de paiement en espèce, constitue l'exercice d'un droit et est une exception à la règle «obéir d'abord, se plaindre ensuite».
Giguère c. *Centura Québec*, (1983) T.T. 455, D.T.E. 83T-801 (T.T.).
Van Deynse c. *Roch Fréchette et Fils inc.*, D.T.E. 94T-291 (C.T.).

122/203 Le refus de l'employé de participer à la politique de «remise de temps» de l'employeur, le salarié voulant que toutes ses heures de travail lui soient payées, constitue l'exercice d'un droit.
Lagacé c. *Matériaux à bas prix ltée (Matériaux de construction Lachute)*, D.T.E. 2001T-61 (C.T.) (appel rejeté: D.T.E. 2001T-585 (T.T.)) (règlement hors cour).

122/204 Le refus à l'avance d'effectuer certaines heures de travail ne constitue pas l'exercice d'un droit résultant de la *Loi sur les normes du travail* lorsque, au moment où le salarié a avisé l'employeur de son intention de respecter les limites d'horaire dictées par l'article 59.0.1 L.N.T., il n'a pas encore travaillé le nombre minimum d'heures exigé par cette disposition.
Landry c. *Matériaux à bas prix ltée*, D.T.E. 2004T-1098 (C.R.T.).

122/205 Le refus d'effectuer du temps supplémentaire constitue l'exercice d'un droit résultant de la loi, lorsque cette demande empêche le salarié de prendre le repos hebdomadaire prévu à l'article 78 L.N.T.
E. Gagnon et Fils ltée c. *D'Assylva*, D.T.E. 82T-325 (T.T.).

VACANCES

122/206 Le fait pour un salarié de réclamer des vacances continues de dix jours ouvrables, constitue l'exercice d'un droit.
Bellingham nettoyeurs et tailleurs ltée c. *St-Hilaire*, (1982) T.T. 476, D.T.E. 82T-557 (T.T.).

122/207 Constitue l'exercice d'un droit résultant de la loi, le fait de s'informer à la Commission relativement au droit à des vacances.
Lepage Thermopompe inc. c. *Soulard*, D.T.E. 88T-899 (T.T.).

122/208 Constitue l'exercice d'un droit, le fait de réclamer le paiement des vacances qui sont dues au salarié en vertu de la *Loi sur les normes du travail*.
Grégoire c. *Joly*, (2000) R.J.D.T. 625 (T.T.), D.T.E. 2000T-514 (T.T.).
Rivard c. *Realmont ltée*, (1999) R.J.D.T. 239 (C.T.), D.T.E. 99T-101 (C.T.), REJB 1998-09129 (C.T.).

122/209 Le fait de porter plainte à la Commission des normes du travail pour reprocher à son employeur de ne pas verser la totalité des jours de vacances étant dus constitue l'exercice d'un droit.
Alary c. *Voyages Jaro inc.*, D.T.E. 95T-312 (T.T.), conf. par D.T.E. 95T-857 (C.S.).

122/210 Ne constitue pas l'exercice d'un droit, le fait de prendre un congé sans solde de trois semaines en plus de son congé annuel de trois semaines, malgré une pratique passée reconnue.
Mele c. *Dales Canada inc.*, D.T.E. 90T-1131 (C.T.).

122/211 Le fait de prendre deux semaines consécutives de vacances constitue l'exercice d'un droit protégé par la loi.
Raymond c. *Tassé*, D.T.E. 2003T-66 (T.T.).

122/212 Constitue l'exercice d'un droit résultant de la *Loi sur les normes du travail*, l'absence du salarié sans autorisation pour prendre son congé annuel, lorsqu'il y a eu un accord de principe intervenu un an plus tôt avec l'employeur et que celui-ci ne respecte pas l'entente.
Mainville c. *2745-7563 Québec inc.*, D.T.E. 2000T-206 (C.T.).

122/213 Constitue l'exercice d'un droit résultant de la *Loi sur les normes du travail*, une demande pour connaître son choix des dates de vacances quatre semaines à l'avance conformément à l'article 72 L.N.T. Cependant, il doit s'agir du congé annuel prévu aux articles 66 à 71 L.N.T. et non des semaines de congé supplémentaires consenties par l'employeur.
Acier C.M.C. inc. c. *Dawson*, D.T.E. 96T-504 (T.T.).

CONGÉ DE MATERNITÉ OU CONGÉ PARENTAL

122/214 Une salariée enceinte qui croit avoir été congédiée en raison de l'exercice de son droit au retrait préventif, ne peut bénéficier de la *Loi sur les normes du travail*.
Nantel c. *Coca Cola ltée*, D.T.E. 87T-760 (C.T.).

122/215 Le fait d'avoir été enceinte constitue l'exercice d'un droit.
Cappco Tubular c. *Montpetit*, (1990) T.T. 286, D.T.E. 90T-753 (T.T.).

122/216 Le fait de prendre un congé de maternité constitue l'exercice d'un droit résultant de la loi.
Cappco Tubular c. *Montpetit*, (1990) T.T. 286, D.T.E. 90T-753 (T.T.).
Mercier c. *9029-4695 Québec inc.*, D.T.E. 98T-318 (C.T.).
Harbec c. *Masseau*, D.T.E. 90T-1265 (C.T.).
Vachon c. *Assurances Morin, Laporte et associés*, D.T.E. 90T-632 (C.T.).

122/217 Constitue l'exercice d'un droit, l'exigence d'une salariée enceinte d'être réintégrée dans ses fonctions.
101566 Canada inc. c. *Denis*, D.T.E. 90T-1202 (T.T.).
Lamontagne c. *Encore Automobile ltée*, D.T.E. 2000T-1095 (C.T.).
Lynch c. *Manoir Le Corbusier Enr.*, D.T.E. 90T-657 (C.T.).

122/218 Le fait de prendre un congé parental constitue l'exercice d'un droit résultant de la *Loi sur les normes du travail.*
Paquet c. *Montréal (Ville de)*, D.T.E. 2008T-846 (C.R.T.).
Fattahi c. *Québec (Ministère de la Sécurité publique)*, D.T.E. 2007T-666 (C.R.T.).
Lachapelle c. *Caisse populaire Desjardins de Lavaltrie*, (2000) R.J.D.T. 608 (T.T.), D.T.E. 2000T-471 (T.T.).
Lamontagne c. *Encore Automobile ltée*, D.T.E. 2000T-1095 (C.T.).
Blais c. *Québec (Ville de)*, (1998) R.J.D.T. 1278 (C.T.), D.T.E. 98T-956 (C.T.) (appel rejeté: (1999) R.J.D.T. 163 (T.T.), D.T.E. 99T-67 (T.T.), REJB 1998-10046 (T.T.)).
Mercier c. *9029-4695 Québec inc.*, D.T.E. 98T-318 (C.T.).
Achkar c. *Industries Promatek ltée*, (1996) C.T. 44, D.T.E. 96T-41 (C.T.).

122/219 Lorsque la décision de l'employeur a été prise avant que le salarié demande un congé parental, il ne peut y avoir exercice d'un droit au sens de la *Loi sur les normes du travail.*
Trân c. *Cognicase*, D.T.E. 2003T-274 (C.R.T.).

122/220 Constitue l'exercice d'un droit, le fait de s'absenter à cause de ses obligations parentales.
Chartray c. *U.A.P. inc.*, (2000) R.J.D.T. 1653 (T.T.), D.T.E. 2000T-1173 (T.T.).
Tardif c. *27359975 Québec inc.*, D.T.E. 96T-419 (C.T.).
Fontaine c. *Services alimentaires Laniel inc.*, D.T.E. 95T-593 (C.T.).

122/221 Constitue l'exercice d'un droit, le fait pour un salarié d'aviser son employeur de son intention d'assister à une réunion de parents à l'école de son enfant, et ce, même si l'avis a été donné tardivement.
Deblois c. *9080-7934 Québec inc. (Restaurant Miami Déli)*, D.T.E. 2008T-798 (C.R.T.).

122/222 Constitue l'exercice d'un droit, le fait pour le salarié de s'absenter pour obligations familiales.
Chauvette c. *Méthot (Résidence Louis Bourg)*, D.T.E. 2006T-546 (C.R.T.).

122/223 Le seul fait pour un salarié de mentionner qu'il n'est pas disponible en raison de son congé parental constitue l'exercice d'un droit au sens de la *Loi sur les normes du travail.*
Blais c. *Centres Jeunesse de Montréal*, D.T.E. 95T-424 (C.T.).

122/224 V. la jurisprudence sous l'article 122(4) L.N.T.

JOURS FÉRIÉS

122/225 Le fait de porter plainte à la Commission des normes du travail à la suite du défaut de l'employeur de payer la totalité des jours fériés étant dus, constitue l'exercice d'un droit.
Alary c. *Voyages Jaro inc.*, D.T.E. 95T-312 (T.T.), conf. par D.T.E. 95T-857 (C.S.).
Lecours c. *Paysagiste Rive-Sud ltée*, D.T.E. 93T-1261 (C.T.).

122/226 La fait de réclamer de son employeur le droit de bénéficier des jours fériés prévus par la *Loi sur les normes du travail* constitue l'exercice d'un droit.
Dary c. *Nocera*, D.T.E. 99T-482 (C.T.) (révision judiciaire refusée: D.T.E. 99T-1003 (C.S.)).

122/227 Le refus par un salarié de se présenter au travail le jour de la Fête nationale constitue l'exercice d'un droit.
Grant c. *9069-3581 Québec inc.*, D.T.E. 2001T-154 (C.T.).

HARCÈLEMENT PSYCHOLOGIQUE

122/228 Pour qu'elle constitue l'exercice d'un droit résultant de la *Loi sur les normes du travail*, la demande de pouvoir bénéficier d'un milieu de travail exempt de harcèlement psychologique doit s'être manifestée de façon concrète de la part du plaignant. Au surplus, il doit y avoir une concomitance entre cette manifestation de l'exercice d'un droit et le congédiement.
Breton c. *Compagnie d'échantillons «National» ltée*, (2007) R.J.D.T. 138 (C.R.T.), D.T.E. 2007T-55 (C.R.T.) (révision judiciaire refusée: D.T.E. 2008T-423 (C.S.), EYB 2008-132722 (C.S.)).

122/229 Constitue l'exercice d'un droit la participation du salarié à une enquête de la Commission des normes du travail relativement à une plainte pour harcèlement psychologique déposée par une collègue de travail.
Fredette c. *ML Air inc.*, D.T.E. 2008T-673 (C.R.T.).

122/230 Le fait de dénoncer à son employeur une situation qui paraît constituer du harcèlement psychologique, que cela soit fondé ou non, constitue l'exercice d'un droit, pourvu évidemment que le salarié le fasse de bonne foi.
Harendorf c. *Épicerie Alfalfa international inc.*, D.T.E. 2008T-955 (C.R.T.).

122/231 L'absence de connaissance de l'employeur de l'exercice d'un droit protégé, soit le dépôt d'une plainte pour harcèlement psychologique, n'est pas un élément pertinent au stade de la présomption. Le dépôt d'une plainte pour harcèlement psychologique constitue l'exercice d'un droit.
Vézina c. *Agence universitaire de la Francophonie*, (2009) R.J.D.T. 117 (C.R.T.), D.T.E. 2009T-40 (C.R.T.) (règlement hors cour).

DIVERS

122/232 La réclamation de compensation salariale pour des congés de maladie ne constitue pas l'exercice d'un droit prévu par la Loi sur les normes.
Centre du pneu Papineau (1982) inc. c. *Lorrain*, D.T.E. 84T-832 (C.S.).
Dixmier c. *Société canadienne de la Croix-Rouge*, D.T.E. 84T-372 (C.T.).

122/233 La réclamation du salarié dans le but de pouvoir bénéficier d'une pause repas en vertu de l'article 79 L.N.T., constitue l'exercice d'un droit.
Mongeau c. *Resto-casino (Le cabaret du Casino de Montréal)*, D.T.E. 2002T-14 (C.T.).

122/234 Le fait pour un salarié régi par un décret de demander à son employeur de voir à appliquer les conditions de travail du décret, ne constitue pas un droit résultant de la *Loi sur les normes du travail*.
Nicholson c. *Station de service Gilles Guenette inc.*, (1984) T.T. 310, D.T.E. 84T-669 (T.T.).
Jochim c. *Pierre Brunet Station-Service*, D.T.E. 84T-512 (C.T.).
Mirab c. *Service d'entretien ménager Royal Enr.*, D.T.E. 84T-126 (C.T.).

122/235 Le dépôt d'une plainte auprès d'un comité paritaire en vertu d'un décret, contre un précédent employeur, ne constitue pas l'exercice d'un droit résultant de la *Loi sur les normes du travail*.
Dallaire c. *École supérieure de danse du Québec*, D.T.E. 87T-944 (C.T.).

122/236 Constitue l'exercice d'un droit résultant de l'application de la *Loi sur les normes du travail*, les discussions d'un employeur avec son salarié entourant la réintégration de celui-ci, à la suite de l'annulation de son congédiement par le commissaire.
Noël c. *Moulins de tricots San Remo inc.*, D.T.E. 96T-1298 (C.T.).

122/237 La démarche de bonne foi et avec apparence de droit tentée par l'employée auprès de son contremaître, afin que son ancienneté soit considérée dans la distribution des heures, ne peut suppléer à l'inexistence légale du droit allégué pas plus que l'absence de connaissance juridique ne saurait faire naître un droit que la loi ne prévoit pas.
Gaucher Lefebvre c. *Buanderie Magog inc.*, D.T.E. 85T-851 (C.T.).

122/238 Le refus par une caissière de rembourser en argent son déficit de caisse ne constitue pas l'exercice d'un droit même si en effectuant le remboursement, elle touche un salaire inférieur au salaire minimum.
Tisseur c. *91633 Canada ltée*, D.T.E. 2001T-158 (C.T.).
Robert c. *Olifruits ltée*, (1986) C.T. 141, D.T.E. 86T-403 (C.T.).
Sabini c. *Servico ltée/Ltd.*, (1982) C.T. 66, D.T.E. 82T-235 (C.T.).
V. également la jurisprudence sous l'article 49 L.N.T.

122/239 Le refus du salarié de supporter les coûts de l'uniforme constitue l'exercice d'un droit résultant de l'application de l'article 85 de la *Loi sur les normes du travail*.
Boucher c. *Café central Coaticook*, D.T.E. 2008T-471 (C.R.T.).
Aux Petits Délices G.T. inc. c. *Leclerc*, D.T.E. 99T-133 (T.T.).
Gagné c. *Bo-regard Enr.*, D.T.E. 97T-1059 (C.T.).

122/240 Le droit de ne pas renouveler un contrat d'emploi à durée déterminée ne peut être utilisé par l'employeur comme prétexte pour terminer l'emploi à cause de l'exercice par le salarié d'un droit qui résulte de la *Loi sur les normes du travail*.
Moore c. *Cie Montréal Trust*, (1988) R.J.Q. 2339 (C.A.), D.T.E. 88T-878 (C.A.), J.E. 88-1182 (C.A.) (autorisation d'appeler à la Cour suprême refusée).
Paradis c. *Spoutnik Créativité Marketing inc.*, (2005) R.J.D.T. 1221 (C.R.T.), D.T.E. 2005T-755 (C.R.T.).

122/241 Un non-renouvellement de contrat peut équivaloir à un congédiement dans le contexte de l'exercice par le salarié d'un droit protégé par la loi.
Écoles musulmanes de Montréal c. *Dupuis*, D.T.E. 92T-972 (T.T.).

122/242 Dans un contexte de récession économique, l'employeur est justifié de conserver les meilleurs travailleurs à son service, surtout lorsque le plaignant est fréquemment en retard et qu'il y a incompatibilité de caractères, et ce, malgré l'exercice d'un droit.
Darveau c. *Bijouterie Paul-A. Langlois ltée*, D.T.E. 92T-1068 (C.T.).

122/243 V. BRIÈRE, J.-Y. et VILLAGGI, J.-P., *Relations de travail*, vol. 2, (édition à feuilles mobiles), Brossard, Les Publications CCH ltée, p. 8,693-9 à 8,693-21.

122/244 V. DUBÉ, J.-L. et DI IORIO, N., *Les normes du travail*, 2e éd., Sherbrooke, Les Éditions Revue de droit — Université de Sherbrooke, 1992, p. 328 à 335.

122/245 V. LEFEBVRE, J., «Le mode de protection des travailleurs contre les sanctions illégales découlant de l'exercice d'un droit ou d'un témoignage dans le cadre de la *Loi sur les normes du travail*: Étude comparative et critique», (1990) 4 *R.J.E.L.* 181 (sommaire).

122/246 V. NADEAU, D., «Réclamation salariale et l'"exercice d'un droit" résultant de la Loi sur les normes du travail ou du Code du travail: gare à la méprise!», (1988) 19 *R.G.D.* 623.

122(2)

122/247 Par cette disposition, le législateur cherche à protéger les salariés qui entrent en contact avec la Commission des normes du travail. Elle doit être interprétée largement, de façon à permettre la réalisation pleine de son objet.
Jordan-Doherty c. *Loblaw Québec ltée (Loblaws)*, D.T.E. 2000T-348 (C.T.).

122/248 Il est interdit à un employeur de congédier un salarié parce que celui-ci a signalé à la Commission des normes du travail, certaines pratiques de l'employeur contraires à la *Loi sur les normes du travail*.
D. & K. restaurants ltée c. *Raby*, D.T.E. 82T-408 (T.T.).
Beauvais c. *Camps Ford inc.*, D.T.E. 83T-777 (C.T.).

122/249 Cet article protège le salarié qui signale à la Commission des normes du travail une pratique contrevenant à la loi. Le salarié qui transmet des renseignements à un enquêteur de la Commission sera protégé s'il est congédié et il n'est pas obligé d'attendre d'avoir obtenu un refus de l'employeur à appliquer la *Loi sur les normes du travail* avant d'entrer en contact avec la Commission. Suivant le sens courant des termes utilisés à cette disposition, il a le droit de porter à la connaissance de la Commission un ou plusieurs faits sur la mise en pratique des normes du travail.
Jordan-Doherty c. *Loblaw Québec ltée (Loblaws)*, D.T.E. 2000T-348 (C.T.).

122/250 V. DUBÉ, J.-L. et DI IORIO, N., *Les normes du travail*, 2e éd., Sherbrooke, Les Éditions Revue de droit — Université de Sherbrooke, 1992, p. 335 et 336.

122(3)

122/251 Le fait que Revenu Canada somme l'employeur de verser au Receveur général un montant dû par le plaignant pour impôts impayés est assimilable à une saisie-arrêt.
Laganière c. *Cantine Chez Paul Enr.*, D.T.E. 94T-367 (C.T.).
Verville c. *Sous-vêtements Excellence inc.*, (1992) C.T. 141, D.T.E. 92T-437 (C.T.).
Vivier c. *Industrielle (L') Cie d'assurance sur la vie*, (1983) C.T. 48, D.T.E. 83T-186 (C.T.).

122/252 Il est interdit de congédier un salarié pour le motif qu'une saisie-arrêt a été pratiquée sur son salaire, même si une telle situation cause du tort à la réputation de l'entreprise.
Aubin c. *Laboratoire Lalco (1987) inc.*, D.T.E. 92T-461 (C.T.).

122/253 Le caractère précipité du congédiement d'un salarié, à la suite d'une saisie-arrêt de salaire fait présumer que l'employeur a agi pour ce motif, lequel est prohibé par les dispositions de l'article 122(3) de la *Loi sur les normes du travail.*
Dionne c. *Caisse populaire Desjardins de St-Léon—Val-Brillant*, D.T.E. 2003T-1011 (C.R.T.).
Marleau c. *Systèmes électroniques Matrox ltée*, D.T.E. 99T-504 (C.T.).
McKeefrey c. *A.S.L. Consultants*, D.T.E. 97T-272 (C.T.) (appel rejeté: D.T.E. 97T-1003 (T.T.)).

122/254 L'article 122(3) L.N.T. prohibe le congédiement pour saisie de salaire, sous peine de sanctions pénales.
Beauchamp c. *Tognarelli*, J.E. 92-68 (C.Q.).

122/255 L'interdiction de congédier au motif que le salarié fait l'objet d'une saisie-arrêt revêt un véritable caractère d'ordre public.
Beauchamp c. *Tognarelli*, J.E. 92-68 (C.Q.).

122/256 Même si la demande péremptoire de paiement a été annulée par Revenu Canada, la présomption doit s'appliquer puisque l'article 122(3) L.N.T. couvre les cas où la saisie-arrêt peut avoir lieu et pas seulement ceux où elle a effectivement eu lieu.
Laganière c. *Cantine Chez Paul Enr.*, D.T.E. 94T-367 (C.T.).

122(4)

122/257 Lorsqu'une salariée dépose une plainte pour pratique interdite en raison du fait qu'elle est enceinte, la question à laquelle il faut répondre en pareille matière est la suivante: n'eut été de son congé de maternité, la plaignante aurait-elle été congédiée?
Société immobilière Trans-Québec inc. c. *Labbée*, D.T.E. 94T-799 (T.T.).

122/258 Le rôle du commissaire, saisi d'une plainte pour pratique interdite en raison de grossesse, est de vérifier si les raisons données par l'employeur constituent les véritables motifs ou si elles ne sont que des prétextes.

C.N.T. c. *Mia inc.*, D.T.E. 85T-590 (C.A.) (autorisation d'appeler à la Cour suprême refusée).
Cie de volailles Maxi ltée c. *Lorrain*, D.T.E. 88T-975 (C.S.), J.E. 88-1304 (C.S.).
Li c. *Luby International Corp.*, D.T.E. 2002T-981 (C.T.).

122/259 Les droits de la salariée enceinte sont d'ordre public et transcendent toute convention collective.
C.N.T. c. *Jonquière (Ville de)*, D.T.E. 82T-523 (C.Q.), J.E. 82-786 (C.Q.).
Pavillon du Parc inc. c. *Lemaire*, D.T.E. 84T-206 (T.T.).
Dugas c. *Résidence St-Joseph*, D.T.E. 87T-201 (C.T.).
Deschamps c. *Honeywell Amplitrol inc.*, D.T.E. 84T-320 (C.T.).

122/260 Les dispositions de l'article 122(4) L.N.T. forment un véritable régime juridique de protection et de promotion de la maternité.
Syndicat des technologues en radiologie du Québec (C.P.S.) c. *Centre mitissien de la santé et de services communautaires*, D.T.E. 2004T-451 (T.A.).

122/261 Dès qu'une femme est enceinte, la *Loi sur les normes du travail* s'applique, de même que les obligations de l'employeur à l'égard de la salariée en cause.
Di Peco c. *Canadelle inc.*, D.T.E. 96T-260 (C.T.).

122/262 Les absences et les congés rendus nécessaires par la grossesse et l'accouchement d'une salariée créent parfois une situation difficile dans l'environnement de travail, c'est pour protéger celle-ci que le législateur a adopté les articles 81.15 (aujourd'hui l'article 81.15.1) et 122 L.N.T.
Verner c. *Bureau d'audiences publiques sur l'environnement*, D.T.E. 95T-995 (T.T.).
V. aussi: *Zellers inc.* c. *Dybka*, D.T.E. 2001T-510 (T.T.), REJB 2001-23703 (T.T.).

122/263 La salariée enceinte bénéficie d'une protection spéciale, l'employeur se doit de faciliter ses conditions de travail de façon à lui éviter les inconvénients qui ne peuvent être dissociés du fait de la grossesse.
Brault et Bouthillier c. *Marion*, D.T.E. 82T-96 (T.T.).
Sicinsky c. *Foster Advertising Ltd.*, (1981) T.T. 554.
Gioia c. *Bonanza Coimac inc.*, D.T.E. 92T-1294 (C.T.).
Desrochers c. *Trahan*, D.T.E. 83T-165 (C.T.).

122/264 Même si rien ne prouve qu'une salariée a été congédiée parce qu'elle était enceinte, si elle l'était effectivement, la présomption s'applique en sa faveur.
Caisse populaire de Vimont c. *Lachance*, D.T.E. 91T-184 (T.T.).
Péloquin c. *Cie d'assurance du Canada sur la vie (5752-0604)*, D.T.E. 91T-217 (C.T.).

122/265 La seule preuve de l'état de grossesse suffit pour faire naître la présomption en faveur de la salariée enceinte.
9110-3309 Québec inc. (Urbana Mobilier urbain) c. *Commission des relations du travail*, D.T.E. 2007T-100 (C.S.), EYB 2006-112130 (C.S.).
Restaurants et motels Inter-cité inc. c. *Vassart*, (1981) C.S. 1052, J.E. 81-1036 (C.S.).
Tremblay c. *Sioui*, D.T.E. 2007T-434 (C.R.T.).
Caisse populaire Île-Perrot c. *Bélanger*, D.T.E. 96T-144 (T.T.).
Legendre De Chantal & ass. inc. c. *Julien*, LPJ-93-1634 (T.T.).
Caisse populaire de Vimont c. *Lachance*, D.T.E. 91T-184 (T.T.).
Auclair c. *Nouvelle Auberge de Sherbrooke inc.*, D.T.E. 82T-125 (T.T.).

Union nationale française c. *Bastide*, D.T.E. 82T-897 (T.T.).
Artisanes 1976 inc. (Les) c. *Brassard*, (1980) T.T. 187.
Bertrand c. *L.D.G. inc.*, (1980) T.T. 96.
Day & Ross Ltd. c. *Bourgeois*, (1979) T.T. 350.
E.H. Price Ltd. c. *Dupuis*, (1979) T.T. 144.
Dosda c. *Ferme Brien & Fils inc.*, D.T.E. 2002T-1084 (C.T.).
Colle c. *A.D.I. Art Design international inc.*, D.T.E. 97T-1086 (C.T.).
Douesnard c. *Vertical Expositions inc.*, D.T.E. 97T-54 (C.T.) (requête en révision de cette décision accueillie pour d'autres motifs: D.T.E. 97T-1341 (C.T.)).
Belleau c. *Restaurant Le Bagot*, D.T.E. 96T-541 (C.T.).
Di Peco c. *Canadelle inc.*, D.T.E. 96T-260 (C.T.).
Dafniotis c. *Morris*, D.T.E. 93T-1100 (C.T.).
Gioia c. *Bonanza Coimac inc.*, D.T.E. 92T-1294 (C.T.).
Smecker c. *P.C. Édition junior*, D.T.E. 89T-1205 (C.T.) (révision judiciaire refusée pour d'autres motifs: D.T.E. 90T-460 (C.S.)).
Roy c. *Coiffelle Enr.*, D.T.E. 82T-180 (C.T.).

122/266 La présomption s'applique lorsqu'il est établi que la salariée a été congédiée de façon concomitante à son retour au travail, après l'exercice de son droit au congé de maternité ou au congé parental.
Chartrand c. *Wyeth-Ayerst Canada inc.*, D.T.E. 96T-1299 (C.T.).

122/267 La preuve de la connaissance de l'état de grossesse par l'employeur n'est pas nécessaire pour que naisse la présomption.
Panalpina inc. c. *Forest*, D.T.E. 91T-590 (T.T.).
Rolland c. *Alimentation Lumi inc.*, D.T.E. 2002T-737 (C.T.) (appel rejeté: T.T.M. n° 500-28-001350-024, le 17 octobre 2002).
Ostiguy c. *Produits électroniques 2000 ltée*, D.T.E. 93T-217 (C.T.).
Péloquin c. *Cie d'assurance du Canada sur la vie (5752-0604)*, D.T.E. 91T-217 (C.T.).
Savard c. *Luvicom inc.*, (1987) C.T. 15, D.T.E. 87T-62 (C.T.).
V. aussi: *Restaurants et motels Inter-cité inc.* c. *Vassart*, (1981) C.S. 1052, J.E. 81-1036 (C.S.).

122/268 Le législateur ayant garanti son emploi à la femme enceinte, tout motif allégué pour ne pas le maintenir, motif qu'on ne peut dissocier d'une cause existant ou survenant en raison du fait de la grossesse, ne peut renverser la présomption.
Sicinsky c. *Foster Advertising Ltd.*, (1981) T.T. 554.

122/269 Le législateur a voulu que toute femme enceinte soit protégée dans son emploi, il n'a pas fait de distinction sur le déroulement normal ou pas de son état de grossesse.
St-Gelais c. *Cie de fiducie Canada Permanent*, D.T.E. 85T-362 (C.T.) (appel rejeté: T.T.Q. n° 200-52-000022-85, le 23 avril 1985).

122/270 Il est établi que l'efficacité et l'économie doivent céder le pas aux droits de la femme enceinte. Ainsi, les employeurs doivent prendre les mesures administratives nécessaires et s'adapter aux inconvénients causés par la grossesse de la salariée.
Asselin c. *1857-2123 Québec inc.*, D.T.E. 2004T-629 (C.R.T.).

122/271 Même si une salariée exerce son droit au congé de maternité, elle ne jouit pas pour autant de plus de droits que si elle était demeurée au travail.
Tremblay c. *Compagnie de gestion T.L.T. inc.*, D.T.E. 95T-225 (C.T.).

122/272 La protection du recours à l'encontre d'une pratique interdite prévue par la *Loi sur les normes du travail* n'a pas pour but ni pour effet de mettre les femmes enceintes à l'abri de tout reproche et de toute mesure relativement à des événements survenus ou découverts pendant leur période de grossesse. On peut évaluer la salariée enceinte durant son absence ou recueillir de l'information à son sujet durant sa période de grossesse.
Monast c. *Astra Pharma inc.*, D.T.E. 98T-150 (T.T.), REJB 1997-03804 (T.T.).

122/273 La loi a pour but d'empêcher qu'une employée ne soit renvoyée pour le seul motif qu'elle est enceinte sans que l'employeur n'ait à se justifier, mais elle ne saurait imposer à celui-ci l'obligation de garder à son emploi une employée enceinte qui ne peut accomplir son travail régulier, au détriment des droits acquis des autres employés ou de lui créer de nouveaux droits qu'elle n'aurait pas autrement.
Breault c. *Bombardier Produits récréatifs inc.*, D.T.E. 2006T-118 (C.R.T.).
Chalifoux-Longtin c. *Entretiens ménagers futuristes inc.*, D.T.E. 2006T-38 (C.R.T.).
Bergeron c. *Jos Campbell inc.*, D.T.E. 98T-216 (T.T.), REJB 1998-04479 (T.T.).
Dubuc c. *Ulric Bédard ltée*, D.T.E. 82T-589 (T.T.).
Potvin c. *Gravel*, D.T.E. 2002T-184 (C.T.).
Colle c. *A.D.I. Art Design international inc.*, D.T.E. 97T-1086 (C.T.).
Hébert c. *Garderie éducative Citronnelle*, (1994) C.T. 451, D.T.E. 94T-1170 (C.T.).
Goolab c. *Buanderie Cité inc.*, D.T.E. 82T-137 (C.T.).
Lelièvre c. *Industries Valcartier inc.*, D.T.E. 82T-324 (C.T.).

122/274 Il est bien établi qu'une salariée enceinte n'a pas à être la meilleure salariée pour conserver son emploi.
Tremblay c. *Sioui*, D.T.E. 2007T-434 (C.R.T.).

122/275 La protection accordée par la loi n'a pas pour objet de favoriser la femme enceinte lors de la recherche d'un emploi, ni de lui assurer un emploi.
Goolab c. *Buanderie Cité inc.*, D.T.E. 82T-137 (C.T.).

122/276 Les dispositions de l'article 122(4) L.N.T. ne constituent pas une garantie d'emploi, la femme enceinte demeure sujette aux aléas et avatars normaux de l'entreprise.
Dubuc c. *Ulric Bédard ltée*, D.T.E. 82T-589 (T.T.).
Colle c. *A.D.I. Art Design international inc.*, D.T.E. 97T-1086 (C.T.).

122/277 Le congé de maternité ne permet pas à la salariée de jouir d'avantages supérieurs à ceux dont elle aurait bénéficié si elle était demeurée au travail. Ainsi, rien n'oblige un employeur à conserver deux postes différents s'il trouve une personne capable d'occuper les deux simultanément, que la salariée ait été en congé de maternité ou non.
Bergeron c. *Jos Campbell inc.*, D.T.E. 98T-216 (T.T.), REJB 1998-04479 (T.T.).
Mathieu c. *Ouellet*, D.T.E. 95T-1434 (T.T.).

122/278 Le fait qu'une employée à l'essai soit enceinte ne doit pas avoir pour effet de forcer un employeur à la garder à son emploi, si la période d'essai n'est pas concluante. Cependant, il ne peut utiliser ce prétexte pour se libérer d'une

employée dont la grossesse pose certains problèmes.
Zellers inc. c. *Dybka*, D.T.E. 2001T-510 (T.T.), REJB 2001-23703 (T.T.).
Caisse populaire Île-Perrot c. *Bélanger*, D.T.E. 96T-144 (T.T.).
Rolland c. *Alimentation Lumi inc.*, D.T.E. 2002T-737 (C.T.) (appel rejeté: T.T.M. n° 500-28-001350-024, le 17 octobre 2002).
Turmaine c. *Pintendre Autos inc.*, D.T.E. 95T-257 (C.T.) (appel rejeté: T.T.Q. n° 200-28-000004-95, le 29 mars 1995).
Savard c. *Luvicom inc.*, (1987) C.T. 15, D.T.E. 87T-62 (C.T.).
Goolab c. *Buanderie Cité inc.*, D.T.E. 82T-137 (C.T.).

122/279 Il est interdit à un employeur de congédier une salariée pour l'un ou l'autre des motifs que l'on ne peut dissocier de la grossesse.
Asselin c. *1857-2123 Québec inc.*, D.T.E. 2004T-629 (C.R.T.).

122/280 Il y a illégalité de la mesure, dès qu'il appert que le motif déterminant de la sanction prise contre la salariée en période de probation est l'état de grossesse ou si l'employeur ne peut démontrer que la mesure résulte d'une autre cause véritable.
Cie de volailles Maxi ltée c. *Lorrain*, D.T.E. 88T-975 (C.S.), J.E. 88-1304 (C.S.).
Turmaine c. *Pintendre Autos inc.*, D.T.E. 95T-257 (C.T.) (appel rejeté: T.T.Q. n° 200-28-000004-95, le 29 mars 1995).
Brisson c. *Abattoir Laurentien inc.*, D.T.E. 89T-893 (C.T.).
Dugas c. *Résidence St-Joseph*, D.T.E. 87T-201 (C.T.).

122/281 L'interdiction pour un employeur de congédier une salariée parce qu'elle est enceinte est une norme du travail, et ce, malgré l'aliénation de l'entreprise durant son congé et malgré toute entente ou convention entre particuliers.
Papazafiris c. *Murielle Raymond inc.*, (1983) T.T. 449, D.T.E. 83T-633 (T.T.).
Boudreault c. *S.P.R. Société de promotion de Rapid-Graphic inc.*, (1988) C.T. 417, D.T.E. 88T-1019 (C.T.).

122/282 Un employeur peut légalement renvoyer une salariée pour se conformer aux dispositions de la *Loi sur la santé et la sécurité du travail* (L.R.Q., c. S-2.1).
Hôtel-Dieu d'Alma c. *Potvin*, (1987) T.T. 47, D.T.E. 87T-61 (T.T.).

122/283 Un employeur ne peut invoquer les dispositions de la *Loi sur la santé et la sécurité du travail* pour fonder sa décision de ne pas déplacer la salariée ni la suspendre parce qu'elle l'invite à se conformer à l'article 122 L.N.T.
Di Peco c. *Canadelle inc.*, D.T.E. 96T-260 (C.T.).

122/284 N'est pas un motif légal de congédiement, le défaut de la salariée de déclarer qu'elle était enceinte au moment de l'engagement.
Roussel Canada inc. c. *Cherkaoui*, (1991) T.T. 288, D.T.E. 91T-821 (T.T.).
V. aussi: *Dafniotis* c. *Morris*, D.T.E. 93T-1100 (C.T.).

122/285 Le congédiement est sans cause juste et suffisante lorsque le départ de la salariée est le résultat d'une réaction nerveuse exceptionnelle due à son état de grossesse, plutôt que celui d'un acte d'insubordination.
Brault et Bouthillier c. *Marion*, D.T.E. 82T-96 (T.T.).

122/286 La salariée en prolongation de congé de maternité en vertu d'une convention collective de travail n'est pas couverte par la protection de la *Loi sur les normes du travail* et ne bénéficie d'aucune protection particulière.
Syndicat national des employés de l'aluminium d'Arvida inc., section des employés de bureau c. *Société d'électrolyse et de chimie Alcan ltée (Arvida)*, D.T.E. 93T-921 (T.A.).

122/287 Le manque de disponibilité de la travailleuse enceinte ne peut lui être reproché puisqu'il s'agit d'un motif lié à une pratique protégée par la loi.
Coutlée c. *Jobin*, D.T.E. 2003T-511 (C.R.T.).
Centre d'accueil de Buckingham c. *Chenier*, D.T.E. 94T-753 (T.T.) (révision judiciaire accueillie, dossier retourné au T.T.: D.T.E. 95T-82 (C.S.)) (appel rejeté: D.T.E. 95T-597 (T.T.)).
Plante c. *Groupe Sanivan inc.*, D.T.E. 93T-288 (C.T.).

122/288 La crainte de l'employeur que la salariée soit moins disponible à cause de l'arrivée d'un nouveau-né n'est qu'un prétexte et non une cause juste et suffisante de congédiement.
Plante c. *Groupe Sanivan inc.*, D.T.E. 93T-288 (C.T.).

122/289 Constitue un prétexte, le manque de disponibilité de la salariée lorsque l'employeur a indiqué lors de l'embauche qu'il n'avait besoin de celle-ci qu'un samedi sur deux.
Turmaine c. *Pintendre Autos inc.*, D.T.E. 95T-257 (C.T.) (appel rejeté: T.T.Q. n° 200-28-000004-95, le 29 mars 1995).

122/290 L'incertitude de l'employeur quant à la date et à la durée du congé de maternité de la salariée, ne constitue pas une cause de congédiement.
Chaput c. *Paysagement Clin d'oeil inc.*, D.T.E. 2003T-400 (C.R.T.).

122/291 Le partage de la clientèle selon une formule proposée, qui a pour effet de diminuer les revenus d'une salariée, de même que le retrait d'un soir de congé, peuvent constituer des mesures de représailles.
Lamontagne c. *Encore Automobile ltée*, D.T.E. 2000T-1095 (C.T.).

122/292 Il ne peut y avoir de cause juste et suffisante de congédiement malgré la mauvaise qualité du travail de la salariée si l'employeur a été tolérant envers celle-ci.
Coutlée c. *Jobin*, D.T.E. 2003T-511 (C.R.T.).
Li c. *Luby International Corp.*, D.T.E. 2002T-981 (C.T.).
Belleau c. *Restaurant Le Bagot*, D.T.E. 96T-541 (C.T.).
Roy c. *Coiffelle Enr.*, D.T.E. 82T-180 (C.T.).
V. aussi: *Dafniotis* c. *Morris*, D.T.E. 93T-1100 (C.T.).

122/293 Constitue un prétexte, le congédiement d'une salariée enceinte qui doit s'absenter fréquemment pour des raisons de santé.
Asselin c. *1857-2123 Québec inc.*, D.T.E. 2004T-629 (C.R.T.).
Caisse populaire Île-Perrot c. *Bélanger*, D.T.E. 96T-144 (T.T.).
Desrochers c. *Trahan*, D.T.E. 83T-165 (C.T.).
Bégin c. *Groupe Desjardins (Le)*, D.T.E. 82T-505 (C.T.).

122/294 L'incompétence d'une salariée enceinte constitue une autre cause juste et suffisante de congédiement.
Monast c. *Astra Pharma inc.*, D.T.E. 98T-150 (T.T.), REJB 1997-03804 (T.T.).

122/295 Les retards répétés peuvent constituer une cause juste de congédiement.
Péloquin c. *Cie d'assurance du Canada sur la vie (5752-0604)*, D.T.E. 91T-217 (C.T.).

122/296 La diminution de rendement constatée durant l'année précédant le congédiement et dûment signifiée à la salariée, de même que des écarts de conduite constituent une autre cause juste et suffisante de congédiement.
Breault c. *Bombardier Produits récréatifs inc.*, D.T.E. 2006T-118 (C.R.T.).
Tremblay c. *Ameublements Tanguay inc.*, D.T.E. 96T-628 (C.T.).
V. aussi: *Janelle* c. *Corporation des maîtres électriciens du Québec*, D.T.E. 2005T-1074 (C.R.T.).

122/297 L'existence d'une période d'essai ne dispense pas l'employeur d'établir une preuve suffisamment convaincante du rendement insatisfaisant de la salariée pour repousser la présomption.
Tremblay c. *Sioui*, D.T.E. 2007T-434 (C.R.T.).
Lalande c. *Terrebonne (Ville de)*, (2005) R.J.D.T. 1205 (C.R.T.), D.T.E. 2005T-665 (C.R.T.).

122/298 Le rendement insatisfaisant de la salariée enceinte lié à l'attitude négative de celle-ci, constitue une autre cause juste et suffisante de congédiement.
Chalifoux-Longtin c. *Entretiens ménagers futuristes inc.*, D.T.E. 2006T-38 (C.R.T.).

122/299 Le rendement insatisfaisant d'une salariée enceinte peut n'être qu'un prétexte pour se débarrasser de celle-ci.
Tremblay c. *Sioui*, D.T.E. 2007T-434 (C.R.T.).

122/300 La réalisation d'économies véritables par un employeur, dont c'est l'objectif réel, constitue une cause juste et suffisante de mise à pied, lorsque le rendement de l'entreprise doit en bénéficier.
Rollin c. *Acklands ltée*, D.T.E. 84T-257 (T.T.).
Office municipal d'habitation de Québec c. *Savard-Landry*, D.T.E. 83T-687 (T.T.).
D'Andréa c. *Commission scolaire de Laval*, D.T.E. 2001T-1176 (C.T.).
V. aussi: *Mathieu* c. *Ouellet*, D.T.E. 95T-1434 (T.T.).

122/301 Le licenciement de la salariée dû à l'abolition de son poste, décision conforme à une directive émanant du siège social de l'entreprise, peut constituer une autre cause juste et suffisante de fin d'emploi, surtout lorsqu'il y a eu des tentatives infructueuses de réaffecter l'employée.
Racine c. *Société d'informatique Oracle du Québec inc.*, D.T.E. 2001T-463 (T.T.).

122/302 L'attitude intransigeante d'une nouvelle employée en période d'ajustement mutuel constitue une autre cause juste et suffisante de congédiement.
Douesnard c. *Vertical Expositions inc.*, D.T.E. 97T-1341 (C.T.).

122/303 L'attitude négative à l'égard d'un projet de l'employeur et le manque de loyauté de la salariée, même enceinte, peut constituer une autre cause juste et suffisante de congédiement.
Rainville c. *Remax Provincial*, D.T.E. 98T-938 (T.T.).

122/304 Constitue une cause juste et suffisante de congédiement, d'une salariée ayant été absente pour congé de maternité, le retour au travail d'un salarié ayant

eu un accident de travail si le poste de la plaignante est le seul que ce salarié pouvait occuper, compte tenu de ses limitations fonctionnelles.
Tremblay c. *Compagnie de gestion T.L.T. inc.*, D.T.E. 95T-225 (C.T.).

122/305 Le refus de se présenter à un examen médical constitue une autre cause juste et suffisante de congédiement.
Chartrand c. *Québec (Ministère du Revenu)*, (1997) C.T. 295, D.T.E. 97T-760 (C.T.).

122/306 Le maintien en poste d'une employée temporaire après le congé de maternité de la salariée enceinte, démontre que le motif économique n'est qu'un prétexte pour contourner la Loi sur les normes.
Artisanes 1976 inc. (Les) c. *Brassard*, (1980) T.T. 187.
Carrier-Bisier c. *Bondex international (Canada) ltée*, D.T.E. 83T-142 (C.T.).
Côté c. *Simard*, (1980) C.T. 204.

122/307 Constitue un prétexte, le licenciement d'une salariée enceinte à cause de l'abolition de son poste, lorsqu'un autre poste convenable se libère quelques jours plus tard.
Lavigne et Frères inc. c. *Deland*, (1988) T.T. 249, D.T.E. 88T-510 (T.T.).
Potvin c. *Service de garde Benoît-Duhamel*, D.T.E. 91T-935 (C.T.).
Lemyre c. *Distribution Magna vision*, D.T.E. 85T-724 (C.T.).

122/308 Dans le cas d'abolition de poste, lorsque les tâches qu'effectuait la salariée existent toujours parce que réparties entre d'autres employées, l'employeur doit réintégrer la plaignante.
Ostiguy c. *Produits électroniques 2000 ltée*, D.T.E. 93T-217 (C.T.).
Petitclerc c. *Québec (Conseil du Trésor)*, D.T.E. 92T-406 (C.T.).

122/309 La réduction de personnel due aux motifs d'ordre économique dans le cadre d'une fusion d'entreprises ne peut constituer une autre cause juste et suffisante de congédiement lorsque le choix du salarié à licencier est basé sur de simples impressions de l'employeur, aucunement fondées sur une preuve quelconque.
Chartrand c. *Wyeth-Ayerst Canada inc.*, D.T.E. 96T-1299 (C.T.).

122/310 L'employeur qui procède à une réorganisation administrative de son entreprise n'est pas obligé de maintenir dans son emploi une salariée incapable de remplir une ou des tâches. Une salariée enceinte demeure toujours soumise aux aléas normaux de l'entreprise.
Giard c. *Nexxlink Technologies inc.*, D.T.E. 2002T-501 (C.T.).
Colle c. *A.D.I. Art Design international inc.*, D.T.E. 97T-1086 (C.T.).

122/311 Des changements technologiques dans l'entreprise et la modification de la structure organisationnelle de celle-ci, peuvent être un prétexte pour se débarrasser d'une employée.
Guilbert c. *Côté et Blouin, optométristes*, D.T.E. 99T-709 (T.T.) (règlement hors cour).

122/312 Les motifs d'ordre économique peuvent ne constituer qu'un prétexte pour se débarrasser d'une salariée enceinte, lorsque les difficultés financières de l'employeur n'ont pas été prouvées, et ce, surtout dans le cas où l'annonce de la grossesse a concouru à mettre fin à l'emploi de la salariée plaignante.

9110-3309 Québec inc. (Urbana Mobilier urbain) c. *Commission des relations du travail*, D.T.E. 2007T-100 (C.S.), EYB 2006-112130 (C.S.).

122/313 Le motif d'ordre économique basé sur le manque de travail dans le cas d'une employée à temps partiel sur appel, ne constitue pas une autre cause juste et suffisante de congédiement mais un prétexte, lorsque la preuve est à l'effet que depuis près d'une décennie le poste occupé par la salariée lui attribuait des heures de travail chaque semaine.
Lachapelle c. *Caisse populaire Desjardins de Lavaltrie*, (2000) R.J.D.T. 608 (T.T.), D.T.E. 2000T-471 (T.T.).

122/314 Constitue un prétexte, la suspension d'une salariée enceinte due au fait que l'employeur a décidé de la retirer de l'horaire de travail, en invoquant un soi-disant billet médical inadéquat.
Savaria c. *Jean bleu inc.*, (1997) C.T. 481, D.T.E. 97T-1208 (C.T.) (appel rejeté: D.T.E. 98T-588 (T.T.)).

122/315 Le surplus de personnel résultant du défaut d'un accroissement suffisant des affaires de l'entreprise, constitue une cause juste et suffisante de congédiement.
Legendre De Chantal & ass. inc. c. *Julien*, LPJ-93-1634 (T.T.).

122/316 En matière de déplacement lors du retour de la salariée enceinte, la question fondamentale consiste à déterminer quelle serait la situation au retour de la salariée si elle ne s'était pas absentée pour congé de maternité.
Pavillon du Parc inc. c. *Lemaire*, D.T.E. 84T-206 (T.T.).

122/317 Il y a déplacement illégal lorsque l'assignation proposée lors du retour d'un congé de maternité constitue un changement radical des conditions de travail.
Lachapelle c. *Caisse populaire Desjardins de Lavaltrie*, (2000) R.J.D.T. 608 (T.T.), D.T.E. 2000T-471 (T.T.).
Daigneault c. *Olivetti Canada ltée*, (1992) T.T. 102, D.T.E. 92T-230 (T.T.).

122/318 Le changement de lieu de travail, justifié par la présence de contaminants, ne constitue pas un déplacement ni des mesures de représailles, mais une autre cause juste et suffisante.
Lamontagne c. *Encore Automobile ltée*, D.T.E. 2000T-1095 (C.T.).

122/319 L'employeur doit offrir un poste et des conditions de travail équivalant à celles qu'avait la salariée enceinte au moment de son départ en congé de maternité, lors du retour de celle-ci.
Lachapelle c. *Caisse populaire Desjardins de Lavaltrie*, (2000) R.J.D.T. 608 (T.T.), D.T.E. 2000T-471 (T.T.).
Verner c. *Bureau d'audiences publiques sur l'environnement*, D.T.E. 95T-995 (T.T.).
Lynch c. *Manoir Le Corbusier Enr.*, D.T.E. 90T-657 (C.T.).
V. aussi: *123391 Canada ltée* c. *Paquet*, D.T.E. 90T-606 (T.T.) (révision judiciaire refusée: C.S.Q. n° 200-05-001145-908, le 29 novembre 1990).

122/320 Un employeur est tenu de redonner son poste à la salariée qui revient d'un congé de maternité, et ce, même s'il préfère son remplaçant.
Plamondon c. *Comptoir de linge usagé d'Amqui inc.*, D.T.E. 96T-292 (C.T.).

122/321 En l'absence de preuve de fonctionnement particulier dans une entreprise, il y a lieu de respecter une gradation inverse à l'ancienneté pour effectuer une ou des mises à pied.
C.N.T. c. *Mia inc.*, D.T.E. 85T-590 (C.A.) (autorisation d'appeler à la Cour suprême refusée).
Lachapelle c. *Caisse populaire Desjardins de Lavaltrie*, (2000) R.J.D.T. 608 (T.T.), D.T.E. 2000T-471 (T.T.).

122/322 Relativement à l'ancienneté, s'il n'y a pas de pratique ou de convention expresse à cet effet dans une entreprise, il faut scruter l'honnêteté et la normalité de la décision de l'employeur.
Bauhart-Hamel c. *Laboratoires alimentaires Bio-Lalonde, services de surveillance S.G.S. inc.*, (1992) T.T. 71, D.T.E. 92T-135 (T.T.).

122/323 L'ancienneté n'est pas nécessairement un facteur déterminant, surtout lorsque aucune preuve n'établit les règles quant à son application dans l'entreprise.
Plante c. *Groupe Sanivan inc.*, D.T.E. 93T-288 (C.T.).

122/324 Avant de priver une femme enceinte de son travail normal, l'employeur doit considérer son ancienneté et si elle n'est pas la moins ancienne, lui donner préséance sur le travail à accomplir.
Larocque c. *Créations White Sister inc.*, (1988) C.T. 115, D.T.E. 88T-340 (C.T.).
Carrière c. *D. et G. Matériaux de Construction inc.*, D.T.E. 84T-161 (C.T.).

122/325 L'employeur a le fardeau de démontrer qu'il a une cause juste et suffisante de choisir entre deux employées dont l'une est enceinte.
Chartrand c. *Wyeth-Ayerst Canada inc.*, D.T.E. 96T-1299 (C.T.).
Durand c. *Salons de chaussures Pavane Mayfair ltée*, D.T.E. 89T-892 (C.T.).
V. aussi: *Morin* c. *Morin, Fortin, Samson et associés ltée*, (1989) C.T. 110, D.T.E. 89T-465 (C.T.).

122/326 On ne peut prétendre dans tous les cas, qu'une démission donnée en raison d'une décision irrévocable de l'employeur de congédier est bel et bien un congédiement.
Guertin c. *Kraft ltée*, D.T.E. 85T-200 (T.T.).

122/327 Un employeur ne peut se retrancher derrière les seuls termes d'un contrat pour justifier le renvoi d'une salariée enceinte.
Auclair c. *Nouvelle Auberge de Sherbrooke inc.*, D.T.E. 82T-125 (T.T.).

Suspension

122/328 Le fait pour un employeur de refuser de modifier le travail de la salariée enceinte pour se conformer aux certificats médicaux et le fait de l'empêcher de travailler pendant une semaine, soit jusqu'à ce qu'elle soit réaffectée dans un autre poste, constitue une suspension en raison de la grossesse.
Di Peco c. *Canadelle inc.*, D.T.E. 96T-260 (C.T.).

122/329 V. la jurisprudence sous les articles 79.7 à 81.17 L.N.T.

122/330 V. BÉLIVEAU, N.-A., *La situation juridique de la femme enceinte au travail*, Cowansville, Les Éditions Yvon Blais inc., 1993, p. 8 et ss.

122/331 V. DRAPEAU, M., *Grossesse, emploi et discrimination*, Montréal, Wilson & Lafleur ltée, 2003.

122/332 V. DRAPEAU, M., «La discrimination fondée sur la grossesse privant les travailleuses des avantages liés à l'emploi», dans *Développements récents en droit administratif et constitutionnel (1999)*, Formation permanente du Barreau du Québec, Cowansville, Les Éditions Yvon Blais inc., 1999, p. 1.

122/333 V. DRAPEAU, M., «De l'obligation d'accommoder les besoins spécifiques des travailleuses enceintes: une étude de cas illustrant un commentaire de l'arrêt *Stratford*», (1998) 32 *R.J.T.* 929.

122/334 V. DUBÉ, J.-L. et DI IORIO, N., *Les normes du travail*, 2e éd., Sherbrooke, Les Éditions Revue de droit — Université de Sherbrooke, 1992, p. 346 à 351.

122/335 V. MAILLOUX, T., «La travailleuse enceinte ou en congé de maternité: analyse du recours prévu aux articles 122 et 123 de la Loi sur les normes du travail», (1990) 4 *R.J.E.L.* 95.

122(5)

122/336 Éluder la loi, c'est agir de manière à éviter de devoir la respecter lorsque la situation se présentera, alors qu'il est prévisible qu'elle aura lieu.
Payette c. *Gestion Mimakar inc.*, D.T.E. 2009T-173 (C.R.T.).
Matthias c. *Conso Graber Canada inc.*, D.T.E. 86T-934 (T.T.).
V. aussi: *Courchesne* c. *Restaurant & Charcuterie Bens inc.*, (1990) R.D.J. 148 (C.A.), D.T.E. 90T-143 (C.A.), J.E. 90-236 (C.A.) (autorisation d'appeler à la Cour suprême refusée).

122/337 Le plaignant qui veut faire la preuve que l'employeur tente ou a tenté d'éluder l'application de la loi doit démontrer une preuve directe de mauvaise foi, lorsqu'il ne peut invoquer aucune autre cause comme motif de renvoi.
Réal Leblanc et associés inc. c. *Gagnon*, (1988) T.T. 433, D.T.E. 88T-900 (T.T.).

122/338 Pour bénéficier de la présomption le salarié doit d'abord établir des circonstances et des faits concomitants de la décision de l'employeur, de façon à démontrer un stratagème utilisé par ce dernier dans le but d'éluder l'application de l'article 124 L.N.T.
Hôtel-Dieu de Montréal c. *Langlois*, D.T.E. 92T-1296 (C.S.) (appel rejeté: C.A.M. n° 500-09-001835-925, le 30 novembre 1994).
Di Lillo c. *Services financiers groupe Investors inc.*, D.T.E. 2009T-158 (C.R.T.).
Lévesque c. *Gesco 547 inc. (L'Ensemblier)*, D.T.E. 2004T-43 (C.R.T.).
Mirabel (Ville de) c. *Blais*, (1994) T.T. 504, D.T.E. 94T-1097 (T.T.).
Nadeau c. *Provigo Distribution inc. (division Héritage)*, D.T.E. 93T-814 (T.T.).
Bergeron c. *Camionneurs en vrac de Jonquière inc.*, D.T.E. 90T-26 (T.T.).
Témèse c. *Centre pré-scolaire Montessori*, D.T.E. 99T-592 (C.T.).
Cickello c. *Canadair*, D.T.E. 92T-1124 (C.T.) (appel rejeté: T.T.M. n° 500-28-000158-923, le 18 février 1993).

Dionne c. *Garage Jules Baillot et Fils ltée*, D.T.E. 91T-1358 (C.T.).
Roy c. *Montréal (Ville de)*, D.T.E. 91T-934 (C.T.).
Gravel c. *Association des constructeurs d'habitations du Saguenay—Lac-St-Jean — Côte Nord inc.*, (1982) C.T. 74, D.T.E. 82T-339 (C.T.).
Contra: *Côté* c. *Stoneham-et-Tewkesbury (Cantons unis de) (Service des incendies)*, (2007) R.J.D.T. 512 (C.R.T.), D.T.E. 2007T-365 (C.R.T.).

122/339 Le plaignant n'a pas à démontrer que la décision de l'employeur n'était qu'un subterfuge ou un prétexte pour se débarrasser de lui. Le plaignant doit prouver les éléments suivants: il était un salarié, il allait acquérir un droit et un congédiement survenu de façon concomitante l'en a privé.
Côté c. *Stoneham-et-Tewkesbury (Cantons unis de) (Service des incendies)*, (2007) R.J.D.T. 512 (C.R.T.), D.T.E. 2007T-365 (C.R.T.).

122/340 Pour pouvoir bénéficier de la présomption, un salarié n'a pas à établir l'existence d'un stratagème, il doit plutôt prouver des faits ou des situations, poser des interrogations laissant entrevoir la possibilité d'un stratagème quant à la décision de l'employeur. Exiger la démonstration d'un stratagème c'est exiger une preuve directe que l'employeur a voulu éluder l'application de la loi. Dans ce cas, le législateur n'aurait certainement pas créé de présomption, car cette dernière n'aurait pas été nécessaire.
Bouchard c. *R.*, D.T.E. 95T-341 (T.T.).
V. cependant: *Tremblay* c. *Taverne Le Chalan inc. (Bar 760 enr.)*, (2007) R.J.D.T. 503 (C.R.T.), D.T.E. 2007T-367 (C.R.T.).

122/341 Le fait de congédier un salarié quelques jours avant l'entrée en vigueur des dispositions relatives au harcèlement psychologique, ne peut constituer une tentative d'éluder l'application des dispositions de la *Loi sur les normes du travail* s'il n'y a pas de preuve d'une quelconque collusion pour éluder l'application de celle-ci.
Brochu c. *Fabrique de la paroisse de Notre-Dame-de-la-Paix*, D.T.E. 2006T-908 (C.R.T.) (révision en vertu de l'article 127 C.T. accueillie en partie pour d'autres motifs: D.T.E. 2008T-358 (C.R.T.)) (requête en révision judiciaire: n° 500-17-042667-082).

122/342 Une lettre de mise en garde concernant la portée de l'article 124 L.N.T. relativement au renouvellement d'un contrat à durée déterminée suffit pour faire naître la présomption légale.
Thibault c. *R.*, (1994) T.T. 362, D.T.E. 94T-798 (T.T.).

122/343 L'absence d'explication plausible à l'appui d'un congédiement à l'approche de la fin du délai de deux ans de service continu peut constituer un indice suffisant de mauvaise foi de la part de l'employeur. Celui-ci peut, pendant une période de temps substantielle, utiliser sa grande discrétion en vue de mettre fin à l'emploi d'un salarié. Toutefois, un employeur sérieux ne s'amuse pas, surtout après une certaine période de formation et d'adaptation, à congédier un salarié pour des raisons futiles. C'est ainsi que ce dernier peut s'attendre, pourvu qu'il remplisse ses obligations, à demeurer en poste. Le déroulement normal des choses fait en sorte qu'il est prévisible qu'un salarié atteigne deux années de service continu.
Lussier c. *3091-6266 Québec inc.*, (2000) R.J.D.T. 1709 (C.T.), D.T.E. 2000T-919 (C.T.).

122/344 Le congédiement du salarié, quelques jours avant que celui-ci n'ait atteint deux ans de service continu, peut faire en sorte que l'employeur ait voulu éluder l'application de la *Loi sur les normes du travail*. Toutefois, le seul écoulement du temps ou la seule proximité de l'acquisition du service continu requis par l'article 124 L.N.T. ne suffit pas à établir la présomption. On doit plutôt se demander si l'application de la loi a été évitée «normalement» ou si l'employeur a usé d'adresse ou d'artifice afin de l'éviter. Cela pourrait être le cas lorsque l'employeur a accéléré le processus de congédiement dans le but d'empêcher que le salarié puisse recourir à la protection de l'article 124 L.N.T.
Payette c. *Gestion Mimakar inc.*, D.T.E. 2009T-173 (C.R.T.).
Joseph c. *Corp. financière Télétech*, D.T.E. 2000T-648 (C.T.).
V. aussi: *Métal Bernard inc.* c. *Bélanger*, D.T.E. 2004T-18 (T.T.).

122/345 La crainte exprimée par un employeur à la suite du fait que le salarié est en voie d'obtenir deux ans de service continu et la décision de mettre fin à l'emploi de ce dernier quelques jours avant l'arrivée de ce terme peut constituer une tentative d'éluder l'application de la *Loi sur les normes du travail*.
April c. *Université Laval*, D.T.E. 96T-355 (C.T.).

122/346 Le congédiement d'un salarié un mois avant qu'il n'atteigne deux ans de service continu, en alléguant son manque de compétence alors que l'employeur s'est toujours déclaré satisfait de ses services, démontre l'intention de ce dernier de vouloir éluder l'application de la *Loi sur les normes du travail*.
Leona c. *Boulangerie Au Pain doré ltée*, D.T.E. 2004T-463 (C.R.T.).

122/347 On ne peut prétendre qu'un salarié ayant moins de deux ans de service a été congédié précisément pour le priver d'un recours en vertu de la *Loi sur les normes du travail*. Ce serait prêter des intentions qui ne peuvent être mises en preuve ni constituer une présomption.
Lévesque c. *Gesco 547 inc. (L'Ensemblier)*, D.T.E. 2004T-43 (C.R.T.).
Harvey c. *Raymond, Chabot, Martin, Paré & associés*, D.T.E. 85T-401 (C.T.).

122/348 Le fait de ne pas renouveler le contrat de travail d'un salarié occasionnel quelque temps avant que celui-ci n'atteigne deux ans de service continu chez l'employeur constitue un acte posé dans le but d'éluder l'application de la *Loi sur les normes du travail*.
Léon c. *Entreprises Oerlikon Contraves inc.*, D.T.E. 2004T-1174 (C.R.T.).
Bouchard c. *R.*, D.T.E. 95T-341 (T.T.).
Thibault c. *R.*, (1994) T.T. 362, D.T.E. 94T-798 (T.T.).

122/349 Le non-renouvellement d'un contrat de travail avant que le salarié ait atteint deux ans de service continu ne donne pas lieu à l'application de l'article 122(5) L.N.T. en l'absence de promesse de l'employeur ou de droit de rappel.
Murdochville (Ville de) c. *Poirier*, D.T.E. 95T-724 (T.T.) (révision judiciaire refusée: D.T.E. 96T-797 (C.S.)).

122/350 Le fait qu'un salarié ait été avisé de son congédiement sept mois avant d'atteindre deux années de service continu n'est pas suffisant pour conclure que l'employeur a tenté d'éluder ou de contourner la *Loi sur les normes du travail*.
Bangia c. *Nadler Danino, s.e.n.c.*, (2006) R.J.D.T. 1200 (C.R.T.), D.T.E. 2006T-818 (C.R.T.) (révision en vertu de l'article 127 C.T. refusée).

122/351 Le fait de congédier un employé un an et demi avant qu'il n'obtienne deux ans de service continu est un geste posé dans un laps de temps trop long pour accréditer la thèse selon laquelle l'employeur a tenté d'éluder l'application de la Loi sur les normes.
Gaucher Lefebvre c. *Buanderie Magog inc.*, D.T.E. 85T-851 (C.T.).

122/352 Le fait de congédier un salarié qui est sur le point d'obtenir le droit au recours de l'article 124 L.N.T. peut constituer une tentative d'éluder l'application de la *Loi sur les normes du travail*, dans le cas où le syndicat et l'employeur ont convenu que, lorsque des postes réguliers deviendraient disponibles, une priorité d'embauche serait accordée au salarié détenant un poste temporaire dont le nom est inscrit sur une liste d'éligibilité, et ce, au détriment de ceux dont le nom ne figure pas sur cette liste.
Laurin c. *Mirabel (Ville de)*, D.T.E. 94T-76 (C.T.), conf. par (1994) T.T. 504, D.T.E. 94T-1097 (T.T.).

122/353 Il est interdit de déplacer un employé dans le but d'éluder la loi. Or, rétrograder un employé qui a deux ans de service continu, sans motif ou sous de fallacieux prétextes qui démontrent une intention de le forcer à démissionner, équivaut à poser un geste dans le but d'éluder l'application de l'article 124 L.N.T.
Courchesne c. *Restaurant & Charcuterie Bens inc.*, (1990) R.D.J. 148 (C.A.), D.T.E. 90T-143 (C.A.), J.E. 90-236 (C.A.) (autorisation d'appeler à la Cour suprême refusée).

122/354 L'examen et une entrevue visant à qualifier une personne pour être inscrite sur une liste d'admissibilité au poste de policier régulier peuvent être un prétexte pour éluder l'application de l'article 124 L.N.T.
Mirabel (Ville de) c. *Blais*, (1994) T.T. 504, D.T.E. 94T-1097 (T.T.).

122/355 Le déplacement injustifié d'un travailleur est couvert par l'interdiction d'y procéder dans le but d'éluder l'application de la loi. Le travailleur n'a qu'à démontrer un lien ou une relation chronologique entre la possibilité d'exercice d'un droit et le déplacement dont il se plaint.
Lauzon c. *Centre hospitalier Ste-Jeanne d'Arc*, D.T.E. 88T-482 (T.T.).
Poitras c. *Versatile Vickers inc.*, D.T.E. 83T-483 (C.T.).
V. aussi: *Savard* c. *Taverne du Boulevard inc.*, D.T.E. 91T-707 (C.T.).

122/356 Le seul fait pour une salariée de prétendre qu'elle a été déplacée à cause de son état de grossesse suffit pour donner compétence au commissaire.
Lemaire c. *Pavillon du Parc inc.*, D.T.E. 83T-948 (C.T.).

122/357 Une salariée enceinte peut invoquer que son employeur l'a congédiée pour éluder l'application de la Loi sur les normes, puisque celle-ci oblige l'employeur à reprendre à son emploi la salariée enceinte après le congé de maternité.
Cappco Tubular c. *Montpetit*, (1990) T.T. 286, D.T.E. 90T-753 (T.T.).

122/358 La proximité de l'annonce d'une deuxième intervention chirurgicale et du congédiement du salarié peut indiquer une tentative de la part de l'employeur d'éluder l'application de la loi.
Goldie c. *Plastiques Terpac inc.*, D.T.E. 2003T-703 (C.R.T.).

122/359 Un employeur qui congédie un salarié lui ayant demandé de se conformer aux dispositions de la Loi sur les normes, tente d'éluder l'application de celle-ci.
Lévesque c. *Beigne Tim Horton*, (1985) C.T. 393, D.T.E. 85T-918 (C.T.).

122/360 Les activités syndicales ne constituent pas l'exercice d'un droit résultant de la *Loi sur les normes du travail* ou d'un règlement en découlant. En effet, les dispositions de l'article 122(5) L.N.T. visent les cas où l'employeur tente d'éluder l'application de la *Loi sur les normes du travail* et non d'une autre loi.
Roy c. *Disque Améric inc.*, D.T.E. 97T-906 (C.T.).

122/361 Congédier un salarié qui annonce à l'avance qu'il réclamera des heures supplémentaires, alors que l'employeur habituellement ne paie pas d'heures supplémentaires, signifie qu'on veut éluder la loi.
Matthias c. *Conso Graber Canada inc.*, D.T.E. 86T-934 (T.T.).

122/362 Pour bénéficier de la présomption, dans le cas où le salarié allégue avoir été congédié en vue d'éluder l'application de l'article 122.1 L.N.T., celui-ci doit démontrer que, n'eût été l'âge normal de la retraite, qu'il était à la veille d'atteindre, il n'aurait pas été congédié.
St-Pierre c. *Mont-Bruno Ford inc.*, D.T.E. 91T-156 (C.T.).
Poitras c. *Versatile Vickers inc.*, D.T.E. 83T-483 (C.T.).

122/363 Il ne saurait être question de vouloir éluder l'application de la loi par le fait d'offrir une retraite anticipée sans réduction de salaire à un salarié, cinq ans avant qu'il y soit admissible et huit ans avant l'âge normal de la retraite.
Thérien c. *Crown Cork & Seal inc.*, (1993) C.T. 57, D.T.E. 93T-218 (C.T.).

122/364 Le refus de l'employeur de permettre le retour progressif au travail d'un salarié ne constitue pas nécessairement le fait de vouloir éluder l'application de la *Loi sur les normes du travail*.
Langlois c. *Gaz métropolitain inc.*, (2004) R.J.D.T. 1111 (C.R.T.), D.T.E. 2004T-630 (C.R.T.) (révision judiciaire refusée: D.T.E. 2006T-117 (C.S.)).

122/365 La protection prévue à l'article 122(5) L.N.T. ne donne pas ouverture à la présomption du seul fait de la proximité d'une absence pour cause de maladie. Le salarié doit établir des faits additionnels tendant à démontrer une volonté de l'employeur en ce sens.
Marquis c. *Produits Berkel ltée*, D.T.E. 92T-835 (C.T.).
V. également la jurisprudence sous l'article 79.1.

122/366 V. AUDET, G., BONHOMME, R., GASCON, C. et COURNOYER-PROULX, M., *Le congédiement en droit québécois en matière de contrat individuel de travail*, vol. 2, 3e éd. (édition à feuilles mobiles), Cowansville, Éditions Yvon Blais, p. 33-13 à 33-16.

122/367 V. BRIÈRE, J.-Y. et VILLAGGI, J.-P., *Relations de travail*, vol. 2, (édition à feuilles mobiles), Brossard, Les Publications CCH ltée, p. 8,701 à 8,707-3.

122/368 V. DUBÉ, J.-L. et DI IORIO, N., *Les normes du travail*, 2e éd., Sherbrooke, Les Éditions Revue de droit — Université de Sherbrooke, 1992, p. 352 à 354.

122(6)

122/369 Afin de conclure à l'exercice d'un droit, le salarié doit prouver qu'il a refusé de travailler au-delà de ses heures habituelles de travail, que sa présence était requise pour assurer la garde, l'éducation ou la santé de son enfant mineur et qu'il a pris tous les moyens raisonnables pour satisfaire autrement à cette obligation.
Riccardo c. *Amalee Systèmes Design innovation inc.*, (2001) R.J.D.T. 779 (C.T.), D.T.E. 2001T-434 (C.T.).

122/370 L'expression «avoir pris tous les moyens raisonnables» pour que les obligations familiales du salarié soient accomplies autrement que par lui-même, signifie que l'employé aura demandé l'aide d'une gardienne, d'un voisin, d'amis ou de connaissances, non seulement de ses parents qui sont dans l'incapacité de s'occuper de son enfant.
Riccardo c. *Amalee Systèmes Design innovation inc.*, (2001) R.J.D.T. 779 (C.T.), D.T.E. 2001T-434 (C.T.).

122/371 Le droit de s'absenter pour prendre soin des enfants est assorti de conditions précises. Il revient au salarié de démontrer qu'il a fait son possible pour rencontrer ses obligations.
Fortin c. *Nettoyeurs professionnels de conduits d'air Q.C.*, D.T.E. 92T-1291 (C.T.).

122/372 Un salarié peut refuser d'effectuer des heures supplémentaires si sa présence est requise pour assurer ses obligations parentales. Cependant, aucune disposition de la *Loi sur les normes du travail* ne prévoit le droit de refuser des heures supplémentaires.
Robillard c. *Emballages Gab ltée*, D.T.E. 95T-371 (C.T.).

122/373 Malgré les nombreuses erreurs d'une salariée dans l'accomplissement de son travail et ses nombreuses absences, un employeur ne peut congédier celle-ci après une absence pour obligations parentales, cette dernière absence étant permise par la Loi sur les normes.
Plourde c. *Placements Monfer inc.*, (1993) C.T. 32, D.T.E. 93T-110 (C.T.).

122/374 V. DUBÉ, J.-L. et DI IORIO, N., *Les normes du travail*, 2e éd., Sherbrooke, Les Éditions Revue de droit — Université de Sherbrooke, 1992, p. 355.

122 al. 2

122/375 L'obligation de l'employeur d'agir de son propre chef se veut une obligation autonome, c'est-à-dire indépendante de toute autre loi. Ainsi, il ne peut se réfugier derrière la *Loi sur la santé et la sécurité du travail* (L.R.Q., c. S-2.1) pour ne pas appliquer le dernier alinéa de l'article 122 L.N.T.
Di Peco c. *Canadelle inc.*, D.T.E. 96T-260 (C.T.).

art. 122.1

N.B. L'article 122.1 a été modifié par la *Loi modifiant la Loi sur les normes du travail et d'autres dispositions législatives*, L.Q. 2002, c. 80.

122.1/1 Le rôle du commissaire est de juger si le plaignant exerce ou non le droit de demeurer au travail et de ne pas être mis à la retraite pour le motif qu'il a atteint l'âge à compter duquel il serait mis à la retraite, de conclure ou non à la naissance de la présomption et dans l'affirmative, de juger si l'employeur a renversé le fardeau de prouver que la mise à la retraite au sens de la terminaison de l'emploi a été faite pour une cause juste et raisonnable.
Benfey c. *Labour Court*, D.T.E. 85T-569 (C.S.), conf. par D.T.E. 87T-180 (C.A.).

122.1/2 Une personne n'a pas à s'adresser à un commissaire nommé en vertu du *Code du travail* pour réclamer sa réintégration lorsque sa demande n'est pas fondée sur le motif énoncé à l'article 122.1 L.N.T.
Gagnon c. *Hydro-Québec*, D.T.E. 93T-1334 (C.S.), J.E. 93-1953 (C.S.).

122.1/3 Pour bénéficier de la présomption le salarié doit prouver son congédiement, sa suspension ou sa mise à la retraite forcée et le fait qu'il a atteint ou dépassé l'âge ou le nombre d'années de service à compter duquel il serait mis à la retraite chez son employeur.
Boutique de cartes Coronet Carlton Card Ltd. c. *Bourque*, (1985) T.T. 322, D.T.E. 85T-635 (T.T.).
Margharitis c. *Aeterna-Vie, Cie d'assurances*, (1985) T.T. 193, D.T.E. 85T-361 (T.T.).
Garand c. *Monitronik ltée*, D.T.E. 84T-304 (T.T.).
Ranger c. *Bureau d'expertise des assureurs ltée*, (2001) R.J.D.T. 1911 (C.T.), D.T.E. 2001T-1155 (C.T.) (désistement de la révision judiciaire).
Ste-Marie c. *Louis Vuitton North America inc.*, D.T.E. 98T-531 (C.T.), REJB 1998-05745 (C.T.) (appel rejeté: T.T.M. n° 500-28-000595-981, le 17 juillet 1998).
Antonius c. *Hydro-Québec*, D.T.E. 95T-1175 (C.T.) (permission d'appeler refusée: T.T.M. n° 500-52-000047-951, le 21 septembre 1995) (révision judiciaire refusée: C.S.M. n° 500-05-017824-960, le 11 décembre 1996) (appel rejeté: D.T.E. 99T-71 (C.A.), J.E. 99-259 (C.A.), REJB 1998-09664 (C.A.)) (autorisation d'appeler à la Cour suprême refusée).
Gauthier c. *Thermoshell inc.*, D.T.E. 95T-767 (C.T.).
St-Pierre c. *Mont-Bruno Ford inc.*, D.T.E. 91T-156 (C.T.).
Thomson c. *McGill University*, (1989) C.T. 267, D.T.E. 89T-741 (C.T.).
Millette c. *Hydro-Québec*, (1983) C.T. 296, D.T.E. 83T-949 (C.T.).
Poitras c. *Versatile Vickers inc.*, D.T.E. 83T-483 (C.T.).
Sirois c. *Laval (Ville de)*, D.T.E. 83T-417 (C.T.).

122.1/4 Le législateur vise à mettre fin à la retraite obligatoire là où il y a des règles ou usages établis à ce sujet. S'il n'y a ni règle ni usage le commissaire ne peut intervenir.
Boutique de cartes Coronet Carlton Card Ltd. c. *Bourque*, (1985) T.T. 322, D.T.E. 85T-635 (T.T.).
Margharitis c. *Aeterna-Vie, Cie d'assurances*, (1985) T.T. 193, D.T.E. 85T-361 (T.T.).
Garand c. *Monitronik ltée*, D.T.E. 84T-304 (T.T.).
St-Pierre c. *Mont-Bruno Ford inc.*, D.T.E. 91T-156 (C.T.).
Sirois c. *Laval (Ville de)*, D.T.E. 83T-417 (C.T.).

122.1/5 Pour établir une pratique en usage au sens de l'article 122.1 L.N.T., il faut démontrer une façon de faire coutumière, habituelle et intégrée à la façon de faire les choses dans une entreprise. Une pratique peut être établie par la démonstration de situations fréquentes et répétitives.
Laliberté c. *Shell Canada ltée*, (1996) C.T. 441, D.T.E. 96T-1033 (C.T.).

122.1/6 La présomption ne peut être établie en faveur d'un salarié qui n'a pas atteint l'âge normal de la retraite lorsqu'il fut effectivement mis à la retraite.
Margharitis c. *Aeterna-Vie, Cie d'assurances*, (1985) T.T. 193, D.T.E. 85T-361 (T.T.).
Garand c. *Monitronik ltée*, D.T.E. 84T-304 (T.T.).
St-Pierre c. *Mont-Bruno Ford inc.*, D.T.E. 91T-156 (C.T.).
Millette c. *Hydro-Québec*, (1983) C.T. 296, D.T.E. 83T-949 (C.T.).
Poitras c. *Versatile Vickers inc.*, D.T.E. 83T-483 (C.T.).

122.1/7 L'article 122.1 L.N.T. protège le droit des travailleurs de ne pas être forcés, en vertu d'une convention collective, de prendre leur retraite ou de ne pas être suspendus ou congédiés parce qu'ils atteignent l'âge de la retraite. Cependant, il n'empêche pas la signature d'une entente qui a pour but d'assurer à ceux-ci une sécurité d'emploi jusqu'à 65 ans, alors qu'autrement, ils auraient perdu leur emploi avant l'atteinte de cet âge.
Gazette (The) (une division de Southam inc.) c. *Parent*, (1991) R.L. 625 (C.A.), D.T.E. 91T-552 (C.A.), J.E. 91-850 (C.A.) (autorisation d'appeler à la Cour suprême refusée).

122.1/8 L'ignorance par l'employeur de l'âge du salarié ne saurait être invoquée à l'encontre de la présomption.
Boucher c. *Manufacture de chaussures Excel ltée*, (1983) C.T. 41, D.T.E. 83T-141 (C.T.).

122.1/9 Un employeur ne peut faire perdre la permanence et le salaire qui correspond à celle-ci à un salarié, du fait qu'il a atteint l'âge de la retraite.
Burns c. *Royal Institute for the Advancement of Learning (McGill University)*, D.T.E. 90T-781 (C.T.).

122.1/10 Un salarié qui refuse l'offre de prendre une retraite anticipée à l'âge de 61 ans bénéficie de la présomption légale, et ce, en fonction du critère de l'absence de perte actuarielle.
Ranger c. *Bureau d'expertise des assureurs ltée*, (2001) R.J.D.T. 1911 (C.T.), D.T.E. 2001T-1155 (C.T.) (désistement de la révision judiciaire).

122.1/11 Constitue un congédiement sans cause juste et suffisante, le fait de forcer un salarié à quitter son emploi parce qu'il a atteint l'âge de la retraite selon le régime de retraite en vigueur chez son employeur.
McMillan c. *H.L. Blachford ltée*, D.T.E. 2002T-1168 (C.T.).
Ranger c. *Bureau d'expertise des assureurs ltée*, (2001) R.J.D.T. 1911 (C.T.), D.T.E. 2001T-1155 (C.T.) (désistement de la révision judiciaire).
Gauthier c. *Thermoshell inc.*, D.T.E. 95T-767 (C.T.).

122.1/12 Il est interdit à un employeur de présumer qu'un salarié doit prendre sa retraite.
Charbonneau c. *Blainville (Ville de)*, D.T.E. 2004T-810 (C.R.T.).

122.1/13 Un employeur peut légalement modifier les conditions de travail d'un salarié ayant atteint l'âge normal de la retraite.
Benfey c. *Royal Institution for the Advancement of Learning*, D.T.E. 89T-724 (C.S.).
Burns c. *Royal Institute for the Advancement of Learning (McGill University)*, D.T.E. 90T-781 (C.T.).
Thomson c. *McGill University*, (1989) C.T. 267, D.T.E. 89T-741 (C.T.).

122.1/14 N'est point protégé par l'article 122.1 L.N.T., une mise à la retraite sur le plan technique afin de faire bénéficier l'employé de certains avantages qui y sont reliés, lorsque son emploi a été par ailleurs aboli.
Sevcik c. *Produits chimiques Drew ltée*, (1993) T.T. 518, D.T.E. 93T-959 (T.T.).

122.1/15 Rien dans la *Loi sur les normes du travail* n'empêche un employeur de réduire les heures de travail d'un employé qui a atteint l'âge de la retraite. Cependant, la *Charte des droits et libertés de la personne* l'interdit.
Presse ltée (La) c. *Hamelin*, (1988) R.J.Q. 2480 (C.S.), D.T.E. 88T-872 (C.S.), J.E. 88-1183 (C.S.).
V. aussi: *Lalancette* c. *Presse ltée (La)*, (1987) C.T. 13, D.T.E. 87T-60 (C.T.).

122.1/16 Le congédiement doit être effectif le jour de l'enquête et audition.
Burns c. *Royal Institute for the Advancement of Learning*, (1986) C.T. 223, D.T.E. 86T-514 (C.T.) (ultérieur: D.T.E. 90T-781 (C.T.)).

122.1/17 La notion de congédiement inclut la mise à pied temporaire.
Ranger c. *Bureau d'expertise des assureurs ltée*, (2001) R.J.D.T. 1911 (C.T.), D.T.E. 2001T-1155 (C.T.) (désistement de la révision judiciaire).
Boucher c. *Manufacture de chaussures Excel ltée*, (1983) C.T. 41, D.T.E. 83T-141 (C.T.).

122.1/18 La réduction de moitié des heures de travail et du salaire n'est pas un congédiement. Le salarié demeurant en service après la date de la retraite, ne peut être à la retraite.
Lalancette c. *Presse ltée (La)*, (1987) C.T. 13, D.T.E. 87T-60 (C.T.).

122.1/19 Le simple fait d'établir qu'un salarié a atteint l'âge de 65 ans, quelques mois après son congédiement, ne fait pas en sorte qu'il puisse bénéficier de la présomption, surtout en l'absence d'une preuve de pratique applicable chez l'employeur établissant un âge ou un nombre d'années de service pour la retraite.
Paquet c. *Carrefour FM Portneuf*, D.T.E. 2005T-611 (C.R.T.).

122.1/20 Le salarié mis à la retraite de façon anticipée pour cause d'incapacité à accomplir ses anciennes fonctions, n'est pas couvert par la protection prévue à l'article 122.1 L.N.T.
Sirois c. *Laval (Ville de)*, D.T.E. 83T-417 (C.T.).

122.1/21 La protection prévue à l'article 122.1 L.N.T. ne s'applique pas dans le cadre de la prise d'une retraite anticipée.
Laliberté c. *Shell Canada ltée*, (1996) C.T. 441, D.T.E. 96T-1033 (C.T.).

122.1/22 L'autorité de la chose jugée ne s'applique pas à une plainte fondée sur l'article 122.1 L.N.T., lorsqu'il y a eu rejet d'une plainte selon l'article 124 L.N.T., parce que les principes juridiques à l'origine de ces recours sont différents.
Sevcik c. *Produits chimiques Drew ltée*, (1993) T.T. 518, D.T.E. 93T-959 (T.T.).

122.1/23 V. la jurisprudence sous l'article 84.1 L.N.T.

122.1/24 V. AUDET, G., BONHOMME, R., GASCON, C. et COURNOYER-PROULX, M., *Le congédiement en droit québécois en matière de contrat individuel de travail*, vol. 2, 3e éd. (édition à feuilles mobiles), Cowansville, Éditions Yvon Blais, p. 32-1 à 35-10.

122.1/25 V. BÉLIVEAU, N.-A., *Les normes du travail*, Cowansville, Les Éditions Yvon Blais inc., 2003, p. 433 à 435.

122.1/26 V. DUBÉ, J.-L. et DI IORIO, N., *Les normes du travail*, 2e éd., Sherbrooke, Les Éditions Revue de droit — Université de Sherbrooke, 1992, p. 356 à 363.

122.1/27 V. GAGNON, R.P., LEBEL, L. et VERGE, P., *Droit du travail*, 2e éd., Ste-Foy, Les Presses de l'Université Laval, 1991, p. 101 et 102.

122.1/28 V. MORIN, F., *Rapports collectifs du travail*, 2e éd., Montréal, Les Éditions Thémis inc., 1991, p. 560 et 561.

122.1/29 V. PARADIS, J., «Le maintien en emploi du travailleur âgé: analyse du recours prévu aux articles 122.1 et 123.1 de la *Loi sur les normes du travail*», (1993) 7 *R.J.E.U.L.* 3.

art. 123

N.B. L'article 123 a été modifié par la *Loi modifiant la Loi sur les normes du travail et d'autres dispositions législatives*, L.Q. 2002, c. 80. La nature des modifications apportées par le législateur à l'article 123 L.N.T. fait en sorte que la jurisprudence antérieure à cette date demeure pertinente en y faisant les adaptations nécessaires, le cas échéant.

Table des matières

DÉTERMINATION DU MOMENT DU CONGÉDIEMENT OU DE LA MESURE ILLÉGALE ET DE LA SOUMISSION DE LA PLAINTE

Délai

123/1 Le délai pour déposer une plainte est un délai de rigueur, donc de déchéance, qui s'impose d'office au commissaire.
Lecavalier c. *Montréal (Ville de)*, D.T.E. 97T-460 (T.T.), conf. D.T.E. 97T-55 (C.T.).
H. (B.) c. *P. inc.*, (1995) T.T. 164, D.T.E. 95T-197 (T.T.), conf. (1994) C.T. 283, D.T.E. 94T-705 (C.T.).
Imam c. *École polytechnique de Montréal*, D.T.E. 90T-1146 (T.T.).
Lamy c. *Urgel Bourgie ltée*, (1996) C.T. 420, D.T.E. 96T-735 (C.T.).
Germain c. *Pierre Desmarais inc.*, (1985) C.T. 134, D.T.E. 85T-250 (C.T.).

123/2 Une plainte de congédiement est prématurée si le congédiement ne constitue qu'une probabilité ou une hypothèse.
Vivier c. *Industrielle (L') Cie d'assurance sur la vie*, (1983) C.T. 48, D.T.E. 83T-186 (C.T.).

123/3 Le délai de prescription ne commence à courir qu'au moment de la perte du statut subie par le salarié.
Traverse Rivière-du-Loup St-Siméon Clarke transport Canada inc. c. *Lizotte*, D.T.E. 87T-35 (T.T.) (révision judiciaire accueillie pour d'autres motifs: D.T.E. 88T-52 (C.S.)).

123/4 Le délai doit se computer à compter du jour où le congédiement est devenu effectif et non à partir du moment où le salarié n'entretient plus d'espoir de retrouver son emploi.
Imam c. *École polytechnique de Montréal*, D.T.E. 90T-1146 (T.T.).

123/5 La computation du délai pour déposer une plainte se calcule à partir du moment où le plaignant à eu connaissance de son congédiement.
Prince c. *Cap-de-la-Madeleine (Ville de)*, D.T.E. 98T-718 (C.T.).
Dufour c. *Gestiparc inc.*, D.T.E. 95T-1342 (C.T.).
Vachon c. *Assurances Morin, Laporte et associés*, D.T.E. 90T-632 (C.T.).

123/6 Ce n'est que lorsque le salarié se rend compte que son poste est occupé par un autre employé qu'il doit se considérer comme congédié et que le délai de prescription commence à courir.
Château Lingerie M.F.G. Co. c. *Bhatt*, D.T.E. 85T-90 (C.A.), J.E. 85-158 (C.A.).

123/7 Un employé ne peut se considérer congédié qu'à partir du moment où on lui dit qu'on ne le rappelera pas.
Lizotte c. *Plante*, D.T.E. 88T-52 (C.S.).
Club de golf de Sherbrooke inc. c. *Hurdle*, (1984) T.T. 339, D.T.E. 84T-759 (T.T.).

123/8 Le délai pour déposer une plainte commence à courir à la date à laquelle l'employeur confirme le congédiement après avoir fait enquête.
Khawam c. *Pratt et Whitney Canada inc.*, D.T.E. 93T-1026 (C.T.).

123/9 Le délai de prescription ne commence à courir qu'au moment où le salarié a connaissance du fait que son employeur refuse de le réintégrer dans son emploi.
Blake c. *Corp. de dispositions de biens récupérés ltée*, D.T.E. 98T-824 (C.T.).
Lacasse c. *Hershey Y.S. Candies*, D.T.E. 83T-164 (C.T.).

123/10 La computation des délais pour soumettre une plainte commence à courir à partir de la date où le salarié est avisé qu'il ne sera pas autorisé à occuper un certain poste.
Poissant c. *Commission scolaire des Ilets*, D.T.E. 85T-158 (C.T.).

123/11 La computation du délai se fait à partir du dernier jour de travail et non du dernier jour tenant lieu de préavis de licenciement.
Vivier c. *Industrielle (L') Cie d'assurance sur la vie*, (1983) C.T. 48, D.T.E. 83T-186 (C.T.).

123/12 Le salarié n'a pas à attendre la fin du préavis pour déposer une plainte de congédiement, il peut agir dès qu'il considère être congédié.
H. (B). c. *P. inc.*, (1995) T.T. 164, D.T.E. 95T-197 (T.T.), conf. (1994) C.T. 283, D.T.E. 94T-705 (C.T.).
Matthias c. *Conso Graber Canada inc.*, D.T.E. 86T-934 (T.T.).

123/13 Le délai pour contester son congédiement ne commence à courir qu'à compter du moment où le salarié a connaissance de ce fait et qu'il a compris qu'il est congédié et non de la date du préavis.
Beauregard c. *Bonneterie Paramount inc.*, D.T.E. 88T-139 (C.T.).

123/14 C'est lorsque le salarié a connaissance du non-renouvellement de son contrat qu'il doit porter plainte.
Écoles musulmanes de Montréal c. *Dupuis*, D.T.E. 92T-972 (T.T.).

123/15 C'est à compter du dernier jour de travail et non à compter de la date à laquelle le plaignant prend connaissance de l'abolition de son poste que le délai de 45 jours doit être calculé.
Buth c. *Collège d'enseignement général et professionnel John Abbott*, D.T.E. 96T-295 (C.T.) (révision judiciaire refusée: C.S.M. n^{0} 500-05-015627-969, le 14 août 1996).

123/16 Le point de départ pour calculer le délai dans le cas d'une plainte de déplacement est la date à laquelle le déplacement est effectif soit la date à laquelle le plaignant apprend qu'il sera déplacé.
Savaria c. *Jean bleu inc.*, (1997) C.T. 481, D.T.E. 97T-1208 (C.T.) (appel rejeté: D.T.E. 98T-588 (T.T.)).
Dussault c. *London Life, Cie d'assurance-vie*, D.T.E. 93T-866 (C.T.).

123/17 En matière de computation du délai relativement à une plainte de déplacement, c'est lorsque l'employeur informe le salarié du maintien dans son nouveau poste que le délai de prescription de 45 jours commence à courir.
Vlayen c. *Régie intermunicipale de police de Montcalm*, D.T.E. 2001T-108 (C.T.).

123/18 Le point de départ pour le calcul du délai de prescription est le jour de l'imposition de la pratique interdite alléguée par le salarié.
Essiembre c. *Matte, Bouchard & Associés (Société immobilière Madina inc.)*, D.T.E. 99T-103 (T.T.), REJB 1998-08677 (T.T.).

123/19 Le délai de prescription se calcule à compter de la modification substantielle des conditions de travail du salarié.
Bérubé c. *Club coopératif de consommation d'Amos*, D.T.E. 2001T-211 (C.T.).

123/20 Lorsqu'il s'agit de déterminer, pour chacun des salariés, si une plainte a été inscrite à l'intérieur du délai de prescription, on doit s'interroger sur le moment où la mesure est imposée au salarié, sinon il s'agirait d'un effet continu dans le temps et les recours seraient imprescriptibles tant que la mesure existe. Également, une évaluation des délais relativement à un ensemble de gestes de l'employeur n'est pas souhaitable puisqu'elle permettrait de faire revivre des recours chaque fois qu'une nouvelle mesure serait imposée.
Larocque c. *Corp. E.M.C. du Canada*, (2004) R.J.D.T. 213 (C.R.T.), D.T.E. 2004T-256 (C.R.T.) (révision judiciaire refusée: C.S.M. n^0 500-17-019748-048, le 12 juillet 2005).

123/21 Dans le cas de déplacement, le délai ne commence à courir qu'à compter du moment où le salarié est conscient du fait que sa tâche diffère de celle effectuée auparavant.
Provost c. *Bureau d'éthique commerciale de Montréal inc.*, (1999) R.J.D.T. 233 (C.T.), D.T.E. 99T-102 (C.T.).
Gravel c. *F.W. Woolworth Co.*, D.T.E. 84T-597 (C.T.).

123/22 La plainte doit être déposée dans les 45 jours de l'avis de congédiement, surtout si l'employeur se réserve le droit d'utiliser les services du salarié et qu'il ne les utilise pas.
Germain c. *Pierre Desmarais inc.*, (1985) C.T. 134, D.T.E. 85T-250 (C.T.).

123/23 Une plainte déposée à l'intérieur du délai de prescription de 45 jours est recevable, compte tenu du fait que le samedi et le dimanche sont des jours non juridiques qui ne sont pas comptés dans le calcul de tout délai fixé par le *Code du travail* tel que prévu par les articles 151.1 et 151.3 de ce Code, auxquels renvoient les articles 123.14 et 127 L.N.T.
Forcier c. *Classified Media (Canada) Holdings Inc.*, D.T.E. 2005T-967 (C.R.T.).

123/24 L'état de santé du salarié à l'époque où il a été congédié ne peut entrer en ligne de compte comme circonstance atténuante pour prolonger le délai fixé par la *Loi sur les normes du travail* puisque aucune disposition de celle-ci ne le prévoit expressément.
H. (B.) c. *Cie P.*, (1994) C.T. 283, D.T.E. 94T-705 (C.T.), conf. par (1995) T.T. 164, D.T.E. 95T-197 (T.T.).

123/25 Un salarié ne peut invoquer son impossibilité d'agir plus tôt, selon l'article 523 C.P.C., pour demander au commissaire de proroger le délai de prescription. Cette compétence est réservée à la seule Cour d'appel et à la Cour suprême, le cas échéant.
H. (B.) c. *Cie P.*, (1994) C.T. 283, D.T.E. 94T-705 (C.T.), conf. par (1995) T.T. 164, D.T.E. 95T-197 (T.T.).

123/26 Les règles relatives au mécanisme d'interruption de la prescription prévue à l'article 2892 du *Code civil du Québec* n'ont aucune incidence sur les délais de rigueur édictés à la *Loi sur les normes du travail* pour le dépôt d'une plainte.
Lecavalier c. *Montréal (Ville de)*, D.T.E. 97T-460 (T.T.), conf. D.T.E. 97T-55 (C.T.).

123/27 La théorie des *laches* ne s'applique pas à un recours d'ordre public, tel le recours à l'encontre d'une pratique interdite.
Lord c. *Conseillers financiers T.E. ltée (Jambro inc.)*, D.T.E. 99T-881 (C.T.).

123/28 Pour pouvoir suspendre le délai de prescription, l'aliénation mentale, soit l'absence de contact suffisant avec la réalité qui aboutit à une inconscience fondamentale de quelque droit pouvant être exercé, doit faire l'objet d'une preuve scientifique ou médicale puisqu'elle ne relève pas de l'expérience ordinaire de toute personne.
H. (B.) c. *P. inc.*, (1995) T.T. 164, D.T.E. 95T-197 (T.T.).

123/29 Le dépôt d'un grief n'interrompt pas, et ne suspend pas, la prescription prévue à l'article 123 L.N.T. Les délais relatifs à cette plainte sont de rigueur et ne souffrent d'aucune exception, sauf en cas d'impossibilité absolue d'agir.
Lecavalier c. *Montréal (Ville de)*, D.T.E. 97T-55 (C.T.), conf. par D.T.E. 97T-460 (T.T.).

123/30 Les tentatives pour régler une situation ne suspendent pas le délai de prescription pour la soumission d'une plainte.
Bernard c. *Garderie Au petit nuage*, (1994) C.T. 290, D.T.E. 94T-704 (C.T.).

123/31 Le commissaire ne possède pas le pouvoir explicite de prolonger le délai pour déposer une plainte en vertu de la *Loi sur les normes du travail*. Toutefois, il a compétence comme tout tribunal, pour appliquer la suspension de prescription en cas d'impossibilité absolue d'agir en fait. L'ignorance des faits juridiques donnant ouverture à un droit constitue une impossibilité d'agir en fait jusqu'à ce que le créancier ait connaissance de son droit, pourvu qu'il se soit comporté avec la vigilance d'une personne raisonnable lorsque cette ignorance résulte d'une faute du débiteur. La force majeure doit être assimilée à une faute du débiteur. Il n'est donc pas nécessaire d'être habilité par une disposition législative expresse pour prolonger un délai s'il y a eu impossibilité absolue d'agir en fait.
H. (B.) c. *P. inc.*, (1995) T.T. 164, D.T.E. 95T-197 (T.T.), conf. (1994) C.T. 283, D.T.E. 94T-705 (C.T.).

123/32 Le salarié doit épuiser ses recours devant les instances spécialisées en matière de lésions professionnelles avant de déposer une plainte en vertu des articles 122.2 (aujourd'hui les articles 79.1 et 79.4) et 123 L.N.T.
Lord c. *Conseillers financiers T.E. ltée (Jambro inc.)*, D.T.E. 99T-881 (C.T.).

Rôle et pouvoirs du commissaire
(V. également à l'article 123.4 à AUTRE CAUSE JUSTE ET SUFFISANTE, PREUVE, PROCÉDURE, RÉINTÉGRATION, INDEMNITÉS)

N.B. La jurisprudence qui suit est antérieure à l'entrée en vigueur de L.Q. 2001, c. 26, art. 140 et L.Q. 2002, c. 80, art. 64, mais peut être pertinente concernant l'interprétation de l'article 123 actuel.

Il est à noter que le commissaire du travail et le Tribunal du travail dont il est question dans certains résumés ont été remplacés par la Commission des relations du travail (L.Q. 2001, c. 26).

123/33 L'article 123 L.N.T. donne compétence au commissaire pour entendre des plaintes de congédiement illégal en vertu de cette loi.

Cette disposition ne crée pas une nouvelle instance, c'est-à-dire un nouveau tribunal, au sens large du terme, mais confie plutôt à un tribunal existant l'application concurrente de toutes les lois qui relèvent de sa compétence.
Villeneuve c. *Tribunal du travail*, (1988) R.J.Q. 275 (C.A.), D.T.E. 88T-118 (C.A.), J.E. 88-171 (C.A.).

123/34 Font partie d'un seul et même recours, la décision portant sur le bien-fondé de la plainte et celle qui a trait à la détermination de l'indemnité due au salarié, même si, pour des motifs d'ordre pratique, ces deux sujets sont abordés au cours d'étapes distinctes. La deuxième décision n'est, en fait, qu'un complément de la première.

Lors de la détermination de la mesure réparatrice, le commissaire ne dispose pas d'un pouvoir discrétionnaire lui permettant de remplacer la réintégration par une indemnité ou la mesure illégale par une autre sanction. Il ne peut se baser sur l'équité ou des facteurs étrangers au calcul de la perte subie pour diminuer le montant de l'indemnité. Contrairement à l'article 128 L.N.T., il n'a pas le pouvoir de «rendre toute autre décision qui lui paraît juste et raisonnable, compte tenu de toutes les circonstances de l'affaire».
Noël c. *Tricots San Remo Knitting Mills inc.*, D.T.E. 98T-1082 (T.T.) (révision judiciaire refusée: D.T.E. 99T-161 (C.S.)).

123/35 Une fois que le commissaire a conclu à une cause juste et suffisante de congédiement, comme le manque de travail, sa compétence est épuisée et la plainte doit être rejetée.
Décarie c. *Produits pétroliers d'Auteuil inc.*, (1986) R.J.Q. 2471 (C.A.), D.T.E. 86T-728 (C.A.), J.E. 86-944 (C.A.) (autorisation d'appeler à la Cour suprême refusée).

123/36 La compétence du commissaire est limitée par les articles 123 L.N.T. et 17 du *Code du travail*, qui exigent la preuve qu'un salarié a fait valoir un droit.
Lorangé c. *Centre communautaire juridique de Montréal*, D.T.E. 82T-179 (C.T.).

123/37 Le Tribunal du travail ne peut intervenir à moins que le commissaire du travail n'ait commis une erreur déterminante.
Zellers inc. c. *Dybka*, D.T.E. 2001T-510 (T.T.), REJB 2001-23703 (T.T.).

123/38 Le rôle du commissaire est d'examiner si la décision de l'employeur procédant à une mise à pied prétendument pour raisons économiques, est déraisonnable ou constitue un prétexte.
Dugas c. *Pompaction inc.*, D.T.E. 2001T-241 (T.T.).
Rollin c. *Acklands ltée*, D.T.E. 84T-257 (T.T.).

123/39 Il est bien établi que le Tribunal du travail doit s'imposer une politique de retenue quant à l'appréciation factuelle des décisions des commissaires du travail, pourvu que les principes de droit soient respectés substantiellement. Seule une erreur grave lui permet d'intervenir.
Chartray c. *U.A.P. inc.*, (2000) R.J.D.T. 1653 (T.T.), D.T.E. 2000T-1173 (T.T.).
Girardin c. *Distribution Danièle Normand inc.*, D.T.E. 2000T-228 (T.T.).

123/40 En l'absence d'erreur déterminante du commissaire du travail, le Tribunal du travail ne doit pas intervenir dans des questions de pure appréciation des faits, plus spécifiquement lorsque c'est la crédibilité des témoins qui est en cause.
Communications Québécor inc. c. *Leduc*, D.T.E. 2000T-649 (T.T.).

123/41 L'adoption d'une approche subjective dans l'examen du comportement reproché au plaignant est la seule qui puisse permettre à cette législation à portée sociale d'avoir son plein effet.
Brault et Bouthillier c. *Marion*, D.T.E. 82T-96 (T.T.).
V. aussi: *Boutique Amandine* c. *Lévy*, D.T.E. 82T-148 (T.T.).

123/42 En matière de plainte pour pratique interdite, il n'appartient pas au commissaire de se prononcer sur le sens exact d'une convention collective. Cette compétence appartient exclusivement à l'arbitre de griefs.
Roberge c. *Hôtel-Dieu de Sorel*, (1997) T.T. 398, D.T.E. 97T-929 (T.T.), conf. par D.T.E. 98T-185 (C.S.) (désistement d'appel).

123/43 Le commissaire n'agit pas en tant que tribunal d'équité, il n'a que les pouvoirs expressément accordés par le législateur.
Gravel c. *Coopérative fédérée de Québec*, (1986) C.T. 10, D.T.E. 86T-126 (C.T.).

123/44 Le commissaire n'a pas compétence pour interpréter une disposition de la convention collective, notamment en ce qui a trait au droit de supplantation lors d'un remplacement à long terme.
Hunter c. *Hôpital général de Québec*, D.T.E. 92T-1069 (C.T.).

123/45 V. VEILLEUX, D., «L'arbitre de grief face à une compétence renouvelée...», (2004) 64 *R. du B.* 217.

art. 123.1

123.1/1 Le point de départ pour déterminer la recevabilité de la plainte est la date effective du congédiement.
Bernard c. *Garderie Au petit nuage*, (1994) C.T. 290, D.T.E. 94T-704 (C.T.).
Burns c. *Royal Institute for the Advancement of Learning*, (1986) C.T. 223, D.T.E. 86T-514 (C.T.) (ultérieur: D.T.E. 90T-781 (C.T.)).

123.1/2 La continuation de l'emploi ne peut affecter le recours lorsque l'employeur a accepté que cela ne cause aucun préjudice au salarié.
Burns c. *Royal Institute for the Advancement of Learning (McGill University)*, D.T.E. 90T-781 (C.T.).

art. 123.2

N.B. L'article 123.2 a été modifié par la *Loi modifiant la Loi sur les normes du travail et d'autres dispositions législatives*, L.Q. 2002, c. 80.

123.2/1 La présomption qui résulte de l'application du deuxième alinéa de l'article 123.4 L.N.T. continue de s'appliquer pendant au moins vingt semaines après le retour au travail à la fin d'un congé de maternité.

Elle s'applique également malgré le fait que la fin de l'emploi de la salariée a lieu durant les vacances de celle-ci.
Plante c. *Groupe Sanivan inc.*, D.T.E. 93T-288 (C.T.).

123.2/2 Un employeur peut être justifié de déplacer une salariée de son poste, lorsqu'une preuve prépondérante démontre que le rendement de la plaignante laisse à désirer, et ce, malgré la protection prévue à l'article 123.2 L.N.T.
Pellino c. *Systèmes électroniques Matrox ltée*, D.T.E. 93T-610 (C.T.).

art. 123.3

123.3/1 L'article 123.3 de la *Loi sur les normes du travail* ne va pas à l'encontre de la *Charte canadienne des droits et libertés* ou de la *Charte des droits et libertés de la personne.*
Société de transport de la Rive-Sud de Montréal c. *Frumkin*, (1991) R.J.Q. 757 (C.S.), D.T.E. 91T-264 (C.S.), J.E. 91-464 (C.S.) (par analogie).

123.3/2 Les propos tenus lors d'une séance de médiation sont confidentiels.
Charbonneau c. *Multi Restaurants inc.*, (2000) R.J.Q. 705 (C.A.), (2000) R.J.D.T. 441 (C.A.), D.T.E. 2000T-312 (C.A.), J.E. 2000-683 (C.A.), REJB 2000-17019 (C.A.).
Paquet c. *Jean (Tabagie André Jean enr.)*, D.T.E. 2005T-171 (C.R.T.).
V. aussi: *Groupe Historia international inc.* c. *Chainé*, D.T.E. 2006T-747 (C.R.T.).
Jomphe c. *Syndicat national de l'automobile, de l'aérospatiale et des autres travailleuses et travailleurs du Canada (T.C.A.-Canada)*, D.T.E. 2004T-769 (C.R.T.).

123.3/3 Les discussions par l'intermédiaire d'un médiateur doivent être frappées du sceau de la confidentialité puisque tout ce qui se passe en médiation doit rester secret et confidentiel.
Société hôtelière Hunsons inc. c. *Lungarini*, D.T.E. 2004T-740 (T.T.).

123.3/4 L'information obtenue par une personne désignée à titre de médiateur est confidentielle. De plus, celui-ci est non contraignable. Cependant, la divulgation d'une information publique dans le cours d'un processus de médiation n'a pas pour effet de transformer celle-ci en secret d'État.
Lafco Outillage inc. c. *Magazzu*, D.T.E. 2007T-760 (C.S.), J.E. 2007-1689 (C.S.), EYB 2007-123567 (C.S.).

123.3/5 Pour faire suite à une séance de conciliation, l'on ne saurait forcer un salarié à signer l'entente verbale en découlant, car cela irait à l'encontre du caractère libre et volontaire de la conciliation.
Optimal Robotics (Canada) Corp. c. *Wyke*, D.T.E. 2004T-141 (C.R.T.) (révisions en vertu de l'article 127 C.T. refusées: D.T.E. 2004T-844 (C.R.T.)).

123.3/6 Un enquêteur de la Commission des normes du travail ayant agi dans un dossier ne peut être choisi comme médiateur dans ce même dossier.
Verville c. *Sous-vêtements Excellence inc.*, (1992) C.T. 141, D.T.E. 92T-437 (C.T.).

123.3/7 Même les discussions téléphoniques sont protégées lorsqu'elles sont reliées à une séance de médiation.
9123-8014 Québec inc. (Subway Sandwiches & salades) c. *Ganley*, D.T.E. 2006T-750 (C.R.T.).

123.3/8 V. la jurisprudence sous l'article 125 L.N.T.

art. 123.4

Table des matières

ÉTABLISSEMENT DE LA PRÉSOMPTION

N.B. Voir l'article 17 du *Code du travail.*

123.4/1 Il y a application de la présomption dès lors que le salarié démontre:
1- qu'il est un salarié au sens de la *Loi sur les normes du travail*;
2- qu'il a été l'objet d'une des pratiques interdites (congédiement, suspension, déplacement);
3- qu'il est en mesure d'invoquer une des situations ou un des faits mentionnés aux articles 122, 122.1 et 122.2 (aujourd'hui les articles 79.1 et 79.4);
4- qu'il existe une certaine concomitance entre la pratique interdite et la situation ou le fait en cause;
5- qu'il a déposé une plainte dans le délai imparti par la *Loi sur les normes du travail.*

Provost c. *Hakim*, D.T.E. 97T-1315 (C.A.), J.E. 97-2076 (C.A.), REJB 1997-03065 (C.A.).
Athot c. *Barrette*, D.T.E. 2007T-857 (C.S.), EYB 2007-125651 (C.S.).
Fredette c. *ML Air inc.*, D.T.E. 2008T-673 (C.R.T.).
Kumar c. *Beco Industries, l.p. / Industries Beco, s.e.c.*, D.T.E. 2008T-911 (C.R.T.).
Bellemare c. *2543-3012 Québec inc.*, D.T.E. 2007T-299 (C.R.T.).
Côté c. *CHSLD de la MRC de Champlain*, D.T.E. 2007T-391 (C.R.T.) (en révision).
Bangia c. *Nadler Danino, s.e.n.c.*, (2006) R.J.D.T. 1200 (C.R.T.), D.T.E. 2006T-818 (C.R.T.) (révision en vertu de l'article 127 C.T. refusée).
Jeanson c. *R. Marcil & Frères inc.*, D.T.E. 2005T-988 (C.R.T.).
Djemaï c. *Clôtures Bénor inc.*, (2001) R.J.D.T. 1900 (C.T.), D.T.E. 2001T-1130 (C.T.).
Lagacé c. *Matériaux à bas prix ltée (Matériaux de construction Lachute)*, D.T.E. 2001T-61 (C.T.) (appel rejeté: D.T.E. 2001T-585 (T.T.)) (règlement hors cour).
Provost c. *Bureau d'éthique commerciale de Montréal inc.*, (1999) R.J.D.T. 233 (C.T.), D.T.E. 99T-102 (C.T.).

123.4/2 En vertu de l'article 122 L.N.T., le salarié bénéficie d'une présomption après avoir établi certains faits. Il revient par la suite à l'employeur de prouver que la sanction imposée ne résulte pas d'une situation protégée par la loi, mais plutôt d'une autre cause juste et suffisante. Malgré la similitude des termes utilisés à l'article 124 L.N.T. quant à la cause juste et suffisante, le processus intellectuel que doit suivre le commissaire appelé à apprécier la preuve qui lui est soumise en vertu d'une plainte selon l'article 122 L.N.T. est complètement différent de celui qu'il doit suivre lorsqu'il est saisi d'une plainte basée sur l'article 124 L.N.T. Malgré l'expression «cause juste et suffisante», sa tâche ne comporte en rien l'obligation de procéder à une enquête approfondie sur la valeur des motifs avancés par l'employeur en regard de la sanction. Le commissaire doit plutôt vérifier si la cause est sérieuse et véritable plutôt que juste et suffisante.

En vertu d'une plainte selon l'article 124 L.N.T., la situation est tout autre puisque le commissaire doit apprécier la sanction imposée au salarié. Donc, les deux recours reposent sur des principes juridiques totalement différents, et le salarié a le droit de les exercer parallèlement. Les différences fondamentales entre les deux recours et le principe du cumul des recours font échec à la possibilité d'appliquer aux motifs qui sous-tendent la décision rendue sur la plainte soumise en vertu de l'article 122 L.N.T., l'autorité de la chose jugée à l'égard de la décision sur l'autre plainte.
Provost c. *Hakim*, D.T.E. 97T-1315 (C.A.), J.E. 97-2076 (C.A.), REJB 1997-03065 (C.A.).

123.4/3 Le commissaire n'a pas à se prononcer préliminairement sur la présomption concernant l'exercice d'un droit.
Locweld inc. c. *Burns*, D.T.E. 83T-882 (C.S.) (appel rejeté: C.A.M. n^{0} 500-09-001629-831, le 31 octobre 1984) (par analogie).
Monitronik ltée c. *Garand*, D.T.E. 83T-748 (T.T.).

123.4/4 La Commission des relations du travail est liée par l'admission des parties concernant l'application de la présomption.
Fréchette c. *Commission des relations du travail*, D.T.E. 2007T-500 (C.S.).

123.4/5 La présomption est un mode, un procédé de preuve et non un préalable à la recevabilité d'une plainte.
Rousseau c. *Calko Canada inc.*, D.T.E. 84T-690 (T.T.).
V. aussi: *Léger-Gilles-Jean* c. *Centre d'accueil Denis-Benjamin Viger*, D.T.E. 91T-414 (T.T.).

123.4/6 Pour bénéficier de la présomption un salarié n'a qu'à démontrer un lien ou une relation chronologique entre la possibilité d'exercice d'un droit ou d'un motif indiqué à l'article 122 L.N.T. et la mesure dont il se plaint.
Lauzon c. *Centre hospitalier Ste-Jeanne d'Arc*, D.T.E. 88T-482 (T.T.).
Papaconstantinou c. *2848-5217 Québec inc.*, D.T.E. 97T-1085 (C.T.).

123.4/7 Le fait que l'employeur ne soit pas au courant du dépôt de la plainte du salarié ne fait pas échec à l'établissement de la présomption. Toutefois, cette ignorance est un facteur qui doit être pris en considération par la Commission des relations du travail dans l'analyse de la vraisemblance des motifs invoqués au soutien de la décision de l'employeur.
Bangia c. *Nadler Danino, s.e.n.c.*, (2006) R.J.D.T. 1200 (C.R.T.), D.T.E. 2006T-818 (C.R.T.) (révision en vertu de l'article 127 C.T. refusée).

123.4/8 La connaissance, par l'employeur, de l'exercice par le salarié d'un droit prévu à la *Loi sur les normes du travail*, n'est pas un critère d'application de la présomption. Toutefois, ce facteur peut jouer en faveur de la crédibilité de

l'employeur au moment d'établir l'existence d'une autre cause juste et suffisante de congédiement.
Fredette c. *ML Air inc.*, D.T.E. 2008T-673 (C.R.T.).

123.4/9 Pour établir la présomption, le salarié plaignant doit faire la preuve d'une contravention de l'employeur qui cesse ou dont il a connaissance dans les 45 jours du dépôt de la plainte.
Mailloux c. *Outland Reforestation inc. (La Forêt de demain)*, D.T.E. 2006T-576 (C.R.T.) (révision en vertu de l'article 127 C.T. refusée) (révision judiciaire refusée: D.T.E. 2008T-242 (C.S.), J.E. 2008-633 (C.S.), EYB 2008-129834 (C.S.)).

123.4/10 En l'absence de toute preuve de l'employeur, le commissaire n'a d'autres alternatives que de constater que la présomption est établie. Il ne peut par son pouvoir d'enquête «trouver» l'autre cause juste et suffisante.
Morris c. *Villa Amanda inc.*, D.T.E. 88T-728 (T.T.).

123.4/11 Il est bien établi que dès que la sanction procède d'un motif illicite ou que celui-ci cohabite avec un autre motif qui, lui, est licite, la présomption prévue par les dispositions de la *Loi sur les normes du travail* n'est pas repoussée.
Calita c. *Pharmacie Linda Frayne & John Di Genova*, D.T.E. 2007T-1004 (C.R.T.).

123.4/12 Le commissaire ne peut exiger une preuve directe pour remplacer la présomption.
Cormier c. *Groupe L.M.B. Experts-conseils (1992) inc.*, (1997) T.T. 249, D.T.E. 97T-530 (T.T.).

123.4/13 La présomption ne peut s'appliquer en faveur du salarié qui ne peut réclamer le paiement d'heures travaillées puisque le registre tenu par l'employeur indique quant aux avances sur salaire un surplus à l'avantage du plaignant.
Normandin c. *Camions Bécancour inc.*, D.T.E. 2009T-138 (C.R.T.).

123.4/14 Le salarié qui veut bénéficier de la présomption doit mettre en preuve certains éléments préliminaires et faire une preuve de concomitance, d'un certain lien logique entre la mesure prise et le fait allégué dans la plainte.
Imam c. *École polytechnique de Montréal*, D.T.E. 90T-1146 (T.T.).
Lauzon c. *Centre hospitalier Ste-Jeanne d'Arc*, D.T.E. 88T-482 (T.T.).
Perzow c. *Dunkley*, D.T.E. 82T-262 (T.T.).
Roy c. *Disque Améric inc.*, D.T.E. 97T-906 (C.T.).
Buth c. *Collège d'enseignement général et professionnel John Abbott*, D.T.E. 96T-295 (C.T.) (révision judiciaire refusée: C.S.M. n° 500-05-015627-969, le 14 août 1996).
Goolab c. *Buanderie Cité inc.*, D.T.E. 82T-137 (C.T.).
Ki Song Oh c. *Université Concordia*, (1982) C.T. 307, D.T.E. 82T-878 (C.T.).

123.4/15 La présomption prévue à l'article 123.4 L.N.T. est établie en faveur du salarié s'il prouve les éléments suivants: qu'il est un salarié, qu'il a exercé un droit en vertu de la Loi, qu'il a été congédié et que sa plainte a été déposée dans les délais légaux. De plus, il doit y avoir une certaine concomitance entre l'exercice du droit et le congédiement. Par la suite, il revient à l'employeur de démontrer l'existence d'une autre cause juste et suffisante de congédiement.
Mainville c. *2745-7563 Québec inc.*, D.T.E. 2000T-206 (C.T.).

123.4/16 Pour que la présomption s'applique en faveur d'un salarié, celui-ci doit mettre en preuve l'existence d'une mesure punitive, à savoir soit un congédiement, une suspension, un déplacement, des mesures discriminatoires ou de représailles ou encore d'autres sanctions. Le simple fait d'appliquer uniformément une directive à tous les salariés ne peut être qualifié de mesure discriminatoire, ou de représailles, visant à se venger du salarié en raison de l'exercice de ses droits.
Roberge c. *Hôtel-Dieu de Sorel*, D.T.E. 97T-623 (C.T.), conf. par (1997) T.T. 398, D.T.E. 97T-929 (T.T.), conf. par D.T.E. 98T-185 (C.S.) (désistement d'appel).

123.4/17 Pour bénéficier de la présomption le salarié doit établir le lien d'emploi, la mesure prohibée, le droit invoqué, de même que la concomitance de la sanction et du droit invoqué.
Senez c. *Coiffure L.J.*, D.T.E. 2001T-462 (C.T.).
Bergeron c. *2971-4821 Québec inc.*, D.T.E. 98T-112 (C.T.) (appel du salarié accueilli et appel de l'employeur rejeté: D.T.E. 98T-920 (T.T.)).

123.4/18 Pour bénéficier de la présomption un plaignant doit établir son statut de salarié, l'exercice d'un droit accordé par la loi, les mesures discriminatoires alléguées et une certaine concomitance entre la sanction et l'exercice d'un droit.
Gaucher c. *3090-1599 Québec inc.*, D.T.E. 99T-132 (C.T.).
Tardif c. *27359975 Québec inc.*, D.T.E. 96T-419 (C.T.).
Durocher c. *A.B.B. Systèmes ingénierie combustion*, (1992) C.T. 24, D.T.E. 92T-136 (C.T.).

123.4/19 Lorsque la preuve établit le statut de salarié, l'existence d'une saisie-arrêt, la rupture du lien d'emploi ainsi que la concomitance de ces deux événements, il y a alors présomption selon laquelle le salarié a fait l'objet d'un congédiement illégal. Pour la repousser, l'employeur doit démontrer de façon prépondérante que les motifs de congédiement sont étrangers à la saisie-arrêt.
McKeefrey c. *A.S.L. Consultants*, D.T.E. 97T-272 (C.T.), conf. par D.T.E. 97T-1003 (T.T.).

123.4/20 À partir du moment où un commissaire détermine que le salarié a droit à la présomption prévue à la *Loi sur les normes du travail*, l'employeur doit démontrer une cause juste et suffisante autre que, par exemple, l'absence pour cause de maladie.
Gendron c. *Centre d'hébergement St-Rédempteur*, (1998) R.J.D.T. 1667 (T.T.), D.T.E. 98T-1243 (T.T.).

123.4/21 La concomitance peut s'établir sur une période de plusieurs mois.
Imam c. *École polytechnique de Montréal*, D.T.E. 90T-1146 (T.T.).
Williams c. *Bell Actimédia services inc.*, D.T.E. 2002T-349 (C.T.).
Kiopini c. *Tidan inc. — Les placements Melcor*, D.T.E. 98T-317 (C.T.).

123.4/22 La notion de concomitance est une question de fait qui doit être évaluée selon les circonstances de chaque affaire.
Cheikh-Bandar c. *Pfizer Canada inc.*, D.T.E. 2008T-306 (C.R.T.) (révision judiciaire refusée: D.T.E. 2008T-877 (C.S.), J.E. 2008-2110 (C.S.), EYB 2008-149144 (C.S.)).

123.4/23 La présomption ne s'applique pas lorsqu'il n'y a pas de concomitance entre le geste posé par le salarié et la sanction prise par l'employeur ou encore,

entre la sanction prise par l'employeur et le délai du dépôt de la plainte. Ainsi, un délai de cinq mois est trop long.
Massand c. *Hunsons Hospitality Corporation / Crowne Plaza Metro Centre / Holiday Inn Crown Plaza Métro Centre*, D.T.E. 2005T-756 (C.R.T.) (révisions en vertu de l'article 127 C.T. refusées).

123.4/24 Le délai d'un mois entre la sanction et l'exercice d'un droit est suffisamment court pour que le salarié bénéficie de la présomption légale.
Raymond c. *Tassé*, D.T.E. 2003T-66 (T.T.).

123.4/25 La présomption ne peut s'appliquer lorsqu'il y a quinze mois qui se sont écoulés entre l'exercice du droit et la fin d'emploi du salarié.
Fortin c. *Consultants B.P.R. (S.E.N.C.)*, D.T.E. 99T-366 (C.T.) (appel rejeté: T.T.Q. n° 200-28-000004-991, le 29 mars 1999).
V. cependant: *Mondor* c. *Bi-op inc.*, D.T.E. 2003T-346 (C.R.T.).

123.4/26 Le fait d'être sur le point de bénéficier de deux ans de service continu suffit pour faire naître la présomption.
Dionne c. *Garage Jules Baillot et Fils ltée*, D.T.E. 91T-1358 (C.T.).

123.4/27 Du simple fait que le congédiement survienne dans les vingt semaines suivant le retour au travail de la salariée à la suite d'un congé de maternité, la présomption s'applique.
Plamondon c. *Comptoir de linge usagé d'Amqui inc.*, D.T.E. 96T-292 (C.T.).

123.4/28 La présomption s'applique lorsqu'il y a concomitance entre la grossesse de la salariée et la mesure prise par l'employeur.
Belleau c. *Restaurant Le Bagot*, D.T.E. 96T-541 (C.T.).

123.4/29 Lorsque l'employeur met fin à l'emploi de la salariée pendant que cette dernière est en congé de maternité, il y a application automatique de la présomption.
Petitclerc c. *Québec (Conseil du trésor)*, D.T.E. 92T-406 (C.T.).

AUTRE CAUSE JUSTE ET SUFFISANTE

Général

123.4/30 Pour repousser la présomption établie en faveur du salarié, l'employeur a le fardeau de prouver que le salarié a été congédié pour une cause juste et suffisante. Ainsi, le commissaire doit déterminer si l'autre cause invoquée par l'employeur est une cause sérieuse par opposition à un prétexte, et si elle constitue la véritable cause du congédiement.
Hilton Québec ltée c. *Tribunal du travail*, (1980) 1 R.C.S. 548.
Lafrance c. *Commercial Photo Service inc.*, (1980) 1 R.C.S. 536.
Beauchamp c. *Tribunal du travail*, D.T.E. 96T-708 (C.S.) (règlement hors cour).
Di Lillo c. *Services financiers groupe Investors inc.*, D.T.E. 2009T-158 (C.R.T.).
Duguay c. *Blais*, D.T.E. 2009T-188 (C.R.T.) (révision en vertu de l'article 127 C.T. refusée).
Bellemare c. *Commission scolaire Crie*, D.T.E. 2008T-215 (C.R.T.) (révision en vertu de l'article 127 C.T. refusée).
Bérubé c. *Rousseau Métal inc.*, D.T.E. 2008T-486 (C.R.T.).
Boucher c. *Café central Coaticook*, D.T.E. 2008T-471 (C.R.T.).

Meilleur c. *Québec (Ministère de l'Emploi, de la Solidarité sociale et de la Famille)*, D.T.E. 2008T-458 (C.R.T.) (révision en vertu de l'article 127 C.T. refusée).
Payen c. *Centre d'hébergement de la Villa-les-Tilleuls inc.*, D.T.E. 2008T-456 (C.R.T.).
Primeau c. *Schering-Plough Canada inc.*, D.T.E. 2008T-702 (C.R.T.) (requête en révision judiciaire: n⁰ 500-17-045268-086).
Théorêt c. *Bodycote Essais de matériaux Canada inc. (Technitrol Bodycote)*, D.T.E. 2008T-99 (C.R.T.) (règlement hors cour).
Bellemare c. *2543-3012 Québec inc.*, D.T.E. 2007T-299 (C.R.T.).
Bissonnette c. *Novartis Pharma Canada inc.*, D.T.E. 2007T-745 (C.R.T.) (en révision).
Calita c. *Pharmacie Linda Frayne & John Di Genova*, D.T.E. 2007T-1004 (C.R.T.).
Cantin c. *Société des casinos du Québec inc. (Casino de Charlevoix)*, D.T.E. 2007T-771 (C.R.T.) (révision en vertu de l'article 127 C.T. refusée).
Comeau c. *Robert Dessureault (1990) ltée*, D.T.E. 2007T-368 (C.R.T.).
Côté c. *Stoneham-et-Tewkesbury (Cantons unis de) (Service des incendies)*, (2007) R.J.D.T. 512 (C.R.T.), D.T.E. 2007T-365 (C.R.T.).
Doyon c. *Entreprises Jacques Despars inc.*, (2007) R.J.D.T. 1089 (C.R.T.), D.T.E. 2007T-645 (C.R.T.) (révision en vertu de l'article 127 C.T. refusée: D.T.E. 2008T-22 (C.R.T.)).
Foisy c. *Centre de défense des droits de la Montérégie*, D.T.E. 2007T-812 (C.R.T.).
Gervais c. *Ethica Clinical Research Inc. / Ethica Recherche clinique*, D.T.E. 2007T-983 (C.R.T.).
Godin c. *Home Dépôt du Canada inc.*, D.T.E. 2007T-547 (C.R.T.).
Lizotte c. *Solutions Mindready inc.*, D.T.E. 2007T-548 (C.R.T.).
Bangia c. *Nadler Danino, s.e.n.c.*, (2006) R.J.D.T. 1200 (C.R.T.), D.T.E. 2006T-818 (C.R.T.) (révision en vertu de l'article 127 C.T. refusée).
Chauvette c. *Méthot (Résidence Louis Bourg)*, D.T.E. 2006T-546 (C.R.T.).
Dufresne c. *Drainamar inc. SARP-Drainamar*, D.T.E. 2006T-835 (C.R.T.).
Marcoux c. *Classified Media (Canada) Holdings Inc. — Auto Hebdo*, D.T.E. 2006T-837 (C.R.T.).
Santerre c. *Maisons usinées Côté inc.*, D.T.E. 2006T-906 (C.R.T.).
Grégoire c. *Joly*, (2000) R.J.D.T. 625 (T.T.), D.T.E. 2000T-514 (T.T.).
Informatech inc. c. *Bass*, D.T.E. 95T-527 (T.T.).
Gaucher c. *3090-1599 Québec inc.*, D.T.E. 99T-132 (C.T.).
Gatien-Théberge c. *Domogetech inc. — Alarme Expert ltée*, (1997) C.T. 163, D.T.E. 97T-588 (C.T.).

123.4/31 Le commissaire doit s'assurer, malgré l'existence d'une preuve à l'effet que le rendement du salarié est insuffisant, qu'il s'agit de la véritable cause du congédiement.
Cie de volailles Maxi ltée c. *Lorrain*, D.T.E. 88T-975 (C.S.), J.E. 88-1304 (C.S.).
Therrien c. *Cie de volailles Maxi ltée*, D.T.E. 90T-873 (C.T.).

123.4/32 L'autre cause juste et suffisante n'a pas à être totalement exempte de contraintes ou d'inconvénients à l'endroit du salarié pour être acceptable ou raisonnable.
Mongeau c. *Resto-casino (Le cabaret du Casino de Montréal)*, D.T.E. 2002T-14 (C.T.).

Cas d'application

123.4/33 Constitue un prétexte, le congédiement soi-disant motivé par une baisse du chiffre d'affaires, en l'absence de preuve suffisante à cet effet.
Grégoire c. *Joly*, (2000) R.J.D.T. 625 (T.T.), D.T.E. 2000T-514 (T.T.).
Alary c. *Voyages Jaro inc.*, D.T.E. 95T-312 (T.T.), conf. par D.T.E. 95T-857 (C.S.).
Mainville c. *2745-7563 Québec inc.*, D.T.E. 2000T-206 (C.T.).
Rood-Pasquini c. *Restaurant Mirada inc.*, (1985) C.T. 49, D.T.E. 85T-87 (C.T.).

123.4/34 Il n'y a pas de cause juste et suffisante dans le cas où il y a une baisse de production momentanée et où l'employeur embauche un nouvel employé quelque temps après le congédiement du plaignant. En effet, un employeur a l'obligation de garder à son service le salarié qui a l'expérience nécessaire pour occuper le poste occupé par le nouvel employé.
Achkar c. *Industries Promatek ltée*, (1996) C.T. 44, D.T.E. 96T-41 (C.T.).

123.4/35 La réalisation d'économies réelles par un employeur, dont c'est l'objectif véritable, constitue une cause juste et suffisante de mise à pied du personnel, lorsque le rendement de l'entreprise doit en bénéficier.
Office municipal d'habitation de Québec c. *Savard-Landry*, D.T.E. 83T-687 (T.T.).

123.4/36 La perte de contrat pour un employeur constitue une autre cause juste et suffisante de congédiement.
Lizotte c. *Solutions Mindready inc.*, D.T.E. 2007T-548 (C.R.T.).
Fortin c. *Consultants B.P.R. (S.E.N.C.)*, D.T.E. 99T-366 (C.T.) (appel rejeté: T.T.Q. n° 200-28-000004-991, le 29 mars 1999).

123.4/37 Des motifs d'ordre économique, comme les difficultés financières de l'entreprise, constituent une autre cause juste et suffisante de congédiement.
Lizotte c. *Solutions Mindready inc.*, D.T.E. 2007T-548 (C.R.T.).

123.4/38 Le manque de travail invoqué par l'employeur peut n'être qu'un prétexte pour se débarrasser d'un salarié.
Fattahi c. *Québec (Ministère de la Sécurité publique)*, D.T.E. 2007T-666 (C.R.T.).

123.4/39 Il n'y a pas d'autre cause juste et suffisante, dans le cas de motif d'ordre économique, lorsque l'employeur congédie le salarié pour le remplacer par d'autres venant de l'extérieur et requérant des périodes de formation dont les résultats sont plus désastreux les uns que les autres.
Beauchamp c. *Urgel Bourgie ltée*, D.T.E. 95T-1373 (C.T.), conf. par D.T.E. 96T-708 (C.S.), inf. D.T.E. 96T-175 (T.T.) (règlement hors cour).

123.4/40 Il n'y a pas d'autre cause juste et suffisante de congédiement dans le cas où les tâches d'un concierge préposé à l'entretien sont confiées en sous-traitance. Une réorganisation administrative peut n'être qu'un prétexte pour se débarrasser d'un salarié.
Tardif c. *Office municipal d'habitation de La Pocatière*, D.T.E. 2007T-366 (C.R.T.).

123.4/41 La décision de modifier un poste contractuel en poste permanent est une décision administrative qui a notamment pour but de réduire les coûts et constitue une autre cause juste et suffisante.

Buth c. *Collège d'enseignement général et professionnel John Abbott*, D.T.E. 96T-295 (C.T.) (révision judiciaire refusée: C.S.M. n° 500-05-015627-969, le 14 août 1996).

123.4/42 La réorganisation administrative de la direction d'une ville ne constitue pas nécessairement une autre cause juste et suffisante de déplacement.
Paquet c. *Montréal (Ville de)*, D.T.E. 2008T-846 (C.R.T.).

123.4/43 L'annulation d'un congé parental due à l'absence du salarié, non pas pour s'occuper de son enfant mais à cause de son incarcération, ne peut être une autre cause juste et suffisante de congédiement.
Blais c. *Québec (Ville de)*, (1998) R.J.D.T. 1278 (C.T.), D.T.E. 98T-956 (C.T.) (appel rejeté: (1999) R.J.D.T. 163 (T.T.), D.T.E. 99T-67 (T.T.), REJB 1998-10046 (T.T.)).

123.4/44 Les fréquents retards constituent une cause de congédiement.
Dionne c. *Garage Jules Baillot et Fils ltée*, D.T.E. 91T-1358 (C.T.).
Péloquin c. *Cie d'assurance du Canada sur la vie (5752-0604)*, D.T.E. 91T-217 (C.T.).

123.4/45 Les fréquents retards constituent une autre cause juste et suffisante de congédiement lorsqu'il y a eu application de la théorie de la progression des sanctions.
Roy c. *Disque Améric inc.*, D.T.E. 97T-906 (C.T.).

123.4/46 Le refus d'effectuer des heures supplémentaires de travail ne constitue pas nécessairement une autre cause juste et suffisante.
Van Deynse c. *Roch Fréchette et Fils inc.*, D.T.E. 94T-291 (C.T.).

123.4/47 La menace du salarié, un préposé à la signalisation d'un chantier sur un pont, de ne pas se présenter au travail pour le motif que l'employeur a fait défaut de payer les heures supplémentaires effectuées, constitue une autre cause juste et suffisante de congédiement si le salarié a délibérément cherché à paralyser la réalisation des travaux et à retarder l'ouverture du pont afin de placer l'employeur dans une situation préjudiciable en raison des pénalités associées au retard auxquelles il s'expose en cas d'ouverture tardive.
Paquet c. *Société de services en signalisation SSS inc.*, D.T.E. 2006T-1088 (C.R.T.).

123.4/48 La non-disponibilité du salarié selon l'horaire de travail établi par l'employeur constitue une autre cause juste et suffisante de congédiement lorsque l'exigence de l'employeur ne peut être qualifiée de caprice ou de prétexte.
Noël c. *Moulins de tricots San Remo inc.*, D.T.E. 96T-1298 (C.T.).

123.4/49 La réduction des heures de travail, en fonction d'un manque de disponibilité du salarié, peut n'être qu'un prétexte pour le punir d'avoir réclamé une indemnité pour les jours fériés.
Page c. *Auberge Ripplecove (1985) inc.*, D.T.E. 2001T-186 (C.T.).

123.4/50 Le départ anticipé du salarié avant la fin de son quart de travail constitue une autre cause juste et suffisante de congédiement.
Bellemare c. *2543-3012 Québec inc.*, D.T.E. 2007T-299 (C.R.T.).
Déziel c. *9051-5974 Québec inc. (Boulangerie St-Esprit)*, D.T.E. 2005T-993 (C.R.T.).

123.4/51 Les simples allégations d'erreurs commises sans expliquer en quoi elles consistent ne constituent pas une autre cause juste de congédiement.
Cloutier c. *Programme de protection prolongée des concessionnaires automobiles ltée*, D.T.E. 91T-1083 (T.T.).

123.4/52 Ne constitue pas une autre cause juste et suffisante de congédiement, le fait pour un cadre d'une entreprise de procéder à un congédiement et le fait de présenter une fausse facture dans le cas particulier où l'employé ne s'en est pas servi.
Plamondon c. *Comptoir de linge usagé d'Amqui inc.*, D.T.E. 96T-292 (C.T.).

123.4/53 Les absences non autorisées constituent une cause juste de congédiement lorsqu'elles paralysent le fonctionnement de l'entreprise.
Citipark, a Division of Citicom inc. c. *Burke*, (1988) T.T. 223, D.T.E. 88T-434 (T.T.).
Loiseau c. *Restaurant Le Routier Enrg.*, D.T.E. 89T-177 (C.T.).

123.4/54 L'absence du salarié sans autorisation pour prendre son congé annuel ne constitue pas une autre cause juste et suffisante de congédiement, lorsqu'il y a eu accord de principe survenu un an plus tôt avec l'employeur et que celui-ci ne respecte pas cet accord. De plus, cette absence ne constitue pas un acte d'insubordination.
Mainville c. *2745-7563 Québec inc.*, D.T.E. 2000T-206 (C.T.).

123.4/55 Les faux motifs d'absence du travail du salarié, sous prétexte de ses obligations parentales, constituent une autre cause juste et suffisante de congédiement.
Éthier c. *Goodyear Canada inc.*, D.T.E. 2004T-1042 (C.R.T.).

123.4/56 Les absences d'un salarié dues à son état de santé et à ses obligations parentales ne peuvent constituer une cause juste et suffisante de congédiement.
Cascades inc. c. *Larochelle*, D.T.E. 99T-189 (T.T.).

123.4/57 Lors d'une réorganisation administrative, l'employeur ne pouvait se fonder sur l'absence du salarié plaignant pour le licencier, car ce dernier était alors absent en raison d'un congédiement qui a été déclaré illégal par la Commission des relations du travail qui a ordonné sa réintégration. Cette absence ne peut donc constituer une autre cause juste et suffisante de congédiement.
Ouellette c. *SSAB Hardox*, D.T.E. 2008T-236 (C.R.T.).

123.4/58 L'absence du salarié pour une durée indéterminée et les difficultés de le remplacer peuvent constituer un prétexte et non une autre cause juste et suffisante de congédiement compte tenu des circonstances.
Joseph c. *Corp. financière Télétech*, D.T.E. 2000T-648 (C.T.).

123.4/59 L'absence d'un salarié à cause de son incapacité psychologique, prouvée par expertise médicale, peut constituer une cause de refus de retour au travail par l'employeur.
Couture c. *Centres jeunesse de la Montérégie*, (2000) R.J.D.T. 1672 (C.T.), D.T.E. 2000T-924 (C.T.).

123.4/60 Le fait de ne pas se présenter au travail alors que le salarié a déposé un certificat médical attestant qu'il est apte à revenir au travail, constitue une autre cause juste et suffisante de congédiement.
Cadet c. *Imprimeries Transcontinental, s.e.n.c.*, D.T.E. 2007T-300 (C.R.T.).

123.4/61 L'attitude vexatoire d'un salarié à l'égard des clients de l'entreprise constitue une cause juste et suffisante.
Jeanson c. *R. Marcil & Frères inc.*, D.T.E. 2005T-988 (C.R.T.).
Crépeau c. *Marché Roxboro inc.*, D.T.E. 85T-86 (C.T.).

123.4/62 Le fait d'invoquer comme motif de congédiement l'attitude intransigeante du salarié peut n'être qu'un prétexte pour se débarrasser de celui-ci.
Harendorf c. *Épicerie Alfalfa international inc.*, D.T.E. 2008T-955 (C.R.T.).

123.4/63 L'impolitesse d'un salarié envers la clientèle de l'employeur et son attitude vexatoire constituent une autre cause juste et suffisante de congédiement.
Jeanson c. *R. Marcil & Frères inc.*, D.T.E. 2005T-988 (C.R.T.).
Kiopini c. *Tidan inc. — Les placements Melcor*, D.T.E. 98T-317 (C.T.).

123.4/64 Le salarié qui refuse d'adresser la parole à un collègue de travail ne respecte pas son obligation de collaborer avec les autres salariés. Cette attitude constitue par le fait même une autre cause juste et suffisante de congédiement.
Carrier c. *Dolbec Y Logistique international inc.*, D.T.E. 2005T-595 (C.R.T.).

123.4/65 Un conflit de personnalités peut n'être qu'un prétexte pour se débarrasser d'un salarié, lorsqu'il y a absence de critères dans le choix du salarié à licencier.
Girard c. *Centre du camion Nutrinor inc.*, D.T.E. 2004T-693 (C.R.T.).

123.4/66 Constitue un prétexte, le congédiement d'un salarié, soi-disant pour son attitude désinvolte et agressive, survenant le lendemain de sa réclamation pour le paiement d'heures supplémentaires.
Da Ponte c. *Restaurant Alexandre inc.*, D.T.E. 2000T-1123 (C.T.).

123.4/67 Les menaces adressées à des collègues, le bris d'équipement, le non-respect de l'autorité peuvent ne pas constituer les causes véritables du congédiement, mais de simples prétextes pour se débarrasser d'un salarié.
Lagacé c. *Matériaux à bas prix ltée (Matériaux de construction Lachute)*, D.T.E. 2001T-61 (C.T.) (appel rejeté: D.T.E. 2001T-585 (T.T.)) (règlement hors cour).

123.4/68 L'utilisation d'un langage abusif à l'endroit de son supérieur, l'insubordination du plaignant et son attitude colérique constituent une autre cause juste et suffisante de congédiement.
Deschênes c. *Desmeules Automobiles inc.*, D.T.E. 2007T-478 (C.R.T.).

123.4/69 L'incompétence, l'incapacité de rencontrer certaines normes de rendement, la lenteur dans l'exécution des tâches peuvent constituer une cause juste et suffisante de congédiement.
Boucher c. *Café central Coaticook*, D.T.E. 2008T-471 (C.R.T.).
Informatech inc. c. *Bass*, D.T.E. 95T-527 (T.T.).
Germain c. *Pierre Desmarais inc.*, (1985) C.T. 134, D.T.E. 85T-250 (C.T.).
McEvoy c. *École Sacré-Coeur de Montréal*, (1985) C.T. 258, D.T.E. 85T-482 (C.T.).

Vivier c. *Industrielle (L') Cie d'assurance sur la vie*, (1983) C.T. 48, D.T.E. 83T-186 (C.T.).
Goolab c. *Buanderie Cité inc.*, D.T.E. 82T-137 (C.T.).

123.4/70 Le rendement insatisfaisant d'un pompier volontaire, l'altercation qu'il a eue avec un citoyen et sa conduite dangereuse constituent une autre cause juste et suffisante de congédiement.
Côté c. *Stoneham-et-Tewkesbury (Cantons unis de) (Service des incendies)*, (2007) R.J.D.T. 512 (C.R.T.), D.T.E. 2007T-365 (C.R.T.).

123.4/71 La mauvaise qualité du travail du salarié, observée depuis quelques mois, la négligence de sa part ainsi que des problèmes dans ses relations avec ses collègues constituent une autre cause juste et suffisante de congédiement.
Témèse c. *Centre pré-scolaire Montessori*, D.T.E. 99T-592 (C.T.).

123.4/72 Les manquements professionnels du salarié constituent une autre cause juste et suffisante de congédiement.
Payen c. *Centre d'hébergement de la Villa-les-Tilleuls inc.*, D.T.E. 2008T-456 (C.R.T.).

123.4/73 La mauvaise exécution du travail par un salarié constitue une autre cause juste et suffisante de sanction.
Gagné c. *St-Hubert-de-Rivière-du-Loup (Municipalité de)*, D.T.E. 2000T-845 (C.T.).

123.4/74 Il n'y a pas de cause juste et suffisante de congédiement pour rendement insatisfaisant, lorsque l'employeur ne respecte pas le délai qu'il a lui-même accordé au salarié pour s'amender.
Caissié c. *Priszm Brandz inc.*, D.T.E. 2005T-387 (C.R.T.).

123.4/75 Le rendement insatisfaisant et les erreurs commises par un salarié dans l'exécution de ses fonctions constituent une autre cause juste et suffisante de congédiement compte tenu du fait que l'employeur doit être assuré de l'efficacité de ses salariés s'il veut que son entreprise demeure rentable. De plus, on ne peut exiger d'un employeur qu'il crée un poste correspondant aux capacités du salarié.
Gatien-Théberge c. *Domogetech inc. — Alarme Expert ltée*, (1997) C.T. 163, D.T.E. 97T-588 (C.T.).

123.4/76 Doivent être considérés comme des prétextes, le rendement inférieur à la moyenne et le flânage, lorsque le congédiement survient après que le salarié ait été réintégré à la suite d'une première plainte de congédiement.
Therrien c. *Cie de volailles Maxi ltée*, D.T.E. 90T-873 (C.T.).

123.4/77 La détérioration du climat de travail et le non-respect des directives qui sont des motifs non divulgués au moment du renvoi, peuvent ne pas constituer une autre cause juste et suffisante de congédiement.
Chartray c. *U.A.P. inc.*, (2000) R.J.D.T. 1653 (T.T.), D.T.E. 2000T-1173 (T.T.).

123.4/78 L'attitude et le comportement inadéquats, ainsi que le climat de travail entretenu avec les collègues, la clientèle et les supérieurs constituent une autre cause juste et suffisante de congédiement.
Comeau c. *Robert Dessureault (1990) ltée*, D.T.E. 2007T-368 (C.R.T.).
Jeanson c. *R. Marcil & Frères inc.*, D.T.E. 2005T-988 (C.R.T.).

123.4/79 L'application de directives strictes sur la gestion du personnel, faisant en sorte de mettre fin à l'emploi d'un salarié, peut n'être qu'un prétexte lorsque celles-ci sont régulièrement contournées.
Bouchard c. *R.*, D.T.E. 95T-341 (T.T.).

123.4/80 Est illégal le congédiement du salarié parce qu'il a dénoncé un comportement de l'employeur contraire à l'ordre public, et ce, compte tenu du fait qu'il a déposé des plaintes à cet égard auprès des organismes responsables du respect des droits.
Cheikh-Bandar c. *Pfizer Canada inc.*, D.T.E. 2008T-306 (C.R.T.) (révision judiciaire refusée: D.T.E. 2008T-877 (C.S.), J.E. 2008-2110 (C.S.), EYB 2008-149144 (C.S.)).

123.4/81 Le refus du salarié d'accepter des affectations peut ne pas constituer une autre cause juste et suffisante de congédiement.
S.N.C. Lavalin inc. c. *Lemelin*, D.T.E. 99T-751 (T.T.).

123.4/82 Constitue une autre cause juste et suffisante de congédiement, le fait que l'employeur soit obligé de se conformer à la *Loi sur la santé et la sécurité du travail* (L.R.Q., c. S-2.1).
Tremblay-Pilote c. *Pêcherie Manicouagan inc.*, D.T.E. 98T-560 (C.T.).

123.4/83 La falsification par un salarié d'un document, en l'espèce un certificat médical, constitue une autre cause juste et suffisante de congédiement.
Primeau c. *Schering-Plough Canada inc.*, D.T.E. 2008T-702 (C.R.T.) (requête en révision judiciaire: n° 500-17-045268-086).

123.4/84 L'acte d'insubordination peut être une cause juste et suffisante de congédiement.
Beauvais c. *Camps Ford inc.*, D.T.E. 83T-777 (C.T.).

123.4/85 L'insubordination, le non-respect des directives et les fautes commises dans l'exécution du travail constituent une autre cause juste et suffisante de congédiement.
Foisy c. *Centre de défense des droits de la Montérégie*, D.T.E. 2007T-812 (C.R.T.).

123.4/86 Pour constituer une cause juste et suffisante de congédiement, l'attitude négative du salarié doit faire l'objet d'une preuve très convaincante.
Caisse populaire de Vimont c. *Lachance*, D.T.E. 91T-184 (T.T.).
Électrolux Canada, division de Consolidated Foods du Canada ltée c. *Perron*, D.T.E. 83T-724 (T.T.).

123.4/87 Constitue une autre cause juste et suffisante de congédiement le manque de loyauté du salarié qui a tenu un discours alarmant auprès de ses collègues relativement à des difficultés financières de l'entreprise et à la possibilité d'une faillite en plus de s'être attaqué à la compétence des dirigeants.
Fredette c. *ML Air inc.*, D.T.E. 2008T-673 (C.R.T.).

123.4/88 Un supposé manquement à l'obligation de confidentialité, un manque de respect envers ses collègues, des retards constants et une attitude négative au

travail, peuvent constituer des prétextes pour se débarrasser d'un salarié qui a exercé un droit résultant de la *Loi sur les normes du travail*.
Filion c. *Service de personnel Berlys inc.*, D.T.E. 2000T-515 (C.T.).

123.4/89 L'absence de connaissance de l'employeur de l'exercice par le salarié d'un droit protégé, soit le dépôt d'une plainte pour harcèlement psychologique, n'est pas un élément pertinent au stade de la présomption et ne constitue pas une autre cause juste et suffisante de congédiement.
Vézina c. *Agence universitaire de la Francophonie*, (2009) R.J.D.T. 117 (C.R.T.), D.T.E. 2009T-40 (C.R.T.) (règlement hors cour).

123.4/90 Le fait de demander une promotion dans un autre service n'est pas une cause raisonnable de renvoi.
Panalpina inc. c. *Forest*, D.T.E. 91T-590 (T.T.).

123.4/91 Le fait de refuser de négocier les demandes du salarié ne constitue pas une autre cause juste et suffisante de congédiement.
Dary c. *Nocera*, D.T.E. 99T-482 (C.T.) (révision judiciaire refusée: D.T.E. 99T-1003 (C.S.)).

123.4/92 Le refus par le salarié de signer une lettre d'entente selon laquelle celui-ci renonce à la rémunération à laquelle il croit avoir droit pour la formation qu'il a suivie, ne constitue pas une autre cause juste et suffisante de congédiement.
Johnson c. *Beaupré (Ville de)*, D.T.E. 2007T-644 (C.R.T.) (désistement de la révision judiciaire).

123.4/93 Le refus du salarié de rembourser un déficit de caisse ne constitue pas une autre cause juste et suffisante de congédiement.
Lopes c. *9163-1234 Québec inc. (Moulin Rouge)*, D.T.E. 2008T-897 (C.R.T.).

123.4/94 L'utilisation du service de garde scolaire en place au lieu de continuer à employer une gouvernante, peut ne pas constituer une autre cause juste et suffisante de congédiement, mais bien un prétexte.
Dian-David c. *Shinder*, D.T.E. 2002T-281 (C.T.).

123.4/95 Le fait de ne pas avertir l'employeur de son absence, lors d'un jour férié, constitue une cause juste et suffisante de congédiement.
Vézina c. *Barbotine inc.*, (1999) R.J.D.T. 1663 (C.T.), D.T.E. 99T-911 (C.T.).

123.4/96 Les fausses déclarations d'un salarié eu égard à ses motifs d'absence, compte tenu que celui-ci occupe un autre emploi pour un autre employeur, constituent une autre cause juste et suffisante de congédiement.
McLaughlin c. *Resto-casino inc.*, D.T.E. 98T-1004 (C.T.).

123.4/97 La prestation de travail effectuée par le salarié, pour le bénéfice d'un autre employeur, durant une absence pour cause de maladie ou d'accident, constitue une autre cause juste et suffisante de congédiement.
Godin c. *Home Dépôt du Canada inc.*, D.T.E. 2007T-547 (C.R.T.).

123.4/98 Le vol, par le salarié, peut constituer un prétexte pour expliquer après coup la mesure imposée par l'employeur.
Gagné c. *9032-5481 Québec inc.*, D.T.E. 2002T-87 (C.T.).

123.4/99 Alléguer que le salarié a utilisé un langage abusif et a proféré des menaces peut constituer un prétexte pour se débarrasser de celui-ci.
Lavallée c. *Ordre loyal des Moose, loge 2004 Lachine*, (2002) R.J.D.T. 1634 (C.T.), D.T.E. 2002T-1108 (C.T.).

123.4/100 Les propos tenus par un salarié, contenus dans un courriel, peuvent ne pas constituer un motif sérieux de congédiement, mais peuvent cacher un prétexte pour se débarrasser de celui-ci.
Cheikh-Bandar c. *Pfizer Canada inc.*, D.T.E. 2008T-306 (C.R.T.) (révision judiciaire refusée: D.T.E. 2008T-877 (C.S.), J.E. 2008-2110 (C.S.), EYB 2008-149144 (C.S.)).

123.4/101 Le non-renouvellement d'un contrat de travail en raison de l'invalidité du conjoint, dans le cas d'un couple de concierges, constitue une autre cause juste et suffisante de congédiement.
Labrie-Langlois c. *20 du Rhône Condominium*, D.T.E. 2000T-720 (C.T.).

123.4/102 Le non-renouvellement du contrat de travail du salarié est justifié dans le cas où celui-ci n'obtient pas, dans les délais prévus, son permis d'enseignement conformément à la *Loi sur l'instruction publique* (L.R.Q., c. I-13.3).
Bellemare c. *Commission scolaire Crie*, D.T.E. 2008T-215 (C.R.T.) (révision en vertu de l'article 127 C.T. refusée).

123.4/103 Le fait de ne pas renouveler le contrat d'un fonctionnaire occasionnel dans un contexte de compression budgétaire, parce qu'il avait une connaissance insuffisante de l'anglais, ne constitue pas un prétexte mais une autre cause juste et suffisante de congédiement.
Meilleur c. *Québec (Ministère de l'Emploi, de la Solidarité sociale et de la Famille)*, D.T.E. 2008T-458 (C.R.T.) (révision en vertu de l'article 127 C.T. refusée).

123.4/104 Le fait, pour un agent de sécurité de nuit dans un hôtel, de s'enfermer à clé dans un local pendant vingt minutes constitue une autre cause juste et suffisante de congédiement et non un prétexte.
Massand c. *Hunsons Hospitality Corp.*, D.T.E. 2000T-770 (C.T.) (appel rejeté: D.T.E. 2001T-242 (T.T.)) (révision judiciaire refusée: C.S.M. n° 500-05-063691-016, le 22 mai 2002).

123.4/105 En l'absence d'indices sérieux, précis et concordants de la volonté de l'employeur de conditionner l'emploi d'un salarié à celui de son conjoint, il ne peut y avoir cause juste et suffisante de congédiement.
Trottier c. *Charbonneau*, D.T.E. 87T-715 (T.T.).

123.4/106 L'absence d'intérêt manifesté par un employé envers l'achat d'une partie de l'entreprise de son employeur ne peut constituer une cause juste et suffisante si le salarié a encore trente jours pour répondre à l'offre d'achat.
Budai c. *Pearl*, D.T.E. 95T-1374 (T.T.).

123.4/107 Le fait de solliciter des fournisseurs de son employeur à des fins personnelles et de contrevenir à un règlement de l'entreprise demandant de faire affaire avec les fournisseurs de pièces offrant le meilleur coût d'achat, constitue

une autre cause juste et suffisante de congédiement, puisque le salarié manque alors à son obligation de loyauté en se mettant en conflit d'intérêts.
Morin c. *Carrière Union ltée*, D.T.E. 2006T-395 (C.R.T.) (révision en vertu de l'article 127 C.T. refusée: D.T.E. 2006T-887 (C.R.T.)) (désistement de la révision judiciaire).

123.4/108 Le fait pour un conseiller financier de contrevenir à son obligation de loyauté en se plaçant en situation de conflit d'intérêts avec son employeur, soit en lui faisant concurrence et en utilisant des biens appartenant à celui-ci, tels que les adresses et les numéros de téléphone de la clientèle pendant son emploi, constitue une autre cause juste et suffisante de congédiement.
Di Lillo c. *Services financiers groupe Investors inc.*, D.T.E. 2009T-158 (C.R.T.).

123.4/109 Constitue une autre cause juste et suffisante de congédiement, le non-respect des heures d'ouverture d'un restaurant par un salarié.
Laganière c. *Cantine Chez Paul Enr.*, D.T.E. 94T-367 (C.T.).

123.4/110 La mise à pied d'un employé temporaire peut constituer une autre cause juste et suffisante.
Gagné c. *St-Hubert-de-Rivière-du-Loup (Municipalité de)*, D.T.E. 2000T-845 (C.T.).

123.4/111 La fin de l'emploi du salarié à la suite d'une réorganisation administrative est due à des problèmes de disponibilité, d'attitude et de rendement. Ceci constitue une autre cause juste et suffisante de fin d'emploi.
Herrera c. *Fonds de placement immobilier d'immeubles résidentiels canadiens Cap Reit*, D.T.E. 2008T-913 (C.R.T.).

123.4/112 Les motifs d'ordre économique et de rendement insatisfaisant peuvent ne constituer que des prétextes pour se débarrasser d'un salarié.
Chauvette c. *Méthot (Résidence Louis Bourg)*, D.T.E. 2006T-546 (C.R.T.).

123.4/113 La réorganisation administrative de l'entreprise peut n'être qu'un prétexte pour se débarrasser d'un salarié.
Payette c. *Gestion Mimakar inc.*, D.T.E. 2009T-173 (C.R.T.).

123.4/114 L'abolition de poste due à des prétendus motifs d'ordre économique peut ne constituer qu'un prétexte dans le cas où les tâches du salarié congédié ont été redistribuées entre deux salariés.
Blais c. *Lavery, de Billy*, D.T.E. 96T-197 (T.T.).
Milliard c. *Lavery, de Billy*, D.T.E. 96T-196 (T.T.).
V. aussi: *Ouellette* c. *SSAB Hardox*, D.T.E. 2008T-236 (C.R.T.).

123.4/115 L'abolition d'un poste due à des changements technologiques constitue une autre cause juste et suffisante de fin d'emploi, et ce, compte tenu du fait que le profil du salarié ne correspond plus au besoin de l'entreprise.
Leona c. *Boulangerie Au Pain doré ltée*, D.T.E. 2004T-463 (C.R.T.).

123.4/116 V. la jurisprudence sous l'article 122(1) à 122(6) L.N.T.

123.4/117 V. BLOUIN, R., «Notion de cause juste et suffisante en contexte de congédiement», (1981) 41 *R. du B.* 807.

PREUVE

N.B. Il est à noter que le commissaire du travail et le Tribunal du travail dont il est question dans certains résumés ont été remplacés par la Commission des relations du travail (L.Q. 2001, c. 26).

123.4/118 Il est établi que le Tribunal du travail peut intervenir dans l'appréciation des faits du commissaire du travail.
Lecours c. *Caisse populaire des fonctionnaires*, (1993) R.J.Q. 2755 (C.A.), D.T.E. 93T-1331 (C.A.), J.E. 93-1951 (C.A.).

123.4/119 Le Tribunal du travail peut intervenir dans l'appréciation des faits si l'erreur commise porte sur une partie importante de la preuve.
Citipark, a Division of Citicom inc. c. *Burke*, (1988) T.T. 223, D.T.E. 88T-434 (T.T.).
V. aussi: *Roger Sévigny et associés inc.* c. *McGrégor*, D.T.E. 2000T-544 (T.T.).

123.4/120 En matière de cause juste et suffisante l'employeur n'a pas à faire une preuve hors de tout doute raisonnable comme en matière criminelle, mais une preuve par prépondérance. Pour maintenir un congédiement basé sur des agissement d'ordre criminel de la part du salarié, l'employeur est tenu de démontrer que celui-ci est responsable des gestes reprochés, avec une preuve de qualité supérieure.
Portelance c. *Dunkin Donuts Piermart ltée*, D.T.E. 84T-822 (T.T.), conf. par (1987) R.D.J. 52 (C.A.), D.T.E. 87T-158 (C.A.).
Page-Earl c. *Compagnie de mobilier Bombay du Canada inc.*, (1994) C.T. 163, D.T.E. 94T-543 (C.T.).

123.4/121 Lorsque la présomption est établie en faveur du salarié, il revient à l'employeur de prouver la cause juste et suffisante de congédiement. L'employeur n'a pas à établir que la cause juste et suffisante est la seule cause de congédiement et qu'il n'a pas considéré l'exercice par le salarié d'un droit prévu à la Loi sur les normes.
Larose c. *Brière*, D.T.E. 91T-634 (C.S.) (appel rejeté: C.A.M. n° 500-09-000584-912, le 26 octobre 1992).

123.4/122 Il revient à l'employeur de renverser la présomption par prépondérance de preuve à l'effet qu'il a plutôt congédié le plaignant en raison d'une cause qui est étrangère aux motifs de renvoi prohibés par l'article 122 L.N.T. et que cette raison est véritable par opposition au simple prétexte.
Provost c. *Hakim*, D.T.E. 97T-1315 (C.A.), J.E. 97-2076 (C.A.), REJB 1997-03065 (C.A.).
Larocque c. *CAE inc. / CAE Électronique ltée*, D.T.E. 2009T-196 (C.R.T.).
Fredette c. *ML Air inc.*, D.T.E. 2008T-673 (C.R.T.).
Bellemare c. *2543-3012 Québec inc.*, D.T.E. 2007T-299 (C.R.T.).
Godin c. *Home Dépôt du Canada inc.*, D.T.E. 2007T-547 (C.R.T.).
Santerre c. *Maisons usinées Côté inc.*, D.T.E. 2006T-906 (C.R.T.).
Djemaï c. *Clôtures Bénor inc.*, (2001) R.J.D.T. 1900 (C.T.), D.T.E. 2001T-1130 (C.T.).

123.4/123 C'est l'employeur qui a le fardeau de démontrer qu'il y a une autre cause juste et suffisante de congédiement. Le commissaire ne peut exiger que le salarié établisse qu'une mise à pied n'est pas due à de simples contraintes budgétaires ou à la fin d'un contrat.
Fortin c. *Consultants B.P.R., S.E.N.C.*, D.T.E. 97T-1340 (T.T.).

123.4/124 Pour renverser la présomption établie en faveur du salarié, l'employeur doit faire une preuve dont la force probante est considérable et non pas établir la simple vraisemblance des faits allégués.
Portelance c. *Dunkin Donuts Piermart ltée*, (1987) R.D.J. 52 (C.A.), D.T.E. 87T-158 (C.A.).
Grégoire c. *Joly*, (2000) R.J.D.T. 625 (T.T.), D.T.E. 2000T-514 (T.T.).

123.4/125 Il incombe à l'employeur de prouver de façon prépondérante qu'il a pris la sanction pour un ou des motifs autres que la grossesse de la salariée et que ces motifs sont sérieux et ne constituent pas un prétexte.
Belleau c. *Restaurant Le Bagot*, D.T.E. 96T-541 (C.T.).

123.4/126 Lorsqu'un employeur invoque des motifs d'ordre criminel pour justifier le congédiement du salarié, la preuve qu'il apporte doit être de qualité supérieure. En effet, cette qualité de preuve, surtout en présence d'une présomption, est une question de droit. Ainsi, le commissaire doit aller au-delà de la vraisemblance des faits allégués et exiger une force probante considérable des faits incriminants.
Gagné c. *9032-5481 Québec inc.*, D.T.E. 2002T-87 (C.T.).

123.4/127 Lorsque le salarié met en doute sa capacité de conclure une transaction, le fardeau de la preuve est alors transféré sur l'employeur qui doit prouver que le salarié plaignant avait la capacité au moment de la signature de renoncer à ses recours pour contester le congédiement.
Bonadkar c. *Groupe Marcelle inc.*, D.T.E. 2007T-790 (C.R.T.).

123.4/128 L'article 33 du *Code du travail* (disposition abrogée, voir maintenant les articles 35, 120 et 137.48 C.T.), prévoyant que le commissaire du travail est investi aux fins de son enquête de tous les pouvoirs d'un commissaire nommé en vertu de la *Loi sur les commissions d'enquête* (L.R.Q., c. C-37), est inapplicable dans le cas d'un recours en vertu de l'article 123 L.N.T.
Morris c. *Villa Amanda inc.*, D.T.E. 88T-728 (T.T.).

123.4/129 Le commissaire exerce une fonction de nature judiciaire dans le cadre d'une plainte en vertu de l'article 122 L.N.T., il doit donc entendre la preuve des parties de même que leurs plaidoiries.
Léger-Gilles-Jean c. *Centre d'accueil Denis-Benjamin Viger*, D.T.E. 91T-414 (T.T.).

123.4/130 La violation du droit d'une partie d'être entendue constitue un manquement à la règle *audi alteram partem*.
Di Leo c. *Hétu*, (1982) C.S. 442, D.T.E. 82T-266 (C.S.), J.E. 82-427 (C.S.) (appel rejeté sur requête).

123.4/131 Lorsque les conclusions de la Commission des relations du travail ne peuvent reposer sur la preuve présentée devant elle, sa décision est par voie de conséquence manifestement déraisonnable.
Fréchette c. *Commission des relations du travail*, D.T.E. 2007T-500 (C.S.).

123.4/132 Le non-respect de la règle prohibant la double prestation d'un membre du Barreau, comme témoin et comme avocat, invalide l'enquête faite par le commissaire.
Da Silva c. *Propitel inc.*, (2001) R.J.D.T. 756 (T.T.), D.T.E. 2001T-511 (T.T.) (révision judiciaire refusée: C.S.M. n° 500-05-065522-011, le 15 juin 2001) (appel

rejeté: C.A.M. n° 500-09-011079-019, le 2 novembre 2001).

123.4/133 S'il est possible de procéder autrement, il faut éviter d'assigner les procureurs au dossier dans le but de les rendre inhabiles à occuper.
Robillard c. *Systèmes électroniques Matrox ltée*, D.T.E. 2004T-518 (C.R.T.).

123.4/134 Un commissaire ne peut refuser d'entendre une preuve pertinente, telle une déclaration antérieure incompatible d'un témoin de la partie adverse.
Joe Nadler & Fils (1984) inc. c. *Lecours*, (1999) R.J.D.T. 1129 (T.T.), D.T.E. 99T-690 (T.T.).

123.4/135 Une partie ne peut demander de réouverture d'enquête en l'absence de mention lors de l'audience, que sa preuve n'est pas complétée.
P.C. Junior Édition c. *Tribunal du travail*, D.T.E. 90T-460 (C.S.).

123.4/136 Même si les règles formelles de preuve civile ne s'appliquent pas en droit administratif, il est imprudent de s'en écarter. Ainsi, un avis de licenciement est un écrit valablement fait parce qu'il constate un fait juridique, la rupture d'un contrat de travail.

Les éléments essentiels de ce fait juridique sont protégés par l'article 2853 C.C.Q., mais non les éléments périphériques.
Sevcik c. *Produits chimiques Drew ltée*, (1993) T.T. 518, D.T.E. 93T-959 (T.T.).

123.4/137 Un commissaire ne peut refuser le témoignage d'un salarié sur ses démarches auprès de la Commission des normes du travail.
Rousseau c. *Calko Canada inc.*, D.T.E. 84T-690 (T.T.).

123.4/138 Le refus par le commissaire d'autoriser le procureur du plaignant de contre-interroger le témoin de l'employeur, afin de mettre en doute sa crédibilité, constitue un manquement aux règles de justice naturelle.
Moreau c. *Produits plastiques et matériel électrique E.M. ltée*, D.T.E. 2003T-803 (T.T.).

123.4/139 Les données, les faits et les résultats obtenus par l'inspecteur-enquêteur agissant dans le cadre du recours civil prévu à l'article 102 de la *Loi sur les normes du travail*, ne peuvent être utiles au commissaire exerçant sa compétence dans le cadre du présent recours.
Forget c. *Entreprises B.C.P. ltée*, D.T.E. 84T-799 (C.T.).

123.4/140 Il est bien établi que seules les informations constituant, expliquant ou justifiant une offre de règlement sont privilégiées, ce qui ne comprend pas les aveux qui sont recevables en preuve s'ils n'ont pas été formulés dans le même texte qu'une offre de règlement. Ainsi, un document susceptible d'être considéré comme privilégié peut être utilisé afin d'établir des faits qui ne sont pas directement liés à une offre de règlement. Le seul fait que les mentions «sous toutes réserves» et «sans préjudice» figurent dans l'en-tête d'une communication ne signifie pas que celle-ci ne puisse jamais être mise en preuve par la partie adverse si elle contient un aveu.
Paradis c. *Spoutnik Technologie interactive inc.*, D.T.E. 2005T-216 (C.R.T.).

123.4/141 Sont recevables en preuve les éléments obtenus lors d'une filature. Dans ce cas, le test applicable concernant l'admissibilité de cette preuve consiste à apprécier la gravité de la violation aux droits fondamentaux, eu égard à la nécessité de rechercher la vérité, l'importance de la violation devant être évaluée tant sur le plan de son objet qu'en ce qui a trait à ses modalités.
Éthier c. *Goodyear Canada inc.*, D.T.E. 2004T-822 (C.R.T.).

123.4/142 Un inspecteur de la Commission des normes du travail ne peut témoigner sur les informations confidentielles recueillies dans le cours de ses fonctions.
Quenneville c. *Interweb 1981*, D.T.E. 92T-1070 (T.T.).

123.4/143 N'est pas recevable le témoignage d'un ex-salarié dans le but de faire la preuve de caractère d'une directrice des ressources humaines de l'entreprise. La valeur probante d'un tel témoignage est minime par rapport à son effet préjudiciable — lequel est substantiel, compte tenu du risque de confusion dans l'analyse de la question en litige — et aussi parce qu'il aura inévitablement pour conséquence d'éterniser inutilement le débat devant le commissaire. De plus, la façon dont la directrice peut avoir agi avec d'autres employés avant l'embauche du salarié plaignant est peu pertinente pour répondre à la question en litige en matière de harcèlement psychologique.
Breton c. *Compagnie d'échantillons «National» ltée*, (2007) R.J.D.T. 138 (C.R.T.), D.T.E. 2007T-55 (C.R.T.) (révision judiciaire refusée: D.T.E. 2008T-423 (C.S.), EYB 2008-132722 (C.S.)).

123.4/144 Il faut apporter une preuve testimoniale dans le but de faire des précisions quand le motif de congédiement mentionné sur un relevé d'emploi est ambigu.
Bédard c. *Association québécoise de l'industrie de la pêche*, D.T.E. 98T-387 (C.T.).

123.4/145 L'on ne peut sans autorisation législative expresse, transposer des règles de preuve dans ce qu'elles ont de plus exceptionnel, dans un cadre législatif autre que celui pour lequel elles ont été adoptées.
Vanier c. *Compagnie Snyder & Fils inc. (La)*, (1992) R.L. 619 (C.D.P.Q. arbitrage).

123.4/146 Le commissaire n'a pas compétence pour déclarer la nullité d'une transaction, il peut néanmoins en apprécier la portée et la déclarer inopérante ou inopposable au salarié. Parmi les critères permettant d'en apprécier la portée, on note que la bonne foi doit gouverner la conduite des parties. On doit également se demander si la partie la plus faible, soit le salarié, a eu la possibilité de faire un choix éclairé entre la protection que la loi lui accorde et les avantages qu'il comptait obtenir de l'employeur en échange de la renonciation à cette protection. En effet, la renonciation au bénéfice d'une loi d'ordre public est valide lorsqu'elle intervient après que la partie renonçante a acquis le droit qui découle de cette loi.
Kandyba c. *Laboratoires du Médi-Club*, D.T.E. 94T-506 (C.T.).

123.4/147 V. la jurisprudence sous l'article 124 L.N.T., à PREUVE ET PROCÉDURE.

PROCÉDURE

123.4/148 La procédure de réparation prévue à l'article 123 L.N.T., n'existe juridiquement que si le salarié prend l'initiative de l'exercer en affirmant avoir été brimé dans l'un des droits protégés par les dispositions de l'article 122 L.N.T.
Maillé c. *Produits forestiers Saucier ltée*, (1984) T.T. 58, D.T.E. 84T-141 (T.T.).

123.4/149 Lorsqu'il y a une transaction entre les parties, le commissaire ne peut intervenir si le plaignant s'est trompé quant à sa portée, puisqu'une erreur sur la portée d'une transaction s'apparente à une erreur de droit qui ne peut être invoquée afin d'invalider une transaction, selon l'article 2634 C.C.Q.
El-Zein c. *Compagnie d'assurances Standard Life du Canada*, D.T.E. 2000T-229 (C.T.).

123.4/150 La Commission des relations du travail est compétente pour constater l'existence d'une transaction entre les parties. Toutefois, il revient aux tribunaux de droit commun de forcer l'exécution d'une transaction déjà conclue ou d'en interpréter les termes.
Jalbert c. *Centre de santé et de services sociaux de Kamouraska*, D.T.E. 2005T-1021 (C.R.T.) (révision en vertu de l'article 127 C.T. refusée).
Robillard c. *Systèmes électroniques Matrox ltée*, D.T.E. 2004T-518 (C.R.T.).

123.4/151 Il peut y avoir transaction malgré l'absence d'un document écrit à cet effet. Ce type de contrat met fin au litige entre les parties et équivaut à un désistement, ce qui enlève compétence à la Commission des relations du travail.
Voyer c. *Compagnie Abitibi-Consolidated du Canada*, D.T.E. 2008T-237 (C.R.T.) (révision judiciaire refusée: (2009) R.J.D.T. 33 (C.S.), D.T.E. 2009T-163 (C.S.), EYB 2009-154208 (C.S.)).
Jalbert c. *Centre de santé et de services sociaux de Kamouraska*, D.T.E. 2005T-1021 (C.R.T.) (révision en vertu de l'article 127 C.T. refusée).

123.4/152 Une transaction est invalide si le salarié plaignant était dans l'incapacité d'agir au moment de la signature. Il y a alors eu vice de consentement.
Bonadkar c. *Groupe Marcelle inc.*, D.T.E. 2007T-790 (C.R.T.).

123.4/153 Un accord de principe assujetti à certaines conditions contenant des éléments importants à mettre au point avant de conclure une entente, ne constitue pas une transaction dans le cas où il y a absence d'accord de volonté quant à la ventilation du montant convenu.
Bergeron c. *Union des municipalités du Québec*, D.T.E. 2009T-187 (C.R.T.) (requête en révision judiciaire: n^0 500-17-048922-093).

123.4/154 Une plainte est irrecevable s'il y a eu transaction entre les parties. Or, pour qu'il y ait transaction, il doit y avoir un contrat visant à prévenir une contestation à naître, au moyen de concessions ou de réserves réciproques.
Séguin c. *Alizé, gestion technique d'immeubles inc.*, (2003) R.J.D.T. 1263 (C.R.T.), D.T.E. 2003T-682 (C.R.T.).
Roy c. *Génération Nouveau monde inc. (Terra Nostra)*, D.T.E. 98T-113 (T.T.).

123.4/155 Une plainte déposée en vertu de l'article 122 L.N.T. ne peut être assimilée à une action ou une poursuite intentée contre la ville de Montréal au sens de l'article 1166 de la *Charte de la ville de Montréal, 1960* (S.Q. 1959-60, c. 102).
Montréal (Ville de) c. *Blouin*, (1994) C.T. 466, D.T.E. 94T-1444 (C.T.).

123.4/156 Le commissaire saisi de deux recours en vertu des articles 122 et 124 L.N.T. ne devrait pas rendre jugement de façon concomitante lorsqu'il décide de maintenir la plainte de congédiement. Il devrait d'abord disposer du recours pour pratiques interdites, puis conclure, quant au recours prévu à l'article 124 L.N.T., qu'en raison de sa décision rendue en premier lieu, tel recours est devenu sans objet, se réservant toutefois compétence pour adjuger au fond dans le cas où ladite décision annulant la mesure patronale serait modifiée par une instance supérieure.
Davignon c. *Bureau du commissaire général du travail*, (2003) R.J.D.T. 1531 (C.A.), D.T.E. 2003T-914 (C.A.), J.E. 2003-1745 (C.A.), REJB 2003-46898 (C.A.).
Tennis La Bulle Enr. c. *Ouellet*, (1995) T.T. 393, D.T.E. 95T-886 (T.T.) (ultérieur: D.T.E. 95T-1434 (T.T.)).
V. également: *Morin-Arpin* c. *Ovide Morin inc.*, D.T.E. 2007T-961 (C.R.T.).

123.4/157 Si le législateur a utilisé le terme «doit», c'est pour indiquer que le recours prévu à l'article 123 L.N.T. est le seul ouvert au salarié qui veut faire valoir les droits qui y sont prévus.
Drouin c. *Électrolux Canada*, D.T.E. 82T-828 (T.A.).

123.4/158 Lorsqu'un salarié est régi par la *Loi sur les décrets de convention collective* (L.R.Q., c. D-2), il doit contester son congédiement en vertu de celle-ci et non pas selon l'article 123 L.N.T.
Fraygui c. *A.L.B. enr.*, D.T.E. 96T-1182 (C.T.).
Nicholson c. *Station de service Gilles Guénette*, (1983) C.T. 281, D.T.E. 83T-883 (C.T.), appel rejeté à (1984) T.T. 310, D.T.E. 84T-669 (T.T.).

123.4/159 La plainte dirigée contre le mandataire de l'employeur, assumant dans les faits la direction et le contrôle du travail, est valide.
Trottier c. *Charbonneau*, D.T.E. 87T-715 (T.T.).

123.4/160 L'identification de l'employeur par son nom sur la plainte, par le témoignage de la plaignante et par le relevé d'emploi est suffisante.
Smecker c. *P.C. Édition junior*, D.T.E. 89T-1205 (C.T.) (révision judiciaire refusée: D.T.E. 90T-460 (C.S.)).

123.4/161 L'intitulé de la plainte n'est pas attributif de compétence, il s'agit d'une question de forme qui peut être corrigée en tout temps.
Villeneuve c. *Tribunal du travail*, (1988) R.J.Q. 275 (C.A.), D.T.E. 88T-118 (C.A.), J.E. 88-171 (C.A.).

123.4/162 Il est sans conséquence que la plainte originale fasse mention ou non de tous les articles de la Loi sur les normes que le salarié veut invoquer, dans la mesure où la plainte repose sur des motifs qui relèvent de la compétence du commissaire.
Beauchamp c. *Urgel Bourgie ltée*, D.T.E. 95T-1373 (C.T.), inf. pour d'autres motifs à D.T.E. 96T-175 (T.T.).

123.4/163 La désignation de l'employeur peut être modifiée pour le désigner par sa raison sociale plutôt que par son nom personnel.
Tsakirakis c. *Galarneau*, D.T.E. 85T-632 (T.T.).
V. aussi: *Allard* c. *Location Mont-Bruno ltée*, D.T.E. 95T-700 (C.T.) (ultérieur: D.T.E. 95T-1146 (T.T.)).

123.4/164 Le commissaire peut amender une plainte lorsque la demande d'amendement n'est qu'une question de forme et non une question de fond.
Mercier c. *9029-4695 Québec inc.*, D.T.E. 98T-318 (C.T.).
Thérien c. *Crown Cork & Seal inc.*, (1993) C.T. 57, D.T.E. 93T-218 (C.T.).

123.4/165 Une erreur dans la désignation du nom de l'employeur est une erreur qui est assimilable à un vice de fond et elle ne saurait en principe être corrigée par un amendement. Cependant, il peut être fait droit à l'amendement lorsqu'il est possible d'identifier la véritable partie, malgré l'erreur commise.
Papaconstantinou c. *2848-5217 Québec inc.*, D.T.E. 97T-1085 (C.T.).

123.4/166 Il n'y a pas de manquement aux règles de justice naturelle, lorsqu'un commissaire substitue le nom personnel de l'employeur à celui de sa raison sociale, dans une décision accordant la réintégration avec indemnité.
Warren c. *Beaulieu*, D.T.E. 86T-337 (T.T.).

123.4/167 Il ne saurait y avoir d'amendement d'une plainte déposée selon l'article 124 L.N.T. afin d'ajouter l'article 122.2 L.N.T. (aujourd'hui les articles 79.1 et 79.4 L.N.T.) comme motif de congédiement. En effet, il s'agit de deux recours de nature différente, visant des buts différents et donnant lieu à des décisions qui n'ont rien de semblable.
Bertrand c. *Ambulances Abitémis inc.*, D.T.E. 99T-503 (C.T.).
Lamy c. *Urgel Bourgie ltée*, (1996) C.T. 420, D.T.E. 96T-735 (C.T.).

123.4/168 Le commissaire a compétence pour rendre recevable l'amendement à une plainte ajoutant un motif illégal de congédiement.
Urgel Bourgie ltée c. *Beauchamp*, D.T.E. 96T-175 (T.T.), inf. pour d'autres motifs par D.T.E. 96T-708 (C.S.) (règlement hors cour).
Zgirieci c. *Ensemble national de folklore Les Sortilèges*, D.T.E. 99T-1122 (C.T.).

123.4/169 Le commissaire a le pouvoir de modifier une plainte de déplacement en une plainte alléguant une suspension illégale.
Gaucher c. *3090-1599 Québec inc.*, D.T.E. 99T-132 (C.T.).

123.4/170 La décision d'un commissaire n'est pas opposable à une partie qui n'a pas comparu.
Racine c. *Gabriel*, D.T.E. 84T-751 (T.T.), inf. D.T.E. 84T-125 (C.T.).

123.4/171 Celui qui acquiert une entreprise peut être lié juridiquement par des procédures, en vertu de l'article 97 L.N.T. ou de l'article 2097 du *Code civil du Québec*. Il a le droit de se faire entendre pour faire valoir ses arguments à l'encontre de toute condamnation qui peut être prononcée contre lui. Ainsi, celui-ci doit être convoqué par le commissaire.
3087-9373 Québec inc. c. *Boulianne*, (1997) T.T. 113, D.T.E. 97T-98 (T.T.).

123.4/172 Une objection à la juridiction peut toujours être soulevée en tout état de cause, à n'importe quel moment au cours de l'audition ou de la plaidoirie, dans le cas d'un recours prévu dans une loi d'ordre public.
Simard c. *Groupe S.N.C.*, D.T.E. 85T-334 (C.T.).

123.4/173 La récusation d'un commissaire est extrêmement sérieuse. En premier lieu, il ne faut pas permettre à une partie d'utiliser cette procédure afin

de choisir son commissaire; en deuxième lieu, la garantie d'impartialité à laquelle le justiciable a droit est l'une des pierres d'assise de notre système judiciaire. Le style et la tolérance d'un commissaire ne sont pas des motifs de récusation. Le comportement des parties n'est pas non plus, en soi, un motif de récusation d'un commissaire.
Bangia c. *Avoman, s.e.n.c.*, D.T.E. 2008T-103 (C.R.T.) (révision en vertu de l'article 127 C.T. refusée).

123.4/174 Le procureur du salarié est inhabile à occuper pour celui-ci s'il se trouve en conflit d'intérêts en ayant déjà représenté l'entreprise qu'il poursuit pour et au nom du salarié.
Lechter c. *Publications Newborn inc.*, D.T.E. 94T-1274 (C.T.).

123.4/175 Il n'y a pas de manquement aux règles de justice naturelle lorsqu'il y a eu renonciation au début de l'audience par l'une des parties au droit à l'assistance d'un avocat.
Luc Jean, Extermination 7/24 c. *Meunier*, (2001) R.J.D.T. 101 (T.T.), D.T.E. 2001T-37 (T.T.).

123.4/176 L'employeur qui choisit de se présenter sans avocat devant le commissaire exerce un choix libre et volontaire. Lorsque des explications lui ont été données à l'audience, il peut difficilement se plaindre par la suite du non-respect des règles de justice naturelle.
Roger Sévigny et associés inc. c. *McGrégor*, D.T.E. 2000T-544 (T.T.).

123.4/177 Un procureur de la Commission des normes du travail peut représenter un salarié visé par une requête en accréditation. De toute façon, ce genre de litige préliminaire, soit la représentation du salarié, ne relève pas de la compétence du commissaire.
McLaughlin c. *Resto-casino inc.*, D.T.E. 98T-1004 (C.T.).

123.4/178 En cas de désistement sans réserve ni condition le commissaire se trouve dessaisi de la plainte.
Grosjean c. *Cinémas Fairview (salles 1-2)*, D.T.E. 92T-612 (C.T.).

123.4/179 Le commissaire ne peut faire coexister deux plaintes, alors que le plaignant, par le dépôt d'une seule et unique plainte, n'a pas d'abord voulu le faire. Le commissaire agirait *ultra petita*.
Bélanger c. *Clair Foyer*, D.T.E. 96T-40 (C.T.).

123.4/180 La Commission des normes du travail est habilitée à recevoir les désistements des plaintes des salariés.
Toro-Berrios c. *Entreprises Gisko inc.*, (1987) C.T. 285, D.T.E. 87T-742 (C.T.).

123.4/181 L'omission de présenter une plainte en vertu de l'article 123 L.N.T. n'est pas assimilable à une irrégularité au sens de l'article 151 du *Code du travail*.
Bélanger c. *Clair Foyer*, D.T.E. 96T-40 (C.T.).

123.4/182 On ne peut, en vertu du principe de la chose jugée, lors d'une audition sur une seconde plainte de congédiement faire la preuve qu'il y avait cause juste et suffisante lors du premier congédiement.
Langlois c. *5755 de Gaspé inc.*, (1983) C.T. 284, D.T.E. 83T-559 (C.T.).

123.4/183 Pour que le principe de l'autorité de la chose jugée s'applique, les faits générateurs du droit doivent être similaires d'une affaire à l'autre.
Vlayen c. *Régie intermunicipale de police de Montcalm*, D.T.E. 2001T-108 (C.T.).

123.4/184 Lorsqu'un commissaire rejette la plainte d'un salarié, l'arbitre de griefs ne peut remettre cette décision en question.
Syndicat professionnel des ingénieures et ingénieurs d'Hydro-Québec inc. c. *Hydro-Québec*, D.T.E. 95T-589 (T.A.), LPJ-95-2511 (T.A.).

123.4/185 Il y a absence d'intérêt du salarié d'en appeler d'un jugement rendu en vertu des articles 122 et ss. L.N.T. lorsque le congédiement a déjà été annulé par le maintien d'une plainte déposée en vertu de l'article 124 L.N.T.
Couture c. *Centre de protection de l'enfance et de la jeunesse de la Montérégie*, D.T.E. 98T-779 (T.T.).

123.4/186 Le salarié assujetti à une convention collective peut déposer un grief contestant la mesure prise à son égard et peut également déposer une plainte pour pratique interdite selon les dispositions de la *Loi sur les normes du travail* puisque le recours pour pratique interdite procède d'un principe juridique différent du recours à l'arbitrage.
Goodyear Canada inc. c. *Syndicat canadien des communications, de l'énergie et du papier, section locale 143 (SCEP) (René Éthier)*, D.T.E. 2005T-565 (T.A.).
Balthazard-Généreux c. *Collège Montmorency*, (1997) T.T. 118, D.T.E. 97T-142 (T.T.) (ultérieur: D.T.E. 98T-67 (C.T.), inf. par (1998) R.J.D.T. 660 (T.T.), D.T.E. 98T-388 (T.T.), REJB 1998-04947 (T.T.)).

123.4/187 La détermination par un arbitre de griefs de la cause véritable du congédiement, lors de l'examen d'un grief déposé par un salarié en vertu d'une convention collective, a force de chose jugée dans un débat portant sur une plainte déposée en vertu de l'article 122 L.N.T. quant à la détermination de la cause.
Carrière c. *Société de transport de la ville de Laval*, (1995) C.T. 386, D.T.E. 95T-1047 (C.T.).

123.4/188 Un commissaire a le pouvoir de réviser ses décisions prises en vertu des présentes dispositions.
Lanard Sales Inc. c. *Rémillard*, (2001) R.J.D.T. 113 (T.T.), D.T.E. 2001T-63 (T.T.).
2952-1366 Québec inc. c. *Gagné*, (2001) R.J.D.T. 121 (T.T.), D.T.E. 2001T-88 (T.T.).
Construction Rénald Charland ltée c. *Allard*, D.T.E. 95T-1146 (T.T.), conf. D.T.E. 95T-700 (C.T.).
Racine c. *Gabriel*, D.T.E. 84T-751 (T.T.).
Catano c. *Appartements A. Rossi inc.*, D.T.E. 95T-1174 (C.T.).
Montréal (Ville de) c. *Blouin*, (1994) C.T. 466, D.T.E. 94T-1444 (C.T.).
Industries chimiques Kert inc. c. *Bélanger*, (1985) C.T. 122, D.T.E. 85T-165 (C.T.).
V. aussi: *Au super croissant de Montréal inc.* c. *Chou Yee Chan*, (1987) T.T. 190, D.T.E. 87T-374 (T.T.).
Contra: *Pneus supérieur inc.* c. *Léonard*, (1999) R.J.D.T. 1657 (T.T.), D.T.E. 99T-1171 (T.T.) (révision judiciaire refusée: D.T.E. 2000T-541 (C.S.)).
Battery Plus inc. / Batterie Plus c. *Henault*, D.T.E. 99T-627 (C.T.).
Jumbo Pizza Pasta c. *Hétu*, (1982) C.T. 12, D.T.E. 82T-128 (C.T.) (requête pour la délivrance d'un bref d'évocation accueillie: (1982) C.S. 442, D.T.E. 82T-266 (C.S.), J.E. 82-427 (C.S.)) (appel rejeté: C.A.M. n° 500-09-000311-845, le 3 octobre 1984).

123.4/189 Il est possible pour le commissaire de réviser une décision qui rejetait la plainte du salarié à cause de son absence, pour le motif que celui-ci n'a pu être entendu pour des raisons dont il n'est pas responsable.
Boisjoly c. *149937 Canada inc.*, (1997) C.T. 334, D.T.E. 97T-1058 (C.T.).
Catano c. *Appartements A. Rossi inc.*, D.T.E. 95T-1174 (C.T.).

123.4/190 Le commissaire a compétence pour entendre une demande de révision lorsqu'une décision a été rendue sans audience, ce qui a privé un salarié de son droit de se faire entendre.
Banville c. *St-Laurent (Ville de)*, (2000) R.J.D.T. 643 (C.T.), D.T.E. 2000T-326 (C.T.).

123.4/191 Le commissaire a compétence pour réviser ses décisions lorsqu'une question de justice fondamentale est en jeu.
Lanard Sales Inc. c. *Rémillard*, (2001) R.J.D.T. 113 (T.T.), D.T.E. 2001T-63 (T.T.).
Pierre c. *Brasserie Molson-O'Keefe ltée*, D.T.E. 93T-1308 (C.T.).

123.4/192 Pour qu'une requête en révision selon l'article 49 du *Code du travail* (disposition abrogée, voir maintenant les articles 126 et 127 C.T.) soit accueillie afin que le dispositif de la décision rendue inclue également le nom d'une autre société à titre de partie conjointe et solidaire, les deux entités juridiques ne constituant, selon le plaignant, qu'une seule et même entreprise, il doit y avoir plus que de la confusion entre le nom des sociétés et des administrateurs. Il faut prouver une unicité d'entreprise ou encore une osmose entre les deux entités juridiques.
Karabatsos c. *3091-5466 Québec inc.*, D.T.E. 2000T-571 (C.T.).

123.4/193 Le recours prévu à l'article 49 du *Code du travail* (disposition abrogée, voir maintenant les articles 126 et 127 C.T.) est approprié pour substituer au nom de la dénomination sociale de l'entreprise celui de la véritable entité juridique visée par les décisions accueillant des plaintes et fixant l'indemnité.
Allard c. *Location Mont-Bruno ltée*, D.T.E. 95T-700 (C.T.) (ultérieur: D.T.E. 95T-1146 (T.T.)).

123.4/194 La Commission des normes du travail ne peut se prévaloir du recours en révision selon l'article 49 du *Code du travail* (disposition abrogée, voir maintenant les articles 126 et 127 C.T.), pour le compte d'un salarié.
Lefebvre c. *Woo*, D.T.E. 91T-971 (C.T.).

123.4/195 La partie requérante dans une demande de révision doit faire la preuve qu'elle ne connaissait pas tous les faits importants lors de l'audience initiale, et ce, sans que cela soit dû à de la négligence de sa part.
Personnel F.T. Medicare inc. c. *Fennessey*, (1991) C.T. 17, D.T.E. 91T-274 (C.T.).

123.4/196 Il y a matière à révision notamment lorsqu'une partie n'a pu, pour des raisons suffisantes, se faire entendre. La partie concernée doit cependant démontrer ces raisons suffisantes.
Boudreault c. *Gamache*, D.T.E. 93T-566 (C.T.).

123.4/197 La signification de l'appel à la Commission des normes du travail plutôt qu'au salarié constitue un motif d'irrecevabilité.
Club consommateur L.J.S. un million ltée c. *Hamel*, (1984) T.T. 262, D.T.E. 84T-542 (T.T.).

123.4/198 Un salarié peut cumuler une plainte à la Commission des droits de la personne et des droits de la jeunesse et une plainte en vertu de l'article 122.2 (aujourd'hui les articles 79.1 et 79.4) de la *Loi sur les normes du travail*.
Verreault c. *9075-7154 Québec inc.*, (2003) R.J.D.T. 1258 (C.R.T.), D.T.E. 2003T-612 (C.R.T.).

123.4/199 Il est possible de cumuler les recours prévus aux articles 82 et 123 L.N.T.
Vivier c. *Industrielle (L') Cie d'assurance sur la vie*, (1983) C.T. 48, D.T.E. 83T-186 (C.T.).
V. aussi: *D. & K. restaurants ltée* c. *Raby*, D.T.E. 82T-408 (T.T.).

123.4/200 Il est possible de cumuler les recours prévus aux articles 122 et 124 de la *Loi sur les normes du travail*.
Giguère c. *Cie Kenworth du Canada (division de Paccar du Canada ltée)*, (1990) R.J.Q. 2485 (C.A.), D.T.E. 90T-1204 (C.A.), J.E. 90-1483 (C.A.) (autorisation d'appeler à la Cour suprême refusée).
Vivier c. *Industrielle (L') Cie d'assurance sur la vie*, (1983) C.T. 48, D.T.E. 83T-186 (C.T.).
Contra: *Maillé* c. *Produits forestiers Saucier ltée*, (1984) T.T. 58, D.T.E. 84T-141 (T.T.).
V. également sous l'article 124 L.N.T., à *Cumul*.

123.4/201 Il est possible de cumuler les recours prévus aux articles 122 L.N.T. et 124 L.N.T. puisqu'il n'y a pas identité d'objet entre ces deux plaintes.
Provost c. *Hakim*, D.T.E. 97T-1315 (C.A.), J.E. 97-2076 (C.A.), REJB 1997-03065 (C.A.).

123.4/202 L'existence d'un autre recours potentiel et le fait qu'une plainte ait été déposée devant une autre instance, n'ont pas pour effet d'empêcher le commissaire d'entendre une affaire.
Mathieu c. *I. Magid inc.*, (1992) C.T. 59, D.T.E. 92T-315 (C.T.).

123.4/203 La décision rendue en application des articles 122 et ss. L.N.T. ne bénéficie pas de l'autorité de la chose jugée eu égard à un recours exercé selon l'article 227 de la *Loi sur la santé et la sécurité du travail* (L.R.Q., c. S-2.1).
Larocque c. *CAE inc. / CAE Électronique ltée*, D.T.E. 2009T-196 (C.R.T.).
Lagrange c. *Marie-Josée Restaurant*, (1993) C.A.L.P. 669, D.T.E. 93T-847 (C.A.L.P.).

123.4/204 Il n'y a pas de litispendance entre un recours exercé en vertu de l'article 227 de la *Loi sur la santé et la sécurité du travail* (L.R.Q., c. S.-2.1) et un recours exercé en vertu des articles 122 et ss. L.N.T. En effet, si l'identité de parties et d'objet eu égard à ces plaintes ne pose généralement pas de problème, il en est autrement de la question de l'identité de cause.

Ce n'est pas le même droit qui est invoqué dans les deux plaintes. Dans le cas d'une plainte déposée selon l'article 122(4) L.N.T., le droit protégé qui forme le droit de la plaignante est sa grossesse alors que dans le cadre d'une plainte selon l'article 227 L.S.S.T., c'est l'exercice du droit au retrait préventif qui constitue le fondement du recours.
Savaria c. *Jean bleu inc.*, (1997) C.T. 481, D.T.E. 97T-1208 (C.T.) (appel rejeté: D.T.E. 98T-588 (T.T.)).

123.4/205 Il n'y a pas nécessairement chose jugée entre une décision rendue en vertu de l'article 32 L.A.T.M.P. et une plainte basée sur l'article 122.2 L.N.T. (aujourd'hui les articles 79.1 et 79.4 L.N.T.).
Larocque c. *CAE inc. / CAE Électronique ltée*, D.T.E. 2009T-196 (C.R.T.).
Usines Giant inc. c. *Meas*, (2002) R.J.D.T. 263 (T.T.), D.T.E. 2002T-259 (T.T.).

123.4/206 Il n'y a pas nécessairement chose jugée entre le recours prévu à l'article 32 L.A.T.M.P. et celui prévu à l'article 122 L.N.T.
Larocque c. *CAE inc. / CAE Électronique ltée*, D.T.E. 2009T-196 (C.R.T.).
Massand c. *Hunsons Hospitality Corporation / Crowne Plaza Metro Centre / Holiday Inn Crown Plaza Métro Centre*, D.T.E. 2005T-756 (C.R.T.) (révisions en vertu de l'article 127 C.T. refusées).

123.4/207 Relativement à un recours exercé devant la Commission des lésions professionnelles et en l'absence de compétence de la Commission des relations du travail dans le cas où le salarié aurait subi une lésion professionnelle, il est possible de suspendre l'enquête relative à la plainte déposée selon les dispositions des articles 122 et ss. L.N.T.
Courtois c. *Kenworth Montréal ltée (division Paccar du Canada)*, D.T.E. 2004T-673 (C.R.T.).

123.4/208 Le refus de suspendre l'instance, de la part du commissaire, en attendant l'issue d'une action en nullité de contrat intentée en Cour supérieure, n'est ni illégale ni déraisonnable.
Roussel Canada inc. c. *Devlin*, D.T.E. 91T-186 (C.S.) (en appel: n° 500-09-001755-909).

123.4/209 En principe, une requête en suspension de procédures présentée devant un arbitre de griefs devrait être accordée en présence d'une plainte déposée en vertu de l'article 122 L.N.T., notamment par respect de la compétence exclusive du commissaire, par prudence eu égard au fait que le motif de la sanction se trouve à la fois dans la plainte et dans le grief, pour l'économie de temps et d'argent à réaliser par les deux parties, et en raison de fortes probabilités que la décision rendue par le commissaire les influence et les incite à régler le grief.
Syndicat professionnel des ingénieurs de l'Hydro-Québec inc. c. *Hydro-Québec*, D.T.E. 94T-719 (T.A.).

123.4/210 Le salarié victime d'un congédiement qu'il juge tant injustifié qu'illégal peut se prévaloir à la fois d'un grief, s'il bénéficie d'une convention collective qui l'autorise à le faire, et d'une plainte en vertu des articles 123 et 123.1 L.N.T. Le premier des recours est permis sans que le second soit assujetti au résultat du premier. En effet, le préambule des dispositions de l'article 102 L.N.T. stipule que ces conditions ne visent pas les articles 123 et 123.1 L.N.T.
Lecavalier c. *Montréal (Ville de)*, D.T.E. 97T-55 (C.T.), conf. par D.T.E. 97T-460 (T.T.).

123.4/211 Il est possible de cumuler un grief déposé en vertu d'une convention collective et une plainte déposée selon l'article 122.2 L.N.T. (aujourd'hui les articles 79.1 et 79.4 L.N.T.) puisqu'il y a absence d'identité de cause pour ces deux recours. L'arbitre saisi d'un grief contestant un congédiement possède un vaste pouvoir d'analyse du comportement de l'employeur et peut déterminer si le congédiement est juste ou injuste. Le commissaire saisi d'une plainte pour congédiement illégal doit

plutôt apprécier la légalité du geste de l'employeur. Dans le cas d'une plainte déposée selon l'article 122.2 L.N.T., l'employeur a le fardeau de prouver qu'il y a une autre juste cause de congédiement.
Robitaille c. *Société des alcools du Québec*, (1997) T.T. 597, D.T.E. 97T-1282 (T.T.).

123.4/212 V. la jurisprudence sous l'article 124 L.N.T., à PREUVE ET PROCÉDURE.

RÉINTÉGRATION

123.4/213 La réintégration permet, entre autres, au salarié de récupérer son emploi. Elle agit donc sur le passé en rétablissant les droits perdus entre le moment du congédiement et celui de l'ordonnance; elle agit sur le présent en réinstallant le salarié dans son poste; et elle agit sur l'avenir en ce que l'établissement des droits futurs du salarié découlera des droits qu'il a perdus, mais récupérés par l'effet de la réintégration et la poursuite du contrat de travail qui, en bout de course, n'a jamais été interrompu. Dans les faits, le salarié réintégré récupère le salaire dont le congédiement l'a privé, ainsi que l'ensemble des avantages dont il aurait bénéficié au cours de la période s'échelonnant entre le congédiement et la réintégration qui vient rétablir le passé.
Doyon c. *Entreprises Jacques Despars inc.*, (2007) R.J.D.T. 1089 (C.R.T.), D.T.E. 2007T-645 (C.R.T.) (révision en vertu de l'article 127 C.T. refusée: D.T.E. 2008T-22 (C.R.T.)).

123.4/214 Le commissaire n'a pas compétence pour ordonner la réintégration sans préalablement conclure à l'exercice d'un droit résultant de la *Loi sur les normes du travail*.
Centre du pneu Papineau (1982) inc. c. *Lorrain*, D.T.E. 84T-832 (C.S.).

123.4/215 Il est bien établi que la réintégration emporte aussi avec elle la durée du service continu que justifie le salarié aux fins de l'établissement de tous ses droits à venir.
Doyon c. *Entreprises Jacques Despars inc.*, (2007) R.J.D.T. 1089 (C.R.T.), D.T.E. 2007T-645 (C.R.T.) (révision en vertu de l'article 127 C.T. refusée: D.T.E. 2008T-22 (C.R.T.)).

123.4/216 Lorsque le commissaire arrive à la conclusion qu'il y a eu congédiement sans cause juste et suffisante, l'ordonnance de réintégration demeure la règle.
Lévesque c. *Fédération des caisses populaires de Québec*, D.T.E. 2002T-348 (C.T.).

123.4/217 La réintégration dans son poste signifie que le salarié doit se retrouver là où il serait maintenant s'il n'avait pas été congédié par l'employeur.
Doyon c. *Entreprises Jacques Despars inc.*, (2007) R.J.D.T. 1089 (C.R.T.), D.T.E. 2007T-645 (C.R.T.) (révision en vertu de l'article 127 C.T. refusée: D.T.E. 2008T-22 (C.R.T.)).

123.4/218 Le commissaire a discrétion pour ordonner la réintégration et le paiement d'une indemnité et non seulement l'un ou l'autre remède.
Union nationale française c. *Bastide*, D.T.E. 82T-897 (T.T.).

123.4/219 Le commissaire a le pouvoir d'ordonner la réintégration même si le salarié manifeste son intention de ne pas retourner chez l'employeur.
Moitié-Moitié inc. c. *Miller*, D.T.E. 91T-635 (C.S.).
Consultants Gilles Audet & Associés inc. c. *Gagné*, D.T.E. 96T-1256 (T.T.).

123.4/220 Il n'est pas requis, pour que la réintégration soit accordée au salarié, que celui-ci donne son avis à ce sujet à l'audience, au-delà de ce qu'il exprimait par la signature de sa plainte. Toutefois, s'il renonce à sa réintégration, il doit le mentionner au commissaire à l'audience parce que, à défaut, il bénéficiera du remède prévu par la loi.
Godin c. *Amimac (2002) ltée*, D.T.E. 2006T-438 (C.R.T.).

123.4/221 Le fait qu'un salarié renonce, lors de l'audience, à demander l'exécution d'un éventuel ordre de réintégration, ne fait pas en sorte que le commissaire soit privé de compétence pour entendre l'affaire dont il est instruit. En effet, une partie a toujours le droit de renoncer à l'avance à se prévaloir de l'application d'une conclusion d'un jugement.
Consultants Gilles Audet & Associés inc. c. *Gagné*, D.T.E. 96T-1256 (T.T.).

123.4/222 Le refus de l'employeur de réintégrer un salarié, basé sur le motif de la faible performance de celui-ci, doit reposer sur une ou des évaluations et l'employeur doit expliquer au commissaire les critères utilisés pour juger de la performance des employés.
Beaulieu c. *Constitution du Canada, Cie d'assurances*, D.T.E. 93T-112 (C.T.).

123.4/223 Le commissaire a le pouvoir d'ordonner la réintégration dans un poste précis.
Bellingham nettoyeurs et tailleurs ltée c. *St-Hilaire*, D.T.E. 83T-530 (T.T.).

123.4/224 L'allégation de l'abolition ultérieure du poste du salarié n'exempte pas l'employeur de son obligation de respecter le droit à l'emploi, ni n'enlève la compétence du commissaire pour se prononcer sur la qualification de cette mesure prise postérieurement au congédiement. Ainsi, malgré l'existence d'un motif administratif justifiant la décision de l'employeur de procéder à l'abolition d'un poste, les droits d'un salarié de remettre en cause le choix du poste à abolir peuvent être réservés.
Lévesque c. *Fédération des caisses populaires de Québec*, D.T.E. 2002T-348 (C.T.).

123.4/225 Le salarié ne peut être réintégré si le poste qu'il occupait n'existe plus.
April c. *Université Laval*, D.T.E. 96T-355 (C.T.).

123.4/226 Il incombe au salarié d'exiger le respect de ses droits. En effet, la loi n'impose pas à l'employeur l'obligation de «courir après» le salarié bénéficiant du droit d'être réintégré.
Beaugrand c. *Restaurant Claude St-Jean*, D.T.E. 86T-546 (C.T.).
V. aussi: *Simard* c. *Bar chez Raspoutine*, D.T.E. 90T-725 (T.T.).

123.4/227 Il est impossible de faire droit à une demande de réintégration à la suite d'une plainte de déplacement.
Larocque c. *Créations White Sister inc.*, (1988) C.T. 115, D.T.E. 88T-340 (C.T.).

123.4/228 Il ne peut y avoir réintégration, lorsque le volume de travail ne peut justifier une nouvelle embauche.
Harbec c. *Masseau*, D.T.E. 90T-1265 (C.T.).

123.4/229 La personne qui exerce des fonctions d'éducatrice en garderie, soit une garderie en milieu familial, ne peut être réintégrée si cela signifie qu'elle devrait retourner travailler dans la résidence de son employeur.
Duguay c. *Blais*, D.T.E. 2009T-188 (C.R.T.) (révision en vertu de l'article 127 C.T. refusée).

123.4/230 V. ARGUIN, P., «Un no-man's land juridique pour certaines ordonnances de réintégration», (1988) 48 *R. du B.* 586.

123.4/231 V. NADEAU, D., «Ordonnance de réintégration et outrage au tribunal: Une orientation jurisprudentielle préoccupante!», (1987) 47 *R. du B.* 830.

INDEMNITÉS

123.4/232 Lorsqu'elle accueille une plainte déposée en vertu de l'article 122 L.N.T., les pouvoirs de la Commission des relations du travail sont limités.
Bissonnette c. *Novartis Pharma Canada inc.*, D.T.E. 2007T-745 (C.R.T.) (en révision).

123.4/233 Le recours à l'encontre d'une pratique interdite n'est pas une simple affaire d'indemnité. Celui-ci ne présente pas un caractère indemnitaire compensatoire, mais correctif, réhabilitant, remédiateur. Il recherche également un effet dissuasif puisque le seul paiement de l'indemnité ne suffit pas à réhabiliter l'employeur qui a agi illégalement. Celui-ci s'expose aussi à être tenu de réintégrer le salarié victime de la pratique interdite.
Doyon c. *Entreprises Jacques Despars inc.*, (2007) R.J.D.T. 1089 (C.R.T.), D.T.E. 2007T-645 (C.R.T.) (révision en vertu de l'article 127 C.T. refusée: D.T.E. 2008T-22 (C.R.T.)).

123.4/234 Les articles 15 et 19 du *Code du travail* auxquels renvoie l'article 123 L.N.T., prévoient une première étape, soit la décision sur la mesure contestée, et éventuellement une seconde étape portant sur la fixation de l'indemnité. Il s'agit de deux recours qui entraînent deux enquêtes et deux décisions différentes. Le commissaire doit dans la seconde enquête, tenir compte des éléments de preuve du litige. L'objet des deux litiges étant différent, la règle de l'autorité de la chose jugée ne saurait recevoir application. L'employeur doit avoir l'occasion d'être entendu sur la question de l'emploi qu'il a offert au salarié dans le cadre de l'enquête, qui met notamment en cause l'obligation du salarié de réduire ses dommages. Cette obligation incombe à tout créancier: elle fait partie du droit commun et s'applique tout autant à l'employé injustement congédié.
Tricots San Remo inc. c. *Lalande*, D.T.E. 95T-1051 (C.S.).

123.4/235 Le commissaire ne peut ordonner le paiement de dommages punitifs ou moraux.
Bélanger c. *Gauthier & Khieu*, D.T.E. 92T-1338 (C.T.).

123.4/236 La Commission des relations du travail n'a pas la discrétion voulue pour réduire la période visée par l'indemnité en fonction des autres circonstances de l'affaire, comme cela est le cas lorsque celle-ci est saisie d'une plainte déposée selon les dispositions de l'article 124 L.N.T.
Deschênes c. *MS Restaurant inc.*, (2006) R.J.D.T. 1506 (C.R.T.), D.T.E. 2006T-974 (C.R.T.).

123.4/237 La Commission des relations du travail n'a aucune discrétion en ce qui a trait aux mesures de réparation. En effet, elle doit replacer le salarié là où il serait si le geste illégal n'avait pas été commis par l'employeur.
Duguay c. *Blais*, D.T.E. 2009T-188 (C.R.T.) (révision en vertu de l'article 127 C.T. refusée).
Doyon c. *Entreprises Jacques Despars inc.*, (2007) R.J.D.T. 1089 (C.R.T.), D.T.E. 2007T-645 (C.R.T.) (révision en vertu de l'article 127 C.T. refusée: D.T.E. 2008T-22 (C.R.T.)).

123.4/238 Il faut replacer le salarié dans l'état où il était avant le congédiement et lui accorder le même traitement que s'il n'avait pas eu lieu.
Doyon c. *Entreprises Jacques Despars inc.*, (2007) R.J.D.T. 1089 (C.R.T.), D.T.E. 2007T-645 (C.R.T.) (révision en vertu de l'article 127 C.T. refusée: D.T.E. 2008T-22 (C.R.T.)).
Deschênes c. *MS Restaurant inc.*, (2006) R.J.D.T. 1506 (C.R.T.), D.T.E. 2006T-974 (C.R.T.).
Compagnie Montréal Trust c. *Moore*, (1991) T.T. 466, D.T.E. 91T-1298 (T.T.) (révision judiciaire refusée: C.S.M. n^{0} 500-05-016894-915, le 26 février 1992) (appel rejeté à D.T.E. 94T-672 (C.A.), J.E. 94-987 (C.A.)).
Lepage Thermopompe inc. c. *Soulard*, D.T.E. 88T-899 (T.T.).
Cie de gestion Reber inc. c. *Potvin*, D.T.E. 84T-623 (T.T.).
April c. *Université Laval*, D.T.E. 96T-355 (C.T.).
Salon d'optique A.R. Laoun inc. c. *Leroux*, D.T.E. 95T-1305 (C.T.).
Shomali c. *Investissements Jeffnan ltée*, D.T.E. 88T-537 (C.T.).
Séguin c. *Action Communications Ltd.*, (1984) C.T. 289, D.T.E. 84T-670 (C.T.) (permission d'appeler refusée: D.T.E. 84T-833 (T.T.)).

123.4/239 L'employeur doit verser au salarié l'équivalent du salaire et des autres avantages dont il a été privé en raison du congédiement. Cette indemnité est due pour toute la période comprise entre le congédiement et l'ordonnance de réintégration.
Lachapelle c. *Caisse populaire Desjardins de Lavaltrie*, (2002) R.J.D.T. 235 (T.T.), D.T.E. 2002T-116 (T.T.).
Bergeron c. *2971-4821 Québec inc.*, D.T.E. 98T-920 (T.T.).
Beaulieu c. *Constitution du Canada, Cie d'assurances*, D.T.E. 93T-112 (C.T.).

123.4/240 Dans le cadre d'un recours pour pratiques illégales, la Commission des relations du travail ne peut rendre aucune autre décision que celle d'ordonner la réintégration du salarié dans le poste qu'il occupait au moment du congédiement avec une indemnisation pour l'équivalent du salaire et autres avantages perdus. La réintégration et l'indemnisation ont pour effet de compenser le préjudice subi en raison du congédiement et rendent sans objet une demande d'indemnité pour perte d'emploi.
Chauvette c. *Méthot (Résidence Louis Bourg)*, D.T.E. 2006T-546 (C.R.T.).

123.4/241 L'indemnité due à un salarié ne se limite pas nécessairement à la durée déterminée de son contrat, cette indemnité peut couvrir la période visée par la réclamation et se terminer à la date de la réintégration du salarié.
Compagnie Montréal Trust c. *Tribunal du travail*, D.T.E. 94T-672 (C.A.), J.E. 94-987 (C.A.).

123.4/242 L'indemnité due au salarié ne doit pas être réduite en raison du congédiement de ce dernier, survenu pendant la période couverte par l'indemnité.
Pneus supérieur inc. c. *Léonard*, (1999) R.J.D.T. 1652 (T.T.), D.T.E. 99T-1172 (T.T.) (révision judiciaire refusée: D.T.E. 2000T-541 (C.S.)).

123.4/243 Il est bien établi que l'obligation de réduire ses dommages exige que le salarié congédié effectue des démarches sérieuses pour se trouver un nouvel emploi. En droit civil, cette exigence résulte, en partie du moins, de l'impossibilité de rechercher l'exécution en nature des obligations contractuelles, ce qui n'est pas le cas lorsqu'il s'agit d'un recours basé sur l'article 122 L.N.T. qui offre de remédier au défaut par la réintégration en emploi. Lorsqu'un salarié exerce un tel recours, l'objectif recherché par celui-ci pendant la période au cours de laquelle il est sans emploi, est la réintégration. Pendant cette période, il ne cherche pas, en principe, à se trouver un nouvel emploi, mais à récupérer le sien. Ses obligations, en ce sens, ne sont pas les mêmes et l'on ne peut exiger la même rigueur en ce qui a trait à l'évaluation des efforts de recherche d'emploi. La nature illégale du congédiement doit donc être prise en considération dans l'appréciation de la suffisance des démarches que le salarié a effectuées. Toutefois, ce n'est pas le seul critère.
Doyon c. *Entreprises Jacques Despars inc.*, (2008) R.J.D.T. 1210 (C.R.T.), D.T.E. 2008T-608 (C.R.T.).

123.4/244 Le salarié congédié doit effectuer des démarches raisonnables pour trouver un emploi aux fins de mitigation des dommages.
Deschênes c. *MS Restaurant inc.*, (2006) R.J.D.T. 1506 (C.R.T.), D.T.E. 2006T-974 (C.R.T.).
Laverdière c. *3234339 Canada inc. (Crédico Marketing)*, D.T.E. 2005T-95 (C.R.T.).
Guilmain c. *Uni-sélect inc.*, D.T.E. 2004T-672 (C.R.T.).
Compagnie Montréal Trust c. *Moore*, (1991) T.T. 466, D.T.E. 91T-1298 (T.T.) (révision judiciaire refusée: C.S.M. n° 500-05-016894-915, le 26 février 1992) (appel rejeté à D.T.E. 94T-672 (C.A.), J.E. 94-987 (C.A.)).
Alltour Marketing Support Services Ltd. c. *Perras*, D.T.E. 84T-705 (T.T.).
Noël c. *Tricots San Remo Knitting Mills inc.*, D.T.E. 98T-474 (C.T.) (appel de l'employeur accueilli et appel du plaignant rejeté: D.T.E. 98T-1082 (T.T.)) (révision judiciaire refusée: D.T.E. 99T-161 (C.S.)).
Salon d'optique A.R. Laoun inc. c. *Leroux*, D.T.E. 95T-1305 (C.T.).

123.4/245 Ne constitue pas une démarche appropriée, le fait d'effectuer cinq ou six demandes d'emploi en quatorze mois. Ces démarches sont nettement insuffisantes, surtout en période de récession et de chômage où le salarié doit déployer plus d'efforts pour trouver du travail. Dans ce cadre, le salarié doit être responsable d'une partie des dommages qu'il a subis. Cependant, il peut être injuste de lui faire assumer seul cette responsabilité puisque le congédiement illégal est le fait de l'employeur.
Larose c. *Microrama Mnémotics inc.*, D.T.E. 95T-1274 (C.T.).
V. aussi: *Hénault* c. *Battery Plus inc.*, D.T.E. 2000T-158 (T.T.).

123.4/246 L'envoi massif de curriculum vitae par le salarié s'avère un moyen parmi d'autres pour établir des contacts avec des employeurs éventuels dans le cadre de son obligation de réduire ses dommages. Toutefois, en informant certains employeurs potentiels d'un litige et de sa réintégration prochaine chez son ex-employeur, le salarié annihile tous ses efforts. Ce comportement et cette attitude ne traduisent pas une volonté réelle de réduire ses dommages en obtenant un emploi rémunérateur.
Laverdière c. *3234339 Canada inc. (Crédico Marketing)*, D.T.E. 2005T-95 (C.R.T.).

123.4/247 C'est à l'employeur que revient le fardeau de prouver l'inexécution de l'obligation du salarié de minimiser ses dommages.
Ruiz c. *Coencorp Consultant Corporation*, (2006) R.J.D.T. 761 (C.R.T.), D.T.E. 2006T-417 (C.R.T.).
Hénault c. *Battery Plus inc.*, D.T.E. 2000T-158 (T.T.).
Étude Martine Hamel c. *Lamoureux*, (1991) T.T. 222, D.T.E. 91T-564 (T.T.).
Alltour Marketing Support Services Ltd. c. *Perras*, D.T.E. 84T-705 (T.T.).
Viaud c. *Services Press-Pak inc.*, D.T.E. 94T-544 (C.T.).

123.4/248 Un salarié n'est pas obligé pour minimiser ses dommages de changer son régime de vie ou de travail.
Ruiz c. *Coencorp Consultant Corporation*, (2006) R.J.D.T. 761 (C.R.T.), D.T.E. 2006T-417 (C.R.T.).
Bergeron c. *2971-4821 Québec inc.*, D.T.E. 98T-920 (T.T.).
Gagnon c. *Viens*, (1994) T.T. 484, D.T.E. 94T-1100 (T.T.).
Compagnie Montréal Trust c. *Moore*, (1991) T.T. 466, D.T.E. 91T-1298 (T.T.) (révision judiciaire refusée: C.S.M. n° 500-05-016894-915, le 26 février 1992) (appel rejeté à D.T.E. 94T-672 (C.A.), J.E. 94-987 (C.A.)).
Alltour Marketing Support Services Ltd. c. *Perras*, D.T.E. 84T-705 (T.T.).
Restaurant les Voltigeurs c. *Pannetier*, D.T.E. 83T-705 (T.T.).
Centre Butters-Savoy inc. c. *St-Laurent*, D.T.E. 96T-690 (C.T.).

123.4/249 Pour minimiser ses dommages, un salarié n'a pas à faire de démarches inutiles en frappant à la porte d'entreprises où il sait pertinemment, par différentes sources d'informations, qu'aucun emploi n'est disponible.
Viaud c. *Services Press-Pak inc.*, D.T.E. 94T-544 (C.T.).

123.4/250 Dans le cadre de l'application de l'obligation de réduction des dommages, il est juste et raisonnable, dans l'évaluation des efforts pour chercher un nouvel emploi, de tenir compte des effets du congédiement sur le salarié.
Luc Jean, Extermination 7/24 c. *Meunier*, (2001) R.J.D.T. 101 (T.T.), D.T.E. 2001T-37 (T.T.).

123.4/251 Malgré son obligation de réduire les dommages, un salarié peut être fondé de refuser l'offre de travail à temps partiel de son employeur.
Gagnon c. *Viens*, (1994) T.T. 484, D.T.E. 94T-1100 (T.T.).

123.4/252 Le salarié n'est pas justifié de refuser une offre légale de réintégration de l'employeur.
Noël c. *Tricots San Remo Knitting Mills inc.*, D.T.E. 98T-474 (C.T.) (appel de l'employeur accueilli et appel du plaignant rejeté: D.T.E. 98T-1082 (T.T.)) (révision judiciaire refusée: D.T.E. 99T-161 (C.S.)).

V. aussi: *Lachapelle* c. *Caisse populaire Desjardins de Lavaltrie*, (2002) R.J.D.T. 235 (T.T.), D.T.E. 2002T-116 (T.T.).
Gaudreau c. *Lasers Multi-tech inc.*, D.T.E. 2001T-1177 (C.T.).

123.4/253 Un salarié peut avoir le droit de refuser l'offre d'emploi à temps partiel de son ex-employeur, c'est-à-dire un emploi à temps partiel qui ne convient pas à sa disponibilité étant donné ses études et ses activités parascolaires.
Bergeron c. *2971-4821 Québec inc.*, D.T.E. 98T-920 (T.T.).

123.4/254 On ne peut faire reproche au salarié d'avoir cherché un emploi dans son domaine et dans sa région, plutôt qu'ailleurs dans un autre domaine.
Gagnon c. *Viens*, (1994) T.T. 484, D.T.E. 94T-1100 (T.T.).

123.4/255 Le salarié a le droit de refuser l'offre d'emploi de son employeur, si elle est illégale et constitue un congédiement déguisé, mais ce droit n'emporte pas en soi celui à une pleine compensation salariale si le salarié est dans une certaine mesure l'artisan de ses déboires.
Bergeron c. *2971-4821 Québec inc.*, D.T.E. 98T-920 (T.T.).
Noël c. *Tricots San Remo Knitting Mills inc.*, D.T.E. 98T-474 (C.T.) (appel de l'employeur accueilli et appel du plaignant rejeté: D.T.E. 98T-1082 (T.T.)) (révision judiciaire refusée: D.T.E. 99T-161 (C.S.)).

123.4/256 Un plaignant est justifié de refuser un emploi s'il ne s'agit pas d'un emploi comparable à celui qu'il détenait.
Étude Martine Hamel c. *Lamoureux*, (1991) T.T. 222, D.T.E. 91T-564 (T.T.).
Viaud c. *Services Press-Pak inc.*, D.T.E. 94T-544 (C.T.).

123.4/257 Un salarié peut refuser des affectations autres que celles auxquelles il s'est expressément engagé, si une convention collective le lui permet.
Centre Butters-Savoy inc. c. *St-Laurent*, D.T.E. 96T-690 (C.T.).

123.4/258 Le salarié n'ayant fait aucune démarche pour trouver un emploi depuis son congédiement n'a droit à aucune indemnité. Le fait d'avoir poursuivi des études à temps plein ne lui est d'aucun secours s'il n'a fait aucune recherche d'emploi au cours de cette période.
Boucher c. *Pliages Apaulo inc.*, D.T.E. 96T-148 (C.T.).

123.4/259 Le salarié s'acquitte convenablement de l'obligation de réduire ses dommages en travaillant ailleurs.
Carpentier c. *Shawinigan (Service de police de la Ville de)*, D.T.E. 95T-966 (C.T.).

123.4/260 Le salarié est justifié de refuser un emploi dont l'horaire en terme de jours et d'heures de travail est à l'opposé de son emploi antérieur, puisqu'il ne s'agit pas d'emplois comparables.
Restaurant les Voltigeurs c. *Pannetier*, D.T.E. 83T-705 (T.T.).

123.4/261 Une offre d'emploi considérée comme illégale dans le cadre de l'examen du bien-fondé de la plainte contestant un congédiement, peut être prise en considération aux fins de l'évaluation des dommages.
Tricots San Remo inc. c. *Lalande*, D.T.E. 95T-1051 (C.S.).

123.4/262 Il peut y avoir réduction de l'indemnité si le salarié refuse une offre d'emploi de son employeur.
Proulx c. *Garderie L'éveil des chérubins*, D.T.E. 2000T-821 (C.T.).

123.4/263 Le fait d'exploiter son propre commerce ne constitue pas un mode de mitigation des dommages.
Perron c. *Électrolux Canada*, (1984) C.T. 250, D.T.E. 84T-534 (C.T.).

123.4/264 Le commissaire a le pouvoir d'accorder des intérêts sur les sommes dues.
Pneus supérieur inc. c. *Léonard*, (1999) R.J.D.T. 1652 (T.T.), D.T.E. 99T-1172 (T.T.) (révision judiciaire refusée: D.T.E. 2000T-541 (C.S.)).
Bergeron c. *2971-4821 Québec inc.*, D.T.E. 98T-920 (T.T.).
Alltour Marketing Support Services Ltd. c. *Perras*, D.T.E. 84T-705 (T.T.).
Côté c. *École de médecine vétérinaire de l'Université de Montréal*, D.T.E. 95T-287 (C.T.).
Beaulieu c. *Constitution du Canada, Cie d'assurances*, D.T.E. 93T-112 (C.T.).
Perron c. *Électrolux Canada*, (1984) C.T. 250, D.T.E. 84T-534 (C.T.).
Séguin c. *Action Communications Ltd.*, (1984) C.T. 289, D.T.E. 84T-670 (C.T.) (permission d'appeler refusée: D.T.E. 84T-833 (T.T.)).
Dunkley c. *Perzow*, D.T.E. 83T-427 (C.T.).

123.4/265 Le commissaire n'est pas tenu de mentionner le paiement des intérêts dans sa décision pour qu'il soit exigé par le salarié. Les dispositions de l'article 123 L.N.T. et 19 du *Code du travail* sont suffisamment explicites à ce sujet.
Tardif c. *Compagnie 2735-9975 Québec inc.*, D.T.E. 97T-37 (C.T.).

123.4/266 En ce qui concerne la question du versement des intérêts, la plupart du temps le calcul se fait selon les indications fournies par le Tribunal du travail dans l'affaire *Laplante-Bohec* c. *Publications Quebecor inc.*, (1979) T.T. 268.
Deschênes c. *MS Restaurant inc.*, (2006) R.J.D.T. 1506 (C.R.T.), D.T.E. 2006T-974 (C.R.T.).

123.4/267 Il y a lieu de tenir compte de l'accroissement progressif de la perte salariale dans le calcul des intérêts.
Viaud c. *Services Press-Pak inc.*, D.T.E. 94T-544 (C.T.).

123.4/268 Le commissaire ne peut ordonner la capitalisation des intérêts, il peut seulement ordonner le paiement des intérêts sur le montant dû en capital.
Lepage Thermopompe inc. c. *Soulard*, D.T.E. 88T-899 (T.T.).

123.4/269 L'intérêt doit cesser d'être calculé au jour de la décision de la Commission, et ce, même si l'employeur demande que ce calcul cesse à la date de l'ajournement de l'affaire devant la Commission pour permettre à la Cour du Québec de se prononcer sur d'autres questions.
Ruiz c. *Coencorp Consultant Corporation*, (2006) R.J.D.T. 761 (C.R.T.), D.T.E. 2006T-417 (C.R.T.).

123.4/270 Il y a lieu d'arrêter le calcul de l'indemnité au moment précis où l'employeur se serait départi des services du salarié, compte tenu de la réorganisation de l'entreprise.
Dubuc c. *Ulric Bédard ltée*, D.T.E. 82T-589 (T.T.).

123.4/271 Il y a lieu de tenir compte de la preuve de la situation financière de l'entreprise dans la fixation de l'indemnité.
Séguin c. *Action Communications Ltd.*, (1984) C.T. 289, D.T.E. 84T-670 (C.T.) (permission d'appeler refusée: D.T.E. 84T-833 (T.T.)).

123.4/272 Il faut tenir compte du pourboire dans la fixation de l'indemnité due au salarié.
Bergeron c. *2971-4821 Québec inc.*, D.T.E. 98T-920 (T.T.).
Lalonde c. *Restaurant Château Dining Room Regd*, (1985) C.T. 154, D.T.E. 85T-284 (C.T.).

123.4/273 Le salaire gagné durant les fins de semaine par un salarié ne doit pas être pris en considération ni déduit de l'indemnité que l'employeur doit verser. S'il n'avait pas été congédié illégalement, il aurait continué à gagner ce salaire durant les fins de semaine en plus du salaire que lui versait son ex-employeur.
Viaud c. *Services Press-Pak inc.*, D.T.E. 94T-544 (C.T.).

123.4/274 Il est raisonnable de prendre comme base de calcul de l'indemnité due au salarié le salaire hebdomadaire qu'il gagnait au cours des cinq derniers mois d'emploi, soit celui qu'il recevait en fonction de la clientèle qui était devenue la sienne.
Tardif c. *Compagnie 2735-9975 Québec inc.*, D.T.E. 97T-37 (C.T.).

123.4/275 L'on ne peut réduire l'indemnité parce que le salarié n'aurait pu être disponible à tous les jours. Un commissaire ne peut prendre une décision en se basant sur des hypothèses. Pour ce faire, l'employeur doit établir, à titre d'exemple, un historique des absences pour cause de maladie ou pour d'autres raisons invoquées par le salarié pour refuser les affectations de travail. En l'absence d'une telle preuve, il y a lieu de retenir la disponibilité établie par le salarié.
Carpentier c. *Shawinigan (Service de police de la Ville de)*, D.T.E. 95T-966 (C.T.).

123.4/276 Les semaines prévues pour le congé de maternité et payées par l'assurance-chômage ne doivent pas être computées dans le calcul de l'indemnité.
Shomali c. *Investissements Jeffnan ltée*, D.T.E. 88T-537 (C.T.).

123.4/277 Le commissaire du travail (maintenant la Commission des relations du travail) a compétence pour acccorder une indemnité de vacances déjà réclamée par la Commission des normes du travail.
Lepage Thermopompe inc. c. *Soulard*, D.T.E. 88T-899 (T.T.).

123.4/278 Le commissaire peut ordonner à l'employeur de verser les indemnités de vacances et pour les jours fériés au salarié injustement congédié.
Tardif c. *Compagnie 2735-9975 Québec inc.*, D.T.E. 97T-37 (C.T.).
Lalonde c. *Restaurant Château Dining Room Regd*, (1985) C.T. 154, D.T.E. 85T-284 (C.T.).
V. aussi: *Bergeron* c. *2971-4821 Québec inc.*, D.T.E. 98T-920 (T.T.).
Salon d'optique A.R. Laoun inc. c. *Leroux*, D.T.E. 95T-1305 (C.T.).
Beaulieu c. *Constitution du Canada, Cie d'assurances*, D.T.E. 93T-112 (C.T.).

123.4/279 Le commissaire peut octroyer une indemnité pour la perte d'un boni de Noël et la perte de la chance d'effectuer des heures supplémentaires.
Beaulieu c. *Constitution du Canada, Cie d'assurances*, D.T.E. 93T-112 (C.T.).

123.4/280 L'indemnité réparatrice, accordée au salarié plaignant, doit tenir compte de l'allocation pour usage de sa voiture personnelle puisque celle-ci constitue un avantage qui s'ajoute au salaire et fait partie des conditions de travail.
Ruiz c. *Coencorp Consultant Corporation*, (2006) R.J.D.T. 761 (C.R.T.), D.T.E. 2006T-417 (C.R.T.).

123.4/281 Le commissaire ne peut forcer un employeur à rembourser le coût d'un uniforme que le salarié a acheté si ce dernier le conserve en sa possession, et ce, en plus de celui que l'employeur lui a fourni sans frais au début de son emploi.
Tardif c. *Compagnie 2735-9975 Québec inc.*, D.T.E. 97T-37 (C.T.).

123.4/282 L'expression «autres avantages» ne comprend pas les dommages pour troubles émotifs et impact négatif sur la carrière.
Shomali c. *Investissements Jeffnan ltée*, D.T.E. 88T-537 (C.T.).

123.4/283 Exception faite du salaire gagné ailleurs, il n'y a pas lieu de déduire d'autres sommes de l'indemnité accordée au salarié.
Étude Martine Hamel c. *Lamoureux*, (1991) T.T. 222, D.T.E. 91T-564 (T.T.).

123.4/284 L'indemnité peut être moins élevée si les dommages cessent plus tôt qu'au moment de l'exécution de l'ordonnance du commissaire.
Centre Butters-Savoy inc. c. *St-Laurent*, D.T.E. 96T-690 (C.T.).

123.4/285 La menace du salarié et la rupture du lien de confiance qui en découle, même si elles apparaissent comme des motifs valables pour refuser de réintégrer le salarié dans son emploi, ne sont pas suffisantes pour diminuer le quantum de l'indemnité.
Polledo c. *2866-4985 Québec inc.*, D.T.E. 2001T-210 (C.T.).

123.4/286 Il faut effectuer la déduction du salaire gagné dans un emploi occupé après le congédiement et l'indemnité de préavis reçue au moment du congédiement. Il faut également déduire les semaines pendant lesquelles le salarié n'aurait pu travailler en raison de son hospitalisation et les semaines écoulées entre le rappel formel au travail et le retour effectif du salarié.
Tricots San Remo Knittings Mills inc. c. *Noël*, D.T.E. 95T-462 (C.T.) (ultérieur: D.T.E. 95T-466 (T.T.)) (révision judiciaire accueillie pour d'autres motifs: D.T.E. 95T-1051 (C.S.)).

123.4/287 Si le salarié occupe un autre emploi au cours de la période de congédiement, le salaire qu'il a ainsi gagné doit être déduit de l'indemnité.
Lachapelle c. *Caisse populaire Desjardins de Lavaltrie*, (2002) R.J.D.T. 235 (T.T.), D.T.E. 2002T-116 (T.T.).

123.4/288 Le commissaire ne peut opérer compensation quant aux avances sur les commissions qui ont été versées au plaignant avant son congédiement, cela relève des tribunaux de droit commun.
Compagnie Montréal Trust c. *Moore*, (1991) T.T. 466, D.T.E. 91T-1298 (T.T.) (révision judiciaire refusée: C.S.M. n⁰ 500-05-016894-915, le 26 février 1992) (appel rejeté à D.T.E. 94T-672 (C.A.), J.E. 94-987 (C.A.)).

123.4/289 À moins de pouvoir établir le caractère abusif et malveillant de la plainte du salarié, l'employeur ne peut réclamer des dommages-intérêts de celui-ci devant les tribunaux de droit commun.
Safa Metal Works Inc. c. *Charles*, D.T.E. 2003T-158 (C.A.), J.E. 2003-303 (C.A.), REJB 2003-36931 (C.A.).

123.4/290 Le commissaire peut forcer un employeur à verser une indemnité tenant lieu de paiement pour les commissions sur les ventes de produits que le salarié aurait effectuées.
Tardif c. *Compagnie 2735-9975 Québec inc.*, D.T.E. 97T-37 (C.T.).

123.4/291 Les prestations d'assurance-emploi ne doivent pas être déduites du montant dû par l'employeur.
Gaudreau c. *Jardin Jouvence inc./Floralies Jouvence enr.*, (1999) R.J.D.T. 171 (T.T.), D.T.E. 99T-134 (T.T.).

123.4/292 Le commissaire ne peut tenir compte du préjudice fiscal dans le cas d'une plainte fondée sur les articles 122 et 123 L.N.T.
Carpentier c. *Shawinigan (Service de police de la Ville de)*, D.T.E. 95T-966 (C.T.).
V. cependant: *Côté* c. *École de médecine vétérinaire de l'Université de Montréal*, D.T.E. 95T-287 (C.T.) en ce qui concerne la détermination du préjudice fiscal, pour lequel il y a lieu d'attendre le moment où le salarié aura produit sa déclaration de revenus pour l'année concernée.

123.4/293 Doivent être incluses dans la fixation de l'indemnité, les augmentations de salaire accordées durant l'absence du salarié.
Dumont c. *Terrasse-Vaudreuil (Municipalité de)*, D.T.E. 94T-435 (C.T.).

123.4/294 La précarité de la situation financière de l'entreprise ne joue pas en faveur d'une réduction de l'indemnité du salarié si le nombre d'employés est demeuré le même depuis le congédiement de celui-ci.
Gagnon c. *Viens*, (1994) T.T. 484, D.T.E. 94T-1100 (T.T.).

123.4/295 Il faut tenir compte des conditions de travail et de l'orientation de l'entreprise, au jour de la rétrogradation du requérant, pour le calcul de l'indemnité réparatrice due à celui-ci.
Ruiz c. *Coencorp Consultant Corporation*, (2006) R.J.D.T. 761 (C.R.T.), D.T.E. 2006T-417 (C.R.T.).

123.4/296 Le commissaire ne peut faire droit à une réclamation pour des frais de déplacement du salarié plaignant dans le cadre de son nouvel emploi. Ces dépenses sont en fonction de la situation personnelle du salarié et sont complètement étrangères à la relation d'emploi de même qu'à la volonté des parties exprimée dans le contrat de travail.
Gaudreau c. *Lasers Multi-tech inc.*, D.T.E. 2001T-1177 (C.T.).

123.4/297 V. la jurisprudence sous les articles 122 et 128(2) L.N.T.

123.4/298 V. BRIÈRE, J.-Y. et VILLAGGI, J.-P., *Relations de travail*, vol. 2, (édition à feuilles mobiles), Brossard, Les Publications CCH ltée, p. 8,755 à 8,767-12.

123.4/299 V. D'AOUST, C., «Minimisation des dommages: sources et application en cas de congédiement», (1991) 22 *R.G.D.* 325.

123.4/300 V. DUBÉ, J.-L. et DI IORIO, N., *Les normes du travail*, 2e éd., Sherbrooke, Les Éditions Revue de droit — Université de Sherbrooke, 1992, p. 365 à 393.

123.4/301 V. GAGNON, R.P., *Le droit du travail du Québec*, 6e éd. (mis à jour par LANGLOIS KRONSTRÖM DESJARDINS, S.E.N.C.R.L. sous la dir. de BERNARD, Y., SASSEVILLE, A. et CLICHE, B.), Cowansville, Les Éditions Yvon Blais inc., 2008, p. 143, 172 à 174 et 191 à 193.

123.4/302 V. HÉBERT, G. et TRUDEAU, G., *Les normes minimales du travail au Canada et au Québec*, Cowansville, Les Éditions Yvon Blais inc., 1987, p. 151 à 158.

123.4/303 V. MORIN, F., «Le salarié injustement congédié doit-il mitiger les dommages causés par l'employeur?», dans Trudeau G., Vallée, G. et Veilleux, D. (dir.), *Études en droit du travail: à la mémoire de Claude D'Aoust*, Cowansville, Les Éditions Yvon Blais inc., 1995, p. 221.

art. 123.6

QUESTIONS DE COMPÉTENCE OU JURIDICTIONNELLES

123.6/1 Les dispositions relatives au harcèlement psychologique ne s'appliquent pas à une entreprise dont les activités sont de compétence fédérale.
Szyk c. *Corporation Jet Worldwide*, D.T.E. 2007T-424 (C.Q.), J.E. 2007-1006 (C.Q.), EYB 2007-118297 (C.Q.).

123.6/2 Seule la Commission des relations du travail est compétente pour appliquer les dispositions pertinentes de la *Loi sur les normes du travail* en matière de harcèlement psychologique au travail.
Szyk c. *Corporation Jet Worldwide*, D.T.E. 2007T-424 (C.Q.), J.E. 2007-1006 (C.Q.), EYB 2007-118297 (C.Q.).

123.6/3 C'est la norme de contrôle de la décision correcte qui s'applique en matière de révision judiciaire lorsque les tribunaux supérieurs ont à réviser une décision de la Commission des relations du travail ayant décidé uniquement d'une question de droit civil, soit une question relative à une transaction, plus particulièrement en ce qui concerne un accord de principe sur les éléments essentiels de l'entente.
Voyer c. *Commission des relations du travail*, (2009) R.J.D.T. 33 (C.S.), D.T.E. 2009T-163 (C.S.), EYB 2009-154208 (C.S.).

GÉNÉRAL

123.6/4 Le recours prévu aux articles 123.6 et ss. de la *Loi sur les normes du travail* sanctionne le droit qu'a tout salarié à un milieu de travail exempt de harcèlement psychologique.
Plourde c. *Compagnie Wal-Mart du Canada (établissement de Jonquière)*, D.T.E. 2006T-358 (C.R.T.).

123.6/5 Les conditions préliminaires de recevabilité d'une plainte de harcèlement psychologique sont: la démonstration du statut de salarié, le dépôt de la plainte dans les 90 jours de la dernière manifestation de la conduite de harcèlement et le déféré de la plainte à la Commission des relations du travail par la Commission des normes du travail.
Masson c. *Compagnie Wal-Mart du Canada, Magasins Wal-Mart Canada inc.*, (2007) R.J.D.T. 1559 (C.R.T.), D.T.E. 2007T-811 (C.R.T.) (révision en vertu de l'article 127 C.T. refusée: D.T.E. 2008T-23 (C.R.T.)).

123.6/6 Pour bénéficier du régime de protection des salariés contre le harcèlement psychologique et pouvoir exercer les recours prévus par la *Loi sur les normes du travail*, le plaignant doit établir sa qualité de salarié au sens des dispositions de l'article 1(10) L.N.T. Il ressort clairement de la *Loi sur les normes du travail* que seule une personne salariée peut formuler une plainte alléguant du harcèlement psychologique au travail.
Montreuil c. *Collège François-Xavier Garneau*, D.T.E. 2005T-534 (C.R.T.).

123.6/7 Le salarié plaignant doit produire un exposé sommaire des faits pour que l'employeur, qui a droit à une défense pleine et entière, puisse préparer sa cause en toute connaissance et ainsi éviter l'ajournement.
Curry c. *Stroms' Enterprises Ltd.*, D.T.E. 2006T-930 (C.R.T.).

123.6/8 Le fait que les gestes répréhensibles de l'employeur contre la salariée se soient produits en dehors des heures de travail n'empêche pas l'application des dispositions de l'article 123.6 L.N.T.
G.S. c. *H.F.*, (2007) R.J.D.T. 1050 (C.R.T.), D.T.E. 2007T-590 (C.R.T.) (révision en vertu de l'article 127 C.T. refusée: D.T.E. 2007T-963 (C.R.T.)).

123.6/9 Une transaction au sens du *Code civil du Québec* constitue un obstacle infranchissable au recours basé sur le harcèlement psychologique.
Lafortune c. *Cryos Technologies inc.*, D.T.E. 2006T-929 (C.R.T.).

123.6/10 Un accord de principe sur les éléments essentiels d'une entente constitue une transaction rendant irrecevable la plainte du salarié.
Voyer c. *Compagnie Abitibi-Consolidated du Canada*, D.T.E. 2008T-237 (C.R.T.) (révision judiciaire refusée: (2009) R.J.D.T. 33 (C.S.), D.T.E. 2009T-163 (C.S.), EYB 2009-154208 (C.S.)).

123.6/11 Le recours en vertu des articles 15 et ss. du *Code du travail* et les plaintes relatives au harcèlement psychologique selon les articles 123.6 et ss. de la *Loi sur les normes du travail*, ne relèvent pas des mêmes principes juridiques. L'absence d'identité d'objet ou de cause est suffisante pour ne pas conclure à litispendance.
Plourde c. *Compagnie Wal-Mart du Canada (établissement de Jonquière)*, D.T.E. 2006T-358 (C.R.T.).

123.6/12 Le recours en vertu des articles 59 et 100.10 du *Code du travail* et celui prévu par les dispositions des articles 123.6 et ss. de la *Loi sur les normes du travail* ne sont pas identiques, compte tenu qu'il n'y a pas identité de parties ni de cause. Il n'y a pas de litispendance entre ces deux recours. Dans le cas des articles 59 et 100.10 C.T., le requérant est l'association de salariés tandis que le recours déposé en vertu de l'article 123.6 L.N.T. appartient au salarié. La cause

des articles 59 et 100.10 C.T. est de faire déclarer que les conditions de travail des salariés ont été modifiées sans l'accord de l'association de salariés, tandis que la cause du recours déposé selon l'article 123.6 L.N.T. est de faire reconnaître qu'un employeur n'a pas maintenu un milieu de travail exempt de harcèlement psychologique et qu'il n'a pas pris les moyens pour prévenir le harcèlement ou le faire cesser. Ainsi, ces deux recours coexistent, et ce, tant qu'une convention collective n'est pas en vigueur.
Calcuttawala c. *Conseil du Québec — Unite Here*, (2006) R.J.D.T. 1472 (C.R.T.), D.T.E. 2006T-949 (C.R.T.).

123.6/13 Pour qu'une transaction intervienne à la suite du règlement d'un litige opposant le salarié plaignant et l'employeur dans le cadre d'une plainte déposée en vertu de l'article 32 L.A.T.M.P., il faut y retrouver une référence directe ou indirecte à d'autres recours nés ou à naître pour rendre irrecevable la plainte déposée en vertu de l'article 123.6 L.N.T.
Cadieux c. *Dollarama, s.e.c.*, D.T.E. 2008T-916 (C.R.T.).

123.6/14 V. POIRIER, G., RIVEST, R.L. et FRÉCHETTE, H., *Les nouvelles normes de protection en cas de harcèlement psychologique au travail: une approche moderne*, Cowansville, Les Éditions Yvon Blais inc., 2004.

art. 123.7

123.7/1 Les dispositions de la *Loi sur les normes du travail* relatives au harcèlement psychologique n'ont pas d'effet rétroactif.
Trudeau c. *Noël*, D.T.E. 2005T-100 (C.Q.), J.E. 2005-228 (C.Q.), EYB 2004-85715 (C.Q.).
Syndicat canadien de la fonction publique, section locale 2915 (SCFP) c. *Baie-Comeau (Ville de) (Bobby Lévesque)*, (2005) R.J.D.T. 1984 (T.A.), D.T.E. 2005T-1118 (T.A.).

123.7/2 Dans tous les cas de plaintes basées sur le harcèlement psychologique, il faut que la réclamation trouve un fondement dans des gestes ou, encore, dans une manifestation de conduite harcelante au cours des 90 jours précédant le dépôt de la plainte. Ainsi, c'est seulement si la preuve de tels gestes ou d'une telle conduite est faite qu'il y aura lieu d'envisager la recevabilité en preuve d'éléments antérieurs. Le tribunal doit donc, dans ce cas, décider de l'objection sans entendre toute la preuve que le plaignant veut présenter au sujet de faits antérieurs. Pour ce faire, il faut déterminer, en premier lieu, si une conduite manifestant du harcèlement psychologique dans la période de 90 jours précédant le dépôt de la plainte a été démontrée.
Syndicat des cols bleus regroupés de Montréal, section locale 301 (SCFP) c. *Montréal (Ville de) (Robert Bérubé)*, D.T.E. 2008T-601 (T.A.).

123.7/3 La Commission des relations du travail ne peut retenir les événements antérieurs au 1er juin 2004, date d'entrée en vigueur des dispositions de la *Loi sur les normes du travail* visant à contrer le harcèlement psychologique. Prendre en considération les faits antérieurs à cette date donnerait un effet rétroactif à ces dispositions.

Szyk c. *Corporation Jet Worldwide*, D.T.E. 2007T-424 (C.Q.), J.E. 2007-1006 (C.Q.), EYB 2007-118297 (C.Q.).
Mailloux c. *Outland Reforestation inc. (La Forêt de demain)*, D.T.E. 2006T-576 (C.R.T.) (révision en vertu de l'article 127 C.T. refusée) (révision judiciaire refusée: D.T.E. 2008T-242 (C.S.), J.E. 2008-633 (C.S.), EYB 2008-129834 (C.S.)).

123.7/4 La Commission des relations du travail doit examiner l'ensemble des faits pour mettre en contexte les gestes commis dans les 90 jours précédant le dépôt de la plainte du salarié plaignant, et ce, dans le but de mieux évaluer la portée de certains comportements.
Dupuis c. *Commission scolaire de la Riveraine*, D.T.E. 2008T-821 (C.R.T.) (révision en vertu de l'article 127 C.T. refusée: D.T.E. 2009T-85 (C.R.T.)) (requête en révision judiciaire: n° 405-17-000958-087).

123.7/5 Le fardeau de démontrer l'impossibilité en fait d'agir appartient au salarié.
Belmihoub c. *Proforce inc.*, D.T.E. 2007T-369 (C.R.T.).

123.7/6 Les dispositions de l'article 123.7 L.N.T. font partie intégrante de toute convention collective; conséquemment, tout grief doit être déposé à l'intérieur des délais fixés par cet article.
Association du personnel de soutien du Collège A c. *Collège A (F.S.)*, (2007) R.J.D.T. 1247 (T.A.), D.T.E. 2007T-660 (T.A.) (requête en révision judiciaire: n° 500-17-037967-075).

123.7/7 On peut faire droit à une plainte en s'appuyant sur des événements antérieurs au délai de 90 jours mentionné à l'article 123.7 L.N.T. En effet, la formulation de cet article implique que, pour autant qu'il y ait manifestation d'une conduite vexatoire dans le délai de 90 jours précédant le dépôt de la plainte ou du grief, toute autre manifestation antérieure peut être considérée.
St-Boniface (Municipalité de) c. *Syndicat des travailleuses et travailleurs de St-Boniface (CSN) (Céline Lemay)*, D.T.E. 2009T-168 (T.A.).
Rouleau c. *Québec (Ministère de la Sécurité publique)*, D.T.E. 2006T-713 (C.F.P.).

123.7/8 Le délai de 90 jours suivant la dernière manifestation de la conduite vexatoire est un délai de rigueur dont l'inobservation entraîne la déchéance du droit.
Dupuis c. *Commission scolaire de la Riveraine*, D.T.E. 2008T-821 (C.R.T.) (révision en vertu de l'article 127 C.T. refusée: D.T.E. 2009T-85 (C.R.T.)) (requête en révision judiciaire: n° 405-17-000958-087).

123.7/9 Le délai de 90 jours suivant la dernière manifestation de la conduite de harcèlement psychologique pour déposer une plainte, est un délai de rigueur dont le non-respect entraîne la déchéance du droit.
Belmihoub c. *Proforce inc.*, D.T.E. 2007T-369 (C.R.T.).
Québec (Ville de) c. *Syndicat du personnel occasionnel de Québec (FISA) (Nicolas Grenier)*, (2008) R.J.D.T. 1809 (T.A.), D.T.E. 2008T-946 (T.A.).

123.7/10 Un grief relatif au harcèlement psychologique doit être considéré comme ayant été déposé hors délai si aucun fait permettant de conclure à une situation de harcèlement n'est survenu durant la période de prescription.

Syndicat des salariées et salariés des Caisses populaires du Saguenay—Lac-St-Jean (CSN) c. *Caisses populaires du Saguenay—Lac-St-Jean — Caisse populaire de Laterrière (grief collectif)*, D.T.E. 2007T-972 (T.A.).

123.7/11 Il n'y a pas prescription du recours si le salarié peut établir un lien entre un fait antérieur et un événement contemporain au dépôt de sa plainte.
S.D. c. *Québec (Gouvernement du) (Société de l'assurance automobile du Québec)*, (2009) R.J.D.T. 205 (C.R.T.), D.T.E. 2009T-162 (C.R.T.).

123.7/12 Constitue une plainte au sens des dispositions de l'article 123.7 L.N.T., le fait pour le salarié de remettre directement à son employeur une lettre indiquant qu'il se plaint d'une conduite vexatoire dans le cadre de son emploi.
Union des agents de sécurité du Québec, métallurgistes unis d'Amérique, section locale 8922 c. *Sécurité Kolossal inc. (Abdeltif Farah)*, (2007) R.J.D.T. 858 (T.A.), D.T.E. 2007T-488 (T.A.).

123.7/13 Un grief n'est pas prescrit même s'il est présenté en dehors du délai de 90 jours de la dernière manifestation de la conduite de harcèlement psychologique, si le salarié a présenté à l'employeur, par écrit, à l'intérieur du délai de 90 jours, qu'il entendait se plaindre de la conduite vexatoire d'un cadre à son endroit.
Union des agents de sécurité du Québec, métallurgistes unis d'Amérique, section locale 8922 c. *Sécurité Kolossal inc. (Abdeltif Farah)*, (2007) R.J.D.T. 858 (T.A.), D.T.E. 2007T-488 (T.A.).

123.7/14 Compte tenu de l'interrelation entre les diverses manifestations de harcèlement, l'on ne saurait limiter la preuve recevable aux événements survenus dans les 90 jours suivant le dépôt de la plainte.
Québec (Ville de) c. *Syndicat du personnel occasionnel de Québec (FISA) (Nicolas Grenier)*, (2008) R.J.D.T. 1809 (T.A.), D.T.E. 2008T-946 (T.A.).

123.7/15 Après plusieurs incidents, tout commentaire laissant sous-entendre que la victime a quelque problème d'ordre psychologique est une agression qui porte atteinte à sa dignité et constitue la «dernière manifestation» de harcèlement au sens de l'article 123.7 L.N.T.
Association du personnel de soutien du Collège A c. *Collège A (F.S.)*, (2007) R.J.D.T. 1247 (T.A.), D.T.E. 2007T-660 (T.A.) (requête en révision judiciaire: n° 500-17-037967-075).

art. 123.8

123.8/1 Puisque la forme de l'enquête de la Commission des normes du travail n'est pas définie ni encadrée par la *Loi sur les normes du travail*, il lui appartient d'en déterminer la forme et la teneur. À la fin de l'enquête, si aucun règlement n'intervient entre les parties et si elle donne suite à la plainte, celle-ci la défère sans autre formalité à la Commission des relations du travail qui doit en disposer.
Compagnie Wal-Mart du Canada (Magasins Wal-Mart Canada inc.) c. *Masson*, D.T.E. 2008T-23 (C.R.T.), conf. (2007) R.J.D.T. 1559 (C.R.T.), D.T.E. 2007T-811 (C.R.T.).

123.8/2 Il n'appartient pas à la Commission des relations du travail de se prononcer sur le caractère approprié ou non de l'enquête menée par la Commission des normes du travail ou, encore, de sanctionner le fait qu'une telle enquête n'a pas été tenue par elle. La Commission des relations du travail n'a aucun pouvoir de surveillance ou de contrôle sur la façon dont la Commission des normes du travail exerce les mandats qui lui sont confiés par la loi. Dès que la Commission des normes du travail décide de lui déférer une plainte de harcèlement psychologique, la Commission des relations du travail en est valablement saisie et doit la trancher.
Compagnie Wal-Mart du Canada (Magasins Wal-Mart Canada inc.) c. *Masson*, D.T.E. 2008T-23 (C.R.T.), conf. (2007) R.J.D.T. 1559 (C.R.T.), D.T.E. 2007T-811 (C.R.T.).
Ferrere c. *131427 Canada inc.*, D.T.E. 2007T-223 (C.R.T.).

123.8/3 V. DUPUIS, I., «Les volets confidentiels du processus des enquêtes à la Commission des normes du travail: une protection pour toutes les parties», dans *Développements récents en droit du travail (2006)*, Formation continue du Barreau du Québec, Cowansville, Les Éditions Yvon Blais inc., 2006, p. 61.

art. 123.15

123.15/1 Le texte introductif de l'article 123.15 L.N.T. a comme objet d'établir, d'une part, si le salarié est victime de harcèlement psychologique au travail et, d'autre part, si l'employeur a rempli son devoir de le prévenir et également d'y mettre fin. Il n'y est pas question d'obligation ou de faute à l'égard du harceleur. En cette matière, le législateur a choisi de créer des obligations pour les employeurs et des recours contre eux. Les auteurs des gestes fautifs ne sont pas visés directement par cette disposition.

Ainsi, le décideur ne peut condamner directement la personne fautive à des dommages-intérêts ou, encore, lui imposer une mesure disciplinaire. De plus, la responsabilité de maintenir un milieu de travail exempt de harcèlement psychologique incombe toujours à l'employeur. En d'autres mots, le législateur a choisi de protéger le milieu de travail.

Aussi, tout en respectant la volonté du législateur de maintenir un recours sans faute à l'égard du harceleur, il n'y a pas lieu de croire qu'il ait voulu limiter le recours à des pouvoirs exceptionnels, dont celui d'émettre une ordonnance qui assurera la sauvegarde des droits des parties, soit l'obligation de moyen de l'employeur et, par ricochet, le droit du plaignant de travailler dans un milieu exempt de harcèlement psychologique.

Toutefois, une ordonnance exceptionnelle rendue à l'encontre du harceleur doit être accessoire à celle rendue contre l'employeur et surtout ne revêtir aucun caractère punitif, l'objectif visé étant plutôt de permettre une application efficace de la sentence finale qui s'inscrit dans un contexte où toutes les parties au litige, y compris les tiers intervenants, continueront à travailler dans le même milieu de travail. Ainsi, le fait d'ajouter une telle ordonnance exceptionnelle ne compromet pas les droits du tiers intervenant, soit le harceleur, pourvu qu'il ait toutes les chances de présenter ses arguments sur la question. Ce type d'ordonnance ne porte par atteinte au droit à la dignité du harceleur ni à ses droits découlant de son lien d'emploi.
Association du personnel de soutien du Collège A c. *Collège A (F.S.)*, D.T.E. 2008T-448 (T.A.).

123.15/2 Lorsque la Commission des relations du travail conclut que le salarié plaignant a été victime de harcèlement psychologique et que l'employeur a fait défaut de respecter ses obligations légales de prévention, il appartient à celle-ci, dans ce cas, de déterminer la réparation adéquate parmi les mesures prévues dont l'énumération n'est pas limitative. Elle doit tenir compte de toutes les circonstances de l'affaire pour rendre une décision juste et raisonnable.
Compagnie Wal-Mart du Canada (Magasins Wal-Mart Canada inc.) c. *Masson*, D.T.E. 2008T-23 (C.R.T.), conf. (2007) R.J.D.T. 1559 (C.R.T.), D.T.E. 2007T-811 (C.R.T.).

123.15/3 Un employeur qui est une personne morale ne peut faire de harcèlement psychologique comme tel. Il faut nécessairement une ou plusieurs personnes bien réelles pour agir de façon répréhensible.
Marois c. *Commission des droits de la personne et des droits de la jeunesse*, (2006) R.J.D.T. 1147 (C.R.T.), D.T.E. 2006T-694 (C.R.T.) (requête en sursis rejetée: D.T.E. 2006T-996 (C.S.)) (révision judiciaire refusée: C.S.M. n° 500-17-032266-069, le 13 novembre 2006).

123.15/4 Il est établi qu'une saine administration de la justice ainsi que l'intérêt des parties dans une affaire ne justifient pas la tenue simultanée de deux enquêtes portant sur les mêmes faits et dont les résultats de l'une pourraient avoir un effet déterminant sur le sort de l'autre. Ainsi, les procédures commencées devant la Commission des relations du travail à l'égard d'une plainte pour harcèlement psychologique doivent être suspendues jusqu'à ce que la Commission des lésions professionnelles se prononce sur une demande d'indemnisation pour cause de lésion professionnelle.
Rajeb c. *Solutions d'affaires Konica Minolta (Montréal) inc.*, (2008) R.J.D.T. 763 (C.R.T.), D.T.E. 2008T-415 (C.R.T.).

123.15/5 Un salarié ne peut cumuler un recours basé sur le harcèlement psychologique et une plainte à la Commission de la santé et de la sécurité du travail invoquant une lésion professionnelle. En effet, lorsque la Commission des lésions professionnelles conclut à une lésion psychologique et que le salarié reçoit des indemnités de la Commission de la santé et de la sécurité du travail, il résulte alors de la loi une immunité civile de l'employeur et une absence de compétence de la Commission des relations du travail pour accorder des dommages-intérêts et des dommages non pécuniaires et exemplaires en vertu de l'article 123.15 L.N.T.
Haddad c. *Vêtements Va-Yola ltée*, D.T.E. 2008T-422 (C.R.T.).

123.15/6 Il appartient au salarié plaignant de faire la preuve que les dommages-intérêts réclamés sont directement reliés au harcèlement psychologique dont il dit être victime.
Landesman c. *EnCore Automotive*, D.T.E. 2007T-1038 (C.R.T.).

123.15/7 Il n'y a pas lieu de séparer pour fins d'enquête la plainte basée sur le harcèlement psychologique et la plainte déposée en contestation d'un congédiement sans cause juste et suffisante.
Rajeb c. *Solutions d'affaires Konica Minolta (Montréal) inc.*, (2008) R.J.D.T. 763 (C.R.T.), D.T.E. 2008T-415 (C.R.T.).

123.15/8 Ne peut être accueillie, une requête en rejet sommaire de la plainte du salarié au motif que les remèdes prévus à l'article 123.15 L.N.T. n'auront aucun effet utile vu l'existence d'une lésion professionnelle. En effet, il ne peut être décidé de cette demande à sa face même sans que toute la preuve ait été entendue sur le mérite du litige. La Commission des relations du travail demeure compétente sur les mesures de réparation visant la période débordant de la lésion professionnelle.
Calcuttawala c. *Conseil du Québec — Unite Here*, (2006) R.J.D.T. 1472 (C.R.T.), D.T.E. 2006T-949 (C.R.T.).

123.15/9 Il y a lieu de permettre l'intervention d'un cadre lorsque ses propos et son comportement sont mis en cause. Il s'agit en quelque sorte de la sauvegarde des droits de cette personne et du risque de préjudice à son égard.
Cégep Beauce-Appalaches c. *Syndicat des enseignantes et des enseignants du Cégep Beauce-Appalaches (griefs syndicaux et griefs patronaux)*, D.T.E. 2008T-516 (T.A.).

123.15/10 En matière de harcèlement psychologique, un tiers peut intervenir dans le débat lorsque ses droits sont en cause, notamment son droit à la sauvegarde de sa réputation. Ainsi, un supérieur a le droit d'intervenir dans un arbitrage de grief à titre de personne intéressée, d'être représenté par un avocat, d'assister à l'audience, d'interroger, de contre-interroger des témoins et de faire valoir ses prétentions, mais uniquement en ce qui a trait aux faits qui le concernent personnellement. Enfin, il ne peut être considéré comme une partie à part entière.
Montréal (Ville de) c. *Association des pompiers de Montréal inc. (Denis Savoie)*, D.T.E. 2008T-590 (T.A.).

123.15/11 L'article 123.15 L.N.T. délimite le champ de compétence de la Commission des relations du travail en matière de harcèlement psychologique. Ainsi, avant de rendre toute décision qui lui paraît juste et raisonnable, la Commission doit *a priori* conclure que le salarié a été victime de harcèlement psychologique et, d'autre part, que l'employeur n'a pas respecté ses obligations prévues à l'article 81.19 L.N.T. Une fois posé ce postulat, l'article 123.16 L.N.T. l'oblige à réserver certaines décisions si elle estime probable que le harcèlement a entraîné une lésion professionnelle. Dans le cas où celle-ci se prononce sur la probabilité que le harcèlement ait entraîné une lésion professionnelle chez le salarié, elle agit dans les limites de son champ de compétence. Toutefois, elle ne peut commettre d'erreur de droit dans l'interprétation de la portée des modalités d'exercice de sa compétence en vertu de l'article 123.16 L.N.T. ni dans l'interprétation ou encore dans l'application des dispositions pertinentes de la *Loi sur les accidents du travail et les maladies professionnelles* (L.R.Q., c. A-3.001), sinon il y aura lieu à révision judiciaire puisqu'il s'agit d'une question attributive de compétence. Enfin, lorsque les manquements reprochés à la Commission ont trait au respect des règles de justice naturelle et à son refus d'exercer sa compétence, il faut appliquer la norme de contrôle de la décision correcte.
Clavet c. *Commission des relations du travail*, (2007) R.J.D.T. 1442 (C.S.), D.T.E. 2007T-840 (C.S.), J.E. 2007-1923 (C.S.), EYB 2007-124514 (C.S.).

123.15/12 Le simple fait de ne plus être au service de l'employeur contre lequel le salarié a déposé une plainte de harcèlement psychologique, ne constitue pas, à lui seul, une fin de non-recevoir, puisque le législateur a expressément prévu, à

l'article 123.15 L.N.T., la possibilité d'ordonner la réintégration à la suite d'une telle plainte.
Comeau c. *Québec (Ministère du Revenu)*, (2005) R.J.D.T. 1453 (C.F.P.), D.T.E. 2005T-725 (C.F.P.).

123.15/13 Si la Commission des relations du travail ne conclut pas que le salarié plaignant a été victime de harcèlement psychologique et que l'employeur a omis de respecter ses obligations, elle ne peut rendre aucune décision à l'égard des éléments prévus à l'article 123.15 L.N.T. ni estimer probable que le harcèlement psychologique ait entraîné chez le plaignant une lésion professionnelle ni réserver sa compétence au regard de certains paragraphes de l'article 123.15 L.N.T.
Clavet c. *Commission des relations du travail*, (2007) R.J.D.T. 1442 (C.S.), D.T.E. 2007T-840 (C.S.), J.E. 2007-1923 (C.S.), EYB 2007-124514 (C.S.).
V. aussi: *Abouelella* c. *Société hôtelière Hunsons inc.*, (2009) R.J.D.T. 261 (C.R.T.), D.T.E. 2009T-226 (C.R.T.).

123.15/14 Le président de la Commission des droits de la personne et des droits de la jeunesse du Québec est autorisé à intervenir à titre de partie au litige relativement à une plainte de harcèlement psychologique dirigée contre la Commission, et ce, en raison de l'absence d'assurance d'être entendu, ainsi que de l'effet direct du litige sur son droit à la sauvegarde de sa dignité, de son honneur et de sa réputation, selon l'article 4 de la *Charte des droits et libertés de la personne*.
Marois c. *Commission des droits de la personne et des droits de la jeunesse*, (2006) R.J.D.T. 1147 (C.R.T.), D.T.E. 2006T-694 (C.R.T.) (requête en sursis rejetée: D.T.E. 2006T-996 (C.S.)) (révision judiciaire refusée: C.S.M. n^{0} 500-17-032266-069, le 13 novembre 2006).
V. quant à l'intervention: *Cégep Beauce-Appalaches* c. *Syndicat des enseignantes et des enseignants du Cégep Beauce-Appalaches (griefs individuels, Jean Couture et un autre)*, D.T.E. 2009T-73 (T.A.) (requête en révision judiciaire: n^{0} 200-17-010865-095).

PARAGRAPHE 1

123.15/15 Le salarié, qui a déposé une plainte pour harcèlement psychologique, n'a pas à déposer une autre plainte pour réclamer la réintégration dans son emploi. La seule condition qu'il devait respecter, c'est le dépôt d'une plainte dans le délai de 90 jours de la dernière manifestation du harcèlement allégué.
Compagnie Wal-Mart du Canada (Magasins Wal-Mart Canada inc.) c. *Masson*, D.T.E. 2008T-23 (C.R.T.), conf. (2007) R.J.D.T. 1559 (C.R.T.), D.T.E. 2007T-811 (C.R.T.).

123.15/16 La réintégration du salarié dans son emploi est impossible, en l'espèce, compte tenu d'une ordonnance médicale et de la fermeture définitive de l'établissement de l'employeur.
Morin-Arpin c. *Ovide Morin inc.*, D.T.E. 2007T-961 (C.R.T.).

PARAGRAPHE 2

123.15/17 Il y a lieu de retenir que la période à compenser par l'octroi d'une indemnité se termine au moment où le salarié a obtenu un emploi permanent aussi rémunérateur que celui qu'il occupait chez son ancien employeur.

C.C. c. *Gestion A. Bossé inc.*, D.T.E. 2008T-800 (C.R.T.) (requête en révision judiciaire: n° 250-05-001368-083).

123.15/18 Le salarié injustement congédié a droit à une compensation pour la perte de salaire subie lorsqu'il a fait des démarches pour mitiger celle-ci.
Ouellon c. *130055 Canada inc.*, D.T.E. 2009T-207 (C.R.T.) (en révision).

123.15/19 Un salarié qui abandonne volontairement son emploi à cause du harcèlement psychologique qu'il subit ne peut faire une demande de remboursement pour perte de salaire.
Charbonneau c. *Groupe Johanne Verdon inc.*, D.T.E. 2009T-61 (C.R.T.) (révision en vertu de l'article 127 C.T. refusée).

123.15/20 Le salarié victime de harcèlement psychologique a droit au remboursement du salaire perdu entre la date de son congédiement et la fin de son congé de maladie.
Marcoux c. *Hongwei*, D.T.E. 2009T-189 (C.R.T.) (révision en vertu de l'article 127 C.T. refusée).

123.15/21 Le salarié victime de harcèlement psychologique n'a pas droit à une indemnité supplémentaire entre la fin de son congé de maladie et le moment où il a repris le travail, s'il ne démontre pas qu'il a satisfait à son obligation de réduire ses dommages.
Marcoux c. *Hongwei*, D.T.E. 2009T-189 (C.R.T.) (révision en vertu de l'article 127 C.T. refusée).

PARAGRAPHE 4

123.15/22 En ce qui concerne l'attribution de dommages punitifs, la *Loi sur les normes du travail* n'exige pas la démonstration d'une atteinte illicite et intentionnelle, contrairement à l'article 49 de la *Charte des droits et libertés de la personne*. Compte tenu que l'objectif de la disposition de la *Loi sur les normes du travail* est clairement dissuasif, il faut toujours soupeser les circonstances de chaque cas pour décider de l'opportunité d'accorder ou non une indemnité.
Roc c. *Poulbec inc.*, (2007) R.J.D.T. 1533 (C.R.T.), D.T.E. 2007T-792 (C.R.T.).

123.15/23 Le salarié peut avoir droit à des dommages punitifs lorsque l'employeur a agi de façon malveillante envers celui-ci et lorsqu'il a abusé de sa situation d'autorité ainsi que de la faiblesse du salarié.
Ouellon c. *130055 Canada inc.*, D.T.E. 2009T-207 (C.R.T.) (en révision).

123.15/24 Une victime de harcèlement qui porte plainte, soit directement à son employeur, soit à la police, mérite d'être traitée avec respect et dans la dignité, et non pas d'être dénigrée et accablée de reproches. Si tel est le cas, elle a le droit à des dommages punitifs.
Roc c. *Poulbec inc.*, (2007) R.J.D.T. 1533 (C.R.T.), D.T.E. 2007T-792 (C.R.T.).

123.15/25 Le salarié peut obtenir des dommages moraux lorsque son droit fondamental au respect de sa dignité a été bafoué et que le comportement de l'employeur l'a humilié et lui a causé un stress important.

Charbonneau c. *Groupe Johanne Verdon inc.*, D.T.E. 2009T-61 (C.R.T.) (révision en vertu de l'article 127 C.T. refusée).

123.15/26 Compte tenu de l'atteinte à sa dignité et à son intégrité, le salarié peut avoir droit à une somme à titre de dommages exemplaires.
Marcoux c. *Hongwei*, D.T.E. 2009T-189 (C.R.T.) (révision en vertu de l'article 127 C.T. refusée).

123.15/27 Même en l'absence d'une preuve médicale, il n'y a pas lieu d'écarter le témoignage du salarié pour conclure qu'il n'y a aucune preuve de préjudice moral. En effet, un salarié peut très bien décrire comment il s'est senti humilié, confus, atteint dans sa dignité à la suite de certains événements.
Barre c. *2533-0507 Québec inc.*, (2007) R.J.D.T. 115 (C.R.T.), D.T.E. 2007T-81 (C.R.T.) (révision en vertu de l'article 127 C.T. refusée: (2007) R.J.D.T. 1077 (C.R.T.), D.T.E. 2007T-650 (C.R.T.)).

123.15/28 En ce qui concerne le préjudice moral, dans la mesure où il est de même nature, équivalent ou comparable, il doit être adéquatement compensé par la Commission des relations du travail de la même façon qu'il l'aurait été devant tout autre tribunal en tentant de distinguer les facteurs plus ou moins aggravants propres à chaque cas d'espèce. Le salarié plaignant doit prouver qu'il a été humilié par les gestes et attitudes dont il a été victime, qu'on a porté atteinte à sa dignité et à son intégrité, qu'il a souffert et que sa qualité de vie a été affectée d'une façon importante pendant les mois où ils se sont continués. Dans ce cas, il faut référer au principe de proportionnalité entre le dommage subi et la réparation octroyée.
Roy c. *Maisons Laprise*, D.T.E. 2008T-238 (C.R.T.).

123.15/29 Tout congédiement comporte en soi une part d'humiliation et la Commission des relations du travail ne peut, sur ce seul aspect, dédommager le salarié plaignant par l'attribution de dommages moraux. Toutefois, le salarié peut être indemnisé pour la situation stressante qu'il a subie, par exemple à compter du déménagement jusqu'à sa fin d'emploi, et pour l'ensemble des événements qu'il a vécus.
Ouellon c. *130055 Canada inc.*, D.T.E. 2009T-207 (C.R.T.) (en révision).

123.15/30 La Commission des relations du travail peut ordonner à l'employeur de verser au salarié, victime de harcèlement psychologique, des dommages et intérêts punitifs et moraux, et ce, en fonction de sa conduite envers le plaignant.
Côté c. *Recyclovesto inc.*, D.T.E. 2008T-173 (C.R.T.).

123.15/31 Lorsque le plaignant réclame compensation pour les dommages qu'il prétend avoir subis, il ne peut, une fois l'enquête terminée, modifier sa demande pour tenir compte de l'impact et des implications des dispositions de l'article 123.16 L.N.T. En effet, lorsque toute l'administration de la preuve a été faite en fonction de la réclamation initiale, rien ne permet à la Commission des relations du travail de statuer sur d'autres modes de réparation que celui qui est clairement identifié au début de la procédure.
Haddad c. *Vêtements Va-Yola ltée*, D.T.E. 2008T-422 (C.R.T.).

123.15/32 Le salarié peut être indemnisé pour l'humiliation, la souffrance, la perte de qualité de vie ainsi que pour l'atteinte à la dignité et à son intégrité qu'il

a subies. Les dommages punitifs ou exemplaires ne doivent pas dépasser ce qui est nécessaire pour remplir leur fonction, c'est-à-dire décourager l'employeur de récidiver. La somme versée doit également être de nature à signifier à quiconque qu'un comportement harcelant ne doit pas être toléré. Dans le cadre du versement de tels dommages, l'on doit tenir compte du niveau d'autorité hiérarchique du harceleur, de la durée et du caractère répétitif du comportement fautif, de la gravité des gestes commis et de leur conséquence inévitable sur le salarié plaignant.
C.C. c. *Gestion A. Bossé inc.*, D.T.E. 2008T-800 (C.R.T.) (requête en révision judiciaire: n^{0} 250-05-001368-083).

123.15/33 Des dommages moraux peuvent être octroyés lorsque les agissements de l'employeur ont causé des torts au salarié, qu'il a été humilié, rabaissé et dénigré devant ses collègues de travail.
Ouimet-Jourdain c. *Hammami*, D.T.E. 2008T-645 (C.R.T.).

123.15/34 Le plaignant a droit à une indemnité pour dommages moraux lorsque les comportements d'un autre salarié ont porté atteinte à son intégrité physique et psychologique, ont fait en sorte qu'il craigne réellement pour sa vie, et que les réactions de ses supérieurs ont porté atteinte à sa dignité et à son intégrité, l'ont humilié, dévalorisé à ses yeux et aux yeux de ses pairs et ont eu pour effet de renforcer ses appréhensions légitimes.
Roc c. *Poulbec inc.*, (2007) R.J.D.T. 1533 (C.R.T.), D.T.E. 2007T-792 (C.R.T.).

123.15/35 L'intensité des préjudices subis par le salarié, leur gravité et la période pendant laquelle ils ont duré, peuvent justifier le paiement de dommages non pécuniaires.
Allaire c. *Research House inc. (Québec Recherches)*, D.T.E. 2009T-62 (C.R.T.).

123.15/36 Le fait qu'un employeur adopte un comportement malveillant avec l'intention de miner le moral du salarié et de porter atteinte à son intégrité et le fait que ni le supérieur hiérarchique ni l'employeur n'aient reconnu l'existence d'une contravention à une disposition d'ordre public, constituent des facteurs aggravants justifiant une condamnation à payer des dommages exemplaires.
Allaire c. *Research House inc. (Québec Recherches)*, D.T.E. 2009T-62 (C.R.T.).

123.15/37 Dans l'évaluation des dommages, la Commission des relations du travail doit tenir compte du dispositif de la décision rendue par la Commission de la santé et de la sécurité du travail (C.S.S.T.) de même que des motifs déterminants de cette décision quant aux questions qui sont de sa compétence exclusive. Ainsi, lorsque la C.S.S.T. décide que l'agression dont le salarié plaignant fut victime constitue une lésion professionnelle, l'immunité conférée à l'employeur par l'article 438 de la *Loi sur les accidents du travail et les maladies professionnelles* (L.R.Q., c. A-3.001) rend irrecevable toute demande d'indemnité pour dommages et intérêts punitifs et moraux en résultant.
Roc c. *Poulbec inc.*, (2007) R.J.D.T. 1533 (C.R.T.), D.T.E. 2007T-792 (C.R.T.).

123.15/38 Ce n'est pas parce qu'une plainte est accueillie qu'il y a nécessairement lieu d'octroyer des dommages punitifs. Chaque cas est un cas d'espèce qui doit être analysé à son mérite.

De plus, les critères servant à la détermination de l'octroi des dommages punitifs selon le Code civil sont aussi ceux qui guident la Commission des relations du

travail lorsqu'elle s'interroge sur la pertinence ou non d'en accorder. Ces critères sont, entre autres, le niveau hiérarchique impliqué (les dirigeants de l'entreprise), la gravité de la faute commise (la privation de travail) et le préjudice causé au salarié plaignant (dépression, troubles conjugaux). En somme, l'attribution de dommages-intérêts punitifs est en fonction de ce qui est suffisant pour assurer leur fonction préventive. Enfin, la *Loi sur les normes du travail* n'exige pas la démonstration d'une atteinte illicite et intentionnelle, contrairement à l'article 49 de la *Charte des droits et libertés de la personne*.
Roy c. *Maisons Laprise*, D.T.E. 2008T-238 (C.R.T.).
V. aussi: *Baillie* c. *Technologies Digital Shape inc.*, (2009) R.J.D.T. 179 (C.R.T.), D.T.E. 2009T-80 (C.R.T.) (révision judiciaire refusée: C.S.M. n° 500-17-047766-095, le 17 avril 2009).

123.15/39 Le fait pour un président d'entreprise de harceler personnellement le salarié plaignant en toute connaissance de cause, afin de le faire craquer et de provoquer son départ, justifie d'accorder des dommages punitifs.
Baillie c. *Technologies Digital Shape inc.*, (2009) R.J.D.T. 179 (C.R.T.), D.T.E. 2009T-80 (C.R.T.) (révision judiciaire refusée: C.S.M. n° 500-17-047766-095, le 17 avril 2009).

123.15/40 Les dispositions de l'article 123.15(4) L.N.T. permettent l'attribution de dommages punitifs ou exemplaires uniquement pour la période au cours de laquelle le salarié n'est pas victime d'une lésion professionnelle.
Ovide Morin inc. c. *Morin-Arpin*, (2009) R.J.D.T. 266 (C.R.T.), D.T.E. 2009T-225 (C.R.T.).

PARAGRAPHE 5

123.15/41 La Commission des relations du travail peut ordonner à l'employeur de verser au salarié une indemnité pour perte d'emploi lorsque celle-ci constitue un avantage important pour le salarié plaignant.
Roy c. *Maisons Laprise*, D.T.E. 2008T-238 (C.R.T.).

123.15/42 Le salarié n'a pas droit à une indemnité pour perte d'emploi compte tenu du fait qu'il a renoncé à sa réintégration.
C.C. c. *Gestion A. Bossé inc.*, D.T.E. 2008T-800 (C.R.T.) (requête en révision judiciaire: n° 250-05-001368-083).

123.15/43 Compte tenu du fait que le salarié ne comptait que cinq mois de service continu de travail et qu'il refuse la réintégration, il n'a pas droit à l'indemnité pour perte d'emploi.
Marcoux c. *Hongwei*, D.T.E. 2009T-189 (C.R.T.) (révision en vertu de l'article 127 C.T. refusée).

PARAGRAPHE 6

123.15/44 Le financement du soutien psychologique requis par le salarié ne peut être octroyé lorsqu'il s'est écoulé un long délai entre la fin de l'emploi et la réclamation.
Ouimet-Jourdain c. *Hammami*, D.T.E. 2008T-645 (C.R.T.).

123.15/45 Une somme globale peut être octroyée au salarié pour les conséquences du harcèlement à son égard tant sur le plan physique que psychologique.
Marcoux c. *Hongwei*, D.T.E. 2009T-189 (C.R.T.) (révision en vertu de l'article 127 C.T. refusée).

123.15/46 La réclamation pour soutien psychologique doit être rejetée lorsque le salarié plaignant n'a pas eu recours à un tel soutien.
Allaire c. *Research House inc. (Québec Recherches)*, D.T.E. 2009T-62 (C.R.T.).

art. 123.16

123.16/1 Le recours en cas de harcèlement psychologique n'est pas une action en responsabilité civile. Il constitue l'exercice d'un droit prévu par une loi d'ordre public. Le rôle de la Commission des relations du travail est de juger si un salarié a été victime de harcèlement psychologique au travail et si l'employeur a fait défaut de respecter ses obligations, soit de prendre les moyens raisonnables pour prévenir le harcèlement psychologique et pour le faire cesser lorsque la conduite est portée à sa connaissance. Ce rôle est différent de celui de la Commission de la santé et de la sécurité du travail ainsi que de la Commission des lésions professionnelles qui doivent décider si un travailleur a subi une lésion professionnelle.

Ainsi, il n'y a pas litispendance entre la réclamation d'un travailleur qui est victime d'une lésion professionnelle et le recours d'un salarié qui croit avoir été victime de harcèlement psychologique au travail. Il s'agit de deux recours distincts. L'article 123.16 L.N.T. mentionne spécifiquement que les mesures de réparation que sont l'indemnité de salaire perdu, le versement de dommages et intérêts punitifs et moraux ainsi que le financement d'un soutien psychologique, ne s'appliquent pas pour la période où le salarié est victime d'une lésion professionnelle. Il est également prévu que lorsqu'il est probable que le harcèlement psychologique a entraîné une lésion professionnelle, la Commission des relations du travail réserve sa décision sous les trois mesures de réparation mentionnées ci-haut. Ainsi, lorsqu'il est reconnu que le salarié a subi une lésion professionnelle, rien n'interdit à la Commission des relations du travail de décider de l'existence du harcèlement psychologique, du respect des obligations de l'employeur et de rendre une décision juste et raisonnable, tout en respectant les dispositions de l'article 123.16 L.N.T. et la compétence exclusive des organismes en matière de lésions professionnelles.
Roy c. *Maisons Laprise*, D.T.E. 2008T-238 (C.R.T.).
Calcuttawala c. *Conseil du Québec — Unite Here*, (2006) R.J.D.T. 1472 (C.R.T.), D.T.E. 2006T-949 (C.R.T.).
V. aussi: *Abouelella* c. *Société hôtelière Hunsons inc.*, (2009) R.J.D.T. 261 (C.R.T.), D.T.E. 2009T-226 (C.R.T.).

123.16/2 Les dispositions de l'article 123.16 L.N.T. imposent à la Commission des relations du travail de réserver sa décision relativement à certaines mesures de réparation lorsqu'elle estime probable que le harcèlement psychologique a entraîné une lésion professionnelle chez le salarié plaignant. Toutefois, la Commission ne peut suspendre sa compétence de manière préliminaire quant à ces remèdes avant d'avoir entendu la preuve relativement au harcèlement psychologique allégué.
Abouelella c. *Société hôtelière Hunsons inc.*, (2009) R.J.D.T. 261 (C.R.T.), D.T.E. 2009T-226 (C.R.T.).

123.16/3 Le législateur, en incorporant les dispositions relatives au harcèlement psychologique dans la *Loi sur les normes du travail*, a voulu accorder au salarié qui croit avoir été victime de harcèlement psychologique au travail un ensemble de recours efficaces. Si ce dernier choisit de déposer une plainte auprès de la Commission des normes du travail et de réclamer une indemnisation en vertu de cette loi, plutôt que de produire une réclamation à la Commission de la santé et de la sécurité du travail en vertu de la *Loi sur les accidents du travail et les maladies professionnelles* (L.R.Q., c. A-3.001), l'exercice doit se faire jusqu'au bout, devant la Commission des relations du travail, pour déterminer s'il doit être estimé probable qu'il y a eu une lésion professionnelle, et non sur la seule foi des apparences.
Clavet c. *Commission des relations du travail*, (2007) R.J.D.T. 1442 (C.S.), D.T.E. 2007T-840 (C.S.), J.E. 2007-1923 (C.S.), EYB 2007-124514 (C.S.).

123.16/4 L'acceptation d'une réclamation effectuée en vertu de la *Loi sur les accidents du travail et les maladies professionnelles* ne signifie pas que le salarié n'a plus de recours en vertu des dispositions de la *Loi sur les normes du travail* relatives au harcèlement psychologique. Bien au contraire, les dispositions de la *Loi sur les normes du travail* établissent un mécanisme de suspension de la décision, et ce, dans le but qu'il n'y ait pas double indemnité. Elles n'empêchent toutefois pas le salarié de réclamer d'autres remèdes disponibles en vertu de la *Loi sur les normes du travail*. L'objectif des deux lois est la réparation des dommages causés à une victime de harcèlement psychologique.
Syndicat canadien des communications, de l'énergie et du papier-SCEP (Association canadienne des employés en télécommunications-ACET) c. *Amdocs Gestion de services canadiens inc.*, (2009) R.J.D.T. 39 (C.S.), D.T.E. 2009T-199 (C.S.), EYB 2009-154379 (C.S.) (règlement hors cour).

123.16/5 C'est la règle prévue à l'article 2804 C.C.Q., soit la preuve qui rend l'existence d'un fait plus probable que son inexistence, qui s'applique devant la Commission des relations du travail lorsqu'elle doit décider si elle estime probable qu'il y a eu lésion professionnelle.
Clavet c. *Commission des relations du travail*, (2007) R.J.D.T. 1442 (C.S.), D.T.E. 2007T-840 (C.S.), J.E. 2007-1923 (C.S.), EYB 2007-124514 (C.S.).

123.16/6 La Commission des relations du travail ne peut valablement estimer probable que le harcèlement psychologique dont le salarié se plaint ait entraîné chez lui une lésion professionnelle, lorsqu'elle n'a pas donné à toutes les parties l'occasion de présenter une preuve pertinente lui permettant de rendre une décision de qualité. En refusant d'entendre un témoin à cet égard, elle manque aux prescriptions de la règle *audi alteram partem*, ce qui constitue un vice fatal à sa décision.
Clavet c. *Commission des relations du travail*, (2007) R.J.D.T. 1442 (C.S.), D.T.E. 2007T-840 (C.S.), J.E. 2007-1923 (C.S.), EYB 2007-124514 (C.S.).

123.16/7 Il est possible de cumuler une plainte pour harcèlement psychologique déposée en vertu des articles 123.6 et ss. L.N.T. et une plainte basée sur la *Loi sur les accidents du travail et les maladies professionnelles* (L.R.Q., c. A-3.001), puisqu'il y a absence d'identité d'objet entre les deux recours.
Côté c. *Fabrique de la paroisse de St-Félicien*, D.T.E. 2009T-78 (C.R.T.).

123.16/8 Il est possible pour la Commission des relations du travail de réserver sa décision lorsqu'elle estime probable que le harcèlement psychologique a entraîné chez la salariée plaignante une lésion professionnelle, du moins pendant une certaine période.
Morin-Arpin c. *Ovide Morin inc.*, D.T.E. 2007T-961 (C.R.T.).

123.16/9 Il n'est pas possible pour la Commission des relations du travail d'ordonner à l'employeur de verser des dommages non pécuniaires et exemplaires afin de compenser le préjudice subi par le salarié plaignant à la suite d'événements qui, selon la Commission de la santé et de la sécurité du travail, ont causé une lésion professionnelle.
Ovide Morin inc. c. *Morin-Arpin*, (2009) R.J.D.T. 266 (C.R.T.), D.T.E. 2009T-225 (C.R.T.).

123.16/10 Les dispositions de l'article 123.16 L.N.T. permettent l'attribution de dommages punitifs ou exemplaires uniquement pour la période au cours de laquelle le salarié n'est pas victime d'une lésion professionnelle.
Ovide Morin inc. c. *Morin-Arpin*, (2009) R.J.D.T. 266 (C.R.T.), D.T.E. 2009T-225 (C.R.T.).

art. 124

N.B. L'article 124 a été modifié par la *Loi modifiant la Loi sur les normes du travail et d'autres dispositions législatives*, L.Q. 2002, c. 80. La nature des modifications apportées par le législateur à l'article 124 L.N.T. fait en sorte que la jurisprudence antérieure à cette date demeure pertinente en y faisant les adaptations nécessaires, le cas échéant.

Table des matières

APPLICATION DE LA LOI; QUESTIONS CONSTITUTIONNELLES

124/1 Le contrat individuel de travail relève de la compétence provinciale selon le paragraphe 92(13) de la *Loi constitutionnelle de 1867*. De même, cette compétence s'étend à l'établissement et au contrôle des normes minimales du travail.
YMHA Jewish Community Centre of Winnipeg inc. c. *Brown*, (1989) 1 R.C.S. 1532.
Canada (Attorney General) c. *Ontario (Attorney General)*, (1937) A.C. 326 (P.C.).
Legislative Jurisdiction over Hours of Labour (Reference re), (1925) R.C.S. 505.

124/2 Le commissaire qui entend une plainte en vertu des articles 124 à 135 L.N.T. n'exerce pas les fonctions classiques d'un tribunal ayant à adjuger sur des droits privés; il administre du droit nouveau qui n'existait pas en 1867. Le pouvoir d'ordonner la réintégration n'a jamais existé, les tribunaux refusant d'accorder une condamnation à l'exécution spécifique dans le cadre d'un contrat de louage de services.

Les pouvoirs ainsi accordés au commissaire du travail (maintenant la Commission des relations du travail) ne vont donc pas à l'encontre de l'article 96 de la *Loi constitutionnelle de 1867*, ils sont constitutionnels.
Asselin c. *Industries Abex ltée*, (1985) C.A. 72, D.T.E. 85T-134 (C.A.), J.E. 85-204 (C.A.) (autorisation d'appeler à la Cour suprême refusée).
Bélanger c. *Deslierres*, (1985) C.S. 715, D.T.E. 85T-535 (C.S.), J.E. 85-650 (C.S.).
K.H.D. Canada inc. c. *Hamelin*, D.T.E. 85T-634 (C.S.), J.E. 85-757 (C.S.).
Consoltex Canada inc. c. *Taran*, D.T.E. 84T-76 (C.S.), J.E. 84-96 (C.S.).
Martin & Stewart inc. c. *Lalancette*, (1984) C.S. 59, D.T.E. 84T-52 (C.S.), J.E. 84-61 (C.S.).
Bureau d'expertises des assureurs ltée c. *Michaud*, (1983) C.S. 945, D.T.E. 83T-841 (C.S.), J.E. 83-1024 (C.S.).
Bonotto c. *Schenley, Canada inc.*, D.T.E. 85T-817 (T.A.) (révision judiciaire refusée: D.T.E. 86T-207 (C.S.), J.E. 86-309 (C.S.)).
Couture c. *Service J. Broderick ltée*, D.T.E. 85T-153 (T.A.).
Desgagné c. *Magasin Coop de Roberval*, (1984) T.A. 409, D.T.E. 84T-501 (T.A.).
Gratton c. *Métropolitaine (La), Cie d'assurance-vie*, (1984) T.A. 68, D.T.E. 84T-120 (T.A.) (révision judiciaire refusée: C.S.M. n° 500-05-015503-830, le 4 février 1987).

Houle c. *Fédération de l'U.P.A. de Sherbrooke*, (1984) T.A. 205, D.T.E. 84T-303 (T.A.).
St-Nicéphore (Corp. mun. de) c. *Côté*, (1984) T.A. 161, D.T.E. 84T-213 (T.A.).
Grosso c. *Métropolitaine Cie d'assurance-vie*, (1983) T.A. 1061, D.T.E. 83T-1003 (T.A.).
Vaillancourt c. *Meubles Roxton ltée*, D.T.E. 83T-636 (T.A.).

124/3 La fabrication d'avions, relève de l'autorité législative provinciale et une telle entreprise est assujettie à la *Loi sur les normes du travail*.
Canadair ltée c. *Sabbah*, (1987) T.A. 564, D.T.E. 87T-842 (T.A.).

124/4 L'entreprise dont les activités principales consistent à recevoir dans ses entrepôts des marchandises en attente de dédouanement, provenant de vols internationaux ou de transport international par camions ou bateaux, n'est pas assujettie à la *Loi sur les normes du travail*.
Avio Transit inc. (Cargo Service Center) c. *Canada (Procureur général)*, D.T.E. 96T-1279 (C.S.), J.E. 96-2034 (C.S.), LPJ-96-1007 (C.S.) (désistement d'appel).

124/5 Relève de la compétence fédérale, l'entreprise qui est une agence maritime dont les activités principales consistent en l'expédition de marchandises pour le compte de clients internationaux, activités étroitement liées au transport extraprovincial.
MacDonald c. *Bermar Shipping Agency Inc.*, D.T.E. 2001T-62 (C.T.).

124/6 Une entreprise qui effectue accidentellement la vérification de marchandises transportées par bateaux ne relève pas du parlement fédéral.
Services de surveillance SGS inc. c. *Lapointe*, (1982) T.A. 423, D.T.E. 82T-611 (T.A.).

124/7 L'entreprise qui vend du temps d'antenne, qui produit des émissions et des messages commerciaux est régie par les lois provinciales.
Ross c. *Télé-Capitale inc.*, D.T.E. 87T-897 (T.A.).

124/8 Une entreprise de transport qui détient des permis de transport dans plusieurs provinces et qui effectue régulièrement du transport interprovincial et international est assujettie aux lois fédérales.
C.N.T. c. *A. Lamothe inc.*, D.T.E. 84T-621 (C.Q.).
MacLean c. *Distribution Bradan inc.*, D.T.E. 95T-1307 (C.T.).
Thetford transport ltée c. *Gagnon*, (1985) T.A. 506, D.T.E. 85T-606 (T.A.).

124/9 Une meunerie est une entreprise qui relève de l'autorité législative provinciale et par voie de conséquence, elle est assujettie aux dispositions de la *Loi sur les normes du travail*.
Michaud c. *Groupe Dinaco, coopérative agro-alimentaire*, D.T.E. 97T-38 (C.T.).

124/10 L'agence qui reçoit l'argent perçu par le Parti libéral du Canada et qui donne un compte-rendu des sommes ainsi recueillies au Directeur général des élections, relève du Parlement fédéral.
Maltais c. *Agence libérale fédérale du Canada*, (1988) T.A. 298, D.T.E. 88T-305 (T.A.).

124/11 La *Loi sur les normes du travail* s'applique à une entreprise de pêche commerciale. En effet, même si le Parlement du Canada possède une compétence exclusive en matière de législation pour la protection et la préservation des pêcheries à titre de ressource publique, cette compétence ne s'étend pas à la gestion des entreprises de pêche commerciale. Ainsi, les relations de travail, qui sont des activités accessoires, demeurent dans le champ de compétence des provinces.
Lelièvre c. *9048-0609 Québec inc.*, D.T.E. 2000T-392 (C.T.) (révision judiciaire refusée: C.S. Bonaventure, n° 105-05-000401-006, le 19 décembre 2000).

124/12 La pêche commerciale effectuée par une bande indienne peut relever de la compétence fédérale, lorsque les activités de l'entreprise sont liées à l'accomplissement d'objectifs relevant de la législation fédérale sur les Indiens.
Richard c. *Bande indienne des Malécites de Viger*, D.T.E. 2005T-560 (C.R.T.).

124/13 Le salarié qui effectue la surveillance des installations portuaires d'une entreprise est régi par le *Code canadien du travail* (L.R.C. (1985), ch. L-2). Le travail de débardeur dans un port où s'effectuent des activités de navigation extraprovinciale est relié à la navigation ou au transport par navire qui relève du Parlement fédéral.
Société canadienne des métaux Reynolds ltée c. *Francoeur*, (1983) C.A. 336, D.T.E. 83T-986 (C.A.), J.E. 83-1155 (C.A.).

124/14 Lorsque la compétence constitutionnelle du Tribunal du travail (maintenant la Commission des relations du travail) est remise en question par une partie, un avis doit être expédié au Procureur général en vertu de l'article 95 C.P.C.
Genest c. *Placement de personnel Marie-Andrée Laforce inc.*, (2000) R.J.D.T. 1644 (T.T.), D.T.E. 2000T-971 (T.T.).

124/15 Il est bien établi en droit que les tribunaux canadiens ne sont pas compétents pour entendre un litige relatif au congédiement d'un employé d'une organisation internationale bénéficiant d'une immunité de juridiction.
Institut de l'énergie et de l'environnement de la francophonie c. *Kouo*, D.T.E. 2006T-167 (C.A.), J.E. 2006-264 (C.A.), EYB 2006-99977 (C.A.).

124/16 V. OUIMET, H., *Code du travail du Québec: Législation, jurisprudence et doctrine*, 19e éd., Collection *Alter Ego*, Montréal, Wilson & Lafleur ltée, 2010, Annexe A, C/1 et ss.

124/17 V. PATENAUDE, M., «L'entreprise qui fait partie intégrante de l'entreprise fédérale», (1991) 32 *C. de D.* 763.

124/18 V. PATENAUDE, M., «L'entreprise fédérale», (1990) 31 *C. de D.* 1195.

124/19 V. TREMBLAY, A., «Le partage des compétences législatives en matière de relations du travail», dans Mallette, N. (dir.), *La gestion des relations du travail au Québec; le cadre juridique et institutionnel*, Montréal, McGraw-Hill, 1980, p. 5.

RECOURS À L'ENCONTRE D'UN CONGÉDIEMENT SANS CAUSE JUSTE ET SUFFISANTE

Général

124/20 L'article 124 L.N.T. constitue une norme du travail.
Ventes Mercury des Laurentides inc. c. *Bergevin*, D.T.E. 88T-153 (C.A.).
Martin c. *Cie d'assurances du Canada sur la vie*, (1987) R.J.Q. 514 (C.A.), D.T.E. 87T-247 (C.A.), J.E. 87-357 (C.A.).
Produits Pétro-Canada inc. c. *Moalli*, (1987) R.J.Q. 261 (C.A.), D.T.E. 87T-58 (C.A.), J.E. 87-135 (C.A.).
Syndicat des professeures et professeurs de l'Université du Québec à Trois-Rivières c. *Tremblay*, D.T.E. 2007T-269 (C.S.), EYB 2007-114601 (C.S.) (appel rejeté: C.A.Q. n° 200-09-005886-079, le 2 juin 2008) (autorisation d'appeler à la Cour suprême accordée).
Groupe Purdel inc., division des produits de la mer c. *Gagnon*, D.T.E. 88T-242 (C.S.).
Plante c. *177881 Canada inc. (Lady Sandra du Canada ltée)*, D.T.E. 2007T-546 (C.R.T.).
Maréchal c. *Quebecor Média inc. (Québec Livres)*, (2003) R.J.D.T. 319 (C.R.T.), D.T.E. 2003T-113 (C.R.T.).
Wyke c. *Optimal Robotics (Canada) Corp.*, (2003) R.J.D.T. 1273 (C.R.T.), D.T.E. 2003T-828 (C.R.T.) (révisions en vertu de l'article 127 C.T. refusées: D.T.E. 2004T-844 (C.R.T.)).
Dagenais c. *B.L.C. Valeurs mobilières inc.*, D.T.E. 2002T-1111 (C.T.).
Jacklin c. *Atelier G. Meunier et Fils inc.*, D.T.E. 2001T-865 (C.T.).
Janes c. *Transcorp Immobilier inc.*, (1999) R.J.D.T. 260 (C.T.), D.T.E. 99T-314 (C.T.).
Ménard c. *Wal-Mart Canada inc.*, D.T.E. 98T-187 (C.T.) (révision judiciaire refusée: D.T.E. 98T-719 (C.S.)) (désistement d'appel).
Béland c. *2536-3011 Québec inc.*, D.T.E. 90T-755 (T.A.).
Buffet de la Brasserie Molière c. *Charbonneau*, D.T.E. 88T-509 (T.A.).
Robitaille c. *Entreprises Des Gagnés ltée*, (1987) T.A. 351, D.T.E. 87T-480 (T.A.).
Poirier c. *Pir-Vir inc.*, D.T.E. 86T-184 (T.A.).
Racine c. *Renault Canardière inc.*, D.T.E. 83T-567 (T.A.).
Choisnet c. *97725 Canada ltée*, D.T.E. 82T-142 (T.A.).
Savard c. *M.B. Data Processing*, D.T.E. 82T-857 (T.A.).

124/21 Les dispositions de l'article 124 L.N.T. comportent une norme du travail, mais aussi une dimension procédurale puisqu'elles donnent ouverture à un recours, soit une plainte devant la Commission des relations du travail.
Québec (Procureur général) c. *Syndicat de la fonction publique du Québec*, (2008) R.J.D.T. 1005 (C.A.), D.T.E. 2008T-513 (C.A.), J.E. 2008-1269 (C.A.), EYB 2008-133992 (C.A.) (autorisations d'appeler à la Cour suprême accordées).

124/22 Une norme est une règle, un principe auquel on ne peut déroger. Ainsi, un employeur, ne peut déroger à la norme de l'article 124 L.N.T. et congédier sans cause un employé bénéficiant de plus de deux ans de service continu.
Savard c. *M.B. Data Processing*, D.T.E. 82T-857 (T.A.).

124/23 La décision de la Commission des relations du travail rendue en vertu de l'article 124 L.N.T. est finale, sans appel et lie les parties.
Sealrez inc. c. *Commission des relations du travail*, D.T.E. 2003T-882 (C.S.), J.E. 2003-1699 (C.S.), REJB 2003-46414 (C.S.).

124/24 Le recours instauré par l'article 124 L.N.T. est une règle de droit substantif, qui déroge aux principes traditionnels de droit civil qui s'appliquaient au contrat individuel de travail. Cette disposition restreint le pouvoir discrétionnaire de l'employeur et elle admet, dans les situations appropriées, la possibilité d'une exécution en nature du contrat de travail, par l'obligation de reprendre le salarié.
École Weston inc. c. *Tribunal du travail*, (1993) R.J.Q. 708 (C.A.), D.T.E. 93T-356 (C.A.), J.E. 93-642 (C.A.).
Produits Pétro-Canada inc. c. *Moalli*, (1987) R.J.Q. 261 (C.A.), D.T.E. 87T-58 (C.A.), J.E. 87-135 (C.A.).
Syndicat des professeures et professeurs de l'Université du Québec à Trois-Rivières c. *Tremblay*, D.T.E. 2007T-269 (C.S.), EYB 2007-114601 (C.S.) (appel rejeté: C.A.Q. n° 200-09-005886-079, le 2 juin 2008) (autorisation d'appeler à la Cour suprême accordée).
V. aussi: *Martin* c. *Cie d'assurances du Canada sur la vie*, (1987) R.J.Q. 514 (C.A.), D.T.E. 87T-247 (C.A.), J.E. 87-357 (C.A.).

124/25 Les dispositions de l'article 124 L.N.T. se présentent sous une forme procédurale, elles introduisent une règle de droit substantif qui déroge aux principes traditionnels qui s'appliquaient jusqu'alors aux contrats individuels de travail. Elles restreignent le pouvoir discrétionnaire de l'employeur qui lui permettait de mettre fin au contrat de travail à durée indéterminée à son gré, sous réserve d'un avis suffisant, et admettent, lorsque cela est jugé opportun, la possibilité d'une exécution en nature du contrat individuel de travail par obligation de reprendre le salarié.
Syndicat des professeures et professeurs de l'Université du Québec à Trois-Rivières c. *Tremblay*, D.T.E. 2007T-269 (C.S.), EYB 2007-114601 (C.S.) (appel rejeté: C.A.Q. n° 200-09-005886-079, le 2 juin 2008) (autorisation d'appeler à la Cour suprême accordée).

124/26 Le *Code civil du Québec* est le fondement des autres lois et s'applique à toute situation juridique, à moins qu'une autre loi n'ajoute ou ne déroge à celui-ci. L'article 124 L.N.T. vient ajouter aux règles relatives au contrat de travail contenues au Code civil, il ne les supprime pas. Ainsi, en vertu de l'article 124 L.N.T., un employeur ne peut, sans raison ni justification, congédier un employé qui compte plus de deux ans de service continu. Il doit être en mesure de démontrer que le congédiement s'est produit pour une cause juste et suffisante.
Châteauguay Toyota c. *Couture*, (1999) R.J.Q. 2730 (C.S.), (1999) R.J.D.T. 1581 (C.S.), D.T.E. 99T-1005 (C.S.), J.E. 99-2040 (C.S.), REJB 1999-14668 (C.S.) (règlement hors cour).

124/27 Cette loi crée en faveur du salarié un droit à l'emploi, indépendamment de son contrat de travail. Elle doit être considérée sous l'éclairage du droit du travail plutôt que sous celui du droit civil; elle s'incorpore dans le milieu des relations du travail et non dans celui des rapports strictement privés.
Boyer c. *Hewitt Equipment ltée*, (1988) R.J.Q. 2112 (C.A.), D.T.E. 88T-656 (C.A.), J.E. 88-1117 (C.A.).
Martin c. *Cie d'assurances du Canada sur la vie*, (1987) R.J.Q. 514 (C.A.), D.T.E. 87T-247 (C.A.), J.E. 87-357 (C.A.).
Produits Pétro-Canada inc. c. *Moalli*, (1987) R.J.Q. 261 (C.A.), D.T.E. 87T-58 (C.A.), J.E. 87-135 (C.A.).
Asselin c. *Industries Abex ltée*, (1985) C.A. 72, D.T.E. 85T-134 (C.A.), J.E. 85-204 (C.A.) (autorisation d'appeler à la Cour suprême refusée).

124/28 Lorsque la Commission des relations du travail se prononce sur une plainte de congédiement dans le cadre d'un recours institué en vertu de l'article 124 L.N.T., elle peut vérifier si les actions de l'employeur sont mises en oeuvre de manière abusive contrairement aux exigences de la bonne foi.
Rousseau c. *Ste-Rita (Municipalité de)*, (2007) R.J.D.T. 565 (C.R.T.), D.T.E. 2007T-501 (C.R.T.) (révision judiciaire refusée: D.T.E. 2008T-193 (C.S.)).

124/29 La *Loi sur les normes du travail* doit recevoir une interprétation large et libérale, dépassant la norme d'application plus stricte du droit commun. Cette loi assure une sécurité d'emploi aux employés non cadres ayant plus de deux ans de service continu, au sens de l'article 124 L.N.T., que l'on ne retrouve pas au *Code civil du Québec*.
U.A.P. inc. c. *Commission des relations du travail*, (2004) R.J.Q. 934 (C.S.), (2004) R.J.D.T. 130 (C.S.), D.T.E. 2004T-283 (C.S.), J.E. 2004-609 (C.S.), REJB 2004-55372 (C.S.).

124/30 L'article 124 L.N.T. a une portée importante. Tout salarié jouit d'une certaine sécurité d'emploi, toutes choses étant égales. Compte tenu de l'ensemble des circonstances, un salarié peut avoir le droit d'être maintenu au travail, et ce, avant d'autres salariés. Il revient à l'employeur de s'acquitter du fardeau de preuve à l'effet que certains autres salariés doivent garder leur emploi à la place du salarié congédié.
Publications Dumont (1988) inc. c. *Doré*, D.T.E. 2000T-59 (C.A.), J.E. 2000-136 (C.A.), REJB 1999-15538 (C.A.).

124/31 La Commission des relations du travail doit agir dans des délais très courts pour rendre ses décisions, que ce soit à compter du dépôt de la demande ou à compter de la prise en délibéré. Ces impératifs de célérité s'appliquent aux recours instaurés en vertu de la *Loi sur les normes du travail*.
Éditions Trait d'union inc. c. *Noël*, D.T.E. 2004T-112 (C.R.T.).

124/32 L'article 124 L.N.T. a sensiblement changé les relations entre un employeur et ses employés en établissant, en faveur des employés non syndiqués, un droit à leur emploi, qu'ils n'auraient pas s'ils ne s'en tenaient qu'à leur contrat d'engagement renouvelé d'année en année.
Journal de Montréal c. *Pépin*, (1983) T.A. 399, D.T.E. 83T-184 (T.A.).

124/33 Un salarié qui bénéficie des années de service continu prévues à la *Loi sur les normes du travail* est titulaire de droits et l'employeur a des obligations à son égard.
Boutin c. *Unicom Sérigraphie ltée*, (2001) R.J.D.T. 1939 (C.T.), D.T.E. 2001T-1065 (C.T.).

124/34 Le but du recours prévu à l'article 124 L.N.T. est de protéger le salarié contre une décision arbitraire de l'employeur et non de restreindre les droits exclusifs de gérance de ce dernier.
Caisse d'établissement Saguenay–Lac-St-Jean c. *Harvey*, (1982) T.A. 790, D.T.E. 82T-164 (T.A.).

124/35 Le régime prévu par l'article 124 L.N.T. est exceptionnel et exorbitant du droit commun et se doit d'être interprété de façon large et libérale, afin

d'assurer au plus grand nombre de salariés le droit aux garanties procédurales prévues par le droit disciplinaire.
Bingo Les Saules inc. c. *C.N.T.*, D.T.E. 99T-289 (C.S.) (appel rejeté sur requête).
Dulude c. *Laurin*, (1989) R.J.Q. 1022 (C.S.), D.T.E. 89T-406 (C.S.), J.E. 89-690 (C.S.).
Lemelin c. *Transport Intrabec (1986) inc.*, D.T.E. 89T-175 (T.A.).

124/36 Le législateur a voulu faire bénéficier l'ensemble de la population ouvrière des avantages stipulés en édictant une législation à caractère public et à portée sociale: la *Loi sur les normes du travail*.
Fortin-Deustch c. *Diplômés de l'Université de Montréal*, (1983) T.A. 1044, D.T.E. 83T-673 (T.A.) (révision judiciaire refusée: D.T.E. 85T-287 (C.S.)).

124/37 La loi vise tous les congédiements qui surviennent à compter de son entrée en vigueur, qu'ils résultent ou non de l'application d'une convention conclue antérieurement.
Martin c. *Cie d'assurances du Canada sur la vie*, (1987) R.J.Q. 514 (C.A.), D.T.E. 87T-247 (C.A.), J.E. 87-357 (C.A.).

Questions de compétence ou juridictionnelles
(Pour des jugements portant sur des sujets spécifiques voir sous les différents titres)

N.B. En ce qui concerne la question de la norme de contrôle judiciaire, il est à noter que depuis l'affaire *Dunsmuir* c. *Nouveau-Brunswick* ((2008) 1 R.C.S. 190, 2008 CSC 9), il n'y a plus que deux normes de contrôle applicables en matière de révision judiciaire. Également, les critères d'analyse pour choisir la norme de contrôle applicable ont été modifiés par cette décision.

124/38 On ne peut par le biais de stipulations, enlever compétence au commissaire en prévoyant que certaines conduites constituent un motif suffisant de renvoi ou permettre le congédiement sans justification.
Martin c. *Cie d'assurances du Canada sur la vie*, (1987) R.J.Q. 514 (C.A.), D.T.E. 87T-247 (C.A.), J.E. 87-357 (C.A.).
Bilodeau c. *Bata industries Ltd.*, (1986) R.J.Q. 531 (C.A.), D.T.E. 86T-143 (C.A.), J.E. 86-218 (C.A.).
Zellers inc. c. *Laurin*, (1986) R.J.Q. 1864 (C.A.), D.T.E. 86T-533 (C.A.), J.E. 86-726 (C.A.).
Produits Shell Canada ltée c. *Martin*, D.T.E. 88T-260 (C.S.).
Holt Renfrew & Co. c. *Legendre*, D.T.E. 87T-85 (C.S.) (règlement hors cour).
F.W. Woolworth Co. c. *Corriveau*, D.T.E. 85T-286 (C.S.).
Bédard c. *Cie Mask-Rite ltée*, (1988) T.A. 464, D.T.E. 88T-485 (T.A.).
Gratton c. *Métropolitaine (La), Cie d'assurance-vie*, (1984) T.A. 68, D.T.E. 84T-120 (T.A.) (révision judiciaire refusée: C.S.M. n^{0} 500-05-015503-830, le 4 février 1987).
Grosso c. *Métropolitaine Cie d'assurance-vie*, (1983) T.A. 1061, D.T.E. 83T-1003 (T.A.).
Lemieux c. *Univers de la femme ltée (L')*, D.T.E. 82T-768 (T.A.).

124/39 Les dispositions de l'article 124 L.N.T. ne créent pas une norme minimale de travail qui est incorporée implicitement dans chacune des conventions collectives, au même titre que le salaire minimum ou la durée de la semaine normale de travail. L'article 124 L.N.T. crée un recours pour un salarié qui justifie de plus de deux ans de service continu et qui n'a aucun autre recours utile à sa disposition.

Commission scolaire des Sommets c. *Rondeau*, (2006) R.J.D.T. 543 (C.S.), D.T.E. 2006T-345 (C.S.), EYB 2006-102547 (C.S.) (appel rejeté: C.A.Q. n° 200-09-005566-069, le 2 juin 2008).
Syndicat de l'enseignement des Vieilles-Forges c. *Commission scolaire du Chemin-du-Roy (Caroline Gauthier)*, (2007) R.J.D.T. 317 (T.A.), D.T.E. 2007T-168 (T.A.).
V. aussi: *Mont-Tremblant (Ville de)* c. *Poulin*, (2006) R.J.D.T. 821 (C.R.T.), D.T.E. 2006T-530 (C.R.T.) (révision judiciaire refusée: D.T.E. 2006T-1090 (C.S.)) (appel rejeté: D.T.E. 2008T-562 (C.A.), J.E. 2008-1355 (C.A.)).

124/40 Le recours à l'article 124 L.N.T. n'est ouvert qu'au salarié qui justifie de plus de deux ans de service continu chez le même employeur et qui n'a pas accès à un autre recours utile. Ainsi, ne peut être retenue la prétention selon laquelle l'article 124 L.N.T. est incorporé dans toute convention collective, de sorte qu'un arbitre de griefs a compétence pour se prononcer sur le non-réengagement d'un salarié. Il est bien établi qu'un arbitre de griefs doit tout d'abord avoir compétence en vertu d'une convention collective, car c'est en vertu de celle-ci et des pouvoirs qu'elle lui confère qu'il peut appliquer la *Loi sur les normes du travail*. Un arbitre de griefs ne peut s'arroger les pouvoirs de la Commission des relations du travail et, si un salarié veut contester son non-réengagement, il doit s'adresser à celle-ci puisqu'elle possède une compétence exclusive en la matière.
Commission scolaire des Sommets c. *Rondeau*, (2006) R.J.D.T. 543 (C.S.), D.T.E. 2006T-345 (C.S.), EYB 2006-102547 (C.S.) (appel rejeté: C.A.Q. n° 200-09-005566-069, le 2 juin 2008).
Syndicat de l'enseignement des Vieilles-Forges c. *Commission scolaire du Chemin-du-Roy (Caroline Gauthier)*, (2007) R.J.D.T. 317 (T.A.), D.T.E. 2007T-168 (T.A.).
Syndicat de l'enseignement de la Commission scolaire de la Rivière-du-Nord c. *Commission scolaire de la Rivière-du-Nord (François Séguin)*, D.T.E. 2006T-387 (T.A.).
V. aussi: *Mont-Tremblant (Ville de)* c. *Poulin*, (2006) R.J.D.T. 821 (C.R.T.), D.T.E. 2006T-530 (C.R.T.) (révision judiciaire refusée: D.T.E. 2006T-1090 (C.S.)) (appel rejeté: D.T.E. 2008T-562 (C.A.), J.E. 2008-1355 (C.A.)).

124/41 L'existence d'un sous-contrat n'est pas une question préalable à l'exercice de la compétence du commissaire. Il s'agit d'une question intrajuridictionnelle et de l'objet même de l'enquête.
Ménard c. *Place Bonaventure inc.*, (1987) T.A. 364, D.T.E. 87T-540 (T.A.).

124/42 La question de savoir si le non-renouvellement d'une priorité d'emploi est une forme de congédiement ou s'il s'agit d'une question administrative ne relève pas de la Cour supérieure.
Gendron c. *Centre d'études collégiales de Charlevoix (Cégep de Jonquière)*, D.T.E. 2007T-751 (C.S.), J.E. 2007-1703 (C.S.), EYB 2007-122795 (C.S.).

124/43 Les dispositions de la *Loi sur les normes du travail* contiennent des conditions de travail d'application générale qui régissent explicitement les régimes individuels et collectifs contractuels de travail. Les dispositions de l'article 124 L.N.T. ne sont pas qu'un simple recours: elles contiennent une condition de travail d'ordre public qui s'incorpore à chaque convention collective. Ainsi, en imposant à tout employeur l'obligation de ne congédier que pour cause, après deux ans de service continu, le législateur a édicté une règle de droit qui restreint la liberté contractuelle traditionnelle. Cette règle est supplétive et impérative, un

tribunal d'arbitrage a compétence pour appliquer les dispositions de l'article 124 L.N.T.
Syndicat des travailleuses et travailleurs de la Ville de Terrebonne (CSN) c. *Mallette*, (2007) R.J.D.T. 23 (C.S.), D.T.E. 2007T-22 (C.S.), J.E. 2007-92 (C.S.), EYB 2006-111648 (C.S.) (en appel: n° 500-09-017292-061).
Contra: *Syndicat des travailleuses et travailleurs de soutien de la CS des Hauts-Bois-de-l'Outaouais* c. *Commission scolaire des Hauts-Bois-de-l'Outaouais (Sylvie Lafond)*, D.T.E. 2008T-205 (T.A.) (requête en révision judiciaire: n° 560-17-000911-088).

124/44 C'est la Commission des relations du travail qui a compétence exclusive pour connaître et disposer de tout recours formé en vertu de l'article 124 L.N.T. Toutefois, il y a compétence concurrente de l'arbitre de griefs lorsque la convention collective comporte un recours équivalent.
Syndicat des professeurs du Cégep de Ste-Foy c. *Beaulieu*, D.T.E. 2007T-429 (C.S.) (appel rejeté: C.A.Q. n° 200-09-005922-072, le 2 juin 2008) (autorisation d'appeler à la Cour suprême accordée).

124/45 Le recours à l'encontre d'un congédiement sans cause juste et suffisante au sens de l'article 124 L.N.T. ne peut être exercé qu'en l'absence de toute autre procédure de réparation. Ainsi, lorsque le grief est fondé sur la procédure de réparation prévue à la convention collective en cas de congédiement, c'est l'arbitre de griefs qui a compétence et non la Commission des relations du travail.
Association des ingénieurs-professeurs des sciences appliquées de l'Université de Sherbrooke (AIPSA) c. *Université de Sherbrooke (grief syndical et Michèle Thériault)*, D.T.E. 2007T-134 (T.A.).

124/46 Il est bien établi qu'il faut éviter de confondre la norme de travail elle-même — soit l'obligation pour un employeur de ne congédier que pour cause lorsque le salarié compte deux ans de service — et les règles de compétence et de procédure permettant sa mise en oeuvre. Ainsi, le législateur permet aux parties à une convention collective de conférer à un arbitre de griefs la compétence à l'égard de la mise en oeuvre de cette norme.
Syndicat des professeures et professeurs de l'Université du Québec à Trois-Rivières c. *Tremblay*, D.T.E. 2007T-269 (C.S.), EYB 2007-114601 (C.S.) (appel rejeté: C.A.Q. n° 200-09-005886-079, le 2 juin 2008) (autorisation d'appeler à la Cour suprême accordée).

124/47 La compétence attribuée par le législateur à la Commission des relations du travail n'est pas exclusive, puisque les dispositions de l'article 100.12*a*) du *Code du travail* prévoient expressément que l'arbitre de griefs peut interpréter et appliquer une loi ou un règlement dans la mesure où il est nécessaire de le faire pour décider d'un grief. Ainsi, un arbitre de griefs peut avoir compétence pour se saisir du grief d'un salarié à l'essai qui satisfait aux conditions énoncées par l'article 124 L.N.T.
Syndicat des travailleuses et travailleurs de la Ville de Terrebonne (CSN) c. *Mallette*, (2007) R.J.D.T. 23 (C.S.), D.T.E. 2007T-22 (C.S.), J.E. 2007-92 (C.S.), EYB 2006-111648 (C.S.) (en appel: n° 500-09-017292-061).
Contra: *Syndicat des travailleuses et travailleurs de soutien de la CS des Hauts-Bois-de-l'Outaouais* c. *Commission scolaire des Hauts-Bois-de-l'Outaouais (Sylvie Lafond)*, D.T.E. 2008T-205 (T.A.) (requête en révision judiciaire: n° 560-17-000911-088).

124/48 La *Loi sur les normes du travail* ne donne pas compétence à un commissaire, dans le cas où il y a une convention collective, pour interpréter et appliquer cette loi et réserve tout recours aux tribunaux de droit commun, sauf en ce qui a trait au recours à l'encontre d'un congédiement sans cause juste et suffisante.
Syndicat des travailleurs de l'énergie et de la chimie, local 701 c. *Ultramar Canada inc.*, D.T.E. 84T-498 (T.A.).

124/49 Le commissaire siégeant en vertu de l'article 124 L.N.T. n'a qu'à décider si la cause justifie le congédiement, il n'a pas à se prononcer sur la nécessité ou l'opportunité d'un préavis, ce qui relève des tribunaux de droit commun.
Proulx c. *Automobiles Rallye ltée*, (1989) R.J.Q. 2184 (C.S.), D.T.E. 89T-780 (C.S.), J.E. 89-1228 (C.S.).
V. aussi: *Kovalski* c. *Helen Shapiro inc.*, D.T.E. 89T-1142 (T.A.).

124/50 Il n'appartient pas au commissaire de se prononcer sur la suffisance d'un préavis de licenciement, ni sur la légalité d'une éviction et les mesures réparatrices qui peuvent en résulter.
Déry c. *Blier inc.*, D.T.E. 93T-896 (C.T.).

124/51 Le commissaire a comme compétence de s'assurer que l'employeur a une cause juste et suffisante de rompre le lien d'emploi avec le salarié.
Maillé c. *Produits forestiers Saucier ltée*, (1983) T.A. 747, D.T.E. 83T-68 (T.A.).

124/52 Le commissaire peut s'enquérir d'office des limites de sa compétence, mais sa décision en cette matière n'a pas l'autorité de la chose jugée et est judiciairement contrôlable selon la norme de l'absence d'erreur.

Aussi, un tribunal administratif, telle la Commission des relations du travail, jouit d'une liberté, d'une latitude, dans la définition et l'application des règles de preuve. Toutefois, si elle est en principe maître de sa preuve, elle doit toujours agir dans le respect des règles de justice naturelle, dont la plus connue et peut-être la plus fondamentale est le droit d'être entendu.

Il faut donc que celle-ci agisse avec une extrême prudence dans ces matières. En somme, plus il sera évident que la Commission des relations du travail n'a pas compétence pour trancher le litige qui lui est soumis, moins il sera nécessaire et légalement exigé d'elle qu'elle procède avec formalisme et encadrement.
Karatnyk c. *Commission scolaire Central Québec*, (2003) R.J.D.T. 1268 (C.R.T.), D.T.E. 2003T-805 (C.R.T.).

124/53 Une fois que le commissaire a vérifié l'existence d'une faute reprochée au salarié, il doit vérifier la sévérité de la sanction retenue par l'employeur. Pour ce faire, il peut avoir recours à des outils utilisés en arbitrage de griefs, comme la théorie de la progression des sanctions, l'incident culminant et la pratique établie dans l'entreprise.

Ainsi, s'il vient à la conclusion que la mesure disciplinaire est trop sévère eu égard à telle faute, il pourra substituer son jugement à celui de l'employeur et adoucir la sanction imposée.
Larouche c. *Quincaillerie Mistassini inc.*, D.T.E. 2006T-674 (C.R.T.) (révision judiciaire refusée: D.T.E. 2006T-999 (C.S.), EYB 2006-110726 (C.S.)).
Gagnon c. *F.D.L. Cie*, (1993) C.T. 228, D.T.E. 93T-609 (C.T.) (révision judiciaire refusée: C.S.M. n^{0} 500-05-004277-933, le 18 octobre 1993).

124/54 La question de savoir si un salarié peut déposer une plainte à l'encontre de son congédiement en vertu de l'article 124 L.N.T. est de nature juridictionnelle et non pas intrajuridictionnelle, car elle porte sur la compétence du commissaire pour entendre la plainte dont il est saisi.
Pothier c. *Notre-Dame-de-la-Merci (Municipalité de)*, D.T.E. 98T-319 (C.A.), J.E. 98-659 (C.A.).
Bombardier inc. c. *Cloutier*, D.T.E. 2006T-243 (C.S.), EYB 2006-101424 (C.S.).

124/55 La norme de contrôle applicable en matière de révision judiciaire d'une décision de la Commission des relations du travail saisie d'une plainte déposée en vertu de l'article 124 L.N.T., est celle de la décision raisonnable.
Poulin c. *Commission des relations du travail*, D.T.E. 2008T-839 (C.S.), EYB 2008-148356 (C.S.).

124/56 C'est maintenant la norme de contrôle de la décision raisonnable qui s'applique à l'égard d'une décision de la Commission des relations du travail statuant sur la question de savoir si l'employeur avait une cause juste et suffisante de congédiement.
Arthrolab inc. c. *Commission des relations du travail*, D.T.E. 2008T-540 (C.S.), J.E. 2008-1315 (C.S.), EYB 2008-134559 (C.S.) (en appel: n° 500-09-018840-082).

124/57 Plusieurs avenues peuvent être envisageables et acceptables par la Commission des relations du travail lorsqu'elle rend sa décision. Ainsi, le caractère raisonnable de sa décision sera satisfaisant en autant qu'elle soit transparente, intelligible et justifiée.
Bédard c. *Minolta Business Equipment (Canada) Ltd., Minolta Québec*, (2008) R.J.D.T. 1431 (C.A.), D.T.E. 2008T-759 (C.A.), J.E. 2008-1829 (C.A.), EYB 2008-146847 (C.A.) (autorisation d'appeler à la Cour suprême refusée).

124/58 Le rôle de la Cour d'appel lorsqu'elle doit se prononcer sur la validité d'une décision rendue par le juge de révision est de décider si ce juge a choisi et appliqué la norme de contrôle appropriée et, si ce n'est pas le cas, d'examiner la décision de l'organisme administratif à la lumière de la bonne norme de contrôle, soit, en l'espèce, celle de la décision raisonnable. Ainsi, à cette étape de l'analyse, la Cour d'appel effectue le contrôle en appel d'une décision judiciaire, et non pas le contrôle judiciaire d'une décision administrative.
Bédard c. *Minolta Business Equipment (Canada) Ltd., Minolta Québec*, (2008) R.J.D.T. 1431 (C.A.), D.T.E. 2008T-759 (C.A.), J.E. 2008-1829 (C.A.), EYB 2008-146847 (C.A.) (autorisation d'appeler à la Cour suprême refusée).

124/59 L'interprétation des faits relève de façon exclusive de la compétence du commissaire. Il ne saurait y avoir intervention de la Cour supérieure à moins d'erreur manifestement déraisonnable, clairement irrationnelle et de toute évidence non conforme à la réalité.
Hamilton c. *ETI Canada inc.*, D.T.E. 2007T-459 (C.A.), J.E. 2007-1109 (C.A.), EYB 2007-119922 (C.A.) (autorisation d'appeler à la Cour suprême refusée).
Morin c. *Institut national d'optique*, D.T.E. 2006T-693 (C.A.), J.E. 2006-1429 (C.A.), EYB 2006-107237 (C.A.).
Costco Wholesale Canada Ltd. c. *Laplante*, (2005) R.J.Q. 2249 (C.A.), (2005) R.J.D.T. 1465 (C.A.), D.T.E. 2005T-831 (C.A.), J.E. 2005-1696 (C.A.), EYB 2005-94727 (C.A.).

Gravel c. *Commission des relations du travail*, D.T.E. 2005T-810 (C.A.), J.E. 2005-1652 (C.A.), EYB 2005-94368 (C.A.).
Technologies avancées de fibres (AFT) inc. c. *Fleury*, D.T.E. 2005T-76 (C.A.).
Houle c. *Bibeault*, D.T.E. 2001T-486 (C.A.), J.E. 2001-985 (C.A.), REJB 2001-23797 (C.A.).
Denis c. *Lévesque Automobile ltée*, D.T.E. 2000T-58 (C.A.), J.E. 2000-135 (C.A.), REJB 1999-16368 (C.A.) (autorisation d'appeler à la Cour suprême refusée).
Laflamme c. *Commission des relations du travail*, D.T.E. 2007T-326 (C.S.), EYB 2007-116328 (C.S.).
Costco Wholesale Canada Ltd. c. *Daigle*, D.T.E. 2004T-1150 (C.S.).
Electromate Industrial Sales Ltd. c. *Côté-Desbiolles*, D.T.E. 2004T-996 (C.S.) (appel rejeté sur requête).
Ericsson Canada inc. c. *Vaillancourt*, D.T.E. 2004T-607 (C.S.), REJB 2004-61798 (C.S.).
Auto Albi inc. (Albi Mazda) c. *Commission des relations du travail*, D.T.E. 2003T-1138 (C.S.).
Bell Helicopter Textron c. *Cloutier*, D.T.E. 2003T-114 (C.S.), J.E. 2003-214 (C.S.), REJB 2002-37175 (C.S.).
Sealrez inc. c. *Commission des relations du travail*, D.T.E. 2003T-882 (C.S.), J.E. 2003-1699 (C.S.), REJB 2003-46414 (C.S.).
Kaur c. *Rouleau*, D.T.E. 2002T-846 (C.S.), J.E. 2002-1639 (C.S.), REJB 2002-33995 (C.S.).
Leblanc c. *Bureau du commissaire général du travail*, D.T.E. 2002T-402 (C.S.).
Strongco inc. c. *Béchara*, D.T.E. 2002T-16 (C.S.).
Aliments Humpty Dumpty inc. c. *Monette*, D.T.E. 2001T-514 (C.S.), J.E. 2001-1025 (C.S.), REJB 2001-24724 (C.S.).
Brasserie Labatt ltée c. *Turcotte*, D.T.E. 2001T-316 (C.S.).
Garage Montplaisir ltée c. *Couture*, D.T.E. 2001T-1090 (C.S.).
Investissements Imqua inc. c. *Lachapelle*, D.T.E. 2001T-435 (C.S.).
Leduc c. *Vignola*, D.T.E. 2001T-267 (C.S.), REJB 2001-23016 (C.S.).
Raymond Plourde Automobiles inc. c. *Bélanger*, D.T.E. 2001T-487 (C.S.), J.E. 2001-986 (C.S.), REJB 2001-24640 (C.S.).
Siggia c. *Bureau du commissaire général du travail*, D.T.E. 2001T-515 (C.S.).
Secrétariat de l'Action catholique de Joliette c. *Cyr*, (2000) R.J.D.T. 971 (C.S.), D.T.E. 2000T-722 (C.S.), J.E. 2000-1476 (C.S.), REJB 2000-19230 (C.S.) (appel rejeté: D.T.E. 2001T-1109 (C.A.), J.E. 2001-2111 (C.A.), REJB 2001-26586 (C.A.)).
Syndicat de l'enseignement de l'Estrie c. *Commission scolaire des Sommets*, D.T.E. 2000T-422 (C.S.).
Nocera c. *Commissaire général du travail*, D.T.E. 99T-1003 (C.S.).
Denicourt & Cossette c. *C.N.T.*, D.T.E. 98T-52 (C.S.) (désistement d'appel).
Métallurgie Noranda inc., fonderie Horne c. *Monette*, D.T.E. 97T-1491 (C.S.) (désistement d'appel).
Delisle c. *Desjardins*, D.T.E. 94T-450 (C.S.).
3M Canada inc. c. *Doré*, D.T.E. 94T-673 (C.S.), conf. par (1997) R.J.Q. 1581 (C.A.), D.T.E. 97T-707 (C.A.), J.E. 97-1247 (C.A.).
London Life, Cie d'assurance-vie c. *Bolduc*, D.T.E. 85T-187 (C.S.).

124/60 En matière de contrôle judiciaire d'une décision de la Commission des relations du travail, l'analyse pragmatique et fonctionnelle impose une démarche qui doit amener la Cour supérieure à déceler l'intention du législateur et à identifier une norme de contrôle: celle de la décision correcte, de la décision raisonnable ou de la décision manifestement déraisonnable.

La décision de la Commission est sans appel et elle est protégée par une clause privative intégrale. L'objet de la loi vise à procurer aux salariés une certaine protection eu égard à leurs conditions de travail et à la sécurité de leur emploi. Le but de l'article 124 L.N.T. est de protéger précisément d'un congédiement arbitraire, discrétionnaire et sans cause juste et suffisante. Ainsi, lorsque la question est de savoir si l'employeur a imposé un changement substantiel des conditions de travail, cela se situe au coeur même de la compétence de la Commission. C'est donc la norme de contrôle de la décision manifestement déraisonnable qui s'applique dans ce cas.

Mailloux c. *Commission des relations du travail*, D.T.E. 2008T-242 (C.S.), J.E. 2008-633 (C.S.), EYB 2008-129834 (C.S.).

Boutin c. *Lefebvre*, D.T.E. 2004T-209 (C.S.) (permission d'appeler refusée: J.E. 2004-693 (C.A.), REJB 2004-55098 (C.A.)).

124/61 En ce qui concerne le contrôle des erreurs de fait et de droit, c'est l'erreur manifestement déraisonnable qui s'applique ou encore ce qu'on appelle l'erreur déraisonnable *simpliciter*. Ainsi, il y a matière à réviser la décision du commissaire lorsque l'interprétation qu'il a faite des faits et du droit l'a mené à une conclusion erronée.

Bilodeau c. *Bernier*, D.T.E. 2002T-560 (C.S.), J.E. 2002-1049 (C.S.), REJB 2002-32232 (C.S.) (appel rejeté: REJB 2003-43238 (C.A.)).

124/62 C'est l'erreur manifestement déraisonnable qui est la norme de contrôle d'une décision rendue par la Commission des relations du travail.

Future Electronics Inc. c. *Monette*, D.T.E. 2008T-643 (C.S.), EYB 2008-137409 (C.S.) (en appel: n° 500-09-018852-087).

Hamberger c. *Flageole*, D.T.E. 2007T-883 (C.S.), EYB 2007-124462 (C.S.).

Lehman c. *Turcotte*, EYB 2005-94534 (C.S.).

Ambulance Témiscaming inc. c. *Monette*, D.T.E. 2004T-512 (C.S.), REJB 2004-60828 (C.S.).

124/63 Les tribunaux supérieurs ne peuvent intervenir à l'égard d'une décision de la Commission des relations du travail qu'en présence d'une interprétation de la preuve frôlant l'absurdité, c'est-à-dire une décision qui, dans sa détermination des faits ou leur qualification, est contraire à la preuve, absurde ou sans aucun fondement.

Kopczynski c. *RSW inc.*, D.T.E. 2007T-648 (C.A.), J.E. 2007-1480 (C.A.), EYB 2007-121975 (C.A.).

124/64 Lorsque le commissaire chargé d'entendre une plainte en vertu de l'article 124 L.N.T. s'est prononcé, le pouvoir de révision de la Cour supérieure est fort limité. La norme de contrôle judiciaire est l'erreur manifestement déraisonnable, qui est un test très sévère.

Bitsakis c. *Commission des relations du travail*, D.T.E. 2006T-660 (C.S.).

Lehman c. *Turcotte*, EYB 2005-94534 (C.S.).

Ericsson Canada inc. c. *Vaillancourt*, D.T.E. 2004T-607 (C.S.), REJB 2004-61798 (C.S.).

Gestion Unipêche M.D.M. ltée c. *C.N.T.*, D.T.E. 2004T-1100 (C.S.) (appel rejeté sur requête).

Atelier du martin-pêcheur inc. c. *Bureau du commissaire général du travail*, (2000) R.J.D.T. 123 (C.S.), D.T.E. 2000T-207 (C.S.), J.E. 2000-426 (C.S.), REJB 2000-17002 (C.S.) (désistement d'appel).

124/65 Le critère de l'intervention judiciaire des tribunaux supérieurs à l'encontre des décisions du commissaire est passé de l'erreur manifestement déraisonnable à la décision manifestement déraisonnable ou clairement irrationnelle. Dans ce sens, il faut envisager les motifs non pas par sections, mais par rapport au tout que forme la décision du commissaire.
Bombardier inc. c. *Cloutier*, D.T.E. 2006T-243 (C.S.), EYB 2006-101424 (C.S.).
Fabrimet inc. c. *Commission des relations du travail*, D.T.E. 2006T-603 (C.S.).
Claude Rivest et Fils ltée, scierie St-Jean-de-Matha inc. c. *Monette*, D.T.E. 2000T-624 (C.S.).
Lavoie c. *Garant*, (1998) R.J.D.T. 1600 (C.S.), D.T.E. 98T-1177 (C.S.), J.E. 98-2265 (C.S.).
Vigie informatique 2000 inc. c. *Girard*, (1998) R.J.D.T. 99 (C.S.), D.T.E. 98T-117 (C.S.).

124/66 Seule une erreur manifestement déraisonnable du commissaire peut justifier l'intervention des tribunaux supérieurs, lesquels doivent prendre soin de vérifier si la décision du commissaire a un fondement rationnel plutôt que de se demander s'ils sont en accord avec celle-ci.
Hamilton c. *ETI Canada inc.*, D.T.E. 2007T-459 (C.A.), J.E. 2007-1109 (C.A.), EYB 2007-119922 (C.A.) (autorisation d'appeler à la Cour suprême refusée).
Antonius c. *Hydro-Québec*, D.T.E. 99T-71 (C.A.), J.E. 99-259 (C.A.), REJB 1998-09664 (C.A.) (autorisation d'appeler à la Cour suprême refusée).
Goulet c. *Cuisine idéale inc.*, D.T.E. 2007T-985 (C.S.), J.E. 2007-2240 (C.S.), EYB 2007-125507 (C.S.).
Bitsakis c. *Commission des relations du travail*, D.T.E. 2006T-660 (C.S.).
Université de Sherbrooke c. *Commission des relations du travail*, D.T.E. 2005T-575 (C.S.), EYB 2005-91056 (C.S.).
Vlayen c. *Commission des relations du travail*, (2005) R.J.D.T. 744 (C.S.), D.T.E. 2005T-549 (C.S.).
S.M.K. Speedy International Inc. (Le Roi du silencieux Speedy) c. *Monette*, D.T.E. 2004T-909 (C.S.), REJB 2004-55438 (C.S.).
U.A.P. inc. c. *Commission des relations du travail*, (2004) R.J.Q. 934 (C.S.), (2004) R.J.D.T. 130 (C.S.), D.T.E. 2004T-283 (C.S.), J.E. 2004-609 (C.S.), REJB 2004-55372 (C.S.).
Wal-Mart Canada inc. c. *Lachapelle*, D.T.E. 99T-45 (C.S.), J.E. 99-195 (C.S.), REJB 1998-10650 (C.S.).
Québec (Ville de) c. *Blais*, (1999) R.J.D.T. 163 (T.T.), D.T.E. 99T-67 (T.T.), REJB 1998-10046 (T.T.).

124/67 Les tribunaux supérieurs doivent faire preuve de retenue judiciaire à l'égard d'une décision rendue par les tribunaux spécialisés, plus particulièrement en matière de relations de travail.
Services d'administration P.C.R. ltée c. *Daigle*, D.T.E. 2003T-177 (C.S.).

124/68 C'est une norme de contrôle extrêmement sévère qui s'applique en ce qui concerne la révision judiciaire d'une décision d'un commissaire. Toutefois, toute violation des règles de la justice naturelle sera susceptible de faire l'objet d'une révision judiciaire. Le devoir de la Cour supérieure, au sujet de la preuve, n'est pas de substituer son appréciation à celle faite par un commissaire, mais bien de déterminer si cette décision est manifestement déraisonnable. Elle ne peut intervenir que si les éléments de preuve, perçus de façon raisonnable, ne peuvent étayer les conclusions de faits du tribunal administratif.
Pneus Supérieur inc. c. *Tribunal du travail*, D.T.E. 2000T-541 (C.S.).

124/69 Lorsqu'il faut décider si l'employeur s'est déchargé de son fardeau de preuve relatif au caractère raisonnable de l'accommodement, c'est la norme de la décision manifestement déraisonnable qui s'applique et non celle de la décision correcte.
Nadeau c. *Boisés La Fleur inc.*, (2005) R.J.D.T. 1565 (C.S.), D.T.E. 2005T-1097 (C.S.).

124/70 C'est le test de la justesse de la décision du commissaire qui s'applique en matière de révision judiciaire, lorsque celui-ci n'a pas tenu compte des dispositions pertinentes énoncées au *Code civil du Québec*.
Châteauguay Toyota c. *Couture*, (1999) R.J.Q. 2730 (C.S.), (1999) R.J.D.T. 1581 (C.S.), D.T.E. 99T-1005 (C.S.), J.E. 99-2040 (C.S.), REJB 1999-14668 (C.S.) (règlement hors cour).

124/71 C'est la norme de contrôle de la décision correcte qui s'applique en ce qui a trait à la question relative à l'obligation d'accommodement imposée à l'employeur par la *Charte des droits et libertés de la personne*.
Arthrolab inc. c. *Commission des relations du travail*, D.T.E. 2008T-540 (C.S.), J.E. 2008-1315 (C.S.), EYB 2008-134559 (C.S.) (en appel: n° 500-09-018840-082).

124/72 La norme de contrôle applicable est celle de la décision correcte lorsque, notamment, la question que doit trancher le commissaire requiert l'analyse d'une loi qui ne fait pas partie de son champ d'expertise.
Commission scolaire des Sommets c. *Rondeau*, (2006) R.J.D.T. 543 (C.S.), D.T.E. 2006T-345 (C.S.), EYB 2006-102547 (C.S.) (appel rejeté: C.A.Q. n° 200-09-005566-069, le 2 juin 2008).
Fabrimet inc. c. *Commission des relations du travail*, D.T.E. 2006T-603 (C.S.).
Québec (Procureure générale) c. *Monette*, D.T.E. 2002T-132 (C.S.), J.E. 2002-272 (C.S.), REJB 2001-30006 (C.S.).
V. aussi: *Mont-Tremblant (Ville de)* c. *Commission des relations du travail*, D.T.E. 2006T-1090 (C.S.) (appel rejeté: D.T.E. 2008T-562 (C.A.), J.E. 2008-1355 (C.A.)).

124/73 Dès qu'il y a violation de la règle *audi alteram partem*, le tribunal siégeant en révision judiciaire doit intervenir. À cet égard, le degré de retenue judiciaire est minime, voire inexistant. Dans ce cas, le critère d'intervention est celui de la décision correcte, la violation de la règle *audi alteram partem* ou d'un autre principe de justice naturelle constituant un cas clair d'excès de compétence qui donne automatiquement ouverture au contrôle judiciaire. Le droit à l'erreur n'existe pas en cette matière.
Mailloux c. *Commission des relations du travail*, D.T.E. 2008T-242 (C.S.), J.E. 2008-633 (C.S.), EYB 2008-129834 (C.S.).

124/74 C'est la norme de contrôle de la décision correcte qui s'applique lorsque, par requête en révision judiciaire, il est demandé à la Cour supérieure de décider si l'arbitre a la compétence pour incorporer l'article 124 L.N.T. à la convention collective, et ce, compte tenu qu'il s'agit d'une question de droit.
Syndicat du personnel enseignant du Centre d'études collégiales en Charlevoix c. *St-Laurent*, D.T.E. 2007T-333 (C.S.), J.E. 2007-814 (C.S.), EYB 2007-116366 (C.S.) (règlement hors cour).

124/75 Le commissaire a compétence pour déterminer si le geste de l'employeur constitue un licenciement ou un congédiement déguisé. S'il conclut qu'il s'agit d'un licenciement, il doit alors rejeter la plainte sans se pencher sur la sélection des salariés. Dans le cas contraire, il outrepasserait son rôle, commettant ainsi

une erreur juridictionnelle qui porterait atteinte à la validité de sa décision.
Nortel Networks (Nortel) c. *Monette*, (2002) R.J.D.T. 101 (C.S.), D.T.E. 2002T-15 (C.S.), J.E. 2002-39 (C.S.), REJB 2001-28293 (C.S.).
V. aussi: *RSW inc.* c. *Moro*, D.T.E. 2006T-290 (C.S.), EYB 2006-101923 (C.S.) (appel rejeté: D.T.E. 2007T-648 (C.A.), J.E. 2007-1480 (C.A.), EYB 2007-121975 (C.A.)).

124/76 Il est bien établi que, lorsque la question en litige porte sur la compétence du décideur, c'est la norme de la décision correcte qui s'applique.
Syndicat des professeures et professeurs de l'Université du Québec à Trois-Rivières c. *Tremblay*, D.T.E. 2007T-269 (C.S.), EYB 2007-114601 (C.S.) (appel rejeté: C.A.Q. n° 200-09-005886-079, le 2 juin 2008) (autorisation d'appeler à la Cour suprême accordée).

124/77 C'est la norme de la décision correcte qui s'applique à la question de l'obligation de justifier la décision de réintégrer ou non le salarié.
Ste-Rita (Municipalité de) c. *Commission des relations du travail*, D.T.E. 2008T-193 (C.S.).

124/78 L'erreur simple est la norme de contrôle judiciaire applicable en matière de requête en irrecevabilité fondée sur le fait que le recours prévu à l'article 124 L.N.T. n'est pas ouvert au salarié qui bénéficie d'une autre procédure de réparation.
Secrétariat de l'Action catholique de Joliette c. *Cyr*, (2000) R.J.D.T. 971 (C.S.), D.T.E. 2000T-722 (C.S.), J.E. 2000-1476 (C.S.), REJB 2000-19230 (C.S.) (appel rejeté: D.T.E. 2001T-1109 (C.A.), J.E. 2001-2111 (C.A.), REJB 2001-26586 (C.A.)).

124/79 C'est l'erreur simple qui est la norme de contrôle judiciaire applicable en matière de requête en réouverture d'enquête.
Bar central Wotton (2004) inc. c. *Lalonde*, D.T.E. 2006T-484 (C.S.), J.E. 2006-1037 (C.S.), EYB 2006-103245 (C.S.) (appel rejeté sur requête).
Éditions Trait d'union inc. c. *Commission des relations du travail*, (2004) R.J.Q. 155 (C.S.), (2004) R.J.D.T. 71 (C.S.), D.T.E. 2004T-45 (C.S.), J.E. 2004-99 (C.S.), REJB 2003-51263 (C.S.).

124/80 Constitue une violation de la règle de justice naturelle qui est le droit d'être entendu, le fait d'accepter la production d'un certificat médical avec la restriction que le contenu n'est pas prouvé sans le témoignage de son auteur, pour ensuite l'utiliser afin d'établir la maladie de stress du plaignant sans que l'employeur puisse contre-interroger le témoin, et sans qu'aucune preuve au dossier établisse cette conclusion.
Claude Rivest et Fils ltée, scierie St-Jean-de-Matha inc. c. *Monette*, D.T.E. 2000T-624 (C.S.).

124/81 La compétence du commissaire consiste à analyser les circonstances de la fin du contrat de travail qui liait l'employé à l'employeur et à décider s'il a été l'objet de mesures discriminatoires, abusives, injustes ou inéquitables.
Ménard c. *Place Bonaventure inc.*, (1987) T.A. 364, D.T.E. 87T-540 (T.A.).

124/82 Le commissaire siégeant en vertu de l'article 124 L.N.T. n'a pas compétence pour réviser la décision de l'arbitre saisi du grief ni pour se prononcer sur la rétrogradation.

Anvari c. *Royal Institution for the Advancement of Learning (McGill University)*, D.T.E. 82T-204 (T.A.).

124/83 Le commissaire a compétence dans le cas où l'employeur a modifié le congédiement pour imposer une suspension.
Confection J.E. Caron ltée c. *Mottard*, D.T.E. 83T-657 (T.A.).
V. aussi: *Pietrykowski* c. *Cie de fiducie du Canada le Permanent*, D.T.E. 85T-723 (T.A.) (révision judiciaire refusée: C.S.M. n° 500-05-009603-851, le 17 décembre 1985, conf. par C.A.M. n° 500-09-000056-861, le 2 octobre 1987).

124/84 Le commissaire n'a pas compétence lorsque l'employeur a imposé une suspension indéterminée au salarié pour lui permettre de suivre une cure de désintoxication et se réhabiliter.
Comité paritaire de l'industrie de l'automobile de Montréal et du district c. *Fortin*, (1987) T.A. 411, D.T.E. 87T-593 (T.A.).

124/85 La décision unilatérale de l'employeur de réintégrer un plaignant n'enlève pas au commissaire sa compétence, seul un retrait de la plainte peut avoir un tel effet.
Carasoulis c. *Cie de la Baie d'Hudson*, D.T.E. 91T-65 (T.A.) (révision judiciaire refusée: D.T.E. 91T-1043 (C.S.)).
C.I.L. inc. c. *Otis*, D.T.E. 85T-333 (T.A.).
Confection J.E. Caron ltée c. *Mottard*, D.T.E. 83T-657 (T.A.).

124/86 Le motif de congédiement fondé sur l'incompétence donne au commissaire le pouvoir d'examiner s'il y a cause juste et suffisante de renvoi et lui permet de conclure à l'incompétence d'un salarié sans conclure au bien-fondé du congédiement.
Laberge c. *Cie impérial Tobacco ltée*, D.T.E. 87T-198 (T.A.).

124/87 On ne doit pas voir des règles de droit strictes dans les critères définis par la jurisprudence pour apprécier les motifs de congédiement fondés sur la négligence ou l'incompétence. Le commissaire agit dans les limites de sa compétence lorsqu'il analyse ces motifs et, à moins d'une erreur manifestement déraisonnable de sa part, une cour ne peut intervenir.
Maison Ami-co (1981) inc. c. *Monette*, D.T.E. 94T-1419 (C.S.).

124/88 La compétence du commissaire ne peut dépendre du consentement des parties quant à la reconnaissance d'une ancienneté différente en faveur du salarié.
Brière c. *Provigo Distribution inc., division Montréal, secteur gros*, (1992) C.T. 530, D.T.E. 92T-897 (C.T.).
Richard c. *Caisse populaire de St-Charles Borromée*, D.T.E. 82T-901 (T.A.).
V. aussi: *Produits Pétro-Canada inc.* c. *Moalli*, (1987) R.J.Q. 261 (C.A.), D.T.E. 87T-58 (C.A.), J.E. 87-135 (C.A.).

124/89 Le commissaire n'a pas compétence concernant la nomination et la destitution d'un prêtre enseignant, cette décision relève de l'autorité ecclésiastique.
Corp. du petit séminaire de St-Georges de Beauce c. *Cliche*, D.T.E. 85T-285 (C.S.), J.E. 85-383 (C.S.).

124/90 Le commissaire n'a pas compétence lorsque le salarié refuse de réintégrer son poste à la suite d'une maladie.
Mason c. *Tran*, (1991) T.A. 294, D.T.E. 91T-482 (T.A.).

124/91 Le commissaire n'a pas compétence pour apprécier les contraventions à l'article 41 de la *Charte de la langue française* (L.R.Q., c. C-11), ni pour se prononcer sur la légalité du processus décisionnel suivi par l'employeur, car cette question ne conditionne pas sa compétence et n'y est aucunement reliée, puisqu'elle ne peut avoir d'impact sur l'existence d'une cause juste et suffisante de congédiement.
Robinson c. *Dixville Home inc.*, (1982) T.A. 448, D.T.E. 82T-526 (T.A.).
V. cependant: *Gaucher* c. *3090-1599 Québec inc.*, D.T.E. 99T-132 (C.T.).

Transaction

124/92 Pour conclure à une transaction civile, le commissaire doit constater et être en présence de:
1) Parties ayant la capacité légale de contracter;
2) Un consentement donné légalement;
3) Quelque chose qui soit l'objet du contrat;
4) Une cause ou considération licite;
5) Le contrat doit s'opérer dans le contexte d'un litige actuel ou à naître;
6) Les concessions ou les réserves y apparaissant doivent être la résultante d'une négociation ou d'une conciliation en vue de résoudre le litige.

Tamboura c. *Conseil du Québec — Unite Here*, D.T.E. 2006T-311 (C.R.T.).
Séguin c. *Alizé, gestion technique d'immeubles inc.*, (2003) R.J.D.T. 1263 (C.R.T.), D.T.E. 2003T-682 (C.R.T.).
Pedneault c. *Bureau en gros*, D.T.E. 2002T-40 (C.T.).
Beaudoin c. *Marchands en alimentation Agora inc.*, (1999) R.J.D.T. 1695 (C.T.), D.T.E. 99T-980 (C.T.).
Gagné c. *Agences Claude Marchand inc.*, (1999) R.J.D.T. 560 (C.T.), D.T.E. 99T-439 (C.T.).
Glick c. *Amusements Idéal inc. et Amusements George 2646-0048 Québec inc.*, (1995) C.T. 481, D.T.E. 95T-1227 (C.T.).
Tardif c. *Entreprises Insta-bec inc.*, (1994) C.T. 318, D.T.E. 94T-754 (C.T.).

124/93 La question de savoir si est intervenue entre les parties une transaction, relève de la compétence de la Commission des relations du travail et la norme de contrôle applicable est celle de la décision manifestement déraisonnable, puisque la décision attaquée est protégée par des dispositions législatives qui, lues ensemble, forment une clause privative accordant un degré élevé de protection.
Jaffe c. *Commission des relations du travail*, D.T.E. 2005T-551 (C.S.), J.E. 2005-1098 (C.S.), EYB 2005-90580 (C.S.).

124/94 En présence d'une requête en irrecevabilité au motif de transaction le commissaire doit trancher, de façon préalable, uniquement la question de l'existence d'une transaction légale ayant force de chose jugée. Il n'a à se prononcer sur le bien-fondé du congédiement que s'il conclut que la transaction doit être annulée et mise de côté pour vice de consentement.
Marchand c. *Bussière*, D.T.E. 98T-475 (C.A.), J.E. 98-943 (C.A.) (autorisation d'appeler à la Cour suprême refusée).
Fontaine c. *Denis*, D.T.E. 2002T-811 (C.S.), J.E. 2002-1594 (C.S.), REJB 2002-33121 (C.S.).

124/95 Il appartient à la Cour supérieure d'homologuer la transaction.
Dixon c. *Mittal Canada inc. (Ispat Sidbec inc.)*, (2005) R.J.D.T. 1702 (C.R.T.), D.T.E. 2005T-1048 (C.R.T.).
Kasmi c. *Centre de géomatique du Québec inc.*, D.T.E. 2004T-361 (C.R.T.).
V. aussi: *Jalbert* c. *Centre de santé et de services sociaux de Kamouraska*, D.T.E. 2005T-1021 (C.R.T.) (révision en vertu de l'article 127 C.T. refusée).

124/96 Lorsqu'il n'y a aucune prestation de travail qui est fournie par le salarié, il n'y a pas d'exigence selon les dispositions de l'article 124 L.N.T. qu'un document écrit soit fourni pour conclure au congédiement.
Flibotte c. *Aciers Lalime inc.*, D.T.E. 2001T-317 (C.T.).

124/97 Une entente verbale constitue une transaction au sens du *Code civil du Québec*.
Voyer c. *Compagnie Abitibi-Consolidated du Canada*, D.T.E. 2008T-237 (C.R.T.) (révision judiciaire refusée: (2009) R.J.D.T. 33 (C.S.), D.T.E. 2009T-163 (C.S.), EYB 2009-154208 (C.S.)).
Gosselin c. *Externat Mont-Jésus-Marie*, D.T.E. 2007T-1007 (C.R.T.).
Tamboura c. *Conseil du Québec — Unite Here*, D.T.E. 2006T-311 (C.R.T.).
Jaffe c. *Ogilvy, Renault*, D.T.E. 2004T-803 (C.R.T.) (révision judiciaire refusée: D.T.E. 2005T-551 (C.S.), J.E. 2005-1098 (C.S.), EYB 2005-90580 (C.S.)).

124/98 Il y a transaction lorsque les avocats au dossier, mandataires des parties, arrivent à un accord, même verbal, à la suite de discussions ayant mené à des concessions ou des réserves réciproques.
Gosselin c. *Externat Mont-Jésus-Marie*, D.T.E. 2007T-1007 (C.R.T.).

124/99 Lorsqu'une transaction repose sur une entente verbale, il appartient à la partie qui l'allègue d'en faire la preuve.
Tamboura c. *Conseil du Québec — Unite Here*, D.T.E. 2006T-311 (C.R.T.).

124/100 Une transaction n'a pas à être constatée par écrit pour être valide, il suffit qu'il y ait un accord des volontés. Ainsi, une lettre confirmant une entente de principe qui expose dans le détail les éléments de cette entente et qui fait référence à la signature d'un mémoire de transaction ayant pour but de constater cette entente, constitue une transaction.
Gosselin c. *Externat Mont-Jésus-Marie*, D.T.E. 2007T-1007 (C.R.T.).
Dixon c. *Mittal Canada inc. (Ispat Sidbec inc.)*, (2005) R.J.D.T. 1702 (C.R.T.), D.T.E. 2005T-1048 (C.R.T.).
Kasmi c. *Centre de géomatique du Québec inc.*, D.T.E. 2004T-361 (C.R.T.).
Josefo c. *Utex Corp.*, (1993) C.T. 1, D.T.E. 93T-29 (C.T.).
V. également la décision suivante rendue en vertu du nouvel article 123 du *Code du travail* qui prescrit que, dorénavant, tout accord doit être constaté par écrit: *Wyke* c. *Optimal Robotics (Canada) Corp.*, (2003) R.J.D.T. 1273 (C.R.T.), D.T.E. 2003T-828 (C.R.T.) (révisions en vertu de l'article 127 C.T. refusées: D.T.E. 2004T-844 (C.R.T.)).
V. cependant: *Beaudoin* c. *Marchands en alimentation Agora inc.*, (1999) R.J.D.T. 1695 (C.T.), D.T.E. 99T-980 (C.T.).

124/101 Un accord de principe sur les éléments essentiels d'une entente constitue une transaction rendant irrecevable la plainte du salarié.

Voyer c. *Compagnie Abitibi-Consolidated du Canada*, D.T.E. 2008T-237 (C.R.T.) (révision judiciaire refusée: (2009) R.J.D.T. 33 (C.S.), D.T.E. 2009T-163 (C.S.), EYB 2009-154208 (C.S.)).

124/102 Le fait qu'un document porte la mention «entente» ne suffit pas nécessairement à en faire une transaction civile.
Tamboura c. *Conseil du Québec — Unite Here*, D.T.E. 2006T-311 (C.R.T.).
Tardif c. *Entreprises Insta-bec inc.*, (1994) C.T. 318, D.T.E. 94T-754 (C.T.).

124/103 Une transaction au sens du *Code civil du Québec* constitue un obstacle infranchissable au recours à l'encontre d'un congédiement sans cause juste et suffisante.
Papineau c. *Promutuel Coaticook-Sherbrooke, société mutuelle d'assurances générales*, D.T.E. 2008T-915 (C.R.T.).
Voyer c. *Compagnie Abitibi-Consolidated du Canada*, D.T.E. 2008T-237 (C.R.T.) (révision judiciaire refusée: (2009) R.J.D.T. 33 (C.S.), D.T.E. 2009T-163 (C.S.), EYB 2009-154208 (C.S.)).
Ash c. *Berendsen Fluid Power Ltd.*, D.T.E. 2006T-40 (C.R.T.).
Lafortune c. *Cryos Technologies inc.*, D.T.E. 2006T-929 (C.R.T.).
Dixon c. *Mittal Canada inc. (Ispat Sidbec inc.)*, (2005) R.J.D.T. 1702 (C.R.T.), D.T.E. 2005T-1048 (C.R.T.).
Jaffe c. *Ogilvy, Renault*, D.T.E. 2004T-803 (C.R.T.) (révision judiciaire refusée: D.T.E. 2005T-551 (C.S.), J.E. 2005-1098 (C.S.), EYB 2005-90580 (C.S.)).
Séguin c. *Alizé, gestion technique d'immeubles inc.*, (2003) R.J.D.T. 1263 (C.R.T.), D.T.E. 2003T-682 (C.R.T.).
Sibony c. *Copap inc.*, D.T.E. 2002T-1110 (C.T.).
Medeiros c. *Eaton*, D.T.E. 96T-79 (C.T.).
Rochette c. *Caisse populaire de Notre-Dame-de-Grâce*, (1992) C.T. 168, D.T.E. 92T-613 (C.T.).
Campeau c. *Claude Néon ltée*, (1986) T.A. 350, D.T.E. 86T-429 (T.A.).
Dagenais c. *Corp. Delico*, (1986) T.A. 790, D.T.E. 86T-958 (T.A.).
Blain c. *Groupe RO-NA inc.*, (1985) T.A. 805, D.T.E. 85T-973 (T.A.).
Lawson c. *Pinkerton Flowers Ltd.*, D.T.E. 84T-391 (T.A.).
V. aussi: *Cossette* c. *Ed Archambault Musique inc.*, (1998) R.J.D.T. 1248 (C.T.), D.T.E. 98T-758 (C.T.), REJB 1998-06780 (C.T.) (révision judiciaire refusée: C.S.M. n° 500-05-042423-986, le 6 novembre 1998) (règlement hors cour).

124/104 L'abandon par le salarié, à la suite d'une entente, de sa plainte antérieure contestant la rupture du lien d'emploi, constitue un motif d'irrecevabilité de la nouvelle plainte. L'entente n'a pas fait revivre le lien d'emploi qui existait auparavant et la nouvelle plainte ne peut faire revivre la contestation qui a été abandonnée.
Beaudet c. *Université Bishop's*, D.T.E. 2006T-379 (C.R.T.).

124/105 Il y a transaction lorsque le salarié renonce par écrit à tout recours contre l'employeur, et ce, malgré l'erreur du salarié quant à la possibilité de percevoir son régime de retraite.
Marchand c. *Bussière*, D.T.E. 98T-475 (C.A.), J.E. 98-943 (C.A.) (autorisation d'appeler à la Cour suprême refusée).

124/106 Il y a transaction rendant irrecevable une plainte pour congédiement sans cause juste et suffisante, lorsque le procureur du salarié écrit à celui de

l'employeur qu'une somme déterminée doit être versée par un chèque tiré à son nom, pour versement dans son compte en fidéicommis, et ce, nonobstant qu'il y ait refus subséquent d'accepter les déductions fiscales et gouvernementales de ladite somme.
Bélanger c. *Quincaillerie Le Faubourg (1990) inc.*, D.T.E. 97T-783 (C.T.).

124/107 Constitue une transaction, une entente suivant laquelle le plaignant accepterait une indemnité en règlement complet du litige. Le fait qu'un employeur doit faire des retenues à la source ne rend en aucune façon cette entente caduque. Il s'agit d'une simple modalité se situant en périphérie de l'entente originaire conclue et qui n'y change absolument rien. De même, le changement du mot «congédiement» pour «démission» dans la quittance ne change rien à la validité de l'entente.
Creamer c. *Entreprises Daniel Robert inc.*, D.T.E. 97T-184 (C.T.).

124/108 La Commission des relations du travail peut conclure à l'existence d'une transaction entre les parties. Toutefois, elle doit refuser d'entériner l'accord lorsqu'il n'est pas conforme aux dispositions de l'article 123 du *Code du travail*, par exemple dans le cas de l'absence de signature du conciliateur. Seuls les tribunaux de droit commun peuvent homologuer une transaction.
St-Pierre c. *Technologie Dentalmatic inc.*, (2004) R.J.D.T. 220 (C.R.T.), D.T.E. 2004T-111 (C.R.T.).

124/109 Le commissaire a le pouvoir d'étudier la validité d'une entente, il joue un rôle d'adjudication de droit qui va au-delà du simple entérinement.
Xérox Canada inc. c. *D'Aoust*, D.T.E. 92T-898 (C.S.).
Kasmi c. *Centre de géomatique du Québec inc.*, D.T.E. 2004T-361 (C.R.T.).
Glick c. *Amusements Idéal inc. et Amusements George 2646-0048 Québec inc.*, (1995) C.T. 481, D.T.E. 95T-1227 (C.T.).
V. aussi: *Minéraux Noranda inc. (division C.C.R.)* c. *Dicaire*, D.T.E. 90T-276 (T.A.).
De la Sablonnière c. *Société d'électrolyse et de chimie Alcan ltée*, D.T.E. 89T-632 (T.A.).
Guillemette c. *Formules d'affaires Inter-Trade ltée*, D.T.E. 89T-1037 (T.A.).
Blain c. *Groupe RO-NA inc.*, (1985) T.A. 805, D.T.E. 85T-973 (T.A.).
Trudel c. *Celanese Canada inc.*, D.T.E. 85T-39 (T.A.).
Lawson c. *Pinkerton Flowers Ltd.*, (1984) T.A. 184, D.T.E. 84T-269 (T.A.) et D.T.E. 84T-391 (T.A.).

124/110 Le commissaire n'a pas compétence lorsqu'il y a eu transaction même s'il y a preuve d'ignorance du recours prévu à l'article 124 L.N.T. En effet, l'erreur n'est pas une cause de rescision du contrat de transaction.
Jaffe c. *Ogilvy, Renault*, D.T.E. 2004T-803 (C.R.T.) (révision judiciaire refusée: D.T.E. 2005T-551 (C.S.), J.E. 2005-1098 (C.S.), EYB 2005-90580 (C.S.)).
Cossette c. *Ed Archambault Musique inc.*, (1998) R.J.D.T. 1248 (C.T.), D.T.E. 98T-758 (C.T.), REJB 1998-06780 (C.T.) (révision judiciaire refusée: C.S.M. n^{0} 500-05-042423-986, le 6 novembre 1998) (règlement hors cour).
Beaudet c. *Hôpital du St-Sacrement*, D.T.E. 88T-51 (T.A.).
Lawson c. *Pinkerton Flowers Ltd.*, D.T.E. 84T-391 (T.A.).
V. aussi: *Allard* c. *H.J. Heinz du Canada ltée*, D.T.E. 88T-487 (T.A.).

124/111 Pour enlever compétence au commissaire il faut que la prépondérance de la preuve permette de conclure à une transaction et non simplement à des échanges de considérations.
Allard c. *H.J. Heinz du Canada ltée*, D.T.E. 88T-487 (T.A.).

124/112 Le commissaire n'est pas autorisé à substituer son jugement au libellé clair d'une transaction.
Lajeunesse c. *Limocolor inc.*, D.T.E. 92T-1161 (C.T.).

124/113 Dans une transaction, la renonciation au recours doit être manifeste.
Lajoie c. *Sico Industrie inc.*, D.T.E. 90T-1161 (T.A.).

124/114 Une transaction conditionnelle non réalisée n'a pas pour effet d'empêcher le salarié d'exercer son recours.
Pedneault c. *Bureau en gros*, D.T.E. 2002T-40 (C.T.).
Boucher c. *Pliages Apaulo inc.*, D.T.E. 96T-148 (C.T.).
Zerdin c. *Bonneterie Bella inc.*, D.T.E. 88T-199 (T.A.).
Innocent c. *Boiseries Crotone inc.*, (1987) T.A. 272, D.T.E. 87T-426 (T.A.).
Industrie Fabrico (1964) ltée c. *Bélair*, (1986) T.A. 633, D.T.E. 86T-730 (T.A.).

124/115 Une exécution totale ou partielle d'une obligation n'invalide pas une transaction.
Restaurant Faubourg St-Denis inc. c. *Durand*, (1990) R.J.Q. 1218 (C.A.), D.T.E. 90T-633 (C.A.), J.E. 90-791 (C.A.).
Séguin c. *Alizé, gestion technique d'immeubles inc.*, (2003) R.J.D.T. 1263 (C.R.T.), D.T.E. 2003T-682 (C.R.T.).

124/116 La formule de «reçu et quittance» qui indique qu'il s'agit d'une quittance complète et finale de toutes et chacune des créances résultant directement ou indirectement de l'emploi et de la terminaison de l'emploi, constitue une transaction au sens du *Code civil du Québec*.
Trudel c. *Celanese Canada inc.*, D.T.E. 85T-39 (T.A.).

124/117 La transaction et la quittance sont deux notions distinctes qui ne doivent pas être confondues. La transaction est régie par les dispositions des articles 2631 et ss. du *Code civil du Québec*. La quittance est un document facultatif; sa signature ne crée pas l'entente, elle vient seulement la confirmer.
Fontaine c. *Denis*, D.T.E. 2002T-811 (C.S.), J.E. 2002-1594 (C.S.), REJB 2002-33121 (C.S.).

124/118 Lorsqu'un salarié ne formule aucune réserve en signant une quittance, il est permis de conclure que celle-ci s'applique à tous recours, y compris celui prévu à l'article 124 L.N.T.
Madail c. *Mitec Electronics Ltd.*, (1993) C.T. 408, D.T.E. 93T-868 (C.T.).

124/119 Un salarié peut valablement renoncer à l'exercice d'un droit d'ordre public, car une transaction peut avoir pour effet de prévenir une contestation à naître. Cependant, un employeur ne peut exiger d'un salarié qu'il renonce à l'avance à l'exercice d'un droit d'ordre public pas plus qu'à un délai-congé raisonnable selon l'article 2092 du *Code civil du Québec*. Néanmoins, l'exercice d'un tel droit peut toujours faire l'objet d'une transaction, dès lors que ce droit est né et actuel.
Bouchard c. *Services des espaces verts ltée*, D.T.E. 94T-561 (C.T.).
V. aussi: *Landry* c. *Agri-marché inc.*, D.T.E. 2003T-613 (C.R.T.).
V. cependant: *Bourget* c. *Association Agaparc*, (1999) R.J.D.T. 1193 (C.T.), D.T.E. 99T-773 (C.T.).

124/120 Une transaction doit être le résultat de concessions respectives des parties.
Marchand c. *Bussière*, D.T.E. 98T-475 (C.A.), J.E. 98-943 (C.A.) (autorisation d'appeler à la Cour suprême refusée).
Beaudoin c. *Marchands en alimentation Agora inc.*, (1999) R.J.D.T. 1695 (C.T.), D.T.E. 99T-980 (C.T.).

124/121 Pour qu'il y ait transaction, il faut que les deux parties obtiennent quelque chose en échange. Ce n'est pas le cas lorsque seulement une des deux parties s'engage à faire quelque chose.
Bourgault c. *Autobus Québec Métro inc.*, D.T.E. 97T-312 (C.T.).

124/122 Pour qu'il y ait transaction, il faut retrouver deux éléments essentiels, soit, premièrement, une contestation née ou à naître et, deuxièmement, des concessions réciproques. Ainsi, il n'y a pas transaction dans le cas où l'employeur demande au salarié de signer un document pour que celui-ci obtienne le préavis de deux semaines auquel il a droit et pour obtenir sa cessation d'emploi. Il s'agit plutôt d'un avis unilatéral de rupture définitive d'emploi.
Beaudoin c. *Marchands en alimentation Agora inc.*, (1999) R.J.D.T. 1695 (C.T.), D.T.E. 99T-980 (C.T.).
Cassir c. *Lapor inc.*, (1997) C.T. 477, D.T.E. 97T-1207 (C.T.).
V. aussi: *Bilodeau* c. *Imprimerie Miro inc.*, D.T.E. 2003T-93 (C.R.T.).

124/123 Il ne peut y avoir de transaction entre les parties lorsqu'il n'y a pas d'accord sur une clause de confidentialité. Également, lorsque les échanges entre les parties se sont déroulés uniquement par l'intermédiaire d'un médiateur, l'employeur ne peut affirmer que le salarié lui a fait part de son acquiescement au texte de l'entente.
Lavoie c. *Avensys inc.*, D.T.E. 2004T-492 (C.R.T.) (révision judiciaire accueillie en partie: D.T.E. 2005T-858 (C.S.), EYB 2005-94598 (C.S.)) (appel principal accueilli et appel incident rejeté: D.T.E. 2006T-573 (C.A.), J.E. 2006-1220 (C.A.), EYB 2006-106096 (C.A.)).

124/124 Il n'y a pas transaction équivalant à une renonciation au recours prévu à l'article 124 L.N.T., par l'acceptation des sommes dues pour vacances et préavis.
Tardif c. *Entreprises Insta-bec inc.*, (1994) C.T. 318, D.T.E. 94T-754 (C.T.).
Martin c. *Crédit immobilier inc.*, (1982) T.A. 840, D.T.E. 82T-261 (T.A.).
Rioux c. *F.D.L. Co. ltée*, (1981) 1 R.S.A. 97, D.T.E. 82T-803 (T.A.).
Roger Barré Automobile ltée c. *Méthot*, (1981) 1 R.S.A. 286.
Vivier c. *Industrielle (L') Cie d'assurance sur la vie*, (1983) C.T. 48, D.T.E. 83T-186 (C.T.) (paiement d'une indemnité compensatrice).

124/125 Une clause d'un contrat de travail prévoyant le paiement d'une indemnité de départ ne constitue pas une transaction.
Martin-Annett c. *Fraternité nationale des poseurs de systèmes intérieurs, revêtements souples paqueteurs sableurs, section locale 2366*, D.T.E. 2002T-39 (C.T.) (révision judiciaire refusée: D.T.E. 2002T-713 (C.S.)).

124/126 Une entente de départ à la retraite ne constitue pas une transaction au sens du *Code civil du Québec*, puisqu'il n'y avait pas de litige entre les parties au moment où celle-ci a été conclue.

Dumont c. *Matériaux Blanchet inc.*, D.T.E. 2007T-260 (C.R.T.) (révision en vertu de l'article 127 C.T. refusée) (révision judiciaire refusée: C.S.Q. n° 200-17-008560-070, le 18 décembre 2007).

124/127 Il est possible de procéder par action en injonction permanente pour faire en sorte que l'employeur respecte une transaction prévoyant la réintégration du salarié.
Leclerc c. *Chertsey (Municipalité de)*, (1997) R.J.Q. 2729 (C.S.), D.T.E. 97T-1177 (C.S.), J.E. 97-1902 (C.S.) (appel rejeté sur requête).

124/128 Les parties peuvent conclure une transaction par laquelle l'employeur annule un congédiement, décision unilatérale de sa part sur laquelle il est libre de revenir, en considération de la présentation d'une démission.
Marchand c. *Bussière*, D.T.E. 98T-475 (C.A.), J.E. 98-943 (C.A.) (autorisation d'appeler à la Cour suprême refusée).

124/129 Seuls un désistement ou une transaction intervenue entre l'employeur et le salarié prévoyant un désistement, peuvent mettre fin à l'existence d'une plainte contestant un congédiement fait sans cause juste et suffisante. L'offre unilatérale de l'employeur d'annuler le congédiement ne peut équivaloir à un tel règlement.
Joly c. *Rehau Industries inc.*, (2005) R.J.D.T. 793 (C.R.T.), D.T.E. 2005T-462 (C.R.T.).

124/130 Malgré le mandat donné par la Commission des normes du travail, les parties ont le droit d'en arriver à un règlement et le commissaire doit s'y conformer, à moins qu'il ne soit contre l'ordre public ou les bonnes moeurs.
Studio Bel-Art inc. c. *Kenny*, D.T.E. 85T-902 (C.S.).

124/131 Il revient au salarié de prouver et d'établir son incapacité de contracter au sens du *Code civil du Québec*, soit l'existence de l'une des causes de nullité des contrats prévues audit Code.
Marchand c. *Bussière*, D.T.E. 98T-475 (C.A.), J.E. 98-943 (C.A.) (autorisation d'appeler à la Cour suprême refusée).

124/132 Il n'y a pas transaction lorsque la renonciation au recours prévu à l'article 124 L.N.T. a été faite sous de fausses représentations de l'employeur et que le consentement de l'employé n'est pas libre et éclairé.
Ward c. *Château sur le Lac Ste-Geneviève inc.*, D.T.E. 2001T-930 (C.T.).
Cossette c. *Ed Archambault Musique inc.*, (1998) R.J.D.T. 1248 (C.T.), D.T.E. 98T-758 (C.T.), REJB 1998-06780 (C.T.) (révision judiciaire refusée: C.S.M. n° 500-05-042423-986, le 6 novembre 1998) (règlement hors cour).
V. aussi: *Clair* c. *Journal de St-Bruno inc.*, D.T.E. 2000T-970 (C.T.).

124/133 Un contrat innommé réflétant une entente intervenue entre les parties, visant la rupture du lien d'emploi entre l'employeur et le salarié, ainsi que les termes et conditions de celle-ci, constitue une fin de non-recevoir à une plainte déposée selon l'article 124 L.N.T.
Johnston c. *Sintra inc.*, (1993) C.T. 585, D.T.E. 93T-1333 (C.T.).

124/134 Le fait qu'une transaction soit rédigée uniquement en anglais n'est pas une cause de nullité de celle-ci.
Ash c. *Berendsen Fluid Power Ltd.*, D.T.E. 2006T-40 (C.R.T.).

124/135 Un employeur n'a aucune obligation de renseignement eu égard à la renonciation au droit à l'exercice d'un recours par un salarié.
Medeiros c. *Eaton*, D.T.E. 96T-79 (C.T.).

124/136 V. BRIÈRE, J.-Y., «Les pouvoirs de l'arbitre de grief face à une transaction (art. 2631 C.c.Q.)», (1996) 3:6 *Impact* 2.

INEXISTENCE D'UN AUTRE RECOURS VALABLE

Général

124/137 Les dispositions de l'article 124 L.N.T. comportent un caractère supplétif, car elles deviennent inapplicables lorsqu'un salarié bénéficie d'une autre procédure de réparation.
Buono c. *Université du Québec à Montréal*, D.T.E. 2008T-703 (C.R.T.).
D'Amours c. *Commission scolaire de Kamouraska—Rivière-du-Loup (École secondaire de Rivière-du-Loup)*, D.T.E. 2005T-514 (C.R.T.).

124/138 Le but fondamental de la condition relative à l'inexistence d'une autre procédure de réparation est d'éviter une véritable duplication des recours concernant le même congédiement survenu pour le même motif.
Centre hospitalier régional de l'Outaouais c. *Carrier*, D.T.E. 90T-825 (C.S.), J.E. 90-1005 (C.S.).
Thibault c. *Cie minière Québec Cartier*, D.T.E. 83T-569 (T.A.).

124/139 Une plainte en vertu de l'article 124 L.N.T. est recevable dans la mesure où le salarié ne bénéficie pas d'une autre procédure de réparation prévue dans une loi ou une convention. Or, une incorporation implicite de l'article 124 L.N.T. dans toute convention collective amputerait de façon significative le texte même de la *Loi sur les normes du travail*. En effet, pourquoi faire référence à une procédure de réparation contenue notamment dans une convention collective si l'article 124 L.N.T. est inclus implicitement à cette convention?
Québec (Procureur général) c. *Syndicat de la fonction publique du Québec*, (2008) R.J.D.T. 1005 (C.A.), D.T.E. 2008T-513 (C.A.), J.E. 2008-1269 (C.A.), EYB 2008-133992 (C.A.) (autorisations d'appeler à la Cour suprême accordées).

124/140 C'est la norme de contrôle de la décision correcte qui s'applique lorsque la décision de la Commission des relations du travail va au-delà de la constatation de l'existence ou non d'une autre procédure de réparation.
BPR — Groupe-conseil, s.e.n.c. c. *Commission des relations du travail*, D.T.E. 2008T-921 (C.S.), EYB 2008-150244 (C.S.).
Stryker Bertec médical inc. c. *Bernier*, D.T.E. 2004T-537 (C.S.), J.E. 2004-1099 (C.S.), REJB 2004-60536 (C.S.).

124/141 C'est la norme de contrôle de la décision correcte qui s'applique lorsque le litige porte sur le droit ou non d'un salarié de contester son congédiement devant un arbitre de griefs en invoquant une violation de l'article 124 L.N.T., dans le cas où la convention collective à laquelle il est assujetti ne lui permet pas, en raison de son statut, d'utiliser la procédure de grief et d'arbitrage.
Québec (Procureur général) c. *Syndicat de la fonction publique du Québec*, (2008) R.J.D.T. 1005 (C.A.), D.T.E. 2008T-513 (C.A.), J.E. 2008-1269 (C.A.), EYB 2008-133992 (C.A.) (autorisations d'appeler à la Cour suprême accordées).

124/142 Un contrat de vente d'entreprise entre deux employeurs, par lequel le cédant licencie tous ses salariés et que l'acquéreur réembauche ceux-ci, ne peut avoir pour effet d'écarter les droits du salarié au recours prévu à l'article 124 L.N.T.
Télé-alarme T.S. inc. c. *Nadeau*, D.T.E. 93T-1129 (C.S.), J.E. 93-1719 (C.S.).

124/143 Le commissaire doit avoir la certitude que le salarié peut exercer une autre procédure de réparation avant de se déclarer sans compétence.
Clair Foyer inc. c. *Bergeron*, D.T.E. 86T-691 (C.S.).
Dallaire c. *Hôpital Notre-Dame*, (1984) T.A. 313, D.T.E. 84T-390 (T.A.).
Centre hospitalier de Coaticook c. *Germain*, D.T.E. 82T-858 (T.A.).
Sewell c. *Centre d'accueil Horizons de la jeunesse/Youth Horizons*, (1982) T.A. 1234, D.T.E. 82T-634 (T.A.).

124/144 Avant de rejeter une plainte à cause de l'existence d'une autre procédure de réparation, le commissaire doit entendre la preuve sur l'ouverture à ce recours dans le cas précis dont il est saisi.
Clair Foyer inc. c. *Bergeron*, D.T.E. 86T-691 (C.S.).

124/145 L'autre procédure de réparation doit être une procédure efficace, utile et clairement identifiée et non une procédure théoriquement possible ou aléatoire.
Industries graphiques Cameo Crafts ltée c. *Bourbonnais*, D.T.E. 89T-178 (T.A.).
Nash c. *Secur inc.*, (1987) T.A. 726, D.T.E. 87T-1022 (T.A.).

124/146 L'autre procédure de réparation doit avoir une force obligatoire et être exécutoire.
Baby c. *Orchestre symphonique de Québec inc.*, (1987) T.A. 16, D.T.E. 87T-14 (T.A.).
Clarke c. *Université Concordia*, D.T.E. 87T-765 (T.A.).
Tolédano c. *Recherches Bell-Northern ltée*, (1986) T.A. 177, D.T.E. 86T-217 (T.A.).
Dallaire c. *Hôpital Notre-Dame*, (1984) T.A. 313, D.T.E. 84T-390 (T.A.).
Hôtel-Dieu de Montréal c. *Séguin*, (1984) T.A. 774, D.T.E. 84T-895 (T.A.).
McGill University c. *Shantz*, (1983) T.A. 825, D.T.E. 83T-903 (T.A.).
Morel c. *Parkway Chevrolet Oldsmobile Cadillac inc.*, (1983) T.A. 461, D.T.E. 83T-286 (T.A.).
Centre hospitalier de Coaticook c. *Germain*, D.T.E. 82T-858 (T.A.).
Robinson c. *Dixville Home inc.*, (1982) T.A. 448, D.T.E. 82T-526 (T.A.).

124/147 L'autre procédure de réparation doit permettre au salarié d'obtenir des droits équivalents ou supérieurs à ceux qui peuvent être accordés par le biais de l'article 124 L.N.T. Le recours doit avoir un caractère obligatoire et il doit avoir une certaine similitude avec celui prévu à l'article 124 L.N.T. Finalement, le décideur doit avoir des pouvoirs équivalents à ceux prévus par les dispositions de l'article 128 L.N.T.
Meilleur c. *Québec (Ministère de l'Emploi, de la Solidarité sociale et de la Famille)*, D.T.E. 2008T-458 (C.R.T.) (révision en vertu de l'article 127 C.T. refusée).

124/148 Une procédure de réparation doit être un fait certain, orienté vers la réparation réelle d'un congédiement et conférant à l'instance appelée à se prononcer des pouvoirs aussi étendus que ceux d'un commissaire. De plus, cette procédure doit présenter un caractère contraignant et être exécutoire.
Gendron c. *9037-5965 Québec inc.*, D.T.E. 2003T-418 (C.R.T.).
Poirier c. *Pir-Vir inc.*, D.T.E. 86T-184 (T.A.).

Faucher c. *Centres de jeunesse Shawbridge*, (1984) T.A. 249, D.T.E. 84T-337 (T.A.).
Centre hospitalier de Coaticook c. *Germain*, D.T.E. 82T-858 (T.A.).

124/149 La procédure de réparation équitable et acceptable doit être constatée par écrit et être connue des parties, elle doit contenir les noms et qualités de celles-ci, la désignation des décideurs et l'objet des litiges sujets à cette procédure. Enfin, elle doit préciser, en outre, la compétence et les pouvoirs du décideur et le délai imposé à celui-ci pour rendre sa décision.
Secrétariat de l'Action catholique de Joliette c. *Cyr*, (2000) R.J.D.T. 971 (C.S.), D.T.E. 2000T-722 (C.S.), J.E. 2000-1476 (C.S.), REJB 2000-19230 (C.S.) (appel rejeté: D.T.E. 2001T-1109 (C.A.), J.E. 2001-2111 (C.A.), REJB 2001-26586 (C.A.)).
Centre hospitalier régional de l'Outaouais c. *Carrier*, D.T.E. 90T-825 (C.S.), J.E. 90-1005 (C.S.).
Fri Information Services Ltd. c. *Larouche*, (1982) C.S. 742, D.T.E. 82T-606 (C.S.), J.E. 82-836 (C.S.) (appel rejeté: C.A.M. n° 500-09-001145-820, le 23 septembre 1983).
Martin-Annett c. *Fraternité nationale des poseurs de systèmes intérieurs, revêtements souples paqueteurs sableurs, section locale 2366*, D.T.E. 2002T-39 (C.T.) (révision judiciaire refusée: D.T.E. 2002T-713 (C.S.)).
Sabourin c. *Pinkerton du Québec ltée*, D.T.E. 94T-829 (C.T.).
Morin c. *Bois-Aisé de Roberval inc.*, (1992) C.T. 151, D.T.E. 92T-511 (C.T.).
Massicotte c. *Société d'ingénierie Factory Mutual*, D.T.E. 92T-1339 (T.A.).
Corvington c. *Université Concordia*, D.T.E. 90T-1132 (T.A.).
Baby c. *Orchestre symphonique de Québec inc.*, (1987) T.A. 16, D.T.E. 87T-14 (T.A.).
Clarke c. *Université Concordia*, D.T.E. 87T-765 (T.A.).
Tolédano c. *Recherches Bell-Northern ltée*, (1986) T.A. 177, D.T.E. 86T-217 (T.A.).
Dallaire c. *Hôpital Notre-Dame*, (1984) T.A. 313, D.T.E. 84T-390 (T.A.).
Hôtel-Dieu de Montréal c. *Séguin*, (1984) T.A. 774, D.T.E. 84T-895 (T.A.).
General Motors du Canada ltée c. *Tremblay*, D.T.E. 82T-764 (T.A.) (révision judiciaire refusée: (1981) C.S. 754, J.E. 81-861 (C.S.), conf. par D.T.E. 82T-323 (C.A.), J.E. 82-404 (C.A.)).

124/150 L'autre procédure de réparation doit spécifiquement s'appliquer à un salarié pour pouvoir constituer une telle procédure.
Malo c. *Côté-Desbiolles*, (1995) R.J.Q. 1686 (C.A.), D.T.E. 95T-827 (C.A.), J.E. 95-1438 (C.A.) (autorisation d'appeler à la Cour suprême refusée).
Commission scolaire des Sommets c. *Rondeau*, (2006) R.J.D.T. 543 (C.S.), D.T.E. 2006T-345 (C.S.), EYB 2006-102547 (C.S.) (appel rejeté: C.A.Q. n° 200-09-005566-069, le 2 juin 2008).
Ateliers Roland Gingras inc. c. *Martin*, (1988) R.J.Q. 523 (C.S.), D.T.E. 88T-154 (C.S.), J.E. 88-248 (C.S.).
Beauséjour c. *Lefebvre*, (1986) R.J.Q. 1407 (C.S.), D.T.E. 86T-315 (C.S.), J.E. 86-447 (C.S.), appel rejeté pour d'autres motifs à (1988) R.J.Q. 639 (C.A.), D.T.E. 88T-261 (C.A.), J.E. 88-414 (C.A.).
Clair Foyer inc. c. *Bergeron*, D.T.E. 86T-691 (C.S.).
Meilleur c. *Québec (Ministère de l'Emploi, de la Solidarité sociale et de la Famille)*, D.T.E. 2008T-458 (C.R.T.) (révision en vertu de l'article 127 C.T. refusée).
Mont-Tremblant (Ville de) c. *Poulin*, (2006) R.J.D.T. 821 (C.R.T.), D.T.E. 2006T-530 (C.R.T.) (révision judiciaire refusée: D.T.E. 2006T-1090 (C.S.)) (appel rejeté: D.T.E. 2008T-562 (C.A.), J.E. 2008-1355 (C.A.)).
Sénécal c. *St-Léonard (Ville de)*, D.T.E. 2000T-305 (C.T.).
Émond c. *La Malbaie (Ville de)*, D.T.E. 92T-184 (T.A.).

Massicotte c. *Société d'ingénierie Factory Mutual*, D.T.E. 92T-1339 (T.A.).
Industries graphiques Cameo Crafts ltée c. *Bourbonnais*, D.T.E. 89T-178 (T.A.).
Kelly c. *Taxi Coop 525-5191*, (1988) T.A. 428, D.T.E. 88T-463 (T.A.).
Martel c. *Services ménagers Roy ltée*, D.T.E. 86T-575 (T.A.).
Union internationale des journaliers d'Amérique du Nord c. *Gendron*, D.T.E. 85T-248 (T.A.).
Faucher c. *Centres de jeunesse Shawbridge*, (1984) T.A. 249, D.T.E. 84T-337 (T.A.).
Krakower c. *Lakeshore School Board*, D.T.E. 84T-374 (T.A.).
Beauchesne c. *Demers express inc.*, D.T.E. 82T-114 (T.A.).

124/151 L'autre procédure de réparation doit s'appliquer au salarié concerné, sans que celle-ci soit nécessairement exercée par lui.
Centre hospitalier régional de l'Outaouais c. *Carrier*, D.T.E. 90T-825 (C.S.), J.E. 90-1005 (C.S.).
Bourque c. *Cournoyer*, D.T.E. 86T-216 (C.S.).
Clair Foyer inc. c. *Bergeron*, D.T.E. 86T-691 (C.S.).
Sabourin c. *Pinkerton du Québec ltée*, D.T.E. 94T-829 (C.T.).
Multi-Marques inc. c. *Boulay*, (1989) T.A. 747, D.T.E. 89T-825 (T.A.).
Faucher c. *Centres de jeunesse Shawbridge*, (1984) T.A. 249, D.T.E. 84T-337 (T.A.).
Beauchesne c. *Demers express inc.*, D.T.E. 82T-114 (T.A.).
V. aussi: *Maillé* c. *Produits forestiers Saucier ltée*, (1984) T.T. 58, D.T.E. 84T-141 (T.T.).
Contra: *Blazevic* c. *P. Blander Locksmith Supply Co.*, D.T.E. 88T-535 (T.A.).

124/152 Il ne suffit pas qu'une autre procédure existe pour qu'elle écarte celle qui est prévue à l'article 124 L.N.T. Il doit y avoir un degré de parenté entre les deux recours, tant en ce qui concerne le fardeau de preuve que les pouvoirs conférés aux décideurs, pour que le recours sous l'article 124 ne soit pas ouvert au salarié.
Cie T. Eaton ltée c. *Thibodeau*, (1990) T.A. 311, D.T.E. 90T-572 (T.A.).
Poirier c. *Pir-Vir inc.*, D.T.E. 86T-184 (T.A.).
V. aussi: *Massicotte* c. *Société d'ingénierie Factory Mutual*, D.T.E. 92T-1339 (T.A.).

124/153 Pour être considéré comme une procédure de réparation équivalente, l'autre recours doit avoir comme caractéristique de faire double emploi avec la plainte fondée sur l'article 124 L.N.T.
Thibault c. *Mont-Laurier (Ville de)*, D.T.E. 97T-626 (C.T.), conf. pour d'autres raisons par D.T.E. 97T-1041 (T.T.).
Legault c. *Baie (La)*, D.T.E. 95T-463 (C.T.).

124/154 L'autre procédure doit être une procédure légale prévue au *Code civil du Québec* ou dans d'autres lois édictées par le gouvernement qui assurent au salarié l'impartialité à laquelle il a droit.
Union internationale des journaliers d'Amérique du nord c. *Gendron*, D.T.E. 85T-248 (T.A.).

124/155 L'autre procédure de réparation doit prévoir la possibilité pour le salarié d'être réintégré, non pas dans un emploi, mais dans son emploi.
Meilleur c. *Québec (Ministère de l'Emploi, de la Solidarité sociale et de la Famille)*, D.T.E. 2008T-458 (C.R.T.) (révision en vertu de l'article 127 C.T. refusée).
Dussault c. *Commission scolaire de Montréal*, (2006) R.J.D.T. 1438 (C.R.T.), D.T.E. 2006T-839 (C.R.T.).

124/156 L'autre procédure de réparation doit permettre d'ordonner la réintégration ou le paiement d'une indemnité ou encore les deux. Cette procédure doit pouvoir donner les mêmes résultats avec la même objectivité et impartialité.
Lapointe c. *BPR — Groupe-conseil*, (2007) R.J.D.T. 552 (C.R.T.), D.T.E. 2007T-497 (C.R.T.) (révision judiciaire refusée: D.T.E. 2008T-921 (C.S.), EYB 2008-150244 (C.S.)).
Hôpital Reine-Élisabeth c. *Gaspar*, D.T.E. 89T-1204 (T.A.).
Jacques c. *Agri-Tech inc.*, (1984) T.A. 390, D.T.E. 84T-482 (T.A.).
V. aussi: *Figueiredo* c. *École Charles Perrault*, D.T.E. 98T-14 (C.T.).
Pinard c. *Larochelle & Frères (Sherbrooke), division de Multi-Marques inc.*, D.T.E. 94T-182 (C.T.).

124/157 Toute procédure ne prévoyant pas la réintégration ne peut écarter la compétence du commissaire.
Canadair ltée c. *Sabbah*, (1987) T.A. 564, D.T.E. 87T-842 (T.A.).
Robinson c. *Dixville Home inc.*, (1982) T.A. 448, D.T.E. 82T-526 (T.A.).
V. aussi: *Centre hospitalier régional de l'Outaouais* c. *Carrier*, D.T.E. 90T-825 (C.S.), J.E. 90-1005 (C.S.).
Multi-Marques inc. c. *Boulay*, (1989) T.A. 747, D.T.E. 89T-825 (T.A.).
Tolédano c. *Recherches Bell-Northern ltée*, (1986) T.A. 177, D.T.E. 86T-217 (T.A.).
Cie Price ltée c. *Simard*, D.T.E. 83T-194 (T.A.).
Contra: *Meunier* c. *Université du Québec à Trois-Rivières*, D.T.E. 91T-81 (T.A.).

124/158 L'écrit constituant l'autre procédure de réparation doit être une convention au sens de l'article 1(4) de la *Loi sur les normes du travail*.
McGill University c. *Shantz*, (1983) T.A. 825, D.T.E. 83T-903 (T.A.).
Nadeau c. *Association unie des compagnons et apprentis de l'industrie de la plomberie et de l'ajustage de tuyauterie des États-Unis et du Canada, local 796, (F.A.T.-C.O.I.)*, D.T.E. 83T-488 (T.A.).

124/159 Il ne s'agit pas d'une procédure de réparation si:
1) La clause ne constitue qu'un simple préavis que l'employeur ou l'employé peuvent se donner en vue de mettre fin au contrat;
2) Elle prévoit la possibilité pour l'employeur de congédier immédiatement, moyennant le paiement d'un mois de salaire;
3) L'employeur n'est pas tenu de prouver une raison justifiant le renvoi, rien ne permettant à l'employé de se défendre et de contester les allégations de son employeur.

Lemieux c. *Univers de la femme ltée (L')*, D.T.E. 82T-768 (T.A.).

124/160 L'autre procédure de réparation doit prévoir, entre autres, la possibilité d'ordonner le remboursement des frais judiciaires, ainsi que le paiement de dommages non pécuniaires et exemplaires.
Dussault c. *Commission scolaire de Montréal*, (2006) R.J.D.T. 1438 (C.R.T.), D.T.E. 2006T-839 (C.R.T.).

124/161 L'autre procédure de réparation doit être disponible au moment du dépôt de la plainte, elle ne s'étend pas à une procédure devenue accessible après le dépôt de celle-ci.
Hôpital Reine-Élisabeth c. *Gaspar*, D.T.E. 89T-1204 (T.A.).
V. aussi: *Industries graphiques Cameo Crafts ltée* c. *Bourbonnais*, D.T.E. 89T-178 (T.A.).
Labonté c. *Garderie Tam-Tam de Châteauguay*, D.T.E. 87T-779 (T.A.).

124/162 L'autre procédure de réparation doit respecter les règles de justice naturelle.
Baby c. *Orchestre symphonique de Québec inc.*, (1987) T.A. 16, D.T.E. 87T-14 (T.A.).
Union internationale des journaliers d'Amérique du Nord c. *Gendron*, D.T.E. 85T-248 (T.A.).
Faucher c. *Centres de jeunesse Shawbridge*, (1984) T.A. 249, D.T.E. 84T-337 (T.A.).
McGill University c. *Shantz*, (1983) T.A. 825, D.T.E. 83T-903 (T.A.).
Morel c. *Parkway Chevrolet Oldsmobile Cadillac inc.*, (1983) T.A. 461, D.T.E. 83T-286 (T.A.).
V. aussi: *General Motors du Canada ltée* c. *Tremblay*, D.T.E. 82T-764 (T.A.) (révision judiciaire refusée: (1981) C.S. 754, J.E. 81-861 (C.S.), conf. par D.T.E. 82T-323 (C.A.), J.E. 82-404 (C.A.)).

124/163 La procédure de réparation, en plus d'être connue des deux parties, doit permettre au plaignant de bénéficier d'une apparence de justice.
Corvington c. *Université Concordia*, D.T.E. 90T-1132 (T.A.).
V. aussi: *Industries graphiques Cameo Crafts ltée* c. *Bourbonnais*, D.T.E. 89T-178 (T.A.).

124/164 Une procédure de réparation doit accorder aux parties le droit d'être entendues et de présenter une défense pleine et entière.
Baby c. *Orchestre symphonique de Québec inc.*, (1987) T.A. 16, D.T.E. 87T-14 (T.A.).
Tolédano c. *Recherches Bell-Northern ltée*, (1986) T.A. 177, D.T.E. 86T-217 (T.A.).
Faucher c. *Centres de jeunesse Shawbridge*, (1984) T.A. 249, D.T.E. 84T-337 (T.A.).
Lemieux c. *Univers de la femme ltée (L')*, D.T.E. 82T-768 (T.A.).

124/165 Le défaut pour le salarié de s'être prévalu de l'autre procédure de réparation dans les délais prescrits ne lui ouvre pas la porte au recours prévu à l'article 124 L.N.T.
Centre hospitalier régional de l'Outaouais c. *Carrier*, D.T.E. 90T-825 (C.S.), J.E. 90-1005 (C.S.).
Neskovic c. *Pointe-Claire (Ville de)*, (1997) C.T. 155, D.T.E. 97T-422 (C.T.).
Sabourin c. *Pinkerton du Québec ltée*, D.T.E. 94T-829 (C.T.).
Multi-Marques inc. c. *Boulay*, (1989) T.A. 747, D.T.E. 89T-825 (T.A.).
Contra: *Blazevic* c. *P. Blander Locksmith Supply Co.*, D.T.E. 88T-535 (T.A.).

124/166 Affirmer que l'exception prévue à l'article 124 L.N.T. s'applique lorsqu'un autre recours en réparation est exercé mais qu'il est rejeté parce que n'existant pas, c'est substituer au mot «prévu» employé par le législateur le mot «exercé».
Malo c. *Côté-Desbiolles*, (1995) R.J.Q. 1686 (C.A.), D.T.E. 95T-827 (C.A.), J.E. 95-1438 (C.A.) (autorisation d'appeler à la Cour suprême refusée).
Bourque c. *Cournoyer*, D.T.E. 86T-216 (C.S.).
Beauchamp c. *Québec (Ministère des Communautés culturelles et de l'Immigration)*, (1994) C.T. 207, D.T.E. 94T-370 (C.T.).
V. aussi: *Dubé* c. *Lefebvre*, D.T.E. 92T-1004 (C.S.) (appel rejeté: (1997) R.J.Q. 1203 (C.A.), D.T.E. 97T-457 (C.A.), J.E. 97-826 (C.A.)).
Dulude c. *Laurin*, (1989) R.J.Q. 1022 (C.S.), D.T.E. 89T-406 (C.S.), J.E. 89-690 (C.S.).

Ateliers Roland Gingras inc. c. *Martin*, (1988) R.J.Q. 523 (C.S.), D.T.E. 88T-154 (C.S.), J.E. 88-248 (C.S.).
Lauzon-Joset c. *Chaussures Yellow ltée*, D.T.E. 86T-336 (T.A.).

Cumul

124/167 Il est possible d'intenter simultanément un recours en dommages-intérêts et de porter plainte en vertu de l'article 124 L.N.T. afin d'obtenir sa réintégration.
Charette c. *General Electric Canada inc.*, (2000) R.J.D.T. 489 (C.S.), D.T.E. 2000T-311 (C.S.).
Gestion Pervenche ltée c. *Dufour*, D.T.E. 86T-258 (C.S.) (appel rejeté: C.A.M. n° 500-09-000328-864, le 13 octobre 1987).
Brassard c. *Centre hospitalier St-Vincent de Paul*, D.T.E. 83T-617 (C.S.), J.E. 83-811 (C.S.).
Duquette c. *Zellers inc.*, D.T.E. 86T-234 (T.A.) (révision judiciaire refusée: D.T.E. 86T-256 (C.S.), conf. par (1986) R.J.Q. 1864 (C.A.), D.T.E. 86T-533 (C.A.), J.E. 86-726 (C.A.)).
V. aussi: *Comité paritaire de l'automobile de la région de Québec* c. *Radiateurs Acmé inc.*, D.T.E. 84T-175 (C.Q.).
Kovalski c. *Helen Shapiro inc.*, D.T.E. 89T-1142 (T.A.).
Lauzon-Joset c. *Chaussures Yellow ltée*, D.T.E. 86T-336 (T.A.).
Barcana ltée c. *Boisvert*, D.T.E. 84T-827 (T.A.).
C.N.T. c. *Mutuelle d'Omaha Cie d'assurance*, (1984) T.A. 276, D.T.E. 84T-356 (T.A.).

124/168 L'existence d'un recours permettant une réclamation monétaire ne constitue pas une autre procédure de réparation au sens de l'article 124 L.N.T.
Investissements Trizec ltée c. *Hutchison*, (1989) 18 Q.A.C. 316, D.T.E. 87T-764 (C.A.).
Gestion Pervenche ltée c. *Dufour*, D.T.E. 86T-258 (C.S.) (appel rejeté: C.A.M. n° 500-09-000328-864, le 13 octobre 1987).
Kovalski c. *Helen Shapiro inc.*, D.T.E. 89T-1142 (T.A.).
Duquette c. *Zellers inc.*, D.T.E. 86T-234 (T.A.), conf. par (1986) R.J.Q. 1864 (C.A.), D.T.E. 86T-533 (C.A.), J.E. 86-726 (C.A.).

124/169 Pour que la Cour supérieure n'ait aucune compétence concernant un recours en dommages et intérêts, il faudrait que le commissaire ait une compétence exclusive en la matière. Or, la *Loi sur les normes du travail* ne prévoit pas que le commissaire ait compétence exclusive pour régir les rapports individuels de travail entre un employeur et un employé non syndiqué. L'article 124 L.N.T. n'établit pas un régime obligatoire; il s'agit d'un simple recours ouvert aux salariés non syndiqués qui remplissent les conditions pour y avoir droit.
Vachon c. *Collège d'enseignement général et professionnel de Rimouski*, D.T.E. 94T-494 (C.S.) (ultérieur: D.T.E. 97T-866 (C.S.)).
V. aussi: *Marcil* c. *Trois-Rivières (Ville de)*, D.T.E. 2003T-225 (C.R.T.).

124/170 Le recours de droit commun ne peut être enlevé que par un texte clair et précis et l'article 124 L.N.T. le laisse subsister.
Auger c. *Albert Dyotte inc.*, D.T.E. 85T-2 (C.S.).

124/171 Le recours exercé par la Commission des normes du travail pour le compte d'un salarié afin d'exiger des sommes dues et le recours fondé sur l'article 124 L.N.T. constituent deux recours distincts qui peuvent être exercés simultanément.
Mauger c. *Cie White Motor du Canada ltée*, (1981) 3 R.S.A. 11.

124/172 Un salarié peut intenter une action en dommages-intérêts même après avoir déposé une plainte pour congédiement sans cause juste et suffisante auprès de la Commission des normes du travail. L'article 124 L.N.T., qui offre un recours spécial à un employé congédié, ne lui enlève pas son recours de droit commun. Cependant, ces deux recours visent les mêmes objectifs et ne peuvent coexister; l'employé doit, un jour ou l'autre, faire un choix, sinon il risque de se faire opposer l'exception de litispendance.
Valois c. *Caisse populaire Notre Dame de la Merci (Montréal)*, (1995) R.D.J. 609 (C.A.), D.T.E. 95T-1260 (C.A.), J.E. 95-2063 (C.A.).
Stewart c. *Brospec inc.*, D.T.E. 2000T-1024 (C.T.).
Côté c. *Hydro-Québec*, D.T.E. 96T-385 (C.T.).
Contra: *Lachapelle* c. *Laval (Société de transport de la ville de)*, D.T.E. 90T-738 (C.S.).

124/173 Il est possible de cumuler les recours prévus aux articles 15 et ss. du *Code du travail* et à l'article 124 L.N.T., les motifs du congédiement, les pouvoirs du commissaire et les remèdes prévus étant différents.
Giguère c. *Cie Kenworth du Canada (division de Paccar du Canada ltée)*, (1990) R.J.Q. 2485 (C.A.), D.T.E. 90T-1204 (C.A.), J.E. 90-1483 (C.A.) (autorisation d'appeler à la Cour suprême refusée).
Chauvette c. *Méthot (Résidence Louis Bourg)*, D.T.E. 2006T-546 (C.R.T.).
Paquette c. *Épiciers Unis Métro-Richelieu inc.*, (1992) C.T. 495, D.T.E. 92T-802 (C.T.).
Union des employées et employés de service, section locale 800 c. *2162-5199 Québec inc.*, (1994) T.A. 16, D.T.E. 94T-128 (T.A.).
Cie T. Eaton ltée c. *Thibodeau*, (1990) T.A. 311, D.T.E. 90T-572 (T.A.).
Nash c. *Secur inc.*, (1987) T.A. 726, D.T.E. 87T-1022 (T.A.).
Aubin c. *Fourgons Transit inc.*, D.T.E. 86T-182 (T.A.).
Poirier c. *Pir-Vir inc.*, D.T.E. 86T-184 (T.A.).
Faucher c. *Centres de jeunesse Shawbridge*, (1984) T.A. 249, D.T.E. 84T-337 (T.A.).
Contra: *Bélanger Herr* c. *Collège français (1965) inc.*, D.T.E. 83T-956 (T.A.).
Beauchesne c. *Demers express inc.*, D.T.E. 82T-114 (T.A.).

124/174 Il est possible de cumuler les recours prévus aux articles 82 et 124 L.N.T., car ils visent des situations différentes et des remèdes qui ne sont pas assimilables.
C.N.T. c. *Compagnie de construction Lazar inc.*, D.T.E. 92T-870 (C.Q.).
C.N.T. c. *Guide de Montréal-Nord inc.*, D.T.E. 88T-863 (C.Q.).
C.N.T. c. *Turcotte*, D.T.E. 88T-776 (C.Q.).
C.N.T. c. *Julien Loiselle inc.*, (1985) C.P. 295, D.T.E. 85T-819 (C.Q.), J.E. 85-950 (C.Q.).
Lauzon-Joset c. *Chaussures Yellow ltée*, D.T.E. 86T-336 (T.A.).
V. aussi: *Rioux* c. *F.D.L. Co. ltée*, (1981) 1 R.S.A. 97, D.T.E. 82T-803 (T.A.).
Mauger c. *Cie White Motor du Canada ltée*, (1981) 3 R.S.A. 11.

124/175 Les recours prévus aux articles 83 et 124 L.N.T. sont distincts et permettent à un employé de faire sanctionner des droits différents.
Liberty Mutual Insurance Co. c. *C.N.T.*, (1990) R.D.J. 421 (C.A.), D.T.E. 90T-872 (C.A.), J.E. 90-1479 (C.A.).
C.N.T. c. *Location de linge Métro ltée*, D.T.E. 96T-768 (C.Q.).
V. aussi: *C.N.T.* c. *D. Bertrand & Fils inc.*, (2001) R.J.D.T. 1765 (C.Q.), D.T.E. 2001T-992 (C.Q.), J.E. 2001-1889 (C.Q.), REJB 2001-27273 (C.Q.).

124/176 Il est possible de cumuler les recours prévus aux articles 122 et 124 L.N.T. ceux-ci n'étant pas exclusifs les uns les autres, ils sont de nature différente, ils visent des buts différents et donnent lieu à des décisions qui n'ont rien de semblable.
Giguère c. *Cie Kenworth du Canada (division de Paccar du Canada ltée)*, (1990) R.J.Q. 2485 (C.A.), D.T.E. 90T-1204 (C.A.), J.E. 90-1483 (C.A.) (autorisation d'appeler à la Cour suprême refusée).
Dulude c. *Laurin*, (1989) R.J.Q. 1022 (C.S.), D.T.E. 89T-406 (C.S.), J.E. 89-690 (C.S.).
Lauzon-Joset c. *Chaussures Yellow ltée*, D.T.E. 86T-336 (T.A.).
Viau c. *Mont-Royal Ford Vente ltée*, D.T.E. 82T-835 (T.A.).
Vivier c. *Industrielle (L') Cie d'assurance sur la vie*, (1983) C.T. 48, D.T.E. 83T-186 (C.T.).
Contra: *Maillé* c. *Produits forestiers Saucier ltée*, (1984) T.T. 58, D.T.E. 84T-141 (T.T.).
C.N.T. c. *Électrolux Canada: division de la corporation Consolidated Food du Canada ltée*, D.T.E. 84T-605 (T.A.).
Légaré c. *Émilien Audet & Fils inc.*, (1982) T.A. 917, D.T.E. 82T-836 (T.A.).

124/177 Le recours exercé suivant l'article 122.2 (aujourd'hui l'article 79.1) de la *Loi sur les normes du travail* ne constitue pas une procédure de réparation, car il couvre le salarié absent durant une période d'au plus 17 semaines (aujourd'hui 26 semaines).
Pelletier c. *Association chasse et pêche de la Désert inc.*, D.T.E. 98T-823 (C.T.) (révision judiciaire refusée: C.S. Labelle, n° 565-05-000028-986, le 14 août 1998).
Massicotte c. *Société d'ingénierie Factory Mutual*, D.T.E. 92T-1339 (T.A.).
V. aussi: *Gagnon* c. *F.D.L. Cie*, (1993) C.T. 228, D.T.E. 93T-609 (C.T.) (révision judiciaire refusée: C.S.M. n° 500-05-004277-933, le 18 octobre 1993).

124/178 Il est possible de cumuler les recours prévus à l'article 227 de la *Loi sur la santé et la sécurité du travail* (L.R.Q., c. S-2.1) et à l'article 124 L.N.T.
Giguère c. *Cie Kenworth du Canada (division de Paccar du Canada ltée)*, (1990) R.J.Q. 2485 (C.A.), D.T.E. 90T-1204 (C.A.), J.E. 90-1483 (C.A.) (autorisation d'appeler à la Cour suprême refusée) *(obiter)*.
V. aussi: *Massicotte* c. *Société d'ingénierie Factory Mutual*, D.T.E. 92T-1339 (T.A.).
Contra: *Jacques* c. *Agri-Tech inc.*, (1984) T.A. 390, D.T.E. 84T-482 (T.A.).

124/179 Il est possible de cumuler les recours prévus à l'article 32 de la *Loi sur les accidents du travail et les maladies professionnelles* (L.R.Q., c. A-3.001) et à l'article 124 L.N.T.
Giguère c. *Cie Kenworth du Canada (division de Paccar du Canada ltée)*, (1990) R.J.Q. 2485 (C.A.), D.T.E. 90T-1204 (C.A.), J.E. 90-1483 (C.A.) (autorisation d'appeler à la Cour suprême refusée) (*obiter*).
Guernon c. *Service de reliure Montréal Gratton inc.*, (2008) R.J.D.T. 769 (C.R.T.), D.T.E. 2008T-505 (C.R.T.).
Massand c. *Hunsons Hospitality Corporation / Crowne Plaza Metro Centre / Holiday Inn Crown Plaza Métro Centre*, D.T.E. 2005T-756 (C.R.T.) (révisions en vertu de l'article 127 C.T. refusées).
Morissette c. *Pouliot Chevrolet Oldsmobile inc.*, D.T.E. 2002T-186 (C.T.).
L'Heureux c. *Maxinet enr.*, D.T.E. 2000T-60 (C.T.).
Rousseau c. *Spectra Premium Industries inc.*, D.T.E. 98T-959 (C.T.).
Picard c. *Cie américaine de fer et métaux inc.*, D.T.E. 96T-354 (C.T.).
Martel c. *Services ménagers Roy ltée*, D.T.E. 86T-575 (T.A.).

V. aussi: *Perrault* c. *Ciment St-Laurent*, (1994) C.A.L.P. 485, D.T.E. 94T-516 (C.A.L.P.).
Contra: *Multi-Marques inc.* c. *Boulay*, (1989) T.A. 747, D.T.E. 89T-825 (T.A.).

124/180 Le recours prévu à l'article 32 de la *Loi sur les accidents du travail et les maladies professionnelles* ne constitue pas une autre procédure de réparation s'il n'est pas exercé dans les délais.
Blazevic c. *P. Blander Locksmith Supply Co.*, D.T.E. 88T-535 (T.A.).
Toutefois, le recours offert en vertu de l'article 32 de la *Loi sur les accidents du travail et les maladies professionnelles*, constitue une autre procédure de réparation, pour autant que le salarié croie que son congédiement est relié au fait de son accident.
Ateliers Roland Gingras inc. c. *Desroches*, (1987) T.A. 600, D.T.E. 87T-876 (T.A.) (révision judiciaire refusée: (1988) R.J.Q. 523 (C.S.), D.T.E. 88T-154 (C.S.), J.E. 88-248 (C.S.)).

124/181 Constitue une autre procédure de réparation offrant les mêmes garanties et les mêmes possibilités, le recours prévu à l'article 252 de la *Loi sur les accidents du travail et les maladies professionnelles.*
Paré-Boudreau c. *Cie T. Eaton ltée*, D.T.E. 89T-793 (T.A.).

124/182 La *Loi sur les accidents du travail et les maladies professionnelles* ne constitue pas une autre procédure de réparation lorsque la maladie dont souffre le salarié n'est pas reconnue par celle-ci.
Massicotte c. *Société d'ingénierie Factory Mutual*, D.T.E. 92T-1339 (T.A.).
Kelly c. *Taxi Coop 525-5191*, (1988) T.A. 428, D.T.E. 88T-463 (T.A.).

124/183 Le recours déjà exercé par le plaignant en vertu de la *Loi sur l'indemnisation des victimes d'amiantose ou de silicose dans les mines et les carrières* (L.R.Q., c. I-7), constitue une procédure de réparation, même si les deux recours n'ont pas tout à fait la même finalité.
Thibault c. *Cie minière Québec Cartier*, D.T.E. 83T-569 (T.A.).

124/184 Une plainte à la Commission des droits de la personne ne constitue pas une autre procédure de réparation. En effet, l'autre procédure de réparation doit permettre au plaignant de réclamer sa réintégration devant une instance judiciaire impartiale.
Sénécal c. *St-Léonard (Ville de)*, D.T.E. 2000T-305 (C.T.).
Canadair ltée c. *Sabbah*, (1987) T.A. 564, D.T.E. 87T-842 (T.A.).
Tolédano c. *Recherches Bell-Northern ltée*, (1986) T.A. 177, D.T.E. 86T-217 (T.A.).
Contra: *Duchesneau* c. *Unisys Canada inc.*, D.T.E. 89T-132 (T.A.).
V. également, depuis les modifications à la *Charte des droits et libertés de la personne*: *St-Jacques* c. *London Life, Compagnie d'assurance-vie*, D.T.E. 93T-1156 (C.T.).

124/185 Le recours prévu à la *Charte des droits et libertés de la personne* n'est pas équivalent à celui de l'article 124 L.N.T. puisque le décideur saisi d'un recours fondé sur la Charte des droits ne jouit pas des larges pouvoirs d'évaluation conférés à un commissaire qui permettent à ce dernier d'apprécier la légalité du congédiement.
Commission scolaire Chomedey de Laval c. *Dubé*, (1997) R.J.Q. 1203 (C.A.), D.T.E. 97T-457 (C.A.), J.E. 97-826 (C.A.).

124/186 Le recours prévu à la *Loi de police* (L.R.Q., c. P-13, art. 79 et 98.1, maintenant remplacée par L.R.Q., c. P-13.1) ne constitue pas une autre procédure de réparation.
St-Jacques c. *Lebel-sur-Quévillon (Ville de)*, D.T.E. 89T-1140 (T.A.).

124/187 L'article 47.4 (disposition abrogée) du *Code du travail* ne constitue pas une autre procédure de réparation adéquate, car il n'a pas le même objet.
Émond c. *La Malbaie (Ville de)*, D.T.E. 92T-184 (T.A.).

124/188 Le recours prévu à l'article 190 de la *Loi sur l'instruction publique* (L.R.Q., c. I-14) (tel qu'il se lisait avant L.Q. 1988, c. 84) constitue une autre procédure de réparation s'il est applicable au salarié concerné.
Krakower c. *Lakeshore School Board*, D.T.E. 84T-374 (T.A.).
Perron c. *Commission scolaire régionale de l'Estrie*, (1981) 1 R.S.A. 283.

124/189 Le recours prévu par le *Règlement sur les conditions d'emploi des gestionnaires des commissions scolaires* (A.M. 1998, (1998) 130 G.O. 2, 5498, maintenant remplacé par le *Règlement déterminant certaines conditions de travail des cadres des commissions scolaires et du Comité de gestion de la taxe scolaire de l'Île de Montréal* (C.T. 203162, (2006) 138 G.O. 2, 283)) constitue une autre procédure de réparation au sens de l'article 124 L.N.T.
D'Amours c. *Commission scolaire de Kamouraska—Rivière-du-Loup (École secondaire de Rivière-du-Loup)*, D.T.E. 2005T-514 (C.R.T.).

124/190 Le recours prévu au *Règlement déterminant certaines conditions de travail des cadres des commissions scolaires et du Comité de gestion de la taxe scolaire de l'Île de Montréal* ne constitue pas une autre procédure de réparation au sens de l'article 124 L.N.T.
Dussault c. *Commission scolaire de Montréal*, (2006) R.J.D.T. 1438 (C.R.T.), D.T.E. 2006T-839 (C.R.T.).

124/191 L'article 241 de la *Loi canadienne sur les sociétés par actions* (L.R.C. (1985), ch. C-44) ne constitue pas une autre procédure de réparation pour un salarié, il ne vise que les fonctions électives.
Consoltex Canada inc. c. *Taran*, D.T.E. 84T-76 (C.S.), J.E. 84-96 (C.S.).
V. aussi: *Fri Information Services Ltd.* c. *Larouche*, (1982) C.S. 742, D.T.E. 82T-606 (C.S.), J.E. 82-836 (C.S.) (appel rejeté: C.A.M. n° 500-09-001145-820, le 23 septembre 1983).

124/192 Le recours à l'arbitrage, tel que prévu dans une politique administrative énonçant les conditions de travail et de rémunération du personnel laïque d'un diocèse, constitue une autre procédure de réparation.
Dubé c. *Secrétariat de l'action catholique de Joliette*, D.T.E. 2001T-1109 (C.A.), J.E. 2001-2111 (C.A.), REJB 2001-26586 (C.A.).

124/193 Une politique interne de relations humaines, l'«Open door policy», qui n'est pas d'une qualité au moins égale aux procédures que l'on retrouve dans les conventions collectives, ne constitue pas une autre procédure de réparation.
General Motors du Canada ltée c. *Tremblay*, D.T.E. 82T-764 (T.A.) (révision judiciaire refusée: (1981) C.S. 754, J.E. 81-861 (C.S.), conf. par D.T.E. 82T-323 (C.A.), J.E. 82-404 (C.A.)).
Faucher c. *Centres de jeunesse Shawbridge*, (1984) T.A. 249, D.T.E. 84T-337 (T.A.).

V. aussi: *Corvington* c. *Université Concordia*, D.T.E. 90T-1132 (T.A.).
Baby c. *Orchestre symphonique de Québec inc.*, (1987) T.A. 16, D.T.E. 87T-14 (T.A.).

124/194 Une pension alimentaire ne peut être considérée comme une «autre procédure de réparation».
Gestion Pervenche ltée c. *Dufour*, D.T.E. 86T-258 (C.S.) (appel rejeté: C.A.M. n^{0} 500-09-000328-864, le 13 octobre 1987).

124/195 Une clause d'un contrat de travail prévoyant la résiliation unilatérale moyennant le paiement de trois mois de salaire, ne constitue pas une autre procédure de réparation.
Lemieux c. *Univers de la femme ltée (L')*, D.T.E. 82T-768 (T.A.).

124/196 Constitue un recours adéquat, une clause compromissoire prévue dans un protocole d'entente entre l'employeur et le personnel, si en cas de mésentente se soldant par une impasse, les parties peuvent avoir recours à la nomination d'un arbitre suivant l'article 951 du *Code de procédure civile*.
De Lorimier c. *Université Laval*, (1990) R.D.J. 437 (C.A.), D.T.E. 90T-874 (C.A.), J.E. 90-1478 (C.A.).
V. aussi: *Morin* c. *Bois-Aisé de Roberval inc.*, (1992) C.T. 151, D.T.E. 92T-511 (C.T.).

124/197 Un protocole d'entente intervenu entre une université et l'association des cadres de cette université peut constituer une autre procédure de réparation appropriée.
Buono c. *Université du Québec à Montréal*, D.T.E. 2008T-703 (C.R.T.).

124/198 Le recours prévu à la *Loi sur les décrets de convention collective* (L.R.Q., c. D-2) ne peut être considéré comme une autre procédure de réparation, puisque ne comprenant pas la réintégration.
Figueiredo c. *École Charles Perrault*, D.T.E. 98T-14 (C.T.).

124/199 Le *Règlement sur certaines conditions de travail applicables aux cadres des conseils régionaux et des établissements de santé et de services sociaux* (D. 988-91, (1991) 123 G.O. 2, 4139) constitue une procédure de réparation valable.
Hôpital Royal Victoria c. *Marchand*, D.T.E. 95T-422 (C.S.), J.E. 95-735 (C.S.).
Centre hospitalier régional de l'Outaouais c. *Carrier*, D.T.E. 90T-825 (C.S.), J.E. 90-1005 (C.S.).
Dallaire c. *Hôpital Notre-Dame*, (1984) T.A. 313, D.T.E. 84T-390 (T.A.).
Hôtel-Dieu de Montréal c. *Séguin*, (1984) T.A. 774, D.T.E. 84T-895 (T.A.).
Contra: *Hôpital du Christ-Roi* c. *Larouche*, D.T.E. 93T-63 (C.S.), J.E. 93-141 (C.S.), conf. sur ce point à (1997) R.J.Q. 38 (C.A.), D.T.E. 97T-58 (C.A.), J.E. 97-188 (C.A.).
Hôpital Reine-Élisabeth c. *Gaspar*, D.T.E. 89T-1204 (T.A.).
Robinson c. *Dixville Home inc.*, (1982) T.A. 448, D.T.E. 82T-526 (T.A.) (ancien règlement).

124/200 L'article 33 de la *Loi sur la fonction publique* (L.R.Q., c. F-3.1.1), qui prévoit un recours pour le fonctionnaire congédié qui n'a pas droit à la procédure de grief en vertu d'une convention collective, ne constitue pas une autre procédure de réparation.
Byrns c. *Québec (Ministère de la Justice)*, D.T.E. 98T-70 (C.T.), REJB 1997-03498 (C.T.).

124/201 Il est possible de cumuler les recours prévus à la *Loi sur la fonction publique* et à l'article 124 L.N.T.
Beauchamp c. *Québec (Ministère des Communautés culturelles et de l'Immigration)*, (1994) C.T. 207, D.T.E. 94T-370 (C.T.).

124/202 Un employé travaillant dans une entreprise de transport interprovincial ne peut déposer une plainte selon l'article 124 L.N.T. étant donné qu'il existe une autre procédure de réparation prévue au *Code canadien du travail* (L.R.C. (1985), ch. L-2).
Thetford transport ltée c. *Gagnon*, (1985) T.A. 506, D.T.E. 85T-606 (T.A.).

124/203 L'appel à la Commission municipale du Québec (aujourd'hui une plainte à la Commission des relations du travail) en vertu de l'article 72 de la *Loi sur les cités et villes* (L.R.Q., c. C-19) ne constitue pas nécessairement une autre procédure de réparation.
Sénécal c. *St-Léonard (Ville de)*, D.T.E. 2000T-305 (C.T.).
Désy-Bénard c. *Boucherville (Ville de)*, D.T.E. 95T-1225 (C.T.).

124/204 Le recours prévu par les dispositions de l'article 72 de la *Loi sur les cités et villes* constitue une procédure de réparation.
Aber-Goldman c. *Côte St-Luc (Cité de)*, D.T.E. 2002T-17 (C.T.).

124/205 La procédure de réparation prévue aux articles 71 et 72 de la *Loi sur les cités et villes* pour les fonctionnaires municipaux qui ne sont pas des salariés au sens du *Code du travail* est équivalente à celle qui est prévue à l'article 124 L.N.T., même si la procédure de réparation n'est pas identique. En effet, les dispositions de l'article 124 L.N.T. n'exigent pas que l'autre procédure de réparation soit identique.
Neskovic c. *Pointe-Claire (Ville de)*, (1997) C.T. 155, D.T.E. 97T-422 (C.T.).

Autre procédure prévue à une convention collective

124/206 Un salarié ne peut contester son congédiement devant un arbitre de griefs en invoquant une violation de l'article 124 L.N.T. lorsque la convention collective à laquelle il est assujetti ne lui permet pas, en raison de son statut, d'utiliser la procédure de grief et d'arbitrage. Le salarié est tenu de déposer et de référer sa plainte de congédiement à la Commission des relations du travail.
Mont-Tremblant (Ville de) c. *Poulin*, D.T.E. 2008T-562 (C.A.), J.E. 2008-1355 (C.A.).
Québec (Procureur général) c. *Syndicat de la fonction publique du Québec*, (2008) R.J.D.T. 1005 (C.A.), D.T.E. 2008T-513 (C.A.), J.E. 2008-1269 (C.A.), EYB 2008-133992 (C.A.) (autorisations d'appeler à la Cour suprême accordées).

124/207 Lorsque la procédure de grief prévue à une convention collective est ouverte au salarié, ce dernier ne peut exercer le recours prévu à l'article 124 L.N.T.
Université du Québec à Hull c. *Lalonde*, D.T.E. 2000T-411 (C.A.), J.E. 2000-895 (C.A.), REJB 2000-17752 (C.A.).
Syndicat de l'enseignement de l'Estrie c. *Commission scolaire des Sommets*, D.T.E. 2000T-422 (C.S.).
Dumouchel c. *Racicot*, (1997) R.J.Q. 1045 (C.S.), D.T.E. 97T-373 (C.S.), J.E. 97-674 (C.S.).
McKenna c. *Université Concordia*, D.T.E. 2007T-117 (C.R.T.).

Karatnyk c. *Commission scolaire Central Québec*, (2003) R.J.D.T. 1268 (C.R.T.), D.T.E. 2003T-805 (C.R.T.).
Ye c. *Université du Québec à Montréal*, D.T.E. 2003T-1168 (C.R.T.).
Pinard c. *Larochelle & Frères (Sherbrooke), division de Multi-Marques inc.*, D.T.E. 94T-182 (C.T.).
Sabourin c. *Pinkerton du Québec ltée*, D.T.E. 94T-829 (C.T.).
Phelps c. *Exeltor inc.*, (1993) C.T. 393, D.T.E. 93T-815 (C.T.).
Clarke c. *Université Concordia*, D.T.E. 87T-765 (T.A.).
Buteau c. *Fonderie d'aluminium et modelerie ltée*, D.T.E. 86T-406 (T.A.).
Girard c. *Produits de viande Cacher Glatt ltée*, (1986) T.A. 304, D.T.E. 86T-404 (T.A.).
Cie Price ltée c. *Simard*, D.T.E. 83T-194 (T.A.).
Automobile Raymond Gilbert inc. c. *Fortin*, D.T.E. 82T-604 (T.A.).

124/208 Le salarié exclu du champ d'application de la convention collective peut soumettre sa plainte pour congédiement injuste.
Dalton c. *Union internationale des employés professionnels et de bureau (local 409)*, D.T.E. 83T-484 (C.A.).
Syndicat du personnel enseignant du Centre d'études collégiales en Charlevoix c. *St-Laurent*, D.T.E. 2007T-333 (C.S.), J.E. 2007-814 (C.S.), EYB 2007-116366 (C.S.) (règlement hors cour).
Raymond Plourde Automobiles inc. c. *Bélanger*, D.T.E. 2001T-487 (C.S.), J.E. 2001-986 (C.S.), REJB 2001-24640 (C.S.).
Thetford Mines (Ville de) c. *Gagnon*, D.T.E. 95T-22 (C.S.).
Dubé c. *Lefebvre*, D.T.E. 92T-1004 (C.S.) (appel rejeté: (1997) R.J.Q. 1203 (C.A.), D.T.E. 97T-457 (C.A.), J.E. 97-826 (C.A.)).
Beauséjour c. *Lefebvre*, (1986) R.J.Q. 1407 (C.S.), D.T.E. 86T-315 (C.S.), J.E. 86-447 (C.S.), appel rejeté pour d'autres motifs à (1988) R.J.Q. 639 (C.A.), D.T.E. 88T-261 (C.A.), J.E. 88-414 (C.A.).
Meilleur c. *Québec (Ministère de l'Emploi, de la Solidarité sociale et de la Famille)*, D.T.E. 2008T-458 (C.R.T.) (révision en vertu de l'article 127 C.T. refusée).
Bérard c. *Commission scolaire du Pays-des-Bleuets*, (2006) R.J.D.T. 744 (C.R.T.), D.T.E. 2006T-396 (C.R.T.).
Désy-Bénard c. *Boucherville (Ville de)*, D.T.E. 95T-1225 (C.T.).
Émond c. *La Malbaie (Ville de)*, D.T.E. 92T-184 (T.A.).
Industries graphiques Cameo Crafts ltée c. *Bourbonnais*, D.T.E. 89T-178 (T.A.).
Labonté c. *Garderie Tam-Tam de Châteauguay*, D.T.E. 87T-779 (T.A.).
Martel c. *Services ménagers Roy ltée*, D.T.E. 86T-575 (T.A.).
Vallée c. *Marcel E. Savard inc. «Canadian Tire»*, D.T.E. 86T-450 (T.A.).
Éthier c. *C.S.N.*, D.T.E. 84T-119 (T.A.).
Murdochville (Ville de) c. *St-Laurent*, D.T.E. 84T-584 (T.A.).
Gagnon frères nouveautés Chicoutimi Enr. c. *Girard*, D.T.E. 82T-205 (T.A.).

124/209 Le salarié non syndiqué qui ne peut bénéficier de la procédure de grief prévue à une convention collective, peut toujours déposer une plainte en vertu de l'article 124 L.N.T.
Boufekane c. *Fonds privés du Dr Dragatakis*, D.T.E. 2006T-88 (C.R.T.) (révision en vertu de l'article 127 C.T. accueillie pour d'autres motifs: D.T.E. 2006T-506 (C.R.T.)) (révision judiciaire refusée: C.S.M. n^{0} 500-17-031158-069, le 5 décembre 2006).

124/210 Le recours à l'encontre d'un congédiement sans cause juste et suffisante au sens de l'article 124 L.N.T. ne peut être exercé qu'en l'absence de toute autre procédure de réparation. Ainsi, lorsque le grief est fondé sur la procédure de réparation prévue à la convention collective en cas de congédiement, c'est l'arbitre de griefs qui a compétence et non la Commission des relations du travail.
Association des ingénieurs-professeurs des sciences appliquées de l'Université de Sherbrooke (AIPSA) c. *Université de Sherbrooke (grief syndical et Michèle Thériault)*, D.T.E. 2007T-134 (T.A.).

124/211 Pour qu'un commissaire puisse se saisir d'une plainte basée sur l'article 124 L.N.T., il ne doit pas y avoir de procédure de réparation, autre que le recours en dommages et intérêts, prévue dans la loi ou dans une convention collective. Sa décision sur ce point est révisable s'il commet une simple erreur de droit, l'article 124 L.N.T. étant attributif de compétence.
Raymond Plourde Automobiles inc. c. *Bélanger*, D.T.E. 2001T-487 (C.S.), J.E. 2001-986 (C.S.), REJB 2001-24640 (C.S.).

124/212 L'autre procédure de réparation doit être de qualité au moins égale aux mécanismes de griefs et d'arbitrage prévus dans les conventions collectives.
McGill University c. *Shantz*, (1983) T.A. 825, D.T.E. 83T-903 (T.A.).
Morel c. *Parkway Chevrolet Oldsmobile Cadillac inc.*, (1983) T.A. 461, D.T.E. 83T-286 (T.A.).

124/213 Le critère concernant l'existence d'une autre procédure de réparation prévue à l'article 124 L.N.T. n'est pas la décision du syndicat de porter ou non un grief à l'arbitrage mais bel et bien l'existence d'un recours équivalent. Une politique, une interprétation ou encore une pratique du syndicat ne peut déterminer la compétence d'un arbitre de griefs et n'est aucunement opposable au gouvernement du Québec ou au commissaire.
Dumouchel c. *Racicot*, (1997) R.J.Q. 1045 (C.S.), D.T.E. 97T-373 (C.S.), J.E. 97-674 (C.S.).

124/214 Le salarié qui veut contester son congédiement et qui a droit à la procédure de grief prévue par les dispositions d'une convention collective, doit utiliser celle-ci au lieu de l'article 124 L.N.T. De plus, le refus du syndicat de déposer un grief ne fait pas en sorte que la procédure de réparation n'existe pas: elle n'a tout simplement pas été utilisée et appliquée.
McKenna c. *Université Concordia*, D.T.E. 2007T-117 (C.R.T.).

124/215 La procédure de grief prévue à une convention collective constitue une procédure de réparation adéquate si elle est équivalente à celle prévue à l'article 124 L.N.T.
McKenna c. *Université Concordia*, D.T.E. 2007T-117 (C.R.T.).
Ton-That c. *Québec (Ministère des Ressources naturelles)*, D.T.E. 2004T-438 (C.R.T.).
Pidgeon c. *Collège de Maisonneuve*, D.T.E. 2002T-830 (C.T.).
Société industrielle de décolletage et d'outillage ltée c. *Syndicat national de Sido ltée de Granby*, (1992) T.A. 988, D.T.E. 92T-1289 (T.A.).

124/216 Ne constitue pas une autre procédure de réparation, la procédure de griefs qui n'est accessible au salarié occasionnel qu'en cas de congédiement disciplinaire, lorsque le congédiement n'en est pas un de cette nature.
Lavigueur c. *Québec (Ministère de la Culture et des Communications)*, (2000) R.J.D.T. 1757 (C.T.), D.T.E. 2000T-1199 (C.T.).

124/217 Une procédure de règlement de grief prévue à une convention collective ne sera efficace, en faveur d'un salarié qui croit avoir été victime d'une atteinte à un droit conféré par la Loi sur les normes, que si le droit dont on réclame le respect est inscrit dans la convention collective et que cette convention collective prévoit un mécanisme approprié équivalent ou plus avantageux que celui prévu à la Loi sur les normes, pour faire valoir et adjuger de la violation du droit conféré par la loi.
Malo c. *Côté-Desbiolles*, (1995) R.J.Q. 1686 (C.A.), D.T.E. 95T-827 (C.A.), J.E. 95-1438 (C.A.) (autorisation d'appeler à la Cour suprême refusée).
Mont-Tremblant (Ville de) c. *Commission des relations du travail*, D.T.E. 2006T-1090 (C.S.) (appel rejeté: D.T.E. 2008T-562 (C.A.), J.E. 2008-1355 (C.A.)).
Québec (Procureur général) c. *Commission des relations du travail*, (2005) R.J.D.T. 1591 (C.S.), D.T.E. 2005T-1049 (C.S.), J.E. 2005-2096 (C.S.), EYB 2005-97132 (C.S.).
Thériault c. *Université de Sherbrooke*, D.T.E. 2008T-561 (C.R.T.) (révision en vertu de l'article 127 C.T. refusée).
Morin c. *Collège d'enseignement général et professionnel de Chicoutimi*, D.T.E. 2005T-145 (C.R.T.).
V. aussi: *BPR — Groupe-conseil, s.e.n.c.* c. *Commission des relations du travail*, D.T.E. 2008T-921 (C.S.), EYB 2008-150244 (C.S.).
Gareau c. *Collège Jean-de-Brébeuf*, D.T.E. 96T-1297 (C.T.).

124/218 L'article 124 L.N.T. a un caractère essentiellement supplétif. Ainsi, lorsqu'un plaignant a le droit de soumettre un grief à l'arbitrage, le commissaire doit céder le pas à l'arbitre qui sera saisi du grief. Ce dernier a toute la compétence voulue pour remédier au «défaut» que peut présenter une clause d'une convention collective lui attribuant compétence, eu égard notamment aux remèdes qui y sont prévus.
Phelps c. *Exeltor inc.*, (1993) C.T. 393, D.T.E. 93T-815 (C.T.).
V. aussi: *Sabourin* c. *Pinkerton du Québec ltée*, D.T.E. 94T-829 (C.T.).

124/219 Constitue une autre procédure de réparation valable, la procédure de grief prévue à une convention collective même si elle ne donne droit qu'à une compensation partielle ou totale et non à la réintégration.
Meunier c. *Université du Québec à Trois-Rivières*, D.T.E. 91T-81 (T.A.).
Contra: *Brouard* c. *Université du Québec à Hull*, D.T.E. 95T-673 (C.T.) (révision judiciaire accueillie pour d'autres raisons: D.T.E. 96T-386 (C.S.)).

124/220 Le grief n'est pas un recours équivalent lorsque les motifs de fin d'emploi sont de nature administrative et qu'en de telles circonstances, compte tenu des dispositions mêmes de la convention collective, les pouvoirs de l'arbitre sont beaucoup plus limités que ceux de la Commission des relations du travail.
Meilleur c. *Québec (Ministère de l'Emploi, de la Solidarité sociale et de la Famille)*, D.T.E. 2008T-458 (C.R.T.) (révision en vertu de l'article 127 C.T. refusée).

124/221 Ne constitue pas une autre procédure de réparation au sens de l'article 124 L.N.T., le dépôt d'un grief pour voir son nom inscrit sur une liste de rappel lorsque le grief du syndicat a fait l'objet d'une transaction. Dans de telles circonstances, ce recours est irrecevable. En conséquence, il ne peut être qualifié

d'équivalent et encore moins d'efficace, surtout lorsque rien dans la convention collective n'oblige l'employeur à inscrire le nom du salarié sur la liste. Un arbitre saisi d'un grief réglé par transaction n'a d'autres choix que de constater son impuissance devant la discrétion de l'employeur lors de l'établissement de la liste de rappel. Une telle situation ne peut être qualifiée de remède équivalent au sens de l'article 124 L.N.T.
Commission scolaire Chomedey de Laval c. *Dubé*, (1997) R.J.Q. 1203 (C.A.), D.T.E. 97T-457 (C.A.), J.E. 97-826 (C.A.).

124/222 Une convention collective non déposée conformément à l'article 72 du *Code du travail* ne peut constituer une procédure de réparation.
Pidgeon c. *Collège de Maisonneuve*, D.T.E. 2002T-830 (C.T.).
Labonté c. *Garderie Tam-Tam de Châteauguay*, D.T.E. 87T-779 (T.A.).
Contra: *Morel* c. *Parkway Chevrolet Oldsmobile Cadillac inc.*, (1983) T.A. 461, D.T.E. 83T-286 (T.A.).

124/223 L'inaction du syndicat à faire constater la transmission d'entreprise fait en sorte qu'il y a absence de recours équivalent disponible. Le plaignant n'a donc pas accès à une autre procédure de réparation.
Garneau c. *Soeurs de la Charité d'Ottawa*, D.T.E. 2008T-595 (C.R.T.).

124/224 Constitue une autre procédure de réparation valable, une clause de recours conventionnel allouant au salarié un délai de trente-six heures pour faire valoir ses droits lorsqu'il prétend être lésé par une mesure disciplinaire.
Stryker Bertec médical inc. c. *Bernier*, D.T.E. 2004T-537 (C.S.), J.E. 2004-1099 (C.S.), REJB 2004-60536 (C.S.).

124/225 Une entente intervenue entre des parties, ayant un effet rétroactif en vertu de l'article 72 du *Code du travail*, ne peut faire échec à une plainte déjà déposée selon l'article 124 L.N.T.
Labonté c. *Garderie Tam-Tam de Châteauguay*, D.T.E. 87T-779 (T.A.).

124/226 L'application de l'article 59 du *Code du travail* après le dépôt d'une requête en accréditation ne constitue pas une procédure de réparation offrant un recours au salarié.
Legault c. *Baie (La)*, D.T.E. 95T-463 (C.T.).
Bouchard c. *Emco ltée*, (1992) C.T. 571, D.T.E. 92T-1160 (C.T.).
Cie T. Eaton ltée c. *Thibodeau*, (1990) T.A. 311, D.T.E. 90T-572 (T.A.).
Nash c. *Secur inc.*, (1987) T.A. 726, D.T.E. 87T-1022 (T.A.).

124/227 Une plainte déposée selon les dispositions des articles 59 et 100.10 du *Code du travail* ne présente pas les mêmes caractéristiques qu'une plainte déposée selon les dispositions de l'article 124 L.N.T., puisqu'elle permet à l'employeur d'invoquer le cours normal de ses affaires pour congédier un employé, même si, dans les faits, l'incident à l'origine du congédiement ne constitue pas en soi une cause juste et suffisante de congédiement, mais fait effectivement partie de la façon dont l'employeur gère habituellement son entreprise. Dans un tel cas, il ne peut s'agir d'un recours équivalant à celui prévu par les dispositions de l'article 124 L.N.T.
Thibault c. *Mont-Laurier (Ville de)*, D.T.E. 97T-626 (C.T.) (appel rejeté: D.T.E. 97T-1041 (T.T.)).

124/228 Le recours en vertu de l'article 59 du *Code du travail* ne permet pas au plaignant de voir la décision qu'il conteste examinée sous le même angle, à savoir

l'existence ou non, subjectivement et objectivement, d'une cause juste et suffisante de congédiement au sens de l'article 124 L.N.T. et ne constitue donc pas une autre procédure de réparation.
Groulx c. *9125-5935 Québec inc. (Aquaflex inc.)*, D.T.E. 2005T-612 (C.R.T.).
Sleight c. *Compagnie de la Baie d'Hudson*, (1997) C.T. 317, D.T.E. 97T-968 (C.T.).

124/229 Le recours fondé sur l'article 59 du *Code du travail* n'est pas une procédure de réparation équivalente pouvant faire échec à la recevabilité d'une plainte déposée conformément à l'article 124 L.N.T. Dans le cadre du premier recours, l'arbitre se demande si le congédiement constitue une modification des conditions de travail, alors que, dans le cadre du second recours, le commissaire se demande plutôt si le congédiement a été fait avec ou sans cause juste et suffisante.
Publications Dumont (1988) inc. c. *Doré*, D.T.E. 2000T-59 (C.A.), J.E. 2000-136 (C.A.), REJB 1999-15538 (C.A.).
Fournier c. *St-Lin (Municipalité de)*, (1997) C.T. 514, D.T.E. 97T-1490 (C.T.) (requête en révision judiciaire: n° 705-05-002650-979).

124/230 L'extension d'une convention collective par le biais de l'article 59 du *Code du travail* interdit le recours en vertu de l'article 124 L.N.T.
Girard c. *Produits de viande Cacher Glatt ltée*, (1986) T.A. 304, D.T.E. 86T-404 (T.A.).

124/231 Une convention collective ne constitue pas une autre procédure de réparation si le congédiement est survenu avant l'entrée en vigueur de celle-ci, car il n'y a pas rétroactivité.
Faucher c. *Centres de jeunesse Shawbridge*, (1984) T.A. 249, D.T.E. 84T-337 (T.A.).

124/232 Une plainte déposée selon l'article 124 L.N.T. repose sur la *Loi sur les normes du travail* et non sur une convention collective, de sorte qu'elle ne saurait être considérée comme visant à régler une mésentente relative à l'interprétation ou à l'application de la convention collective. Le dépôt d'une telle plainte ne saurait non plus avoir pour effet d'interrompre le délai de prescription prévu dans une convention collective.
Québec Linge industriel c. *Union des employés du transport local et industries diverses, section locale 931*, (1995) T.A. 853, D.T.E. 95T-1270 (T.A.).

124/233 Lorsqu'un salarié est d'avis que, dans les circonstances particulières de son cas, le recours prévu à la convention collective ne constitue pas une procédure de réparation adéquate au sens de l'article 124 L.N.T., il doit alors soumettre une plainte à la Commission des normes du travail, quitte à déposer également un grief et à en suspendre le cours jusqu'à ce que la Commission des relations du travail tranche la question.
Syndicat des professeures et professeurs de l'Université du Québec à Trois-Rivières c. *Tremblay*, D.T.E. 2007T-269 (C.S.), EYB 2007-114601 (C.S.) (appel rejeté: C.A.Q. n° 200-09-005886-079, le 2 juin 2008) (autorisation d'appeler à la Cour suprême accordée).

124/234 Puisque le salarié bénéficie d'une autre procédure de réparation, l'employeur doit administrer une preuve qui démontre qu'il existe un autre recours équivalent.
Bellemare c. *Commission scolaire Crie*, D.T.E. 2008T-215 (C.R.T.) (révision en vertu de l'article 127 C.T. refusée).

Chose jugée, litispendance

124/235 La décision que peut rendre le commissaire peut avoir l'autorité de la chose jugée pour l'autre instance, quant à la nature de la rupture du lien d'emploi seulement.
Proulx c. *Automobiles Rallye ltée*, (1989) R.J.Q. 2184 (C.S.), D.T.E. 89T-780 (C.S.), J.E. 89-1228 (C.S.).
Mondia distribution c. *Cornil*, D.T.E. 87T-151 (C.S.) (ultérieur: D.T.E. 88T-584 (C.S.)).
Brassard c. *Centre hospitalier St-Vincent de Paul*, D.T.E. 84T-149 (C.S.), J.E. 84-186 (C.S.).
V. aussi: *C.N.T.* c. *Maheu et Noiseux inc.*, D.T.E. 89T-229 (C.Q.).

124/236 La Cour supérieure ne commet pas d'erreur en décidant qu'il y a chose jugée quant aux réclamations relatives au délai de congé et aux dommages non pécuniaires, lorsque ces questions ont été examinées par la Commission des relations du travail dans le contexte d'un recours en vertu de l'article 124 L.N.T.
Trinh c. *Hydro-Québec*, D.T.E. 2004T-471 (C.A.), J.E. 2004-998 (C.A.), REJB 2004-60434 (C.A.) (autorisation d'appeler à la Cour suprême refusée).

124/237 La décision du commissaire rejetant une plainte en vertu de l'article 124 L.N.T. a autorité de la chose jugée en ce qui concerne le bien-fondé du congédiement.
Jones c. *Peacock inc.*, D.T.E. 2000T-266 (C.S.), J.E. 2000-587 (C.S.), REJB 2000-16599 (C.S.).

124/238 La décision du commissaire de décliner compétence et de refuser d'entendre une plainte déposée selon l'article 124 L.N.T. pour motif de chose jugée est indiscutablement juridictionnelle.
Commission scolaire Chomedey de Laval c. *Dubé*, (1997) R.J.Q. 1203 (C.A.), D.T.E. 97T-457 (C.A.), J.E. 97-826 (C.A.).

124/239 La décision de la Commission des relations du travail n'a l'effet de la chose jugée qu'à l'égard de l'existence d'une transaction intervenue entre les parties et non en ce qui concerne le recours pour abus de droit.
Équipements de sécurité National inc. c. *Martin*, (2005) R.R.A. 668 (C.Q.), D.T.E. 2005T-449 (C.Q.), J.E. 2005-871 (C.Q.), EYB 2005-86934 (C.Q.).

124/240 Une plainte déposée selon l'article 124 L.N.T. peut devenir sans objet dans le cas où un commissaire a déjà accueilli une plainte déposée en vertu de l'article 122 L.N.T.
Gauthier c. *Thermoshell inc.*, D.T.E. 95T-767 (C.T.).

124/241 Le tribunal saisi d'un recours en vertu de l'article 83 L.N.T. est lié par la décision du commissaire rejetant une plainte de congédiement au motif de faute grave.
Liberty Mutual Insurance Co. c. *C.N.T.*, (1990) R.D.J. 421 (C.A.), D.T.E. 90T-872 (C.A.), J.E. 90-1479 (C.A.).
C.N.T. c. *Garderie de la Place Ville-Marie*, D.T.E. 95T-1303 (C.Q.).
V. cependant: *C.N.T.* c. *D. Bertrand & Fils inc.*, (2001) R.J.D.T. 1765 (C.Q.), D.T.E. 2001T-992 (C.Q.), J.E. 2001-1889 (C.Q.), REJB 2001-27273 (C.Q.).
Lemoyne c. *Québec (Gouvernement du)*, D.T.E. 2001T-979 (C.Q.), J.E. 2001-1888 (C.Q.), REJB 2001-30717 (C.Q.).

124/242 Il peut être prématuré de soulever l'irrecevabilité d'un recours en dommages-intérêts pour cause de litispendance en se basant sur le fait que le salarié a déposé également une plainte en vertu de l'article 124 L.N.T. En effet, une telle plainte peut faire l'objet d'une tentative de médiation selon l'article 125 L.N.T. Si aucun règlement n'intervient, l'article 126 L.N.T. prévoit alors que le salarié doit demander par écrit à la Commission des normes du travail que sa plainte soit acheminée à la prochaine étape, c'est-à-dire qu'elle soit déférée au commissaire général du travail (la plainte est maintenant déférée sans délai à la Commission des relations du travail). En l'absence d'une telle demande, formulée en temps utile, la plainte n'existe plus et il n'y a pas de recours. Déposer une plainte auprès de la Commission des normes du travail ne suffit donc pas pour saisir un commissaire du travail (maintenant la Commission des relations du travail) de l'affaire, s'il y a une tentative de médiation.
Charette c. *General Electric Canada inc.*, (2000) R.J.D.T. 489 (C.S.), D.T.E. 2000T-311 (C.S.).

124/243 En principe, il y a une forte présomption que ce qui est demandé par le biais des recours selon les articles 124 L.N.T. et 83 L.N.T. ne résulte pas du même objet. Il n'est cependant pas impensable de prétendre que la décision du commissaire puisse outrepasser les dispositions de l'article 124 L.N.T. et inclure dans la condamnation le préavis de congédiement. Il faudrait toutefois que cela apparaisse clairement de la décision du commissaire.
C.N.T. c. *Location de linge Métro ltée*, D.T.E. 96T-768 (C.Q.).

124/244 Un commissaire saisi d'une plainte selon l'article 124 L.N.T. n'est pas lié par la qualification de la nature de la cessation d'emploi qu'a faite un autre commissaire saisi d'une plainte en vertu de l'article 122 L.N.T. En effet, l'objet du recours en vertu de l'article 124 L.N.T. est plus vaste et n'est pas entièrement compris dans celui que couvre la plainte suivant l'article 122 L.N.T. L'identité d'objet n'est que partielle et rien ne permet de scinder la compétence du commissaire entre ce qui est couvert ou non par l'objet d'un autre recours. Il suffit de constater que l'identité d'objet ne couvre pas en substance les deux recours puisque la qualification juridique de chacun est différente et produit des effets virtuels différents.
Provost c. *Hakim*, D.T.E. 97T-1315 (C.A.), J.E. 97-2076 (C.A.), REJB 1997-03065 (C.A.).
Gervais c. *Ethica Clinical Research Inc. / Ethica Recherche clinique*, D.T.E. 2007T-983 (C.R.T.).
Rainville c. *Remax Provincial*, D.T.E. 98T-938 (T.T.).
V. aussi: *Davignon* c. *Bureau du commissaire général du travail*, (2003) R.J.D.T. 1531 (C.A.), D.T.E. 2003T-914 (C.A.), J.E. 2003-1745 (C.A.), REJB 2003-46898 (C.A.).

124/245 Un congédiement déclaré illégal selon les dispositions de l'article 122 L.N.T. ne saurait être juste et suffisant en vertu de l'article 124 L.N.T., et ce, même s'il est vrai qu'en matière de licenciement, le commissaire ne peut substituer son jugement à celui de l'employeur. Cependant, si les mêmes motifs invoqués s'apparentent à des prétextes, manquent d'objectivité ou sont discriminatoires, il est possible de conclure à l'existence d'un congédiement déguisé plutôt qu'à un licenciement.
Chartrand c. *Wyeth-Ayerst Canada inc.*, D.T.E. 96T-1299 (C.T.).

124/246 Il peut y avoir absence de compétence du commissaire relativement à une plainte déposée en vertu de l'article 124 L.N.T., si une plainte basée sur l'article 32 L.A.T.M.P. a déjà été accueillie par une autre instance.
Usines Giant inc. c. *Meas*, (2002) R.J.D.T. 263 (T.T.), D.T.E. 2002T-259 (T.T.).

124/247 Une plainte déposée en vertu de l'article 32 L.A.T.M.P. et la décision qui en découle ne lient pas le commissaire. En effet, le recours qui donne lieu à cette décision a une finalité distincte de celui qui est basé sur l'article 124 L.N.T., de sorte que la décision de la Commission des lésions professionnelles n'a pas l'autorité de la chose jugée eu égard à une plainte déposée selon l'article 124 L.N.T.
Larocque c. *CAE inc. / CAE Électronique ltée*, D.T.E. 2009T-196 (C.R.T.).
L'Heureux c. *Maxinet enr.*, D.T.E. 2000T-60 (C.T.).

124/248 Il n'y a pas litispendance entre un recours exercé en vertu de l'article 32 L.A.T.M.P. et un recours pour congédiement sans cause juste et suffisante exercé selon l'article 124 L.N.T.
Rousseau c. *Spectra Premium Industries inc.*, D.T.E. 98T-959 (C.T.).

124/249 Il n'y a pas chose jugée entre une plainte déposée en vertu de l'article 227 L.S.S.T. et une autre basée sur l'article 124 L.N.T. En effet, il n'y a pas identité de cause entre les deux plaintes.
Larocque c. *CAE inc. / CAE Électronique ltée*, D.T.E. 2009T-196 (C.R.T.).

124/250 Il peut y avoir chose jugée entre un recours exercé en vertu de l'article 124 L.N.T. qui a été rejeté et une action en dommages-intérêts déposée en Cour supérieure.
Pisimisis c. *Laboratoires Abbott ltée*, D.T.E. 99T-809 (C.S.), J.E. 99-1734 (C.S.), REJB 1999-13552 (C.S.).
V. cependant: *Migneron* c. *Zellers inc.*, D.T.E. 2005T-285 (C.S.), J.E. 2005-595 (C.S.), EYB 2005-86373 (C.S.) (désistement d'appel).

124/251 L'autorité de la chose jugée ne s'applique pas à une plainte fondée sur l'article 122.1 L.N.T., lorsqu'il y a eu rejet d'une plainte selon l'article 124 L.N.T., parce que les principes juridiques à l'origine de ces recours sont différents.

Il est inexact d'affirmer que le recours plus souple et plus large prévu à l'article 124 L.N.T. englobe dans son fondement le recours à l'encontre d'une pratique interdite en vertu de l'article 122.1 L.N.T.
Sevcik c. *Produits chimiques Drew ltée*, (1993) T.T. 518, D.T.E. 93T-959 (T.T.).
V. aussi: *Gagnon* c. *F.D.L. Cie*, (1993) C.T. 228, D.T.E. 93T-609 (C.T.) (révision judiciaire refusée: C.S.M. n⁰ 500-05-004277-933, le 18 octobre 1993).

124/252 Il peut y avoir litispendance entre le recours fondé sur l'article 124 L.N.T. et l'arbitrage de griefs prévu par une convention collective, et ce, lorsqu'il s'agit des mêmes parties, des mêmes causes d'action ainsi que du même objet.
Ton-That c. *Québec (Ministère des Ressources naturelles)*, D.T.E. 2004T-438 (C.R.T.).

124/253 Compte tenu des circonstances, il peut y avoir absence de chose jugée, et ce, malgré le fait qu'un arbitre se soit prononcé sur le fond du grief.
Poulin c. *Mont-Tremblant (Ville de)*, D.T.E. 2005T-917 (C.R.T.) (révision en vertu de l'article 127 C.T. refusée: (2006) R.J.D.T. 821 (C.R.T.), D.T.E. 2006T-530 (C.R.T.)) (révision judiciaire refusée: D.T.E. 2006T-1090 (C.S.)) (appel rejeté: D.T.E. 2008T-562 (C.A.), J.E. 2008-1355 (C.A.)).

124/254 Il ne peut y avoir chose jugée entre une décision basée sur l'article 15 du *Code du travail* et une autre basée sur l'article 124 L.N.T., puisque les principes juridiques à l'origine de ces deux recours sont différents.
Court c. *Collège Stanislas inc.*, D.T.E. 2001T-956 (T.T.).

124/255 La décision du conseil arbitral de l'assurance-chômage ne constitue pas chose jugée relativement au recours suivant l'article 124 L.N.T.
Kelly c. *Algo Industries Ltd.*, (1986) T.A. 310, D.T.E. 86T-408 (T.A.).

124/256 Il n'y a pas identité de cause entre une plainte soumise en vertu de l'article 124 L.N.T. et un grief, lorsque la plainte est à l'effet que l'employeur du salarié n'a pas renouvelé son contrat de travail et lorsque la cause du grief est limitée à l'inscription de noms sur une liste de rappel. Aussi, il n'y a pas identité d'objet entre ces deux recours, l'objet étant défini comme le bénéfice que l'on se propose d'obtenir.
Commission scolaire Chomedey de Laval c. *Dubé*, (1997) R.J.Q. 1203 (C.A.), D.T.E. 97T-457 (C.A.), J.E. 97-826 (C.A.).

124/257 Il n'y a pas litispendance entre un recours en dommages-intérêts devant la Cour supérieure et un recours pour congédiement sans cause juste et suffisante, lequel permet au salarié de réclamer sa réintégration et le salaire perdu.
Gervais c. *Agence de sécurité de Montréal ltée*, (1997) R.J.Q. 2986 (C.S.), D.T.E. 97T-1294 (C.S.), J.E. 97-2074 (C.S.).
Vachon c. *Collège d'enseignement général et professionnel de Rimouski*, D.T.E. 94T-494 (C.S.) (ultérieur: D.T.E. 97T-866 (C.S.)).
V. aussi: *Charette* c. *General Electric Canada inc.*, (2000) R.J.D.T. 489 (C.S.), D.T.E. 2000T-311 (C.S.).
Forget c. *Société en commandite Parc de la montagne*, (1997) C.T. 491, D.T.E. 97T-1312 (C.T.) (appel rejeté: D.T.E. 98T-801 (T.T.)) (désistement de la révision judiciaire).

124/258 Il n'y a pas litispendance entre une réclamation de dommages-intérêts et une plainte basée sur l'article 124 L.N.T. à l'encontre d'un congédiement. En effet, la compétence de la Commission des relations du travail est limitée aux cas de congédiement sans cause juste et suffisante, alors que la Cour supérieure peut octroyer des dommages pécuniaires et non pécuniaires.
Orthoconcept Québec inc. c. *Morrison*, D.T.E. 2008T-104 (C.Q.).

124/259 Il n'y a pas nécessairement litispendance entre une action en dommages et intérêts et un recours en vertu de l'article 124 L.N.T., et ce, compte tenu de l'absence d'identité de cause et d'objet.
Rubinovitch c. *Aspler, Philip (Aspler Bernier)*, D.T.E. 2008T-843 (C.R.T.).

124/260 Il peut y avoir litispendance entre une action en dommages et intérêts déposée à la Cour supérieure et une plainte basée sur l'article 124 L.N.T., lorsque les recours visent deux postes occupés en parallèle par le salarié. Dans ce cas, il serait nuisible à la bonne administration de la justice que l'employeur supporte les coûts de deux longs procès portant sur la même cause. Il est donc préférable qu'il y ait suspension de la procédure.
Parisien c. *Station Mont-Tremblant, société en commandite*, D.T.E. 2003T-804 (C.R.T.).
V. aussi: *Rajeb* c. *Solutions d'affaires Konica Minolta (Montréal) inc.*, (2008) R.J.D.T. 763 (C.R.T.), D.T.E. 2008T-415 (C.R.T.).

124/261 La coexistence de deux recours à l'encontre d'un même congédiement est permise s'il n'y a pas identité de cause permettant de conclure à litispendance. Cependant, lorsque l'une des deux plaintes a été réglée et qu'un adjudicateur a

déjà déterminé la nature de la rupture du lien d'emploi ou s'est prononcé sur son caractère juste et suffisant, il faut appliquer le principe de l'autorité de la chose jugée, à tout le moins sur la question de la cause du congédiement.
Picard c. *Cie américaine de fer et métaux inc.*, D.T.E. 96T-354 (C.T.).

124/262 Lorsque le grief du salarié a été rejeté au mérite, l'article 124 L.N.T. ne peut servir d'appel déguisé de la décision arbitrale, ni constituer un prolongement de contestation d'une décision qui n'a pas fait l'objet d'une révision judiciaire.
Thériault c. *Université de Sherbrooke*, D.T.E. 2008T-561 (C.R.T.) (révision en vertu de l'article 127 C.T. refusée).

124/263 Il ne saurait être question de suspendre l'audience d'une plainte parce que le salarié a exercé un recours civil en Ontario.
Stewart c. *Brospec inc.*, D.T.E. 2000T-1024 (C.T.).

124/264 V. AUDET, G., BONHOMME, R., GASCON, C. et COURNOYER-PROULX, M., *Le congédiement en droit québécois en matière de contrat individuel de travail*, vol. 1, 3e éd. (édition à feuilles mobiles), Cowansville, Éditions Yvon Blais, p. 16-85 à 16-98.

124/265 V. BICH, M.-F., «Contrat de travail et *Code civil du Québec* — Rétrospective, perspectives et expectatives», dans *Développements récents en droit du travail (1996)*, Formation permanente du Barreau du Québec, Cowansville, Les Éditions Yvon Blais inc., 1996, p. 189, p. 300 et ss.

124/266 V. BRIÈRE, J.-Y. et VILLAGGI, J.-P., *Relations de travail*, vol. 2, (édition à feuilles mobiles), Brossard, Les Publications CCH ltée, p. 8,859 à 8,859-21.

124/267 V. CAZA, C., «L'embarquement pour un tour d'horizon des développements récents concernant la *Loi sur les normes du travail*», dans *Développements récents en droit du travail (1997)*, Formation permanente du Barreau du Québec, Cowansville, Les Éditions Yvon Blais inc., 1997, p. 229, p. 321 et ss.

124/268 V. DUBÉ, J.-L. et DI IORIO, N., *Les normes du travail*, 2e éd., Sherbrooke, Les Éditions Revue de droit — Université de Sherbrooke, 1992, p. 397 à 423.

124/269 V. LAPORTE, P., *Le traité du recours à l'encontre d'un congédiement sans cause juste et suffisante (en vertu de la Loi sur les normes du travail, article 124)*, Montréal, Wilson & Lafleur ltée, 1992, p. 42 à 59.

PRESCRIPTION: DÉTERMINATION DU MOMENT DU CONGÉDIEMENT ET DÉPÔT DE LA PLAINTE

Général

124/270 Le délai prévu à l'article 124 L.N.T. est un délai strict et de rigueur dont l'inobservance entraîne la déchéance du droit.
Bouchard c. *Girard*, D.T.E. 98T-13 (C.S.).
Abinader c. *Collège Dawson*, D.T.E. 2008T-681 (C.R.T.).
Daigle c. *Marchés mondiaux CIBC inc.*, D.T.E. 2008T-576 (C.R.T.).
Légaré c. *9046-4736 Québec inc. (Michel Proulx, Meubles)*, D.T.E. 2005T-697 (C.R.T.).

Renaud c. *9032-5499 Québec inc.*, D.T.E. 2004T-268 (C.R.T.).
Karatnyk c. *Commission scolaire Central Québec*, (2003) R.J.D.T. 1268 (C.R.T.), D.T.E. 2003T-805 (C.R.T.).
Lecavalier c. *Montréal (Ville de)*, D.T.E. 97T-460 (T.T.), conf. D.T.E. 97T-55 (C.T.).
Gagnon c. *Scierie Gallichan inc.*, D.T.E. 2000T-1096 (C.T.).
Neptune c. *Québec (Ministère du Revenu)*, (2000) R.J.D.T. 1121 (C.T.), D.T.E. 2000T-869 (C.T.).
Parent c. *École secondaire François-Bourrin*, D.T.E. 99T-610 (C.T.).
Pardo c. *Compagnie d'assurances Standard Life du Canada*, D.T.E. 98T-1030 (C.T.).
Lamy c. *Urgel Bourgie ltée*, (1996) C.T. 420, D.T.E. 96T-735 (C.T.).
Leggo c. *Fruits de mer de Malbaie inc.*, (1996) C.T. 538, D.T.E. 96T-1219 (C.T.).
Gatkowski c. *Commission des écoles catholiques de Montréal*, (1994) C.T. 433, D.T.E. 94T-1075 (C.T.).
Tardif c. *Bombardier inc.*, (1985) T.A. 279, D.T.E. 85T-363 (T.A.).
Boyer c. *Cyanamid Canada inc.*, D.T.E. 84T-758 (T.A.).
Émond c. *Nedco: division les entreprises Westburne ltée*, D.T.E. 84T-624 (T.A.).
Demers c. *Campeau Corp.*, D.T.E. 83T-947 (T.A.).
Hooper Holmes Canada ltée c. *D'Amours*, D.T.E. 83T-637 (T.A.).
Bourret Transport ltée c. *Garon*, D.T.E. 82T-804 (T.A.).
Drouin c. *Électrolux Canada*, D.T.E. 82T-828 (T.A.).
Garon c. *Syndicat des cadres du gouvernement du Québec inc.*, D.T.E. 82T-308 (T.A.).
Kraft ltée c. *Bastien*, (1982) T.A. 835, D.T.E. 82T-106 (T.A.).
Contra: *Campbell* c. *Maislin Realties, a Division of Maislin Transport Ltd.*, D.T.E. 83T-304 (T.A.).

124/271 Le délai prévu par les dispositions de l'article 124 L.N.T. ne comporte aucune indication à l'effet qu'il emporte déchéance.
Neptune c. *Québec (Ministère du Revenu)*, (2000) R.J.D.T. 1121 (C.T.), D.T.E. 2000T-869 (C.T.).

124/272 La question de déterminer si une plainte a été déposée dans le délai prévu par les dispositions de l'article 124 L.N.T. fait partie de la compétence propre du commissaire.
Autocar Portneuf inc. c. *Hamel*, D.T.E. 2000T-89 (C.A.), J.E. 2000-194 (C.A.), REJB 2000-15885 (C.A.).

124/273 Seul le commissaire a compétence pour trancher la question du délai de réception d'une plainte.
Boyer c. *Hewitt Equipment ltée*, (1988) R.J.Q. 2112 (C.A.), D.T.E. 88T-656 (C.A.), J.E. 88-1117 (C.A.).
Bouchard c. *Girard*, D.T.E. 98T-13 (C.S.).
Isabelle c. *Jasmin*, D.T.E. 95T-220 (C.S.) (appel rejeté: C.A.Q. n° 200-09-000053-956, le 21 mai 1999).
Racine c. *Vallerand*, D.T.E. 94T-1307 (C.S.) (règlement hors cour).
Laguë c. *Québec (Ministère des Relations internationales)*, (1999) R.J.D.T. 601 (C.T.), D.T.E. 99T-390 (C.T.).
Boyer c. *Cyanamid Canada inc.*, D.T.E. 84T-758 (T.A.).

La question du respect du délai de prescription d'un grief n'est pas de nature juridictionnelle.
Syndicat des professeurs du collège de Lévis-Lauzon c. *Cégep de Lévis-Lauzon*, (1985) 1 R.C.S. 596.
Garage Montplaisir ltée c. *Couture*, D.T.E. 2001T-1090 (C.S.).

124/274 Le commissaire ne possède pas le pouvoir de prolonger le délai de présentation de 45 jours prévu par l'article 124 de la *Loi sur les normes du travail*.
Daigle c. *Marchés mondiaux CIBC inc.*, D.T.E. 2008T-576 (C.R.T.).
Gagnon c. *Scierie Gallichan inc.*, D.T.E. 2000T-1096 (C.T.).
Parent c. *École secondaire François-Bourrin*, D.T.E. 99T-610 (C.T.).
Leggo c. *Fruits de mer de Malbaie inc.*, (1996) C.T. 538, D.T.E. 96T-1219 (C.T.).

124/275 Ni les dispositions de la *Loi sur les normes du travail* ni celles du *Code du travail* ne donnent à la Commission des relations du travail le pouvoir de prolonger le délai de 45 jours imposé pour l'exercice du recours prévu à l'article 124 L.N.T. ou, encore, pour relever une personne de son omission de respecter ce délai. En conséquence, dès que la Commission constate que la plainte n'a pas été déposée à l'intérieur du délai, elle doit la rejeter, même de son propre chef. N'existe qu'une seule exception, soit de prouver l'impossibilité en fait d'agir telle que prévue à l'article 2904 du *Code civil du Québec*.
Abinader c. *Collège Dawson*, D.T.E. 2008T-681 (C.R.T.).

124/276 Il est indéniable que la qualification de la rupture du lien d'emploi doit être déterminée à la date de la rupture de celui-ci par l'employeur.
Aliments Humpty Dumpty inc. c. *Monette*, D.T.E. 2001T-514 (C.S.), J.E. 2001-1025 (C.S.), REJB 2001-24724 (C.S.).
Côté c. *Cascades Canada inc.*, D.T.E. 2008T-424 (C.R.T.).

124/277 Le salarié doit déposer sa plainte à l'intérieur du délai de 45 jours suivant la sanction prise par l'employeur, à moins qu'il puisse démontrer qu'il était dans l'impossibilité absolue d'agir.
Massand c. *Hunsons Hospitality Corporation/Crowne Plaza Metro Centre/Holiday Inn Crown Plaza Métro Centre*, D.T.E. 2005T-756 (C.R.T.) (révisions en vertu de l'article 127 C.T. refusées).

124/278 Un plaignant ne peut repousser la présomption de déchéance du recours prévu à l'article 124 L.N.T. qu'en démontrant qu'il était dans l'impossibilité d'agir au sens de l'article 2904 du *Code civil du Québec*.
Abinader c. *Collège Dawson*, D.T.E. 2008T-681 (C.R.T.).
Légaré c. *9046-4736 Québec inc. (Michel Proulx, Meubles)*, D.T.E. 2005T-697 (C.R.T.).

124/279 Le commissaire a compétence pour entendre les circonstances relatives au dépôt tardif d'une plainte, et ce, afin d'évaluer l'impossibilité d'agir, laquelle constitue une cause de suspension de la prescription selon les dispositions de l'article 2904 du *Code civil du Québec*.
Daigle c. *Marchés mondiaux CIBC inc.*, D.T.E. 2008T-576 (C.R.T.).
Légaré c. *9046-4736 Québec inc. (Michel Proulx, Meubles)*, D.T.E. 2005T-697 (C.R.T.).
Parent c. *École secondaire François-Bourrin*, D.T.E. 99T-610 (C.T.).

124/280 Les parties à l'instance ne peuvent, par entente, accorder à la Commission des relations du travail la compétence pour entendre une plainte déposée après l'expiration du délai de déchéance de 45 jours.
Abinader c. *Collège Dawson*, D.T.E. 2008T-681 (C.R.T.).

124/281 Le préposé de la Commission des normes du travail n'a pas compétence pour accueillir ou non la plainte d'un salarié. Il revient au commissaire

du travail (maintenant la Commission des relations du travail) de décider d'une telle question.
Isabelle c. *Jasmin*, D.T.E. 95T-220 (C.S.) (appel rejeté: C.A.Q. n^0 200-09-000053-956, le 21 mai 1999).
Laguë c. *Québec (Ministère des Relations internationales)*, (1999) R.J.D.T. 601 (C.T.), D.T.E. 99T-390 (C.T.).
V. aussi: *Labelle* c. *Clinique dentaire Roxane & Serge Bélisle*, D.T.E. 2002T-937 (C.T.).

124/282 C'est le principe général en matière de computation des délais qui s'applique, puisque l'article 127 L.N.T. ne réfère pas aux règles particulières prévues à cet effet au *Code du travail*.
Kraft ltée c. *Bastien*, (1982) T.A. 835, D.T.E. 82T-106 (T.A.).

124/283 Une plainte déposée à l'intérieur du délai de prescription de 45 jours est recevable, compte tenu du fait que le samedi et le dimanche sont des jours non juridiques qui ne sont pas comptés dans le calcul de tout délai fixé par le *Code du travail*, tel que le prévoient les articles 151.1 et 151.3 de ce Code, auxquels renvoient les articles 123.14 et 127 L.N.T.
Dubois c. *Cercueils Concept inc.*, D.T.E. 2007T-343 (C.R.T.).
Forcier c. *Classified Media (Canada) Holdings Inc.*, D.T.E. 2005T-967 (C.R.T.).

124/284 L'acceptation par la Commission des normes du travail d'une plainte tardive ou la déclaration d'un enquêteur à l'effet que le délai a été respecté, n'a pas pour effet de lier le commissaire.
Bourret Transport ltée c. *Garon*, D.T.E. 82T-804 (T.A.).
Drouin c. *Électrolux Canada*, D.T.E. 82T-828 (T.A.).

124/285 Le commissaire doit entendre toute la preuve relative aux circonstances ayant causé le dépôt de la plainte «tardivement» afin d'évaluer l'impossibilité d'agir qui constitue une cause de suspension de la prescription selon l'article 2232 du *Code civil du Bas-Canada* (maintenant art. 2904 et 2905 C.C.Q.). La prescription ne peut être invoquée contre un salarié, lorsque la Commission des normes du travail refuse systématiquement de recevoir sa plainte.
Demers c. *Bolduc*, D.T.E. 84T-540 (C.S.) (plainte rejetée sur objection préliminaire: D.T.E. 84T-843 (T.A.)).
114475 Canada inc. c. *Bazigos*, D.T.E. 2002T-831 (C.T.).

124/286 Les règles pour la soumission d'une plainte ne doivent pas être plus rigides ou formalistes que celles du *Code de procédure civile*, surtout que la loi n'exige pas une signification mais la soumission d'une plainte à la Commission à l'intérieur des délais.
Archambault c. *Montréal (Société de transport de la Communauté urbaine de)*, D.T.E. 87T-178 (T.A.).
V. aussi: *Racine* c. *Renault Canardière inc.*, D.T.E. 83T-567 (T.A.).

124/287 L'erreur du préposé de la Commission des normes du travail sur l'applicabilité de la loi à l'employeur, ne peut avoir pour conséquence de faire perdre le droit au recours du salarié en raison du dépôt tardif de la plainte.
Girard c. *Fernand Gilbert ltée*, D.T.E. 2005T-144 (C.R.T.).

124/288 La loi exige que la plainte soit soumise à la Commission des normes du travail à l'intérieur d'un délai de 45 jours et non que le contenu de la plainte ait été porté à la connaissance de celle-ci dans ce délai.
Archambault c. *Montréal (Société de transport de la Communauté urbaine de)*, D.T.E. 87T-178 (T.A.).

Prématurité de la plainte

124/289 On ne saurait priver un plaignant d'un droit que lui garantit la législation pour le seul motif qu'il a déposé sa plainte prématurément.
Leclerc c. *Industries Can-Am*, D.T.E. 89T-922 (T.A.).
Beim c. *P.M. Wright ltée*, D.T.E. 83T-388 (T.A.).

124/290 Il n'y a pas prématurité lorsque la plainte conteste une décision ferme, définitive et sans appel, même si le congédiement n'est pas effectif.
Rochefort c. *Supermarchés A. Gagnon inc.*, D.T.E. 2000T-674 (C.T.).
Leclerc c. *Industries Can-Am*, D.T.E. 89T-922 (T.A.).
Courchesne c. *Restaurant & Charcuterie Bens inc.*, D.T.E. 88T-955 (T.A.) (révision judiciaire cassée en appel: (1990) R.D.J. 148 (C.A.), D.T.E. 90T-143 (C.A.), J.E. 90-236 (C.A.)) (autorisation d'appeler à la Cour suprême refusée).
Baby c. *Orchestre symphonique de Québec inc.*, (1987) T.A. 16, D.T.E. 87T-14 (T.A.).
Vallée c. *Marcel E. Savard inc. «Canadian Tire»*, D.T.E. 86T-450 (T.A.).
Christophe c. *Sacs à main Santi ltée, Agences Derma ltée*, (1984) T.A. 553, D.T.E. 84T-744 (T.A.).
Cie Germicide canadienne ltée c. *Madoff*, D.T.E. 84T-263 (T.A.).
Beim c. *P.M. Wright ltée*, D.T.E. 83T-388 (T.A.).
Martel c. *Association des entrepreneurs en construction Brome Missisquoi Shefford*, (1982) T.A. 1252, D.T.E. 82T-783 (T.A.).
V. aussi: *Caisse populaire Notre-Dame de Fatima* c. *Théberge*, D.T.E. 89T-827 (T.A.).
St-Jacques c. *Lebel-sur-Quévillon (Ville de)*, D.T.E. 89T-1140 (T.A.).

124/291 Une plainte n'est pas prématurée si les événements postérieurs confirment la cessation d'emploi du salarié.
Flibotte c. *Aciers Lalime inc.*, D.T.E. 2001T-317 (C.T.).

124/292 Seule la plainte soumise en l'absence d'une décision ferme de congédier sera jugée prématurée.
Mecugni c. *Silonex inc.*, (2000) R.J.D.T. 1746 (C.T.), D.T.E. 2000T-1175 (C.T.).
Christophe c. *Sacs à main Santi ltée, Agences Derma ltée*, (1984) T.A. 553, D.T.E. 84T-744 (T.A.).

124/293 Il y a prématurité du dépôt de la plainte lorsque le plaignant n'a pas fait l'objet d'un congédiement mais d'une mise à pied.
Thomas c. *Surveyer, Nenniger & Chenevert inc.*, D.T.E. 83T-957 (T.A.).

124/294 Lorsque le congédiement du salarié ne constitue qu'une probabilité ou encore une hypothèse, le dépôt de la plainte doit être déclaré prématuré.
Sénécal c. *Outils Snap-On du Canada ltée*, (2001) R.J.D.T. 1269 (C.T.), D.T.E. 2001T-864 (C.T.) (révision judiciaire refusée: C.S.M. n° 500-05-066661-016, le 17 avril 2002).

124/295 Il ne peut être question de prématurité d'une plainte lorsque le salarié croit en un congédiement sans cause juste et suffisante. Il revient au commissaire d'évaluer cette situation.

Courchesne c. *Restaurant & Charcuterie Bens inc.*, D.T.E. 88T-955 (T.A.) (révision judiciaire cassée en appel: (1990) R.D.J. 148 (C.A.), D.T.E. 90T-143 (C.A.), J.E. 90-236 (C.A.)) (autorisation d'appeler à la Cour suprême refusée).

Point de départ du délai

124/296 La date du point de départ du délai accordé au salarié pour déposer sa plainte est celle où la cessation de travail devient effective.
Autocar Portneuf inc. c. *Hamel*, D.T.E. 2000T-89 (C.A.), J.E. 2000-194 (C.A.), REJB 2000-15885 (C.A.).
Pilon c. *S & C Electric Canada Ltd.*, (2008) R.J.D.T. 1171 (C.R.T.), D.T.E. 2008T-542 (C.R.T.) (désistement de la révision judiciaire).
Provost c. *Société des casinos du Québec inc.*, D.T.E. 2006T-217 (C.R.T.).
Charlebois c. *QTG Canada inc.*, D.T.E. 2005T-282 (C.R.T.).
Labelle c. *Clinique dentaire Roxane & Serge Bélisle*, D.T.E. 2002T-937 (C.T.).
Forget c. *Société en commandite Parc de la montagne*, (1997) C.T. 491, D.T.E. 97T-1312 (C.T.) (appel rejeté: D.T.E. 98T-801 (T.T.)) (désistement de la révision judiciaire).
Buth c. *Collège d'enseignement général et professionnel John Abbott*, D.T.E. 96T-295 (C.T.) (révision judiciaire refusée: C.S.M. n° 500-05-015627-969, le 14 août 1996).
Clarke c. *Art et photo R.B. inc.*, D.T.E. 94T-314 (C.T.) (révision judiciaire refusée: C.S.M. n° 500-05-001853-942, le 29 septembre 1994).
Équipement de ferme Dynavent c. *Lefebvre*, (1991) T.A. 252, D.T.E. 91T-440 (T.A.).
Leclerc c. *Chatel Nettoyeur*, D.T.E. 90T-936 (T.A.).
Proulx c. *Automobiles Rallye ltée*, D.T.E. 87T-943 (T.A.).
Buteau c. *Fonderie d'aluminium et modelerie ltée*, D.T.E. 86T-406 (T.A.).
Malbar inc. c. *Dallaire*, D.T.E. 85T-453 (T.A.).

124/297 La date de départ pour la computation du délai de prescription est celle où le congédiement est devenu effectif et non celle où l'on informe le salarié de ce fait.
Centre hospitalier régional de l'Outaouais c. *Carrier*, D.T.E. 90T-825 (C.S.), J.E. 90-1005 (C.S.).
Douville c. *William Neilson ltée*, D.T.E. 85T-534 (C.S.), J.E. 85-649 (C.S.) (appel rejeté: C.A.M. n° 500-09-000845-859, le 23 mai 1986).
K.H.D. Canada inc. c. *Hamelin*, D.T.E. 85T-634 (C.S.), J.E. 85-757 (C.S.).
Vaillancourt c. *Métal 7 inc.*, D.T.E. 2007T-569 (C.R.T.).
Morissette c. *Pouliot Chevrolet Oldsmobile inc.*, D.T.E. 2002T-186 (C.T.).
Buth c. *Collège d'enseignement général et professionnel John Abbott*, D.T.E. 96T-295 (C.T.) (révision judiciaire refusée: C.S.M. n° 500-05-015627-969, le 14 août 1996).
Kelly c. *Algo Industries Ltd.*, (1986) T.A. 310, D.T.E. 86T-408 (T.A.).
Réfrigération Kelko ltée c. *Émond*, (1985) T.A. 697, D.T.E. 85T-839 (T.A.).
Tardif c. *Bombardier inc.*, (1985) T.A. 279, D.T.E. 85T-363 (T.A.).
Boyer c. *Cyanamid Canada inc.*, D.T.E. 84T-758 (T.A.).
C.N.T. c. *Mutuelle d'Omaha Cie d'assurance*, (1984) T.A. 276, D.T.E. 84T-356 (T.A.).
Émond c. *Nedco: division les entreprises Westburne ltée*, D.T.E. 84T-624 (T.A.).
Racine c. *Renault Canardière inc.*, D.T.E. 83T-567 (T.A.).
Garon c. *Syndicat des cadres du gouvernement du Québec inc.*, D.T.E. 82T-308 (T.A.).
Ouellet c. *Placements A. Jain inc.*, D.T.E. 82T-496 (T.A.).
Baboushkin Bros Ltd. c. *Choran*, (1981) 1 R.S.A. 19.

Bouliane c. *Maison de choix inc.*, (1981) 2 R.S.A. 72.
V. cependant: *Cantin* c. *Centre d'accueil de Brossard inc.*, D.T.E. 95T-259 (T.A.) (révision judiciaire accueillie pour d'autres motifs: D.T.E. 95T-1027 (C.S.), J.E. 95-1701 (C.S.)), où l'on a décidé que le délai pour soumettre une plainte selon l'article 124 L.N.T. commence à courir à compter du moment où le salarié apprend de façon officielle et non équivoque que l'employeur a mis fin à son contrat de travail.

124/298 Il n'est pas écrit à l'article 124 L.N.T. que l'employeur doit être poursuivi dans les 45 jours suivant le congédiement, mais bien que le salarié doit déposer sa plainte à la Commission des normes du travail à l'intérieur de ce délai.
Gestion Unipêche M.D.M. ltée c. *C.N.T.*, D.T.E. 2004T-1100 (C.S.) (appel rejeté sur requête).

124/299 Ce n'est que le jour où l'employeur fait parvenir au salarié un avis de cessation d'emploi que la rupture véritable du lien d'emploi a lieu et non le jour où l'abolition du poste a eu lieu, soit pendant une absence due à une lésion professionnelle.
Grandmont c. *U.A.P. inc.*, D.T.E. 94T-408 (C.T.).

124/300 Le paiement de certains avantages par l'employeur après le congédiement, n'a pas comme conséquence de retarder le moment du congédiement.
Tardif c. *Bombardier inc.*, (1985) T.A. 279, D.T.E. 85T-363 (T.A.).
Émond c. *Nedco: division les entreprises Westburne ltée*, D.T.E. 84T-624 (T.A.).
Garon c. *Syndicat des cadres du gouvernement du Québec inc.*, D.T.E. 82T-308 (T.A.).

Cependant, le paiement de certains avantages par l'employeur après que le salarié eut été remercié de ses services, peut avoir comme conséquence de retarder le moment du congédiement, et ce, compte tenu du comportement subséquent des parties.
Racine c. *Vallerand*, D.T.E. 94T-1307 (C.S.) (règlement hors cour).

124/301 Le délai pour déposer une plainte ne commence à courir qu'au moment où le salarié prend connaissance ou aurait dû prendre connaissance du fait que l'employeur ne désirait plus ses services.
Beauséjour c. *Lefebvre*, (1986) R.J.Q. 1407 (C.S.), D.T.E. 86T-315 (C.S.), J.E. 86-447 (C.S.), appel rejeté pour d'autres motifs à (1988) R.J.Q. 639 (C.A.), D.T.E. 88T-261 (C.A.), J.E. 88-414 (C.A.).
Bélanger c. *Commission scolaire des Rives-du-Saguenay*, D.T.E. 2008T-574 (C.R.T.).
Guernon c. *Service de reliure Montréal Gratton inc.*, (2008) R.J.D.T. 769 (C.R.T.), D.T.E. 2008T-505 (C.R.T.).
Kateb c. *Produits techniques Amphenol International*, D.T.E. 2006T-216 (C.R.T.).
Gendron c. *9037-5965 Québec inc.*, D.T.E. 2003T-418 (C.R.T.).
Majdaniw c. *S.N.C. Lavalin inc.*, (2002) R.J.D.T. 299 (C.T.), D.T.E. 2002T-117 (C.T.).
Gagnon c. *Scierie Gallichan inc.*, D.T.E. 2000T-1096 (C.T.).
Parisé c. *Services ménagers Roy (hôtellerie) ltée*, (2000) R.J.D.T. 237 (C.T.), D.T.E. 2000T-90 (C.T.).
Rivest c. *Collège de Maisonneuve*, D.T.E. 2000T-455 (C.T.).
Ménard c. *Collège de Maisonneuve*, D.T.E. 99T-415 (C.T.).
Blake c. *Corp. de dispositions de biens récupérés ltée*, D.T.E. 98T-824 (C.T.).
Gareau c. *Collège Jean-de-Brébeuf*, D.T.E. 96T-1297 (C.T.).
Jean-François c. *L.V.M. Tech inc.*, D.T.E. 96T-1377 (C.T.).
Gatkowski c. *Commission des écoles catholiques de Montréal*, (1994) C.T. 433, D.T.E. 94T-1075 (C.T.).
Pearson c. *Rond Point Dodge & Chrysler ltée*, D.T.E. 90T-754 (T.A.).

Baby c. *Orchestre symphonique de Québec inc.*, (1987) T.A. 16, D.T.E. 87T-14 (T.A.).
Malouf c. *Vêtements pour enfants United ltée*, D.T.E. 87T-996 (T.A.).
Dorion c. *Blanchet*, D.T.E. 86T-199 (T.A.).
Malbar inc. c. *Dallaire*, D.T.E. 85T-453 (T.A.).
Christophe c. *Sacs à main Santi ltée, Agences Derma ltée*, (1984) T.A. 553, D.T.E. 84T-744 (T.A.).
Demers c. *Campeau Corp.*, D.T.E. 84T-843 (T.A.).

124/302 C'est le dernier jour de travail qui est le point de départ du calcul de la prescription lorsque le salarié démissionne, croyant à un congédiement.
Leclerc c. *Chatel Nettoyeur*, D.T.E. 90T-936 (T.A.).

124/303 Le recours prévu à l'article 124 L.N.T. doit s'exercer dans un délai de 45 jours suivant la date à laquelle l'employeur communique au salarié la décision ferme et définitive que son emploi est terminé.
Lavergne c. *Industries Fermco ltée*, D.T.E. 2009T-100 (C.R.T.).

124/304 Le délai de 45 jours débute à partir du moment où le plaignant se rend compte qu'un autre salarié le remplace et non à la terminaison de son contrat à durée déterminée.
Commission scolaire d'Iberville c. *Lapointe*, (1989) T.A. 534, D.T.E. 89T-494 (T.A.) et D.T.E. 90T-779 (T.A.).

124/305 Le délai de 45 jours pour déposer une plainte commence à courir à compter de la date à laquelle le salarié a appris que l'employeur avait embauché un autre salarié pour effectuer du travail à sa place, et non à compter de la date de sa cessation d'emploi.
L'Heureux c. *Maxinet enr.*, D.T.E. 2000T-60 (C.T.).

124/306 Des rumeurs concernant la fin d'emploi ne peuvent être considérées comme point de départ du délai de prescription.
Malouf c. *Vêtements pour enfants United ltée*, D.T.E. 87T-996 (T.A.).
Christophe c. *Sacs à main Santi ltée, Agences Derma ltée*, (1984) T.A. 553, D.T.E. 84T-744 (T.A.).

124/307 Lorsqu'il y a non-rappel au travail à la suite d'une mise à pied le délai ne commence à courir qu'à compter du moment où le salarié a connaissance du fait qu'il ne sera pas rappelé au travail et non du jour de la mise à pied.
Pelletier c. *Luc Pelletier inc.*, (1994) C.T. 470, D.T.E. 94T-1076 (C.T.).
Pearson c. *Rond Point Dodge & Chrysler ltée*, D.T.E. 90T-754 (T.A.).

124/308 Le délai de 45 jours pour déposer une plainte commence à courir à compter de la date du refus de l'employeur de réintégrer le salarié plaignant.
Vaillancourt c. *Métal 7 inc.*, D.T.E. 2007T-569 (C.R.T.).

124/309 Le salarié n'est pas obligé d'attendre l'issue d'une autre instance relative à son congédiement pour porter plainte à la Commission.
St-Jacques c. *Lebel-sur-Quévillon (Ville de)*, D.T.E. 89T-1140 (T.A.).

124/310 Lorsqu'une suspension est transformée en congédiement, le délai ne commence à courir qu'à compter du congédiement et non de la suspension.
Bacon c. *Caisse populaire Desjardins de Godbout*, D.T.E. 87T-768 (T.A.).

124/311 La contestation d'une modification substantielle des conditions de travail entraînant une démission doit se situer dans les 45 jours de la date effective de la démission «forcée».
Sanford c. *McGill University (MacDonald Campus)*, D.T.E. 96T-600 (C.T.) (révision judiciaire refusée: C.S.M. n^{0} 500-05-018213-965, le 10 octobre 1996).

124/312 La date de départ en ce qui a trait à la computation du délai de prescription est celle où la baisse de salaire devient effective.
Garage Montplaisir ltée c. *Couture*, D.T.E. 2001T-1090 (C.S.).

124/313 La plainte n'est considérée soumise à la Commission des normes du travail que le jour de sa réception par celle-ci.
Kraft ltée c. *Bastien*, (1982) T.A. 835, D.T.E. 82T-106 (T.A.).

124/314 Suivant la théorie de l'expédition et selon les articles 2 et 41 de la *Loi sur les postes* (S.R.C. 1970, c. P-14, maintenant remplacée par la *Loi sur la société canadienne des postes* (L.R.C. (1985), ch. C-10)), la propriété de la lettre est transférée à la Commission dès son dépôt dans la boîte postale.
General Diesel inc. c. *Bouffard*, D.T.E. 82T-432 (T.A.).

124/315 Le délai de prescription commence à courir à la date où le salarié reçoit la lettre indiquant qu'il ne sera pas réengagé.
Beauséjour c. *Lefebvre*, (1986) R.J.Q. 1407 (C.S.), D.T.E. 86T-315 (C.S.), J.E. 86-447 (C.S.), appel rejeté pour d'autres motifs à (1988) R.J.Q. 639 (C.A.), D.T.E. 88T-261 (C.A.), J.E. 88-414 (C.A.).

124/316 Le délai de prescription commence à courir dès le moment où le salarié plaignant estime avoir fait l'objet d'un possible congédiement.
Deschênes c. *Clinique dentaire Pierre Richard*, D.T.E. 2008T-235 (C.R.T.).

124/317 La réception tardive d'une plainte de congédiement selon l'article 124 L.N.T. produit néanmoins d'autres conséquences au sein de la Commission. Elle peut entraîner, par exemple, paiement de l'indemnité tenant lieu de préavis, remise de l'indemnité de congés annuels, etc.
Drouin c. *Électrolux Canada*, D.T.E. 82T-828 (T.A.).

124/318 L'erreur dans l'envoi de la plainte causant un certain retard pour son dépôt ne doit pas être préjudiciable au salarié.
Racine c. *Renault Canardière inc.*, D.T.E. 83T-567 (T.A.).

Suspension de la prescription

124/319 Les règles relatives à l'interruption de la prescription prévues à l'article 2892 du *Code civil du Québec* n'ont aucune incidence sur les délais de rigueur édictés par la *Loi sur les normes du travail.*
Lecavalier c. *Montréal (Ville de)*, D.T.E. 97T-460 (T.T.), conf. D.T.E. 97T-55 (C.T.).
V. aussi: *Rodrigue* c. *Commission scolaire de la Capitale*, (2002) R.J.D.T. 1137 (C.T.), D.T.E. 2002T-672 (C.T.).
Contra: *Ahmad* c. *Institut national de la recherche scientifique (INRS)*, D.T.E. 2009T-79 (C.R.T.).
Daigle c. *Marchés mondiaux CIBC inc.*, D.T.E. 2008T-576 (C.R.T.).
Neptune c. *Québec (Ministère du Revenu)*, (2000) R.J.D.T. 1121 (C.T.), D.T.E. 2000T-869 (C.T.).

Roberge c. *Régie des assurances agricoles du Québec*, (1999) R.J.D.T. 1673 (C.T.), D.T.E. 99T-882 (C.T.).

124/320 La prescription est suspendue en cas d'impossibilité absolue d'agir, c'est-à-dire d'impuissance totale, d'incapacité d'agir ou de force majeure empêchant d'accomplir un acte à un moment donné. Or, des motifs et des problèmes d'ordre administratif ne peuvent constituer une impossibilité absolue d'agir.
Leggo c. *Fruits de mer de Malbaie inc.*, (1996) C.T. 538, D.T.E. 96T-1219 (C.T.).

124/321 L'erreur de droit, soit le fait d'avoir déposé une première plainte auprès des instances fédérales, ne constitue pas une impossibilité d'agir et un motif de suspension de la prescription.
Daigle c. *Marchés mondiaux CIBC inc.*, D.T.E. 2008T-576 (C.R.T.).

124/322 Il ne peut y avoir de suspension de la prescription par une demande en justice à laquelle le salarié n'est pas partie. En effet, les droits des parties ne peuvent être à la remorque de modifications jurisprudentielles postérieures dans les dossiers où elles ne sont pas impliquées.
Ahmad c. *Institut national de la recherche scientifique (INRS)*, D.T.E. 2009T-79 (C.R.T.).

124/323 Le dépôt d'un grief n'interrompt pas et ne suspend pas la prescription à l'égard d'une plainte faite en vertu de l'article 124 L.N.T. Le délai relatif à cette plainte est de rigueur et ne souffre d'aucune exception, sauf en cas d'incapacité d'agir.
Rodrigue c. *Commission scolaire de la Capitale*, (2002) R.J.D.T. 1137 (C.T.), D.T.E. 2002T-672 (C.T.).
Lecavalier c. *Montréal (Ville de)*, D.T.E. 97T-55 (C.T.), conf. par D.T.E. 97T-460 (T.T.).

124/324 La computation du délai est suspendue par les procédures en injonction entreprises lors de la mise en tutelle d'une section locale d'un syndicat.
Nadeau c. *Association Unie des compagnons et apprentis de l'industrie de la plomberie et de l'ajustage de tuyauterie des États-Unis et du Canada, local 796, (F.A.T.-C.O.I.)*, D.T.E. 83T-488 (T.A.).

124/325 L'objectif des dispositions de l'article 2895 du *Code civil du Québec* est de ne pas priver un justiciable d'un recours qu'il a exercé de façon à interrompre la prescription, mais devant une instance n'ayant pas la compétence pour l'entendre. Dans ce cas, il lui est accordé un délai supplémentaire pour soumettre sa demande à l'instance appropriée. Pour bénéficier de ce délai supplémentaire, une partie doit avoir soumis une première demande dans le délai imparti pour le faire à une instance qui la rejette sans toutefois disposer du fond de l'affaire. La seconde demande doit être soumise devant le forum compétent dans un délai de trois mois suivant le rejet de la première. Finalement, le droit que la partie entend faire valoir doit être le même dans les deux demandes.
Tanguay c. *Université du Québec à Trois-Rivières*, (2009) R.J.D.T. 194 (C.R.T.), D.T.E. 2009T-119 (C.R.T.).

124/326 Les dispositions de l'article 2895 du *Code civil du Québec* ne peuvent s'appliquer que si le premier recours a été institué avant que le second ne soit prescrit.
Daigle c. *Marchés mondiaux CIBC inc.*, D.T.E. 2008T-576 (C.R.T.).

124/327 V. AUDET, G., BONHOMME, R., GASCON, C. et COURNOYER-PROULX, M., *Le congédiement en droit québécois en matière de contrat individuel de travail*, vol. 1, 3e éd. (édition à feuilles mobiles), Cowansville, Éditions Yvon Blais, p. 16-98 à 16-108.

124/328 V. BRIÈRE, J.-Y. et VILLAGGI, J.-P., *Relations de travail*, vol. 2, (édition à feuilles mobiles), Brossard, Les Publications CCH ltée, p. 8,865 à 8,871-9.

124/329 V. CAZA, C., «L'embarquement pour un tour d'horizon des développements récents concernant la *Loi sur les normes du travail*», dans *Développements récents en droit du travail (1997)*, Formation permanente du Barreau du Québec, Cowansville, Les Éditions Yvon Blais inc., 1997, p. 229, p. 325 et ss.

124/330 V. DUBÉ, J.-L. et DI IORIO, N., *Les normes du travail*, 2e éd., Sherbrooke, Les Éditions Revue de droit — Université de Sherbrooke, 1992, p. 423 à 434.

124/331 V. LAPORTE, P., *Le traité du recours à l'encontre d'un congédiement sans cause juste et suffisante (en vertu de la Loi sur les normes du travail, article 124)*, Montréal, Wilson & Lafleur ltée, 1992, p. 96 à 104.

SERVICE CONTINU

124/332 La Commission des normes du travail a l'obligation de s'assurer que le plaignant rencontre la condition préalable de deux ans de service continu.
Club de Golf Murray Bay inc. c. *C.N.T.*, (1986) R.J.Q. 950 (C.A.), D.T.E. 86T-266 (C.A.), J.E. 86-374 (C.A.).

124/333 Pour pouvoir bénéficier de la protection prévue aux dispositions de l'article 124 L.N.T., le salarié doit avoir cumulé deux ans de service continu.
Bolduc c. *2948-7980 Québec inc.*, D.T.E. 2007T-878 (C.R.T.).
Bouledroua c. *Bodycote Essais de matériaux Canada inc. (Technitrol Bodycote)*, D.T.E. 2006T-313 (C.R.T.).
De Vries Stadelaar c. *C & D Aerospace Canada*, D.T.E. 2005T-388 (C.R.T.).
Rivard c. *Dion, Durrell & Associates Inc.*, D.T.E. 2003T-1135 (C.R.T.).
Jean-François c. *L.V.M. Tech inc.*, D.T.E. 96T-1377 (C.T.).
V. aussi: *Bolduc* c. *Conseil de la direction de l'Armée du Salut du Canada (Centre Booth de Montréal)*, D.T.E. 2005T-22 (C.R.T.).
Gauvin c. *Lagran Canada inc.*, D.T.E. 2003T-725 (C.R.T.).

124/334 Le salarié qui bénéficie de plus de deux ans de service continu possède une certaine forme de sécurité d'emploi.
Brouillette c. *Pilon ltée*, (2000) R.J.D.T. 1035 (C.T.), D.T.E. 2000T-699 (C.T.) (requête en révision judiciaire: n° 550-05-009964-001).
V. aussi: *Couture* c. *Centres jeunesse de la Montérégie*, (2000) R.J.D.T. 1672 (C.T.), D.T.E. 2000T-924 (C.T.).

124/335 Les normes du travail d'ordre public prévues par les dispositions de la *Loi sur les normes du travail* ne garantissent pas le droit à l'emploi. Un employeur n'a pas à démontrer une cause juste et suffisante pour mettre fin à l'emploi d'un salarié qui ne justifie pas de deux ans de service continu. Les parties peuvent également convenir contractuellement d'un terme pour la fin de l'engagement d'un employé temporaire.

Laval (Ville de) c. *Syndicat des cols bleus de la Ville de Laval inc., section locale 4545 (SCFP) (grief syndical)*, D.T.E. 2007T-317 (T.A.) (désistement de la révision judiciaire).

124/336 Le salarié a un double fardeau préalable avant de pouvoir s'adresser à la Commission des normes du travail: démontrer qu'il bénéficie de deux ans de service continu et que ce service continu a été effectué dans une même entreprise.

En imposant ce fardeau préalable au salarié, le législateur a voulu que le salarié s'en décharge avant que le commissaire puisse entreprendre de décider si la cause du congédiement est juste et suffisante.
Boucher c. *Centre de placement spécialisé du Portage (C.P.S.P.)*, (1993) R.D.J. 137 (C.A.), D.T.E. 92T-552 (C.A.), J.E. 92-1695 (C.A.).
Martel c. *Bois d'énergie inc.*, D.T.E. 2006T-710 (C.R.T.).
V. aussi: *Bolduc* c. *Conseil de la direction de l'Armée du Salut du Canada (Centre Booth de Montréal)*, D.T.E. 2005T-22 (C.R.T.).

124/337 Le commissaire doit s'assurer, même d'office, que le plaignant bénéficie des années de service continu.
Eskenazi c. *H.M.R. Foods Partnership*, D.T.E. 2002T-983 (C.T.).
Deschamps c. *Centre du confort de Montréal, division E.S.F. ltée*, (1983) T.A. 465, D.T.E. 83T-432 (T.A.).
V. aussi: *Bolduc* c. *Conseil de la direction de l'Armée du Salut du Canada (Centre Booth de Montréal)*, D.T.E. 2005T-22 (C.R.T.).

124/338 Il n'est pas essentiel que la plainte indique de façon spécifique l'existence des années de service continu.
Mailhot c. *Services d'approvisionneurs national inc.*, (1983) T.A. 1038, D.T.E. 83T-459 (T.A.).
V. aussi: *Maillé* c. *Produits forestiers Saucier ltée*, (1984) T.T. 58, D.T.E. 84T-141 (T.T.).

124/339 Il faut tenir compte du fait que le plaignant doit avoir maintenu son statut de salarié en tout temps pendant les deux ans de service continu exigés par la loi.
Joannette c. *Bérard*, D.T.E. 2003T-1083 (C.R.T.).

124/340 La notion de service continu prévue à la *Loi sur les normes du travail* exige un lien par contrat de travail entre deux personnes, ce qui est le cas lorsqu'une personne s'oblige à effectuer un travail sous la direction et le contrôle d'une autre personne moyennant rémunération selon l'article 2085 du *Code civil du Québec*.
Joannette c. *Bérard*, D.T.E. 2003T-1083 (C.R.T.).

124/341 Dans le calcul du service continu, il n'y a pas lieu de distinguer les périodes où la personne agissait à titre de salarié et les périodes où elle agissait à titre de cadre.
Forano inc. c. *Thomassin*, D.T.E. 82T-495 (T.A.).
Contra: *Clément* c. *Plastiques usinés Clément inc.*, D.T.E. 2003T-402 (C.R.T.).

124/342 Au moment du congédiement, celui qui prétend bénéficier du statut de salarié malgré le fait qu'il soit actionnaire, administrateur ou les deux à la fois doit démontrer qu'il a été lié à son employeur par un contrat de travail durant les deux années de service continu que prévoit la loi.

Clément c. *Plastiques usinés Clément inc.*, D.T.E. 2003T-402 (C.R.T.).
V. aussi: *Cormier* c. *Desjardins Sécurité financière*, D.T.E. 2006T-41 (C.R.T.).

124/343 Dans le calcul du service continu, il y a lieu de ne pas tenir compte des périodes où un salarié a agi à titre de stagiaire.
Beaudin c. *Brossard (Ville de)*, D.T.E. 96T-450 (C.T.).

124/344 La protection accordée par la *Loi sur les normes du travail* s'applique nonobstant le statut d'étudiant ou de salarié à temps partiel.
Boire c. *Boulangerie Gadoua*, D.T.E. 97T-1374 (C.T.).

124/345 L'absence du salarié pour une durée supérieure à 26 semaines (art. 79.1 L.N.T.), ne fait pas en sorte que le salarié ne bénéficie pas de deux ans de service continu, et ce, dans le cas où celui-ci n'a jamais eu l'intention de démissionner. En effet, même si le salarié plaignant a signifié son intention de ne pas reprendre le travail, il y a lieu de tenir compte d'un vice de consentement étant donné sa condition psychologique.
Pilon c. *S & C Electric Canada Ltd.*, (2008) R.J.D.T. 1171 (C.R.T.), D.T.E. 2008T-542 (C.R.T.) (désistement de la révision judiciaire).

124/346 La notion d'entreprise de l'article 124 L.N.T., aux fins de la computation du service continu est la même que l'on retrouve aux articles 96 et 97 L.N.T.
Reynders c. *A.B.M. international ltée*, D.T.E. 98T-1198 (C.T.).
Amyot c. *Capitale (La), Compagnie d'assurances générales inc.*, (1996) C.T. 47, D.T.E. 96T-106 (C.T.).
Brière c. *Provigo Distribution inc., division Montréal, secteur gros*, (1992) C.T. 530, D.T.E. 92T-897 (C.T.).

124/347 L'existence de deux entités corporatives ne crée pas automatiquement deux entreprises distinctes au sens de la *Loi sur les normes du travail*. Ainsi, il peut s'agir d'arrangements valables sur le plan financier ou fiscal mais qui ne peuvent, seuls, empêcher de considérer qu'il n'y a qu'une seule entreprise si, dans les faits, tel est le cas. Pour conclure à l'existence d'une seule et unique entreprise, il faut une sorte d'osmose entre les entités corporatives. En plus du fait que les actionnaires et dirigeants sont identiques, les moyens de production doivent être utilisés de façon interchangeable en vue de la réalisation des objets poursuivis.
Znaty c. *Canada Allied Diesel ltée*, D.T.E. 2002T-961 (C.T.).

124/348 Il est question dorénavant de deux ans de service continu dans une même entreprise, et non chez un même employeur, comme cela était le cas avant l'amendement apporté à l'article 124 L.N.T. en 1991. Dorénavant, la notion de service continu est rattachée à l'entreprise, et non à l'employeur. Pour que l'article 97 L.N.T. s'applique, il faut cependant qu'il y ait aliénation de l'entreprise, c'est-à-dire qu'il existe un lien de droit entre les employeurs successifs.
Gaboriault c. *Usco inc.*, D.T.E. 2001T-558 (C.T.).
Corriveau c. *Résidence St-Philippe de Windsor*, (1997) C.T. 464, D.T.E. 97T-1149 (C.T.).
V. aussi: *Ménard* c. *Wal-Mart Canada inc.*, D.T.E. 98T-187 (C.T.) (révision judiciaire refusée: D.T.E. 98T-719 (C.S.)) (désistement d'appel).

124/349 Le fait de bénéficier de deux ans de service continu dans une même entreprise est une condition préalable à l'exercice de la compétence du commissaire et non une question intrajuridictionnelle.

Caisse populaire St-Robert de Montréal c. *Bergevin*, D.T.E. 84T-743 (C.S.).
Meunier c. *Université du Québec à Trois-Rivières*, D.T.E. 91T-81 (T.A.).
V. aussi: *Généreux* c. *Presse ltée (La)*, D.T.E. 84T-481 (T.A.).
Pronovost c. *Atelier de carrosserie et mécanique Damo St-Laurent inc.*, (1984) T.A. 171, D.T.E. 84T-252 (T.A.).
St-Nicéphore (Corp. mun. de) c. *Côté*, (1984) T.A. 161, D.T.E. 84T-213 (T.A.).
V. aussi la jurisprudence sous l'article 1 L.N.T., SERVICE CONTINU, *Général.*

124/350 La question du deux ans de service continu ne s'applique qu'aux plaintes déposées en vertu de l'article 124 L.N.T. et non aux plaintes selon l'article 122 L.N.T.
Boucher c. *Pliages Apaulo inc.*, D.T.E. 96T-148 (C.T.).

124/351 Il n'appartient pas aux parties de déterminer s'il y a service continu au sens de l'article 124 L.N.T.
Laberge c. *Prévost (Ville de)*, D.T.E. 2001T-642 (C.T.).

124/352 V. la jurisprudence sous l'article 1(12) L.N.T.

124/353 V. la jurisprudence sous l'article 97 L.N.T.

124/354 V. LAPORTE, P., *Le traité du recours à l'encontre d'un congédiement sans cause juste et suffisante (en vertu de la Loi sur les normes du travail, article 124)*, Montréal, Wilson & Lafleur ltée, 1992, p. 63 à 89.

CROYANCE EN UN CONGÉDIEMENT SANS CAUSE JUSTE ET SUFFISANTE

124/355 La croyance en un congédiement est subjective, le plaignant ayant la latitude de qualifier lui-même la situation dans laquelle il se trouve.
Courchesne c. *Restaurant & Charcuterie Bens inc.*, D.T.E. 88T-955 (T.A.) (révision judiciaire cassée en appel: (1990) R.D.J. 148 (C.A.), D.T.E. 90T-143 (C.A.), J.E. 90-236 (C.A.)) (autorisation d'appeler à la Cour suprême refusée).

124/356 L'expression «qui croit avoir été congédié» ne prive pas le salarié de devoir prouver de façon prépondérante les faits soutenant sa prétention. Le commissaire ne peut se satisfaire d'une simple croyance ou expression d'un état d'âme.
Paquet c. *Jean (Tabagie André Jean enr.)*, D.T.E. 2005T-171 (C.R.T.).
Côté c. *Imprimerie Cowansville inc.*, D.T.E. 99T-910 (C.T.).

124/357 Une plainte déposée trois mois avant la rupture du lien d'emploi est recevable à la condition qu'au moment du dépôt, le salarié croit avoir été congédié.
Rochefort c. *Supermarchés A. Gagnon inc.*, D.T.E. 2000T-674 (C.T.).
Trottier-Fackini c. *Hébert, Denault, société en nom collectif*, D.T.E. 2000T-327 (C.T.).

124/358 L'article 124 L.N.T. accorde au salarié qui «croit» avoir été congédié sans cause juste et suffisante, le droit de soumettre une plainte à la Commission.
Investissements Trizec ltée c. *Hutchison*, (1989) 18 Q.A.C. 316, D.T.E. 87T-764 (C.A.).
Ambaw c. *Bijoux Continental inc.*, D.T.E. 98T-757 (C.T.).

V. aussi: *Dupuis* c. *Centre hospitalier Georges-Frédéric*, D.T.E. 83T-344 (T.A.).
KHD Canada inc. c. *Lutchman*, D.T.E. 83T-358 (T.A.).

124/359 Pour que la plainte soit suffisamment étayée aux fins de l'admissibilité du recours à l'arbitrage, le dossier doit contenir la preuve d'un renvoi et l'allégation de la croyance en un congédiement sans cause juste et suffisante.
Caisse d'établissement Saguenay—Lac-St-Jean c. *Harvey*, (1982) T.A. 790, D.T.E. 82T-164 (T.A.).
Rioux c. *F.D.L. Co. ltée*, (1981) 1 R.S.A. 97, D.T.E. 82T-803 (T.A.).
Roy et Frères Joliette ltée c. *Guilbeault*, D.T.E. 82T-766 (T.A.).

124/360 L'article 124 L.N.T. tel que rédigé permet au salarié concerné de qualifier lui-même dès le départ la situation ou la position dans laquelle il se trouve.
KHD Canada inc. c. *Lutchman*, D.T.E. 83T-358 (T.A.).

124/361 Le refus d'un employeur de réintégrer le salarié après une cure de désintoxication constitue un congédiement. En effet, dès que l'employeur refuse le retour au travail du salarié, la suspension indéterminée prend fin étant donné que la situation est assimilable à un congédiement.
Vaillancourt c. *Métal 7 inc.*, D.T.E. 2007T-569 (C.R.T.).

124/362 C'est au plaignant qu'incombe d'abord le fardeau d'établir les conditions d'ouverture du recours, notamment s'il croit avoir été congédié. Le fardeau de preuve du salarié se limite à la démonstration des faits qui motivent cette croyance, outre les autres facteurs.
Blain c. *Pinkerton du Québec ltée*, D.T.E. 93T-724 (C.T.).
Turpin c. *Château de l'Aéroport*, D.T.E. 90T-420 (T.A.).

124/363 Le plaignant doit établir juridiquement sa croyance personnelle à l'effet qu'il a été congédié sans cause juste et suffisante. L'employeur a le fardeau de démontrer le contraire.
Godin c. *Monette*, D.T.E. 98T-390 (C.S.), J.E. 98-783 (C.S.) (désistement d'appel).
Perron c. *Cie minière I.O.C.*, (1982) T.A. 921, D.T.E. 82T-838 (T.A.).
V. aussi la jurisprudence sous l'article 124 L.N.T. à PREUVE ET PROCÉDURE, *Fardeau de la preuve*.

CONGÉDIEMENT

Général

124/364 Ce n'est qu'en cas de congédiement que le recours existe.
Gagné c. *Commission scolaire de Chicoutimi*, (1996) R.D.J. 85 (C.A.), D.T.E. 96T-78 (C.A.), J.E. 96-177 (C.A.), conf. D.T.E. 91T-788 (C.S.).
Donohue inc. c. *Simard*, (1988) R.J.Q. 2118 (C.A.), D.T.E. 88T-819 (C.A.), J.E. 88-1118 (C.A.) (autorisation d'appeler à la Cour suprême refusée).
Canadac inc. c. *Beetz*, D.T.E. 90T-108 (C.S.).
Dumont c. *Assurances Maurice de Champlain (1983) inc.*, D.T.E. 2004T-389 (C.R.T.).
Gosselin c. *Québec (Ministère de l'Emploi et de la Solidarité sociale)*, D.T.E. 2002T-810 (C.T.).
V. aussi: *Comité paritaire de l'industrie de l'automobile de Montréal et du district* c. *Fortin*, (1987) T.A. 411, D.T.E. 87T-593 (T.A.).

124/365 Il revient à l'employeur de prouver que le congédiement n'en est pas un.
Coopérative funéraire de l'Outaouais c. *Desjardins*, D.T.E. 95T-80 (C.S.).
Beaulieu c. *9116-7890 Québec inc.*, D.T.E. 2006T-907 (C.R.T.).
Turpin c. *Château de l'Aéroport*, D.T.E. 90T-420 (T.A.).
Lapierre c. *Pavane Mayfair ltée*, (1985) T.A. 380, D.T.E. 85T-452 (T.A.).
Caza c. *Hudson's Bay Whole Sale*, D.T.E. 83T-800 (T.A.).
Dupuis c. *Centre hospitalier Georges-Frédéric*, D.T.E. 83T-344 (T.A.).
Fercomat inc. c. *Girard*, D.T.E. 82T-603 (T.A.).
Kondro c. *Cie de publicité Trans-public ltée*, D.T.E. 82T-355 (T.A.).
Morin c. *Firestone Canada inc.*, D.T.E. 82T-670 (T.A.).
Perron c. *Cie minière I.O.C.*, (1982) T.A. 921, D.T.E. 82T-838 (T.A.).
V. la jurisprudence sous PREUVE ET PROCÉDURE, *Fardeau de la preuve*.

124/366 Le congédiement doit être prouvé par le salarié comme condition d'ouverture au recours prévu par les dispositions de l'article 124 L.N.T., ainsi que le fait, par l'employeur, de mettre fin à l'emploi du salarié.
Milette c. *9081-2017 Québec inc. (Transport MRB)*, D.T.E. 2008T-687 (C.R.T.).

124/367 Tout employeur est tenu à une obligation de bonne foi, sinon de loyauté, envers un salarié durant l'exécution du contrat de travail et lors de sa rupture.
Rivard c. *Atlantic Produits d'emballage ltée*, (1999) R.J.D.T. 207 (C.T.), D.T.E. 99T-69 (C.T.).

124/368 Le terme «congédiement» possède un sens très large et doit être interprété libéralement.
Investissements Trizec ltée c. *Hutchison*, (1989) 18 Q.A.C. 316, D.T.E. 87T-764 (C.A.).
London Life, Cie d'assurance-vie c. *Bolduc*, D.T.E. 85T-187 (C.S.).
Contra: *Canstar Sports Group inc.* c. *Laporte*, D.T.E. 90T-1393 (C.S.).
Corp. de crédit commercial ltée c. *Ladouceur*, D.T.E. 84T-541 (C.S.).

124/369 Le congédiement au sens de l'article 124 L.N.T. n'est pas un contrat, mais bien un moyen de mettre fin au contrat de travail.
Ditata c. *Vaillancourt*, D.T.E. 2002T-1008 (C.S.), J.E. 2002-1924 (C.S.), REJB 2002-33724 (C.S.).

124/370 Le terme «congédiement» doit recevoir une interprétation libérale pour couvrir toutes les formes de terminaison d'emploi.
Collège d'affaires Ellis inc. c. *Lafleur*, D.T.E. 83T-535 (C.S.) (appel rejeté: C.A.M. n° 500-09-000620-831, le 11 octobre 1984).
Thibeault c. *Société touristique de L'Anse-à-la-Croix*, (2004) R.J.D.T. 233 (C.R.T.), D.T.E. 2004T-257 (C.R.T.).
KHD Canada inc. c. *Lutchman*, D.T.E. 83T-358 (T.A.).
Kratsios c. *Experts-conseil, Shawinigan inc.*, (1983) T.A. 739, D.T.E. 83T-481 (T.A.).
Maillé c. *Produits forestiers Saucier ltée*, (1983) T.A. 747, D.T.E. 83T-68 (T.A.).
Drummond Formules d'affaires ltée c. *Pépin*, (1982) T.A. 801, D.T.E. 82T-287 (T.A.).

124/371 Le terme «congédiement» n'a pas un sens restrictif, il s'applique à tout acte mettant fin au lien d'emploi du salarié avec son employeur.
Voyer c. *Alimentation Jonlac inc.*, D.T.E. 90T-1102 (T.A.).

Roy c. *Université de Montréal*, (1987) T.A. 309, D.T.E. 87T-453 (T.A.).
Généreux c. *Presse ltée (La)*, D.T.E. 84T-481 (T.A.).
Fortin-Deustch c. *Diplômés de l'Université de Montréal*, (1983) T.A. 1044, D.T.E. 83T-673 (T.A.) (révision judiciaire refusée: D.T.E. 85T-287 (C.S.)).
KHD Canada inc. c. *Lutchman*, D.T.E. 83T-358 (T.A.).
Maillé c. *Produits forestiers Saucier ltée*, (1983) T.A. 747, D.T.E. 83T-68 (T.A.).
Drummond Formules d'affaires ltée c. *Pépin*, (1982) T.A. 801, D.T.E. 82T-287 (T.A.).
Perron c. *Cie minière I.O.C.*, (1982) T.A. 921, D.T.E. 82T-838 (T.A.).
Petits frères des pauvres c. *Sobrino*, D.T.E. 82T-307 (T.A.).
Ceratex inc. c. *Cloutier*, (1981) 3 R.S.A. 199.
Fédération des agricotours du Québec c. *Marien*, (1981) 2 R.S.A. 504.

124/372 La notion de congédiement fait référence et englobe toute cessation d'emploi à l'initiative de l'employeur et qui donne droit à un préavis. Pour conclure à un congédiement au sens de l'article 124 L.N.T., par opposition à un licenciement, il faut examiner l'intention de l'employeur.
Dallaire c. *Prolab Technolub inc.*, D.T.E. 2007T-809 (C.R.T.).
Leduc c. *Communications Québécor inc. (Parlons Affaires)*, D.T.E. 2000T-871 (C.T.) (révision judiciaire refusée: D.T.E. 2001T-267 (C.S.), REJB 2001-23016 (C.S.)).

124/373 Le congédiement est un acte juridique destiné à éteindre des obligations; il nécessite un geste ou une manifestation de volonté de la part de l'employeur.
Bacon c. *Caisse populaire Desjardins de Godbout*, D.T.E. 87T-768 (T.A.).

124/374 Le terme «congédiement» doit être interprété dans le cadre de la *Loi sur les normes du travail* en lui donnant son sens naturel et courant. On ne peut, par contrat, en restreindre le contenu ni priver un salarié de ses recours en qualifiant un congédiement de cessation d'emploi, de mutation ou autrement.
F.W. Woolworth Co. c. *Corriveau*, D.T.E. 85T-286 (C.S.).

124/375 Le terme «congédiement» ne vise que les ruptures du lien d'emploi qui sont causées par des motifs subjectifs et liés aux caractéristiques propres du salarié.
Nortel Networks (Nortel) c. *Monette*, (2002) R.J.D.T. 101 (C.S.), D.T.E. 2002T-15 (C.S.), J.E. 2002-39 (C.S.), REJB 2001-28293 (C.S.).

124/376 Le congédiement est d'abord et avant tout un renvoi d'un salarié par l'employeur; il y a donc congédiement lorsque l'employeur décide unilatéralement de mettre fin de façon définitive au contrat de travail qui le liait jusque-là à l'employé.
Bolduc c. *2948-7980 Québec inc.*, D.T.E. 2007T-878 (C.R.T.).
Harel c. *Cie d'assurances générales Cumis*, D.T.E. 93T-611 (C.T.).

124/377 Le congédiement est un geste unilatéral de l'employeur, il ne suffit pas à ce dernier de décider de mettre fin au contrat, il doit en informer l'autre partie pour que le congédiement existe.
Christophe c. *Sacs à main Santi ltée, Agences Derma ltée*, (1984) T.A. 553, D.T.E. 84T-744 (T.A.).
Demers c. *Campeau Corp.*, D.T.E. 84T-843 (T.A.).

124/378 Le terme «congédiement» n'est pas si vaste qu'il permettrait à l'arbitre de substituer ses critères à ceux de la compagnie et d'évaluer la sagesse d'une

décision administrative, aucunement abusive, discriminatoire, malicieuse ou déraisonnable.
Kratsios c. *Experts-conseil Shawinigan inc.*, (1983) T.A. 739, D.T.E. 83T-481 (T.A.).

124/379 Le salarié qui est congédié sans cause juste et suffisante a droit au remède de l'article 124 L.N.T., alors que celui qui est licencié a droit au délai de congé prévu par les dispositions du *Code civil du Québec*. Toute autre interprétation aurait pour effet de conférer au salarié qui dispose du recours basé sur l'article 124 L.N.T. une protection non seulement de l'emploi, mais aussi de toutes les conditions de travail qui y sont rattachées.
Leduc c. *Communications Québécor inc. (Parlons Affaires)*, D.T.E. 2000T-871 (C.T.) (révision judiciaire refusée: D.T.E. 2001T-267 (C.S.), REJB 2001-23016 (C.S.)).

124/380 Le bris unilatéral de la relation d'emploi par l'employeur peut résulter d'un congédiement disciplinaire, basé sur un motif subjectif relié au salarié, tel le rendement, le comportement ou le non-respect d'une obligation contractuelle, ou il peut résulter d'un congédiement administratif, fondé sur des motifs et objectifs reliés à l'entreprise, tel la diminution de la vitalité économique, la réorganisation administrative ou l'inadéquation entre le profil de l'emploi et celui de l'individu en cause.

La réalité du congédiement administratif renvoie aux situations de mise à pied, possibilité de retour au travail, ou de licenciement, non-possibilité de retour au travail.
Léveillée c. *Murs secs Jalap inc.*, D.T.E. 93T-816 (C.A.), J.E. 93-1338 (C.A.).
Donohue inc. c. *Simard*, (1988) R.J.Q. 2118 (C.A.), D.T.E. 88T-819 (C.A.), J.E. 88-1118 (C.A.) (autorisation d'appeler à la Cour suprême refusée).
RSW inc. c. *Moro*, D.T.E. 2006T-290 (C.S.), EYB 2006-101923 (C.S.) (appel rejeté: D.T.E. 2007T-648 (C.A.), J.E. 2007-1480 (C.A.), EYB 2007-121975 (C.A.)).
Atelier du martin-pêcheur inc. c. *Bureau du commissaire général du travail*, (2000) R.J.D.T. 123 (C.S.), D.T.E. 2000T-207 (C.S.), J.E. 2000-426 (C.S.), REJB 2000-17002 (C.S.) (désistement d'appel).
Wohl c. *Joly*, D.T.E. 96T-291 (C.S.).
Coopérative funéraire de l'Outaouais c. *Desjardins*, D.T.E. 95T-80 (C.S.).
Veillette & Deschênes ltée c. *C.N.T.*, D.T.E. 84T-825 (C.S.).
Lavalin inc. c. *Deslierres*, (1983) C.S. 470, D.T.E. 83T-570 (C.S.), J.E. 83-743 (C.S.).
Léonce Harvey ltée c. *Girard*, D.T.E. 83T-239 (C.S.), J.E. 83-386 (C.S.).
Théorêt c. *Bodycote Essais de matériaux Canada inc. (Technitrol Bodycote)*, D.T.E. 2008T-99 (C.R.T.) (règlement hors cour).
Bolduc c. *2948-7980 Québec inc.*, D.T.E. 2007T-878 (C.R.T.).
Laberge c. *Busque & Laflamme inc.*, D.T.E. 2007T-942 (C.R.T.) (révision en vertu de l'article 127 C.T. refusée: D.T.E. 2008T-313 (C.R.T.)) (requête en révision judiciaire: n° 350-17-000099-070).
Laurin c. *Maison Libère-Elles*, D.T.E. 2007T-791 (C.R.T.).
Malette c. *3948331 Canada inc. (Allure Concept Mode)*, D.T.E. 2007T-235 (C.R.T.).
Mignelli c. *Seigneurie Pontiac Buick inc.*, (2006) R.J.D.T. 772 (C.R.T.), D.T.E. 2006T-419 (C.R.T.).
Radacovsky c. *Grands Ballets canadiens de Montréal*, D.T.E. 2006T-169 (C.R.T.).
Lavigueur c. *Québec (Ministère de la Culture et des Communications)*, (2000) R.J.D.T. 1757 (C.T.), D.T.E. 2000T-1199 (C.T.).
Magnan c. *Guillevin international inc.*, D.T.E. 2000T-134 (C.T.).
Mecugni c. *Silonex inc.*, (2000) R.J.D.T. 1746 (C.T.), D.T.E. 2000T-1175 (C.T.).
Bélanger c. *Clair Foyer*, D.T.E. 96T-40 (C.T.).

Moreau c. *Entreprise de teinture Suprême inc.*, (1995) C.T. 373, D.T.E. 95T-996 (C.T.).
Corriveau c. *Lambert Somec inc., division H. Roberge*, D.T.E. 90T-607 (T.A.).
Korngold c. *Cosigma Lavalin inc.*, D.T.E. 90T-824 (T.A.).
Bouchard c. *Université de Montréal*, D.T.E. 87T-596 (T.A.).
Desloges c. *Laprade*, D.T.E. 87T-59 (T.A.).
Gauvin c. *Stoneham et Tewkesbury (Corp. mun. des cantons unis de)*, (1986) T.A. 479, D.T.E. 86T-574 (T.A.).
Gagnon c. *Environcorp protection de l'environnement (1984) inc.*, D.T.E. 85T-816 (T.A.).
Cossette c. *Radex ltée*, (1984) T.A. 17, D.T.E. 84T-50 (T.A.) (révision judiciaire refusée: C.S. Chicoutimi, n° 150-05-000032-849, le 13 août 1984, conf. par D.T.E. 85T-922 (C.A.)).
De Melo c. *Dog Studio (The)*, (1984) T.A. 460, D.T.E. 84T-562 (T.A.).
Desgagné c. *Magasin Coop de Roberval*, (1984) T.A. 409, D.T.E. 84T-501 (T.A.).
Plamondon c. *Du Vallon Chrysler Plymouth ltée*, (1984) T.A. 164, D.T.E. 84T-245 (T.A.).
Moyen c. *Auto-électricité (1982) ltée*, D.T.E. 83T-895 (T.A.).
Caisse d'établissement Saguenay—Lac-St-Jean c. *Harvey*, (1982) T.A. 790, D.T.E. 82T-164 (T.A.).
Roy et Frères Joliette ltée c. *Guilbeault*, D.T.E. 82T-766 (T.A.).

124/381 Auparavant, on associait la notion de congédiement à celle de rupture du lien d'emploi. Maintenant, le congédiement correspond plutôt à une rupture du contrat d'emploi lui-même. En effet, ou bien le contrat d'emploi est rompu, ou bien les conditions du contrat d'emploi sont à ce point modifiées que cela équivaut à y mettre fin.
Lavigueur c. *Québec (Ministère de la Culture et des Communications)*, (2000) R.J.D.T. 1757 (C.T.), D.T.E. 2000T-1199 (C.T.).

124/382 Le congédiement prévu aux articles 124 et 128 L.N.T. implique des changements dans les caractéristiques du salarié, tant pour des manquements non disciplinaires que disciplinaires.
Caisse d'établissement Saguenay—Lac-St-Jean c. *Harvey*, (1982) T.A. 790, D.T.E. 82T-164 (T.A.).

124/383 Le refus de fournir un contrat de travail écrit ne constitue pas un congédiement.
Leduc c. *Communications Québécor inc. (Parlons Affaires)*, D.T.E. 2000T-871 (C.T.) (révision judiciaire refusée: D.T.E. 2001T-267 (C.S.), REJB 2001-23016 (C.S.)).

124/384 N'est pas victime de congédiement, le salarié, qui après le moment où il s'estime avoir été congédié, continue d'être rappelé au travail. Il est plutôt victime d'une réorganisation de l'entreprise.
Michaud c. *Groupe Dinaco, coopérative agro-alimentaire*, D.T.E. 97T-38 (C.T.).

124/385 L'article 124 L.N.T. ne vise que les cas de congédiement. Il ne vise pas les cas de suspension.
Provost c. *Morris & Mackenzie inc.*, D.T.E. 2002T-829 (C.T.).

124/386 La dissolution d'une société en nom collectif faisant en sorte que tous les salariés ont été licenciés, ne peut permettre de conclure qu'il y a eu congédiement au sens de l'article 124 L.N.T.
Trottier-Fackini c. *Hébert, Denault, société en nom collectif*, D.T.E. 2000T-327 (C.T.).

124/387 Le congédiement doit se rattacher à des causes subjectives liées au salarié; c'est sa conduite, ses aptitudes et sa compétence qui sont concernées.
Ross c. *Pétroles Spur ltée*, (1982) T.A. 796, D.T.E. 82T-245 (T.A.).
V. aussi: *Bergeron* c. *Publications Dumont (1988) inc.*, (1996) C.T. 268, D.T.E. 96T-691 (C.T.) (révision judiciaire refusée: C.S. Hull, n° 550-05-002841-966, le 5 septembre 1996) (appel rejeté: D.T.E. 2000T-59 (C.A.), J.E. 2000-136 (C.A.), REJB 1999-15538 (C.A.)).

Rôle et pouvoirs du commissaire

124/388 Le commissaire est un décideur impartial et indépendant.
Cloutier c. *Québec (Ministre de la Main-d'oeuvre, de la Sécurité du revenu et de la Formation professionnelle)*, (1998) R.J.Q. 1430 (C.A.), (1998) R.J.D.T. 1083 (C.A.), D.T.E. 98T-671 (C.A.), J.E. 98-1330 (C.A.), REJB 1998-05869 (C.A.).

124/389 La question de décider de la justesse du congédiement d'un salarié est au coeur même de la compétence du commissaire et sa décision ne peut être révisée que si son interprétation est manifestement déraisonnable.
Société des traversiers du Québec c. *Jourdain (Succession de)*, (1999) R.J.Q. 1626 (C.A.), (1999) R.J.D.T. 1032 (C.A.), D.T.E. 99T-629 (C.A.), J.E. 99-1392 (C.A.), REJB 1999-12858 (C.A.).
Garage Montplaisir ltée c. *Couture*, D.T.E. 2001T-1090 (C.S.).

124/390 Il est établi que la question de la qualification de la rupture du lien d'emploi est assujettie à la norme de contrôle de la décision manifestement déraisonnable.
Ste-Rita (Municipalité de) c. *Commission des relations du travail*, D.T.E. 2008T-193 (C.S.).

124/391 La détermination de la nature de la rupture du lien d'emploi au sens de la *Loi sur les normes du travail* est une question qui relève de la compétence même du commissaire, il ne s'agit pas d'une question préliminaire à l'exercice de sa compétence.
Lamy c. *Kraft ltée*, (1991) R.D.J. 61 (C.A.), D.T.E. 91T-49 (C.A.), J.E. 91-114 (C.A.) (j. Chevalier).
Messagerie de presse Benjamin inc. c. *Bureau du commissaire général du travail*, D.T.E. 2003T-513 (C.S.) (désistement d'appel).
Biochem thérapeutique inc. c. *Dufault*, D.T.E. 99T-288 (C.S.), J.E. 99-653 (C.S.), REJB 1999-10575 (C.S.).

Voir à l'effet contraire par le juge Chevalier:
Donohue inc. c. *Simard*, (1988) R.J.Q. 2118 (C.A.), D.T.E. 88T-819 (C.A.), J.E. 88-1118 (C.A.) (autorisation d'appeler à la Cour suprême refusée).
V. aussi: *Brasseries Molson* c. *Laurin*, D.T.E. 93T-1189 (C.S.), J.E. 93-1796 (C.S.) (désistement d'appel).
Canstar Sports Group inc. c. *Laporte*, D.T.E. 90T-1393 (C.S.).

Lire avec intérêt les décisions suivantes où l'on semble conclure que l'existence d'un congédiement est une question intrajuridictionnelle:
Blanchard c. *Control Data Canada ltée*, (1984) 2 R.C.S. 476.
Blais c. *Bélanger*, (1998) R.J.D.T. 42 (C.A.), D.T.E. 98T-320 (C.A.), J.E. 98-660 (C.A.).
Malo c. *Côté-Desbiolles*, (1995) R.J.Q. 1686 (C.A.), D.T.E. 95T-827 (C.A.), J.E. 95-1438 (C.A.) (autorisation d'appeler à la Cour suprême refusée).
Industries Moplastex (1986) inc. c. *Tremblay*, (1991) R.L. 508 (C.A.), D.T.E. 91T-694 (C.A.), J.E. 91-1025 (C.A.).

Boyer c. *Hewitt Equipment ltée*, (1988) R.J.Q. 2112 (C.A.), D.T.E. 88T-656 (C.A.), J.E. 88-1117 (C.A.).
Polysos c. *Wallmaster Cleaning Services Ltd.*, D.T.E. 88T-13 (C.A.).
Investissements Trizec ltée c. *Hutchison*, (1989) 18 Q.A.C. 316, D.T.E. 87T-764 (C.A.).
Bilodeau c. *Bata industries Ltd.*, (1986) R.J.Q. 531 (C.A.), D.T.E. 86T-143 (C.A.), J.E. 86-218 (C.A.).
Rémillard c. *Gabriel of Canada Ltd.*, D.T.E. 86T-361 (C.A.).
Asselin c. *Industries Abex ltée*, (1985) C.A. 72, D.T.E. 85T-134 (C.A.), J.E. 85-204 (C.A.) (autorisation d'appeler à la Cour suprême refusée).
Laflamme c. *Commission des relations du travail*, D.T.E. 2007T-326 (C.S.), EYB 2007-116328 (C.S.).
Pétroles Bois-Francs (2000) inc. c. *Gélinas*, D.T.E. 2005T-385 (C.S.) (règlement hors cour).
Alexandrovitch c. *Monette*, D.T.E. 2004T-234 (C.S.).
Sealrez inc. c. *Commission des relations du travail*, D.T.E. 2003T-882 (C.S.), J.E. 2003-1699 (C.S.), REJB 2003-46414 (C.S.).
Garage Montplaisir ltée c. *Couture*, D.T.E. 2001T-1090 (C.S.).
Caisse populaire Desjardins de Charny c. *Bélanger*, D.T.E. 98T-116 (C.S.).
Lavoie c. *Garant*, (1998) R.J.D.T. 1600 (C.S.), D.T.E. 98T-1177 (C.S.), J.E. 98-2265 (C.S.).
Mr. Jeff inc. c. *Monette*, D.T.E. 97T-885 (C.S.).
Lumca inc. c. *Levac*, D.T.E. 96T-325 (C.S.).
Coopérative funéraire de l'Outaouais c. *Desjardins*, D.T.E. 95T-80 (C.S.).
Papeterie Montpetit inc. c. *Lalonde*, (1994) R.J.Q. 727 (C.S.), D.T.E. 94T-292 (C.S.), J.E. 94-501 (C.S.).
Canadac inc. c. *Beetz*, D.T.E. 90T-108 (C.S.).
Union des employés du transport local et industries diverses, local 931 c. *Beetz*, (1990) R.J.Q. 1358 (C.S.), D.T.E. 90T-696 (C.S.), J.E. 90-846 (C.S.).
Imprimerie Laprairie inc. c. *Doucet*, (1989) R.J.Q. 1283 (C.S.), D.T.E. 89T-516 (C.S.), J.E. 89-850 (C.S.).
Université de Montréal c. *Cloutier*, (1988) R.J.Q. 511 (C.S.), D.T.E. 88T-138 (C.S.), J.E. 88-209 (C.S.).
Gestion Pervenche ltée c. *Dufour*, D.T.E. 86T-258 (C.S.) (appel rejeté: C.A.M. n° 500-09-000328-864, le 13 octobre 1987).
Nouveautés Luxor (Canada) ltée c. *Legendre*, D.T.E. 86T-335 (C.S.).
Breuvages Lemoyne ltée c. *Cournoyer*, D.T.E. 85T-484 (C.S.).
Consoltex Canada inc. c. *Taran*, D.T.E. 84T-76 (C.S.), J.E. 84-96 (C.S.).
Cie minière I.O.C. c. *Boucher*, D.T.E. 82T-436 (C.S.).
Joly c. *Rehau Industries inc.*, (2005) R.J.D.T. 793 (C.R.T.), D.T.E. 2005T-462 (C.R.T.).
Voyer c. *Alimentation Jonlac inc.*, D.T.E. 90T-1102 (T.A.).

124/392 Le commissaire doit déterminer si la décision prise par l'employeur équivaut à un congédiement et si celui-ci a une cause juste et suffisante pour agir ainsi.
Publications Dumont (1988) inc. c. *Doré*, D.T.E. 2000T-59 (C.A.), J.E. 2000-136 (C.A.), REJB 1999-15538 (C.A.).
Lamy c. *Kraft ltée*, (1991) R.D.J. 61 (C.A.), D.T.E. 91T-49 (C.A.), J.E. 91-114 (C.A.).
Bedoui c. *Dufresne*, D.T.E. 88T-73 (C.A.).
Bilodeau c. *Bata industries Ltd.*, (1986) R.J.Q. 531 (C.A.), D.T.E. 86T-143 (C.A.), J.E. 86-218 (C.A.).
Messagerie de presse Benjamin inc. c. *Bureau du commissaire général du travail*, D.T.E. 2003T-513 (C.S.) (désistement d'appel).
Lumca inc. c. *Levac*, D.T.E. 96T-325 (C.S.).

Papeterie Montpetit inc. c. *Lalonde*, (1994) R.J.Q. 727 (C.S.), D.T.E. 94T-292 (C.S.), J.E. 94-501 (C.S.).
Cie minière I.O.C. c. *Boucher*, D.T.E. 82T-436 (C.S.).

124/393 Le rôle d'un commissaire saisi d'une plainte déposée selon l'article 124 L.N.T. est de décider si le salarié a été congédié pour une cause juste et suffisante. Cela ne lui permet pas de s'immiscer dans les droits de gérance et dans la politique de gestion de l'employeur. Un commissaire ne peut faire le procès de la justification d'un employeur de ne pas accorder, entre autres, un congé sans solde. Ce faisant, le commissaire s'arroge des droits de gérance qui ne sont pas de son ressort ni de sa compétence. Le commissaire n'est pas un arbitre de griefs nommé pour interpréter et appliquer une convention collective en vertu du *Code du travail*. Il est bien établi qu'il ne peut pas substituer son jugement à celui de l'employeur dans la gestion de son entreprise.
Future Electronics Inc. c. *Monette*, D.T.E. 2008T-643 (C.S.), EYB 2008-137409 (C.S.) (en appel: n° 500-09-018852-087).

124/394 L'exercice par la Commission des relations du travail de sa compétence pour se prononcer sur une plainte contestant un congédiement fait sans cause juste et suffisante ne peut dépendre de la discrétion, du caprice ou, à la limite, de la qualification que fait l'employeur de son propre geste.
Lamy c. *Kraft ltée*, (1991) R.D.J. 61 (C.A.), D.T.E. 91T-49 (C.A.), J.E. 91-114 (C.A.).
Joly c. *Rehau Industries inc.*, (2005) R.J.D.T. 793 (C.R.T.), D.T.E. 2005T-462 (C.R.T.).

124/395 Le commissaire n'a d'autre choix que d'évaluer s'il s'agit d'un congédiement de nature disciplinaire ou non, et de vérifier la proportionnalité de la mesure en fonction des fautes reprochées aux salariés. En omettant de faire cette évaluation, le commissaire commet une erreur manifestement déraisonnable.
Blanchet c. *Girard*, D.T.E. 99T-1173 (C.S.), J.E. 99-2369 (C.S.), REJB 1999-15674 (C.S.), conf. par D.T.E. 2001T-1178 (C.A.), REJB 2001-27115 (C.A.).

124/396 Le rôle du commissaire consiste, entre autres, à déterminer si le congédiement est une mesure appropriée compte tenu de toutes les circonstances de l'affaire.
Morin c. *Institut national d'optique*, D.T.E. 2003T-1057 (C.R.T.) (révision judiciaire refusée: C.S.Q. n° 200-17-003864-030, le 25 janvier 2006) (permission d'appeler refusée: D.T.E. 2006T-693 (C.A.), J.E. 2006-1429 (C.A.), EYB 2006-107237 (C.A.)).

124/397 Le commissaire a bel et bien la compétence et le droit de vérifier si le motif invoqué par l'employeur n'est qu'un simple prétexte masquant un congédiement sans cause juste et suffisante.
Blais c. *Bélanger*, (1998) R.J.D.T. 42 (C.A.), D.T.E. 98T-320 (C.A.), J.E. 98-660 (C.A.).

124/398 La compétence première du commissaire consiste à déterminer si le salarié a été congédié pour une cause juste et suffisante. En matière d'abus de confiance, cela oblige le commissaire à déterminer si, premièrement, l'employeur a raison de prétendre que le salarié a trompé sa confiance soit parce que le plan d'activités soumis par ce dernier ne correspondait pas à ses activités réelles et si, deuxièmement, les agissements du salarié constituent une faute telle qu'elle peut donner lieu à un congédiement sans avertissement ou réprimande préalable.
Gagnon c. *Laboratoires Nordic inc.*, D.T.E. 94T-77 (C.A.), J.E. 94-165 (C.A.).

124/399 Il appartient au commissaire de vérifier la nature et la cause de la rupture du lien d'emploi, et ce, peu importe les termes utilisés par l'employeur pour mettre fin à l'emploi.
RSW inc. c. *Moro*, D.T.E. 2006T-290 (C.S.), EYB 2006-101923 (C.S.) (appel rejeté: D.T.E. 2007T-648 (C.A.), J.E. 2007-1480 (C.A.), EYB 2007-121975 (C.A.)).
F.W. Woolworth Co. c. *Corriveau*, D.T.E. 85T-286 (C.S.).
Lavalin inc. c. *Deslierres*, (1983) C.S. 470, D.T.E. 83T-570 (C.S.), J.E. 83-743 (C.S.).
Gilbert c. *École supérieure de danse du Québec*, D.T.E. 94T-613 (C.T.).

124/400 Il revient au commissaire, en exclusivité, de déterminer si les mesures prises par l'employeur constituent une mesure disciplinaire ou non disciplinaire.
Nortel Networks (Nortel) c. *Monette*, (2002) R.J.D.T. 101 (C.S.), D.T.E. 2002T-15 (C.S.), J.E. 2002-39 (C.S.), REJB 2001-28293 (C.S.).
Commission scolaire Kativik c. *Côté-Desbiolles*, D.T.E. 98T-1031 (C.S.), J.E. 98-1983 (C.S.), REJB 1998-07760 (C.S.) (appel principal accueilli et appel incident rejeté: D.T.E. 2001T-972 (C.A.), J.E. 2001-1839 (C.A.), REJB 2001-26508 (C.A.)).

124/401 Même lorsque la situation semble en être une de licenciement, le commissaire doit vérifier si le licenciement n'est pas en réalité un congédiement.
Turpin c. *Château de l'Aéroport*, D.T.E. 90T-420 (T.A.).
Association d'hospitalisation du Québec c. *Latreille*, (1987) T.A. 458, D.T.E. 87T-681 (T.A.).
Cie Germicide canadienne ltée c. *Madoff*, D.T.E. 84T-263 (T.A.).
Wajs c. *Talmud Torahs unis de Montréal inc.*, D.T.E. 84T-207 (T.A.).
Corp. de crédit commercial ltée c. *Loczy*, D.T.E. 83T-979 (T.A.).
Dupuis c. *Centre hospitalier Georges-Frédéric*, D.T.E. 83T-344 (T.A.).
Caisse d'établissement Saguenay—Lac-St-Jean c. *Harvey*, (1982) T.A. 790, D.T.E. 82T-164 (T.A.).
Demers Express inc. c. *Gaudet*, D.T.E. 82T-388 (T.A.).
Perron c. *Cie minière I.O.C.*, (1982) T.A. 921, D.T.E. 82T-838 (T.A.).

124/402 Le commissaire peut apprécier toute mesure conduisant à la rupture du contrat de travail, même celle fondée sur des considérations d'ordre strictement économique.
Black c. *Conval Québec*, D.T.E. 83T-775 (T.A.).
Kratsios c. *Experts-conseil Shawinigan inc.*, (1983) T.A. 739, D.T.E. 83T-481 (T.A.).

124/403 Dès que le commissaire constate qu'une terminaison d'emploi résulte d'un licenciement, il doit décliner compétence, car il ne peut se prononcer que dans le cas d'un congédiement sans cause juste et suffisante.
Blais c. *Bélanger*, (1998) R.J.D.T. 42 (C.A.), D.T.E. 98T-320 (C.A.), J.E. 98-660 (C.A.).
St-Georges c. *Deschamps Pontiac Buick G.M.C. ltée*, D.T.E. 97T-1342 (C.A.), J.E. 97-2113 (C.A.) (autorisation d'appeler à la Cour suprême refusée).
Bassant c. *Dominion Textile inc.*, (1993) R.D.J. 220 (C.A.), D.T.E. 92T-1374 (C.A.), J.E. 92-1781 (C.A.).
Donohue inc. c. *Simard*, (1988) R.J.Q. 2118 (C.A.), D.T.E. 88T-819 (C.A.), J.E. 88-1118 (C.A.) (autorisation d'appeler à la Cour suprême refusée).
RSW inc. c. *Moro*, D.T.E. 2006T-290 (C.S.), EYB 2006-101923 (C.S.) (appel rejeté: D.T.E. 2007T-648 (C.A.), J.E. 2007-1480 (C.A.), EYB 2007-121975 (C.A.)).
Biochem thérapeutique inc. c. *Dufault*, D.T.E. 99T-288 (C.S.), J.E. 99-653 (C.S.), REJB 1999-10575 (C.S.).

Papeterie Montpetit inc. c. *Lalonde*, (1994) R.J.Q. 727 (C.S.), D.T.E. 94T-292 (C.S.), J.E. 94-501 (C.S.).
Canadac inc. c. *Beetz*, D.T.E. 90T-108 (C.S.).
Canstar Sports Group inc. c. *Laporte*, D.T.E. 90T-1393 (C.S.).
Imprimerie Laprairie inc. c. *Doucet*, (1989) R.J.Q. 1283 (C.S.), D.T.E. 89T-516 (C.S.), J.E. 89-850 (C.S.).
Université de Montréal c. *Cloutier*, (1988) R.J.Q. 511 (C.S.), D.T.E. 88T-138 (C.S.), J.E. 88-209 (C.S.).
Gestion Pervenche ltée c. *Dufour*, D.T.E. 86T-258 (C.S.) (appel rejeté: C.A.M. n° 500-09-000328-864, le 13 octobre 1987).
Corp. de crédit commercial ltée c. *Ladouceur*, D.T.E. 84T-541 (C.S.).
Veillette & Deschênes ltée c. *C.N.T.*, D.T.E. 84T-825 (C.S.).
Lavalin inc. c. *Deslierres*, (1983) C.S. 470, D.T.E. 83T-570 (C.S.), J.E. 83-743 (C.S.).
Léonce Harvey ltée c. *Girard*, D.T.E. 83T-239 (C.S.), J.E. 83-386 (C.S.).
Bolduc c. *2948-7980 Québec inc.*, D.T.E. 2007T-878 (C.R.T.).
Mac Donald c. *Éclairage Unilight ltée*, D.T.E. 2007T-284 (C.R.T.).
Airmax industries inc. c. *Dagenais*, (2006) R.J.D.T. 1120 (C.R.T.), D.T.E. 2006T-647 (C.R.T.).
Hôpital général juif Sir Mortimer B. Davis c. *Boufekane*, D.T.E. 2006T-506 (C.R.T.) (révision judiciaire refusée: C.S.M. n° 500-17-031158-069, le 5 décembre 2006).
Fraser c. *Axor Construction Canada inc.*, D.T.E. 2003T-115 (C.R.T.).
Lalumière c. *Commission de la construction du Québec*, D.T.E. 95T-766 (C.T.).
Fleury c. *Snoc (1992) inc.*, D.T.E. 94T-368 (C.T.).
Gatkowski c. *Commission des écoles catholiques de Montréal*, (1994) C.T. 433, D.T.E. 94T-1075 (C.T.).
Goulet c. *Papiers peints Berkley*, D.T.E. 92T-764 (C.T.).
Association d'hospitalisation du Québec c. *Latreille*, (1987) T.A. 458, D.T.E. 87T-681 (T.A.).
Dupuis c. *Atlas Turner inc.*, (1986) T.A. 145, D.T.E. 86T-157 (T.A.).
Demers c. *Campeau Corp.*, D.T.E. 84T-843 (T.A.).
Desgagné c. *Magasin Coop de Roberval*, (1984) T.A. 409, D.T.E. 84T-501 (T.A.).
Lemay c. *Remtec inc.*, D.T.E. 84T-802 (T.A.).
Caisse d'établissement Saguenay—Lac-St-Jean c. *Harvey*, (1982) T.A. 790, D.T.E. 82T-164 (T.A.).
Roy et Frères Joliette ltée c. *Guilbeault*, D.T.E. 82T-766 (T.A.).

124/404 Il n'y a pas lieu de faire de distinction trop hâtive entre les termes licenciement et congédiement. En effet, le rôle du commissaire est de déterminer s'il y a rupture unilatérale du contrat de travail et, dans l'affirmative, s'il y a cause juste et suffisante de rupture.
Lamy c. *Kraft ltée*, (1991) R.D.J. 61 (C.A.), D.T.E. 91T-49 (C.A.), J.E. 91-114 (C.A.).
Rémillard c. *Gabriel of Canada Ltd.*, D.T.E. 86T-361 (C.A.).
Union des employés du transport local et industries diverses, local 931 c. *Beetz*, (1990) R.J.Q. 1358 (C.S.), D.T.E. 90T-696 (C.S.), J.E. 90-846 (C.S.).
Nouveautés Luxor (Canada) ltée c. *Legendre*, D.T.E. 86T-335 (C.S.).
London Life, Cie d'assurance-vie c. *Bolduc*, D.T.E. 85T-187 (C.S.).
Brochu c. *Fabrique de la paroisse de Notre-Dame-de-la-Paix*, D.T.E. 2006T-908 (C.R.T.) (révision en vertu de l'article 127 C.T. accueillie en partie pour d'autres motifs: D.T.E. 2008T-358 (C.R.T.)) (requête en révision judiciaire: n° 500-17-042667-082).
L'Heureux c. *Maxinet enr.*, D.T.E. 2000T-60 (C.T.).

Bergeron c. *Publications Dumont (1988) inc.*, (1996) C.T. 268, D.T.E. 96T-691 (C.T.) (révision judiciaire refusée: C.S. Hull, n° 550-05-002841-966, le 5 septembre 1996) (appel rejeté: D.T.E. 2000T-59 (C.A.), J.E. 2000-136 (C.A.), REJB 1999-15538 (C.A.)).
Voyer c. *Alimentation Jonlac inc.*, D.T.E. 90T-1102 (T.A.).
Allard c. *H.J. Heinz du Canada ltée*, D.T.E. 88T-487 (T.A.).
De Melo c. *Dog Studio (The)*, (1984) T.A. 460, D.T.E. 84T-562 (T.A.).
Généreux c. *Presse ltée (La)*, D.T.E. 84T-481 (T.A.).
Black c. *Conval Québec*, D.T.E. 83T-775 (T.A.).
Fortin-Deustch c. *Diplômés de l'Université de Montréal*, (1983) T.A. 1044, D.T.E. 83T-673 (T.A.) (révision judiciaire refusée: D.T.E. 85T-287 (C.S.)).
KHD Canada inc. c. *Lutchman*, D.T.E. 83T-358 (T.A.).
Kratsios c. *Experts-conseil Shawinigan inc.*, (1983) T.A. 739, D.T.E. 83T-481 (T.A.).
Maillé c. *Produits forestiers Saucier ltée*, (1983) T.A. 747, D.T.E. 83T-68 (T.A.).
General Diesel inc. c. *Bouffard*, D.T.E. 82T-432 (T.A.).

124/405 Le commissaire n'a pas compétence pour décider du bien-fondé d'une mesure administrative, cependant, il doit s'assurer qu'il s'agit véritablement d'une telle mesure.
Léonce Harvey ltée c. *Girard*, D.T.E. 83T-239 (C.S.), J.E. 83-386 (C.S.).

124/406 Le commissaire agissant en vertu de l'article 124 L.N.T. n'a pas compétence pour entendre une plainte d'un salarié licencié en raison de manque de travail. Il a toutefois compétence pour vérifier si ce motif est réel et justifié ou s'il s'agit plutôt d'une manoeuvre en vue de se débarrasser d'un salarié non désiré.
L'Heureux c. *Maxinet enr.*, D.T.E. 2000T-60 (C.T.).

124/407 Le fait qu'un employeur réussisse à prouver qu'il existe au départ des motifs d'ordre économique pour mettre fin à l'emploi d'un salarié n'empêche pas qu'il puisse y avoir un congédiement déguisé. Les motifs évoqués sont évidemment sujets à examen par le commissaire. Si la preuve révèle que les motifs ne sont pas sérieux ou qu'ils dénotent un manque d'objectivité, le commissaire peut conclure, sans excéder sa compétence, que l'exercice du droit de gérance est discriminatoire et que l'employé a été congédié sans cause juste et suffisante.
Norlab inc. c. *Côté-Desbiolles*, D.T.E. 94T-315 (C.S.).
Leclerc c. *Source des monts*, D.T.E. 96T-1255 (C.T.).
Fortin c. *Consultants industriels C.E.M. inc.*, (1994) C.T. 340, D.T.E. 94T-1012 (C.T.).

124/408 Dans le cas où un employeur soulève au début de l'instance que la rupture du lien d'emploi s'explique par un congédiement administratif et non disciplinaire, en soumettant le défaut de compétence du tribunal d'agir dans le dossier, le moyen préliminaire en droit est pris sous réserve et l'affaire est instruite au fond afin que la nature véritable de la fin d'emploi puisse être déterminée.
Bélanger c. *Clair Foyer*, D.T.E. 96T-40 (C.T.).

124/409 Le rôle du commissaire diffère selon qu'il s'agit d'une mesure disciplinaire ou administrative. S'il s'agit d'une mesure disciplinaire, il peut apprécier la justesse de la décision de l'employeur et rendre toute autre décision qui lui paraît juste et raisonnable dans les circonstances. Dans le cadre d'un congédiement dit administratif, le commissaire n'a pas cette marge de manoeuvre; son

intervention se limite à vérifier si le geste de l'employeur est abusif, discriminatoire ou déraisonnable ou s'il a été imposé sans une preuve de manquements du salarié.
Atelier du martin-pêcheur inc. c. *Bureau du commissaire général du travail*, (2000) R.J.D.T. 123 (C.S.), D.T.E. 2000T-207 (C.S.), J.E. 2000-426 (C.S.), REJB 2000-17002 (C.S.) (désistement d'appel).
Magnan c. *Guillevin international inc.*, D.T.E. 2000T-134 (C.T.).
Bédard c. *Alimentation Yvon Ratté inc.*, D.T.E. 99T-651 (C.T.).
Lapierre c. *Vin conseil (Québec) ltée*, D.T.E. 99T-354 (C.T.).
Papaeconomou c. *Pratt & Whitney Canada inc.*, D.T.E. 99T-287 (C.T.).
Naqvi c. *Finitions Ultraspec inc.*, D.T.E. 98T-1220 (C.T.).
Plourde c. *Scierie Geoffroy inc.*, D.T.E. 96T-1154 (C.T.).

124/410 Le commissaire doit entendre toute la preuve pour pouvoir déterminer s'il s'agit d'un congédiement, d'une mise à pied ou d'un congédiement déguisé.
Courchesne c. *Restaurant & Charcuterie Bens inc.*, (1990) R.D.J. 148 (C.A.), D.T.E. 90T-143 (C.A.), J.E. 90-236 (C.A.) (autorisation d'appeler à la Cour suprême refusée).
Donohue inc. c. *Simard*, (1988) R.J.Q. 2118 (C.A.), D.T.E. 88T-819 (C.A.), J.E. 88-1118 (C.A.) (autorisation d'appeler à la Cour suprême refusée).
École Le Sommet c. *Bibeault*, D.T.E. 94T-480 (C.S.).
Norlab inc. c. *Côté-Desbiolles*, D.T.E. 94T-315 (C.S.).
Canadac inc. c. *Beetz*, D.T.E. 90T-108 (C.S.).
Union des employés du transport local et industries diverses, local 931 c. *Beetz*, (1990) R.J.Q. 1358 (C.S.), D.T.E. 90T-696 (C.S.), J.E. 90-846 (C.S.).
Université de Montréal c. *Cloutier*, (1988) R.J.Q. 511 (C.S.), D.T.E. 88T-138 (C.S.), J.E. 88-209 (C.S.).
Nouveautés Luxor (Canada) ltée c. *Legendre*, D.T.E. 86T-335 (C.S.).
Corp. de crédit commercial ltée c. *Ladouceur*, D.T.E. 84T-541 (C.S.).
Demers c. *Bolduc*, D.T.E. 84T-540 (C.S.) (plainte rejetée sur objection préliminaire: D.T.E. 84T-843 (T.A.)).
Léonce Harvey ltée c. *Girard*, D.T.E. 83T-239 (C.S.), J.E. 83-386 (C.S.).
Caza c. *Hudson's Bay Whole Sale*, D.T.E. 83T-800 (T.A.).
Dupuis c. *Centre hospitalier Georges-Frédéric*, D.T.E. 83T-344 (T.A.).
Perron c. *Cie minière I.O.C.*, (1982) T.A. 921, D.T.E. 82T-838 (T.A.).

124/411 La qualification de la cessation d'emploi, soit un licenciement ou un congédiement, relève du commissaire en tenant compte des faits révélés par la preuve.
Ladouceur c. *Almico Plastics Canada inc.*, D.T.E. 90T-490 (T.A.).

124/412 La démarche des commissaires qui font la distinction entre «congédiement» et «licenciement» est la même que pour ceux qui ne font pas cette distinction, toutefois la qualification de la rupture du lien d'emploi n'est faite que par les commissaires adhérant à la première tendance.
Desgagné c. *Magasin Coop de Roberval*, (1984) T.A. 409, D.T.E. 84T-501 (T.A.).

124/413 Durant la période de probation du salarié aux fins d'acquisition de sa permanence, l'employeur dispose d'une plus grande latitude pour agir mais son pouvoir n'est pas illimité. Le commissaire doit quand même apprécier toutes les circonstances de l'affaire afin de déterminer si l'employeur disposait d'une cause juste et suffisante et s'il a agi de façon équitable envers le salarié. Il est alors important de clarifier la mesure imposée car, lorsqu'elle est de nature disciplinaire, le fardeau de la preuve repose sur l'employeur alors que, lorsqu'elle est de

nature administrative, le commissaire n'interviendra que s'il est d'abord convaincu que l'employeur a agi de mauvaise foi, de façon arbitraire ou discriminatoire.
Brunette c. *Québec (Ministère de la Sécurité publique)*, (2000) R.J.D.T. 1718 (C.T.), D.T.E. 2000T-1149 (C.T.).

124/414 La démission du salarié n'est pas une condition essentielle à l'exercice des pouvoirs du commissaire et à la recevabilité d'une plainte déposée en vertu de l'article 124 L.N.T. Dans certains cas, une modification unilatérale et substantielle des conditions de travail peut équivaloir à un congédiement déguisé.
Joyal c. *Hôpital du Christ-Roi*, (1997) R.J.Q. 38 (C.A.), D.T.E. 97T-58 (C.A.), J.E. 97-188 (C.A.).
Pilon c. *Tremblay*, D.T.E. 90T-573 (C.S.).
Laporte c. *Orthèses Plus Spécialités inc.*, D.T.E. 2008T-473 (C.R.T.) (révision en vertu de l'article 127 C.T. refusée) (requête en révision judiciaire: n° 500-17-048600-095).
Jean c. *Boulangerie-pâtisserie Le Viennois inc.*, D.T.E. 2006T-1037 (C.R.T.).
Lamontagne c. *Encore Automobile ltée*, D.T.E. 2000T-1095 (C.T.).
Bélanger c. *Clair Foyer*, D.T.E. 96T-40 (C.T.).
V. aussi: *Begliomini* c. *Grands frères et grandes soeurs de l'Outaouais*, (1997) C.T. 505, D.T.E. 97T-1489 (C.T.).
Sanford c. *McGill University (MacDonald Campus)*, D.T.E. 96T-600 (C.T.) (révision judiciaire refusée: C.S.M. n° 500-05-018213-965, le 10 octobre 1996).
V. cependant: *Mutuelle d'Omaha (La), Cie d'assurance* c. *Houde*, (1989) T.A. 741, D.T.E. 89T-824 (T.A.).

124/415 Dans le cadre d'une plainte basée sur l'article 124 L.N.T. à l'encontre d'un congédiement sans cause juste et suffisante, le commissaire doit se poser les questions suivantes:

1. Le salarié a-t-il commis l'acte reproché?
2. Cet acte justifiait-il l'imposition d'une mesure disciplinaire?
3. Le cas échéant, l'acte était-il suffisamment grave pour justifier un congédiement?

Ainsi, lorsque l'acte justifie des mesures disciplinaires, le commissaire n'a pas à déterminer si le congédiement est une mesure trop sévère.
Pétroles Vosco Canada ltée c. *Boyer*, (2000) R.J.D.T. 1567 (C.S.), D.T.E. 2000T-972 (C.S.) (règlement hors cour).

124/416 Le commissaire doit vérifier si le geste de l'employeur ne cache pas une manoeuvre pour se débarrasser d'un salarié en particulier.
Gusman c. *Ericsson Canada inc.*, D.T.E. 2003T-638 (C.R.T.) (révision judiciaire refusée: D.T.E. 2004T-607 (C.S.), REJB 2004-61798 (C.S.)).
Léonard c. *Coopérative funéraire de l'Outaouais*, D.T.E. 94T-706 (C.T.) (révision judiciaire refusée: D.T.E. 95T-80 (C.S.)).
Bonneterre c. *Imprimerie Laprairie inc.*, (1988) T.A. 505, D.T.E. 88T-536 (T.A.) (révision judiciaire accueillie relativement à l'indemnité et rejetée quant au fond: (1989) R.J.Q. 1283 (C.S.), D.T.E. 89T-516 (C.S.), J.E. 89-850 (C.S.)).
Milles-Îsles (Mun. de) c. *Rowen*, (1988) T.A. 221, D.T.E. 88T-116 (T.A.).
Association d'hospitalisation du Québec c. *Latreille*, (1987) T.A. 458, D.T.E. 87T-681 (T.A.).
Carrier c. *Steinberg inc.*, D.T.E. 87T-598 (T.A.).
Groupe commerce, Cie d'assurances c. *Chenette*, D.T.E. 87T-13 (T.A.).
Roy c. *Université de Montréal*, (1987) T.A. 309, D.T.E. 87T-453 (T.A.).

Dupuis c. *Atlas Turner inc.*, (1986) T.A. 145, D.T.E. 86T-157 (T.A.).
Dupuis c. *Centre hospitalier Georges-Frédéric*, D.T.E. 83T-344 (T.A.).
St-Pierre c. *Industries de câbles d'acier ltée*, D.T.E. 82T-687 (T.A.).

124/417 L'absence totale de preuve sur un élément fondamental, soit l'absence d'objectivité du critère de sélection de l'employeur pour mettre fin au contrat de travail du salarié, rend la conclusion du commissaire manifestement déraisonnable.
Bousquet c. *Desjardins*, D.T.E. 97T-1375 (C.A.), J.E. 97-2158 (C.A.), REJB 1997-03051 (C.A.).
RSW inc. c. *Moro*, D.T.E. 2006T-290 (C.S.), EYB 2006-101923 (C.S.) (appel rejeté: D.T.E. 2007T-648 (C.A.), J.E. 2007-1480 (C.A.), EYB 2007-121975 (C.A.)).
V. aussi: *Joly* c. *Gestion Gertec ltée*, D.T.E. 99T-190 (C.T.).

124/418 Le commissaire conserve sa compétence même si le congédiement est remplacé par une suspension.
Confection J.E. Caron ltée c. *Mottard*, D.T.E. 83T-657 (T.A.).

Existence d'un congédiement

124/419 Il n'y a pas de congédiement lorsque l'employeur offre au salarié de le réintégrer au même poste et aux mêmes conditions de travail en lui payant le salaire perdu depuis son congédiement et que celui-ci refuse la réintégration.
Groupement des propriétaires des boisés privés de Charlevoix inc. c. *Harvey*, D.T.E. 91T-611 (T.A.).

124/420 Les conditions de travail inférieures, proposées pour le renouvellement d'un contrat, ne peuvent être assimilées à un congédiement, lorsque soumises alors que le lien d'emploi n'existe plus, à la suite de l'expiration du contrat de travail.
Réfrigération Kelko ltée c. *Émond*, (1985) T.A. 697, D.T.E. 85T-839 (T.A.).

124/421 Il serait injuste et inéquitable de tenir compte du fait postérieur que constitue le rappel au travail dans l'appréciation de la question de savoir si le salarié a été simplement suspendu ou congédié. La recevabilité en preuve d'un tel fait permettrait à n'importe quel employeur de maquiller les dossiers après avoir fait l'objet d'une plainte, en invoquant après coup le caractère temporaire d'une mise à pied.
Champigny c. *St-Jérôme (Ville de)*, (1995) C.T. 252, D.T.E. 95T-530 (C.T.).

124/422 Le non-rappel au travail peut équivaloir au congédiement.
Thibeault c. *Société touristique de L'Anse-à-la-Croix*, (2004) R.J.D.T. 233 (C.R.T.), D.T.E. 2004T-257 (C.R.T.).
Champigny c. *St-Jérôme (Ville de)*, (1995) C.T. 252, D.T.E. 95T-530 (C.T.).
Louidor c. *LaGran Canada inc.*, D.T.E. 92T-1247 (C.T.).
V. aussi: *Boyer* c. *Hewitt Equipment ltée*, (1988) R.J.Q. 2112 (C.A.), D.T.E. 88T-656 (C.A.), J.E. 88-1117 (C.A.).

124/423 La décision ultérieure de l'employeur d'abolir le poste de la plaignante ne permet pas de modifier le fait qu'il y a eu congédiement.
Beaulieu c. *9116-7890 Québec inc.*, D.T.E. 2006T-907 (C.R.T.).

124/424 La suspension ne donne pas ouverture au recours prévu à l'article 124 L.N.T.
Comité paritaire de l'industrie de l'automobile de Montréal et du district c. *Fortin*, (1987) T.A. 411, D.T.E. 87T-593 (T.A.).

124/425 Une fin d'emploi doit être constatée par un fait juridique, c'est-à-dire un acte qui entraîne des effets de droit à l'égard des parties contractantes.
Carbonneau c. *N. Morrissette Canada inc.*, D.T.E. 90T-780 (T.A.).

124/426 L'échec subi par un salarié dans sa tentative d'obtenir un poste de professeur ne peut donner ouverture à une plainte en vertu de l'article 124 L.N.T., si toutes les procédures conduisant à l'obtention de ce poste sont soumises aux règles prévues à une convention collective concernant les professeurs de l'université.
April c. *Université Laval*, D.T.E. 96T-355 (C.T.).

124/427 Bien que l'employeur verse au salarié l'indemnité de préavis, il doit quand même justifier le congédiement.
Grenon c. *Blais*, (1991) R.D.J. 32 (C.A.), D.T.E. 90T-1352 (C.A.), J.E. 90-1766 (C.A.).

124/428 Il n'est pas nécessaire qu'une résiliation de contrat soit par écrit pour qu'elle prenne forme et effet.
Brunette c. *Québec (Ministère de la Sécurité publique)*, (2000) R.J.D.T. 1718 (C.T.), D.T.E. 2000T-1149 (C.T.).
Cloutier c. *G.T.E. Sylvania Canada ltée*, D.T.E. 90T-211 (T.A.).
Boucher c. *Entreprises Rolland Tremblay inc.*, (1981) 1 R.S.A. 143.
Contra: *Pronovost* c. *Atelier de carrosserie et mécanique Damo St-Laurent inc.*, (1984) T.A. 171, D.T.E. 84T-252 (T.A.).

124/429 Le transfert des activités d'une entreprise à une autre est assimilable à une forme de réorganisation administrative et la cessation d'emploi qui découle de pareilles circonstances constitue un licenciement et non un congédiement, au sens de l'article 124 L.N.T.
Bérubé c. *Compagnie distributrice du St-Laurent (C.D.S.) 1996 ltée*, D.T.E. 2002T-333 (C.T.).

124/430 Même si ce n'est pas le président-directeur général de la Société immobilière du Québec qui a signé l'avis de congédiement conformément à l'article 5 du *Règlement sur les effectifs et la nomination des employés de la Société immobilière du Québec*, ce fait n'annule pas le congédiement dans le cas où celui-ci en a été informé et qu'il a donné son autorisation.
Gagné c. *Société immobilière du Québec*, D.T.E. 2008T-541 (C.R.T.) (révision en vertu de l'article 127 C.T. refusée).

124/431 V. la jurisprudence sous l'article 122 L.N.T. à *Congédiement*.

124/432 V. DUBÉ, J.-L., «Le congédiement administratif et disciplinaire et le licenciement dans le cadre de l'article 124 de la Loi sur les normes du travail», (1988) *Meredith Mem. Lect.* 241.

Démission
V. également à *Congédiement déguisé*

124/433 Le commissaire a compétence pour analyser les faits entourant une démission et déterminer s'il s'agit d'une véritable démission ou d'un congédiement déguisé.
Paquet c. *Gabriel Mercier ltée*, D.T.E. 2000T-493 (C.A.), J.E. 2000-1070 (C.A.), REJB 2000-18197 (C.A.).

Syndicat des cols bleus de la Cité de Valleyfield (CSN) c. *Salaberry de Valleyfield (Cité de)*, (1992) R.D.J. 380 (C.A.), D.T.E. 92T-195 (C.A.), J.E. 92-309 (C.A.) (par analogie).
Industries Moplastex (1986) inc. c. *Tremblay*, (1991) R.L. 508 (C.A.), D.T.E. 91T-694 (C.A.), J.E. 91-1025 (C.A.).
Courchesne c. *Restaurant & Charcuterie Bens inc.*, (1990) R.D.J. 148 (C.A.), D.T.E. 90T-143 (C.A.), J.E. 90-236 (C.A.) (autorisation d'appeler à la Cour suprême refusée).
Bilodeau c. *Bata industries Ltd.*, (1986) R.J.Q. 531 (C.A.), D.T.E. 86T-143 (C.A.), J.E. 86-218 (C.A.).
Asselin c. *Industries Abex ltée*, (1985) C.A. 72, D.T.E. 85T-134 (C.A.), J.E. 85-204 (C.A.) (autorisation d'appeler à la Cour suprême refusée).
Produits Pétro-Canada inc. c. *Moalli*, (1988) R.J.Q. 774 (C.S.), D.T.E. 88T-262 (C.S.), J.E. 88-415 (C.S.).
Dubois c. *Cercueils Concept inc.*, D.T.E. 2007T-343 (C.R.T.).
Brisson c. *Liquidation Choc inc. / La Différence*, D.T.E. 2003T-347 (C.R.T.).
Bazinet c. *Loeb Grande-Rivière*, D.T.E. 98T-1153 (C.T.).
Hardy c. *Centre François-Charron*, (1992) C.T. 174, D.T.E. 92T-614 (C.T.).
De la Sablonnière c. *Société d'électrolyse et de chimie Alcan ltée*, D.T.E. 89T-632 (T.A.).
Letarte c. *Corporation des maîtres mécaniciens en tuyauterie du Québec (C.M.M.T.Q.)*, D.T.E. 88T-97 (T.A.).
Gaudet c. *Brasserie O'Keefe ltée*, D.T.E. 85T-230 (T.A.).
Lapierre c. *Pavane Mayfair ltée*, (1985) T.A. 380, D.T.E. 85T-452 (T.A.).
Dallaire c. *Hôpital Notre-Dame*, (1984) T.A. 313, D.T.E. 84T-390 (T.A.).

124/434 Si un salarié choisit de démissionner, il n'a pas droit au recours en vertu de l'article 124 L.N.T.
Houle c. *Bibeault*, D.T.E. 2001T-486 (C.A.), J.E. 2001-985 (C.A.), REJB 2001-23797 (C.A.).

124/435 Le commissaire a compétence et peut intervenir lorsque l'employé est victime de mesures de harcèlement de la part de son employeur, même si ces mesures ont pour but ultime de forcer l'employé à démissionner, si ce dernier choisit de demeurer à son emploi et dépose une plainte pour congédiement injustifié selon l'article 124 L.N.T.
Joyal c. *Hôpital du Christ-Roi*, (1997) R.J.Q. 38 (C.A.), D.T.E. 97T-58 (C.A.), J.E. 97-188 (C.A.).
V. cependant: *Pilon* c. *Tremblay*, D.T.E. 90T-573 (C.S.).
Sanford c. *McGill University (MacDonald Campus)*, D.T.E. 96T-600 (C.T.) (révision judiciaire refusée: C.S.M. n° 500-05-018213-965, le 10 octobre 1996).
Mutuelle d'Omaha (La), Cie d'assurance c. *Houde*, (1989) T.A. 741, D.T.E. 89T-824 (T.A.).

124/436 Les conséquences pour un salarié de la perte d'ancienneté sont très importantes et peuvent s'apparenter à un congédiement. Il n'est pas nécessaire qu'une telle modification substantielle des conditions de travail soit suivie d'une démission pour que le travailleur puisse déposer une plainte de congédiement en vertu de l'article 124 L.N.T.
Pidgeon c. *Collège de Maisonneuve*, D.T.E. 2002T-830 (C.T.).

124/437 Lorsque le commissaire arrive à la conclusion qu'il y a eu véritable démission, il doit rejeter la plainte, faute d'avoir compétence.

Houle c. *Wyeth-Ayerst Canada inc.*, (1996) C.T. 263, D.T.E. 96T-599 (C.T.) (révision judiciaire refusée: D.T.E. 98T-620 (C.S.)) (appel rejeté: D.T.E. 2001T-486 (C.A.), J.E. 2001-985 (C.A.), REJB 2001-23797 (C.A.)).
Garneau c. *Corp. professionnelle des technologistes médicaux du Québec*, D.T.E. 94T-1098 (C.T.).
Mason c. *Tran*, (1991) T.A. 294, D.T.E. 91T-482 (T.A.).
Hamel c. *Fermos inc.*, (1990) T.A. 448, D.T.E. 90T-752 (T.A.).
Chaussures H.H. Brown (Canada) ltée c. *Girardin*, D.T.E. 89T-537 (T.A.).
De la Sablonnière c. *Société d'électrolyse et de chimie Alcan ltée*, D.T.E. 89T-632 (T.A.).
Roy c. *Entraide Assurance-vie*, D.T.E. 89T-230 (T.A.).
Letarte c. *Corporation des maîtres mécaniciens en tuyauterie du Québec (C.M.M.T.Q.)*, D.T.E. 88T-97 (T.A.).
Gauvin c. *Stoneham et Tewkesbury (Corp. mun. des cantons unis de)*, (1986) T.A. 479, D.T.E. 86T-574 (T.A.).
Gaudet c. *Brasserie O'Keefe ltée*, D.T.E. 85T-230 (T.A.).
Cie Germicide canadienne ltée c. *Madoff*, D.T.E. 84T-263 (T.A.).
Dubois c. *Warner Lambert Canada*, D.T.E. 84T-114 (T.A.).
Kondro c. *Cie de publicité Trans-public ltée*, D.T.E. 82T-355 (T.A.).
Sewell c. *Centre d'accueil Horizons de la jeunesse/Youth Horizons*, (1982) T.A. 1234, D.T.E. 82T-634 (T.A.).

124/438 Le commissaire peut déterminer qu'il y a eu congédiement et non démission, même si le contrat de travail contient une clause par laquelle l'employeur peut rétrograder le salarié et que le refus d'un tel transfert, sans raison valable, est assimilé à une démission volontaire.
Bilodeau c. *Bata industries Ltd.*, (1986) R.J.Q. 531 (C.A.), D.T.E. 86T-143 (C.A.), J.E. 86-218 (C.A.).

124/439 Le commissaire doit s'assurer de la validité du consentement du salarié lorsque l'employeur invoque la démission de celui-ci, surtout lorsque le salarié prétend qu'il était dans un état dépressif à l'époque où il a donné son consentement.
Turenne c. *Kraft Canada inc.*, D.T.E. 97T-556 (C.T.).

124/440 On ne peut prétendre que le recours en vertu de l'article 124 L.N.T. est recevable étant donné que l'article 2092 C.C.Q. accorde au salarié une protection nonobstant la renonciation qui découlerait de sa démission. S'il est vrai que cet article de droit nouveau qui vise à prohiber toute renonciation par un salarié à une indemnité de délai-congé suffisante est d'ordre public, le commissaire peut quand même décider que le salarié a volontairement démissionné, écartant ainsi le congédiement déguisé.
Houle c. *Bibeault*, D.T.E. 2001T-486 (C.A.), J.E. 2001-985 (C.A.), REJB 2001-23797 (C.A.).

124/441 L'employeur a le fardeau de prouver que le salarié a démissionné, et le salarié n'a pas à démontrer qu'il n'a pas démissionné.
Bertrand c. *Wyeth Holdings Canada Inc.*, D.T.E. 2008T-628 (C.R.T.).
Charbonnier c. *Stroms' Entreprises Ltd.*, D.T.E. 2008T-117 (C.R.T.).
Bergeron c. *Agence métropolitaine de transport*, (2007) R.J.D.T. 1588 (C.R.T.), D.T.E. 2007T-896 (C.R.T.) (requête en révision judiciaire: n° 500-17-039344-075).
Beaulieu c. *9116-7890 Québec inc.*, D.T.E. 2006T-907 (C.R.T.).
Boudreau c. *Exploitation Jaffa inc.*, D.T.E. 2004T-61 (C.R.T.).
Boucher c. *Commission scolaire de l'Énergie*, D.T.E. 2003T-443 (C.R.T.) (révision judiciaire refusée: D.T.E. 2005T-65 (C.S.)).

Lelièvre c. *Unipêche M.D.M. ltée*, D.T.E. 2003T-1166 (C.R.T.) (révision judiciaire refusée: D.T.E. 2004T-1100 (C.S.)) (appel rejeté sur requête).
Otis c. *Avon Canada inc.*, (1995) C.T. 76, D.T.E. 95T-344 (C.T.).
Séguin c. *Ameublement Branchaud*, D.T.E. 95T-1405 (C.T.).
Blain c. *Pinkerton du Québec ltée*, D.T.E. 93T-724 (C.T.).
Turpin c. *Château de l'Aéroport*, D.T.E. 90T-420 (T.A.).
Lapierre c. *Pavane Mayfair ltée*, (1985) T.A. 380, D.T.E. 85T-452 (T.A.).
Dubois c. *Warner Lambert Canada*, D.T.E. 84T-114 (T.A.).

124/442 Il revient au salarié de faire la preuve du caractère pénible de ses conditions de travail, surtout au point de devoir démissionner.
Garneau c. *Corp. professionnelle des technologistes médicaux du Québec*, D.T.E. 94T-1098 (C.T.).

124/443 Si le salarié invoque la nullité de sa démission parce que son consentement a été vicié, il a alors le fardeau de prouver une telle allégation.
Gaudet c. *Brasserie O'Keefe ltée*, D.T.E. 85T-230 (T.A.).

124/444 On ne peut prétendre sérieusement qu'un employeur ayant plaidé sans succès la démission d'un employé serait forclos d'invoquer d'autres motifs de congédiement.
Tolédano c. *Recherches Bell-Northern ltée*, (1986) T.A. 796, D.T.E. 86T-959 (T.A.).

124/445 La démission se définit comme étant un acte individuel.
Roy c. *Constructions paysannes inc.*, (1999) R.J.D.T. 1741 (C.T.), D.T.E. 99T-1098 (C.T.).
Chaulk c. *Agence de permis Nova*, (1998) R.J.D.T. 197 (C.T.), D.T.E. 98T-53 (C.T.).
Beaulieu c. *Caisse populaire de St-Raymond de Portneuf*, D.T.E. 85T-673 (T.A.).
Généreux c. *Presse ltée (La)*, D.T.E. 84T-481 (T.A.).
V. aussi: *Goupil* c. *Clinique médicale Bouchard & Smith*, D.T.E. 82T-877 (T.A.).

124/446 La démission est la rupture du lien de droit unissant un employeur à un salarié par la volonté du salarié. La démission est un acte individuel qui met fin de façon définitive au contrat de travail. Elle se distingue du congédiement et du licenciement qui relèvent de l'initiative de l'employeur.
Harel c. *Cie d'assurances générales Cumis*, D.T.E. 93T-611 (C.T.).

124/447 La démission est un acte unilatéral du salarié, valide dès sa transmission à l'employeur et qui ne peut être rétractée unilatéralement par le plaignant.
Amar c. *Services financiers David Forest ltée*, D.T.E. 2007T-917 (C.R.T.).

124/448 Une démission est un acte unilatéral de l'employé, valide dès sa transmission à l'employeur et qui ne peut être rétractée unilatéralement. La demande de rétractation acceptée par l'employeur avant la date prévue de mise en application de la démission, entraîne l'annulation pure et simple de la rupture envisagée du contrat d'engagement.
Généreux c. *Presse ltée (La)*, D.T.E. 84T-481 (T.A.).
V. aussi: *Perron* c. *Service de suspension Turcotte inc.*, D.T.E. 2002T-894 (C.T.) (révision en vertu de l'article 127 C.T. refusée: D.T.E. 2004T-511 (C.R.T.)).

124/449 Les conditions posées par le salarié qui n'ont jamais été acceptées par l'employeur font en sorte que la démission donnée par le salarié devient caduque.
Drouin c. *Commission scolaire protestante St-Maurice*, D.T.E. 95T-997 (C.T.).

124/450 Il n'y a pas de démission lorsque la lettre écrite par l'employé fait état d'une condition suspensive qui ne s'est pas réalisée.
Boulianne c. *Lanoraie (Municipalité de) — Service d'incendie*, D.T.E. 2006T-197 (C.R.T.).

124/451 Une démission qui n'est pas donnée en toute connaissance de cause peut être rétractée, et équivaut à un congédiement sans cause juste et suffisante.
Bazinet c. *Loeb Grande-Rivière*, D.T.E. 98T-1153 (C.T.).
Asselin c. *Industries Abex ltée*, (1983) T.A. 373, D.T.E. 83T-185 (T.A.) (révision judiciaire cassée en appel: (1985) C.A. 72, D.T.E. 85T-134 (C.A.), J.E. 85-204 (C.A.)) (autorisation d'appeler à la Cour suprême refusée).

124/452 Pour que la décision de démissionner du salarié soit valable, il faut que celle-ci soit volontaire, libre, certaine et définitive. Aussi, un employeur ne peut accepter la démission, soumise sous condition, après avoir été avisé de son retrait par le salarié.
Bazinet c. *Loeb Grande-Rivière*, D.T.E. 98T-1153 (C.T.).

124/453 Une démission peut être conditionnelle.
En l'espèce, lorsque les conditions de l'offre de départ du salarié ont été acceptées par l'employeur, la démission est alors devenue irrévocable.
Dumont c. *Matériaux Blanchet inc.*, D.T.E. 2007T-260 (C.R.T.) (révision en vertu de l'article 127 C.T. refusée) (révision judiciaire refusée: C.S.Q. n° 200-17-008560-070, le 18 décembre 2007).

124/454 Lorsqu'un employeur accorde au salarié un délai de réflexion pour savoir s'il accepte ou non un déplacement, il ne peut présumer d'une décision anticipée et prise avant l'échéance du délai qu'il a lui-même accordé. Dans ce cas, il ne peut y avoir démission.
De Montigny c. *I.C.D. — Institut carrière et développement ltée*, D.T.E. 2001T-723 (C.T.) (révision judiciaire refusée: D.T.E. 2002T-401 (C.S.)).

124/455 Lorsqu'un salarié prétend qu'il a été forcé de quitter son emploi à la suite d'un congédiement déguisé, il lui revient de démontrer que son départ a été provoqué par des gestes unilatéraux de l'employeur. Il doit aussi prouver que ces gestes sont à ce point inacceptables qu'il n'avait d'autre choix que de quitter son emploi. Si une telle preuve est faite, l'employeur doit justifier ses gestes unilatéraux par une preuve prépondérante et démontrer qu'ils sont exempts de mauvaise foi, de malice ou de discrimination.
Carré c. *Manoir Richelieu inc.*, D.T.E. 97T-740 (C.T.).
V. aussi: *Charbonnier* c. *Stroms' Entreprises Ltd.*, D.T.E. 2008T-117 (C.R.T.).

124/456 La décision de démissionner ne rompt le lien d'emploi que lorsqu'elle est communiquée à l'employeur.
Industries Moplastex (1986) inc. c. *Tremblay*, (1991) R.L. 508 (C.A.), D.T.E. 91T-694 (C.A.), J.E. 91-1025 (C.A.).

124/457 Pour déterminer s'il y a eu démission véritable les principes sont:
1) toute démission comporte à la fois un élément subjectif (l'intention) et un élément objectif (la conduite du salarié);
2) comme c'est un droit qui appartient au salarié, elle doit être volontaire;
3) elle s'apprécie différemment selon que l'intention est ou non exprimée;

4) elle ne se présume que si la conduite de l'employé est incompatible avec tout autre interprétation;
5) l'expression de l'intention n'est pas nécessairement concluante quant à la véritable intention de l'employé;
6) l'ambiguïté empêche de conclure à une démission;
7) la conduite antérieure et ultérieure des parties constitue un élément pertinent.

Fournier c. *Sobeys Québec inc. (IGA Extra)*, D.T.E. 2009T-99 (C.R.T.).
Bertrand c. *Wyeth Holdings Canada Inc.*, D.T.E. 2008T-628 (C.R.T.).
Gauthier c. *Aurèle Côté inc.*, D.T.E. 2008T-674 (C.R.T.).
Cadet c. *Imprimeries Transcontinental, s.e.n.c.*, D.T.E. 2007T-300 (C.R.T.).
Dumont c. *Matériaux Blanchet inc.*, D.T.E. 2007T-260 (C.R.T.) (révision en vertu de l'article 127 C.T. refusée) (révision judiciaire refusée: C.S.Q. n° 200-17-008560-070, le 18 décembre 2007).
G.S. c. *H.F.*, (2007) R.J.D.T. 1050 (C.R.T.), D.T.E. 2007T-590 (C.R.T.) (révision en vertu de l'article 127 C.T. refusée: D.T.E. 2007T-963 (C.R.T.)).
Roy c. *Constructions paysannes inc.*, (1999) R.J.D.T. 1741 (C.T.), D.T.E. 99T-1098 (C.T.).
Paul c. *Électropac Canada inc.*, D.T.E. 92T-921 (C.T.) (révision judiciaire refusée: C.S.M. n° 500-05-009618-925, le 13 août 1992).
Argyris c. *Sony du Canada ltée*, D.T.E. 85T-155 (T.A.).
Consolidated Bathurst inc. c. *Licursi*, D.T.E. 85T-603 (T.A.).
St-Jacques c. *Tip Top Taylor Dylex ltée*, (1985) T.A. 113, D.T.E. 85T-154 (T.A.).
Pierreau c. *Sirbain inc.*, (1984) T.A. 581, D.T.E. 84T-762 (T.A.).
Malette Waferboard c. *Syndicat canadien des travailleurs du papier, local 23*, (1982) T.A. 1144, D.T.E. 82T-645 (T.A.).
Savard c. *M.B. Data Processing*, D.T.E. 82T-857 (T.A.).

124/458 Pour déterminer s'il y a eu démission ou non, il y a deux critères fondamentaux à observer: en premier lieu l'on doit considérer l'existence d'un élément subjectif, soit l'intention de rompre le lien d'emploi, et en deuxième lieu l'on doit considérer l'existence d'un élément objectif, soit l'acte positif par lequel le salarié exprime sa volonté en ce sens.
Fournier c. *Sobeys Québec inc. (IGA Extra)*, D.T.E. 2009T-99 (C.R.T.).
Dumont c. *Matériaux Blanchet inc.*, D.T.E. 2007T-260 (C.R.T.) (révision en vertu de l'article 127 C.T. refusée) (révision judiciaire refusée: C.S.Q. n° 200-17-008560-070, le 18 décembre 2007).
G.S. c. *H.F.*, (2007) R.J.D.T. 1050 (C.R.T.), D.T.E. 2007T-590 (C.R.T.) (révision en vertu de l'article 127 C.T. refusée: D.T.E. 2007T-963 (C.R.T.)).
Boudreau c. *Exploitation Jaffa inc.*, D.T.E. 2004T-61 (C.R.T.).
Leduc c. *Groupe Lyras inc.*, D.T.E. 2002T-785 (C.T.).
Chaulk c. *Agence de permis Nova*, (1998) R.J.D.T. 197 (C.T.), D.T.E. 98T-53 (C.T.).
Lafrance c. *Club social colombien Hauterive inc.*, D.T.E. 98T-287 (C.T.).

124/459 L'intention de démissionner doit être manifeste et se faire dans un contexte libre, volontaire, certain et définitif.
Désy c. *9126-6072 Québec inc. (Complexe La Fine Pointe)*, D.T.E. 2008T-155 (C.R.T.).
Gauthier c. *Aurèle Côté inc.*, D.T.E. 2008T-674 (C.R.T.).
Cyr c. *Bistro Le Mouton noir*, D.T.E. 2006T-310 (C.R.T.).
Dallaire c. *M4S inc.*, D.T.E. 2006T-725 (C.R.T.).
Paul c. *Électropac Canada inc.*, D.T.E. 92T-921 (C.T.) (révision judiciaire refusée: C.S.M. n° 500-05-009618-925, le 13 août 1992).

Kelly c. *Algo Industries Ltd.*, (1986) T.A. 310, D.T.E. 86T-408 (T.A.).
K-Mart Canada Ltd. c. *Côté*, D.T.E. 82T-14 (T.A.).

124/460 La démission est le fait pour un salarié de quitter son emploi dans l'intention de quitter son emploi.
Patenaude c. *Groupe SGF inc.*, D.T.E. 2005T-942 (C.R.T.).
Zarr c. *Kessler*, D.T.E. 2001T-909 (C.T.).

124/461 L'absence de manifestation d'une volonté interne empêche de conclure à une démission.
Bergeron c. *Agence métropolitaine de transport*, (2007) R.J.D.T. 1588 (C.R.T.), D.T.E. 2007T-896 (C.R.T.) (requête en révision judiciaire: n° 500-17-039344-075).
Zarr c. *Kessler*, D.T.E. 2001T-909 (C.T.).
Blazevic c. *P. Blander Locksmith Supply Co.*, D.T.E. 88T-535 (T.A.).
Langevin c. *St-Léonard Toyota ltée*, (1988) T.A. 455, D.T.E. 88T-488 (T.A.).
Vieux pêcheur (Le) c. *Moscato*, D.T.E. 87T-1024 (T.A.).
Bélanger c. *Bois Blanchet inc.*, D.T.E. 85T-268 (T.A.).
Bonotto c. *Schenley, Canada inc.*, D.T.E. 85T-817 (T.A.) (révision judiciaire refusée: D.T.E. 86T-207 (C.S.), J.E. 86-309 (C.S.)).

124/462 Des ambiguïtés et des malentendus peuvent faire en sorte qu'il n'y ait pas démission du salarié.
Thomas-Labelle c. *Caisse populaire Desjardins des Trois-Vallées*, D.T.E. 2003T-988 (C.R.T.).

124/463 Malgré le fait que le salarié ait négligé de confirmer son refus d'accepter de nouvelles conditions de travail dans le délai imposé par l'employeur, il n'y a pas lieu de conclure à un abandon de son emploi; une démission ne se présume pas.
Boucher c. *Commission scolaire de l'Énergie*, D.T.E. 2003T-443 (C.R.T.) (révision judiciaire refusée: D.T.E. 2005T-65 (C.S.)).

124/464 Il doit y avoir une intention très explicite de démissionner, celle-ci doit être accompagnée par un geste positif exprimant cette intention et en cas d'ambiguïté, il ne peut y avoir démission.
Poulin c. *Commission scolaire du Sault-Saint-Louis*, D.T.E. 83T-874 (C.S.), J.E. 83-1111 (C.S.).
Grenier c. *Graphiques Cosmex inc.*, D.T.E. 2008T-98 (C.R.T.).
Bergeron c. *Agence métropolitaine de transport*, (2007) R.J.D.T. 1588 (C.R.T.), D.T.E. 2007T-896 (C.R.T.) (requête en révision judiciaire: n° 500-17-039344-075).
G.S. c. *H.F.*, (2007) R.J.D.T. 1050 (C.R.T.), D.T.E. 2007T-590 (C.R.T.) (révision en vertu de l'article 127 C.T. refusée: D.T.E. 2007T-963 (C.R.T.)).
McLean c. *Manufacture de chapeaux de fourrure Almar ltée*, D.T.E. 2006T-783 (C.R.T.)
Lelièvre c. *Unipêche M.D.M. ltée*, D.T.E. 2003T-1166 (C.R.T.) (révision judiciaire refusée: D.T.E. 2004T-1100 (C.S.)) (appel rejeté sur requête).
Sirois c. *Cam-expert*, D.T.E. 2003T-589 (C.R.T.).
Chibi c. *Sebag*, D.T.E. 2002T-631 (C.T.) (désistement de la révision judiciaire).
Ladouceur c. *Compumédia Design (1996) inc.*, D.T.E. 2002T-538 (C.T.).
Malette c. *Rigaud (Municipalité de)*, D.T.E. 2002T-537 (C.T.).
Perron c. *Service de suspension Turcotte inc.*, D.T.E. 2002T-894 (C.T.) (révision en vertu de l'article 127 C.T. refusée: D.T.E. 2004T-511 (C.R.T.)).

De Montigny c. *I.C.D. — Institut carrière et développement ltée*, D.T.E. 2001T-723 (C.T.) (révision judiciaire refusée: D.T.E. 2002T-401 (C.S.)).
McInnis c. *Clinique de médecine industrielle et préventive du Québec inc.*, D.T.E. 2001T-1043 (C.T.).
Roseberry c. *Aliments 2000 (1987) inc.*, D.T.E. 2001T-762 (C.T.) (requête en révision judiciaire: n° 200-05-015347-011).
Vandal c. *Ressorts Cascades inc.*, D.T.E. 2001T-436 (C.T.).
Carrier c. *Peignes à métier L.P.L. inc.*, (2000) R.J.D.T. 1103 (C.T.), D.T.E. 2000T-748 (C.T.).
Bossous c. *Restaurants McDonald's du Canada ltée*, D.T.E. 99T-1049 (C.T.).
Dupont c. *Diamants Lafleur (Bijouterie Ricci)*, D.T.E. 98T-118 (C.T.).
Lafrance c. *Club social colombien Hauterive inc.*, D.T.E. 98T-287 (C.T.).
Stratford c. *Engrenages Sherbrooke inc.*, D.T.E. 95T-1247 (C.T.).
Tardif c. *Entreprises Insta-bec inc.*, (1994) C.T. 318, D.T.E. 94T-754 (C.T.).
François c. *Boulangeries Cantor inc.*, (1993) C.T. 371, D.T.E. 93T-658 (C.T.).
Davis c. *Garderie Taub*, (1990) T.A. 231, D.T.E. 90T-459 (T.A.).
Minéraux Noranda inc. (division C.C.R.) c. *Dicaire*, D.T.E. 90T-276 (T.A.).
Halte des routiers Gill inc. c. *Truchon*, D.T.E. 89T-926 (T.A.).
Auto Photo Canada ltée c. *Banon*, D.T.E. 88T-777 (T.A.).
Vieux pêcheur (Le) c. *Moscato*, D.T.E. 87T-1024 (T.A.).
Kelly c. *Algo Industries Ltd.*, (1986) T.A. 310, D.T.E. 86T-408 (T.A.).
Vallée c. *Marcel E. Savard inc. «Canadian Tire»*, D.T.E. 86T-450 (T.A.).
Argyris c. *Sony du Canada ltée*, D.T.E. 85T-155 (T.A.).
Beaulieu c. *Caisse populaire de St-Raymond de Portneuf*, D.T.E. 85T-673 (T.A.).
Bélanger c. *Bois Blanchet inc.*, D.T.E. 85T-268 (T.A.).
Bonotto c. *Schenley, Canada inc.*, D.T.E. 85T-817 (T.A.) (révision judiciaire refusée: D.T.E. 86T-207 (C.S.), J.E. 86-309 (C.S.)).
Céramique de Beauce inc. c. *De Sales*, D.T.E. 85T-384 (T.A.).
Consolidated Bathurst inc. c. *Licursi*, D.T.E. 85T-603 (T.A.).
Lapierre c. *Pavane Mayfair ltée*, (1985) T.A. 380, D.T.E. 85T-452 (T.A.).
Trudel c. *Celanese Canada inc.*, D.T.E. 85T-39 (T.A.).
Cie Germicide canadienne ltée c. *Madoff*, D.T.E. 84T-263 (T.A.).
Lalonde c. *R.C.R. International inc.*, D.T.E. 83T-326 (T.A.).
Goupil c. *Clinique médicale Bouchard & Smith*, D.T.E. 82T-877 (T.A.).
K-Mart Canada Ltd. c. *Côté*, D.T.E. 82T-14 (T.A.).

124/465 Le fait de travailler chez un autre employeur ne signifie pas nécessairement que le salarié désire démissionner de son premier emploi, surtout lorsque ce sont ses difficultés financières qui l'obligent à s'assurer d'urgence des entrées de fonds et à demander à son premier employeur de lui verser plus tôt que prévu son indemnité de vacances.
Fama c. *Primiani Chesterfield inc.*, D.T.E. 98T-647 (C.T.).
V. aussi: *Gauthier* c. *Aurèle Côté inc.*, D.T.E. 2008T-674 (C.R.T.).
Thomas-Labelle c. *Caisse populaire Desjardins des Trois-Vallées*, D.T.E. 2003T-988 (C.R.T.).

124/466 Le comportement général du salarié circonscrit dans un espace temps assez précis peut permettre de déterminer s'il a implicitement démissionné.
Auto Albi inc. (Albi Mazda) c. *Commission des relations du travail*, D.T.E. 2003T-1138 (C.S.).
Dallaire c. *M4S inc.*, D.T.E. 2006T-725 (C.R.T.).

Roseberry c. *Aliments 2000 (1987) inc.*, D.T.E. 2001T-762 (C.T.) (requête en révision judiciaire: n° 200-05-015347-011).
Lelièvre c. *9048-0609 Québec inc.*, D.T.E. 2000T-392 (C.T.) (révision judiciaire refusée: C.S. Bonaventure, n° 105-05-000401-006, le 19 décembre 2000).
Dupont c. *Diamants Lafleur (Bijouterie Ricci)*, D.T.E. 98T-118 (C.T.).
Hardy c. *Centre François-Charron*, (1992) C.T. 174, D.T.E. 92T-614 (C.T.).
Paul c. *Électropac Canada inc.*, D.T.E. 92T-921 (C.T.) (révision judiciaire refusée: C.S.M. n° 500-05-009618-925, le 13 août 1992).
Mason c. *Tran*, (1991) T.A. 294, D.T.E. 91T-482 (T.A.).
Pratt & Whitney Canada inc. c. *Yee*, D.T.E. 90T-1028 (T.A.).
Auto Photo Canada ltée c. *Banon*, D.T.E. 88T-777 (T.A.).
Kondro c. *Cie de publicité Trans-public ltée*, D.T.E. 82T-355 (T.A.).

124/467 L'acceptation d'une démission donnée dans un moment de colère et de tension peut constituer un prétexte pour se débarrasser d'un salarié.
Auto Albi inc. (Albi Mazda) c. *Commission des relations du travail*, D.T.E. 2003T-1138 (C.S.).
Beaulieu c. *9116-7890 Québec inc.*, D.T.E. 2006T-907 (C.R.T.).
Bilodeau c. *Imprimerie Miro inc.*, D.T.E. 2003T-93 (C.R.T.).
Petridis c. *Assurance André Birbilas inc.*, D.T.E. 2003T-138 (C.R.T.).
Pipon c. *Claro Précision inc.*, D.T.E. 2002T-652 (C.T.).
Dupont c. *Diamants Lafleur (Bijouterie Ricci)*, D.T.E. 98T-118 (C.T.).
Bélanger c. *Bois Blanchet inc.*, D.T.E. 85T-268 (T.A.).
Pierreau c. *Sirbain inc.*, (1984) T.A. 581, D.T.E. 84T-762 (T.A.).
Lalonde c. *R.C.R. International inc.*, D.T.E. 83T-326 (T.A.).
K-Mart Canada Ltd. c. *Côté*, D.T.E. 82T-14 (T.A.).
V. aussi: *Vallée* c. *Marcel E. Savard inc. «Canadian Tire»*, D.T.E. 86T-450 (T.A.).
Kondro c. *Cie de publicité Trans-public ltée*, D.T.E. 82T-355 (T.A.).

124/468 On ne peut affirmer que le consentement du salarié a été vicié lorsque celui-ci a consenti à démissionner, s'il n'y a eu aucune menace, aucune crainte raisonnable.
C.N.T. c. *Jean Therrien, courtiers d'assurances ltée*, D.T.E. 89T-722 (C.Q.) (par analogie).
Dallaire c. *M4S inc.*, D.T.E. 2006T-725 (C.R.T.).
Rossi c. *Immeubles Trans-national (2001) ltée*, D.T.E. 2004T-213 (C.R.T.).
Harvey c. *Eagle Lumber ltée*, D.T.E. 98T-351 (C.T.).
Houle c. *Wyeth-Ayerst Canada inc.*, (1996) C.T. 263, D.T.E. 96T-599 (C.T.) (révision judiciaire refusée: D.T.E. 98T-620 (C.S.)) (appel rejeté: D.T.E. 2001T-486 (C.A.), J.E. 2001-985 (C.A.), REJB 2001-23797 (C.A.)).
Garneau c. *Corp. professionnelle des technologistes médicaux du Québec*, D.T.E. 94T-1098 (C.T.).
Rochette c. *Caisse populaire de Notre-Dame-de-Grâce*, (1992) C.T. 168, D.T.E. 92T-613 (C.T.).
Beaudet c. *Hôpital du St-Sacrement*, D.T.E. 88T-51 (T.A.).
C.N.T. c. *Aligro inc.*, (1986) T.A. 690, D.T.E. 86T-772 (T.A.).
Gaudet c. *Brasserie O'Keefe ltée*, D.T.E. 85T-230 (T.A.).
Dubois c. *Warner Lambert Canada*, D.T.E. 84T-114 (T.A.).
V. aussi: *Kondro* c. *Cie de publicité Trans-public ltée*, D.T.E. 82T-355 (T.A.).
Sewell c. *Centre d'accueil Horizons de la jeunesse / Youth Horizons*, (1982) T.A. 1234, D.T.E. 82T-634 (T.A.).

124/469 Il y a congédiement et non démission libre et volontaire lorsque le consentement est vicié par la menace de l'employeur.
Paquet c. *Gabriel Mercier ltée*, D.T.E. 2000T-493 (C.A.), J.E. 2000-1070 (C.A.), REJB 2000-18197 (C.A.).
Cyr c. *Bistro Le Mouton noir*, D.T.E. 2006T-310 (C.R.T.).
Blizeev c. *Société d'administration immobilière Fugi ltée (Appartements Hill Park)*, D.T.E. 2004T-211 (C.R.T.) (règlement hors cour).
Benabidi c. *Laboratoires de friction Fasa inc.*, D.T.E. 2003T-1012 (C.R.T.).
Ranger c. *Clinique chiropratique St-Eustache*, D.T.E. 2003T-1013 (C.R.T.).
Ward c. *Château sur le Lac Ste-Geneviève inc.*, D.T.E. 2001T-930 (C.T.).
Bédard c. *Centre de quilles 440 inc.*, D.T.E. 2000T-454 (C.T.).
Langelier c. *Casse-croûte des auxiliaires bénévoles de l'hôpital*, D.T.E. 95T-1304 (C.T.).
Otis c. *Avon Canada inc.*, (1995) C.T. 76, D.T.E. 95T-344 (C.T.).
Beauchemin c. *Imprimerie Corsair inc.*, (1994) C.T. 345, D.T.E. 94T-1014 (C.T.).
Industries de maintenance Empire inc. c. *Sallafranque*, D.T.E. 90T-351 (T.A.).
Minéraux Noranda inc. (division C.C.R.) c. *Dicaire*, D.T.E. 90T-276 (T.A.).
C.N.T. c. *Aligro inc.*, (1986) T.A. 690, D.T.E. 86T-772 (T.A.).

124/470 Il y a congédiement, et non démission, lorsque le consentement du salarié est vicié par une erreur, soit par une fausse déclaration du représentant de l'employeur.
Bertrand c. *Wyeth Holdings Canada Inc.*, D.T.E. 2008T-628 (C.R.T.).

124/471 Une démission donnée en contrepartie d'une promesse de l'employeur de n'intenter aucune poursuite contre le salarié doit être considérée comme valide.
Jacques c. *Groupe Jean Coutu (P.J.C.) inc. (numéro 160)*, (1997) C.T. 500, D.T.E. 97T-1418 (C.T.).

124/472 Il y a démission et non congédiement déguisé lorsque l'employeur propose au salarié, lors de l'abolition de son poste, un autre poste au même salaire et aux mêmes conditions de travail, qu'il lui laisse du temps pour réfléchir à la proposition et qu'il formule son offre à plus d'une reprise.
Harel c. *Cie d'assurances générales Cumis*, D.T.E. 93T-611 (C.T.).

124/473 Lorsque la démission est affectée d'un vice de consentement, le commissaire ne peut l'annuler. Cela relève des tribunaux de droit commun.
Gaudet c. *Brasserie O'Keefe ltée*, D.T.E. 85T-230 (T.A.).

124/474 Le commissaire a compétence pour scruter les circonstances d'un consentement, sans se contenter de la stricte application du Code civil.
Dallaire c. *Hôpital Notre-Dame*, (1984) T.A. 313, D.T.E. 84T-390 (T.A.).

124/475 Une démission donnée en raison d'une décision irrévocable de l'employeur de congédier est bel et bien un congédiement.
Guertin c. *Kraft ltée*, D.T.E. 85T-200 (T.T.) (par analogie).
Perzow c. *Dunkley*, D.T.E. 82T-262 (T.T.) (par analogie).
De la Sablonnière c. *Société d'électrolyse et de chimie Alcan ltée*, D.T.E. 89T-632 (T.A.).
Beauvais c. *Camps Ford inc.*, D.T.E. 83T-777 (C.T.) (par analogie).
Carrier-Bisier c. *Bondex international (Canada) ltée*, D.T.E. 83T-142 (C.T.) (par analogie).
V. aussi: *Trottier* c. *Pierre Campeau ltée*, (1985) T.A. 161, D.T.E. 85T-229 (T.A.).

124/476 Il est établi que la menace d'un congédiement, exercice légitime d'un droit de l'employeur ayant comme conséquence de provoquer de la crainte chez le salarié et l'incitant à démissionner, ne peut être révoquée par le commissaire, à moins qu'il ne s'agisse d'une menace équivalant à de l'intimidation.
Houle c. *Wyeth-Ayerst Canada inc.*, (1996) C.T. 263, D.T.E. 96T-599 (C.T.) (révision judiciaire refusée: D.T.E. 98T-620 (C.S.)) (appel rejeté: D.T.E. 2001T-486 (C.A.), J.E. 2001-985 (C.A.), REJB 2001-23797 (C.A.)).

124/477 L'ultimatum adressé par le salarié plaignant à son employeur de choisir entre lui et un autre salarié ne constitue pas un congédiement.
Milette c. *9081-2017 Québec inc. (Transport MRB)*, D.T.E. 2008T-687 (C.R.T.).

124/478 L'exigence par l'employeur d'une lettre de démission peut équivaloir à un congédiement.
Marché Molloy — Félix Molloy ltée c. *Sénéchal*, D.T.E. 89T-1039 (T.A.).

124/479 Pour annuler une démission rédigée par un salarié, il faut prouver qu'il y a eu vice de consentement, aberration mentale ou confusion d'esprit.
C.N.T. c. *Aligro inc.*, (1986) T.A. 690, D.T.E. 86T-772 (T.A.).

124/480 L'opinion d'un témoin expert concernant les capacités mentales d'un salarié lors d'une démission doit être fondée sur des faits qu'il a observés ou qui ont été légalement prouvés.
Hardy c. *Centre François-Charron*, (1992) C.T. 174, D.T.E. 92T-614 (C.T.).

124/481 Démissionne, le salarié qui refuse de signer un contrat de travail modifié ou qui refuse une rétrogradation pour cause car l'employé ne peut refuser le travail qu'on lui propose sauf s'il y a violation de la loi, abus de pouvoir équivalant à fraude, injustice flagrante, mauvaise foi évidente ou danger sérieux de violation de l'ordre public et des bonnes moeurs.
Papeterie Montpetit inc. c. *Lalonde*, (1994) R.J.Q. 727 (C.S.), D.T.E. 94T-292 (C.S.), J.E. 94-501 (C.S.).
Rossi c. *Immeubles Trans-national (2001) ltée*, D.T.E. 2004T-213 (C.R.T.).
Albert c. *Pétrolière impériale*, (2000) R.J.D.T. 256 (C.T.), D.T.E. 2000T-281 (C.T.).
Carré c. *Manoir Richelieu inc.*, D.T.E. 97T-740 (C.T.).
Proulx c. *Scott's Villa du poulet*, D.T.E. 93T-28 (C.T.).
Hamel c. *Fermos inc.*, (1990) T.A. 448, D.T.E. 90T-752 (T.A.).
Pratt & Whitney Canada inc. c. *Yee*, D.T.E. 90T-1028 (T.A.).
Chaussures H.H. Brown (Canada) ltée c. *Girardin*, D.T.E. 89T-537 (T.A.).
Roy c. *Entraide Assurance-vie*, D.T.E. 89T-230 (T.A.).
Letarte c. *Corporation des maîtres mécaniciens en tuyauterie du Québec (C.M.M.T.Q.)*, D.T.E. 88T-97 (T.A.).
Goupil c. *Clinique médicale Bouchard & Smith*, D.T.E. 82T-877 (T.A.).

124/482 Le fait de ne pas répondre aux demandes de l'employeur de se présenter au travail pour occuper un nouveau poste à la suite de modifications des conditions de travail, constitue une démission.
Côté c. *Recyclovesto inc.*, D.T.E. 2008T-173 (C.R.T.).
Thériault c. *Automobiles du Golfe inc.*, D.T.E. 2002T-893 (C.T.).

124/483 Le simple refus de nouvelles conditions de travail que veut imposer l'employeur en raison de ses difficultés financières n'équivaut pas à une démission.

Begliomini c. *Grands frères et grandes soeurs de l'Outaouais*, (1997) C.T. 505, D.T.E. 97T-1489 (C.T.).

124/484 Le refus du salarié de travailler dans des conditions de travail inadéquates ne constitue pas une démission.
McLean c. *Manufacture de chapeaux de fourrure Almar ltée*, D.T.E. 2006T-783 (C.R.T.).

124/485 Le refus par un salarié de signer une clause de non-concurrence n'équivaut pas à une démission, mais il s'agit plutôt d'un congédiement puisqu'il y a eu modification des conditions de travail.
Kishner c. *Femme de Westmount*, (2000) R.J.D.T. 1067 (C.T.), D.T.E. 2000T-747 (C.T.).

124/486 Le refus de travailler, fondé sur l'application d'une politique illégale du partage des pourboires, ne constitue pas une démission mais un congédiement déguisé.
Émond c. *147564 Canada inc.*, D.T.E. 2001T-1154 (C.T.).

124/487 Le refus d'accepter une rétrogradation ne constitue pas une démission même si c'est prévu dans un contrat.
F.W. Woolworth Co. c. *Corriveau*, D.T.E. 85T-286 (C.S.).
V. aussi: *Gagnon frères nouveautés Chicoutimi Enr.* c. *Girard*, D.T.E. 82T-205 (T.A.).

124/488 Le rejet par le salarié d'une offre de rappel au travail, dans le contexte d'une réorganisation administrative de l'entreprise, ne constitue pas un congédiement déguisé mais une démission.
Bourgouin c. *Bodycote Essais de matériaux Canada inc.*, D.T.E. 2005T-281 (C.R.T.).

124/489 Le salarié démissionne de son emploi lorsqu'il refuse de retourner au travail à la suite d'une ordonnance de réintégration découlant d'une première décision.
Deschênes c. *Valeurs mobilières Banque Laurentienne inc.*, (2008) R.J.D.T. 203 (C.R.T.), D.T.E. 2008T-18 (C.R.T.) (révision judiciaire refusée sur requête en irrecevabilité: D.T.E. 2008T-882 (C.S.), EYB 2008-149755 (C.S.)) (en appel: n° 500-09-019150-085).

124/490 Le refus d'accepter une réduction des heures de travail peut constituer une démission.
Goupil c. *Clinique médicale Bouchard & Smith*, D.T.E. 82T-877 (T.A.).

124/491 Le refus de vouloir travailler selon les conditions qu'imposent les aléas de la vie de l'entreprise, en exigeant une garantie de travail à temps plein, peut constituer une démission.
Bossous c. *Restaurants McDonald's du Canada ltée*, D.T.E. 99T-1049 (C.T.).
Côté c. *Imprimerie Cowansville inc.*, D.T.E. 99T-910 (C.T.).

124/492 Le refus de reprendre son poste de travail constitue une démission.
Ditata c. *Vaillancourt*, D.T.E. 2002T-1008 (C.S.), J.E. 2002-1924 (C.S.), REJB 2002-33724 (C.S.).
C.N.T. c. *Jean Therrien, courtiers d'assurances ltée*, D.T.E. 89T-722 (C.Q.) (par analogie).

Foster c. *Jean bleu inc.*, D.T.E. 2003T-116 (C.R.T.) (règlement hors cour).
Rochefort c. *Supermarchés A. Gagnon inc.*, D.T.E. 2000T-674 (C.T.).
Groupement des propriétaires des boisés privés de Charlevoix inc. c. *Harvey*, D.T.E. 91T-611 (T.A.).
Mason c. *Tran*, (1991) T.A. 294, D.T.E. 91T-482 (T.A.).
Pratt & Whitney Canada inc. c. *Yee*, D.T.E. 90T-1028 (T.A.).
Auto Photo Canada ltée c. *Banon*, D.T.E. 88T-777 (T.A.).

124/493 L'absence du travail sans motif valable peut être considérée comme une démission.
Auto Photo Canada ltée c. *Banon*, D.T.E. 88T-777 (T.A.).
V. cependant: *De Montigny* c. *I.C.D. — Institut carrière et développement ltée*, D.T.E. 2001T-723 (C.T.) (révision judiciaire refusée: D.T.E. 2002T-401 (C.S.)).
Vandal c. *Ressorts Cascades inc.*, D.T.E. 2001T-436 (C.T.).

124/494 Doit être considéré comme démissionnaire, le salarié qui demande à son employeur de lui verser les sommes auxquelles il a droit et qui travaille pour un autre employeur durant une certaine période, malgré le fait qu'il revienne ensuite travailler pour l'employeur poursuivi.
Courteau-Barreca c. *Clinique dentaire Normand Comtois*, D.T.E. 93T-795 (C.T.).

124/495 L'absence survenue pour travailler chez un autre employeur et le fait lors du retour chez l'employeur originaire, de se comporter comme un nouvel employé, de ne pas se plaindre d'un nouvel horaire et du non-paiement d'un congé férié, étant donné qu'il occupait depuis peu son nouvel emploi, dénote que le salarié a bel et bien démissionné.
Courteau-Barreca c. *Clinique dentaire Normand Comtois*, D.T.E. 93T-795 (C.T.).

124/496 Un employeur ne peut déduire qu'un salarié a démissionné du simple fait qu'il a refusé de se présenter au travail pendant une mise à pied, à moins d'un engagement clair de sa part. On ne peut lui reprocher d'avoir travaillé pour un autre employeur durant cette période, car il était alors libre de disposer de son temps.
Roy c. *Constructions paysannes inc.*, (1999) R.J.D.T. 1741 (C.T.), D.T.E. 99T-1098 (C.T.).

124/497 Le simple fait que le salarié demande un relevé d'emploi ne constitue pas une démission.
Flibotte c. *Aciers Lalime inc.*, D.T.E. 2001T-317 (C.T.).

124/498 Le non-retour au travail du salarié et le fait de ne pas réclamer de relevé de cessation d'emploi ne permettent pas nécessairement de conclure à une démission.
Renaud c. *Gestion D.M. Roy inc.*, D.T.E. 2004T-509 (C.R.T.).

124/499 Le refus de transfert ne constitue pas nécessairement une démission.
Bouchard c. *Centre Bonne-Entente*, D.T.E. 96T-503 (C.T.).
Drummond Formules d'affaires ltée c. *Pépin*, (1982) T.A. 801, D.T.E. 82T-287 (T.A.).

124/500 Le refus du transfert dans une autre succursale, lorsqu'il y a modification des conditions de travail par l'augmentation de la charge de travail, constitue un congédiement déguisé et non une démission.
Bourré c. *Mont-Bleu Ford inc.*, D.T.E. 2000T-111 (C.T.).

124/501 Le salarié qui n'accepte pas la réduction de salaire imposée à tous les salariés est présumé avoir démissionné.
Hamel c. *Fermos inc.*, (1990) T.A. 448, D.T.E. 90T-752 (T.A.).

124/502 Le salarié qui n'accepte pas l'augmentation de salaire offerte ne démissionne pas nécessairement, et ce, compte tenu des circonstances.
Zarr c. *Kessler*, D.T.E. 2001T-909 (C.T.).

124/503 Il y a démission implicite, justifiant le congédiement, du fait de refuser de suivre un entraînement et de refuser d'autres postes que le sien.
Pratt & Whitney Canada inc. c. *Yee*, D.T.E. 90T-1028 (T.A.).

124/504 Il y a démission implicite du salarié lorsque celui-ci effectue certaines démarches qui ont pour effet de remettre en cause son lien d'emploi avec son employeur.
Brouillette c. *Syndicat de l'enseignement de la Mauricie*, D.T.E. 2005T-1100 (C.R.T.).

124/505 Le salarié qui ne manifeste pas l'intention de quitter son emploi et qui ne fait aucun geste concret laissant présumer d'une telle intention n'est pas démissionnaire. Tel est le cas, si des menaces de cessation d'emploi lui sont faites en cas de refus de suivre un cours. Celles-ci constituent en définitive un avis de congédiement, au cas où il ne le suivrait pas.
Potvin c. *Cassidy ltée*, (1997) C.T. 68, D.T.E. 97T-242 (C.T.).

124/506 Des menaces de démission et de quitter l'entreprise ne peuvent constituer une démission si le salarié n'est jamais passé aux actes.
Tremblay c. *G. Riendeau et Fils inc.*, D.T.E. 2005T-1077 (C.R.T.) (révision judiciaire accueillie pour d'autres motifs: (2007) R.J.D.T. 432 (C.S.), D.T.E. 2007T-436 (C.S.), J.E. 2007-1008 (C.S.), EYB 2007-118476 (C.S.)) (homologation de la convention: n^{0} 500-09-017696-071, le 12 septembre 2007).

124/507 Le fait de demander un relevé d'emploi la veille du début d'une période de vacances ne signifie pas nécessairement que le salarié a voulu démissionner de son emploi.
Carrier c. *Peignes à métier L.P.L. inc.*, (2000) R.J.D.T. 1103 (C.T.), D.T.E. 2000T-748 (C.T.).
Ateliers Roland Gingras inc. c. *Desroches*, (1987) T.A. 600, D.T.E. 87T-876 (T.A.) (révision judiciaire refusée: (1988) R.J.Q. 523 (C.S.), D.T.E. 88T-154 (C.S.), J.E. 88-248 (C.S.)).

124/508 Le départ volontaire du salarié des lieux de travail équivaut à une démission.
Sabbah c. *Valisa inc. (Esso)*, D.T.E. 97T-1121 (C.T.).

124/509 L'absence du travail du salarié sans autorisation pour effectuer un voyage à l'étranger, constitue un abandon volontaire de l'emploi.
Mourelatos c. *Garderie éducative Le futur de l'enfant inc.*, D.T.E. 2007T-220 (C.R.T.).

124/510 Le fait pour un salarié de quitter le travail, après deux semaines, sans aucune explication et en réclamant le poste et le bureau qui étaient les

siens avant son départ en congé, constitue un départ volontaire et non pas un congédiement.
Gellatly c. *Manufacturiers Kovac inc.*, D.T.E. 2000T-870 (C.T.).

124/511 Lorsque l'employeur libère le salarié de l'obligation de fournir sa prestation de travail, après que celui-ci eut remis sa démission, il n'y a pas de congédiement. Par ailleurs, l'on ne peut imposer à un employeur l'obligation de garder un salarié démissionnaire durant la période nécessaire pour qu'il se trouve un travail au salaire qui lui convient.
Amar c. *Services financiers David Forest ltée*, D.T.E. 2007T-917 (C.R.T.).

124/512 Rien ne s'oppose à ce qu'un salarié convienne avec son employeur que son dossier fasse état d'une démission, sans pour autant renoncer à son droit de recours et sans que ce soit une concession de sa part. Dans une transaction, la renonciation au recours doit être manifeste.
Lajoie c. *Sico Industrie inc.*, D.T.E. 90T-1161 (T.A.).
V. également à *Transaction*.

124/513 Une offre de réintégration de l'employeur après le dépôt de la plainte, refusée par le plaignant, ne peut équivaloir à une démission.
Malbar inc. c. *Dallaire*, D.T.E. 85T-453 (T.A.).

124/514 Les simples regrets postérieurs ne peuvent entraîner l'annulation d'une démission donnée librement et volontairement.
Turenne c. *Kraft Canada inc.*, D.T.E. 97T-556 (C.T.).
Houle c. *Wyeth-Ayerst Canada inc.*, (1996) C.T. 263, D.T.E. 96T-599 (C.T.) (révision judiciaire refusée: D.T.E. 98T-620 (C.S.)) (appel rejeté: D.T.E. 2001T-486 (C.A.), J.E. 2001-985 (C.A.), REJB 2001-23797 (C.A.)).
Rochette c. *Caisse populaire de Notre-Dame-de-Grâce*, (1992) C.T. 168, D.T.E. 92T-613 (C.T.).

124/515 L'attitude négative ne peut équivaloir à une démission, si elle ne s'est manifestée qu'après que l'employeur ait clairement exprimé son intention de mettre fin à l'emploi.
Krakower c. *Lakeshore School Board*, D.T.E. 84T-374 (T.A.).

124/516 La décision du salarié de quitter son emploi pour prendre sa retraite équivaut à une démission.
Dumont c. *Matériaux Blanchet inc.*, D.T.E. 2007T-260 (C.R.T.) (révision en vertu de l'article 127 C.T. refusée) (révision judiciaire refusée: C.S.Q. n° 200-17-008560-070, le 18 décembre 2007).

124/517 La réclamation de prestations de retraite à la suite d'une abolition de poste peut être comparée à une démission.
Hannoyer c. *Hydro-Québec*, D.T.E. 2004T-802 (C.R.T.).

Congédiement déguisé
V. également à *Démission*

124/518 Il revient au commissaire de déterminer si la décision de l'employeur est un licenciement ou un congédiement déguisé. Pour ce faire, le commissaire est autorisé à se pencher sur les critères de sélection utilisés par l'employeur. S'ils

sont raisonnables, ils ne sont pas indicatifs d'un congédiement déguisé; s'ils ne le sont pas, ils constitueront un indice. Si le commissaire conclut qu'il s'agit d'un licenciement et non d'un congédiement, sa compétence est épuisée et il doit rejeter la plainte du salarié sans se pencher sur la sélection des employés.
Pelletier c. *Québec (Procureur général)*, D.T.E. 2008T-217 (C.A.), J.E. 2008-540 (C.A.), EYB 2008-129990 (C.A.).
Kopczynski c. *RSW inc.*, D.T.E. 2007T-648 (C.A.), J.E. 2007-1480 (C.A.), EYB 2007-121975 (C.A.).
Cloutier c. *Alsco, division de Western Linen Supply Co. Ltd.*, D.T.E. 2005T-1134 (C.A.), J.E. 2005-2249 (C.A.), EYB 2005-98128 (C.A.).
Bousquet c. *Desjardins*, D.T.E. 97T-1375 (C.A.), J.E. 97-2158 (C.A.), REJB 1997-03051 (C.A.).
Laflamme c. *Commission des relations du travail*, D.T.E. 2007T-326 (C.S.), EYB 2007-116328 (C.S.).
Lapointe c. *Coopérative forestière de Laterrière*, D.T.E. 2008T-414 (C.R.T.).
Meilleur c. *Québec (Ministère de l'Emploi, de la Solidarité sociale et de la Famille)*, D.T.E. 2008T-458 (C.R.T.) (révision en vertu de l'article 127 C.T. refusée).
Ouellette c. *Groupe hôtelier Grand Château inc.*, D.T.E. 2008T-457 (C.R.T.).
Ouellette c. *SSAB Hardox*, D.T.E. 2008T-236 (C.R.T.).
Dallaire c. *Prolab Technolub inc.*, D.T.E. 2007T-809 (C.R.T.).
Silvestri c. *Doubletex inc.*, D.T.E. 2007T-589 (C.R.T.).
Mecugni c. *Silonex inc.*, (2000) R.J.D.T. 1746 (C.T.), D.T.E. 2000T-1175 (C.T.).
V. aussi: *Sealrez inc.* c. *Commission des relations du travail*, D.T.E. 2003T-882 (C.S.), J.E. 2003-1699 (C.S.), REJB 2003-46414 (C.S.).

124/519 On ne peut conclure à un congédiement déguisé en l'absence d'éléments de discrimination, d'injustice, de faux prétexte ou de mauvaise foi de la part de l'employeur.
Gagnon c. *Environcorp protection de l'environnement (1984) inc.*, D.T.E. 85T-816 (T.A.).

124/520 Si un employeur modifie une condition essentielle du contrat de travail du salarié pour des motifs économiques ou organisationnels qui n'ont rien d'un prétexte et que celui-ci refuse le changement et quitte son emploi, on peut conclure à une forme de licenciement.
Dallaire c. *Prolab Technolub inc.*, D.T.E. 2007T-809 (C.R.T.).

124/521 Toute modification, même substantielle d'une condition de travail, ne constitue pas pour autant un congédiement sans cause juste et suffisante. En effet, si la modification est justifiée par des motifs d'ordre administratif visant à assurer la continuité de l'entreprise, de sorte que le salarié est, non pas congédié, mais licencié de ses fonctions, il n'y a pas congédiement, et ce, surtout dans le contexte où l'employeur veut maintenir à son service le salarié et que celui-ci refuse le nouveau poste offert.
Bolduc c. *2948-7980 Québec inc.*, D.T.E. 2007T-878 (C.R.T.).

124/522 Si la preuve ne révèle ni cause économique, ni réorganisation d'entreprise ou s'il n'y a pas de véritable cause de congédiement, il y a lieu de conclure au congédiement déguisé.
Ilieva c. *Uniboard Canada Inc.*, (2000) R.J.D.T. 1095 (C.T.), D.T.E. 2000T-721 (C.T.).

Gagné c. *Agences Claude Marchand inc.*, (1999) R.J.D.T. 560 (C.T.), D.T.E. 99T-439 (C.T.).
Corriveau c. *Lambert Somec inc., division H. Roberge*, D.T.E. 90T-607 (T.A.).

De même, si la preuve ne révèle pas que la réduction du personnel se fait dans le cadre d'une démarche identique pour tous et non de favoritisme ou de discrimination et qu'il n'y a pas de véritable réorganisation de l'entreprise, il y a lieu de conclure au congédiement déguisé.
Gilbert c. *École supérieure de danse du Québec*, D.T.E. 94T-613 (C.T.).

124/523 En matière d'allégation de congédiement déguisé, il faut se demander si une personne raisonnable considérerait qu'il y a eu modification substantielle des conditions essentielles du contrat de travail du salarié. Toutefois, il faut tenir compte du contexte, puisqu'un employeur peut imposer une mesure disciplinaire à un salarié sans pour autant qu'il faille conclure qu'il s'agit de la mise en place du processus qui va amener au congédiement. Autrement, toute sanction pourrait être contestée en vertu de l'article 124 L.N.T.
Landry c. *Auto J.C. Laroche inc.*, D.T.E. 99T-800 (C.T.).

124/524 Il n'est pas nécessaire que le congédiement déguisé ou par induction soit le fait de la mauvaise foi ou d'une faute intentionnelle de l'employeur: il suffit que la situation objective entraîne la rupture du contrat de travail.
Vigie informatique 2000 inc. c. *Girard*, (1998) R.J.D.T. 99 (C.S.), D.T.E. 98T-117 (C.S.).

124/525 Dans un cas de congédiement déguisé, la Commission des relations du travail a compétence pour vérifier si les actions de l'employeur sont abusives ou contraires aux exigences de la bonne foi.
Rousseau c. *Ste-Rita (Municipalité de)*, (2007) R.J.D.T. 565 (C.R.T.), D.T.E. 2007T-501 (C.R.T.) (révision judiciaire refusée: D.T.E. 2008T-193 (C.S.)).

124/526 Le congédiement déguisé peut être vu sous deux situations différentes, la première étant celle où l'employeur est de mauvaise foi et force la démission du salarié et la seconde étant celle où l'employeur, même de bonne foi, modifie substantiellement, pour des motifs légitimes ou par erreur, les conditions de travail d'un salarié, sans pour autant souhaiter son départ.
Jobin c. *Morin, Lemieux et Associés*, D.T.E. 99T-163 (C.T.) (révision judiciaire refusée: (1999) R.J.D.T. 468 (C.S.), D.T.E. 99T-414 (C.S.)).

124/527 Une modification unilatérale et substantielle des conditions de travail peut équivaloir à un congédiement déguisé. Le commissaire, en interprétant la notion de congédiement dans le cadre des dispositions de l'article 124 L.N.T., doit examiner le contexte de la rétrogradation, les conséquences de celle-ci, ainsi que le comportement et la situation de l'employé qui la subit. Il ne s'agit pas d'une question de droit mais d'une question de fait, qui relève essentiellement de la compétence du commissaire. En effet, la démission du salarié n'est pas une condition essentielle à l'exercice des pouvoirs du commissaire en vertu de l'article 124 L.N.T.
Joyal c. *Hôpital du Christ-Roi*, (1997) R.J.Q. 38 (C.A.), D.T.E. 97T-58 (C.A.), J.E. 97-188 (C.A.).
Laporte c. *Orthèses Plus Spécialités inc.*, D.T.E. 2008T-473 (C.R.T.) (révision en vertu de l'article 127 C.T. refusée) (requête en révision judiciaire: n° 500-17-048600-095).
Picard c. *Société de gestion Pragy inc.*, D.T.E. 2000T-304 (C.T.) (révision judiciaire refusée: D.T.E. 2000T-453 (C.S.)).

V. aussi: *Castonguay* c. *9151-1675 Québec inc. (Motel Le Riverain)*, D.T.E. 2006T-726 (C.R.T.).
Jean c. *Boulangerie-pâtisserie Le Viennois inc.*, D.T.E. 2006T-1037 (C.R.T.).
Boily c. *Corp. de l'École polytechnique de Montréal*, (2001) R.J.D.T. 168 (C.T.), D.T.E. 2001T-60 (C.T.) (règlement hors cour partiel).
Sénécal c. *Outils Snap-On du Canada ltée*, (2001) R.J.D.T. 1269 (C.T.), D.T.E. 2001T-864 (C.T.) (révision judiciaire refusée: C.S.M. n° 500-05-066661-016, le 17 avril 2002).

124/528 Le non-renouvellement d'un contrat de travail peut constituer un congédiement déguisé, même s'il n'y a pas de rupture de lien d'emploi.
Boily c. *Corp. de l'École polytechnique de Montréal*, (2001) R.J.D.T. 168 (C.T.), D.T.E. 2001T-60 (C.T.) (règlement hors cour partiel).

124/529 Pour qu'il y ait congédiement déguisé, «constructive dismissal», il est nécessaire que l'employeur ait modifié les conditions de travail du point de vue fonctionnel.
Uhlen c. *Produits Nacan ltée*, (1987) T.A. 290, D.T.E. 87T-428 (T.A.) et (1987) T.A. 468, D.T.E. 87T-683 (T.A.).

124/530 Les modifications aux conditions de travail qui visent l'ensemble des représentants de l'employeur, peuvent ne pas avoir été faites dans le but de se départir des services d'un salarié en particulier, et ce, surtout lorsqu'à l'époque des modifications, le salarié n'était plus à l'emploi de l'employeur.
Leduc c. *Communications Québécor inc. (Parlons Affaires)*, D.T.E. 2000T-871 (C.T.) (révision judiciaire refusée: D.T.E. 2001T-267 (C.S.), REJB 2001-23016 (C.S.)).
V. aussi: *Dallaire* c. *Prolab Technolub inc.*, D.T.E. 2007T-809 (C.R.T.).

124/531 Lorsque le salarié prétend avoir subi un congédiement déguisé à la suite d'une réorganisation administrative, il doit, pour avoir gain de cause, démontrer que les modifications ont été imposées parce que l'employeur ne voulait plus le garder à son service.
Boucher c. *Société Bristol-Myers Squibb Canada*, D.T.E. 2008T-914 (C.R.T.).

124/532 Il ne saurait y avoir congédiement déguisé lorsque les mesures qui sont reprochées à l'employeur sont appliquées à plusieurs catégories d'employés et que le salarié n'a subi aucune discrimination.
Lavoie c. *Avensys inc.*, D.T.E. 2004T-492 (C.R.T.) (révision judiciaire accueillie en partie: D.T.E. 2005T-858 (C.S.), EYB 2005-94598 (C.S.)) (appel principal accueilli et appel incident rejeté: D.T.E. 2006T-573 (C.A.), J.E. 2006-1220 (C.A.), EYB 2006-106096 (C.A.)).

124/533 Des problèmes urgents d'organisation du travail et des procédures administratives peuvent inciter un employeur à réorganiser son entreprise lorsque le fonctionnement de celle-ci, en pleine croissance, n'est absolument plus adapté à la réalité.

On ne peut alors conclure qu'il y a congédiement déguisé du fait que les fonctions du salarié plaignant ont été modifiées, son contrat de travail ne comportant d'ailleurs aucune limitation à l'exercice des droits de direction de l'employeur et n'interdisant pas les changements en cause.
Lortie c. *Consultants David Hill inc.*, D.T.E. 2006T-909 (C.R.T.).

124/534 En l'absence de preuve de mésentente, ou encore de quelque indice pouvant permettre de conclure que l'employeur désirait congédier son employé en profitant d'une réorganisation administrative, l'on ne peut conclure au congédiement déguisé au seul motif que le salarié était apte à remplir sa fonction. Ainsi, en substituant sa propre appréciation de l'application des critères de sélection de l'employeur, le commissaire excède sa compétence.
ALSCO, division de Western Linen Supply Co. c. *Jones*, D.T.E. 99T-909 (C.S.), J.E. 99-1908 (C.S.), REJB 1999-14247 (C.S.) (appel rejeté: D.T.E. 2005T-1134 (C.A.), J.E. 2005-2249 (C.A.), EYB 2005-98128 (C.A.)).

124/535 Dans le cadre d'une réorganisation administrative à la suite de la vente de l'entreprise, on ne peut parler de congédiement déguisé lorsque les modifications aux conditions de travail sont mineures.
Bérubé c. *Compagnie distributrice du St-Laurent (C.D.S.) 1996 ltée*, D.T.E. 2002T-333 (C.T.).

124/536 Le congédiement déguisé ou par induction n'exige pas nécessairement qu'il y ait rupture du lien d'emploi.
Joyal c. *Hôpital du Christ-Roi*, (1997) R.J.Q. 38 (C.A.), D.T.E. 97T-58 (C.A.), J.E. 97-188 (C.A.).
Landry c. *Auto J.C. Laroche inc.*, D.T.E. 99T-800 (C.T.).
Turner c. *École supérieure de danse du Québec*, D.T.E. 99T-776 (C.T.).
V. aussi: *Vézina* c. *Barbotine inc.*, (1999) R.J.D.T. 1663 (C.T.), D.T.E. 99T-911 (C.T.).
V. cependant: *Pilon* c. *Tremblay*, D.T.E. 90T-573 (C.S.).
Sanford c. *McGill University (MacDonald Campus)*, D.T.E. 96T-600 (C.T.) (révision judiciaire refusée: C.S.M. n° 500-05-018213-965, le 10 octobre 1996).

124/537 Un salarié qui prétend avoir fait l'objet d'un congédiement déguisé doit démontrer les éléments suivants: une décision unilatérale de l'employeur, une modification substantielle des conditions essentielles de son contrat de travail, le refus des modifications apportées et son départ. Selon une certaine jurisprudence, ce dernier élément n'est pas essentiel si, au lieu de démissionner, le salarié accepte la modification sous protêt et dépose une plainte dans le délai requis.
Sénécal c. *Outils Snap-On du Canada ltée*, (2001) R.J.D.T. 1269 (C.T.), D.T.E. 2001T-864 (C.T.) (révision judiciaire refusée: C.S.M. n° 500-05-066661-016, le 17 avril 2002).
V. aussi: *Lavoie* c. *Rouleau*, D.T.E. 2004T-134 (C.S.).

124/538 En matière de congédiement déguisé, le salarié doit prouver qu'il y a eu une modification substantielle de ses conditions de travail, c'est-à-dire de ses tâches, de son horaire et de sa rémunération.
Lemm c. *Centre universitaire de santé McGill*, D.T.E. 2008T-116 (C.R.T.).
V. aussi: *Gavard* c. *Corporation Presse Commerce*, D.T.E. 2008T-912 (C.R.T.) (requête en révision judiciaire: n° 500-17-046874-080).

124/539 C'est le salarié qui a le fardeau de prouver que sa décision de quitter le travail est due au comportement et à l'attitude inacceptables de l'employeur.
Charbonnier c. *Stroms' Entreprises Ltd.*, D.T.E. 2008T-117 (C.R.T.).

124/540 Le congédiement appréhendé du salarié ne constitue pas un congédiement déguisé au sens des dispositions de l'article 124 de la *Loi sur les normes du travail*.

Sénécal c. *Outils Snap-On du Canada ltée*, (2001) R.J.D.T. 1269 (C.T.), D.T.E. 2001T-864 (C.T.) (révision judiciaire refusée: C.S.M. n° 500-05-066661-016, le 17 avril 2002).

124/541 Les modifications concernant les indemnités de déplacement et les assurances peuvent être jugées injustes et immorales. Il n'en reste pas moins que les coupures à ce niveau sont parfaitement légales et ne peuvent être considérées comme des modifications substantielles.

Le fait de perdre certains avantages ne peut être assimilé automatiquement à un congédiement déguisé. L'article 124 L.N.T., ne prévoit pas l'arbitrage au moindre changement apporté aux conditions de travail, si néfaste et injuste soit-il.
Normandin c. *Commission des courses du Québec*, (1993) C.T. 541, D.T.E. 93T-1128 (C.T.) (révision judiciaire refusée: D.T.E. 93T-1262 (C.S.), J.E. 93-1876 (C.S.)).

124/542 Il y a congédiement déguisé lorsque le choix de l'employeur se fait de façon arbitraire sans tenir compte de l'ancienneté.
Gilbert c. *École supérieure de danse du Québec*, D.T.E. 94T-613 (C.T.).
Guérard c. *Garnitures Exclusives ltée*, D.T.E. 89T-654 (T.A.).
V. aussi: *Nouveautés Luxor (Canada) ltée* c. *Legendre*, D.T.E. 86T-335 (C.S.).
Bonneterre c. *Imprimerie Laprairie inc.*, (1988) T.A. 505, D.T.E. 88T-536 (T.A.) (révision judiciaire accueillie relativement à l'indemnité et rejetée quant au fond: (1989) R.J.Q. 1283 (C.S.), D.T.E. 89T-516 (C.S.), J.E. 89-850 (C.S.)).

124/543 Le refus d'un employeur de permettre à un salarié possédant plus d'ancienneté de supplanter un collègue de travail moins ancien, peut ne pas laisser transparaître un prétexte et ne pas constituer un congédiement déguisé.
Ouellette c. *Groupe hôtelier Grand Château inc.*, D.T.E. 2008T-457 (C.R.T.).

124/544 Le non-rappel au travail d'un salarié mis à pied, alors que tous ses collègues sont rappelés, constitue un congédiement déguisé.
Lamy c. *Kraft ltée*, (1991) R.D.J. 61 (C.A.), D.T.E. 91T-49 (C.A.), J.E. 91-114 (C.A.).
Mondor c. *Bi-op inc.*, D.T.E. 2003T-346 (C.R.T.).
V. aussi: *Brochu* c. *Caisse populaire Desjardins de Charny*, (1997) C.T. 367, D.T.E. 97T-1056 (C.T.), conf. par D.T.E. 98T-116 (C.S.).
Pearson c. *Rond Point Dodge & Chrysler ltée*, D.T.E. 90T-754 (T.A.).

124/545 Le non-rappel au travail et le refus d'inscrire le nom du salarié sur une liste de rappel constituent une modification substantielle de ses conditions de travail. Toutefois, lorsque les critères de sélection ne sont pas injustes ni déraisonnables ni abusifs et qu'ils ont reçu l'assentiment des comités patronal et syndical, la décision de ne pas retenir les services du salarié sur la liste de rappel est alors fondée sur une cause juste et suffisante.
Meunier c. *Québec (Ministère des Ressources naturelles, de la Faune et des Parcs)*, D.T.E. 2004T-437 (C.R.T.).

124/546 Le non-retour d'un salarié à l'ancien poste de vérificateur senior après la fin d'un projet spécial contractuel à l'extérieur du pays, lorsque l'employeur allègue un manque de travail et de budget qui n'est pas prouvé, peut constituer un congédiement déguisé.
Majdaniw c. *S.N.C. Lavalin inc.*, (2002) R.J.D.T. 299 (C.T.), D.T.E. 2002T-117 (C.T.).

124/547 Le fait de ne pas réembaucher un salarié contrairement à une entente peut constituer un congédiement déguisé.

Boyer c. *Hewitt Equipment ltée*, (1988) R.J.Q. 2112 (C.A.), D.T.E. 88T-656 (C.A.), J.E. 88-1117 (C.A.).
V. aussi: *Corriveau* c. *Lambert Somec inc., division H. Roberge*, D.T.E. 90T-607 (T.A.).

124/548 La perte de responsabilités et de la supervision du personnel, ainsi que l'attribution de tâches de secrétariat au salarié, constituent une modification des conditions de travail et un congédiement déguisé.
Bossé c. *Collège supérieur de Montréal (CSM) inc.*, D.T.E. 2005T-119 (C.R.T.) (révision judiciaire n^{0} 500-17-023975-058: dossier retourné à la C.R.T.).

124/549 Constitue un congédiement déguisé, le départ du salarié à la suite du partage de ses tâches avec un autre employé entraînant une réduction de salaire.
Mignelli c. *Seigneurie Pontiac Buick inc.*, (2006) R.J.D.T. 772 (C.R.T.), D.T.E. 2006T-419 (C.R.T.).

124/550 Constitue un congédiement déguisé le fait de ne pas retenir les services d'un salarié, alors que tous les autres travailleurs sont réembauchés par le syndic qui exploite l'entreprise de l'employeur failli.
Bonan c. *Samson, Bélair/Deloitte & Touche inc.*, (2001) R.J.D.T. 1264 (C.T.), D.T.E. 2001T-839 (C.T.) (désistement de la révision judiciaire).

124/551 Le déplacement du salarié d'un bar très achalandé à un nouveau bar peu fréquenté, constitue une modification substantielle d'une condition de travail si cette situation a une incidence directe sur sa rémunération.
Tisseur c. *91633 Canada ltée*, D.T.E. 2001T-158 (C.T.).

124/552 Les modifications apportées à l'horaire de travail du salarié, soit la réduction de ses heures de travail et le déplacement, peuvent constituer un congédiement déguisé et non une démission.
Castonguay c. *9151-1675 Québec inc. (Motel Le Riverain)*, D.T.E. 2006T-726 (C.R.T.).
Raymond c. *Garage Réjean Roy inc.*, D.T.E. 2004T-1041 (C.R.T.).

124/553 Il peut y avoir congédiement déguisé lorsque le salarié perd son emploi après avoir refusé la modification de ses conditions de travail, soit le changement de son horaire et de son lieu de travail.
Roy c. *Gestion Demessous inc.*, D.T.E. 2005T-832 (C.R.T.).

124/554 Le fait de modifier un contrat de travail d'une durée de trois ans contenant une clause de renouvellement automatique, en un contrat d'une durée d'une année, constitue un congédiement déguisé.
Normandin c. *Commission des courses du Québec*, (1993) C.T. 541, D.T.E. 93T-1128 (C.T.) (révision judiciaire refusée: D.T.E. 93T-1262 (C.S.), J.E. 93-1876 (C.S.)).

124/555 Il y a congédiement déguisé lorsque la démission du plaignant n'est pas un acte volontaire mais qu'elle est forcée par les agissements de l'employeur.
Dubois c. *Cercueils Concept inc.*, D.T.E. 2007T-343 (C.R.T.).
Rousseau c. *Ste-Rita (Municipalité de)*, (2007) R.J.D.T. 565 (C.R.T.), D.T.E. 2007T-501 (C.R.T.) (révision judiciaire refusée: D.T.E. 2008T-193 (C.S.)).
Opdekamp c. *Services Ultramar inc.*, D.T.E. 2005T-1101 (C.R.T.).
Ranger c. *Clinique chiropratique St-Eustache*, D.T.E. 2003T-1013 (C.R.T.).

Sirois c. *Cam-expert*, D.T.E. 2003T-589 (C.R.T.).
Provencher c. *Vigie informatique 2000*, D.T.E. 97T-273 (C.T.) (révision judiciaire refusée: (1998) R.J.D.T. 99 (C.S.), D.T.E. 98T-117 (C.S.)).
Mayrand c. *Magasins à rayons Peoples inc.*, D.T.E. 95T-828 (C.T.).
Céramique de Beauce inc. c. *De Sales*, D.T.E. 85T-384 (T.A.).
Trottier c. *Pierre Campeau ltée*, (1985) T.A. 161, D.T.E. 85T-229 (T.A.).
V. aussi: *Bernard* c. *Multi-recyclage S.D. inc.*, (1998) R.J.D.T. 187 (C.T.), D.T.E. 98T-15 (C.T.).

124/556 Il y a congédiement déguisé, et non démission, lorsque celle-ci est le résultat d'un comportement inacceptable et injustifié de la part de l'employeur, celui-ci ayant posé des gestes qui, pris isolément, peuvent paraître anodins mais qui, regroupés sur une courte période, ont eu comme effet de déstabiliser le salarié.
Morin-Arpin c. *Ovide Morin inc.*, D.T.E. 2007T-961 (C.R.T.).
Opdekamp c. *Services Ultramar inc.*, D.T.E. 2005T-1101 (C.R.T.).

124/557 Il y a congédiement déguisé et non démission lorsque le salarié quitte son emploi à cause du traitement injuste, inéquitable et arbitraire qu'il subit de la part de l'employeur.
Rousseau c. *Ste-Rita (Municipalité de)*, (2007) R.J.D.T. 565 (C.R.T.), D.T.E. 2007T-501 (C.R.T.) (révision judiciaire refusée: D.T.E. 2008T-193 (C.S.)).

124/558 Le nouvel employeur procède à un congédiement déguisé si par ses propositions au plaignant, il le place dans une situation d'ambiguïté, d'incertitude et d'insécurité entraînant le départ volontaire.
Robitaille c. *Entreprises Des Gagnés ltée*, (1987) T.A. 351, D.T.E. 87T-480 (T.A.).

124/559 Le commissaire a compétence pour examiner les circonstances entourant une démission, afin de déterminer s'il s'agit d'un congédiement déguisé.
Blain c. *Groupe RO-NA inc.*, (1985) T.A. 805, D.T.E. 85T-973 (T.A.).
Dallaire c. *Hôpital Notre-Dame*, (1984) T.A. 313, D.T.E. 84T-390 (T.A.).

124/560 Il y a congédiement déguisé et non démission lorsque le salarié y est forcé par l'attitude et le comportement de son supérieur.
Tait c. *Cie de construction Lazar inc.*, (1991) T.A. 359, D.T.E. 91T-533 (T.A.).
V. aussi: *Bourgoin* c. *Alza Canada*, D.T.E. 2003T-67 (C.T.).
Halte des routiers Gill inc. c. *Truchon*, D.T.E. 89T-926 (T.A.).
Blazevic c. *P. Blander Locksmith Supply Co.*, D.T.E. 88T-535 (T.A.).
Beaulieu c. *Caisse populaire de St-Raymond de Portneuf*, D.T.E. 85T-673 (T.A.).
C.I.L. inc. c. *Otis*, D.T.E. 85T-333 (T.A.).
Leroux c. *Société générale du cinéma*, D.T.E. 85T-85 (T.A.).

124/561 Constitue un congédiement déguisé, la provocation de l'employeur par des réprimandes faites devant les collègues de travail du salarié et en public.
Forbes c. *Québec Loisirs inc.*, D.T.E. 2001T-929 (C.T.).

124/562 Il y a congédiement déguisé lorsque les différentes options proposées à l'employé incitent toutes au départ.
Robitaille c. *Entreprises Des Gagnés ltée*, (1987) T.A. 351, D.T.E. 87T-480 (T.A.).

124/563 Il y a congédiement déguisé et non démission lorsque le salarié est placé devant une situation de fait qui ne peut qu'entraîner la démission.

Collège Mont-Notre-Dame de Sherbrooke inc. c. *Monette*, D.T.E. 96T-1032 (C.S.) (règlement hors cour).
Kelly c. *Taxi Coop 525-5191*, (1988) T.A. 428, D.T.E. 88T-463 (T.A.).
Langevin c. *St-Léonard Toyota ltée*, (1988) T.A. 455, D.T.E. 88T-488 (T.A.).
Beaulieu c. *Caisse populaire de St-Raymond de Portneuf*, D.T.E. 85T-673 (T.A.).
Leroux c. *Société générale du cinéma*, D.T.E. 85T-85 (T.A.).
Trottier c. *Pierre Campeau ltée*, (1985) T.A. 161, D.T.E. 85T-229 (T.A.).

124/564 Il y a congédiement déguisé, et non démission, lorsque le salarié refuse les modifications substantielles apportées par l'employeur au contrat de travail.
Investissements Trizec ltée c. *Hutchison*, (1989) 18 Q.A.C. 316, D.T.E. 87T-764 (C.A.).
Vigie informatique 2000 inc. c. *Girard*, (1998) R.J.D.T. 99 (C.S.), D.T.E. 98T-117 (C.S.).
Gavard c. *Corporation Presse Commerce*, D.T.E. 2008T-912 (C.R.T.) (requête en révision judiciaire: n^{0} 500-17-046874-080).
Boucher c. *Commission scolaire de l'Énergie*, D.T.E. 2003T-443 (C.R.T.) (révision judiciaire refusée: D.T.E. 2005T-65 (C.S.)).
Jobin c. *Morin, Lemieux et Associés*, D.T.E. 99T-163 (C.T.) (révision judiciaire refusée: (1999) R.J.D.T. 468 (C.S.), D.T.E. 99T-414 (C.S.)).
Turner c. *École supérieure de danse du Québec*, D.T.E. 99T-776 (C.T.).
Daneau c. *Motorola Canada Ltd. (Systèmes d'information Motorola)*, D.T.E. 95T-491 (C.T.).
Yacoubi c. *Acura Optima*, D.T.E. 95T-256 (C.T.).
Entreprises A. & C. Godbout inc. c. *Gascon*, (1991) T.A. 303, D.T.E. 91T-483 (T.A.).
Tait c. *Cie de construction Lazar inc.*, (1991) T.A. 359, D.T.E. 91T-533 (T.A.).
Ladouceur c. *Almico Plastics Canada inc.*, D.T.E. 90T-490 (T.A.).
Brault c. *Balances Leduc & Thibeault inc.*, D.T.E. 89T-911 (T.A.).
Blazevic c. *P. Blander Locksmith Supply Co.*, D.T.E. 88T-535 (T.A.).
Brassard c. *Pièces d'autos usagées universelles Enrg.*, (1988) T.A. 207, D.T.E. 88T-28 (T.A.).
Kelly c. *Taxi Coop 525-5191*, (1988) T.A. 428, D.T.E. 88T-463 (T.A.).
Leroy c. *Sephardic Hebrew High School*, D.T.E. 87T-637 (T.A.).
Produits chimiques Lawrason's ltée c. *Tomlinson*, D.T.E. 87T-156 (T.A.).
Leroux c. *Société générale du cinéma*, D.T.E. 85T-85 (T.A.).
St-Jacques c. *Tip Top Taylor Dylex ltée*, (1985) T.A. 113, D.T.E. 85T-154 (T.A.).
Trottier c. *Pierre Campeau ltée*, (1985) T.A. 161, D.T.E. 85T-229 (T.A.).
Christophe c. *Sacs à main Santi ltée, Agences Derma ltée*, (1984) T.A. 553, D.T.E. 84T-744 (T.A.).
Wajs c. *Talmud Torahs unis de Montréal inc.*, D.T.E. 84T-207 (T.A.).

124/565 Il y a démission et non congédiement déguisé, lorsque le salarié refuse les modifications substantielles apportées par l'employeur au contrat de travail alors que ces modifications sont effectuées pour des considérations objectives et sérieuses.
Charlebois c. *QTG Canada inc.*, D.T.E. 2005T-282 (C.R.T.).
Bertrand c. *Informco inc.*, D.T.E. 95T-1048 (C.T.).

124/566 Malgré l'absence de modifications substantielles au contrat de travail, si un salarié n'a d'autre choix que de quitter les lieux de travail, il y a alors une démission forcée assimilable à un congédiement.
Tait c. *Cie de construction Lazar inc.*, (1991) T.A. 359, D.T.E. 91T-533 (T.A.).

Brassard c. *Pièces d'autos usagées universelles Enrg.*, (1988) T.A. 207, D.T.E. 88T-28 (T.A.).
Kelly c. *Taxi Coop 525-5191*, (1988) T.A. 428, D.T.E. 88T-463 (T.A.).
V. aussi: *Robitaille* c. *Entreprises Des Gagnés ltée*, (1987) T.A. 351, D.T.E. 87T-480 (T.A.).

124/567 Le refus du salarié de travailler dans des conditions de travail inadéquates constitue un congédiement déguisé, et non une démission.
McLean c. *Manufacture de chapeaux de fourrure Almar ltée*, D.T.E. 2006T-783 (C.R.T.).

124/568 Lorsqu'un salarié démissionne à la suite d'une rétrogradation l'on doit conclure à un congédiement déguisé.
Bilodeau c. *Bata industries Ltd.*, (1986) R.J.Q. 531 (C.A.), D.T.E. 86T-143 (C.A.), J.E. 86-218 (C.A.).
Lizotte c. *Alimentation Coop La Pocatière*, D.T.E. 2008T-543 (C.R.T.) (révision en vertu de l'article 127 C.T. refusée).
Bédard c. *Minolta Business Equipment (Canada) Ltd. (Minolta Québec)*, D.T.E. 2004T-1175 (C.R.T.) (révision judiciaire accueillie pour d'autres motifs: (2007) R.J.D.T. 69 (C.S.), D.T.E. 2007T-258 (C.S.), EYB 2007-115114 (C.S.)) (appel accueilli pour d'autres motifs: (2008) R.J.D.T. 1431 (C.A.), D.T.E. 2008T-759 (C.A.), J.E. 2008-1829 (C.A.), EYB 2008-146847 (C.A.)) (autorisation d'appeler à la Cour suprême refusée).
Brisson c. *Liquidation Choc inc. / La Différence*, D.T.E. 2003T-347 (C.R.T.).
Malo c. *Industries Pantorama inc.*, (1995) C.T. 56, D.T.E. 95T-286 (C.T.) (révision judiciaire refusée: C.S.M. n° 500-05-014650-947, le 1er février 1995).
Schneidman c. *London Life, Cie d'assurance-vie*, D.T.E. 95T-1372 (C.T.).
Brault c. *Balances Leduc & Thibeault inc.*, D.T.E. 89T-911 (T.A.).
Dubois c. *Panneaux rigides Canexel inc.*, D.T.E. 89T-910 (T.A.).
Halte des routiers Gill inc. c. *Truchon*, D.T.E. 89T-926 (T.A.).
Courchesne c. *Restaurant & Charcuterie Bens inc.*, D.T.E. 88T-955 (T.A.), conf. par (1990) R.D.J. 148 (C.A.), D.T.E. 90T-143 (C.A.), J.E. 90-236 (C.A.) (autorisation d'appeler à la Cour suprême refusée).
Langevin c. *St-Léonard Toyota ltée*, (1988) T.A. 455, D.T.E. 88T-488 (T.A.).
Groupe commerce, Cie d'assurances c. *Chenette*, D.T.E. 87T-13 (T.A.).
Vallée c. *Marcel E. Savard inc. «Canadian Tire»*, D.T.E. 86T-450 (T.A.).
Beaulieu c. *Caisse populaire de St-Raymond de Portneuf*, D.T.E. 85T-673 (T.A.).
Bonotto c. *Schenley, Canada inc.*, D.T.E. 85T-817 (T.A.) (révision judiciaire refusée: D.T.E. 86T-207 (C.S.), J.E. 86-309 (C.S.)).
Céramique de Beauce inc. c. *De Sales*, D.T.E. 85T-384 (T.A.).
Leroux c. *Société générale du cinéma*, D.T.E. 85T-85 (T.A.).
Restaurants Murrays ltée c. *Bermejo*, D.T.E. 85T-428 (T.A.).
Desgagné c. *Magasin Coop de Roberval*, (1984) T.A. 409, D.T.E. 84T-501 (T.A.).
Gagnon frères nouveautés Chicoutimi Enr. c. *Girard*, D.T.E. 82T-205 (T.A.).
V. aussi: *F.W. Woolworth Co.* c. *Corriveau*, D.T.E. 85T-286 (C.S.).
Produits chimiques Lawrason's ltée c. *Tomlinson*, D.T.E. 87T-156 (T.A.).

124/569 Une rétrogradation dans un autre poste que le sien ainsi qu'une importante baisse de salaire l'accompagnant constituent un congédiement déguisé. Il ne peut y avoir démission si le salarié n'a jamais refusé d'occuper temporairement le poste proposé par l'employeur.
Perras c. *Journal de Montréal, division du Groupe Quebecor inc.*, D.T.E. 94T-369 (C.T.).

124/570 Il y a congédiement déguisé, et non démission, lorsque le salarié n'accepte pas la modification de ses conditions de travail et sa rétrogradation.
Carin c. *Sobeys Québec inc.*, D.T.E. 2005T-916 (C.R.T.).

124/571 Une démission provoquée par une rétrogradation indéterminée constitue un congédiement déguisé.
Lima c. *Industries acadiennes inc.*, D.T.E. 2002T-653 (C.T.).
Beaulieu c. *Caisse populaire de St-Raymond de Portneuf*, D.T.E. 85T-673 (T.A.).
V. aussi: *Bonotto* c. *Schenley, Canada inc.*, D.T.E. 85T-817 (T.A.) (révision judiciaire refusée: D.T.E. 86T-207 (C.S.), J.E. 86-309 (C.S.)).

124/572 La suspension indéterminée d'un salarié constitue un congédiement déguisé.
Lavoie c. *Avensys inc.*, D.T.E. 2004T-492 (C.R.T.) (révision judiciaire accueillie en partie: D.T.E. 2005T-858 (C.S.), EYB 2005-94598 (C.S.)) (appel principal accueilli et appel incident rejeté: D.T.E. 2006T-573 (C.A.), J.E. 2006-1220 (C.A.), EYB 2006-106096 (C.A.)).

124/573 Rétrograder un employé qui a deux ans ou plus de service continu, sans motif ou sous des prétextes fallacieux qui démontrent une intention de le forcer à démissionner, constitue un congédiement déguisé.
Courchesne c. *Restaurant & Charcuterie Bens inc.*, (1990) R.D.J. 148 (C.A.), D.T.E. 90T-143 (C.A.), J.E. 90-236 (C.A.) (autorisation d'appeler à la Cour suprême refusée).

124/574 Une rétrogradation pour cause n'équivaut pas à un congédiement déguisé.
Lavoie c. *Multidev Technologies inc.*, D.T.E. 2006T-37 (C.R.T.) (révision en vertu de l'article 127 C.T. refusée) (révision judiciaire refusée: C.S.M. n° 500-17-031035-069, le 16 mai 2007).
Chaussures H.H. Brown (Canada) ltée c. *Girardin*, D.T.E. 89T-537 (T.A.).
V. aussi: *Mutuelle d'Omaha (La), Cie d'assurance* c. *Houde*, (1989) T.A. 741, D.T.E. 89T-824 (T.A.).

124/575 Il y a congédiement déguisé lorsque l'employeur modifie de façon substantielle et unilatérale certaines conditions essentielles du contrat de travail et que l'employé quitte son emploi parce qu'il refuse ces changements. Ainsi, le déplacement dans un autre établissement refusé par le salarié constitue un congédiement déguisé.
Bouchard c. *3437302 Canada inc.*, D.T.E. 2003T-68 (C.T.).

124/576 La démotion qu'on propose au plaignant et qui implique une baisse de revenus de 5% peut constituer un congédiement déguisé.
Presse ltée (La) c. *Bernal*, D.T.E. 82T-782 (T.A.).

124/577 Il y a congédiement déguisé et non démission lorsque l'employeur exige du salarié qu'il renonce à ses droits pour continuer son emploi.
Brassard c. *Pièces d'autos usagées universelles Enrg.*, (1988) T.A. 207, D.T.E. 88T-28 (T.A.).

124/578 Le fait de modifier de façon substantielle les conditions de remunération d'un salarié et d'abolir son statut particulier peut constituer un congédiement déguisé.
Turner c. *École supérieure de danse du Québec*, D.T.E. 99T-776 (C.T.).
Longworth c. *Measurex inc.*, D.T.E. 93T-172 (T.A.).

124/579 Le départ du salarié à la suite de la révocation unilatérale par l'employeur d'une entente relative à la rémunération hebdomadaire, ne constitue pas une démission mais un congédiement déguisé.
Normandin c. *Camions Bécancour inc.*, D.T.E. 2009T-138 (C.R.T.).

124/580 L'imposition d'une nouvelle période de probation à un salarié qui était directeur et la réduction substantielle de son salaire constituent un congédiement déguisé.
Marshall c. *Jesta I.S. inc.*, D.T.E. 2004T-362 (C.R.T.).

124/581 Une diminution substantielle de salaire constitue une modification des conditions de travail assimilable à un congédiement déguisé.
Bérubé c. *Club coopératif de consommation d'Amos*, D.T.E. 2001T-211 (C.T.).

124/582 La modification substantielle des conditions de travail par le partage des clients avec un autre vendeur, entraînant la diminution des revenus et le déplacement du salarié d'un endroit à un autre, constitue un congédiement déguisé.
Lamontagne c. *Encore Automobile ltée*, D.T.E. 2000T-1095 (C.T.).

124/583 La modification des conditions de travail qui entraîne une baisse substantielle de salaire et place le salarié dans une situation intenable équivaut à un congédiement déguisé ou par induction.
Provencher c. *Vigie informatique 2000*, D.T.E. 97T-273 (C.T.) (révision judiciaire refusée: (1998) R.J.D.T. 99 (C.S.), D.T.E. 98T-117 (C.S.)).

124/584 Le refus de l'employeur d'offrir une réponse raisonnable et satisfaisante au salarié qui détient un statut précaire, eu égard aux modifications apportées au contrat de travail, est une atteinte aux droits du salarié. Une atteinte à ces droits peut constituer une modification substantielle des conditions de travail équivalant à un congédiement déguisé. En refusant de fournir une réponse satisfaisante au salarié, l'employeur a en quelque sorte procédé à son congédiement.
Brouillette c. *Pilon ltée*, (2000) R.J.D.T. 1035 (C.T.), D.T.E. 2000T-699 (C.T.) (requête en révision judiciaire: n° 550-05-009964-001).

124/585 Il y a modification unilatérale et substantielle des conditions de travail du salarié lorsque l'employeur diminue de façon importante les heures de travail de ce dernier sans son consentement. Ceci équivaut à un congédiement déguisé.
Bernard c. *Multi-recyclage S.D. inc.*, (1998) R.J.D.T. 187 (C.T.), D.T.E. 98T-15 (C.T.).

124/586 Il ne s'agit pas d'une démission, mais bien d'un congédiement déguisé, lorsque le salarié quitte son emploi à la suite d'une plainte de harcèlement de la part d'un autre employé alors que le climat de travail est malsain et que l'employeur n'intervient pas dans le cadre d'une gestion déficiente de son entreprise.
Gagnon c. *Comité sectoriel de main-d'oeuvre des industries du bois de sciage*, D.T.E. 2005T-1135 (C.R.T.).

124/587 Le fait d'abandonner au profit d'un tiers une division de son entreprise, ne peut constituer un congédiement déguisé à moins de prouver que le but de l'abandon était spécifiquement de se départir des services du salarié.
Moreau c. *Distributions J.C.B. Dionne inc.*, D.T.E. 96T-145 (C.T.).

124/588 La modification du territoire du salarié, avec l'ajout d'une douzaine de nuitées à l'hôtel, ne constitue pas une modification substantielle de ses conditions de travail laissant croire en un congédiement déguisé.
Trout c. *Sabex 2002 inc.*, D.T.E. 2004T-159 (C.R.T.).

124/589 Le rejet de la démission du salarié à la suite de son refus de modifier son lieu de travail, le salarié voulant continuer à travailler à la maison, constitue dans les faits un congédiement déguisé.
Gavard c. *Corporation Presse Commerce*, D.T.E. 2008T-912 (C.R.T.) (requête en révision judiciaire: n° 500-17-046874-080).

124/590 Il y a démission et non congédiement déguisé lorsque la réorganisation est prouvée et que le salarié n'a aucunement cherché à obtenir des explications quant à ce qui lui arrivait.
Cie Germicide canadienne ltée c. *Madoff*, D.T.E. 84T-263 (T.A.).
V. aussi: *Leduc* c. *Groupe Y. Bourassa & Associés inc.*, (2002) R.J.D.T. 686 (C.T.), D.T.E. 2002T-376 (C.T.).
Roy c. *Entraide Assurance-vie*, D.T.E. 89T-230 (T.A.).

124/591 Le fait de rétrograder une hôtesse de restaurant à titre de serveuse constitue un congédiement déguisé, et on ne peut invoquer la démission même si la plaignante quitte le travail pour une semaine.
Restaurants Murrays ltée c. *Bermejo*, D.T.E. 85T-428 (T.A.).

124/592 On a offert à la plaignante de travailler à temps partiel sur appel, celle-ci n'a pas répondu à l'offre et elle s'est absentée de son travail les jours proposés, ce qui équivaut à une démission et non à un congédiement déguisé.
Goupil c. *Clinique médicale Bouchard & Smith*, D.T.E. 82T-877 (T.A.).

124/593 Ne constitue pas un congédiement déguisé, mais une démission, le fait que le salarié ait pris des vacances, malgré l'opposition de son employeur, le salarié se disant victime de harcèlement psychologique alors que la preuve n'a rien révélé de tel.
Bourgoin c. *Alza Canada*, D.T.E. 2003T-67 (C.T.).

124/594 Il y a congédiement déguisé lorsque le supérieur hiérarchique d'un employé accepte son nouveau poste, à la condition d'abolir le poste de ce dernier.
Roy c. *Université de Montréal*, (1987) T.A. 309, D.T.E. 87T-453 (T.A.).

124/595 L'offre de replacement dans un poste que le travailleur ne peut occuper pour des raisons médicales constitue un congédiement déguisé.
Pearson c. *Rond Point Dodge & Chrysler ltée*, D.T.E. 90T-754 (T.A.).

124/596 V. CAZA, C., «L'embarquement pour un tour d'horizon des développements récents concernant la *Loi sur les normes du travail*», dans *Développements récents en droit du travail (1997)*, Formation permanente du Barreau du Québec, Cowansville, Les Éditions Yvon Blais inc., 1997, p. 229, p. 332 et ss.

124/597 V. FORTIN, J.-M., «Tendances en matière de congédiement déguisé», dans *L'A-B-C des cessations d'emploi et des indemnités de départ (2008)*, Formation continue du Barreau du Québec, Cowansville, Les Éditions Yvon Blais inc., 2008, p. 71.

124/598 V. GARNEAU, F., «Le congédiement déguisé», (1988) *Meredith Mem. Lect.* 207.

Non-renouvellement d'un contrat à durée déterminée

124/599 Le non-renouvellement d'un contrat à durée déterminée ne constitue pas nécessairement un congédiement.
Thériault c. *Université de Sherbrooke*, D.T.E. 2008T-561 (C.R.T.) (révision en vertu de l'article 127 C.T. refusée).
Crépeau c. *Syndicat de l'enseignement de la Rivière-du-Nord*, D.T.E. 2007T-810 (C.R.T.) (révision en vertu de l'article 127 C.T. refusée).
Chamberland c. *Commission scolaire des Chutes-de-la-Chaudière*, D.T.E. 89T-1141 (T.A.), conf. par *sub nom. Chamberland* c. *Desnoyers*, D.T.E. 90T-993 (C.S.).
Bédard c. *Cie Mask-Rite ltée*, (1988) T.A. 464, D.T.E. 88T-485 (T.A.).
Fillion c. *Club de curling Riverbend d'Alma*, (1988) T.A. 442, D.T.E. 88T-489 (T.A.).
Lajoie c. *Multi-Marques inc.*, D.T.E. 87T-160 (T.A.).
Réfrigération Kelko ltée c. *Émond*, (1985) T.A. 697, D.T.E. 85T-839 (T.A.).
C.S.R. de Lanaudière c. *Blanchet-Provost*, D.T.E. 84T-265 (T.A.).
Bélanger Herr c. *Collège français (1965) inc.*, D.T.E. 83T-956 (T.A.).
Côté c. *Académie Michèle Provost inc.*, D.T.E. 83T-74 (T.A.).
McGill University c. *Shantz*, (1983) T.A. 825, D.T.E. 83T-903 (T.A.).
Provost c. *Caisse populaire Ste-Louise de Marillac*, D.T.E. 83T-245 (T.A.).
Bolduc c. *Caisse populaire de St-Gédéon*, D.T.E. 82T-60 (T.A.), (1981) 3 R.S.A. 58.
Sewell c. *Centre d'accueil Horizons de la jeunesse / Youth Horizons*, (1982) T.A. 1234, D.T.E. 82T-634 (T.A.).
Société Asbestos ltée c. *Fontaine*, (1981) 3 R.S.A. 39.
V. aussi: *Brouard* c. *Université du Québec à Hull*, D.T.E. 95T-673 (C.T.) (révision judiciaire accueillie: D.T.E. 96T-386 (C.S.)).
Commission scolaire catholique de Sherbrooke c. *De Billy*, D.T.E. 90T-1353 (T.A.).
Lactantia ltée c. *Lagacé*, D.T.E. 90T-161 (T.A.).

124/600 Le non-renouvellement d'un contrat à durée déterminée ou le non-réengagement peuvent constituer un congédiement.
École Weston inc. c. *Tribunal du travail*, (1993) R.J.Q. 708 (C.A.), D.T.E. 93T-356 (C.A.), J.E. 93-642 (C.A.) (par analogie).
Commission scolaire Berthier Nord-Joli c. *Beauséjour*, (1988) R.J.Q. 639 (C.A.), D.T.E. 88T-261 (C.A.), J.E. 88-414 (C.A.).
Moore c. *Cie Montréal Trust*, (1988) R.J.Q. 2339 (C.A.), D.T.E. 88T-878 (C.A.), J.E. 88-1182 (C.A.) (autorisation d'appeler à la Cour suprême refusée) (par analogie).
Université de Sherbrooke c. *Commission des relations du travail*, D.T.E. 2005T-575 (C.S.), EYB 2005-91056 (C.S.).
École Le Sommet c. *Bibeault*, D.T.E. 94T-480 (C.S.).
Collège d'affaires Ellis inc. c. *Lafleur*, D.T.E. 83T-535 (C.S.) (appel rejeté: C.A.M. n° 500-09-000620-831, le 11 octobre 1984).
Brandwein c. *Congrégation Beth-El*, (2003) R.J.D.T. 294 (C.R.T.), D.T.E. 2003T-92 (C.R.T.) (révision judiciaire refusée: D.T.E. 2005T-365 (C.A.)).
Labrie-Langlois c. *20 du Rhône Condominium*, D.T.E. 2000T-720 (C.T.).
Poulin c. *Centre des femmes de St-Eustache*, D.T.E. 2000T-923 (C.T.).
Hillock c. *Technologies industrielles S.N.C. inc.*, D.T.E. 98T-975 (C.T.).
Gilbert c. *École supérieure de danse du Québec*, D.T.E. 94T-613 (C.T.).
Émond c. *La Malbaie (Ville de)*, D.T.E. 92T-184 (T.A.).
Commission scolaire d'Iberville c. *Lapointe*, (1989) T.A. 534, D.T.E. 89T-494 (T.A.) et D.T.E. 90T-779 (T.A.).
Leroy c. *Sephardic Hebrew High School*, D.T.E. 87T-637 (T.A.).
Roy c. *Université de Montréal*, (1987) T.A. 309, D.T.E. 87T-453 (T.A.).

Dorion c. *Blanchet*, D.T.E. 86T-199 (T.A.).
Côté c. *Académie Michèle Provost inc.*, D.T.E. 83T-74 (T.A.).
Losito c. *Université de Sherbrooke*, (1981) 3 R.S.A. 220.

124/601 Le non-renouvellement d'un contrat à l'arrivée de son terme peut constituer un congédiement valide si l'employeur apporte la preuve d'une cause juste et suffisante.
Beauséjour c. *Lefebvre*, (1986) R.J.Q. 1407 (C.S.), D.T.E. 86T-315 (C.S.), J.E. 86-447 (C.S.), appel rejeté pour d'autres motifs à (1988) R.J.Q. 639 (C.A.), D.T.E. 88T-261 (C.A.), J.E. 88-414 (C.A.).
Marsan c. *Québec (Ministère de la Sécurité publique)*, D.T.E. 2007T-79 (C.R.T.).
Brandwein c. *Congrégation Beth-El*, (2003) R.J.D.T. 294 (C.R.T.), D.T.E. 2003T-92 (C.R.T.) (révision judiciaire refusée: D.T.E. 2005T-365 (C.A.)).

124/602 Congédier implique un renvoi, une cessation du lien d'emploi par l'expression unilatérale d'une partie, en cours de contrat, alors qu'un non-réengagement comporte le non-renouvellement d'un contrat terminé à un moment prédéterminé par les parties elles-mêmes.
Bolduc c. *Caisse populaire de St-Gédéon*, D.T.E. 82T-60 (T.A.), (1981) 3 R.S.A. 58.

124/603 L'esprit de la Loi sur les normes et le texte de l'article 124 L.N.T. ne permettent pas d'interpréter cette disposition restrictivement de façon à soustraire à son application les contrats à durée déterminée.
Roy c. *Université de Montréal*, (1987) T.A. 309, D.T.E. 87T-453 (T.A.).

124/604 Le non-renouvellement d'un contrat à durée déterminée peut être assimilé à un congédiement déguisé, c'est au plaignant d'en faire la preuve, cependant il n'existe aucune présomption en ce sens.
Commission scolaire d'Iberville c. *Lapointe*, D.T.E. 90T-779 (T.A.).
V. aussi: *Commission scolaire d'Iberville* c. *Lapointe*, (1989) T.A. 534, D.T.E. 89T-494 (T.A.).
Leroy c. *Sephardic Hebrew High School*, D.T.E. 87T-637 (T.A.).
Roy c. *Université de Montréal*, (1987) T.A. 309, D.T.E. 87T-453 (T.A.).
Côté c. *Académie Michèle Provost inc.*, D.T.E. 83T-74 (T.A.).

124/605 Le non-renouvellement d'un contrat à durée déterminée peut être assimilé à un congédiement déguisé, et ce, même si le salarié ne quitte pas son emploi, puisqu'il peut y avoir congédiement sans rupture définitive du lien d'emploi.
Boily c. *Corp. de l'École polytechnique de Montréal*, (2001) R.J.D.T. 168 (C.T.), D.T.E. 2001T-60 (C.T.) (règlement hors cour partiel).

124/606 Seul le contrat de travail à durée déterminée sans clause de reconduction tacite est exclu de l'application de l'article 124 L.N.T.
Académie Michèle Provost inc. c. *Chalouhi*, D.T.E. 87T-805 (T.A.).

124/607 Relève spécifiquement du commissaire, la question de savoir si un non-renouvellement de contrat à durée déterminée ou la non-conclusion d'un nouveau contrat à durée déterminée peut constituer une rupture du contrat de travail.
Malo c. *Côté-Desbiolles*, (1995) R.J.Q. 1686 (C.A.), D.T.E. 95T-827 (C.A.), J.E. 95-1438 (C.A.) (autorisation d'appeler à la Cour suprême refusée).
École Weston inc. c. *Tribunal du travail*, (1993) R.J.Q. 708 (C.A.), D.T.E. 93T-356 (C.A.), J.E. 93-642 (C.A.) (par analogie).

Commission scolaire Berthier Nord-Joli c. *Beauséjour*, (1988) R.J.Q. 639 (C.A.), D.T.E. 88T-261 (C.A.), J.E. 88-414 (C.A.).
Moore c. *Cie Montréal Trust*, (1988) R.J.Q. 2339 (C.A.), D.T.E. 88T-878 (C.A.), J.E. 88-1182 (C.A.) (autorisation d'appeler à la Cour suprême refusée).
Université de Sherbrooke c. *Commission des relations du travail*, D.T.E. 2005T-575 (C.S.), EYB 2005-91056 (C.S.).
Chamberland c. *Desnoyers*, D.T.E. 90T-993 (C.S.).
Normandin c. *Commission des courses du Québec*, (1993) C.T. 541, D.T.E. 93T-1128 (C.T.) (révision judiciaire refusée: D.T.E. 93T-1262 (C.S.), J.E. 93-1876 (C.S.)).

124/608 Devant l'expiration d'un contrat à durée déterminée et la preuve de motifs économiques justifiant la réduction de personnel et en l'absence de preuve de congédiement déguisé, le commissaire doit décliner compétence.
D'Andréa c. *Commission scolaire de Laval*, D.T.E. 2001T-1176 (C.T.).
Lactantia ltée c. *Lagacé*, D.T.E. 90T-161 (T.A.).

124/609 Le commissaire ne peut imposer à l'employeur une nouvelle obligation non prévue par les dispositions de la convention collective en forçant celui-ci à maintenir à son emploi un enseignant détenant un emploi à temps plein mais bénéficiant d'un contrat à durée déterminée. Dans ce cadre, le commissaire ne peut se saisir de la plainte pour déterminer s'il est question d'un congédiement ou d'un licenciement.
Commission scolaire Chomedey de Laval c. *Racicot*, D.T.E. 2000T-922 (C.A.), J.E. 2000-1775 (C.A.), REJB 2000-19982 (C.A.).

124/610 À défaut de preuve établissant l'invalidité du contrat à durée déterminée ou son application irrégulière équivalant à un abus de droit ou à des manoeuvres dolosives, on ne peut conclure à un congédiement.
Fillion c. *Club de curling Riverbend d'Alma*, (1988) T.A. 442, D.T.E. 88T-489 (T.A.).
Lajoie c. *Multi-Marques inc.*, D.T.E. 87T-160 (T.A.).

124/611 Est justifiée la décision de l'employeur de ne pas renouveler le contrat de travail d'un fonctionnaire occasionnel dans un contexte de compression budgétaire, compte tenu qu'il possède une connaissance insuffisante de l'anglais. Ceci constitue un critère objectif appliqué de manière raisonnable. On doit alors conclure à une cause juste et suffisante de fin d'emploi.
Meilleur c. *Québec (Ministère de l'Emploi, de la Solidarité sociale et de la Famille)*, D.T.E. 2008T-458 (C.R.T.) (révision en vertu de l'article 127 C.T. refusée).

124/612 Avant de prendre la décision de ne pas renouveler un contrat de travail qui l'a été durant de nombreuses années, l'employeur doit respecter les principes de l'équité procédurale. Pour ce faire, il doit, entre autres, aviser le salarié de son congédiement par lettre recommandée et indiquer les motifs précis et les faits qui ont conduit à une telle décision, et ce, de façon à lui donner l'occasion de répondre et d'assurer sa défense. S'il ne le fait pas, il y a congédiement sans cause juste et suffisante.
Trochet c. *Université de Sherbrooke*, D.T.E. 2004T-865 (C.R.T.) (révision judiciaire refusée: D.T.E. 2005T-575 (C.S.), EYB 2005-91056 (C.S.)).

124/613 Le non-renouvellement d'un contrat peut équivaloir à un congédiement. Cependant, il y a licenciement lorsque l'employeur applique simplement les règles visant l'élimination du double emploi et qu'il agit de façon normale et non discriminatoire.
Gatkowski c. *Commission des écoles catholiques de Montréal*, (1994) C.T. 433, D.T.E. 94T-1075 (C.T.).

124/614 L'impossibilité pour les parties de s'entendre sur les conditions de travail à inscrire au contrat de travail à durée déterminée, ne peut constituer une autre cause juste et suffisante de congédiement.
Brandwein c. *Congrégation Beth-El*, (2003) R.J.D.T. 294 (C.R.T.), D.T.E. 2003T-92 (C.R.T.) (révision judiciaire refusée: D.T.E. 2005T-365 (C.A.)).

124/615 Le plaignant, un policier auxiliaire, devait, à la fin de son contrat à durée déterminée, faire l'objet d'une recommandation pour que sa candidature soit retenue à un poste permanent.

En l'absence d'une telle recommandation, la fin de son engagement avec son employeur ne peut être considérée comme un congédiement.
Marsan c. *Québec (Ministère de la Sécurité publique)*, D.T.E. 2007T-79 (C.R.T.).

124/616 Le non-renouvellement du contrat de travail du salarié est justifié dans le cas où celui-ci n'obtient pas, dans les délais prévus, son permis d'enseignement conformément à la *Loi sur l'instruction publique* (L.R.Q., c. I-13.3).
Bellemare c. *Commission scolaire Crie*, D.T.E. 2008T-215 (C.R.T.) (révision en vertu de l'article 127 C.T. refusée).

124/617 Il n'y a pas congédiement lorsque le nom de l'enseignant suppléant n'a jamais été rayé de la liste de suppléance.
Commission scolaire catholique de Sherbrooke c. *De Billy*, D.T.E. 90T-1353 (T.A.).

124/618 Le non-renouvellement d'un contrat d'agente de pastorale, soit l'engagement d'une durée d'un an en vue de l'obtention d'un mandat pastoral décerné par l'évêque, ne peut constituer un congédiement lorsqu'il y a eu reconduction tacite du contrat.
Côté c. *Fabrique de la paroisse de St-Félicien*, D.T.E. 2009T-78 (C.R.T.).

124/619 V. COUTU, M., «Le non-renouvellement du contrat de travail à durée déterminée: Évolution comparée du droit français et de la jurisprudence québécoise récente», (1986) 46 *R. du B.* 57.

124/620 V. la jurisprudence sous l'article 122 L.N.T. à CONGÉDIEMENT vs NON-RÉENGAGEMENT.

Mise à pied
V. également à *Licenciement ou mise à pied causés par des motifs administratifs ou économiques*

124/621 Le non-réembauchage à la suite d'une mise à pied peut constituer un congédiement.
Boyer c. *Hewitt Equipment ltée*, (1988) R.J.Q. 2112 (C.A.), D.T.E. 88T-656 (C.A.), J.E. 88-1117 (C.A.).
V. aussi: *Louidor* c. *LaGran Canada inc.*, D.T.E. 92T-1247 (C.T.).
Émond c. *La Malbaie (Ville de)*, D.T.E. 92T-184 (T.A.).

124/622 Le commissaire a compétence pour déterminer s'il s'agit d'un congédiement ou d'une mise à pied.
Cie minière I.O.C. c. *Boucher*, D.T.E. 82T-436 (C.S.).

124/623 Le commissaire n'a pas compétence lorsque la preuve établit bien l'existence d'une mise à pied causée par un manque de travail et qu'il ne s'agit pas d'une mesure discriminatoire, abusive ou arbitraire.

Blais c. *Bélanger*, (1998) R.J.D.T. 42 (C.A.), D.T.E. 98T-320 (C.A.), J.E. 98-660 (C.A.).
Léonce Harvey ltée c. *Girard*, D.T.E. 83T-239 (C.S.), J.E. 83-386 (C.S.).
Dupuis c. *Centre hospitalier Georges-Frédéric*, D.T.E. 83T-344 (T.A.).
Équipement Apco inc. c. *Parkin*, (1983) T.A. 467, D.T.E. 83T-536 (T.A.).
Demers Express inc. c. *Gaudet*, D.T.E. 82T-388 (T.A.).
Fercomat inc. c. *Girard*, D.T.E. 82T-603 (T.A.).
Union des carrières et pavages ltée c. *Paradis*, D.T.E. 82T-781 (T.A.).
V. aussi: *KHD Canada inc.* c. *Lutchman*, D.T.E. 83T-358 (T.A.).

124/624 Un employeur ne peut, après une mise à pied, modifier unilatéralement les relations de travail sans provoquer une résiliation du contrat de travail sans cause juste et suffisante.
C.I.L. inc. c. *Otis*, D.T.E. 85T-333 (T.A.).

124/625 En matière de mise à pied l'employeur a entière discrétion pour choisir ceux qui en feront l'objet, pourvu qu'il agisse de bonne foi et qu'il soit sincère.
Donohue inc. c. *Simard*, (1988) R.J.Q. 2118 (C.A.), D.T.E. 88T-819 (C.A.), J.E. 88-1118 (C.A.) (autorisation d'appeler à la Cour suprême refusée).
Piuze c. *Équipement Blackwood Hodge ltée*, (1991) T.A. 337, D.T.E. 91T-532 (T.A.).

124/626 Le choix des critères devant être appliqués dans le cas de mise à pied ne relève que de l'employeur puisqu'il fait partie des droits de la direction.
Pearson c. *Rond Point Dodge & Chrysler ltée*, D.T.E. 90T-754 (T.A.).
L. Morency et Fils (1978) inc. c. *Béliveau*, D.T.E. 85T-784 (T.A.).
Demers c. *Campeau Corp.*, D.T.E. 84T-843 (T.A.).
Lemay c. *Remtec inc.*, D.T.E. 84T-802 (T.A.).
Maillé c. *Produits forestiers Saucier ltée*, (1983) T.A. 747, D.T.E. 83T-68 (T.A.).
Fercomat inc. c. *Girard*, D.T.E. 82T-603 (T.A.).
Roy et Frères Joliette ltée c. *Guilbeault*, D.T.E. 82T-766 (T.A.).
Taverne Rosaire Enr. c. *Grenier*, (1981) 3 R.S.A. 14.

124/627 Le choix de l'utilisation de l'ancienneté apparaît comme un critère raisonnable et objectif à utiliser dans la détermination de l'ordre des mises à pied.
Siggia c. *Industries U.D.T. inc.*, D.T.E. 2000T-921 (C.T.) (révision judiciaire refusée: D.T.E. 2001T-515 (C.S.)).

124/628 La mise à pied d'un employé temporaire qui effectue un travail saisonnier à titre d'opérateur de machinerie lourde et qui a travaillé pendant deux ans sans interruption, ne constitue pas un congédiement.
Gagné c. *St-Hubert-de-Rivière-du-Loup (Municipalité de)*, D.T.E. 2000T-845 (C.T.).

124/629 Une mise à pied due à l'abolition du poste du salarié rompt le lien d'emploi.
Bonin c. *Sheraton Château Vaudreuil*, D.T.E. 98T-646 (C.T.).
Ménard c. *Optigo ltée*, D.T.E. 91T-48 (T.A.).

124/630 La mise à pied constituant un licenciement à cause de l'absence de droit de rappel, est considérée comme une rupture du lien d'emploi.
Cloutier c. *G.T.E. Sylvania Canada ltée*, D.T.E. 90T-211 (T.A.).

124/631 Il y a congédiement lorsque la mise à pied est modifiée subséquemment par un rappel sur un poste temporaire, car il s'agit d'une résiliation unilatérale du contrat par la seule volonté de l'employeur.

C.I.L. inc. c. *Otis*, D.T.E. 85T-333 (T.A.).
V. cependant: *Michaud* c. *Groupe Dinaco, coopérative agro-alimentaire*, D.T.E. 97T-38 (C.T.).

124/632 La *Loi sur les normes du travail* ne prévoit aucune garantie en cas de mise à pied ou de rappel au travail.
Lauzier Little c. *Syndicat canadien des communications, de l'énergie et du papier, section locale 405*, (1994) T.A. 669, D.T.E. 94T-937 (T.A.).

Licenciement ou mise à pied causés par des motifs administratifs ou économiques
V. également à *Mise à pied* et *Congédiement non disciplinaire ou administratif*

124/633 Un licenciement est une fin d'emploi qui résulte de motifs d'ordre économique ou technique.
Gariépy c. *Géophysique G.P.R. International inc.*, D.T.E. 2001T-339 (C.T.).
Spiridigliozzi c. *Royale du Canada (La), compagnie d'assurances*, (1997) C.T. 181, D.T.E. 97T-557 (C.T.) (règlement hors cour).

124/634 La simple allégation de difficultés économiques par l'employeur est insuffisante pour rejeter la plainte, sans enquête plus approfondie du commissaire. En effet, il doit vérifier s'il ne s'agit pas d'un congédiement déguisé.
St-Georges c. *Deschamps Pontiac Buick G.M.C. ltée*, D.T.E. 97T-1342 (C.A.), J.E. 97-2113 (C.A.) (autorisation d'appeler à la Cour suprême refusée).
Lamy c. *Kraft ltée*, (1991) R.D.J. 61 (C.A.), D.T.E. 91T-49 (C.A.), J.E. 91-114 (C.A.), inf. (1987) R.J.Q. 2636 (C.S.), D.T.E. 87T-998 (C.S.), J.E. 87-1222 (C.S.).
Boyer c. *Hewitt Equipment ltée*, (1988) R.J.Q. 2112 (C.A.), D.T.E. 88T-656 (C.A.), J.E. 88-1117 (C.A.).
Donohue inc. c. *Simard*, (1988) R.J.Q. 2118 (C.A.), D.T.E. 88T-819 (C.A.), J.E. 88-1118 (C.A.) (autorisation d'appeler à la Cour suprême refusée).
Rémillard c. *Gabriel of Canada Ltd.*, D.T.E. 86T-361 (C.A.).
RSW inc. c. *Moro*, D.T.E. 2006T-290 (C.S.), EYB 2006-101923 (C.S.) (appel rejeté: D.T.E. 2007T-648 (C.A.), J.E. 2007-1480 (C.A.), EYB 2007-121975 (C.A.)).
Provigo Distribution inc. c. *Vallerand*, D.T.E. 95T-1145 (C.S.), J.E. 95-1843 (C.S.) (appel accueilli: C.A.Q. n° 200-09-000517-950, le 17 mai 1996).
Université de Montréal c. *Cloutier*, (1988) R.J.Q. 511 (C.S.), D.T.E. 88T-138 (C.S.), J.E. 88-209 (C.S.).
Nouveautés Luxor (Canada) ltée c. *Legendre*, D.T.E. 86T-335 (C.S.).
Corp. de crédit commercial ltée c. *Ladouceur*, D.T.E. 84T-541 (C.S.).
Veillette & Deschênes ltée c. *C.N.T.*, D.T.E. 84T-825 (C.S.).
Lavalin inc. c. *Deslierres*, (1983) C.S. 470, D.T.E. 83T-570 (C.S.), J.E. 83-743 (C.S.).
Larocque c. *CAE inc. / CAE Électronique ltée*, D.T.E. 2009T-196 (C.R.T.).
Brochu c. *Fabrique de la paroisse de Notre-Dame-de-la-Paix*, D.T.E. 2006T-908 (C.R.T.) (révision en vertu de l'article 127 C.T. accueillie en partie pour d'autres motifs: D.T.E. 2008T-358 (C.R.T.)) (requête en révision judiciaire: n° 500-17-042667-082).
Mignelli c. *Seigneurie Pontiac Buick inc.*, (2006) R.J.D.T. 772 (C.R.T.), D.T.E. 2006T-419 (C.R.T.).
De Coeli c. *Aro inc.*, D.T.E. 2005T-1020 (C.R.T.).
Hernandez c. *Entreprises Oerlikon Contraves inc.*, D.T.E. 2005T-1102 (C.R.T.).
Morin c. *G. Roy et Fils inc.*, D.T.E. 2005T-773 (C.R.T.).
Trapani c. *Tenaquip ltée*, D.T.E. 2005T-830 (C.R.T.).

Boissonneault c. *Pétroles Bois-Francs (2000) inc.*, D.T.E. 2004T-908 (C.R.T.) (révision judiciaire accueillie pour d'autres motifs: D.T.E. 2005T-385 (C.S.)) (règlement hors cour).
Floros c. *Acratype inc.*, D.T.E. 2004T-62 (C.R.T.).
Girard c. *Centre du camion Nutrinor inc.*, D.T.E. 2004T-693 (C.R.T.).
Vekilis c. *Communauté hellénique de Montréal*, D.T.E. 2004T-90 (C.R.T.).
Brisson c. *Liquidation Choc inc. / La Différence*, D.T.E. 2003T-347 (C.R.T.).
Gendron c. *Rodolphe Duranleau inc.*, D.T.E. 2003T-69 (C.T.).
Martineau c. *Fédération de l'Âge d'or du Québec, région de Laval*, D.T.E. 2002T-63 (C.T.).
Bonan c. *Samson, Bélair / Deloitte & Touche inc.*, (2001) R.J.D.T. 1264 (C.T.), D.T.E. 2001T-839 (C.T.) (désistement de la révision judiciaire).
Boutin c. *Unicom Sérigraphie ltée*, (2001) R.J.D.T. 1939 (C.T.), D.T.E. 2001T-1065 (C.T.).
Ranger c. *Bureau d'expertise des assureurs ltée*, (2001) R.J.D.T. 1911 (C.T.), D.T.E. 2001T-1155 (C.T.) (désistement de la révision judiciaire).
Ilieva c. *Uniboard Canada Inc.*, (2000) R.J.D.T. 1095 (C.T.), D.T.E. 2000T-721 (C.T.).
Gagné c. *Agences Claude Marchand inc.*, (1999) R.J.D.T. 560 (C.T.), D.T.E. 99T-439 (C.T.).
Corriveau c. *Lambert Somec inc., division H. Roberge*, D.T.E. 90T-607 (T.A.).
Lactantia ltée c. *Lagacé*, D.T.E. 90T-161 (T.A.).
Dupuis c. *Atlas Turner inc.*, (1986) T.A. 145, D.T.E. 86T-157 (T.A.).
Gagnon c. *Environcorp protection de l'environnement (1984) inc.*, D.T.E. 85T-816 (T.A.).
Généreux c. *Presse ltée (La)*, D.T.E. 84T-481 (T.A.).
Corp. de crédit commercial ltée c. *Loczy*, D.T.E. 83T-979 (T.A.).
Dupuis c. *Centre hospitalier Georges-Frédéric*, D.T.E. 83T-344 (T.A.).
Thomas c. *Surveyer, Nenniger & Chenevert inc.*, D.T.E. 83T-957 (T.A.).
Demers Express inc. c. *Gaudet*, D.T.E. 82T-388 (T.A.).
Perron c. *Cie minière I.O.C.*, (1982) T.A. 921, D.T.E. 82T-838 (T.A.).
Petits frères des pauvres c. *Sobrino*, D.T.E. 82T-307 (T.A.).

124/635 Lorsque le licenciement ou la mise à pied est transformé en congédiement, le commissaire a compétence.
Corriveau c. *Lambert Somec inc., division H. Roberge*, D.T.E. 90T-607 (T.A.).
Pearson c. *Rond Point Dodge & Chrysler ltée*, D.T.E. 90T-754 (T.A.).

124/636 Le commissaire n'a pas compétence lorsque la preuve révèle une véritable cessation d'emploi découlant d'une mauvaise situation économique ou d'une mise à pied en raison de l'abolition de poste.
Blais c. *Bélanger*, (1998) R.J.D.T. 42 (C.A.), D.T.E. 98T-320 (C.A.), J.E. 98-660 (C.A.).
St-Georges c. *Deschamps Pontiac Buick G.M.C. ltée*, D.T.E. 97T-1342 (C.A.), J.E. 97-2113 (C.A.) (autorisation d'appeler à la Cour suprême refusée).
Bassant c. *Dominion Textile inc.*, (1993) R.D.J. 220 (C.A.), D.T.E. 92T-1374 (C.A.), J.E. 92-1781 (C.A.).
Donohue inc. c. *Simard*, (1988) R.J.Q. 2118 (C.A.), D.T.E. 88T-819 (C.A.), J.E. 88-1118 (C.A.) (autorisation d'appeler à la Cour suprême refusée).
RSW inc. c. *Moro*, D.T.E. 2006T-290 (C.S.), EYB 2006-101923 (C.S.) (appel rejeté: D.T.E. 2007T-648 (C.A.), J.E. 2007-1480 (C.A.), EYB 2007-121975 (C.A.)).
Provigo Distribution inc. c. *Vallerand*, D.T.E. 95T-1145 (C.S.), J.E. 95-1843 (C.S.) (appel accueilli: C.A.Q. n° 200-09-000517-950, le 17 mai 1996).

Canstar Sports Group inc. c. *Laporte*, D.T.E. 90T-1393 (C.S.).
Léonce Harvey Ltée c. *Girard*, D.T.E. 83T-239 (C.S.), J.E. 83-386 (C.S.).
Mac Donald c. *Éclairage Unilight ltée*, D.T.E. 2007T-284 (C.R.T.).
Zarbatany c. *Corporation Guess? Canada*, D.T.E. 2007T-16 (C.R.T.).
Airmax Industries inc. c. *Dagenais*, (2006) R.J.D.T. 1120 (C.R.T.), D.T.E. 2006T-647 (C.R.T.).
Hôpital général juif Sir Mortimer B. Davis c. *Boufekane*, D.T.E. 2006T-506 (C.R.T.) (révision judiciaire refusée: C.S.M. n° 500-17-031158-069, le 5 décembre 2006).
Jbeily c. *Groupe Sterling Intimité inc.*, D.T.E. 2006T-764 (C.R.T.).
Milot c. *Fabrique de la paroisse de St-Antoine-de-Padoue de Louiseville*, D.T.E. 2006T-993 (C.R.T.).
Zaleska c. *Motorola MCSC inc.*, D.T.E. 2006T-87 (C.R.T.).
Jeanty c. *Calko (Canada) inc.*, D.T.E. 2005T-384 (C.R.T.).
Lehman c. *Pratt & Whitney Canada inc.*, D.T.E. 2004T-44 (C.R.T.) (révision judiciaire refusée: EYB 2005-94534 (C.S.)).
Rayes c. *2000414 Ontario inc.*, D.T.E. 2003T-1085 (C.R.T.).
Tremblay c. *Supérieur Propane inc.*, D.T.E. 2003T-1060 (C.R.T.).
Malette c. *Rigaud (Municipalité de)*, D.T.E. 2002T-537 (C.T.).
Picard c. *Cie américaine de fer et métaux inc.*, D.T.E. 96T-354 (C.T.).
Lavalin inc. c. *Morin*, D.T.E. 85T-156 (T.A.).
Pelland c. *Dupré Chevrolet Oldsmobile Cadillac inc.*, D.T.E. 84T-165 (T.A.).
Dupuis c. *Centre hospitalier Georges-Frédéric*, D.T.E. 83T-344 (T.A.).
Équipement Apco inc. c. *Parkin*, (1983) T.A. 467, D.T.E. 83T-536 (T.A.).
Moyen c. *Auto-électricité (1982) ltée*, D.T.E. 83T-895 (T.A.).
Uniroyal ltée c. *Giguère*, D.T.E. 83T-635 (T.A.).
Vaillancourt c. *Meubles Roxton ltée*, D.T.E. 83T-636 (T.A.).
Demers Express inc. c. *Gaudet*, D.T.E. 82T-388 (T.A.).
V. aussi: *Thomas* c. *Surveyer, Nenniger & Chenevert inc.*, D.T.E. 83T-957 (T.A.).

124/637 Le commissaire doit examiner si l'employeur a éprouvé des difficultés économiques et s'il n'a pas agi de façon discriminatoire ou de mauvaise foi.
Norlab inc. c. *Côté-Desbiolles*, D.T.E. 94T-315 (C.S.).
Turgeon c. *Gestion KCL West inc., Équipement fédéral inc. — division de gestion KCL West inc.*, D.T.E. 2008T-61 (C.R.T.).
Brochu c. *Fabrique de la paroisse de Notre-Dame-de-la-Paix*, D.T.E. 2006T-908 (C.R.T.) (révision en vertu de l'article 127 C.T. accueillie en partie pour d'autres motifs: D.T.E. 2008T-358 (C.R.T.)) (requête en révision judiciaire: n° 500-17-042667-082).
Zaleska c. *Motorola MCSC inc.*, D.T.E. 2006T-87 (C.R.T.).
Hernandez c. *Entreprises Oerlikon Contraves inc.*, D.T.E. 2005T-1102 (C.R.T.).
Jeanty c. *Calko (Canada) inc.*, D.T.E. 2005T-384 (C.R.T.).
Girard c. *Centre du camion Nutrinor inc.*, D.T.E. 2004T-693 (C.R.T.).
Durand c. *Ordre des comptables en management accrédités du Québec*, D.T.E. 2003T-1108 (C.R.T.).
Gendron c. *9037-5965 Québec inc.*, D.T.E. 2003T-418 (C.R.T.).
Gariépy c. *W.W.F. Canada inc.*, D.T.E. 2002T-540 (C.T.).
Ranger c. *Bureau d'expertise des assureurs ltée*, (2001) R.J.D.T. 1911 (C.T.), D.T.E. 2001T-1155 (C.T.) (désistement de la révision judiciaire).
Richard c. *Lyrco Nutrition inc.*, D.T.E. 2001T-485 (C.T.) (révision judiciaire refusée: C.S. St-François, n° 450-05-004345-019, le 19 septembre 2001).
Ilieva c. *Uniboard Canada Inc.*, (2000) R.J.D.T. 1095 (C.T.), D.T.E. 2000T-721 (C.T.).

Gagné c. *Agences Claude Marchand inc.*, (1999) R.J.D.T. 560 (C.T.), D.T.E. 99T-439 (C.T.).
Dusablon c. *Guindon*, D.T.E. 97T-57 (C.T.).
J.A. Desmarteau & Fils inc. c. *Desmarteau*, D.T.E. 90T-1027 (T.A.).
V. aussi: *Association d'hospitalisation du Québec* c. *Latreille*, (1987) T.A. 458, D.T.E. 87T-681 (T.A.).
L. Morency et Fils (1978) inc. c. *Béliveau*, D.T.E. 85T-784 (T.A.).
Corp. de chaussures Hanna ltée c. *Vincent*, D.T.E. 84T-231 (T.A.).
Demers c. *Campeau Corp.*, D.T.E. 84T-843 (T.A.).
Généreux c. *Presse ltée (La)*, D.T.E. 84T-481 (T.A.).
Black c. *Conval Québec*, D.T.E. 83T-775 (T.A.).
Corp. de crédit commercial ltée c. *Loczy*, D.T.E. 83T-979 (T.A.).
Kratsios c. *Experts-conseil Shawinigan inc.*, (1983) T.A. 739, D.T.E. 83T-481 (T.A.).
Moyen c. *Auto-électricité (1982) ltée*, D.T.E. 83T-895 (T.A.).
Caisse d'établissement Saguenay—Lac-St-Jean c. *Harvey*, (1982) T.A. 790, D.T.E. 82T-164 (T.A.).
Fercomat inc. c. *Girard*, D.T.E. 82T-603 (T.A.).
Gabriel of Canada Ltd. c. *Rémillard*, D.T.E. 82T-649 (T.A.) (révision judiciaire cassée en appel: D.T.E. 86T-361 (C.A.)).
General Diesel inc. c. *Bouffard*, D.T.E. 82T-432 (T.A.).
Martin c. *Crédit immobilier inc.*, (1982) T.A. 840, D.T.E. 82T-261 (T.A.).
Perron c. *Cie minière I.O.C.*, (1982) T.A. 921, D.T.E. 82T-838 (T.A.).
Petits frères des pauvres c. *Sobrino*, D.T.E. 82T-307 (T.A.).

124/638 Le commissaire doit s'assurer dans le cas d'une mise à pied pour des motifs économiques que les raisons économiques sont vraies et que les critères servant à déterminer qui sera mis à pied sont objectifs.
Rocco c. *Auto Hamer (1979) ltée*, D.T.E. 93T-1101 (C.T.).
Celanese Canada inc. c. *Plante*, (1981) 1 R.S.A. 157.

124/639 Un employeur ne peut utiliser le prétexte du licenciement pour se défaire d'un salarié qu'il juge indésirable. Les motifs qui sont retenus par l'employeur doivent être objectifs, impartiaux et non inspirés d'éléments subjectifs propres à l'employé ciblé.
Bousquet c. *Desjardins*, D.T.E. 97T-1375 (C.A.), J.E. 97-2158 (C.A.), REJB 1997-03051 (C.A.).
Larocque c. *CAE inc. / CAE Électronique ltée*, D.T.E. 2009T-196 (C.R.T.).
Deland c. *Groupe Enixum inc.*, D.T.E. 2008T-936 (C.R.T.).
Lapointe c. *Coopérative forestière de Laterrière*, D.T.E. 2008T-414 (C.R.T.).
Ouellette c. *SSAB Hardox*, D.T.E. 2008T-236 (C.R.T.).
Turcotte c. *Éditions forestières inc.*, D.T.E. 2008T-610 (C.R.T.).
Laberge c. *Busque & Laflamme inc.*, D.T.E. 2007T-942 (C.R.T.) (révision en vertu de l'article 127 C.T. refusée: D.T.E. 2008T-313 (C.R.T.)) (requête en révision judiciaire: n° 350-17-000099-070).
Brochu c. *Fabrique de la paroisse de Notre-Dame-de-la-Paix*, D.T.E. 2006T-908 (C.R.T.) (révision en vertu de l'article 127 C.T. accueillie en partie pour d'autres motifs: D.T.E. 2008T-358 (C.R.T.)) (requête en révision judiciaire: n° 500-17-042667-082).
Tamboura c. *Conseil du Québec — Unite Here*, D.T.E. 2006T-311 (C.R.T.).
Hernandez c. *Entreprises Oerlikon Contraves inc.*, D.T.E. 2005T-1102 (C.R.T.).
Trapani c. *Tenaquip ltée*, D.T.E. 2005T-830 (C.R.T.).

Lehman c. *Pratt & Whitney Canada inc.*, D.T.E. 2004T-44 (C.R.T.) (révision judiciaire refusée: EYB 2005-94534 (C.S.)).
Mecugni c. *Silonex inc.*, (2000) R.J.D.T. 1746 (C.T.), D.T.E. 2000T-1175 (C.T.).
Joly c. *Gestion Gertec ltée*, D.T.E. 99T-190 (C.T.).
V. aussi: *Silvestri* c. *Doubletex inc.*, D.T.E. 2007T-589 (C.R.T.).

124/640 En cas de licenciement pour motifs économiques, le commissaire n'a pas compétence pour déterminer quel salarié il est plus opportun de licencier, il doit simplement vérifier si l'employeur a agi avec objectivité et impartialité.
Donohue inc. c. *Simard*, (1988) R.J.Q. 2118 (C.A.), D.T.E. 88T-819 (C.A.), J.E. 88-1118 (C.A.) (autorisation d'appeler à la Cour suprême refusée).
Laflamme c. *Commission des relations du travail*, D.T.E. 2007T-326 (C.S.), EYB 2007-116328 (C.S.).
Leblanc c. *Bureau du commissaire général du travail*, D.T.E. 2002T-402 (C.S.).
Provigo Distribution inc. c. *Vallerand*, D.T.E. 95T-1145 (C.S.), J.E. 95-1843 (C.S.) (appel accueilli: C.A.Q. n° 200-09-000517-950, le 17 mai 1996).
Norlab inc. c. *Côté-Desbiolles*, D.T.E. 94T-315 (C.S.).
Canstar Sports Group inc. c. *Laporte*, D.T.E. 90T-1393 (C.S.).
Université de Montréal c. *Cloutier*, (1988) R.J.Q. 511 (C.S.), D.T.E. 88T-138 (C.S.), J.E. 88-209 (C.S.).
Corp. de crédit commercial ltée c. *Ladouceur*, D.T.E. 84T-541 (C.S.).
Veillette & Deschênes ltée c. *C.N.T.*, D.T.E. 84T-825 (C.S.).
Lavalin inc. c. *Deslierres*, (1983) C.S. 470, D.T.E. 83T-570 (C.S.), J.E. 83-743 (C.S.).
Léonce Harvey ltée c. *Girard*, D.T.E. 83T-239 (C.S.), J.E. 83-386 (C.S.).
Turgeon c. *Gestion KCL West inc., Équipement fédéral inc. — division de gestion KCL West inc.*, D.T.E. 2008T-61 (C.R.T.).
Mac Donald c. *Éclairage Unilight ltée*, D.T.E. 2007T-284 (C.R.T.).
Jbeily c. *Groupe Sterling Intimité inc.*, D.T.E. 2006T-764 (C.R.T.).
Simone c. *Manufacture de lingerie Château inc.*, D.T.E. 2006T-198 (C.R.T.).
Zaleska c. *Motorola MCSC inc.*, D.T.E. 2006T-87 (C.R.T.).
Lafleur c. *Syspro Proven Systems Ltd.*, D.T.E. 2001T-39 (C.T.).
Morneau c. *Service de pneus C.T.R. ltée*, D.T.E. 86T-295 (T.A.).
Gagnon c. *Environcorp protection de l'environnement (1984) inc.*, D.T.E. 85T-816 (T.A.).
Gatien c. *Reckitt et Colman (Canada) inc.*, D.T.E. 85T-837 (T.A.).
L. Morency et Fils (1978) inc. c. *Béliveau*, D.T.E. 85T-784 (T.A.).
Demers c. *Campeau Corp.*, D.T.E. 84T-843 (T.A.).
Lemay c. *Remtec inc.*, D.T.E. 84T-802 (T.A.).
Black c. *Conval Québec*, D.T.E. 83T-775 (T.A.).
Dupuis c. *Centre hospitalier Georges-Frédéric*, D.T.E. 83T-344 (T.A.).
Kratsios c. *Experts-conseil Shawinigan inc.*, (1983) T.A. 739, D.T.E. 83T-481 (T.A.).
Uniroyal ltée c. *Giguère*, D.T.E. 83T-635 (T.A.).
V. aussi: *Nouveautés Luxor Canada ltée* c. *Legendre*, D.T.E. 86T-335 (C.S.).

124/641 Lorsque la preuve révèle l'absence totale de mauvaise foi de la part de l'employeur ou d'une raison disciplinaire quelconque ayant pu servir de fondement au congédiement, la Commission des relations du travail ne peut légitimement déduire l'existence d'un congédiement pour cause de handicap, alors que deux postes ont été abolis et que le retour au travail du salarié plaignant commandait non seulement l'abolition d'un troisième poste, mais la création d'un nouveau, adapté à sa condition particulière. Une telle décision équivaut à une immixtion déraisonnable dans la gestion de l'entreprise d'un employeur. En ce

faisant, la Commission des relations du travail substitue sa propre décision à une décision d'affaires de l'employeur.
Kopczynski c. *RSW inc.*, D.T.E. 2007T-648 (C.A.), J.E. 2007-1480 (C.A.), EYB 2007-121975 (C.A.).

124/642 En matière de licenciement pour motifs économiques, le commissaire n'a pas à substituer ses propres critères à ceux de l'employeur, il doit plutôt s'assurer que ceux-ci sont objectifs, impartiaux et non discriminatoires.
Laflamme c. *Commission des relations du travail*, D.T.E. 2007T-326 (C.S.), EYB 2007-116328 (C.S.).
Norlab inc. c. *Côté-Desbiolles*, D.T.E. 94T-315 (C.S.).
Papeterie Montpetit inc. c. *Lalonde*, (1994) R.J.Q. 727 (C.S.), D.T.E. 94T-292 (C.S.), J.E. 94-501 (C.S.).
Lavalin inc. c. *Deslierres*, (1983) C.S. 470, D.T.E. 83T-570 (C.S.), J.E. 83-743 (C.S.).
Turgeon c. *Gestion KCL West inc., Équipement fédéral inc. — division de gestion KCL West inc.*, D.T.E. 2008T-61 (C.R.T.).
Mac Donald c. *Éclairage Unilight ltée*, D.T.E. 2007T-284 (C.R.T.).
Jbeily c. *Groupe Sterling Intimité inc.*, D.T.E. 2006T-764 (C.R.T.).
Morin c. *G. Roy et Fils inc.*, D.T.E. 2005T-773 (C.R.T.).
Floros c. *Acratype inc.*, D.T.E. 2004T-62 (C.R.T.).
Lehman c. *Pratt & Whitney Canada inc.*, D.T.E. 2004T-44 (C.R.T.) (révision judiciaire refusée: EYB 2005-94534 (C.S.)).
Majdaniw c. *S.N.C. Lavalin inc.*, (2002) R.J.D.T. 299 (C.T.), D.T.E. 2002T-117 (C.T.).
Ilieva c. *Uniboard Canada Inc.*, (2000) R.J.D.T. 1095 (C.T.), D.T.E. 2000T-721 (C.T.).
Azran c. *Behaviour Communications inc.*, (1999) R.J.D.T. 1178 (C.T.), D.T.E. 99T-609 (C.T.).
Gagné c. *Agences Claude Marchand inc.*, (1999) R.J.D.T. 560 (C.T.), D.T.E. 99T-439 (C.T.).
Buth c. *Collège d'enseignement général et professionnel John Abbott*, D.T.E. 96T-295 (C.T.) (révision judiciaire refusée: C.S.M. n° 500-05-015627-969, le 14 août 1996).
Gariépy c. *Great West, Life Assurance Co.*, D.T.E. 93T-1332 (C.T.).
Rocco c. *Auto Hamer (1979) ltée*, D.T.E. 93T-1101 (C.T.).
Guérard c. *Garnitures Exclusives ltée*, D.T.E. 89T-654 (T.A.).
Allard c. *H.J. Heinz du Canada ltée*, D.T.E. 88T-487 (T.A.).
Verreault c. *Dollard Lussier ltée*, D.T.E. 88T-602 (T.A.).
Céramique de Beauce inc. c. *De Sales*, D.T.E. 85T-384 (T.A.).
Corp. de chaussures Hanna ltée c. *Vincent*, D.T.E. 84T-231 (T.A.).
Desgagné c. *Magasin Coop de Roberval*, (1984) T.A. 409, D.T.E. 84T-501 (T.A.).
Jean-Baptiste c. *Produits de papier Variété ltée*, D.T.E. 84T-229 (T.A.).
Kratsios c. *Experts-conseil Shawinigan inc.*, (1983) T.A. 739, D.T.E. 83T-481 (T.A.).
General Diesel inc. c. *Bouffard*, D.T.E. 82T-432 (T.A.).
Roy et Frères Joliette ltée c. *Guilbeault*, D.T.E. 82T-766 (T.A.).

124/643 Le commissaire a compétence pour conclure que l'employeur doit tenter de replacer un salarié dans le cadre d'une réorganisation administrative ou de difficultés financières.
Publications Dumont (1988) inc. c. *Doré*, D.T.E. 2000T-59 (C.A.), J.E. 2000-136 (C.A.), REJB 1999-15538 (C.A.).
Messagerie de presse Benjamin inc. c. *Bureau du commissaire général du travail*, D.T.E. 2003T-513 (C.S.) (désistement d'appel).

Laberge c. *Busque & Laflamme inc.*, D.T.E. 2007T-942 (C.R.T.) (révision en vertu de l'article 127 C.T. refusée: D.T.E. 2008T-313 (C.R.T.)) (requête en révision judiciaire: n[0] 350-17-000099-070).
Ouellet c. *Club nautique de Sept-Îles inc.*, D.T.E. 2006T-39 (C.R.T.).
Durand c. *Ordre des comptables en management accrédités du Québec*, D.T.E. 2003T-1108 (C.R.T.).
Dusablon c. *Guindon*, D.T.E. 97T-57 (C.T.).
Bonneterre c. *Imprimerie Laprairie inc.*, (1988) T.A. 505, D.T.E. 88T-536 (T.A.) (révision judiciaire accueillie relativement à l'indemnité et rejetée quant au fond: (1989) R.J.Q. 1283 (C.S.), D.T.E. 89T-516 (C.S.), J.E. 89-850 (C.S.)).
Kelly c. *Pétroles Canada et / ou Cie pétrolière impériale ltée*, (1986) T.A. 610, D.T.E. 86T-714 (T.A.).
Vandal c. *Automobiles Gilles et Daniel ltée Beloeil Mercury (1984) ltée*, (1985) T.A. 747, D.T.E. 85T-874 (T.A.).
Burlan c. *Université de Montréal*, (1984) T.A. 130, D.T.E. 84T-189 (T.A.).
De Melo c. *Dog Studio (The)*, (1984) T.A. 460, D.T.E. 84T-562 (T.A.).
Beim c. *P.M. Wright ltée*, D.T.E. 83T-388 (T.A.).
Nardella c. *Entreprises Hamelin inc.*, D.T.E. 83T-443 (T.A.).
V. aussi: *Clark* c. *Groupe D.M.R. inc.*, (1997) C.T. 203, D.T.E. 97T-625 (C.T.).
Laberge c. *Cie impérial Tobacco ltée*, D.T.E. 87T-198 (T.A.).
Contra: *Université de Montréal* c. *Cloutier*, (1988) R.J.Q. 511 (C.S.), D.T.E. 88T-138 (C.S.), J.E. 88-209 (C.S.).
Picard c. *Cie américaine de fer et métaux inc.*, D.T.E. 96T-354 (C.T.).
L. Morency et Fils (1978) inc. c. *Béliveau*, D.T.E. 85T-784 (T.A.).
Dupuis c. *Centre hospitalier Georges-Frédéric*, D.T.E. 83T-344 (T.A.).
Rioux c. *F.D.L. Co. ltée*, (1981) 1 R.S.A. 97, D.T.E. 82T-803 (T.A.).
Aberton Textiles Ltd. c. *Piché*, (1981) 2 R.S.A. 79.

124/644 Lorsque l'employeur fait valoir que la cessation d'emploi du salarié s'inscrit dans le contexte d'un licenciement collectif partiel des employés de l'entreprise, il doit, entre autres, prouver les éléments suivants, soit: 1) que la réalité des difficultés financières ainsi que la nécessité de la réorganisation structurelle qui a suivi, sont les causes qui sont à l'origine de la cessation partielle des opérations de l'entreprise; 2) la justification et la rationalité de la décision subséquente de procéder à l'abolition du poste du plaignant, après avoir tenté de trouver une solution de rechange; 3) l'absence de considération déraisonnable, abusive, discriminatoire, arbitraire ou dictée par la mauvaise foi ayant motivé le choix de licencier le salarié plaignant plutôt que d'autres salariés, maintenus en poste.
Forcier c. *Classified Media (Canada) Holdings Inc.*, D.T.E. 2005T-967 (C.R.T.).

124/645 Le fait que l'employeur fasse la preuve de changements organisationnels survenus dans son entreprise n'enlève pas compétence au commissaire. Celui-ci doit vérifier si les gestes posés par l'employeur pour choisir ou renvoyer du personnel, dans ce contexte précis, répondent à une démarche correcte de sa part, et ce, afin d'éviter que, sous le prétexte d'une véritable restructuration, un employeur profite de l'occasion pour se défaire des services d'un salarié en particulier.
Côté c. *J. Walter Compagnie ltée*, D.T.E. 2006T-529 (C.R.T.).
Poulin c. *Centre des femmes de St-Eustache*, D.T.E. 2000T-923 (C.T.).

124/646 L'employeur doit prouver que la situation économique imposait une réorganisation et un licenciement de personnel.
Larocque c. *CAE inc. / CAE Électronique ltée*, D.T.E. 2009T-196 (C.R.T.).

Clark c. *Groupe D.M.R. inc.*, (1997) C.T. 203, D.T.E. 97T-625 (C.T.).
Généreux c. *Groupe Plein air Terrebonne*, D.T.E. 94T-410 (C.T.).
L. Morency et Fils (1978) inc. c. *Béliveau*, D.T.E. 85T-784 (T.A.).
Black c. *Conval Québec*, D.T.E. 83T-775 (T.A.).

124/647 L'employeur doit démontrer de façon prépondérante ses difficultés économiques; pour ce faire, il doit présenter une preuve qui en rende l'existence plus probable que l'inexistence.
Joly c. *Gestion Gertec ltée*, D.T.E. 99T-190 (C.T.).
Strehaljuk c. *Canadac inc.*, D.T.E. 89T-826 (T.A.) (révision judiciaire refusée: D.T.E. 90T-108 (C.S.)).
Black c. *Conval Québec*, D.T.E. 83T-775 (T.A.).
V. aussi: *Carbonneau* c. *N. Morrissette Canada inc.*, D.T.E. 90T-780 (T.A.).
Turpin c. *Château de l'Aéroport*, D.T.E. 90T-420 (T.A.).
Desloges c. *Laprade*, D.T.E. 87T-59 (T.A.).
Dupuis c. *Atlas Turner inc.*, (1986) T.A. 145, D.T.E. 86T-157 (T.A.).
Industrie Fabrico (1964) ltée c. *Bélair*, (1986) T.A. 633, D.T.E. 86T-730 (T.A.).
Céramique de Beauce inc. c. *De Sales*, D.T.E. 85T-384 (T.A.).
Gagnon c. *Environcorp protection de l'environnement (1984) inc.*, D.T.E. 85T-816 (T.A.).
L. Morency et Fils (1978) inc. c. *Béliveau*, D.T.E. 85T-784 (T.A.).
De Melo c. *Dog Studio (The)*, (1984) T.A. 460, D.T.E. 84T-562 (T.A.).
Demers c. *Campeau Corp.*, D.T.E. 84T-843 (T.A.).
Plamondon c. *Du Vallon Chrysler Plymouth ltée*, (1984) T.A. 164, D.T.E. 84T-245 (T.A.).
Moyen c. *Auto-électricité (1982) ltée*, D.T.E. 83T-895 (T.A.).
Martin c. *Crédit immobilier inc.*, (1982) T.A. 840, D.T.E. 82T-261 (T.A.).

124/648 En matière de licenciement fondé sur des motifs économiques, la preuve doit être étoffée et convaincante, il ne suffit pas d'une preuve générale de difficultés économiques ni d'allégations de droits de gérance. La preuve doit être détaillée et appuyée par des données précises.
Majdaniw c. *S.N.C. Lavalin inc.*, (2002) R.J.D.T. 299 (C.T.), D.T.E. 2002T-117 (C.T.).
Joly c. *Gestion Gertec ltée*, D.T.E. 99T-190 (C.T.).
Normandin c. *Commission des courses du Québec*, (1993) C.T. 541, D.T.E. 93T-1128 (C.T.) (révision judiciaire refusée: D.T.E. 93T-1262 (C.S.), J.E. 93-1876 (C.S.)).
Milles-Îsles (Mun. de) c. *Rowen*, (1988) T.A. 221, D.T.E. 88T-116 (T.A.).
Généreux c. *Presse ltée (La)*, D.T.E. 84T-481 (T.A.).
Perron c. *Cie minière I.O.C.*, (1982) T.A. 921, D.T.E. 82T-838 (T.A.).
Roy c. *Industries Westroc ltée*, (1981) 1 R.S.A. 1.
V. aussi: *Ladouceur* c. *Almico Plastics Canada inc.*, D.T.E. 90T-490 (T.A.).
Association d'hospitalisation du Québec c. *Latreille*, (1987) T.A. 458, D.T.E. 87T-681 (T.A.).

124/649 L'employeur doit prouver que la décision de mettre fin à l'emploi du salarié n'a pas été prise antérieurement à la survenance des difficultés financières mais bien à la même époque.
Lumca inc. c. *Levac*, D.T.E. 96T-325 (C.S.).

124/650 En matière de licenciement, il appartient à l'employeur de justifier d'une façon raisonnable pourquoi un salarié a été choisi plutôt qu'un autre qui a moins d'ancienneté.
Boyer c. *Hewitt Equipment ltée*, (1988) R.J.Q. 2112 (C.A.), D.T.E. 88T-656 (C.A.), J.E. 88-1117 (C.A.), inf. D.T.E. 85T-633 (C.S.), J.E. 85-759 (C.S.).

Rémillard c. *Gabriel of Canada Ltd.*, D.T.E. 86T-361 (C.A.).
C.N.T. c. *Mia inc.*, D.T.E. 85T-590 (C.A.) (autorisation d'appeler à la Cour suprême refusée) (par analogie).
Kasprack c. *Tribunal du travail*, D.T.E. 86T-259 (C.S.) (par analogie).
Silvestri c. *Doubletex inc.*, D.T.E. 2007T-589 (C.R.T.).
Alberga c. *Garage V.N.G. inc.*, D.T.E. 2004T-761 (C.R.T.).
Boissonneault c. *Pétroles Bois-Francs (2000) inc.*, D.T.E. 2004T-908 (C.R.T.) (révision judiciaire accueillie pour d'autres motifs: D.T.E. 2005T-385 (C.S.)) (règlement hors cour).
Élibert c. *Québec (Ministère de l'Emploi et de la Solidarité sociale)*, (2003) R.J.D.T. 791 (C.R.T.), D.T.E. 2003T-541 (C.R.T.).
Matteo c. *Sealrez inc.*, D.T.E. 2003T-275 (C.R.T.) (révision judiciaire refusée: D.T.E. 2003T-882 (C.S.), J.E. 2003-1699 (C.S.), REJB 2003-46414 (C.S.)).
Entreprises Jean-Robert Girard inc. c. *Masson*, D.T.E. 84T-323 (T.T.) (révision judiciaire refusée: C.S.M. n^{0} 500-05-002950-846, le 10 avril 1984) (par analogie).
Letarte (Fraguyse enrg.) c. *Johnston*, D.T.E. 82T-191 (T.T.) (par analogie).
Outils coupants International c. *Joseph*, D.T.E. 82T-693 (T.T.) (par analogie).
Siggia c. *Industries U.D.T. inc.*, D.T.E. 2000T-921 (C.T.) (révision judiciaire refusée: D.T.E. 2001T-515 (C.S.)).
Clark c. *Groupe D.M.R. inc.*, (1997) C.T. 203, D.T.E. 97T-625 (C.T.).
Picard c. *Cie américaine de fer et métaux inc.*, D.T.E. 96T-354 (C.T.).
St-Onge c. *Distributions R.V.I. ltée*, D.T.E. 96T-1034 (C.T.).
V. aussi: *Ambulance Témiscaming inc.* c. *Monette*, D.T.E. 2004T-512 (C.S.), REJB 2004-60828 (C.S.).
Trapani c. *Tenaquip ltée*, D.T.E. 2005T-830 (C.R.T.).
Contra: *Blais* c. *Bélanger*, (1998) R.J.D.T. 42 (C.A.), D.T.E. 98T-320 (C.A.), J.E. 98-660 (C.A.).
Décarie c. *Produits pétroliers d'Auteuil inc.*, (1986) R.J.Q. 2471 (C.A.), D.T.E. 86T-728 (C.A.), J.E. 86-944 (C.A.) (autorisation d'appeler à la Cour suprême refusée) (par analogie).
Air Cargo service Sept-Îles inc. c. *Bouchard*, D.T.E. 83T-960 (C.S.) (par analogie).

124/651 L'employeur n'a pas à démontrer au commissaire que la décision administrative est la mesure la plus appropriée.
Kraft ltée c. *Lavoie*, (1987) R.J.Q. 2636 (C.S.), D.T.E. 87T-998 (C.S.), J.E. 87-1222 (C.S.), appel accueilli pour d'autres motifs à (1991) R.D.J. 61 (C.A.), D.T.E. 91T-49 (C.A.), J.E. 91-114 (C.A.).
Léonce Harvey ltée c. *Girard*, D.T.E. 83T-239 (C.S.), J.E. 83-386 (C.S.).

124/652 L'employeur conserve son droit de direction pour déterminer qui sera licencié. Il n'agit pas de façon discriminatoire en gardant ceux qu'il croit les plus capables de servir ses intérêts.
Deland c. *Groupe Enixum inc.*, D.T.E. 2008T-936 (C.R.T.).
Zarbatany c. *Corporation Guess? Canada*, D.T.E. 2007T-16 (C.R.T.).
Milot c. *Fabrique de la paroisse de St-Antoine-de-Padoue de Louiseville*, D.T.E. 2006T-993 (C.R.T.).
Demers c. *Campeau Corp.*, D.T.E. 84T-843 (T.A.).

124/653 La Commission des relations du travail ne peut s'immiscer indûment dans les droits de tout employeur de gérer son entreprise comme il l'entend. Ainsi, en matière de difficultés financières, la nécessité de réduire les dépenses revient à l'employeur.
Floros c. *Acratype inc.*, D.T.E. 2004T-62 (C.R.T.).

124/654 L'employeur peut utiliser comme critère la polyvalence plutôt que l'ancienneté dans sa décision de rappeler ou non certains salariés, dans un contexte où le nombre de rappel est plus réduit.
Fleury c. *Snoc (1992) inc.*, D.T.E. 94T-368 (C.T.).

124/655 En matière de réorganisation administrative, lorsque l'employeur octroie un poste à un employé, il se doit de lui offrir la possibilité de faire la preuve de ses capacités dans cette fonction, c'est-à-dire de lui donner des périodes d'essais.
Morin c. *Firestone Canada inc.*, D.T.E. 82T-670 (T.A.).
V. aussi: *Artillheiro* c. *Tri-Steel inc.*, (1985) T.A. 315, D.T.E. 85T-385 (T.A.).
Malbar inc. c. *Dallaire*, D.T.E. 85T-453 (T.A.).
Chemise D.L. inc. c. *Boucher*, (1984) T.A. 386, D.T.E. 84T-480 (T.A.).
Anissimoff c. *Moccomat Beverage Systems Ltd.*, D.T.E. 83T-163 (T.A.).
Fortin-Deustch c. *Diplômés de l'Université de Montréal*, (1983) T.A. 1044, D.T.E. 83T-673 (T.A.) (révision judiciaire refusée: D.T.E. 85T-287 (C.S.)).

124/656 En matière de congédiement administratif, le commissaire doit considérer l'équité du traitement réservé à l'employé dans le contrôle du processus d'évaluation ayant conduit à son congédiement. Pour ce faire, il doit entre autres s'assurer que l'employeur a d'abord fait connaître au salarié les orientations de l'entreprise et ses attentes, que ses lacunes lui ont été signalées, que le salarié a obtenu l'appui nécessaire pour atteindre ses objectifs, qu'il a bénéficié d'un délai raisonnable pour s'ajuster ou qu'il a été prévenu qu'il risquait le congédiement à défaut d'amélioration.
Bonin c. *Sheraton Château Vaudreuil*, D.T.E. 98T-646 (C.T.).

124/657 Lors d'un licenciement pour motifs économiques, l'employeur doit fonder son choix sur des critères objectifs, tels que: le rendement, les années de service, l'expérience ou la formation reçue, qui seraient applicables à tous les salariés de l'entreprise.
Gabriel of Canada Ltd. c. *Rémillard*, D.T.E. 82T-649 (T.A.) (révision judiciaire cassée en appel: D.T.E. 86T-361 (C.A.)).

124/658 En matière de difficultés financières, il revient à l'employeur de décider de la façon de réorganiser son entreprise et de déterminer quels salariés seront touchés par la réduction de personnel. Le critère de la réduction des échelons hiérarchiques peut constituer un critère objectif lorsqu'il n'y a pas de preuve que l'employeur s'est basé sur l'ancienneté lors de licenciements ou de mises à pied. De plus, un employeur peut être en droit de ne pas offrir un autre poste comportant une diminution de salaire, puisque le salarié pourrait alors se plaindre d'être victime d'un congédiement déguisé.
Lafleur c. *Syspro Proven Systems Ltd.*, D.T.E. 2001T-39 (C.T.).
V. aussi: *De Coeli* c. *Aro inc.*, D.T.E. 2005T-1020 (C.R.T.).

124/659 La rentabilité des salariés constitue un critère objectif sur lequel l'employeur peut valablement se fonder pour fixer son choix quant au salarié dont il doit se départir.
Maillé c. *Produits forestiers Saucier ltée*, (1983) T.A. 747, D.T.E. 83T-68 (T.A.).
Fercomat inc. c. *Girard*, D.T.E. 82T-603 (T.A.).
Ouellet c. *Grand séminaire de Rimouski*, D.T.E. 82T-59 (T.A.).

Roy et Frères Joliette ltée c. *Guilbeault*, D.T.E. 82T-766 (T.A.).
Taverne Rosaire Enr. c. *Grenier*, (1981) 3 R.S.A. 14.

124/660 L'entrevue et le test écrit constituent des normes objectives de sélection pour déterminer quel salarié sera licencié.
Milot c. *Fabrique de la paroisse de St-Antoine-de-Padoue de Louiseville*, D.T.E. 2006T-993 (C.R.T.).
Corp. de chaussures Hanna ltée c. *Vincent*, D.T.E. 84T-231 (T.A.).

124/661 L'aptitude d'une personne à effectuer une tâche précise constitue un critère objectif dans la détermination du salarié à licencier.
Deland c. *Groupe Enixum inc.*, D.T.E. 2008T-936 (C.R.T.).
Zarbatany c. *Corporation Guess? Canada*, D.T.E. 2007T-16 (C.R.T.).
KHD Canada inc. c. *Lutchman*, D.T.E. 83T-358 (T.A.).

124/662 Le salarié mis à pied a le droit de travailler ailleurs.
Raymond c. *Landry Automobile ltée*, (1992) T.A. 272, D.T.E. 92T-372 (T.A.).
St-Nicéphore (Corp. mun. de) c. *Côté*, (1984) T.A. 161, D.T.E. 84T-213 (T.A.).

124/663 L'encaissement de sommes dues au salarié ne peut équivaloir à une résiliation de contrat de sa part.
Raymond c. *Landry Automobile ltée*, (1992) T.A. 272, D.T.E. 92T-372 (T.A.).

124/664 Il y a congédiement et non licenciement pour motifs économiques, lorsque la cause de celui-ci est le retrait par le plaignant de son cautionnement auprès de la banque en faveur de la compagnie.
Visionic inc. c. *Fortier*, D.T.E. 82T-579 (T.A.) (révision judiciaire refusée: D.T.E. 82T-30 (C.S.)).

124/665 Constitue un licenciement pour motif économique et non un congédiement, l'application par un employeur d'une directive visant l'élimination du double emploi.
Blais c. *Bélanger*, (1998) R.J.D.T. 42 (C.A.), D.T.E. 98T-320 (C.A.), J.E. 98-660 (C.A.).
Gatkowski c. *Commission des écoles catholiques de Montréal*, (1994) C.T. 433, D.T.E. 94T-1075 (C.T.).

Congédiement non disciplinaire ou administratif

124/666 Le terme congédiement comprend toute forme de rupture du lien d'emploi, qu'elle soit de nature disciplinaire ou administrative.
General Motors du Canada ltée c. *Tremblay*, D.T.E. 82T-323 (C.A.), J.E. 82-404 (C.A.).
F.W. Woolworth Co. c. *Corriveau*, D.T.E. 85T-286 (C.S.).
London Life, Cie d'assurance-vie c. *Bolduc*, D.T.E. 85T-187 (C.S.).
Lactantia ltée c. *Lagacé*, D.T.E. 90T-161 (T.A.).
Dulude c. *Magasins Château du Canada ltée*, D.T.E. 89T-775 (T.A.).
Giordano c. *Association de paralysie cérébrale du Québec inc.*, (1989) T.A. 510, D.T.E. 89T-466 (T.A.).
I.B.M. Canada ltée c. *Duchesne*, D.T.E. 89T-205 (T.A.).
Gatx Fuller ltée c. *Dewey-Young*, (1987) T.A. 521, D.T.E. 87T-762 (T.A.).
Laberge c. *Cie impérial Tobacco ltée*, D.T.E. 87T-198 (T.A.).
Ménard c. *Place Bonaventure inc.*, (1987) T.A. 364, D.T.E. 87T-540 (T.A.).
Consolidated Bathurst inc. c. *Licursi*, D.T.E. 85T-603 (T.A.).
Malbar inc. c. *Dallaire*, D.T.E. 85T-453 (T.A.).
Forano inc. c. *Thomassin*, D.T.E. 82T-495 (T.A.).

124/667 Le recours prévu par les dispositions de l'article 124 L.N.T. confère une sécurité relative au salarié, en lui offrant une protection contre le congédiement disciplinaire. Cependant, le pouvoir de résilier le contrat de travail pour des motifs d'ordre économique, le licenciement, n'est pas restreint par la *Loi sur les normes du travail*.
Samson c. *Québec (Ministère de la Solidarité sociale)*, D.T.E. 2003T-540 (C.R.T.).

124/668 En matière de congédiement non disciplinaire, le commissaire peut intervenir s'il y a une preuve que l'employeur a agi de mauvaise foi, de façon arbitraire ou discriminatoire.
Gravel c. *Commission des relations du travail*, D.T.E. 2005T-810 (C.A.), J.E. 2005-1652 (C.A.), EYB 2005-94368 (C.A.).
Atelier du martin-pêcheur inc. c. *Bureau du commissaire général du travail*, (2000) R.J.D.T. 123 (C.S.), D.T.E. 2000T-207 (C.S.), J.E. 2000-426 (C.S.), REJB 2000-17002 (C.S.) (désistement d'appel).
London Life, Cie d'assurance-vie c. *Bolduc*, D.T.E. 85T-187 (C.S.).
Malette c. *3948331 Canada inc. (Allure Concept Mode)*, D.T.E. 2007T-235 (C.R.T.).
Marcoux c. *Classified Media (Canada) Holdings Inc. — Auto Hebdo*, D.T.E. 2006T-837 (C.R.T.).
Lamer c. *Québec (Ministère de la Sécurité publique)*, D.T.E. 2003T-376 (C.R.T.).
Doyer c. *Québec (Curateur public)*, (2002) R.J.D.T. 1623 (C.T.), D.T.E. 2002T-1007 (C.T.) (règlement hors cour).
Loyer c. *Commission de la santé et de la sécurité du travail*, D.T.E. 2001T-38 (C.T.).
Brunette c. *Québec (Ministère de la Sécurité publique)*, (2000) R.J.D.T. 1718 (C.T.), D.T.E. 2000T-1149 (C.T.).
Godin c. *Produits miniers Stewart inc.*, D.T.E. 2000T-185 (C.T.).
Harvey c. *Ressources jeunesse de St-Laurent inc.*, D.T.E. 2000T-208 (C.T.).
Magnan c. *Guillevin international inc.*, D.T.E. 2000T-134 (C.T.).
Doyon c. *Ed Archambault inc.*, D.T.E. 99T-668 (C.T.).
Papaeconomou c. *Pratt & Whitney Canada inc.*, D.T.E. 99T-287 (C.T.).
Rivard c. *Atlantic Produits d'emballage ltée*, (1999) R.J.D.T. 207 (C.T.), D.T.E. 99T-69 (C.T.).
Naqvi c. *Finitions Ultraspec inc.*, D.T.E. 98T-1220 (C.T.).
McGee c. *Confédération des caisses populaires et d'économie Desjardins du Québec*, (1997) C.T. 354, D.T.E. 97T-1027 (C.T.).
Cyr c. *Sears Canada inc.*, D.T.E. 96T-261 (C.T.).
Legris c. *Laval (Société de transport de la Ville de)*, (1996) C.T. 120, D.T.E. 96T-230 (C.T.).
Services techniques informatiques S.T.I. inc. c. *Tessier*, (1991) T.A. 188, D.T.E. 91T-304 (T.A.).
Giordano c. *Association de paralysie cérébrale du Québec inc.*, (1989) T.A. 510, D.T.E. 89T-466 (T.A.).
Neveu c. *Cie minière Québec Cartier*, D.T.E. 85T-84 (T.A.).
Chemise D.L. inc. c. *Boucher*, (1984) T.A. 386, D.T.E. 84T-480 (T.A.).
Corp. de chaussures Hanna ltée c. *Vincent*, D.T.E. 84T-231 (T.A.).
De Melo c. *Dog Studio (The)*, (1984) T.A. 460, D.T.E. 84T-562 (T.A.).
Généreux c. *Presse ltée (La)*, D.T.E. 84T-481 (T.A.).
Black c. *Conval Québec*, D.T.E. 83T-775 (T.A.).
Kratsios c. *Experts-conseil Shawinigan inc.*, (1983) T.A. 739, D.T.E. 83T-481 (T.A.).
V. aussi: *Cardinal* c. *Cyanamid Canada inc.*, (1995) C.T. 219, D.T.E. 95T-423 (C.T.).
Laberge c. *Cie impérial Tobacco ltée*, D.T.E. 87T-198 (T.A.).
Burlan c. *Université de Montréal*, (1984) T.A. 130, D.T.E. 84T-189 (T.A.).
Lemay c. *Remtec inc.*, D.T.E. 84T-802 (T.A.).

124/669 En matière de congédiement administratif, le rôle du commissaire consiste uniquement à vérifier la rigueur du processus suivi par l'employeur.
Arthrolab inc. c. *Commission des relations du travail*, D.T.E. 2008T-540 (C.S.), J.E. 2008-1315 (C.S.), EYB 2008-134559 (C.S.) (en appel: n° 500-09-018840-082).
Atelier du martin-pêcheur inc. c. *Bureau du commissaire général du travail*, (2000) R.J.D.T. 123 (C.S.), D.T.E. 2000T-207 (C.S.), J.E. 2000-426 (C.S.), REJB 2000-17002 (C.S.) (désistement d'appel).
Provencher c. *Convertex inc.*, D.T.E. 2008T-395 (C.R.T.).
Gagnon c. *Deloitte Consulting, partie intégrante de Samson Bélair/Deloitte & Touche*, D.T.E. 2007T-325 (C.R.T.).
Loyer c. *Commission de la santé et de la sécurité du travail*, D.T.E. 2001T-38 (C.T.).
Brunette c. *Québec (Ministère de la Sécurité publique)*, (2000) R.J.D.T. 1718 (C.T.), D.T.E. 2000T-1149 (C.T.).
Godin c. *Produits miniers Stewart inc.*, D.T.E. 2000T-185 (C.T.).
Harvey c. *Ressources jeunesse de St-Laurent inc.*, D.T.E. 2000T-208 (C.T.).
Magnan c. *Guillevin international inc.*, D.T.E. 2000T-134 (C.T.).

124/670 Un commissaire a compétence, en vertu de l'article 124 L.N.T., pour déterminer si le plaignant fut congédié pour une cause juste et suffisante lorsque l'employeur invoque l'incompétence comme motif.
Beim c. *P.M. Wright ltée*, D.T.E. 83T-388 (T.A.).
Bolduc c. *Caisse populaire de St-Gédéon*, D.T.E. 82T-60 (T.A.), (1981) 3 R.S.A. 58.

124/671 Lorsque la mesure imposée par l'employeur est de nature administrative, le rôle du commissaire se limite à vérifier la rigueur du processus suivi. Ainsi, à moins qu'il ne s'agisse d'une mesure disciplinaire camouflée en mesure administrative, le commissaire ne peut que maintenir ou annuler la décision, après avoir vérifié si elle n'est ni arbitraire, ni discriminatoire, ni déraisonnable.
Gravel c. *Commission des relations du travail*, D.T.E. 2005T-810 (C.A.), J.E. 2005-1652 (C.A.), EYB 2005-94368 (C.A.).
Gagnon c. *Deloitte Consulting, partie intégrante de Samson Bélair/Deloitte & Touche*, D.T.E. 2007T-325 (C.R.T.).
Diraddo c. *Groupe Pages jaunes Cie*, D.T.E. 2005T-1103 (C.R.T.) (révision en vertu de l'article 127 C.T. refusée).
Gascon c. *Services Ultramar inc.*, D.T.E. 2004T-907 (C.R.T.).
Godin c. *Produits miniers Stewart inc.*, D.T.E. 2000T-185 (C.T.).

124/672 Le commissaire doit intervenir, dans le cas d'un congédiement administratif, lorsque les motifs invoqués par l'employeur sont vagues et imprécis ou lorsque l'employeur n'a pas évalué les capacités du salarié de façon équitable.
Chemise D.L. inc. c. *Boucher*, (1984) T.A. 386, D.T.E. 84T-480 (T.A.).
Corp. de chaussures Hanna ltée c. *Vincent*, D.T.E. 84T-231 (T.A.).
V. aussi: *Buth* c. *Collège d'enseignement général et professionnel John Abbott*, D.T.E. 96T-295 (C.T.) (révision judiciaire refusée: C.S.M. n° 500-05-015627-969, le 14 août 1996).
Wajs c. *Talmud Torahs unis de Montréal inc.*, D.T.E. 84T-207 (T.A.).

124/673 Même si le salarié n'avait pas un droit absolu sur un nouveau poste affiché, il détenait tout de même une certaine sécurité d'emploi. Ainsi, l'employeur avait l'obligation d'offrir une période d'essai raisonnable à un employé dévoué et loyal.
Lefebvre c. *St-Félix-de-Dalquier (Municipalité de)*, D.T.E. 2004T-184 (C.R.T.) (révision en vertu de l'article 127 C.T. refusée).

124/674 Le commissaire doit intervenir lorsqu'il n'y a pas de proportionnalité entre la faute et la sanction imposée, compte tenu de toutes les circonstances de l'affaire.
Autobus Laval ltée c. *Giroux*, (1988) T.A. 144, D.T.E. 88T-137 (T.A.).
Neveu c. *Cie minière Québec Cartier*, D.T.E. 85T-84 (T.A.).
Morency c. *Centennial Academy (1975) inc.*, (1984) T.A. 532, D.T.E. 84T-668 (T.A.).
V. cependant: *Blanchard* c. *Café Cherrier inc.*, D.T.E. 98T-861 (C.T.).

124/675 Le non-respect par le salarié de l'exécution d'une condition essentielle de son contrat de travail justifie l'employeur de lui imposer une mesure administrative, telle la fin de son emploi.
Gascon c. *Services Ultramar inc.*, D.T.E. 2004T-907 (C.R.T.).

124/676 L'incapacité empêchant le salarié de fournir sa prestation de travail peut survenir à cause de la maladie ou d'un accident.
Cardinal c. *Cyanamid Canada inc.*, (1995) C.T. 219, D.T.E. 95T-423 (C.T.).
Lecomte c. *Capeq inc.*, D.T.E. 87T-780 (T.A.).
Lebeau c. *Gestion Gaston Girard inc. et/ou Jos Girard & Fils inc.*, (1985) T.A. 715, D.T.E. 85T-850 (T.A.).
Richard c. *Sears Canada inc.*, (1985) T.A. 566, D.T.E. 85T-672 (T.A.).
Mackay Specialties inc. c. *Beaulieu*, D.T.E. 82T-763 (T.A.).

124/677 Le non-rappel au travail d'un salarié à cause de limitations fonctionnelles permanentes le rendant incapable d'exercer son emploi, ne constitue pas un congédiement, ce qui rend la plainte du salarié irrecevable.
Guernon c. *Service de reliure Montréal Gratton inc.*, (2008) R.J.D.T. 769 (C.R.T.), D.T.E. 2008T-505 (C.R.T.).

124/678 Lorsque l'incapacité qui empêche le salarié de fournir sa prestation de travail est causée par la maladie ou un accident, le commissaire est justifié de se demander s'il existe un motif de congédiement ou si ce dernier est abusif, discriminatoire ou déraisonnable.
Simoneau c. *Avon Canada inc.*, D.T.E. 98T-1108 (C.T.).

124/679 Une ordonnance de libération conditionnelle interdisant à un salarié de se présenter au travail ou à l'un des magasins de l'employeur rend le salarié incapable de fournir sa prestation de travail. Cependant, pour justifier un congédiement basé sur ces faits, l'employeur doit se décharger de prouver que cette situation lui occasionne des inconvénients.
Cyr c. *Sears Canada inc.*, D.T.E. 96T-261 (C.T.).

124/680 Le commissaire doit s'assurer que l'employeur n'utilise pas le prétexte de l'incapacité d'un salarié pour se débarrasser d'un employé jugé moins rentable.
St-Pierre c. *Industries de câbles d'acier ltée*, D.T.E. 82T-687 (T.A.).

124/681 Lorsque le nouvel employeur décide d'abolir le poste du plaignant et que ce dernier ne demande pas d'occuper un autre poste comportant moins de responsabilités et moins bien rémunéré, le salarié ne peut s'en plaindre ultérieurement et ce n'est pas à l'employeur à en assumer les conséquences.
St-Martin c. *Gestion Cromwell inc.*, D.T.E. 2008T-672 (C.R.T.).

124/682 L'employeur a l'obligation de replacer ailleurs dans l'entreprise un salarié devenu incompétent dans les fonctions occupées.

Burlan c. *Université de Montréal*, (1984) T.A. 130, D.T.E. 84T-189 (T.A.).
Charbonneau c. *Ayerst, McKenna et Harrison*, D.T.E. 84T-230 (T.A.).

Ancienneté

124/683 L'employeur n'est tenu à aucune obligation implicite de licencier les employés suivant un ordre quelconque d'ancienneté.
Bassant c. *Dominion Textile inc.*, (1993) R.D.J. 220 (C.A.), D.T.E. 92T-1374 (C.A.), J.E. 92-1781 (C.A.).
Laflamme c. *Commission des relations du travail*, D.T.E. 2007T-326 (C.S.), EYB 2007-116328 (C.S.).
Corp. de crédit commercial ltée c. *Ladouceur*, D.T.E. 84T-541 (C.S.).
Lavalin inc. c. *Deslierres*, (1983) C.S. 470, D.T.E. 83T-570 (C.S.), J.E. 83-743 (C.S.).
Mac Donald c. *Éclairage Unilight ltée*, D.T.E. 2007T-284 (C.R.T.).
Picard c. *Cie américaine de fer et métaux inc.*, D.T.E. 96T-354 (C.T.).
Ruel c. *Distribution Emblème inc.*, D.T.E. 96T-1155 (C.T.).

124/684 Le commissaire n'est pas autorisé par le texte de loi d'où il tire compétence, à se prononcer sur l'ancienneté, règle de droit inexistante, en l'absence de convention collective de travail le prévoyant, au regard de la *Loi sur les normes du travail*.
Décarie c. *Produits pétroliers d'Auteuil inc.*, (1986) R.J.Q. 2471 (C.A.), D.T.E. 86T-728 (C.A.), J.E. 86-944 (C.A.) (autorisation d'appeler à la Cour suprême refusée).
Contra: *C.N.T.* c. *Mia inc.*, D.T.E. 85T-590 (C.A.) (autorisation d'appeler à la Cour suprême refusée).

124/685 Le droit de gérance de l'employeur ne peut se trouver restreint par l'ancienneté, en effet la *Loi sur les normes du travail* ne fait pas de ce critère une règle par rapport aux autres critères.
Picard c. *Cie américaine de fer et métaux inc.*, D.T.E. 96T-354 (C.T.).
Ruel c. *Distribution Emblème inc.*, D.T.E. 96T-1155 (C.T.).
Rochon c. *Sogides ltée*, D.T.E. 90T-109 (T.A.).
Econauto ltée c. *Groulx*, D.T.E. 89T-89 (T.A.).
Dupuis c. *Atlas Turner inc.*, (1986) T.A. 145, D.T.E. 86T-157 (T.A.).
Gagnon c. *Environcorp protection de l'environnement (1984) inc.*, D.T.E. 85T-816 (T.A.).
L. Morency et Fils (1978) inc. c. *Béliveau*, D.T.E. 85T-784 (T.A.).
Lebeau c. *Gestion Gaston Girard inc. et/ou Jos Girard & Fils inc.*, (1985) T.A. 715, D.T.E. 85T-850 (T.A.).
Lemay c. *Remtec inc.*, D.T.E. 84T-802 (T.A.).
KHD Canada inc. c. *Lutchman*, D.T.E. 83T-358 (T.A.).
Maillé c. *Produits forestiers Saucier ltée*, (1983) T.A. 747, D.T.E. 83T-68 (T.A.).
Fercomat inc. c. *Girard*, D.T.E. 82T-603 (T.A.).
General Diesel inc. c. *Bouffard*, D.T.E. 82T-432 (T.A.).
Rioux c. *F.D.L. Co. ltée*, (1981) 1 R.S.A. 97, D.T.E. 82T-803 (T.A.).
Ross c. *Pétroles Spur ltée*, (1982) T.A. 796, D.T.E. 82T-245 (T.A.).
Roy et Frères Joliette ltée c. *Guilbeault*, D.T.E. 82T-766 (T.A.).
Union des carrières et pavages ltée c. *Paradis*, D.T.E. 82T-781 (T.A.).
Aberton Textiles Ltd. c. *Piché*, (1981) 2 R.S.A. 79.

124/686 L'ancienneté, sans avoir un caractère définitif, doit être considérée comme un facteur d'analyse dans l'appréciation de la cause suffisante de congédiement.
Diplômés de l'Université de Montréal c. *Perreault*, D.T.E. 85T-287 (C.S.).

124/687 La décision d'un employeur de ne pas suivre la règle d'ancienneté alors qu'il a constamment eu recours à ce facteur, permet d'y voir l'indication d'un congédiement déguisé.
Donohue inc. c. *Simard*, (1988) R.J.Q. 2118 (C.A.), D.T.E. 88T-819 (C.A.), J.E. 88-1118 (C.A.) (autorisation d'appeler à la Cour suprême refusée).
V. aussi: *Rémillard* c. *Gabriel of Canada Ltd.*, D.T.E. 86T-361 (C.A.).
Nouveautés Luxor (Canada) ltée c. *Legendre*, D.T.E. 86T-335 (C.S.).

124/688 Dans sa tâche consistant à apprécier la situation de fait en vue de déterminer s'il y a cause juste et raisonnable, rien ne s'oppose à ce que le commissaire tienne compte du bon sens et de l'usage dans le monde du travail en favorisant par exemple le respect d'une procédure d'ancienneté.
Boyer c. *Hewitt Equipment ltée*, (1988) R.J.Q. 2112 (C.A.), D.T.E. 88T-656 (C.A.), J.E. 88-1117 (C.A.).
C.N.T. c. *Mia inc.*, D.T.E. 85T-590 (C.A.) (autorisation d'appeler à la Cour suprême refusée).

124/689 L'ancienneté n'est pas toujours une norme légale, mais s'avère une norme d'équité surtout pour les personnes ayant rendu de bons et loyaux services durant plus de deux ans.
C.N.T. c. *Mia inc.*, D.T.E. 85T-590 (C.A.) (autorisation d'appeler à la Cour suprême refusée).
Ouellette c. *Groupe hôtelier Grand Château inc.*, D.T.E. 2008T-457 (C.R.T.).
Tamboura c. *Conseil du Québec — Unite Here*, D.T.E. 2006T-311 (C.R.T.).
Profetto c. *Immeubles en copropriété Les dauphins sur le parc*, D.T.E. 96T-1183 (C.T.).
Nardella c. *Entreprises Hamelin inc.*, D.T.E. 83T-443 (T.A.).
V. aussi: *Simone* c. *Manufacture de lingerie Château inc.*, D.T.E. 2006T-198 (C.R.T.).
Gatien c. *Reckitt et Colman (Canada) inc.*, D.T.E. 85T-837 (T.A.).
Delorme c. *Vêtements Cedar ltée*, (1983) T.A. 751, D.T.E. 83T-357 (T.A.).
Fortin-Deustch c. *Diplômés de l'Université de Montréal*, (1983) T.A. 1044, D.T.E. 83T-673 (T.A.) (révision judiciaire refusée: D.T.E. 85T-287 (C.S.)).
Forano inc. c. *Thomassin*, D.T.E. 82T-495 (T.A.).
Lapierre c. *Salois Chevrolet Oldsmobile inc.*, (1982) T.A. 1266, D.T.E. 82T-826 (T.A.).
Ouellet c. *Grand séminaire de Rimouski*, D.T.E. 82T-59 (T.A.).
Gagnon c. *Spécialités de cuisine inc.*, (1981) 3 R.S.A. 44.
Taverne Rosaire Enr. c. *Grenier*, (1981) 3 R.S.A. 14.

124/690 Le critère de sélection fondé sur l'autorité requise pour occuper un poste de contremaître plutôt que l'ancienneté est un critère raisonnable puisque cette qualité est élémentaire et indispensable pour occuper un tel poste.
Bousquet c. *Desjardins*, D.T.E. 97T-1375 (C.A.), J.E. 97-2158 (C.A.), REJB 1997-03051 (C.A.).

124/691 Si l'ancienneté n'est pas un critère lors d'une mise à pied, on doit donner priorité aux salariés qui ont plus de deux ans de service face à ceux qui n'ont pas atteint ce cap.
Rémillard c. *Gabriel of Canada Ltd.*, D.T.E. 86T-361 (C.A.).
Nouveautés Luxor (Canada) ltée c. *Legendre*, D.T.E. 86T-335 (C.S.).
Guérard c. *Garnitures Exclusives ltée*, D.T.E. 89T-654 (T.A.).

Ateliers Roland Gingras inc. c. *Desroches*, (1987) T.A. 600, D.T.E. 87T-876 (T.A.) (révision judiciaire refusée: (1988) R.J.Q. 523 (C.S.), D.T.E. 88T-154 (C.S.), J.E. 88-248 (C.S.)).
De Melo c. *Dog Studio (The)*, (1984) T.A. 460, D.T.E. 84T-562 (T.A.).
Delorme c. *Vêtements Cedar ltée*, (1983) T.A. 751, D.T.E. 83T-357 (T.A.).
Drummond Formules d'affaires ltée c. *Pépin*, (1982) T.A. 801, D.T.E. 82T-287 (T.A.).
Lapierre c. *Salois Chevrolet Oldsmobile inc.*, (1982) T.A. 1266, D.T.E. 82T-826 (T.A.).

124/692 Le législateur a voulu assurer une plus grande stabilité aux employés ayant deux ans de service continu dans la même entreprise.
Télé-alarme T.S. inc. c. *Nadeau*, D.T.E. 93T-1129 (C.S.), J.E. 93-1719 (C.S.).

124/693 Même si un employeur n'est pas tenu de respecter les années de service dans le choix des salariés qu'il licencie, qu'il met à pied ou qu'il rappelle au travail, son choix doit être appuyé sur des motifs objectifs, impartiaux et non inspirés d'éléments subjectifs propres à l'employé visé.
Mondor c. *Bi-op inc.*, D.T.E. 2003T-346 (C.R.T.).

124/694 Il ne peut y avoir d'entente entre l'employeur et le salarié reconnaissant à ce dernier une quelconque ancienneté faisant en sorte que celle-ci puisse permettre au salarié de déposer une plainte selon l'article 124 L.N.T.
Kapsch c. *Transformateurs Marcus Exacta du Canada ltée*, (1995) C.T. 353, D.T.E. 95T-789 (C.T.).

124/695 V. la jurisprudence sous l'article 122 L.N.T. à *Ancienneté*.

124/696 V. AUDET, G., BONHOMME, R., GASCON, C. et COURNOYER-PROULX, M., *Le congédiement en droit québécois en matière de contrat individuel de travail*, vol. 1, 3e éd. (édition à feuilles mobiles), Cowansville, Éditions Yvon Blais, p. 18-1 à 18-124.

124/697 V. BRIÈRE, J.-Y. et VILLAGGI, J.-P., *Relations de travail*, vol. 2, (édition à feuilles mobiles), Brossard, Les Publications CCH ltée, p. 8,849 à 8,849-82.

124/698 V. CAZA, C., «L'embarquement pour un tour d'horizon des développements récents concernant la *Loi sur les normes du travail*», dans *Développements récents en droit du travail (1997)*, Formation permanente du Barreau du Québec, Cowansville, Les Éditions Yvon Blais inc., 1997, p. 229, p. 327 et ss.

124/699 V. D'AOUST, C. et MEUNIER, F., *La jurisprudence arbitrale québécoise en matière d'ancienneté*, monographie no 9, Montréal, École des relations industrielles, Université de Montréal, 1980.

124/700 V. DUBÉ, J.-L. et DI IORIO, N., *Les normes du travail*, 2e éd., Sherbrooke, Les Éditions Revue de droit — Université de Sherbrooke, 1992, p. 474 à 549.

124/701 V. LAPORTE, P., *Le traité du recours à l'encontre d'un congédiement sans cause juste et suffisante (en vertu de la Loi sur les normes du travail, article 124)*, Montréal, Wilson & Lafleur ltée, 1992, p. 142 à 184.

124/702 V. LAPORTE, P., «Récents développements en matière de congédiements en vertu de la Loi sur les normes du travail», (1986) 46 *R. du B.* 288.

CAUSE JUSTE ET SUFFISANTE

Général

124/703 Les mots «juste et suffisante» signifient qu'il doit exister une cause qui, selon le commissaire, est suffisamment importante pour justifier un congédiement. En d'autres termes, il n'y a pas de cause juste et suffisante si, dans l'esprit du commissaire, le congédiement est une sanction disproportionnée par rapport à la faute.
Blanchard c. *Control Data Canada ltée*, (1984) 2 R.C.S. 476.
Gravel c. *Commission des relations du travail*, D.T.E. 2005T-810 (C.A.), J.E. 2005-1652 (C.A.), EYB 2005-94368 (C.A.).
V. aussi: *Cartillone* c. *Cuisine P.S. enr.*, D.T.E. 2001T-607 (C.T.).
Denis c. *Fonderie Laroche ltée*, D.T.E. 89T-261 (T.A.).
Pomerleau c. *Laboratoires Hefran inc.*, (1985) T.A. 798, D.T.E. 85T-971 (T.A.).

124/704 L'expression «sans cause juste et suffisante» implique que le congédiement doit s'autoriser d'un comportement fautif suffisamment grave pour justifier la rupture du lien d'emploi.
Labrecque c. *Direct Film inc.*, (1981) 1 R.S.A. 81.

124/705 La notion de «cause juste» implique des motifs sérieux tels la malhonnêteté, l'insubordination ou la négligence grossière et non seulement l'incompétence, surtout lorsque l'emploi est occupé depuis longtemps.
Bilodeau c. *Bata industries Ltd.*, (1986) R.J.Q. 531 (C.A.), D.T.E. 86T-143 (C.A.), J.E. 86-218 (C.A.).

124/706 Les termes «sans une cause juste et suffisante» de l'article 124 L.N.T. et «pour un motif sérieux» de l'article 2094 du *Code civil du Québec* sont des critères équivalents.
Pisimisis c. *Laboratoires Abbott ltée*, D.T.E. 99T-809 (C.S.), J.E. 99-1734 (C.S.), REJB 1999-13552 (C.S.).

124/707 Le commissaire doit déterminer si la cause invoquée par l'employeur constitue une cause juste et suffisante, objectivement et subjectivement, en tenant compte de toutes les circonstances de l'affaire.
Laurence c. *9053-0072 Québec inc. (Pièces d'auto Philippe Gagnon)*, D.T.E. 2007T-610 (C.R.T.).

124/708 Dans le cadre d'une plainte déposée selon les dispositions de l'article 124 L.N.T., le commissaire doit aller au-delà de la seule vérification du caractère licite de la décision prise par l'employeur. Il doit apprécier le caractère juste et équitable de la décision et se demander si toutes les circonstances de l'affaire permettent de conclure que le congédiement repose sur des motifs suffisamment importants pour le justifier.
St-Germain c. *Cose inc.*, D.T.E. 97T-208 (C.T.).

124/709 La cause juste et suffisante de congédiement est associée au comportement fautif de l'employé ou à son incapacité à remplir ses fonctions. Elle est aussi reliée à la faute grave, ou à une accumulation de manquements à la discipline. La cause peut également être reliée à l'employeur, telle une réorganisation de l'entreprise ou des difficultés économiques.

Malo c. *Côté-Desbiolles*, (1995) R.J.Q. 1686 (C.A.), D.T.E. 95T-827 (C.A.), J.E. 95-1438 (C.A.) (autorisation d'appeler à la Cour suprême refusée).
Bilodeau c. *Bata industries Ltd.*, (1986) R.J.Q. 531 (C.A.), D.T.E. 86T-143 (C.A.), J.E. 86-218 (C.A.).

124/710 Le congédiement constitue une cause juste et suffisante si, dans l'application d'une discipline corrective progressive, le salarié a commis une faute telle, que le prolongement de la relation de travail est impossible et que les circonstances démontrent que le salarié n'est pas réhabilitable.
Québec aviation ltée c. *Beauchamp*, (1984) T.A. 573, D.T.E. 84T-760 (T.A.).

124/711 Pour établir une cause juste et suffisante de congédiement, l'employeur doit établir que des reproches adressés au salarié sont suffisamment graves pour justifier cette sanction immédiate sans aucune forme d'avertissement.
Martel c. *Bar Minuit*, D.T.E. 92T-975 (C.T.).
Sur la notion de faute grave lire avec un certain intérêt: *C.N.T.* c. *Beverini inc.*, D.T.E. 82T-702 (C.Q.), J.E. 82-967 (C.Q.).

124/712 L'employeur, pour réussir dans la démonstration d'une cause juste et suffisante de congédiement doit démontrer des faits qui sont reliés à la personne du salarié et non des reproches adressés à la gérance de l'entreprise.
Doyon c. *H. & R. Block Canada inc.*, D.T.E. 93T-1130 (C.T.) (révision judiciaire refusée: C.S.M. n^0 500-05-011141-932, le 19 octobre 1993).

124/713 L'existence d'une cause juste et suffisante n'est pas une condition préliminaire à l'exercice de la compétence du commissaire mais bien une question intrajuridictionnelle.
Blanchard c. *Control Data Canada ltée*, (1984) 2 R.C.S. 476.
Gravel c. *Commission des relations du travail*, D.T.E. 2005T-810 (C.A.), J.E. 2005-1652 (C.A.), EYB 2005-94368 (C.A.).
Malo c. *Côté-Desbiolles*, (1995) R.J.Q. 1686 (C.A.), D.T.E. 95T-827 (C.A.), J.E. 95-1438 (C.A.) (autorisation d'appeler à la Cour suprême refusée).
Lamy c. *Kraft ltée*, (1991) R.D.J. 61 (C.A.), D.T.E. 91T-49 (C.A.), J.E. 91-114 (C.A.).
Biochem thérapeutique inc. c. *Dufault*, D.T.E. 99T-288 (C.S.), J.E. 99-653 (C.S.), REJB 1999-10575 (C.S.).
Wohl c. *Joly*, D.T.E. 96T-291 (C.S.).
Carasoulis c. *Cie de la Baie d'Hudson*, D.T.E. 91T-65 (T.A.) (révision judiciaire refusée: D.T.E. 91T-1043 (C.S.)).
V. aussi: *Coffrages C.C.C. ltée* c. *Commissaire général du travail*, D.T.E. 98T-69 (C.S.).

Abolition de poste
V. également à *Licenciement pour motifs d'ordre économique* et *Licenciement pour réorganisation administrative*

124/714 En matière d'abolition de poste, lorsque la preuve révèle une véritable mesure administrative, le commissaire doit décliner compétence.
Blais c. *Bélanger*, (1998) R.J.D.T. 42 (C.A.), D.T.E. 98T-320 (C.A.), J.E. 98-660 (C.A.).
Bassant c. *Dominion Textile inc.*, (1993) R.D.J. 220 (C.A.), D.T.E. 92T-1374 (C.A.), J.E. 92-1781 (C.A.).
Airmax industries inc. c. *Dagenais*, (2006) R.J.D.T. 1120 (C.R.T.), D.T.E. 2006T-647 (C.R.T.).

Hôpital général juif Sir Mortimer B. Davis c. *Boufekane*, D.T.E. 2006T-506 (C.R.T.) (révision judiciaire refusée: C.S.M. n⁰ 500-17-031158-069, le 5 décembre 2006).
Dumont c. *Assurances Maurice de Champlain (1983) inc.*, D.T.E. 2004T-389 (C.R.T.).
Fraser c. *Axor Construction Canada inc.*, D.T.E. 2003T-115 (C.R.T.).
Migneron c. *Zellers inc.*, (2003) R.J.D.T. 1647 (C.R.T.), D.T.E. 2003T-1109 (C.R.T.).
Samson c. *Québec (Ministère de la Solidarité sociale)*, D.T.E. 2003T-540 (C.R.T.).
Tremblay c. *Supérieur Propane inc.*, D.T.E. 2003T-1060 (C.R.T.).
Malette c. *Rigaud (Municipalité de)*, D.T.E. 2002T-537 (C.T.).
Picard c. *Cie américaine de fer et métaux inc.*, D.T.E. 96T-354 (C.T.).
Rochon c. *Sogides ltée*, D.T.E. 90T-109 (T.A.).
Dupuis c. *Centre hospitalier Georges-Frédéric*, D.T.E. 83T-344 (T.A.).
Moyen c. *Auto-électricité (1982) ltée*, D.T.E. 83T-895 (T.A.).
Vaillancourt c. *Meubles Roxton ltée*, D.T.E. 83T-636 (T.A.).
Caisse d'établissement Saguenay—Lac-St-Jean c. *Harvey*, (1982) T.A. 790, D.T.E. 82T-164 (T.A.).

124/715 L'abolition de poste peut constituer une cause juste et suffisante si l'employeur établit les motifs internes justifiant l'abolition et s'il n'agit pas de façon abusive ou discriminatoire dans le choix du salarié à licencier.
Deland c. *Groupe Enixum inc.*, D.T.E. 2008T-936 (C.R.T.).
Turcotte c. *Éditions forestières inc.*, D.T.E. 2008T-610 (C.R.T.).
Mac Donald c. *Éclairage Unilight ltée*, D.T.E. 2007T-284 (C.R.T.).
Silvestri c. *Doubletex inc.*, D.T.E. 2007T-589 (C.R.T.).
Zarbatany c. *Corporation Guess? Canada*, D.T.E. 2007T-16 (C.R.T.).
Jbeily c. *Groupe Sterling Intimité inc.*, D.T.E. 2006T-764 (C.R.T.).
Milot c. *Fabrique de la paroisse de St-Antoine-de-Padoue de Louiseville*, D.T.E. 2006T-993 (C.R.T.).
Forcier c. *Classified Media (Canada) Holdings Inc.*, D.T.E. 2005T-967 (C.R.T.).
Jeanty c. *Calko (Canada) inc.*, D.T.E. 2005T-384 (C.R.T.).
Alberga c. *Garage V.N.G. inc.*, D.T.E. 2004T-761 (C.R.T.).
Lehman c. *Pratt & Whitney Canada inc.*, D.T.E. 2004T-44 (C.R.T.) (révision judiciaire refusée: EYB 2005-94534 (C.S.)).
Thibodeau c. *Syscan international inc.*, D.T.E. 2004T-579 (C.R.T.).
Montreuil c. *Ressources jeunesse de St-Laurent inc.*, D.T.E. 2002T-671 (C.T.).
Richard c. *Lyrco Nutrition inc.*, D.T.E. 2001T-485 (C.T.) (révision judiciaire refusée: C.S. St-François, n⁰ 450-05-004345-019, le 19 septembre 2001).
Harvey c. *Ressources jeunesse de St-Laurent inc.*, D.T.E. 2000T-208 (C.T.).
Thibault c. *Mont-Laurier (Ville de)*, D.T.E. 97T-626 (C.T.), conf. par D.T.E. 97T-1041 (T.T.).
Harel c. *Cie d'assurances générales Cumis*, D.T.E. 93T-611 (C.T.).
Korngold c. *Cosigma Lavalin inc.*, D.T.E. 90T-824 (T.A.).
Gatien c. *Reckitt et Colman (Canada) inc.*, D.T.E. 85T-837 (T.A.).
L. Morency et Fils (1978) inc. c. *Béliveau*, D.T.E. 85T-784 (T.A.).
Murray c. *Circle International Freight Canada*, D.T.E. 83T-206 (T.A.).
Vaillancourt c. *Meubles Roxton ltée*, D.T.E. 83T-636 (T.A.).
General Diesel inc. c. *Bouffard*, D.T.E. 82T-432 (T.A.).
Roy et Frères Joliette ltée c. *Guilbeault*, D.T.E. 82T-766 (T.A.).

124/716 Pour effectuer une abolition de poste, l'employeur doit démontrer un lien de causalité avec l'objectif recherché, et ce, dans le cadre de la sécurité d'emploi du salarié qui a droit au recours basé sur l'article 124 L.N.T.

Publications Dumont (1988) inc. c. *Doré*, D.T.E. 2000T-59 (C.A.), J.E. 2000-136 (C.A.), REJB 1999-15538 (C.A.).

124/717 Le licenciement dû à l'abolition du poste du salarié constitue une cause juste et suffisante de fin d'emploi, et ce, malgré la présence de relations difficiles entre le plaignant et l'employeur, en l'absence de subterfuge.
Lavoie c. *Tora Granby ltée*, D.T.E. 2003T-401 (C.R.T.) (révision judiciaire refusée: D.T.E. 2004T-134 (C.S.)).

124/718 La décision d'abolir un poste peut cacher un congédiement déguisé et apparaître comme arbitraire, discriminatoire et abusive.
Rozlonkowski c. *Estrie-International 2007 inc.*, D.T.E. 2006T-265 (C.R.T.).
Genest c. *Club social 12-18 de Chibougamau*, D.T.E. 2005T-696 (C.R.T.).
Morin c. *G. Roy et Fils inc.*, D.T.E. 2005T-773 (C.R.T.).
Moses c. *Pro-plast Distribution inc.*, D.T.E. 2005T-1023 (C.R.T.).
Quessy c. *Industries Lyster inc.*, D.T.E. 2005T-790 (C.R.T.).
Trapani c. *Tenaquip ltée*, D.T.E. 2005T-830 (C.R.T.).
Boissonneault c. *Pétroles Bois-Francs (2000) inc.*, D.T.E. 2004T-908 (C.R.T.) (révision judiciaire accueillie pour d'autres motifs: D.T.E. 2005T-385 (C.S.)) (règlement hors cour).
Matteo c. *Sealrez inc.*, D.T.E. 2003T-275 (C.R.T.) (révision judiciaire refusée: D.T.E. 2003T-882 (C.S.), J.E. 2003-1699 (C.S.), REJB 2003-46414 (C.S.)).
Brazeau c. *Construction D.J.L. inc.*, D.T.E. 2002T-430 (C.T.).
Gariépy c. *W.W.F. Canada inc.*, D.T.E. 2002T-540 (C.T.).
Martineau c. *Fédération de l'Âge d'or du Québec, région de Laval*, D.T.E. 2002T-63 (C.T.).
Boutin c. *Unicom Sérigraphie ltée*, (2001) R.J.D.T. 1939 (C.T.), D.T.E. 2001T-1065 (C.T.).
Bradet c. *Brasserie Les Raftsmen*, D.T.E. 97T-1057 (C.T.) (désistement de la révision judiciaire).
Quirion c. *Croisée des chemins*, D.T.E. 96T-940 (C.T.).
Léonard c. *Coopérative funéraire de l'Outaouais*, D.T.E. 94T-706 (C.T.) (révision judiciaire refusée: D.T.E. 95T-80 (C.S.)).
Strehaljuk c. *Canadac inc.*, D.T.E. 89T-826 (T.A.) (révision judiciaire refusée: D.T.E. 90T-108 (C.S.)).
Association d'hospitalisation du Québec c. *Latreille*, (1987) T.A. 458, D.T.E. 87T-681 (T.A.).
Carrier c. *Steinberg inc.*, D.T.E. 87T-598 (T.A.).
Roy c. *Université de Montréal*, (1987) T.A. 309, D.T.E. 87T-453 (T.A.).
Céramique de Beauce inc. c. *De Sales*, D.T.E. 85T-384 (T.A.).
Lamarre c. *Chaussures Trans-Canada ltée*, D.T.E. 85T-722 (T.A.).
Nardella c. *Entreprises Hamelin inc.*, D.T.E. 83T-443 (T.A.).

124/719 L'abolition d'un poste pour des motifs d'ordre économique ou en raison de difficultés financières de l'employeur, peut n'être qu'un prétexte pour se débarrasser d'un salarié lorsque les tâches sont toujours exécutées par un autre employé.
Théorêt c. *Bodycote Essais de matériaux Canada inc. (Technitrol Bodycote)*, D.T.E. 2008T-99 (C.R.T.) (règlement hors cour).
Moïse c. *Fermes du soleil inc.*, D.T.E. 2005T-887 (C.R.T.).
Roy c. *Gestion Demessous inc.*, D.T.E. 2005T-832 (C.R.T.).

124/720 L'abolition d'un poste dans le cadre d'une réorganisation administrative peut n'être qu'un prétexte pour se débarrasser d'un salarié lorsque les tâches sont toujours exécutées par un autre employé.
Théorêt c. *Bodycote Essais de matériaux Canada inc. (Technitrol Bodycote)*, D.T.E. 2008T-99 (C.R.T.) (règlement hors cour).
Kateb c. *Produits techniques Amphenol International*, D.T.E. 2006T-216 (C.R.T.).
Moses c. *Pro-plast Distribution inc.*, D.T.E. 2005T-1023 (C.R.T.).
Riopel c. *Versant Média inc.*, D.T.E. 2004T-212 (C.R.T.).

124/721 L'abolition de poste dans le cadre d'une réorganisation administrative, entraînant l'embauche d'un nouveau salarié à un salaire inférieur, peut constituer une cause juste et suffisante de congédiement.
Zarbatany c. *Corporation Guess? Canada*, D.T.E. 2007T-16 (C.R.T.).
De Coeli c. *Aro inc.*, D.T.E. 2005T-1020 (C.R.T.).

124/722 L'abolition d'un poste due à une réorganisation de l'entreprise peut constituer un congédiement déguisé lorsqu'il y a, entre autres, obligation pour le salarié de poser sa candidature à un nouveau poste afin d'espérer conserver son emploi. En cette matière, il revient à l'employeur de démontrer que sa démarche répond à des critères corrects.
Poulin c. *Centre des femmes de St-Eustache*, D.T.E. 2000T-923 (C.T.).

124/723 L'abolition d'un poste de travail peut ne pas être une cause juste et suffisante de congédiement mais constituer une faute de l'employeur, qui a induit le salarié en erreur en lui offrant le mauvais poste, provoquant ainsi son départ. Ce type d'erreur peut être préjudiciable pour le salarié.

Dans de telles circonstances, le commissaire ne peut avoir tort d'assimiler cette rupture du lien contractuel à un congédiement déguisé même si elle s'est produite à l'occasion d'un licenciement général pour des motifs d'ordre économique.
St-Georges c. *Deschamps Pontiac Buick G.M.C. ltée*, D.T.E. 97T-1342 (C.A.), J.E. 97-2113 (C.A.) (autorisation d'appeler à la Cour suprême refusée).

124/724 Dans le cadre d'une réorganisation administrative, un employeur ne peut décider d'abolir un poste en prétextant que le salarié est incapable d'assumer les nouvelles tâches plus complexes qui sont attribuées au nouveau poste, alors qu'il refuse de fournir à son employé une formation adéquate.
Biochem thérapeutique inc. c. *Dufault*, D.T.E. 99T-288 (C.S.), J.E. 99-653 (C.S.), REJB 1999-10575 (C.S.).

124/725 Il est possible qu'en acceptant un plan d'action soumis par le salarié et en laissant celui-ci travailler malgré la remise d'un avis de licenciement, l'employeur ait annulé sa décision d'abolir le poste.
Gariépy c. *Géophysique G.P.R. International inc.*, D.T.E. 2001T-339 (C.T.).

124/726 Le licenciement d'un commis-comptable, par l'abolition de son poste, peut être une décision raisonnable, non abusive et non arbitraire si le salarié manque de formation et d'habileté pour occuper le nouveau poste de chef-comptable. Il serait alors déraisonnable d'exiger d'un employeur qu'il permette au salarié d'acquérir une formation universitaire qui s'étend sur plusieurs années. Un employeur a le droit de modifier son entreprise et de maximiser ses profits, à moins qu'il ne s'agisse d'un subterfuge dans le but de déroger à la loi.

Enfin, un commissaire n'a nullement la compétence pour décider de la structure d'une entreprise.
Richard c. *Lyrco Nutrition inc.*, D.T.E. 2001T-485 (C.T.) (révision judiciaire refusée: C.S. St-François, n° 450-05-004345-019, le 19 septembre 2001).

124/727 Le licenciement d'un ingénieur spécialisé en informatique, en raison de l'abolition de son poste due à l'évolution technologique, constitue une juste cause.
Korngold c. *Cosigma Lavalin inc.*, D.T.E. 90T-824 (T.A.).
V. aussi dans le cas d'un ingénieur: *Lehman* c. *Pratt & Whitney Canada inc.*, D.T.E. 2004T-44 (C.R.T.) (révision judiciaire refusée: EYB 2005-94534 (C.S.)).

124/728 Le licenciement dû à l'abolition de poste peut constituer une cause juste de fin d'emploi, surtout lorsque le salarié ne veut pas collaborer à son recyclage.
Murray c. *Circle International Freight Canada*, D.T.E. 83T-206 (T.A.).

124/729 Même si la rupture d'un bail de logement ne peut être une cause juste et suffisante de congédiement, il peut y avoir justification de la remise en cause d'un contrat de travail due à des modifications à l'organisation du travail entraînant l'abolition d'un poste.
Déry c. *Blier inc.*, D.T.E. 93T-896 (C.T.).

Absence de motivation, attitude et comportement insatisfaisants
V. également à *Attitude négative* et *Insubordination*

124/730 Le congédiement est justifié lorsque la démotivation est complète et que le salarié a eu toutes les chances de s'améliorer.
Services techniques informatiques S.T.I. inc. c. *Tessier*, (1991) T.A. 188, D.T.E. 91T-304 (T.A.).
Lecomte c. *Capeq inc.*, D.T.E. 87T-780 (T.A.).

124/731 La mauvaise attitude, le manque d'intérêt et le rendement insatisfaisant peuvent justifier un employeur d'imposer la mesure administrative qu'est la fin d'emploi.
Brisebois c. *Marché Pierre Lévesque inc.*, D.T.E. 2003T-961 (C.R.T.).
Doyon c. *Ed Archambault inc.*, D.T.E. 99T-668 (C.T.).

124/732 Pour justifier un congédiement basé sur l'absence de motivation, l'employeur doit démontrer cet état de fait d'une façon prépondérante.
Guindon c. *Corporation de sécurité Garda World*, D.T.E. 2009T-174 (C.R.T.) (requête en révision judiciaire: n° 500-17-048698-099).
Dorion c. *Blanchet*, D.T.E. 86T-199 (T.A.).
V. aussi: *André* c. *Harvey's*, (1987) T.A. 67, D.T.E. 87T-179 (T.A.).

124/733 Le congédiement est justifié lorsque le salarié a de sérieuses difficultés de comportement avec son entourage, telles que de l'arrogance, de l'impatience et un caractère irrascible rendant impossible un travail d'équipe valable et harmonieux.
Houde c. *Cartier Pontiac Buick G.M.C. ltée*, D.T.E. 96T-767 (C.T.).

124/734 Le salarié qui refuse d'adresser la parole à un collègue de travail ne respecte pas son obligation de collaborer avec les autres salariés. Son attitude constitue par le fait même une autre cause juste et suffisante de congédiement.
Carrier c. *Dolbec Y Logistique international inc.*, D.T.E. 2005T-595 (C.R.T.).

124/735 Les problèmes de comportement et le manque de souplesse du salarié entraînant la détérioration du climat de travail, ne constituent pas une cause juste et suffisante de congédiement, en l'absence de progression des sanctions.
Bessette c. *Simson-Maxwell*, D.T.E. 2007T-646 (C.R.T.).
Jean c. *2722941 Canada inc. (Géo Mercier)*, D.T.E. 2005T-941 (C.R.T.).

124/736 L'attitude de défiance et d'insubordination vis-à-vis de la direction peut justifier le congédiement.
Gendreau c. *Entreprises Gilles Cloutier inc.*, D.T.E. 89T-130 (T.A.).
Laberge c. *Sears*, D.T.E. 85T-157 (T.A.).

124/737 Le comportement répréhensible d'un salarié ne peut être une cause juste et suffisante de congédiement que s'il a été averti par des mesures disciplinaires normales de ses agissements inappropriés.
Calderon c. *134343 Canada inc.*, D.T.E. 2008T-629 (C.R.T.).
Buissières c. *Lallier Automobile (Québec) inc.*, D.T.E. 2004T-19 (C.R.T.).
Paulin c. *Grace Canada inc.*, (2000) R.J.D.T. 1739 (C.T.), D.T.E. 2000T-1174 (C.T.).
Labonté c. *Ornements St-Michel inc.*, D.T.E. 98T-532 (C.T.).
Durand c. *Institut Philippe-Pinel de Montréal*, D.T.E. 97T-181 (C.T.).

124/738 Les problèmes d'attitude et de comportement qu'affiche le salarié avec ses collègues de travail et son employeur ne peuvent être une cause juste et suffisante de congédiement si le salarié n'est pas averti par des mesures disciplinaires progressives. Toutefois, tel comportement peut justifier l'imposition d'une sanction disciplinaire.
Zheng c. *Harvey et Associés, s.e.n.c.r.l.*, D.T.E. 2006T-1061 (C.R.T.).

124/739 Le manque de jugement et le comportement insouciant, irresponsable et négligent constituent une cause juste et suffisante de congédiement.
Lester c. *Wrebbit inc.*, D.T.E. 99T-1028 (C.T.).

124/740 Dans le cadre d'un congédiement administratif et disciplinaire, il se peut que le congédiement du salarié pour un problème de comportement soit prématuré, dans le cas où l'employeur n'a pas appliqué la théorie de la progression des sanctions.
Cusson c. *Brossard (Ville de)*, D.T.E. 97T-493 (C.T.).

124/741 Le congédiement basé sur la mauvaise attitude du salarié peut être une sanction disproportionnée.
Kiopini c. *Tidan inc. — Les placements Melcor*, D.T.E. 98T-317 (C.T.).
Boire c. *Boulangerie Gadoua*, D.T.E. 97T-1374 (C.T.).
Lajoie c. *Sico Industrie inc.*, D.T.E. 90T-1161 (T.A.).

124/742 Le comportement répréhensible d'un salarié, par l'utilisation de l'ordinateur de façon à retarder le travail d'un collègue, ne constitue pas nécessairement une cause juste et suffisante de congédiement.
Ayoub c. *Bombardier Aéronautique inc.*, D.T.E. 2002T-1061 (C.T.).

124/743 Le non-respect de l'autorité de l'employeur par des colères et des injures ne constitue pas nécessairement une cause juste et suffisante de congédiement, mais peut justifier l'imposition d'une très longue suspension.

Chamaillard c. *Agence de recouvrement ARC (corporation)*, D.T.E. 2005T-966 (C.R.T.).

124/744 La réplique du salarié à l'employeur n'est pas un comportement répréhensible pouvant constituer une cause juste et suffisante de congédiement lorsque le salarié n'a pas crié ni utilisé un ton inacceptable pour ce faire.
Legagneur c. *Bioforce Canada inc.*, D.T.E. 97T-371 (C.T.).

Absentéisme et retards
V. également à *Incapacité physique ou psychologique*

124/745 Un congédiement pour absentéisme n'est justifié que lorsque les absences sont fréquentes, prolongées et que la règle de la progression des sanctions a été suivie.
Cadet c. *Imprimeries Transcontinental, s.e.n.c.*, D.T.E. 2007T-300 (C.R.T.).
Breault c. *Bombardier Produits récréatifs inc.*, D.T.E. 2006T-118 (C.R.T.).
Djemaï c. *Clôtures Bénor inc.*, (2001) R.J.D.T. 1900 (C.T.), D.T.E. 2001T-1130 (C.T.).
Boyer c. *Pharmaprix*, D.T.E. 95T-1302 (C.T.).
Séguin c. *Ameublement Branchaud*, D.T.E. 95T-1405 (C.T.).
Loizos c. *Crane Canada inc.*, D.T.E. 88T-136 (T.A.).
Marcoux c. *Cie Norman Wade ltée*, D.T.E. 88T-729 (T.A.).
Laberge c. *Cie impérial Tobacco ltée*, D.T.E. 87T-198 (T.A.).
Marcel Benoit ltée c. *Bertrand*, D.T.E. 84T-560 (T.A.).
V. aussi: *Partridge* c. *Tapis et tuiles de Montréal inc. et/ou Million tapis et tuiles*, D.T.E. 89T-568 (T.A.).
Savard c. *M.B. Data Processing*, D.T.E. 82T-857 (T.A.).

124/746 L'absentéisme d'un salarié malade ayant des conséquences sur la production et les autres salariés, surtout dans le contexte où il n'y a pas de perspective d'amélioration dans un avenir prévisible, ceci constitue une cause juste et suffisante de congédiement, plus particulièrement lorsque le salarié a été averti préalablement.
Meza c. *Howmet Cercast (Canada) inc.*, D.T.E. 2000T-110 (C.T.).
V. aussi: *Breault* c. *Bombardier Produits récréatifs inc.*, D.T.E. 2006T-118 (C.R.T.).

124/747 L'absence pour maladie constitue dans notre droit du travail, une cause légitime d'absence qui ne peut faire l'objet d'une sanction, sauf s'il s'agit d'une absence prolongée et chronique.
Charbonneau c. *Gestolex, société en commandite*, (2007) R.J.D.T. 175 (C.R.T.), D.T.E. 2007T-200 (C.R.T.).
Doyon c. *Entreprises Jacques Despars inc.*, (2007) R.J.D.T. 1089 (C.R.T.), D.T.E. 2007T-645 (C.R.T.) (révision en vertu de l'article 127 C.T. refusée: D.T.E. 2008T-22 (C.R.T.)).
Morissette c. *Marché Victoria inc.*, (1987) T.A. 556, D.T.E. 87T-804 (T.A.).
V. aussi: *Consolidated Bathurst inc.* c. *Licursi*, D.T.E. 85T-603 (T.A.).
St-Pierre c. *Industries de câbles d'acier ltée*, D.T.E. 82T-687 (T.A.).

124/748 Le refus de reprendre un salarié à temps plein après une absence pour maladie ne constitue par une cause juste et suffisante si l'employeur choisit de ne pas se départir d'un employé qui avait été engagé pour remplacer le plaignant.
Lajeunesse et Gauthier inc. c. *Courtemanche*, D.T.E. 82T-902 (T.A.).

124/749 Les doutes quant à la capacité du salarié de reprendre ses fonctions incitant l'employeur à lui refuser un retour progressif à la suite d'une longue absence, ne constituent pas une cause juste et suffisante de congédiement.
Jacques c. *Promutuel Beauce, société mutuelle d'assurances générales*, D.T.E. 2001T-156 (C.T.).

124/750 Ne pas permettre à un salarié de revenir au travail compte tenu d'une absence de plus de deux ans pour une dépression due à une incapacité psychologique, signifie que l'employeur congédie sans cause juste et suffisante le salarié.
Couture c. *Centres jeunesse de la Montérégie*, (2000) R.J.D.T. 1672 (C.T.), D.T.E. 2000T-924 (C.T.).

124/751 La disponibilité insuffisante d'un salarié ne constitue pas nécessairement une cause juste et suffisante de congédiement, mais peut justifier l'imposition d'une sanction disciplinaire.
Lévesque c. *3312151 Canada inc.*, (1999) R.J.D.T. 541 (C.T.), D.T.E. 99T-332 (C.T.).

124/752 La durée d'une absence pour congé de maternité ne constitue pas une cause juste et suffisante de congédiement.
Consolidated Bathurst inc. c. *Licursi*, D.T.E. 85T-603 (T.A.).

124/753 Le congédiement est reconnu comme étant justifié lorsque les absences portent préjudice au bon fonctionnement de l'entreprise.
Roy c. *Disque Améric inc.*, D.T.E. 97T-906 (C.T.).
Audy c. *Résidence Tremblay*, (1995) C.T. 358, D.T.E. 95T-856 (C.T.).
Corp. Baxter c. *Théberge*, D.T.E. 89T-723 (T.A.).
Salam c. *Magasins du Château du Canada ltée*, D.T.E. 88T-603 (T.A.).
Lebeau c. *Gestion Gaston Girard inc. et/ou Jos Girard & Fils inc.*, (1985) T.A. 715, D.T.E. 85T-850 (T.A.).
Union des carrières et pavages ltée c. *Paradis*, D.T.E. 82T-781 (T.A.).

124/754 Le fait, pour un agent de sécurité de nuit dans un hôtel, de s'enfermer à clé dans un local pendant vingt minutes constitue une cause juste et suffisante de congédiement et non un prétexte.
Massand c. *Hunsons Hospitality Corp.*, D.T.E. 2000T-770 (C.T.) (appel rejeté: D.T.E. 2001T-242 (T.T.)) (révision judiciaire refusée: C.S.M. n° 500-05-063691-016, le 22 mai 2002).

124/755 L'utilisation d'un faux prétexte pour s'absenter du travail en se faisant prescrire un certificat médical incomplet par un médecin, lorsque l'employeur a refusé au préalable la prise d'un congé, constitue une fraude et un manquement à l'obligation de loyauté entraînant la rupture du lien de confiance et justifiant le congédiement.
Courtois c. *Kenworth Montréal ltée (division Paccar du Canada)*, D.T.E. 2004T-673 (C.R.T.).

124/756 L'absence du travail du salarié, malgré le fait qu'il se soit vu refuser la prise d'un congé sans solde, constitue une cause juste et suffisante de congédiement. En effet, la décision d'accorder un congé sans solde relève de la seule discrétion de l'employeur. Il s'agit d'un privilège et non d'un droit.
Future Electronics Inc. c. *Monette*, D.T.E. 2008T-643 (C.S.), EYB 2008-137409 (C.S.) (en appel: n° 500-09-018852-087).

124/757 Il y a absence de cause juste dans le fait d'avoir pris des vacances plus longues que ce qui avait été autorisé, surtout lorsque le salarié croit que sa demande de vacances prolongées est acceptée.
Aurelio c. *Chez Vito pizzeria restaurant inc.*, D.T.E. 88T-557 (T.A.).
V. aussi: *Markus* c. *Entreprise de soudure aérospatiale inc.*, (2000) R.J.D.T. 231 (C.T.), D.T.E. 2000T-133 (C.T.).

124/758 L'absence du travail du salarié sans autorisation pour effectuer un voyage à l'étranger, constitue un abandon volontaire de l'emploi.
Mourelatos c. *Garderie éducative Le futur de l'enfant inc.*, D.T.E. 2007T-220 (C.R.T.).

124/759 Le fait d'être sans nouvelles du salarié ne peut constituer une cause juste et suffisante de congédiement, et ce, dans le contexte où le salarié a averti l'employeur de son changement d'adresse.
Parisé c. *Services ménagers Roy (hôtellerie) ltée*, (2000) R.J.D.T. 237 (C.T.), D.T.E. 2000T-90 (C.T.).

124/760 Il ne peut y avoir de cause juste et suffisante de congédiement, pour un salarié qui ne peut rentrer au travail au cours d'un après-midi, malgré sa promesse préalable faite à l'employeur.
Fleury c. *Sorel Tracy B.B.Q.*, D.T.E. 97T-1151 (C.T.).
V. aussi: *Larouche* c. *Quincaillerie Mistassini inc.*, D.T.E. 2006T-674 (C.R.T.) (révision judiciaire refusée: D.T.E. 2006T-999 (C.S.), EYB 2006-110726 (C.S.)).

124/761 Ne constitue pas nécessairement une cause juste et suffisante de congédiement, le fait, pour un gardien de sécurité, de s'absenter fréquemment de son poste de travail.
Kiopini c. *Tidan inc. — Les placements Melcor*, D.T.E. 98T-317 (C.T.).

124/762 Les absences fréquentes d'un salarié peuvent ne pas être une cause juste et suffisante de congédiement si ce dernier n'a pas été avisé en temps utile de l'imposition d'une première mesure, mais elles peuvent justifier une longue suspension.
Roy c. *Disque Améric inc.*, D.T.E. 96T-707 (C.T.).

124/763 Le refus du salarié de reprendre le travail et la durée excessive de l'absence, qui est de plus de deux ans, sans possibilité de travail dans un avenir rapproché, ne constituent pas nécessairement une cause juste et suffisante de congédiement.
Charbonneau c. *Gestolex, société en commandite*, (2007) R.J.D.T. 175 (C.R.T.), D.T.E. 2007T-200 (C.R.T.).

124/764 Les retards et les départs hâtifs du salarié, liés à d'autres manquements, justifient le congédiement.
Bernard c. *Groupe Viens inc.*, D.T.E. 2003T-377 (C.R.T.).

124/765 Les retards fréquents justifient le congédiement lorsque l'employeur a donné au salarié de nombreuses chances d'amender son comportement.
Roy c. *Disque Améric inc.*, D.T.E. 97T-906 (C.T.).
Henderson Small c. *Cie I.C.N. Canada ltée*, D.T.E. 90T-25 (T.A.).
Joly c. *François Lespérance inc.*, D.T.E. 88T-508 (T.A.).
Sears Canada inc. c. *Poirier*, (1986) T.A. 346, D.T.E. 86T-428 (T.A.).

124/766 L'absentéisme d'un salarié et le manquement à son obligation d'aviser son supérieur avant 7h le matin, ne constituent pas nécessairement une cause juste et suffisante de congédiement, en l'absence de progression des sanctions, mais cela peut justifier une suspension.
Racine c. *Orviande inc.*, D.T.E. 2001T-606 (C.T.).

124/767 Les retards fréquents, en l'absence d'avertissements sérieux, ne peuvent faire l'objet d'un congédiement pour cause juste et suffisante.
Frégeau c. *Magasins Wal-Mart Canada inc.*, D.T.E. 98T-446 (C.T.) (révision judiciaire refusée: D.T.E. 99T-45 (C.S.), J.E. 99-195 (C.S.), REJB 1998-10650 (C.S.)).
Lacombe & Robidoux ltée c. *St-Laurent*, D.T.E. 82T-556 (T.A.) (révision judiciaire accueillie pour d'autres motifs: C.S.M. n° 500-05-018500-822, le 10 janvier 1983).
V. aussi: *Fortier* c. *Clinique Gérard J. Léonard*, D.T.E. 83T-67 (T.A.).

124/768 Le départ anticipé du salarié avant la fin de son quart de travail ne constitue pas nécessairement une cause juste et suffisante de congédiement, mais peut justifier l'imposition d'une très longue suspension.
Déziel c. *9051-5974 Québec inc. (Boulangerie St-Esprit)*, D.T.E. 2005T-993 (C.R.T.).

124/769 Le départ anticipé du salarié avant la fin de son quart de travail, sans avertissement, ne constitue pas nécessairement une cause juste et suffisante de congédiement, mais peut justifier une sanction moindre.
Cyr c. *Bistro Le Mouton noir*, D.T.E. 2006T-310 (C.R.T.).

124/770 Le fait de quitter son travail pour des raisons d'ordre pratique, constitue un manque de jugement mais ne constitue pas nécessairement une cause juste et suffisante de congédiement puisqu'il ne s'agit pas d'une faute lourde exemptant l'employeur de respecter la progression des sanctions.
Bellemare c. *2543-3012 Québec inc.*, D.T.E. 2007T-299 (C.R.T.).
Ouellette c. *SSAB Hardox*, D.T.E. 2006T-572 (C.R.T.).

Activités de pression

124/771 La participation active à un débrayage illégal n'est pas nécessairement une cause juste et suffisante de congédiement.
Bastien c. *Kraft ltée*, D.T.E. 85T-160 (C.A.), conf. (1983) T.A. 1050, D.T.E. 83T-444 (T.A.).

124/772 L'attitude de sympathie envers un groupe de travailleurs en arrêt de travail ne constitue pas une cause juste et suffisante de congédiement.
Lambert c. *E. Gagnon & Fils ltée*, D.T.E. 97T-15 (C.T.).

124/773 L'organisation et la participation à une absence concertée de travail d'une journée, constituent une cause juste et suffisante de congédiement dans le cas d'un capitaine de patrouille d'une agence de sécurité.
Couture c. *Service J. Broderick ltée*, D.T.E. 85T-153 (T.A.).

124/774 La pose d'autocollants dans un contexte d'action collective de pression ne justifie pas nécessairement un congédiement, mais plutôt une mesure disciplinaire.
Fafard c. *L.F.P. Canada inc.*, D.T.E. 93T-397 (C.T.).

Alcool et drogue

124/775 L'alcoolisme d'un salarié ne peut être une cause juste et suffisante de congédiement, que si l'employeur peut démontrer que cette situation entraîne une influence néfaste, préjudiciable et qu'elle ne peut être corrigée.
Côté c. *Bell Helicopter Textron (division de Textron Canada ltée)*, (2002) R.J.D.T. 1141 (C.T.), D.T.E. 2002T-712 (C.T.) (révision judiciaire refusée: D.T.E. 2003T-114 (C.S.), J.E. 2003-214 (C.S.), REJB 2002-37175 (C.S.)).
Dessureault c. *General Accident Assurance Co. of Canada Ltd.*, (1985) T.A. 183, D.T.E. 85T-228 (T.A.).
V. aussi: *Lelièvre* c. *9048-0609 Québec inc.*, D.T.E. 2000T-392 (C.T.) (révision judiciaire refusée: C.S. Bonaventure, n^{0} 105-05-000401-006, le 19 décembre 2000).
Division Lyman-Tubeco c. *Ouimet*, D.T.E. 91T-1299 (T.A.).
Équipement de ferme Dynavent c. *Lefebvre*, (1991) T.A. 252, D.T.E. 91T-440 (T.A.).
Caisse populaire de St-Anaclet c. *Blanchette*, (1988) T.A. 493, D.T.E. 88T-558 (T.A.).
Joncas c. *Brasserie La Ribouldingue inc.*, D.T.E. 84T-561 (T.A.).
Lacombe & Robidoux ltée c. *St-Laurent*, D.T.E. 82T-556 (T.A.) (révision judiciaire accueillie pour d'autres motifs: C.S.M. n^{0} 500-05-018500-822, le 10 janvier 1983).

124/776 Pour congédier une personne relativement à des problèmes d'alcool, il est nécessaire qu'il y ait des fautes de comportement d'une certaine gravité et des écarts prononcés.
Caisse populaire de St-Anaclet c. *Blanchette*, (1988) T.A. 493, D.T.E. 88T-558 (T.A.).

124/777 Les problèmes d'alcool et de drogue ainsi que le refus de suivre une cure de désintoxication telle que proposée par l'employeur, démontrent que le salarié est incapable de se réhabiliter, ces faits et circonstances constituant une cause juste et suffisante de congédiement.
Vaillancourt c. *Métal 7 inc.*, D.T.E. 2007T-569 (C.R.T.).

124/778 L'alcoolisme et la toxicomanie constituent une cause juste et suffisante de congédiement lorsqu'à la date de celui-ci, la capacité du salarié de s'acquitter de ses fonctions est compromise par son problème et lorsque aucune amélioration n'est susceptible de se produire dans un avenir prévisible.
Gausden c. *Concordia University*, D.T.E. 96T-1472 (C.T.).

124/779 Le fait de se retrouver à une reprise en état d'ébriété sur les lieux du travail ne peut constituer une cause juste et suffisante de congédiement, mais peut justifier l'imposition d'une suspension.
Boyer c. *Pharmaprix*, D.T.E. 95T-1302 (C.T.).

124/780 Le simple fait de sentir l'alcool au travail ne peut constituer une cause juste et suffisante de congédiement.
Fleurimont (Mun. de) c. *Barrette*, D.T.E. 86T-334 (T.A.).

124/781 La consommation de boissons alcooliques ou de drogues en dehors des heures et du lieu de travail doit être sanctionnée progressivement si elle a des répercussions directes sur la prestation de travail. Le congédiement ne se justifierait qu'après des récidives.

Lelièvre c. *9048-0609 Québec inc.*, D.T.E. 2000T-392 (C.T.) (révision judiciaire refusée: C.S. Bonaventure, n° 105-05-000401-006, le 19 décembre 2000).
R... B... c. *Bureau d'expertise des assureurs ltée*, (1987) T.A. 658, D.T.E. 87T-964 (T.A.).
V. aussi: *Division Lyman-Tubeco* c. *Ouimet*, D.T.E. 91T-1299 (T.A.).

124/782 La consommation de cocaïne en dehors des lieux de travail ne constitue pas nécessairement une cause juste et suffisante de congédiement lorsqu'il n'y a pas, entre autres, d'effets préjudiciables sur la prestation de travail du salarié.
Garneau c. *Sico inc.*, D.T.E. 2006T-196 (C.R.T.).

124/783 La possession de stupéfiants sur les lieux du travail, ajoutée à l'effet cumulatif des fautes du salarié, constitue une cause juste et suffisante de congédiement.
Rompré c. *Canslit inc.*, D.T.E. 99T-162 (C.T.).

124/784 La consommation de drogues sur les lieux de l'entreprise pendant les heures de travail constitue une cause juste et suffisante de congédiement, si l'employeur peut démontrer que cette situation entraîne des conséquences sur la qualité de la prestation de travail du salarié, surtout lorsque celui-ci a été averti des conséquences de ce comportement.
Contant c. *Station de service Sylvain Charron inc.*, D.T.E. 93T-480 (C.T.).

— Trafic de stupéfiants

124/785 Le complot à des fins de trafic de stupéfiants peut constituer une cause juste et suffisante de congédiement même dans le cadre de la protection prévue à l'article 18.2 de la *Charte des droits et libertés de la personne,* lorsqu'il y a un lien entre l'infraction reprochée et l'emploi du salarié.
Leclerc c. *Guichet unique d'information et de développement économique*, D.T.E. 97T-1313 (C.T.).

124/786 L'arrestation pour trafic de cocaïne d'un chauffeur d'autobus scolaire constitue une cause juste et suffisante de congédiement, compte tenu de la nature de l'entreprise et du lien entre la faute et l'emploi occupé.
Rivard c. *Autobus Le Stéphanois inc.*, D.T.E. 2006T-575 (C.R.T.).

124/787 V. D'AOUST, C. et ST-JEAN, S., *Les manquements du salarié associés à l'alcool et aux drogues: étude jurisprudentielle et doctrinale*, monographie n° 17, Montréal, École des relations industrielles, Université de Montréal, 1984.

124/788 V. VIOLETTE, A., «Les tests de dépistage d'alcool et de drogues en milieu de travail: une question d'équilibre», (2000) 60 *R. du B.* 81.

Assaut et menaces
V. également à *Moeurs*

124/789 L'assaut contre une personne en autorité ou contre un subordonné, peut constituer une cause juste et suffisante de congédiement.
Cavanagh c. *Corp. de développement touristique de Bonaventure*, (2003) R.J.D.T. 1286 (C.R.T.), D.T.E. 2003T-883 (C.R.T.).
Simard c. *Costco Canada inc.*, D.T.E. 2002T-982 (C.T.).

Sleight c. *Compagnie de la Baie d'Hudson*, (1997) C.T. 317, D.T.E. 97T-968 (C.T.).
Innocent c. *Boiseries Crotone inc.*, (1987) T.A. 272, D.T.E. 87T-426 (T.A.).
Odierna c. *Pratt & Whitney Aircraft du Canada ltée*, D.T.E. 82T-807 (T.A.).
Soeurs de la charité du Québec c. *Drolet*, D.T.E. 82T-808 (T.A.).

124/790 L'agression à l'endroit de son supérieur ne constitue pas nécessairement une cause juste et suffisante de congédiement, et ce, compte tenu du caractère involontaire ou accidentel de l'acte.
Jouets Ritvik inc. c. *Béchara*, D.T.E. 2000T-230 (C.S.) (appel rejeté: C.A.M. n^{0} 500-09-009289-000, le 6 juin 2002).

124/791 L'agression contre un supérieur qui est en fait une réaction à l'imposition d'une suspension de trois jours, ne constitue pas une cause juste et suffisante de congédiement en présence d'une faute contributive de l'employeur.
Dessureault-Benson c. *Groupe J.-C. Dessureault inc.*, D.T.E. 2002T-1169 (C.T.).

124/792 L'agression à l'endroit d'un supérieur lorsqu'il y a responsabilité commune des deux protagonistes, ne constitue pas nécessairement une cause juste et suffisante de congédiement, mais peut justifier l'imposition d'une longue suspension.
Gagliano c. *Techo Bloc inc.*, D.T.E. 2002T-670 (C.T.).

124/793 Le fait de proférer des menaces à l'endroit de ses supérieurs constitue une cause juste de congédiement.
Richer c. *Droits-accès de l'Outaouais*, D.T.E. 2005T-257 (C.R.T.).
Purdel, coopérative agro-alimentaire c. *Malenfant*, D.T.E. 88T-604 (T.A.).
Georgiou c. *Machinerie Wilson Cie ltée*, D.T.E. 85T-470 (T.A.).
Contra: *Hogue* c. *Agences Claude Marchand inc.*, D.T.E. 99T-242 (C.T.).

124/794 L'attitude agressive du salarié à l'égard de l'employeur ne constitue pas nécessairement une cause juste et suffisante de congédiement.
Makhlouf c. *Aro inc.*, D.T.E. 2008T-739 (C.R.T.).

124/795 La tentative d'agression à l'endroit d'un contremaître, en présence de facteurs atténuants, ne constitue pas nécessairement une cause juste et suffisante de congédiement, mais peut justifier l'imposition d'une longue suspension.
Djemaï c. *Clôtures Bénor inc.*, (2001) R.J.D.T. 1900 (C.T.), D.T.E. 2001T-1130 (C.T.).

124/796 L'utilisation d'un langage abusif accompagné de menaces de morts justifient le congédiement.
Gagnon c. *F.D.L. Cie*, (1993) C.T. 228, D.T.E. 93T-609 (C.T.) (révision judiciaire refusée: C.S.M. n^{0} 500-05-004277-933, le 18 octobre 1993).

124/797 L'utilisation par un salarié d'un langage abusif à l'endroit d'un directeur de l'entreprise ne constitue pas nécessairement une cause juste et suffisante de congédiement, mais peut justifier l'imposition d'une sanction disciplinaire.
Marcoux c. *Classified Media (Canada) Holdings Inc. — Auto Hebdo*, D.T.E. 2006T-837 (C.R.T.).

124/798 Les menaces de mort à l'endroit d'un collègue, même si ces faits sont survenus à l'extérieur des lieux du travail, constituent une cause juste et suffisante de congédiement puisque l'employeur a l'obligation de protéger ses employés.
Cyr c. *Sears Canada inc.*, D.T.E. 96T-261 (C.T.).

124/799 Des menaces à l'endroit d'un supérieur, surtout lorsque le salarié travaille pour un organisme d'aide auprès de personnes ayant des problèmes de santé mentale, constituent une faute grave et une cause juste et suffisante de congédiement.
Richer c. *Droits-accès de l'Outaouais*, D.T.E. 2005T-257 (C.R.T.).

124/800 Le fait d'exercer constamment de l'intimidation auprès des autres employés peut constituer une cause juste et suffisante de congédiement.
Morin c. *Institut national d'optique*, D.T.E. 2003T-1057 (C.R.T.) (révision judiciaire refusée: C.S.Q. n° 200-17-003864-030, le 25 janvier 2006) (permission d'appeler refusée: D.T.E. 2006T-693 (C.A.), J.E. 2006-1429 (C.A.), EYB 2006-107237 (C.A.)).
Boucher c. *Cie T. Eaton ltée*, D.T.E. 89T-1105 (T.A.).

124/801 Le comportement agressif d'un salarié et ses gestes menaçants qui visaient des femmes constituent une cause juste et suffisante de congédiement, surtout lorsque l'employeur applique dans ces situations une politique de «tolérance zéro».
Rosa c. *Centre d'action sociocommunautaire de Montréal*, D.T.E. 2006T-215 (C.R.T.) (révision en vertu de l'article 127 C.T. refusée).

124/802 La violence utilisée par un chauffeur d'autobus vis-à-vis un élève turbulent ne constitue pas nécessairement une cause juste et suffisante de congédiement.
Bourgault c. *Autobus Québec Métro inc.*, D.T.E. 97T-312 (C.T.).

124/803 Pour une psychoéducatrice, la rudesse utilisée à l'endroit d'un élève difficile constitue une faute professionnelle, mais ne constitue pas nécessairement une cause juste et suffisante de congédiement lorsqu'il y a absence de violence dans le geste posé. Toutefois, ce geste peut justifier l'imposition d'une longue suspension disciplinaire.
Bérard c. *Commission scolaire du Pays-des-Bleuets*, (2006) R.J.D.T. 744 (C.R.T.), D.T.E. 2006T-396 (C.R.T.).

124/804 Dans le contexte d'une petite entreprise les injures d'un salarié à son cogérant devant les autres employés, justifient le congédiement.
Matériaux de construction Simoneau inc. c. *Fortier*, D.T.E. 89T-463 (T.A.).

124/805 Les échauffourées d'un salarié avec un client de l'entreprise ne constituent pas nécessairement une cause juste et suffisante de congédiement, mais peuvent justifier l'imposition d'une sanction.
Mola c. *Hard Rock Cafe International inc.*, D.T.E. 98T-872 (C.T.).

124/806 Il n'y a pas de cause juste et suffisante, lorsque la responsabilité est commune dans l'incident violent ayant conduit au congédiement.
Bilodeau c. *Imprimerie Miro inc.*, D.T.E. 2003T-93 (C.R.T.).
Jean-Louis c. *Industries Gen-Lite ltée*, (1999) R.J.D.T. 205 (C.T.), D.T.E. 99T-16 (C.T.).
Pietrykowski c. *Cie de fiducie du Canada le Permanent*, D.T.E. 85T-723 (T.A.) (révision judiciaire refusée: C.S.M. n° 500-05-009603-851, le 17 décembre 1985, conf. par C.A.M. n° 500-09-000056-861, le 2 octobre 1987).
Reid c. *Malka*, D.T.E. 82T-338 (T.A.).
V. aussi: *Veillette* c. *Bar salon Bellevue inc.*, D.T.E. 95T-1142 (C.T.).

124/807 L'assaut ou l'agression à l'endroit d'un collègue qui fait suite à une réaction à un geste physique fait par surprise, ne constitue pas nécessairement une cause juste et suffisante de congédiement, en l'absence d'intention de blesser ou de négligence grave.
Bertrand c. *Wyeth Holdings Canada Inc.*, D.T.E. 2008T-628 (C.R.T.).

124/808 Une bataille entre collègues de travail ne mérite pas un congédiement, mais un sévère avertissement.
Dalis c. *Société en commandite Hôtel Clocktower*, D.T.E. 99T-68 (C.T.).
Solomon c. *Aliments Louis ltée*, D.T.E. 85T-653 (T.A.).

124/809 L'agression à l'endroit d'un collègue de travail peut constituer une cause juste et suffisante de congédiement dans le contexte de l'application d'une politique de «tolérance zéro» en matière de violence verbale ou physique, et ce, compte tenu des caractéristiques de l'entreprise embauchant du personnel multiethnique.
Barja c. *Vêtements de sport Gildan inc.*, D.T.E. 2006T-836 (C.R.T.).

124/810 Ne constitue pas un motif de congédiement, le fait de frapper un spectateur agressif et menaçant, mais il s'agit d'un motif justifiant l'imposition d'une mesure disciplinaire, en présence de circonstances atténuantes.
Investigation et sécurité C.H. inc. c. *Gagné*, D.T.E. 87T-597 (T.A.).

124/811 Le langage abusif d'un salarié envers un supérieur ne constitue pas nécessairement une cause juste et suffisante de congédiement.
Karch c. *Technologies Kree inc.*, D.T.E. 2005T-809 (C.R.T.).
Bellemo c. *Volumes Sales (1970) inc.*, D.T.E. 82T-825 (T.A.).
V. aussi: *Legagneur* c. *Bioforce Canada inc.*, D.T.E. 97T-371 (C.T.).
Fortier c. *Clinique Gérard J. Léonard*, D.T.E. 83T-67 (T.A.).

124/812 L'utilisation d'un langage abusif à l'endroit de son supérieur, l'insubordination du plaignant et son attitude colérique constituent une cause juste et suffisante de congédiement.
Deschênes c. *Desmeules Automobiles inc.*, D.T.E. 2007T-478 (C.R.T.).

124/813 L'attitude agressive à l'endroit d'un collègue de travail de la part d'un salarié, ne constitue pas nécessairement une cause juste et suffisante de congédiement en l'absence d'avertissement préalable.
C.A. c. *2970-7528 Québec inc. (Auto H. Grégoire)*, D.T.E. 2008T-284 (C.R.T.) (révision judiciaire refusée: C.S.M. n° 500-17-041880-082, le 8 janvier 2009).

124/814 L'utilisation d'un langage abusif à l'endroit des collègues de travail constitue une cause juste et suffisante de congédiement en l'absence d'amélioration de la part du salarié qui a reçu plusieurs avis disciplinaires.
April c. *Lalema inc.*, D.T.E. 2006T-67 (C.R.T.).

124/815 L'utilisation d'un langage abusif ou le fait de tenir des propos blessants et dénigrants à l'endroit d'une collègue de travail, soit une coordonnatrice d'une maison d'hébergement pour femmes victimes de violence conjugale, ne constitue pas nécessairement une cause juste et suffisante de congédiement en l'absence d'enquête sérieuse de la part de l'employeur, dans le cas où il s'agit d'un incident isolé alors que le salarié a fait des excuses et a des remords.
Laurin c. *Maison Libère-Elles*, D.T.E. 2007T-791 (C.R.T.).

124/816 Les manquements répétés du salarié à ses obligations de civilité et de courtoisie constituent une cause juste et suffisante de congédiement.
Asselin c. *Compagnie Abitibi-Consolidated du Canada, division Port-Alfred*, D.T.E. 2005T-792 (C.R.T.).

124/817 Les propos grossiers et blasphématoires d'un salarié à l'égard de ses collègues de travail constituent un manquement à son obligation de civilité mais non nécessairement une cause juste et suffisante de congédiement, lorsqu'il y a faute contributive de l'employeur et des collègues. Dans de telles circonstances, une suspension peut être appropriée.
Cartillone c. *Cuisine P.S. enr.*, D.T.E. 2001T-607 (C.T.).

124/818 Le fait qu'un salarié ait manqué à son obligation de civilité en tenant des propos agressifs à l'endroit d'un collègue de travail, ne constitue pas nécessairement une cause juste et suffisante de congédiement, mais, dans le contexte, peut justifier une cause de suspension.
Dumont c. *Giguère Portes et fenêtres inc.*, D.T.E. 2008T-349 (C.R.T.).

124/819 La tenue de propos offensants et injustes à l'endroit d'un supérieur ne constitue pas nécessairement une cause juste et suffisante de congédiement.
Figueiredo c. *École Charles Perrault*, D.T.E. 98T-14 (C.T.).

124/820 L'indifférence et l'arrogance du salarié, lors d'une rencontre avec ses supérieurs à cause de l'utilisation de l'Internet (courriel) à des fins personnelles, ne constituent pas nécessairement une cause juste et suffisante de congédiement.
Boisvert c. *Industries Machinex inc.*, D.T.E. 2002T-185 (C.T.).

124/821 La menace de divulgation de renseignements confidentiels de la part d'un equêteur en matières frauduleuses, constitue une cause juste et suffisante de congédiement.
Fredette c. *Société des loteries et courses du Québec (Loto-Québec)*, D.T.E. 98T-619 (C.T.) (révision judiciaire refusée: C.S.M. n° 500-05-041146-984, le 14 octobre 1998) (appel rejeté sur requête).

124/822 La menace régulière de démission ne constitue pas une cause juste et suffisante.
Paul c. *Électropac Canada inc.*, D.T.E. 92T-921 (C.T.) (révision judiciaire refusée: C.S.M. n° 500-05-009618-925, le 13 août 1992).

Attitude négative
V. également à *Absence de motivation, attitude et comportement insatisfaisants* et *Insubordination*

124/823 L'attitude négative peut être une cause juste et suffisante de congédiement.
Forest c. *Collectif plein de bon sens*, D.T.E. 2004T-158 (C.R.T.).
Éconauto ltée c. *Groulx*, D.T.E. 89T-89 (T.A.).
Cadieux c. *J. Pascal inc.*, D.T.E. 82T-744 (T.A.).
V. aussi: *Gendreau* c. *Entreprises Gilles Cloutier inc.*, D.T.E. 89T-130 (T.A.).

124/824 L'attitude du salarié empêchant l'employeur d'exercer ses droits de direction constitue une cause juste et suffisante de congédiement.
Audy c. *Résidence Tremblay*, (1995) C.T. 358, D.T.E. 95T-856 (C.T.).

124/825 Un congédiement fondé sur l'attitude négative ne peut se justifier que si une sanction moindre ne suffit pas pour inciter le salarié à corriger sa conduite ou que des mesures moins sévères n'ont pas été efficaces.
Radacovsky c. *Grands Ballets canadiens de Montréal*, D.T.E. 2006T-169 (C.R.T.).
Paquet c. *Carrefour FM Portneuf*, D.T.E. 2005T-611 (C.R.T.).
Savard c. *Matelas Serta Bon-Aire inc.*, (1994) C.T. 441, D.T.E. 94T-1204 (C.T.).
Doyon c. *H. & R. Block Canada inc.*, D.T.E. 93T-1130 (C.T.) (révision judiciaire refusée: C.S.M. n^0 500-05-011141-932, le 19 octobre 1993).
Nash c. *Secur inc.*, (1987) T.A. 726, D.T.E. 87T-1022 (T.A.).
St-Pierre c. *Antoine Bernier Rivière-du-Loup inc.*, D.T.E. 87T-1025 (T.A.).
Grande-Île (Mun. de la) c. *Boulay*, (1985) T.A. 736, D.T.E. 85T-873 (T.A.).
Papineau c. *Industries Henri Mitchell ltée*, D.T.E. 84T-13 (T.A.).

124/826 Le manque d'enthousiasme et d'esprit d'équipe ne constitue pas nécessairement une cause juste et suffisante de congédiement.
Coutu c. *Réno-dépôt (Groupe Val Royal inc.)*, D.T.E. 95T-529 (C.T.).

124/827 Un congédiement ne peut être fondé sur des rumeurs qui circulent dans l'entreprise.
Fasulo c. *Emballages Heat Seal inc.*, (1989) T.A. 805, D.T.E. 89T-925 (T.A.).

124/828 Un salarié n'a pas à supporter seul le blâme, s'il règne dans l'entreprise une confusion quasi totale.
Tremblay c. *Domcor*, D.T.E. 90T-64 (T.A.).

Conflit d'intérêts
V. également à *Obligation de loyauté et rupture du lien de confiance*

124/829 La simple possibilité de conflit d'intérêts n'est pas suffisante pour justifier un congédiement, il faut établir qu'il y a eu préjudice pour l'employeur.
Boucher c. *Dactylographe Métropole inc. (DMI Bureautique)*, D.T.E. 2005T-1098 (C.R.T.) (révision en vertu de l'article 127 C.T. refusée) (révision judiciaire refusée: C.S.M. n^0 500-17-028738-055, le 26 mai 2006).
Lacasse c. *Portraits Magimage inc.*, D.T.E. 2001T-931 (C.T.).
Duquette c. *Zellers inc.*, D.T.E. 86T-234 (T.A.) (révision judiciaire refusée: D.T.E. 86T-256 (C.S.), conf. par (1986) R.J.Q. 1864 (C.A.), D.T.E. 86T-533 (C.A.), J.E. 86-726 (C.A.)).
V. aussi: *Chatterton* c. *Angelica international ltée*, D.T.E. 93T-869 (C.T.).
Desloges c. *Laprade*, D.T.E. 87T-59 (T.A.).
Guérard c. *Caisse populaire St-Denys du Plateau*, D.T.E. 87T-97 (T.A.).
Manoir St-Eustache c. *Joly*, (1986) T.A. 683, D.T.E. 86T-771 (T.A.).
Allain c. *Cie minière I.O.C. inc.*, (1984) T.A. 509, D.T.E. 84T-622 (T.A.).
Brunet c. *Andrew Gilchrist inc.*, D.T.E. 83T-356 (T.A.).
Desrosiers c. *Industries Vespobec inc.*, D.T.E. 83T-533 (T.A.).
Journal de Montréal c. *Pépin*, D.T.E. 83T-12 (T.A.).
Contra: *Centre médical Drummond inc.* c. *Yergeau-Brunelle*, D.T.E. 84T-96 (T.A.).

124/830 Pour déterminer la gravité d'un acte fautif en matière de conflit d'intérêts l'on doit tenir compte: du caractère isolé ou non du geste, des conséquences de celui-ci, de la valeur en jeu, de l'intention, de la fonction et de l'attitude du plaignant.
Allain c. *Cie minière I.O.C. inc.*, (1984) T.A. 509, D.T.E. 84T-622 (T.A.).
V. aussi: *Cidrerie du Québec ltée* c. *Lecours*, (1986) T.A. 497, D.T.E. 86T-591 (T.A.).

124/831 Pour qu'il y ait cause juste et suffisante en matière de conflit d'intérêts, la perte de la relation de confiance doit reposer sur des gestes dérogatoires du salarié et non sur un sentiment subjectif.
Gosselin c. *Burotec ventes services et locations inc.*, (1992) C.T. 525, D.T.E. 92T-896 (C.T.).
V. aussi: *Gendron* c. *Denicourt & Cossette, notaires*, (1997) C.T. 305, D.T.E. 97T-851 (C.T.) (révision judiciaire refusée: D.T.E. 98T-52 (C.S.)) (désistement d'appel).
Ménard c. *Circle Computer/Brains II*, (1997) C.T. 199, D.T.E. 97T-589 (C.T.).

124/832 La crainte et les soupçons non fondés de divulgation de renseignements confidentiels à un compétiteur ne constituent pas une cause juste et suffisante.
Brunet c. *Andrew Gilchrist inc.*, D.T.E. 83T-356 (T.A.).

124/833 Le congédiement n'est pas justifié si le salarié n'a pas abusé de sa situation privilégiée et lorsqu'il s'agit plus d'un conflit de pouvoir et d'objectifs entre actionnaires que d'un conflit d'intérêts.
Cidrerie du Québec ltée c. *Lecours*, (1986) T.A. 497, D.T.E. 86T-591 (T.A.).

124/834 Il ne peut y avoir cause juste et suffisante de congédiement lorsque le salarié ne s'est pas placé en conflit d'intérêts réel, qu'il n'a pas à choisir entre son intérêt particulier et celui de l'employeur.
Produits Pétro-Canada inc. c. *Moalli*, (1988) R.J.Q. 774 (C.S.), D.T.E. 88T-262 (C.S.), J.E. 88-415 (C.S.).
Brisson c. *9027-4580 Québec inc.*, D.T.E. 98T-217 (C.T.) (révision judiciaire refusée: D.T.E. 99T-549 (C.S.)) (désistement d'appel).
Bégin c. *Clivent inc.*, (1990) T.A. 648, D.T.E. 90T-1101 (T.A.).
Allain c. *Cie minière I.O.C. inc.*, (1984) T.A. 509, D.T.E. 84T-622 (T.A.).
Control Data Canada ltée c. *Blanchard*, D.T.E. 82T-163 (T.A.) (révision judiciaire cassée en appel: (1984) 2 R.C.S. 476).
V. aussi: *Brasserie Labatt ltée* c. *Carbonneau*, (1984) T.A. 497, D.T.E. 84T-596 (T.A.).

124/835 Pour conclure à un manquement à l'obligation de loyauté, soit le fait pour un employé d'être en conflit d'intérêts avec son employeur, il faut qu'il y ait des gestes concrets de déloyauté qui soient mis en preuve. En l'absence de directives précises de l'employeur pour prévenir tout conflit d'intérêts et en l'absence également d'une preuve de déloyauté, on ne peut conclure à un congédiement pour une cause juste et suffisante.
Morrison c. *Orthoconcept Québec inc.*, D.T.E. 2008T-154 (C.R.T.).
Amiel c. *Strongco inc.*, (2001) R.J.D.T. 1248 (C.T.), D.T.E. 2001T-810 (C.T.) (révision judiciaire refusée: D.T.E. 2002T-16 (C.S.)).

124/836 Le simple fait de s'enquérir des possibilités d'emploi dans une entreprise concurrente n'est pas une cause juste de congédiement.
Bourbonnais c. *Produits forestiers Canadien Pacifique ltée*, D.T.E. 90T-241 (T.A.).

124/837 Pour qu'il y ait conflit d'intérêts et cause juste et suffisante de congédiement, il suffit de viser la même clientèle que son employeur.
Désy c. *9126-6072 Québec inc. (Complexe La Fine Pointe)*, D.T.E. 2008T-155 (C.R.T.).
Lapointe c. *Coopérative agricole du Prévert*, D.T.E. 98T-495 (C.T.).
Barcana ltée c. *Boisvert*, (1984) T.A. 703, D.T.E. 84T-841 (T.A.).

124/838 Les propos d'un salarié relativement à la privatisation éventuelle de l'entreprise de son employeur constituent une situation créant un conflit d'intérêts pouvant justifier un congédiement.
Société des traversiers du Québec c. *Jourdain (Succession de)*, (1999) R.J.Q. 1626 (C.A.), (1999) R.J.D.T. 1032 (C.A.), D.T.E. 99T-629 (C.A.), J.E. 99-1392 (C.A.), REJB 1999-12858 (C.A.).

124/839 L'investissement dans un commerce entrant en compétition avec celui de son employeur ne constitue pas nécessairement une cause de congédiement.
A. Setlakwe ltée c. *Bergeron*, D.T.E. 88T-197 (T.A.).
V. aussi: *Duquette* c. *Zellers inc.*, D.T.E. 86T-234 (T.A.) (révision judiciaire refusée: D.T.E. 86T-256 (C.S.), conf. par (1986) R.J.Q. 1864 (C.A.), D.T.E. 86T-533 (C.A.), J.E. 86-726 (C.A.)).
Brasserie Labatt ltée c. *Carbonneau*, (1984) T.A. 497, D.T.E. 84T-596 (T.A.).

124/840 Les démarches actives en vue de créer une entreprise concurrente dans un contexte de grève justifient le congédiement.
Montour ltée c. *Jolicoeur*, D.T.E. 88T-170 (T.A.).

124/841 La participation à l'ouverture d'un commerce exploité par sa conjointe ne peut justifier un congédiement, surtout si le salarié ne possède aucun intérêt dans ce commerce.
Lalancette c. *Magasins Continental ltée*, (1988) T.A. 483, D.T.E. 88T-563 (T.A.).
V. aussi: *Amiel* c. *Strongco inc.*, (2001) R.J.D.T. 1248 (C.T.), D.T.E. 2001T-810 (C.T.) (révision judiciaire refusée: D.T.E. 2002T-16 (C.S.)).
Contra: *Lapointe* c. *Coopérative agricole du Prévert*, D.T.E. 98T-495 (C.T.).

124/842 La participation à un projet d'achat d'actions de l'entreprise pour laquelle le plaignant travaillait, ne constitue pas une cause juste et suffisante de congédiement, lorsque l'offre est faite à la suite d'une demande d'offre écrite de la part du conseil d'administration de l'entreprise.
Cidrerie du Québec ltée c. *Lecours*, (1986) T.A. 497, D.T.E. 86T-591 (T.A.).

124/843 La prétention suivant laquelle l'exploitation d'un garage par l'un de ses salariés puisse engendrer un conflit d'intérêts ne constitue pas une cause juste de congédiement.
Racine c. *Renault Canardière inc.*, D.T.E. 83T-567 (T.A.).

124/844 La fait d'avoir sollicité des clients et des employés en vue de faire concurrence à l'employeur dans une entreprise en voie de formation constitue une faute, laquelle peut ne pas être à elle seule une cause suffisante pour justifier le renvoi.
Télé-alarme T.S. inc. c. *Nadeau*, D.T.E. 93T-1129 (C.S.), J.E. 93-1719 (C.S.).

124/845 Le fait de fonder sa propre compagnie et de recruter du personnel de son employeur constitue un manque de loyauté justifiant le congédiement.
Grosso c. *Métropolitaine (La), Cie d'assurance-vie*, D.T.E. 89T-91 (T.A.).

124/846 Constitue un manquement au devoir de loyauté qui justifie le congédiement, l'engagement dans une activité lucrative qui présente les caractères d'une réelle compétition avec son employeur.
Lamoureux c. *Cartonnier Laval inc.*, (1987) T.A. 619, D.T.E. 87T-895 (T.A.).
Weytze c. *Exploitations Régent Émard ltée*, (1987) T.A. 267, D.T.E. 87T-425 (T.A.).

124/847 Constitue un manquement au devoir de loyauté, justifiant une sanction disciplinaire mais non nécessairement le congédiement, l'engagement du salarié dans une activité lucrative qui présente le caractère d'une réelle compétition avec son employeur.
Boulianne c. *Jean-François Martel inc.*, D.T.E. 2003T-987 (C.R.T.).

124/848 Il y a cause juste de congédiement, lorsque le directeur de succursale d'une compagnie d'assurances agit aussi en tant que P.D.G. de la société de gestion immobilière d'abri fiscal qu'il a fondée, car il s'agit de manquements aux obligations contractuelles.
Sun Life du Canada ltée c. *Roy*, D.T.E. 88T-559 (T.A.).

124/849 Constitue une cause juste et suffisante de congédiement, le fait pour un salarié de se constituer personnellement prêteur dans un dossier dont la demande a été partiellement rejetée par ses supérieurs, puisque celui-ci s'est placé en situation de conflit d'intérêts et se trouve à désavouer la décision des autorités de l'entreprise.
Roussel c. *Services financiers Avco*, D.T.E. 95T-288 (C.T.).

124/850 Une faute grave telle que le conflit d'intérêts permet à l'employeur de congédier un employé sans avis préalable. Justifie le congédiement, le fait pour un cadre de devenir actionnaire à 50% d'un sous-traitant de l'employeur.
Veilleux c. *Clarke transport routier ltée*, D.T.E. 89T-981 (T.A.).

124/851 Le fait pour une secrétaire à l'emploi d'un centre médical de pratiquer et de recommander la phytothérapie constitue une cause juste et suffisante de congédiement.
Centre médical Drummond inc. c. *Yergeau-Brunelle*, D.T.E. 84T-96 (T.A.).

124/852 Il y a conflit d'intérêts et motif justifiant le licenciement lorsqu'un pompier volontaire d'une ville a postulé et occupe un poste de chef pompier pour une municipalité voisine.
Ranger c. *Bureau d'expertise des assureurs ltée*, (2001) R.J.D.T. 1911 (C.T.), D.T.E. 2001T-1155 (C.T.) (désistement de la révision judiciaire).
Gauvin c. *Stoneham et Tewkesbury (Corp. mun. des cantons unis de)*, (1986) T.A. 479, D.T.E. 86T-574 (T.A.).

124/853 Il n'est pas nécessaire, pour qu'il y ait conflit d'intérêts, que les activités envisagées soient réalisées. Constituent des circonstances aggravantes, le fait que les démarches aient été effectuées durant les heures de travail et en collaboration avec un autre employé-clé.
Gionet c. *Durivage inc.*, D.T.E. 83T-182 (T.A.).

124/854 Les démarches effectuées par le salarié en vue de la création de sa propre entreprise concurrente à celle de son employeur, même s'il y a abandon du projet sans incidence, ont créé néanmoins une situation de conflit d'intérêts et constituent un manquement à l'obligation de loyauté. Il y a alors une cause juste et suffisante de congédiement.
Provost c. *Palette Idéal inc.*, D.T.E. 2006T-1062 (C.R.T.).

124/855 L'acceptation de bonis-cadeaux de la part d'un fournisseur de l'employeur ne constitue pas nécessairement une cause juste et suffisante s'il ne s'agit pas d'un pot-de-vin.

Manoir St-Eustache c. *Joly*, (1986) T.A. 683, D.T.E. 86T-771 (T.A.).
V. aussi: *Control Data Canada ltée* c. *Blanchard*, D.T.E. 82T-163 (T.A.) (révision judiciaire cassée en appel: (1984) 2 R.C.S. 476).

124/856 L'utilisation par le salarié de certificats-cadeaux, remis par des fournisseurs de l'employeur, constitue une situation de conflit d'intérêts et un manquement à son obligation de loyauté.
Boudreault c. *Unilever Canada, division de U.L. Canada inc.*, D.T.E. 2003T-1059 (C.R.T.).

124/857 Le fait pour un agent de crédit de se prêter à des manoeuvres dolosives en faisant preuve d'aveuglement volontaire et de recevoir des pots-de-vin à cause des relations privilégiées avec des emprunteurs, justifie le congédiement.
Lajeunesse c. *Caisse populaire de St-Vincent-de-Paul*, D.T.E. 93T-481 (C.T.).

124/858 Le fait d'accepter de l'argent d'un sous-traitant en échange de services ne constitue pas nécessairement une cause juste et suffisante de congédiement, mais peut justifier l'imposition d'une réprimande.
Arsenault c. *Robin International inc.*, D.T.E. 2001T-133 (C.T.).

124/859 Le fait d'offrir ses services personnels à des clients de son employeur contre rémunération constitue une cause juste et suffisante de congédiement.
Rosa c. *Centre d'action sociocommunautaire de Montréal*, D.T.E. 2006T-215 (C.R.T.) (révision en vertu de l'article 127 C.T. refusée).

124/860 Le fait de solliciter des fournisseurs de son employeur à des fins personnelles et de contrevenir à un règlement de l'entreprise demandant de faire affaire avec les fournisseurs de pièces offrant le meilleur coût d'achat, constitue une faute grave justifiant le congédiement, et ce, sans application de la progression des sanctions, puisque le salarié a manqué alors à son obligation de loyauté en se mettant en conflit d'intérêts.
Morin c. *Carrière Union ltée*, D.T.E. 2006T-395 (C.R.T.) (révision en vertu de l'article 127 C.T. refusée: D.T.E. 2006T-887 (C.R.T.)) (désistement de la révision judiciaire).

124/861 Ne peut pas être placée en situation de conflit d'intérêts qui justifierait un congédiement, la salariée exerçant une autorité professionnelle qui a une liaison amoureuse avec un employé, si elle n'a jamais eu affaire à celui-ci sur le plan professionnel.
Gosselin c. *Burotec ventes services et locations inc.*, (1992) C.T. 525, D.T.E. 92T-896 (C.T.).

124/862 Le mariage ou la cohabitation avec une personne particulière peut, dans certains cas, créer une cause juste et suffisante de congédiement et peut être un obstacle à la réintégration du salarié.
Legris c. *Laval (Société de transport de la Ville de)*, (1996) C.T. 120, D.T.E. 96T-230 (C.T.).

124/863 L'usage dans l'entreprise permettant aux salariés d'acheter des pièces à rabais, surtout lorsque l'employeur tolère cette pratique, ne constitue pas une cause juste et suffisante de congédiement.

Taillon c. *Ventes Mercury des Laurentides inc.*, D.T.E. 82T-767 (T.A.) (révision judiciaire refusée: (1983) C.S. 463, D.T.E. 83T-431 (C.S.), J.E. 83-566 (C.S.), conf. par D.T.E. 88T-153 (C.A.)).

124/864 Le conflit d'intérêts même si non allégué, et non retenu par le commissaire comme motif de congédiement, peut être un obstacle à la réintégration.
Couture-Thibault c. *Pharmajan inc.*, (1984) T.A. 326, D.T.E. 84T-423 (T.A.).
V. aussi: *Legris* c. *Laval (Société de transport de la Ville de)*, (1996) C.T. 120, D.T.E. 96T-230 (C.T.).

Conflit de personnalités
V. également à *Absence de motivation, attitude et comportement insatisfaisants*

124/865 L'existence d'un conflit de personnalités n'est pas une cause juste et suffisante si le problème n'est pas uniquement attribuable au plaignant et s'il y a absence de progression des sanctions.
Nieto c. *Travailleurs unis de l'alimentation et du commerce, section locale 501 (TUAC)*, D.T.E. 2008T-858 (C.R.T.) (règlement hors cour).
Leduc c. *Groupe Lyras inc.*, D.T.E. 2002T-785 (C.T.).
Bourget c. *Association Agaparc*, (1999) R.J.D.T. 1193 (C.T.), D.T.E. 99T-773 (C.T.).
Bélanger c. *Caisse populaire Desjardins de St-Jean-Port-Joli*, D.T.E. 97T-1417 (C.T.).
Guay c. *Compagnie Trust Royal*, D.T.E. 95T-726 (C.T.).
Bellavance c. *Bouchard*, D.T.E. 92T-836 (C.T.).
Johnson c. *Mazda Canada inc.*, D.T.E. 91T-1402 (T.A.).
Quenord inc. c. *Ménard*, S.A. 124-90-093A, le 12 juillet 1990.
Gagnon c. *Hewitt Équipement ltée*, D.T.E. 89T-129 (T.A.).
Gouvianakis c. *Fabrications Dennison du Canada inc.*, (1988) T.A. 682, D.T.E. 88T-752 (T.A.).
Ringuette c. *Taverne Excel Enrg.*, D.T.E. 88T-954 (T.A.).
Pratt & Whitney Canada inc. c. *Elsedfy*, D.T.E. 87T-500 (T.A.).
Lapierre c. *Arcon Canada inc.*, (1986) T.A. 406, D.T.E. 86T-483 (T.A.).
Bissonnette c. *Bélanger*, D.T.E. 84T-576 (T.A.) (révision judiciaire accueillie sur l'indemnité salariale: (1985) C.S. 715, D.T.E. 85T-535 (C.S.), J.E. 85-650 (C.S.)).
Chouinard c. *Coopérants (Société mutuelle d'assurance-vie)*, D.T.E. 83T-303 (T.A.).
V. aussi: *Vekilis* c. *Communauté hellénique de Montréal*, D.T.E. 2004T-90 (C.R.T.).

124/866 Un conflit de personnalités ou une incompatibilité de caractère n'est pas une cause juste et suffisante de congédiement si la preuve ne révèle pas que le salarié est incompétent ou inapte à effectuer le travail.
Picard c. *G.V. Bergeron*, D.T.E. 97T-826 (C.T.).
Loizos c. *Crane Canada inc.*, D.T.E. 88T-136 (T.A.).
V. aussi: *Hamel* c. *Centre de l'enseignement vivant*, D.T.E. 83T-600 (T.A.).
Bouliane c. *Maison de choix inc.*, (1981) 2 R.S.A. 72.

124/867 Le conflit de personnalités qui découle de l'attitude d'une personne peut, en certaines circonstances, représenter une cause juste et suffisante de congédiement, pour autant que l'employeur ait préalablement engagé certaines démarches avec son salarié visant à régler ces problèmes ou, à tout le moins, qu'il ait exigé un changement d'attitude de la part du salarié fautif.
Nieto c. *Travailleurs unis de l'alimentation et du commerce, section locale 501 (TUAC)*, D.T.E. 2008T-858 (C.R.T.) (règlement hors cour).

124/868 Un conflit de personnalités peut n'être qu'un prétexte pour se débarrasser d'un salarié, lorsqu'il y a absence de critères dans le choix du salarié à licencier.
Girard c. *Centre du camion Nutrinor inc.*, D.T.E. 2004T-693 (C.R.T.).

124/869 Le conflit de personnalités avec le fils de l'employeur et les écarts de celui-ci ne constituent pas un motif de congédiement.
Fournelle c. *Paquin*, D.T.E. 83T-97 (T.A.) (révision judiciaire accueillie pour d'autres motifs: D.T.E. 83T-762 (C.S.)).

124/870 Un conflit ouvert et persistant entre le salarié et la présidente de l'entreprise, qui est sa belle-mère, ne constitue pas nécessairement une cause juste et suffisante de congédiement.
Stewart c. *Musée David M. Stewart*, D.T.E. 2000T-38 (C.T.).

124/871 Le conflit de personnalités entre le salarié et un médecin, qui n'est ni employé, ni associé d'une clinique médicale, ne constitue pas une cause juste et suffisante de congédiement.
Plourde c. *Abinader*, D.T.E. 98T-350 (C.T.).

124/872 Des relations tendues avec l'épouse de l'employeur ne peuvent justifier un congédiement, surtout lorsqu'elles ne sont pas alléguées lors du congédiement.
Trudel c. *Service Lippens inc.*, D.T.E. 82T-136 (T.A.).

124/873 Une divergence de point de vue entre actionnaires ne peut justifier un congédiement.
Industrie Fabrico (1964) ltée c. *Bélair*, (1986) T.A. 633, D.T.E. 86T-730 (T.A.).

124/874 La divergence d'opinions dans le contexte d'une activité stratégique de la nature de celle du lancement d'un nouveau logiciel n'est pas, en soi, une cause juste et suffisante de congédiement.
Saindon c. *Taleo (Canada) inc.*, D.T.E. 2006T-862 (C.R.T.).

124/875 Le simple conflit de personnalités entre actionnaires ou entre vice-présidents, ne constitue pas un motif suffisant de congédiement.
Pierreau c. *Sirbain inc.*, (1984) T.A. 581, D.T.E. 84T-762 (T.A.).
Visionic inc. c. *Fortier*, D.T.E. 82T-579 (T.A.) (révision judiciaire refusée: D.T.E. 82T-30 (C.S.)).
V. aussi: *André* c. *Harvey's*, (1987) T.A. 67, D.T.E. 87T-179 (T.A.).
Campeau c. *Torpédo ltée*, D.T.E. 82T-337 (T.A.).

124/876 Les mauvaises relations avec ses subordonnés, quoique ne pouvant justifier un congédiement, peuvent constituer un obstacle à la réintégration.
Bélanger c. *Caisse populaire Desjardins de St-Jean-Port-Joli*, D.T.E. 97T-1417 (C.T.).
Campbell c. *Maislin Realties, A Division of Maislin Transport Ltd.*, D.T.E. 83T-304 (T.A.).
Laporte c. *Talens C.A.C. inc.*, D.T.E. 82T-372 (T.A.) (révision judiciaire accueillie pour d'autres motifs: D.T.E. 84T-118 (C.A.), J.E. 84-134 (C.A.)).

124/877 Ne constituent pas nécessairement une cause de congédiement, les mauvaises relations avec ses subordonnés lorsque l'on est en présence d'une faute contributive de l'employeur.
Guay c. *Compagnie Trust Royal*, D.T.E. 95T-726 (C.T.).

124/878 Pour justifier un congédiement sur la base des mauvaises relations avec le personnel, il faut que la preuve démontre un tel état de fait.
Perras c. *Journal de Montréal, division du Groupe Quebecor inc.*, D.T.E. 94T-369 (C.T.).
Lapierre c. *Salois Chevrolet Oldsmobile inc.*, (1982) T.A. 1266, D.T.E. 82T-826 (T.A.).

124/879 L'impopularité d'un salarié auprès de certains autres employés, peut constituer une cause juste et suffisante de congédiement.
Ouellette c. *Hôtel Le Reine Élizabeth*, D.T.E. 98T-1005 (C.T.).

124/880 Le refus du cogérant d'une petite entreprise, de présenter des excuses à un collègue qu'il a insulté devant tous les employés, constitue une cause juste de congédiement.
Matériaux de construction Simoneau inc. c. *Fortier*, D.T.E. 89T-463 (T.A.).

124/881 Le refus du salarié de réintégrer son emploi durant une supposée absence due à la maladie, dont la véritable cause est le conflit de personnalités qui l'oppose à son supérieur, peut constituer une cause juste et suffisante de congédiement.
Harnois c. *Novartis Pharma Canada inc.*, D.T.E. 2006T-168 (C.R.T.).

124/882 L'attitude insatisfaisante avec la clientèle, le manque de courtoisie, l'agressivité, l'impatience, justifient le congédiement lorsqu'il n'y a aucune amélioration à la suite d'avertissements préalables.
Simpsons Sears ltée c. *Roy*, (1982) T.A. XIVII (résumé), D.T.E. 82T-456 (T.A.).

124/883 L'utilisation d'un langage abusif à l'endroit d'un client, surtout en présence d'un incident culminant et en l'absence d'amélioration, constitue une cause juste et suffisante de congédiement.
Trahan c. *Plaisirs gastronomiques inc.*, D.T.E. 2008T-688 (C.R.T.).

124/884 Le manque de courtoisie et de coopération avec la clientèle ne constitue pas une cause juste et suffisante de congédiement, en l'absence de gradation des sanctions.
Boyer c. *Pharmaprix*, D.T.E. 95T-1302 (C.T.).
Lefebvre c. *Gaston Lefebvre Service inc.*, D.T.E. 94T-1013 (C.T.).
Ringuette c. *Taverne Excel Enrg.*, D.T.E. 88T-954 (T.A.).
V. aussi: *Gagnon* c. *Hewitt Équipement ltée*, D.T.E. 89T-129 (T.A.).

124/885 La gravité du manquement à l'obligation de civilité peut justifier un congédiement, surtout lorsque l'employé a fait l'objet d'avertissements et de réprimandes.
Boucher c. *Cie T. Eaton ltée*, D.T.E. 89T-1105 (T.A.).

124/886 Un manquement lié à l'obligation de civilité d'un homme de pont sur un bateau de pêche, constitue une cause juste et suffisante de congédiement compte tenu de la nature du poste quant à la nécessité de travailler en harmonie avec les membres de l'équipage.
Laflamme c. *Pêcheries Nicol Desbois inc.*, D.T.E. 2006T-266 (C.R.T.) (révision judiciaire refusée: EYB 2006-112900 (C.S.)).

124/887 Le manquement à l'obligation de civilité ne justifie pas nécessairement un congédiement lorsqu'il y a absence de progression dans les sanctions.

Bessette c. *Simson-Maxwell*, D.T.E. 2007T-646 (C.R.T.).
Lavallée c. *Abitibi-Price inc., division Azerty*, D.T.E. 95T-701 (C.T.).

Démission

124/888 Le fait de parler régulièrement de vouloir démissionner ne constitue pas une cause juste et suffisante de congédiement.
Paul c. *Électropac Canada inc.*, D.T.E. 92T-921 (C.T.) (révision judiciaire refusée: C.S.M. n° 500-05-009618-925, le 13 août 1992).

124/889 Le salarié démissionne de son emploi lorsqu'il refuse de retourner au travail à la suite d'une ordonnance de réintégration découlant d'une première décision.
Deschênes c. *Valeurs mobilières Banque Laurentienne inc.*, (2008) R.J.D.T. 203 (C.R.T.), D.T.E. 2008T-18 (C.R.T.) (révision judiciaire refusée sur requête en irrecevabilité: D.T.E. 2008T-882 (C.S.), EYB 2008-149755 (C.S.)) (en appel: n° 500-09-019150-085).

124/890 Dans le contexte d'une petite entreprise familiale et saisonnière, la menace de démission constitue une cause juste et suffisante de congédiement.
Sauvé c. *Jardins W.G. Charlebois inc.*, D.T.E. 96T-1513 (C.T.).

124/891 Les faits et les circonstances entourant la décision de l'employeur de mettre fin au retour progressif au travail de la salariée en raison de son rendement insatisfaisant, peuvent permettre de conclure à un abandon volontaire d'emploi et non à un congédiement.
La Rue c. *Centre vétérinaire Daubigny inc.*, (2007) R.J.D.T. 1513 (C.R.T.), D.T.E. 2007T-808 (C.R.T.).

124/892 Le refus de travailler sans rémunération, durant la période des travaux hors pêche, constitue une démission lorsque le salarié reçoit une rémunération globale pour toute la saison de pêche.
Athot c. *Barrette*, D.T.E. 2007T-857 (C.S.), EYB 2007-125651 (C.S.).

124/893 La menace de démission massive des collègues de travail ne constitue pas une cause juste et suffisante de congédiement.
Lavigne c. *Richelieu (Ville de)*, D.T.E. 2004T-157 (C.R.T.) (révision judiciaire refusée: (2004) R.J.D.T. 937 (C.S.), D.T.E. 2004T-717 (C.S.), REJB 2004-66568 (C.S.)).

124/894 Des menaces répétées de démission en bloc et le fait de participer à la confection d'une pétition exigeant le départ du supérieur, constituent une cause juste et suffisante de congédiement.
Monawarbig c. *9089-9378 Québec inc. (Restaurant Houston)*, D.T.E. 2007T-647 (C.R.T.).

124/895 Les fausses accusations de comportement malhonnête, ayant entraîné la démission du salarié, ne peuvent constituer une cause juste et suffisante de congédiement.
Fournier c. *Sobeys Québec inc. (IGA Extra)*, D.T.E. 2009T-99 (C.R.T.).

Dormir au travail

124/896 Le fait de dormir au travail peut constituer une cause juste de congédiement lorsque le plaignant détient une fonction de responsabilité.
Kostelidis c. *Centre hospitalier de St-Mary's*, D.T.E. 86T-381 (T.A.).
Agence de sécurité 77 inc. c. *Pilote-Fortin*, D.T.E. 85T-604 (T.A.).

124/897 Le fait de dormir au travail à deux occasions, ce qui constitue un incident culminant, justifie le congédiement du salarié.
Bernard c. *Groupe Viens inc.*, D.T.E. 2003T-377 (C.R.T.).

124/898 Le fait de dormir au travail peut justifier une sanction sévère mais n'est pas nécessairement une cause juste et suffisante de congédiement.
Denis c. *Fonderie Laroche ltée*, D.T.E. 89T-261 (T.A.).

124/899 En l'absence de mesures disciplinaires concernant le fait de dormir au travail, il ne peut y avoir cause juste et suffisante de congédiement.
Restaurant Dunns inc. c. *Jeanson*, D.T.E. 90T-1029 (T.A.) (révision judiciaire refusée: C.S.M. n° 500-05-009920-909, le 24 octobre 1990).

Fraude

V. également à *Vol*

124/900 La fraude est considérée comme une cause juste de congédiement surtout lorsqu'elle implique des employés ayant des fonctions supérieures.
Bouchard c. *Propur inc.*, D.T.E. 2007T-259 (C.R.T.) (révision judiciaire refusée: C.S. Chicoutimi, n° 150-17-001319-075, le 12 juillet 2007).
Turchetta c. *Société des casinos du Québec inc. (Casino de Montréal)*, D.T.E. 2000T-391 (C.T.).
Bourgeois c. *Service immobilier Courbec Promenades du cuivre*, D.T.E. 97T-528 (C.T.).
Association des manufacturiers de chaussures du Canada c. *Maheu*, (1987) T.A. 366, D.T.E. 87T-541 (T.A.).
Roy c. *Maisons Quebco inc.*, (1987) T.A. 534, D.T.E. 87T-778 (T.A.).
Lorrain c. *Sidbec-Dosco*, (1985) T.A. 403, D.T.E. 85T-497 (T.A.).
V. aussi: *Cie de la Baie d'Hudson* c. *Larocque*, D.T.E. 90T-631 (C.S.), J.E. 90-792 (C.S.), appel accueilli à D.T.E. 94T-1273 (C.A.), J.E. 94-1804 (C.A.).

124/901 En l'absence de preuve de l'intention de frauder ou de lien entre le plaignant et le geste reproché, il ne peut y avoir de congédiement fondé sur une cause juste et suffisante.
Bernier c. *Caisse populaire Desjardins de la Mitis — Centre de service de Ste-Angèle*, D.T.E. 2006T-863 (C.R.T.).
Lachance c. *Corp. Électrolux du Canada inc.*, D.T.E. 2002T-935 (C.T.).
Cliche c. *Banque royale du Canada*, D.T.E. 84T-287 (T.A.).
Lachance c. *Rôtisseries St-Hubert ltée*, (1984) T.A. 190, D.T.E. 84T-286 (T.A.).
Dumas c. *Frigon matériaux ltée*, D.T.E. 83T-410 (T.A.).
Mailloux c. *Québec Téléphone*, D.T.E. 82T-504 (T.A.).
Ouellet c. *Placements A. Jain inc.*, D.T.E. 82T-496 (T.A.).

124/902 Des transactions irrégulières peuvent justifier une suspension et non un congédiement lorsque certains facteurs atténuants expliquent les transactions.

Lacroix c. *Brasserie Labatt ltée*, D.T.E. 2001T-18 (C.T.) (révision judiciaire refusée: D.T.E. 2001T-316 (C.S.)).
Bacon c. *Caisse populaire de Godbout*, D.T.E. 88T-96 (T.A.).
Lamoureux c. *Caisse populaire Desjardins de Notre-Dame du Sacré-Coeur de Ville LaSalle*, D.T.E. 86T-933 (T.A.).
V. aussi: *Bernier* c. *Caisse populaire Desjardins de la Mitis — Centre de service de Ste-Angèle*, D.T.E. 2006T-863 (C.R.T.).
Pierres Giacomo et Duro inc. c. *Carbone*, D.T.E. 90T-457 (T.A.).
Tremblay c. *Agences de personnel Cavalier inc.*, D.T.E. 82T-402 (T.A.).

124/903 La prétention à l'effet que le salarié aurait fraudé en ce qui concerne l'application d'une politique de location de voitures, violant ainsi un règlement d'entreprise, ne constitue pas une cause juste et suffisante de congédiement lorsqu'il y a absence de directives claires et qu'il y a eu par le passé tolérance de l'employeur, surtout dans le cas où aucune enquête sérieuse n'a été menée avant de congédier le salarié.
Shaheeb c. *PWC Management Services, l.p.*, D.T.E. 2008T-956 (C.R.T.).

124/904 Des transactions irrégulières, en l'absence d'explications fournies par le plaignant qui agit à titre de gérant de succursale, constituent une cause juste et suffisante de congédiement.
Maisonneuve c. *Chaussures Brown's inc.*, D.T.E. 2002T-302 (C.T.).

124/905 Le fait pour un concierge d'un immeuble résidentiel d'omettre de fournir sa prestation de travail pendant plusieurs heures à l'insu de l'employeur, constitue de la fraude par le vol de temps et une cause juste et suffisante de congédiement.
Chavarria c. *3979563 Canada inc.*, D.T.E. 2005T-886 (C.R.T.).

124/906 Le pointage frauduleux de cartes de temps constitue une faute grave justifiant le congédiement.
Berthuit c. *Supermarché Bilodeau (1990) inc.*, (1998) R.J.D.T. 1700 (C.T.), D.T.E. 98T-1083 (C.T.).
Kraft ltée c. *Lessard*, D.T.E. 83T-844 (T.A.).

124/907 Le pointage de la carte de présence d'un collègue, en contravention à un règlement d'entreprise, ne constitue pas nécessairement une cause juste et suffisante de congédiement, mais peut justifier l'imposition d'une suspension.
Balthazar c. *Manufacture de bas nylons Gina du Canada ltée*, D.T.E. 99T-1151 (C.T.).

124/908 La falsification de cartes de temps et la réclamation d'heures supplémentaires non effectuées peuvent ne pas justifier un congédiement, mais plutôt une longue suspension.
Cousineau c. *Hewitt Équipement ltée*, (1993) C.T. 183, D.T.E. 93T-430 (C.T.).

124/909 La fraude érigée en système par les réclamations de frais de kilométrage et pour du temps de travail non effectué, constitue une cause juste et suffisante de congédiement surtout lorsque cette fraude implique un salarié exerçant des fonctions de chef d'équipe et ayant de l'influence sur les autres salariés.
Thibodeau c. *Cintech Agroalimentaire, division inspection inc.*, D.T.E. 2006T-838 (C.R.T.) (révision en vertu de l'article 127 C.T. refusée).

124/910 L'emploi du temps non conforme aux rapports d'activités ne constitue pas nécessairement une cause juste et suffisante de congédiement.

Dans un contexte où le salarié est laissé à lui-même et que ses mérites ont été reconnus pendant quatorze années de service, cette sanction est excessive et hors de proportion avec les manquements du salarié.
Gagnon c. *Laboratoires Nordic inc.*, D.T.E. 94T-77 (C.A.), J.E. 94-165 (C.A.), inf. D.T.E. 92T-974 (C.S.).

124/911 La falsification de documents et de factures constitue de la fraude et une cause juste et suffisante de congédiement.
Pétroles Vosco Canada ltée c. *Boyer*, (2000) R.J.D.T. 1567 (C.S.), D.T.E. 2000T-972 (C.S.) (règlement hors cour).

124/912 La falsification de l'étiquetage de certains produits par un gérant du rayon des viandes, et ce, même si celui-ci n'en tire aucun bénéfice, constitue une cause juste et suffisante de congédiement.
Branchaud c. *Marché d'alimentation Diane Rodrigue inc.*, D.T.E. 2006T-148 (C.R.T.).

124/913 La falsification de documents par un courtier d'assurances qui a imité la signature de certaines personnes, constitue une faute grave et une cause juste et suffisante de congédiement.
Bernatchez c. *AssurExperts Dupont inc.*, D.T.E. 2006T-437 (C.R.T.).

124/914 Constitue de la négligence et de l'insouciance équivalant à fraude et méritant le congédiement, le fait de faire signer des «déclarations d'assurance en blanc» à des réclamants.
Girard c. *Prévoyants du Canada, assurance générale*, D.T.E. 84T-861 (T.A.).

124/915 La falsification de documents peut justifier un congédiement.
Radio Shack c. *Gratton*, D.T.E. 90T-458 (T.A.).

124/916 La falsification de documents par un chef de tables d'un casino constitue de la fraude et une faute grave, et ce, entre autres, eu égard à la nature de la fonction du salarié. Il s'agit d'un manquement grave à l'obligation de loyauté et d'intégrité.
Turchetta c. *Société des casinos du Québec inc. (Casino de Montréal)*, D.T.E. 2000T-391 (C.T.).

124/917 La falsification de documents ne constitue pas nécessairement une cause juste et suffisante du congédiement mais peut justifier l'imposition d'une longue suspension.
Caisse populaire Desjardins de Charny c. *Poulin*, D.T.E. 97T-927 (C.S.).

124/918 La falsification d'un document, plus particulièrement un certificat médical, ne constitue pas nécessairement une cause juste et suffisante de congédiement, mais peut justifier l'imposition d'une longue suspension.
Primeau c. *Schering-Plough Canada inc.*, D.T.E. 2008T-702 (C.R.T.) (requête en révision judiciaire: n° 500-17-045268-086).

124/919 Le fait qu'il y ait eu des divergences entre les commissions réclamées par un représentant et les ventes qu'il a effectuées peut ne pas constituer une cause juste et suffisante de congédiement, compte tenu des modifications des

conditions de travail faites verbalement au cours des années et de l'absence d'intention malhonnête de la part de l'employé.
Boucher c. *Enseignes Métropolitain inc.*, D.T.E. 2005T-885 (C.R.T.).

124/920 Le «kiting» et les fausses déclarations lors d'une demande de prêt constituent une cause juste et suffisante de congédiement.
Elian c. *Société Canada Trust*, (1992) C.T. 547, D.T.E. 92T-943 (C.T.).
Caisse d'économie des policiers de la Communauté urbaine de Montréal c. *Lussier*, D.T.E. 90T-489 (T.A.).

124/921 Le «kiting» peut justifier l'imposition d'une sanction disciplinaire et non un congédiement, lorsque le salarié bénéficie de plusieurs facteurs atténuants.
Lévesque c. *Caisse populaire Desjardins de Ste-Anne-du-Lac*, (2001) R.J.D.T. 206 (C.T.), D.T.E. 2001T-157 (C.T.).

124/922 La fraude dans les réclamations de remboursements de dépenses justifie le congédiement lorsque le poste exige une relation de confiance absolue.
Bouchard c. *Propur inc.*, D.T.E. 2007T-259 (C.R.T.) (révision judiciaire refusée: C.S. Chicoutimi, n^{0} 150-17-001319-075, le 12 juillet 2007).
Corbeil c. *Produits forestiers E.B. Eddy ltée*, D.T.E. 89T-950 (T.A.).
Allstate du Canada c. *Bouchard*, D.T.E. 88T-304 (T.A.).
Association des manufacturiers de chaussures du Canada c. *Maheu*, (1987) T.A. 366, D.T.E. 87T-541 (T.A.).
Roy c. *Maisons Quebco inc.*, (1987) T.A. 534, D.T.E. 87T-778 (T.A.).
Lorrain c. *Sidbec-Dosco*, (1985) T.A. 403, D.T.E. 85T-497 (T.A.).

124/923 L'utilisation par une caissière de cartes de promotion destinées à la clientèle constitue une cause juste et suffisante de congédiement, et ce, compte tenu de l'importance des responsabilités de la salariée.
Hoeu c. *Costco Wholesale Canada*, D.T.E. 2005T-859 (C.R.T.).

124/924 Le fait d'accorder un escompte à un client, sans autorisation et contrairement aux politiques de l'entreprise, ne constitue pas une cause juste lorsqu'il n'y a pas préméditation et un état d'esprit «frauduleux».
Holt Renfrew & Co. c. *Legendre*, D.T.E. 87T-85 (C.S.) (règlement hors cour).
Cie Eaton c. *Grenier*, D.T.E. 88T-388 (T.A.).
Perron c. *Groupe U.C.S. ltée*, D.T.E. 86T-197 (T.A.).

124/925 La malversation du système informatique par le salarié, qui limite l'émission des cartes de membres, constitue une cause juste et suffisante de congédiement.
Pagé c. *Club Price Anjou inc.*, D.T.E. 98T-1130 (C.T.).

124/926 L'acceptation d'un voyage ne constitue pas une cause juste et suffisante de congédiement, lorsque la politique à ce sujet n'est pas écrite, diffusée ou affichée.
Control Data Canada ltée c. *Blanchard*, D.T.E. 82T-163 (T.A.) (révision judiciaire cassée en appel: (1984) 2 R.C.S. 476).

124/927 Malgré la politique de l'employeur interdisant de recevoir des bonis-cadeaux, il n'y a pas lieu à congédiement en présence de circonstances atténuantes telles un dossier vierge et l'existence d'une tolérance à propos de tels bonis.
Manoir St-Eustache c. *Joly*, (1986) T.A. 683, D.T.E. 86T-771 (T.A.).

124/928 L'acceptation par un salarié de sommes versées par un fournisseur, lesquelles doivent revenir à l'employeur, constitue une cause juste et suffisante de congédiement.
St-Amant c. *Provigo Distribution inc.*, (1994) C.T. 407, D.T.E. 94T-1048 (C.T.).

124/929 Le détournement de fonds appartenant à son employeur, pour son bénéfice personnel, par le gérant d'un hebdomadaire régional, constitue une cause juste et suffisante de congédiement.
Clair c. *Journal de St-Bruno inc.*, D.T.E. 2001T-1180 (C.T.).

124/930 Le congédiement ne peut être justifié dans le cas où il est de pratique courante que les vendeurs d'assurances à commission imitent la signature de clients, surtout lorsque celle-ci n'est pas essentielle à la validité du contrat.
Société mutuelle d'assurance générale des comtés de Lotbinière et de Mégantic c. *Vallée*, D.T.E. 87T-595 (T.A.) (révision judiciaire refusée: C.S. Frontenac, n^{0} 235-05-000063-876, le 15 juin 1987).

124/931 L'ouverture de comptes bancaires et l'utilisation des fonds sans autorisation de l'employeur et à des fins personnelles constituent des fautes graves justifiant le congédiement du salarié sans préavis.
Bourgeois c. *Service immobilier Courbec Promenades du cuivre*, D.T.E. 97T-528 (C.T.).

124/932 La falsification des rapports de qualité peut justifier une suspension et non un congédiement, en l'absence de progression des sanctions.
Hercules Canada inc. c. *Collette*, D.T.E. 85T-631 (T.A.).

124/933 Est sans cause juste et suffisante, car constituant une double sanction, le second congédiement imposé pour la même fraude, survenant après un aveu de culpabilité en Cour des sessions de la paix.
Caisse populaire de Sts-Anges c. *Dutil*, (1987) T.A. 276, D.T.E. 87T-427 (T.A.).

124/934 Constitue une cause juste et suffisante de congédiement, le fait de réclamer des prestations d'assurance-maladie ou médicament sous de faux prétextes.
Marsan c. *Kraft ltée*, D.T.E. 85T-762 (T.A.).
Desruisseaux c. *Commission de transport de la Rive Sud de Montréal*, D.T.E. 84T-70 (T.A.).

124/935 Le fait de frauder la Commission de la santé et de la sécurité du travail avec la complicité de son employeur peut ne pas constituer une cause juste de congédiement.
Blazevic c. *P. Blander Locksmith Supply Co.*, D.T.E. 88T-535 (T.A.).

124/936 Le fait pour un salarié d'occuper un autre emploi pendant une absence pour cause de maladie, ne constitue pas nécessairement une cause juste et suffisante de congédiement, mais peut justifier une longue suspension.
Goldwater c. *Centre hospitalier de St. Mary*, D.T.E. 94T-542 (C.T.) (révision judiciaire refusée: C.S.M. n^{0} 500-05-005095-946, le 19 mai 1994).

124/937 Les fausses déclarations du salarié quant à son aptitude au travail, soit plus particulièrement quant au fait d'occuper un emploi chez un autre employeur et d'y manipuler des charges pendant son arrêt de travail pour lésion

professionnelle, constituent une cause juste et suffisante de congédiement, surtout lorsque le salarié a menti à de nombreuses reprises et a omis de donner des informations véridiques au sujet de ses activités au moment où il était en arrêt de travail.
Wyeth-Ayerst Canada inc. c. *Hamberger*, (2006) R.J.D.T. 825 (C.R.T.), D.T.E. 2006T-505 (C.R.T.) (révision judiciaire refusée: D.T.E. 2007T-883 (C.S.), EYB 2007-124462 (C.S.)).

124/938 Le fait d'exercer des activités incompatibles avec une incapacité alléguée, constitue une cause juste et suffisante de congédiement.
Laviolette c. *Société des casinos du Québec inc. (Casino de Montréal)*, D.T.E. 2006T-528 (C.R.T.).
Ouellet c. *Marmon / Keystone Canada inc.*, D.T.E. 2004T-577 (C.R.T.).
Bergeron c. *Multisodas inc.*, D.T.E. 98T-860 (C.T.).

124/939 Le fait d'exercer des activités professionnelles incompatibles avec l'incapacité alléguée, soit de transporter des matériaux et de déneiger son entrée alors que le salarié était en arrêt de travail pour une entorse lombaire, fait en sorte que celui-ci n'a peut-être pas abusé de la confiance de son employeur, mais il a fait preuve de négligence. Ces faits ne constituent pas nécessairement une cause juste et suffisante de congédiement, mais peuvent justifier l'imposition d'une longue suspension.
Lambert c. *Soeurs de la Charité de Québec*, (2006) R.J.D.T. 812 (C.R.T.), D.T.E. 2006T-483 (C.R.T.).

124/940 L'inscription de faux résultats par un analyste de laboratoire constitue un facteur aggravant, compte tenu de la nature de l'entreprise, justifiant le congédiement.
Laflamme c. *Abilab inc.*, (1995) C.T. 47, D.T.E. 95T-224 (C.T.).

124/941 V. GAUTHIER-MONTPLAISIR, F., *L'arbitrage des griefs et les infractions disciplinaires à caractère criminel*, Cowansville, Les Éditions Yvon Blais inc., 1983.

Harcèlement sexuel voir *Moeurs*

Incapacité physique ou psychologique
V. également à *Absentéisme et retards*

124/942 Il est possible de croire que la jurisprudence récente cherche à élargir la portée du terme handicap de manière à ce qu'il englobe le handicap au travail.
Moreau c. *Entreprise de teinture Suprême inc.*, (1995) C.T. 373, D.T.E. 95T-996 (C.T.).
V. aussi: *Cardinal* c. *Cyanamid Canada inc.*, (1995) C.T. 219, D.T.E. 95T-423 (C.T.).

124/943 Le commissaire ne peut lier la preuve de l'incapacité physique d'un salarié à la nécessité d'une expertise médicale. En faisant cela, il impose à l'employeur un fardeau de preuve auquel il ne peut répondre, car il lui est impossible d'exiger un examen médical du salarié.
Atelier du martin-pêcheur inc. c. *Bureau du commissaire général du travail*, (2000) R.J.D.T. 123 (C.S.), D.T.E. 2000T-207 (C.S.), J.E. 2000-426 (C.S.), REJB 2000-17002 (C.S.) (désistement d'appel).

124/944 Pour justifier le congédiement d'un employé victime d'une incapacité l'employeur doit tenir compte des facteurs suivants:

1) la possibilité de guérison;
2) la décision doit être prise après avoir obtenu l'assurance raisonnable que le plaignant ne pourra récupérer ses capacités physiques;
3) la possibilité de le réintégrer dans l'entreprise.

Morissette c. *Pouliot Chevrolet Oldsmobile inc.*, D.T.E. 2002T-186 (C.T.).
Richard c. *Sears Canada inc.*, (1985) T.A. 566, D.T.E. 85T-672 (T.A.).

124/945 Pour déterminer le bien-fondé d'un congédiement pour cause de maladie, les critères qui doivent être utilisés sont les suivants:

1) un taux chronique ou excessif d'absences;
2) un préjudice en résultant pour l'entreprise; et
3) l'incapacité du salarié de fournir, dans un avenir rapproché, sa prestation normale de travail.

Concernant le premier critère, il est à noter que plus un salarié compte d'années de service continu, plus son employeur doit faire preuve d'accommodement, et ce, comme juste retour à la loyauté du travailleur, quant aux absences pour cause de maladie. En outre, le fait que l'absence n'ait pas été d'une durée excessive prouve qu'il n'y a pas de cause juste et suffisante de congédiement.

En ce qui concerne le critère du préjudice, il ne peut à lui seul constituer une cause juste et suffisante de congédiement puisque cela irait à l'encontre de l'article 122.2 L.N.T. (aujourd'hui les articles 79.1 et 79.4 L.N.T.) et viderait également de son sens l'obligation d'accommodement.

Enfin, quant au critère relatif à la capacité du salarié de fournir, dans un avenir rapproché, sa prestation normale de travail, celui-ci doit également faire l'objet d'une utilisation judicieuse. Il ne peut trouver application dès le début d'une absence pour maladie parce que cela reviendrait à nier tout droit à une telle absence et rendrait futile l'obligation d'accommodement de l'employeur. L'évaluation de la capacité du salarié d'exercer ou non son emploi doit normalement se faire au moment où la durée de l'absence pour maladie devient excessive.

Pilon c. *S & C Electric Canada Ltd.*, (2008) R.J.D.T. 1171 (C.R.T.), D.T.E. 2008T-542 (C.R.T.) (désistement de la révision judiciaire).
Phillips c. *Industries Frisco Bay ltée*, (2002) R.J.D.T. 696 (C.T.), D.T.E. 2002T-374 (C.T.).

124/946 Pour être qualifiée de personne handicapée au sens de l'article 10 de la *Charte des droits et libertés de la personne*, il faut être incapable de s'adonner à une activité quotidiennement, de façon habituelle ou à des activités courantes ou normales. L'on peut qualifier comme telles, des occupations consistant, par exemple, à se déplacer, à se nourrir, à se récréer, à participer à des activités en société.

Bilodeau c. *Cantley (Municipalité de)*, (1995) C.T. 470, D.T.E. 95T-1226 (C.T.).
Cardinal c. *Cyanamid Canada inc.*, (1995) C.T. 219, D.T.E. 95T-423 (C.T.).
V. aussi: *Thibeault* c. *Société touristique de L'Anse-à-la-Croix*, (2004) R.J.D.T. 233 (C.R.T.), D.T.E. 2004T-257 (C.R.T.).

124/947 Le commissaire n'a pas à conclure à l'existence d'une maladie mentale en vertu d'une preuve scientifique médicale, il doit simplement appliquer la règle de la prépondérance des probabilités. Dans cette matière, il y a une grande différence entre la certitude juridique et la certitude scientifique.

Bell Helicopter Textron c. *Cloutier*, D.T.E. 2003T-114 (C.S.), J.E. 2003-214 (C.S.), REJB 2002-37175 (C.S.).

124/948 À moins de stipulation contraire dans le contrat d'emploi ou dans la loi, l'employeur a le droit de congédier un employé atteint d'une incapacité permanente qui ne lui permettra plus jamais de reprendre le travail.
Union des employés du transport local et industries diverses, local 931 c. *Beetz*, (1990) R.J.Q. 1358 (C.S.), D.T.E. 90T-696 (C.S.), J.E. 90-846 (C.S.).
M.D. c. *Caisse populaire Desjardins de Joliette*, D.T.E. 2003T-962 (C.R.T.).
Marceau-Fortin c. *2955-4201 Québec inc.*, D.T.E. 2002T-809 (C.T.).
Morissette c. *Pouliot Chevrolet Oldsmobile inc.*, D.T.E. 2002T-186 (C.T.).
Rousseau c. *Spectra Premium Industries inc.*, D.T.E. 98T-959 (C.T.).
Simoneau c. *Avon Canada inc.*, D.T.E. 98T-1108 (C.T.).
Drolet c. *U.C.S., division hors taxes, Aéroport Mirabel*, D.T.E. 95T-369 (C.T.).
V. aussi: *Cardinal* c. *Cyanamid Canada inc.*, (1995) C.T. 219, D.T.E. 95T-423 (C.T.).
Moreau c. *Entreprise de teinture Suprême inc.*, (1995) C.T. 373, D.T.E. 95T-996 (C.T.).
Giordano c. *Association de paralysie cérébrale du Québec inc.*, (1989) T.A. 510, D.T.E. 89T-466 (T.A.).
Richard c. *Sears Canada inc.*, (1985) T.A. 566, D.T.E. 85T-672 (T.A.).
Morency c. *Centennial Academy (1975) inc.*, (1984) T.A. 532, D.T.E. 84T-668 (T.A.).
Paradis c. *Union des Carrières et Pavages ltée*, (1981) 3 R.S.A. 18.

124/949 L'absence due à une incapacité physique peut constituer une cause juste et suffisante de congédiement, uniquement si l'on est en présence des trois éléments suivants:

1) un taux d'absences chronique et excessif;
2) un préjudice pour l'entreprise; et
3) une incapacité pour le salarié de fournir, dans un avenir rapproché, une prestation normale de travail.

Mongeau c. *Distribution Alimplus inc.*, (2001) R.J.D.T. 1953 (C.T.), D.T.E. 2001T-1179 (C.T.).

124/950 En matière d'absence du travail pour incapacité physique, l'employeur a l'obligation de respecter sa propre politique sur l'absentéisme. S'il ne la respecte pas, il ne saurait y avoir de cause juste et suffisante de congédiement.
Gauthier c. *Aurèle Côté inc.*, D.T.E. 2008T-674 (C.R.T.).

124/951 Une absence pour maladie de plus de 17 semaines au sens de l'article 122.2 L.N.T. (26 semaines selon le nouvel article 79.1 L.N.T.) ne constitue pas nécessairement une cause juste et suffisante de congédiement.
Pilon c. *S & C Electric Canada Ltd.*, (2008) R.J.D.T. 1171 (C.R.T.), D.T.E. 2008T-542 (C.R.T.) (désistement de la révision judiciaire).
Lauzon-Chayer c. *Loumania inc.*, D.T.E. 2003T-853 (C.R.T.) (règlement hors cour).
Parisé c. *Services ménagers Roy (hôtellerie) ltée*, (2000) R.J.D.T. 237 (C.T.), D.T.E. 2000T-90 (C.T.).
Contra: *Arthrolab inc.* c. *Commission des relations du travail*, D.T.E. 2008T-540 (C.S.), J.E. 2008-1315 (C.S.), EYB 2008-134559 (C.S.) (en appel: n° 500-09-018840-082).

124/952 En cas d'absence pour cause de maladie, il y aura cause juste et suffisante de congédiement uniquement si l'employeur peut établir qu'un salarié a un

taux d'absentéisme chronique ou inacceptable lui causant préjudice dans l'exploitation de son entreprise.
Wohl c. *Joly*, D.T.E. 96T-291 (C.S.).
V. aussi: *Secrétariat de l'Action catholique de Joliette* c. *Cyr*, (2000) R.J.D.T. 971 (C.S.), D.T.E. 2000T-722 (C.S.), J.E. 2000-1476 (C.S.), REJB 2000-19230 (C.S.) (appel rejeté: D.T.E. 2001T-1109 (C.A.), J.E. 2001-2111 (C.A.), REJB 2001-26586 (C.A.)).
Lauzon-Chayer c. *Loumania inc.*, D.T.E. 2003T-853 (C.R.T.) (règlement hors cour).

124/953 Pour pouvoir congédier un salarié souffrant d'une incapacité physique, l'employeur doit avoir l'assurance raisonnable qu'il lui sera impossible de fournir sa prestation de travail normale dans un avenir rapproché.
Bélair c. *Compagnie General Bearing Service inc.*, D.T.E. 2003T-588 (C.R.T.).

124/954 Les limitations fonctionnelles peuvent constituer une cause juste et suffisante pour licencier un salarié.
Simoneau c. *Avon Canada inc.*, D.T.E. 98T-1108 (C.T.).
Fleury c. *Snoc (1992) inc.*, D.T.E. 94T-368 (C.T.).

124/955 Les limitations fonctionnelles du salarié ne constituent pas nécessairement une cause juste et suffisante de congédiement en présence d'opinions médicales contradictoires quant à l'attitude au travail du salarié et en l'absence de preuve de risques réels et prévisibles de rechute.
Flibotte c. *Aciers Lalime inc.*, D.T.E. 2001T-317 (C.T.).

124/956 Le fait de mettre fin à un contrat de travail en raison de l'invalidité du conjoint, pour un couple de concierges, constitue une cause juste et suffisante.
Labrie-Langlois c. *20 du Rhône Condominium*, D.T.E. 2000T-720 (C.T.).

124/957 Un employeur ne peut congédier un salarié si ce dernier est invalide et que cet état lui donne droit à des prestations d'assurance-salaire, il s'agirait là d'une violation d'un bénéfice que l'employeur s'est engagé à verser au salarié.

Cependant, un employeur peut congédier un salarié souffrant d'une incapacité physique à deux conditions: un taux d'absentéisme élevé et une impossibilité d'amélioration de la situation.
Tremblay c. *Sintra inc.*, D.T.E. 98T-1266 (C.T.).
Drolet c. *U.C.S., division hors taxes, Aéroport Mirabel*, D.T.E. 95T-369 (C.T.).

124/958 Lorsqu'un employeur congédie un salarié pour le motif qu'il est incapable physiquement d'effectuer sa prestation de travail, il doit se baser sur la situation qui prévaut au moment de prendre sa décision, et non sur des faits postérieurs. Il n'y a vraisemblablement pas de cause juste et suffisante de congédiement si l'employeur n'a aucunement enquêté sur l'état de santé du salarié avant de mettre fin à son emploi.
Paulin c. *Grace Canada inc.*, (2000) R.J.D.T. 1739 (C.T.), D.T.E. 2000T-1174 (C.T.).
Jean-Baptiste c. *Produits automobiles S.M.P. ltée*, (1999) R.J.D.T. 546 (C.T.), D.T.E. 99T-365 (C.T.) (désistement de la révision judiciaire).
V. aussi: *Bélair* c. *Compagnie General Bearing Service inc.*, D.T.E. 2003T-588 (C.R.T.).

124/959 Ce n'est que lorsqu'une personne souffre d'un handicap au sens de l'article 10 de la *Charte des droits et libertés de la personne*, qu'un employeur a

l'obligation de chercher un accommodement raisonnable pour la garder à son service.
Arthrolab inc. c. *Commission des relations du travail*, D.T.E. 2008T-540 (C.S.), J.E. 2008-1315 (C.S.), EYB 2008-134559 (C.S.) (en appel: n° 500-09-018840-082).
Bilodeau c. *Cantley (Municipalité de)*, (1995) C.T. 470, D.T.E. 95T-1226 (C.T.).

124/960 Même s'il est reconnu que l'employeur a le droit de congédier un salarié pour incapacité, il doit à tout le moins démontrer que le plaignant ne peut occuper un nouveau poste ou tout autre poste approprié à sa condition et qu'il est impossible de lui procurer tel autre emploi.
Tecilla c. *Sistemalux inc.*, D.T.E. 2004T-1099 (C.R.T.).
Simoneau c. *Avon Canada inc.*, D.T.E. 98T-1108 (C.T.).
Cardinal c. *Cyanamid Canada inc.*, (1995) C.T. 219, D.T.E. 95T-423 (C.T.).
Moreau c. *Entreprise de teinture Suprême inc.*, (1995) C.T. 373, D.T.E. 95T-996 (C.T.).
St-Pierre c. *Industries de câbles d'acier ltée*, D.T.E. 82T-687 (T.A.).
V. aussi: *Charbonneau* c. *Ayerst, McKenna et Harrison*, D.T.E. 84T-230 (T.A.).

124/961 Un salarié peut, à son retour d'un congé de maladie de 16 mois, être déplacé dans un autre poste. Cette décision de l'employeur ne constitue pas un congédiement déguisé.
Faustin c. *Laboratoires Confab inc.*, D.T.E. 2008T-350 (C.R.T.) (révision en vertu de l'article 127 C.T. refusée).

124/962 Lorsque les problèmes psychologiques de l'employé sont liés à son milieu de travail et l'empêchent d'exécuter ses fonctions, il n'y a pas de cause juste et suffisante de congédiement si l'employeur n'a pas donné un soutien adéquat à ce salarié.
Lamer c. *Québec (Ministère de la Sécurité publique)*, D.T.E. 2003T-376 (C.R.T.).

124/963 Il appartient à l'employeur de décider des emplois qu'il crée ou maintient et on ne peut l'obliger à donner un travail sur mesure à un employé devenu inapte à exécuter le travail pour lequel il a été embauché, ainsi, constituent une cause juste et suffisante de congédiement, les restrictions médicales rendant un salarié physiquement incapable d'exécuter le travail pour lequel il avait été embauché.
Kovacs c. *Gad Shaanan Design inc.*, D.T.E. 95T-1025 (C.T.).

124/964 Les limitations fonctionnelles du salarié, confirmées par un bureau de révision paritaire de la Commission de la santé et de la sécurité du travail justifient son licenciement, et ce, d'autant plus que l'employeur ne peut trouver un autre emploi au sein de l'entreprise après l'abolition du poste que détenait le salarié.
Grandmont c. *U.A.P. inc.*, D.T.E. 94T-408 (C.T.).

124/965 Pour conclure à une absence injustifiée, lorsque le plaignant souffre d'épuisement professionnel constaté par un certificat médical, l'employeur doit prouver d'une façon prépondérante que le médecin traitant avait été manipulé par de fausses informations de la part du plaignant ou qu'il a fait preuve d'une complaisance déraisonnable à l'égard de ce dernier.
Martin c. *L-3 Communications MAS (Canada) inc.*, D.T.E. 2005T-990 (C.R.T.).
Giguère c. *Cie Kenworth du Canada ltée*, D.T.E. 89T-493 (T.A.) (révision judiciaire refusée en appel: (1990) R.J.Q. 2485 (C.A.), D.T.E. 90T-1204 (C.A.), J.E. 90-1483

(C.A.)) (autorisation d'appeler à la Cour suprême refusée).

124/966 L'incapacité psychologique du salarié et la croyance sincère de l'employeur à l'effet que ce dernier n'est pas apte au travail ne constituent pas nécessairement une cause juste et suffisante de congédiement.
Gignac c. *Versabec inc.*, D.T.E. 99T-828 (C.T.).

124/967 La maladie constitue dans notre droit du travail une cause légitime d'absence qui ne peut faire l'objet d'une sanction, sauf s'il s'agit d'une absence prolongée et chronique.
Morissette c. *Marché Victoria inc.*, (1987) T.A. 556, D.T.E. 87T-804 (T.A.).
V. aussi: *Savard* c. *M.B. Data Processing*, D.T.E. 82T-857 (T.A.).

124/968 Une juste proportion doit exister entre la durée de l'emploi et le temps d'absence dû à la maladie. En d'autres termes, plus la période d'emploi au service de l'employeur sera longue, plus la relation d'emploi résistera à une absence temporaire.

Le degré et la durée de l'incapacité sont des facteurs de nature à mettre fin à la relation d'emploi. De plus, rien dans la législation n'oblige l'employeur à réinsérer progressivement un employé en l'acceptant à temps partiel au détriment de son efficacité administrative. Un congédiement après trois ans d'absence est justifié.
Bibeau c. *Villa Marie-Claire*, D.T.E. 93T-26 (C.T.).

124/969 Une simple allergie à un médicament ne constitue pas une cause juste et suffisante de congédiement.
Charbonneau c. *Ayerst, McKenna et Harrison*, D.T.E. 84T-230 (T.A.).

124/970 Le fait d'être incapable d'effectuer sa prestation de travail à la suite d'un infarctus ne peut constituer une cause juste de congédiement.
Christophe c. *Sacs à main Santi ltée, Agences Derma ltée*, (1984) T.A. 553, D.T.E. 84T-744 (T.A.).
V. aussi: *Neveu* c. *Cie minière Québec Cartier*, D.T.E. 85T-84 (T.A.).

124/971 Une maladie mentale, contrôlable par un traitement, ne peut constituer une cause juste et suffisante de congédiement, parce qu'elle n'a pas de caractère permanent.
Acier Midland ltée c. *Beaudoin*, (1991) T.A. 388, D.T.E. 91T-591 (T.A.).
Di Tomasso c. *Bally Canada inc.*, D.T.E. 91T-305 (T.A.).
Morency c. *Centennial Academy (1975) inc.*, (1984) T.A. 532, D.T.E. 84T-668 (T.A.).

124/972 Une dépression situationnelle ne peut constituer une cause juste et suffisante de congédiement.
Perri c. *Ritz-Carlton 2000 inc. (Hôtel Ritz-Carlton)*, D.T.E. 95T-967 (C.T.).

124/973 Il n'y a pas de cause juste et suffisante de congédiement dans le cas où, pour des considérations subjectives, arbitraires et discriminatoires, l'employeur écarte le salarié plaignant de son poste au profit de son remplaçant, et ce, à la suite d'un congé de maladie de 14 mois.
Pilon c. *S & C Electric Canada Ltd.*, (2008) R.J.D.T. 1171 (C.R.T.), D.T.E. 2008T-542 (C.R.T.) (désistement de la révision judiciaire).

124/974 La prestation de travail d'un salarié doit être régulière, mais ce principe ne s'applique pas au cas du salarié absent pour une maladie incontrôlable, vérifiée, et n'entraînant pas d'incapacité totale permanente.
Gatx Fuller ltée c. *Dewey-Young*, (1987) T.A. 521, D.T.E. 87T-762 (T.A.).

124/975 La Commission des relations du travail ne peut ordonner le maintien du lien d'emploi d'une personne qui se décrit comme incapable d'exercer ses fonctions à quelque titre que ce soit.
Kopczynski c. *RSW inc.*, D.T.E. 2007T-648 (C.A.), J.E. 2007-1480 (C.A.), EYB 2007-121975 (C.A.).

124/976 Le fait d'être incapable d'effectuer sa prestation de travail en raison de problèmes d'hyper-sensibilité au soleil constitue une cause juste et suffisante de congédiement.
Bilodeau c. *Cantley (Municipalité de)*, (1995) C.T. 470, D.T.E. 95T-1226 (C.T.).

124/977 L'employeur n'a pas l'obligation de créer un poste sur mesure pour permettre la réintégration d'un salarié incapable d'occuper son ancien poste.
Dumaine c. *Urgence Bois-Francs inc.*, D.T.E. 2007T-283 (C.R.T.).
Bilodeau c. *Cantley (Municipalité de)*, (1995) C.T. 470, D.T.E. 95T-1226 (C.T.).
Multi-Marques inc. c. *Boulay*, (1989) T.A. 747, D.T.E. 89T-825 (T.A.).

124/978 L'employeur a une obligation d'accommodement à l'égard d'un travailleur handicapé. De plus, si l'obligation d'accommodement ne s'applique pas dans un cas précis, l'employeur doit cependant traiter le salarié avec justice, en considérant ses années de service.
Thibeault c. *Société touristique de L'Anse-à-la-Croix*, (2004) R.J.D.T. 233 (C.R.T.), D.T.E. 2004T-257 (C.R.T.).
Cardinal c. *Cyanamid Canada inc.*, (1995) C.T. 219, D.T.E. 95T-423 (C.T.).
Contra: *Moreau* c. *Entreprise de teinture Suprême inc.*, (1995) C.T. 373, D.T.E. 95T-996 (C.T.).

124/979 Lorsque rien dans la preuve ne laisse voir que la cessation d'emploi du salarié est reliée aux limites personnelles de celui-ci, l'obligation d'accommodement ne s'applique pas.
Kopczynski c. *RSW inc.*, D.T.E. 2007T-648 (C.A.), J.E. 2007-1480 (C.A.), EYB 2007-121975 (C.A.).

124/980 Ne peuvent constituer une cause juste et suffisante de congédiement, les rapports médicaux jugés insuffisants par l'employeur, surtout lorsqu'il a omis de se renseigner auprès des médecins traitants.
Drainville c. *Kraft ltée*, D.T.E. 84T-138 (T.A.).

124/981 Un employeur n'a pas d'obligation d'accommodement à l'égard d'un salarié qui est dans l'impossibilité d'accomplir ses fonctions compte tenu qu'il est en congé de maladie pour une période indéterminée, et ce, d'autant plus que le salarié ne souffre d'aucun handicap. Si le salarié est incapable de remplir son obligation de fournir une prestation de travail normale, l'employeur a une cause juste et suffisante de congédiement.
Arthrolab inc. c. *Commission des relations du travail*, D.T.E. 2008T-540 (C.S.), J.E. 2008-1315 (C.S.), EYB 2008-134559 (C.S.) (en appel: n° 500-09-018840-082).

124/982 Lorsqu'un salarié est incapable d'exercer les fonctions qu'il occupait normalement, à cause d'un handicap, l'employeur doit tenter, sans contrainte excessive, de l'accommoder en lui trouvant un emploi dans l'entreprise qui corresponde davantage à ses moyens ou à ses nouvelles capacités, ou encore en allégeant les tâches qu'il exerçait antérieurement. Toutefois, lorsque le salarié ne peut fournir aucune prestation de travail dans un avenir prévisible, l'employeur n'a plus aucune obligation d'accommodement.
M.D. c. *Caisse populaire Desjardins de Joliette*, D.T.E. 2003T-962 (C.R.T.).

124/983 L'évolution récente de la jurisprudence dans le domaine des droits de la personne a modifié les principes traditionnels appliqués en matière de cessation d'emploi pour cause d'inaptitude au travail. Maintenant, il est établi qu'un employeur ne peut plus procéder au congédiement administratif d'un employé en appliquant simplement le test classique à deux volets, soit l'absentéisme élevé et l'incapacité de fournir, dans un avenir prévisible ou rapproché, une prestation normale de travail. En fonction de son obligation d'accommodement, l'employeur doit envisager la possibilité de maintenir le salarié dans son emploi.

Dans tous les cas de discrimination, l'employeur a le fardeau de démontrer que sa décision est fondée sur des aptitudes ou des qualités raisonnablement requises, donc justifiées, et que les mesures d'accommodement lui imposent une contrainte excessive.

Ainsi, même s'il peut s'agir d'un motif de discrimination illicite, le fait pour un employeur de maintenir à son service une personne incapable de fournir une prestation régulière de travail représente une mesure d'accommodement ayant un caractère excessif, et ce, surtout dans le cas où rien n'indique que la condition du salarié est susceptible de s'améliorer dans un avenir prévisible.
Anctil c. *Industries Maibec inc.*, (2005) R.J.D.T. 305 (C.R.T.), D.T.E. 2005T-279 (C.R.T.).
Nadeau c. *Boisés La Fleur inc.*, (2004) R.J.D.T. 1577 (C.R.T.), D.T.E. 2004T-1043 (C.R.T.) (révision judiciaire refusée: (2005) R.J.D.T. 1565 (C.S.), D.T.E. 2005T-1097 (C.S.)).

124/984 Chaque employeur est soumis à une obligation d'accommodement dans la mesure où la contrainte n'est pas excessive. Les mesures prises par l'employeur doivent être appliquées de manière souple et conforme au bon sens. Ainsi, la décision d'un employeur de ne pas renouveler le contrat de travail d'un salarié n'est pas fondée dans le cas où le salarié a réalisé des tâches d'agent d'un autre poste que le sien durant environ 18 mois, et ce, à la satisfaction de son employeur, surtout lorsque ce dernier n'a considéré aucune autre avenue pour composer avec le handicap du salarié et qu'il a négligé de lui offrir un autre poste disponible.
Savard c. *Québec (Gouvernement du) (Ministère de la Justice)*, D.T.E. 2006T-675 (C.R.T.).

124/985 En abolissant le poste de la plaignante, une salariée handicapée, pour des motifs d'ordre économique alors que celle-ci est absente pour cause de maladie et en ne lui offrant pas un autre poste, choisissant plutôt une autre personne pour remplir certaines fonctions dans le même service, l'employeur a écarté la plaignante en raison de sa maladie, ce qui constitue un motif discriminatoire interdit par l'article 10 de la *Charte des droits et libertés de la personne*.

L'employeur ne peut, en l'espèce, démontrer qu'il a rempli son obligation d'accommodement. Il s'agit donc d'un congédiement sans cause juste et suffisante.

Goulet c. *Cuisine idéale inc.*, D.T.E. 2006T-748 (C.R.T.) (révision judiciaire refusée: D.T.E. 2007T-985 (C.S.), J.E. 2007-2240 (C.S.), EYB 2007-125507 (C.S.)).

124/986 Le refus de l'employeur de permettre le retour progressif au travail d'un salarié peut être injustifié, puisque l'employeur ne peut passer outre, entre autres, à l'obligation d'accommodement raisonnable.
Langlois c. *Gaz métropolitain inc.*, (2004) R.J.D.T. 1111 (C.R.T.), D.T.E. 2004T-630 (C.R.T.) (révision judiciaire refusée: D.T.E. 2006T-117 (C.S.)).

124/987 Le refus du salarié détenant un poste d'adjoint à la direction d'accepter une affectation dans un poste d'adjoint au site Internet, compatible avec ses limitations fonctionnelles, constitue une cause juste et suffisante de congédiement, l'employeur ayant rempli son obligation d'accommodement.
Gagnon c. *Prologue inc.*, D.T.E. 2008T-487 (C.R.T.).

124/988 L'accommodement raisonnable ne doit pas constituer pour l'employeur une contrainte excessive. Ainsi, aucun employeur n'a l'obligation de créer un poste qui n'existe pas dans son entreprise, et ce, en l'absence de poste disponible respectant les limitations fonctionnelles du salarié.
Dumaine c. *Urgence Bois-Francs inc.*, D.T.E. 2007T-283 (C.R.T.).

124/989 L'incapacité psychologique du salarié, soit une dépression situationnelle non reliée au travail, ne constitue pas nécessairement une cause juste et suffisante de congédiement si la qualité de l'évaluation et les conclusions de celle-ci sont déraisonnables.
Brunette c. *Québec (Ministère de la Sécurité publique)*, (2000) R.J.D.T. 1718 (C.T.), D.T.E. 2000T-1149 (C.T.).

124/990 Le refus d'un salarié de se présenter à un examen médical peut justifier une sanction disciplinaire, mais il ne constitue pas nécessairement une cause juste et suffisante de congédiement.
Chartrand c. *Québec (Ministère du Revenu)*, (1997) C.T. 295, D.T.E. 97T-760 (C.T.).

124/991 L'incapacité physique de travailler la nuit ne constitue pas une cause juste et suffisante de congédiement.
Kelly c. *Taxi Coop 525-5191*, (1988) T.A. 428, D.T.E. 88T-463 (T.A.).

124/992 V. COURNOYER-PROULX, M., «Cessation d'emploi dans un contexte d'invalidité: quelques considérations financières», dans *L'A-B-C des cessations d'emploi et des indemnités de départ (2008)*, Formation continue du Barreau du Québec, Cowansville, Les Éditions Yvon Blais inc., 2008, p. 155.

Incompétence et rendement insatisfaisant
V. également à *Négligence*

124/993 En matière de congédiement fondé sur l'incompétence ou sur le rendement insatisfaisant, un employeur ne peut congédier un salarié sans avoir préalablement satisfait aux exigences suivantes: 1) le salarié doit connaître les politiques de l'entreprise et les attentes fixées; 2) ses lacunes doivent lui avoir été communiquées; 3) il doit avoir obtenu le support nécessaire pour se corriger et atteindre ses objectifs; 4) il doit avoir bénéficié d'un délai raisonnable; 5) il doit

avoir été prévenu du risque de congédiement en l'absence d'une amélioration de sa part.
Costco Wholesale Canada Ltd. c. *Laplante*, (2005) R.J.Q. 2249 (C.A.), (2005) R.J.D.T. 1465 (C.A.), D.T.E. 2005T-831 (C.A.), J.E. 2005-1696 (C.A.), EYB 2005-94727 (C.A.).
Bertrand c. *Quadrisart Canada ltée*, D.T.E. 2008T-172 (C.R.T.) (révision en vertu de l'article 127 C.T. refusée) (requête en révision judiciaire: n° 550-17-003909-080).
Grondines c. *Réfrigération Actair inc.*, D.T.E. 2008T-472 (C.R.T.) (révision en vertu de l'article 127 C.T. refusée) (requête en révision judiciaire: n° 500-17-048169-091).
Lizotte c. *Alimentation Coop La Pocatière*, D.T.E. 2008T-543 (C.R.T.) (révision en vertu de l'article 127 C.T. refusée).
Nieto c. *Travailleurs unis de l'alimentation et du commerce, section locale 501 (TUAC)*, D.T.E. 2008T-858 (C.R.T.) (règlement hors cour).
Turbide c. *Desrobec inc.*, D.T.E. 2008T-689 (C.R.T.).
Gervais c. *Ethica Clinical Research Inc. / Ethica Recherche clinique*, D.T.E. 2007T-983 (C.R.T.).
Villeneuve c. *Saguenay (Ville de)*, (2007) R.J.D.T. 470 (C.R.T.), D.T.E. 2007T-324 (C.R.T.) (règlement hors cour).
Morin c. *Laurier Pontiac Buick ltée*, D.T.E. 2006T-357 (C.R.T.).
Lessard c. *Québec (Ministère de la Justice)*, D.T.E. 2002T-651 (C.T.).

124/994 En matière de congédiement fondé sur l'incompétence ou le rendement insatisfaisant, l'employeur a l'obligation de prouver qu'il a avisé le salarié:
1) De son insatisfaction à son égard;
2) De ses exigences quant au poste qu'il occupe;
3) De la performance attendue de lui; et
4) Qu'à moins d'une amélioration notable, il se verra dans l'obligation de se départir de ses services.

Garage Montplaisir ltée c. *Couture*, D.T.E. 2001T-1090 (C.S.).
Jourdain c. *Vallerand*, D.T.E. 96T-232 (C.S.) (appel accueilli pour d'autres motifs: (1999) R.J.Q. 1626 (C.A.), (1999) R.J.D.T. 1032 (C.A.), D.T.E. 99T-629 (C.A.), J.E. 99-1392 (C.A.), REJB 1999-12858 (C.A.)).
Dussault c. *Commission scolaire de Montréal*, D.T.E. 2008T-60 (C.R.T.).
Tétrault c. *Canon Canada inc.*, D.T.E. 2008T-720 (C.R.T.) (révision en vertu de l'article 127 C.T. refusée) (requête en révision judiciaire: n° 500-17-048682-093).
Comeau c. *Robert Dessureault (1990) ltée*, D.T.E. 2007T-368 (C.R.T.).
Gervais c. *Ethica Clinical Research Inc. / Ethica Recherche clinique*, D.T.E. 2007T-983 (C.R.T.).
Jean c. *Boulangerie-pâtisserie Le Viennois inc.*, D.T.E. 2006T-1037 (C.R.T.).
Stoddard c. *Codet inc.*, D.T.E. 2006T-1014 (C.R.T.).
Méthot c. *Blanchard Litho inc.*, D.T.E. 2005T-386 (C.R.T.).
Charette c. *Générale électrique du Canada inc.*, D.T.E. 2004T-864 (C.R.T.).
Laplante c. *Costco Wholesale Canada Ltd.*, D.T.E. 2003T-1058 (C.R.T.) (révision judiciaire refusée: D.T.E. 2004T-843 (C.S.)) (appel rejeté: (2005) R.J.Q. 2249 (C.A.), (2005) R.J.D.T. 1465 (C.A.), D.T.E. 2005T-831 (C.A.), J.E. 2005-1696 (C.A.), EYB 2005-94727 (C.A.)).
Boily c. *Corp. de l'École polytechnique de Montréal*, (2001) R.J.D.T. 168 (C.T.), D.T.E. 2001T-60 (C.T.) (règlement hors cour partiel).
Loyer c. *Commission de la santé et de la sécurité du travail*, D.T.E. 2001T-38 (C.T.).

Tissot c. *A.B.M. International inc.*, D.T.E. 2000T-673 (C.T.).
Cusson c. *Brossard (Ville de)*, D.T.E. 97T-493 (C.T.).
Boucher c. *Pliages Apaulo inc.*, D.T.E. 96T-148 (C.T.).
Dufour c. *Helca Métro ltée*, (1995) C.T. 236, D.T.E. 95T-449 (C.T.).
L'Écuyer c. *Marché Lord inc.*, (1995) C.T. 258, D.T.E. 95T-622 (C.T.).
Labrecque c. *Domaine des Prairies phase 2*, D.T.E. 94T-986 (C.T.).
Bombardier c. *Supermarché Racicot (1980) inc.*, D.T.E. 93T-986 (C.T.).
Joannette c. *Pièces d'Auto Richard ltée*, (1993) C.T. 398, D.T.E. 93T-867 (C.T.).
Danis c. *Mont Ste-Marie (1984) inc.*, D.T.E. 91T-360 (T.A.).
Industries de maintenance Empire inc. c. *Sallafranque*, D.T.E. 90T-351 (T.A.).
Béland c. *Laniel Canada inc.*, D.T.E. 89T-464 (T.A.).
Bilodeau c. *J.E. Verreault et Fils ltée*, D.T.E. 89T-923 (T.A.).
Couture, Leclerc et associés c. *Gagné*, (1988) T.A. 408, D.T.E. 88T-464 (T.A.).
Académie Michèle Provost inc. c. *Chalouhi*, D.T.E. 87T-805 (T.A.).
Ateliers Roland Gingras inc. c. *Desroches*, (1987) T.A. 600, D.T.E. 87T-876 (T.A.) (révision judiciaire refusée: (1988) R.J.Q. 523 (C.S.), D.T.E. 88T-154 (C.S.), J.E. 88-248 (C.S.)).
Bassal c. *Cie Montréal Trust Canada*, (1987) T.A. 768, D.T.E. 87T-1038 (T.A.).
Pratt & Whitney Canada inc. c. *Elsedfy*, D.T.E. 87T-500 (T.A.).
Produits chimiques Lawrason's ltée c. *Tomlinson*, D.T.E. 87T-156 (T.A.).
Sabourin c. *Pavages Dorval inc.*, D.T.E. 86T-108 (T.A.).
Cossette c. *Radex ltée*, (1984) T.A. 17, D.T.E. 84T-50 (T.A.) (révision judiciaire refusée: C.S. Chicoutimi, n^{0} 150-05-000032-849, le 13 août 1984, conf. par D.T.E. 85T-922 (C.A.)).
Plouffe c. *Elco Litho inc.*, D.T.E. 84T-137 (T.A.).
Hamel c. *Centre de l'enseignement vivant*, D.T.E. 83T-600 (T.A.).
Campeau c. *Torpédo ltée*, D.T.E. 82T-337 (T.A.).
Heutte c. *Centre médical des industries de la mode (U.I.O.V.D.)*, D.T.E. 82T-580 (T.A.).
Martel c. *Association des entrepreneurs en construction Brome Missisquoi Shefford*, (1982) T.A. 1252, D.T.E. 82T-783 (T.A.).
Standard Life Association Co. c. *Beaudette*, D.T.E. 82T-633 (T.A.).
Trudel c. *Service Lippens inc.*, D.T.E. 82T-136 (T.A.).

124/995 En matière de congédiement pour rendement insatisfaisant, l'employeur doit prouver, par prépondérance des probabilités, que la mesure n'est pas prise pour des raisons arbitraires, déraisonnables ou discriminatoires. À cette fin, l'employeur doit, entre autres, établir que les lacunes ont été signalées au salarié, qu'un délai pour corriger la situation lui a été accordé et que celui-ci a été informé que le défaut d'amélioration pourra entraîner son congédiement.
Gavard c. *Corporation Presse Commerce*, D.T.E. 2008T-912 (C.R.T.) (requête en révision judiciaire: n^{0} 500-17-046874-080).

124/996 Il n'est pas déraisonnable d'exiger que l'employeur fournisse au salarié un avis officiel avant de mettre fin à son emploi pour cause de rendement insatisfaisant.
Electromate Industrial Sales Ltd. c. *Côté-Desbiolles*, D.T.E. 2004T-996 (C.S.) (appel rejeté sur requête).
Stoddard c. *Codet inc.*, D.T.E. 2006T-1014 (C.R.T.).

124/997 En l'absence d'une preuve claire et précise, un congédiement fondé sur l'incompétence est injustifié.

Guérin c. *Collège d'enseignement général et professionnel d'Alma*, D.T.E. 2007T-919 (C.R.T.).
Malette c. *3948331 Canada inc. (Allure Concept Mode)*, D.T.E. 2007T-235 (C.R.T.).
Stoddard c. *Codet inc.*, D.T.E. 2006T-1014 (C.R.T.).
Loyer c. *Commission de la santé et de la sécurité du travail*, D.T.E. 2001T-38 (C.T.).
Rivard c. *Atlantic Produits d'emballage ltée*, (1999) R.J.D.T. 207 (C.T.), D.T.E. 99T-69 (C.T.).
Filali c. *113492 Canada inc.*, (1996) C.T. 434, D.T.E. 96T-941 (C.T.).
Burke c. *Canadian Fine Color Co.*, D.T.E. 93T-252 (C.T.).
Plouffe c. *Elco Litho inc.*, D.T.E. 84T-137 (T.A.).
V. aussi: *Hamel* c. *Centre de l'enseignement vivant*, D.T.E. 83T-600 (T.A.).

124/998 Il ne peut y avoir cause juste et suffisante de congédiement fondée sur l'incompétence lorsque celle-ci est alléguée postérieurement à la plainte.
Onofrio c. *Premier Réfractaires du Canada ltée*, D.T.E. 2002T-561 (C.T.).
Fortin c. *Jean Bleu inc.*, D.T.E. 95T-120 (C.T.).
Kelly c. *Pétroles Canada et/ou Cie pétrolière impériale ltée*, (1986) T.A. 610, D.T.E. 86T-714 (T.A.).

124/999 Malgré que l'employeur ait prouvé l'existence d'une certaine incompétence ou négligence, le congédiement est injustifié en l'absence de discipline progressive.
Electromate Industrial Sales Ltd. c. *Côté-Desbiolles*, D.T.E. 2004T-996 (C.S.) (appel rejeté sur requête).
Grondines c. *Réfrigération Actair inc.*, D.T.E. 2008T-472 (C.R.T.) (révision en vertu de l'article 127 C.T. refusée) (requête en révision judiciaire: n° 500-17-048169-091).
Nieto c. *Travailleurs unis de l'alimentation et du commerce, section locale 501 (TUAC)*, D.T.E. 2008T-858 (C.R.T.) (règlement hors cour).
Amesse c. *Surbois inc.*, D.T.E. 2006T-312 (C.R.T.).
Bonneau c. *Sépaq-Val-Jalbert, s.e.n.c.*, D.T.E. 2006T-289 (C.R.T.).
Méthot c. *Blanchard Litho inc.*, D.T.E. 2005T-386 (C.R.T.).
Poitras c. *Distributions J. Perreault ltée*, D.T.E. 2004T-674 (C.R.T.).
Lavoie c. *Bon L. Canada inc.*, D.T.E. 2001T-512 (C.T.) (révision judiciaire refusée: C.S.M. n° 500-05-064634-015, le 13 septembre 2001).
Markus c. *Entreprise de soudure aérospatiale inc.*, (2000) R.J.D.T. 231 (C.T.), D.T.E. 2000T-133 (C.T.).
Paulin c. *Grace Canada inc.*, (2000) R.J.D.T. 1739 (C.T.), D.T.E. 2000T-1174 (C.T.).
Plourde c. *Scierie Geoffroy inc.*, D.T.E. 96T-1154 (C.T.).
Martin c. *R.J.R. McDonald inc.*, D.T.E. 92T-919 (C.T.).
Danis c. *Mont Ste-Marie (1984) inc.*, D.T.E. 91T-360 (T.A.).
Moreau c. *Pétroles Ronoco inc.*, D.T.E. 91T-337 (T.A.).
Industries de maintenance Empire inc. c. *Sallafranque*, D.T.E. 90T-351 (T.A.).
Lemelin c. *Transport Intrabec (1986) inc.*, D.T.E. 89T-175 (T.A.).
Rematech Division I.B.S. ltée c. *Brasseur*, D.T.E. 89T-924 (T.A.).
Allard c. *H.J. Heinz du Canada ltée*, D.T.E. 88T-487 (T.A.).
Pratt & Whitney Canada inc. c. *Elsedfy*, D.T.E. 87T-500 (T.A.).
Société Asbestos ltée c. *Blanchette*, D.T.E. 85T-251 (T.A.).
Acmé Seely inc. c. *Beaudoin*, (1984) T.A. 16, D.T.E. 84T-29 (T.A.).
Chapman c. *Service spécial de garage inc.*, D.T.E. 83T-946 (T.A.).
Massé c. *Jardin d'enfants bilingue de Lorraine*, (1983) T.A. 832, D.T.E. 83T-879 (T.A.).

Veillette & Deschênes ltée c. *Tremblay*, D.T.E. 83T-96 (T.A.) (révision judiciaire accueillie pour d'autres motifs: D.T.E. 84T-825 (C.S.)).
Bolduc c. *Caisse populaire de St-Gédéon*, D.T.E. 82T-60 (T.A.), (1981) 3 R.S.A. 58.
Cie minière Québec Cartier c. *Dumais*, D.T.E. 82T-91 (T.A.).
Petits frères des pauvres c. *Sobrino*, D.T.E. 82T-307 (T.A.).

124/1000 L'inaptitude à remplir les exigences normales et raisonnables de son poste, à répondre et à s'adapter aux besoins de l'entreprise peut justifier un congédiement.
Béchard c. *Couche-Tard inc.*, D.T.E. 2008T-413 (C.R.T.).
Provencher c. *Convertex inc.*, D.T.E. 2008T-395 (C.R.T.).
Tétrault c. *Canon Canada inc.*, D.T.E. 2008T-720 (C.R.T.) (révision en vertu de l'article 127 C.T. refusée) (requête en révision judiciaire: n° 500-17-048682-093).
Services techniques informatiques S.T.I. inc. c. *Tessier*, (1991) T.A. 188, D.T.E. 91T-304 (T.A.).
Théberge c. *Caisse populaire Notre-Dame de Fatima*, D.T.E. 90T-1147 (T.A.).
Econauto ltée c. *Groulx*, D.T.E. 89T-89 (T.A.).
Gendreau c. *Entreprises Gilles Cloutier inc.*, D.T.E. 89T-130 (T.A.).
I.B.M. Canada ltée c. *Duchesne*, D.T.E. 89T-205 (T.A.).
Bédard c. *Cie Mask-Rite ltée*, (1988) T.A. 464, D.T.E. 88T-485 (T.A.).
Proulx c. *Automobiles Rallye ltée*, D.T.E. 87T-943 (T.A.).
Del Buey c. *Cie Marconi Canada*, D.T.E. 85T-429 (T.A.).
St-Amour c. *Matériaux Aylmer-Lucerne ltée*, D.T.E. 85T-152 (T.A.).
Union internationale des journaliers d'Amérique du nord c. *Gendron*, D.T.E. 85T-248 (T.A.).
Maillé c. *Produits forestiers Saucier ltée*, (1983) T.A. 747, D.T.E. 83T-68 (T.A.).
Ross c. *Pétroles Spur ltée*, (1982) T.A. 796, D.T.E. 82T-245 (T.A.).
Simpsons Sears ltée c. *Roy*, (1982) T.A. XIVII (résumé), D.T.E. 82T-456 (T.A.).

124/1001 Le rendement insuffisant d'un salarié, joint à des problèmes de comportement et de manque de motivation, justifie le congédiement administratif de celui-ci.
Breault c. *Bombardier Produits récréatifs inc.*, D.T.E. 2006T-118 (C.R.T.).
Beaupré c. *Cie Trust Royal*, D.T.E. 2000T-494 (C.T.).

124/1002 Il est bien établi qu'un employeur peut mettre fin à l'emploi d'un salarié qui ne parvient plus à remplir ses obligations contractuelles et qui ne satisfait plus aux normes de l'entreprise, que ces manquements soient volontaires ou non. Cependant, les normes ne doivent pas être déraisonnables, et l'employeur doit s'assurer qu'elles sont bien comprises du salarié. Aussi, l'employeur doit fournir au salarié l'aide et la collaboration nécessaires pour corriger la situation déficiente. Enfin, même si le congédiement peut être un drame personnel, le commissaire ne peut tenir compte des conséquences du congédiement pour le salarié, dans la détermination de la cause juste et suffisante de congédiement.
B. (S.) c. *Magasin M...*, (1997) C.T. 495, D.T.E. 97T-1416 (C.T.).
V. aussi: *Bédard* c. *Alimentation Yvon Ratté inc.*, D.T.E. 99T-651 (C.T.).
Lapierre c. *Vin conseil (Québec) ltée*, D.T.E. 99T-354 (C.T.).

124/1003 Le congédiement ne peut être justifié si l'employeur est incapable de prouver que l'incompétence du plaignant est généralisée.
Demers c. *Industries A.P. inc.*, D.T.E. 87T-539 (T.A.).

124/1004 Le rendement insatisfaisant d'un salarié et les erreurs commises dans l'exécution de ses fonctions constituent une cause juste et suffisante de congédiement puisque l'employeur doit être assuré de l'efficacité de ses salariés s'il veut que son entreprise demeure rentable.
Stratford c. *Engrenages Sherbrooke inc.*, D.T.E. 95T-1247 (C.T.).

124/1005 Le rendement insatisfaisant d'un représentant aux ventes, même s'il s'agit de celui qui a le plus de ventes à son actif, constitue une cause juste et suffisante de congédiement, en présence de lacunes en ce qui a trait au service à la clientèle et lorsque le salarié a reçu de nombreux avis en l'absence d'amélioration.
Giroux c. *Dale-Parizeau L.M. inc.*, D.T.E. 2002T-304 (C.T.).
V. aussi: *Tétrault* c. *Canon Canada inc.*, D.T.E. 2008T-720 (C.R.T.) (révision en vertu de l'article 127 C.T. refusée) (requête en révision judiciaire: n° 500-17-048682-093).

124/1006 En matière de congédiement au motif de rendement insatisfaisant, il faut se demander si cela constitue une cause juste et suffisante de congédiement et si la sanction est disproportionnée par rapport aux lacunes du salarié.
B. (S.) c. *Magasin M...*, (1997) C.T. 495, D.T.E. 97T-1416 (C.T.).

124/1007 Les difficultés d'adaptation aux nouvelles exigences ou l'impossibilité de relocalisation du salarié peuvent justifier la rupture du lien d'emploi.
Gignac c. *Groupe Pemp inc.*, D.T.E. 92T-72 (T.A.).
Korngold c. *Cosigma Lavalin inc.*, D.T.E. 90T-824 (T.A.).
Lactantia ltée c. *Lagacé*, D.T.E. 90T-161 (T.A.).
Laberge c. *Cie impérial Tobacco ltée*, D.T.E. 87T-198 (T.A.).
Del Buey c. *Cie Marconi Canada*, D.T.E. 85T-429 (T.A.).
Gatien c. *Reckitt et Colman (Canada) inc.*, D.T.E. 85T-837 (T.A.).
St-Amour c. *Matériaux Aylmer-Lucerne ltée*, D.T.E. 85T-152 (T.A.).
Kratsios c. *Experts-conseil Shawinigan inc.*, (1983) T.A. 739, D.T.E. 83T-481 (T.A.).
Armatures Shefford inc. c. *Harnois*, D.T.E. 82T-13 (T.A.).
Ross c. *Pétroles Spur ltée*, (1982) T.A. 796, D.T.E. 82T-245 (T.A.).
Blanchette c. *Dubeau et Lapointe ltée*, (1981) 2 R.S.A. 160.
V. aussi: *Carrier* c. *Steinberg inc.*, D.T.E. 87T-598 (T.A.).
Morin c. *Firestone Canada inc.*, D.T.E. 82T-670 (T.A.).

124/1008 Un congédiement ne peut être justifié si le salarié n'a pas reçu une formation adéquate, s'il n'a pas eu assez de temps pour assumer ses nouvelles fonctions ou si les tâches à accomplir n'ont jamais été précisées.
Binette c. *Réno-Dépôt inc.*, (2007) R.J.D.T. 1101 (C.R.T.), D.T.E. 2007T-721 (C.R.T.).
Bonneau c. *Sépaq-Val-Jalbert, s.e.n.c.*, D.T.E. 2006T-289 (C.R.T.).
Brisson c. *Liquidation Choc inc. / La Différence*, D.T.E. 2003T-347 (C.R.T.).
Godin c. *Produits miniers Stewart inc.*, D.T.E. 2000T-185 (C.T.).
Schaf c. *Contempra Fashions Canada Ltd.*, D.T.E. 97T-140 (C.T.).
Mathieu c. *Service Qualivent inc.*, D.T.E. 96T-1339 (C.T.) (révision judiciaire refusée: C.S.Q. n° 200-05-005572-966, le 19 décembre 1996).
Dufour c. *Helca Métro ltée*, (1995) C.T. 236, D.T.E. 95T-449 (C.T.).
Laprise c. *Clinique familiale St-Vincent Enr.*, D.T.E. 95T-557 (C.T.).
Maltais c. *Courtiers en alimentation Bel-go inc.*, (1995) C.T. 491, D.T.E. 95T-1245 (C.T.).
Dulude c. *Magasins Château du Canada ltée*, D.T.E. 89T-775 (T.A.).
Artillheiro c. *Tri-Steel inc.*, (1985) T.A. 315, D.T.E. 85T-385 (T.A.).
Chemise D.L. inc. c. *Boucher*, (1984) T.A. 386, D.T.E. 84T-480 (T.A.).

Centre hospitalier Douglas c. *Jodoin*, D.T.E. 82T-688 (T.A.).
Morin c. *Firestone Canada inc.*, D.T.E. 82T-670 (T.A.).
V. aussi: *Pompeo* c. *Appartements Tours Stanley inc.*, D.T.E. 92T-1125 (C.T.).
Boisvert c. *Produits forestiers E.B. Eddy ltée*, (1983) T.A. 391, D.T.E. 83T-281 (T.A.).

124/1009 En cas de rendement insatisfaisant, de négligence et de manquement à un règlement d'entreprise, il n'y a pas nécessairement de cause juste et suffisante de congédiement si le salarié a reçu une formation inadéquate, s'il y a absence d'avertissement préalable et s'il y a une faute contributive de l'employeur. Toutefois, une telle situation peut entraîner l'imposition d'une longue suspension.
Dussault c. *Commission scolaire de Montréal*, D.T.E. 2008T-60 (C.R.T.).

124/1010 Il n'y a pas de cause juste et suffisante de congédiement pour rendement insatisfaisant, lorsque l'employeur ne respecte pas le délai qu'il a lui-même accordé au salarié pour s'amender.
Caissié c. *Priszm Brandz inc.*, D.T.E. 2005T-387 (C.R.T.).

124/1011 Un employeur ne peut présumer qu'un salarié ne pourra plus accomplir les tâches qui pourraient lui être confiées à la suite d'une réorganisation ou encore qu'il ne possède pas les qualités requises, en invoquant une nouvelle façon de faire et une nouvelle philosophie de l'organisation du travail. Un employeur qui procède de cette façon prend une décision discriminatoire, arbitraire et injuste, et elle devient donc par voie de conséquence abusive.
McGee c. *Confédération des caisses populaires et d'économie Desjardins du Québec*, (1997) C.T. 354, D.T.E. 97T-1027 (C.T.).

124/1012 Le faible rendement d'un salarié au cours de sa dernière année d'emploi, même s'il est prouvé, ne constitue pas nécessairement une cause juste et suffisante de congédiement si l'employeur n'a pas apporté l'appui nécessaire pour que l'employé puisse atteindre ses objectifs.
Maison Ami-co (1981) inc. c. *Monette*, D.T.E. 94T-1419 (C.S.).
Stoddard c. *Codet inc.*, D.T.E. 2006T-1014 (C.R.T.).

124/1013 L'incapacité de s'adapter aux nouvelles politiques et aux objectifs de l'entreprise, pour un salarié bénéficiant de nombreuses années de service, peut justifier l'octroi d'une indemnité.
Laroche c. *Peinture internationale Canada ltée*, D.T.E. 89T-90 (T.A.).
V. aussi: *St-Pierre* c. *Antoine Bernier Rivière-du-Loup inc.*, D.T.E. 87T-1025 (T.A.).
Padveen c. *London Life, Cie d'assurance-vie*, D.T.E. 84T-421 (T.A.) (révision judiciaire refusée: D.T.E. 85T-187 (C.S.)).

124/1014 L'employeur doit offrir un poste disponible à un salarié devenu incompétent dans une fonction spécifique, à la suite d'une réorganisation de l'entreprise.
Godin c. *Produits miniers Stewart inc.*, D.T.E. 2000T-185 (C.T.).
Carrier c. *Steinberg inc.*, D.T.E. 87T-598 (T.A.).

124/1015 L'employeur doit assumer une partie des responsabilités lorsque les tâches confiées au plaignant sont déraisonnables ou qu'il n'est pas intéressé à les assumer.
Demers c. *Industries A.P. inc.*, D.T.E. 87T-539 (T.A.).
Beim c. *P.M. Wright ltée*, D.T.E. 83T-388 (T.A.).

Boisvert c. *Produits forestiers E.B. Eddy ltée*, (1983) T.A. 391, D.T.E. 83T-281 (T.A.).
V. aussi: *Acmé Seely inc.* c. *Beaudoin*, (1984) T.A. 16, D.T.E. 84T-29 (T.A.).
Martel c. *Association des entrepreneurs en construction Brome Missisquoi Shefford*, (1982) T.A. 1252, D.T.E. 82T-783 (T.A.).

124/1016 L'employeur n'est pas tenu de donner une aide spéciale à un employé justifiant de plus de deux ans de service continu.
Omer Barré Pontiac Buick G.M.C. inc. c. *Beetz*, D.T.E. 91T-565 (C.S.) (en appel: n° 500-09-000239-913).
Contra: *Morin* c. *Firestone Canada inc.*, D.T.E. 82T-670 (T.A.).
Lire aussi avec un certain intérêt: *Dulude* c. *Magasins Château du Canada ltée*, D.T.E. 89T-775 (T.A.).

124/1017 Même si un employé n'a pas la compétence pour effectuer un travail de direction, cela ne justifie pas nécessairement l'employeur de la congédier sur-le-champ, surtout lorsqu'il possède plusieurs années de services.
Bilodeau c. *Bata industries Ltd.*, (1986) R.J.Q. 531 (C.A.), D.T.E. 86T-143 (C.A.), J.E. 86-218 (C.A.).
Moreau c. *Pétroles Ronoco inc.*, D.T.E. 91T-337 (T.A.).
V. aussi: *Tremblay* c. *Domcor*, D.T.E. 90T-64 (T.A.).
Wajs c. *Talmud Torahs unis de Montréal inc.*, D.T.E. 84T-207 (T.A.).

124/1018 L'insatisfaction face au rendement d'un salarié, telle que ressentie par un supérieur, n'est pas en soi une cause juste et suffisante de congédiement.
Skorski c. *Rio Algom ltée*, D.T.E. 85T-840 (C.A.), inf. D.T.E. 84T-909 (C.S.).
Guindon c. *Corporation de sécurité Garda World*, D.T.E. 2009T-174 (C.R.T.) (requête en révision judiciaire: n° 500-17-048698-099).
Malo c. *Industries Pantorama inc.*, (1995) C.T. 56, D.T.E. 95T-286 (C.T.) (révision judiciaire refusée: C.S.M. n° 500-05-014650-947, le 1er février 1995).
Langevin c. *St-Léonard Toyota ltée*, (1988) T.A. 455, D.T.E. 88T-488 (T.A.).
Loiselle c. *Avibec inc.*, D.T.E. 84T-797 (T.A.).
V. aussi: *Blizeev* c. *Société d'administration immobilière Fugi ltée (Appartements Hill Park)*, D.T.E. 2004T-211 (C.R.T.) (règlement hors cour).
Bergeron c. *Publications Dumont (1988) inc.*, (1996) C.T. 268, D.T.E. 96T-691 (C.T.) (révision judiciaire refusée: C.S. Hull, n° 550-05-002841-966, le 5 septembre 1996) (appel rejeté: D.T.E. 2000T-59 (C.A.), J.E. 2000-136 (C.A.), REJB 1999-15538 (C.A.)).

124/1019 Des faits bénins ne peuvent justifier un congédiement pour incompétence, surtout en présence d'un salarié bénéficiant d'une longue ancienneté.
Cantin c. *Centre d'accueil de Brossard inc.*, D.T.E. 95T-259 (T.A.) (révision judiciaire accueillie pour d'autres motifs: D.T.E. 95T-1027 (C.S.), J.E. 95-1701 (C.S.)).
Bassal c. *Cie Montréal Trust Canada*, (1987) T.A. 768, D.T.E. 87T-1038 (T.A.).
Bonotto c. *Schenley, Canada inc.*, D.T.E. 85T-817 (T.A.) (révision judiciaire refusée: D.T.E. 86T-207 (C.S.), J.E. 86-309 (C.S.)).
Société Asbestos ltée c. *Blanchette*, D.T.E. 85T-251 (T.A.).
V. aussi: *Piuze* c. *Équipement Blackwood Hodge ltée*, (1991) T.A. 337, D.T.E. 91T-532 (T.A.).

124/1020 L'incompétence liée aux problèmes de harcèlement sexuel survenus au cours des dernières années ne peut justifier un congédiement.
Laberge c. *Cie impérial Tobacco ltée*, D.T.E. 87T-198 (T.A.).

124/1021 Le seul fait qu'un salarié soit incapable d'exécuter une tâche spécifique n'établit pas une cause juste et suffisante de congédiement, surtout lorsqu'il a démontré, auparavant, de grandes qualités.
Burlan c. *Université de Montréal*, (1984) T.A. 130, D.T.E. 84T-189 (T.A.).
V. aussi: *St-Onge* c. *Distributions R.V.I. ltée*, D.T.E. 96T-1034 (C.T.).

124/1022 La faible productivité peut justifier un congédiement.
Maillé c. *Produits forestiers Saucier ltée*, (1983) T.A. 747, D.T.E. 83T-68 (T.A.).
V. aussi: *Econauto ltée* c. *Groulx*, D.T.E. 89T-89 (T.A.).
Lecomte c. *Capeq inc.*, D.T.E. 87T-780 (T.A.).

124/1023 Le manque de disponibilité du salarié constitue une cause juste et suffisante de congédiement.
Rivard c. *Zaveco ltée*, D.T.E. 2008T-957 (C.R.T.).

124/1024 Le rendement insatisfaisant d'un salarié, son comportement généralement erratique, son manque de fiabilité, la diminution de la confiance de la direction et de ses collègues à son endroit, la perte de son leadership, son incapacité de travailler en équipe de même que les répercussions sur le climat de travail constituent une cause juste et suffisante de congédiement.
DeWolf Shaw c. *Société de valeurs First Marathon ltée*, D.T.E. 2001T-513 (C.T.) (révision judiciaire refusée: C.S.M. n° 500-05-065816-017, le 11 janvier 2002) (appel rejeté: C.A.M. n° 500-09-011904-026, le 19 octobre 2004) (autorisation d'appeler à la Cour suprême refusée).

124/1025 Le congédiement est justifié lorsque le rendement est insuffisant et que la preuve révèle que la décision de l'employeur n'a pas été prise de façon abusive, discriminatoire ou arbitraire.
Pandolfo c. *Uniformes Drolet (1975) inc.*, (1992) C.T. 13, D.T.E. 92T-71 (C.T.).
Gignac c. *Groupe Pemp inc.*, D.T.E. 92T-72 (T.A.).
I.B.M. Canada ltée c. *Duchesne*, D.T.E. 89T-205 (T.A.).

124/1026 Le rendement insatisfaisant n'est pas, en soi, une cause juste et suffisante de congédiement. Il faut également tenir compte des problèmes de production de l'entreprise.
Loyer c. *Commission de la santé et de la sécurité du travail*, D.T.E. 2001T-38 (C.T.).
Loiselle c. *Avibec inc.*, D.T.E. 84T-797 (T.A.).
V. aussi: *Godin* c. *Produits miniers Stewart inc.*, D.T.E. 2000T-185 (C.T.).
Bilodeau c. *J.E. Verreault et Fils ltée*, D.T.E. 89T-923 (T.A.).
Plamondon c. *Du Vallon Chrysler Plymouth ltée*, (1984) T.A. 164, D.T.E. 84T-245 (T.A.).

124/1027 Le rendement insatisfaisant du salarié ayant entraîné sa rétrogradation de même que son acceptation d'un poste qui, durant son congé de maladie, a été confié à un autre salarié, peuvent constituer une cause de licenciement rendant sa plainte irrecevable, et ce, étant donné qu'à son retour au travail aucun autre poste n'était disponible pour lui. En effet, l'employeur n'a pas l'obligation de créer un poste pour un salarié.
Émard c. *Station Mont-Tremblant, s.e.c.*, D.T.E. 2007T-918 (C.R.T.).

124/1028 Le rendement insatisfaisant n'est pas nécessairement une cause juste et suffisante de congédiement, lorsque le salarié doit s'adapter à un nouveau lieu de travail et que l'encadrement fourni est insuffisant.
Lessard c. *Québec (Ministère de la Justice)*, D.T.E. 2002T-651 (C.T.).

124/1029 Une preuve d'incompétence basée sur des évaluations de rendement objectives constitue une cause juste et suffisante.
Simpsons Sears ltée c. *Roy*, (1982) T.A. XIVII (résumé), D.T.E. 82T-456 (T.A.).
V. aussi: *Lecomte* c. *Capeq inc.*, D.T.E. 87T-780 (T.A.).
Chemise D.L. inc. c. *Boucher*, (1984) T.A. 386, D.T.E. 84T-480 (T.A.) (plainte accueillie).

124/1030 Le commissaire ne peut s'immiscer dans les évaluations faites par les supérieurs du salarié, à moins qu'elles n'aient été faites de manière abusive, discriminatoire ou injuste. Aussi, lorsque l'employeur invoque l'incompétence du salarié comme motif de congédiement, il doit procéder avec rigueur et présenter clairement au salarié sa position et les choix qu'il peut lui offrir le cas échéant, sinon le commissaire pourrait déterminer qu'il n'y a pas de cause juste et suffisante de congédiement.
Tremblay c. *Groupe Yellow*, D.T.E. 97T-99 (C.T.).

124/1031 La possibilité d'obtenir un rendement supérieur en engageant un nouveau salarié à la place du plaignant ne peut être considérée comme une cause juste et suffisante.
Miron c. *Créations Farah inc.*, D.T.E. 88T-560 (T.A.).
Plamondon c. *Du Vallon Chrysler Plymouth ltée*, (1984) T.A. 164, D.T.E. 84T-245 (T.A.).
Delorme c. *Vêtements Cedar ltée*, (1983) T.A. 751, D.T.E. 83T-357 (T.A.).
Lapierre c. *Salois Chevrolet Oldsmobile inc.*, (1982) T.A. 1266, D.T.E. 82T-826 (T.A.).
V. aussi: *Laporte* c. *Talens C.A.C. inc.*, D.T.E. 82T-372 (T.A.) (révision judiciaire accueillie pour d'autres motifs: D.T.E. 84T-118 (C.A.), J.E. 84-134 (C.A.)).

124/1032 L'allégation de rendement insatisfaisant d'un salarié peut constituer uniquement un prétexte pour se débarrasser d'un employé qui revient d'un congé de maladie.
Guillemette c. *Fabrimet inc.*, (2005) R.J.D.T. 1232 (C.R.T.), D.T.E. 2005T-772 (C.R.T.).

124/1033 Le rendement insuffisant s'expliquant par des raisons personnelles dont l'employeur a connaissance, ne peut justifier un congédiement.
Bastien c. *Cie de la Baie d'Hudson*, D.T.E. 87T-159 (T.A.).

124/1034 Il ne peut y avoir congédiement basé sur le rendement insuffisant si le salarié n'est ni meilleur ni pire que les autres.
Spiridigliozzi c. *Royale du Canada (La), compagnie d'assurances*, (1997) C.T. 181, D.T.E. 97T-557 (C.T.) (règlement hors cour).
Maltais c. *Courtiers en alimentation Bel-go inc.*, (1995) C.T. 491, D.T.E. 95T-1245 (C.T.).
Plamondon c. *Du Vallon Chrysler Plymouth ltée*, (1984) T.A. 164, D.T.E. 84T-245 (T.A.).

124/1035 Un employeur doit accepter un employé avec ses aptitudes et ses faiblesses si, en moyenne, son rendement rencontre les normes établies pour les

employés effectuant la même tâche. Le salarié n'a pas à être le plus compétent, un congédiement basé sur un tel constat est non justifié.
Bédard c. *Alimentation Yvon Ratté inc.*, D.T.E. 99T-651 (C.T.).
Maltais c. *Courtiers en alimentation Bel-go inc.*, (1995) C.T. 491, D.T.E. 95T-1245 (C.T.).
Miron c. *Créations Farah inc.*, D.T.E. 88T-560 (T.A.).
V. aussi: *Martin* c. *R.J.R. McDonald inc.*, D.T.E. 92T-919 (C.T.).
Ringuette c. *Taverne Excel Enrg.*, D.T.E. 88T-954 (T.A.).
Plamondon c. *Du Vallon Chrysler Plymouth ltée*, (1984) T.A. 164, D.T.E. 84T-245 (T.A.).
Delorme c. *Vêtements Cedar ltée*, (1983) T.A. 751, D.T.E. 83T-357 (T.A.).

124/1036 Le fait pour un gérant de boutique de ne pas atteindre les objectifs de vente fixés par l'employeur ne constitue pas nécessairement une cause juste et suffisante de congédiement, lorsque d'autres gérants n'ont pas atteint leurs objectifs et n'ont pas été congédiés.
Boulet c. *Radio Shack*, D.T.E. 97T-587 (C.T.).

124/1037 Le rendement insatisfaisant d'un gérant de service d'une petite entreprise familiale peut constituer une cause juste et suffisante de congédiement, et ce, même en l'absence de progression des sanctions.
Mainella c. *Tapis Pincourt inc.*, D.T.E. 2005T-238 (C.R.T.).

124/1038 Les erreurs dans l'accomplissement des fonctions ne constituent pas nécessairement une cause juste et suffisante de congédiement.
Burns c. *Airport Steel & Tubing Ltd. (Acier Aéroport ltée)*, D.T.E. 2005T-1076 (C.R.T.).

124/1039 Le rendement insuffisant d'un salarié handicapé, rendant impossible le paiement du salaire minimum constitue une cause juste de congédiement.
Mackay Specialties inc. c. *Beaulieu*, D.T.E. 82T-763 (T.A.).
V. aussi: *Lecomte* c. *Capeq inc.*, D.T.E. 87T-780 (T.A.).

124/1040 Les carences rédactionnelles du salarié que l'employeur ne lui a pas signalées, ne constituent pas une cause juste et suffisante de congédiement, surtout lorsque aucune évaluation du rendement du travailleur n'est produite devant le commissaire.
Boily c. *Corp. de l'École polytechnique de Montréal*, (2001) R.J.D.T. 168 (C.T.), D.T.E. 2001T-60 (C.T.) (règlement hors cour partiel).

124/1041 Le fait de ne pas atteindre les objectifs d'une campagne de souscription ne donne pas lieu à une cause juste de congédiement.
Pednault c. *Société canadienne du cancer, division du Québec*, (1987) T.A. 671, D.T.E. 87T-965 (T.A.).

124/1042 Dans le cas de rendement insuffisant, surtout lorsque le salarié possède plusieurs années d'ancienneté, l'employeur pour justifier la rupture du lien d'emploi, doit utiliser la gradation disciplinaire avant d'en venir au congédiement.
St-Pierre c. *Antoine Bernier Rivière-du-Loup inc.*, D.T.E. 87T-1025 (T.A.).

124/1043 Une légère baisse de rendement de la part d'un salarié bénéficiant d'une longue ancienneté ne constitue pas une cause juste et suffisante.

Padveen c. *London Life, Cie d'assurance-vie*, D.T.E. 84T-421 (T.A.) (révision judiciaire refusée: D.T.E. 85T-187 (C.S.)).

124/1044 Ne peut constituer une cause juste et suffisante de congédiement, le fait, pour un employeur, de présumer qu'un salarié ne pourra satisfaire les attentes professionnelles futures, sans lui en faire part.
Champoux c. *Confédération des caisses populaires et d'économie Desjardins du Québec*, (1997) C.T. 34, D.T.E. 97T-139 (C.T.).

124/1045 L'employeur ne peut se baser sur le fait qu'un salarié n'a pas réussi sa période d'essai pour mettre fin à son emploi si celui-ci compte deux ans de service continu et s'il bénéficie de la protection prévue à l'article 124 L.N.T. L'employeur doit plutôt démontrer qu'il a véritablement congédié le salarié en raison de son incompétence et qu'il a agi de façon équitable et raisonnable à son endroit dans le respect des exigences de la bonne foi.
Villeneuve c. *Saguenay (Ville de)*, (2007) R.J.D.T. 470 (C.R.T.), D.T.E. 2007T-324 (C.R.T.) (règlement hors cour).

124/1046 La non-délivrance d'un permis d'enseignement par le M.E.Q. ne constitue pas une cause juste et suffisante de congédiement.
Collège Charles Lemoyne c. *Foisy*, D.T.E. 87T-69 (C.S.).

124/1047 Un employeur peut mettre fin à l'emploi, pour incompétence, d'une agente de pastorale lorsqu'il y a refus de l'évêque d'accorder un mandat pastoral qui est une condition essentielle au maintien du lien d'emploi, et ce, dans le cas où la décision administrative est non abusive, non discriminatoire et non arbitraire.
Côté c. *Fabrique de la paroisse de St-Félicien*, D.T.E. 2009T-78 (C.R.T.).

124/1048 Ne constitue pas une cause juste et suffisante de congédiement la conversion d'une animatrice de pastorale catholique d'un centre hospitalier à l'Église Unie du Canada. Un tel motif de congédiement constitue une discrimination fondée sur la religion garantie par la *Charte des droits et libertés de la personne*. Obliger l'employée à détenir un mandat pastoral catholique ne constitue pas une exigence professionnelle justifiée.
Hamel c. *Service régional de pastorale de la santé (Centre hospitalier affilié universitaire de Québec)*, (2004) R.J.D.T. 685 (C.R.T.), D.T.E. 2004T-334 (C.R.T.).

124/1049 L'utilisation irresponsable d'une arme à feu constitue une cause juste de congédiement.
Archambault c. *Montréal (Société de transport de la Communauté urbaine de)*, (1988) T.A. 113, D.T.E. 88T-95 (T.A.).

124/1050 Il n'y a pas cause juste et suffisante basée sur l'incompétence, si les retards dans l'exécution du travail sont dus à un manque de soutien administratif.
Bilodeau c. *J.E. Verreault et Fils ltée*, D.T.E. 89T-923 (T.A.).
V. aussi: *Bombardier* c. *Supermarché Racicot (1980) inc.*, D.T.E. 93T-986 (C.T.).

124/1051 Une erreur administrative n'est pas une cause juste et suffisante de congédiement si l'employeur n'a jamais avisé le salarié qu'il devait corriger l'erreur.
Sansfaçon c. *Logic Contrôle inc.*, D.T.E. 94T-1101 (C.T.).

Insubordination
V. également à *Assaut et menaces* et *Absence de motivation, attitude et comportement insatisfaisants*

124/1052 Le congédiement découle d'une cause juste et suffisante lorsque le salarié refuse d'obéir à un ordre donné de façon claire et précise.
Deschênes c. *Desmeules Automobiles inc.*, D.T.E. 2007T-478 (C.R.T.).
Lafortune c. *Kaufman Laramée, s.e.n.c.*, D.T.E. 2007T-667 (C.R.T.).
Théberge c. *Caisse populaire Notre-Dame de Fatima*, D.T.E. 90T-1147 (T.A.).
Joly c. *François Lespérance inc.*, D.T.E. 88T-508 (T.A.).
Korngold c. *Agence de vente Wanda*, (1987) T.A. 526, D.T.E. 87T-763 (T.A.).
Laberge c. *Sears*, D.T.E. 85T-157 (T.A.).
Éthier c. *C.S.N.*, D.T.E. 84T-119 (T.A.).
V. aussi: *Salam* c. *Magasins du Château du Canada ltée*, D.T.E. 88T-603 (T.A.).
B.N.P. Canada inc. c. *Melo*, (1981) 2 R.S.A. 26.
Dumontier c. *Affiliated Engineering Equipment*, (1981) 2 R.S.A. 118.
Tardif c. *Conciergerie d'Amqui Enr. (La)*, (1981) 2 R.S.A. 193.

124/1053 L'insubordination présuppose l'intention par le salarié de défier l'autorité, de ne pas suivre les directives et de refuser sciemment d'obéir. Ainsi, en l'absence de clarté et d'un échéancier précis quant à l'obligation qui incombait au salarié, il ne peut y avoir cause juste et suffisante de congédiement.
Marcil c. *Trois-Rivières (Ville de)*, D.T.E. 2003T-225 (C.R.T.).
V. aussi: *Saindon* c. *Taleo (Canada) inc.*, D.T.E. 2006T-862 (C.R.T.).

124/1054 Le non-respect des décisions de l'employeur par un cadre, justifie le congédiement immédiat, car il n'y a pas lieu à l'application des mesures disciplinaires pour ce dernier.
Houle c. *Fédération de l'U.P.A. de Sherbrooke*, (1984) T.A. 205, D.T.E. 84T-303 (T.A.).
V. aussi: *Basque* c. *Société d'électrolyse et de chimie Alcan ltée*, D.T.E. 82T-494 (T.A.).

124/1055 Compte tenu du contexte, le non-respect des directives de l'employeur par un directeur de la production ne constitue pas nécessairement une cause juste et suffisante de congédiement.
Lavergne c. *Industries Fermco ltée*, D.T.E. 2009T-100 (C.R.T.).

124/1056 Une série d'incidents sans gravité suffisante pour entraîner à eux seuls le congédiement peuvent le justifier, si les gestes posés se situent dans un contexte où le comportement perdure et dénote que le salarié ne veut ou ne peut s'amender, au point de s'avérer irrécupérable pour l'entreprise.
Hamel c. *J.E. Lortie compagnie ltée (Alubox)*, D.T.E. 2006T-574 (C.R.T.).
Services immobiliers Royal LePage c. *Lespérance*, D.T.E. 90T-1235 (T.A.).
Société d'électrolyse et de chimie Alcan ltée c. *Bordeleau*, (1984) T.A. 23, D.T.E. 84T-51 (T.A.).
V. aussi: *Joly* c. *François Lespérance inc.*, D.T.E. 88T-508 (T.A.).

124/1057 En l'absence d'avertissement préalable, il ne saurait y avoir de cause juste et suffisante de congédiement basée sur l'insubordination du salarié.
Malette c. *3948331 Canada inc. (Allure Concept Mode)*, D.T.E. 2007T-235 (C.R.T.).

124/1058 Le refus de reconnaître l'autorité de ses supérieurs immédiats, allant du simple refus d'acceptation d'une tâche, avec ou sans injure, au geste concret, tel déchirer des pages d'agenda, justifie le congédiement.
Gagnon c. *F.D.L. Cie*, (1993) C.T. 228, D.T.E. 93T-609 (C.T.) (révision judiciaire refusée: C.S.M. n° 500-05-004277-933, le 18 octobre 1993).

124/1059 Le refus de reconnaître l'autorité de son supérieur immédiat, par le non-respect des directives et les insultes à son égard, constitue de l'insubordination justifiant un congédiement.
Hamel c. *J.E. Lortie compagnie ltée (Alubox)*, D.T.E. 2006T-574 (C.R.T.).
Ouellette c. *Maison de la famille des Pays-d'en-Haut*, D.T.E. 2003T-851 (C.R.T.).

124/1060 Le défaut de se conformer à un plan de redressement justifie l'imposition d'une sanction disciplinaire telle la rétrogradation limitée à un an, mais non le congédiement.
Pasche c. *Tip Top Tailors-Dilex ltée*, (1988) T.A. 396, D.T.E. 88T-484 (T.A.).

124/1061 Le refus de faire des rapports ne peut justifier un congédiement si l'employeur n'a jamais précisé le type de rapport exigé.
Campeau c. *Torpédo ltée*, D.T.E. 82T-337 (T.A.).

124/1062 Le refus de recommencer la rédaction d'un rapport afin qu'il soit conforme à certaines normes, faire preuve d'immaturité, d'insouciance et d'incompétence en décidant de tenir une réunion malgré l'absence de la directrice de l'établissement tout en permettant que cette dernière y soit ouvertement critiquée et refuser de lui rapporter les propos tenus à son endroit, constituent une cause juste et suffisante de congédiement.
Carrier c. *Centre d'intervention en violence et agressions sexuelles de la Montérégie*, D.T.E. 2007T-982 (C.R.T.).

124/1063 Le refus de collaborer avec l'employeur à la réduction des coûts en période de difficultés financières constitue un motif suffisant de congédiement.
Éthier c. *C.S.N.*, D.T.E. 84T-119 (T.A.).

124/1064 Le refus d'affectation et le refus de suivre des cours constituent des motifs suffisants de congédiement.
Laberge c. *Sears*, D.T.E. 85T-157 (T.A.).

124/1065 Le refus de suivre un cours constitue une cause juste et suffisante de congédiement lorsqu'il est impossible d'appliquer la progression des sanctions et surtout lorsque le salarié témoigne à l'audience de son refus de s'amender.
Potvin c. *Cassidy ltée*, (1997) C.T. 68, D.T.E. 97T-242 (C.T.).

124/1066 Le refus par un salarié de former un nouvel employé pour exécuter certaines tâches ne constitue pas nécessairement une cause juste et suffisante de congédiement.
Gosselin c. *Clip inc.*, D.T.E. 94T-409 (C.T.).
V. aussi: *Bessette* c. *Simson-Maxwell*, D.T.E. 2007T-646 (C.R.T.).

124/1067 Le refus par une secrétaire juridique de respecter une directive d'un avocat, soit de ne pas transmettre un document à un autre procureur, constitue une cause juste et suffisante de congédiement puisqu'un tel manquement brise le

lien de confiance nécessaire au maintien du statut de la secrétaire juridique. En effet, le milieu de travail juridique exige un lien de confiance absolue.
Lafortune c. *Kaufman Laramée, s.e.n.c.*, D.T.E. 2007T-667 (C.R.T.).

124/1068 Le refus d'obéir à un ordre peut ne pas constituer une cause de congédiement, mais il peut justifier l'imposition d'une mesure disciplinaire.
Pepe c. *Italbec International inc.*, D.T.E. 2006T-992 (C.R.T.).
Bastien c. *St-Hugues (Municipalité de)*, D.T.E. 2001T-1021 (C.T.).
Hogue c. *Agences Claude Marchand inc.*, D.T.E. 99T-242 (C.T.).
Robillard c. *Emballages Gab ltée*, D.T.E. 95T-371 (C.T.).
Gosselin c. *Clip inc.*, D.T.E. 94T-409 (C.T.).
Grondin c. *Société minéralogique région de l'Amiante (Somira)*, D.T.E. 86T-592 (T.A.).
Pietrykowski c. *Cie de fiducie du Canada le Permanent*, D.T.E. 85T-723 (T.A.) (révision judiciaire refusée: C.S.M. n° 500-05-009603-851, le 17 décembre 1985, conf. par C.A.M. n° 500-09-000056-861, le 2 octobre 1987).
St-Nicéphore (Corp. mun. de) c. *Côté*, (1984) T.A. 161, D.T.E. 84T-213 (T.A.).

124/1069 Un malentendu ou un problème de communication entre le salarié et l'employeur ne peut justifier un congédiement, car il n'y a pas d'intention de désobéissance ou de défi de l'autorité.
Clarke c. *Art et photo R.B. inc.*, D.T.E. 94T-314 (C.T.) (révision judiciaire refusée: C.S.M. n° 500-05-001853-942, le 29 septembre 1994).
Aurelio c. *Chez Vito pizzeria restaurant inc.*, D.T.E. 88T-557 (T.A.).
Lafleur c. *Arcon Canada inc.*, D.T.E. 83T-321 (T.A.).
Presse ltée (La) c. *Bernal*, D.T.E. 82T-782 (T.A.).
V. aussi: *Marcel Benoît ltée* c. *Bertrand*, D.T.E. 84T-560 (T.A.).

124/1070 Une lettre de réponse à un avertissement d'un employeur ne constitue pas nécessairement un geste d'insubordination et une cause juste et suffisante de congédiement.
Maras c. *Clinique familiale St-Vincent enr.*, D.T.E. 96T-1254 (C.T.).

124/1071 La lettre remise à l'employeur par le salarié en réaction à une mesure disciplinaire, lettre qui est, en fait, une négation du manquement reproché, ne constitue pas de l'insubordination ni nécessairement une cause juste et suffisante de congédiement.
Boucher c. *Café central Coaticook*, D.T.E. 2008T-471 (C.R.T.).

124/1072 Faire preuve d'une grave impolitesse ou proférer des injures, ne constitue pas nécessairement une cause juste et suffisante de congédiement.
Thivierge c. *Autobus Laval ltée*, (1988) T.A. 377, D.T.E. 88T-389 (T.A.).
Fortier c. *Clinique Gérard J. Léonard*, D.T.E. 83T-67 (T.A.).
Bellemo c. *Volumes Sales (1970) inc.*, D.T.E. 82T-825 (T.A.).

124/1073 Le refus d'assister à des réunions hebdomadaires constitue une cause juste et suffisante de congédiement lorsque le salarié a été avisé à plusieurs reprises qu'il devait y assister. Un employeur a le droit d'établir des directives et les salariés sont tenus de les suivre, sauf lorsqu'elles les obligent à commettre un geste illégal ou contraire à l'ordre public, qu'elles mettent leur santé ou leur sécurité en danger, ou encore si l'ordre donné est déraisonnable ou abusif.
Lacasse c. *Service de prévention Microtec inc.*, D.T.E. 97T-459 (C.T.).

124/1074 L'utilisation d'un langage grossier et le manquement aux règles de civilité par un employé-cadre peut justifier le congédiement.
Boucher c. *Cie T. Eaton ltée*, D.T.E. 89T-1105 (T.A.).

124/1075 Le refus par un salarié de se concentrer désormais à certaines fonctions constitue une cause juste et suffisante de congédiement.
Tanguay c. *Alfred Couture ltée*, LPJ-94-1974 (T.T.).

124/1076 Le refus isolé d'un commis d'obtempérer à la demande de son employeur de remplacer une téléphoniste pour la journée, ne peut justifier un congédiement.
Division Francon et/ou Canfarge ltée c. *Pazienza*, D.T.E. 87T-682 (T.A.).

124/1077 Le refus de se présenter au travail pendant une mise à pied, dans le cadre d'une affectation temporaire d'une journée, ne peut constituer une cause juste et suffisante de congédiement.
Roy c. *Constructions paysannes inc.*, (1999) R.J.D.T. 1741 (C.T.), D.T.E. 99T-1098 (C.T.).

124/1078 L'insubordination mineure doublée de négligence due à la distraction ne justifient pas un congédiement.
Lavoie c. *Boutique Élise Andrée Enrg.*, D.T.E. 89T-742 (T.A.).
V. aussi: *Béland* c. *Laniel Canada inc.*, D.T.E. 89T-464 (T.A.).

124/1079 Même s'il y a véritablement eu insubordination, le congédiement peut être injustifié en l'absence d'application de mesures disciplinaires progressives.
Turbocristal inc. c. *Racine*, D.T.E. 95T-493 (C.S.) (règlement hors cour).
Vézina c. *Agence universitaire de la Francophonie*, (2009) R.J.D.T. 117 (C.R.T.), D.T.E. 2009T-40 (C.R.T.) (règlement hors cour).
Bastien c. *St-Hugues (Municipalité de)*, D.T.E. 2001T-1021 (C.T.).
Plourde c. *Scierie Geoffroy inc.*, D.T.E. 96T-1154 (C.T.).
Gosselin c. *Clip inc.*, D.T.E. 94T-409 (C.T.).
Pompeo c. *Appartements Tours Stanley inc.*, D.T.E. 92T-1125 (C.T.).
Béland c. *Laniel Canada inc.*, D.T.E. 89T-464 (T.A.).
A. Setlakwe ltée c. *Bergeron*, D.T.E. 88T-197 (T.A.).
Grande-Île (Mun. de la) c. *Boulay*, (1985) T.A. 736, D.T.E. 85T-873 (T.A.).
Muller c. *Vickers Canada inc.*, (1982) T.A. 845, D.T.E. 82T-275 (T.A.).

124/1080 Le refus, par le salarié, d'exécuter certaines tâches et son attitude nonchalante ne constituent pas nécessairement une cause juste et suffisante de congédiement, mais peuvent justifier l'imposition d'une longue suspension de 60 jours, surtout dans le cas où l'employeur a omis d'appliquer la règle de la progression et de la proportionnalité des sanctions.
Charlton c. *Hôpital général juif Sir Mortimer B. Davis*, (2008) R.J.D.T. 1618 (C.R.T.), D.T.E. 2008T-840 (C.R.T.).

124/1081 La réaction violente et négative face à une nouvelle directive affectant son travail peut ne pas justifier un congédiement, surtout lorsque l'employeur nourrit la dispute ou manque de sang-froid.
Pietrykowski c. *Cie de fiducie du Canada le Permanent*, D.T.E. 85T-723 (T.A.) (révision judiciaire refusée: C.S.M. n^{0} 500-05-009603-851, le 17 décembre 1985, conf. par C.A.M. n^{0} 500-09-000056-861, le 2 octobre 1987).

124/1082 Le refus, pour un cadre bénéficiant d'une large autonomie, d'obéir à une directive concernant le choix du moment des vacances ne constitue pas une cause juste de congédiement.
White c. *Société maritime March ltée*, (1984) T.A. 96, D.T.E. 84T-160 (T.A.).
Concernant le vendeur à commission voir: *Laporte* c. *Talens C.A.C. inc.*, D.T.E. 82T-372 (T.A.) (révision judiciaire accueillie pour d'autres motifs: D.T.E. 84T-118 (C.A.), J.E. 84-134 (C.A.)).

124/1083 L'absence sans autorisation du salarié pour prendre son congé annuel, celui-ci se basant sur un accord de principe survenu un an plus tôt avec l'employeur, ne constitue pas un acte d'insubordination ni une cause juste et suffisante de congédiement.
Mainville c. *2745-7563 Québec inc.*, D.T.E. 2000T-206 (C.T.).

124/1084 L'utilisation d'un congé sans solde à des fins non prévues ne constitue pas une cause juste de congédiement, en présence de facteurs atténuants.
Corvington c. *Université Concordia*, D.T.E. 90T-1132 (T.A.).

124/1085 Le refus de se soumettre à l'interdiction de fumer, malgré les avertissements de l'employeur, ne constitue pas une juste cause de congédiement.
Lavoie c. *Boutique Élise Andrée Enrg.*, D.T.E. 89T-742 (T.A.).

124/1086 La publication dans son roman, d'une partie d'un texte écrit initialement pour le magazine de son employeur, mais que celui-ci avait refusé de publier, ne constitue pas une cause juste de congédiement.
MaClean Hunter Ltd. c. *Legault-Faucher de Gramont*, D.T.E. 89T-812 (T.A.).

124/1087 Une lettre d'un salarié critiquant l'employeur et sa décision de ne pas le retenir pour un poste de direction, ainsi que son désir exprimé de prendre la place de son supérieur constituent une cause juste de congédiement.
Argyris c. *Sony du Canada ltée*, D.T.E. 85T-155 (T.A.).

124/1088 Le refus de faire des heures supplémentaires ne constitue pas nécessairement une cause juste de congédiement.
Robillard c. *Emballages Gab ltée*, D.T.E. 95T-371 (C.T.).
Gaudreau c. *Industries d'acier inoxydable ltée*, D.T.E. 86T-729 (T.A.).
Jean-Baptiste c. *Produits de papier variété ltée*, D.T.E. 84T-229 (T.A.).

124/1089 Le refus par un salarié d'accepter la modification de son horaire de travail peut ne pas constituer une cause juste et suffisante de congédiement.
François c. *Boulangeries Cantor inc.*, (1993) C.T. 371, D.T.E. 93T-658 (C.T.).

124/1090 Le refus de travailler les fins de semaine comme l'exigeait l'employeur qui avait imposé cette nouvelle obligation à son employé, ne constitue pas nécessairement une cause juste et suffisante de congédiement, mais peut justifier l'octroi d'une indemnité beaucoup moindre par le commissaire.
Vézina c. *Barbotine inc.*, (1999) R.J.D.T. 1663 (C.T.), D.T.E. 99T-911 (C.T.).

124/1091 Le refus du salarié de respecter son horaire de travail, alors qu'il a été avisé que sa demande de congé était refusée, et sa fausse déclaration quant au motif de son absence, ne constituent pas nécessairement une cause juste et suffisante de congédiement, mais justifient l'imposition d'une longue suspension.
Edmond c. *The Brick Warehouse, l.p. Brick (MC)*, D.T.E. 2008T-899 (C.R.T.).

124/1092 Le refus de travailler en soirée lorsque telle exigence a toujours existé, constitue une cause juste et suffisante de congédiement.
Boutin c. *Clinique de physiothérapie Centre médical Racine*, D.T.E. 2002T-1142 (C.T.) (révision judiciaire refusée: D.T.E. 2004T-209 (C.S.)) (permission d'appeler refusée: J.E. 2004-693 (C.A.), REJB 2004-55098 (C.A.)).

124/1093 Le refus d'une hôtesse de restaurant de travailler dorénavant comme serveuse ne constitue pas un motif suffisant de congédiement.
Restaurants Murrays ltée c. *Bermejo*, D.T.E. 85T-428 (T.A.).

124/1094 Le refus du salarié d'aller travailler dans un autre établissement de l'employeur constitue une cause juste et suffisante de congédiement.
Da Silva c. *McDonald's Canada*, D.T.E. 2003T-1107 (C.R.T.).

124/1095 Le refus d'un employé d'un club de loisirs de servir une cliente constitue une cause juste et suffisante de congédiement.
Lafrance c. *Club social colombien Hauterive inc.*, D.T.E. 98T-287 (C.T.).

124/1096 Le refus de travailler dans les locaux de l'employeur ne constitue pas un motif suffisant de congédiement, car l'employeur a l'obligation d'informer des conséquences du refus.
Couture-Thibault c. *Pharmajan inc.*, (1984) T.A. 326, D.T.E. 84T-423 (T.A.).

124/1097 Le refus du salarié de se plier aux décisions de l'employeur, de suivre une formation ou un «coaching» et d'accepter une réduction de ses tâches, ne constitue pas une cause juste et suffisante de congédiement puisque, pour conclure à un réel refus d'obéir, il faut que l'ordre soit raisonnable et non discriminatoire. Au surplus, le congédiement doit, normalement, être précédé de mesures progressives ou, à tout le moins, d'un avis quant aux conséquences possibles en cas de récidive.
Vézina c. *Agence universitaire de la Francophonie*, (2009) R.J.D.T. 117 (C.R.T.), D.T.E. 2009T-40 (C.R.T.) (règlement hors cour).

124/1098 Le refus d'une affectation dans le Grand Nord ne constitue pas nécessairement une cause juste et suffisante de congédiement.
Frigon c. *Normand Fallon inc.*, D.T.E. 2007T-720 (C.R.T.).

124/1099 Il n'y a pas cause juste et suffisante fondée sur un refus de subir un examen médical, lorsque l'employeur n'a pas de motif raisonnable d'exiger un examen médical complet par un médecin de son choix.
Proserv inc. c. *Perron-Gagnon*, D.T.E. 91T-764 (T.A.).
Savard c. *M.B. Data Processing*, D.T.E. 82T-857 (T.A.).

124/1100 Le refus de se présenter à un examen médical et le fait de travailler pendant une absence pour cause de maladie, constituent une faute grave et une cause juste et suffisante de congédiement.
Claude Rivest et Fils ltée, scierie St-Jean-de-Matha inc. c. *Monette*, D.T.E. 2000T-624 (C.S.).

124/1101 Le refus pour un salarié de se soumettre à un examen médical demandé par l'employeur ne constitue pas nécessairement une cause juste et

suffisante de congédiement mais peut justifier l'imposition d'une mesure disciplinaire sévère.
Papaeconomou c. *Pratt & Whitney Canada inc.*, D.T.E. 99T-287 (C.T.).
Chartrand c. *Québec (Ministère du Revenu)*, (1997) C.T. 295, D.T.E. 97T-760 (C.T.).
Labelle c. *Bell Helicopter Textron*, D.T.E. 95T-752 (C.T.).
Contra: *Cavanagh* c. *Corp. de développement touristique de Bonaventure*, (2003) R.J.D.T. 1286 (C.R.T.), D.T.E. 2003T-883 (C.R.T.).

124/1102 Le refus du salarié de fournir un diagnostic médical et la durée de son incapacité ne constituent pas nécessairement une cause juste et suffisante de congédiement.
Secrétariat de l'Action catholique de Joliette c. *Cyr*, (2000) R.J.D.T. 971 (C.S.), D.T.E. 2000T-722 (C.S.), J.E. 2000-1476 (C.S.), REJB 2000-19230 (C.S.) (appel rejeté: D.T.E. 2001T-1109 (C.A.), J.E. 2001-2111 (C.A.), REJB 2001-26586 (C.A.)).

124/1103 Le refus de collaborer de la part d'un salarié, dans le cadre d'une absence pour maladie, ne constitue pas nécessairement une cause juste et suffisante de congédiement, et ce, compte tenu de ses 25 ans de bons services. Dans un tel cas, une décision de congédier peut être une sanction trop sévère ou encore prématurée.
St-Germain c. *Cose inc.*, D.T.E. 97T-208 (C.T.).

124/1104 Le refus injustifié du salarié de reprendre ses fonctions à la suite d'une absence pour cause de maladie, compte tenu de sa crainte de faire face à ses responsabilités et de son appréhension d'un congédiement imminent pour des raisons étrangères à son absence, constitue une cause juste et suffisante de congédiement.
Cantin c. *Société des casinos du Québec inc. (Casino de Charlevoix)*, D.T.E. 2007T-771 (C.R.T.) (révision en vertu de l'article 127 C.T. refusée).

124/1105 Le fait de refuser de suivre la directive illégale du capitaine d'un bateau, soit d'effectuer un tri des prises afin de se conformer aux demandes du propriétaire, ne constitue pas une cause juste et suffisante de congédiement.
Lelièvre c. *Unipêche M.D.M. ltée*, D.T.E. 2003T-1166 (C.R.T.) (révision judiciaire refusée: D.T.E. 2004T-1100 (C.S.)) (appel rejeté sur requête).

124/1106 Le refus de continuer de travailler à partir de sa résidence ne constitue pas une cause juste et suffisante.
Gouvianakis c. *Fabrications Dennison du Canada inc.*, (1988) T.A. 682, D.T.E. 88T-752 (T.A.).

124/1107 Le refus pour un salarié de reprendre son travail à la demande de l'employeur, dans le contexte d'une absence pour maladie, ne constitue pas une cause de congédiement, mais peut justifier une longue suspension.
Goldwater c. *Centre hospitalier de St. Mary*, D.T.E. 94T-542 (C.T.) (révision judiciaire refusée: C.S.M. n° 500-05-005095-946, le 19 mai 1994).

124/1108 Le refus d'effectuer une nouvelle tâche compte tenu de la limite des compétences du salarié peut constituer une cause juste et suffisante de congédiement.
Mace c. *Association québécoise des transporteurs aériens*, D.T.E. 98T-957 (C.T.) (révision judiciaire refusée: C.S.Q. n° 200-05-009839-981, le 9 septembre 1998).

124/1109 Le refus d'accepter une rétrogradation administrative peut constituer un congédiement sans cause juste et suffisante.
Courchesne c. *Restaurant & Charcuterie Bens inc.*, D.T.E. 88T-955 (T.A.) (révision judiciaire cassée en appel: (1990) R.D.J. 148 (C.A.), D.T.E. 90T-143 (C.A.), J.E. 90-236 (C.A.)) (autorisation d'appeler à la Cour suprême refusée).
V. aussi: *Wajs* c. *Talmud Torahs unis de Montréal inc.*, D.T.E. 84T-207 (T.A.).
Gagnon frères nouveautés Chicoutimi Enr. c. *Girard*, D.T.E. 82T-205 (T.A.).

124/1110 Le refus de faire parvenir les impôts *per capita* à l'Union Internationale justifie le congédiement.
Union internationale des journaliers d'Amérique du nord c. *Gendron*, D.T.E. 85T-248 (T.A.).

124/1111 Le refus d'exercer d'autres fonctions lorsque le maintien du poste n'est plus justifié constitue une cause juste et suffisante.
Murray c. *Circle International Freight Canada*, D.T.E. 83T-206 (T.A.).

124/1112 Le refus d'un salarié de fournir une meilleure preuve de son incapacité de travailler peut justifier un congédiement.
B.N.P. Canada inc. c. *Melo*, (1981) 2 R.S.A. 26.

124/1113 La désobéissance répétée aux directives et ordres d'un supérieur, ainsi que le refus de reprendre un travail mal exécuté constituent une cause juste et suffisante.
Dumontier c. *Affiliated Engineering Equipment*, (1981) 2 R.S.A. 118.

124/1114 V. D'AOUST, C. et TRUDEAU, G., *L'obligation d'obéir et ses limites dans la jurisprudence arbitrale québécoise*, monographie n° 4, Montréal, École des relations industrielles, Université de Montréal, 1979.

Licenciement pour réorganisation administrative
V. également à *Ancienneté* et *Licenciement pour motifs d'ordre économique*

124/1115 Le licenciement est justifié lorsque la preuve révèle une véritable réorganisation administrative et que l'employeur n'a pas agi de façon injuste, discriminatoire ou abusive à l'endroit du plaignant.
Leblanc c. *Bureau du commissaire général du travail*, D.T.E. 2002T-402 (C.S.).
Dallaire c. *Prolab Technolub inc.*, D.T.E. 2007T-809 (C.R.T.).
Zaleska c. *Motorola MCSC inc.*, D.T.E. 2006T-87 (C.R.T.).
Chemali c. *Manufacture de lingerie Château inc.*, D.T.E. 2005T-550 (C.R.T.).
Diraddo c. *Groupe Pages jaunes Cie*, D.T.E. 2005T-1103 (C.R.T.) (révision en vertu de l'article 127 C.T. refusée).
Malette c. *Rigaud (Municipalité de)*, D.T.E. 2002T-537 (C.T.).
Pratt & Whitney Canada inc. c. *Yee*, D.T.E. 90T-1028 (T.A.).
Rochon c. *Sogides ltée*, D.T.E. 90T-109 (T.A.).
Malouf c. *Vêtements pour enfants United ltée*, D.T.E. 87T-996 (T.A.).
Gatien c. *Reckitt et Colman (Canada) inc.*, D.T.E. 85T-837 (T.A.).
Lavalin inc. c. *Morin*, D.T.E. 85T-156 (T.A.).
Généreux c. *Presse ltée (La)*, D.T.E. 84T-481 (T.A.).
Caisse d'établissement Saguenay—Lac-St-Jean c. *Harvey*, (1982) T.A. 790, D.T.E. 82T-164 (T.A.).

Forano inc. c. *Thomassin*, D.T.E. 82T-495 (T.A.).
Rioux c. *F.D.L. Co. ltée*, (1981) 1 R.S.A. 97, D.T.E. 82T-803 (T.A.).

124/1116 Le licenciement pour réorganisation administrative peut camoufler un congédiement déguisé et être un prétexte pour se débarrasser d'un salarié dont l'employeur ne voulait plus.
Bombardier inc. c. *Cloutier*, D.T.E. 2006T-243 (C.S.), EYB 2006-101424 (C.S.).
Gusman c. *Ericsson Canada inc.*, D.T.E. 2003T-638 (C.R.T.) (révision judiciaire refusée: D.T.E. 2004T-607 (C.S.), REJB 2004-61798 (C.S.)).
Page c. *Auberge Ripplecove (1985) inc.*, D.T.E. 2001T-186 (C.T.).
Bolduc c. *Fabrique de la paroisse de St-Thomas d'Aquin*, D.T.E. 2000T-18 (C.T.).
Bélanger c. *Société nationale des Québécois et des Québécoises de la capitale*, D.T.E. 99T-391 (C.T.).
Langlois c. *Biochem thérapeutique inc.*, D.T.E. 98T-1060 (C.T.) (révision judiciaire refusée: D.T.E. 99T-288 (C.S.), J.E. 99-653 (C.S.), REJB 1999-10575 (C.S.)).
St-Onge c. *Distributions R.V.I. ltée*, D.T.E. 96T-1034 (C.T.).
Vézina c. *Sénécal Assurances inc.*, (1996) C.T. 557, D.T.E. 96T-1552 (C.T.).
Gariépy c. *Great West, Life Assurance Co.*, D.T.E. 93T-1332 (C.T.).
Ladouceur c. *Almico Plastics Canada inc.*, D.T.E. 90T-490 (T.A.).
Guérard c. *Garnitures Exclusives ltée*, D.T.E. 89T-654 (T.A.).
Association d'hospitalisation du Québec c. *Latreille*, (1987) T.A. 458, D.T.E. 87T-681 (T.A.).
Pednault c. *Société canadienne du cancer, division du Québec*, (1987) T.A. 671, D.T.E. 87T-965 (T.A.).
Industrie Fabrico (1964) ltée c. *Bélair*, (1986) T.A. 633, D.T.E. 86T-730 (T.A.).
Lamarre c. *Chaussures Trans-Canada ltée*, D.T.E. 85T-722 (T.A.).
Anissimoff c. *Moccomat Beverage Systems Ltd.*, D.T.E. 83T-163 (T.A.).
Beim c. *P.M. Wright ltée*, D.T.E. 83T-388 (T.A.).
Fortin-Deustch c. *Diplômés de l'Université de Montréal*, (1983) T.A. 1044, D.T.E. 83T-673 (T.A.) (révision judiciaire refusée: D.T.E. 85T-287 (C.S.)).
V. aussi: *Carin* c. *Sobeys Québec inc.*, D.T.E. 2005T-916 (C.R.T.).
Martin c. *3070336 Canada inc.*, D.T.E. 96T-231 (C.T.).
Dubois c. *Panneaux rigides Canexel inc.*, D.T.E. 89T-910 (T.A.).
Verreault c. *Dollard Lussier ltée*, D.T.E. 88T-602 (T.A.).
Weinberg c. *Infirmières et infirmiers unis inc.*, D.T.E. 88T-152 (T.A.).

124/1117 Il n'y a pas de cause juste et suffisante de congédiement dans le cas où les tâches d'un concierge préposé à l'entretien sont confiées en sous-traitance. Une réorganisation administrative peut n'être qu'un prétexte pour se débarrasser d'un salarié.
Tardif c. *Office municipal d'habitation de La Pocatière*, D.T.E. 2007T-366 (C.R.T.).

124/1118 La réorganisation administrative entraînant l'incapacité du plaignant à s'insérer dans la nouvelle structure, justifie la fin d'emploi.
Del Buey c. *Cie Marconi Canada*, D.T.E. 85T-429 (T.A.).
Armatures Shefford inc. c. *Harnois*, D.T.E. 82T-13 (T.A.).

124/1119 La vente d'une succursale à une compagnie parente ne constitue pas une réelle réorganisation administrative et justifie l'octroi d'une indemnité en présence d'une promesse par l'employeur d'une relocalisation.
Dassylva c. *Cooprix*, D.T.E. 82T-470 (T.A.).

124/1120 La modification de la situation maritale de l'employeur n'équivaut pas à une réorganisation administrative pouvant justifier le congédiement.
Desloges c. *Laprade*, D.T.E. 87T-59 (T.A.).

124/1121 L'employeur doit établir un lien direct entre la réorganisation administrative et le congédiement du salarié. Ainsi, le fait de retirer 7% de la charge de travail ne constitue pas une cause juste et suffisante.
Verreault c. *Dollard Lussier ltée*, D.T.E. 88T-602 (T.A.).

124/1122 Une mise à pied effectuée à la suite d'une réorganisation administrative hâtive et incomplète sans respect de l'ancienneté, ne constitue pas une cause juste et suffisante.
Lambert c. *E. Gagnon & Fils ltée*, D.T.E. 97T-15 (C.T.).
Fortin-Deustch c. *Diplômés de l'Université de Montréal*, (1983) T.A. 1044, D.T.E. 83T-673 (T.A.) (révision judiciaire refusée: D.T.E. 85T-287 (C.S.)).

124/1123 En matière de réorganisation administrative, un licenciement peut être davantage assimilé à un congédiement administratif si l'employeur n'offre pas au salarié concerné une période d'essai raisonnable afin d'évaluer s'il est en mesure d'occuper un autre poste, nouveau et non encore pourvu, et ce, dans la mesure où il existe une certaine relation entre le poste aboli et le poste créé.
Antonacci c. *Lombardi Autos ltée*, D.T.E. 2000T-280 (C.T.).
V. aussi: *Carin* c. *Sobeys Québec inc.*, D.T.E. 2005T-916 (C.R.T.).

124/1124 Il peut être légitime pour un employeur de fusionner deux postes en un seul. Toutefois, le fait de ne pas retenir l'un des salariés qui était en poste sans l'informer des nouvelles exigences de la fonction et, dans un second temps, sans le rencontrer pour discuter de son sort, peut constituer un prétexte pour se débarrasser de celui-ci.
Bolduc c. *Fabrique de la paroisse de St-Thomas d'Aquin*, D.T.E. 2000T-18 (C.T.).

124/1125 Dans le cadre d'une réorganisation, le fait de ne donner au plaignant que dix jours pour apprendre ses nouvelles fonctions sans une période de formation valable, constitue un congédiement sans cause juste et suffisante.
Morin c. *Firestone Canada inc.*, D.T.E. 82T-670 (T.A.).

124/1126 Est injustifiée, la décision administrative du nouvel employeur de changer tout le personnel pour «faire du nouveau».
Malbar inc. c. *Dallaire*, D.T.E. 85T-453 (T.A.).

124/1127 La réorganisation de l'entreprise, par l'embauche d'un salarié à temps plein au lieu de garder le plaignant qui avait une disponibilité réduite, peut n'être qu'un prétexte pour se débarrasser de ce dernier.
Page c. *Auberge Ripplecove (1985) inc.*, D.T.E. 2001T-186 (C.T.).

124/1128 Ne constitue pas une cause juste et suffisante de congédiement, le fait que l'employeur réorganise l'ensemble des tâches de ses salariés pour pouvoir décider lui-même de la façon dont les choses vont se passer, à partir du moment où il est convaincu que le salarié va prendre sa retraite.
Faust-Drouin c. *Assurances Lortie, Young & Associés inc.*, (1997) C.T. 44, D.T.E. 97T-39 (C.T.).

124/1129 Dans le choix de la personne à licencier, le critère de la langue peut être un motif pour mettre fin à l'emploi du salarié plaignant.
Attar c. *Jade Travel Ltd.*, D.T.E. 2007T-502 (C.R.T.).

124/1130 La réorganisation administrative par l'acquéreur et la vente de l'entreprise par le vendeur, ne peuvent constituer une cause juste et suffisante de congédiement.
Lazaro c. *9049-8833 Québec inc.*, D.T.E. 2003T-1134 (C.R.T.).

124/1131 Le refus d'accepter les changements imposés par l'employeur en matière de réorganisation administrative, soit des modifications substantielles des conditions de travail, n'équivaut pas à un congédiement lorsque la décision de l'employeur est justifiée.
Dallaire c. *Prolab Technolub inc.*, D.T.E. 2007T-809 (C.R.T.).

124/1132 Le licenciement pour restructuration administrative peut être justifié, mais la procédure d'évaluation des capacités d'un salarié peut avoir été viciée et nécessiter l'intervention du commissaire.
Gusman c. *Ericsson Canada inc.*, D.T.E. 2003T-638 (C.R.T.) (révision judiciaire refusée: D.T.E. 2004T-607 (C.S.), REJB 2004-61798 (C.S.)).
Corp. de chaussures Hanna ltée c. *Vincent*, D.T.E. 84T-231 (T.A.).

124/1133 Peut être justifié le licenciement imposé à un employé pour avoir échoué à un concours administré en vertu d'une nouvelle politique d'embauche pour les salariés occasionnels dans la fonction publique.
Gravel c. *Québec (Ministère de la Justice)*, D.T.E. 2004T-60 (C.R.T.) (révision judiciaire refusée: C.S.M. n^{0} 500-17-018591-035, le 23 septembre 2004) (appel rejeté: D.T.E. 2005T-810 (C.A.), J.E. 2005-1652 (C.A.), EYB 2005-94368 (C.A.)).
Doyer c. *Québec (Curateur public)*, (2002) R.J.D.T. 1623 (C.T.), D.T.E. 2002T-1007 (C.T.) (règlement hors cour).
Renaud c. *Québec (Ministère du Revenu)*, (2002) R.J.D.T. 1595 (C.T.), D.T.E. 2002T-960 (C.T.).

124/1134 Il peut y avoir cause juste et suffisante fondée sur une réorganisation administrative même lorsque l'implantation d'un ordinateur n'est pas encore complétée le jour de l'audition.
Léonce Harvey ltée c. *Girard*, D.T.E. 83T-239 (C.S.), J.E. 83-386 (C.S.), inf. D.T.E. 82T-827 (T.A.).

124/1135 Le congédiement à la suite d'une réorganisation administrative en raison de la disponibilité insuffisante est injustifié, si l'employeur n'a même pas vérifié celle-ci.
Krakower c. *Lakeshore School Board*, D.T.E. 84T-374 (T.A.).

Licenciement pour motifs d'ordre économique
V. également à *Ancienneté, Incompétence et rendement insatisfaisant* et *Licenciement pour réorganisation administrative*

124/1136 Constitue une cause juste et suffisante, le licenciement pour motifs économiques, seulement lorsque l'employeur fait la démonstration du lien existant entre ses difficultés, la réorganisation de l'entreprise et le licenciement du plaignant en justifiant raisonnablement le choix du plaignant par une évaluation faite de bonne foi.

Réseau 2000 plus c. *Moro*, D.T.E. 2002T-784 (C.S.) (désistement d'appel).
Turgeon c. *Gestion KCL West inc., Équipement fédéral inc. — division de gestion KCL West inc.*, D.T.E. 2008T-61 (C.R.T.).
Laberge c. *Busque & Laflamme inc.*, D.T.E. 2007T-942 (C.R.T.) (révision en vertu de l'article 127 C.T. refusée: D.T.E. 2008T-313 (C.R.T.)) (requête en révision judiciaire: n° 350-17-000099-070).
Simone c. *Manufacture de lingerie Château inc.*, D.T.E. 2006T-198 (C.R.T.).
Zaleska c. *Motorola MCSC inc.*, D.T.E. 2006T-87 (C.R.T.).
Auger c. *D.M.C. Transat inc.*, D.T.E. 2003T-704 (C.R.T.) (révision en vertu de l'article 127 C.T. refusée).
Rayes c. *2000414 Ontario inc.*, D.T.E. 2003T-1085 (C.R.T.).
Gendron c. *Rodolphe Duranleau inc.*, D.T.E. 2003T-69 (C.T.).
Roy c. *Comité paritaire de l'industrie de l'automobile de Montréal*, D.T.E. 2002T-584 (C.T.).
Perron c. *Aliments Small Fray inc.*, (2000) R.J.D.T. 1116 (C.T.), D.T.E. 2000T-872 (C.T.) (révision judiciaire refusée: D.T.E. 2001T-514 (C.S.), J.E. 2001-1025 (C.S.), REJB 2001-24724 (C.S.)).
Bélanger c. *Société nationale des Québécois et des Québécoises de la capitale*, D.T.E. 99T-391 (C.T.).
Boudriau c. *Hydro-Québec*, D.T.E. 98T-352 (C.T.).
Ruel c. *Distribution Emblème inc.*, D.T.E. 96T-1155 (C.T.).
Drouin c. *Commission scolaire protestante St-Maurice*, D.T.E. 95T-997 (C.T.).
Lalumière c. *Commission de la construction du Québec*, D.T.E. 95T-766 (C.T.).
Fortin c. *Consultants industriels C.E.M. inc.*, (1994) C.T. 340, D.T.E. 94T-1012 (C.T.).
Goulet c. *Papiers peints Berkley*, D.T.E. 92T-764 (C.T.).
Hébert c. *Denharco inc.*, D.T.E. 92T-1035 (T.A.).
Voyer c. *Alimentation Jonlac inc.*, D.T.E. 90T-1102 (T.A.).
Bonneterre c. *Imprimerie Laprairie inc.*, (1988) T.A. 505, D.T.E. 88T-536 (T.A.) (révision judiciaire accueillie relativement à l'indemnité et rejetée quant au fond: (1989) R.J.Q. 1283 (C.S.), D.T.E. 89T-516 (C.S.), J.E. 89-850 (C.S.)).
Demers c. *Campeau Corp.*, D.T.E. 84T-843 (T.A.).
V. aussi: *Bouchard* c. *Université de Montréal*, D.T.E. 87T-596 (T.A.).
Proulx c. *Automobiles Rallye ltée*, D.T.E. 87T-943 (T.A.).
Lavalin inc. c. *Morin*, D.T.E. 85T-156 (T.A.).
Martin c. *Crédit immobilier inc.*, (1982) T.A. 840, D.T.E. 82T-261 (T.A.).

124/1137 Le congédiement fondé sur des motifs purement économiques résultant d'une stricte question de rentabilité de l'entreprise constitue une cause juste et suffisante, en l'absence de décision discriminatoire, capricieuse, déraisonnable ou émotive.
Floros c. *Acratype inc.*, D.T.E. 2004T-62 (C.R.T.).
Rocco c. *Auto Hamer (1979) ltée*, D.T.E. 93T-1101 (C.T.).
Morneau c. *Service de pneus C.T.R. ltée*, D.T.E. 86T-295 (T.A.).
Gagnon c. *Environcorp protection de l'environnement (1984) inc.*, D.T.E. 85T-816 (T.A.).
Uniroyal ltée c. *Giguère*, D.T.E. 83T-635 (T.A.).
Vaillancourt c. *Meubles Roxton ltée*, D.T.E. 83T-636 (T.A.).
General Diesel inc. c. *Bouffard*, D.T.E. 82T-432 (T.A.).

124/1138 Il y a cause juste et suffisante de congédiement fondée sur des motifs d'ordre économique, seulement si l'employeur présente une preuve sérieuse et convaincante à cet effet.

Nouveautés Luxor (Canada) ltée c. *Legendre*, D.T.E. 86T-335 (C.S.).
Vekilis c. *Communauté hellénique de Montréal*, D.T.E. 2004T-90 (C.R.T.).
Majdaniw c. *S.N.C. Lavalin inc.*, (2002) R.J.D.T. 299 (C.T.), D.T.E. 2002T-117 (C.T.).
Filali c. *113492 Canada inc.*, (1996) C.T. 434, D.T.E. 96T-941 (C.T.).
Duhamel c. *Tassé & Associés*, D.T.E. 95T-1433 (C.T.) (révision judiciaire refusée: C.A.M. n° 500-05-011718-952, le 10 janvier 1996).
Gagnon c. *2753-3058 Québec inc.*, D.T.E. 95T-750 (C.T.).
Froment c. *175447 Canada inc.*, D.T.E. 93T-1223 (C.T.).
Turpin c. *Château de l'Aéroport*, D.T.E. 90T-420 (T.A.).
Brault c. *Balances Leduc & Thibeault inc.*, D.T.E. 89T-911 (T.A.).
Milles-Îsles (Mun. de) c. *Rowen*, (1988) T.A. 221, D.T.E. 88T-116 (T.A.).
De Melo c. *Dog Studio (The)*, (1984) T.A. 460, D.T.E. 84T-562 (T.A.).
Black c. *Conval Québec*, D.T.E. 83T-775 (T.A.).

124/1139 Seule une situation économique sévère et significative peut justifier un congédiement.
De Melo c. *Dog Studio (The)*, (1984) T.A. 460, D.T.E. 84T-562 (T.A.).
V. aussi: *Pelland* c. *Dupré Chevrolet Oldsmobile Cadillac, inc.*, D.T.E. 84T-165 (T.A.).

124/1140 Pour justifier un congédiement les difficultés économiques alléguées doivent être réelles.
Brochu c. *Fabrique de la paroisse de Notre-Dame-de-la-Paix*, D.T.E. 2006T-908 (C.R.T.) (révision en vertu de l'article 127 C.T. accueillie en partie pour d'autres motifs: D.T.E. 2008T-358 (C.R.T.)) (requête en révision judiciaire: n° 500-17-042667-082).
J.A. Desmarteau & Fils inc. c. *Desmarteau*, D.T.E. 90T-1027 (T.A.).
Bouliane c. *Maison de choix inc.*, (1981) 2 R.S.A. 72.
V. aussi: *Riou* c. *Point de vue — souvenirs inc.*, (1995) C.T. 210, D.T.E. 95T-398 (C.T.) (révision judiciaire refusée: C.S.Q. n° 200-05-000140-959, le 24 avril 1995).

124/1141 En matière de licenciement pour motifs économiques la *Loi sur les normes du travail* ne prévoit aucun critère spécifique devant être respecté par l'employeur. Le licenciement est justifié lorsqu'une preuve prépondérante démontre la nécessité d'un redressement.
Canstar Sports Group inc. c. *Laporte*, D.T.E. 90T-1393 (C.S.).
Corp. de crédit commercial ltée c. *Ladouceur*, D.T.E. 84T-541 (C.S.).
L. Morency et Fils (1978) inc. c. *Béliveau*, D.T.E. 85T-784 (T.A.).
V. aussi: *Gatien* c. *Reckitt et Colman (Canada) inc.*, D.T.E. 85T-837 (T.A.).
Demers c. *Campeau Corp.*, D.T.E. 84T-843 (T.A.).
Kratsios c. *Experts-conseil Shawinigan inc.*, (1983) T.A. 739, D.T.E. 83T-481 (T.A.).

124/1142 Lorsque l'employeur fait face à des difficultés financières, il a le droit d'abolir des postes et, en général, le commissaire ne peut intervenir dans le choix du salarié à licencier, sauf si l'employeur utilise ce droit de gérance de manière totalement discriminatoire et sans fondement.
Simone c. *Manufacture de lingerie Château inc.*, D.T.E. 2006T-198 (C.R.T.).
Boudriau c. *Hydro-Québec*, D.T.E. 98T-352 (C.T.).
Rivard c. *Atlantic Packaging Products Ltd.*, D.T.E. 98T-389 (C.T.).
Leclerc c. *Source des monts*, D.T.E. 96T-1255 (C.T.).

124/1143 Le choix du salarié pourra être discriminatoire si l'employeur n'utilise aucun critère objectif pour procéder à la mise à pied, malgré la preuve de motifs économiques véritables.

Dallaire c. *Nettoyeur moderne (1987) inc.*, D.T.E. 96T-795 (C.T.).
Gabriel of Canada Ltd. c. *Rémillard*, D.T.E. 82T-649 (T.A.) (révision judiciaire cassée en appel: D.T.E. 86T-361 (C.A.) et D.T.E. 86T-521 (C.A.)).
V. aussi: *Chartrand* c. *Wyeth-Ayerst Canada inc.*, D.T.E. 96T-1299 (C.T.).
Ruel c. *Distribution Emblème inc.*, D.T.E. 96T-1155 (C.T.).

124/1144 Le choix du salarié à licencier peut être inapproprié lorsque l'employeur commet une erreur administrative et que cette décision est prématurée.
Élibert c. *Québec (Ministère de l'Emploi et de la Solidarité sociale)*, (2003) R.J.D.T. 791 (C.R.T.), D.T.E. 2003T-541 (C.R.T.).

124/1145 En matière de licenciement fondé sur des motifs économiques, l'employeur doit offrir au salarié le travail à temps partiel avant de l'offrir à quelqu'un d'autre. Le fait de ne pas offrir le poste à temps partiel au salarié licencié peut équivaloir à un congédiement.
Léveillée c. *Murs secs Jalap inc.*, D.T.E. 93T-816 (C.A.), J.E. 93-1338 (C.A.).
Laberge c. *Busque & Laflamme inc.*, D.T.E. 2007T-942 (C.R.T.) (révision en vertu de l'article 127 C.T. refusée: D.T.E. 2008T-313 (C.R.T.)) (requête en révision judiciaire: n° 350-17-000099-070).
Blanchard c. *Café Cherrier inc.*, D.T.E. 98T-861 (C.T.).
V. aussi: *Harvey* c. *Office municipal d'habitation de Ragueneau*, (1997) C.T. 340, D.T.E. 97T-850 (C.T.).
Contra: *L'Heureux* c. *Maxinet enr.*, D.T.E. 2000T-60 (C.T.).

124/1146 Lorsque l'employeur procède à la réorganisation administrative de son entreprise par la fusion de deux postes, il doit offrir un minimum de formation et une brève période d'essai au salarié concerné.
Durand c. *Ordre des comptables en management accrédités du Québec*, D.T.E. 2003T-1108 (C.R.T.).

124/1147 En l'absence de preuve de congédiement déguisé ou d'un subterfuge, et devant une preuve de motifs économiques justifiant la réduction de personnel, il ne peut s'agir d'un congédiement sans cause juste et suffisante.
Carbonneau c. *N. Morrissette Canada inc.*, D.T.E. 90T-780 (T.A.).
Lactantia ltée c. *Lagacé*, D.T.E. 90T-161 (T.A.).
Ouellet c. *Grand séminaire de Rimouski*, D.T.E. 82T-59 (T.A.).

124/1148 Pour justifier un congédiement fondé sur des motifs économiques, l'employeur doit établir l'incapacité du salarié licencié à effectuer d'autres tâches et à occuper d'autres postes. De plus, il doit au minimum offrir un autre poste à ce salarié.
Ouellet c. *Club nautique de Sept-Îles inc.*, D.T.E. 2006T-39 (C.R.T.).
Chemali c. *Manufacture de lingerie Château inc.*, D.T.E. 2005T-550 (C.R.T.).
Gariépy c. *W.W.F. Canada inc.*, D.T.E. 2002T-540 (C.T.).
Majdaniw c. *S.N.C. Lavalin inc.*, (2002) R.J.D.T. 299 (C.T.), D.T.E. 2002T-117 (C.T.).
Langlois c. *Biochem thérapeutique inc.*, D.T.E. 98T-1060 (C.T.) (révision judiciaire refusée: D.T.E. 99T-288 (C.S.), J.E. 99-653 (C.S.), REJB 1999-10575 (C.S.)).
Profetto c. *Immeubles en copropriété Les dauphins sur le parc*, D.T.E. 96T-1183 (C.T.).
Lalumière c. *Commission de la construction du Québec*, D.T.E. 95T-766 (C.T.).

Bonneterre c. *Imprimerie Laprairie inc.*, (1988) T.A. 505, D.T.E. 88T-536 (T.A.) (révision judiciaire accueillie relativement à l'indemnité et rejetée quant au fond: (1989) R.J.Q. 1283 (C.S.), D.T.E. 89T-516 (C.S.), J.E. 89-850 (C.S.)).
Kelly c. *Pétroles Canada et/ou Cie pétrolière impériale ltée*, (1986) T.A. 610, D.T.E. 86T-714 (T.A.).
Vandal c. *Automobiles Gilles et Daniel ltée Beloeil Mercury (1984) ltée*, (1985) T.A. 747, D.T.E. 85T-874 (T.A.).
V. aussi: *Nardella* c. *Entreprises Hamelin inc.*, D.T.E. 83T-443 (T.A.).

124/1149 La cession d'une partie des activités d'une entreprise fondée sur des motifs économiques réels constitue une cause juste et suffisante.
Ménard c. *Place Bonaventure inc.*, (1987) T.A. 381, D.T.E. 87T-559 (T.A.) (plainte rejetée sur objection préliminaire: (1987) T.A. 364, D.T.E. 87T-540 (T.A.)).

124/1150 Le changement de vocation de l'entreprise entraînant une modification de la structure du travail et une réduction de la demande, peut justifier le congédiement en l'absence de polyvalence du salarié.
Armatures Shefford inc. c. *Harnois*, D.T.E. 82T-13 (T.A.).

124/1151 La non-rentabilité d'un poste peut être une cause juste et suffisante.
Rochon c. *Sogides ltée*, D.T.E. 90T-109 (T.A.).

124/1152 Le seul critère de la rentabilité ne peut justifier le renvoi d'un travailleur qui est remplacé par de nouveaux salariés ou lorsque l'employeur garde à son emploi un tout nouveau salarié.
Dusablon c. *Guindon*, D.T.E. 97T-57 (C.T.).
Profetto c. *Immeubles en copropriété Les dauphins sur le parc*, D.T.E. 96T-1183 (C.T.).
St-Onge c. *Distributions R.V.I. ltée*, D.T.E. 96T-1034 (C.T.).
Fortin c. *Consultants industriels C.E.M. inc.*, (1994) C.T. 340, D.T.E. 94T-1012 (C.T.).
Bonneterre c. *Imprimerie Laprairie inc.*, (1988) T.A. 505, D.T.E. 88T-536 (T.A.) (révision judiciaire accueillie relativement à l'indemnité et rejetée quant au fond: (1989) R.J.Q. 1283 (C.S.), D.T.E. 89T-516 (C.S.), J.E. 89-850 (C.S.)).
Vandal c. *Automobiles Gilles et Daniel ltée Beloeil Mercury (1984) ltée*, (1985) T.A. 747, D.T.E. 85T-874 (T.A.).
De Melo c. *Dog Studio (The)*, (1984) T.A. 460, D.T.E. 84T-562 (T.A.).
Delorme c. *Vêtements Cedar ltée*, (1983) T.A. 751, D.T.E. 83T-357 (T.A.).
Martin c. *Crédit immobilier inc.*, (1982) T.A. 840, D.T.E. 82T-261 (T.A.).

124/1153 Un employeur peut, pour des motifs d'ordre organisationnel et économique, abolir un poste pour le remplacer par un autre pour lequel il fera des économies.
Milot c. *Fabrique de la paroisse de St-Antoine-de-Padoue de Louiseville*, D.T.E. 2006T-993 (C.R.T.).

124/1154 La perte de contrats forçant le propriétaire d'une entreprise à effectuer le travail à la place du plaignant et à le remplacer occasionnellement par d'autres salariés, constitue une cause juste et suffisante de fin d'emploi.
L'Heureux c. *Maxinet enr.*, D.T.E. 2000T-60 (C.T.).

124/1155 Le seul critère de la rentabilité ne peut justifier le renvoi d'un travailleur qui est remplacé par un entrepreneur indépendant.

Falardeau c. *Ant-Labbé inc.*, D.T.E. 99T-959 (C.T.).
Harvey c. *Office municipal d'habitation de Ragueneau*, (1997) C.T. 340, D.T.E. 97T-850 (C.T.).

124/1156 Les motifs d'ordre économique basés sur l'insuffisance du rendement sont une cause juste et suffisante.
Kratsios c. *Experts-conseil Shawinigan inc.*, (1983) T.A. 739, D.T.E. 83T-481 (T.A.).
V. aussi: *Goulet* c. *Papiers peints Berkley*, D.T.E. 92T-764 (C.T.).
Maillé c. *Produits forestiers Saucier ltée*, (1983) T.A. 747, D.T.E. 83T-68 (T.A.).

124/1157 La baisse des activités de l'entreprise constitue une cause juste et suffisante, surtout lorsque l'employeur procède au licenciement du salarié en tenant compte des habiletés de chacun des salariés, de leur adaptabilité et des exigences de la productivité.
Clarke c. *Cintube ltée*, (1993) C.T. 191, D.T.E. 93T-534 (C.T.).

124/1158 Une légère baisse de rendement d'un vendeur à commission après vingt-deux ans de bons et loyaux services ne constitue pas une cause juste et suffisante.
Padveen c. *London Life, Cie d'assurance-vie*, D.T.E. 84T-421 (T.A.) (révision judiciaire refusée: D.T.E. 85T-187 (C.S.)).

124/1159 La mise à pied à cause d'un surplus de personnel ne peut justifier une fin d'emploi lorsque l'employeur retient les services de pigistes après le départ du plaignant.
Kelly c. *Pétroles Canada et/ou Cie pétrolière impériale ltée*, (1986) T.A. 610, D.T.E. 86T-714 (T.A.).

124/1160 La non-nécessité des services d'un salarié est une cause juste et suffisante.
Malouf c. *Vêtements pour enfants United ltée*, D.T.E. 87T-996 (T.A.).

124/1161 Si l'entreprise a réussi à démontrer qu'elle n'est pas en mesure de continuer ses opérations en payant le salaire minimum, il s'agit alors d'un renvoi pour cause suffisante.
Mackay Specialties inc. c. *Beaulieu*, D.T.E. 82T-763 (T.A.).

Maladie voir *Absentéisme et retards* et *Incapacité physique ou psychologique*

Manquement aux règlements de l'entreprise

124/1162 La contravention à un règlement d'entreprise ne constitue pas nécessairement un motif suffisant de congédiement lorsqu'il y a absence d'intérêt personnel du salarié et absence de préjudice pour l'employeur.
Calderon c. *134343 Canada inc.*, D.T.E. 2008T-629 (C.R.T.).
Morin c. *Corp. de crédit Trans-Canada*, D.T.E. 95T-672 (C.T.).
Godin c. *Prévost Car inc.*, D.T.E. 90T-605 (T.A.).
Bacon c. *Caisse populaire de Godbout*, D.T.E. 88T-96 (T.A.).
Lachance c. *Zellers inc.*, (1987) T.A. 10, D.T.E. 87T-12 (T.A.) (révision judiciaire refusée: D.T.E. 87T-844 (C.S.)).

124/1163 Pour constituer une cause juste et suffisante de congédiement, basée sur une politique verbale de «tolérance zéro» dans les comptes de dépenses, il faut

qu'une telle politique contienne des directives précises qui établissent les comportements prohibés.
Lacroix c. *Brasserie Labatt ltée*, D.T.E. 2001T-18 (C.T.) (révision judiciaire refusée: D.T.E. 2001T-316 (C.S.)).

124/1164 Le commissaire n'est pas nécessairement lié par une politique de «tolérance zéro» de l'employeur.
Hudon c. *S.M.K. Speedy International Inc. (Le Roi du silencieux Speedy)*, D.T.E. 2003T-1137 (C.R.T.) (révision judiciaire refusée: D.T.E. 2004T-909 (C.S.), REJB 2004-55438 (C.S.)).
Balthazar c. *Manufacture de bas nylons Gina du Canada ltée*, D.T.E. 99T-1151 (C.T.).
Beaupré c. *Resto-casino inc. (Casino de Montréal)*, D.T.E. 99T-775 (C.T.).

124/1165 Le commissaire n'est pas nécessairement lié par un règlement d'entreprise concernant l'absentéisme au travail, puisque la loi lui donne compétence pour déterminer la justesse de la sanction disciplinaire en fonction de la faute commise par le salarié.
Racine c. *Orviande inc.*, D.T.E. 2001T-606 (C.T.).

124/1166 Plusieurs manquements à un règlement d'entreprise ayant trait à la ponctualité ne constituent pas nécessairement une cause juste et suffisante de congédiement.
Frégeau c. *Magasins Wal-Mart Canada inc.*, D.T.E. 98T-446 (C.T.) (révision judiciaire refusée: D.T.E. 99T-45 (C.S.), J.E. 99-195 (C.S.), REJB 1998-10650 (C.S.)).

124/1167 Le manquement, par une éducatrice en garderie, à un règlement d'entreprise relatif à la sécurité des enfants doit être prouvé par l'employeur pour justifier un congédiement.
Larochelle c. *Garderie St-Michel FC inc.*, D.T.E. 2006T-1089 (C.R.T.).

124/1168 Le manquement aux règlements de l'entreprise relatifs à l'utilisation du téléphone à des fins personnelles constitue une cause juste et suffisante de congédiement lorsqu'il y a vol de temps par le salarié.
Lemieux c. *Bell Helicopter Textron*, D.T.E. 2004T-360 (C.R.T.).

124/1169 Divers manquements à un règlement d'entreprise peuvent constituer une cause juste et suffisante de congédiement.
Savard c. *Hydro-Québec*, D.T.E. 2003T-743 (C.R.T.).

124/1170 Le fait de ne pas respecter une interdiction de fumer ne constitue pas nécessairement une cause juste de congédiement.
Lavoie c. *Boutique Élise Andrée Enrg.*, D.T.E. 89T-742 (T.A.).

124/1171 L'omission de produire un certificat médical pour attester de son incapacité à reprendre le travail à la date prévue, contrairement à une réglementation imposée unilatéralement, ne constitue pas un motif suffisant de congédiement.
Beauregard c. *O.E. McIntyre ltée*, (1985) T.A. 204, D.T.E. 85T-267 (T.A.).

124/1172 Le fait d'offrir des escomptes à des clients ou de vendre des produits auxquels ils n'ont pas droit, peut ne pas constituer une cause juste de congédiement.
Holt Renfrew & Co. c. *Legendre*, D.T.E. 87T-85 (C.S.) (règlement hors cour).

Cie Eaton c. *Grenier*, D.T.E. 88T-388 (T.A.).
Goodyear Canada inc. c. *Toulouse*, D.T.E. 85T-249 (T.A.).
Contra: *Gagné* c. *Teinturerie française division de Lumax inc.*, D.T.E. 87T-743 (T.A.).

124/1173 Le délit d'initié commis par le vice-président d'une entreprise de courtage en valeurs mobilières est un manquement à son obligation de bonne foi et constitue une faute grave justifiant le congédiement.
Métivier c. *R.B.C. Dominion valeurs mobilières*, D.T.E. 2002T-375 (C.T.).

124/1174 La contravention par un salarié à une politique d'achat, et au code de déontologie relatif à l'appropriation de produits périmés, constitue une cause juste et suffisante de congédiement.
Blais c. *Provigo Distribution inc., division Maxi*, D.T.E. 99T-1004 (C.T.).

124/1175 L'acceptation d'un voyage offert par un client contrairement à un règlement d'éthique de l'entreprise ne constitue pas une cause juste de congédiement.
Control Data Canada ltée c. *Blanchard*, D.T.E. 82T-163 (T.A.) (révision judiciaire cassée en appel: (1984) 2 R.C.S. 476).
V. aussi: *Manoir St-Eustache* c. *Joly*, (1986) T.A. 683, D.T.E. 86T-771 (T.A.).

124/1176 L'acceptation de pourboires, offerts par un client contrairement à un règlement d'entreprise, ne constitue pas nécessairement une cause juste et suffisante de congédiement.
Beaupré c. *Resto-casino inc. (Casino de Montréal)*, D.T.E. 99T-775 (C.T.).

124/1177 La dérogation à une directive interdisant de conclure des ententes particulières avec des fournisseurs constitue une cause juste et suffisante de congédiement.
St-Amant c. *Provigo Distribution inc.*, (1994) C.T. 407, D.T.E. 94T-1048 (C.T.).

124/1178 Le manquement à un règlement d'entreprise en usage chez l'employeur et dans tout le milieu du courtage des valeurs mobilières, constitue une faute grave et une cause juste et suffisante de congédiement.
Bucci c. *R.B.C. Dominion Valeurs mobilières inc.*, D.T.E. 98T-974 (C.T.).

124/1179 Le manquement à un règlement d'entreprise par une serveuse de restaurant, quant à l'omission d'aviser l'employeur de la contravention à une loi relative à la consommation d'alcool par certains clients, ne constitue pas nécessairement une cause juste et suffisante de congédiement, mais peut justifier l'imposition d'une mesure disciplinaire.
Rochette c. *Côté (Restaurant William 1er)*, D.T.E. 2006T-66 (C.R.T.).

124/1180 Le manquement à un règlement d'entreprise interdisant de jouer à la loterie vidéo, pour une serveuse de bar, ne constitue pas nécessairement une cause juste et suffisante de congédiement lorsqu'il y a eu tolérance de l'employeur dans le passé.
Tremblay c. *Taverne Le Chalan inc. (Bar 760 enr.)*, (2007) R.J.D.T. 503 (C.R.T.), D.T.E. 2007T-367 (C.R.T.).

124/1181 Un manquement à un règlement d'entreprise, soit la transgression des règles sanitaires par un gérant de service de boucherie, ne constitue pas nécessairement une cause juste et suffisante de congédiement, mais peut justifier l'imposition d'une sévère sanction disciplinaire telle une suspension de six semaines.

Rompré c. *Costco Wholesale Canada Ltd. (Costco Trois-Rivières)*, D.T.E. 2004T-310 (C.R.T.) (révision judiciaire refusée: D.T.E. 2004T-1150 (C.S.)).

124/1182 Ne constitue pas un motif suffisant de congédiement le fait de gonfler les réclamations d'assurances à la suite de vols survenus dans son entreprise.
Lachance c. *Zellers inc.*, (1987) T.A. 10, D.T.E. 87T-12 (T.A.) (révision judiciaire refusée: D.T.E. 87T-844 (C.S.)).

124/1183 Le fait de ne pas remettre de reçu aux visiteurs faisant un don au musée de l'oratoire ne constitue pas une juste cause de congédiement.
Fréreault-Leroux c. *Oratoire St-Joseph du Mont-Royal*, D.T.E. 87T-98 (T.A.).

124/1184 Le non-respect par un salarié d'une politique qui mentionne que si un salarié vendeur n'atteint pas les objectifs de vente qui ont été fixés, il doit être automatiquement congédié, ne constitue pas une cause juste et suffisante de congédiement.
M.L. St-Barbe Sladen c. *Groupe financier Empire*, D.T.E. 94T-1383 (C.T.).

124/1185 L'emprunt dans la caisse en contrepartie d'un chèque personnel sans provision, par un gérant de magasin, constitue un motif suffisant de congédiement.
Radio Shack c. *Gratton*, D.T.E. 90T-458 (T.A.).

124/1186 L'emprunt d'une somme dans la caisse de l'employeur en contravention avec la politique de l'entreprise qui est en vigueur, mais que le salarié ne connaît pas, ne constitue pas nécessairement une cause juste et suffisante de congédiement.
Marchand c. *Holt Renfrew & Cie Ltd.*, (2002) R.J.D.T. 718 (C.T.), D.T.E. 2002T-431 (C.T.) (requête en révision judiciaire: n° 500-05-071385-023).

124/1187 La contravention à la procédure suivant laquelle la caisse ne doit être ouverte que lors d'une transaction avec un client, laquelle doit être obligatoirement enregistrée, peut constituer une cause juste et suffisante en cas d'omission volontaire.
Paquette c. *Épiciers unis Métro-Richelieu inc.*, (1992) C.T. 495, D.T.E. 92T-802 (C.T.).

124/1188 La contravention à la politique de l'employeur interdisant aux salariés d'utiliser les points bonis non réclamés par les clients, points bonis octroyés en vertu d'un programme de fidélisation de la clientèle, constitue une cause juste et suffisante de congédiement même si le plaignant a utilisé ces points pour le bénéfice d'un tiers.
Dubé c. *Zellers inc.*, D.T.E. 2007T-479 (C.R.T.).

124/1189 Le non-respect d'une exigence prévue à un règlement d'entreprise, quant au lieu de résidence du salarié, constitue une cause juste et suffisante de congédiement lorsqu'il s'agit d'une entente mutuelle des parties.
Tardif c. *Cascades inc.*, D.T.E. 97T-397 (C.T.).

124/1190 L'utilisation d'une arme en contravention des règlements en vigueur chez l'employeur constitue une cause juste de congédiement.
Archambault c. *Montréal (Société de transport de la Communauté urbaine de)*, (1988) T.A. 113, D.T.E. 88T-95 (T.A.).

124/1191 Le manquement à un règlement d'entreprise concernant l'utilisation des biens de l'employeur à des fins personnelles, soit l'utilisation de l'Internet

pour télécharger et sauvegarder du matériel à caractère pornographique, ne constitue pas nécessairement une cause juste et suffisante de congédiement, en présence de certains facteurs atténuants.
Gilles c. *Ciba Spécialités chimiques Canada inc.*, D.T.E. 2008T-330 (C.R.T.).

124/1192 Constitue une cause juste et suffisante de congédiement, l'utilisation par le salarié du logiciel de courrier électronique et Internet dans le but d'obtenir du matériel obscène et offensant et d'en distribuer.
Blais c. *Société des loteries vidéos du Québec inc.*, (2003) R.J.D.T. 261 (C.R.T.), D.T.E. 2003T-178 (C.R.T.).

124/1193 Le non-renouvellement d'un permis de conduire n'est pas une omission suffisamment grave pour justifier le congédiement.
Autobus Laval ltée c. *Giroux*, (1988) T.A. 144, D.T.E. 88T-137 (T.A.).

124/1194 Le manquement à un règlement d'entreprise concernant le programme de sécurité routière par le fait d'avoir un accident d'automobile et d'accumuler des points d'inaptitude, ne constitue pas nécessairement une cause juste et suffisante de congédiement, lorsqu'il y a eu tolérance de l'employeur et absence d'avis préalable. En effet, lorsque le salarié bénéficie d'une longue ancienneté, l'employeur doit appliquer la progression des sanctions.
Simoneau c. *Beckman Coulter Canada inc.*, D.T.E. 2004T-578 (C.R.T.).

124/1195 Le manquement à un règlement d'entreprise, soit une politique de location de voitures, ne constitue pas une cause juste et suffisante de congédiement en l'absence de directives claires et lorsqu'il y a eu tolérance de l'employeur.
Shaheeb c. *PWC Management Services, l.p.*, D.T.E. 2008T-956 (C.R.T.).

124/1196 L'utilisation du camion de l'employeur à des fins personnelles, sans autorisation, ne constitue pas nécessairement une cause juste et suffisante.
Bordeleau c. *Cie T. Eaton ltée*, D.T.E. 90T-159 (T.A.).

124/1197 Le vol d'un camion, consécutif à la contravention au règlement de l'entreprise, constitue une juste cause de congédiement.
Cadieux c. *J. Pascal inc.*, D.T.E. 82T-744 (T.A.).

124/1198 Le manquement à un règlement d'entreprise relatif à l'interdiction d'avoir des relations intimes avec des subalternes, ne constitue pas nécessairement une cause juste et suffisante de congédiement, mais peut justifier l'imposition d'une sanction sévère afin de respecter le principe de la progression des sanctions.
Ménard c. *Wal-Mart Canada inc.*, D.T.E. 98T-187 (C.T.) (révision judiciaire refusée: D.T.E. 98T-719 (C.S.)) (désistement d'appel).

124/1199 Les divers manquements à un règlement d'entreprise concernant la santé et la sécurité au travail, peuvent constituer une cause juste et suffisante de congédiement.
Laporte c. *Prismadye inc.*, D.T.E. 2008T-115 (C.R.T.).

124/1200 L'occupation d'un deuxième emploi par un salarié ne constitue pas nécessairement une cause juste et suffisante de congédiement.
Blizeev c. *Société d'administration immobilière Fugi ltée (Appartements Hill Park)*, D.T.E. 2004T-211 (C.R.T.) (règlement hors cour).

124/1201 On ne peut reprocher à un salarié d'appliquer les directives de l'employeur pour justifier un congédiement.
Malo c. *Industries Pantorama inc.*, (1995) C.T. 56, D.T.E. 95T-286 (C.T.) (révision judiciaire refusée: C.S.M. n° 500-05-014650-947, le 1er février 1995).

Moeurs

124/1202 Les attouchements sexuels par un gérant sur une employée subalterne, même s'il s'agit d'une faute commise à l'extérieur du travail, constituent une cause juste et suffisante de congédiement.
Restaurants McDonald's du Canada ltée c. *Couture*, D.T.E. 96T-107 (C.S.).

124/1203 Des attouchements sexuels à l'endroit d'une élève mineure par un enseignant, constituent une cause juste et suffisante de congédiement autorisant à passer outre au principe de l'application de la progression des sanctions. La consommation d'alcool ainsi que les conditions psychologiques du salarié plaignant n'y changent rien.
Loiselle c. *École secondaire Marcellin-Champagnat*, (2008) R.J.D.T. 1179 (C.R.T.), D.T.E. 2008T-560 (C.R.T.).

124/1204 Le harcèlement sexuel d'un directeur par des blagues, lettres, courriels et attouchements constitue une cause juste et suffisante de congédiement.
Persechino c. *Flint Ink North America Corporation*, D.T.E. 2008T-348 (C.R.T.).
Marois c. *Sleeman Brewing & Malting Co. / Brasserie Sleeman Québec*, D.T.E. 2005T-21 (C.R.T.).
Mornard c. *Union des artistes*, D.T.E. 2005T-1075 (C.R.T.).

124/1205 Le harcèlement sexuel et psychologique de la part d'un directeur des opérations vis-à-vis d'une employée subalterne constitue une cause juste et suffisante de congédiement, surtout dans le cas où celui-ci a été averti de modifier son comportement et de cesser le harcèlement.
Persechino c. *Flint Ink North America Corporation*, D.T.E. 2008T-348 (C.R.T.).

124/1206 Les blagues à caractère sexuel, les commentaires et propositions d'un directeur vis-à-vis de ses subalternes, les menaces de congédiement, les gestes qui sont d'un degré «agressant» ainsi que les appels téléphoniques adressés à une employée de façon répétitive, constituent une faute grave justifiant le congédiement.
Pelletier c. *Sécuritas Canada ltée*, (2004) R.J.D.T. 1588 (C.R.T.), D.T.E. 2004T-1149 (C.R.T.).

124/1207 Le harcèlement sexuel, les blagues à connotation sexuelle répétées de même que les attouchements sexuels d'un pharmacien à l'égard du personnel, constituent une cause juste et suffisante de congédiement.
Yampolsky c. *9143-0363 Québec inc.*, D.T.E. 2009T-39 (C.R.T.).

124/1208 Le congédiement pour harcèlement sexuel est justifié.
W... (G...) c. *Pharmacie C...*, (1991) T.A. 438, D.T.E. 91T-636 (T.A.).

124/1209 Il faut deux conditions pour conclure à l'existence de harcèlement sexuel:
1- la démonstration du caractère non désiré ou vexatoire de la conduite à connotation sexuelle;

2- l'effet continu et répétitif de celle-ci pendant une certaine période de temps, ce qui ne peut être le cas de certains incidents isolés, qui ne peuvent constituer une cause juste et suffisante de congédiement.

Richard c. *J.B. Lefebvre ltée (Club chaussures)*, (1999) R.J.D.T. 1165 (C.T.), D.T.E. 99T-669 (C.T.).

124/1210 Des attouchements et des propos à caractère sexuel non désirés constituent du harcèlement sexuel et une cause juste et suffisante de congédiement, surtout en présence d'une politique de tolérance zéro.
Quenneville c. *Kraft Canada inc.*, D.T.E. 2007T-1006 (C.R.T.).

124/1211 Une série de remarques d'un goût douteux et un comportement qui dénote un certain sexisme et un manque de respect envers les femmes ne constituent pas la forme la plus grave de harcèlement sexuel puisqu'il n'y a aucune menace envers qui que ce soit, en regard de faveurs sexuelles désirées et non obtenues. Le harcèlement sexuel qui ne prend pas la forme de chantage mais qui mine le climat de travail n'est pas nécessairement une cause juste et suffisante de congédiement.
Williams c. *Restaurants Burger King Canada inc.*, D.T.E. 94T-404 (C.T.).

124/1212 Le fait de faire la cour de façon grossière à une collègue de travail ne constitue pas une cause juste et suffisante de congédiement, mais peut justifier l'imposition d'une suspension.
Dufresne c. *Pratt & Whitney Canada inc.*, D.T.E. 94T-405 (C.T.).

124/1213 Le fait de profiter de son poste pour tenter d'obtenir des faveurs d'une personne qui postule un emploi, ne constitue pas en soi une cause juste de congédiement.
Vachon c. *American Motors du Canada inc.*, (1987) T.A. 605, D.T.E. 87T-877 (T.A.).

124/1214 Une relation amoureuse avec un ex-employé de l'employeur ne constitue pas une cause juste et suffisante de congédiement au sens de l'article 124 L.N.T.
Chouinard c. *Union du Canada, Assurance-vie*, D.T.E. 97T-492 (C.T.).

124/1215 Le fait de cacher une relation intime avec une subalterne ne constitue pas une cause juste et suffisante de congédiement.
Ménard c. *Wal-Mart Canada inc.*, D.T.E. 98T-187 (C.T.) (révision judiciaire refusée: D.T.E. 98T-719 (C.S.)) (désistement d'appel).

124/1216 Une preuve non concluante de relations sexuelles sur les lieux de travail ne constitue pas un motif suffisant de congédiement.
Groupe Purdel inc. (Division des produits de la mer) c. *Dupuis-Cloutier*, D.T.E. 89T-206 (T.A.).

124/1217 Le fait de donner un bec sur la joue d'une employée ne constitue pas une juste cause de congédiement, même s'il s'agit d'un geste déplacé.
Landry c. *Gravel Chevrolet Oldsmobile inc.*, (1988) T.A. 63, D.T.E. 88T-49 (T.A.).

124/1218 Le fait d'entrer dans le vestiaire des dames sans respecter la politique, mise sur pied par l'entreprise, visant à prévenir et à réprimer le harcèlement sexuel, ne constitue pas nécessairement une cause juste et suffisante de congédiement.
Rols c. *Merck Frosst Canada inc.*, (1997) C.T. 52, D.T.E. 97T-56 (C.T.).

124/1219 Le caractère sexuel de plaisanteries ne constitue pas une cause juste et suffisante de congédiement.
Damas c. *Vestiaire sportif Kinney Canada inc.*, (1994) C.T. 19, D.T.E. 94T-163 (C.T.) (révision judiciaire refusée: C.S.M. n° 500-05-000991-941, le 5 octobre 1994) (règlement hors cour).

124/1220 Des propos déplacés, une familiarité désagréable et non souhaitée ainsi que des visites impromptues ne constituent pas le type le plus grave de harcèlement sexuel et ne constituent pas une cause juste et suffisante de congédiement mais peuvent justifier l'imposition d'une longue suspension.
Michaud c. *Albany International Canada inc.*, D.T.E. 95T-1050 (C.T.).

124/1221 Le fait de tenir des remarques dégradantes et sexistes à propos des femmes ou de tenir des propos déplacés à caractère sexuel, constitue une cause juste et suffisante de congédiement.
G.F. c. *Résidence A*, D.T.E. 2007T-916 (C.R.T.).

124/1222 Le rejet des avances à caractère sexuel de son employeur ou la réaction ferme de l'employé à l'encontre d'attouchements de l'employeur ne peuvent, évidemment, constituer une cause juste et suffisante de congédiement.
Leclair c. *Au Crystal restaurant*, D.T.E. 96T-1059 (C.T.).

124/1223 V. LECLERC, L. et LESAGE, L., «Les liaisons conjugales et amoureuses au travail: le droit de regard de l'employeur et ses limites», dans Trudeau, G., Vallée, G. et Veilleux, D. (dir.), *Études en droit du travail: à la mémoire de Claude D'Aoust*, Cowansville, Les Éditions Yvon Blais inc., 1995, p. 161.

124/1224 V. MEILLEUR, C. et SABOURIN, M., «Le harcèlement sexuel en milieu de travail», dans Nadeau, D. et Pelletier, B. (dir.), *Relation d'emploi et droits de la personne: évolution et tensions!*, Actes du colloque tenu à Ottawa le 12 mars 1993, Cowansville, Les Éditions Yvon Blais inc., 1994, p. 121.

Négligence

124/1225 La négligence et l'insouciance peuvent justifier un congédiement.
Lozeau c. *Suspension J.C. Beauregard inc.*, (1998) R.J.D.T. 1268 (C.T.), D.T.E. 98T-863 (C.T.).
Lessard c. *J.M. Smucker (Canada) inc.*, D.T.E. 97T-73 (C.T.).
Paradis c. *Mont-Rolland (Corporation municipale)*, (1981) 2 R.S.A. 201.

124/1226 En matière de congédiement pour négligence et insouciance au travail, on doit tenir compte de différents facteurs, comme la nature des activités de l'entreprise, le préjudice subi par l'employeur, l'importance de la fonction du salarié, la nécessité d'une sanction exemplaire, le dossier disciplinaire du salarié et la tolérance de l'employeur dans de telles situations.
Laflamme c. *Abilab inc.*, (1995) C.T. 47, D.T.E. 95T-224 (C.T.).

124/1227 La négligence attribuable à un manque d'intérêt ou de motivation, que l'employeur a tenté de corriger à plusieurs reprises, notamment par des recommandations au salarié, constitue une cause juste et suffisante de congédiement.
124699 Canada inc. c. *Bélanger*, D.T.E. 96T-709 (C.S.).

Naqvi c. *Finitions Ultraspec inc.*, D.T.E. 98T-1220 (C.T.).
Girard c. *Prévoyants du Canada, assurance générale*, D.T.E. 84T-861 (T.A.).

124/1228 La commission successive d'erreurs, surtout après une série d'avertissements, constitue une cause juste et suffisante.
Joseph c. *Dalfen ltée*, D.T.E. 84T-375 (T.A.).

124/1229 L'erreur commise dans l'exécution du travail doit être suffisamment grave, pour justifier le congédiement.
Cie minière Québec Cartier c. *Dumais*, D.T.E. 82T-91 (T.A.).
V. aussi: *Autobus Laval ltée* c. *Giroux*, (1988) T.A. 144, D.T.E. 88T-137 (T.A.).
Ringuette c. *Taverne Excel Enrg.*, D.T.E. 88T-954 (T.A.).
Fréreault-Leroux c. *Oratoire St-Joseph du Mont-Royal*, D.T.E. 87T-98 (T.A.).
Joseph c. *Dalfen ltée*, D.T.E. 84T-375 (T.A.).

124/1230 Des incidents mineurs ne peuvent justifier le congédiement en l'absence de preuve d'un incident culminant et de discipline corrective.
Martel c. *Bar Minuit*, D.T.E. 92T-975 (C.T.).
Pelletier c. *Termaco ltée*, D.T.E. 90T-1103 (T.A.).
Nash c. *Secur inc.*, (1987) T.A. 726, D.T.E. 87T-1022 (T.A.).
Papineau c. *Industries Henri Mitchell ltée*, D.T.E. 84T-13 (T.A.).
V. aussi: *Dorion* c. *Blanchet*, D.T.E. 86T-199 (T.A.).
Garderie coopérative «Au pays des lutins» c. *Blanchette*, D.T.E. 82T-222 (T.A.).
Presse ltée (La) c. *Bernal*, D.T.E. 82T-782 (T.A.).

124/1231 En l'absence de progression dans les sanctions, un congédiement basé sur la mauvaise qualité du travail ne peut être justifié, surtout en présence d'un dossier disciplinaire vierge.
Morin c. *Journal de Sherbrooke*, D.T.E. 2008T-194 (C.R.T.).
Bissonnette c. *Bélanger*, D.T.E. 84T-576 (T.A.) (révision judiciaire accueillie pour d'autres motifs: (1985) C.S. 715, D.T.E. 85T-535 (C.S.), J.E. 85-650 (C.S.)).
General Motors du Canada ltée c. *Tremblay*, D.T.E. 82T-764 (T.A.) (révision judiciaire refusée: (1981) C.S. 754, J.E. 81-861 (C.S.), conf. par D.T.E. 82T-323 (C.A.), J.E. 82-404 (C.A.)).

124/1232 La négligence dans la conduite d'un véhicule, ne constitue pas une cause juste en l'absence de dossier disciplinaire et de progressivité dans les sanctions.
Autobus Laval ltée c. *Giroux*, (1988) T.A. 144, D.T.E. 88T-137 (T.A.).
Thivierge c. *Autobus Laval ltée*, (1988) T.A. 377, D.T.E. 88T-389 (T.A.).
Gagnon c. *Transport J.M.A. Drouin (Québec) inc.*, D.T.E. 83T-843 (T.A.).

124/1233 Lorsque la preuve révèle bien l'insouciance et la négligence du plaignant, il convient de considérer son ancienneté et l'absence de dossier disciplinaire, ce qui ne réflète donc pas nécessairement une incapacité de se corriger.
Gagnon c. *Transport J.M.A. Drouin (Québec) inc.*, D.T.E. 83T-843 (T.A.).

124/1234 L'effet cumulatif de reproches faits à un salarié justifie le congédiement, lorsqu'il n'y a pas de correction possible.
Services immobiliers Royal LePage c. *Lespérance*, D.T.E. 90T-1235 (T.A.).
Théberge c. *Caisse populaire Notre-Dame de Fatima*, D.T.E. 90T-1147 (T.A.).

124/1235 L'émission d'un chèque sans autorisation ne constitue pas une cause juste et suffisante de congédiement.
Leclerc c. *Industries Can-Am*, D.T.E. 89T-922 (T.A.).

124/1236 La disparition d'une somme d'argent, non imputable au salarié, ne constitue pas une cause juste de congédiement, mais peut donner lieu à une longue suspension.
Stevenson c. *Université Concordia*, D.T.E. 93T-1210 (C.T.).

124/1237 La faute professionnelle d'un chef de pupitre, soit la publication d'un article ayant entaché la crédibilité du journal, ne constitue pas nécessairement une cause juste et suffisante de congédiement, mais peut justifier l'imposition d'une suspension disciplinaire.
Morin c. *Journal de Sherbrooke*, D.T.E. 2008T-194 (C.R.T.).

124/1238 On ne peut imputer à un employé les problèmes structuraux de réorganisation d'une entreprise affectée d'un manque d'organisation.
Lalancette c. *Magasins Continental ltée*, (1988) T.A. 483, D.T.E. 88T-563 (T.A.).

124/1239 Le non-respect des règles de sécurité ne constitue pas nécessairement une cause juste et suffisante.
Hudon c. *Thibodeau Transport inc. (Portneuf)*, D.T.E. 82T-829 (T.A.) (Faute grave).
V. aussi: *Pétro-Canada inc.* c. *Lambert*, D.T.E. 89T-176 (T.A.) (Faute grave).

124/1240 L'affirmation suivant laquelle le moteur du véhicule d'un salarié a entraîné des coûts de réparation élevés ne fait pas en sorte qu'il en est responsable, lorsqu'il a appliqué les mesures de surveillance en usage chez l'employeur. Cet état de fait n'est pas une cause suffisante.
Sabourin c. *Pavages Dorval inc.*, D.T.E. 86T-108 (T.A.).

124/1241 Constitue une cause juste et suffisante, la pratique de faire signer des déclarations d'assuré «en blanc» qui sont complétées de mémoire à une date ultérieure.
Paquet c. *Gabriel Mercier ltée*, D.T.E. 2000T-493 (C.A.), J.E. 2000-1070 (C.A.), REJB 2000-18197 (C.A.).
Girard c. *Prévoyants du Canada, assurance générale*, D.T.E. 84T-861 (T.A.).

Non-renouvellement d'un contrat à durée déterminée

124/1242 V. la jurisprudence sous l'article 1(12) L.N.T.

124/1243 V. la jurisprudence sous l'article 124 L.N.T. à CONGÉDIEMENT, *Non-renouvellement d'un contrat à durée déterminée*.

Obligation de courtoisie voir *Conflit de personnalités*

Obligation de loyauté et rupture du lien de confiance

124/1244 Il y a cause juste de congédiement lorsque le salarié manque à ses obligations de fidélité, d'honnêteté et de loyauté.
Gagné c. *Société immobilière du Québec*, D.T.E. 2008T-541 (C.R.T.) (révision en vertu de l'article 127 C.T. refusée).

Bergeron c. *Agence métropolitaine de transport*, (2007) R.J.D.T. 1588 (C.R.T.), D.T.E. 2007T-896 (C.R.T.) (requête en révision judiciaire: n° 500-17-039344-075).
Savard c. *Hydro-Québec*, D.T.E. 2003T-743 (C.R.T.).
Gauthier c. *Surveillance d'alarme 24 heures du Québec inc.*, D.T.E. 99T-523 (C.T.).
Elian c. *Société Canada Trust*, (1992) C.T. 547, D.T.E. 92T-943 (C.T.).
Caisse d'économie des policiers de la Communauté urbaine de Montréal c. *Lussier*, D.T.E. 90T-489 (T.A.).

124/1245 En matière d'obligation de loyauté, il faut tenir compte du contenu des informations confidentielles transmises, de l'importance des personnes qui ont communiqué et reçu les informations, de la manière avec laquelle celles-ci ont été transmises (préméditation, malice et fraude) et des conséquences qui en ont résulté.
Isabelle c. *J. Pascal inc.*, (1984) T.A. 622, D.T.E. 84T-798 (T.A.).

124/1246 La liberté d'expression ne peut avoir priorité sur l'obligation contractuelle de loyauté, laquelle exige un devoir de discrétion à l'endroit de tierces personnes non touchées par ce qui peut opposer un employeur dans ses relations avec l'un de ses salariés, au sein de l'entreprise où ce dernier travaille.
Alberga c. *Garage V.N.G. inc.*, D.T.E. 2004T-761 (C.R.T.).

124/1247 Il est bien établi que tout salarié a une obligation de loyauté envers son employeur, laquelle l'oblige à éviter les situations potentielles de conflit d'intérêts. Un conflit potentiel peut constituer un manquement à l'obligation de loyauté, d'autant plus lorsque l'employeur démontre le caractère raisonnable de son appréhension. L'intensité de l'obligation varie selon les fonctions exercées par le salarié, son niveau de responsabilité, la nature de l'activité en cause et l'existence d'une politique de l'employeur.
Bergeron c. *Agence métropolitaine de transport*, (2007) R.J.D.T. 1588 (C.R.T.), D.T.E. 2007T-896 (C.R.T.) (requête en révision judiciaire: n° 500-17-039344-075).

124/1248 La gravité de l'acte de déloyauté consistant à critiquer un supérieur, dépend de la nature des critiques formulées, de l'importance des postes respectifs du plaignant et de son supérieur, de la personne à qui elles furent transmises, des conséquences qu'elles ont entraînées sur l'entreprise et surtout des buts malicieux ou non, poursuivis par le plaignant.
Tansey c. *Canadian Pacific Consulting Services Ltd.*, (1985) T.A. 208, D.T.E. 85T-247 (T.A.).

124/1249 La critique qui vise l'employeur, lorsqu'elle ne lui porte qu'un préjudice minime et qu'elle se situe à un moment où l'état psychologique du salarié était perturbé, ne peut faire en sorte qu'il y ait faute justifiant le congédiement.
Picard c. *Société de gestion Pragy inc.*, D.T.E. 2000T-304 (C.T.) (révision judiciaire refusée: D.T.E. 2000T-453 (C.S.)).

124/1250 La révélation aux médias de renseignements faux et calomnieux à l'endroit de collègues de l'entreprise relativement à leurs liens avec une secte, en l'absence totale de preuve, constitue une cause juste et suffisante de congédiement, puisqu'il y a alors manquement à l'obligation de loyauté.
Côté c. *Hydro-Québec*, D.T.E. 2000T-542 (C.T.) (désistement de la révision judiciaire).

124/1251 Des menaces de recours collectif jumelées à une campagne de presse contre l'employeur ainsi que l'exercice d'un droit par le dépôt de plaintes non fondées peuvent justifier exceptionnellement une rupture du lien d'emploi puisque constituant une cause juste et suffisante de congédiement.
Mailloux c. *Outland Reforestation inc. (La Forêt de demain)*, D.T.E. 2006T-576 (C.R.T.) (révision en vertu de l'article 127 C.T. refusée) (révision judiciaire refusée: D.T.E. 2008T-242 (C.S.), J.E. 2008-633 (C.S.), EYB 2008-129834 (C.S.)).

124/1252 Le fait d'écrire une lettre réclamant le départ d'un supérieur ne constitue pas nécessairement une cause juste et suffisante de congédiement si elle n'est aucunement diffamatoire et ne contient aucune menace d'insubordination.
Émond c. *Mil Davie inc.*, D.T.E. 94T-876 (C.T.).

124/1253 Ne constitue pas une cause juste et suffisante de congédiement, le fait que le nom du plaignant soit mentionné à son insu dans un texte publié dans un journal local par un ex-employé qui attaque la crédibilité de l'employeur. On ne peut alors conclure que le plaignant ne respecte pas son obligation de loyauté envers celui-ci.
Pouliot c. *Association d'action bénévole du Granit*, (1998) R.J.D.T. 1229 (C.T.), D.T.E. 98T-694 (C.T.), conf. par (1998) R.J.D.T. 1141 (C.S.), D.T.E. 98T-864 (C.S.).

124/1254 L'employé municipal qui fait plusieurs reproches aux élus municipaux, dans des termes lapidaires frisant l'insolence, manque ainsi de loyauté envers son employeur, ce qui équivaut à une faute lourde et justifie le congédiement.
Boulianne c. *Lanoraie (Municipalité de) — Service d'incendie*, D.T.E. 2006T-197 (C.R.T.).

124/1255 Constitue une cause juste et suffisante de congédiement le désir du salarié de maintenir, en même temps, son emploi de chargé de projets d'une agence gouvernementale, ses activités de conseiller municipal et de chef de parti politique, et ce, dans le contexte où celui-ci a refusé la prise d'un congé sans traitement.
Bergeron c. *Agence métropolitaine de transport*, (2007) R.J.D.T. 1588 (C.R.T.), D.T.E. 2007T-896 (C.R.T.) (requête en révision judiciaire: n° 500-17-039344-075).

124/1256 Constitue un acte fautif, le fait de continuer, malgré les avertissements, de porter des accusations sans preuve contre son supérieur immédiat et d'alimenter la controverse, mais de tels actes ne justifieront pas nécessairement un congédiement.
Salesse c. *À l'enseigne du livre inc.*, D.T.E. 97T-1314 (C.T.).

124/1257 Le fait de tenir des propos irrespectueux, arrogants et sarcastiques, voire menaçants, de même que le fait de contester l'autorité de l'employeur, de défier ses collègues et de multiplier les écrits véhéments tout en continuant d'accuser ses supérieurs et son entourage de l'accabler, constituent un manquement à l'obligation de loyauté et une cause juste et suffisante de congédiement.
Gagné c. *Société immobilière du Québec*, D.T.E. 2008T-541 (C.R.T.) (révision en vertu de l'article 127 C.T. refusée).

124/1258 Le fait, pour le plaignant, de tenir certains propos mettant en doute les aptitudes de son supérieur et le fait également d'avoir tenté de renégocier ses

conditions de travail ne constituent pas une marque de déloyauté et une cause juste et suffisante de congédiement.
Guindon c. *Corporation de sécurité Garda World*, D.T.E. 2009T-174 (C.R.T.) (requête en révision judiciaire: n° 500-17-048698-099).

124/1259 On ne peut conclure à la perte de la relation de confiance parce que l'employeur la ressent subjectivement. Pour conclure à une cause juste et suffisante, il faut que celle-ci repose sur des gestes dérogatoires.
Gosselin c. *Burotec ventes services et locations inc.*, (1992) C.T. 525, D.T.E. 92T-896 (C.T.).
V. aussi: *Saindon* c. *Taleo (Canada) inc.*, D.T.E. 2006T-862 (C.R.T.).

124/1260 Pour conclure à un manquement à l'obligation de loyauté, soit le fait pour un employé d'être en conflit d'intérêts avec son employeur, il faut qu'il y ait des gestes concrets de déloyauté qui soient mis en preuve. En l'absence de directives précises de l'employeur pour prévenir tout conflit d'intérêts et en l'absence également d'une preuve de déloyauté, on ne peut conclure à un congédiement pour une cause juste et suffisante.
Amiel c. *Strongco inc.*, (2001) R.J.D.T. 1248 (C.T.), D.T.E. 2001T-810 (C.T.) (révision judiciaire refusée: D.T.E. 2002T-16 (C.S.)).

124/1261 Un manquement à l'obligation de loyauté entraînant une perte du lien de confiance ne peut justifier un congédiement lorsque le manquement est découvert postérieurement à la rupture du lien d'emploi.
Roger c. *Prudentielle d'Amérique (La), compagnie d'assurances générales*, D.T.E. 96T-916 (C.T.).

124/1262 Pour justifier un congédiement, la perte de confiance doit nécessairement reposer sur des éléments réels et sérieux et non seulement sur des appréhensions.
Côté c. *Mecfor inc.*, D.T.E. 2008T-285 (C.R.T.).
Fleury c. *Technologies avancées de fibres (AFT) inc.*, D.T.E. 2006T-267 (C.R.T.).
Onofrio c. *Premier Réfractaires du Canada ltée*, D.T.E. 2002T-561 (C.T.).
Bégin c. *Clivent inc.*, (1990) T.A. 648, D.T.E. 90T-1101 (T.A.).
Mercier c. *Union des producteurs agricoles*, (1982) T.A. 1245, D.T.E. 82T-802 (T.A.) (révision judiciaire refusée: D.T.E. 86T-774 (C.S.)).

124/1263 Lorsque le lien de confiance est irrémédiablement rompu par les agissements louches du salarié, l'employeur n'a d'autre choix que de procéder au congédiement, surtout lorsqu'il s'agit d'un employé occupant des fonctions supérieures.
Association des manufacturiers de chaussures du Canada c. *Maheu*, (1987) T.A. 366, D.T.E. 87T-541 (T.A.).

124/1264 Dans le cas d'une mise à pied, il n'y a pas manquement à l'obligation de loyauté du salarié lorsque celui-ci crée sa propre entreprise, concurrente de celle de son employeur.
Lacasse c. *Portraits Magimage inc.*, D.T.E. 2001T-931 (C.T.).

124/1265 Constitue un manquement à l'obligation de loyauté le fait, pour un coordonnateur du secteur administratif dans une entreprise publique, de commettre des irrégularités dans sa gestion par l'acceptation de privilèges indus

et par sa participation active au travail au noir. Il s'agit de fautes graves ne justifiant pas l'application du principe de la progression des sanctions.
Doyon c. *Centre de réadaptation Estrie inc.*, D.T.E. 2000T-771 (C.T.).

124/1266 Constitue une cause juste et suffisante de congédiement, le fait qu'un salarié ait commis divers gestes de malversation et qu'il ait mis au point un véritable réseau de favoritisme. En posant ces gestes, le salarié viole son obligation de loyauté envers son employeur, ce qui a pour effet de rompre le lien de confiance.
McGibbon c. *Université McGill*, D.T.E. 98T-422 (C.T.).

124/1267 Le fait, pour un médiateur du Conseil des services essentiels, de contracter des dettes auprès de subalternes et auprès d'un conseiller en relations industrielles et d'un bureau d'avocats agissant devant le conseil, justifie le congédiement à cause du conflit d'intérêts, du manquement à l'obligation de loyauté du salarié et de la perte du lien de confiance qui en découle.
Parent c. *Conseil des services essentiels*, D.T.E. 93T-27 (C.T.).

124/1268 L'absence totale de malice et d'intention de nuire à l'entreprise dans la critique de son supérieur ne peut justifier un congédiement.
Tansey c. *Canadian Pacific Consulting Services Ltd.*, (1985) T.A. 208, D.T.E. 85T-247 (T.A.).

124/1269 La critique de certaines décisions de la direction de l'entreprise et la discussion avec d'autres cadres du bien-fondé de certaines décisions de l'employeur ne constituent pas une cause juste et suffisante de congédiement.
Forget c. *Rôtisseries St-Hubert ltée*, (1996) C.T. 544, D.T.E. 96T-1378 (C.T.).

124/1270 La critique publique de son employeur constitue un manquement à l'obligation de loyauté et une cause juste et suffisante de congédiement.
Lecompte c. *Collège de Champigny*, D.T.E. 2005T-771 (C.R.T.).

124/1271 La divulgation de renseignements qui auraient servi à planifier certains vols à main armée perpétrés contre un client de l'employeur, par un agent de sécurité, constitue un acte incompatible avec l'exercice normal et loyal de sa fonction, justifiant le congédiement.
Blain c. *Pinkerton du Québec ltée*, D.T.E. 93T-724 (C.T.).

124/1272 L'omission, pour un agent de sécurité, de dénoncer les vols commis par le personnel de l'entreprise, constitue un manquement à son obligation de loyauté et une cause juste et suffisante de congédiement, car il s'agit d'une faute grave entraînant la rupture du lien de confiance.
Roy c. *Papier White Birch inc.*, D.T.E. 2008T-719 (C.R.T.).

124/1273 La consultation de certaines données par la salariée, sans divulgation de ces renseignements à qui que ce soit ni utilisation à des fins personnelles, ne constitue pas un manquement à l'obligation de loyauté et une cause juste et suffisante de congédiement.
St-Hilaire c. *Fila Canada inc.*, D.T.E. 2002T-1141 (C.T.).

124/1274 Les propos d'un salarié relativement à la vente éventuelle de l'entreprise de l'employeur constituent un manquement à l'obligation de loyauté et une cause juste et suffisante de congédiement.
Société des traversiers du Québec c. *Jourdain (Succession de)*, (1999) R.J.Q. 1626 (C.A.), (1999) R.J.D.T. 1032 (C.A.), D.T.E. 99T-629 (C.A.), J.E. 99-1392 (C.A.), REJB 1999-12858 (C.A.).

124/1275 L'opposition d'un salarié à un projet de fusion de l'entreprise de l'employeur avec une autre compagnie ne constitue pas nécessairement un manquement au devoir de loyauté et une cause juste et suffisante de congédiement.
Lavoie c. *Solidarité (La), compagnie d'assurance sur la vie*, D.T.E. 98T-115 (C.T.).

124/1276 Le fait de promettre à un concessionnaire des contrats s'il aidait à «faire sauter» la direction, constitue une cause juste et suffisante.
Mekhael c. *Collège Charles-Lemoyne de Longueuil inc.*, (1988) T.A. 386, D.T.E. 88T-483 (T.A.).

124/1277 Le fait d'obéir à l'un de ses deux patrons, même s'ils sont en conflit, ne peut justifier un congédiement.
Pomerleau c. *Laboratoires Hefran inc.*, (1985) T.A. 798, D.T.E. 85T-971 (T.A.).

124/1278 La fuite d'informations confidentielles concernant les augmentations salariales, n'est pas une cause juste et suffisante.
Isabelle c. *J. Pascal inc.*, (1984) T.A. 622, D.T.E. 84T-798 (T.A.).

124/1279 Le fait d'effectuer une photocopie d'un document confidentiel de l'employeur, pour un surveillant de nuit, constitue un manquement à l'obligation de loyauté et une cause juste et suffisante de congédiement.
Rathle c. *Restaurant Rive gauche inc.*, D.T.E. 99T-799 (C.T.).

124/1280 Le fait pour un salarié de révéler de bonne foi à son employeur le passé d'un autre salarié en pensant qu'il le connaissait déjà, n'est pas suffisamment grave pour constituer une cause juste et suffisante de congédiement, bien qu'il s'agisse d'un manquement au respect du secret professionnel.
Trépanier c. *Pavillon St-Dominique*, D.T.E. 97T-849 (C.T.).

124/1281 Le fait d'être impliqué dans une plainte déposée par une collègue de travail qui allègue du harcèlement sexuel de la part de l'employeur, ne constitue pas nécessairement un manquement à l'obligation de loyauté et une cause juste et suffisante de congédiement.
Gaul c. *2967-8729 Québec inc.*, D.T.E. 98T-958 (C.T.), REJB 1998-06779 (C.T.).

124/1282 La divulgation du nom d'un employé qui devait être congédié est une erreur répréhensible, mais ne constitue pas une cause juste et suffisante de congédiement.
Twinpack inc. c. *Napieracz*, D.T.E. 91T-895 (T.A.).

124/1283 Les démarches en vue d'acquérir une entreprise concurrente constituent un manquement grave à l'obligation de loyauté justifiant le congédiement.
Gionet c. *Durivage inc.*, D.T.E. 83T-182 (T.A.).

124/1284 Les démarches effectuées par le salarié en vue de la création de sa propre entreprise concurrente à celle de son employeur, même s'il y a abandon du projet sans incidence, ont créé néanmoins une situation de conflit d'intérêts et constituent un manquement à l'obligation de loyauté. Il y a alors une cause juste et suffisante de congédiement.
Provost c. *Palette Idéal inc.*, D.T.E. 2006T-1062 (C.R.T.).

124/1285 Des démarches préliminaires effectuées par le salarié en vue de la création de sa propre entreprise dans le contexte où il y a absence de concurrence et le fait que l'employeur ait présumé de la malhonnêteté du salarié sans avoir obtenu sa version des faits, ne peuvent constituer une cause juste et suffisante de congédiement.
Côté c. *Mecfor inc.*, D.T.E. 2008T-285 (C.R.T.).

124/1286 La sollicitation du personnel d'une entreprise dans le but de faire concurrence à son employeur constitue un manquement à l'obligation de loyauté du salarié et une cause juste et suffisante de congédiement puisque c'est le salarié lui-même qui opère la rupture du lien de confiance.
Martel c. *Systèmes de sécurité Paradox ltée*, D.T.E. 2006T-601 (C.R.T.).
Béliveau c. *Richardson Greenshields of Canada Ltd.*, D.T.E. 95T-447 (C.T.).

124/1287 Constitue un manquement à l'obligation de loyauté, le fait de se placer dans une situation de conflit d'intérêts en voulant s'approprier l'exclusivité d'une nouvelle ligne de produits au détriment de son employeur, et ce, après avoir recommandé à ce dernier de décliner l'offre d'exclusivité du fournisseur du produit.
Grenier c. *Graphiques Cosmex inc.*, D.T.E. 2008T-98 (C.R.T.).

124/1288 La tentative d'appropriation de la clientèle de l'employeur ne constitue pas nécessairement une cause juste et suffisante de congédiement lorsqu'il s'est écoulé dix mois entre la découverte de la faute et l'imposition de la sanction par l'employeur. En effet, un commissaire ne saurait être plus sévère que l'employeur lui-même.
Garneau c. *Olympus Canada inc.*, D.T.E. 2008T-740 (C.R.T.).

124/1289 Constitue un manquement à l'obligation de loyauté et de civilité envers la clientèle, et une cause juste et suffisante de congédiement, le fait pour une hygiéniste dentaire de s'approprier des dossiers des patients appartenant à l'employeur et de référer ceux-ci à une autre clinique.
Brousseau c. *Azuelos*, D.T.E. 2000T-1072 (C.T.).

124/1290 La volonté déclarée à l'employeur de travailler le soir pour un concurrent ne peut justifier le congédiement mais peut être un obstacle à la réintégration.
Desrosiers c. *Industries Vespobec inc.*, D.T.E. 83T-533 (T.A.).

124/1291 La menace de concurrencer l'employeur ne constitue pas nécessairement une cause juste et suffisante de congédiement dans le contexte où celle-ci s'est faite à la blague et dans un cadre de négociation.
Lessard c. *Montre International célébrité inc.*, D.T.E. 2007T-177 (C.R.T.).

124/1292 La recherche d'un autre emploi ne constitue pas une juste cause.
Bourbonnais c. *Produits forestiers Canadien Pacifique ltée*, D.T.E. 90T-241 (T.A.).
Kelly c. *Algo Industries Ltd.*, (1986) T.A. 310, D.T.E. 86T-408 (T.A.).

124/1293 Il n'y a pas de cause juste et suffisante de congédiement si le salarié, insatisfait de ses conditions de travail, démarre sa propre entreprise ou cherche à aller travailler ailleurs.
Bingo Les Saules inc. c. *C.N.T.*, D.T.E. 99T-289 (C.S.) (appel rejeté sur requête).
Denicourt & Cossette c. *C.N.T.*, D.T.E. 98T-52 (C.S.) (désistement d'appel).

124/1294 Le fait pour un salarié de créer sa propre entreprise et d'y vendre des produits concurrentiels à ceux de son employeur, même si la gestion de l'entreprise est confiée à la conjointe de l'employé, constitue une cause juste et suffisante de congédiement, puisque le salarié est alors dans une situation incompatible avec son obligation de loyauté.
Grenier c. *Distribution Canado-Suisse inc.*, (1999) R.J.D.T. 1187 (C.T.), D.T.E. 99T-650 (C.T.).
V. aussi: *Désy* c. *9126-6072 Québec inc. (Complexe La Fine Pointe)*, D.T.E. 2008T-155 (C.R.T.).

124/1295 Le fait de mettre sur pied une entreprise qui fait concurrence à celle de son employeur et de solliciter la clientèle de celui-ci, constitue un manquement à l'obligation de loyauté et une cause juste et suffisante de congédiement.
Désy c. *9126-6072 Québec inc. (Complexe La Fine Pointe)*, D.T.E. 2008T-155 (C.R.T.).

124/1296 La création d'une association parallèle par le salarié plaignant ne constitue pas un manquement à son obligation de loyauté et une cause juste et suffisante de congédiement, s'il n'en retire aucun avantage personnel, et ce, en l'absence de comportement malhonnête.
Pinard c. *Comité de développement touristique et économique de Godbout*, D.T.E. 2009T-172 (C.R.T.) (en révision).

124/1297 Constitue un manquement à l'obligation de loyauté justifiant le congédiement, le fait de porter ses griefs face à l'employeur sur la place publique.
Anvari c. *Royal Institution for the Advancement of Learning (McGill University)*, D.T.E. 82T-204 (T.A.).

124/1298 Un salarié ne peut être congédié pour avoir formulé une réclamation devant les tribunaux pour recouvrer des sommes perdues, pas plus qu'un salarié syndiqué qui dépose un grief, car il ne s'agit pas d'une cause juste rompant le lien de confiance.
Pouryeganeh c. *Ericsson Canada inc.*, D.T.E. 2007T-773 (C.R.T.).
Bégin c. *Clivent inc.*, (1990) T.A. 648, D.T.E. 90T-1101 (T.A.).
Spécialités B.D.S. inc. c. *Caron*, (1988) T.A. 201, D.T.E. 88T-171 (T.A.) (révision judiciaire accueillie pour d'autres motifs: D.T.E. 88T-435 (C.S.)).

124/1299 Un salarié n'a pas à renoncer à faire valoir ses droits contre son employeur dans le seul but de maintenir son emploi. Ainsi, le bris du lien de confiance doit être basé sur des éléments autres que le désaccord résultant des droits qu'un salarié croit avoir acquis face à son employeur.
Fleury c. *Technologies avancées de fibres (AFT) inc.*, D.T.E. 2006T-267 (C.R.T.).

124/1300 La participation de la secrétaire du président de l'association à la campagne électorale de celui-ci, ne peut justifier un congédiement, en l'absence de toute activité partisane.
Touten c. *Association des policiers provinciaux du Québec*, (1987) T.A. 385, D.T.E. 87T-560 (T.A.).

124/1301 Il n'y a pas de cause juste et suffisante dans le fait d'utiliser un congé sans solde à des fins autres que celles pour lesquelles celui-ci était prévu, en présence de facteurs atténuants.
Corvington c. *Université Concordia*, D.T.E. 90T-1132 (T.A.).

124/1302 Ne constitue pas une cause juste de congédiement, la perte de confiance due au fait que le salarié a signé un chèque non autorisé quatre mois auparavant.
Leclerc c. *Industries Can-Am*, D.T.E. 89T-922 (T.A.).

124/1303 L'allégation de perte de confiance à la suite d'une demande de séparation de corps, par la salariée épouse de l'employeur, ne constitue pas une juste cause.
Levert c. *Ferronnerie Montréal-Nord Enrg.*, D.T.E. 88T-490 (T.A.).

124/1304 L'allégation de participation à la faute d'un collègue syndiqué, pour un salarié qui a une relation intime avec celui-ci, ne constitue pas une cause juste et suffisante de congédiement.
Lavoie c. *Entreprises Givesco inc.*, D.T.E. 2000T-672 (C.T.).

124/1305 Le mariage ou la cohabitation avec une personne particulière peut, dans certain cas, créer une cause juste et suffisante de congédiement.
Legris c. *Laval (Société de transport de la Ville de)*, (1996) C.T. 120, D.T.E. 96T-230 (C.T.).

124/1306 Ne constitue pas nécessairement un manquement à l'obligation de loyauté, ni une cause juste et suffisante de congédiement, la relation amoureuse d'une salariée avec le propriétaire d'une concession de l'employeur.
Poulin c. *Pétro-Canada*, D.T.E. 2002T-632 (C.T.).

124/1307 Le fait pour un salarié de mentir sur la nature de ses liens avec une représentante de l'entreprise qui a obtenu un important contrat avec l'employeur, constitue un manquement à l'obligation de loyauté et une cause juste et suffisante de congédiement.
Bitsakis c. *Bell Helicopter Textron Canada ltée*, D.T.E. 2005T-596 (C.R.T.) (révision judiciaire refusée: D.T.E. 2006T-660 (C.S.)).

124/1308 La perte du lien de confiance à la suite du comportement discriminatoire d'un salarié face à une catégorie de salariés relativement à leur appartenance linguistique, constitue un motif juste et suffisant.
Habjanic c. *Salamico Cie*, D.T.E. 87T-452 (T.A.).

124/1309 Il ne peut y avoir cause juste et suffisante basée sur la perte de confiance en cas d'omission de remettre un reçu à un visiteur.
Fréreault-Leroux c. *Oratoire St-Joseph du Mont-Royal*, D.T.E. 87T-98 (T.A.).

124/1310 Le fait d'utiliser ses pouvoirs à des fins personnelles en faisant planter un arbre sur le terrain de sa résidence aux frais de son employeur, constitue un motif de résiliation de contrat et une cause juste et suffisante de congédiement.
Bourget c. *Association Agaparc*, (1999) R.J.D.T. 1193 (C.T.), D.T.E. 99T-773 (C.T.).

124/1311 Le fait de nier avoir reçu un avertissement verbal n'est pas un incident suffisant pour justifier un congédiement.
Nash c. *Secur inc.*, (1987) T.A. 726, D.T.E. 87T-1022 (T.A.).

124/1312 Il ne peut y avoir cause juste et suffisante basée sur la perte du lien de confiance lorsqu'il s'est écoulé six ans entre la faute et le congédiement.
Allain c. *Cie minière I.O.C. inc.*, (1984) T.A. 509, D.T.E. 84T-622 (T.A.).

124/1313 La fausse déclaration par un salarié d'une garderie quant à ses antécédents judiciaires constitue un motif de rupture du lien de confiance et une cause juste et suffisante de congédiement.
Gauvin c. *Centre de la petite enfance Mamuse et Méduque inc.*, D.T.E. 2003T-587 (C.R.T.).

124/1314 L'omission, pour un salarié, de révéler l'existence d'accusations criminelles portées contre lui par son ancien employeur, constitue un grave manquement à son obligation de loyauté et de bonne foi et une cause juste et suffisante de congédiement.
Nadeau c. *Mines Aurizon ltée*, D.T.E. 2009T-98 (C.R.T.).

124/1315 L'attitude du salarié et son refus de répondre aux questions légitimes de l'employeur, lors d'une rencontre, constituent une cause juste et suffisante de congédiement.
Boucher c. *Dactylographe Métropole inc. (DMI Bureautique)*, D.T.E. 2005T-1098 (C.R.T.) (révision en vertu de l'article 127 C.T. refusée) (révision judiciaire refusée: C.S.M. n° 500-17-028738-055, le 26 mai 2006).

124/1316 Constitue une cause juste de congédiement l'abandon de sa participation financière dans un groupe, lorsqu'il s'agit d'une condition essentielle du contrat d'emploi.
Genest c. *St-Laurent, Cie de réassurance*, D.T.E. 88T-115 (T.A.).

124/1317 V. BARIL, A., «L'obligation de loyauté, de diligence et de discrétion d'un salarié après la cessation de son emploi», (1999) 7 *Repères* 294.

124/1318 V. GASCON, C. et VACHON, C., «Grandeurs et misères de l'obligation de loyauté du salarié», dans *Développements récents en droit du travail (1996)*, Formation permanente du Barreau du Québec, Cowansville, Les Éditions Yvon Blais inc., 1996, p. 307.

124/1319 V. HÉBERT, F., *L'obligation de loyauté du salarié*, Montréal, Wilson & Lafleur ltée, 1995.

Perte de la couverture de l'assurance responsabilité

124/1320 Seules les circonstances de l'endettement ayant mené à la faillite et l'intention du failli peuvent constituer une cause juste de congédiement et non la perte d'assurabilité.
Dufault-Blais c. *Caisse populaire Desjardins de St-Bernardin*, D.T.E. 87T-306 (T.A.).
V. aussi: *Guérard* c. *Caisse populaire St-Denys du Plateau*, D.T.E. 87T-97 (T.A.).

124/1321 La perte d'assurabilité constitue une cause juste et suffisante de congédiement.
Gamelin c. *Caisse populaire Desjardins du Bas-St-François*, (2002) R.J.D.T. 1573 (C.T.), D.T.E. 2002T-917 (C.T.).

124/1322 La perte d'assurabilité ne constitue pas nécessairement une cause juste et suffisante de congédiement, en présence de circonstances particulières et en l'absence de vol ou de fraude.
St-Jean c. *Caisse populaire Desjardins de Pointe-Bleue*, D.T.E. 2004T-606 (C.R.T.).

124/1323 Une perte d'assurabilité survenue après le congédiement ne peut constituer une cause juste et suffisante.
Caisse populaire de Sts-Anges c. *Dutil*, (1987) T.A. 276, D.T.E. 87T-427 (T.A.).

Vol
V. également à *Fraude*

124/1324 Le vol, même s'il est minime, constitue une cause juste de congédiement car il rompt irrémédiablement le lien de confiance, en l'absence de circonstances atténuantes.
Asselin c. *Compagnie Abitibi-Consolidated du Canada*, D.T.E. 2007T-774 (C.R.T.).
Houle c. *2851962 Canada inc. (Bar Iberville)*, D.T.E. 2007T-116 (C.R.T.).
Rivet c. *Pizzéria Demers inc.*, D.T.E. 2006T-602 (C.R.T.).
Poulin c. *Restaurant Rayalco inc.*, D.T.E. 96T-1340 (C.T.).
Langelier c. *Casse-croûte des auxiliaires bénévoles de l'hôpital*, D.T.E. 95T-1304 (C.T.).
Boisvert c. *Migue et Leblanc, arpenteurs-géomètres*, D.T.E. 92T-182 (T.A.).
St-Jean c. *Place Bonaventure inc.*, D.T.E. 92T-181 (T.A.).
Desruisseaux c. *Commission de transport de la Rive Sud de Montréal*, D.T.E. 84T-70 (T.A.).

124/1325 En matière de vol, le congédiement peut ne pas être maintenu lorsqu'une ou plusieurs des circonstances suivantes est établie:
1) il s'agit d'un incident isolé survenu au cours d'une longue période de service;
2) le fruit du vol représente une somme minimale;
3) il s'agit d'un geste spontané;
4) la nature même du bien permet de conclure à l'absence d'intention véritable de voler.

Karalekas c. *Serum International inc.*, D.T.E. 2007T-984 (C.R.T.).
Gladu c. *Breuvages Lemoyne ltée (Les)*, D.T.E. 82T-669 (T.A.).

124/1326 La commission par un salarié d'un acte malhonnête ne justifie pas automatiquement le congédiement. En effet, la sanction appropriée doit toujours être déterminée en fonction de la gravité de la faute commise.
S.M.K. Speedy International Inc. (Le Roi du silencieux Speedy) c. *Monette*, D.T.E. 2004T-909 (C.S.), REJB 2004-55438 (C.S.).

124/1327 Le congédiement est sans cause juste lorsque les actes ont été posés sans préméditation et sont isolés.
Jean c. *Goyette automobile ltée*, D.T.E. 82T-221 (T.A.).

124/1328 À défaut de pouvoir invoquer un motif sérieux de congédiement, un employeur ne peut utiliser cette sanction dans le seul but de faire respecter à tout prix sa politique de «tolérance zéro» à l'égard du vol.
Hudon c. *S.M.K. Speedy International Inc. (Le Roi du silencieux Speedy)*, D.T.E. 2003T-1137 (C.R.T.) (révision judiciaire refusée: D.T.E. 2004T-909 (C.S.), REJB 2004-55438 (C.S.)).
Ambaw c. *Bijoux Continental inc.*, D.T.E. 98T-757 (C.T.).

124/1329 Pour justifier un congédiement fondé sur le vol, l'employeur doit prouver qu'il y a véritablement eu vol.
Brunet c. *Couche-Tard inc.*, D.T.E. 2009T-97 (C.R.T.).
Chaumont c. *1276698 Ontario inc. (Club de golf Val-des-Lacs)*, D.T.E. 2007T-941 (C.R.T.).
Bisson c. *Restaurant Le poêlon*, D.T.E. 96T-1186 (C.T.).
Tremblay c. *Agences de personnel Cavalier inc.*, D.T.E. 82T-402 (T.A.).

124/1330 En matière de congédiement pour vol, l'employeur doit laisser au salarié la possibilité de présenter sa version des faits avant d'être blâmé et il doit y avoir une enquête sérieuse menée par l'employeur.
Bisson c. *Restaurant Le poêlon*, D.T.E. 96T-1186 (C.T.).

124/1331 Les soupçons de l'employeur sur le vol par une caissière ne peuvent justifier le congédiement, surtout lorsque aucune enquête n'a été effectuée avant celui-ci.
Brunet c. *Couche-Tard inc.*, D.T.E. 2009T-97 (C.R.T.).
Restaurant Dunns inc. c. *Jeanson*, D.T.E. 90T-1029 (T.A.) (révision judiciaire refusée: C.S.M. n° 500-05-009920-909, le 24 octobre 1990).

124/1332 Il n'y a pas de cause juste et suffisante lorsque le congédiement pour vol repose sur un malentendu ou sur des soupçons.
Tardif c. *Entreprises Insta-bec inc.*, (1994) C.T. 318, D.T.E. 94T-754 (C.T.).
Mailloux c. *Québec Téléphone*, D.T.E. 82T-504 (T.A.).
Ouellet c. *Placements A. Jain inc.*, D.T.E. 82T-496 (T.A.).
Restaurant Dunns inc. c. *Jeanson*, D.T.E. 90T-1029 (T.A.) (révision judiciaire refusée: C.S.M. n° 500-05-009920-909, le 24 octobre 1990).

124/1333 Dans le cas de la disparition d'une somme d'argent, les simples soupçons de l'employeur quant à un possible vol par un directeur de la restauration ne peuvent justifier un congédiement en l'absence d'enquête sérieuse et approfondie.
Chaumont c. *1276698 Ontario inc. (Club de golf Val-des-Lacs)*, D.T.E. 2007T-941 (C.R.T.).

124/1334 Le vol commis par une caissière justifie le congédiement, même si les sommes impliquées sont minimes, étant donné qu'un tel poste exige une confiance totale.
Dubé c. *Zellers inc.*, D.T.E. 2007T-479 (C.R.T.).
Houle c. *2851962 Canada inc. (Bar Iberville)*, D.T.E. 2007T-116 (C.R.T.).
Rivet c. *Pizzéria Demers inc.*, D.T.E. 2006T-602 (C.R.T.).
Poulin c. *Restaurant Rayalco inc.*, D.T.E. 96T-1340 (C.T.).
Langelier c. *Casse-croûte des auxiliaires bénévoles de l'hôpital*, D.T.E. 95T-1304 (C.T.).
Ricard c. *Villa du poulet inc.*, D.T.E. 83T-241 (T.A.).
V. aussi: *Paquette* c. *Épiciers unis Métro-Richelieu inc.*, (1992) C.T. 495, D.T.E. 92T-802 (C.T.).

124/1335 L'appropriation de biens appartenant à l'employeur, soit des dossiers de patients, constitue une cause juste et suffisante de congédiement puisqu'il s'agit d'un manquement à l'obligation de loyauté.
Brousseau c. *Azuelos*, D.T.E. 2000T-1072 (C.T.).

124/1336 Le vol est plus répréhensible lorsque commis par un cadre, surtout lorsqu'il est prémédité et qu'il y a tentative de dissimulation étendue sur une longue période.
Roy c. *Maisons Quebco inc.*, (1987) T.A. 534, D.T.E. 87T-778 (T.A.).
Bexel (1979) inc. c. *Bernier*, (1985) T.A. 410, D.T.E. 85T-498 (T.A.).
Gladu c. *Breuvages Lemoyne ltée (Les)*, D.T.E. 82T-669 (T.A.).

124/1337 Le vol commis par un cadre constitue une faute majeure et grave justifiant le congédiement, car celui-ci personnifie l'autorité patronale auprès du personnel.
Beauregard c. *Sobey's Québec inc.*, D.T.E. 2006T-622 (C.R.T.).
Dionne c. *Radio Shack*, D.T.E. 95T-1343 (C.T.) (révision judiciaire refusée: C.S.Q. n^{0} 200-05-002821-952, le 3 mai 1996) (appel rejeté: D.T.E. 99T-827 (C.A.), J.E. 99-1738 (C.A.), REJB 1999-13966 (C.A.)).
Cartes c. *Services d'entretien Consolidated Ltd.*, (1987) T.A. 738, D.T.E. 87T-1023 (T.A.).
Morin c. *Steinberg inc.*, (1984) T.A. 675, D.T.E. 84T-842 (T.A.).
Roussy c. *Cummins Québec ltée*, D.T.E. 82T-306 (T.A.).

124/1338 Le vol, par l'appropriation de sommes d'argent appartenant à l'employeur, constitue une cause juste et suffisante de congédiement.
Dion c. *Paradis*, D.T.E. 2002T-213 (C.T.) (règlement hors cour).

124/1339 De nombreux vols commis sur une longue période constituent manifestement une cause juste et suffisante de congédiement.
Asselin c. *Compagnie Abitibi-Consolidated du Canada*, D.T.E. 2007T-774 (C.R.T.).

124/1340 Le fait de retenir sans droit et de manière préméditée le paiement d'un client, alors que le salarié a été avisé de ne pas agir de la sorte, constitue une cause juste et suffisante de congédiement, puisqu'il s'agit d'un vol et d'un manquement à l'obligation de loyauté.
Renaud c. *Gestion D.M. Roy inc.*, D.T.E. 2004T-509 (C.R.T.).

124/1341 Le congédiement est une mesure excessive dans le cas de vol, lorsque le plaignant a de longs états de service et que son dossier disciplinaire est vierge.
Hudon c. *S.M.K. Speedy International Inc. (Le Roi du silencieux Speedy)*, D.T.E. 2003T-1137 (C.R.T.) (révision judiciaire refusée: D.T.E. 2004T-909 (C.S.), REJB 2004-55438 (C.S.)).
Minéraux Noranda inc. (division C.C.R.) c. *Dicaire*, D.T.E. 90T-276 (T.A.).
V. aussi: *Séguin* c. *Best Foods Canada Inc.*, D.T.E. 2002T-332 (C.T.).

124/1342 La tolérance de l'employeur à l'égard du vol dans son entreprise et le traitement discriminatoire quant à l'imposition de mesures disciplinaires différentes entre deux salariés peut faire en sorte qu'il y ait lieu, dans ces circonstances précises, de modifier le congédiement en une longue suspension.
Otis c. *Avon Canada inc.*, (1995) C.T. 76, D.T.E. 95T-344 (C.T.).

124/1343 L'appropriation d'échantillons, payés par un fournisseur de l'employeur, ne constitue pas nécessairement une cause juste et suffisante de congédiement, si la politique de «tolérance zéro» ne vise pas directement les échantillons déjà payés par les fournisseurs.
Émond c. *Provigo Distribution inc. (Supermarché Provigo)*, D.T.E. 2000T-61 (C.T.).

124/1344 L'usage de «rapid draft», chèque de la compagnie, pour des fins personnelles constitue un vol et un abus de confiance justifiant le congédiement.
Kraft ltée c. *Desrosiers*, (1982) T.A. 1260, D.T.E. 82T-801 (T.A.).

124/1345 Des dépenses personnelles portées au compte de la compagnie constituent un vol justifiant le congédiement.
Lorrain c. *Sidbec-Dosco*, (1985) T.A. 403, D.T.E. 85T-497 (T.A.).

124/1346 Le fait de conserver pour soi l'argent de l'employeur, même si celui-ci doit des commissions au salarié, constitue une cause juste et suffisante de congédiement.
Auclair c. *Décor Notre-Dame*, D.T.E. 97T-651 (C.T.).

124/1347 Le fait de détourner des points bonis, non pas pour son bénéfice personnel, mais pour une oeuvre de charité, constitue un vol et une cause juste et suffisante de congédiement.
Dubé c. *Zellers inc.*, D.T.E. 2007T-479 (C.R.T.).

124/1348 Le vol d'essence par un salarié constitue une cause juste et suffisante de congédiement.
Pelletier c. *Bureau du commissaire général du travail*, D.T.E. 95T-258 (C.S.).

124/1349 Le vol de temps, par la falsification des feuilles de présence et des rapports d'activités, par un représentant aux ventes jouissant d'une grande autonomie, constitue une faute grave et une cause juste et suffisante de congédiement.
Furfaro c. *Costco Canada inc.*, D.T.E. 2000T-920 (C.T.).

124/1350 Le vol de temps par l'utilisation du téléphone à des fins personnelles constitue une faute grave justifiant la rupture du lien de confiance et le congédiement.
Lemieux c. *Bell Helicopter Textron*, D.T.E. 2004T-360 (C.R.T.).

124/1351 Le vol de temps par l'utilisation à des fins personnelles du téléphone de l'employeur pour des participations à des concours radiophoniques, constitue une cause juste et suffisante de congédiement, et ce, d'autant plus que le salarié a contrevenu au règlement d'entreprise de l'employeur, qu'il a reçu des avertissements au préalable et qu'il a refusé d'avouer ses torts.
Bugyi c. *Société des casinos du Québec inc.*, D.T.E. 2009T-159 (C.R.T.).

124/1352 Le vol de temps, par le fait d'être rémunéré pour des journées non travaillées, constitue de la tromperie ainsi qu'une violation de l'obligation de loyauté du salarié et une cause juste et suffisante de congédiement.
Gagnon c. *Deloitte Consulting, partie intégrante de Samson Bélair/Deloitte & Touche*, D.T.E. 2007T-325 (C.R.T.).

124/1353 Le vol de temps par un salarié ne constitue pas nécessairement une cause juste et suffisante de congédiement, mais peut justifier l'imposition d'une sanction très sévère.
Ménard c. *Wal-Mart Canada inc.*, D.T.E. 98T-187 (C.T.) (révision judiciaire refusée: D.T.E. 98T-719 (C.S.)) (désistement d'appel).
V. aussi: *Lavigne* c. *Richelieu (Ville de)*, D.T.E. 2004T-157 (C.R.T.) (révision judiciaire refusée: (2004) R.J.D.T. 937 (C.S.), D.T.E. 2004T-717 (C.S.), REJB 2004-66568 (C.S.)).

124/1354 Puisqu'il existait une entente entre le salarié et son supérieur relativement au paiement des heures supplémentaires dûment effectuées, on ne peut conclure qu'il y a eu vol de temps et une cause juste et suffisante de congédiement.
Nadeau c. *Société en commandite Strongco*, D.T.E. 2008T-820 (C.R.T.).

124/1355 Il n'y a pas de cause juste et suffisante de congédiement basée sur le vol de temps, lorsqu'il y a absence d'enquête sérieuse, absence d'avertissement préalable et que la politique sur les heures de travail n'est pas appliquée chez l'employeur.
Pouryeganeh c. *Ericsson Canada inc.*, D.T.E. 2007T-773 (C.R.T.).

124/1356 Le fait pour un concierge d'un immeuble résidentiel d'ometttre de fournir sa prestation de travail pendant plusieurs heures à l'insu de l'employeur, constitue de la fraude par le vol de temps et une cause juste et suffisante de congédiement.
Chavarria c. *3979563 Canada inc.*, D.T.E. 2005T-886 (C.R.T.).

124/1357 L'octroi d'escomptes non autorisés par une caissière peut justifier le congédiement.
Gagné c. *Teinturerie française division de Lumax inc.*, D.T.E. 87T-743 (T.A.).

124/1358 Les fautes relatives aux politiques d'achat peuvent mériter une sanction, mais non un congédiement.
Marché Molloy — Félix Molloy ltée c. *Sénéchal*, D.T.E. 89T-1039 (T.A.).
V. aussi: *Béland* c. *2536-3011 Québec inc.*, D.T.E. 90T-755 (T.A.).

124/1359 L'utilisation à des fins personnelles du service téléphonique de l'employeur à plusieurs reprises, pendant plusieurs mois, justifie le congédiement.
Boisvert c. *Migue et Leblanc, arpenteurs-géomètres*, D.T.E. 92T-182 (T.A.).

124/1360 V. GAUTHIER-MONTPLAISIR, F., *L'arbitrage des griefs et les infractions disciplinaires à caractère criminel*, Cowansville, Les Éditions Yvon Blais inc., 1983.

124/1361 V. MASSE, J.-S., *Le congédiement pour vol en droit du travail québécois: étude 1990 à 1997*, Cowansville, Les Éditions Yvon Blais inc., 1998.

Divers

124/1362 On ne peut mettre fin à un contrat de travail sans aucun motif et sur simple avis.
Malo c. *Côté-Desbiolles*, (1995) R.J.Q. 1686 (C.A.), D.T.E. 95T-827 (C.A.), J.E. 95-1438 (C.A.) (autorisation d'appeler à la Cour suprême refusée).
Fournier c. *Corporation de développement de la rivière Madeleine*, D.T.E. 2007T-624 (C.R.T.).
Towner c. *I.N.G. Canada inc.*, D.T.E. 2004T-932 (C.R.T.).
Trochet c. *Université de Sherbrooke*, D.T.E. 2004T-865 (C.R.T.) (révision judiciaire refusée: D.T.E. 2005T-575 (C.S.), EYB 2005-91056 (C.S.)).
Roseberry c. *Aliments 2000 (1987) inc.*, D.T.E. 2001T-762 (C.T.) (requête en révision judiciaire: n⁰ 200-05-015347-011).
Vandal c. *Ressorts Cascades inc.*, D.T.E. 2001T-436 (C.T.).
Ward c. *Château sur le Lac Ste-Geneviève inc.*, D.T.E. 2001T-930 (C.T.).

Carrier c. *Peignes à métier L.P.L. inc.*, (2000) R.J.D.T. 1103 (C.T.), D.T.E. 2000T-748 (C.T.).
Perron c. *Aliments Small Fray inc.*, (2000) R.J.D.T. 1116 (C.T.), D.T.E. 2000T-872 (C.T.) (révision judiciaire refusée: D.T.E. 2001T-514 (C.S.), J.E. 2001-1025 (C.S.), REJB 2001-24724 (C.S.)).
Rivest c. *Collège de Maisonneuve*, D.T.E. 2000T-455 (C.T.).
Beaudoin c. *Marchands en alimentation Agora inc.*, (1999) R.J.D.T. 1695 (C.T.), D.T.E. 99T-980 (C.T.).
Ménard c. *Collège de Maisonneuve*, D.T.E. 99T-415 (C.T.).
Poulin c. *Association de chasse et de pêche de Thetford Mines inc.*, D.T.E. 97T-102 (C.T.).
Bouchard c. *Centre Bonne-Entente*, D.T.E. 96T-503 (C.T.).
Gravel c. *Lucas Industries Canada Ltd. (Automotive Equipment Division)*, (1983) T.A. 755, D.T.E. 83T-389 (T.A.).
Journal de Montréal c. *Pépin*, (1983) T.A. 399, D.T.E. 83T-184 (T.A.).
Visionic inc. c. *Fortier*, D.T.E. 82T-579 (T.A.) (révision judiciaire refusée: D.T.E. 82T-30 (C.S.)).
V. aussi: *Chibi* c. *Sebag*, D.T.E. 2002T-631 (C.T.) (désistement de la révision judiciaire).
D'Amour c. *Taverne Au coin de la 2e*, D.T.E. 97T-650 (C.T.).
Thibeault c. *U.A.P. inc.*, D.T.E. 97T-887 (C.T.).

124/1363 Un motif illégal de congédiement ne peut constituer une cause juste et suffisante de la rupture du lien d'emploi.
Cheikh-Bandar c. *Pfizer Canada inc.*, D.T.E. 2008T-306 (C.R.T.) (révision judiciaire refusée: D.T.E. 2008T-877 (C.S.), J.E. 2008-2110 (C.S.), EYB 2008-149144 (C.S.)).
Ouellette c. *SSAB Hardox*, D.T.E. 2008T-236 (C.R.T.).
Hughes c. *Entreprises de soudure Aérospatiale inc.*, D.T.E. 2006T-646 (C.R.T.).

124/1364 Un congédiement jugé illégal en vertu de l'article 122 L.N.T. est nécessairement fait sans cause juste et suffisante.
Ouellette c. *SSAB Hardox*, D.T.E. 2008T-236 (C.R.T.).
Rivard c. *Realmont ltée*, (1999) R.J.D.T. 239 (C.T.), D.T.E. 99T-101 (C.T.), REJB 1998-09129 (C.T.).

124/1365 Le fait pour un employeur de devancer la date prévue au préavis de licenciement, constitue un congédiement sans cause juste et suffisante, lorsqu'il n'existe aucun motif permettant d'exiger le départ anticipé du salarié.
Renaud c. *Système électronique Rayco ltée*, D.T.E. 2004T-692 (C.R.T.).

124/1366 L'exercice par un employeur de sa discrétion de choisir parmi les candidats possibles dans le cadre d'un processus de dotation, ne constitue pas une cause juste et suffisante de congédiement.
Lavigueur c. *Québec (Ministère de la Culture et des Communications)*, (2000) R.J.D.T. 1757 (C.T.), D.T.E. 2000T-1199 (C.T.).

124/1367 L'échec à un examen en cours d'emploi peut constituer une cause juste et suffisante de congédiement.
Poulin c. *Commission des relations du travail*, D.T.E. 2008T-839 (C.S.), EYB 2008-148356 (C.S.).

Pelletier c. *Québec (Ministère de l'Emploi et de la Solidarité sociale)*, D.T.E. 2008T-701 (C.R.T.) (requête en révision judiciaire: n° 200-17-010282-085).
Gravel c. *Québec (Ministère de la Justice)*, D.T.E. 2004T-60 (C.R.T.) (révision judiciaire refusée: C.S.M. n° 500-17-018591-035, le 23 septembre 2004) (appel rejeté: D.T.E. 2005T-810 (C.A.), J.E. 2005-1652 (C.A.), EYB 2005-94368 (C.A.)).
Doyer c. *Québec (Curateur public)*, (2002) R.J.D.T. 1623 (C.T.), D.T.E. 2002T-1007 (C.T.) (règlement hors cour).
Renaud c. *Québec (Ministère du Revenu)*, (2002) R.J.D.T. 1595 (C.T.), D.T.E. 2002T-960 (C.T.).

124/1368 L'article 221 du *Code municipal du Québec* permet à un conseil municipal de congédier un officier sans donner de raison. Ainsi, cette disposition permet à une municipalité de congédier un inspecteur sans cause juste et suffisante.
Notre-Dame-de-la-Merci (Municipalité de) c. *Bureau du commissaire général du travail*, (1995) R.J.Q. 113 (C.S.), D.T.E. 95T-23 (C.S.), J.E. 95-88 (C.S.), conf. par D.T.E. 98T-319 (C.A.), J.E. 98-659 (C.A.).

124/1369 Constitue une cause juste et suffisante de congédiement, le fait que l'employeur soit obligé de se conformer à la *Loi sur la santé et la sécurité du travail* (L.R.Q., c. S-2.1).
Tremblay-Pilote c. *Pêcherie Manicouagan inc.*, D.T.E. 98T-560 (C.T.).

124/1370 Une blague de mauvais goût, manifestement déplacée, ne constitue pas une cause juste et suffisante de congédiement, mais peut être sanctionnée par une suspension.
Normand c. *Épiciers unis Métro-Richelieu inc.*, D.T.E. 95T-1432 (C.T.).

124/1371 Les plaintes de salariés syndiqués, ainsi que leurs menaces de démission en bloc, ne peuvent constituer une cause juste et suffisante de congédiement.
Poirier c. *Climatisation Fortier & Frères ltée*, (1996) C.T. 53, D.T.E. 96T-146 (C.T.).
V. aussi: *Lavigne* c. *Richelieu (Ville de)*, D.T.E. 2004T-157 (C.R.T.) (révision judiciaire refusée: (2004) R.J.D.T. 937 (C.S.), D.T.E. 2004T-717 (C.S.), REJB 2004-66568 (C.S.)).

124/1372 Une reprise d'entreprise ne constitue pas une cause juste et suffisante de congédiement au sens des dispositions de l'article 124 L.N.T.
Cloutier c. *2740-9218 Québec inc. (Resto Bar Le Club Sandwich)*, D.T.E. 2008T-305 (C.R.T.) (règlement hors cour).

124/1373 La dénonciation par le salarié de l'utilisation d'amiante dans l'entreprise ne constitue pas une cause juste et suffisante de congédiement.
Benabidi c. *Laboratoires de friction Fasa inc.*, D.T.E. 2003T-1012 (C.R.T.).

124/1374 La décision spontanée du salarié de quitter son poste de travail au vu et au su des autres salariés est un comportement qui ne constitue pas nécessairement une cause juste et suffisante de congédiement mais qui peut justifier une suspension de trois mois.
Picard c. *G.V. Bergeron*, D.T.E. 97T-826 (C.T.).

124/1375 L'utilisation d'un véhicule sans autorisation ou sans permis de conduire ne constitue pas nécessairement une cause juste et suffisante.
Bordeleau c. *Cie T. Eaton ltée*, D.T.E. 90T-159 (T.A.).
Tremblay c. *Handelman Co. of Canada Ltd.*, D.T.E. 85T-838 (T.A.).

124/1376 L'utilisation à des fins personnelles de l'équipement informatique de l'employeur, soit Internet, ne constitue pas nécessairement une cause juste et suffisante de congédiement en l'absence d'une directive claire prohibant l'utilisation pour des fins personnelles et en l'absence, également, de préjudice pour l'employeur.
Fiset c. *Service d'administration P.C.R. ltée*, (2003) R.J.D.T. 361 (C.T.), D.T.E. 2003T-41 (C.T.) (révision judiciaire refusée: D.T.E. 2003T-177 (C.S.)).

124/1377 Le refus du salarié de reconnaître sa responsabilité à l'égard d'un client relativement à des pertes de rendement de placements, ne constitue pas une cause juste et suffisante de congédiement.
Deschênes c. *Valeurs mobilières Banque Laurentienne inc.*, D.T.E. 2006T-418 (C.R.T.).

124/1378 Le manque de disponibilité en dehors des heures de travail ne peut constituer un motif de congédiement, surtout lorsque le salarié remplit ses fonctions de façon normale.
Coutu c. *Réno-dépôt (Groupe Val Royal inc.)*, D.T.E. 95T-529 (C.T.).

124/1379 La négociation d'une entente de départ de même que les présumées menaces et tentatives d'extorsion du salarié ne constituent pas une cause juste et suffisante de congédiement.
Laurence c. *9053-0072 Québec inc. (Pièces d'auto Philippe Gagnon)*, D.T.E. 2007T-610 (C.R.T.).

124/1380 Une poursuite judiciaire contre son employeur ne constitue pas une cause juste et suffisante.
Spécialités B.D.S. inc. c. *Caron*, (1988) T.A. 201, D.T.E. 88T-171 (T.A.) (révision judiciaire accueillie pour d'autres motifs: D.T.E. 88T-435 (C.S.)).

124/1381 Des menaces de recours collectif jumelées à une campagne de presse contre l'employeur ainsi que l'exercice d'un droit par le dépôt de plaintes non fondées peuvent justifier exceptionnellement une rupture du lien d'emploi puisque constituant une cause juste et suffisante de congédiement.
Mailloux c. *Outland Reforestation inc. (La Forêt de demain)*, D.T.E. 2006T-576 (C.R.T.) (révision en vertu de l'article 127 C.T. refusée) (révision judiciaire refusée: D.T.E. 2008T-242 (C.S.), J.E. 2008-633 (C.S.), EYB 2008-129834 (C.S.)).

124/1382 Un motif illégal de sanction, soit la mesure prise envers un salarié à cause de l'absence du travail de celui-ci pour s'occuper de l'état de santé de sa conjointe, ne saurait constituer une cause juste et suffisante de congédiement.
Ouellette c. *SSAB Hardox*, D.T.E. 2006T-572 (C.R.T.).

124/1383 Une plainte à la Commission des droits de la personne et des droits de la jeunesse ne peut constituer une cause juste et suffisante de congédiement basée sur la rupture du lien de confiance.
Dumais c. *Bic (Municipalité du)*, D.T.E. 2005T-297 (C.R.T.).

124/1384 Est illégal le congédiement du salarié parce qu'il a dénoncé un comportement de l'employeur contraire à l'ordre public, et ce, compte tenu du fait qu'il a déposé des plaintes à cet égard auprès des organismes responsables du respect des droits.

Cheikh-Bandar c. *Pfizer Canada inc.*, D.T.E. 2008T-306 (C.R.T.) (révision judiciaire refusée: D.T.E. 2008T-877 (C.S.), J.E. 2008-2110 (C.S.), EYB 2008-149144 (C.S.)).

124/1385 La faillite d'un salarié ne constitue pas nécessairement une cause juste et suffisante de congédiement, si celle-ci n'est pas reliée aux activités professionnelles du salarié chez son employeur.
Brisson c. *9027-4580 Québec inc.*, D.T.E. 98T-217 (C.T.) (révision judiciaire refusée: D.T.E. 99T-549 (C.S.)) (désistement d'appel).

124/1386 Une lettre du procureur d'un salarié ne peut constituer, en elle-même, une cause juste et suffisante de congédiement si elle ne cause pas de rupture du lien de confiance.
Perras c. *Journal de Montréal, division du Groupe Quebecor inc.*, D.T.E. 94T-369 (C.T.).

124/1387 Une procédure en séparation de corps intentée par la plaignante contre son mari employeur, ne constitue pas une cause juste et suffisante.
Levert c. *Ferronnerie Montréal-Nord Enrg.*, D.T.E. 88T-490 (T.A.).
V. aussi: *Gestion Pervenche ltée* c. *Dufour*, D.T.E. 86T-258 (C.S.) (appel rejeté: C.A.M. n° 500-09-000328-864, le 13 octobre 1987).

124/1388 L'embauche du fils du propriétaire d'une entreprise familiale dans le but d'avantager les membres de sa famille immédiate constitue une cause juste et suffisante de congédiement.
Genest c. *Autobus Ste-Hedwidge*, (1997) C.T. 352, D.T.E. 97T-969 (C.T.).

124/1389 Un congédiement en raison de l'âge du salarié constitue non seulement un congédiement sans cause juste et suffisante, mais également un congédiement pour un motif discriminatoire interdit par l'article 10 de la *Charte des droits et libertés de la personne*.
Roy c. *Brasserie La Côte de boeuf*, D.T.E. 95T-1431 (C.T.).
V. aussi: *Joly* c. *Gestion Gertec ltée*, D.T.E. 99T-190 (C.T.).
Turner c. *École supérieure de danse du Québec*, D.T.E. 99T-776 (C.T.).

124/1390 Congédier un salarié parce que son remplaçant temporaire offre un meilleur rendement ne peut constituer une cause juste et suffisante de congédiement.
Trudel c. *Jacques Olivier Ford inc.*, (1995) C.T. 457, D.T.E. 95T-1081 (C.T.).

124/1391 Le fait de procéder à l'embauche d'un salarié plus polyvalent, sans permettre au plaignant de satisfaire aux nouvelles exigences, constitue un congédiement sans cause juste et suffisante.
Viel c. *St-Marc-du-Lac-Long Paroisse (Corp. municipale de)*, D.T.E. 2000T-844 (C.T.).

124/1392 Le choix volontaire de la retraite par le salarié ne peut être considéré comme un congédiement.
Hannoyer c. *Hydro-Québec*, D.T.E. 2004T-802 (C.R.T.).

124/1393 Le fait que le plaignant, gendre du propriétaire, ait quitté son épouse, ne constitue pas une cause juste et suffisante de congédiement.
Ateliers Roland Gingras inc. c. *Desroches*, (1987) T.A. 600, D.T.E. 87T-876 (T.A.) (révision judiciaire refusée: (1988) R.J.Q. 523 (C.S.), D.T.E. 88T-154 (C.S.), J.E. 88-248 (C.S.)).
V. aussi: *Milles-Îsles (Mun. de)* c. *Rowen*, (1988) T.A. 221, D.T.E. 88T-116 (T.A.).

124/1394 L'impossibilité pour un employeur d'obtenir un permis dérogatoire lui permettant de verser un salaire inférieur au salaire minimum à des personnes handicapées, peut justifier le congédiement.
Mackay Specialties inc. c. *Beaulieu*, D.T.E. 82T-763 (T.A.).

124/1395 La renonciation du salarié plaignant à satisfaire aux exigences de partenariat de l'entreprise ne saurait, à elle seule, constituer une cause juste et suffisante de congédiement.
Turbide c. *Desrobec inc.*, D.T.E. 2008T-689 (C.R.T.).

124/1396 Le fait de refuser l'offre de l'employeur de continuer à travailler en étant payé comptant pour la différence entre l'assurance-chômage et son salaire ne justifie pas le congédiement.
Geoffrion c. *Imprimerie Jet (1978) ltée*, D.T.E. 83T-183 (T.A.).

124/1397 L'absence prolongée du foyer d'hébergement d'enfants en difficultés d'adaptation, constitue une cause juste et suffisante de congédiement.
Delisle c. *Centre d'accueil St-Joseph de Joliette*, D.T.E. 93T-1309 (C.T.) (révision judiciaire refusée: D.T.E. 94T-450 (C.S.)).

124/1398 Le fait de proférer des propos racistes n'est pas nécessairement une cause juste et suffisante.
Gordon c. *Southam inc. (The Gazette)*, D.T.E. 91T-218 (T.A.).

124/1399 Le congédiement n'est pas fondé sur une cause juste et suffisante lorsque l'employeur monte un dossier pour se débarrasser d'un salarié.
Poirier c. *Climatisation Fortier & Frères ltée*, (1996) C.T. 53, D.T.E. 96T-146 (C.T.).
Entreprises A. & C. Godbout inc. c. *Gascon*, (1991) T.A. 303, D.T.E. 91T-483 (T.A.).

124/1400 Des causes multiples qui ne sont en fait que des incidents montés en épingle ne peuvent constituer un prétexte pour se débarrasser d'un salarié ayant atteint l'âge de la retraite.
Ste-Marie c. *Louis Vuitton North America inc.*, D.T.E. 98T-531 (C.T.), REJB 1998-05745 (C.T.) (révision judiciaire refusée: C.S.M. n° 500-05-041082-981, le 17 juillet 1998).

124/1401 Le comportement discriminatoire d'un gérant favorisant les salariés de certaines appartenances linguistiques, constitue un motif suffisant de congédiement.
Habjanic c. *Salamico Cie*, D.T.E. 87T-452 (T.A.).

124/1402 La connaissance insuffisante de l'anglais par un serveur oeuvrant dans un restaurant ne peut constituer une cause juste et suffisante de congédiement.
Filali c. *113492 Canada inc.*, (1996) C.T. 434, D.T.E. 96T-941 (C.T.).

124/1403 Ne constituent pas une cause juste et suffisante de congédiement, l'apparence physique et l'âge d'une salariée serveuse dans une brasserie.
Joly c. *Gestion Gertec ltée*, D.T.E. 99T-190 (C.T.).
Gagnon c. *2753-3058 Québec inc.*, D.T.E. 95T-750 (C.T.).

124/1404 Le refus de porter un uniforme qui porte atteinte à la dignité du salarié, soit un tee-shirt transparent, ne constitue pas une cause juste et suffisante

de congédiement. En effet, un tel refus est justifié en fonction, entre autres, du droit à la dignité prévu par la *Charte des droits et libertés de la personne* et le *Code civil du Québec*.
Kirkham c. *Bill Edward's Cheers – Cheers Management (Pointe-Claire) Inc.*, (2002) R.J.D.T. 314 (C.T.), D.T.E. 2002T-303 (C.T.) (règlement hors cour partiel).

124/1405 Le fait pour un employeur de remplacer une salariée par une autre parce que la plaignante n'est pas assez attrayante ne constitue pas une cause juste et suffisante de congédiement.
Pelletier c. *Luc Pelletier inc.*, (1994) C.T. 470, D.T.E. 94T-1076 (C.T.).

124/1406 Le fait pour un employeur de préférer une jeune fille mince et jolie ne constitue pas une cause juste et suffisante de congédiement. Il s'agit d'un motif diffamatoire qui repose sur des considérations subjectives et arbitraires liées uniquement à l'apparence physique de la salariée. De plus, il s'agit d'un geste discriminatoire au sens de l'article 4 de la *Charte des droits et libertés de la personne*.
Bouchard c. *9019-6718 Québec inc.*, D.T.E. 2000T-1198 (C.T.) (révision judiciaire refusée: D.T.E. 2001T-435 (C.S.)).

124/1407 Le rajeunissement du personnel ne constitue pas une cause juste et suffisante de congédiement.
Joly c. *Gestion Gertec ltée*, D.T.E. 99T-190 (C.T.).

124/1408 Le fait que l'employeur ait l'impression que le salarié ne veut pas prendre les moyens nécessaires pour suivre une cure de désintoxication, ne constitue pas une cause juste et suffisante de congédiement.
Perez c. *Commerce d'automobile GHA corp.*, D.T.E. 2008T-283 (C.R.T.) (requête en révision judiciaire: n° 500-17-041935-084).

124/1409 La violation de la vie privée par le salarié, après qu'il eut écouté et fait écouter à d'autres employés une conversation amoureuse entre deux médecins, malencontreusement enregistrée par l'un deux, ne constitue pas nécessairement une cause juste et suffisante de congédiement.
Meloche c. *Centre d'orthopédie Laval*, D.T.E. 97T-76 (C.T.).

124/1410 Le fait de remettre au salarié une indemnité de préavis ne constitue pas une cause suffisante de congédiement.
Mercier c. *Union des producteurs agricoles*, (1982) T.A. 1245, D.T.E. 82T-802 (T.A.) (révision judiciaire refusée: D.T.E. 86T-774 (C.S.)).

124/1411 Une directive non motivée d'un directeur de l'entreprise ne peut évidemment constituer une cause juste et suffisante de congédiement.
Bérubé c. *Ressources informatiques Quantum ltée*, D.T.E. 96T-1436 (C.T.).

124/1412 Le refus par le salarié de signer une clause de non-concurrence qu'il a acceptée lors de son embauche, constitue une cause juste et suffisante de congédiement puisqu'il s'agit d'une violation d'une condition essentielle du contrat de travail convenu à l'origine.
Jean c. *OmegaChem inc.*, D.T.E. 2009T-224 (C.R.T.) (révision en vertu de l'article 127 C.T. refusée) (requête en révision judiciaire: n° 200-17-011933-090).

124/1413 La violation d'une obligation essentielle du contrat d'emploi, par la vente de ses actions dans l'entreprise, constitue une cause juste et suffisante.
Genest c. *St-Laurent, Cie de réassurance*, D.T.E. 88T-115 (T.A.).

124/1414 Le licenciement du salarié par un employeur et le non-engagement par le nouveau propriétaire ne constituent pas une cause juste et suffisante de congédiement.
Moncion c. *Marché Jean Renaud inc.*, (1994) C.T. 199, D.T.E. 94T-313 (C.T.).

124/1415 Ne constitue pas une cause juste et suffisante de congédiement, le fait pour un pompier volontaire, de résider à l'extérieur de la municipalité, lorsqu'il n'a jamais été avisé de cette exigence.
Brossard c. *Delson (Ville de)*, (1992) C.T. 536, D.T.E. 92T-920 (C.T.).

124/1416 Le licenciement peut être motivé par le fait qu'un pompier volontaire exerce des activités de chef pompier dans la municipalité voisine.
Gauvin c. *Stoneham et Tewkesbury (Corp. mun. des cantons unis de)*, (1986) T.A. 479, D.T.E. 86T-574 (T.A.).

124/1417 Le mensonge n'est pas en soi une cause juste et suffisante de congédiement.
Lajoie c. *Sico Industrie inc.*, D.T.E. 90T-1161 (T.A.).

124/1418 Une erreur administrative n'est pas une cause juste et suffisante de congédiement si l'employeur n'a jamais avisé le salarié de corriger l'erreur.
Sansfaçon c. *Logic Contrôle inc.*, D.T.E. 94T-1101 (C.T.).

124/1419 La falsification de rapports d'analyse ne constitue pas nécessairement une cause juste et suffisante.
Hercules Canada inc. c. *Collette*, D.T.E. 85T-631 (T.A.).

124/1420 L'air taciturne d'un salarié ne peut être une cause juste de congédiement.
Labelle c. *Marché T. Léonard inc.*, (1981) 3 R.S.A. 259.

124/1421 Les fausses déclarations lors de l'embauche ne constituent pas nécessairement une cause juste et suffisante.
Mihalo-Christa c. *Electromate Industrial Sales Ltd.*, (2003) R.J.D.T. 1660 (C.R.T.), D.T.E. 2003T-1104 (C.R.T.).
St-Louis c. *Office municipal d'habitation de Montréal*, D.T.E. 95T-594 (C.T.).
Gagnon c. *Hewitt Équipement ltée*, D.T.E. 89T-129 (T.A.).

124/1422 Il ne peut y avoir cause juste et suffisante de congédiement lorsque l'employeur, après avoir accepté pendant des années de rembourser les dépenses non reliées aux affaires de l'entreprise, prétend ensuite qu'elles sont exagérées.
Lacroix c. *Brasserie Labatt ltée*, D.T.E. 2001T-18 (C.T.) (révision judiciaire refusée: D.T.E. 2001T-316 (C.S.)).

124/1423 Le fait de ne pas être un adventiste, un pratiquant ou un défenseur de l'Église de scientologie ne peut constituer une cause juste et suffisante de congédiement.
Riou c. *Point de vue — souvenirs inc.*, (1995) C.T. 210, D.T.E. 95T-398 (C.T.) (révision judiciaire refusée: C.S.Q. n° 200-05-000140-959, le 24 avril 1995).

De même, le manque d'enthousiasme du salarié, par son refus d'adhérer aux principes et aux valeurs de l'Église de scientologie, ne constitue pas une cause juste et suffisante de congédiement.
Gagnon c. *Corne d'abondance inc.*, D.T.E. 97T-341 (C.T.), conf. sur ce point à D.T.E. 98T-153 (C.S.).

124/1424 V. AUDET, G., BONHOMME, R., GASCON, C. et COURNOYER-PROULX, M., *Le congédiement en droit québécois en matière de contrat individuel de travail*, vol. 1, 3e éd. (édition à feuilles mobiles), Cowansville, Éditions Yvon Blais, p. 18-125 à 18-141.

124/1425 V. BLOUIN, R., «Notion de cause juste et suffisante en contexte de congédiement», (1981) 41 *R. du B.* 807.

124/1426 V. BRIÈRE, J.-Y. et VILLAGGI, J.-P., *Relations de travail*, vol. 2, (édition à feuilles mobiles), Brossard, Les Publications CCH ltée, p. 8,895 à 8,917-89.

124/1427 V. CAZA, C., «L'embarquement pour un tour d'horizon des développements récents concernant la *Loi sur les normes du travail*», dans *Développements récents en droit du travail (1997),* Formation permanente du Barreau du Québec, Cowansville, Les Éditions Yvon Blais inc., 1997, p. 229, p. 314 et ss.

124/1428 V. DUBÉ, J.-L. et DI IORIO, N., *Les normes du travail*, 2e éd., Sherbrooke, Les Éditions Revue de droit — Université de Sherbrooke, 1992, p. 549 à 552.

124/1429 V. LAPORTE, P., *Le traité du recours à l'encontre d'un congédiement sans cause juste et suffisante (en vertu de la Loi sur les normes du travail, article 124)*, Montréal, Wilson & Lafleur ltée, 1992, p. 251 à 509.

DISCIPLINE PROGRESSIVE

Général

124/1430 En matière de sanction, le but premier est de corriger les méfaits de l'employé. La sanction ne saurait constituer une forme de vengeance sur un employé en particulier, ni une façon d'établir un exemple pour les autres employés, ni une façon de régler les incompatibilités ou de raffermir son autorité. La loi, en matière de congédiement, concerne directement la personne et ce qu'elle a fait, négligé de faire ou est incapable de faire.
Trudel c. *Service Lippens inc.*, D.T.E. 82T-136 (T.A.).
V. aussi: *Lemelin* c. *Transport Intrabec (1986) inc.*, D.T.E. 89T-175 (T.A.).

124/1431 L'objectif visé par la sanction disciplinaire est d'inciter le salarié à corriger sa conduite ou à modifier son comportement et c'est uniquement lorsque des sanctions moins sévères ont été imposées sans succès qu'il faut appliquer la sanction disciplinaire définitive qu'est le congédiement.
Brunet c. *Couche-Tard inc.*, D.T.E. 2009T-97 (C.R.T.).
Amesse c. *Surbois inc.*, D.T.E. 2006T-312 (C.R.T.).
Radacovsky c. *Grands Ballets canadiens de Montréal*, D.T.E. 2006T-169 (C.R.T.).
Karch c. *Technologies Kree inc.*, D.T.E. 2005T-809 (C.R.T.).

Mihalo-Christa c. *Electromate Industrial Sales Ltd.*, D.T.E. 2004T-718 (C.R.T.) (révision judiciaire refusée: D.T.E. 2004T-996 (C.S.)) (appel rejeté sur requête).
Gosselin c. *Clip inc.*, D.T.E. 94T-409 (C.T.).
Béland c. *Laniel Canada inc.*, D.T.E. 89T-464 (T.A.).
Bilodeau c. *J.E. Verreault et Fils ltée*, D.T.E. 89T-923 (T.A.).
Académie Michèle Provost inc. c. *Chalouhi*, D.T.E. 87T-805 (T.A.).
Nash c. *Secur inc.*, (1987) T.A. 726, D.T.E. 87T-1022 (T.A.).
St-Pierre c. *Antoine Bernier Rivière-du-Loup inc.*, D.T.E. 87T-1025 (T.A.).
Gaudreau c. *Industries d'acier inoxydable ltée*, D.T.E. 86T-729 (T.A.).

124/1432 Dans l'imposition d'une sanction, l'employeur doit tenir compte du principe de la progression des sanctions, ainsi que des facteurs atténuants.
Chamaillard c. *Agence de recouvrement ARC (corporation)*, D.T.E. 2005T-966 (C.R.T.).

124/1433 Il n'est pas manifestement déraisonnable de conclure qu'un employeur doit officiellement aviser le salarié de ses manquements avant de procéder au congédiement.
Future Electronics Inc. c. *Monette*, D.T.E. 2003T-420 (C.S.), J.E. 2003-820 (C.S.), REJB 2003-39614 (C.S.).

124/1434 Le salarié doit connaître les objectifs précis de l'employeur, son insatisfaction, il doit bénéficier d'une période de temps raisonnable pour faire preuve d'amélioration et d'un avertissement suivant lequel son omission de s'améliorer entraînera son congédiement.
Cusson c. *Brossard (Ville de)*, D.T.E. 97T-493 (C.T.).

124/1435 Une mesure disciplinaire a pour principal objectif la réadaptation du salarié aux normes disciplinaires de l'entreprise et, dans un tel système, l'aspect punitif de la mesure est secondaire.
Turbocristal inc. c. *Racine*, D.T.E. 95T-493 (C.S.) (règlement hors cour).

124/1436 Lorsqu'un salarié ne se conforme pas aux exigences de son employeur, ce dernier peut exercer son pouvoir disciplinaire pour maintenir l'ordre dans son entreprise, et ce, dans le respect de la règle de la progression des sanctions.
Lévesque c. *3312151 Canada inc.*, (1999) R.J.D.T. 541 (C.T.), D.T.E. 99T-332 (C.T.).

124/1437 La gradation des sanctions est un guide qui protège le salarié contre l'exercice abusif du droit de direction et elle doit être utilisée avec discernement pour éviter de lui donner le statut de dogme.
Landry c. *Gravel Chevrolet Oldsmobile inc.*, (1988) T.A. 63, D.T.E. 88T-49 (T.A.).

124/1438 La notion de gradation des sanctions est applicable en vertu de l'article 124 L.N.T., tout comme dans le cas d'employés bénéficiant de la protection d'une convention collective.
Heutte c. *Centre médical des industries de la mode (U.I.O.V.D.)*, D.T.E. 82T-580 (T.A.).

124/1439 La théorie de la gradation des sanctions s'applique même dans les cas de licenciement.
Cusson c. *Brossard (Ville de)*, D.T.E. 97T-493 (C.T.).
De Melo c. *Dog Studio (The)*, (1984) T.A. 460, D.T.E. 84T-562 (T.A.).

124/1440 Lorsque le manquement du salarié est de nature disciplinaire, il ne peut constituer un élément de la progression des sanctions reliées à des mesures administratives antérieures.
Raymond Plourde Automobiles inc. c. *Bélanger*, D.T.E. 2001T-487 (C.S.), J.E. 2001-986 (C.S.), REJB 2001-24640 (C.S.).

124/1441 Avant d'en venir à la mesure drastique qu'est le congédiement, l'employeur doit appliquer le principe de la gradation progressive des peines imposées.
Brunet c. *Couche-Tard inc.*, D.T.E. 2009T-97 (C.R.T.).
Boucher c. *Café central Coaticook*, D.T.E. 2008T-471 (C.R.T.).
C.A. c. *2970-7528 Québec inc. (Auto H. Grégoire)*, D.T.E. 2008T-284 (C.R.T.) (révision judiciaire refusée: C.S.M. n° 500-17-041880-082, le 8 janvier 2009).
Calderon c. *134343 Canada inc.*, D.T.E. 2008T-629 (C.R.T.).
Morin c. *Journal de Sherbrooke*, D.T.E. 2008T-194 (C.R.T.).
Bessette c. *Simson-Maxwell*, D.T.E. 2007T-646 (C.R.T.).
Cadet c. *Imprimeries Transcontinental, s.e.n.c.*, D.T.E. 2007T-300 (C.R.T.).
Ouellette c. *SSAB Hardox*, D.T.E. 2006T-572 (C.R.T.).
Pepe c. *Italbec International inc.*, D.T.E. 2006T-992 (C.R.T.).
Guillemette c. *Fabrimet inc.*, (2005) R.J.D.T. 1232 (C.R.T.), D.T.E. 2005T-772 (C.R.T.).
Jean c. *2722941 Canada inc. (Géo Mercier)*, D.T.E. 2005T-941 (C.R.T.).
Karch c. *Technologies Kree inc.*, D.T.E. 2005T-809 (C.R.T.).
Mihalo-Christa c. *Electromate Industrial Sales Ltd.*, D.T.E. 2004T-718 (C.R.T.) (révision judiciaire refusée: D.T.E. 2004T-996 (C.S.)) (appel rejeté sur requête).
Boisvert c. *Industries Machinex inc.*, D.T.E. 2002T-185 (C.T.).
Lachance c. *Corp. Électrolux du Canada inc.*, D.T.E. 2002T-935 (C.T.).
Djemaï c. *Clôtures Bénor inc.*, (2001) R.J.D.T. 1900 (C.T.), D.T.E. 2001T-1130 (C.T.).
Racine c. *Orviande inc.*, D.T.E. 2001T-606 (C.T.).
Markus c. *Entreprise de soudure aérospatiale inc.*, (2000) R.J.D.T. 231 (C.T.), D.T.E. 2000T-133 (C.T.).
Papaeconomou c. *Pratt & Whitney Canada inc.*, D.T.E. 99T-287 (C.T.).
Cusson c. *Brossard (Ville de)*, D.T.E. 97T-493 (C.T.).
Meloche c. *Centre d'orthopédie Laval*, D.T.E. 97T-76 (C.T.).
Dufour c. *Helca Métro ltée*, (1995) C.T. 236, D.T.E. 95T-449 (C.T.).
Émond c. *Mil Davie inc.*, D.T.E. 94T-876 (C.T.).
Gosselin c. *Clip inc.*, D.T.E. 94T-409 (C.T.).
Acier Midland ltée c. *Beaudoin*, (1991) T.A. 388, D.T.E. 91T-591 (T.A.).
Danis c. *Mont Ste-Marie (1984) inc.*, D.T.E. 91T-360 (T.A.).
Twinpack inc. c. *Napieracz*, D.T.E. 91T-895 (T.A.).
Lemelin c. *Transport Intrabec (1986) inc.*, D.T.E. 89T-175 (T.A.).
Allard c. *H.J. Heinz du Canada ltée*, D.T.E. 88T-487 (T.A.).
Pasche c. *Tip Top Tailors-Dilex ltée*, (1988) T.A. 396, D.T.E. 88T-484 (T.A.).
Académie Michèle Provost inc. c. *Chalouhi*, D.T.E. 87T-805 (T.A.).
Division Francon et/ou Canfarge ltée c. *Pazienza*, D.T.E. 87T-682 (T.A.).
Gaudreau c. *Industries d'acier inoxydable ltée*, D.T.E. 86T-729 (T.A.).
Grondin c. *Société minéralogique région de l'Amiante (Somira)*, D.T.E. 86T-592 (T.A.).
Grande-Île (Mun. de la) c. *Boulay*, (1985) T.A. 736, D.T.E. 85T-873 (T.A.).
Lamarre c. *Chaussures Trans-Canada ltée*, D.T.E. 85T-722 (T.A.).
Société Asbestos ltée c. *Blanchette*, D.T.E. 85T-251 (T.A.).
Allain c. *Cie minière I.O.C. inc.*, (1984) T.A. 509, D.T.E. 84T-622 (T.A.).

Bissonnette c. *Bélanger*, D.T.E. 84T-576 (T.A.) (révision judiciaire accueillie pour d'autres motifs: (1985) C.S. 715, D.T.E. 85T-535 (C.S.), J.E. 85-650 (C.S.)).
Cossette c. *Radex ltée*, (1984) T.A. 17, D.T.E. 84T-50 (T.A.) (révision judiciaire refusée: C.S. Chicoutimi, n° 150-05-000032-849, le 13 août 1984, conf. par D.T.E. 85T-922 (C.A.)).
Joncas c. *Brasserie La Ribouldingue inc.*, D.T.E. 84T-561 (T.A.).
Papineau c. *Industries Henri Mitchell ltée*, D.T.E. 84T-13 (T.A.).
Plamondon c. *Du Vallon Chrysler Plymouth ltée*, (1984) T.A. 164, D.T.E. 84T-245 (T.A.).
Hudon c. *Thibodeau Transport inc. (Portneuf)*, D.T.E. 82T-829 (T.A.).
Laporte c. *Talens C.A.C. inc.*, D.T.E. 82T-372 (T.A.) (révision judiciaire accueillie pour d'autres motifs: D.T.E. 84T-118 (C.A.), J.E. 84-134 (C.A.)).

124/1442 L'économie du droit du travail veut qu'un employeur ne puisse imposer des mesures disciplinaires que de façon graduelle et selon la gravité et la fréquence des reproches adressés au salarié et qu'il ne puisse recourir au congédiement que dans des cas extrêmes, lorsque toutes les autres solutions ont été épuisées et qu'il n'y a plus aucun espoir de réhabilitation.
Lavoie c. *Boutique Élise Andrée Enrg.*, D.T.E. 89T-742 (T.A.).
Ringuette c. *Taverne Excel Enrg.*, D.T.E. 88T-954 (T.A.).
Thivierge c. *Autobus Laval ltée*, (1988) T.A. 377, D.T.E. 88T-389 (T.A.).
Acmé Seely inc. c. *Beaudoin*, (1984) T.A. 16, D.T.E. 84T-29 (T.A.).
Joncas c. *Brasserie La Ribouldingue inc.*, D.T.E. 84T-561 (T.A.).
Québec aviation ltée c. *Beauchamp*, (1984) T.A. 573, D.T.E. 84T-760 (T.A.).
Garderie coopérative «Au pays des lutins» c. *Blanchette*, D.T.E. 82T-222 (T.A.).

124/1443 Dans un contexte où les sanctions ne peuvent faire l'objet de contestation, le commissaire peut s'en tenir à la progression des sanctions telles qu'établies par l'employeur seulement si elles sont justes et raisonnables compte tenu de la faute commise.
Caisse populaire de St-Anaclet c. *Blanchette*, (1988) T.A. 493, D.T.E. 88T-558 (T.A.).

124/1444 L'application par le commissaire du principe de la progression des sanctions plutôt que celui de l'incident culminant, qui est une exception aux règles générales de la discipline en milieu de travail, ne peut être qualifiée d'irrationnelle ni d'absurde au sens du contrôle judiciaire.
Paquette & Associés c. *Côté-Desbiolles*, D.T.E. 97T-1240 (C.S.) (règlement hors cour).

124/1445 En l'absence de sanctions disciplinaires progressives, seule une faute grave autorise le congédiement.
Roy c. *Papier White Birch inc.*, D.T.E. 2008T-719 (C.R.T.).
G.F. c. *Résidence A*, D.T.E. 2007T-916 (C.R.T.).
Morin c. *Carrière Union ltée*, D.T.E. 2006T-395 (C.R.T.) (révision en vertu de l'article 127 C.T. refusée: D.T.E. 2006T-887 (C.R.T.)) (désistement de la révision judiciaire).
Radacovsky c. *Grands Ballets canadiens de Montréal*, D.T.E. 2006T-169 (C.R.T.).
Lavigne c. *Richelieu (Ville de)*, D.T.E. 2004T-157 (C.R.T.) (révision judiciaire refusée: (2004) R.J.D.T. 937 (C.S.), D.T.E. 2004T-717 (C.S.), REJB 2004-66568 (C.S.)).
Simoneau c. *Beckman Coulter Canada inc.*, D.T.E. 2004T-578 (C.R.T.).
Fiset c. *Service d'administration P.C.R. ltée*, (2003) R.J.D.T. 361 (C.T.), D.T.E. 2003T-41 (C.T.) (révision judiciaire refusée: D.T.E. 2003T-177 (C.S.)).

Parisé c. *Services ménagers Roy (hôtellerie) ltée*, (2000) R.J.D.T. 237 (C.T.), D.T.E. 2000T-90 (C.T.).
Hogue c. *Agences Claude Marchand inc.*, D.T.E. 99T-242 (C.T.).
Rathle c. *Restaurant Rive gauche inc.*, D.T.E. 99T-799 (C.T.).
Vézina c. *Barbotine inc.*, (1999) R.J.D.T. 1663 (C.T.), D.T.E. 99T-911 (C.T.).
Berthuit c. *Supermarché Bilodeau (1990) inc.*, (1998) R.J.D.T. 1700 (C.T.), D.T.E. 98T-1083 (C.T.).
Martel c. *Bar Minuit*, D.T.E. 92T-975 (C.T.).
Pompeo c. *Appartements Tours Stanley inc.*, D.T.E. 92T-1125 (C.T.).
Béland c. *Laniel Canada inc.*, D.T.E. 89T-464 (T.A.).
Fasulo c. *Emballages Heat Seal inc.*, (1989) T.A. 805, D.T.E. 89T-925 (T.A.).
Guérard c. *Caisse populaire St-Denys du Plateau*, D.T.E. 87T-97 (T.A.).
Innocent c. *Boiseries Crotone inc.*, (1987) T.A. 272, D.T.E. 87T-426 (T.A.).
Lachance c. *Zellers inc.*, (1987) T.A. 10, D.T.E. 87T-12 (T.A.) (révision judiciaire refusée: D.T.E. 87T-844 (C.S.)).
R... B... c. *Bureau d'expertise des assureurs ltée*, (1987) T.A. 658, D.T.E. 87T-964 (T.A.).
Pomerleau c. *Laboratoires Hefran inc.*, (1985) T.A. 798, D.T.E. 85T-971 (T.A.).
Desruisseaux c. *Commission de transport de la Rive Sud de Montréal*, D.T.E. 84T-70 (T.A.).
Chapman c. *Service spécial de garage inc.*, D.T.E. 83T-946 (T.A.).
Muller c. *Vickers Canada inc.*, (1982) T.A. 845, D.T.E. 82T-275 (T.A.).
Baboushkin Bros Ltd. c. *Choran*, (1981) 1 R.S.A. 19.

124/1446 Lorsque le comportement du salarié constitue une faute grave, l'employeur n'est pas tenu de suivre la règle de la progression des sanctions. Tel est le cas en matière de harcèlement sexuel.
Quenneville c. *Kraft Canada inc.*, D.T.E. 2007T-1006 (C.R.T.).

124/1447 Le principe de la progression des sanctions ne saurait trouver application lorsque les fautes commises par le salarié sont d'une gravité suffisamment sérieuse pour constituer des motifs légitimes de congédiement.
Forest c. *Collectif plein de bon sens*, D.T.E. 2004T-158 (C.R.T.).

124/1448 Lorsque les fautes reprochées au salarié justifient la sanction ultime du congédiement, l'employeur doit agir en temps opportun, sinon le défaut peut lui être fatal. Ainsi, une faute suffisamment grave pour entraîner le congédiement nécessite une intervention diligente de sa part.
Bertrand c. *Quadrisart Canada ltée*, D.T.E. 2008T-172 (C.R.T.) (révision en vertu de l'article 127 C.T. refusée) (requête en révision judiciaire: n° 550-17-003909-080).

124/1449 Seules deux exceptions prévalent en matière de progression des sanctions, soit la faute lourde et l'incident culminant.
Couture c. *Barette*, D.T.E. 99T-483 (C.S.).
Séguin c. *Ameublement Branchaud*, D.T.E. 95T-1405 (C.T.).

124/1450 Il est bien établi en droit du travail que le vol, dès que la faute est établie, constitue une faute grave qui échappe généralement à la règle de la progression des sanctions.
Beauregard c. *Sobey's Québec inc.*, D.T.E. 2006T-622 (C.R.T.).
Furfaro c. *Costco Canada inc.*, D.T.E. 2000T-920 (C.T.).

124/1451 Il est bien établi en droit du travail que la fraude constitue une faute grave qui échappe à la règle de la progression des sanctions, et ce, principalement lorsque l'employé occupe un emploi de confiance et un haut niveau de responsabilité.
Bouchard c. *Propur inc.*, D.T.E. 2007T-259 (C.R.T.) (révision judiciaire refusée: C.S. Chicoutimi, n[0] 150-17-001319-075, le 12 juillet 2007).

124/1452 L'employeur doit procéder progressivement dans l'imposition de sanctions disciplinaires si c'est la première fois qu'il fait des reproches sur la qualité du travail du salarié.
Hercules Canada inc. c. *Collette*, D.T.E. 85T-631 (T.A.).
V. aussi: *Équipement de ferme Dynavent* c. *Lefebvre*, (1991) T.A. 252, D.T.E. 91T-440 (T.A.).
Piuze c. *Équipement Blackwood Hodge ltée*, (1991) T.A. 337, D.T.E. 91T-532 (T.A.).

124/1453 Il est contraire au principe de l'application de la progression des sanctions qu'un employeur ne sanctionne pas les fautes immédiatement, mais qu'il choisisse plutôt d'attendre que celles-ci s'accumulent avant d'imposer une mesure disciplinaire.
Charlton c. *Hôpital général juif Sir Mortimer B. Davis*, (2008) R.J.D.T. 1618 (C.R.T.), D.T.E. 2008T-840 (C.R.T.).

124/1454 Le fait qu'un salarié soit rémunéré sur la base de commissions ne constitue pas un motif permettant à l'employeur d'écarter automatiquement le principe de l'application de la progression des sanctions.
Lacasse c. *Service de prévention Microtec inc.*, D.T.E. 97T-459 (C.T.).

124/1455 L'obligation de progression des sanctions ne s'applique pas dans le cas d'un salarié qui est le conjoint de l'un des deux propriétaires associés de l'entreprise.
Gauthier c. *Surveillance d'alarme 24 heures du Québec inc.*, D.T.E. 99T-523 (C.T.).

124/1456 En matière de congédiement, un employeur n'a pas à suivre les étapes prévues dans un guide de référence disciplinaire puisqu'il n'est pas lié par ce document comme il le serait, par exemple, par une convention collective ou une disposition d'une loi d'ordre public.
Cousineau c. *Hewitt Équipement ltée*, (1993) C.T. 183, D.T.E. 93T-430 (C.T.).

124/1457 La règle de la progressivité des sanctions ne s'applique pas en cas de comportement irréversible de la part du salarié, c'est-à-dire lorsque l'employeur démontre que même l'application de la discipline progressive n'aurait pas amené le salarié à amender sa conduite et à la rendre conforme à ses attentes.
Edmond c. *The Brick Warehouse, l.p. Brick (MC)*, D.T.E. 2008T-899 (C.R.T.).

124/1458 Le principe de la progression des sanctions doit être appliqué de façon suffisamment cohérente et satisfaisante.
Paulin c. *Grace Canada inc.*, (2000) R.J.D.T. 1739 (C.T.), D.T.E. 2000T-1174 (C.T.).

124/1459 Si le salarié est incompétent, l'employeur doit l'avertir officiellement des fautes qu'on lui reproche.
Lemelin c. *Transport Intrabec (1986) inc.*, D.T.E. 89T-175 (T.A.).
V. aussi: *Vincent* c. *Steinberg inc.*, (1981) 2 R.S.A. 106.

124/1460 Une évaluation, même négative, n'est pas un avis disciplinaire.
Normand c. *Épiciers unis Métro-Richelieu inc.*, D.T.E. 95T-1432 (C.T.).

124/1461 Les règles de la discipline progressive exigent que l'employeur avise le salarié et lui fasse part de la norme de rendement acceptable et des conséquences de ses lacunes.
Maltais c. *Courtiers en alimentation Bel-go inc.*, (1995) C.T. 491, D.T.E. 95T-1245 (C.T.).
Henderson Small c. *Cie I.C.N. Canada ltée*, D.T.E. 90T-25 (T.A.).
Lavoie c. *Boutique Élise Andrée Enrg.*, D.T.E. 89T-742 (T.A.).
Allard c. *H.J. Heinz du Canada ltée*, D.T.E. 88T-487 (T.A.).
Cie minière Québec Cartier c. *Dumais*, D.T.E. 82T-91 (T.A.).

124/1462 En matière de progression des sanctions, l'employeur ne peut tenir compte des reproches antérieurs, datant de plus de six mois, qui n'ont pas fait l'objet de mesures disciplinaires.
Bastien c. *St-Hugues (Municipalité de)*, D.T.E. 2001T-1021 (C.T.).

124/1463 Avant d'effectuer un congédiement, un employeur doit respecter la théorie de la progression des sanctions. Ainsi, il peut permettre au salarié de réfléchir en lui imposant une suspension après l'avoir averti.
Veillette & Deschênes ltée c. *Tremblay*, D.T.E. 83T-96 (T.A.) (révision judiciaire accueillie pour d'autres motifs: D.T.E. 84T-825 (C.S.)).

124/1464 Dans le cas de rendement insuffisant, l'employeur doit appliquer les principes de la discipline progressive en adressant des reproches précis au plaignant, en le mettant en demeure d'améliorer sa productivité et en imposant des mesures disciplinaires s'il n'y a pas eu amélioration de sa prestation de travail.
Rematech Division I.B.S. ltée c. *Brasseur*, D.T.E. 89T-924 (T.A.).
Acmé Seely inc. c. *Beaudoin*, (1984) T.A. 16, D.T.E. 84T-29 (T.A.).

124/1465 L'employeur doit appliquer la progression des sanctions et donner la chance au salarié de se reprendre et de prouver sa bonne volonté.
Acier Midland ltée c. *Beaudoin*, (1991) T.A. 388, D.T.E. 91T-591 (T.A.).
Danis c. *Mont Ste-Marie (1984) inc.*, D.T.E. 91T-360 (T.A.).
Équipement de ferme Dynavent c. *Lefebvre*, (1991) T.A. 252, D.T.E. 91T-440 (T.A.).

124/1466 L'employeur doit prouver que le salarié a été averti de la conséquence exacte de la répétition de ses erreurs.
Moreau c. *Pétroles Ronoco inc.*, D.T.E. 91T-337 (T.A.).
Papineau c. *Industries Henri Mitchell ltée*, D.T.E. 84T-13 (T.A.).

124/1467 Lorsqu'il y a eu plusieurs avertissements préalables, le comportement répréhensible peut justifier un congédiement.
Services immobiliers Royal LePage c. *Lespérance*, D.T.E. 90T-1235 (T.A.).

124/1468 Le comportement répréhensible d'un salarié ne peut justifier un congédiement lorsqu'il y a eu tolérance de l'employeur.
Lacombe & Robidoux ltée c. *St-Laurent*, D.T.E. 82T-556 (T.A.) (révision judiciaire accueillie pour d'autres motifs: C.S.M. n° 500-05-018500-822, le 10 janvier 1983).

124/1469 Un problème de comportement peut être réformé par une mesure disciplinaire appropriée car celle-ci peut amener le salarié à modifier son comportement, surtout lorsque l'évaluation de celui-ci ne fait pas état d'incapacité à remplir ses fonctions.
Cusson c. *Brossard (Ville de)*, D.T.E. 97T-493 (C.T.).

124/1470 Des problèmes d'attitude et de comportement peuvent faire l'objet de l'application d'une progression des sanctions avant d'en arriver au congédiement.
Zheng c. *Harvey et Associés, s.e.n.c.r.l.*, D.T.E. 2006T-1061 (C.R.T.).

124/1471 Devant un salarié dont l'employeur s'est longtemps montré satisfait, il faut procéder graduellement avant d'opter pour le congédiement.
Laberge c. *Cie impérial Tobacco ltée*, D.T.E. 87T-198 (T.A.).
V. aussi: *Piuze* c. *Équipement Blackwood Hodge ltée*, (1991) T.A. 337, D.T.E. 91T-532 (T.A.).

124/1472 C'est en matière d'absentéisme que le principe de la gradation des sanctions est le mieux respecté.
Marcel Benoît ltée c. *Bertrand*, D.T.E. 84T-560 (T.A.).

124/1473 En matière d'insubordination, l'employeur doit de façon générale, appliquer la règle de la progression des sanctions disciplinaires.
Potvin c. *Cassidy ltée*, (1997) C.T. 68, D.T.E. 97T-242 (C.T.).

124/1474 En l'absence d'application de mesures correctives progressives, il y a lieu de substituer une suspension au congédiement.
Béland c. *Laniel Canada inc.*, D.T.E. 89T-464 (T.A.).
Bacon c. *Caisse populaire de Godbout*, D.T.E. 88T-96 (T.A.).
Division Francon et/ou Canfarge ltée c. *Pazienza*, D.T.E. 87T-682 (T.A.).
Pratt & Whitney Canada inc. c. *Elsedfy*, D.T.E. 87T-500 (T.A.).
R... B... c. *Bureau d'expertise des assureurs ltée*, (1987) T.A. 658, D.T.E. 87T-964 (T.A.).
V. aussi: *Hercules Canada inc.* c. *Collette*, D.T.E. 85T-631 (T.A.).
Veillette & Deschênes ltée c. *Tremblay*, D.T.E. 83T-96 (T.A.) (révision judiciaire accueillie pour d'autres motifs: D.T.E. 84T-825 (C.S.)).

124/1475 La sanction imposée doit être proportionnelle à la faute commise.
Québec (Ville de) c. *Blais*, (1999) R.J.D.T. 163 (T.T.), D.T.E. 99T-67 (T.T.), REJB 1998-10046 (T.T.).
Jean-Louis c. *Industries Gen-Lite ltée*, (1999) R.J.D.T. 205 (C.T.), D.T.E. 99T-16 (C.T.).
François c. *Boulangeries Cantor inc.*, (1993) C.T. 371, D.T.E. 93T-658 (C.T.).
Marché Molloy — Félix Molloy ltée c. *Sénéchal*, D.T.E. 89T-1039 (T.A.).
Autobus Laval ltée c. *Giroux*, (1988) T.A. 144, D.T.E. 88T-137 (T.A.).
Cie Eaton c. *Grenier*, D.T.E. 88T-388 (T.A.).
Ringuette c. *Taverne Excel Enrg.*, D.T.E. 88T-954 (T.A.).
Papineau c. *Industries Henri Mitchell ltée*, D.T.E. 84T-13 (T.A.).
Fortier c. *Clinique Gérard J. Léonard*, D.T.E. 83T-67 (T.A.).

Cadres

124/1476 En matière disciplinaire, un cadre ne doit pas être traité comme un simple employé en raison de l'autonomie dont il jouit dans son travail, de l'importance de ses responsabilités et de ses conditions de travail généralement plus avantageuses.
Produits Pétro-Canada inc. c. *Moalli*, (1988) R.J.Q. 774 (C.S.), D.T.E. 88T-262 (C.S.), J.E. 88-415 (C.S.).
Naqvi c. *Finitions Ultraspec inc.*, D.T.E. 98T-1220 (C.T.).

124/1477 Le principe de la progression des sanctions ne s'applique pas à une personne qui occupe un poste de cadre puisque son comportement se doit d'être exemplaire. Si elle commet une faute, surtout s'il s'agit d'une faute grave, il y a lieu de procéder au congédiement immédiat.
Turchetta c. *Société des casinos du Québec inc. (Casino de Montréal)*, D.T.E. 2000T-391 (C.T.).

124/1478 Le fait pour un salarié d'être un cadre lui impose des obligations plus lourdes d'exemplarité dans son comportement, de loyauté, de diligence et de coopération avec la haute direction de l'entreprise. Une relation de confiance est alors essentielle.
Brisebois c. *Marché Pierre Lévesque inc.*, D.T.E. 2003T-961 (C.R.T.).
Rivard c. *Atlantic Produits d'emballage ltée*, (1999) R.J.D.T. 207 (C.T.), D.T.E. 99T-69 (C.T.).

124/1479 La théorie de la gradation des sanctions ne s'applique pas aux cadres, car ils bénéficient d'un niveau élevé d'autonomie et de responsabilité. Ils doivent faire la preuve de leur capacité d'amender eux-mêmes leur conduite.
Houle c. *Fédération de l'U.P.A. de Sherbrooke*, (1984) T.A. 205, D.T.E. 84T-303 (T.A.).
V. aussi: *Cie de la Baie d'Hudson* c. *Larocque*, D.T.E. 90T-631 (C.S.), J.E. 90-792 (C.S.), appel accueilli à D.T.E. 94T-1273 (C.A.), J.E. 94-1804 (C.A.).
Boucher c. *Cie T. Eaton ltée*, D.T.E. 89T-1105 (T.A.).
Vachon c. *American Motors du Canada inc.*, (1987) T.A. 605, D.T.E. 87T-877 (T.A.).
Barcana ltée c. *Boisvert*, (1984) T.A. 703, D.T.E. 84T-841 (T.A.).
Morin c. *Steinberg inc.*, (1984) T.A. 675, D.T.E. 84T-842 (T.A.).
Cie minière Québec Cartier c. *Dumais*, D.T.E. 82T-91 (T.A.).

124/1480 Le statut de cadre d'un salarié ne justifie pas qu'on évite de faire prendre conscience à celui-ci de ses lacunes. Donc, un employeur, sauf circonstances exceptionnelles, doit lui fournir l'occasion de s'amender.
Cartillone c. *Cuisine P.S. enr.*, D.T.E. 2001T-607 (C.T.).

124/1481 La théorie de la progression des sanctions est difficilement applicable aux cadres. Par contre, pour des fautes mineures, le cadre doit avoir eu l'occasion de s'amender, avant d'être congédié.
Morin c. *Corp. de crédit Trans-Canada*, D.T.E. 95T-672 (C.T.).
Vachon c. *American Motors du Canada inc.*, (1987) T.A. 605, D.T.E. 87T-877 (T.A.).
V. aussi: *Lemelin* c. *Transport Intrabec (1986) inc.*, D.T.E. 89T-175 (T.A.).
A. Setlakwe ltée c. *Bergeron*, D.T.E. 88T-197 (T.A.).
Dessureault c. *General Accident Assurance Co. of Canada Ltd.*, (1985) T.A. 183, D.T.E. 85T-228 (T.A.).
Lamarre c. *Chaussures Trans-Canada ltée*, D.T.E. 85T-722 (T.A.).
Houle c. *Fédération de l'U.P.A. de Sherbrooke*, (1984) T.A. 205, D.T.E. 84T-303 (T.A.).
Cie minière Québec Cartier c. *Dumais*, D.T.E. 82T-91 (T.A.).

124/1482 Le principe de la progression des sanctions s'applique non seulement aux salariés, mais aussi aux cadres de l'entreprise. Même si l'employeur n'est pas tenu de respecter le modèle traditionnel de la progression des sanctions, inspiré des conventions collectives, il n'en a pas moins l'obligation de souligner formellement au salarié les comportements et les attitudes non conformes à ses attentes avant de recourir à la mesure ultime qu'est le congédiement.
Bonneau c. *Sépaq-Val-Jalbert, s.e.n.c.*, D.T.E. 2006T-289 (C.R.T.).

Beaupré c. *Resto-casino inc. (Casino de Montréal)*, D.T.E. 99T-775 (C.T.).
Godbout c. *Délicana Nord-ouest inc.*, (1998) R.J.D.T. 1264 (C.T.), D.T.E. 98T-822 (C.T.).
Lessard c. *J.M. Smucker (Canada) inc.*, D.T.E. 97T-73 (C.T.).

124/1483 Tout congédiement doit normalement être précédé d'une progression des sanctions ou, à tout le moins, il faut que le salarié, même s'il occupe un poste de cadre, ait été avisé des conséquences d'un nouveau manquement.
Vézina c. *Agence universitaire de la Francophonie*, (2009) R.J.D.T. 117 (C.R.T.), D.T.E. 2009T-40 (C.R.T.) (règlement hors cour).

124/1484 L'employeur n'a pas l'obligation d'aviser par écrit un salarié détenant des fonctions de cadre.
L'Écuyer c. *Marché Lord inc.*, (1995) C.T. 258, D.T.E. 95T-622 (C.T.).

124/1485 La progression des sanctions s'applique difficilement aux salariés qui occupent un poste jouissant d'une grande autonomie.
Furfaro c. *Costco Canada inc.*, D.T.E. 2000T-920 (C.T.).

Petites entreprises

124/1486 Dans le contexte d'une petite entreprise, le principe de la progression des sanctions n'a pas à être appliqué de la même façon que dans une grande entreprise.
Laporte c. *Prismadye inc.*, D.T.E. 2008T-115 (C.R.T.).
Mainella c. *Tapis Pincourt inc.*, D.T.E. 2005T-238 (C.R.T.).
Lapierre c. *Vin conseil (Québec) ltée*, D.T.E. 99T-354 (C.T.).
Gagnon c. *F.D.L. Cie*, (1993) C.T. 228, D.T.E. 93T-609 (C.T.) (révision judiciaire refusée: C.S.M. n° 500-05-004277-933, le 18 octobre 1993).

124/1487 Lorsqu'il s'agit d'une toute petite entreprise, dans le cas où le salarié plaignant n'a pas commis de faute lourde, le principe de la discipline progressive doit s'appliquer en faisant toutefois les adaptations nécessaires.
Calderon c. *134343 Canada inc.*, D.T.E. 2008T-629 (C.R.T.).

124/1488 La théorie de la gradation des sanctions ne s'applique pas dans une petite entreprise où l'employeur n'a jamais constitué de dossier disciplinaire ni transmis à ses salariés d'avis écrits.
Habjanic c. *Salamico Cie*, D.T.E. 87T-452 (T.A.).

124/1489 Même l'employeur d'une petite entreprise se doit d'appliquer la discipline progressive avant de procéder à un congédiement.
Labonté c. *Ornements St-Michel inc.*, D.T.E. 98T-532 (C.T.).
Rematech Division I.B.S. ltée c. *Brasseur*, D.T.E. 89T-924 (T.A.).

Double sanction

124/1490 Un employeur ne peut appliquer deux sanctions pour la même faute. En effet, en droit du travail, il y a prohibition de l'application de la double sanction pour une faute unique.
Gignac c. *Versabec inc.*, D.T.E. 99T-828 (C.T.).
Fleury c. *Sorel Tracy B.B.Q.*, D.T.E. 97T-1151 (C.T.).

124/1491 Lorsqu'un employeur a déjà imposé une suspension à un salarié, il ne peut ultérieurement le congédier pour les mêmes faits, car en ce faisant il se trouve à imposer au salarié une double sanction, ce qui est prohibé.
Aubé c. *Bois CFM inc.*, D.T.E. 2007T-959 (C.R.T.).
St-Jean c. *Caisse populaire Desjardins de Pointe-Bleue*, D.T.E. 2004T-606 (C.R.T.).

124/1492 L'imposition d'une double mesure disciplinaire, pour une seule et même infraction, constitue un vice de procédure qui peut, à lui seul, justifier l'annulation du congédiement.
Aubé c. *Bois CFM inc.*, D.T.E. 2007T-959 (C.R.T.).
Lévesque c. *Caisse populaire Desjardins de Ste-Anne-du-Lac*, (2001) R.J.D.T. 206 (C.T.), D.T.E. 2001T-157 (C.T.).
Pouliot c. *Association d'action bénévole du Granit*, (1998) R.J.D.T. 1229 (C.T.), D.T.E. 98T-694 (C.T.), conf. par (1998) R.J.D.T. 1141 (C.S.), D.T.E. 98T-864 (C.S.).
V. aussi: *Pouryeganeh* c. *Ericsson Canada inc.*, D.T.E. 2007T-773 (C.R.T.).

124/1493 Il n'y a pas double sanction lorsque la suspension sans solde, imposée par l'employeur, est relative au refus du salarié d'obéir à un ordre clair, soit de reprendre un rapport, et que le congédiement est plutôt dû à son attitude de défi et d'arrogance à l'égard de la direction de l'établissement et à son refus de vouloir discuter du problème.
Carrier c. *Centre d'intervention en violence et agressions sexuelles de la Montérégie*, D.T.E. 2007T-982 (C.R.T.).

124/1494 V. DUBÉ, J.-L. et DI IORIO, N., *Les normes du travail*, 2e éd., Sherbrooke, Les Éditions Revue de droit — Université de Sherbrooke, 1992, p. 552 à 559.

124/1495 V. LAPORTE, P., *Le traité du recours à l'encontre d'un congédiement sans cause juste et suffisante (en vertu de la Loi sur les normes du travail, article 124)*, Montréal, Wilson & Lafleur ltée, 1992, p. 191 à 194 et 196 à 201.

INCIDENT CULMINANT

124/1496 En l'absence d'incident culminant contemporain, le commissaire ne peut examiner le dossier antérieur du plaignant. L'incident culminant doit d'abord être prouvé avant que le commissaire ne puisse examiner les incidents antérieurs, car c'est cet incident qui provoque la sanction disciplinaire et l'ensemble du dossier sert alors à évaluer la proportionnalité de cette mesure.
Cyr c. *Bistro Le Mouton noir*, D.T.E. 2006T-310 (C.R.T.).
Giguère c. *Cie Kenworth du Canada ltée*, D.T.E. 89T-493 (T.A.) (révision judiciaire refusée en appel: (1990) R.J.Q. 2485 (C.A.), D.T.E. 90T-1204 (C.A.), J.E. 90-1483 (C.A.)) (autorisation d'appeler à la Cour suprême refusée).
Fleurimont (Mun. de) c. *Barrette*, D.T.E. 86T-334 (T.A.).
Tansey c. *Canadian Pacific Consulting Services Ltd.*, (1985) T.A. 208, D.T.E. 85T-247 (T.A.).
V. aussi: *Paul* c. *Électropac Canada inc.*, D.T.E. 92T-921 (C.T.) (révision judiciaire refusée: C.S.M. n° 500-05-009618-925, le 13 août 1992).
Services immobiliers Royal LePage c. *Lespérance*, D.T.E. 90T-1235 (T.A.).
Lalancette c. *Magasins Continental ltée*, (1988) T.A. 483, D.T.E. 88T-563 (T.A.).
Georgiou c. *Machinerie Wilson Cie ltée*, D.T.E. 85T-470 (T.A.).

124/1497 En vertu de la théorie de l'incident culminant, l'employeur a le droit de briser le lien contractuel existant entre lui et le salarié à la suite de gestes répréhensibles même mineurs, posés par ce dernier, si ces gestes se situent dans un contexte ou un comportement qui perdure (pattern) et qui dénote que le salarié concerné ne peut ou ne veut pas s'amender, au point de s'avérer irrécupérable pour l'entreprise.
Trahan c. *Plaisirs gastronomiques inc.*, D.T.E. 2008T-688 (C.R.T.).
Société d'électrolyse et de chimie Alcan ltée c. *Bordeleau*, (1984) T.A. 23, D.T.E. 84T-51 (T.A.).
V. aussi: *Sears Canada inc.* c. *Poirier*, (1986) T.A. 346, D.T.E. 86T-428 (T.A.).

124/1498 La théorie de l'incident culminant requiert que l'employeur ait constaté antérieurement des fautes de même nature et qu'il ait imposé des réprimandes au salarié pour celles-ci, ces réprimandes devant être de plus en plus sévères pour l'amener à se corriger.
Déziel c. *9051-5974 Québec inc. (Boulangerie St-Esprit)*, D.T.E. 2005T-993 (C.R.T.).
Québec (Ville de) c. *Blais*, (1999) R.J.D.T. 163 (T.T.), D.T.E. 99T-67 (T.T.), REJB 1998-10046 (T.T.).
Jean-Louis c. *Industries Gen-Lite ltée*, (1999) R.J.D.T. 205 (C.T.), D.T.E. 99T-16 (C.T.).
Richard c. *J.B. Lefebvre ltée (Club chaussures)*, (1999) R.J.D.T. 1165 (C.T.), D.T.E. 99T-669 (C.T.).
Fleury c. *Sorel Tracy B.B.Q.*, D.T.E. 97T-1151 (C.T.).
Boyer c. *Pharmaprix*, D.T.E. 95T-1302 (C.T.).

124/1499 La théorie de l'incident culminant, qui signifie qu'un employeur peut congédier un salarié à la suite de gestes répréhensibles, même mineurs, si ceux-ci perdurent au point que le travailleur s'avère irrécupérable pour l'entreprise, ne s'applique pas toujours. En effet, dans certains cas, l'employeur doit démontrer d'autres manquements semblables aux mesures disciplinaires imposées de façon contemporaine au congédiement.
Racine c. *Orviande inc.*, D.T.E. 2001T-606 (C.T.).

124/1500 La théorie de l'incident culminant ne peut être invoquée lorsque les fautes antérieures reprochées au salarié ont trait à de la désobéissance et à de l'insubordination, alors que les derniers événements concernent la violation de la vie privée. Ce dernier événement n'est pas suffisamment lié aux autres types de fautes pour que l'on puisse conclure à la persistance d'un comportement qui a déjà fait l'objet de reproches.
Meloche c. *Centre d'orthopédie Laval*, D.T.E. 97T-76 (C.T.).

124/1501 C'est lorsque l'ensemble des allégations de l'employeur est appuyé par une preuve prépondérante, qu'il peut plaider l'incident culminant.
Markus c. *Entreprise de soudure aérospatiale inc.*, (2000) R.J.D.T. 231 (C.T.), D.T.E. 2000T-133 (C.T.).
Béland c. *Laniel Canada inc.*, D.T.E. 89T-464 (T.A.).

124/1502 Pour invoquer la théorie de l'incident culminant afin de justifier un congédiement, l'employeur doit démontrer que ces incidents possèdent la qualité de pertinence requise. De plus, les fautes antérieures que l'on voudra reprocher devront avoir ce degré suffisant de pertinence, en regard de la dernière faute.
Primeau c. *Schering-Plough Canada inc.*, D.T.E. 2008T-702 (C.R.T.) (requête en révision judiciaire: n^{0} 500-17-045268-086).

Larouche c. *Quincaillerie Mistassini inc.*, D.T.E. 2006T-674 (C.R.T.) (révision judiciaire refusée: D.T.E. 2006T-999 (C.S.), EYB 2006-110726 (C.S.)).
Centre hospitalier Douglas c. *Jodoin*, D.T.E. 82T-688 (T.A.).

124/1503 La théorie de l'incident culminant ne peut être utilisée que lorsque les gestes antérieurs de l'employé lui ont été reprochés.
Larouche c. *Quincaillerie Mistassini inc.*, D.T.E. 2006T-674 (C.R.T.) (révision judiciaire refusée: D.T.E. 2006T-999 (C.S.), EYB 2006-110726 (C.S.)).
Rochette c. *Côté (Restaurant William 1er)*, D.T.E. 2006T-66 (C.R.T.).
Déziel c. *9051-5974 Québec inc. (Boulangerie St-Esprit)*, D.T.E. 2005T-993 (C.R.T.).
Beaupré c. *Cie Trust Royal*, D.T.E. 2000T-494 (C.T.).
Legagneur c. *Bioforce Canada inc.*, D.T.E. 97T-371 (C.T.).
Séguin c. *Ameublement Branchaud*, D.T.E. 95T-1405 (C.T.).
Dussault c. *Placement de personnel Marie-Andrée Laforce inc.*, D.T.E. 93T-632 (C.T.).
Houle c. *Fédération de l'U.P.A. de Sherbrooke*, (1984) T.A. 205, D.T.E. 84T-303 (T.A.).
Chapman c. *Service spécial de garage inc.*, D.T.E. 83T-946 (T.A.).
V. aussi: *Théberge* c. *Caisse populaire Notre-Dame de Fatima*, D.T.E. 90T-1147 (T.A.).
Cadieux c. *J. Pascal inc.*, D.T.E. 82T-744 (T.A.).
Centre hospitalier Douglas c. *Jodoin*, D.T.E. 82T-688 (T.A.).

124/1504 L'absence pour cause de maladie ne peut constituer l'élément culminant d'un dossier disciplinaire pour justifier un congédiement au sens de l'article 124 L.N.T.
Parisé c. *Services ménagers Roy (hôtellerie) ltée*, (2000) R.J.D.T. 237 (C.T.), D.T.E. 2000T-90 (C.T.).

124/1505 L'incident culminant impose à l'employeur et au commissaire l'obligation de consulter le dossier disciplinaire antérieur d'un salarié, lors d'une prise de décision pour l'application d'une sanction.
Thivierge c. *Autobus Laval ltée*, (1988) T.A. 377, D.T.E. 88T-389 (T.A.).

124/1506 Pour être applicable, la théorie de l'incident culminant exige que celui-ci soit prouvé et, surtout, qu'il soit susceptible de sanction.
Buissières c. *Lallier Automobile (Québec) inc.*, D.T.E. 2004T-19 (C.R.T.).

124/1507 Un manquement isolé ne constitue pas un incident culminant.
Normand c. *Épiciers unis Métro-Richelieu inc.*, D.T.E. 95T-1432 (C.T.).

124/1508 Un employeur qui choisit de ne pas tenir compte des incidents d'incompétence d'un salarié ne peut pas les citer plus tard pour justifier un congédiement sans préavis.
Société Asbestos ltée c. *Blanchette*, D.T.E. 85T-251 (T.A.).
V. aussi: *Bourgault* c. *Autobus Québec Métro inc.*, D.T.E. 97T-312 (C.T.).
Chapman c. *Service spécial de garage inc.*, D.T.E. 83T-946 (T.A.).
Centre hospitalier Douglas c. *Jodoin*, D.T.E. 82T-688 (T.A.).

124/1509 Compte tenu de la gestion déficiente de la discipline et de l'absence d'avertissement préalable, un employeur ne peut invoquer un geste banal à titre d'incident culminant afin de justifier l'imposition d'un congédiement.

C.A. c. *2970-7528 Québec inc. (Auto H. Grégoire)*, D.T.E. 2008T-284 (C.R.T.) (révision judiciaire refusée: C.S.M. n° 500-17-041880-082, le 8 janvier 2009).

124/1510 L'employeur ne peut congédier un salarié en ne tenant compte que d'un incident culminant, alors qu'il aurait pu prendre les mesures nécessaires pour que ce dernier corrige son attitude.
Ouellette c. *Hôtel Le Reine Élizabeth*, D.T.E. 98T-1005 (C.T.).

124/1511 Le refus du salarié de suivre un cours de perfectionnement constitue un incident culminant justifiant le congédiement, lorsque celui-ci a déjà refusé d'exécuter un travail qui lui était demandé.
Laberge c. *Sears*, D.T.E. 85T-157 (T.A.).

124/1512 Un manquement, même mineur, peut justifier la peine la plus grave, lorsqu'il constitue un incident culminant et qu'il est apprécié à la lumière d'un dossier disciplinaire antérieur particulièrement chargé.
Rompré c. *Canslit inc.*, D.T.E. 99T-162 (C.T.).
Tansey c. *Canadian Pacific Consulting Services Ltd.*, (1985) T.A. 208, D.T.E. 85T-247 (T.A.).

124/1513 Pour que la théorie de l'incident culminant s'applique à un cadre congédié, il faut que ce dernier ait eu connaissance que son comportement déviant pouvait être sanctionné par le congédiement.
Cie minière Québec Cartier c. *Dumais*, D.T.E. 82T-91 (T.A.).

124/1514 V. DUBÉ, J.-L. et DI IORIO, N., *Les normes du travail*, 2e éd., Sherbrooke, Les Éditions Revue de droit — Université de Sherbrooke, 1992, p. 559 à 562.

124/1515 V. LAPORTE, P., *Le traité du recours à l'encontre d'un congédiement sans cause juste et suffisante (en vertu de la Loi sur les normes du travail, article 124)*, Montréal, Wilson & Lafleur ltée, 1992, p. 195 et 196.

PREUVE ET PROCÉDURE

V. également à INEXISTENCE D'UN AUTRE RECOURS VALABLE, PRESCRIPTION: DÉTERMINATION DU MOMENT DU CONGÉDIEMENT ET DÉPÔT DE LA PLAINTE

Général

124/1516 Il revient au commissaire de décider de refuser d'entendre une preuve qu'il juge irrecevable et non pertinente. Ce refus ne constitue pas une violation des règles de justice naturelle, dans le cas où le salarié demande d'obtenir les originaux des notes d'un témoin de l'employeur confectionnées de façon concomitante, mais plutôt l'exercice normal de sa compétence exclusive qui s'étend non seulement à l'audition de la plainte elle-même, mais également à l'administration de la preuve selon des règles souples et peu formalistes, qui sont néanmoins respectueuses des règles de justice naturelle.
Desroches c. *Bibault*, D.T.E. 95T-1404 (C.S.), J.E. 95-2262 (C.S.) (ultérieur: D.T.E. 97T-1028 (C.S.)).
V. aussi: *Kaur* c. *Rouleau*, D.T.E. 2002T-846 (C.S.), J.E. 2002-1639 (C.S.), REJB 2002-33995 (C.S.).

124/1517 Le critère à appliquer pour s'assurer que les règles de l'équité procédurale ont bien été respectées consiste à se demander si l'effet cumulatif des déclarations faites par le commissaire pendant l'audience mène inexorablement à la conclusion qu'une personne raisonnable aurait une crainte de partialité. Le fait de refuser d'entendre une preuve, même pertinente, ne constitue pas nécessairement et automatiquement une violation des règles de justice naturelle mais l'exercice normal de la compétence du commissaire.
Pneus Supérieur inc. c. *Tribunal du travail*, D.T.E. 2000T-541 (C.S.).
Desroches c. *Bibault*, D.T.E. 97T-1028 (C.S.).

124/1518 Le commissaire ne peut refuser une preuve relative à l'ensemble du préjudice subi et aux motifs ayant conduit le salarié à ne pas accepter sa réintégration. S'il le fait, il commet une erreur manifestement déraisonnable. Puisque chaque partie a le droit d'être entendue, le refus d'entendre une preuve constitue un manquement aux règles de justice naturelle.
Lamoureux c. *Boily*, D.T.E. 2001T-484 (C.S.), J.E. 2001-984 (C.S.), REJB 2001-24639 (C.S.).

124/1519 L'appréciation du poids de la preuve et de la crédibilité des témoins relève de la compétence du commissaire.
Bedoui c. *Dufresne*, D.T.E. 88T-73 (C.A.).
V. aussi: *Veilleux* c. *Clarke transport routier ltée*, D.T.E. 89T-981 (T.A.).

124/1520 Le commissaire est maître de la procédure et c'est à lui de décider de la pertinence de la preuve, compte tenu de toutes les circonstances de l'affaire. Il n'est pas lié par le *Code de procédure civile.*
Tardif c. *Entreprises Insta-bec inc.*, (1994) C.T. 318, D.T.E. 94T-754 (C.T.).
Bradette c. *Poste de camionnage en vrac région 06 inc.*, D.T.E. 90T-1354 (T.A.).

124/1521 Même si le commissaire n'est pas lié par les dispositions du *Code de procédure civile*, il peut s'en inspirer en diverses matières. Il se doit toutefois, comme tout tribunal administratif, de respecter les principes de justice naturelle et les droits fondamentaux.
Zarr c. *Kessler*, (2001) R.J.D.T. 834 (C.T.), D.T.E. 2001T-608 (C.T.).

124/1522 L'article 127 L.N.T. renvoie à l'article 100.2 du *Code du travail*, qui laisse le commissaire seul maître de la procédure.
Mailhot c. *Services d'approvisionneurs national inc.*, (1983) T.A. 1038, D.T.E. 83T-459 (T.A.).
V. aussi: *Georgiou* c. *Machinerie Wilson Cie ltée*, D.T.E. 85T-470 (T.A.).

124/1523 Chaque partie ayant le droit d'établir sa preuve comme elle l'entend, selon les moyens légaux à sa disposition, il n'appartient pas au commissaire de s'immiscer dans son mode de preuve.
Mailloux c. *Québec-Téléphone*, (1982) T.A. 930, D.T.E. 82T-860 (T.A.).

124/1524 Le fait qu'un témoin soit lié à une partie n'empêche pas qu'il puisse être reconnu à titre de témoin expert. C'est le détachement du témoin expert face à la cause de son client qui influencera le degré de crédibilité qui lui sera accordé par le commissaire.
Asselin c. *Compagnie Abitibi-Consolidated du Canada*, D.T.E. 2007T-774 (C.R.T.).

124/1525 Le commissaire peut interpréter et appliquer une loi ou un règlement dans la mesure où c'est nécessaire de le faire pour décider du litige.
Centre médical Drummond inc. c. *Yergeau-Brunelle*, D.T.E. 84T-96 (T.A.).
Lawson c. *Pinkerton Flowers Ltd.*, (1984) T.A. 184, D.T.E. 84T-269 (T.A.).
Gagnon c. *Caisse populaire de St-Nazaire*, (1981) 3 R.S.A. 243.

124/1526 Le commissaire ne peut imposer une limite de temps à l'exercice d'un droit que la loi reconnaît aux parties, sans y être expressément autorisé.
Breuvages Lemoyne ltée c. *Cournoyer*, D.T.E. 85T-484 (C.S.).

Fardeau de la preuve

124/1527 Il incombe au plaignant de prouver les conditions d'ouverture au recours de l'article 124 L.N.T.
Boudreau c. *Exploitation Jaffa inc.*, D.T.E. 2004T-61 (C.R.T.).
Lapierre c. *Vin conseil (Québec) ltée*, D.T.E. 99T-354 (C.T.).
Turpin c. *Château de l'Aéroport*, D.T.E. 90T-420 (T.A.).

124/1528 Le plaignant a notamment le fardeau de prouver par prépondérance de preuve, l'existence d'un congédiement.
Boudreau c. *Exploitation Jaffa inc.*, D.T.E. 2004T-61 (C.R.T.).
Bélanger c. *Clair Foyer*, D.T.E. 96T-40 (C.T.).
Losito c. *Université de Sherbrooke*, (1981) 3 R.S.A. 220.

124/1529 Le salarié plaignant a le fardeau de prouver l'existence d'une modification substantielle des conditions de travail équivalant à un congédiement déguisé.
Provost c. *Société des casinos du Québec inc.*, D.T.E. 2006T-217 (C.R.T.).

124/1530 En matière de congédiement déguisé, le salarié a le fardeau d'établir un subterfuge et de démontrer qu'à son égard les critères de sélection sont discriminatoires, irrationnels ou abusifs.
Kopczynski c. *RSW inc.*, D.T.E. 2007T-648 (C.A.), J.E. 2007-1480 (C.A.), EYB 2007-121975 (C.A.).
Meilleur c. *Québec (Ministère de l'Emploi, de la Solidarité sociale et de la Famille)*, D.T.E. 2008T-458 (C.R.T.) (révision en vertu de l'article 127 C.T. refusée).

124/1531 Il revient au salarié le fardeau de prouver que son licenciement, contrairement aux apparences, est fondé sur des critères partiaux, illicites ou discriminatoires.
Arthrolab inc. c. *Commission des relations du travail*, D.T.E. 2008T-540 (C.S.), J.E. 2008-1315 (C.S.), EYB 2008-134559 (C.S.) (en appel: n^{0} 500-09-018840-082).

124/1532 Il appartient au plaignant de prouver la continuité de ses services.
Raymond c. *Landry Automobile ltée*, (1992) T.A. 272, D.T.E. 92T-372 (T.A.).
Forget c. *Restaurant Le Limousin inc.*, (1982) T.A. 927, D.T.E. 82T-837 (T.A.).

124/1533 Il appartient au salarié de démontrer qu'il bénéficie de deux ans de service continu.
St-Amant c. *Provigo Distribution inc.*, (1994) C.T. 407, D.T.E. 94T-1048 (C.T.).
Pronovost c. *Atelier de carrosserie et mécanique Damo St-Laurent inc.*, (1984) T.A. 171, D.T.E. 84T-252 (T.A.).
Caza c. *Hudson's Bay Whole Sale*, D.T.E. 83T-800 (T.A.).

124/1534 Il n'est pas légitime d'exiger du salarié qu'il démontre l'absence d'une cause d'action et la rupture de la relation de travail dont l'initiative fut prise par l'autre partie, que ce soit en vertu de la *Loi sur les normes du travail* ou des conventions collectives conclues sous l'empire du *Code du travail*.
Rioux c. *F.D.L. Co. ltée*, (1981) 1 R.S.A. 97, D.T.E. 82T-803 (T.A.).

124/1535 Lorsque le commissaire ne constate aucun bris de continuité dans la relation de travail et que l'employeur prétend que ce contrat a été résilié en cours de route, il lui appartient d'en faire la preuve.
St-Amant c. *Provigo Distribution inc.*, (1994) C.T. 407, D.T.E. 94T-1048 (C.T.).
Fréreault-Leroux c. *Oratoire St-Joseph du Mont-Royal*, D.T.E. 87T-98 (T.A.).

124/1536 La question du fardeau de preuve doit se comprendre ainsi: le plaignant doit s'acquitter d'une preuve préliminaire se limitant à soutenir sa prétention à l'effet qu'il a été congédié sans cause juste et suffisante. Par la suite, le fardeau de démontrer que le congédiement est fondé sur une cause juste et suffisante repose sur les épaules de l'employeur. Si une telle démonstration est complétée selon le degré de preuve requis, le plaignant a alors le fardeau de contredire ou d'affaiblir la preuve patronale, par exemple en démontrant que les actes reprochés n'ont pas été commis par lui ou qu'il existe des circonstances atténuantes.
Bexel (1979) inc. c. *Bernier*, (1985) T.A. 410, D.T.E. 85T-498 (T.A.).

124/1537 Il revient à l'employeur d'établir une cause juste et suffisante de congédiement et la nature du renvoi.
Jourdain c. *Vallerand*, D.T.E. 96T-232 (C.S.) (appel accueilli pour d'autres motifs: (1999) R.J.Q. 1626 (C.A.), (1999) R.J.D.T. 1032 (C.A.), D.T.E. 99T-629 (C.A.), J.E. 99-1392 (C.A.), REJB 1999-12858 (C.A.)).
Cie de la Baie d'Hudson c. *Larocque*, D.T.E. 90T-631 (C.S.), J.E. 90-792 (C.S.), appel accueilli pour d'autres motifs à D.T.E. 94T-1273 (C.A.), J.E. 94-1804 (C.A.).
Kraft ltée c. *Lavoie*, (1987) R.J.Q. 2636 (C.S.), D.T.E. 87T-998 (C.S.), J.E. 87-1222 (C.S.), appel accueilli pour d'autres motifs à (1991) R.D.J. 61 (C.A.), D.T.E. 91T-49 (C.A.), J.E. 91-114 (C.A.).
Gilles c. *Ciba Spécialités chimiques Canada inc.*, D.T.E. 2008T-330 (C.R.T.).
Loiselle c. *École secondaire Marcellin-Champagnat*, (2008) R.J.D.T. 1179 (C.R.T.), D.T.E. 2008T-560 (C.R.T.).
Dubé c. *Zellers inc.*, D.T.E. 2007T-479 (C.R.T.).
Furfaro c. *Costco Canada inc.*, D.T.E. 2000T-920 (C.T.).
Monette c. *9029-2814 Québec inc.*, D.T.E. 97T-825 (C.T.).
Perras c. *Journal de Montréal, division du Groupe Quebecor inc.*, D.T.E. 94T-369 (C.T.).
Fafard c. *L.F.P. Canada inc.*, D.T.E. 93T-397 (C.T.).
Aubin c. *Laboratoire Lalco (1987) inc.*, D.T.E. 92T-461 (C.T.).
Bellavance c. *Bouchard*, D.T.E. 92T-836 (C.T.).
Pandolfo c. *Uniformes Drolet (1975) inc.*, (1992) C.T. 13, D.T.E. 92T-71 (C.T.).
Paquette c. *Épiciers unis Métro-Richelieu inc.*, (1992) C.T. 495, D.T.E. 92T-802 (C.T.).
Spina c. *E.M.C. Marbre et céramique européen (1985) inc.*, (1992) C.T. 148, D.T.E. 92T-439 (C.T.).
Services techniques informatiques S.T.I. inc. c. *Tessier*, (1991) T.A. 188, D.T.E. 91T-304 (T.A.).
Grosso c. *Métropolitaine (La), Cie d'assurance-vie*, D.T.E. 89T-91 (T.A.).
Solomon c. *Aliments Louis ltée*, D.T.E. 85T-653 (T.A.).

Black c. *Conval Québec*, D.T.E. 83T-775 (T.A.).
Caza c. *Hudson's Bay Whole Sale*, D.T.E. 83T-800 (T.A.).
Cie minière Québec Cartier c. *Dumais*, D.T.E. 82T-91 (T.A.).
General Diesel inc. c. *Bouffard*, D.T.E. 82T-432 (T.A.).
General Motors du Canada ltée c. *Tremblay*, D.T.E. 82T-764 (T.A.) (révision judiciaire refusée: (1981) C.S. 754, J.E. 81-861 (C.S.), conf. par D.T.E. 82T-323 (C.A.), J.E. 82-404 (C.A.)).
Heutte c. *Centre médical des industries de la mode (U.I.O.V.D.)*, D.T.E. 82T-580 (T.A.).
Perron c. *Cie minière I.O.C.*, (1982) T.A. 921, D.T.E. 82T-838 (T.A.).
Rioux c. *F.D.L. Co. ltée*, (1981) 1 R.S.A. 97, D.T.E. 82T-803 (T.A.).
Roy et Frères Joliette ltée c. *Guilbeault*, D.T.E. 82T-766 (T.A.).
Direct Film inc. c. *Labrecque*, (1981) 1 R.S.A. 81.
Dufour c. *Côté Poirier Auto Service inc.*, (1981) 1 R.S.A. 129.
Labelle c. *Marché T. Léonard inc.*, (1981) 3 R.S.A. 259.

124/1538 Puisque le congédiement est une mesure extrême, un employeur ne doit y recourir que pour des raisons sérieuses. Il lui appartient donc de prouver qu'il a congédié le salarié pour une cause juste et suffisante.
Marcil c. *Trois-Rivières (Ville de)*, D.T.E. 2003T-225 (C.R.T.).

124/1539 L'employeur doit établir selon la prépondérance de la preuve, que le congédiement est fondé sur une cause juste et suffisante.
Hogue c. *Agences Claude Marchand inc.*, D.T.E. 99T-242 (C.T.).
Gestion Grever inc. c. *Smith*, (1994) C.T. 222, D.T.E. 94T-581 (C.T.).
Labelle c. *Marché T. Léonard inc.*, (1981) 3 R.S.A. 259.

124/1540 Les dispositions de la *Loi sur les normes du travail* n'imposent pas à l'employeur l'obligation de fournir par écrit les motifs du congédiement. Cependant, il appartient à l'employeur de faire la preuve d'une cause juste et suffisante de congédiement du salarié.
Gagnon c. *Deloitte Consulting, partie intégrante de Samson Bélair/Deloitte & Touche*, D.T.E. 2007T-325 (C.R.T.).

124/1541 En l'absence de preuve soumise par l'employeur, la preuve du plaignant doit être retenue.
Lamoureux c. *Point vert inc.*, D.T.E. 93T-533 (C.T.).

124/1542 En matière de congédiement, l'employeur a le fardeau de démontrer la proportionnalité de la sanction par rapport à la gravité de la faute reprochée.
Dumont c. *Giguère Portes et fenêtres inc.*, D.T.E. 2008T-349 (C.R.T.).
François c. *Boulangeries Cantor inc.*, (1993) C.T. 371, D.T.E. 93T-658 (C.T.).

124/1543 Les normes du travail n'édictent pas de restriction aux justifications de l'employeur devant le commissaire.
Tardif c. *Entreprises Insta-bec inc.*, (1994) C.T. 318, D.T.E. 94T-754 (C.T.).
Proserv inc. c. *Perron-Gagnon*, D.T.E. 91T-764 (T.A.).
Bradette c. *Poste de camionnage en vrac région 06 inc.*, D.T.E. 90T-1354 (T.A.).
Georgiou c. *Machinerie Wilson Cie ltée*, D.T.E. 85T-470 (T.A.).
Maillé c. *Produits forestiers Saucier ltée*, (1983) T.A. 747, D.T.E. 83T-68 (T.A.).
Lapierre c. *Salois Chevrolet Oldsmobile inc.*, (1982) T.A. 1266, D.T.E. 82T-826 (T.A.).

124/1544 L'employeur a le fardeau de prouver qu'il s'agit véritablement d'un licenciement.
Nouveautés Luxor (Canada) ltée c. *Legendre*, D.T.E. 86T-335 (C.S.).
Théorêt c. *Bodycote Essais de matériaux Canada inc. (Technitrol Bodycote)*, D.T.E. 2008T-99 (C.R.T.) (règlement hors cour).
Gariépy c. *Géophysique G.P.R. International inc.*, D.T.E. 2001T-339 (C.T.).
Clark c. *Groupe D.M.R. inc.*, (1997) C.T. 203, D.T.E. 97T-625 (C.T.).

124/1545 À partir du moment où l'employeur fait la preuve à la fois des sérieuses difficultés économiques auxquelles il a fait face et de la nécessité d'abolir des postes, le fardeau de la preuve repose alors sur les épaules du salarié de démontrer que, contrairement aux apparences, la fin de son emploi était fondée sur des critères partiaux, illicites ou discriminatoires.
Kopczynski c. *RSW inc.*, D.T.E. 2007T-648 (C.A.), J.E. 2007-1480 (C.A.), EYB 2007-121975 (C.A.).

124/1546 Lorsque l'employeur invoque un motif relié à une question d'ordre économique au soutien de la fin d'emploi du salarié, il doit en faire la preuve en premier lieu. Une fois que cette preuve est faite, le fardeau de preuve revient au salarié plaignant, qui peut tenter de démontrer que la décision de l'employeur constitue un congédiement déguisé, par opposition à un licenciement.
Lavoie c. *Rouleau*, D.T.E. 2004T-134 (C.S.).
Ruel c. *Distribution Emblème inc.*, D.T.E. 96T-1155 (C.T.).

124/1547 En matière d'abolition d'emploi, c'est au plaignant d'établir *prima facie* que la décision est discriminatoire, abusive, arbitraire ou malicieuse et constitue un congédiement déguisé en mise à pied.
Lafleur c. *Syspro Proven Systems Ltd.*, D.T.E. 2001T-39 (C.T.).
Ruel c. *Distribution Emblème inc.*, D.T.E. 96T-1155 (C.T.).
Dupuis c. *Centre hospitalier Georges-Frédéric*, D.T.E. 83T-344 (T.A.).

124/1548 En matière d'abolition de poste, c'est à l'employeur que revient le fardeau de démontrer que sa démarche répond à des critères corrects.
Poulin c. *Centre des femmes de St-Eustache*, D.T.E. 2000T-923 (C.T.).

124/1549 Exiger que le plaignant fasse la preuve qu'un poste est disponible est contraire à l'esprit de la *Loi sur les normes du travail*.
Zellers inc. c. *Lippé*, D.T.E. 87T-844 (C.S.).

124/1550 En matière de licenciement, l'employeur doit démontrer de façon prépondérante ses difficultés économiques; pour ce faire, il doit présenter une preuve qui en rende l'existence plus probable que l'inexistence.
L. Morency et Fils (1978) inc. c. *Béliveau*, D.T.E. 85T-784 (T.A.).
Black c. *Conval Québec*, D.T.E. 83T-775 (T.A.).

124/1551 Lorsqu'un salarié prétend qu'il a été forcé de quitter son emploi à la suite d'un congédiement déguisé, il doit démontrer que son départ a été provoqué par des gestes unilatéraux posés par l'employeur. Il doit également prouver que ces gestes sont à ce point inacceptables qu'il n'a eu d'autre choix que de quitter son emploi.
Dallaire c. *M4S inc.*, D.T.E. 2006T-725 (C.R.T.).

124/1552 L'employeur peut avoir le fardeau de prouver la cause juste et raisonnable, bien que le congédiement soit fondé sur l'incompétence.
Boisvert c. *Produits forestiers E.B. Eddy ltée*, (1983) T.A. 391, D.T.E. 83T-281 (T.A.).
V. aussi: *Malette* c. *3948331 Canada inc. (Allure Concept Mode)*, D.T.E. 2007T-235 (C.R.T.).

124/1553 En matière d'évaluation de la performance ou de la compétence d'un salarié, la qualité de la preuve requise ne saurait être assimiliée à la preuve en matière strictement civile.
I.B.M. Canada ltée c. *Duchesne*, D.T.E. 89T-205 (T.A.).

124/1554 Le commissaire, tout comme l'arbitre de griefs saisi d'un congédiement disciplinaire, fera reposer le fardeau de la preuve sur l'employeur, alors qu'en matière non disciplinaire, si la preuve l'a d'abord convaincu de la véracité des motifs touchant la compétence, il n'interviendra qu'en présence d'une preuve démontrant que l'employeur a agi de mauvaise foi, de façon arbitraire ou discriminatoire.
Brunette c. *Québec (Ministère de la Sécurité publique)*, (2000) R.J.D.T. 1718 (C.T.), D.T.E. 2000T-1149 (C.T.).
Black c. *Conval Québec*, D.T.E. 83T-775 (T.A.).

124/1555 Même si un congédiement peut être qualifié d'administratif, l'employeur doit convaincre la Commission des relations du travail, par prépondérance de preuve, qu'il a une cause juste et suffisante pour agir.
Guérin c. *Collège d'enseignement général et professionnel d'Alma*, D.T.E. 2007T-919 (C.R.T.).

124/1556 Le degré de preuve requis en matière de congédiement disciplinaire doit dépasser la simple prépondérance: l'employeur doit démontrer d'une manière sérieuse et convaincante les faits allégués.
Proserv inc. c. *Perron-Gagnon*, D.T.E. 91T-764 (T.A.).
Académie Michèle Provost inc. c. *Chalouhi*, D.T.E. 87T-805 (T.A.).
Marcel Benoit ltée c. *Bertrand*, D.T.E. 84T-560 (T.A.).

124/1557 Un employeur n'a pas à offrir une preuve hors de tout doute raisonnable que le plaignant s'est rendu coupable d'une quelconque infraction à une loi. Il doit plutôt convaincre, par prépondérance de preuve, de l'existence des faits reprochés au plaignant et de ce qu'ils constituent une cause juste et suffisante de congédiement.
Lajeunesse c. *Caisse populaire de St-Vincent-de-Paul*, D.T.E. 93T-481 (C.T.).

124/1558 Il revient à l'employeur de prouver que la décision de mettre fin à l'emploi d'un salarié a été prise à la suite d'une mesure d'ordre administratif et non d'une sanction disciplinaire.
Léonce Harvey ltée c. *Girard*, D.T.E. 83T-239 (C.S.), J.E. 83-386 (C.S.).
Lavoie c. *Bon L. Canada inc.*, D.T.E. 2001T-512 (C.T.) (révision judiciaire refusée: C.S.M. n° 500-05-064634-015, le 13 septembre 2001).
V. aussi: *Murs Secs Jalap inc.* c. *Dupuis*, D.T.E. 87T-843 (C.S.), appel rejeté pour d'autres motifs à D.T.E. 93T-816 (C.A.), J.E. 93-1338 (C.A.).
Neveu c. *Cie minière Québec Cartier*, D.T.E. 85T-84 (T.A.).
Tardif c. *Bombardier inc.*, (1985) T.A. 279, D.T.E. 85T-363 (T.A.).

124/1559 Le fardeau de prouver la validité de la démission revient à la personne qui veut faire la preuve d'une cause de nullité de celle-ci. À cet égard, elle doit

prouver, par prépondérance de preuve, que son consentement a été vicié, c'est-à-dire qu'il n'est pas le résultat d'un geste libre et volontaire. Il faut démontrer qu'il y a eu fraude, erreur ou crainte.
Page-Earl c. *Compagnie de mobilier Bombay du Canada inc.*, (1994) C.T. 163, D.T.E. 94T-543 (C.T.).
Rochette c. *Caisse populaire de Notre-Dame-de-Grâce*, (1992) C.T. 168, D.T.E. 92T-613 (C.T.).

124/1560 Il revient au salarié plaignant de convaincre la Commission des relations du travail des éléments constitutifs d'un congédiement déguisé.
Lemm c. *Centre universitaire de santé McGill*, D.T.E. 2008T-116 (C.R.T.).

124/1561 C'est le salarié qui a le fardeau de prouver que sa décision de quitter le travail est due au comportement et à l'attitude inacceptables de l'employeur.
Charbonnier c. *Stroms' Entreprises Ltd.*, D.T.E. 2008T-117 (C.R.T.).

124/1562 Lorsque le geste reproché en est un de nature pénale, il n'est pas nécessaire de présenter une preuve hors de tout doute raisonnable, il faut une preuve particulièrement convaincante.
Makhlouf c. *Aro inc.*, D.T.E. 2008T-739 (C.R.T.).
Nadeau c. *Société en commandite Strongco*, D.T.E. 2008T-820 (C.R.T.).
Lachance c. *Corp. Électrolux du Canada inc.*, D.T.E. 2002T-935 (C.T.).
Econauto ltée c. *Groulx*, D.T.E. 89T-89 (T.A.).
Lachance c. *Rôtisseries St-Hubert ltée*, (1984) T.A. 190, D.T.E. 84T-286 (T.A.).

124/1563 L'employeur doit s'acquitter de son fardeau de preuve en matière de vol, non pas en faisant une preuve hors de tout doute raisonnable, mais en faisant une preuve par présomption de fait.
Basque c. *Société d'électrolyse et de chimie Alcan ltée*, D.T.E. 82T-494 (T.A.).

124/1564 En matière de vol et de fraude, c'est la règle de la prépondérance de preuve qui s'applique.
Électrolux Canada inc. c. *Langlois*, D.T.E. 89T-1067 (C.S.).
Marché Molloy — Félix Molloy ltée c. *Sénéchal*, D.T.E. 89T-1039 (T.A.).
Bexel (1979) inc. c. *Bernier*, (1985) T.A. 410, D.T.E. 85T-498 (T.A.).

124/1565 En matière de vol, l'employeur doit se décharger de son fardeau de preuve suivant la balance des probabilités, en prouvant que les gestes reprochés ont été commis par son employé.
Beauregard c. *Sobey's Québec inc.*, D.T.E. 2006T-622 (C.R.T.).
Gladu c. *Breuvages Lemoyne ltée (Les)*, D.T.E. 82T-669 (T.A.).

124/1566 En matière de congédiement pour vol, il doit y avoir une preuve reliant directement le plaignant à la commission du vol.
Basque c. *Société d'électrolyse et de chimie Alcan ltée*, D.T.E. 82T-494 (T.A.).

124/1567 L'illégalité d'une fouille ne peut être invoquée pour annuler un congédiement, dans la mesure où le vol commis par le plaignant est prouvé.
Minéraux Noranda inc. (division C.C.R.) c. *Dicaire*, D.T.E. 90T-276 (T.A.).

124/1568 Il appartient à l'employeur de prouver que le salarié ne s'est pas acquitté convenablement de son obligation de réduire ses dommages.
Brisson c. *9027-4580 Québec inc.*, (1999) R.J.D.T. 246 (C.T.), D.T.E. 99T-164 (C.T.) (révision judiciaire refusée: D.T.E. 99T-549 (C.S.)) (désistement d'appel).

Dépôt et réception de la plainte

124/1569 Une simple lettre adressée à la Commission des normes du travail constitue une plainte valide.
Mailhot c. *Services d'approvisionneurs national inc.*, (1983) T.A. 1038, D.T.E. 83T-459 (T.A.).
Forano inc. c. *Thomassin*, D.T.E. 82T-495 (T.A.).
Kraft ltée c. *Bastien*, (1982) T.A. 835, D.T.E. 82T-106 (T.A.).
Dumontier c. *Affiliated Engineering Equipment*, (1981) 2 R.S.A. 118.

124/1570 Est recevable une plainte basée sur l'article 124 L.N.T. qui a été transmise à la Commission des normes du travail par le biais de la rubrique «demande de renseignements» de son site Internet.
Bélanger c. *Future Électronique inc.*, (2005) R.J.D.T. 1687 (C.R.T.), D.T.E. 2005T-991 (C.R.T.).

124/1571 L'article 124 L.N.T. n'impose aucune règle particulière concernant la plainte écrite que le salarié doit déposer. L'utilisation d'un formulaire de la Commission des normes du travail n'est pas obligatoire. Ainsi, même si le formulaire signé par le salarié ne fait pas expressément état d'un congédiement sans cause juste et suffisante, mais qu'il mentionne qu'il y eu un congédiement déguisé, il constitue une plainte recevable.
Mayrand c. *Magasins à rayons Peoples inc.*, D.T.E. 95T-828 (C.T.).

124/1572 Il ne peut y avoir rejet d'une plainte pour mauvaise désignation de l'employeur lorsque la demande de rejet survient après plusieurs séances et que les parties ont admis la compétence du commissaire lors de la première séance.
Importations Fisher Eximp inc. c. *Laberge*, D.T.E. 93T-87 (C.S.).

124/1573 Pour qu'une plainte soit valide, il faut que la désignation de l'employeur soit suffisante. Le fait que celui-ci utilise de la papeterie à son nom dans sa correspondance avec la Commission et dans une lettre de recommandation, constitue une preuve d'identification.
Hudon c. *Thibodeau Transport inc. (Portneuf)*, D.T.E. 82T-829 (T.A.).

124/1574 L'amendement destiné à indiquer la désignation exacte de l'employeur, acquéreur d'une entreprise, est permis lorsque celui-ci s'est identifié comme employeur dès le dépôt de la plainte, qu'il a pu faire toutes ses représentations et qu'il n'en subit aucun préjudice.
Tremblay c. *Entreprises Myrja inc. et/ou Massicotte Sports Experts*, (1986) T.A. 319, D.T.E. 86T-409 (T.A.).

124/1575 Une plainte peut être amendée pour déterminer qui est le véritable employeur en cas d'osmose entre deux entreprises du fait qu'il y a identité d'actionnariat, d'administrateur et d'objet.
Moïse c. *Fermes du soleil inc.*, D.T.E. 2005T-887 (C.R.T.).

124/1576 Il revient au commissaire de décider d'un amendement pour ajouter le nom d'un employeur à la plainte du salarié. En l'absence de lien de droit entre les employeurs visés et le salarié, l'amendement ne peut être permis.
Marois c. *Commissaire général du travail*, D.T.E. 2000T-973 (C.S.).

124/1577 Le commissaire ne peut ajouter une autre partie à titre d'employeur si celle-ci n'a jamais été convoquée et n'a jamais eu la chance d'être entendue.
Corne d'abondance inc. c. *Bureau du commissaire général du travail*, D.T.E. 98T-153 (C.S.).

124/1578 L'on ne peut ajouter le nom d'une société à titre d'employeur, alors que c'est une entreprise distincte de celle qui est déjà au dossier, puisqu'il s'agit d'une question de fond et non de forme.
Lacasse c. *Portraits Magimage inc.*, D.T.E. 2001T-931 (C.T.).

124/1579 L'on ne saurait permettre un amendement d'une plainte dirigée contre le franchiseur pour ajouter le nom de l'employeur, lorsque les activités essentielles de chacune des sociétés ne sont pas à ce point imbriquées pour qu'on puisse conclure que les deux entreprises forment une exploitation commune.
Charbonneau c. *9042-2270 Québec inc.*, D.T.E. 2004T-407 (C.R.T.).

124/1580 Lorsqu'une plainte vise un employeur et que celui-ci n'est pas le bon, l'erreur est assimilable à un vice de fond et elle ne saurait être corrigée par voie d'amendement. Cependant, l'on peut faire droit à l'amendement lorsqu'il est possible de déceler la présence de la partie véritable malgré l'erreur commise.
Lelièvre c. *Unipêche M.D.M. ltée*, D.T.E. 2003T-1166 (C.R.T.) (révision judiciaire refusée: D.T.E. 2004T-1100 (C.S.)) (appel rejeté sur requête).
Migneron c. *Zellers inc.*, (2003) R.J.D.T. 1647 (C.R.T.), D.T.E. 2003T-1109 (C.R.T.).
Bonan c. *Rhostanco inc.*, (2001) R.J.D.T. 822 (C.T.), D.T.E. 2001T-537 (C.T.) (désistement de la révision judiciaire).
Saumur c. *116806 Association Canada inc.*, (1993) C.T. 425, D.T.E. 93T-1006 (C.T.) (révision judiciaire refusée: C.S.M. n° 500-05-008928-937, le 18 octobre 1993).

124/1581 La prise de contrôle de l'entreprise par l'actionnaire majoritaire fait en sorte qu'un amendement à la plainte n'est pas requis.
Gellatly c. *Manufacturiers Kovac inc.*, D.T.E. 2000T-870 (C.T.).

124/1582 L'amendement d'une plainte doit être autorisé lorsqu'il est possible de déceler la présence de la partie véritable derrière l'erreur commise de bonne foi. Ainsi, un syndic de faillite ne peut plaider la surprise lorsqu'il y a une demande d'amendement pour changer le nom de l'employeur pour le nom du syndic, puisqu'il a nécessairement, à titre de syndic, été avisé de l'existence de la plainte, surtout lorsque c'est lui-même qui a procédé au congédiement du salarié.
Bonan c. *Rhostanco inc.*, (2001) R.J.D.T. 822 (C.T.), D.T.E. 2001T-537 (C.T.) (désistement de la révision judiciaire).

124/1583 Il ne saurait y avoir d'amendement d'une plainte déposée selon l'article 124 L.N.T. afin d'ajouter l'article 122.2 L.N.T. (aujourd'hui les articles 79.1 et 79.4 L.N.T.) comme motif de congédiement. En effet, il s'agit de deux recours de nature différente, visant des buts distincts et donnant lieu à des décisions qui n'ont rien de semblable.
Bertrand c. *Ambulances Abitémis inc.*, D.T.E. 99T-503 (C.T.).
Lamy c. *Urgel Bourgie ltée*, (1996) C.T. 420, D.T.E. 96T-735 (C.T.).

124/1584 Il ne saurait y avoir d'amendements qui visent à transformer une plainte pour congédiement illégal en une plainte pour congédiement sans cause juste et suffisante.
Agatiello c. *Pratt et Whitney Canada inc.*, D.T.E. 98T-447 (C.T.).

124/1585 Le recours prévu à l'article 15 du *Code du travail* et celui prévu à l'article 124 L.N.T. ne sont pas interchangeables.
Dessureault-Benson c. *Groupe J.-C. Dessureault inc.*, D.T.E. 2002T-1169 (C.T.).

124/1586 Il est possible de permettre l'amendement d'une plainte déposée en vertu de l'article 124 L.N.T. pour en faire une plainte basée sur l'article 267.0.2 du *Code municipal du Québec* (L.R.Q., c. C-27.1).
Pilon c. *Bristol (Municipalité de)*, D.T.E. 2003T-514 (C.R.T.).
Blackburn c. *Cantley (Municipalité de)*, (2002) R.J.D.T. 294 (C.T.), D.T.E. 2002T-88 (C.T.).

124/1587 Il est possible de modifier une plainte déposée en vertu de l'article 124 L.N.T. pour qu'elle devienne une plainte basée sur l'article 72 de la *Loi sur les cités et villes* (L.R.Q., c. C-19), et ce, sans même qu'il y ait de demande d'amendement.
Tremblay c. *Montréal (Ville de)*, (2006) R.J.D.T. 1515 (C.R.T.), D.T.E. 2006T-978 (C.R.T.).

124/1588 Même si la Commission des relations du travail n'est pas saisie d'une plainte selon l'article 124 L.N.T., il semble qu'elle puisse tenir compte de son dépôt à la Commission des normes du travail afin de déterminer si une plainte selon l'article 72 de la *Loi sur les cités et villes* a été soumise dans le délai de 30 jours suivant la date de la cessation d'emploi.
Cardinal c. *Repentigny (Ville de)*, D.T.E. 2008T-807 (C.R.T.) (requête en révision judiciaire: n° 500-17-046146-083).

124/1589 Le salarié qui a déposé une plainte contre son employeur pour harcèlement psychologique peut être fondé à croire que sa démission forcée, postérieure au dépôt de sa plainte, serait traitée comme une plainte basée sur l'article 124 L.N.T. et ferait partie du même litige avec son employeur.
Côté c. *Recyclovesto inc.*, D.T.E. 2008T-173 (C.R.T.).

124/1590 Une plainte doit être jugée irrecevable lorsque celle-ci vise le franchiseur, alors qu'elle aurait dû être dirigée à l'encontre du franchisé.
Cardone c. *Pharmacentres Cumberland (Marivale) ltée*, (1993) C.T. 580, D.T.E. 93T-1234 (C.T.).

124/1591 Le commissaire peut recevoir une preuve testimoniale pour établir une date de congédiement autre que celle mentionnée dans la plainte, sans changer la nature de celle-ci.
Boyer c. *Cyanamid Canada inc.*, D.T.E. 84T-758 (T.A.).

124/1592 En choisissant le motif de licenciement dans l'avis écrit envoyé à la plaignante, l'employeur a l'obligation de se limiter à ce seul motif afin de permettre à la plaignante de préparer une défense pleine et entière.
Duhamel c. *Tassé & Associés*, D.T.E. 95T-1433 (C.T.) (révision judiciaire refusée: C.A.M. n° 500-05-011718-952, le 10 janvier 1996).
V. aussi: *Société Asbestos ltée* c. *Blanchette*, D.T.E. 85T-251 (T.A.).

124/1593 La divulgation du rapport d'un expert médical ne peut être ordonnée que si l'employeur entend l'utiliser à l'audience.
Zarr c. *Kessler*, (2001) R.J.D.T. 834 (C.T.), D.T.E. 2001T-608 (C.T.).

124/1594 Pour assumer une défense pleine et entière, le plaignant est en droit de connaître avec une précision raisonnable l'objet des reproches qu'on lui adresse et la période et le contexte dans lesquels ils se situent.
Dutil c. *Caisse populaire de Sts-Anges*, (1987) T.A. 39, D.T.E. 87T-99 (T.A.).

124/1595 Le dépôt d'une plainte à la Commission des normes du travail constitue une fin de non-recevoir à une requête en jugement déclaratoire.
Burns c. *Royal Institution for the Advancement of Learning (McGill University)*, D.T.E. 88T-974 (C.S.), J.E. 88-1303 (C.S.).
Cie minière I.O.C. c. *Boucher*, D.T.E. 82T-436 (C.S.).

124/1596 La Commission des normes du travail doit s'assurer qu'un plaignant justifie du nombre d'années de service continu exigé par la loi.
Club de Golf Murray Bay inc. c. *C.N.T.*, (1986) R.J.Q. 950 (C.A.), D.T.E. 86T-266 (C.A.), J.E. 86-374 (C.A.).

124/1597 Pour qu'une plainte soit valide le plaignant n'est pas tenu d'exiger sa réintégration.
Rioux c. *F.D.L. Co. ltée*, (1981) 1 R.S.A. 97, D.T.E. 82T-803 (T.A.).

124/1598 La déclaration du plaignant en Cour du Québec contenant un aveu selon lequel il refuse d'être réintégré dans son emploi, n'équivaut pas à un aveu de renonciation au recours de l'article 124 L.N.T., car elle n'indique qu'une préférence.
C.N.T. c. *Mutuelle d'Omaha Cie d'assurance*, (1984) T.A. 276, D.T.E. 84T-356 (T.A.).

Moyens préliminaires

124/1599 Le commissaire est maître de la procédure. On lui reconnaît d'ailleurs le pouvoir de réserver sa compétence sur une objection préliminaire, plutôt que de risquer de rendre une décision qui pourrait s'avérer hâtive, erronée ou injuste envers une partie ou encore quand il a besoin d'entendre la preuve au fond pour en disposer.
Perron c. *Cie minière I.O.C.*, (1982) T.A. 921, D.T.E. 82T-838 (T.A.).

124/1600 Il faut éviter de retenir ou même de considérer les moyens préliminaires d'irrecevabilité, et il est préférable de ne pas scinder la preuve.
Martin c. *Collège d'enseignement général et professionnel Lionel-Groulx*, D.T.E. 87T-482 (T.A.).

124/1601 Ce n'est pas parce que la Commission des relations du travail a rejeté une objection préliminaire fondée sur la prescription de la plainte qu'il y a nécessairement autorité de la chose jugée sur ce point.
Crossley Carpet Mills c. *Levac*, D.T.E. 2004T-716 (C.A.).

124/1602 Le salarié ayant remplacé le plaignant n'est pas une partie intéressée au débat.
Praderes c. *Immeubles de la Montagne Ste-Catherine (1994) inc.*, (1998) R.J.D.T. 711 (C.T.), D.T.E. 98T-476 (C.T.).

124/1603 Le commissaire n'a aucune compétence pour entendre une réclamation antérieure au congédiement.
Reid c. *Breuvages Lemoyne ltée*, D.T.E. 85T-252 (T.A.).

124/1604 Le commissaire n'a pas compétence en matière de suspension.
Comité paritaire de l'industrie de l'automobile de Montréal et du district c. *Fortin*, (1987) T.A. 411, D.T.E. 87T-593 (T.A.).

124/1605 Il y a lieu d'autoriser toute preuve permettant de conclure à l'existence d'une transaction mettant un terme de façon finale et définitive au litige.
Dubé c. *Commission scolaire Chomedey Laval*, (1992) T.A. 77, D.T.E. 92T-231 (T.A.) (révision judiciaire accueillie en partie: D.T.E. 92T-1004 (C.S.)) (appel rejeté: (1997) R.J.Q. 1203 (C.A.), D.T.E. 97T-457 (C.A.), J.E. 97-826 (C.A.)).
Dagenais c. *Corp. Délico*, (1986) T.A. 790, D.T.E. 86T-958 (T.A.).
Industrie Fabrico (1964) ltée c. *Bélair*, (1986) T.A. 633, D.T.E. 86T-730 (T.A.).

124/1606 Une plainte de congédiement laissée pendante à la suite d'une transaction intervenue entre les parties concernant un congédiement, ne peut servir lors d'un deuxième congédiement survenu au moment de la réintégration au travail.
Groupement des propriétaires des boisés privés de Charlevoix inc. c. *Harvey*, D.T.E. 91T-611 (T.A.).

124/1607 Le commissaire doit vérifier la nature et la portée du mandat de l'avocat du salarié qui se désiste, puisqu'une éventuelle action en dommages et intérêts du mandant à l'encontre du mandataire pour excès de mandat ne saurait jamais compenser la perte subie par le salarié mandant; en outre, le salarié lésé ne pourrait bénéficier d'une ordonnance de réintégration.
Glick c. *Amusements Idéal inc. et Amusements George 2646-0048 Québec inc.*, (1995) C.T. 481, D.T.E. 95T-1227 (C.T.).

124/1608 Le désistement d'une plainte déposée en vertu de l'article 32 de la *Loi sur les accidents du travail et les maladies professionnelles* ne constitue pas une renonciation à l'exercice du recours selon l'article 124 L.N.T.
Stratford c. *Engrenages Sherbrooke inc.*, D.T.E. 95T-1247 (C.T.).

Enquête et audition

— Général

124/1609 L'existence d'une requête en révision judiciaire n'empêche pas un commissaire de se prononcer sur une requête en révision présentée en vertu de l'article 49 du *Code du travail* (disposition abrogée, voir maintenant les articles 126 et 127 C.T.). En effet, en l'absence d'un ordre de surseoir de la Cour supérieure, le fait qu'un recours soit exercé devant ce tribunal n'affecte d'aucune façon les droits et obligations des parties devant les instances en droit du travail.
Samson, Bélair/Deloitte & Touche inc. c. *Bonan*, D.T.E. 2001T-1044 (C.T.).

124/1610 Le commissaire peut procéder *ex parte* si l'une des parties ne se présente pas après avoir été dûment convoquée.
Plouffe c. *Elco Litho inc.*, D.T.E. 84T-137 (T.A.).

124/1611 À moins que l'intérêt de la justice et l'ordre public ne soient menacés, la demande de huis clos doit être rejetée.

Pineault c. *Montréal (Société de transport de la Communauté urbaine de)*, (1994) C.T. 33, D.T.E. 94T-184 (C.T.).
Godin c. *Prévost Car inc.*, D.T.E. 90T-605 (T.A.).

124/1612 Un témoin qui est resté dans la salle d'audience malgré une ordonnance d'exclusion du commissaire peut quand même témoigner.
149657 Canada inc. c. *Levac*, D.T.E. 97T-884 (C.S.) (appel rejeté: C.A.M. n° 500-09-005328-976, le 3 mai 1999).

124/1613 Il est possible au commissaire de suspendre les procédures dans le cadre d'une plainte selon l'article 124 L.N.T. parce que le salarié a déposé antérieurement une action en dommages-intérêts devant la Cour supérieure.
Côté c. *Hydro-Québec*, D.T.E. 96T-385 (C.T.).
Dechamplain c. *Provigo (Maxi)*, D.T.E. 96T-387 (C.T.).

124/1614 Le commissaire a compétence pour indemniser le salarié plaignant des frais occasionnés par une demande de remise effectuée à la dernière minute par le procureur de l'employeur.
Lortie c. *Théâtre du Bois de Coulonge inc.*, (1997) C.T. 214, D.T.E. 97T-649 (C.T.). V. dans le même dossier: D.T.E. 97T-1150 (C.T.).

124/1615 La théorie des «laches» est applicable au recours fait en vertu de l'article 124 L.N.T. Ainsi, celui qui ne fait pas avancer son recours dans un délai que l'on peut qualifier de raisonnable est présumé avoir abandonné tacitement les procédures intentées. C'est à la lumière du critère de la diligence raisonnable que le délai doit être évalué.
Gauthier c. *Générale Électrique du Canada inc.*, (1997) C.T. 459, D.T.E. 97T-1119 (C.T.).

124/1616 Il n'y a aucune obligation d'enregistrement mécanique de la preuve imposée au commissaire saisi d'une plainte de congédiement en vertu de l'article 124 L.N.T.
Lavoie c. *Garant*, (1998) R.J.D.T. 1600 (C.S.), D.T.E. 98T-1177 (C.S.), J.E. 98-2265 (C.S.).
Desroches c. *Bibault*, D.T.E. 97T-1028 (C.S.).
Genest c. *Conseil du Trésor*, D.T.E. 2004T-763 (C.R.T.).
Paquet c. *Bande vidéo et film de Québec inc.*, D.T.E. 2003T-1196 (C.R.T.).
Pandolfo c. *Uniformes Drolet (1975) inc.*, (1992) C.T. 13, D.T.E. 92T-71 (C.T.).

124/1617 Le fait qu'une partie de l'audience n'ait pas été enregistrée mécaniquement ne constitue pas en soi une violation des règles de justice naturelle.
Denicourt & Cossette c. *C.N.T.*, D.T.E. 98T-52 (C.S.) (désistement d'appel).
Genest c. *Conseil du Trésor*, D.T.E. 2004T-763 (C.R.T.).
Frigon c. *Moisan Aubert Gagné Daigle*, D.T.E. 2003T-1167 (C.R.T.).

124/1618 Un commissaire ne peut décider d'une question sans avoir au préalable entendu les parties à ce sujet.
Talens C.A.C. inc. c. *Laporte*, D.T.E. 84T-118 (C.A.), J.E. 84-134 (C.A.).
Pétroles Bois-Francs (2000) inc. c. *Gélinas*, D.T.E. 2005T-385 (C.S.) (règlement hors cour).
Société des casinos du Québec c. *Côté-Desbiolles*, D.T.E. 2003T-512 (C.S.), J.E. 2003-1006 (C.S.), REJB 2003-41449 (C.S.).

Joron c. *Rouleau*, D.T.E. 99T-852 (C.S.), J.E. 99-1787 (C.S.), REJB 1999-13745 (C.S.).
Poulin c. *Rouleau*, (1997) R.J.Q. 1617 (C.S.), D.T.E. 97T-622 (C.S.), J.E. 97-1103 (C.S.) (désistement d'appel).
Brouard c. *Denis*, D.T.E. 96T-386 (C.S.).
Lévesque Automobile ltée c. *Levac*, D.T.E. 96T-294 (C.S.) (appel accueilli en partie: D.T.E. 2000T-58 (C.A.), J.E. 2000-135 (C.A.), REJB 1999-16368 (C.A.)) (autorisation d'appeler à la Cour suprême refusée).
Placements Melcor c. *Côté-Desbiolles*, D.T.E. 96T-147 (C.S.).
Kelly Leduc ltée c. *Villeneuve*, (1985) C.S. 688, D.T.E. 85T-536 (C.S.), J.E. 85-651 (C.S.).
Boyer c. *Cyanamid Canada inc.*, D.T.E. 84T-758 (T.A.).
V. aussi: *Basque* c. *Morency*, D.T.E. 86T-692 (C.S.), conf. par D.T.E. 95T-598 (C.A.), J.E. 95-1021 (C.A.).

124/1619 Le droit d'être entendu par un tribunal administratif tel le commissaire du travail (maintenant la Commission des relations du travail), maître de sa procédure, n'implique pas nécessairement le droit à une audience publique, pourvu toutefois que la personne plaignante puisse s'exprimer sur la question soulevée.
Bouchard c. *Girard*, D.T.E. 98T-13 (C.S.).

124/1620 Les règles de justice naturelle et d'équité procédurale impliquent qu'il faut éviter que les droits d'une partie soient compromis sans qu'elle ait eu l'occasion de préparer sa défense ou sans que son avocat ait pu connaître et considérer les tenants et aboutissants de l'affaire afin de lui permettre de préparer adéquatement une défense pleine et entière. En outre, le justiciable ne doit pas être privé, sans raison valable, de son droit de retenir les services de l'avocat de son choix.

Ainsi, la Commission des relations du travail ne peut refuser une demande de remise de l'audience à une date ultérieure, si elle n'a pas donné à l'employeur la possibilité réelle de présenter son point de vue. En refusant telle remise, la Commission viole les règles de justice naturelle, constituant ainsi un excès de compétence donnant ouverture au contrôle judiciaire, puisque l'équité procédurale est une norme au sujet de laquelle un tribunal administratif ne peut se tromper sous peine de voir sa décision révisée par les tribunaux supérieurs sur la base d'une erreur simple.
Éditions Trait d'union inc. c. *Commission des relations du travail*, (2004) R.J.Q. 155 (C.S.), (2004) R.J.D.T. 71 (C.S.), D.T.E. 2004T-45 (C.S.), J.E. 2004-99 (C.S.), REJB 2003-51263 (C.S.).

124/1621 Lorsque le procureur de l'une des parties s'est fait entendre sur sa demande de remise, la Commission des relations du travail a entière discrétion pour rejeter cette requête.
Bar central Wotton (2004) inc. c. *Lalonde*, D.T.E. 2006T-484 (C.S.), J.E. 2006-1037 (C.S.), EYB 2006-103245 (C.S.) (appel rejeté sur requête).

124/1622 Les demandes de remise répétées et tardives ont des conséquences tant pour les parties que pour les autres justiciables. Ainsi, le comportement négligent d'une personne démontrant qu'elle utilise le droit de se constituer un nouveau procureur comme prétexte visant à retarder le déroulement de l'audience, fait en sorte que sa demande de remise doit être rejetée. Bien que le droit à la représentation par avocat découle des règles de justice naturelle et ait acquis un statut constitutionnel, il ne s'agit pas d'un droit absolu.
Vallières c. *SOS Services techniques industriels inc.*, D.T.E. 2006T-268 (C.R.T.).

124/1623 Lorsque la Commission des relations du travail rejette la demande de remise tardive du représentant d'une partie, elle rend une décision dans le cadre de l'exercice correct de sa compétence.
Bar Central Wotton (2004) inc. c. *Commission des relations du travail*, D.T.E. 2005T-833 (C.S.).

124/1624 Même si la Commission des relations du travail a rendu une décision refusant une remise, il est possible qu'une nouvelle demande de remise, alléguant des faits nouveaux, soit formulée en audience ou le jour même où celle-ci se tiendra. La Commission peut alors décider s'il y a lieu d'accueillir une telle demande afin de permettre au salarié de faire valoir tous ses droits. Au surplus, la Commission peut toujours déterminer s'il faut procéder à une conférence préparatoire, proposer une rencontre de conciliation prédécisionnelle ou encore prendre toute autre mesure. Enfin, est prématurée une requête pour suspension des procédures présentée à la Cour supérieure avant l'audience devant la Commission des relations du travail.
E.C. c. *Commission des relations du travail*, D.T.E. 2007T-670 (C.S.).

124/1625 Le commissaire a compétence pour se prononcer sur un moyen de droit fondé sur la *Charte des droits et libertés de la personne.*
Dionne c. *Commissaire général du travail*, D.T.E. 99T-827 (C.A.), J.E. 99-1738 (C.A.), REJB 1999-13966 (C.A.).

124/1626 Le commissaire n'est pas lié par une politique écrite de l'employeur, portée à la connaissance de tous les employés, suivant laquelle le harcèlement sexuel est un comportement entraînant automatiquement le congédiement. Le commissaire doit tenir compte des circonstances et de la gravité des actes commis.
Beaupré c. *Resto-casino inc. (Casino de Montréal)*, D.T.E. 99T-775 (C.T.).
Williams c. *Restaurants Burger King Canada inc.*, D.T.E. 94T-404 (C.T.).
V. aussi la jurisprudence sous *Manquement aux règlements de l'entreprise.*

124/1627 En matière de réparation du préjudice et plus particulièrement en ce qui concerne le paiement d'honoraires d'avocat, le commissaire doit permettre à l'employeur d'interroger le salarié afin de connaître son engagement exact envers son avocat. Il doit aussi permettre les questions relativement à cet aspect puisqu'un refus équivaut à un déni de justice, car l'employeur ne peut savoir si ce sont véritablement les honoraires que le salarié a payés à son avocat qui sont réclamés, ou si on lui réclame un traitement différent.
Corne d'abondance inc. c. *Bureau du commissaire général du travail*, D.T.E. 98T-153 (C.S.).

124/1628 Il revient à la partie qui soulève une objection d'en prouver les fondements.
Turpin c. *Château de l'Aéroport*, D.T.E. 90T-420 (T.A.).

124/1629 Un commissaire doit se récuser, notamment lorsque certaines règles de justice naturelle n'ont pas été respectées ou que le droit d'être jugé par un tribunal impartial et indépendant, garanti par l'article 23 de la *Charte des droits et libertés de la personne*, est compromis.
Jacques c. *Doré*, D.T.E. 95T-119 (C.S.).

V. aussi: *Caisse populaire Desjardins de La Mitis, Centre de services de Ste-Angèle* c. *Lepage*, (2005) R.J.D.T. 1677 (C.R.T.), D.T.E. 2005T-992 (C.R.T.).

124/1630 Lorsque l'une des parties a connaissance, au moment de l'audience, d'une appréhension raisonnable de partialité, elle doit l'invoquer à ce moment-là, sinon elle est présumée avoir renoncé à le faire.
Pneus Supérieur inc. c. *Tribunal du travail*, D.T.E. 2000T-541 (C.S.).

124/1631 Il doit y avoir récusation lorsque le cumul de propos et de démarches du commissaire laisse croire à une opinion préconçue de sa part.
Régie régionale de la santé et des services sociaux de Montréal-Centre c. *Béchara*, (2003) R.J.D.T. 150 (C.S.), D.T.E. 2003T-199 (C.S.).
Caisse populaire Desjardins de La Mitis, Centre de services de Ste-Angèle c. *Lepage*, (2005) R.J.D.T. 1677 (C.R.T.), D.T.E. 2005T-992 (C.R.T.).

124/1632 La justice doit non seulement être rendue, mais elle doit aussi paraître avoir été rendue. Ainsi, il peut y avoir manquement à l'équité procédurale et aux règles de justice naturelle lorsque le commissaire, souvent sur un ton agressif, fait de longues et nombreuses interruptions, interpelle l'avocat de l'employeur et fait des commentaires sur certains cabinets d'avocats.
Coffrages C.C.C. ltée c. *Commissaire général du travail*, D.T.E. 98T-69 (C.S.).

124/1633 Il doit y avoir récusation du commissaire à la suite de son intervention à l'endroit du procureur de l'employeur sur un ton agressif doublé de menaces. Il y a alors manifestement crainte raisonnable de partialité.
Caisse populaire Desjardins de La Mitis, Centre de services de Ste-Angèle c. *Lepage*, (2005) R.J.D.T. 1677 (C.R.T.), D.T.E. 2005T-992 (C.R.T.).

124/1634 Il est manifeste que la récusation d'un commissaire est une affaire extrêmement sérieuse. En effet, la garantie d'impartialité à laquelle tout justiciable a droit est l'une des pierres d'assise du système judiciaire québécois. Ainsi, un simple soupçon de partialité n'est pas suffisant pour obtenir la récusation d'un commissaire. Il faut qu'il soit réellement probable ou que l'on puisse raisonnablement croire qu'il n'agira pas avec impartialité.
Éditions Trait d'union inc. c. *Noël*, D.T.E. 2004T-112 (C.R.T.).

124/1635 Pour déterminer s'il y a matière à récusation d'un commissaire, on doit, entre autres, évaluer les éléments suivants: 1) il n'est pas nécessaire de prouver la partialité du décideur pour qu'il y ait récusation; une crainte justifiée de partialité suffit; 2) il faut tenir compte de la présomption d'impartialité; 3) la crainte de partialité doit être raisonnable, en ce sens qu'il doit s'agir d'une crainte à la fois logique — donc qui s'inspire de motifs sérieux — et objective — c'est-à-dire que partagerait une personne sensée et raisonnable. Ainsi, il n'y a pas matière à récusation d'un commissaire du simple fait que celui-ci entame une discussion avec l'un des procureurs dans le cadre d'une tentative de règlement du litige.
Nadeau c. *Autobus scolaire Dostie inc.*, D.T.E. 2003T-940 (C.R.T.).
V. aussi: *Bangia* c. *Avoman, s.e.n.c.*, D.T.E. 2008T-103 (C.R.T.) (révision en vertu de l'article 127 C.T. refusée).

124/1636 Il doit y avoir récusation du commissaire lorsqu'il y a une crainte raisonnable de partialité. C'est le cas lorsque le commissaire, qui doit se prononcer sur une plainte pour congédiement, a été saisi au préalable d'une

requête en accréditation où il devait enquêter lui-même sur le rôle joué par un salarié dans l'organisation syndicale, compte tenu que cette question était alors pertinente relativement à la vérification qu'il devait effectuer concernant le caractère représentatif de l'association de salariés.
Research House inc. (Québec Recherches) c. *Allaire*, D.T.E. 2005T-774 (C.R.T.).

124/1637 Une requête en irrecevabilité d'une plainte déposée en vertu de l'article 124 L.N.T. ne peut être présentée par étapes.
Godin c. *Monette*, D.T.E. 98T-390 (C.S.), J.E. 98-783 (C.S.) (désistement d'appel).

— Ouï-dire

124/1638 Le ouï-dire est inadmissible en preuve.
Centre hospitalier Douglas c. *Jodoin*, D.T.E. 82T-688 (T.A.).

124/1639 Même s'il est reconnu qu'un commissaire peut admettre une preuve par ouï-dire irrecevable devant les tribunaux de droit commun, celle-ci ne peut être retenue que s'il existe certains éléments qui la corroborent et elle ne doit pas être la base de sa décision.
Mercier c. *Union des producteurs agricoles*, (1982) T.A. 1245, D.T.E. 82T-802 (T.A.) (révision judiciaire refusée: D.T.E. 86T-774 (C.S.)).

124/1640 Une preuve par ouï-dire est tout à fait insuffisante pour mener à bien la justification du renvoi d'un employé.
Gestion Grever inc. c. *Smith*, (1994) C.T. 222, D.T.E. 94T-581 (C.T.).

— Faits et documents admissibles en preuve

124/1641 En vertu de l'article 128 L.N.T. le commissaire doit prendre en considération non seulement les faits dénoncés à l'enquêteur par l'employeur, mais aussi toute preuve pertinente à la situation.
Sewell c. *Centre d'accueil Horizons de la jeunesse/Youth Horizons*, (1982) T.A. 1234, D.T.E. 82T-634 (T.A.).

124/1642 Est admissible en preuve, l'aveu judiciaire du salarié dans une autre instance relativement à des revenus gagnés alors qu'il recevait des indemnités de la C.S.S.T.
Bergeron c. *Multisodas inc.*, D.T.E. 98T-860 (C.T.).

124/1643 L'aveu fait de façon libre et volontaire est admissible en preuve. Afin de rendre l'aveu nul et sans effet, le salarié doit établir par prépondérance des probabilités que celui-ci a été obtenu au moyen de menaces, de promesses ou de contraintes, ou encore dans des conditions qui portent atteinte aux droits et libertés fondamentaux et que son utilisation est susceptible de déconsidérer l'administration de la justice.
Dion c. *Paradis*, D.T.E. 2002T-213 (C.T.) (règlement hors cour).

124/1644 Seuls les faits antérieurs au dépôt de la plainte sont admissibles en preuve.
Pinard c. *Comité de développement touristique et économique de Godbout*, D.T.E. 2009T-172 (C.R.T.) (en révision).
Leclerc c. *Chatel Nettoyeur*, D.T.E. 90T-936 (T.A.).
Simpson c. *Tricots Main inc.*, D.T.E. 90T-352 (T.A.).

Pomerleau c. *Laboratoires Hefran inc.*, (1985) T.A. 798, D.T.E. 85T-971 (T.A.).
Lemay c. *Remtec inc.*, D.T.E. 84T-802 (T.A.).

124/1645 Sont admissibles en preuve, les faits postérieurs au congédiement qui ne mettent pas en doute l'exactitude des éléments sur lesquels l'employeur s'est fondé pour prendre sa décision.
Caisse populaire de St-Anaclet c. *Blanchette*, (1988) T.A. 493, D.T.E. 88T-558 (T.A.).

124/1646 Le redressement des finances de l'entreprise ainsi que la réintégration du salarié plaignant sont des faits postérieurs qui ne doivent pas être pris en considération par le commissaire dans l'évaluation de la situation qui existait au moment du dépôt de la plainte.
Mac Donald c. *Éclairage Unilight ltée*, D.T.E. 2007T-284 (C.R.T.).

124/1647 Les faits qui se sont produits avant le congédiement mais qui sont découverts après, sont admissibles en preuve en autant qu'ils soient liés à la décision de l'employeur.
Electromate Industrial Sales Ltd. c. *Côté-Desbiolles*, D.T.E. 2004T-996 (C.S.) (appel rejeté sur requête).
Guindon c. *Corporation de sécurité Garda World*, D.T.E. 2009T-174 (C.R.T.) (requête en révision judiciaire: n° 500-17-048698-099).
Amiel c. *Strongco inc.*, (2001) R.J.D.T. 1248 (C.T.), D.T.E. 2001T-810 (C.T.) (révision judiciaire refusée: D.T.E. 2002T-16 (C.S.)).
Bradette c. *Poste de camionnage en vrac région 06 inc.*, D.T.E. 90T-1354 (T.A.).
Grosso c. *Métropolitaine (La), Cie d'assurance-vie*, D.T.E. 89T-91 (T.A.).
Lejeune c. *Autobus Ménard inc.*, D.T.E. 89T-743 (T.A.).
Georgiou c. *Machinerie Wilson Cie ltée*, D.T.E. 85T-470 (T.A.).
Lorrain c. *Sidbec-Dosco*, (1985) T.A. 403, D.T.E. 85T-497 (T.A.).
Drainville c. *Kraft ltée*, D.T.E. 84T-138 (T.A.).

124/1648 La preuve des faits postérieurs ne peut être prise en considération que si, et uniquement si, elle permet de décider si la mesure disciplinaire imposée par l'employeur était raisonnable et appropriée au moment où elle a été imposée.
Béchard c. *Couche-Tard inc.*, D.T.E. 2008T-413 (C.R.T.).

124/1649 Dans le cadre d'une demande d'ordonnance pour examen médical formulée par l'employeur alors que le salarié a déposé une plainte pour congédiement sans cause juste et suffisante, le requérant doit faire la démonstration que l'examen médical permettra d'obtenir un éclairage supplémentaire sur l'état de santé du salarié plaignant au moment où il a pris la décision de le congédier. C'est dans ce cadre très précis qu'une preuve postérieure devient admissible.
Côté c. *Cascades Canada inc.*, D.T.E. 2008T-424 (C.R.T.).

124/1650 Les faits survenus entre une ordonnance de réintégration et la date de réintégration effective sont admissibles en preuve.
Lavigne c. *Richelieu (Ville de)*, D.T.E. 2005T-888 (C.R.T.).

124/1651 Le témoignage d'un psychologue expert ne sera recevable que s'il porte sur les faits et circonstances entourant la démission du salarié, ainsi que sur l'état de ce dernier avant le congédiement.
Hardy c. *Centre François-Charron*, (1992) C.T. 174, D.T.E. 92T-614 (C.T.).

124/1652 Il faut être hésitant à donner foi à des expertises faites plusieurs mois après un congédiement dans le but de démontrer, *a posteriori*, l'état psychologique d'un salarié avant son congédiement.
Loiselle c. *École secondaire Marcellin-Champagnat*, (2008) R.J.D.T. 1179 (C.R.T.), D.T.E. 2008T-560 (C.R.T.).

124/1653 La preuve testimoniale d'un professeur expert en gestion des ressources humaines, quant à l'appréciation du comportement de l'employeur, n'est pas utile puisqu'il s'agit de questions relevant de la compétence spécialisée de la Commission des relations du travail.
Gagnon c. *Comité sectoriel de main-d'oeuvre des industries du bois de sciage*, D.T.E. 2005T-438 (C.R.T.).

124/1654 La conclusion d'un psychiatre selon laquelle le salarié plaignant était en dépression majeure au moment des événements, conclusion qui ne repose que sur les affirmations du salarié et sur les notes de son médecin traitant, fait en sorte que l'on doit accorder très peu de valeur probante à cette expertise psychiatrique.
Loiselle c. *École secondaire Marcellin-Champagnat*, (2008) R.J.D.T. 1179 (C.R.T.), D.T.E. 2008T-560 (C.R.T.).

124/1655 La preuve que veut faire l'employeur relativement au comportement du plaignant chez un autre employeur est irrecevable et non pertinente.
Racine c. *Orviande inc.*, D.T.E. 2001T-606 (C.T.).

124/1656 Sont admissibles en preuve les rapports médicaux postérieurs à la décision de congédier, si ceux-ci étaient accessibles à l'employeur au moment de sa décision.
Drainville c. *Kraft ltée*, D.T.E. 84T-138 (T.A.).

124/1657 L'expertise d'un expert et son opinion peuvent se baser sur des faits qu'il a constatés lui-même ou sur la preuve présentée devant le tribunal même s'il n'a pas entendu tous les témoins ni pris connaissance de l'ensemble de la preuve documentaire. Ce type d'expertise ne viole pas la règle interdisant les témoignages justificatifs lorsqu'ils s'attachent essentiellement à démontrer que les déclarations du salarié plaignant à son psychiatre ainsi qu'à sa psychologue étaient incomplètes.
Asselin c. *Compagnie Abitibi-Consolidated du Canada*, D.T.E. 2007T-774 (C.R.T.).

124/1658 Lorsqu'un salarié soulève la question de son état de santé physique ou mentale, il renonce de ce fait au secret médical ainsi qu'à la confidentialité de son dossier. Il y a alors consentement présumé, ou implicite, de se soumettre à l'examen requis par l'employeur.
Zarr c. *Kessler*, (2001) R.J.D.T. 834 (C.T.), D.T.E. 2001T-608 (C.T.).

124/1659 En principe, la cause juste et suffisante de congédiement s'apprécie à la date de la prise de la décision de l'employeur. Cependant, en matière de maladie, il est permis de prendre connaissance des faits postérieurs afin d'apprécier la cause juste et suffisante.
Drolet c. *U.C.S., division hors taxes, Aéroport Mirabel*, D.T.E. 95T-369 (C.T.).

V. aussi: *Perron* c. *Aliments Small Fray inc.*, (2000) R.J.D.T. 1116 (C.T.), D.T.E. 2000T-872 (C.T.) (révision judiciaire refusée: D.T.E. 2001T-514 (C.S.), J.E. 2001-1025 (C.S.), REJB 2001-24724 (C.S.)).

124/1660 Les faits et documents antérieurs à l'arrivée du nouveau directeur général, pris en considération par celui-ci pour motiver le congédiement, sont admissibles en preuve.
Danis c. *Mont Ste-Marie (1984) inc.*, D.T.E. 91T-360 (T.A.).

124/1661 La décision prise par l'employeur doit être appréciée en fonction du moment où ce dernier l'a prise et des faits qu'il connaissait à cette date et non sur la base de ce qui est apparu ultérieurement, même si les événements se sont produits avant ce congédiement.
Hardy c. *Centre François-Charron*, (1992) C.T. 174, D.T.E. 92T-614 (C.T.).

124/1662 Les relations extracontractuelles doivent être considérées comme des faits circonstanciels constituant un des éléments de la preuve, mais ne pouvant être étudiés au mérite, parce que extrinsèques au contrat individuel de travail.
Anvari c. *Royal Institution for the Advancement of Learning (McGill University)*, D.T.E. 82T-204 (T.A.).

124/1663 Une conversation qu'un salarié a eue avec son ex-avocat, avant que ce dernier n'écrive à la Commission des normes du travail concernant le fait que le salarié se désiste de sa plainte, est de nature confidentielle. Cependant, lorsque l'ex-avocat écrit qu'il a reçu mandat de son client de se désister de sa plainte, la relation confidentielle client-avocat sur le sujet perd son caractère confidentiel à l'égard de l'autre partie. Ainsi, l'existence et l'étendue du mandat de l'ex-avocat deviennent une question de fait. Si l'on empêchait l'employeur d'interroger ce dernier en s'appuyant sur le secret professionnel, on l'empêcherait à toutes fins utiles de faire la preuve du désistement.
Agatiello c. *Bureau du commissaire général du travail*, D.T.E. 97T-100 (C.S.).

124/1664 Une requête pour inspection d'objet en possession d'une partie peut être accordée par le commissaire lorsqu'il s'agit de l'exécution la plus facile et la moins contraignante.
Mailloux c. *Québec-Téléphone*, (1982) T.A. 930, D.T.E. 82T-860 (T.A.).

124/1665 Une bande vidéo est recevable en preuve sous réserve de ce qui pourrait être considéré comme illégal au moment du visionnement par la Commission des relations du travail. En effet, lorsque les positions des parties sont opposées à la production d'une bande vidéo, la Commission n'a d'autre choix que de la regarder pour se former une opinion quant à l'objectif réel de l'employeur et quant à l'atteinte au droit des salariés à des conditions de travail justes et raisonnables au sens de l'article 46 de la *Charte des droits et libertés de la personne*.
Laporte c. *Prismadye inc.*, D.T.E. 2008T-115 (C.R.T.).

124/1666 La production de l'enregistrement d'une conversation téléphonique entre le plaignant et une autre personne, fait en l'absence de l'intervention d'un tiers, n'est pas interdite par la *Charte des droits et libertés de la personne*.
Frigault c. *Société de portefeuille du Groupe Desjardins, assurances générales*, (1996) C.T. 529, D.T.E. 96T-1185 (C.T.).
Quenord inc. c. *Ménard*, (1990) T.A. 707, D.T.E. 90T-1133 (T.A.).

V. aussi: *Marchand* c. *Holt Renfrew & Cie Ltd.*, (2002) R.J.D.T. 718 (C.T.), D.T.E. 2002T-431 (C.T.) (requête en révision judiciaire: n° 500-05-071385-023).
Bernard c. *Multi-recyclage S.D. inc.*, (1998) R.J.D.T. 187 (C.T.), D.T.E. 98T-15 (C.T.).
Mason c. *Tran*, (1991) T.A. 294, D.T.E. 91T-482 (T.A.).
Halte des routiers Gill inc. c. *Truchon*, D.T.E. 90T-782 (T.A.).

124/1667 Est irrecevable en preuve, le contenu d'une conversation téléphonique enregistrée à l'insu du témoin lorsque l'un des deux interlocuteurs est l'avocat de l'une des parties. Admettre en preuve l'enregistrement irait à l'encontre du respect des règles déontologiques.
Larivière c. *Coopérative fédérée de Québec*, D.T.E. 99T-753 (C.T.).

124/1668 Sont recevables en preuve les courriels qu'un salarié a reçus ou a expédiés par Internet, puisqu'il ne s'agit pas d'une communication ni d'une interception lorsque l'entreprise procède quotidiennement à la copie et l'archivage sur disque compact du contenu des disques durs de tous les ordinateurs de l'entreprise.
Blais c. *Société des loteries vidéos du Québec inc.*, (2003) R.J.D.T. 261 (C.R.T.), D.T.E. 2003T-178 (C.R.T.).

124/1669 Ne sont pas recevables en preuve les enregistrements de conversations intimes; seules des conversations d'affaires le sont.
Ouellet c. *Cuisirama inc.*, (1995) C.T. 203, D.T.E. 95T-399 (C.T.).

124/1670 Le détecteur de mensonges ou polygraphe, n'a pas sa place dans le processus judiciaire dans la mesure où l'on s'en sert pour déterminer ou vérifier la crédibilité des témoins. L'admission d'une telle preuve irait à l'encontre de plusieurs règles de preuve bien établies. Cette preuve est également inadmissible en tant que preuve d'expert.
Dionne c. *Radio Shack*, D.T.E. 95T-1343 (C.T.) (révision judiciaire refusée: C.S.Q. n° 200-05-002821-952, le 3 mai 1996) (appel rejeté: D.T.E. 99T-827 (C.A.), J.E. 99-1738 (C.A.), REJB 1999-13966 (C.A.)).

124/1671 Les résultats d'un test de polygraphe ne devraient pas être déclarés irrecevables *a priori* et la valeur probante de ce test devrait être appréciée par le commissaire. Ainsi, ce dernier ne peut déclarer une telle preuve irrecevable en vertu des principes du droit pénal et criminel, puisqu'il peut en matière purement civile, en résulter une négation du droit à une audience impartiale.
9027-7104 Québec inc. c. *Commissaire général du travail*, D.T.E. 97T-759 (C.S.), J.E. 97-1355 (C.S.).

124/1672 Est recevable en preuve un enregistrement clandestin dont l'exactitude est admise, qui a été effectué par un salarié sur les lieux du travail, à l'insu de son employeur, et qui ne concerne pas la vie privée des interlocuteurs.
Bernard c. *Multi-recyclage S.D. inc.*, (1998) R.J.D.T. 187 (C.T.), D.T.E. 98T-15 (C.T.).

124/1673 Les courriels que le salarié a expédiés ou a reçus peuvent être admis en preuve et ne font pas partie de la vie privée de celui-ci, puisqu'il doit s'attendre que ses courriels et le contenu de l'ordinateur qu'il utilise au travail ne restent pas privés.
Blais c. *Société des loteries vidéos du Québec inc.*, (2003) R.J.D.T. 261 (C.R.T.), D.T.E. 2003T-178 (C.R.T.).

124/1674 L'enregistrement d'une conversation par un salarié est recevable en preuve, car seul compte la règle de la pertinence, et ce, sans égard aux modes d'obtention de la preuve.
Yacoubi c. *Acura Optima*, D.T.E. 95T-256 (C.T.).

— Preuve testimoniale: pouvoir de contrainte du commissaire

124/1675 Le commissaire peut permettre à tout avocat ou tout témoin de s'adresser à lui dans la langue anglaise ou française et de s'adjoindre les services d'un procureur bilingue.
Bielous c. *Agence Mark Richman ltée*, D.T.E. 87T-346 (T.A.).

124/1676 Le commissaire a compétence pour autoriser le représentant de l'employeur à plaider pour lui, même s'il n'a pas le statut d'avocat.
Lapierre c. *Arcon Canada inc.*, (1986) T.A. 406, D.T.E. 86T-483 (T.A.).

124/1677 Le commissaire n'excède pas sa compétence en acceptant d'entendre une preuve testimoniale à l'encontre d'un écrit valablement fait.
Asselin c. *Industries Abex ltée*, (1985) C.A. 72, D.T.E. 85T-134 (C.A.), J.E. 85-204 (C.A.) (autorisation d'appeler à la Cour suprême refusée).
Beaulieu c. *Caisse populaire de St-Raymond de Portneuf*, D.T.E. 85T-673 (T.A.).

124/1678 Le procureur du salarié a le droit de réserver ses questions à son client lors de son propre interrogatoire, malgré l'interrogatoire en chef dont il a fait l'objet de la part du procureur de l'employeur.
Touten c. *Association des policiers provinciaux du Québec*, D.T.E. 86T-957 (T.A.).

124/1679 La question de l'employeur qui demande au plaignant à quelle date il a consulté un avocat pour la première fois en rapport avec son congédiement porte atteinte au secret professionnel protégé par l'article 9 de la *Charte des droits et libertés de la personne*.
Uhlen c. *Produits Nacan ltée*, (1987) T.A. 290, D.T.E. 87T-428 (T.A.).

124/1680 Le témoignage de l'ex-procureur du plaignant est admissible en preuve et le privilège de l'avocat ne s'applique pas lorsque le témoignage porte sur le résultat des négociations ayant mené à une transaction et non sur leur contenu.
Dagenais c. *Corp. Délico*, (1986) T.A. 790, D.T.E. 86T-958 (T.A.).

124/1681 Il y a conflit d'intérêts lorsque l'avocat s'expose à violer le secret professionnel ou, du moins, tente de le violer, et non pas uniquement lorsque la violation s'accomplit. Lorsqu'il y a un tel risque, l'avocat doit cesser de représenter son client. Il en va de l'intégrité du système judiciaire qui revêt une importance fondamentale.
Association internationale des travailleurs de ponts, de fer structural et ornemental, section locale 711 c. *Denis*, (1996) R.J.Q. 1354 (C.S.), D.T.E. 96T-601 (C.S.), J.E. 96-1041 (C.S.).

124/1682 Relativement au conflit d'intérêts de l'avocat, il faut tenir compte des éléments suivants: 1) le souci de préserver les normes exigeantes de cette profession ainsi que l'intégrité du système de justice; 2) le droit du justiciable de ne pas être privé sans raison valable de son droit de retenir les services du procureur de son choix; et 3) la mobilité raisonnable qu'il est souhaitable de permettre au sein

de la profession. Le conflit d'intérêts soulève deux questions. Premièrement, l'avocat a-t-il appris des faits confidentiels grâce à des rapports antérieurs d'avocat-client qui concernent l'objet du litige? Deuxièmement, y a-t-il un risque que ces renseignements soient utilisés au détriment du client?
Roy c. *Fruit of the Loom Canada Inc.*, D.T.E. 2002T-502 (C.T.).
Onofrio c. *Premier Réfractaires du Canada ltée*, D.T.E. 2001T-1131 (C.T.).
V. aussi: *Jean* c. *OmegaChem inc.*, D.T.E. 2009T-224 (C.R.T.) (révision en vertu de l'article 127 C.T. refusée) (requête en révision judiciaire: n° 200-17-011933-090).

124/1683 Un procureur peut être inhabile à représenter l'employeur lorsqu'il est l'un de ses actionnaires et qu'il aura à témoigner sur un élément important du litige.
Meunier c. *9018-9135 Québec inc. (Cache-à-l'eau)*, (2006) R.J.D.T. 816 (C.R.T.), D.T.E. 2006T-507 (C.R.T.).

124/1684 Un avocat n'est pas inhabile à représenter l'employeur du salarié plaignant même si son client lui avait confié le mandat de faire enquête au sujet d'allégations de harcèlement psychologique formulées par le salarié qui, après le dépôt du rapport a été congédié. Seules des raisons graves et contraignantes peuvent justifier l'exclusion de l'avocat librement choisi par une partie.
Bergeron c. *Union des municipalités du Québec*, D.T.E. 2008T-548 (C.R.T.).

124/1685 Est insuffisante, l'opinion d'un expert qui est uniquement théorique, scientifique ou abstraite. En effet, celle-ci doit être fondée sur des faits qu'il a observés ou qui ont été légalement prouvés.
Hardy c. *Centre François-Charron*, (1992) C.T. 174, D.T.E. 92T-614 (C.T.).

124/1686 Un plaignant ne peut refuser de témoigner et le commissaire a le pouvoir de l'y contraindre. Cependant, il peut demander la protection de la Cour.
Dutil c. *Caisse populaire de Sts-Anges*, (1987) T.A. 39, D.T.E. 87T-99 (T.A.).

124/1687 Le commissaire peut accorder la protection de la loi (ancien article 100.8 C.T.) à une partie.
Allain c. *Cie minière I.O.C. inc.*, (1984) T.A. 509, D.T.E. 84T-622 (T.A.).

124/1688 Le commissaire n'a pas le pouvoir de forcer un syndic à témoigner et à révéler le contenu de son enquête.
Heutte c. *Centre médical des industries de la mode de Montréal (U.I.O.V.D.)*, D.T.E. 82T-61 (T.A.).

124/1689 On ne peut forcer un employeur à remettre au salarié plaignant une vidéocassette et un rapport d'expertise avant l'audience, lorsque la crédibilité du témoin est au coeur même du motif du congédiement invoqué. Obliger l'employeur à divulguer ses éléments de preuve pendant l'enquête porterait atteinte à la qualité de sa défense.
Ouellet c. *Marmon/Keystone Canada inc.*, D.T.E. 2003T-1086 (C.R.T.).

124/1690 L'agent de la Commission de l'assurance-emploi n'est pas un témoin contraignable.
Marchand c. *Holt Renfrew & Cie Ltd.*, (2002) R.J.D.T. 718 (C.T.), D.T.E. 2002T-431 (C.T.) (requête en révision judiciaire: n° 500-05-071385-023).

124/1691 Le commissaire ne peut contraindre un plaignant à subir un examen médical.
Simpson c. *Tricots Main inc.*, D.T.E. 90T-352 (T.A.).
Contra: *Zarr* c. *Kessler*, (2001) R.J.D.T. 834 (C.T.), D.T.E. 2001T-608 (C.T.).

124/1692 Le commissaire peut forcer un salarié à produire son dossier médical complet lorsque ce dernier invoque son état physique comme cause d'un congédiement déguisé.
Bélanger c. *Goodyear Canada inc.*, (1994) C.T. 420, D.T.E. 94T-1049 (C.T.).

— Réouverture d'enquête

124/1693 Le commissaire a le pouvoir d'ordonner la réouverture d'enquête à la demande d'une partie.
Courteau-Barreca c. *Clinique dentaire Normand Comtois*, D.T.E. 93T-795 (C.T.).
Bouchard c. *Scierie des Outardes Enrg.*, D.T.E. 85T-386 (T.A.).
Gagné c. *Commission de transport de la ville de Laval*, D.T.E. 83T-240 (T.A.).

124/1694 Le commissaire peut, de son propre chef, ordonner la réouverture de l'enquête.
Centre hospitalier de Coaticook c. *Germain*, D.T.E. 82T-858 (T.A.).
Chez Henri Hôtel c. *Carrière*, (1981) 3 R.S.A. 256.
Perron c. *Commission scolaire régionale de l'Estrie*, (1981) 1 R.S.A. 283.

124/1695 La requête en réouverture d'enquête constitue une procédure d'exception qui doit être basée sur des motifs sérieux et non avoir pour seul but de permettre à une partie d'améliorer sa preuve. Une telle demande peut être accordée lorsque la preuve que l'on veut présenter est une preuve pertinente.
Vekilis c. *Communauté hellénique de Montréal*, D.T.E. 2004T-90 (C.R.T.).

124/1696 Une requête en réouverture d'enquête doit être accordée lorsqu'une telle demande ne vise pas à bonifier la preuve, la partie requérante voulant plutôt faire toute la lumière sur un élément pertinent.
Silvestri c. *Doubletex inc.*, D.T.E. 2007T-589 (C.R.T.).

124/1697 Il y a matière à réouverture d'enquête si celle-ci est de nature à faire plus de lumière sur le litige. Cependant, elle ne peut être accordée lorsque la nouvelle preuve qu'on entend faire n'est pas essentielle ou qu'elle aurait pu être présentée avec plus de diligence avant que l'enquête ne soit close. En effet, l'on ne doit pas, sans motifs graves, occasionner des retards qui nuisent à la bonne administration de la justice.
Laguë c. *Québec (Ministère des Relations internationales)*, D.T.E. 98T-759 (C.T.).

124/1698 Une demande de réouverture d'enquête doit être accordée lorsque l'intérêt de la justice et la recherche de la vérité commandent à la Commission des relations du travail d'exercer sa discrétion dans le but de rouvrir le débat afin de lui permettre de bénéficier de la preuve la plus représentative de la réalité.
Hélie c. *Commission des relations du travail*, D.T.E. 2007T-990 (C.S.).

124/1699 Les conditions pour qu'il y ait réouverture d'enquête sont les suivantes: *a*) les nouveaux éléments de preuve qui ont été découverts étaient inconnus du requérant au moment du procès; *b*) il lui était impossible, malgré sa

diligence, de les connaître avant le procès; *c*) les nouveaux éléments de preuve pourront avoir une influence déterminante sur la décision à rendre.
Mignelli c. *Seigneurie Pontiac Buick inc.*, (2006) R.J.D.T. 772 (C.R.T.), D.T.E. 2006T-419 (C.R.T.).

124/1700 Lorsque aucun motif juridique n'explique l'impossibilité en fait ou en droit de produire une preuve lors de l'enquête, une requête en réouverture d'enquête ne peut être accordée.
Tremblay c. *Multi-Marques inc.*, D.T.E. 86T-548 (T.A.).
V. aussi: *Simpson* c. *Tricots Main inc.*, D.T.E. 90T-352 (T.A.).

124/1701 La Commission des relations du travail est justifiée de ne pas rouvrir une enquête lorsqu'il n'existe aucun fait nouveau au litige.
Bar central Wotton (2004) inc. c. *Lalonde*, D.T.E. 2006T-484 (C.S.), J.E. 2006-1037 (C.S.), EYB 2006-103245 (C.S.) (appel rejeté sur requête).

124/1702 Lorsque saisie d'une requête sur le quantum, la Commission des relations du travail peut refuser une demande de réouverture d'enquête en ne permettant pas au plaignant de présenter une preuve à l'effet que des salariés ont continué d'exercer les mêmes fonctions que lui après une certaine date, cette preuve ne portant pas sur des faits nouveaux, mais plutôt sur des faits qui étaient connus au moment de l'audition de la plainte sur le fond.
Browne c. *Nordic Development Corporation Inc.*, D.T.E. 2007T-435 (C.S.).

124/1703 La demande de réouverture d'enquête fondée sur un jugement acquittant le plaignant d'une accusation de voies de fait doit être rejetée. Le commissaire doit faire abstraction du dénouement de cette accusation car il s'agit d'une instance différente obéissant à des règles différentes.
Solomon c. *Aliments Louis ltée*, D.T.E. 85T-653 (T.A.).

— Requête en révision

124/1704 Une requête en révision peut être accueillie si la plainte du salarié a été rejetée, mais que son intention n'était pas de se désister dans un contexte où il n'a pas eu l'occasion d'être entendu en raison d'événements qui le dépassent.
Dolbec c. *Québec (Ministère du Revenu)*, (2005) R.J.D.T. 247 (C.R.T.), D.T.E. 2005T-72 (C.R.T.).
Glick c. *Amusements Idéal inc. et Amusements George 2646-0048 Québec inc.*, (1995) C.T. 481, D.T.E. 95T-1227 (C.T.).
Laprise c. *Clinique familiale St-Vincent inc.*, D.T.E. 94T-1309 (C.T.).

124/1705 Même s'il n'y a aucun délai pour présenter une requête en révision, celle-ci doit être déposée dans un délai raisonnable.
Bouchard c. *Investissements Imqua inc.*, D.T.E. 2002T-164 (C.T.).

124/1706 Le commissaire a le pouvoir d'ordonner la révision d'une décision d'un autre commissaire en vertu de l'article 49 du *Code du travail* (disposition abrogée, voir maintenant les articles 126 et 127 C.T.).
Wohl c. *Joly*, D.T.E. 96T-291 (C.S.).
Glick c. *Amusements Idéal inc. et Amusements George 2646-0048 Québec inc.*, (1995) C.T. 481, D.T.E. 95T-1227 (C.T.).

124/1707 Il peut y avoir révision d'une décision selon l'article 127 du *Code du travail*, lorsqu'une partie n'a pas eu la possibilité devant le commissaire saisi d'une affaire, d'apporter la preuve de l'existence ou non de liens entre diverses sociétés, ainsi que de se faire entendre sur les mesures de réparation appropriées et les ordonnances pouvant en découler.
Groupe Labelle c. *Leduc*, D.T.E. 2004T-464 (C.R.T.).

124/1708 Le commissaire peut, dans le cadre d'une requête en révision, corriger une erreur matérielle, telle la désignation de l'employeur.
Samson, Bélair/Deloitte & Touche inc. c. *Bonan*, D.T.E. 2001T-1044 (C.T.).

124/1709 Une requête en révision en vertu de l'article 49 du *Code du travail* (disposition abrogée, voir maintenant les articles 126 et 127 C.T.) peut être assimilée à la requête en rétractation selon l'article 482 du *Code de procédure civile*, qui est une procédure exceptionnelle devant être interprétée restrictivement. Dans le cas de la rétractation, il faut trouver un juste équilibre entre deux principes qui s'affrontent: celui de la stabilité des jugements rendus et celui du droit à une défense pleine et entière, laquelle passe nécessairement par la règle de justice naturelle *audi alteram partem*. Lorsque cette dernière règle semble ne pas avoir été respectée, il y a lieu d'autoriser la requête en révision.
Daniel Amusement inc. c. *Taher*, D.T.E. 2000T-393 (C.T.).

124/1710 Une requête en révision peut être présentée s'il s'agit d'un événement existant mais non connu, s'il s'agit de faire corriger une erreur matérielle ou si le requérant n'a pu se faire entendre.
Bouchard c. *Investissements Imqua inc.*, D.T.E. 2002T-164 (C.T.).

124/1711 Dans le cadre d'une requête en révision, il peut y avoir mise en cause d'un nouvel employeur afin de statuer sur l'application de l'article 97 L.N.T.
Jacklin c. *Atelier G. Meunier et Fils inc.*, D.T.E. 2001T-865 (C.T.).

124/1712 Le commissaire saisi d'une plainte selon l'article 124 L.N.T. a le pouvoir, en vertu de l'article 49 du *Code du travail* (disposition abrogée, voir maintenant les articles 126 et 127 C.T.), de réviser sa propre décision.
Wohl c. *Joly*, D.T.E. 96T-291 (C.S.).

124/1713 La requête en révision selon les dispositions de l'article 49 du *Code du travail* (disposition abrogée, voir maintenant les articles 126 et 127 C.T.) n'est pas le recours approprié pour faire annuler un règlement hors cour. De plus, cette requête doit être présentée dans des délais raisonnables, soit des délais très courts.
Den Heyer c. *Clintrials Biorecherches ltée*, D.T.E. 2001T-437 (C.T.).

124/1714 La négligence n'est pas un motif de révision d'une décision d'un commissaire.
Houle c. *Wyerth-Ayerst Canada inc.*, (1997) C.T. 472, D.T.E. 97T-1180 (C.T.).
Gestion Grever inc. c. *Smith*, (1994) C.T. 222, D.T.E. 94T-581 (C.T.).

124/1715 La négligence d'une partie n'est pas un motif de révision ou de révocation de la décision de la Commission des relations du travail rendue contre elle. Toutefois, lorsqu'il y a erreur excusable provoquée par des circonstances extérieures, il peut y avoir révocation de la décision.
Krimbou c. *Institut de recherches cliniques de Montréal*, D.T.E. 2005T-860 (C.R.T.).

124/1716 La requête en révision n'a pas la portée d'un jugement déclaratoire ni d'un appel.
Bouchard c. *Investissements Imqua inc.*, D.T.E. 2002T-164 (C.T.).

124/1717 L'absence occasionnée par une simple erreur ou un malentendu ne peut être assimilée à de la négligence.
Daniel Amusement inc. c. *Taher*, D.T.E. 2000T-393 (C.T.).

124/1718 Aux termes de l'article 100.12*e*) du *Code du travail*, le commissaire peut réviser sa décision en cas d'erreur d'écriture ou de calcul ou de quelques autres erreurs matérielles. Cependant, cette disposition n'accorde pas au commissaire le pouvoir de réviser ou de casser sa décision, même si des faits nouveaux pouvaient être invoqués. Lorsque le commissaire a rejeté la plainte de l'employé, il a rendu une décision définitive ce qui le rend alors *functus officio*, c'est-à-dire qu'il est sans compétence pour poursuivre l'étude du dossier.
Canadian Oxygen Ltd. c. *Cloutier*, D.T.E. 94T-23 (C.S.) (ultérieur: D.T.E. 94T-245 (C.S.)).

124/1719 Il est bien établi que lorsqu'un tribunal administratif a statué définitivement sur une question dont il a été saisi conformément à sa loi habilitante, celui-ci ne peut revenir sur sa décision simplement parce qu'il a commis une erreur dans le cadre de sa compétence, ou parce que les circonstances ont changé. Il ne peut le faire que si la loi le lui permet ou s'il y a eu un lapsus ou une erreur dans l'expression de l'intention manifeste du tribunal. À titre d'exemple, un commissaire ne peut accepter de prolonger la période couverte par l'indemnité.
École secondaire François-Bourrin c. *Grenier*, D.T.E. 2000T-472 (C.S.).

124/1720 Le commissaire peut modifier le dispositif d'une décision afin de corriger une erreur. L'article 49 du *Code du travail* (disposition abrogée, voir maintenant les articles 126 et 127 C.T.), s'appliquant en fonction de l'article 127 L.N.T., lui permet de corriger d'office toute erreur matérielle. Il est reconnu par les tribunaux supérieurs que la règle du *functus officio* commande une application moins rigide en matière administrative lorsque la décision est visée par une clause de finalité, comme c'est le cas pour les plaintes déposées selon l'article 124 L.N.T. qui sont finales et sans appel.
Ménard c. *Alain Couture inc.*, D.T.E. 2000T-91 (C.T.).

124/1721 Il ne peut y avoir révision de la décision du commissaire pour une erreur manifeste dans l'appréciation des faits. Pour que la révision puisse avoir lieu, il doit exister une cause justifiant le revirement d'opinion. La recherche d'une deuxième opinion sur les mêmes faits n'est pas une cause de révision et s'il existe une grave erreur dans l'interprétation des faits, cela équivaut à une erreur de droit, et elle ne peut donner lieu à la révision.
Roy c. *Baie-James (Municipalité de la)*, D.T.E. 97T-679 (C.T.).

124/1722 Lorsqu'il existe un doute quant au droit d'être entendu d'un salarié relativement à la question d'une ordonnance de réintégration, la requête en révision doit être accordée puisqu'il s'agit d'un vice de fond de nature à invalider la décision.
Godin c. *Amimac (2002) ltée*, D.T.E. 2006T-438 (C.R.T.).

124/1723 En matière d'appréciation de la preuve, il ne saurait y avoir de requête en révision à l'encontre d'une décision d'un commissaire en l'absence d'erreur grossière constituant un vice de fond. Seul un manquement aux règles de justice naturelle, relatif à l'administration de la preuve et de la procédure, donne ouverture à la requête en révision.
Service de suspension Turcotte inc. c. *Perron*, D.T.E. 2004T-511 (C.R.T.).

124/1724 En vertu des nouvelles dispositions de l'article 127 du *Code du travail*, la décision de la Commission des relations du travail ne peut être révisée que si elle est entachée d'un vice de fond ou de procédure de nature à l'invalider.
Migneron c. *Zellers inc.*, D.T.E. 2004T-1044 (C.R.T.).

— Décision

124/1725 Le non-respect des règles de justice naturelle lors d'une décision permettant une réouverture d'enquête justifie qu'une requête en révision judiciaire soit accueillie.
Bertrand c. *Cloutier*, D.T.E. 94T-245 (C.S.).

124/1726 Le commissaire qui est *functus officio* ne peut accepter une demande d'amendement de la plainte initiale, cette demande devant être faite avant jugement.
Kraft ltée c. *Bastien*, (1986) T.A. 251, D.T.E. 86T-300 (T.A.).

124/1727 Lorsque le commissaire qui était saisi de la plainte n'avait pas l'intention de faire droit à d'autres postes de réclamation que ceux prévus à l'article 128(1) et (2) L.N.T., le commissaire saisi de la requête en fixation de l'indemnité ne peut utiliser les paramètres de l'article 128(3) pour offrir une indemnité de cessation d'emploi. Il ne peut le faire, à moins de constater l'existence d'une nouvelle réalité faisant en sorte que la réintégration du salarié-plaignant soit devenue impossible à cause de circonstances tributaires de l'employeur ou indépendantes de la volonté du salarié-plaignant.
Mochon c. *Réno-dépôt inc.*, D.T.E. 2001T-610 (C.T.).

124/1728 On ne peut, par une requête pour précisions, demander à un commissaire de réécrire la première décision, à la lumière de ce qui s'est passé dans l'entreprise depuis que la décision a été rendue. En effet, le milieu du travail n'est pas statique: les postes, les fonctions et les responsabilités sont susceptibles de modifications dans le cours normal des affaires. Ainsi, un commissaire ne peut émettre une autre ordonnance lorsque l'ordonnance de réintégration constitue pour l'employeur une obligation suffisamment précise.
Larocque c. *Corp. E.M.C. du Canada*, (2004) R.J.D.T. 213 (C.R.T.), D.T.E. 2004T-256 (C.R.T.) (révision judiciaire refusée: C.S.M. n° 500-17-019748-048, le 12 juillet 2005).

124/1729 Le dispositif d'une décision indiquant que le commissaire «réserve sa compétence pour déterminer la réparation nécessaire ou opportune», constitue une réserve générale de compétence qui fait en sorte que celui-ci n'est pas *functus officio* pour accorder des dommages moraux, des dommages exemplaires, ainsi que le préjudice fiscal réclamés par le salarié.
Messageries dynamiques, une division de Groupe Quebecor (Re), (2001) R.J.D.T. 827 (C.T.), D.T.E. 2001T-609 (C.T.).
V. aussi: *Towner* c. *I.N.G. Canada inc.*, D.T.E. 2004T-932 (C.R.T.).

124/1730 La prétention selon laquelle la Commission des relations du travail ne peut se prononcer sur la réduction des dommages, car elle aurait épuisé sa compétence dans sa première décision, ne peut être maintenue, car l'évaluation de l'obligation de réduire les dommages est inhérente à la détermination du quantum, surtout lorsque cette question est visée par la réserve de compétence prévue aux conclusions de la première décision.
Villeneuve c. *Saguenay (Ville de)*, D.T.E. 2008T-78 (C.R.T.).

124/1731 La Commission des relations du travail n'est pas *functus officio* lorsqu'elle ne fait que préciser, dans une deuxième décision, la somme qui est due au salarié en fonction du dispositif de sa décision antérieure.
Gamache (Succession de) c. *Acadia Drywall Supplies Ltd.*, D.T.E. 2007T-1037 (C.R.T.).

124/1732 Lorsque la décision rendue sur une plainte déposée en vertu de l'article 124 L.N.T. a réglé la question de cause juste et suffisante et celle de l'indemnité, le commissaire devient *functus officio* quant à la détermination de l'indemnité. Dans un tel cas, la seule compétence que conserve le commissaire ne concerne que des considérations périphériques, à titre d'exemple, la correction d'une éventuelle erreur de calcul.
Filali c. *113492 Canada inc.*, D.T.E. 96T-1437 (C.T.).
V. aussi: *Lavergne* c. *Fugère Pontiac Buick inc.*, (2003) R.J.D.T. 346 (C.R.T.), D.T.E. 2003T-248 (C.R.T.).

124/1733 La décision finale doit être susceptible d'exécution.
Investissements Trizec ltée c. *Hutchison*, (1989) 18 Q.A.C. 316, D.T.E. 87T-764 (C.A.).
Union des employés du transport local et industries diverses, local 931 c. *Beetz*, (1990) R.J.Q. 1358 (C.S.), D.T.E. 90T-696 (C.S.), J.E. 90-846 (C.S.).
Zellers inc. c. *Lippé*, D.T.E. 87T-844 (C.S.).
London Life, Cie d'assurance-vie c. *Bolduc*, D.T.E. 85T-187 (C.S.).

124/1734 Lorsqu'une ordonnance vise deux employeurs, la condamnation ne peut être conjointe et solidaire. Le choix est plutôt laissé à l'une ou l'autre des sociétés de s'exécuter.
Lelièvre c. *Commission des relations du travail*, D.T.E. 2004T-1101 (C.S.).

124/1735 La Commission des relations du travail ne peut rendre une ordonnance de sauvegarde provisoire relativement à une demande de maintien du salaire et de paiement des honoraires d'avocat tant que la preuve n'a pas été complétée de part et d'autre sur le fond du litige, la Commission ne pouvant se prononcer avant cela sur la qualification de la cessation d'emploi et ne pouvant donc déterminer s'il y a une apparence de droit claire en faveur du requérant.
Polger c. *Congrès juif canadien*, D.T.E. 2006T-809 (C.R.T.).

124/1736 La cessation des activités d'un employeur n'empêche pas le commissaire de condamner celui-ci à verser au salarié le salaire perdu, ainsi que des dommages moraux.
Lortie c. *Théâtre du Bois de Coulonge inc.*, D.T.E. 97T-1150 (C.T.).

124/1737 Le commissaire a le pouvoir de rendre une décision additionnelle pour ajouter un élément ou en clarifier un qui est incomplet, sans modifier sa décision initiale.
Association Louise Gosford c. *C.N.T.*, (1991) T.A. 198, D.T.E. 91T-306 (T.A.).

124/1738 Le commissaire a compétence pour procéder en deux étapes, soit en déterminant l'indemnité, puis en calculant ensuite, au besoin, si les parties ne s'entendent pas, le montant exact de cette indemnité.
Saguenay (Ville de) c. *Bédard*, D.T.E. 2007T-712 (C.S.), J.E. 2007-1598 (C.S.), EYB 2007-122253 (C.S.).
Goudreault c. *Laurin*, D.T.E. 92T-1071 (C.S.).

124/1739 Lorsque le commissaire a, dans une première décision, déterminé la période d'indemnisation, il ne peut la modifier dans sa décision fixant l'indemnité.
Unisource Technologie inc. c. *Déom*, D.T.E. 92T-232 (C.S.).

124/1740 Le commissaire a compétence pour accorder une requête en rectification de sentence et pour ce faire, il n'est pas tenu de respecter un délai consécutif à la sentence.
Breuvages Lemoyne ltée c. *Cournoyer*, D.T.E. 85T-484 (C.S.).

124/1741 Il y a excès de compétence, en statuant à l'égard d'une partie non mentionnée dans la plainte.
Québec (Procureur général) c. *Cloutier*, D.T.E. 95T-1027 (C.S.), J.E. 95-1701 (C.S.).
Dassylva c. *Cooprix*, D.T.E. 82T-470 (T.A.).

124/1742 Par l'effet de certaines dispositions de la convention collective et en présence d'allégations de violation de la *Charte des droits et libertés de la personne*, un arbitre de griefs peut avoir l'autorité pour entendre le grief d'un salarié en intégrant les dispositions de l'article 124 L.N.T. à la convention collective.
Syndicat du personnel enseignant du Centre d'études collégiales en Charlevoix c. *St-Laurent*, (2005) R.J.D.T. 752 (C.S.), D.T.E. 2005T-566 (C.S.), J.E. 2005-1146 (C.S.), EYB 2005-90485 (C.S.) (jugement rétracté par la Cour d'appel et dossier retourné en Cour supérieure: J.E. 2006-1342 (C.A.), EYB 2006-106815 (C.A.)) (révision judiciaire refusée: D.T.E. 2007T-333 (C.S.), J.E. 2007-814 (C.S.), EYB 2007-116366 (C.S.)) (règlement hors cour).
Contra: *Syndicat des travailleuses et travailleurs de soutien de la CS des Hauts-Bois-de-l'Outaouais* c. *Commission scolaire des Hauts-Bois-de-l'Outaouais (Sylvie Lafond)*, D.T.E. 2008T-205 (T.A.) (requête en révision judiciaire: n° 560-17-000911-088).
V. la jurisprudence sous *Questions de compétence ou juridictionnelles* et *Autre procédure prévue à une convention collective*.

124/1743 On ne peut en appeler d'une décision d'un commissaire qui a été rendue en vertu de l'article 124 de la *Loi sur les normes du travail*.
Lemoyne c. *Québec (Gouvernement du)*, D.T.E. 2001T-979 (C.Q.), J.E. 2001-1888 (C.Q.), REJB 2001-30717 (C.Q.).

124/1744 L'exécution de la décision du commissaire du travail relève des tribunaux de droit commun. Il n'appartient pas au bureau du commissaire général du travail de veiller à l'exécution de ses décisions.
Jones c. *Buffet King Chow inc.*, D.T.E. 98T-778 (C.T.).

N.B. Le commissaire du travail et le bureau du commissaire général du travail ont été remplacés par la Commission des relations du travail.

124/1745 La décision d'un commissaire relative à une plainte déposée en vertu de l'article 124 L.N.T. est sans appel, et l'on ne saurait faire indirectement, par le

biais de l'article 49 du *Code du travail* (disposition abrogée, voir maintenant les articles 126 et 127 C.T.), ce que la *Loi sur les normes du travail* ne permet pas.
149657 Canada inc. c. *Labbé*, D.T.E. 97T-561 (T.T.).
Lecavalier c. *Montréal (Ville de)*, D.T.E. 97T-460 (T.T.).
V. aussi: *Roy* c. *Baie-James (Municipalité de la)*, D.T.E. 97T-679 (C.T.).

124/1746 Une décision de la Commission des relations du travail ne peut être déclarée nulle compte tenu d'une omission du commissaire relativement à certains faits, si les motifs sont intelligibles et permettent de comprendre les fondements de sa décision et que cette omission n'a pas d'effet déterminant sur celle-ci.
Morin c. *Carrière Union ltée*, D.T.E. 2006T-887 (C.R.T.) (désistement de la révision judiciaire).

— Divers

124/1747 En attendant le résultat d'une enquête, l'employeur peut imposer des mesures administratives. Une suspension peut éventuellement être annulée par l'employeur lui-même si l'enquête ne lui permet pas de retenir de reproches contre le salarié. Si au contraire elle permet d'étayer ses soupçons, il n'y a pas de double sanction. Pour que le principe de l'interdiction de la double sanction s'applique, la première sanction doit être définitive, ce qui n'est pas le cas de la suspension administrative ou aux fins d'une enquête.
Pelletier c. *Bureau du commissaire général du travail*, D.T.E. 95T-258 (C.S.).

124/1748 Il ne saurait y avoir rejet sommaire d'une plainte en vertu de l'article 124 L.N.T. au motif du non-respect d'une ordonnance de production de documents, lorsqu'il y a absence de préjudice irréparable pour l'employeur.
Hosseini-Nia c. *Université McGill (Campus McDonald)*, D.T.E. 2006T-318 (C.R.T.) (révision en vertu de l'article 127 C.T. refusée).

124/1749 Le commissaire ne peut condamner le salarié au paiement des dépens à l'avantage de l'employeur puisque ni la *Loi sur les normes du travail* ni la jurisprudence ne permettent d'y faire droit.
Sabbah c. *Valisa inc. (Esso)*, D.T.E. 97T-1121 (C.T.).

124/1750 L'employeur d'une entreprise privée n'est pas tenu de se conformer à l'équité procédurale.
Métallurgie Noranda inc., fonderie Horne c. *Monette*, D.T.E. 97T-1491 (C.S.) (désistement d'appel).

124/1751 L'employeur n'est pas tenu de rembourser le montant que le plaignant a dû payer afin de dédommager un médecin assigné à témoigner en sa faveur lors d'une audience qui a dû être remise à une date ultérieure.
Roseberry c. *Aliments 2000 (1987) inc.*, D.T.E. 2001T-762 (C.T.) (requête en révision judiciaire: n° 200-05-015347-011).

124/1752 La Commission des relations du travail peut faire droit à une requête pour ordonnance de non-publication, de non-divulgation et de non-diffusion des états financiers et des prévisions budgétaires d'une entreprise compte tenu du caractère confidentiel de ces renseignements.
St-Cyr c. *Compagnie Commonwealth Plywood ltée*, D.T.E. 2008T-394 (C.R.T.).

124/1753 Le commissaire peut ordonner la non-publication et la non-divulgation des états financiers que l'employeur veut déposer en preuve.
Mac Donald c. *Éclairage Unilight ltée*, D.T.E. 2007T-284 (C.R.T.).

124/1754 Il ne saurait y avoir de visite des lieux de l'entreprise d'un employeur, si cela ne permet pas à la Commission des relations du travail de faire des constatations utiles à la solution du litige.
Gagnon c. *Comité sectoriel de main-d'oeuvre des industries du bois de sciage*, D.T.E. 2005T-438 (C.R.T.).

124/1755 V. la jurisprudence sous l'article 125 L.N.T.

124/1756 V. BLOUIN, R. et MORIN, F., *Droit de l'arbitrage de grief*, 5e éd., Cowansville, Les Éditions Yvon Blais inc., 2000.

124/1757 V. D'AOUST, C., DELORME, F. et ROUSSEAU, A., «Considérations sur le degré de preuve requis devant l'arbitre des griefs», (1976) 22 *McGill L.J.* 71.

124/1758 V. D'AOUST, C. et DUBÉ, L., «Le devoir d'équité procédurale de l'employeur privé», (1987) 47 *R. du B.* 667.

124/1759 V. OUELLETTE, Y., «Aspects de la procédure et de la preuve devant les tribunaux administratifs», (1986) 16 *R.D.U.S.* 819.

COMPLÉMENT: DOCTRINE art. 124 L.N.T.

124/1760 V. AUDET, G., «Les congédiements et les licenciements des employés non syndiqués dans les secteurs privé et public», (1984-85) 92 *F.P. du B.* 59.

124/1761 V. AUDET, G., BONHOMME, R., GASCON, C. et COURNOYER-PROULX, M., *Le congédiement en droit québécois en matière de contrat individuel de travail*, vol. 1, 3e éd. (édition à feuilles mobiles), Cowansville, Éditions Yvon Blais, p. 14-1 à 18-141.

124/1762 V. BARREAU DU QUÉBEC, *Droit du travail*, Collection de droit, vol. 8, Cowansville, Éditions Yvon Blais, 2009-2010.

124/1763 V. BÉLIVEAU, N.-A., *Les normes du travail*, Cowansville, Les Éditions Yvon Blais inc., 2003, p. 345 à 418 et 439 à 474.

124/1764 V. BÉLIVEAU, N.-A., BOUTIN, K. et ST-PIERRE, N., «Les "motifs sérieux" et la "cause juste et suffisante" de congédiement», dans *Un abécédaire des cessations d'emploi et des indemnités de départ (2005)*, Formation permanente du Barreau du Québec, Cowansville, Les Éditions Yvon Blais inc., 2005, p. 23.

124/1765 V. BELLEAU, C., «Le contrôle judiciaire de l'application des principes de justice naturelle par les arbitres de griefs québécois», (1983) 14 *R.G.D.* 93.

124/1766 V. BENAROCHE, P.L. et FORTIN, J.-M., *Le congédiement déguisé au Québec: fondements théoriques et aspects pratiques*, Cowansville, Les Éditions Yvon Blais inc., 2006.

124/1767 V. BERGERON, Y., «De la règle d'impartialité en matière d'arbitrage de griefs», (1975) 35 *R. du B.* 163.

124/1768 V. BERNIER, L., BLANCHET, G., GRANOSIK, L. et SÉGUIN, É., *Les mesures disciplinaires et non disciplinaires dans les rapports collectifs du travail*, 2e éd. (édition à feuilles mobiles), Cowansville, Éditions Yvon Blais.

124/1769 V. BICH, M.-F., «De quelques idées imparfaites et tortueuses sur l'intermédiation du travail», dans *Développements récents en droit du travail (2001)*, Formation permanente du Barreau du Québec, Cowansville, Les Éditions Yvon Blais inc., 2001, p. 257.

124/1770 V. BICH, M.-F., «Le contrat de travail», dans *La réforme du Code civil*, t. II, Barreau du Québec et Chambre des notaires du Québec, Ste-Foy, Les Presses de l'Université Laval, 1993, p. 741.

124/1771 V. BICH, M.-F., «Chroniques sectorielles. Le pouvoir disciplinaire de l'employeur — Fondements civils», (1988) 22 *R.J.T.* 85.

124/1772 V. BICH, M.-F., «Du contrat individuel de travail en droit québécois: essai en forme de point d'interrogation», (1986) 17 *R.G.D.* 85.

124/1773 V. BLOUIN, R., «La Commission des relations du travail du Québec», dans *Développements récents en droit du travail (2002)*, Formation permanente du Barreau du Québec, Cowansville, Les Éditions Yvon Blais inc., 2002, p. 245.

124/1774 V. BLOUIN, R., «L'apport de l'équité en contexte d'arbitrage de grief», dans Trudeau, G., Vallée, G. et Veilleux, D. (dir.), *Études en droit du travail: à la mémoire de Claude D'Aoust*, Cowansville, Les Éditions Yvon Blais inc., 1995, p. 25.

124/1775 V. BLOUIN, R., «Le contrôle juridictionnel arbitral sur la cessation d'emploi motivée par insuffisance professionnelle», (1985) 45 *R. du B.* 3.

124/1776 V. BLOUIN, R., «Synopsis et critique sur les voies de contestation en cas de congédiement injuste ou illégal», (1985) vol. 6, no 2, *Marché du travail* 73.

124/1777 V. BOILY, M.D., «Indemnité de cessation d'emploi: incidences fiscales», dans *Un abécédaire des cessations d'emploi et des indemnités de départ (2005)*, Formation permanente du Barreau du Québec, Cowansville, Les Éditions Yvon Blais inc., 2005, p. 293.

124/1778 V. BOISROND, Y., «Le congédiement dans le domaine scolaire», (1986) 17 *R.G.D.* 315.

124/1779 V. BOUCHARD, S., *La preuve extrinsèque en arbitrage des griefs*, Cowansville, Les Éditions Yvon Blais inc., 1995.

124/1780 V. BOUFFARD, D., «Le congédiement injuste en vertu du Code canadien du travail», (1981) 12 *R.G.D.* 173.

124/1781 V. BRIÈRE, J.-Y., «La Commission des relations du travail: un pontificat laïque?», dans *Développements récents en droit du travail (2004)*, Formation permanente du Barreau du Québec, Cowansville, Les Éditions Yvon Blais inc., 2004, p. 1.

124/1782 V. BRIÈRE, J.-Y., «Les pouvoirs de réparation du Commissaire du travail aux termes de la *Loi sur les normes du travail*: nouvelles tendances?», dans *Développements récents en droit du travail (1996)*, Formation permanente du Barreau du Québec, Cowansville, Les Éditions Yvon Blais inc., 1996, p. 1.

124/1783 V. BRIÈRE, J.-Y., «Principaux amendements à la Loi sur les normes du travail et jurisprudence récente et marquante», dans *Développements récents en droit du travail (1991)*, Formation permanente du Barreau du Québec, Cowansville, Les Éditions Yvon Blais inc., 1991, p. 1.

124/1784 V. BUSWELL, A. et MOSTOVAC, C.R., «Le passage d'employé à travailleur autonome: salarié ou travailleur autonome — qualifications», dans Association de planification fiscale et financière, *Congrès 2000*, Montréal, l'Association, 2001, p. 12:1 à 12:48.

124/1785 V. CANTIN, I. et CANTIN, J.-M., *La dénonciation d'actes répréhensibles en milieu de travail ou whistleblowing*, Cowansville, Les Éditions Yvon Blais inc., 2005.

124/1786 V. CANTIN, J.-M., *L'abus d'autorité au travail: une forme de harcèlement=Abuse of Authority in the Workplace: A Form of Harassment*, Scarborough, Carswell, 2000.

124/1787 V. CAZA, C., «L'embarquement pour un tour d'horizon des développements récents concernant la *Loi sur les normes du travail*», dans *Développements récents en droit du travail (1997)*, Formation permanente du Barreau du Québec, Cowansville, Les Éditions Yvon Blais inc., 1997, p. 229, p. 321 et ss.

124/1788 V. CAZA, C., «Le contrat de travail et le *Code civil du Québec*: continuité ou rupture?», dans *Congrès annuel du Barreau du Québec (1995)*, Montréal, Formation permanente du Barreau du Québec, 1995, p. 857.

124/1789 V. COTNOIR, J., RIVEST, R.L. et SOFIO, S., «La protection accordée par la *Loi sur les normes du travail* en matière d'absence pour cause de maladie: diagnostics et pronostics», dans *Développements récents en droit du travail (2002)*, Formation permanente du Barreau du Québec, Cowansville, Les Éditions Yvon Blais inc., 2002, p. 63.

124/1790 V. COUTU, M., «Les clauses dites "orphelins" et la notion de discrimination dans la *Charte des droits et libertés de la personne*», (2000) 55 *R.I.* 308.

124/1791 V. D'AOUST, C., «L'électronique et la psychologie dans l'emploi», dans Nadeau, D. et Pelletier, B. (dir.), *Relation d'emploi et droits de la personne: évolution et tensions!*, Actes du colloque tenu à la faculté de droit de l'Université d'Ottawa le 12 mars 1993, Cowansville, Les Éditions Yvon Blais inc., 1994, p. 35.

124/1792 V. D'AOUST, C., DUBÉ, L. et TRUDEAU, G., *L'intervention de l'arbitre de griefs en matière disciplinaire*, Cowansville, Les Éditions Yvon Blais inc., 1995.

124/1793 V. D'AOUST, C. et LECLERC, L., *La jurisprudence arbitrale québécoise en matière de congédiement*, monographie n° 1, Montréal, École des relations industrielles, Université de Montréal, 1978.

124/1794 V. D'AOUST, C., LECLERC, L. et TRUDEAU, G., *Les mesures disciplinaires: étude jurisprudentielle et doctrinale*, monographie n° 13, Montréal, École des relations industrielles, Université de Montréal, 1982.

124/1795 V. D'AOUST, C. et TRUDEAU, G., «Les mesures administratives et la juridiction arbitrale: note sur la jurisprudence de la Cour d'appel», (1984) 44 *R. du B.* 606.

124/1796 V. D'AOUST, C. et TRUDEAU, G., «La distinction entre les mesures disciplinaire et non disciplinaire (ou administrative) en jurisprudence arbitrale québécoise», (1981) 41 *R. du B.* 514.

124/1797 V. DENIS, C.J. et LANDRY, A., «Au Québec, en cas de congédiement: une multiplicité de recours», (1981) 41 *R. du B.* 790.

124/1798 V. DESCÔTEAUX, G., «Les normes du travail, étude comparative Canada — Québec», (1979) 10 *R.G.D.* 215.

124/1799 V. DESMARAIS, J., «Nouvelles pratiques et traitement des litiges en droit du travail au Québec: un panorama déconcertant», dans Lippel, K. (dir.), *Nouvelles pratiques de gestion des litiges en droit social et du travail*, UQAM, Actes de la 4e Journée en droit social et du travail, Cowansville, Les Éditions Yvon Blais inc., 1994, p. 95.

124/1800 V. DI IORIO, N. et LAUZON, M.-C., «À la recherche de l'égalité: de l'accommodement à l'acharnement», dans Jézéquel, M. (dir.), *Les accommodements raisonnables: quoi, comment, jusqu'où? des outils pour tous*, Cowansville, Les Éditions Yvon Blais inc., 2007, p. 113.

124/1801 V. DOUVILLE, P., «Harcèlement sexuel: les sanctions», dans Nadeau, D. et Pelletier, B. (dir.), *Relation d'emploi et droits de la personne: évolution et tensions!*, Actes du colloque tenu à la faculté de droit de l'Université d'Ottawa le 12 mars 1993, Cowansville, Les Éditions Yvon Blais inc., 1994, p. 105.

124/1802 V. DUBÉ, J.-L. et DI IORIO, N., *Les normes du travail*, 2e éd., Sherbrooke, Les Éditions Revue de droit — Université de Sherbrooke, 1992, p. 394 et ss.

124/1803 V. DUBÉ, L. et TRUDEAU, G., «Les manquements du salarié à son obligation d'honnêteté et de loyauté en jurisprudence arbitrale», dans Trudeau, G., Vallée, G. et Veilleux, D. (dir.), *Études en droit du travail: à la mémoire de Claude D'Aoust*, Cowansville, Les Éditions Yvon Blais inc., 1995, p. 51.

124/1804 V. GAGNON, R.P., *Le droit du travail du Québec*, 6e éd. (mis à jour par LANGLOIS KRONSTRÖM DESJARDINS, S.E.N.C.R.L. sous la dir. de BERNARD, Y., SASSEVILLE, A. et CLICHE, B.), Cowansville, Les Éditions Yvon Blais inc., 2008, p. 172 et 194 à 204.

124/1805 V. GAGNON, R.P., LEBEL, L. et VERGE, P., *Droit du travail*, 2e éd., Ste-Foy, Les Presses de l'Université Laval, 1991, p. 108 et ss.

124/1806 V. GOYETTE, R.M., «Boucler une cessation d'emploi avec une transaction: mythe ou réalité?», dans *Un abécédaire des cessations d'emploi et des indemnités de départ (2005)*, Formation permanente du Barreau du Québec, Cowansville, Les Éditions Yvon Blais inc., 2005, p. 97.

124/1807 V. GOYETTE, R.M., «La réforme de la *Loi sur les normes du travail*: les points saillants», dans *Développements récents en droit du travail (2003)*, Formation permanente du Barreau du Québec, Cowansville, Les Éditions Yvon Blais inc., 2003, p. 71.

124/1808 V. HÉBERT, G. et TRUDEAU, G., *Les normes minimales du travail au Canada et au Québec*, Cowansville, Les Éditions Yvon Blais inc., 1987.

124/1809 V. JOLICOEUR, I., *L'évolution de la notion de délai-congé raisonnable en droit québécois et canadien*, Collection Relations industrielles, Cowansville, Les Éditions Yvon Blais inc., 1993.

124/1810 V. LAJOIE, A., *Pouvoir disciplinaire et tests de dépistage de drogues en milieu de travail: illégalité ou pluralisme*, Cowansville, Les Éditions Yvon Blais inc., 1995.

124/1811 V. LALONDE, L., «La cessation d'emploi chez l'employeur insolvable: qui en paie le prix?», dans *Un abécédaire des cessations d'emploi et des indemnités de départ (2005)*, Formation permanente du Barreau du Québec, Cowansville, Les Éditions Yvon Blais inc., 2005, p. 191.

124/1812 V. LAMARCHE, C., «Le passage d'employé à travailleur autonome: fin d'emploi — obligations de l'employeur», dans Association de planification fiscale et financière, *Congrès 2000*, Montréal, l'Association, 2001, p. 9:1 à 9:78.

124/1813 V. LAPORTE, P., *Le traité du recours à l'encontre d'un congédiement sans cause juste et suffisante (en vertu de la Loi sur les normes du travail, article 124)*, Montréal, Wilson & Lafleur ltée, 1992, p. 143 et ss.

124/1814 V. LAPORTE, P., «Les modes de cessation du contrat individuel de travail et l'impact de la Loi sur les normes du travail», dans Blouin, R. (dir.), *Vingt-cinq ans de pratique en relations industrielles au Québec*, Cowansville, Les Éditions Yvon Blais inc., 1990, p. 557.

124/1815 V. LAPORTE, P., «Récents développements en matière de congédiements en vertu de la Loi sur les normes du travail», (1986) 46 *R. du B.* 288.

124/1816 V. LAROCQUE, A., «Polysémie de l'efficacité d'un recours original: L.N.T., article 124», dans Blouin, R. (dir.), *Vingt-cinq ans de pratique en relations industrielles au Québec*, Cowansville, Les Éditions Yvon Blais inc., 1990, p. 577.

124/1817 V. LEDUC, F., «Le droit à l'indemnité de départ raisonnable au sens des articles 2091 et s. du *Code civil du Québec* en cas de licenciement et la compétence de l'arbitre de griefs: la prééminence du contrat individuel de travail», dans

Développements récents en droit du travail (2000), Formation permanente du Barreau du Québec, Cowansville, Les Éditions Yvon Blais inc., 2000, p. 45.

124/1818 V. LEHOUX, G., «*P.G.Q. et La Régie du logement* c. *Grondin et al.*: marche arrière justifiée sur un chemin parsemé d'embûches», (1984) 15 *R.G.D.* 477.

124/1819 V. MONET, D., «Qui a la compétence sur le harcèlement au travail?», dans *Développements récents en droit du travail (1995)*, Formation permanente du Barreau du Québec, Cowansville, Les Éditions Yvon Blais inc., 1995, p. 1.

124/1820 V. MOREAU, P.E., «État de la jurisprudence en matière de délai-congé lors d'une fin d'emploi et autres questions accessoires, en vertu des articles 2091 C.c.Q., 124 et s. L.N.T. et 240 et s. C.c.t.», dans *L'A-B-C des cessations d'emploi et des indemnités de départ (2007)*, Formation continue du Barreau du Québec, Cowansville, Les Éditions Yvon Blais inc., 2007, p. 1.

124/1821 V. MOREAU, P.E. et MARTEL, N., «Précis des règles applicables à la détermination du délai de congé approprié pour le salarié non syndiqué», dans *L'ABC des cessations d'emploi et des indemnités de départ (2006)*, Formation continue du Barreau du Québec, Cowansville, Les Éditions Yvon Blais inc., 2006, p. 133.

124/1822 V. MORIN, F., «Le devoir de loyauté! le salarié serait-il seul à l'assumer?», dans *Développements récents en droit du travail (2000)*, Formation permanente du Barreau du Québec, Cowansville, Les Éditions Yvon Blais inc., 2000, p. 21.

124/1823 V. MORIN, F., «Le salarié injustement congédié doit-il mitiger les dommages causés par l'employeur», dans Trudeau, G., Vallée, G. et Veilleux, D. (dir.), *Études en droit du travail: à la mémoire de Claude D'Aoust*, Cowansville, Les Éditions Yvon Blais inc., 1995, p. 221.

124/1824 V. MORIN, F., BRIÈRE, J.-Y. et ROUX, D., *Le droit de l'emploi au Québec*, 3e éd., Montréal, Wilson & Lafleur ltée, 2006.

124/1825 V. NADEAU, D., «Le recours en évocation de sentence arbitrale interlocutoire: une nouvelle approche de la Cour d'appel», (1985) 45 *R. du B.* 429.

124/1826 V. NADEAU, J.-A., «L'encadrement juridique de l'invalidité de courte et de longue durée», dans *Développements récents en droit du travail (1995)*, Formation permanente du Barreau du Québec, Cowansville, Les Éditions Yvon Blais inc., 1995, p. 169.

124/1827 V. PELLETIER, B., «La Loi modifiant la Loi sur les normes du travail et d'autres dispositions législatives», (1991) 22 *R.G.D.* 195.

124/1828 V. PÉPIN, G., «Les erreurs juridictionnelles et intrajuridictionnelles devant la Cour suprême du Canada», (1985) 45 *R. du B.* 117.

124/1829 V. PÉPIN, G., «Quand la Cour du recorder de 1867 assure la légitimité constitutionnelle de la Régie du logement de 1983», (1982-83) 17 *R.J.T.* 345.

124/1830 V. RANCOURT, J.F., «L'absentéisme est-il encore un motif sérieux de cessation d'emploi?», dans *Développements récents en droit du travail (2007)*, Formation continue du Barreau du Québec, Cowansville, Les Éditions Yvon Blais inc., 2007, p. 295.

124/1831 V. ROUX, D., «"Congédier" un salarié: "une affaire de notaire"?», (2007) 1 *C.P. du N.* 309.

124/1832 V. ROUX, D., «Le recours en vertu de l'article 124 de la *Loi sur les normes du travail* dans un contexte de licenciement: vers un renforcement de la protection d'emploi du salarié?», dans *Développements récents en droit du travail (2001)*, Formation permanente du Barreau du Québec, Cowansville, Les Éditions Yvon Blais inc., 2001, p. 31.

124/1833 V. ROY, P.-G., «L'absentéisme: définition et méthode de contrôle en milieu de travail syndiqué et non syndiqué», dans *Développements récents en droit du travail (2002)*, Formation permanente du Barreau du Québec, Cowansville, Les Éditions Yvon Blais inc., 2002, p. 293.

124/1834 V. ROY, R.M., «Le passage d'employé à travailleur autonome: impact d'une fin d'emploi», dans Association de planification fiscale et financière, *Congrès 2000*, Montréal, l'Association, 2001, p. 8:1 à 8:10.

124/1835 V. SABOURIN, D., «Quoi de neuf chez les arbitres de griefs? Obligation d'accommodement, harcèlement psychologique et application de l'arrêt *Isidore Garon*», dans *Développements récents en droit du travail (2007)*, Formation continue du Barreau du Québec, Cowansville, Les Éditions Yvon Blais inc., 2007, p. 135.

124/1836 V. ST-GEORGES, G., «La distinction congédiement-licenciement dans l'évaluation des plaintes de congédiement sans cause juste et suffisante en vertu de l'article 124 de la *Loi sur les normes du travail*», (1993) 1 *R.E.J.* 293.

124/1837 V. ST-LAURENT, P., *Le lien d'emploi du corpus législatif régissant les droits de gestion de l'employeur*, Ste-Foy, Département des relations industrielles de l'Université Laval, 1995.

124/1838 V. TEES, D.H., «Le congédiement par induction ("constructive dismissal") et le recours en vertu de l'article 124 de la *Loi sur les normes du travail*», dans *Développements récents en droit du travail (1995)*, Formation permanente du Barreau du Québec, Cowansville, Les Éditions Yvon Blais inc., 1995, p. 47.

124/1839 V. TRENT, P. et POIRIER, K., «L'indemnité de fin d'emploi: où en sommes-nous?», dans *Un abécédaire des cessations d'emploi et des indemnités de départ (2005)*, Formation permanente du Barreau du Québec, Cowansville, Les Éditions Yvon Blais inc., 2005, p. 155.

124/1840 V. TRUDEAU, G., «La jurisprudence élaborée par les commissaires du travail dans le cadre de leur nouvelle compétence en matière de congédiement sans cause juste et suffisante», (1992) 52 *R. du B.* 803.

124/1841 V. VACHON, P. et PRONOVOST, C., «Attribution de dommages-intérêts moraux et punitifs en cas de congédiement injustifié en droit québécois», dans *L'A-B-C des cessations d'emploi et des indemnités de départ (2007)*, Formation continue du Barreau du Québec, Cowansville, Les Éditions Yvon Blais inc., 2007, p. 207.

124/1842 V. VALLÉE, G., «La nature juridique de l'ancienneté en droit du travail: une comparaison des droits québécois et français», (1995) 50 *R.I.* 259.

124/1843 V. VALLÉE, G. et NAUFAL-MARTINEZ, E., «La théorie de l'abus de droit dans le domaine du travail», dans Trudeau, G., Vallée, G. et Veilleux, D. (dir.), *Études en droit du travail: à la mémoire de Claude D'Aoust*, Cowansville, Les Éditions Yvon Blais inc., 1995, p. 303.

124/1844 V. VALLÉE, G., REEVES, J. et GRENIER, P., «Les lois de l'emploi et la convention collective», dans Roux, D. et Laflamme, A.-M. (dir.), *Rapports hiérarchiques ou anarchiques des règles en droit du travail: chartes, normes d'ordre public, convention collective, contrat de travail, etc.: actes du colloque tenu à l'Université Laval, 8 novembre 2007*, Montréal, Wilson & Lafleur ltée, 2008, p. 81.

124/1845 V. VEILLEUX, D., «L'arbitre de grief face à une compétence renouvelée...», (2004) 64 *R. du B.* 217.

124/1846 V. VEILLEUX, D., «Chroniques. La portée du pouvoir remédiateur de l'arbitre... Contestée!», (1995) 55 *R. du B.* 429.

124/1847 V. VERSCHELDEN, L., *La preuve et la procédure en arbitrage de griefs*, Montréal, Wilson & Lafleur ltée, 1994.

art. 125

MÉDIATION

125/1 La Commission des normes du travail doit jouer un rôle d'agent catalyseur dans la réception et le traitement des plaintes.
Société québécoise d'information juridique c. *C.N.T.*, (1986) R.J.Q. 2086 (C.S.), D.T.E. 86T-414 (C.S.), J.E. 86-600 (C.S.).

125/2 La Commission des normes du travail n'est pas un tribunal judiciaire ou quasi judiciaire. Elle a comme fonction de recevoir les plaintes justifiées dans les délais prévus et ensuite de les acheminer vers un commissaire qui lui, rendra une décision ou ordonnance après audience et procédures contradictoires.
Société québécoise d'information juridique c. *C.N.T.*, (1986) R.J.Q. 2086 (C.S.), D.T.E. 86T-414 (C.S.), J.E. 86-600 (C.S.).
V. aussi: *G.E. Hamel ltée* c. *Cournoyer*, (1989) R.J.Q. 2767 (C.S.), D.T.E. 89T-1038 (C.S.), J.E. 89-1526 (C.S.).

125/3 La Commission des normes du travail n'étant pas un tribunal judiciaire ou quasi judiciaire, il ne saurait donc y avoir d'évocation contre elle.
Société québécoise d'information juridique c. *C.N.T.*, (1986) R.J.Q. 2086 (C.S.), D.T.E. 86T-414 (C.S.), J.E. 86-600 (C.S.).

125/4 Le commissaire saisi d'une plainte en vertu de l'article 124 L.N.T. est un forum différent de l'enquête menée par un préposé de la Commission en vertu de l'article 125 L.N.T.
Bradette c. *Poste de camionnage en vrac région 06 inc.*, D.T.E. 90T-1354 (T.A.).
V. aussi: *Dutil* c. *Caisse populaire de Sts-Anges*, (1987) T.A. 39, D.T.E. 87T-99 (T.A.).

125/5 La teneur de l'enquête de la Commission n'a aucune commune mesure avec celle menée par le commissaire. La Loi sur les normes n'impose aucune règle de fonctionnement à l'agent de la Commission des normes. La position qu'il prend à la suite de son enquête ne lie aucune des parties.
Bradette c. *Poste de camionnage en vrac région 06 inc.*, D.T.E. 90T-1354 (T.A.).

125/6 La décision du fonctionnaire ou les suggestions qu'il fait ne lient aucunement les parties et l'employé peut, s'il le désire, faire passer son litige à l'étape suivante, celle de l'enquête et audition.
Georgiou c. *Machinerie Wilson Cie ltée*, D.T.E. 85T-470 (T.A.).

125/7 L'article 125 L.N.T. a pour finalité de faire en sorte que l'enquêteur nommé pour régler la plainte déjà déposée puisse disposer des informations utiles pour parachever son mandat. Il n'a pas comme objectif d'assurer que le salarié soit informé adéquatement de manière à ce qu'il puisse décider s'il recourra ou non à «l'arbitrage».
Dutil c. *Caisse populaire de Sts-Anges*, (1987) T.A. 39, D.T.E. 87T-99 (T.A.).

125/8 L'enquête et le rapport du «médiateur» doivent conserver un caractère de confidentialité.
Georgiou c. *Machinerie Wilson Cie ltée*, D.T.E. 85T-470 (T.A.).
Pietrykowski c. *Cie de fiducie du Canada le Permanent*, D.T.E. 85T-723 (T.A.) (révision judiciaire refusée: C.S.M. n^0 500-05-009603-851, le 17 décembre 1985, conf. par C.A.M. n^0 500-09-000056-861, le 2 octobre 1987).
Roy c. *Industries Westroc ltée*, (1981) 1 R.S.A. 1.

125/9 La médiation est un processus totalement volontaire et l'information qui y est recueillie doit toujours demeurer confidentielle. Ainsi, l'on ne peut rien déduire de la participation ou de l'absence de participation d'une personne à ce processus.
Abinader c. *Collège Dawson*, D.T.E. 2008T-681 (C.R.T.).

125/10 Le commissaire peut admettre en preuve une lettre adressée à l'enquêteur de la Commission des normes du travail.
Division Francon et/ou Canfarge ltée c. *Pazienza*, D.T.E. 87T-682 (T.A.).

125/11 L'accord conclu lors d'une séance de conciliation tenue par la Commission des normes du travail n'a pas besoin d'être écrit ni signé.
Wyke c. *Optimal Robotics (Canada) Corp.*, (2003) R.J.D.T. 1273 (C.R.T.), D.T.E. 2003T-828 (C.R.T.) (révisions en vertu de l'article 127 C.T. refusées: D.T.E. 2004T-844 (C.R.T.)).

125/12 Un enquêteur de la Commission des normes du travail peut témoigner sur la portée d'une transaction civile lorsque ce document est imprécis et manque de clarté.
Pépin c. *Communication services C.S. inc.*, (1994) C.T. 11, D.T.E. 94T-110 (C.T.).

V. aussi: *Wyke* c. *Optimal Robotics (Canada) Corp.*, (2003) R.J.D.T. 1273 (C.R.T.), D.T.E. 2003T-828 (C.R.T.) (révisions en vertu de l'article 127 C.T. refusées: D.T.E. 2004T-844 (C.R.T.)).

MOTIFS DU CONGÉDIEMENT

125/13 Seule la Commission des normes du travail peut exiger de l'employeur un écrit contenant les motifs de congédiement du salarié.
Dutil c. *Caisse populaire de Sts-Anges*, (1987) T.A. 39, D.T.E. 87T-99 (T.A.).
Dessureault c. *General Accident Assurance Co. of Canada Ltd.*, (1985) T.A. 183, D.T.E. 85T-228 (T.A.).
Maillé c. *Produits forestiers Saucier ltée*, (1983) T.A. 747, D.T.E. 83T-68 (T.A.).

125/14 Un plaignant ne peut, en vertu de l'article 125 L.N.T., invoquer la qualité des motifs donnés pour exiger l'annulation de la sanction.
Dutil c. *Caisse populaire de Sts-Anges*, (1987) T.A. 39, D.T.E. 87T-99 (T.A.).
Dessureault c. *General Accident Assurance Co. of Canada Ltd.*, (1985) T.A. 183, D.T.E. 85T-228 (T.A.).

125/15 Aucune disposition n'exige qu'il y ait un écrit au soutien du congédiement.
Flibotte c. *Aciers Lalime inc.*, D.T.E. 2001T-317 (C.T.).
Cloutier c. *G.T.E. Sylvania Canada ltée*, D.T.E. 90T-211 (T.A.).

125/16 Le salarié peut obtenir toutes les précisions nécessaires pour préparer sa cause, dans le cadre du droit fondamental à une défense pleine et entière, et ce, en vertu des dispositions de l'article 125 L.N.T.
Lessard c. *J.M. Smucker (Canada) inc.*, D.T.E. 97T-73 (C.T.).

125/17 Aucune disposition n'oblige l'employeur à divulguer par écrit au plaignant les motifs de son congédiement, l'écrit prévu à l'article 125 L.N.T. n'étant pas obligatoire.
Dutil c. *Caisse populaire de Sts-Anges*, (1987) T.A. 39, D.T.E. 87T-99 (T.A.).
Dessureault c. *General Accident Assurance Co. of Canada Ltd.*, (1985) T.A. 183, D.T.E. 85T-228 (T.A.).
Maillé c. *Produits forestiers Saucier ltée*, (1983) T.A. 747, D.T.E. 83T-68 (T.A.).

125/18 L'employeur a le devoir de motiver sa décision de congédier un salarié, et ce, afin d'accorder à ce dernier le droit fondamental à une défense pleine et entière. De plus, il doit se limiter aux motifs invoqués initialement dans l'écrit.
Racine c. *Orviande inc.*, D.T.E. 2001T-606 (C.T.).
Vachon c. *American Motors du Canada inc.*, (1987) T.A. 605, D.T.E. 87T-877 (T.A.).
Société Asbestos ltée c. *Blanchette*, D.T.E. 85T-251 (T.A.).
Couture-Thibault c. *Pharmajan inc.*, (1984) T.A. 326, D.T.E. 84T-423 (T.A.).
Plouffe c. *Elco Litho inc.*, D.T.E. 84T-137 (T.A.).
V. aussi: *Raymond Plourde Automobiles inc.* c. *Bélanger*, D.T.E. 2001T-487 (C.S.), J.E. 2001-986 (C.S.), REJB 2001-24640 (C.S.).
Contra: *Blain* c. *Pinkerton du Québec ltée*, D.T.E. 93T-724 (C.T.).
Georgiou c. *Machinerie Wilson Cie ltée*, D.T.E. 85T-470 (T.A.).
Control Data Canada ltée c. *Blanchard*, D.T.E. 82T-163 (T.A.) (révision judiciaire cassée en appel: (1984) 2 R.C.S. 476).
Tremblay c. *Agences de personnel Cavalier inc.*, D.T.E. 82T-402 (T.A.).

125/19 La *Loi sur les normes du travail* n'édicte aucune restriction aux justifications de l'employeur devant le commissaire. Le tout demeurant à l'appréciation de celui-ci.
Proserv inc. c. *Perron-Gagnon*, D.T.E. 91T-764 (T.A.).
Bradette c. *Poste de camionnage en vrac région 06 inc.*, D.T.E. 90T-1354 (T.A.).
Grosso c. *Métropolitaine (La), Cie d'assurance-vie*, D.T.E. 89T-91 (T.A.).
Lejeune c. *Autobus Ménard inc.*, D.T.E. 89T-743 (T.A.).
Georgiou c. *Machinerie Wilson Cie ltée*, D.T.E. 85T-470 (T.A.).
Lorrain c. *Sidbec-Dosco*, (1985) T.A. 403, D.T.E. 85T-497 (T.A.).
Drainville c. *Kraft ltée*, D.T.E. 84T-138 (T.A.).
Houle c. *Fédération de l'U.P.A. de Sherbrooke*, (1984) T.A. 205, D.T.E. 84T-303 (T.A.).
Marcel Benoit ltée c. *Bertrand*, D.T.E. 84T-560 (T.A.).
Journal de Montréal c. *Pépin*, D.T.E. 83T-12 (T.A.).
Lapierre c. *Salois Chevrolet Oldsmobile inc.*, (1982) T.A. 1266, D.T.E. 82T-826 (T.A.).
Sewell c. *Centre d'accueil horizons de la jeunesse/Youth Horizons*, (1982) T.A. 1234, D.T.E. 82T-634 (T.A.).
Labelle c. *Marché T. Léonard inc.*, (1981) 3 R.S.A. 259.

125/20 Un employeur ne peut changer les motifs de congédiement; seuls les faits relatifs aux motifs invoqués à l'origine sont pertinents à l'examen de la cause juste et suffisante. Cependant, une preuve portant sur de nouveaux motifs de congédiement pourrait être pertinente en ce qui concerne l'impossibilité de réintégrer le plaignant dans son emploi.
Roger c. *Prudentielle d'Amérique (La), compagnie d'assurances générales*, D.T.E. 96T-916 (C.T.).

125/21 Un employeur n'est pas nécessairement lié par le motif de congédiement fourni au salarié au moment de son congédiement. Advenant un changement d'orientation dans le dossier, il lui incombe toutefois de faire valoir les faits nouveaux qui justifient la dénaturation de la cause originairement explicative du congédiement.
Tardif c. *Entreprises Insta-bec inc.*, (1994) C.T. 318, D.T.E. 94T-754 (C.T.).

art. 126

N.B. L'article 126 a été modifié par la *Loi modifiant la Loi sur les normes du travail et d'autres dispositions législatives*, L.Q. 2002, c. 80.

GÉNÉRAL

126/1 La Commission des normes du travail s'expose à des poursuites judiciaires si elle réfère une plainte à un commissaire du travail (maintenant la Commission des relations du travail), lorsque le recours du salarié est sans aucun fondement.
Club de golf Murray Bay inc. c. *C.N.T.*, (1986) R.J.Q. 950 (C.A.), D.T.E. 86T-266 (C.A.), J.E. 86-374 (C.A.).
V. aussi: *C.N.T.* c. *2420-9611 Québec inc.*, D.T.E. 2002T-187 (C.Q.), J.E. 2002-344 (C.Q.), REJB 2002-30105 (C.Q.).

126/2 En fonction des dispositions des articles 114 C.T. et 126 L.N.T., il revient à la Commission des relations du travail de décider d'un recours fondé sur l'article 124 L.N.T., et ce, à l'exclusion de tout autre tribunal.
Syndicat des professeures et professeurs de l'Université du Québec à Trois-Rivières c. *Tremblay*, D.T.E. 2007T-269 (C.S.), EYB 2007-114601 (C.S.) (appel rejeté: C.A.Q. n° 200-09-005886-079, le 2 juin 2008) (autorisation d'appeler à la Cour suprême accordée).

126/3 La Commission des normes du travail, ne constituant pas un tribunal, n'a pas à tenir d'audition avant de référer la plainte au commissaire du travail (maintenant la Commission des relations du travail).
Société québécoise d'information juridique c. *C.N.T.*, (1986) R.J.Q. 2086 (C.S.), D.T.E. 86T-414 (C.S.), J.E. 86-600 (C.S.).

126/4 Ce n'est pas le consentement des parties qui peut conférer une compétence quelconque à un commissaire agissant en vertu de l'article 126 L.N.T.
Hakim c. *Provost*, (1994) R.J.Q. 1922 (C.S.), D.T.E. 94T-830 (C.S.), J.E. 94-1201 (C.S.) (appel accueilli pour d'autres motifs: D.T.E. 97T-1315 (C.A.), J.E. 97-2076 (C.A.)).
Deschamps c. *Centre du confort de Montréal, division E.S.F. ltée*, (1983) T.A. 465, D.T.E. 83T-432 (T.A.).

TRANSACTION

126/5 Une transaction au sens du Code civil constitue un obstacle infranchissable au recours à l'encontre d'un congédiement sans cause juste et suffisante.
Rochette c. *Caisse populaire de Notre-Dame-de-Grâce*, (1992) C.T. 168, D.T.E. 92T-613 (C.T.).
Groupement des propriétaires des boisés privés de Charlevoix inc. c. *Harvey*, D.T.E. 91T-611 (T.A.).
Guillemette c. *Formules d'affaires Inter-Trade ltée*, D.T.E. 89T-1037 (T.A.).
Campeau c. *Claude Néon ltée*, (1986) T.A. 350, D.T.E. 86T-429 (T.A.).
Dagenais c. *Corp. Délico*, (1986) T.A. 790, D.T.E. 86T-958 (T.A.).
Blain c. *Groupe RO-NA inc.*, (1985) T.A. 805, D.T.E. 85T-973 (T.A.).
Lawson c. *Pinkerton Flowers Ltd.*, D.T.E. 84T-391 (T.A.).

126/6 Malgré le mandat donné par la Commission des normes, les parties ont le droit d'en arriver à un règlement et le commissaire doit s'y conformer, à moins qu'il ne soit contre l'ordre public ou les bonnes moeurs.
Studio Bel-Art inc. c. *Kenny*, D.T.E. 85T-902 (C.S.).

126/7 Le commissaire qui a constaté la validité d'une entente doit donner acte du règlement intervenu; il n'a pas compétence pour adjuger en ce qui a trait aux modalités d'exécution.
Guillemette c. *Formules d'affaires Inter-Trade ltée*, D.T.E. 89T-1037 (T.A.).

126/8 Une offre de réintégration non signée ne constitue pas une transaction, ni un règlement de la plainte.
Cie de la Baie d'Hudson c. *Beetz*, D.T.E. 91T-1043 (C.S.).
V. aussi: *Joly* c. *Rehau Industries inc.*, (2005) R.J.D.T. 793 (C.R.T.), D.T.E. 2005T-462 (C.R.T.).

126/9 Une transaction peut se prouver par témoignage lorsqu'il existe un commencement de preuve par écrit.
Dagenais c. *Corp. Délico*, (1986) T.A. 790, D.T.E. 86T-958 (T.A.).

126/10 Des pourparlers avortés à cause de «l'incompétence» de l'agent de la Commission n'enlèvent pas compétence au commissaire.
Pietrykowski c. *Cie de fiducie du Canada le Permanent*, D.T.E. 85T-723 (T.A.) (révision judiciaire refusée: C.S.M. n^0 500-05-009603-851, le 17 décembre 1985, conf. par C.A.M. n^0 500-09-000056-861, le 2 octobre 1987).

art. 126.1

126.1/1 La *Loi sur le Barreau* (L.R.Q., c. B-1) n'empêche pas un salarié de recourir au représentant de son choix, et ce, même si les dispositions de l'article 126.1 L.N.T. prévoient que la Commission des normes du travail peut représenter un salarié.
Buissières c. *Lallier Automobile (Québec) inc.*, D.T.E. 2004T-19 (C.R.T.).

126.1/2 Les dispositions de l'article 126.1 L.N.T. n'empêchent pas le salarié de recourir à l'avocat de son choix. Il prescrit uniquement que la Commission des normes du travail peut représenter un salarié. Cet article ne crée aucune obligation ni à l'un ni à l'autre.
Dessureault-Benson c. *Groupe J.-C. Dessureault inc.*, D.T.E. 2002T-1169 (C.T.).
V. aussi: *Résidences Soleil — Manoir du musée* c. *Rouleau*, D.T.E. 2006T-89 (C.R.T.).

126.1/3 Les dispositions de l'article 126.1 L.N.T. ne constituent pas un obstacle à ce qu'un employeur soit condamné à rembourser les honoraires d'avocat du plaignant; cet article ne crée une obligation ni au salarié ni à la Commission des normes du travail.
Couture c. *Services Investors ltée*, (2003) R.J.D.T. 325 (C.R.T.), D.T.E. 2003T-180 (C.R.T.).

126.1/4 L'article 126.1 L.N.T. ne peut être interprété comme créant une obligation de se prévaloir des services juridiques de la Commission des normes du travail.
Hekmi c. *2809630 Canada inc.*, (2001) R.J.D.T. 795 (C.T.), D.T.E. 2001T-391 (C.T.).

art. 127

127/1 Vu la clause privative prévue à l'article 139 du *Code du travail*, applicable en vertu de l'article 127 L.N.T., seule une question de compétence donne ouverture à la révision judiciaire.
Bastien c. *Kraft ltée*, D.T.E. 85T-160 (C.A.).
Garage Montplaisir ltée c. *Couture*, D.T.E. 2001T-1090 (C.S.).

127/2 En fonction du renvoi de l'article 127 L.N.T., les nouvelles dispositions des articles 121, 122 et 123 du *Code du travail* s'appliquent à la conciliation d'une plainte déposée en vertu de l'article 124 L.N.T.

Wyke c. *Optimal Robotics (Canada) Corp.*, (2003) R.J.D.T. 1273 (C.R.T.), D.T.E. 2003T-828 (C.R.T.) (révisions en vertu de l'article 127 C.T. refusées: D.T.E. 2004T-844 (C.R.T.)).

127/3 V. la jurisprudence sous l'article 124 L.N.T. à PREUVE ET PROCÉDURE.

art. 128

N.B. L'article 128 a été modifié par la *Loi modifiant la Loi sur les normes du travail et d'autres dispositions législatives*, L.Q. 2002, c. 80.

Table des matières

GÉNÉRAL

128/1 Le commissaire a de larges pouvoirs pour ordonner toute mesure qu'il juge appropriée, une fois qu'il a décidé que le congédiement avait été fait sans cause juste et suffisante.
Ambulance St-Jean c. *Lefebvre*, D.T.E. 91T-534 (C.S.).
Jean H. Henle inc. c. *Simard*, D.T.E. 92T-440 (T.A.).

128/2 Puisque les pouvoirs de réparation dont dispose le commissaire ont une large portée, seule une erreur manifestement déraisonnable ou clairement irrationnelle peut justifier la révision judiciaire de sa décision.
Compagnie Uniforme ltée c. *Chaumont*, D.T.E. 2005T-1136 (C.S.).
Raymond Plourde Automobiles inc. c. *Bélanger*, D.T.E. 2001T-487 (C.S.), J.E. 2001-986 (C.S.), REJB 2001-24640 (C.S.).

128/3 Le commissaire a entière discrétion quant au remède approprié après avoir conclu au congédiement sans cause juste et suffisante.
Radex ltée c. *Morency*, (1985) R.D.J. 583 (C.A.), D.T.E. 85T-922 (C.A.).
Bergeron c. *Bureau du commissaire général du travail*, D.T.E. 97T-1120 (C.S.) (appel rejeté: D.T.E. 99T-908 (C.A.), J.E. 99-1907 (C.A.), REJB 1999-14287 (C.A.)).
Produits Pétro-Canada inc. c. *Moalli*, (1988) R.J.Q. 774 (C.S.), D.T.E. 88T-262 (C.S.), J.E. 88-415 (C.S.).

128/4 Les pouvoirs attribués au commissaire en vertu de l'article 128 L.N.T. sont une partie essentielle de la norme publique protégée par l'article 93 L.N.T.
Phelps c. *Exeltor inc.*, (1993) C.T. 393, D.T.E. 93T-815 (C.T.).

128/5 The «commissaire» had jurisdiction to decide whether or not the employee was dismissed and, if so, whether his dismissal was for just cause. He also had jurisdiction to order to pay an indemnity.
Bilodeau c. *Bata industries Ltd.*, (1986) R.J.Q. 531 (C.A.), D.T.E. 86T-143 (C.A.), J.E. 86-218 (C.A.).

128/6 L'article 128 L.N.T. donne au commissaire le pouvoir de prendre toute décision qui s'impose dans les circonstances, y compris la réintégration du salarié.
Consoltex Canada inc. c. *Taran*, D.T.E. 84T-76 (C.S.), J.E. 84-96 (C.S.).

128/7 Le salarié injustement congédié peut rechercher soit la réintégration, soit une indemnité ou les deux à la fois; il peut même rechercher des avantages justes et raisonnables.
C.N.T. c. *Turcotte*, D.T.E. 88T-776 (C.Q.).

128/8 Lorsque le commissaire ordonne la réintégration du salarié, le contrat de travail de celui-ci reprend vie.
Châteauguay Toyota c. *Couture*, (1999) R.J.Q. 2730 (C.S.), (1999) R.J.D.T. 1581 (C.S.), D.T.E. 99T-1005 (C.S.), J.E. 99-2040 (C.S.), REJB 1999-14668 (C.S.) (règlement hors cour).
V. également: *Deschênes* c. *Valeurs mobilières Banque Laurentienne inc.*, (2008) R.J.D.T. 203 (C.R.T.), D.T.E. 2008T-18 (C.R.T.) (révision judiciaire refusée sur requête en irrecevabilité: D.T.E. 2008T-882 (C.S.), EYB 2008-149755 (C.S.)) (en appel: n° 500-09-019150-085).

128/9 Les dispositions de l'article 128 L.N.T. ne donnent pas le pouvoir au commissaire d'annuler une clause d'un contrat de travail de façon à faire perdre compétence à un autre tribunal.
Vézina c. *Sénécal Assurances inc.*, (1996) C.T. 557, D.T.E. 96T-1552 (C.T.).

128/10 Le commissaire a le pouvoir d'émettre une ordonnance de type interlocutoire dans le but de sauvegarder les droits du salarié, que ce soit pour ordonner sa réintégration provisoire ou pour ordonner à l'employeur de faire ou de ne pas faire quelque chose, y compris le paiement d'un montant d'argent à titre d'avance de fonds sur une somme à être déterminée.
Lavoie c. *Bon L. Canada inc.*, (2001) R.J.D.T. 1960 (C.T.), D.T.E. 2001T-1181 (C.T.).

128/11 L'ordonnance reproduisant l'article 128 L.N.T. est suffisamment claire pour être exécutoire.
Duquette c. *Zellers inc.*, D.T.E. 88T-982 (C.S.), J.E. 88-1339 (C.S.).

128/12 En matière de rupture de contrat de travail, il convient de mettre en lumière les principes applicables en droit civil et en «common law» pour mieux comprendre les dispositions de l'article 128 L.N.T.
Tansey c. *Canadian Pacific Consulting Services Ltd.*, (1986) T.A. 216, D.T.E. 86T-285 (T.A.).

128/13 L'interprétation des pouvoirs prévus à l'article 128 L.N.T. relève de la compétence unique du commissaire; sa décision échappe donc au contrôle judiciaire, à moins que celle-ci ne soit manifestement déraisonnable ou clairement irrationnelle.
G. Riendeau & Fils inc. c. *Côté-Desbiolles*, (2007) R.J.D.T. 432 (C.S.), D.T.E. 2007T-436 (C.S.), J.E. 2007-1008 (C.S.), EYB 2007-118476 (C.S.) (homologation de la convention: n° 500-09-017696-071, le 12 septembre 2007).
Technologies Kree inc. c. *Béchara*, (2007) R.J.D.T. 401 (C.S.), D.T.E. 2007T-301 (C.S.), J.E. 2007-713 (C.S.), EYB 2007-115429 (C.S.) (désistement d'appel).
A.S.I. International inc. c. *Jones*, D.T.E. 98T-1244 (C.S.).
V. aussi: *Lamoureux* c. *Boily*, D.T.E. 2001T-484 (C.S.), J.E. 2001-984 (C.S.), REJB 2001-24639 (C.S.).

128(1)

Réintégration

128/14 La réparation autorisée par l'article 128 L.N.T. vise deux objectifs: le premier, prévu au paragraphe 2, est le remboursement du salaire perdu à la date de la sentence arbitrale; le second, décrit aux paragraphes 1 et 3, est prospectif et consiste à réintégrer l'employé dans sa fonction ou, si cela n'est pas possible, à prendre toute autre mesure juste et raisonnable dictée par les circonstances de l'affaire.
Bédard c. *Minolta Business Equipment (Canada) Ltd., Minolta Québec*, (2008) R.J.D.T. 1431 (C.A.), D.T.E. 2008T-759 (C.A.), J.E. 2008-1829 (C.A.), EYB 2008-146847 (C.A.) (autorisation d'appeler à la Cour suprême refusée).
Bon L Canada inc. c. *Béchara*, (2004) R.J.Q. 2359 (C.A.), (2004) R.J.D.T. 923 (C.A.), D.T.E. 2004T-863 (C.A.), J.E. 2004-1703 (C.A.), REJB 2004-69780 (C.A.) (autorisation d'appeler à la Cour suprême refusée).
Dodd c. *3M Canada Ltd.*, (1997) R.J.Q. 1581 (C.A.), D.T.E. 97T-707 (C.A.), J.E. 97-1247 (C.A.).
Immeubles Bona ltée (Les) c. *Labelle*, (1995) R.D.J. 397 (C.A.), D.T.E. 95T-427 (C.A.), J.E. 95-733 (C.A.).

128/15 La réintégration du salarié est une question qui relève de la compétence du commissaire du travail (maintenant la Commission des relations du travail) et non de celle de la Cour supérieure. En effet, il revient au commissaire du travail de décider de la question de savoir comment l'employeur peut ou doit réintégrer le salarié dans son emploi.
Publications Dumont (1988) inc. c. *Doré*, D.T.E. 2000T-59 (C.A.), J.E. 2000-136 (C.A.), REJB 1999-15538 (C.A.).
Bingo Les Saules inc. c. *C.N.T.*, D.T.E. 99T-289 (C.S.) (appel rejeté sur requête).
3M Canada inc. c. *Doré*, D.T.E. 94T-673 (C.S.) (appel rejeté: (1997) R.J.Q. 1581 (C.A.), D.T.E. 97T-707 (C.A.), J.E. 97-1247 (C.A.)).
Fuller c. *Brasseries Molson*, (1994) R.J.Q. 723 (C.S.), D.T.E. 94T-265 (C.S.), J.E. 94-460 (C.S.).
V. aussi: *Fuller* c. *Brasseries Molson*, (1994) T.A. 565, D.T.E. 94T-801 (T.A.).

128/16 Le pouvoir du commissaire d'ordonner la réintégration d'un salarié est *intra vires* des pouvoirs de la province parce qu'il ne s'agit pas d'une compétence de la même nature que celle exercée en 1867 par les tribunaux visés par l'article 96 de la *Loi constitutionnelle de 1867*.
Asselin c. *Industries Abex ltée*, (1985) C.A. 72, D.T.E. 85T-134 (C.A.), J.E. 85-204 (C.A.) (autorisation d'appeler à la Cour suprême refusée).
Bélanger c. *Deslierres*, (1985) C.S. 715, D.T.E. 85T-535 (C.S.), J.E. 85-650 (C.S.).
Consoltex Canada inc. c. *Taran*, D.T.E. 84T-76 (C.S.), J.E. 84-96 (C.S.).
Martin & Stewart inc. c. *Lalancette*, (1984) C.S. 59, D.T.E. 84T-52 (C.S.), J.E. 84-61 (C.S.).
Bureau d'expertises des assureurs ltée c. *Michaud*, (1983) C.S. 945, D.T.E. 83T-841 (C.S.), J.E. 83-1024 (C.S.).
V. aussi: *Sobeys Stores Ltd.* c. *Yeomans*, (1989) 1 R.C.S. 238 (par analogie).
Gratton c. *Métropolitaine (La), Cie d'assurance-vie*, (1984) T.A. 68, D.T.E. 84T-120 (T.A.) (révision judiciaire refusée: C.S.M. n° 500-05-015503-830, le 4 février 1987).
Houle c. *Fédération de l'U.P.A. de Sherbrooke*, (1984) T.A. 205, D.T.E. 84T-303 (T.A.).
Grosso c. *Métropolitaine Cie d'assurance-vie*, (1983) T.A. 1061, D.T.E. 83T-1003 (T.A.).

128/17 Le commissaire a compétence pour ordonner la réintégration provisoire du salarié pendant l'instance. Les principes qui sont appliqués en la matière sont: le risque d'un préjudice sérieux et irréparable et la prépondérance des inconvénients.
Meloche c. *Centre d'orthopédie Laval*, (1996) C.T. 233, D.T.E. 96T-421 (C.T.).

128/18 Lorsqu'un commissaire conclut à l'existence d'un congédiement sans cause juste et suffisante et à l'absence de faute de la part de l'employé, la réparation qui s'impose d'emblée est la réintégration.
Hamilton c. *ETI Canada inc.*, D.T.E. 2007T-459 (C.A.), J.E. 2007-1109 (C.A.), EYB 2007-119922 (C.A.) (autorisation d'appeler à la Cour suprême refusée).
Immeubles Bona ltée (Les) c. *Labelle*, (1995) R.D.J. 397 (C.A.), D.T.E. 95T-427 (C.A.), J.E. 95-733 (C.A.).
Dodd c. *3M Canada Ltd.*, (1994) R.D.J. 415 (C.A.), D.T.E. 94T-763 (C.A.), J.E. 94-1086 (C.A.).
Radex ltée c. *Morency*, (1985) R.D.J. 583 (C.A.), D.T.E. 85T-922 (C.A.).
Skorski c. *Rio Algom ltée*, D.T.E. 85T-840 (C.A.).
Archambault c. *Bolduc*, D.T.E. 92T-730 (C.S.).
Pinard c. *Comité de développement touristique et économique de Godbout*, D.T.E. 2009T-172 (C.R.T.) (en révision).
Gilles c. *Ciba Spécialités chimiques Canada inc.*, D.T.E. 2008T-330 (C.R.T.).
Nieto c. *Travailleurs unis de l'alimentation et du commerce, section locale 501 (TUAC)*, D.T.E. 2008T-858 (C.R.T.) (règlement hors cour).
Guérin c. *Collège d'enseignement général et professionnel d'Alma*, D.T.E. 2007T-919 (C.R.T.).
Deschênes c. *Valeurs mobilières Banque Laurentienne inc.*, D.T.E. 2006T-418 (C.R.T.).
Lavigueur c. *Québec (Ministère de la Culture et des Communications)*, (2000) R.J.D.T. 1757 (C.T.), D.T.E. 2000T-1199 (C.T.).
Loeb Grande-Rivière c. *Bazinet*, D.T.E. 99T-1050 (C.T.).
Drouin c. *Commission scolaire protestante St-Maurice*, D.T.E. 95T-997 (C.T.).
Bombardier c. *Supermarché Racicot (1980) inc.*, D.T.E. 93T-986 (C.T.).

Gariépy c. *Great West, Life Assurance Co.*, D.T.E. 93T-1332 (C.T.).
Fuller c. *Brasseries Molson*, (1994) T.A. 565, D.T.E. 94T-801 (T.A.).
Courchesne c. *Restaurant & Charcuterie Bens inc.*, D.T.E. 90T-1105 (T.A.).
Giguère c. *Cie Kenworth Canada ltée*, D.T.E. 90T-461 (T.A.) (révision judiciaire cassée en appel: (1990) R.J.Q. 2485 (C.A.), D.T.E. 90T-1204 (C.A.), J.E. 90-1483 (C.A.)) (autorisation d'appeler à la Cour suprême refusée).
Godin c. *Prévost Car inc.*, D.T.E. 90T-605 (T.A.).
Lajoie c. *Sico Industrie inc.*, D.T.E. 90T-1161 (T.A.).
Groupe Purdel inc. (Division des produits de la mer) c. *Dupuis-Cloutier*, D.T.E. 89T-206 (T.A.).
Tansey c. *Canadian Pacific Consulting Services Ltd.*, (1986) T.A. 216, D.T.E. 86T-285 (T.A.).
Contra: *Corvington* c. *Université Concordia*, D.T.E. 90T-1132 (T.A.).

128/19 La réintégration dans l'emploi est le remède qui s'impose lorsqu'une plainte en vertu de l'article 124 L.N.T. est accueillie, et ce, à moins de circonstances particulières dont la preuve incombe à celui qui les invoque, soit l'employeur.
Nieto c. *Travailleurs unis de l'alimentation et du commerce, section locale 501 (TUAC)*, D.T.E. 2008T-858 (C.R.T.) (règlement hors cour).

128/20 Le congédiement injustifié n'est pas en soi un motif valable pour réintégrer le salarié, mais plutôt la condition d'ouverture du pouvoir discrétionnaire du commissaire d'ordonner la réintégration comme réparation.
Ste-Rita (Municipalité de) c. *Commission des relations du travail*, D.T.E. 2008T-193 (C.S.).
Location de voitures Compacte (Québec) ltée c. *Lalonde*, (1998) R.J.D.T. 130 (C.S.), D.T.E. 98T-245 (C.S.) (appel accueilli: C.A.M. n^{0} 500-09-006233-985, le 18 mai 1999 (décision du commissaire non manifestement déraisonnable)).

128/21 Pour refuser d'ordonner la réintégration du salarié, la Commission des relations du travail doit être convaincue que celle-ci est impossible (à titre d'exemple: en raison de la faillite de l'entreprise ou de l'incapacité physique permanente du salarié), illusoire (telle la dégradation des relations interpersonnelles du salarié avec la direction ou les autres employés), problématique (lorsque le salarié a contribué à la faute justifiant sa cessation d'emploi ou lorsqu'il a démontré une attitude permettant de croire qu'il ne s'améliorera pas), ou inappropriée (lorsque la relation de confiance qui doit exister entre la direction et le salarié a disparu). Ainsi, lorsque aucun de ces éléments n'est présent, la Commission des relations du travail ne peut indemniser le salarié pour la perte de son emploi.
Tecilla c. *Sistemalux inc.*, D.T.E. 2005T-492 (C.R.T.).

128/22 La réintégration d'un salarié ne devrait pas être ordonnée lorsqu'il est probable qu'elle entraîne des difficultés au regard du lien de confiance que doivent entretenir les membres de la direction d'une entreprise.
Dodd c. *3M Canada Ltd.*, (1997) R.J.Q. 1581 (C.A.), D.T.E. 97T-707 (C.A.), J.E. 97-1247 (C.A.).

128/23 La réintégration du salarié ne devrait pas être ordonnée dans le cas où l'atmosphère serait intenable
Bédard c. *Minolta Business Equipment (Canada) Ltd., Minolta Québec*, (2008) R.J.D.T. 1431 (C.A.), D.T.E. 2008T-759 (C.A.), J.E. 2008-1829 (C.A.), EYB 2008-146847 (C.A.) (autorisation d'appeler à la Cour suprême refusée).

128/24 L'article 128 L.N.T. accorde à la Commission des relations du travail une large discrétion dans le choix des remèdes, lorsqu'elle arrive à la conclusion qu'un congédiement a été fait sans cause juste et suffisante. Notamment, l'ordonnance de réintégration relève de son pouvoir d'appréciation souverain et discrétionnaire. Toutefois, ce pouvoir ne peut être exercé de façon déraisonnable.
Richelieu (Ville de) c. *Commission des relations du travail*, (2004) R.J.D.T. 937 (C.S.), D.T.E. 2004T-717 (C.S.), REJB 2004-66568 (C.S.).

128/25 La réintégration permet, entre autres, au salarié de récupérer son emploi. Elle agit donc sur le passé en rétablissant les droits perdus entre le moment du congédiement et celui de l'ordonnance; elle agit sur le présent en réinstallant le salarié dans son poste; et elle agit sur l'avenir en ce que l'établissement des droits futurs du salarié découlera des droits qu'il a perdus, mais récupérés par l'effet de la réintégration et la poursuite du contrat de travail qui, en bout de course, n'a jamais été interrompu. Dans les faits, le salarié réintégré récupère le salaire dont le congédiement l'a privé, ainsi que l'ensemble des avantages dont il aurait bénéficié au cours de la période s'échelonnant entre le congédiement et la réintégration qui vient rétablir le passé.
Doyon c. *Entreprises Jacques Despars inc.*, (2007) R.J.D.T. 1089 (C.R.T.), D.T.E. 2007T-645 (C.R.T.) (révision en vertu de l'article 127 C.T. refusée: D.T.E. 2008T-22 (C.R.T.)).

128/26 Même si les parties n'ont pas envisagé la possibilité d'une réintégration au moment de l'audience sur le mérite de la plainte, la Commission des relations du travail demeure compétente pour trancher cette question, le principe du *functus officio* s'appliquant avec souplesse aux tribunaux administratifs.
Ouellet c. *Club nautique de Sept-Îles inc.*, D.T.E. 2006T-727 (C.R.T.).

128/27 Le terme «réintégrer» signifie rétablir quelqu'un dans la possession, la jouissance d'un bien ou d'un droit.
Bingo Les Saules inc. c. *C.N.T.*, D.T.E. 99T-289 (C.S.) (appel rejeté sur requête).

128/28 La réintégration dans son poste signifie que le salarié doit se retrouver là où il serait maintenant s'il n'avait pas été congédié par l'employeur.
Doyon c. *Entreprises Jacques Despars inc.*, (2007) R.J.D.T. 1089 (C.R.T.), D.T.E. 2007T-645 (C.R.T.) (révision en vertu de l'article 127 C.T. refusée: D.T.E. 2008T-22 (C.R.T.)).

128/29 Il est bien établi que la réintégration emporte aussi avec elle la durée du service continu que justifie le salarié aux fins de l'établissement de tous ses droits à venir.
Doyon c. *Entreprises Jacques Despars inc.*, (2007) R.J.D.T. 1089 (C.R.T.), D.T.E. 2007T-645 (C.R.T.) (révision en vertu de l'article 127 C.T. refusée: D.T.E. 2008T-22 (C.R.T.)).

128/30 Le commissaire jouit d'une large discrétion pour ordonner la réintégration.
Delorme c. *Trudeau*, D.T.E. 95T-450 (C.S.).
Ambulance St-Jean c. *Lefebvre*, D.T.E. 91T-534 (C.S.).
Giocondese c. *Imbeau*, D.T.E. 91T-1201 (C.S.).
Produits Pétro-Canada inc. c. *Moalli*, (1988) R.J.Q. 774 (C.S.), D.T.E. 88T-262 (C.S.), J.E. 88-415 (C.S.).
Union des producteurs agricoles c. *Martin*, D.T.E. 86T-774 (C.S.).

128/31 Le commissaire n'a pas compétence pour ordonner la réintégration du salarié, une fois qu'il a constaté une cause juste et suffisante de congédiement.
Veillette & Deschênes ltée c. *C.N.T.*, D.T.E. 84T-825 (C.S.).

128/32 Le commissaire n'a pas compétence pour ordonner la réintégration du salarié lorsqu'il constate que celui-ci a commis une faute grave, équivalant à une cause juste et suffisante de congédiement.
Pétroles Vosco Canada ltée c. *Boyer*, (2000) R.J.D.T. 1567 (C.S.), D.T.E. 2000T-972 (C.S.) (règlement hors cour).

128/33 La réintégration est le remède approprié lorsqu'elle a une chance de succès.
Denis c. *Fonderie Laroche ltée*, D.T.E. 89T-261 (T.A.).

128/34 En l'absence de preuve démontrant que la réintégration n'est pas réaliste, compte tenu des circonstances, celle-ci s'impose.
Bourbonnais c. *Produits forestiers Canadien Pacifique ltée*, D.T.E. 90T-241 (T.A.).
Halte des routiers Gill inc. c. *Truchon*, D.T.E. 89T-926 (T.A.).
Aurelio c. *Chez Vito pizzeria restaurant inc.*, D.T.E. 88T-557 (T.A.).
Verreault c. *Dollard Lussier ltée*, D.T.E. 88T-602 (T.A.).

128/35 La réintégration s'impose à moins que les circonstances propres au dossier n'indiquent d'une façon prépondérante que la réintégration du salarié aurait pour effet de créer un climat de tension susceptible de perturber d'une manière réelle et significative les activités normales de l'employeur.
Immeubles Bona ltée (Les) c. *Labelle*, (1995) R.D.J. 397 (C.A.), D.T.E. 95T-427 (C.A.), J.E. 95-733 (C.A.).
Cartillone c. *Cuisine P.S. enr.*, D.T.E. 2002T-714 (C.T.).
Giguère c. *Cie Kenworth Canada ltée*, D.T.E. 90T-461 (T.A.) (révision judiciaire cassée en appel: (1990) R.J.Q. 2485 (C.A.), D.T.E. 90T-1204 (C.A.), J.E. 90-1483 (C.A.)) (autorisation d'appeler à la Cour suprême refusée).
V. aussi: *Saindon* c. *Taleo (Canada) inc.*, D.T.E. 2006T-862 (C.R.T.).

128/36 La réintégration doit être ordonnée, et ce, bien que le retour au travail du salarié puisse perturber les opérations de l'employeur sans, toutefois, que ces difficultés soient insurmontables.
Langlois c. *Gaz métropolitain inc.*, D.T.E. 2005T-317 (C.R.T.) (révision judiciaire refusée: D.T.E. 2006T-117 (C.S.)).

128/37 La réintégration est le remède normal et ne peut être écartée sur la foi d'une simple allégation de perte de confiance ou de difficultés possibles, à moins que la décision de l'employeur ne soit fondée sur des critères sérieux et graves.
Bastien c. *St-Hugues (Municipalité de)*, D.T.E. 2001T-1021 (C.T.).
Balthazar c. *Manufacture de bas nylons Gina du Canada ltée*, D.T.E. 99T-1151 (C.T.).
Corriveau c. *Lambert Somec inc., division H. Roberge*, D.T.E. 90T-607 (T.A.).
Courchesne c. *Restaurant & Charcuterie Bens inc.*, D.T.E. 90T-1105 (T.A.).
Dorion c. *Blanchet*, D.T.E. 86T-199 (T.A.).
Mailloux c. *Québec Téléphone*, D.T.E. 82T-504 (T.A.).
Petits frères des pauvres c. *Sobrino*, D.T.E. 82T-307 (T.A.).
Allard c. *Cinémas SMC Québec ltée*, (1981) 2 R.S.A. 38.

128/38 La réintégration est le remède normal dans le cadre d'une plainte en vertu de l'article 124 L.N.T. et ce n'est que pour des motifs exceptionnels qu'elle ne sera pas ordonnée.
Lefebvre c. *Gaston Lefebvre Service inc.*, D.T.E. 94T-1013 (C.T.).

128/39 En matière de réintégration, il faut tenir compte de la négligence de l'employeur dans la gestion de son entreprise.
Bernier c. *Caisse populaire Desjardins de la Mitis — Centre de service de Ste-Angèle*, D.T.E. 2006T-863 (C.R.T.).

128/40 Refuser la réintégration, alors qu'elle est demandée, serait un refus arbitraire et une mauvaise utilisation de la discrétion conférée au commissaire.
Corvington c. *Université Concordia*, D.T.E. 90T-1132 (T.A.).

128/41 La mesure réparatrice d'un congédiement sans cause juste et suffisante est la réintégration du salarié. Il est établi que lorsque le salarié la réclame, elle doit être accordée et celui-ci doit être réintégré dans ses fonctions. De plus, une tierce partie ne peut dicter, par le biais d'un contrat avec l'employeur, les règles qui doivent régir les relations de ce dernier avec ses salariés. En effet, un tel contrat privé ne peut aucunement écarter l'application d'une loi d'ordre public, comme la *Loi sur les normes du travail*. Cette dernière n'exclut pas de son champ d'application les salariés des entreprises de transport scolaire et ne les place aucunement dans une catégorie à part. Si le législateur avait voulu leur réserver un traitement particulier, il l'aurait exprimé clairement, comme il l'a fait en ce qui concerne les domestiques.
Bourgault c. *Autobus Québec Métro inc.*, D.T.E. 97T-312 (C.T.).

128/42 La réintégration n'est pas appropriée lorsqu'elle risque de causer un ensemble de problèmes, tant pour le salarié que pour l'employeur.
Chaumont c. *1276698 Ontario inc. (Club de golf Val-des-Lacs)*, D.T.E. 2008T-218 (C.R.T.).
Amesse c. *Surbois inc.*, D.T.E. 2006T-312 (C.R.T.).
Careau c. *Tasiujaq (Village nordique de)*, D.T.E. 2006T-244 (C.R.T.).
Blizeev c. *Société d'administration immobilière Fugi ltée (Appartements Hill Park)*, D.T.E. 2004T-211 (C.R.T.) (règlement hors cour).
Perron c. *Service de suspension Turcotte inc.*, D.T.E. 2004T-538 (C.R.T.).
Markus c. *Entreprise de soudure aérospatiale inc.*, (2000) R.J.D.T. 231 (C.T.), D.T.E. 2000T-133 (C.T.).
Versabec inc. c. *Gignac*, D.T.E. 99T-1152 (C.T.).
Lavoie c. *Solidarité (La), compagnie d'assurance sur la vie*, D.T.E. 98T-115 (C.T.).
Plourde c. *Scierie Geoffroy inc.*, D.T.E. 96T-1154 (C.T.).
Di Tomasso c. *Bally Canada inc.*, D.T.E. 91T-305 (T.A.).
Moreau c. *Pétroles Ronoco inc.*, D.T.E. 91T-337 (T.A.).
Proserv inc. c. *Perron-Gagnon*, D.T.E. 91T-764 (T.A.).
J.A. Desmarteau & Fils inc. c. *Desmarteau*, D.T.E. 90T-1027 (T.A.).
Tremblay c. *Domcor*, D.T.E. 90T-64 (T.A.).
Dubois c. *Panneaux rigides Canexel inc.*, D.T.E. 89T-910 (T.A.).
Laroche c. *Peinture internationale Canada ltée*, D.T.E. 89T-90 (T.A.).
A. Setlakwe ltée c. *Bergeron*, D.T.E. 88T-197 (T.A.).
Kelly c. *Taxi Coop 525-5191*, (1988) T.A. 428, D.T.E. 88T-463 (T.A.).
Loizos c. *Crane Canada inc.*, D.T.E. 88T-136 (T.A.).
Milles-Isles (Mun. de) c. *Rowen*, (1988) T.A. 221, D.T.E. 88T-116 (T.A.).
Spécialités B.D.S. inc. c. *Caron*, (1988) T.A. 201, D.T.E. 88T-171 (T.A.) (révision judiciaire accueillie pour d'autres motifs: D.T.E. 88T-435 (C.S.)).

Académie Michèle Provost inc. c. *Chalouhi*, D.T.E. 87T-805 (T.A.).
Association d'hospitalisation du Québec c. *Latreille*, (1987) T.A. 458, D.T.E. 87T-681 (T.A.).
Produits chimiques Lawrason's ltée c. *Tomlinson*, D.T.E. 87T-156 (T.A.).
Touten c. *Association des policiers provinciaux du Québec*, (1987) T.A. 385, D.T.E. 87T-560 (T.A.).
Kelly c. *Pétroles Canada et / ou Cie pétrolière impériale ltée*, (1986) T.A. 610, D.T.E. 86T-714 (T.A.).
Brasserie Labatt ltée c. *Carbonneau*, (1984) T.A. 497, D.T.E. 84T-596 (T.A.).
Hamel c. *Centre de l'enseignement vivant*, D.T.E. 83T-600 (T.A.).
Lapierre c. *Salois Chevrolet Oldsmobile inc.*, (1982) T.A. 1266, D.T.E. 82T-826 (T.A.).
Standard Life Association Co. c. *Beaudette*, D.T.E. 82T-633 (T.A.).
V. aussi: *Skorski* c. *Rio Algom ltée*, D.T.E. 85T-840 (C.A.).
Aurelio c. *Chez Vito pizzeria restaurant inc.*, D.T.E. 88T-557 (T.A.).
Barcana ltée c. *Boisvert*, (1984) T.A. 703, D.T.E. 84T-841 (T.A.).

128/43 Il ne peut être question de réintégration lorsque la preuve révèle l'impossibilité d'exécution de l'ordonnance de réintégration.
Rozlonkowski c. *Estrie-International 2007 inc.*, D.T.E. 2006T-265 (C.R.T.).
Black c. *Conval Québec*, D.T.E. 83T-775 (T.A.).
Geoffrion c. *Imprimerie Jet (1978) ltée*, D.T.E. 83T-183 (T.A.).
Bolduc c. *Caisse populaire de St-Gédéon*, D.T.E. 82T-60 (T.A.), (1981) 3 R.S.A. 58.
Drummond Formules d'affaires ltée c. *Pépin*, (1982) T.A. 801, D.T.E. 82T-287 (T.A.).

128/44 La réintégration du salarié dans son emploi peut être impossible compte tenu de l'existence d'un conflit ouvert et persistant entre celui-ci et sa belle-mère qui est la présidente de l'entreprise.
Stewart c. *Musée David M. Stewart*, D.T.E. 2000T-38 (C.T.).

128/45 Le commissaire ne peut ordonner à un employeur de réintégrer une personne qu'il ne peut légalement embaucher sans l'autorisation du ministère de l'Éducation, compte tenu du fait que le salarié ne détient pas encore de permis d'enseignement. Le commissaire ne peut ordonner à l'employeur de demander au ministère de l'Éducation de délivrer une lettre de tolérance à l'égard du salarié. L'article 128(3) L.N.T. permet uniquement à un commissaire d'ordonner la délivrance de lettres objectives et neutres par un employeur.
Commission scolaire Kativik c. *Côté-Desbiolles*, D.T.E. 98T-1031 (C.S.), J.E. 98-1983 (C.S.), REJB 1998-07760 (C.S.) (appel principal accueilli et appel incident rejeté: D.T.E. 2001T-972 (C.A.), J.E. 2001-1839 (C.A.), REJB 2001-26508 (C.A.)).

128/46 Étant donné que rien dans la législation concernant la fonction publique québécoise ayant trait à la dotation des emplois de fonctionnaires n'empêche la nomination d'un plaignant d'occuper le même emploi qu'il occupait depuis une vingtaine d'années à titre d'occasionnel, il apparaît que l'article 128 L.N.T. donne au commissaire le pouvoir nécessaire de l'ordonner.
Lavigueur c. *Québec (Ministère de la Culture et des Communications)*, (2000) R.J.D.T. 1757 (C.T.), D.T.E. 2000T-1199 (C.T.).

128/47 Il n'y a pas lieu à réintégration lorsque le dossier global du salarié est passablement lourd et que le lien de confiance est irrémédiablement rompu entre ce dernier et l'employeur.
Vézina c. *Barbotine inc.*, (1999) R.J.D.T. 1663 (C.T.), D.T.E. 99T-911 (C.T.).

128/48 La réintégration n'est pas le remède approprié lorsque la relation de confiance qui doit exister entre l'employeur et le salarié a été détruite à la suite d'événements ayant entouré le congédiement.
Bessette c. *Simson-Maxwell*, D.T.E. 2007T-646 (C.R.T.).
Bonneau c. *Sépaq-Val-Jalbert, s.e.n.c.*, D.T.E. 2006T-289 (C.R.T.).
Bossé c. *Collège supérieur de Montréal (CSM) inc.*, D.T.E. 2005T-119 (C.R.T.) (révision judiciaire n^{0} 500-17-023975-058: dossier retourné à la C.R.T.).
Trapani c. *Tenaquip ltée*, D.T.E. 2005T-830 (C.R.T.).
Provencher c. *Vigie informatique 2000*, D.T.E. 97T-273 (C.T.) (révision judiciaire refusée: (1998) R.J.D.T. 99 (C.S.), D.T.E. 98T-117 (C.S.)).
Fortin c. *Jean Bleu inc.*, D.T.E. 95T-120 (C.T.).
Gagnon c. *Hewitt Équipement ltée*, D.T.E. 89T-129 (T.A.).
Guérard c. *Garnitures Exclusives ltée*, D.T.E. 89T-654 (T.A.).
Kelly c. *Taxi Coop 525-5191*, (1988) T.A. 428, D.T.E. 88T-463 (T.A.).
Dessureault c. *General Accident Assurance Co. of Canada Ltd.*, (1985) T.A. 183, D.T.E. 85T-228 (T.A.).
Solomon c. *Aliments Louis ltée*, D.T.E. 85T-653 (T.A.).
Couture-Thibault c. *Pharmajan inc.*, (1984) T.A. 326, D.T.E. 84T-423 (T.A.).
Hamel c. *Centre de l'enseignement vivant*, D.T.E. 83T-600 (T.A.).
Racine c. *Renault Canardière inc.*, D.T.E. 83T-567 (T.A.).
Basque c. *Société d'électrolyse et de chimie Alcan ltée*, D.T.E. 82T-494 (T.A.).
Kraft ltée c. *Desrosiers*, (1982) T.A. 1260, D.T.E. 82T-801 (T.A.).
Lapierre c. *Salois Chevrolet Oldsmobile inc.*, (1982) T.A. 1266, D.T.E. 82T-826 (T.A.).
Laporte c. *Talens C.A.C. inc.*, D.T.E. 82T-372 (T.A.) (révision judiciaire accueillie pour d'autres motifs: D.T.E. 84T-118 (C.A.), J.E. 84-134 (C.A.)).
Ouellet c. *Placements A. Jain inc.*, D.T.E. 82T-496 (T.A.).
Presse ltée (La) c. *Bernal*, D.T.E. 82T-782 (T.A.).

128/49 Le comportement du salarié après le congédiement peut compromettre ses chances d'une réintégration harmonieuse.
Radacovsky c. *Grands Ballets canadiens de Montréal*, D.T.E. 2006T-1038 (C.R.T.) (règlement hors cour).

128/50 Il revient à l'employeur de prouver que la réintégration est impossible, et en l'absence d'une preuve prépondérante à cet effet, le commissaire doit octroyer ce remède.
Dumont c. *Giguère Portes et fenêtres inc.*, D.T.E. 2008T-349 (C.R.T.).
Nieto c. *Travailleurs unis de l'alimentation et du commerce, section locale 501 (TUAC)*, D.T.E. 2008T-858 (C.R.T.) (règlement hors cour).
Hekmi c. *2809630 Canada inc.*, (2001) R.J.D.T. 795 (C.T.), D.T.E. 2001T-391 (C.T.).
Gilbert c. *École supérieure de danse du Québec*, D.T.E. 94T-613 (C.T.).
Bombardier c. *Supermarché Racicot (1980) inc.*, D.T.E. 93T-986 (C.T.).
Gariépy c. *Great West, Life Assurance Co.*, D.T.E. 93T-1332 (C.T.).
Laberge c. *Cie impérial Tobacco ltée*, D.T.E. 87T-198 (T.A.).
Tansey c. *Canadian Pacific Consulting Services Ltd.*, (1985) T.A. 208, D.T.E. 85T-247 (T.A.).
Christophe c. *Sacs à main Santi ltée, Agences Derma ltée*, (1984) T.A. 553, D.T.E. 84T-744 (T.A.).
De Melo c. *Dog Studio (The)*, (1984) T.A. 460, D.T.E. 84T-562 (T.A.).
Hamel c. *Centre de l'enseignement vivant*, D.T.E. 83T-600 (T.A.).
Journal de Montréal c. *Pépin*, (1983) T.A. 399, D.T.E. 83T-184 (T.A.).

Mercier c. *Union des producteurs agricoles*, (1982) T.A. 1245, D.T.E. 82T-802 (T.A.) (révision judiciaire refusée: D.T.E. 86T-774 (C.S.)).

128/51 Il appartient au salarié plaignant de dénoncer les comportements de l'employeur qui empêchent la réintégration et la détermination d'un remède alternatif.
Pinard c. *Comité de développement touristique et économique de Godbout*, D.T.E. 2009T-172 (C.R.T.) (en révision).

128/52 Exiger, en matière de réintégration, que le plaignant fasse la preuve qu'un poste est disponible est contraire à l'esprit de la *Loi sur les normes du travail*.
Zellers inc. c. *Lippé*, D.T.E. 87T-844 (C.S.).

128/53 La réintégration s'impose lorsqu'elle n'affecte pas la réputation de l'entreprise.
Corp. de crédit commercial ltée c. *Loczy*, D.T.E. 83T-979 (T.A.).

128/54 Lorsque le salarié souhaite sa réintégration, le commissaire n'exerce ce pouvoir que dans des cas bien particuliers où la preuve indique clairement que le salarié ne sera pas alors «placé dans la gueule du loup».
Dumas c. *Frigon matériaux ltée*, D.T.E. 83T-410 (T.A.).
V. aussi: *Morency* c. *Centennial Academy (1975) inc.*, (1984) T.A. 532, D.T.E. 84T-668 (T.A.).
Padveen c. *London Life, Cie d'assurance-vie*, D.T.E. 84T-421 (T.A.) (révision judiciaire refusée: D.T.E. 85T-187 (C.S.)).
Pierreau c. *Sirbain inc.*, (1984) T.A. 581, D.T.E. 84T-762 (T.A.).

128/55 La Commission des relations du travail ne peut pas refuser de réintégrer un salarié dans son emploi au motif qu'il a fait une dépression ou, encore, parce qu'il a l'impression d'avoir été traité injustement par son employeur dans le passé. Ce ne sont pas des motifs de congédiement, au sens de la loi, et ce ne sont pas non plus des motifs pour refuser de réintégrer un salarié dans son emploi.
Moutis c. *Bombardier inc. (Bombardier Aéronautique)*, D.T.E. 2008T-488 (C.R.T.).

128/56 Lorsque le salarié veut récupérer son emploi et qu'il est prêt à faire face aux difficultés qui l'attendent à son retour au travail, le commissaire doit ordonner la réintégration même s'il s'agit d'une entreprise familiale.
Lefebvre c. *Gaston Lefebvre Service inc.*, D.T.E. 94T-1013 (C.T.).

128/57 Le commissaire ne peut réintégrer un salarié qui ne veut pas l'être.
Turbocristal inc. c. *Racine*, D.T.E. 95T-493 (C.S.) (règlement hors cour).
Studio Bel-Art inc. c. *Kenny*, D.T.E. 85T-902 (C.S.).
Duhamel c. *Tassé & Associés*, D.T.E. 95T-1433 (C.T.) (révision judiciaire refusée: C.A.M. n° 500-05-011718-952, le 10 janvier 1996).
Malo c. *Industries Pantorama inc.*, (1995) C.T. 56, D.T.E. 95T-286 (C.T.) (révision judiciaire refusée: C.S.M. n° 500-05-014650-947, le 1er février 1995).
Riou c. *Point de vue — souvenirs inc.*, (1995) C.T. 210, D.T.E. 95T-398 (C.T.) (révision judiciaire refusée: C.S.Q. n° 200-05-000140-959, le 24 avril 1995).
Roy c. *Brasserie La Côte de boeuf*, D.T.E. 95T-1431 (C.T.).
Yacoubi c. *Acura Optima*, D.T.E. 95T-256 (C.T.).
Fortin c. *Consultants industriels C.E.M. inc.*, (1994) C.T. 340, D.T.E. 94T-1012 (C.T.).
Banque Laurentienne du Canada c. *Landry*, D.T.E. 95T-1144 (T.A.).

V. aussi: *Bingo Les Saules inc.* c. *C.N.T.*, D.T.E. 99T-289 (C.S.) (appel rejeté sur requête).
Kodak Canada inc. c. *Beetz*, D.T.E. 87T-483 (C.S.).
Contra: *Séguin* c. *Ameublement Branchaud*, D.T.E. 95T-1405 (C.T.).

128/58 La réintégration, élément circonstanciel postérieur, ne retire pas au commissaire sa compétence pour poursuivre l'audition.
Bernier c. *Caisse populaire Desjardins de la Mitis, Centre de service de Ste-Angèle*, D.T.E. 2007T-775 (C.R.T.).
Joly c. *Rehau Industries inc.*, (2005) R.J.D.T. 793 (C.R.T.), D.T.E. 2005T-462 (C.R.T.).
Carasoulis c. *Cie de la Baie d'Hudson*, D.T.E. 91T-65 (T.A.) (révision judiciaire refusée: D.T.E. 91T-1043 (C.S.)).
Industries de maintenance Empire inc. c. *Sallafranque*, D.T.E. 90T-351 (T.A.).

128/59 Le commissaire a le pouvoir de réserver sa compétence concernant la réintégration conditionnelle d'un salarié.
Carignan c. *Sidbec-Dosco*, D.T.E. 84T-214 (T.A.).

128/60 L'acceptation par le plaignant d'une indemnité représentant le délai-congé ne constitue pas une renonciation à demander la réintégration.
Union des producteurs agricoles c. *Martin*, (1984) C.S. 724, D.T.E. 84T-650 (C.S.) (appel rejeté: C.A.M. n^{0} 500-09-000842-849, le 6 décembre 1984) (bref d'évocation annulé: D.T.E. 86T-774 (C.S.)).
Lauzon-Joset c. *Chaussures Yellow ltée*, D.T.E. 86T-336 (T.A.).
Martin c. *Crédit immobilier inc.*, (1982) T.A. 840, D.T.E. 82T-261 (T.A.).
Rioux c. *F.D.L. Co. ltée*, (1981) 1 R.S.A. 97, D.T.E. 82T-803 (T.A.).

128/61 On ne peut conclure que l'exécution par un salarié de son obligation de réduire ses dommages constitue une renonciation à réintégrer son emploi, ou encore exprime sa volonté de rompre le lien d'emploi.
114475 Canada inc. c. *Bazigos*, D.T.E. 2002T-831 (C.T.).

128/62 Lorsqu'un employeur est obligé de réintégrer un employé, cela implique qu'il doit le réintégrer dans le même poste qu'il occupait et aux mêmes conditions.
Restaurant Faubourg St-Denis inc. c. *Durand*, (1990) R.J.Q. 1218 (C.A.), D.T.E. 90T-633 (C.A.), J.E. 90-791 (C.A.).
Duquette c. *Zellers inc.*, D.T.E. 88T-982 (C.S.), J.E. 88-1339 (C.S.).
Normandin c. *Commission des courses du Québec*, (1993) C.T. 541, D.T.E. 93T-1128 (C.T.) (révision judiciaire refusée: D.T.E. 93T-1262 (C.S.), J.E. 93-1876 (C.S.)).
Entreprises A. & C. Godbout inc. c. *Gascon*, (1991) T.A. 303, D.T.E. 91T-483 (T.A.).
Contra: *Brasseries Molson* c. *Laurin*, D.T.E. 93T-1189 (C.S.), J.E. 93-1796 (C.S.) (désistement d'appel).

128/63 Le salarié doit être réintégré dans son poste avec tous ses avantages et les mêmes heures. À défaut, il a le droit de recevoir une indemnité égale au salaire qu'il aurait gagné s'il avait été réintégré à son ancien poste à temps plein.
Turpin c. *Château de l'Aéroport*, D.T.E. 90T-1335 (T.A.).

128/64 C'est à l'employeur de supporter les inconvénients encourus pour réintégrer un salarié illégalement congédié.
Zellers inc. c. *Lippé*, D.T.E. 87T-844 (C.S.).

V. aussi: *M.L. St-Barbe Sladen* c. *Groupe financier Empire*, D.T.E. 94T-1383 (C.T.). *Halte des routiers Gill inc.* c. *Truchon*, D.T.E. 89T-926 (T.A.).

128/65 Le salarié injustement congédié a le droit d'être réintégré dans son poste même si celui-ci a été modifié depuis son congédiement et qu'il est occupé par un autre employé, en dépit du fait que cela est susceptible de causer des difficultés à l'employeur. L'employeur peut éventuellement, dans ce cas, déplacer ailleurs le titulaire actuel du nouveau poste avec les inconvénients que cela entraîne.
Brasserie Molson-O'Keefe (Les Brasseries Molson) c. *Laurin*, D.T.E. 94T-800 (C.A.), J.E. 94-1167 (C.A.).

128/66 L'employeur doit prendre les mesures nécessaires pour que soit respectée l'ordonnance de réintégration. En ne respectant pas l'ordonnance, il s'expose à ce que l'indemnité concernant le salaire et autres avantages continue de s'accroître.
Bitton c. *Salon Henri IV de France inc.*, D.T.E. 95T-492 (C.T.) (révision judiciaire refusée: C.S.M. n⁰ 500-05-003701-958, le 15 juin 1995).

128/67 La réintégration d'un salarié plaignant est possible lorsque son attitude négative se situe à l'intérieur des limites de tolérance de l'employeur.
Cyr c. *Bistro Le Mouton noir*, D.T.E. 2006T-310 (C.R.T.).

128/68 Un employeur doit faire tous les efforts pour réintégrer un salarié dans son emploi avec tous ses droits et privilèges. Ce qui signifie qu'il doit faire des efforts pour aménager l'horaire du salarié de manière à ce qu'il conserve ses droits et privilèges.
Paul c. *9010-5115 Québec inc.*, (1997) R.J.Q. 999 (C.S.), D.T.E. 97T-310 (C.S.), J.E. 97-573 (C.S.).

128/69 Le refus du salarié de se soumettre à un examen médical demandé par l'employeur constitue un geste d'insubordination et le fait d'avoir dupé l'employeur durant une absence pour maladie justifient sa décision de ne pas réintégrer le salarié.
Labelle c. *Bell Helicopter Textron*, D.T.E. 95T-752 (C.T.).

128/70 Le fait que le salarié et son patron avaient des rapports tendus au point d'en venir aux poings ne constitue pas un contexte propice à une réintégration viable.
Veillette c. *Bar salon Bellevue inc.*, D.T.E. 95T-1142 (C.T.).

128/71 La tension qui existe entre un salarié et un employeur peut rendre la réintégration du salarié impossible.
Fleury c. *Sorel Tracy B.B.Q.*, D.T.E. 97T-1151 (C.T.).
V. aussi: *Bernard* c. *Multi-recyclage S.D. inc.*, (1998) R.J.D.T. 187 (C.T.), D.T.E. 98T-15 (C.T.).

128/72 La réintégration n'est pas appropriée, et ce, compte tenu du comportement grossier et offensant de l'employeur à l'égard du salarié lors de la fin d'emploi.
Raymond c. *Garage Réjean Roy inc.*, D.T.E. 2004T-1041 (C.R.T.).

128/73 La nature de la faute de l'employeur, soit les attouchements sexuels en dehors des heures de travail, peut constituer un empêchement à la réintégration de la salariée.
G.S. c. *H.F.*, (2007) R.J.D.T. 1050 (C.R.T.), D.T.E. 2007T-590 (C.R.T.) (révision en vertu de l'article 127 C.T. refusée: D.T.E. 2007T-963 (C.R.T.)).

128/74 La réintégration du salarié peut être possible, et ce, malgré le différend qu'ont pu vivre les parties.
Begliomini c. *Grands frères et grandes soeurs de l'Outaouais*, (1997) C.T. 505, D.T.E. 97T-1489 (C.T.).

128/75 La réintégration peut être envisageable même si le salarié et l'employeur se sont fait concurrence et se sont livré une bataille judiciaire.
Brisson c. *9027-4580 Québec inc.*, (1999) R.J.D.T. 246 (C.T.), D.T.E. 99T-164 (C.T.) (révision judiciaire refusée: D.T.E. 99T-549 (C.S.)) (désistement d'appel).

128/76 Même s'il y a eu une bagarre entre collègues de travail, il peut y avoir réintégration du salarié lorsqu'il n'y a pas d'historique de violence chez ce dernier et, d'autre part, lorsque l'autre collègue de travail n'est plus au service de l'employeur. Dans ce cadre, il y a possibilité de réintégration puisque la récidive est peu probable.
Jean-Louis c. *Industries Gen-Lite ltée*, (1999) R.J.D.T. 205 (C.T.), D.T.E. 99T-16 (C.T.).

128/77 Il ne peut y avoir réintégration du salarié en cas de faillite de l'employeur.
Mayrand c. *Magasins à rayons Peoples inc.*, D.T.E. 95T-828 (C.T.).

128/78 La réduction du personnel d'un employeur peut rendre la réintégration du salarié impossible.
Ménard c. *Circle Computer / Brains II*, (1997) C.T. 199, D.T.E. 97T-589 (C.T.).

128/79 Le fait que le salarié se soit trouvé un autre emploi milite en faveur de la non-réintégration.
Guay c. *Compagnie Trust Royal*, D.T.E. 95T-726 (C.T.).

128/80 Une divergence de points de vue entre associés ou actionnaires de l'entreprise peut être un obstacle à la réintégration.
Cidrerie du Québec ltée c. *Lecours*, (1986) T.A. 497, D.T.E. 86T-591 (T.A.).
Industrie Fabrico (1964) ltée c. *Bélair*, (1986) T.A. 633, D.T.E. 86T-730 (T.A.).
V. aussi: *André* c. *Harvey's*, (1987) T.A. 67, D.T.E. 87T-179 (T.A.).

128/81 Pour refuser d'ordonner la réintégration du salarié, le commissaire doit être convaincu que celle-ci est carrément impossible, illusoire, problématique ou inappropriée.
Lamoureux c. *Centura Québec ltée*, D.T.E. 2002T-539 (C.T.) (révision judiciaire refusée: D.T.E. 2003T-989 (C.S.)).

128/82 Le chantage survenu lors de discussions entourant le règlement de la plainte du salarié peut rendre la réintégration impossible.
Godbout c. *Délicana Nord-ouest inc.*, (1998) R.J.D.T. 1264 (C.T.), D.T.E. 98T-822 (C.T.).

128/83 Il n'y a pas lieu d'ordonner la réintégration d'un salarié à l'occasion d'un congédiement, lorsque l'employeur a réorganisé le travail de telle sorte qu'il n'existe plus de poste que le plaignant aurait la capacité d'occuper.
Léonard c. *Coopérative funéraire de l'Outaouais*, D.T.E. 94T-706 (C.T.) (révision judiciaire refusée: D.T.E. 95T-80 (C.S.)).

128/84 Il y a lieu d'ordonner la réintégration du salarié dans son poste qui existe toujours, même si les travaux qui doivent être exécutés ont diminué.
Carrier c. *Peignes à métier L.P.L. inc.*, (2000) R.J.D.T. 1103 (C.T.), D.T.E. 2000T-748 (C.T.).

128/85 Le commissaire n'a pas le pouvoir d'ordonner la création d'un poste. Ainsi en l'absence d'autre poste disponible dans l'entreprise et lorsque le poste du salarié n'existe plus, un commissaire ne saurait ordonner la réintégration.
Matane (Ville de) c. *Fraternité des policiers et pompiers de ville de Matane*, (1987) R.J.Q. 315 (C.A.), D.T.E. 87T-172 (C.A.), J.E. 87-292 (C.A.) (par analogie).
3M Canada inc. c. *Doré*, D.T.E. 94T-673 (C.S.), conf. par (1997) R.J.Q. 1581 (C.A.), D.T.E. 97T-707 (C.A.), J.E. 97-1247 (C.A.).
Université de Montréal c. *Cloutier*, (1988) R.J.Q. 511 (C.S.), D.T.E. 88T-138 (C.S.), J.E. 88-209 (C.S.) (par analogie).
Vekilis c. *Communauté hellénique de Montréal*, D.T.E. 2005T-121 (C.R.T.).

128/86 Il ne saurait y avoir d'ordonnance de réintégration contre un employeur lorsque le poste du salarié a été aboli.
Browne c. *Nordic Development Corporation Inc.*, D.T.E. 2005T-775 (C.R.T.) (révisions en vertu de l'article 127 C.T. refusées) (révision judiciaire refusée: D.T.E. 2007T-435 (C.S.)).

128/87 C'est la réintégration du salarié qui s'impose lorsque sa plainte pour congédiement sans cause juste et suffisante est accueillie, et ce, même s'il y a eu embauche d'un nouveau salarié à qui on a confié des fonctions similaires à celles qu'occupait le salarié congédié.
Nieto c. *Travailleurs unis de l'alimentation et du commerce, section locale 501 (TUAC)*, D.T.E. 2008T-858 (C.R.T.) (règlement hors cour).

128/88 En cas de mise à pied postérieure au congédiement, le commissaire a le pouvoir d'ordonner une réintégration pour la période durant laquelle l'employé aurait été au service de l'employeur.
Lajeunesse et Gauthier inc. c. *Courtemanche*, D.T.E. 82T-902 (T.A.).

128/89 Le commissaire peut rendre une ordonnance enjoignant de réinscrire le salarié injustement congédié, sur la liste de rappel de l'employeur.
Manoir St-Eustache c. *Joly*, (1986) T.A. 683, D.T.E. 86T-771 (T.A.).

128/90 En cas de congédiement fondé sur des motifs d'ordre physique, le commissaire peut assortir la réintégration d'une obligation pour l'employé de produire une preuve médicale démontrant qu'il a la capacité d'effectuer la prestation de travail.
R... B... c. *Bureau d'expertise des assureurs ltée*, (1987) T.A. 658, D.T.E. 87T-964 (T.A.).
Beauregard c. *O.E. McIntyre ltée*, (1985) T.A. 204, D.T.E. 85T-267 (T.A.).
Carignan c. *Sidbec-Dosco*, D.T.E. 84T-214 (T.A.).
Charbonneau c. *Ayerst, McKenna et Harrison*, D.T.E. 84T-230 (T.A.).
V. aussi: *Acier Midland ltée* c. *Beaudoin*, (1991) T.A. 388, D.T.E. 91T-591 (T.A.).
Turpin c. *Château de l'Aéroport*, D.T.E. 90T-420 (T.A.).
Gatx Fuller ltée c. *Dewey-Young*, (1987) T.A. 521, D.T.E. 87T-762 (T.A.).

128/91 Un commissaire ne peut ordonner la réintégration d'un salarié qui ne pourra plus jamais reprendre ses fonctions à cause d'une incapacité permanente.
Union des employés du transport local et industries diverses, local 931 c. *Beetz*, (1990) R.J.Q. 1358 (C.S.), D.T.E. 90T-696 (C.S.), J.E. 90-846 (C.S.).
Giordano c. *Association de paralysie cérébrale du Québec inc.*, (1989) T.A. 510, D.T.E. 89T-466 (T.A.).
V. aussi: *Boulay* c. *Multi-Marques inc.*, D.T.E. 89T-825 (T.A.).

128/92 Il n'y a pas lieu d'ordonner la réintégration du salarié lorsque la sécurité de tous pourrait être compromise par cette réintégration.
Villeneuve c. *Saguenay (Ville de)*, (2007) R.J.D.T. 470 (C.R.T.), D.T.E. 2007T-324 (C.R.T.) (règlement hors cour).

128/93 Le refus de réintégrer un salarié peut être justifié par le fait que celui-ci pourrait perturber le fragile équilibre émotif de certains employés.
Delorme c. *Trudeau*, D.T.E. 95T-450 (C.S.).

128/94 Le dossier disciplinaire substantiel du salarié peut être un empêchement à la réintégration de celui-ci
Calderon c. *134343 Canada inc.*, D.T.E. 2008T-629 (C.R.T.).

128/95 La petite taille de l'entreprise peut être un facteur empêchant la réintégration du salarié.
Comeau c. *Robert Dessureault (1990) ltée*, D.T.E. 2007T-368 (C.R.T.).
G.S. c. *H.F.*, (2007) R.J.D.T. 1050 (C.R.T.), D.T.E. 2007T-590 (C.R.T.) (révision en vertu de l'article 127 C.T. refusée: D.T.E. 2007T-963 (C.R.T.)).
Amesse c. *Surbois inc.*, D.T.E. 2006T-312 (C.R.T.).
Bossé c. *Collège supérieur de Montréal (CSM) inc.*, D.T.E. 2005T-119 (C.R.T.) (révision judiciaire n° 500-17-023975-058: dossier retourné à la C.R.T.).
Burns c. *Airport Steel & Tubing Ltd. (Acier Aéroport ltée)*, D.T.E. 2005T-1076 (C.R.T.).
Lefebvre c. *St-Félix-de-Dalquier (Municipalité de)*, D.T.E. 2005T-464 (C.R.T.).
Blizeev c. *Société d'administration immobilière Fugi ltée (Appartements Hill Park)*, D.T.E. 2004T-211 (C.R.T.) (règlement hors cour).
Markus c. *Entreprise de soudure aérospatiale inc.*, (2000) R.J.D.T. 231 (C.T.), D.T.E. 2000T-133 (C.T.).
Salesse c. *À l'enseigne du livre inc.*, D.T.E. 97T-1314 (C.T.).
Pelletier c. *Luc Pelletier inc.*, (1994) C.T. 470, D.T.E. 94T-1076 (C.T.).
J.A. Desmarteau & Fils inc. c. *Desmarteau*, D.T.E. 90T-1027 (T.A.).
Rematech Division I.B.S. ltée c. *Brasseur*, D.T.E. 89T-924 (T.A.).
Touten c. *Association des policiers provinciaux du Québec*, (1987) T.A. 385, D.T.E. 87T-560 (T.A.).
Racine c. *Renault Canardière inc.*, D.T.E. 83T-567 (T.A.).
Contra: *Aubé* c. *Bois CFM inc.*, D.T.E. 2007T-959 (C.R.T.).
Meloche c. *Centre d'orthopédie Laval*, D.T.E. 97T-76 (C.T.).
M.L. St-Barbe Sladen c. *Groupe financier Empire*, D.T.E. 94T-1383 (C.T.).

128/96 Il revient au salarié de choisir entre la réintégration et une indemnité compensatrice.
Perron c. *Service de suspension Turcotte inc.*, D.T.E. 2004T-538 (C.R.T.).
Page c. *Auberge Ripplecove (1985) inc.*, D.T.E. 2001T-186 (C.T.).
Grande-Île (Mun. de la) c. *Boulay*, (1985) T.A. 736, D.T.E. 85T-873 (T.A.).

Restaurants Murrays ltée c. *Bermejo*, D.T.E. 85T-428 (T.A.).
Fortin-Deustch c. *Diplômés de l'Université de Montréal*, (1983) T.A. 1044, D.T.E. 83T-673 (T.A.) (révision judiciaire refusée: D.T.E. 85T-287 (C.S.)).
Corp. de crédit commercial ltée c. *Loczy*, D.T.E. 83T-979 (T.A.).
Auger c. *Motel Le Totem*, (1981) 3 R.S.A. 132.
V. aussi: *Demers* c. *Industries A.P. inc.*, D.T.E. 87T-539 (T.A.).

128/97 Le droit à la réintégration appartient uniquement au salarié.
M.L. St-Barbe Sladen c. *Groupe financier Empire*, D.T.E. 94T-1383 (C.T.).

128/98 La difficulté de retrouver un emploi comparable peut être un motif justifiant la réintégration du salarié.
Société en commandite Des Écores c. *Eymard*, D.T.E. 91T-637 (C.S.).
Robillard c. *Emballages Gab ltée*, D.T.E. 95T-371 (C.T.).
Bourbonnais c. *Produits forestiers Canadien Pacifique ltée*, D.T.E. 90T-241 (T.A.).

128/99 L'âge avancé d'un salarié et sa faible scolarité sont des facteurs militant en faveur de la réintégration.
Robillard c. *Emballages Gab ltée*, D.T.E. 95T-371 (C.T.).

128/100 Certaines circonstances particulières de la rupture du lien d'emploi, l'âge du plaignant de même que sa volonté de prendre sa retraite, militent en faveur du versement d'une indemnité plutôt que pour sa réintégration.
Nadeau c. *Société en commandite Strongco*, D.T.E. 2008T-820 (C.R.T.).

128/101 Il ne saurait y avoir d'ordonnance de réintégration dans le cas où le plaignant devait prendre sa retraite sous peu.
Fleury c. *Technologies avancées de fibres (AFT) inc.*, D.T.E. 2006T-267 (C.R.T.).

128/102 Il ne peut y avoir de problème à réintégrer un salarié lorsque l'employeur procède régulièrement à des réorganisations administratives.
McGee c. *Confédération des caisses populaires et d'économie Desjardins du Québec*, (1997) C.T. 354, D.T.E. 97T-1027 (C.T.).

128/103 Le peu de temps écoulé depuis le congédiement est un facteur militant en faveur de la réintégration.
Thomassin c. *D. Bertrand & Fils inc.*, D.T.E. 2003T-419 (C.R.T.).
Robillard c. *Emballages Gab ltée*, D.T.E. 95T-371 (C.T.).

128/104 La réintégration est possible lorsque la période qui s'est écoulée depuis les événements et le congédiement est d'une certaine longueur, compte tenu du fait que le travail à être exécuté est un travail à temps partiel pour tous les salariés de l'employeur.
Lavigne c. *Richelieu (Ville de)*, D.T.E. 2004T-157 (C.R.T.) (révision judiciaire refusée: (2004) R.J.D.T. 937 (C.S.), D.T.E. 2004T-717 (C.S.), REJB 2004-66568 (C.S.)).

128/105 Lorsque la preuve révèle qu'un gérant est incompétent dans son poste, il est possible de le réintégrer dans un autre poste.
Moreau c. *Pétroles Ronoco inc.*, D.T.E. 91T-337 (T.A.).
V. aussi: *Zellers inc.* c. *Lippé*, D.T.E. 87T-844 (C.S.).
Pasche c. *Tip Top Tailors-Dilex ltée*, (1988) T.A. 396, D.T.E. 88T-484 (T.A.).

128/106 La réintégration d'un salarié cadre s'avère souvent une mesure illusoire. Les commissaires préfèrent leur octroyer une indemnité compensatrice.
Basque c. *Morency*, D.T.E. 86T-692 (C.S.), conf. pour d'autres motifs à D.T.E. 95T-598 (C.A.), J.E. 95-1021 (C.A.).
Bonneau c. *Sépaq-Val-Jalbert, s.e.n.c.*, D.T.E. 2006T-289 (C.R.T.).
Gagné c. *Agences Claude Marchand inc.*, (1999) R.J.D.T. 560 (C.T.), D.T.E. 99T-439 (C.T.).
Clark c. *Groupe D.M.R. inc.*, (1997) C.T. 203, D.T.E. 97T-625 (C.T.).
Aubin c. *Laboratoire Lalco (1987) inc.*, D.T.E. 92T-461 (C.T.).
Tremblay c. *Domcor*, D.T.E. 90T-64 (T.A.).
A.M.P. du Canada ltée c. *Atkins*, D.T.E. 89T-467 (T.A.).
André c. *Harvey's*, (1987) T.A. 67, D.T.E. 87T-179 (T.A.).
Association d'hospitalisation du Québec c. *Latreille*, (1987) T.A. 458, D.T.E. 87T-681 (T.A.).
Produits chimiques Lawrason's ltée c. *Tomlinson*, D.T.E. 87T-156 (T.A.).
Kelly c. *Pétroles Canada et/ou Cie pétrolière impériale ltée*, (1986) T.A. 610, D.T.E. 86T-714 (T.A.).
Céramique de Beauce inc. c. *De Sales*, D.T.E. 85T-384 (T.A.).
Dessureault c. *General Accident Assurance Co. of Canada Ltd.*, (1985) T.A. 183, D.T.E. 85T-228 (T.A.).
Lamarre c. *Chaussures Trans-Canada ltée*, D.T.E. 85T-722 (T.A.).
Pierreau c. *Sirbain inc.*, (1984) T.A. 581, D.T.E. 84T-762 (T.A.).
V. aussi: *Saindon* c. *Taleo (Canada) inc.*, D.T.E. 2006T-862 (C.R.T.).

128/107 Le comportement des parties à l'audience, le nombre restreint d'employés dans l'entreprise et le statut de cadre du plaignant sont des motifs justifiant la non-réintégration.
Onofrio c. *Premier Réfractaires du Canada ltée*, D.T.E. 2002T-561 (C.T.).

128/108 La réintégration d'un cadre est généralement plus difficile que celle d'un simple salarié. Dans ce cas, on doit tenir compte de facteurs, tels la relation de confiance, la nature et l'importance du poste occupé, le risque de conflits de personnalités, la conduite des parties après le congédiement et finalement, la taille de l'entreprise.
Champoux c. *Confédération des caisses populaires et d'économie Desjardins du Québec*, (1997) C.T. 34, D.T.E. 97T-139 (C.T.).
V. aussi: *Bonneau* c. *Sépaq-Val-Jalbert, s.e.n.c.*, D.T.E. 2006T-289 (C.R.T.).

128/109 La réintégration d'une personne qui était cadre dans l'entreprise ne peut avoir lieu lorsque la décision du commissaire accueillant la plainte contient plutôt des motifs opposés à un tel remède.
3M Canada inc. c. *Doré*, D.T.E. 94T-673 (C.S.), conf. par (1997) R.J.Q. 1581 (C.A.), D.T.E. 97T-707 (C.A.), J.E. 97-1247 (C.A.).

128/110 Lorsqu'il y a congédiement avant l'arrivée du terme d'un contrat à durée déterminée, sans clause de renouvellement automatique, le commissaire ne peut ordonner la réintégration au-delà du contrat.
Masse c. *Jardin d'enfants bilingue de Lorraine*, (1983) T.A. 832, D.T.E. 83T-879 (T.A.).
V. aussi: *Losito* c. *Université de Sherbrooke*, (1981) 3 R.S.A. 220.

128/111 L'ordonnance de réintégration correspond à une injonction et sa transgression donne lieu à l'outrage au tribunal.

Restaurant Faubourg St-Denis inc. c. *Durand*, (1990) R.J.Q. 1218 (C.A.), D.T.E. 90T-633 (C.A.), J.E. 90-791 (C.A.).
Duquette c. *Zellers inc.*, D.T.E. 88T-982 (C.S.), J.E. 88-1339 (C.S.).
Deschênes c. *Valeurs mobilières Banque Laurentienne inc.*, (2008) R.J.D.T. 203 (C.R.T.), D.T.E. 2008T-18 (C.R.T.) (révision judiciaire refusée sur requête en irrecevabilité: D.T.E. 2008T-882 (C.S.), EYB 2008-149755 (C.S.)) (en appel: n° 500-09-019150-085).
V. aussi: *Paul* c. *9010-5115 Québec inc.*, (1997) R.J.Q. 999 (C.S.), D.T.E. 97T-310 (C.S.), J.E. 97-573 (C.S.).

128/112 La connaissance d'une ordonnance de réintégration s'étend aux deux éléments requis pour être passible d'outrage au tribunal, soit la connaissance comme telle de l'ordonnance et le dépôt au greffe de la Cour supérieure de la décision.
Normandin c. *L'Heureux*, D.T.E. 94T-164 (C.S.) (en appel: n° 500-09-000071-944).

128/113 Lorsque le salarié n'est pas satisfait des modalités de sa réintégration, il doit utiliser la procédure visant à forcer l'exécution de la décision plutôt que d'entreprendre un nouveau recours à l'encontre d'un congédiement sans cause juste et suffisante.
Halte des routiers Gill inc. c. *Truchon*, D.T.E. 90T-782 (T.A.).

128/114 Le commissaire ne peut modifier la décision qu'il a rendue. Il peut cependant rendre une nouvelle décision précisant le poste où le salarié doit être réintégré.
Association Louise Gosford c. *C.N.T.*, (1991) T.A. 198, D.T.E. 91T-306 (T.A.).

128/115 Il n'appartient pas au commissaire de s'immiscer dans les droits de gérance d'un employeur et encore moins dans la discrétion ministérielle en matière de réintégration d'un salarié.

Habituellement, le salarié injustement congédié reprend son poste et ses avantages, à moins de circonstances exceptionnelles. Ainsi, en vertu de telles circonstances, il est possible de réintégrer un salarié dans son poste, mais aux conditions en vigueur lors de l'ordonnance.
Normandin c. *Commission des courses du Québec*, (1993) C.T. 541, D.T.E. 93T-1128 (C.T.) (révision judiciaire refusée: D.T.E. 93T-1262 (C.S.), J.E. 93-1876 (C.S.)).

128/116 V. ARGUIN, P., «Un no-man's land juridique pour certaines ordonnances de réintégration», (1988) 48 *R. du B.* 586.

128/117 V. ARMSTRONG, D., «L'efficacité de la réintégration ordonnée par l'arbitre», (1984) vol. 5, n° 10, *Marché du travail* 81.

128/118 V. AUDET, G., BONHOMME, R., GASCON, C. et COURNOYER-PROULX, M., *Le congédiement en droit québécois en matière de contrat individuel de travail*, vol. 1, 3e éd. (édition à feuilles mobiles), Cowansville, Éditions Yvon Blais, p. 19-7 à 19-30.

128/119 V. BÉLIVEAU, N.-A., *Les normes du travail*, Cowansville, Les Éditions Yvon Blais inc., 2003, p. 480 à 484.

128/120 V. BERGEVIN, M., «L'opportunité et l'efficacité de la réintégration», (1988) *Meredith Mem. Lect.* 283.

128/121 V. BICH, M.-F., «Contrat de travail et *Code civil du Québec* — Rétrospective, perspectives et expectatives», dans *Développements récents en droit du travail (1996)*, Formation permanente du Barreau du Québec, Cowansville, Les Éditions Yvon Blais inc., 1996, p. 189, p. 282.

128/122 V. BICH, M.-F., «Du contrat individuel de travail en droit québécois: essai en forme de point d'interrogation», (1986) 17 *R.G.D.* 85.

128/123 V. BONHOMME, R., GASCON, C. et LESAGE, L., *The Employment Contract Under the Civil Code of Québec*, Cowansville, Les Éditions Yvon Blais inc., 1994, p. 63.

128/124 V. BRIÈRE, J.-Y., «Les pouvoirs de réparation du Commissaire du travail aux termes de la *Loi sur les normes du travail*: nouvelles tendances?», dans *Développements récents en droit du travail (1996)*, Formation permanente du Barreau du Québec, Cowansville, Les Éditions Yvon Blais inc., 1996, p. 1, p. 11 à 14.

128/125 V. BRIÈRE, J.-Y. et VILLAGGI, J.-P., *Relations de travail*, vol. 2, (édition à feuilles mobiles), Brossard, Les Publications CCH ltée, p. 8,925, 8,926 et 8,933-2 à 8,933-17.

128/126 V. CAZA, C., «L'embarquement pour un tour d'horizon des développements récents concernant la *Loi sur les normes du travail*», dans *Développements récents en droit du travail (1997)*, Formation permanente du Barreau du Québec, Cowansville, Les Éditions Yvon Blais inc., 1997, p. 229, p. 347 et ss.

128/127 V. CAZA, C., «Le contrat de travail et le *Code civil du Québec*: continuité ou rupture?», dans *Congrès annuel du Barreau du Québec (1995)*, Montréal, Formation permanente du Barreau du Québec, 1995, p. 857, p. 909.

128/128 V. D'AOUST, C. et DUBÉ, L., *La réintégration conditionnelle du salarié*, Montréal, Wilson & Lafleur ltée, 1991.

128/129 V. DI IORIO, N. et BUSWELL, A., «Le commissaire du travail et les ordonnances de réintégration interlocutoires: le non-dit», dans *Développements récents en droit du travail (1998)*, Formation permanente du Barreau du Québec, Cowansville, Les Éditions Yvon Blais inc., 1998, p. 215.

128/130 V. DUBÉ, J.-L. et DI IORIO, N., *Les normes du travail*, 2e éd., Sherbrooke, Les Éditions Revue de droit — Université de Sherbrooke, 1992, p. 582 à 588.

128/131 V. GAGNON, D., «L'efficacité des ordonnances de réintégration», (1984) vol. 5, no 10, *Marché du travail* 85.

128/132 V. GAGNON, R.P., *Le droit du travail du Québec*, 6e éd. (mis à jour par LANGLOIS KRONSTRÖM DESJARDINS, S.E.N.C.R.L. sous la dir. de BERNARD, Y., SASSEVILLE, A. et CLICHE, B.), Cowansville, Les Éditions Yvon Blais inc., 2008, p. 201 à 204.

128/133 V. GARANT, L., «Normes minimales de travail — Congédiement sans cause juste et suffisante — Pouvoir de réintégration de l'arbitre — Capacité pour l'arbitre d'évaluer si ce moyen est approprié», (1986) vol. 7, n° 2, *Marché du travail* 33.

128/134 V. HÉBERT, G. et TRUDEAU, G., *Les normes minimales du travail au Canada et au Québec*, Cowansville, Les Éditions Yvon Blais inc., 1987, p. 170 et 171.

128/135 V. LAPORTE, P., *La réintégration du salarié: nouvelles perspectives*, Montréal, Wilson & Lafleur ltée, 1995.

128/136 V. LAPORTE, P., «Une relecture de l'arrêt *Dupré Quarries Ltd.* c. *Dupré* à la lumière des jugements de la Cour du Banc du Roi», dans Trudeau, G., Vallée, G. et Veilleux, D. (dir.), *Études en droit du travail: à la mémoire de Claude d'Aoust*, Cowansville, Les Éditions Yvon Blais inc., 1995, p. 125.

128/137 V. LAPORTE, P., *Le traité du recours à l'encontre d'un congédiement sans cause juste et suffisante (en vertu de la Loi sur les normes du travail, article 124)*, Montréal, Wilson & Lafleur ltée, 1992, p. 210 à 212 et 220 à 228.

128/138 V. LAPORTE, P., «Récents développements en matière de congédiements en vertu de la Loi sur les normes du travail», (1986) 46 *R. du B.* 288.

128/139 V. MORIN, Y., NOTARDONATO, D.J. et OLIVEIRA, H.P., «L'entente de réintégration conditionnelle: une dernière chance chèrement acquise?», dans *Développements récents en droit du travail (2005)*, Formation permanente du Barreau du Québec, Cowansville, Les Éditions Yvon Blais inc., 2005, p. 47.

128/140 V. NADEAU, D., «Ordonnance de réintégration et outrage au tribunal: Une orientation jurisprudentielle préoccupante!», (1987) 47 *R. du B.* 830.

128/141 V. TRUDEAU, G., «La jurisprudence élaborée par les commissaires du travail dans le cadre de leur nouvelle compétence en matière de congédiement sans cause juste et suffisante», (1992) 52 *R. du B.* 803.

128/142 V. TRUDEAU, G., «Réintégration du salarié injustement congédié», dans *Normes du travail: impacts sur la gestion des ressources humaines et sur les rapports collectifs du travail,* 15e Colloque en relations industrielles, Montréal, École des relations industrielles — Université de Montréal, 1984, p. 98 à 107.

128(2)

Indemnité

— Général

128/143 Un commissaire ne peut décider de l'indemnité à être octroyée aux salariés sans permettre à l'employeur de présenter une défense pleine et entière à l'encontre d'une condamnation à payer une somme d'argent.
Placements Melcor c. *Côté-Desbiolles*, D.T.E. 96T-147 (C.S.).

128/144 Le pouvoir du commissaire d'indemniser le travailleur pour ses pertes salariales est *intra vires* des pouvoirs de la province parce qu'il ne s'agit pas d'une compétence juridictionnelle exclusive exercée en 1867 par les tribunaux visés à l'article 96 de la *Loi constitutionnelle de 1867*.
Sobeys Stores Ltd. c. *Yeomans*, (1989) 1 R.C.S. 238 (par analogie).
Asselin c. *Industries Abex ltée*, (1985) C.A. 72, D.T.E. 85T-134 (C.A.), J.E. 85-204 (C.A.) (autorisation d'appeler à la Cour suprême refusée).
Bélanger c. *Deslierres*, (1985) C.S. 715, D.T.E. 85T-535 (C.S.), J.E. 85-650 (C.S.).
Consoltex Canada inc. c. *Taran*, D.T.E. 84T-76 (C.S.), J.E. 84-96 (C.S.).
Martin & Stewart inc. c. *Lalancette*, (1984) C.S. 59, D.T.E. 84T-52 (C.S.), J.E. 84-61 (C.S.).
Bureau d'expertises des assureurs ltée c. *Michaud*, (1983) C.S. 945, D.T.E. 83T-841 (C.S.), J.E. 83-1024 (C.S.).
Houle c. *Fédération de l'U.P.A. de Sherbrooke*, (1984) T.A. 205, D.T.E. 84T-303 (T.A.).

128/145 L'indemnité de perte de salaire et l'indemnité de délai-congé visent deux objectifs différents. Par voie de conséquence, les assimiler annulerait une des réparations spécifiquement prévues par les dispositions de l'article 128 L.N.T., soit la compensation du salaire perdu entre la survenance du congédiement et celui de la décision du commissaire.
Bédard c. *Minolta Business Equipment (Canada) Ltd., Minolta Québec*, (2008) R.J.D.T. 1431 (C.A.), D.T.E. 2008T-759 (C.A.), J.E. 2008-1829 (C.A.), EYB 2008-146847 (C.A.) (autorisation d'appeler à la Cour suprême refusée).

128/146 Le commissaire bénéficie d'un large pouvoir discrétionnaire afin d'établir l'indemnité qui revient au salarié congédié sans cause juste et suffisante.
Future Electronics Inc. c. *Monette*, D.T.E. 2003T-420 (C.S.), J.E. 2003-820 (C.S.), REJB 2003-39614 (C.S.).

128/147 Le commissaire n'a pas à tenir compte de la capacité de payer de l'employeur.
Réseau 2000 plus c. *Moro*, D.T.E. 2002T-784 (C.S.) (désistement d'appel).

128/148 Il appartient exclusivement à la Commission des relations du travail de décider quelles sont les indemnités et les modes de réparation qui doivent être ordonnés lorsqu'une plainte est accueillie.
Brochu c. *Fabrique de la paroisse de Notre-Dame-de-la-Paix*, D.T.E. 2008T-358 (C.R.T.) (requête en révision judiciaire: n° 500-17-042667-082).

128/149 Les dispositions de l'article 128 L.N.T. permettent au commissaire de rendre différentes ordonnances ce qui lui offre une façon souple et pratique de veiller à la réparation du préjudice subi par le salarié. Celles-ci doivent être interprétées de manière large et libérale de façon à compenser effectivement le préjudice subi par la perte de l'emploi.
Bédard c. *Minolta Business Equipment (Canada) Ltd., Minolta Québec*, (2008) R.J.D.T. 1431 (C.A.), D.T.E. 2008T-759 (C.A.), J.E. 2008-1829 (C.A.), EYB 2008-146847 (C.A.) (autorisation d'appeler à la Cour suprême refusée).
Dodd c. *3M Canada Ltd.*, (1997) R.J.Q. 1581 (C.A.), D.T.E. 97T-707 (C.A.), J.E. 97-1247 (C.A.).

Gamache (Succession de) c. *Acadia Drywall Supplies Ltd.*, D.T.E. 2007T-1037 (C.R.T.).
Couture c. *Services Investors ltée*, (2003) R.J.D.T. 325 (C.R.T.), D.T.E. 2003T-180 (C.R.T.).
V. aussi: *Murray* c. *U.A.P. inc.*, (2003) R.J.D.T. 809 (C.R.T.), D.T.E. 2003T-591 (C.R.T.) (révision judiciaire refusée: (2004) R.J.Q. 934 (C.S.), (2004) R.J.D.T. 130 (C.S.), D.T.E. 2004T-283 (C.S.), J.E. 2004-609 (C.S.), REJB 2004-55372 (C.S.)).

128/150 Les dispositions de l'article 128 L.N.T. accordent un large pouvoir discrétionnaire à la Commission des relations du travail quant aux moyens pour remédier à un congédiement sans cause juste et suffisante.
Bédard c. *Minolta Business Equipment (Canada) Ltd., Minolta Québec*, (2008) R.J.D.T. 1431 (C.A.), D.T.E. 2008T-759 (C.A.), J.E. 2008-1829 (C.A.), EYB 2008-146847 (C.A.) (autorisation d'appeler à la Cour suprême refusée).

128/151 Le commissaire peut émettre une ordonnance de sauvegarde demandant le paiement d'une avance sur l'indemnité compensatoire. Toutefois, en l'absence de preuve d'urgence ou de nécessité de donner une avance dans l'immédiat, une telle demande d'ordonnance doit être rejetée.
Lavoie c. *Bon L. Canada inc.*, (2001) R.J.D.T. 1960 (C.T.), D.T.E. 2001T-1181 (C.T.).

128/152 L'article 128 L.N.T. accorde au commissaire un large pouvoir discrétionnaire quant à l'indemnisation d'un salarié congédié sans cause juste et suffisante. En vertu du paragraphe 2 de l'article 128 L.N.T., il peut condamner l'employeur à payer au salarié une indemnité équivalant au salaire perdu depuis le congédiement. Par ailleurs, s'il considère que la réintégration est impossible et inappropriée, il peut, en vertu du paragraphe 3 de l'article 128 L.N.T., condamner l'employeur à payer au salarié une indemnité pour compenser la perte de son emploi.
Bergeron c. *Collège de Shawinigan*, D.T.E. 99T-908 (C.A.), J.E. 99-1907 (C.A.), REJB 1999-14287 (C.A.).
Technologies Kree inc. c. *Béchara*, (2007) R.J.D.T. 401 (C.S.), D.T.E. 2007T-301 (C.S.), J.E. 2007-713 (C.S.), EYB 2007-115429 (C.S.) (désistement d'appel).
Amesse c. *Surbois inc.*, D.T.E. 2007T-80 (C.R.T.).
Sukhdeo c. *Future Électronique inc.*, D.T.E. 2002T-451 (C.T.) (révision judiciaire refusée: D.T.E. 2003T-420 (C.S.), J.E. 2003-820 (C.S.), REJB 2003-39614 (C.S.)).
V. aussi: *Morin* c. *Laurier Pontiac Buick ltée*, D.T.E. 2006T-357 (C.R.T.).

128/153 En édictant l'article 128(2) L.N.T. le législateur a expressément écarté les règles relatives au délai-congé dégagées par la jurisprudence.
Tansey c. *Canadian Pacific Consulting Services Ltd.*, (1986) T.A. 216, D.T.E. 86T-285 (T.A.).

128/154 Le paragraphe 2 de l'article 128 L.N.T. ne confère compétence au commissaire que dans le cas où il ordonne la réintégration du salarié. S'il en était autrement, le législateur n'aurait pas utilisé l'expression suivante: «[le] salaire qu'il aurait normalement gagné s'il n'avait pas été congédié». En effet, un employé congédié n'a pas droit à un salaire, mais à un délai-congé.
Châteauguay Toyota c. *Couture*, (1999) R.J.Q. 2730 (C.S.), (1999) R.J.D.T. 1581 (C.S.), D.T.E. 99T-1005 (C.S.), J.E. 99-2040 (C.S.), REJB 1999-14668 (C.S.) (règlement hors cour).

128/155 L'indemnité accordée pour congédiement injuste n'est pas un délai-congé; il s'agit d'une indemnité à caractère contractuel et compensatoire pour la perte d'un emploi permanent et l'acceptation d'une diminution importante de salaire.
A.M.P. du Canada ltée c. *Atkins*, D.T.E. 89T-467 (T.A.).

128/156 La fixation de l'indemnité est une question relevant de la compétence du commissaire et ce n'est pas à la Cour supérieure de se prononcer sur cette question.
Bon L Canada inc. c. *Béchara*, (2004) R.J.Q. 2359 (C.A.), (2004) R.J.D.T. 923 (C.A.), D.T.E. 2004T-863 (C.A.), J.E. 2004-1703 (C.A.), REJB 2004-69780 (C.A.) (autorisation d'appeler à la Cour suprême refusée).
G. Riendeau & Fils inc. c. *Côté-Desbiolles*, (2007) R.J.D.T. 432 (C.S.), D.T.E. 2007T-436 (C.S.), J.E. 2007-1008 (C.S.), EYB 2007-118476 (C.S.) (homologation de la convention: n° 500-09-017696-071, le 12 septembre 2007).
Technologies Kree inc. c. *Béchara*, (2007) R.J.D.T. 401 (C.S.), D.T.E. 2007T-301 (C.S.), J.E. 2007-713 (C.S.), EYB 2007-115429 (C.S.) (désistement d'appel).
Wohl c. *Joly*, D.T.E. 96T-291 (C.S.).
Talens C.A.C. inc. c. *Laporte*, D.T.E. 87T-727 (C.S.), J.E. 87-931 (C.S.) (appel rejeté: C.A.M. n° 500-09-000834-879, le 27 octobre 1988).
V. aussi: *Future Electronics Inc.* c. *Monette*, D.T.E. 2003T-420 (C.S.), J.E. 2003-820 (C.S.), REJB 2003-39614 (C.S.).
Brassard c. *Bureau du commissaire général du travail*, D.T.E. 99T-367 (C.S.), REJB 1999-11351 (C.S.).
Communications Quebecor inc. c. *Vignola*, D.T.E. 99T-549 (C.S.) (désistement d'appel).
Guindon c. *Rouleau*, D.T.E. 95T-121 (C.S.), conf. par D.T.E. 98T-34 (C.A.), J.E. 98-109 (C.A.).
Gestion Pervenche ltée c. *Dufour*, D.T.E. 86T-258 (C.S.) (appel rejeté: C.A.M. n° 500-09-000328-864, le 13 octobre 1987).

128/157 Les ordonnances accessoires prévues aux paragraphes 2 et 3 de l'article 128 L.N.T. ne sont pas des matières relevant de la compétence exclusive du commissaire et en conséquence, une simple erreur de droit suffit pour rendre une décision déraisonnable.
3M Canada inc. c. *Doré*, D.T.E. 94T-673 (C.S.), conf. par (1997) R.J.Q. 1581 (C.A.), D.T.E. 97T-707 (C.A.), J.E. 97-1247 (C.A.).

128/158 Le but fondamental recherché par l'octroi de dommages pour congédiement est de replacer la partie injustement congédiée dans la même position financière que celle qu'elle aurait connue si elle n'avait pas été congédiée, tout en excluant les dommages punitifs.
Bombardier c. *Supermarché Racicot (1980) inc.*, D.T.E. 93T-986 (C.T.).
Rivest c. *Système de sécurité Sur-Gard ltée*, (1985) T.A. 600, D.T.E. 85T-745 (T.A.).
V. aussi: *Guillemette* c. *Fabrimet inc.*, D.T.E. 2006T-90 (C.R.T.) (révision judiciaire refusée: D.T.E. 2006T-603 (C.S.)).
Bouchard c. *Centre Bonne-Entente*, D.T.E. 96T-503 (C.T.).
Champigny c. *St-Jérôme (Ville de)*, (1995) C.T. 252, D.T.E. 95T-530 (C.T.).

128/159 Les dispositions de la *Loi sur les normes du travail* sont des dispositions d'ordre public et l'employeur doit remettre le salarié plaignant dans le

même état où il était avant d'être congédié injustement. Tel est le sens et la portée de la *Loi sur les normes du travail*.
Gamache (Succession de) c. *Acadia Drywall Supplies Ltd.*, D.T.E. 2007T-1037 (C.R.T.).

128/160 Dans le calcul de l'indemnité due au salarié, le commissaire doit tenir compte de tout ce que le plaignant, à titre de salarié, aurait touché, n'eût été son renvoi. Le salarié ne peut toutefois jouir, sur le plan pécuniaire, d'une indemnité supérieure à ce que lui aurait accordé l'employeur s'il était demeuré à son poste.
Ménard c. *Alain Couture inc.*, D.T.E. 2000T-91 (C.T.).

128/161 Le commissaire a le pouvoir d'accorder des dommages-intérêts dans le cadre d'une plainte en vertu de l'article 124 L.N.T.
Poirier c. *Climatisation Fortier & Frères ltée*, (1996) C.T. 53, D.T.E. 96T-146 (C.T.).

128/162 Malgré que le lien d'emploi ne soit pas interrompu avec un salarié, le principe de l'indemnisation prévu par les dispositions de l'article 128 L.N.T. demeure le même.
Couture c. *Centres jeunesse de la Montérégie*, (2000) R.J.D.T. 1672 (C.T.), D.T.E. 2000T-924 (C.T.).

128/163 Lorsqu'un employeur profite du fait que le salarié renonce à sa réintégration, il doit l'indemniser pour sa perte de salaire.
Schaf c. *Contempra Fashions Canada Ltd.*, D.T.E. 97T-140 (C.T.).

128/164 On ne peut présumer qu'un salarié a renoncé à la fixation de l'indemnité qui lui est due en l'absence d'une renonciation expresse.
Murray c. *U.A.P. inc.*, (2003) R.J.D.T. 809 (C.R.T.), D.T.E. 2003T-591 (C.R.T.) (révision judiciaire refusée: (2004) R.J.Q. 934 (C.S.), (2004) R.J.D.T. 130 (C.S.), D.T.E. 2004T-283 (C.S.), J.E. 2004-609 (C.S.), REJB 2004-55372 (C.S.)).

128/165 L'ignorance ou la méconnaissance par l'employeur des dispositions de l'article 124 L.N.T. peut justifier le commissaire de ne pas accorder d'indemnité compensatrice.
Delorme c. *Vêtements Cedar ltée*, (1983) T.A. 751, D.T.E. 83T-357 (T.A.).

128/166 La responsabilité d'un employeur, qui a agi illégalement, ne peut être atténuée du seul fait que le plaignant s'est trouvé un emploi rapidement.
Poirier c. *Climatisation Fortier & Frères ltée*, (1996) C.T. 53, D.T.E. 96T-146 (C.T.).

128/167 Le fait pour un commissaire de combiner deux indemnités, dont l'une est prévue à l'article 128(2) L.N.T. et l'autre à l'article 128(3) L.N.T., ne constitue pas une erreur de compétence. L'article 128 L.N.T. n'oblige pas le commissaire à choisir entre les deux types d'indemnités.
Royal Victoria Hospital c. *Couture*, D.T.E. 95T-198 (C.S.).
V. aussi: *Bernard* c. *Multi-recyclage S.D. inc.*, (1998) R.J.D.T. 187 (C.T.), D.T.E. 98T-15 (C.T.).

128/168 Le commissaire a l'obligation d'entendre les parties sur l'indemnité à être accordée aux salariés.
Placements Melcor c. *Côté-Desbiolles*, D.T.E. 96T-147 (C.S.).

— Obligation de minimiser les dommages

128/169 Un plaignant a l'obligation de minimiser ses dommages, il doit effectuer des demandes d'emploi, se chercher du travail, sinon aucune indemnité ne lui est due ou celle-ci sera réduite.

Technologies Kree inc. c. *Béchara*, (2007) R.J.D.T. 401 (C.S.), D.T.E. 2007T-301 (C.S.), J.E. 2007-713 (C.S.), EYB 2007-115429 (C.S.) (désistement d'appel).
Electromate Industrial Sales Ltd. c. *Côté-Desbiolles*, D.T.E. 2004T-996 (C.S.) (appel rejeté sur requête).
Ciné-parc St-Eustache inc. c. *Commission des relations du travail*, D.T.E. 2003T-963 (C.S.), J.E. 2003-1841 (C.S.), REJB 2003-47631 (C.S.).
Diplômés de l'Université de Montréal c. *Perreault*, D.T.E. 85T-287 (C.S.).
Bissonnette c. *Novartis Pharma Canada inc.*, (2008) R.J.D.T. 1217 (C.R.T.), D.T.E. 2008T-577 (C.R.T.).
Ouellette c. *SSAB Hardox*, D.T.E. 2008T-236 (C.R.T.).
Villeneuve c. *Saguenay (Ville de)*, D.T.E. 2008T-78 (C.R.T.).
Barre c. *2533-0507 Québec inc.*, (2007) R.J.D.T. 115 (C.R.T.), D.T.E. 2007T-81 (C.R.T.) (révision en vertu de l'article 127 C.T. refusée: (2007) R.J.D.T. 1077 (C.R.T.), D.T.E. 2007T-650 (C.R.T.)).
Cadet c. *Imprimeries Transcontinental, s.e.n.c.*, D.T.E. 2007T-879 (C.R.T.).
Laforge c. *Crédico Marketing inc. (9099-9293 Québec inc.)*, D.T.E. 2007T-626 (C.R.T.).
Malette c. *3948331 Canada inc. (Allure Concept Mode)*, D.T.E. 2007T-960 (C.R.T.).
Ouellet c. *Club nautique de Sept-Îles inc.*, D.T.E. 2006T-727 (C.R.T.).
Langlois c. *Ceratec inc.*, D.T.E. 2005T-857 (C.R.T.).
De Montigny c. *I.C.D. — Institut Carrière et développement ltée*, D.T.E. 2003T-445 (C.R.T.) (révision judiciaire refusée: C.S.M. n° 500-17-015140-034, le 15 juillet 2003).
Premier Réfractaires du Canada ltée c. *Onofrio*, D.T.E. 2003T-201 (C.R.T.).
Cartillone c. *Cuisine P.S. enr.*, D.T.E. 2002T-714 (C.T.).
Ménard c. *Alain Couture inc.*, D.T.E. 2000T-91 (C.T.).
Chouinard c. *Union du Canada, Assurance-vie*, D.T.E. 97T-492 (C.T.).
Boucher c. *Pliages Apaulo inc.*, D.T.E. 96T-148 (C.T.).
Jenere Sales Corp. V.M.R. c. *Thi*, D.T.E. 96T-1184 (C.T.).
Cipolla c. *Tricot Golden Spider (1987) inc.*, D.T.E. 89T-912 (T.A.).
Dulude c. *Magasins Château du Canada ltée*, D.T.E. 89T-775 (T.A.).
Gendreau c. *Entreprises Gilles Cloutier inc.*, D.T.E. 89T-130 (T.A.).
Aurelio c. *Chez Vito pizzeria restaurant inc.*, D.T.E. 88T-557 (T.A.).
Marcoux c. *Cie Norman Wade ltée*, D.T.E. 88T-729 (T.A.).
Ringuette c. *Taverne Excel Enrg.*, D.T.E. 88T-954 (T.A.).
Groupe Commerce, Cie d'assurances c. *Chenette*, D.T.E. 87T-13 (T.A.).
Tansey c. *Canadian Pacific Consulting Services Ltd.*, (1986) T.A. 216, D.T.E. 86T-285 (T.A.).
Bélanger c. *Bois Blanchet inc.*, D.T.E. 85T-268 (T.A.).
Rivest c. *Système de sécurité Sur-Gard ltée*, (1985) T.A. 600, D.T.E. 85T-745 (T.A.).
Delorme c. *Vêtements Cedar ltée*, (1983) T.A. 751, D.T.E. 83T-357 (T.A.).
Mercier c. *Union des producteurs agricoles*, (1982) T.A. 1245, D.T.E. 82T-802 (T.A.) (révision judiciaire refusée: D.T.E. 86T-774 (C.S.)).
Mauger c. *Cie White Motor du Canada ltée*, (1981) 3 R.S.A. 11.
V. aussi: *Breuvages Lemoyne ltée* c. *Cournoyer*, D.T.E. 85T-484 (C.S.).
Couture c. *Services Investors ltée*, (2003) R.J.D.T. 325 (C.R.T.), D.T.E. 2003T-180 (C.R.T.).
A. Setlakwe ltée c. *Bergeron*, D.T.E. 88T-197 (T.A.).
Vallée c. *Marcel E. Savard inc. «Canadian Tire»*, D.T.E. 86T-450 (T.A.).

128/170 Il est bien établi que l'obligation de réduire ses dommages exige que le salarié congédié effectue des démarches sérieuses pour se trouver un nouvel emploi. En droit civil, cette exigence résulte, en partie du moins, de l'impossibilité de rechercher l'exécution en nature des obligations contractuelles, ce qui n'est pas le cas lorsqu'il s'agit d'un recours déposé en vertu de l'article 124 L.N.T. qui offre de remédier au défaut par la réintégration en emploi. Lorsqu'un salarié exerce un tel recours, l'objectif recherché par celui-ci pendant la période au cours de laquelle il est sans emploi, est la réintégration. Pendant cette période, il ne cherche pas, en principe, à se trouver un nouvel emploi, mais à récupérer le sien. Ses obligations, en ce sens, ne sont pas les mêmes et l'on ne peut exiger la même rigueur en ce qui a trait à l'évaluation des efforts de recherche d'emploi. La nature illégale du congédiement doit donc être prise en considération dans l'appréciation de la suffisance des démarches que le salarié a effectuées. Toutefois, ce n'est pas le seul critère.
Doyon c. *Entreprises Jacques Despars inc.*, (2008) R.J.D.T. 1210 (C.R.T.), D.T.E. 2008T-608 (C.R.T.).

128/171 L'obligation de réduire ses dommages comporte deux volets: 1) faire un effort raisonnable pour se trouver un emploi dans le même domaine d'activités ou dans un domaine connexe; et 2) ne pas refuser d'offres d'emploi qui, dans les circonstances, sont raisonnables.
Ouellette c. *SSAB Hardox*, D.T.E. 2008T-236 (C.R.T.).
Bilodeau c. *Flore Bella inc.*, D.T.E. 2001T-971 (C.T.).

128/172 Le commissaire se doit de prendre en considération les éléments reliés à la mitigation des dommages. S'il les ignore, il commet alors un excès de compétence en exerçant sa discrétion de façon arbitraire.
Châteauguay Toyota c. *Couture*, (1999) R.J.Q. 2730 (C.S.), (1999) R.J.D.T. 1581 (C.S.), D.T.E. 99T-1005 (C.S.), J.E. 99-2040 (C.S.), REJB 1999-14668 (C.S.) (règlement hors cour).

128/173 Il y va de l'intérêt des deux parties que le salarié minimise ses dommages afin de réduire la perte objective résultant de l'assurance-chômage. D'ailleurs, l'obligation de l'employé de minimiser ses dommages est bien établie en matière de droit du travail.
Gagnon c. *Laboratoires Nordic inc.*, D.T.E. 93T-817 (C.A.), J.E. 93-1337 (C.A.).

128/174 Il y a lieu de tenir compte de la faute contributive du salarié dans l'octroi de l'indemnité compensatrice.
Technologies Kree inc. c. *Béchara*, (2007) R.J.D.T. 401 (C.S.), D.T.E. 2007T-301 (C.S.), J.E. 2007-713 (C.S.), EYB 2007-115429 (C.S.) (désistement d'appel).
Bergeron c. *Bureau du commissaire général du travail*, D.T.E. 97T-1120 (C.S.) (appel rejeté: D.T.E. 99T-908 (C.A.), J.E. 99-1907 (C.A.), REJB 1999-14287 (C.A.)).
Moutis c. *Bombardier inc. (Bombardier Aéronautique)*, D.T.E. 2008T-488 (C.R.T.).
Ouellette c. *SSAB Hardox*, D.T.E. 2008T-236 (C.R.T.).
Villeneuve c. *Saguenay (Ville de)*, D.T.E. 2008T-78 (C.R.T.).
Bessette c. *Simson-Maxwell*, D.T.E. 2007T-646 (C.R.T.).
Malette c. *3948331 Canada inc. (Allure Concept Mode)*, D.T.E. 2007T-960 (C.R.T.).
Careau c. *Tasiujaq (Village nordique de)*, D.T.E. 2006T-244 (C.R.T.).
Browne c. *Nordic Development Corporation Inc.*, D.T.E. 2005T-775 (C.R.T.) (révisions en vertu de l'article 127 C.T. refusées) (révision judiciaire refusée: D.T.E. 2007T-435 (C.S.)).

Fillion c. *9089-6853 Québec inc. (Les Services Danymark)*, D.T.E. 2005T-576 (C.R.T.).
Kominik c. *F.M.E. Corp.*, D.T.E. 2000T-495 (C.T.).
Lelièvre c. *9048-0609 Québec inc.*, D.T.E. 2000T-392 (C.T.) (révision judiciaire refusée: C.S. Bonaventure, n⁰ 105-05-000401-006, le 19 décembre 2000).
Loeb Grande-Rivière c. *Bazinet*, D.T.E. 99T-1050 (C.T.).
Rivard c. *Atlantic Produits d'emballage ltée*, (1999) R.J.D.T. 207 (C.T.), D.T.E. 99T-69 (C.T.).
Ambaw c. *Bijoux Continental inc.*, D.T.E. 98T-757 (C.T.).
Jenere Sales Corp. V.M.R. c. *Thi*, D.T.E. 96T-1184 (C.T.).
Labelle c. *Bell Helicopter Textron*, D.T.E. 95T-752 (C.T.).
Normandin c. *Commission des courses du Québec*, (1993) C.T. 541, D.T.E. 93T-1128 (C.T.) (révision judiciaire refusée: D.T.E. 93T-1262 (C.S.), J.E. 93-1876 (C.S.)).
Bellavance c. *Bouchard*, D.T.E. 92T-836 (C.T.).
A. Setlakwe ltée c. *Bergeron*, D.T.E. 88T-197 (T.A.).
Blazevic c. *P. Blander Locksmith Supply Co.*, D.T.E. 88T-535 (T.A.).
Gouvianakis c. *Fabrications Dennison du Canada inc.*, (1988) T.A. 682, D.T.E. 88T-752 (T.A.).
Marcoux c. *Cie Norman Wade ltée*, D.T.E. 88T-729 (T.A.).
St-Pierre c. *Antoine Bernier Rivière-du-Loup inc.*, D.T.E. 87T-1025 (T.A.).
Tremblay c. *Handelman Co. of Canada Ltd.*, D.T.E. 85T-838 (T.A.).
Boisvert c. *Produits forestiers E.B. Eddy ltée*, (1983) T.A. 391, D.T.E. 83T-281 (T.A.).
Campbell c. *Maislin Realties, A Division of Maislin Transport Ltd.*, D.T.E. 83T-304 (T.A.).
V. aussi: *Sukhdeo* c. *Future Électronique inc.*, D.T.E. 2002T-451 (C.T.) (révision judiciaire refusée: D.T.E. 2003T-420 (C.S.), J.E. 2003-820 (C.S.), REJB 2003-39614 (C.S.)).

128/175 Le salarié remplit son obligation de réduire ses dommages, lorsqu'il a fait des efforts raisonnables afin de se trouver un emploi.
Fournier c. *Corporation de développement de la rivière Madeleine*, D.T.E. 2007T-624 (C.R.T.).
Saindon c. *Taleo (Canada) inc.*, D.T.E. 2007T-33 (C.R.T.).
Rozlonkowski c. *Estrie-International 2007 inc.*, D.T.E. 2006T-265 (C.R.T.).
Vallières c. *SOS Services techniques industriels inc.*, D.T.E. 2006T-268 (C.R.T.).
Lefebvre c. *St-Félix-de-Dalquier (Municipalité de)*, D.T.E. 2005T-464 (C.R.T.).
Tremblay c. *G. Riendeau et Fils inc.*, D.T.E. 2005T-1077 (C.R.T.) (révision judiciaire accueillie pour d'autres motifs: (2007) R.J.D.T. 432 (C.S.), D.T.E. 2007T-436 (C.S.), J.E. 2007-1008 (C.S.), EYB 2007-118476 (C.S.)) (homologation de la convention: n⁰ 500-09-017696-071, le 12 septembre 2007).
De Montigny c. *I.C.D. — Institut Carrière et développement ltée*, D.T.E. 2003T-445 (C.R.T.) (révision judiciaire refusée: C.S.M. n⁰ 500-17-015140-034, le 15 juillet 2003).
Thomassin c. *D. Bertrand & Fils inc.*, D.T.E. 2003T-419 (C.R.T.).

128/176 Le salarié qui déploie les efforts nécessaires pour se trouver du travail, respecte son obligation de réduire ses dommages.
Bouchard c. *9019-6718 Québec inc.*, D.T.E. 2000T-1198 (C.T.) (révision judiciaire refusée: D.T.E. 2001T-435 (C.S.)).

128/177 Le salarié ne respecte pas son obligation de mitiger ses dommages lorsqu'il ne fait des recherches d'emploi que pendant une heure ou deux par semaine.

Bernier c. *Caisse populaire Desjardins de la Mitis, Centre de service de Ste-Angèle*, D.T.E. 2007T-775 (C.R.T.).

128/178 Un salarié n'ayant pas fait de démarches pour trouver un emploi depuis son congédiement n'a droit à aucune indemnité. Le fait d'avoir poursuivi des études à temps plein ne lui est d'aucun secours s'il n'a fait aucune recherche d'emploi au cours de cette période.
Boucher c. *Pliages Apaulo inc.*, D.T.E. 96T-148 (C.T.).

128/179 Il revient au salarié de démontrer que la formation qu'il a suivie avait pour but d'améliorer son employabilité dans son champ d'activités, afin de se trouver un travail équivalant à celui qu'il occupait chez son employeur. En effet, ce dernier n'a pas à financer la réorientation professionnelle du salarié plaignant.
Malette c. *3948331 Canada inc. (Allure Concept Mode)*, D.T.E. 2007T-960 (C.R.T.).

128/180 Le retour aux études et le fait d'effectuer un nouveau choix de carrière peuvent avoir une incidence sur l'indemnité qui doit être versée au salarié.
Laberge c. *Busque & Laflamme inc.*, D.T.E. 2007T-942 (C.R.T.) (révision en vertu de l'article 127 C.T. refusée: D.T.E. 2008T-313 (C.R.T.)) (requête en révision judiciaire: n° 350-17-000099-070).

128/181 Même si le salarié décide de réorienter sa carrière, il peut, pour réduire ses dommages, occuper une fonction à temps partiel tout en effectuant des recherches d'emploi dans un autre domaine d'activité.
Nakhal c. *Chamma*, D.T.E. 2000T-1049 (C.T.).

128/182 Le plaignant contribue à l'obligation de réduire ses dommages lorsqu'il élargit le champ de ses recherches à d'autres entreprises que celles spécialisées dans le domaine dans lequel il travaillait auparavant. Il en est de même lorsqu'il tente sa chance à son propre compte sans pour autant obtenir de succès.
Boucher c. *Enseignes Métropolitain inc.*, D.T.E. 2007T-503 (C.R.T.) (règlement hors cour).

128/183 La décision d'un commissaire d'inclure dans le calcul du salaire perdu la période où le salarié est retourné aux études, ne constitue pas une erreur manifestement déraisonnable, et ce, lorsque celui-ci a tout fait pour réduire ses dommages et qu'il est demeuré disponible pendant cette période pour effectuer un retour au travail.
A.S.I. International inc. c. *Jones*, D.T.E. 98T-1244 (C.S.).

128/184 Le salarié a l'obligation de réduire ses dommages et c'est ce qu'il fait en acceptant un emploi à un salaire moindre que celui qu'il gagnait chez son ex-employeur. Cependant, il n'est pas tenu d'accepter n'importe quoi à n'importe quel prix pour trouver un emploi.
De Montigny c. *I.C.D. — Institut Carrière et développement ltée*, D.T.E. 2003T-445 (C.R.T.) (révision judiciaire refusée: C.S.M. n° 500-17-015140-034, le 15 juillet 2003).
Ménard c. *Alain Couture inc.*, D.T.E. 2000T-91 (C.T.).
Schaf c. *Contempra Fashions Canada Ltd.*, D.T.E. 97T-140 (C.T.).

128/185 Un salarié peut refuser un emploi exigeant des qualifications moindres que celles qu'il possède et dont la rémunération est nettement inférieure à celle du poste occupé auparavant.
Touten c. *Association des policiers provinciaux du Québec*, (1987) T.A. 385, D.T.E. 87T-560 (T.A.).

128/186 Un salarié a fait les efforts nécessaires pour réduire ses dommages, et ce, même s'il a abandonné au bout d'une semaine un poste de préposé aux petites annonces, puisqu'un salarié a toujours le droit de chercher un travail qui correspond à ses habiletés et à son expérience.
Messageries dynamiques, une division de Groupe Quebecor (Re), (2001) R.J.D.T. 827 (C.T.), D.T.E. 2001T-609 (C.T.).

128/187 Le salarié déroge à son obligation de réduire ses dommages en omettant de poser sa candidature aux nombreux emplois affichés sur le fichier de l'employeur, en refusant les emplois à temps partiel que ce dernier lui offre durant la période où il est sans emploi et en ne répondant pas aux nombreuses offres d'emploi publiées dans les journaux.
Lamy c. *Abramowitz*, D.T.E. 94T-246 (C.S.) (appel rejeté sur requête).
V. aussi: *Bergeron* c. *Bureau du commissaire général du travail*, D.T.E. 97T-1120 (C.S.) (appel rejeté: D.T.E. 99T-908 (C.A.), J.E. 99-1907 (C.A.), REJB 1999-14287 (C.A.)).

128/188 L'obligation de réduire ses dommages est une règle établie qui s'applique à tout salarié congédié sans cause juste et suffisante.
Ciné-parc St-Eustache inc. c. *Commission des relations du travail*, D.T.E. 2003T-963 (C.S.), J.E. 2003-1841 (C.S.), REJB 2003-47631 (C.S.).
Murray c. *U.A.P. inc.*, (2003) R.J.D.T. 809 (C.R.T.), D.T.E. 2003T-591 (C.R.T.) (révision judiciaire refusée: (2004) R.J.Q. 934 (C.S.), (2004) R.J.D.T. 130 (C.S.), D.T.E. 2004T-283 (C.S.), J.E. 2004-609 (C.S.), REJB 2004-55372 (C.S.)).

128/189 Les règles qui gouvernent l'obligation de réduire les dommages autorisent un salarié, dans les premiers temps de son congédiement, à limiter sa recherche d'emploi à un travail de même nature que le précédent.
Rouleau c. *Résidences Soleil — Manoir du Musée*, D.T.E. 2005T-834 (C.R.T.).

128/190 Le salarié a respecté son obligation de réduire ses dommages lorsqu'il a fait appel à son réseau de connaissances, qu'il a consulté la banque d'emplois du bureau local d'assurance-emploi chaque semaine et qu'il a déposé en moyenne quatre demandes par mois.
Ciné-parc St-Eustache inc. c. *Commission des relations du travail*, D.T.E. 2003T-963 (C.S.), J.E. 2003-1841 (C.S.), REJB 2003-47631 (C.S.).

128/191 Le simple fait de consulter les offres d'emploi dans les journaux ou sur Internet, ne constitue pas une démarche suffisante relative à l'obligation du salarié de réduire ses dommages.
Technologies Kree inc. c. *Béchara*, (2007) R.J.D.T. 401 (C.S.), D.T.E. 2007T-301 (C.S.), J.E. 2007-713 (C.S.), EYB 2007-115429 (C.S.) (désistement d'appel).

128/192 Le fait de croire que l'audition de sa plainte aura lieu tôt ne constitue pas une justification à l'encontre de l'obligation de réduire ses dommages.
Gariépy c. *Great West, Life Assurance Co.*, D.T.E. 93T-1332 (C.T.).
V. aussi: *Langlois* c. *Ceratec inc.*, D.T.E. 2005T-857 (C.R.T.).

128/193 L'obligation de minimiser ses dommages va jusqu'à obliger le plaignant à accepter l'offre de réintégration de son ex-employeur. À défaut, on peut conclure à une démission de sa part.
Cie de la Baie d'Hudson c. *Beetz*, D.T.E. 91T-1043 (C.S.) (*obiter dictum*).
Foster c. *Jean bleu inc.*, D.T.E. 2003T-116 (C.R.T.) (règlement hors cour).

V. aussi: *Beaudoin* c. *Marchands en alimentation Agora inc.*, (1999) R.J.D.T. 1695 (C.T.), D.T.E. 99T-980 (C.T.).
Groupement des propriétaires des boisés privés de Charlevoix inc. c. *Harvey*, D.T.E. 91T-611 (T.A.).
Mason c. *Tran*, (1991) T.A. 294, D.T.E. 91T-482 (T.A.).
Contra: *Marshall* c. *Jesta I.S. inc.*, D.T.E. 2004T-931 (C.R.T.).
Industries de maintenance Empire inc. c. *Sallafranque*, D.T.E. 90T-351 (T.A.).

128/194 Malgré l'obligation pour le salarié de mitiger ses dommages et malgré une offre de réintégration, celui-ci a quand même droit à une indemnité si cette offre de réintégration est conditionnelle au retrait de la plainte contestant le congédiement.
Filali c. *113492 Canada inc.*, (1996) C.T. 434, D.T.E. 96T-941 (C.T.).

128/195 Le salarié ne peut être pénalisé pour avoir refusé le poste offert par son employeur lors de son congédiement, alors qu'il a été prouvé que c'était par erreur que ce poste lui avait été proposé.
St-Georges (Succession de) c. *Deschamps Pontiac Buick ltée*, D.T.E. 99T-550 (C.T.) (règlement hors cour partiel).

128/196 Pour qu'une offre de réintégration dans l'emploi ait des répercussions sur la réduction de la compensation réclamée, il faut qu'il s'agisse d'une offre sérieuse et vraisemblable.
Morris c. *Robin international inc.*, D.T.E. 99T-216 (C.T.).
Lamoureux c. *Point vert inc.*, D.T.E. 93T-533 (C.T.).

128/197 Un salarié peut refuser la proposition de l'employeur, lorsque le poste offert présente un changement significatif à son statut et que cela entraîne des modifications essentielles à ses conditions de travail.
Marshall c. *Jesta I.S. inc.*, D.T.E. 2004T-931 (C.R.T.).
Thomassin c. *D. Bertrand & Fils inc.*, D.T.E. 2003T-419 (C.R.T.).

128/198 L'offre de réintégration de l'employeur obligeant le salarié à se soumettre de nouveau à une période de probation de six mois n'est pas appropriée. Celui-ci peut la refuser.
Marshall c. *Jesta I.S. inc.*, D.T.E. 2004T-931 (C.R.T.).

128/199 Un salarié peut refuser d'accepter un poste à temps partiel lorsque cela peut causer une forme d'humiliation et une perte de prestige auprès des autres employés.
Généreux c. *Groupe Plein Air Terrebonne*, D.T.E. 94T-410 (C.T.).

128/200 Relativement à la question de la recherche d'emplois, il faut tenir compte, entre autres, de l'âge du salarié, de ses habiletés et de ses expériences antérieures.
Martin c. *Carrosserie Dorion inc.*, D.T.E. 2000T-370 (C.T.).

128/201 Le non-respect de l'obligation de réduction des dommages par le salarié peut faire en sorte que l'indemnité pour perte de salaire ne soit pas justifiée lorsque celui-ci n'a pas fait d'efforts suffisants pour trouver un emploi dans les mois qui suivent son congédiement.
114475 Canada inc. c. *Bazigos*, D.T.E. 2002T-831 (C.T.).
Ambaw c. *Bijoux Continental inc.*, D.T.E. 98T-757 (C.T.).
Chouinard c. *Union du Canada, Assurance-vie*, D.T.E. 97T-492 (C.T.).

128/202 Le salarié injustement congédié a l'obligation d'accepter une offre raisonnable d'emploi faite par son ex-employeur. S'il ne l'accepte pas, il dégage l'employeur des conséquences du congédiement fait sans cause juste et suffisante.
Bergeron c. *Bureau du commissaire général du travail*, D.T.E. 97T-1120 (C.S.) (appel rejeté: D.T.E. 99T-908 (C.A.), J.E. 99-1907 (C.A.), REJB 1999-14287 (C.A.)).
Papaeconomou c. *Pratt & Whitney Canada inc.*, D.T.E. 99T-461 (C.T.).
L'Écuyer c. *Marché Lord inc.*, (1995) C.T. 258, D.T.E. 95T-622 (C.T.).

128/203 Même si un salarié n'a pas droit au salaire perdu après avoir refusé de réintégrer un emploi offert par son ex-employeur, il peut avoir droit à une indemnité.
Boulet c. *Radio Shack*, D.T.E. 97T-587 (C.T.).

128/204 Le commissaire ne peut ordonner à un employeur de payer, à titre de compensation pour le salaire perdu, une certaine somme par semaine, alors que la preuve révèle que le plaignant travaillait à temps partiel depuis une très longue période, à raison d'une semaine sur deux.
Denis c. *Lévesque Automobile ltée*, D.T.E. 2000T-58 (C.A.), J.E. 2000-135 (C.A.), REJB 1999-16368 (C.A.) (autorisation d'appeler à la Cour suprême refusée).

128/205 Le fait de refuser un emploi offert par son ex-employeur fait en sorte que le salarié ne mitige pas ses dommages et ce refus doit avoir un impact sur l'indemnité qu'il reçoit.
Brisson c. *9027-4580 Québec inc.*, (1999) R.J.D.T. 246 (C.T.), D.T.E. 99T-164 (C.T.) (révision judiciaire refusée: D.T.E. 99T-549 (C.S.)) (désistement d'appel).
Figueiredo c. *École Charles Perrault*, D.T.E. 98T-14 (C.T.).
Thibeault c. *U.A.P. inc.*, D.T.E. 97T-887 (C.T.).

128/206 Le salarié peut être justifié de refuser l'offre de réintégration de son employeur, si une preuve médicale établit que la réintégration est impossible en raison même de la conduite de l'employeur.
Zarr c. *Kessler*, D.T.E. 2001T-909 (C.T.).

128/207 C'est à l'employeur que revient le fardeau de prouver que le plaignant n'a pas minimisé ses dommages.
Laforge c. *Crédico Marketing inc. (9099-9293 Québec inc.)*, D.T.E. 2007T-626 (C.R.T.).
Premier Réfractaires du Canada ltée c. *Onofrio*, D.T.E. 2003T-201 (C.R.T.).
Bilodeau c. *Flore Bella inc.*, D.T.E. 2001T-971 (C.T.).
Marché Molloy — Félix Molloy ltée c. *Sénéchal*, D.T.E. 89T-1039 (T.A.).

128/208 Malgré son obligation de réduire ses dommages, un salarié peut avoir droit à une indemnité, même s'il n'a pas recherché d'emploi pendant une certaine période, lorsque l'empêchement a été causé directement par le congédiement et les événements qui l'ont entouré.
Hekmi c. *2809630 Canada inc.*, (2001) R.J.D.T. 795 (C.T.), D.T.E. 2001T-391 (C.T.).

128/209 Le droit au salaire perdu depuis le congédiement est lié à l'obligation de réduction des dommages. La création d'une entreprise par le salarié peut constituer une façon adéquate de satisfaire à cette obligation.
Raymond Plourde Automobiles inc. c. *Bélanger*, D.T.E. 2001T-487 (C.S.), J.E. 2001-986 (C.S.), REJB 2001-24640 (C.S.).
Bouchard c. *Investissements Imqua inc.*, D.T.E. 2002T-165 (C.T.) (révision judiciaire refusée: C.S.Q. n° 200-05-016064-011, le 13 février 2002).

Brisson c. *9027-4580 Québec inc.*, (1999) R.J.D.T. 246 (C.T.), D.T.E. 99T-164 (C.T.) (révision judiciaire refusée: D.T.E. 99T-549 (C.S.)) (désistement d'appel).
Morris c. *Robin international inc.*, D.T.E. 99T-216 (C.T.).
V. cependant: *Technologies Kree inc.* c. *Béchara*, (2007) R.J.D.T. 401 (C.S.), D.T.E. 2007T-301 (C.S.), J.E. 2007-713 (C.S.), EYB 2007-115429 (C.S.) (désistement d'appel).

128/210 Il n'y a pas lieu d'imputer à un employeur le manque à gagner consécutif au choix du salarié de travailler seulement deux jours par semaine.
Rouleau c. *Résidences Soleil — Manoir du Musée*, D.T.E. 2005T-834 (C.R.T.).

128/211 L'obligation de réduire ses dommages ne s'applique pas à l'indemnité relative à la perte d'emploi accordée en fonction de l'article 128(3) L.N.T. Il s'agit d'une somme forfaitaire octroyée afin de compenser le préjudice inhérent à la perte d'un emploi que le salarié occupait depuis un certain nombre d'années et non d'un délai de congé attribué en fonction du droit civil.
Premier Réfractaires du Canada ltée c. *Onofrio*, D.T.E. 2003T-201 (C.R.T.).

128/212 L'âge du salarié peut lui rendre plus difficile la réintégration sur le marché du travail et être un facteur de mitigation quant à l'obligation de réduire ses dommages.
Bilodeau c. *Flore Bella inc.*, D.T.E. 2001T-971 (C.T.).

128/213 Le fait pour une serveuse de confectionner au début de sa recherche d'emploi un *curriculum vitae* est une façon de réduire ses dommages. Aussi, en cette matière, il faut tenir compte de la réalité du salarié.
Therrien c. *173383 Canada inc.*, D.T.E. 2002T-18 (C.T.).

128/214 Le salarié s'acquitte de son obligation de réduire ses dommages en cherchant du travail dès sa fin d'emploi. Le fait de trouver un emploi trois mois plus tard est exceptionnel et ne doit pas nécessairement être préjudiciable au salarié.
Malo c. *Industries Pantorama inc.*, (1995) C.T. 56, D.T.E. 95T-286 (C.T.) (révision judiciaire refusée: C.S.M. n° 500-05-014650-947, le 1er février 1995).

128/215 Bien qu'assez longue, la période de quatre mois écoulée entre la date du congédiement du salarié et celle où il a commencé un nouveau travail, n'est pas nécessairement déraisonnable, et ce, compte tenu de l'ensemble des circonstances de l'affaire.
Rouleau c. *Résidences Soleil — Manoir du Musée*, D.T.E. 2005T-834 (C.R.T.).

128/216 Même si un salarié ne réussit pas à se trouver du travail, il satisfait à son obligation de réduire ses dommages s'il a cherché un emploi pendant la période du congédiement.
Markus c. *Entreprise de soudure aérospatiale inc.*, (2000) R.J.D.T. 231 (C.T.), D.T.E. 2000T-133 (C.T.).
V. aussi: *G.S.* c. *H.F.*, D.T.E. 2008T-799 (C.R.T.).

— Fixation de l'indemnité

128/217 Le commissaire a le pouvoir d'ordonner que l'employeur verse au salarié injustement congédié les avantages sociaux équivalents au délai-congé octroyé.

Maison Ami-Co (1981) inc. c. *Monette*, D.T.E. 94T-1419 (C.S.).
Lavallée c. *Abitibi-Price inc., division Azerty*, D.T.E. 95T-701 (C.T.).
Mayrand c. *Magasins à rayons Peoples inc.*, D.T.E. 95T-828 (C.T.).

128/218 Le commissaire a le pouvoir d'ordonner à l'employeur de verser le salaire et les autres avantages dont le salarié a été privé par le congédiement.
Stewart c. *Musée David M. Stewart*, D.T.E. 2000T-38 (C.T.).
Provencher c. *Vigie informatique 2000*, D.T.E. 97T-273 (C.T.) (révision judiciaire refusée: (1998) R.J.D.T. 99 (C.S.), D.T.E. 98T-117 (C.S.)).

128/219 La règle à suivre, à défaut de circonstances exceptionnelles, est de retourner le dossier devant la Commission des relations du travail pour que soient déterminés les montants révisés des indemnités payables. Toutefois, et exceptionnellement, la Cour supérieure peut fixer elle-même le montant de la réparation lorsque, par exemple, les délais écoulés depuis la première décision du commissaire le justifient et lorsque la fixation du quantum de l'indemnité ne présente aucune difficulté particulière.
Bon L Canada inc. c. *Béchara*, (2004) R.J.Q. 2359 (C.A.), (2004) R.J.D.T. 923 (C.A.), D.T.E. 2004T-863 (C.A.), J.E. 2004-1703 (C.A.), REJB 2004-69780 (C.A.) (autorisation d'appeler à la Cour suprême refusée).
Technologies Kree inc. c. *Béchara*, (2007) R.J.D.T. 401 (C.S.), D.T.E. 2007T-301 (C.S.), J.E. 2007-713 (C.S.), EYB 2007-115429 (C.S.) (désistement d'appel).

128/220 L'indemnité prévue à l'article 128(2) L.N.T. n'est pas un montant établi en contrepartie du travail fourni mais en vertu du bris injustifié du contrat de travail.
Publications Dumont (1988) inc. c. *Doré*, D.T.E. 2000T-59 (C.A.), J.E. 2000-136 (C.A.), REJB 1999-15538 (C.A.).
St-Mars c. *Montréal (Société de transport de la Communauté urbaine de)*, (1991) T.A. 117, D.T.E. 91T-275 (T.A.).

128/221 Dans le cadre de la fixation de l'indemnité due au salarié, il faut tenir compte de son revenu réel au moment de son congédiement.
Lallier Automobile (Québec) inc. c. *Bussières*, D.T.E. 2004T-1045 (C.R.T.).

128/222 Dans l'établissement de l'indemnité à accorder au salarié, il faut tenir compte du contexte de l'engagement, de la durée de l'emploi, de la nature et l'importance du poste détenu, de l'âge du plaignant, sa conduite, ses qualifications particulières, de la possibilité de se retrouver un travail et les démarches accomplies pour ce faire.
Bon L Canada inc. c. *Béchara*, (2004) R.J.Q. 2359 (C.A.), (2004) R.J.D.T. 923 (C.A.), D.T.E. 2004T-863 (C.A.), J.E. 2004-1703 (C.A.), REJB 2004-69780 (C.A.) (autorisation d'appeler à la Cour suprême refusée).
Raymond Plourde Automobiles inc. c. *Bélanger*, D.T.E. 2001T-487 (C.S.), J.E. 2001-986 (C.S.), REJB 2001-24640 (C.S.).
Châteauguay Toyota c. *Couture*, (1999) R.J.Q. 2730 (C.S.), (1999) R.J.D.T. 1581 (C.S.), D.T.E. 99T-1005 (C.S.), J.E. 99-2040 (C.S.), REJB 1999-14668 (C.S.) (règlement hors cour).
Kodak Canada inc. c. *Beetz*, D.T.E. 87T-483 (C.S.).
Jolicoeur c. *Lithographie Montréal ltée*, (1982) C.S. 230, D.T.E. 82T-865 (C.S.), J.E. 82-273 (C.S.) (appel rejeté: C.A.M. n° 500-09-000314-823, le 15 avril 1987) (par analogie).

Dubois c. *Cercueils Concept inc.*, D.T.E. 2007T-343 (C.R.T.).
Fournier c. *Corporation de développement de la rivière Madeleine*, D.T.E. 2007T-624 (C.R.T.).
Laberge c. *Busque & Laflamme inc.*, D.T.E. 2007T-942 (C.R.T.) (révision en vertu de l'article 127 C.T. refusée: D.T.E. 2008T-313 (C.R.T.)) (requête en révision judiciaire: n⁰ 350-17-000099-070).
Gagnon c. *Comité sectoriel de main-d'oeuvre des industries du bois de sciage*, D.T.E. 2006T-337 (C.R.T.) (requête en révision judiciaire: n⁰ 200-05-018349-063).
Perron c. *Service de suspension Turcotte inc.*, D.T.E. 2004T-538 (C.R.T.).
Cartillone c. *Cuisine P.S. enr.*, D.T.E. 2002T-714 (C.T.).
Brisson c. *9027-4580 Québec inc.*, (1999) R.J.D.T. 246 (C.T.), D.T.E. 99T-164 (C.T.) (révision judiciaire refusée: D.T.E. 99T-549 (C.S.)) (désistement d'appel).
Clark c. *Groupe D.M.R. inc.*, (1997) C.T. 203, D.T.E. 97T-625 (C.T.).
D'Amour c. *Taverne Au coin de la 2e*, D.T.E. 97T-650 (C.T.).
Plourde c. *Scierie Geoffroy inc.*, D.T.E. 96T-1154 (C.T.).
Tait c. *Cie de construction Lazar inc.*, (1991) T.A. 359, D.T.E. 91T-533 (T.A.).
Partridge c. *Tapis et tuiles de Montréal inc. et/ou Million tapis et tuiles*, D.T.E. 89T-568 (T.A.).
Groupe commerce, Cie d'assurances c. *Chenette*, D.T.E. 87T-13 (T.A.).
Industrie Fabrico (1964) ltée c. *Bélair*, (1986) T.A. 633, D.T.E. 86T-730 (T.A.).
Tremblay c. *Handelman Co. of Canada Ltd.*, D.T.E. 85T-838 (T.A.).
Fortier c. *Clinique Gérard J. Léonard*, D.T.E. 83T-67 (T.A.).
Bellemo c. *Volumes Sales (1970) inc.*, D.T.E. 82T-825 (T.A.).
V. aussi: *Bernard* c. *Multi-recyclage S.D. inc.*, (1998) R.J.D.T. 187 (C.T.), D.T.E. 98T-15 (C.T.).
Chatterton c. *Angelica international ltée*, D.T.E. 93T-869 (C.T.).
Kelly c. *Pétroles Canada et/ou Cie pétrolière impériale ltée*, (1986) T.A. 610, D.T.E. 86T-714 (T.A.).

128/223 La valeur d'un délai-congé est établie à partir des facteurs mentionnés à l'article 2091 du *Code civil du Québec*. Si le commissaire procède à l'évaluation de l'indemnité due au salarié en omettant cette disposition, il juge de façon arbitraire.
Châteauguay Toyota c. *Couture*, (1999) R.J.Q. 2730 (C.S.), (1999) R.J.D.T. 1581 (C.S.), D.T.E. 99T-1005 (C.S.), J.E. 99-2040 (C.S.), REJB 1999-14668 (C.S.) (règlement hors cour).

128/224 La règle de un mois de salaire par année de service ne tient pas en droit du travail et paraît tout à fait arbitraire. En effet, le commissaire exerce des pouvoirs judiciaires, c'est-à-dire qu'il doit juger uniquement le cas dont il est saisi et à partir de la preuve qui lui est soumise.
Publications Dumont (1988) inc. c. *Doré*, D.T.E. 2000T-59 (C.A.), J.E. 2000-136 (C.A.), REJB 1999-15538 (C.A.).
Châteauguay Toyota c. *Couture*, (1999) R.J.Q. 2730 (C.S.), (1999) R.J.D.T. 1581 (C.S.), D.T.E. 99T-1005 (C.S.), J.E. 99-2040 (C.S.), REJB 1999-14668 (C.S.) (règlement hors cour).

128/225 Le commissaire ne peut accorder, sans justification, un mois de salaire par année de service à titre d'indemnité de cessation d'emploi. En effet, il y a obligation pour tout commissaire de justifier une telle décision.
De la Capitale Dodge Chrysler (Québec) ltée c. *Bureau du commissaire général du travail*, D.T.E. 2000T-1048 (C.A.), J.E. 2000-2000 (C.A.), REJB 2000-20586 (C.A.) (autorisation d'appeler à la Cour suprême refusée).

Fournier c. *Corporation de développement de la rivière Madeleine*, D.T.E. 2007T-624 (C.R.T.).

128/226 Une demande de fixation de quantum ne devrait viser que des questions sur les régimes d'avantages sociaux, le droit à une prime de rendement, l'application des régimes d'assurance, les augmentations de salaire, les taux d'intérêt et autres questions semblables.
Tremblay c. *Domcor*, D.T.E. 90T-353 (T.A.).

128/227 Il ne saurait y avoir versement d'une indemnité au-delà de la cessation des activités de l'employeur.
Viel c. *9002-9364 Québec inc. (Bravo Pizzéria)*, D.T.E. 2005T-1050 (C.R.T.).

128/228 L'indemnité maximum prévue à l'article 128(2) L.N.T. ne peut être inférieure au montant correspondant à un avis de congé raisonnable.
Kodak Canada inc. c. *Beetz*, D.T.E. 87T-483 (C.S.).

128/229 L'indemnité compensatoire maximum ne saurait être inférieure au montant correspondant à un avis de congé raisonnable. L'appréciation d'un tel avis est laissée à la discrétion du commissaire. À ce sujet, il lui est loisible de tenir compte d'un grand nombre de facteurs selon les circonstances.
Landry c. *Gravel Chevrolet Oldsmobile inc.*, (1988) T.A. 63, D.T.E. 88T-49 (T.A.).
Grande-Île (Mun. de la) c. *Boulay*, (1985) T.A. 736, D.T.E. 85T-873 (T.A.).

128/230 En principe, un salarié a droit au salaire perdu depuis le congédiement jusqu'à la date de la décision du commissaire, dont il faut soustraire les semaines correspondant à la suspension imposée par celui-ci.
Paquet c. *Gabriel Mercier ltée*, D.T.E. 2000T-493 (C.A.), J.E. 2000-1070 (C.A.), REJB 2000-18197 (C.A.).
Bingo Les Saules inc. c. *C.N.T.*, D.T.E. 99T-289 (C.S.) (appel rejeté sur requête).
Dessureault-Benson c. *Groupe J.-C. Dessureault inc.*, D.T.E. 2002T-1169 (C.T.).
Markus c. *Entreprise de soudure aérospatiale inc.*, (2000) R.J.D.T. 231 (C.T.), D.T.E. 2000T-133 (C.T.).
Papaeconomou c. *Pratt & Whitney Canada inc.*, D.T.E. 99T-461 (C.T.).
Rols c. *Merck Frosst Canada inc.*, (1997) C.T. 52, D.T.E. 97T-56 (C.T.).
V. aussi: *Bernard* c. *Multi-recyclage S.D. inc.*, (1998) R.J.D.T. 187 (C.T.), D.T.E. 98T-15 (C.T.).

128/231 Un salarié a droit au salaire perdu depuis le congédiement jusqu'à la date de la décision du commissaire sur le fond.
Chaumont c. *1276698 Ontario inc. (Club de golf Val-des-Lacs)*, D.T.E. 2008T-218 (C.R.T.).
Ouellette c. *SSAB Hardox*, D.T.E. 2008T-236 (C.R.T.).
Radacovsky c. *Grands Ballets canadiens de Montréal*, D.T.E. 2006T-1038 (C.R.T.) (règlement hors cour).

128/232 Les attentats du 11 septembre 2001 à New York peuvent faire en sorte qu'un salarié injustement congédié en 2001 puisse avoir droit à une indemnité jusqu'en 2004.
Moutis c. *Bombardier inc. (Bombardier Aéronautique)*, D.T.E. 2008T-488 (C.R.T.).

128/233 Le salarié a droit au salaire perdu pendant la période comprise entre la date de son congédiement et celle à partir de laquelle il a commencé à occuper un autre emploi. L'indemnité doit être établie selon le salaire gagné pendant la période correspondante de l'année précédente.
Tamboura c. *Conseil du Québec — Unite Here*, D.T.E. 2007T-986 (C.R.T.).
Lévesque c. *3312151 Canada inc.*, (1999) R.J.D.T. 541 (C.T.), D.T.E. 99T-332 (C.T.).
V. aussi: *Jean* c. *Boulangerie-pâtisserie Le Viennois inc.*, D.T.E. 2006T-1037 (C.R.T.).

128/234 L'indemnité qui doit être versée au salarié s'évalue en fonction des pertes salariales estimées sur la base des gains antérieurs.
G.S. c. *H.F.*, D.T.E. 2008T-799 (C.R.T.).

128/235 Un salarié a droit à l'indemnité pour perte de salaire pour la période allant de la date d'expiration de la suspension à celle de la renonciation à la réintégration dans son emploi.
Bissonnette c. *Novartis Pharma Canada inc.*, (2008) R.J.D.T. 1217 (C.R.T.), D.T.E. 2008T-577 (C.R.T.).
Marcoux c. *Classified Media (Canada) Holdings inc. — Auto Hebdo*, D.T.E. 2006T-837 (C.R.T.).

128/236 La Commission des relations du travail a compétence pour condamner l'employeur à verser au plaignant le salaire pour les heures qu'il aurait normalement travaillées dans des tâches autres que celles qu'il aurait dû exécuter.
Dumais c. *Bic (Municipalité du)*, D.T.E. 2005T-297 (C.R.T.).

128/237 L'indemnité équivalant au salaire doit se calculer entre la date du congédiement et celle où l'employeur procédera à la réintégration du salarié.
Boucher c. *Enseignes Métropolitain inc.*, D.T.E. 2007T-503 (C.R.T.) (règlement hors cour).
Langlois c. *Gaz métropolitain inc.*, D.T.E. 2005T-317 (C.R.T.) (révision judiciaire refusée: D.T.E. 2006T-117 (C.S.)).
Moncion c. *Marché Jean Renaud inc.*, (1994) C.T. 199, D.T.E. 94T-313 (C.T.).
Cousineau c. *Hewitt Équipement ltée*, (1993) C.T. 183, D.T.E. 93T-430 (C.T.).

128/238 Le salarié a droit à l'indemnité entre le moment où il a été congédié et celui où il a fait l'objet d'un véritable licenciement.
Ouellette c. *SSAB Hardox*, D.T.E. 2008T-236 (C.R.T.).

128/239 Un salarié a droit à une indemnité pour la période comprise entre le congédiement et la date de l'audience.
Page c. *Auberge Ripplecove (1985) inc.*, D.T.E. 2001T-186 (C.T.).

128/240 La période à considérer quant à la perte de revenu est celle écoulée entre le congédiement du salarié et la décision du commissaire sur le quantum, et non la décision qui a accueilli la plainte quant au fond, car le salarié peut, avant la seconde décision, ne pas bénéficier de moyens pour réintégrer son emploi.
Couture c. *Services Investors ltée*, (2003) R.J.D.T. 325 (C.R.T.), D.T.E. 2003T-180 (C.R.T.).

128/241 Un salarié congédié injustement a le droit d'être indemnisé pour la diminution de salaire subie, et ce, jusqu'au jour de la décision qui a accueilli sa plainte.
Plante c. *Mécanicien Industriel Millwright, section locale 2182*, D.T.E. 2006T-784 (C.R.T.).

128/242 Du fait qu'un long délai se soit écoulé entre le dépôt de la plainte et la décision du commissaire, il serait inéquitable d'en faire subir les conséquences à l'employeur qui n'en est pas responsable. De plus, la somme versée peut être moindre dans le cas où le salarié ne demande pas sa réintégration.
Kishner c. *Femme de Westmount*, (2000) R.J.D.T. 1067 (C.T.), D.T.E. 2000T-747 (C.T.).

128/243 Même si le commissaire retient une date comme date de connaissance du congédiement, cela n'a pas pour effet d'empêcher le salarié plaignant de réclamer des indemnités dues antérieurement. Un employeur ne peut ainsi invoquer sa propre turpitude, ce qui aurait pour effet de réduire injustement l'indemnité due au salarié.
Mondor c. *Laboratoire Bi-op inc.*, D.T.E. 2003T-705 (C.R.T.).

128/244 Le préavis et le congé annuel doivent être déduits de l'indemnité.
Joly c. *Gestion Gertec ltée*, D.T.E. 99T-190 (C.T.).

128/245 Doit être déduite du montant versé au salarié, l'indemnité de préavis déjà reçue par celui-ci.
Beaulieu c. *9116-7890 Québec inc.*, D.T.E. 2006T-907 (C.R.T.).
Jean c. *2722941 Canada inc. (Géo Mercier)*, D.T.E. 2005T-941 (C.R.T.).
Markus c. *Entreprise de soudure aérospatiale inc.*, (2000) R.J.D.T. 231 (C.T.), D.T.E. 2000T-133 (C.T.).
Ménard c. *Collège de Maisonneuve*, (2000) R.J.D.T. 1089 (C.T.), D.T.E. 2000T-846 (C.T.).
Rivard c. *Atlantic Produits d'emballage ltée*, (1999) R.J.D.T. 207 (C.T.), D.T.E. 99T-69 (C.T.).

128/246 En matière de compensation salariale, le commissaire doit tenir compte du fait que le plaignant, comme tous les autres salariés de l'entreprise, travaille selon l'horaire réduit. S'il n'en tient pas compte, il commet alors une erreur manifestement déraisonnable.
Lévesque Automobile ltée c. *Levac*, D.T.E. 96T-294 (C.S.) (appel accueilli en partie: D.T.E. 2000T-58 (C.A.), J.E. 2000-135 (C.A.), REJB 1999-16368 (C.A.)) (autorisation d'appeler à la Cour suprême refusée).
V. aussi: *Beaulieu* c. *9116-7890 Québec inc.*, D.T.E. 2006T-907 (C.R.T.).

128/247 Le commissaire doit réduire l'indemnité pour perte de salaire due à l'ex-employé si ce dernier n'est pas disponible pour chercher du travail en raison de ses études.
Papaeconomou c. *Pratt & Whitney Canada inc.*, D.T.E. 99T-461 (C.T.).

128/248 Le commissaire peut octroyer une indemnité de fin d'emploi au salarié injustement congédié qui ne peut être réintégré.
Mayrand c. *Magasins à rayons Peoples inc.*, D.T.E. 95T-828 (C.T.).
V. aussi: *Michaud* c. *Albany International Canada inc.*, D.T.E. 96T-710 (C.T.).

128/249 Le commissaire a compétence pour décider que l'employeur a l'obligation de retenir l'impôt sur le revenu du salarié, dans le but de le remettre aux autorités fiscales.
Richard c. *Manoir Marc-Aurèle Fortin inc.*, D.T.E. 86T-534 (C.S.), J.E. 86-749 (C.S.).
Contra: *A.M.P. du Canada ltée* c. *Atkins*, D.T.E. 89T-467 (T.A.).
Kelly c. *Algo Industries Ltd.*, (1986) T.A. 310, D.T.E. 86T-408 (T.A.).

Kelly c. *Pétroles Canada et/ou Cie pétrolière impériale ltée*, (1986) T.A. 610, D.T.E. 86T-714 (T.A.).

128/250 Le commissaire a le pouvoir d'ordonner le paiement d'une indemnité de départ étant donné que le salarié a perdu les avantages reliés à sa longue ancienneté et qu'il occupe depuis son congédiement un emploi temporaire, à temps partiel, et moins rémunérateur.
Royal Victoria Hospital c. *Couture*, D.T.E. 95T-198 (C.S.).

128/251 L'indemnité doit être calculée sur la base de la rémunération brute du salarié.
Couture c. *Services Investors ltée*, (2003) R.J.D.T. 325 (C.R.T.), D.T.E. 2003T-180 (C.R.T.).
Landry c. *Gravel Chevrolet Oldsmobile inc.*, (1988) T.A. 63, D.T.E. 88T-49 (T.A.).
V. aussi: *Majdaniw* c. *S.N.C. Lavalin inc.*, D.T.E. 2002T-812 (C.T.).

128/252 Bien que le salaire de base des autres salariés ait été aboli pendant la période de congédiement du plaignant pour être remplacé par le paiement à commission, il y a lieu d'indemniser ce dernier pour la somme équivalente au salaire qu'il gagnait, à moins d'une preuve d'une baisse de salaire pour l'ensemble des salariés.
Messageries dynamiques, une division de Groupe Quebecor (Re), (2001) R.J.D.T. 827 (C.T.), D.T.E. 2001T-609 (C.T.).

128/253 La Commission des relations du travail doit établir le revenu qu'aurait normalement gagné le salarié s'il n'avait pas été congédié. Ainsi, lorsque le salarié est rémunéré en fonction d'un pourcentage de commission sur ses ventes, la moyenne de ses revenus des deux dernières années de service peut être retenue.
Boucher c. *Enseignes Métropolitain inc.*, D.T.E. 2007T-503 (C.R.T.) (règlement hors cour).

128/254 La fixation de l'indemnité due au salarié peut se faire sur la base du temps travaillé par chacune des personnes qui lui ont succédé à son poste.
Pelletier c. *Luc Pelletier inc.*, (1994) C.T. 470, D.T.E. 94T-1076 (C.T.).

128/255 Pour déterminer l'indemnité due pour compenser la perte salariale du chargé de cours, la méthode de calcul basée sur la moyenne pondérée des années passées peut être utilisée.
Ménard c. *Collège de Maisonneuve*, (2000) R.J.D.T. 1089 (C.T.), D.T.E. 2000T-846 (C.T.).

128/256 L'indemnité qui doit être payée au salarié peut représenter une somme équivalant aux deux contrats de sous-traitance perdus.
Calderon c. *134343 Canada inc.*, D.T.E. 2008T-629 (C.R.T.).

128/257 Pour déterminer l'indemnité due pour compenser la perte salariale du plaignant, il n'y a pas lieu de tenir compte de la période où il aurait pu fournir une prestation normale de travail s'il n'avait pas subi une lésion professionnelle. Il y a plutôt lieu de tenir compte de la période complète où le salarié a pu fournir une prestation normale de travail.
Laforge c. *Crédico Marketing inc. (9099-9293 Québec inc.)*, D.T.E. 2007T-626 (C.R.T.).

128/258 Lorsque l'indemnité est prévue au contrat de travail du salarié et que le commissaire conclut qu'il n'y a pas de cause juste et suffisante de congédiement, il doit ordonner le paiement de l'indemnité déjà liquidée par les parties et ne peut réduire celle-ci pour aucun motif.
Panneaux Vicply inc. c. *Guindon*, D.T.E. 98T-34 (C.A.), J.E. 98-109 (C.A.).

128/259 Une ordonnance d'un commissaire de rembourser les prestations perdues d'assurance-emploi peut être appropriée lorsque la perte subie par le salarié a un lien direct avec la conduite fautive de l'employeur. Une telle ordonnance peut permettre une compensation complète et adéquate du préjudice subi.
Pelletier c. *Coopérative des travailleurs en loisir du Bas Saguenay*, D.T.E. 2001T-559 (C.A.), J.E. 2001-1113 (C.A.), REJB 2001-24335 (C.A.).

128/260 Les prestations d'assurance-emploi ne doivent pas être déduites du montant dû par l'employeur.
Paquet c. *Gabriel Mercier ltée*, D.T.E. 2000T-493 (C.A.), J.E. 2000-1070 (C.A.), REJB 2000-18197 (C.A.).
Richard c. *Manoir Marc-Aurèle Fortin inc.*, D.T.E. 86T-534 (C.S.), J.E. 86-749 (C.S.).
Diplômés de l'Université de Montréal c. *Perreault*, D.T.E. 85T-287 (C.S.).
Amesse c. *Surbois inc.*, D.T.E. 2007T-80 (C.R.T.).
Boucher c. *Enseignes Métropolitain inc.*, D.T.E. 2007T-503 (C.R.T.) (règlement hors cour).
Guillemette c. *Fabrimet inc.*, D.T.E. 2006T-90 (C.R.T.) (révision judiciaire refusée: D.T.E. 2006T-603 (C.S.)).
Lallier Automobile (Québec) inc. c. *Bussières*, D.T.E. 2004T-1045 (C.R.T.).
Premier Réfractaires du Canada ltée c. *Onofrio*, D.T.E. 2003T-201 (C.R.T.).
Cie de gestion Reber inc. c. *Potvin*, D.T.E. 84T-623 (T.T.).
Paquet c. *Gabriel Mercier ltée*, D.T.E. 2002T-133 (C.T.).
Dupont c. *Diamants Lafleur inc. — Bijouterie Ricci*, (1999) R.J.D.T. 256 (C.T.), D.T.E. 99T-217 (C.T.).
St-Georges (Succession de) c. *Deschamps Pontiac Buick ltée*, D.T.E. 99T-550 (C.T.) (règlement hors cour partiel).
Bergeron c. *Publications Dumont (1988) inc.*, (1996) C.T. 268, D.T.E. 96T-691 (C.T.) (révision judiciaire refusée: C.S. Hull, n° 550-05-002841-966, le 5 septembre 1996) (appel rejeté: D.T.E. 2000T-59 (C.A.), J.E. 2000-136 (C.A.), REJB 1999-15538 (C.A.)).
St-Mars c. *Montréal (Société de transport de la Communauté urbaine de)*, (1991) T.A. 117, D.T.E. 91T-275 (T.A.).
Lavoie c. *Boutique Élise Andrée Enrg.*, D.T.E. 89T-742 (T.A.).
Kelly c. *Algo Industries Ltd.*, (1986) T.A. 310, D.T.E. 86T-408 (T.A.).
Rivest c. *Système de sécurité Sur-Gard ltée*, (1985) T.A. 600, D.T.E. 85T-745 (T.A.).
Papineau c. *Industries Henri Mitchell ltée*, D.T.E. 84T-13 (T.A.).
Contra: *Hekmi* c. *2809630 Canada inc.*, (2001) R.J.D.T. 795 (C.T.), D.T.E. 2001T-391 (C.T.).
Béland c. *2536-3011 Québec inc.*, D.T.E. 91T-386 (T.A.).
Kelly c. *Taxi Coop 525-5191*, (1988) T.A. 428, D.T.E. 88T-463 (T.A.).
Lapierre c. *Arcon Canada inc.*, (1986) T.A. 406, D.T.E. 86T-483 (T.A.).
St-Pierre c. *Industries de câbles d'acier ltée*, D.T.E. 82T-687 (T.A.).

128/261 Le droit à des prestations d'assurance-emploi peut faire l'objet d'une compensation puisqu'il ne constitue pas un avantage pécuniaire découlant du contrat de travail.
Ciné-parc St-Eustache inc. c. *Commission des relations du travail*, D.T.E. 2003T-963 (C.S.), J.E. 2003-1841 (C.S.), REJB 2003-47631 (C.S.).

128/262 L'indemnité octroyée par le commissaire doit être le salaire perdu pour la période comprise entre la date du congédiement et la date à laquelle le plaignant n'est plus disponible pour travailler chez l'employeur.
De Montigny c. *I.C.D. — Institut Carrière et développement ltée*, D.T.E. 2003T-445 (C.R.T.) (révision judiciaire refusée: C.S.M. n° 500-17-015140-034, le 15 juillet 2003).
Bonin c. *Sheraton Château Vaudreuil*, D.T.E. 98T-646 (C.T.).
Fortin c. *Consultants industriels C.E.M. inc.*, (1994) C.T. 340, D.T.E. 94T-1012 (C.T.).

128/263 Il y a lieu de soustraire la période pendant laquelle la salariée n'a cherché aucun emploi en raison de sa grossesse et d'un congé de maladie.
Bitton c. *Salon Henri IV de France inc.*, D.T.E. 95T-492 (C.T.) (révision judiciaire refusée: C.S.M. n° 500-05-003701-958, le 15 juin 1995).

128/264 Un salarié a le droit de cumuler l'indemnité d'assurance collective et celle accordée pour la perte salariale, et ce, compte tenu du fait qu'il était en dépression à cause du comportement de l'employeur à son endroit. Il semble que soustraire les prestations d'assurance de l'indemnité salariale à laquelle le salarié a droit reviendrait à valider le comportement fautif de celui-ci pendant la période visée. Ainsi, l'indemnité d'assurance collective reçue par le salarié plaignant ne doit pas entrer dans le calcul de l'indemnité pour perte de salaire. Les dispositions de l'article 128 L.N.T. accordent un large pouvoir discrétionnaire à la Commission des relations du travail quant aux moyens de remédier à un congédiement sans cause juste et suffisante. Un salarié a le droit de cumuler ces deux indemnités.
Bédard c. *Minolta Business Equipment (Canada) Ltd., Minolta Québec*, (2008) R.J.D.T. 1431 (C.A.), D.T.E. 2008T-759 (C.A.), J.E. 2008-1829 (C.A.), EYB 2008-146847 (C.A.) (autorisation d'appeler à la Cour suprême refusée).

128/265 La période d'incapacité du salarié pour cause de maladie ne peut être retranchée du calcul de l'indemnité qui lui est due, lorsque la dépression dont il a souffert est une conséquence directe de la perte de son emploi.
Careau c. *Tasiujaq (Village nordique de)*, D.T.E. 2006T-244 (C.R.T.).

128/266 L'indemnité pour la perte salariale ne peut être accordée à partir de la date du congédiement, lorsque le salarié a été incapable d'exercer son emploi à cause d'une absence pour maladie.
Tremblay c. *G. Riendeau et Fils inc.*, D.T.E. 2005T-1077 (C.R.T.) (révision judiciaire accueillie pour d'autres motifs: (2007) R.J.D.T. 432 (C.S.), D.T.E. 2007T-436 (C.S.), J.E. 2007-1008 (C.S.), EYB 2007-118476 (C.S.)) (homologation de la convention: n° 500-09-017696-071, le 12 septembre 2007).

128/267 Aux fins du calcul de la perte salariale, peut être retenue la dernière année complète de travail avant que le plaignant ne s'absente pour cause de maladie.
Bissonnette c. *Novartis Pharma Canada inc.*, (2008) R.J.D.T. 1217 (C.R.T.), D.T.E. 2008T-577 (C.R.T.).

128/268 Les sommes gagnées par le salarié chez un autre employeur après le congédiement doivent être déduites de l'indemnité.
Bon L Canada inc. c. *Béchara*, (2004) R.J.Q. 2359 (C.A.), (2004) R.J.D.T. 923 (C.A.), D.T.E. 2004T-863 (C.A.), J.E. 2004-1703 (C.A.), REJB 2004-69780 (C.A.) (autorisation d'appeler à la Cour suprême refusée).
Jean bleu inc. c. *Bureau du commissaire général du travail*, D.T.E. 2002T-1109 (C.S.), J.E. 2002-2089 (C.S.), REJB 2002-36008 (C.S.).
Denicourt & Cossette c. *C.N.T.*, D.T.E. 98T-52 (C.S.) (désistement d'appel).
Restaurants McDonald's du Canada ltée c. *Couture*, D.T.E. 96T-107 (C.S.).
Omer Barré Pontiac Buick G.M.C. inc. c. *Beetz*, D.T.E. 91T-565 (C.S.) (en appel: n° 500-09-000239-913).
Bélanger c. *Deslierres*, (1985) C.S. 715, D.T.E. 85T-535 (C.S.), J.E. 85-650 (C.S.).
Chaumont c. *1276698 Ontario inc. (Club de golf Val-des-Lacs)*, D.T.E. 2008T-218 (C.R.T.).
Villeneuve c. *Saguenay (Ville de)*, D.T.E. 2008T-78 (C.R.T.).
Beaulieu c. *9116-7890 Québec inc.*, D.T.E. 2006T-907 (C.R.T.).
Fleury c. *Technologies avancées de fibres (AFT) inc.*, D.T.E. 2006T-267 (C.R.T.).
Ouellet c. *Club nautique de Sept-Îles inc.*, D.T.E. 2006T-727 (C.R.T.).
Rozlonkowski c. *Estrie-International 2007 inc.*, D.T.E. 2006T-265 (C.R.T.).
Vallières c. *SOS Services techniques industriels inc.*, D.T.E. 2006T-268 (C.R.T.).
Fillion c. *9089-6853 Québec inc. (Les Services Danymark)*, D.T.E. 2005T-576 (C.R.T.).
Langlois c. *Gaz métropolitain inc.*, D.T.E. 2005T-317 (C.R.T.) (révision judiciaire refusée: D.T.E. 2006T-117 (C.S.)).
Lefebvre c. *St-Félix-de-Dalquier (Municipalité de)*, D.T.E. 2005T-464 (C.R.T.).
Tremblay c. *G. Riendeau et Fils inc.*, D.T.E. 2005T-1077 (C.R.T.) (révision judiciaire accueillie pour d'autres motifs: (2007) R.J.D.T. 432 (C.S.), D.T.E. 2007T-436 (C.S.), J.E. 2007-1008 (C.S.), EYB 2007-118476 (C.S.)) (homologation de la convention: n° 500-09-017696-071, le 12 septembre 2007).
Blizeev c. *Société d'administration immobilière Fugi ltée (Appartements Hill Park)*, D.T.E. 2004T-211 (C.R.T.) (règlement hors cour).
Chamberland c. *Produits Mica Suzorite inc.*, D.T.E. 2004T-465 (C.R.T.).
Élibert c. *Québec (Ministère de l'Emploi et de la Solidarité sociale)*, D.T.E. 2004T-258 (C.R.T.).
Lallier Automobile (Québec) inc. c. *Bussières*, D.T.E. 2004T-1045 (C.R.T.).
Couture c. *Services Investors ltée*, (2003) R.J.D.T. 325 (C.R.T.), D.T.E. 2003T-180 (C.R.T.).
Premier Réfractaires du Canada ltée c. *Onofrio*, D.T.E. 2003T-201 (C.R.T.).
Ranger c. *Clinique chiropratique St-Eustache*, D.T.E. 2003T-1013 (C.R.T.).
Bouchard c. *Investissements Imqua inc.*, D.T.E. 2002T-165 (C.T.) (révision judiciaire refusée: C.S.Q. n° 200-05-016064-011, le 13 février 2002).
114475 Canada inc. c. *Bazigos*, D.T.E. 2002T-831 (C.T.).
St-Hilaire c. *Fila Canada inc.*, D.T.E. 2002T-1141 (C.T.).
Sukhdeo c. *Future Électronique inc.*, D.T.E. 2002T-451 (C.T.) (révision judiciaire refusée: D.T.E. 2003T-420 (C.S.), J.E. 2003-820 (C.S.), REJB 2003-39614 (C.S.)).
Ilieva c. *Uniboard Canada Inc.*, (2000) R.J.D.T. 1095 (C.T.), D.T.E. 2000T-721 (C.T.).
Ménard c. *Alain Couture inc.*, D.T.E. 2000T-91 (C.T.).
Falardeau c. *Ant-Labbé inc.*, D.T.E. 99T-959 (C.T.).
Rivard c. *Atlantic Produits d'emballage ltée*, (1999) R.J.D.T. 207 (C.T.), D.T.E. 99T-69 (C.T.).

St-Georges (Succession de) c. *Deschamps Pontiac Buick ltée*, D.T.E. 99T-550 (C.T.) (règlement hors cour partiel).
Pouliot c. *Association d'action bénévole du Granit*, (1998) R.J.D.T. 1229 (C.T.), D.T.E. 98T-694 (C.T.) (révision judiciaire refusée: (1998) R.J.D.T. 1141 (C.S.), D.T.E. 98T-864 (C.S.)).
Jones c. *Buffet King Chow inc.*, (1997) C.T. 76, D.T.E. 97T-311 (C.T.) (révisions judiciaires refusées: D.T.E. 97T-928 (C.S.), J.E. 97-1623 (C.S.) et D.T.E. 97T-930 (C.S.)).
Monette c. *9029-2814 Québec inc.*, D.T.E. 97T-825 (C.T.).
Bergeron c. *Publications Dumont (1988) inc.*, (1996) C.T. 268, D.T.E. 96T-691 (C.T.) (révision judiciaire refusée: C.S. Hull, n° 550-05-002841-966, le 5 septembre 1996) (appel rejeté: D.T.E. 2000T-59 (C.A.), J.E. 2000-136 (C.A.), REJB 1999-15538 (C.A.)).
Bérubé c. *Ressources informatiques Quantum ltée*, D.T.E. 96T-1436 (C.T.).
Bisson c. *Restaurant Le poêlon*, D.T.E. 96T-1186 (C.T.).
Dallaire c. *Nettoyeur moderne (1987) inc.*, D.T.E. 96T-795 (C.T.).
Leclair c. *Au Crystal restaurant*, D.T.E. 96T-1059 (C.T.).
Poirier c. *Climatisation Fortier & Frères ltée*, (1996) C.T. 53, D.T.E. 96T-146 (C.T.).
Roger c. *Prudentielle d'Amérique (La), compagnie d'assurances générales*, D.T.E. 96T-916 (C.T.).
Vézina c. *Sénécal Assurances inc.*, (1996) C.T. 557, D.T.E. 96T-1552 (C.T.).
Duhamel c. *Tassé & Associés*, D.T.E. 95T-1433 (C.T.) (révision judiciaire refusée: C.A.M. n° 500-05-011718-952, le 10 janvier 1996).
Émond c. *Mil Davie inc.*, D.T.E. 95T-674 (C.T.).
Trudel c. *Jacques Olivier Ford inc.*, (1995) C.T. 457, D.T.E. 95T-1081 (C.T.).
Clarke c. *Art et photo R.B. inc.*, D.T.E. 94T-314 (C.T.) (révision judiciaire refusée: C.S.M. n° 500-05-001853-942, le 29 septembre 1994).
Savard c. *Matelas Serta Bon-Aire inc.*, (1994) C.T. 441, D.T.E. 94T-1204 (C.T.).
Tardif c. *Entreprises Insta-bec inc.*, (1994) C.T. 318, D.T.E. 94T-754 (C.T.).
Fuller c. *Brasseries Molson*, (1994) T.A. 565, D.T.E. 94T-801 (T.A.).
Martel c. *Bar Minuit*, D.T.E. 92T-975 (C.T.).
Béland c. *2536-3011 Québec inc.*, D.T.E. 91T-386 (T.A.).
Giguère c. *Cie Kenworth Canada ltée*, D.T.E. 90T-461 (T.A.) (révision judiciaire cassée en appel: (1990) R.J.Q. 2485 (C.A.), D.T.E. 90T-1204 (C.A.), J.E. 90-1483 (C.A.)) (autorisation d'appeler à la Cour suprême refusée).
Bilodeau c. *J.E. Verreault et Fils ltée*, D.T.E. 89T-923 (T.A.).
Guérard c. *Caisse populaire St-Denys du Plateau*, D.T.E. 87T-97 (T.A.).
Touten c. *Association des policiers provinciaux du Québec*, (1987) T.A. 385, D.T.E. 87T-560 (T.A.).
Lapierre c. *Arcon Canada inc.*, (1986) T.A. 406, D.T.E. 86T-483 (T.A.).
Généreux c. *Presse ltée (La)*, D.T.E. 84T-481 (T.A.).
Brunet c. *Andrew Gilchrist inc.*, D.T.E. 83T-356 (T.A.).
Lafleur c. *Arcon Canada inc.*, D.T.E. 83T-321 (T.A.).
Dassylva c. *Cooprix*, D.T.E. 82T-470 (T.A.).
Mauger c. *Cie White Motor du Canada ltée*, (1981) 3 R.S.A. 11.
V. aussi: *Bernard* c. *Multi-recyclage S.D. inc.*, (1998) R.J.D.T. 187 (C.T.), D.T.E. 98T-15 (C.T.).
V. cependant: *Buissières* c. *Lallier Automobile (Québec) inc.*, D.T.E. 2004T-19 (C.R.T.).
Contra: *Royal Victoria Hospital* c. *Couture*, D.T.E. 95T-198 (C.S.).
Boucher c. *Enseignes Métropolitain inc.*, D.T.E. 2007T-503 (C.R.T.) (règlement hors cour).

Mochon c. *Réno-dépôt inc.*, D.T.E. 2001T-610 (C.T.).
Versabec inc. c. *Gignac*, D.T.E. 99T-1152 (C.T.).
Bellavance c. *Bouchard*, D.T.E. 92T-836 (C.T.).
A.M.P. du Canada ltée c. *Atkins*, D.T.E. 89T-467 (T.A.).
Dumas c. *Frigon matériaux ltée*, D.T.E. 83T-410 (T.A.).

128/269 À défaut de collaboration du salarié quant aux revenus d'emploi gagnés depuis le congédiement, le commissaire peut en effectuer une estimation approximative et les soustraire de l'indemnité qui doit être accordée.
Vallières c. *SOS Services techniques industriels inc.*, D.T.E. 2006T-268 (C.R.T.).

128/270 Doivent être déduites de l'indemnité, les sommes gagnées par le salarié chez un autre employeur après le congédiement, celles qu'il a reçues lors de la perte de son emploi de même que celles tirées de l'entreprise qu'il a mise sur pied.
Lavoie c. *Solidarité (La), compagnie d'assurance sur la vie*, D.T.E. 98T-115 (C.T.).

128/271 Le salarié a droit, à titre d'indemnité, à la différence entre le salaire qu'il recevait de son ancien employeur qui l'a congédié et celui que son nouvel employeur lui a versé depuis son embauche.
Saindon c. *Taleo (Canada) inc.*, D.T.E. 2007T-33 (C.R.T.).

128/272 Le salarié congédié sans cause juste et suffisante a droit au salaire et aux avantages auxquels il aurait eu droit s'il n'avait pas été congédié, déduction faite du préavis reçu et du salaire gagné ailleurs.
Jean c. *2722941 Canada inc. (Géo Mercier)*, D.T.E. 2005T-941 (C.R.T.).

128/273 Lorsqu'un commissaire conclut que le salarié n'a pas droit à la réintégration dans son emploi, l'article 128(2) L.N.T. lui permet d'ordonner le paiement du salaire perdu depuis le congédiement. De plus, selon le paragraphe 3, il peut ajouter à ce montant une compensation pour la perte d'emploi. Les sommes gagnées par le salarié chez un autre employeur pendant la même période doivent être déduites de l'indemnité relativement au salaire perdu prévu par l'article 128(2). Cependant, tel n'est pas le cas de l'indemnité pour perte d'emploi, aussi appelé délai de congé, accordée selon le paragraphe 3, puisqu'il s'agit d'une somme forfaitaire en vue de réparer le préjudice subi pour la fin d'un emploi que le salarié occupe généralement depuis un certain temps.
Murray c. *U.A.P. inc.*, (2003) R.J.D.T. 809 (C.R.T.), D.T.E. 2003T-591 (C.R.T.) (révision judiciaire refusée: (2004) R.J.Q. 934 (C.S.), (2004) R.J.D.T. 130 (C.S.), D.T.E. 2004T-283 (C.S.), J.E. 2004-609 (C.S.), REJB 2004-55372 (C.S.)).
Turcotte c. *Sept-Îles Honda Automobiles*, D.T.E. 2001T-134 (C.T.).

128/274 Les gains réalisés par le salarié dans l'entreprise qu'il a mise sur pied après sa cessation d'emploi, doivent être soustraits des sommes autrement payables.
Brisson c. *9027-4580 Québec inc.*, (1999) R.J.D.T. 246 (C.T.), D.T.E. 99T-164 (C.T.) (révision judiciaire refusée: D.T.E. 99T-549 (C.S.)) (désistement d'appel).

128/275 La rente versée par la Régie des rentes du Québec, les sommes retirées du REER du salarié ainsi que les dividendes de compagnie sont des revenus indépendants qui ne doivent pas être considérés dans le calcul du salaire perdu.
Boucher c. *Enseignes Métropolitain inc.*, D.T.E. 2007T-503 (C.R.T.) (règlement hors cour).

128/276 L'indemnité octroyée par le commissaire doit inclure le remboursement de ce qui est dû au salarié au chapitre des heures supplémentaires.
Fillion c. *9089-6853 Québec inc. (Les Services Danymark)*, D.T.E. 2005T-576 (C.R.T.).
Ménard c. *Circle Computer/Brains II*, (1997) C.T. 199, D.T.E. 97T-589 (C.T.).

128/277 En matière d'octroi d'une indemnité, le commissaire doit déduire la portion de revenus déjà payée par l'assureur de l'employeur.
Couture c. *Centres jeunesse de la Montérégie*, (2000) R.J.D.T. 1672 (C.T.), D.T.E. 2000T-924 (C.T.).

128/278 Une prestation reçue d'un assureur privé constitue un revenu indépendant de la perte de salaire subie en raison du congédiement, et ne libère pas l'employeur de son obligation de compenser le préjudice.
Ranger c. *Clinique chiropratique St-Eustache*, D.T.E. 2003T-1013 (C.R.T.).

128/279 Il est possible d'ordonner le remboursement de la totalité du salaire perdu, afin de compenser les indemnités que le salarié n'a pas reçues de son assureur pendant son congé de maladie.
Roy c. *Comité paritaire de l'industrie de l'automobile de Montréal*, D.T.E. 2002T-584 (C.T.).

128/280 Il y a lieu de tenir compte, dans le versement de l'indemnité, de la moyenne d'heures travaillées par semaine par le salarié puisqu'elle est plus susceptible de refléter la réalité. Toutefois, il faut rajuster cette moyenne en retranchant du total les semaines où le salarié était en absence motivée par un certificat médical.
Cadet c. *Imprimeries Transcontinental, s.e.n.c.*, D.T.E. 2007T-879 (C.R.T.).

128/281 Il n'y a pas lieu suivant le principe «temps fait, temps payé» d'ajouter au montant de l'indemnité, le paiement des heures supplémentaires qu'aurait pu faire un salarié s'il n'avait pas été congédié.
Giguère c. *Cie Kenworth Canada ltée*, D.T.E. 90T-461 (T.A.) (révision judiciaire cassée en appel: (1990) R.J.Q. 2485 (C.A.), D.T.E. 90T-1204 (C.A.), J.E. 90-1483 (C.A.)) (autorisation d'appeler à la Cour suprême refusée).

128/282 La fixation de l'indemnité pour perte de salaire est tributaire des délais inhérents au système d'adjudication.
Bédard c. *Minolta Business Equipment (Canada) Ltd., Minolta Québec*, (2008) R.J.D.T. 1431 (C.A.), D.T.E. 2008T-759 (C.A.), J.E. 2008-1829 (C.A.), EYB 2008-146847 (C.A.) (autorisation d'appeler à la Cour suprême refusée).
Costco Wholesale Canada Ltd. c. *Laplante*, (2005) R.J.Q. 2249 (C.A.), (2005) R.J.D.T. 1465 (C.A.), D.T.E. 2005T-831 (C.A.), J.E. 2005-1696 (C.A.), EYB 2005-94727 (C.A.).

128/283 Les critères permettant de pondérer la période d'évaluation de perte de salaire sont notamment les suivants: premièrement, il faut démontrer que le délai est fautif ou, deuxièmement, que les parties ont une conduite reprochable relativement au délai.
Bédard c. *Minolta Business Equipment (Canada) Ltd., Minolta Québec*, (2008) R.J.D.T. 1431 (C.A.), D.T.E. 2008T-759 (C.A.), J.E. 2008-1829 (C.A.), EYB 2008-146847 (C.A.) (autorisation d'appeler à la Cour suprême refusée).

Costco Wholesale Canada Ltd. c. *Laplante*, (2005) R.J.Q. 2249 (C.A.), (2005) R.J.D.T. 1465 (C.A.), D.T.E. 2005T-831 (C.A.), J.E. 2005-1696 (C.A.), EYB 2005-94727 (C.A.).

128/284 L'indemnité compensatrice ne peut aller au-delà de la période couverte par un contrat à durée déterminée.
Collège Mont-Notre-Dame de Sherbrooke inc. c. *Monette*, D.T.E. 96T-1032 (C.S.) (règlement hors cour).
Bolduc c. *Caisse populaire de St-Gédéon*, D.T.E. 82T-60 (T.A.), (1981) 3 R.S.A. 58.

128/285 L'indemnité compensatrice ne peut aller au-delà de la date de l'abolition du poste du salarié.
Émond c. *Mil Davie inc.*, D.T.E. 95T-674 (C.T.).

128/286 Le salarié a droit au salaire perdu depuis son congédiement jusqu'à la date à laquelle il a annoncé qu'il ne réclamait pas sa réintégration.
Gariépy c. *W.W.F. Canada inc.*, D.T.E. 2002T-540 (C.T.).
St-Hilaire c. *Fila Canada inc.*, D.T.E. 2002T-1141 (C.T.).
Rivard c. *Atlantic Produits d'emballage ltée*, (1999) R.J.D.T. 207 (C.T.), D.T.E. 99T-69 (C.T.).

128/287 Le salarié a droit à une indemnité équivalant au salaire dont l'a privé le congédiement jusqu'à la date de la décision du commissaire.
Sukhdeo c. *Future Électronique inc.*, D.T.E. 2002T-451 (C.T.) (révision judiciaire refusée: D.T.E. 2003T-420 (C.S.), J.E. 2003-820 (C.S.), REJB 2003-39614 (C.S.)).
Zarr c. *Kessler*, D.T.E. 2001T-909 (C.T.).
Durand c. *Institut Philippe-Pinel de Montréal*, D.T.E. 97T-181 (C.T.).
Gagnon c. *Corne d'abondance inc.*, D.T.E. 97T-341 (C.T.) (ultérieur: D.T.E. 98T-153 (C.S.)).
Legagneur c. *Bioforce Canada inc.*, D.T.E. 97T-371 (C.T.).

128/288 Il est possible d'indemniser le salarié pour la période écoulée entre la date du congédiement et celle de la décision sur le fond, et ce, peu importe que la décision soit rendue dans les mois suivant le dépôt de la plainte. La fixation de l'indemnité due au salarié pour perte de salaire est tributaire des délais inhérents au système d'adjudication et le salarié ne doit pas en supporter les conséquences.
Bédard c. *Minolta Business Equipment (Canada) Ltd., Minolta Québec*, (2008) R.J.D.T. 1431 (C.A.), D.T.E. 2008T-759 (C.A.), J.E. 2008-1829 (C.A.), EYB 2008-146847 (C.A.) (autorisation d'appeler à la Cour suprême refusée).

128/289 Un salarié peut avoir droit à une indemnité qui va de la date de son congédiement à la date à laquelle il s'est trouvé un nouvel emploi, même si cette dernière est postérieure à la décision du commissaire.
Bitton c. *Salon Henri IV de France inc.*, D.T.E. 95T-492 (C.T.) (révision judiciaire refusée: C.S.M. n^{0} 500-05-003701-958, le 15 juin 1995).

128/290 Un salarié peut avoir le droit d'être remboursé pour les semaines de vacances que l'employeur l'a obligé à prendre.
Couture c. *Centres jeunesse de la Montérégie*, (2000) R.J.D.T. 1672 (C.T.), D.T.E. 2000T-924 (C.T.).

128/291 Un salarié a droit au paiement de l'indemnité de congé annuel.
Fillion c. *9089-6853 Québec inc. (Les Services Danymark)*, D.T.E. 2005T-576 (C.R.T.).

128/292 Doivent être soustraits de la somme accordée, l'indemnité de vacances ainsi que le montant du préavis déjà versé au salarié par l'employeur.
Pouliot c. *Association d'action bénévole du Granit*, (1998) R.J.D.T. 1229 (C.T.), D.T.E. 98T-694 (C.T.) (révision judiciaire refusée: (1998) R.J.D.T. 1141 (C.S.), D.T.E. 98T-864 (C.S.)).

128/293 Le salarié peut avoir droit à une indemnité visant à compenser sa perte de salaire, même si, après une certaine date, il est inapte au travail pendant une longue période, si son invalidité est due à la façon dont il a été congédié par l'employeur.
Ranger c. *Clinique chiropratique St-Eustache*, D.T.E. 2003T-1013 (C.R.T.).

128/294 Il faut soustraire de l'indemnité qui est due au salarié les périodes où celui-ci était inapte au travail.
Vallières c. *SOS Services techniques industriels inc.*, D.T.E. 2006T-268 (C.R.T.).

128/295 Le salaire comprend le paiement des jours fériés, mais non la perte de jouissance de ces jours.
Montréal (Société de transport de la Communauté urbaine de) c. *Brody*, D.T.E. 92T-615 (C.S.).
V. également la jurisprudence sous l'article 1(9) L.N.T.

128/296 L'indemnité remplaçant le salaire perdu est calculée sur la base du salaire normal en tenant compte des pourboires.
D'Amour c. *Taverne Au coin de la 2e*, D.T.E. 97T-650 (C.T.).
Fleury c. *Sorel Tracy B.B.Q.*, D.T.E. 97T-1151 (C.T.).
Jones c. *Buffet King Chow inc.*, (1997) C.T. 76, D.T.E. 97T-311 (C.T.) (révisions judiciaires refusées: D.T.E. 97T-928 (C.S.), J.E. 97-1623 (C.S.) et D.T.E. 97T-930 (C.S.)).
Bisson c. *Restaurant Le poêlon*, D.T.E. 96T-1186 (C.T.).
Leclair c. *Au Crystal restaurant*, D.T.E. 96T-1059 (C.T.).
Béland c. *2536-3011 Québec inc.*, D.T.E. 90T-755 (T.A.).

128/297 À défaut pour un salarié de bénéficier d'un salaire fixe, l'indemnité se calcule sur la base des commissions annuelles.
Savard c. *Matelas Serta Bon-Aire inc.*, (1994) C.T. 441, D.T.E. 94T-1204 (C.T.).

128/298 En raison des fautes reprochées et du manque d'initiative du plaignant, le commissaire peut refuser d'accorder au salarié l'intérêt quant à l'indemnité à être fixée.
Petits frères des pauvres c. *Sobrino*, D.T.E. 82T-307 (T.A.).

128/299 Le commissaire exerce en vertu de l'article 128 L.N.T., une compétence que l'article 69 de la *Loi sur les caisses d'épargne et de crédit* (L.R.Q., c. C-4) ne limite pas à une année financière. Il rend une décision qui produit ses effets sur toute période écoulée depuis le congédiement.
Caisse populaire de Sts-Anges c. *Dutil*, (1987) T.A. 276, D.T.E. 87T-427 (T.A.).

128/300 Malgré l'absence de congédiement, le commissaire a compétence pour déterminer si le salarié a droit à une indemnité lorsque le «congédiement» est remplacé par une suspension pour le temps écoulé.
Confection J.E. Caron ltée c. *Mottard*, D.T.E. 83T-657 (T.A.).

128/301 Le commissaire qui n'a pas ordonné dans sa sentence sur le fond le paiement d'intérêts sur les sommes dues, ne peut le faire dans une décision subséquente puisqu'il est *functus officio*.
Béland c. *2536-3011 Québec inc.*, D.T.E. 91T-386 (T.A.).
A.M.P. du Canada ltée c. *Atkins*, D.T.E. 89T-467 (T.A.).
Desfossés c. *Services financiers Avco ltée*, D.T.E. 87T-766 (T.A.).
Kraft ltée c. *Bastien*, (1986) T.A. 251, D.T.E. 86T-300 (T.A.).
Contra: *Pâtisserie de Nancy Enrg.* c. *Da Silva*, D.T.E. 89T-92 (T.A.).

128/302 Un commissaire siégeant en vertu de la *Loi sur les normes du travail* peut scinder sa décision et ne pas être *functus officio*, la loi prévoyant expressément la possibilité d'ordonner le paiement des sommes dues à la suite d'une décision.
Collège Charles Lemoyne c. *Foisy*, D.T.E. 87T-69 (C.S.).

128/303 Le commissaire peut octroyer une indemnité pour la période couverte par la remise demandée par le procureur du plaignant lors d'une première audition.
Drouin c. *Commission scolaire protestante St-Maurice*, D.T.E. 95T-997 (C.T.).

128/304 Lors de la fixation d'une indemnité, le salarié plaignant dont la responsabilité n'est d'aucune façon engagée ne doit pas être pénalisé pour les journées d'audience au terme desquelles il y a eu récusation du commissaire à la demande de l'employeur.
Bernier c. *Caisse populaire Desjardins de la Mitis, Centre de service de Ste-Angèle*, D.T.E. 2007T-775 (C.R.T.).

128/305 L'indemnité équivalant au remboursement du salaire perdu depuis le congédiement du salarié doit cesser à la date où est survenu du chantage envers l'employeur.
Godbout c. *Délicana Nord-ouest inc.*, (1998) R.J.D.T. 1264 (C.T.), D.T.E. 98T-822 (C.T.).

128/306 Pour déterminer le salaire perdu, le commissaire doit tenir compte du fait que la situation financière de l'entreprise s'est détériorée depuis la date de congédiement.
De Montigny c. *I.C.D. — Institut Carrière et développement ltée*, D.T.E. 2003T-445 (C.R.T.) (révision judiciaire refusée: C.S.M. n° 500-17-015140-034, le 15 juillet 2003).

128/307 Il n'y a pas lieu de pénaliser un salarié pour le fait qu'il a entrepris une croisade judiciaire contre l'employeur et qu'il a multiplié les recours contre lui, même si cela a augmenté son anxiété et prolongé son arrêt de travail, dans le contexte où le salarié tente de faire reconnaître ses droits.
Couture c. *Centres jeunesse de la Montérégie*, (2000) R.J.D.T. 1672 (C.T.), D.T.E. 2000T-924 (C.T.).

128/308 V. AUDET, G., BONHOMME, R., GASCON, C. et COURNOYER-PROULX, M., *Le congédiement en droit québécois en matière de contrat individuel de travail*, vol. 1, 3e éd. (édition à feuilles mobiles), Cowansville, Éditions Yvon Blais, p. 20-1 à 20-80.

128/309 V. BÉLIVEAU, N.-A., *Les normes du travail*, Cowansville, Les Éditions Yvon Blais inc., 2003, p. 484 à 495.

128/310 V. BOILY, M.D., «Indemnité de cessation d'emploi: incidences fiscales», dans *Un abécédaire des cessations d'emploi et des indemnités de départ (2005)*, Formation permanente du Barreau du Québec, Cowansville, Les Éditions Yvon Blais inc., 2005, p. 293.

128/311 V. BRETON, R., «L'indemnité de congédiement en droit commun», (1990) 31 *C. de D.* 3.

128/312 V. BRIÈRE, J.-Y., «Les pouvoirs de réparation du Commissaire du travail aux termes de la *Loi sur les normes du travail*: nouvelles tendances?», dans *Développements récents en droit du travail (1996)*, Formation permanente du Barreau du Québec, Cowansville, Les Éditions Yvon Blais inc., 1996, p. 1, p. 19 et 20.

128/313 V. BRIÈRE, J.-Y. et VILLAGGI, J.-P., *Relations de travail*, vol. 2, (édition à feuilles mobiles), Brossard, Les Publications CCH ltée, p. 8,926 à 8,928 et 8,939 à 8,941-63.

128/314 V. CAZA, C., «L'embarquement pour un tour d'horizon des développements récents concernant la *Loi sur les normes du travail*», dans *Développements récents en droit du travail (1997)*, Formation permanente du Barreau du Québec, Cowansville, Les Éditions Yvon Blais inc., 1997, p. 229, p. 353 et ss.

128/315 V. CHAMBERLAND, L., «Qui de l'arbitre de griefs ou des tribunaux civils est compétent en matière de réclamations monétaires?», (1992) 52 *R. du B.* 167.

128/316 V. D'AOUST, C., «Minimisation des dommages: sources et application en cas de congédiement», (1991) 22 *R.G.D.* 325.

128/317 V. DUBÉ, J.-L. et DI IORIO, N., *Les normes du travail*, 2e éd., Sherbrooke, Les Éditions Revue de droit — Université de Sherbrooke, 1992, p. 588 à 592.

128/318 V. GAGNON, R.P., *Le droit du travail du Québec*, 6e éd. (mis à jour par LANGLOIS KRONSTRÖM DESJARDINS, S.E.N.C.R.L. sous la dir. de BERNARD, Y., SASSEVILLE, A. et CLICHE, B.), Cowansville, Les Éditions Yvon Blais inc., 2008, p. 201 à 204.

128/319 V. HÉBERT, G. et TRUDEAU, G., *Les normes minimales du travail au Canada et au Québec*, Cowansville, Les Éditions Yvon Blais inc., 1987, p. 170 et 171.

128/320 V. LAPORTE, P., *Le traité du recours à l'encontre d'un congédiement sans cause juste et suffisante (en vertu de la Loi sur les normes du travail, article 124)*, Montréal, Wilson & Lafleur ltée, 1992, p. 212, 213, 228 et 229.

128/321 V. SAVARD, J., «Les indemnités ordonnées par les commissaires du travail en vertu de l'article 128 de la *Loi sur les normes du travail*: compensations justifiées ou indemnités punitives?», dans *Développements récents en droit du travail (2001)*, Formation permanente du Barreau du Québec, Cowansville, Les Éditions Yvon Blais inc., 2001, p. 219.

128(3)

Autres pouvoirs

— Général

128/322 Le pouvoir du commissaire, de rendre toute autre décision juste et raisonnable, n'est pas *ultra vires* des pouvoirs de la province, car il ne contrevient pas à l'article 96 de la *Loi constitutionnelle de 1867*.
Sobeys Stores Ltd. c. *Yeomans*, (1989) 1 R.C.S. 238 (par analogie).
Asselin c. *Industries Abex ltée*, (1985) C.A. 72, D.T.E. 85T-134 (C.A.), J.E. 85-204 (C.A.) (autorisation d'appeler à la Cour suprême refusée).
Bélanger c. *Deslierres*, (1985) C.S. 715, D.T.E. 85T-535 (C.S.), J.E. 85-650 (C.S.).
Martin & Stewart inc. c. *Lalancette*, (1984) C.S. 59, D.T.E. 84T-52 (C.S.), J.E. 84-61 (C.S.).
Bureau d'expertises des assureurs ltée c. *Michaud*, (1983) C.S. 945, D.T.E. 83T-841 (C.S.), J.E. 83-1024 (C.S.).

128/323 Cette disposition est clairement réparatrice et, de ce fait, doit être interprétée largement.
Slaight Communications inc. c. *Davidson*, (1989) 1 R.C.S. 1038 (par analogie).
V. aussi: *Versabec inc.* c. *Gignac*, D.T.E. 99T-1152 (C.T.).

128/324 L'article 128 L.N.T. est une disposition de nature réparatrice et confère un pouvoir qui ne peut être exercé que lorsque la cause a été entendue au fond par la Commission des relations du travail. Le texte de cette disposition l'indique clairement, en précisant que la décision est rendue à la lumière «de toutes les circonstances de l'affaire».
Syndicat des travailleuses et travailleurs de la Coopérative funéraire du Bas-St-Laurent (C.S.N.) c. *Coopérative funéraire du Bas-St-Laurent*, (2004) R.J.D.T. 199 (C.R.T.), D.T.E. 2004T-191 (C.R.T.).

128/325 L'expression «toute autre décision qui lui paraît juste et raisonnable» confère au commissaire une discrétion très large pour compenser les conséquences du congédiement injuste. Toutefois, il est impératif de préciser qu'une discrétion ne veut pas dire arbitraire. Le commissaire, dans l'exercice de son pouvoir discrétionnaire, doit tenir compte des règles de droit applicables. Le droit du travail n'est pas une abstraction en vase clos et n'est pas autonome au point d'être coupé de toute réalité juridique.
Châteauguay Toyota c. *Couture*, (1999) R.J.Q. 2730 (C.S.), (1999) R.J.D.T. 1581 (C.S.), D.T.E. 99T-1005 (C.S.), J.E. 99-2040 (C.S.), REJB 1999-14668 (C.S.) (règlement hors cour).

V. aussi: *U.A.P. inc.* c. *Commission des relations du travail*, (2004) R.J.Q. 934 (C.S.), (2004) R.J.D.T. 130 (C.S.), D.T.E. 2004T-283 (C.S.), J.E. 2004-609 (C.S.), REJB 2004-55372 (C.S.).

128/326 La Commission des relations du travail peut, lorsque les circonstances s'y prêtent, procéder en deux étapes pour régler le différend découlant d'un congédiement. Cette façon de faire peut favoriser un règlement à l'amiable en ce qui concerne le montant des indemnités, une fois établis les paramètres de la réparation appropriée. Toutefois, lorsqu'un règlement à l'amiable n'est pas possible, cette façon de procéder ne doit pas faire perdre de droits à l'une ou l'autre des parties.
Bon L Canada inc. c. *Béchara*, (2004) R.J.Q. 2359 (C.A.), (2004) R.J.D.T. 923 (C.A.), D.T.E. 2004T-863 (C.A.), J.E. 2004-1703 (C.A.), REJB 2004-69780 (C.A.) (autorisation d'appeler à la Cour suprême refusée).

128/327 Le commissaire saisi d'une requête en fixation de l'indemnité en vertu de l'article 128 L.N.T. n'a pas compétence pour remettre en cause les conclusions du premier commissaire qui ont l'autorité de la chose jugée.
Lavergne c. *Fugère Pontiac Buick inc.*, (2003) R.J.D.T. 346 (C.R.T.), D.T.E. 2003T-248 (C.R.T.).
Bouchard c. *Investissements Imqua inc.*, D.T.E. 2002T-165 (C.T.) (révision judiciaire refusée: C.S.Q. n° 200-05-016064-011, le 13 février 2002).
Lamoureux c. *Centura Québec ltée*, D.T.E. 2002T-539 (C.T.) (révision judiciaire refusée: D.T.E. 2003T-989 (C.S.)).

128/328 L'article 128(3) L.N.T. n'est pas l'accessoire des précédents.
Carasoulis c. *Cie de la Baie d'Hudson*, D.T.E. 91T-65 (T.A.) (révision judiciaire refusée: D.T.E. 91T-1043 (C.S.)).

128/329 Le paragraphe 3 de l'article 128 L.N.T. ne fait aucune mention ni d'un délai-congé, ni de perte d'emploi. Ainsi, le commissaire ne peut faire de telles distinctions sans excéder sa compétence.
Châteauguay Toyota c. *Couture*, (1999) R.J.Q. 2730 (C.S.), (1999) R.J.D.T. 1581 (C.S.), D.T.E. 99T-1005 (C.S.), J.E. 99-2040 (C.S.), REJB 1999-14668 (C.S.) (règlement hors cour).

128/330 Même si l'article 128(3) L.N.T. ne comporte aucune limite, il n'autorise pas le commissaire à adjuger *ultra petita*.
Dodd c. *3M Canada Ltd.*, (1997) R.J.Q. 1581 (C.A.), D.T.E. 97T-707 (C.A.), J.E. 97-1247 (C.A.).
Imprimerie Laprairie inc. c. *Doucet*, (1989) R.J.Q. 1283 (C.S.), D.T.E. 89T-516 (C.S.), J.E. 89-850 (C.S.).

128/331 Il y a lieu de faire une distinction entre le délai de congé accordé en vertu du *Code civil du Québec*, de l'indemnité accordée afin de compenser la perte de l'emploi à la suite d'un congédiement imposé sans cause juste et suffisante.

Dans ce dernier cas, la valeur de la perte de l'emploi sera estimée en fonction de la disponibilité sur le marché d'un travail similaire et de la possibilité pour l'employé d'en trouver un, le cas échéant.
Lavergne c. *Fugère Pontiac Buick inc.*, D.T.E. 2003T-806 (C.R.T.).

128/332 En vertu du paragraphe 3 de l'article 128 L.N.T., le commissaire a le pouvoir d'accorder une indemnité de délai-congé, ainsi que tout autre montant qui peut être dû selon le contrat de travail rompu par le congédiement. Il ne peut substituer à ces sommes une quelconque indemnité pour perte d'emploi.
Châteauguay Toyota c. *Couture*, (1999) R.J.Q. 2730 (C.S.), (1999) R.J.D.T. 1581 (C.S.), D.T.E. 99T-1005 (C.S.), J.E. 99-2040 (C.S.), REJB 1999-14668 (C.S.) (règlement hors cour).

128/333 Selon l'article 490 de la *Loi sur les services de santé et les services sociaux* (L.R.Q., c. S-4.2) l'administrateur provisoire d'une institution assume l'administration d'un établissement à la place de son conseil d'administration ou de son administrateur et, à moins d'une faute lourde, il n'engage pas sa responsabilité personnelle, mais bien celle de l'établissement au bénéfice duquel il prend ses décisions. L'arbitre ne peut donc faire entrer en jeu l'application de l'article 128(3) L.N.T.
Québec (Procureur général) c. *Cloutier*, D.T.E. 95T-1027 (C.S.), J.E. 95-1701 (C.S.).

— Réaffectation

128/334 Le commissaire a compétence pour ordonner à l'employeur de réaffecter un salarié congédié sans cause juste et suffisante dans un autre poste.
Brasseries Molson c. *Laurin*, D.T.E. 93T-1189 (C.S.), J.E. 93-1796 (C.S.) (désistement d'appel).
Martin c. *Carrosserie Dorion inc.*, D.T.E. 2000T-370 (C.T.).
Moreau c. *Pétroles Ronoco inc.*, D.T.E. 91T-337 (T.A.).
Demers c. *Industries A.P. inc.*, D.T.E. 87T-539 (T.A.).
Burlan c. *Université de Montréal*, (1984) T.A. 130, D.T.E. 84T-189 (T.A.).

128/335 Lorsqu'il y a un risque pour la santé du travailleur, le commissaire peut ordonner la réaffectation du salarié.
Charbonneau c. *Ayerst, McKenna et Harrison*, D.T.E. 84T-230 (T.A.).
St-Pierre c. *Industries de câbles d'acier ltée*, D.T.E. 82T-687 (T.A.).

— Réintégration

128/336 Le commissaire a le pouvoir de rendre des ordonnances de réintégration conditionnelle.
Pratt & Whitney Canada inc. c. *Elsedfy*, D.T.E. 87T-500 (T.A.).
Hercules Canada inc. c. *Collette*, D.T.E. 85T-631 (T.A.).

128/337 Il revient au commissaire de régler les difficultés découlant d'une ordonnance de réintégration.
Brasseries Molson c. *Laurin*, D.T.E. 93T-1189 (C.S.), J.E. 93-1796 (C.S.) (désistement d'appel).

— Sanction disciplinaire

128/338 L'article 128(3) L.N.T. accorde au commissaire le pouvoir de modifier la sanction disciplinaire imposée par l'employeur, lorsqu'il est d'avis qu'il y a disproportion entre la faute et la sanction.
Blanchard c. *Control Data Canada ltée*, (1984) 2 R.C.S. 476.
Desjardins-Ferland c. *Compagnie de la Baie d'Hudson*, D.T.E. 94T-1273 (C.A.), J.E. 94-1804 (C.A.) (autorisation d'appeler à la Cour suprême refusée).

Gagnon c. *Laboratoires Nordic inc.*, D.T.E. 94T-77 (C.A.), J.E. 94-165 (C.A.).
Commission scolaire Cascades l'Achigan c. *Desjardins*, J.E. 87-243 (C.A.).
Bastien c. *Kraft ltée*, D.T.E. 85T-160 (C.A.).
General Motors du Canada ltée c. *Tremblay*, D.T.E. 82T-323 (C.A.), J.E. 82-404 (C.A.).
Bingo Les Saules inc. c. *C.N.T.*, D.T.E. 99T-289 (C.S.) (appel rejeté sur requête).
Caisse populaire de Charlesbourg c. *Girard*, D.T.E. 99T-710 (C.S.).
Holt Renfrew & Co. c. *Legendre*, D.T.E. 87T-85 (C.S.) (règlement hors cour).
Labelle c. *Bell Helicopter Textron*, D.T.E. 95T-752 (C.T.).
St-Amant c. *Provigo Distribution inc.*, (1994) C.T. 407, D.T.E. 94T-1048 (C.T.).
Paquette c. *Épiciers unis Métro-Richelieu inc.*, (1992) C.T. 495, D.T.E. 92T-802 (C.T.).
Caisse populaire de St-Anaclet c. *Blanchette*, (1988) T.A. 493, D.T.E. 88T-558 (T.A.).
Pasche c. *Tip Top Tailors-Dilex ltée*, (1988) T.A. 396, D.T.E. 88T-484 (T.A.).
Lachance c. *Zellers inc.*, (1987) T.A. 10, D.T.E. 87T-12 (T.A.) (révision judiciaire refusée: D.T.E. 87T-844 (C.S.)).
Jean-Baptiste c. *Produits de papier Variété ltée*, D.T.E. 84T-229 (T.A.).
Fortier c. *Clinique Gérard J. Léonard*, D.T.E. 83T-67 (T.A.).
Beauchesne c. *Demers express inc.*, D.T.E. 82T-114 (T.A.).
Contra: *Odierna* c. *Pratt & Whitney Aircraft du Canada ltée*, D.T.E. 82T-807 (T.A.).
Soeurs de la charité du Québec c. *Drolet*, D.T.E. 82T-808 (T.A.).

128/339 L'article 128(3) L.N.T. permet au commissaire de substituer au congédiement une autre sanction, telle une réprimande écrite ou une suspension.
Équipement de ferme Dynavent c. *Lefebvre*, (1991) T.A. 252, D.T.E. 91T-440 (T.A.).
Minéraux Noranda inc. (division C.C.R.) c. *Dicaire*, D.T.E. 90T-276 (T.A.).
Béland c. *Laniel Canada inc.*, D.T.E. 89T-464 (T.A.).
Pétro-Canada inc. c. *Lambert*, D.T.E. 89T-176 (T.A.).
Pasche c. *Tip Top Tailors-Dilex ltée*, (1988) T.A. 396, D.T.E. 88T-484 (T.A.).
Fréreault-Leroux c. *Oratoire St-Joseph du Mont-Royal*, D.T.E. 87T-98 (T.A.).
Investigation et sécurité C.H. inc. c. *Gagné*, D.T.E. 87T-597 (T.A.).
Lachance c. *Zellers inc.*, (1987) T.A. 10, D.T.E. 87T-12 (T.A.) (révision judiciaire refusée: D.T.E. 87T-844 (C.S.)).
Manoir St-Eustache c. *Joly*, (1986) T.A. 683, D.T.E. 86T-771 (T.A.).
Perron c. *Groupe U.C.S. ltée*, D.T.E. 86T-197 (T.A.).
Goodyear Canada inc. c. *Toulouse*, D.T.E. 85T-249 (T.A.).
Allain c. *Cie minière I.O.C. inc.*, (1984) T.A. 509, D.T.E. 84T-622 (T.A.).
Jean-Baptiste c. *Produits de papier Variété ltée*, D.T.E. 84T-229 (T.A.).
Marcel Benoit ltée c. *Bertrand*, D.T.E. 84T-560 (T.A.).
Chapman c. *Service spécial de garage inc.*, D.T.E. 83T-946 (T.A.).
K-Mart Canada Ltd. c. *Côté*, D.T.E. 82T-14 (T.A.).

128/340 Le commissaire ne peut annuler ou modifier une suspension, car le recours en vertu de l'article 124 L.N.T. ne vise que le congédiement.
Dessureault-Benson c. *Groupe J.-C. Dessureault inc.*, D.T.E. 2002T-1169 (C.T.).

128/341 Même si un juge de la Cour supérieure est d'avis que le commissaire a attribué trop d'importance aux circonstances atténuantes, cela ne lui permet pas d'intervenir. Cette opinion ne confère pas nécessairement un caractère manifestement déraisonnable ou clairement irrationnel à la décision du commissaire.
Caisse populaire de Charlesbourg c. *Girard*, D.T.E. 99T-710 (C.S.).

128/342 Le commissaire a le pouvoir d'ordonner à l'employeur de rétrograder un salarié dans un poste inférieur à celui qu'il détenait.
Pasche c. *Tip Top Tailors-Dilex ltée*, (1988) T.A. 396, D.T.E. 88T-484 (T.A.).
Lachance c. *Zellers inc.*, (1987) T.A. 10, D.T.E. 87T-12 (T.A.) (révision judiciaire refusée: D.T.E. 87T-844 (C.S.)).

128/343 Le commissaire peut ordonner que la sentence arbitrale soit consignée au dossier du salarié à titre d'avis disciplinaire.
Division Francon et/ou Canfarge ltée c. *Pazienza*, D.T.E. 87T-682 (T.A.).
K-Mart Canada Ltd. c. *Côté*, D.T.E. 82T-14 (T.A.).

128/344 Le commissaire peut ordonner que la lettre de congédiement du plaignant soit retirée de son dossier disciplinaire pour être remplacée par une lettre de démission ou par sa décision.
Cidrerie du Québec ltée c. *Lecours*, (1986) T.A. 497, D.T.E. 86T-591 (T.A.).
Heutte c. *Centre médical des industries de la mode (U.I.O.V.D.)*, D.T.E. 82T-580 (T.A.).

128/345 Le commissaire n'est pas obligé de s'en tenir au maintien de la sanction prédéterminée par contrat.
Holt Renfrew & Co. c. *Legendre*, D.T.E. 87T-85 (C.S.) (règlement hors cour).
Mailloux c. *Québec Téléphone*, D.T.E. 82T-504 (T.A.).

— Indemnités

128/346 Le commissaire bénéficie d'une discrétion très large, en vertu de l'article 128(3) L.N.T. quant à la détermination du montant de l'indemnité de préavis.
Corne d'abondance inc. c. *Bureau du commissaire général du travail*, D.T.E. 98T-153 (C.S.).
Giocondese c. *Imbeau*, D.T.E. 91T-1201 (C.S.).

128/347 Il faut comprendre que l'indemnité pour perte d'emploi n'est pas punitive, mais bien réparatrice ou, encore, compensatrice. Un salarié n'y a donc pas droit de façon automatique lorsqu'il perd son emploi et que sa plainte est accueillie. Il appartient à la Commission des relations du travail de juger de l'opportunité d'octroyer cette indemnité, et ce, compte tenu de toutes les circonstances de l'affaire.
Brochu c. *Fabrique de la paroisse de Notre-Dame-de-la-Paix*, D.T.E. 2008T-358 (C.R.T.) (requête en révision judiciaire: n° 500-17-042667-082).

128/348 Il y a deux écoles de pensée relativement à la question du versement de l'indemnité. Selon la première école de pensée, le paragraphe 2 de l'article 128 L.N.T. est tributaire du paragraphe 1, de sorte que le remboursement du salaire perdu n'entre en ligne de compte que s'il y a réintégration du salarié. Dans le cas contraire, le paragraphe 3 devrait recevoir application par lui-même et sans faire référence au paragraphe 2 de l'article 128 L.N.T. Qu'un commissaire opte pour un courant jurisprudentiel plutôt qu'un autre, il ne peut être question d'erreur manifestement déraisonnable.
Jobin c. *Grenier*, (1999) R.J.D.T. 468 (C.S.), D.T.E. 99T-414 (C.S.).
Kominik c. *F.M.E. Corp.*, D.T.E. 2000T-495 (C.T.).

128/349 La *Loi sur les normes du travail* permet à la Commission des relations du travail d'accorder une indemnité qui ne vise que la perte d'emploi comme telle

et qui ne se limite pas au simple remplacement du salaire perdu. Malgré qu'il soit difficile d'évaluer le préjudice d'ordre financier représenté par la perte d'emploi injustifiée sans possibilité de réintégration, ce préjudice existe tout de même.
Compagnie Uniforme ltée c. *Chaumont*, D.T.E. 2005T-1136 (C.S.).
U.A.P. inc. c. *Commission des relations du travail*, (2004) R.J.Q. 934 (C.S.), (2004) R.J.D.T. 130 (C.S.), D.T.E. 2004T-283 (C.S.), J.E. 2004-609 (C.S.), REJB 2004-55372 (C.S.).
V. aussi: *Tremblay* c. *G. Riendeau et Fils inc.*, D.T.E. 2005T-1077 (C.R.T.) (révision judiciaire accueillie pour d'autres motifs: (2007) R.J.D.T. 432 (C.S.), D.T.E. 2007T-436 (C.S.), J.E. 2007-1008 (C.S.), EYB 2007-118476 (C.S.)) (homologation de la convention: n° 500-09-017696-071, le 12 septembre 2007).

128/350 L'indemnité que l'employeur doit verser est une mesure compensatrice de titre prospectif.
Versabec inc. c. *Gignac*, D.T.E. 99T-1152 (C.T.).

128/351 Il ne saurait être question que le cumul des montants accordés fasse en sorte que le dédommagement cesse d'être indemnitaire pour qu'il devienne punitif.
Bon L Canada inc. c. *Béchara*, (2004) R.J.Q. 2359 (C.A.), (2004) R.J.D.T. 923 (C.A.), D.T.E. 2004T-863 (C.A.), J.E. 2004-1703 (C.A.), REJB 2004-69780 (C.A.) (autorisation d'appeler à la Cour suprême refusée).
Technologies Kree inc. c. *Béchara*, (2007) R.J.D.T. 401 (C.S.), D.T.E. 2007T-301 (C.S.), J.E. 2007-713 (C.S.), EYB 2007-115429 (C.S.) (désistement d'appel).

128/352 En ordonnant le versement d'indemnités, la Commission des relations du travail ne peut pas imposer un résultat encore plus avantageux pour l'ex-salarié qui, sans être réintégré, toucherait tous les bénéfices de son ancien emploi incluant, à titre d'exemple, l'admissibilité à la retraite sans fournir une prestation de travail. Une telle décision annihile pratiquement le droit au congédiement, confère aux salariés comptant de nombreuses années de service une garantie d'emploi que la relation contractuelle ne comporte pas et constitue une solution éminemment injuste pour les autres salariés de l'employeur obligés, eux, de fournir une prestation régulière en contrepartie de la rémunération.
Bon L Canada inc. c. *Béchara*, (2004) R.J.Q. 2359 (C.A.), (2004) R.J.D.T. 923 (C.A.), D.T.E. 2004T-863 (C.A.), J.E. 2004-1703 (C.A.), REJB 2004-69780 (C.A.) (autorisation d'appeler à la Cour suprême refusée).

128/353 En renonçant à la réintégration et en demandant à la Commission des relations du travail d'ordonner le paiement d'une indemnité de fin d'emploi, le salarié utilise le mécanisme de la présomption établi en sa faveur et applicable à un acte illégal mentionné aux articles 122 et ss. L.N.T. pour obtenir un remède alternatif uniquement possible dans le cas d'un recours en vertu de l'article 124 L.N.T. portant sur la justesse du congédiement. Le salarié profite ainsi du mode de preuve applicable à un type de recours pour bénéficier d'un remède possible en vertu d'un autre recours, même si moins complet par ailleurs. Si le salarié peut bénéficier de la présomption qui l'avantage au niveau du degré de la preuve qu'il doit offrir, il doit aussi s'en remettre au remède prévu par le législateur dans le cadre de ce type de recours. S'il recherche d'autres remèdes, il doit exercer le recours qui lui permet de les obtenir et se conformer au mode de preuve applicable.

De plus, le moment de la renonciation détermine la fin de la période au cours de laquelle le salarié a été privé de salaire en raison de son congédiement. Le salarié qui renonce à exécuter l'ordonnance de réintégration, demande le paie-

ment d'une indemnité de fin d'emploi. Dans le cas d'une plainte en vertu de l'article 124 L.N.T., l'indemnité de fin d'emploi sera accordée seulement lorsque la réintégration est impossible, irréaliste ou impraticable. Le premier remède demeure la réintégration. Puisque la Commission des relations du travail ordonne la réintégration, elle ne peut, dans la même décision à l'égard d'un même congédiement, ordonner le paiement d'une indemnité de fin d'emploi visant précisément à compenser l'absence de réintégration qu'elle ordonne, et ce, même si le salarié renonce à demander l'exécution de cette ordonnance.
Doyon c. *Entreprises Jacques Despars inc.*, (2007) R.J.D.T. 1089 (C.R.T.), D.T.E. 2007T-645 (C.R.T.) (révision en vertu de l'article 127 C.T. refusée: D.T.E. 2008T-22 (C.R.T.)).

128/354 Le commissaire doit tenir compte des gestes de mesquinerie et de vengeance du salarié envers son ex-employeur dans la fixation de l'indemnité.
L'Écuyer c. *Marché Lord inc.*, (1995) C.T. 258, D.T.E. 95T-622 (C.T.).

128/355 Puisque le salarié plaignant n'a exprimé aucun remords ni regret concernant la façon dont il a traité ses collègues féminines, adoptant plutôt une attitude de déni face aux manquements reprochés, il n'y a pas lieu de lui octroyer une indemnité pour perte d'emploi afin de compenser sa non-réintégration.
Bessette c. *Simson-Maxwell*, D.T.E. 2007T-646 (C.R.T.).

128/356 En vertu de l'article 128(3) L.N.T., il n'entre pas dans les pouvoirs du commissaire de fixer une «indemnité de perte d'emploi».
Imprimerie Laprairie inc. c. *Doucet*, (1989) R.J.Q. 1283 (C.S.), D.T.E. 89T-516 (C.S.), J.E. 89-850 (C.S.).

128/357 La Commission des relations du travail peut tenir compte des conditions du marché pour déterminer le montant de l'indemnité pour perte d'emploi.
Bon L Canada inc. c. *Béchara*, (2004) R.J.Q. 2359 (C.A.), (2004) R.J.D.T. 923 (C.A.), D.T.E. 2004T-863 (C.A.), J.E. 2004-1703 (C.A.), REJB 2004-69780 (C.A.) (autorisation d'appeler à la Cour suprême refusée).

128/358 Le paiement d'une indemnité pour perte de salaire n'empêche pas un salarié de recevoir une indemnité pour perte d'emploi.
Bédard c. *Minolta Business Equipment (Canada) Ltd., Minolta Québec*, (2008) R.J.D.T. 1431 (C.A.), D.T.E. 2008T-759 (C.A.), J.E. 2008-1829 (C.A.), EYB 2008-146847 (C.A.) (autorisation d'appeler à la Cour suprême refusée).
Costco Wholesale Canada Ltd. c. *Laplante*, (2005) R.J.Q. 2249 (C.A.), (2005) R.J.D.T. 1465 (C.A.), D.T.E. 2005T-831 (C.A.), J.E. 2005-1696 (C.A.), EYB 2005-94727 (C.A.).
Bergeron c. *Collège de Shawinigan*, D.T.E. 99T-908 (C.A.), J.E. 99-1907 (C.A.), REJB 1999-14287 (C.A.).
Browne c. *Nordic Development Corporation Inc.*, D.T.E. 2005T-775 (C.R.T.) (révisions en vertu de l'article 127 C.T. refusées) (révision judiciaire refusée: D.T.E. 2007T-435 (C.S.)).
Chamberland c. *Produits Mica Suzorite inc.*, D.T.E. 2004T-465 (C.R.T.).

128/359 Il est possible de compenser le plaignant pour la perte de son emploi ou encore pour la perte du droit au recours selon l'article 124 L.N.T.

Bon L Canada inc. c. *Béchara*, (2004) R.J.Q. 2359 (C.A.), (2004) R.J.D.T. 923 (C.A.), D.T.E. 2004T-863 (C.A.), J.E. 2004-1703 (C.A.), REJB 2004-69780 (C.A.) (autorisation d'appeler à la Cour suprême refusée).
Immeubles Bona ltée (Les) c. *Labelle*, (1995) R.D.J. 397 (C.A.), D.T.E. 95T-427 (C.A.), J.E. 95-733 (C.A.).
Jean bleu inc. c. *Bureau du commissaire général du travail*, D.T.E. 2002T-1109 (C.S.), J.E. 2002-2089 (C.S.), REJB 2002-36008 (C.S.).
Raymond Plourde Automobiles inc. c. *Bélanger*, D.T.E. 2001T-487 (C.S.), J.E. 2001-986 (C.S.), REJB 2001-24640 (C.S.).
Communications Quebecor inc. c. *Vignola*, D.T.E. 99T-549 (C.S.) (désistement d'appel).
Royal Victoria Hospital c. *Couture*, D.T.E. 95T-198 (C.S.).
Turbocristal inc. c. *Racine*, D.T.E. 95T-493 (C.S.) (règlement hors cour).
Baillie c. *Technologies Digital Shape inc.*, (2009) R.J.D.T. 179 (C.R.T.), D.T.E. 2009T-80 (C.R.T.) (révision judiciaire refusée: C.S.M. n^{0} 500-17-047766-095, le 17 avril 2009).
Chaumont c. *1276698 Ontario inc. (Club de golf Val-des-Lacs)*, D.T.E. 2008T-218 (C.R.T.).
Deschênes c. *Valeurs mobilières Banque Laurentienne inc.*, (2008) R.J.D.T. 203 (C.R.T.), D.T.E. 2008T-18 (C.R.T.) (révision judiciaire refusée sur requête en irrecevabilité: D.T.E. 2008T-882 (C.S.), EYB 2008-149755 (C.S.)) (en appel: n^{0} 500-09-019150-085).
Amesse c. *Surbois inc.*, D.T.E. 2007T-80 (C.R.T.).
Barre c. *2533-0507 Québec inc.*, (2007) R.J.D.T. 115 (C.R.T.), D.T.E. 2007T-81 (C.R.T.) (révision en vertu de l'article 127 C.T. refusée: (2007) R.J.D.T. 1077 (C.R.T.), D.T.E. 2007T-650 (C.R.T.)).
Dubois c. *Cercueils Concept inc.*, D.T.E. 2007T-343 (C.R.T.).
Malette c. *3948331 Canada inc. (Allure Concept Mode)*, D.T.E. 2007T-960 (C.R.T.).
Saindon c. *Taleo (Canada) inc.*, D.T.E. 2007T-33 (C.R.T.).
Beaulieu c. *9116-7890 Québec inc.*, D.T.E. 2006T-907 (C.R.T.).
Gagnon c. *Comité sectoriel de main-d'oeuvre des industries du bois de sciage*, D.T.E. 2006T-337 (C.R.T.) (requête en révision judiciaire: n^{0} 200-05-018349-063).
Marcoux c. *Classified Media (Canada) Holdings Inc. — Auto Hebdo*, D.T.E. 2006T-837 (C.R.T.).
Burns c. *Airport Steel & Tubing Ltd. (Acier Aéroport ltée)*, D.T.E. 2005T-1076 (C.R.T.).
Fillion c. *9089-6853 Québec inc. (Les Services Danymark)*, D.T.E. 2005T-576 (C.R.T.).
Trapani c. *Tenaquip ltée*, D.T.E. 2005T-830 (C.R.T.).
Vekilis c. *Communauté hellénique de Montréal*, D.T.E. 2005T-121 (C.R.T.).
Bédard c. *Minolta Business Equipment (Canada) Ltd. (Minolta Québec)*, D.T.E. 2004T-1175 (C.R.T.) (révision judiciaire accueillie pour d'autres motifs: (2007) R.J.D.T. 69 (C.S.), D.T.E. 2007T-258 (C.S.), EYB 2007-115114 (C.S.)) (appel accueilli pour d'autres motifs: (2008) R.J.D.T. 1431 (C.A.), D.T.E. 2008T-759 (C.A.), J.E. 2008-1829 (C.A.), EYB 2008-146847 (C.A.)) (autorisation d'appeler à la Cour suprême refusée).
Blizeev c. *Société d'administration immobilière Fugi ltée (Appartements Hill Park)*, D.T.E. 2004T-211 (C.R.T.) (règlement hors cour).
Marshall c. *Jesta I.S. inc.*, D.T.E. 2004T-931 (C.R.T.).
Raymond c. *Garage Réjean Roy inc.*, D.T.E. 2004T-1041 (C.R.T.).
Couture c. *Services Investors ltée*, (2003) R.J.D.T. 325 (C.R.T.), D.T.E. 2003T-180 (C.R.T.).

Laplante c. *Costco Wholesale Canada Ltd.*, D.T.E. 2003T-1058 (C.R.T.) (révision judiciaire refusée: D.T.E. 2004T-843 (C.S.)) (appel rejeté: (2005) R.J.Q. 2249 (C.A.), (2005) R.J.D.T. 1465 (C.A.), D.T.E. 2005T-831 (C.A.), J.E. 2005-1696 (C.A.), EYB 2005-94727 (C.A.)).
Boisvert c. *Industries Machinex inc.*, D.T.E. 2002T-185 (C.T.).
Chaussé c. *Garage Denis Boisclair inc.*, D.T.E. 2002T-89 (C.T.).
Gariépy c. *W.W.F. Canada inc.*, D.T.E. 2002T-540 (C.T.).
Onofrio c. *Premier Réfractaires du Canada ltée*, D.T.E. 2002T-561 (C.T.).
Roy c. *Comité paritaire de l'industrie de l'automobile de Montréal*, D.T.E. 2002T-584 (C.T.).
Lavoie c. *Bon L. Canada inc.*, D.T.E. 2001T-512 (C.T.) (révision judiciaire refusée: C.S.M. n° 500-05-064634-015, le 13 septembre 2001).
Falardeau c. *Ant-Labbé inc.*, D.T.E. 99T-959 (C.T.).
Gagné c. *Agences Claude Marchand inc.*, (1999) R.J.D.T. 560 (C.T.), D.T.E. 99T-439 (C.T.).
Rivard c. *Atlantic Produits d'emballage ltée*, (1999) R.J.D.T. 207 (C.T.), D.T.E. 99T-69 (C.T.).
Pouliot c. *Association d'action bénévole du Granit*, (1998) R.J.D.T. 1229 (C.T.), D.T.E. 98T-694 (C.T.) (révision judiciaire refusée: (1998) R.J.D.T. 1141 (C.S.), D.T.E. 98T-864 (C.S.)).
Clark c. *Groupe D.M.R. inc.*, (1997) C.T. 203, D.T.E. 97T-625 (C.T.).
Fleury c. *Sorel Tracy B.B.Q.*, D.T.E. 97T-1151 (C.T.).
Gagnon c. *Corne d'abondance inc.*, D.T.E. 97T-341 (C.T.) (ultérieur: D.T.E. 98T-153 (C.S.)).
Drouin c. *Commission scolaire protestante St-Maurice*, D.T.E. 95T-997 (C.T.).
Dufour c. *Helca Métro ltée*, (1995) C.T. 236, D.T.E. 95T-449 (C.T.).
Émond c. *Mil Davie inc.*, D.T.E. 95T-674 (C.T.).
Fortin c. *Jean Bleu inc.*, D.T.E. 95T-120 (C.T.).
Guay c. *Compagnie Trust Royal*, D.T.E. 95T-726 (C.T.).
Malo c. *Industries Pantorama inc.*, (1995) C.T. 56, D.T.E. 95T-286 (C.T.) (révision judiciaire refusée: C.S.M. n° 500-05-014650-947, le 1er février 1995).
Mayrand c. *Magasins à rayons Peoples inc.*, D.T.E. 95T-828 (C.T.).
Normand c. *Épiciers unis Métro-Richelieu inc.*, D.T.E. 95T-1432 (C.T.).
Roy c. *Brasserie La Côte de boeuf*, D.T.E. 95T-1431 (C.T.).
Riou c. *Point de vue — souvenirs inc.*, (1995) C.T. 210, D.T.E. 95T-398 (C.T.) (révision judiciaire refusée: C.S.Q. n° 200-05-000140-959, le 24 avril 1995).
Beauchemin c. *Imprimerie Corsair inc.*, (1994) C.T. 345, D.T.E. 94T-1014 (C.T.).
Savard c. *Matelas Serta Bon-Aire inc.*, (1994) C.T. 441, D.T.E. 94T-1204 (C.T.).
Di Tomasso c. *Bally Canada inc.*, D.T.E. 91T-305 (T.A.).
Pelletier c. *Termaco ltée*, D.T.E. 90T-1103 (T.A.).
Lapierre c. *Salois Chevrolet Oldsmobile inc.*, (1982) T.A. 1266, D.T.E. 82T-826 (T.A.).
V. aussi: *Bernard* c. *Multi-recyclage S.D. inc.*, (1998) R.J.D.T. 187 (C.T.), D.T.E. 98T-15 (C.T.).

128/360 Les critères généralement retenus dans l'appréciation de l'octroi d'une indemnité pour perte d'emploi sont: la nature de l'emploi occupé, la possibilité d'occuper à nouveau un tel emploi, les années de service de la personne, son âge, son expérience, sa scolarité, les représentations faites par l'employeur, etc.
Villeneuve c. *Saguenay (Ville de)*, D.T.E. 2008T-78 (C.R.T.).

128/361 Les dispositions de l'article 128 L.N.T. permettent au commissaire d'accorder une indemnité pour la perte de salaire et une autre pour perte d'emploi, et ce, lorsqu'il n'y a pas réintégration.
Paquet c. *Gabriel Mercier ltée*, D.T.E. 2000T-493 (C.A.), J.E. 2000-1070 (C.A.), REJB 2000-18197 (C.A.).
Amesse c. *Surbois inc.*, D.T.E. 2007T-80 (C.R.T.).
Zarr c. *Kessler*, D.T.E. 2001T-909 (C.T.).

128/362 Il ne faut pas confondre le délai-congé, qui vise généralement à compenser un salarié lorsque l'employeur exerce son droit de résilier sans cause un contrat à durée indéterminée, et l'indemnité pour perte d'emploi.
Amesse c. *Surbois inc.*, D.T.E. 2007T-80 (C.R.T.).
Brisson c. *9027-4580 Québec inc.*, (1999) R.J.D.T. 246 (C.T.), D.T.E. 99T-164 (C.T.) (révision judiciaire refusée: D.T.E. 99T-549 (C.S.)) (désistement d'appel).

128/363 La Commission des relations du travail ne peut accorder une indemnité pour perte d'emploi lorsque la demande du plaignant n'est pas liée à l'impossibilité de réintégration, mais à sa volonté de poursuivre sa carrière chez un nouvel employeur.
Déziel c. *9051-5974 Québec inc. (Boulangerie St-Esprit)*, D.T.E. 2005T-993 (C.R.T.).

128/364 Dans l'exercice de sa compétence, le commissaire peut non seulement ordonner le paiement d'une indemnité pour le salaire perdu, mais il peut également rendre toute autre décision juste et raisonnable compte tenu de toutes les circonstances de l'affaire.
Pelletier c. *Coopérative des travailleurs en loisir du Bas Saguenay*, D.T.E. 2001T-559 (C.A.), J.E. 2001-1113 (C.A.), REJB 2001-24335 (C.A.).

128/365 Lorsque l'employeur a licencié tous ses employés, un salarié ne peut avoir droit à une indemnité de perte d'emploi pour compenser ce fait.
Jean c. *2722941 Canada inc. (Géo Mercier)*, D.T.E. 2005T-941 (C.R.T.).

128/366 L'indemnité relative à la perte d'emploi peut être établie en fonction de la moyenne du salaire, des primes et des avantages des cinq dernières années de travail du salarié.
Premier Réfractaires du Canada ltée c. *Onofrio*, D.T.E. 2003T-201 (C.R.T.).

128/367 Le commissaire peut indemniser un salarié pour la perte de son emploi, compte tenu de ses longs états de service et du fait que le salarié était le bras droit de l'employeur.
Ranger c. *Clinique chiropratique St-Eustache*, D.T.E. 2003T-1013 (C.R.T.).

128/368 Le commissaire peut tenir compte de la durée de l'emploi du salarié, de la nature et de l'importance de ses fonctions, de son âge et de ses compétences pour lui octroyer une indemnité pour perte d'emploi.
Jean c. *Boulangerie-pâtisserie Le Viennois inc.*, D.T.E. 2006T-1037 (C.R.T.).
Radacovsky c. *Grands Ballets canadiens de Montréal*, D.T.E. 2006T-1038 (C.R.T.) (règlement hors cour).

128/369 Le montant donné en compensation pour la perte d'un emploi, auquel le salarié a droit, peut être plus élevé que celui octroyé à la suite de l'exercice du

droit de l'employeur de mettre fin unilatéralement au contrat à durée indéterminée, selon le *Code civil du Québec*.
Brisson c. *9027-4580 Québec Inc.*, (1999) R.J.D.T. 246 (C.T.), D.T.E. 99T-164 (C.T.) (révision judiciaire refusée: D.T.E. 99T-549 (C.S.)) (désistement d'appel).

128/370 Même si les dispositions de l'article 128(3) L.N.T. peuvent être utiles pour rendre toutes autres décisions, elles ne peuvent donner lieu à n'importe quel genre de décision. Ainsi, en l'absence de motifs particuliers justifiant une indemnité pour perte d'emploi de vingt-trois mois, on doit conclure que le commissaire n'a pas judicieusement exercé sa discrétion en octroyant un tel montant.
Paquet c. *Gabriel Mercier ltée*, D.T.E. 2000T-493 (C.A.), J.E. 2000-1070 (C.A.), REJB 2000-18197 (C.A.).

128/371 Le commissaire a pleine compétence pour substituer à la réintégration une indemnité et pour évaluer celle-ci. Cependant, il est déraisonnable, de sa part, d'accorder une indemnité parce que le salarié a définitivement perdu son emploi et une autre parce qu'il ne le retrouvera pas.
Bon L Canada inc. c. *Béchara*, (2004) R.J.Q. 2359 (C.A.), (2004) R.J.D.T. 923 (C.A.), D.T.E. 2004T-863 (C.A.), J.E. 2004-1703 (C.A.), REJB 2004-69780 (C.A.) (autorisation d'appeler à la Cour suprême refusée).
Immeubles Bona ltée (Les) c. *Labelle*, (1995) R.D.J. 397 (C.A.), D.T.E. 95T-427 (C.A.), J.E. 95-733 (C.A.).

128/372 Lorsque la Commission des relations du travail quantifie la perte de salaire, elle doit opter entre l'ordonnance de réintégration qu'autorise le paragraphe 1 de l'article 128 L.N.T. ou l'indemnité «juste et raisonnable, compte tenu de toutes les circonstances de l'affaire», prévue au paragraphe 3 de cet article. Or, lorsqu'elle écarte la réparation par la réintégration, la Commission ne peut imposer un résultat encore plus avantageux pour l'ex-salarié qui, sans être réintégré, peut toucher tous les avantages de son ancien emploi, y compris l'admissibilité à la retraite sans fournir de prestation de travail à l'employeur et, pis encore, en conservant les revenus gagnés auprès d'autres employeurs.
Bon L Canada inc. c. *Béchara*, (2004) R.J.Q. 2359 (C.A.), (2004) R.J.D.T. 923 (C.A.), D.T.E. 2004T-863 (C.A.), J.E. 2004-1703 (C.A.), REJB 2004-69780 (C.A.) (autorisation d'appeler à la Cour suprême refusée).

128/373 Il ne saurait y avoir paiement d'une indemnité si le plaignant ne réclame pas, ne désire pas, ou renonce à sa réintégration.
Placements Melcor c. *Côté-Desbiolles*, D.T.E. 96T-147 (C.S.).
Restaurants McDonald's du Canada ltée c. *Couture*, D.T.E. 96T-107 (C.S.).
Bissonnette c. *Novartis Pharma Canada inc.*, (2008) R.J.D.T. 1217 (C.R.T.), D.T.E. 2008T-577 (C.R.T.).
Mondor c. *Laboratoire Bi-op inc.*, D.T.E. 2003T-705 (C.R.T.).
Lacroix c. *Brasserie Labatt ltée*, D.T.E. 2001T-18 (C.T.) (révision judiciaire refusée: D.T.E. 2001T-316 (C.S.)).
Martin c. *Carrosserie Dorion inc.*, D.T.E. 2000T-370 (C.T.).
Dupont c. *Diamants Lafleur (Bijouterie Ricci)*, D.T.E. 98T-118 (C.T.).

Voir cependant la décision suivante où l'on a décidé qu'il est possible d'accorder au salarié une indemnité pour compenser le fait que l'employeur n'aura pas à le réintégrer.
Turbocristal inc. c. *Racine*, D.T.E. 95T-493 (C.S.) (règlement hors cour).

V. aussi: *Future Electronics Inc.* c. *Monette*, D.T.E. 2003T-420 (C.S.), J.E. 2003-820 (C.S.), REJB 2003-39614 (C.S.).
Raymond Plourde Automobiles inc. c. *Bélanger*, D.T.E. 2001T-487 (C.S.), J.E. 2001-986 (C.S.), REJB 2001-24640 (C.S.).
A.S.I. International inc. c. *Jones*, D.T.E. 98T-1244 (C.S.).
Plante c. *Mécanicien Industriel Millwright, section locale 2182*, D.T.E. 2006T-784 (C.R.T.).
Radacovsky c. *Grands Ballets canadiens de Montréal*, D.T.E. 2006T-1038 (C.R.T.) (règlement hors cour).
Lavergne c. *Fugère Pontiac Buick inc.*, D.T.E. 2003T-806 (C.R.T.).
Thomassin c. *D. Bertrand & Fils inc.*, D.T.E. 2003T-419 (C.R.T.).
Jacques c. *Promutuel Beauce, société mutuelle d'assurances générales*, D.T.E. 2001T-156 (C.T.).
Falardeau c. *Ant-Labbé inc.*, D.T.E. 99T-959 (C.T.).
Michaud c. *Albany International Canada inc.*, D.T.E. 96T-710 (C.T.).
Vézina c. *Sénécal Assurances inc.*, (1996) C.T. 557, D.T.E. 96T-1552 (C.T.).
Joly c. *Wohl*, (1995) C.T. 274, D.T.E. 95T-647 (C.T.) (révision judiciaire refusée: D.T.E. 96T-291 (C.S.)).

128/374 Il ne saurait y avoir de versement d'une indemnité pour perte d'emploi lorsqu'une entente est intervenue entre le salarié et l'employeur constatant la renonciation du plaignant à sa réintégration puisque telle entente constitue une transaction.
Vallières c. *SOS Services techniques industriels inc.*, D.T.E. 2006T-268 (C.R.T.).

128/375 Un salarié ne doit pas être automatiquement privé de toute forme d'indemnisation du simple fait qu'il a renoncé à être réintégré dans son poste chez son ancien employeur. Chaque cas est un cas d'espèce, cependant, il s'agit du remède normal et il doit exister des motifs sérieux pour ne pas l'appliquer.
Kominik c. *F.M.E. Corp.*, D.T.E. 2000T-495 (C.T.).

128/376 Il ne saurait y avoir paiement d'une indemnité lorsque le salarié renonce à sa réintégration par fantaisie, caprice ou entêtement. Cependant, cela n'est pas le cas lorsque la réintégration est rendue impossible par les faits et gestes de l'employeur.
9005-8223 Québec inc. c. *Garant*, D.T.E. 98T-672 (C.S.).
Brandwein c. *Congrégation Beth-El*, (2003) R.J.D.T. 294 (C.R.T.), D.T.E. 2003T-92 (C.R.T.) (révision judiciaire refusée: D.T.E. 2005T-365 (C.A.)).

128/377 Lorsqu'un salarié indique qu'il renonce à l'ordonnance de réintégration, alors une telle ordonnance n'existe plus. En conséquence, la Commission des relations du travail peut ordonner le paiement d'une indemnité tel que le prévoit l'article 128 L.N.T.
Godin c. *Commission des relations du travail*, D.T.E. 2007T-707 (C.S.).

128/378 Une indemnité de perte d'emploi peut être octroyée en raison des longues années de service du salarié et de la nature du poste occupé.
Benabidi c. *Laboratoires de friction Fasa inc.*, D.T.E. 2003T-1012 (C.R.T.).

128/379 Le commissaire a compétence pour indemniser un salarié pour la perte de son emploi, compte tenu du fait que sa recherche d'emploi ne pourrait pas être fructueuse, et ce, considérant son âge, son expérience de travail et sa formation limitées.
Rols c. *Merck Frosst Canada inc.*, (1997) C.T. 52, D.T.E. 97T-56 (C.T.).

128/380 La position traditionnelle de la Commission des relations du travail est d'accorder une indemnité variant entre deux semaines et un mois de rémunération par année de service dans le cas où le salarié ne peut être réintégré dans son emploi.
Guindon c. *Corporation de sécurité Garda World*, D.T.E. 2009T-174 (C.R.T.) (requête en révision judiciaire: n° 500-17-048698-099).

128/381 Une pratique jurisprudentielle se dégage d'un bon nombre de décisions: accorder un mois de salaire par année de travail effectivement accomplie dans le contexte où le salarié renonce à être réintégré dans son emploi.
St-Hilaire c. *Fila Canada inc.*, D.T.E. 2002T-1141 (C.T.).
Nakhal c. *Chamma*, D.T.E. 2000T-1049 (C.T.).
Gignac c. *Versabec inc.*, D.T.E. 99T-828 (C.T.).
Joly c. *Gestion Gertec ltée*, D.T.E. 99T-190 (C.T.).
Rivard c. *Atlantic Produits d'emballage ltée*, (1999) R.J.D.T. 207 (C.T.), D.T.E. 99T-69 (C.T.).
Chouinard c. *Union du Canada, Assurance-vie*, D.T.E. 97T-492 (C.T.).
Clark c. *Groupe D.M.R. inc.*, (1997) C.T. 203, D.T.E. 97T-625 (C.T.).
Salesse c. *À l'enseigne du livre inc.*, D.T.E. 97T-1314 (C.T.).
Tardif c. *Entreprises Insta-bec inc.*, (1994) C.T. 318, D.T.E. 94T-754 (C.T.).
V. cependant: *Amesse* c. *Surbois inc.*, D.T.E. 2007T-80 (C.R.T.).
Chaussé c. *Garage Denis Boisclair inc.*, D.T.E. 2002T-89 (C.T.).

128/382 Compte tenu de l'ensemble des circonstances et du contexte, il peut être octroyé une indemnité équivalant à un mois de salaire par année de service.
Stewart c. *Musée David M. Stewart*, D.T.E. 2000T-38 (C.T.).

128/383 Il est bien établi que l'on ne peut accorder mécaniquement une indemnité de fin d'emploi équivalant à un mois de salaire par année de service. À chaque fois, il faut tenir compte de l'ensemble des facteurs du cas particulier.
Amesse c. *Surbois inc.*, D.T.E. 2007T-80 (C.R.T.).

128/384 Si le salarié ne demande pas sa réintégration, il renonce alors implicitement à réclamer une compensation pour la perte de la sécurité d'emploi que l'article 124 L.N.T. lui procurait en raison de ses années de service continu.
Séguin c. *Ameublement Branchaud*, D.T.E. 95T-1405 (C.T.).

128/385 Il est possible d'indemniser le salarié pour les difficultés prévisibles à trouver un autre emploi.
Bélanger c. *Caisse populaire Desjardins de St-Jean-Port-Joli*, D.T.E. 97T-1417 (C.T.).

128/386 En vertu de l'article 128(3) L.N.T., il est possible d'octroyer au salarié, à titre d'indemnité pour perte d'emploi, une somme forfaitaire tenant compte du fait que celui-ci ne demande pas sa réintégration et qu'il ne s'est pas trouvé un autre emploi malgré ses recherches.
Duhamel c. *Tassé & Associés*, D.T.E. 95T-1433 (C.T.) (révision judiciaire refusée: C.A.M. n° 500-05-011718-952, le 10 janvier 1996).

128/387 Le commissaire a le pouvoir d'ordonner le versement d'une indemnité forfaitaire comprenant l'ensemble des dommages contractuels directs résultant d'un congédiement injustifié.
Buissières c. *Lallier Automobile (Québec) inc.*, D.T.E. 2004T-19 (C.R.T.).

Élibert c. *Québec (Ministère de l'Emploi et de la Solidarité sociale)*, D.T.E. 2004T-258 (C.R.T.).
Boulianne c. *Jean-François Martel inc.*, D.T.E. 2003T-987 (C.R.T.).
Société immobilière Trans-Québec inc. c. *Labbée*, D.T.E. 94T-799 (T.T.).
Poulin c. *Association de chasse et de pêche de Thetford Mines inc.*, D.T.E. 97T-102 (C.T.).
Séguin c. *Ameublement Branchaud*, D.T.E. 95T-1405 (C.T.).
Favreau c. *Société en commandite Le Longueuil*, D.T.E. 91T-82 (T.A.).
Campbell c. *Maislin Realties, A Division of Maislin Transport Ltd.*, D.T.E. 83T-304 (T.A.).

128/388 Les gains faits par le salarié après la décision du commissaire sur le mérite du litige, ne doivent pas être déduits de la somme reçue pour compenser la perte d'emploi, cette indemnité étant différente du délai-congé destiné à permettre au salarié de retrouver un emploi rémunérateur.
Baillie c. *Technologies Digital Shape inc.*, (2009) R.J.D.T. 179 (C.R.T.), D.T.E. 2009T-80 (C.R.T.) (révision judiciaire refusée: C.S.M. n^{0} 500-17-047766-095, le 17 avril 2009).
Brisson c. *9027-4580 Québec inc.*, (1999) R.J.D.T. 246 (C.T.), D.T.E. 99T-164 (C.T.) (révision judiciaire refusée: D.T.E. 99T-549 (C.S.)) (désistement d'appel).

128/389 Un salarié mérite une compensation en raison du fait qu'il recommence à zéro chez un nouvel employeur, puisqu'il n'aura aucune sécurité d'emploi avant deux ans de service continu.
Schaf c. *Contempra Fashions Canada Ltd.*, D.T.E. 97T-140 (C.T.).

128/390 Un commissaire ne peut octroyer à un salarié une indemnité tenant lieu de préavis de fin d'emploi, lorsqu'il renonce à sa réintégration, puisqu'une telle indemnité vise à compenser les difficultés appréhendées lors de la quête d'un nouvel emploi. Il en est ainsi lorsque le salarié s'est déjà trouvé un nouvel emploi avant même que la décision du commissaire ne soit rendue.
Chartrand c. *Wyeth-Ayerst Canada inc.*, (1997) C.T. 29, D.T.E. 97T-141 (C.T.).
V. cependant: *Dupont* c. *Diamants Lafleur (Bijouterie Ricci)*, D.T.E. 98T-118 (C.T.).

128/391 L'absence de mauvaise foi de l'employeur et la longue période couverte par l'indemnité visant la perte de salaire depuis le congédiement (art. 128(2) L.N.T.), justifient le commissaire à ne pas compenser le salarié pour la perte de son emploi (art. 128(3) L.N.T.).
Jobin c. *Morin, Lemieux et Associés*, D.T.E. 99T-163 (C.T.) (révision judiciaire refusée: (1999) R.J.D.T. 468 (C.S.), D.T.E. 99T-414 (C.S.)).

128/392 L'article 128(3) L.N.T. est général et autorise le commissaire à ordonner les mesures pécuniaires prévues par la convention des parties, sans que l'employé soit tenu d'instituer une poursuite distincte et additionnelle devant les tribunaux ordinaires.
Imprimerie Laprairie inc. c. *Doucet*, (1989) R.J.Q. 1283 (C.S.), D.T.E. 89T-516 (C.S.), J.E. 89-850 (C.S.).
V. aussi: *Favreau* c. *Société en commandite Le Longueuil*, D.T.E. 91T-82 (T.A.).
Fasulo c. *Emballages Heat Seal inc.*, (1989) T.A. 805, D.T.E. 89T-925 (T.A.).

128/393 Le versement de certaines sommes à la suite de la rupture du lien d'emploi n'est pas automatique. Il faut non seulement alléguer, mais aussi prouver l'existence de dommages qui vont au-delà de ce que toute personne peut éprouver lorsqu'on met fin à son emploi.
Harvey c. *Office municipal d'habitation de Ragueneau*, (1997) C.T. 340, D.T.E. 97T-850 (C.T.).

128/394 Le commissaire a compétence suivant l'article 128(3) L.N.T. pour attribuer des dommages extracontractuels tels des dommages exemplaires. Ceux-ci peuvent être octroyés lorsque les gestes de l'employeur constituent une atteinte illicite et intentionnelle aux droits du salarié.
Lacroix c. *Brasserie Labatt ltée*, D.T.E. 2001T-18 (C.T.) (révision judiciaire refusée: D.T.E. 2001T-316 (C.S.)).
Brisson c. *9027-4580 Québec inc.*, (1999) R.J.D.T. 246 (C.T.), D.T.E. 99T-164 (C.T.) (révision judiciaire refusée: D.T.E. 99T-549 (C.S.)) (désistement d'appel).
Gagnon c. *2753-3058 Québec inc.*, D.T.E. 95T-750 (C.T.).
Roy c. *Brasserie La Côte de boeuf*, D.T.E. 95T-1431 (C.T.).
Joannette c. *Pièces d'auto Richard ltée*, (1993) C.T. 398, D.T.E. 93T-867 (C.T.).
V. cependant: *Bégin* c. *Clivent inc.*, (1990) T.A. 648, D.T.E. 90T-1101 (T.A.), où l'on a décidé que les dommages exemplaires ne peuvent être octroyés que si une loi particulière le prévoit spécifiquement, tel l'article 49 de la *Charte des droits et libertés de la personne*.

128/395 Le paiement de dommages exemplaires est accordé lorsqu'il y a eu congédiement pour un motif discriminatoire interdit par l'article 10 de la *Charte des droits et libertés de la personne* et que cette atteinte est illicite et intentionnelle.
Lamoureux c. *Centura Québec ltée*, D.T.E. 2002T-539 (C.T.) (révision judiciaire refusée: D.T.E. 2003T-989 (C.S.)).

128/396 Pour pouvoir faire droit à une réclamation pour des dommages exemplaires fondée sur l'article 49 de la *Charte des droits et libertés de la personne*, le salarié doit prouver que l'employeur a causé des dommages à sa personne et qu'il l'a fait de manière illicite et intentionnelle.
Moutis c. *Bombardier inc. (Bombardier Aéronautique)*, D.T.E. 2008T-488 (C.R.T.).
Bernier c. *Caisse populaire Desjardins de la Mitis, Centre de service de Ste-Angèle*, D.T.E. 2007T-775 (C.R.T.).
Tremblay c. *Taverne Le Chalan inc. (Bar 760 enr.)*, (2007) R.J.D.T. 503 (C.R.T.), D.T.E. 2007T-367 (C.R.T.).
Hekmi c. *2809630 Canada inc.*, (2001) R.J.D.T. 795 (C.T.), D.T.E. 2001T-391 (C.T.).
Couture c. *Centres jeunesse de la Montérégie*, (2000) R.J.D.T. 1672 (C.T.), D.T.E. 2000T-924 (C.T.).

128/397 L'atteinte au droit à la sauvegarde de sa dignité, de son honneur et de sa réputation, au sens de l'article 4 de la Charte québécoise des droits et libertés, peut justifier l'octroi de dommages exemplaires.
Guindon c. *Corporation de sécurité Garda World*, D.T.E. 2009T-174 (C.R.T.) (requête en révision judiciaire: n° 500-17-048698-099).
Bernier c. *Caisse populaire Desjardins de la Mitis, Centre de service de Ste-Angèle*, D.T.E. 2007T-775 (C.R.T.).
Ranger c. *Clinique chiropratique St-Eustache*, D.T.E. 2003T-1013 (C.R.T.).
Nakhal c. *Chamma*, D.T.E. 2000T-1049 (C.T.).

Leclair c. *Au Crystal restaurant*, D.T.E. 96T-1059 (C.T.).
V. cependant: *Rivard* c. *Atlantic Produits d'emballage ltée*, (1999) R.J.D.T. 207 (C.T.), D.T.E. 99T-69 (C.T.).

128/398 Des dommages exemplaires ne peuvent être octroyés lorsque le comportement de l'employeur ne peut être qualifié de harcelant à l'endroit du salarié plaignant.
Tremblay c. *G. Riendeau et Fils inc.*, D.T.E. 2005T-1077 (C.R.T.) (révision judiciaire accueillie pour d'autres motifs: (2007) R.J.D.T. 432 (C.S.), D.T.E. 2007T-436 (C.S.), J.E. 2007-1008 (C.S.), EYB 2007-118476 (C.S.)) (homologation de la convention: n^{0} 500-09-017696-071, le 12 septembre 2007).

128/399 L'atteinte au droit fondamental du salarié de travailler sans crainte pour son intégrité physique, prévu à l'article 46 de la *Charte des droits et libertés de la personne*, peut justifier l'octroi de dommages exemplaires.
Bernier c. *Caisse populaire Desjardins de la Mitis, Centre de service de Ste-Angèle*, D.T.E. 2007T-775 (C.R.T.).
Benabidi c. *Laboratoires de friction Fasa inc.*, D.T.E. 2003T-1012 (C.R.T.).

128/400 Pour avoir droit à une indemnité basée sur les articles 4 et 5 de la *Charte des droits et libertés de la personne*, à titre de dommages non pécuniaires pour atteinte à la dignité et à l'intégrité, il faut une preuve de préjudice, soit une preuve de souffrance psychologique ou d'inconvénients liés à cette atteinte.
Hekmi c. *2809630 Canada inc.*, (2001) R.J.D.T. 795 (C.T.), D.T.E. 2001T-391 (C.T.).

128/401 Le commissaire peut octroyer des dommages exemplaires en vertu de l'article 49 de la *Charte des droits et libertés de la personne* du Québec, lorsque l'employeur a porté atteinte à la réputation du plaignant, ce qui constitue une faute particulièrement grave lorsqu'il s'agit d'un représentant en valeurs mobilières.
Couture c. *Services Investors ltée*, (2003) R.J.D.T. 325 (C.R.T.), D.T.E. 2003T-180 (C.R.T.).

128/402 Le fait que durant la période de un mois écoulée entre la révélation de certaines anomalies et le congédiement du salarié, les représentants de l'employeur ont fait preuve d'un manque de sérieux évident, ont cautionné un rapport incomplet et fallacieux qui a suivi une enquête elle-même bâclée, justifie l'octroi de dommages exemplaires fondés sur les dispositions de l'article 49 de la *Charte des droits et libertés de la personne*, d'autant plus que l'employeur n'a pas vérifié le bien-fondé des explications fournies par le salarié plaignant.
Bernier c. *Caisse populaire Desjardins de la Mitis, Centre de service de Ste-Angèle*, D.T.E. 2007T-775 (C.R.T.).

128/403 Un salarié congédié pour avoir tenté de mettre sur pied un syndicat, a droit à des dommages pécuniaires exemplaires, puisque ce droit est reconnu par le *Code du travail*, qui est d'ordre public, et par l'article 3 de la *Charte des droits et libertés de la personne*.
Martin c. *Carrosserie Dorion inc.*, D.T.E. 2000T-370 (C.T.).

128/404 Des dommages non pécuniaires peuvent être accordés lorsque le plaignant a fait l'objet d'un règlement de compte, que l'employeur s'est basé sur une enquête bâclée, que certains des représentants de celui-ci ont terni la réputation

du salarié après son congédiement et qu'il a dû subir de nombreuses tracasseries et consacrer plusieurs heures à préparer sa défense.
Couture c. *Services Investors ltée*, (2003) R.J.D.T. 325 (C.R.T.), D.T.E. 2003T-180 (C.R.T.).

128/405 En l'absence de façon malicieuse d'agir de la part de l'employeur, il n'y a pas lieu d'accorder des dommages exemplaires.
Towner c. *I.N.G. Canada inc.*, D.T.E. 2004T-932 (C.R.T.).
Brandwein c. *Congrégation Beth-El*, (2003) R.J.D.T. 294 (C.R.T.), D.T.E. 2003T-92 (C.R.T.) (révision judiciaire refusée: D.T.E. 2005T-365 (C.A.)).
Majdaniw c. *S.N.C. Lavalin inc.*, D.T.E. 2002T-812 (C.T.).
Ilieva c. *Uniboard Canada Inc.*, (2000) R.J.D.T. 1095 (C.T.), D.T.E. 2000T-721 (C.T.).
Chatterton c. *Angelica international ltée*, D.T.E. 93T-869 (C.T.).
V. aussi: *Cadet* c. *Imprimeries Transcontinental, s.e.n.c.*, D.T.E. 2007T-879 (C.R.T.).

128/406 Il ne peut être accordé de dommages exemplaires lorsque le salarié n'est pas exempt de toute faute dans son congédiement.
Mayrand c. *Magasins à rayons Peoples inc.*, D.T.E. 95T-828 (C.T.).

128/407 L'atteinte aux attributs fondamentaux de l'être humain, par l'exploitation d'une situation dans laquelle celui-ci est dans une position de vulnérabilité, constitue une insulte à la dignité humaine. Cette atteinte justifie le versement de dommages exemplaires. Aussi, lorsqu'il est impossible de séparer la responsabilité du supérieur du salarié de celle de l'employeur, il s'agit d'une responsabilité qui forme un tout indissociable.
Messageries dynamiques, une division de Groupe Quebecor (Re), (2001) R.J.D.T. 827 (C.T.), D.T.E. 2001T-609 (C.T.).

128/408 Un salarié peut avoir droit à des dommages moraux s'il a dû consulter un médecin, ainsi qu'une intervenante sociale, et s'il a été obligé également de suivre un cours afin d'améliorer ses chances de se trouver du travail.
Hekmi c. *2809630 Canada inc.*, (2001) R.J.D.T. 795 (C.T.), D.T.E. 2001T-391 (C.T.).

128/409 L'anxiété, le désarroi et les nombreux inconvénients vécus à l'occasion d'un congédiement n'autorisent pas le versement d'une indemnité à titre de dommages non pécuniaires, à moins que le congédiement ne soit abusif, marqué de malice ou d'une conduite excessive de la part de l'employeur.
Saindon c. *Taleo (Canada) inc.*, D.T.E. 2007T-33 (C.R.T.).

128/410 En vertu de l'article 128(3) L.N.T., le commissaire a le pouvoir d'octroyer des dommages moraux ou «extracontractuels».
Société en commandite Des Écores c. *Eymard*, D.T.E. 91T-637 (C.S.).
Lachapelle c. *Laval (Société de transport de la ville de)*, D.T.E. 90T-738 (C.S.).
Gestion Pervenche ltée c. *Dufour*, D.T.E. 86T-258 (C.S.) (appel rejeté: C.A.M. n° 500-09-000328-864, le 13 octobre 1987).
C.N.T. c. *Turcotte*, D.T.E. 88T-776 (C.Q.).
Marshall c. *Jesta I.S. inc.*, D.T.E. 2004T-931 (C.R.T.).
Towner c. *I.N.G. Canada inc.*, D.T.E. 2004T-932 (C.R.T.).
Gagnon c. *2753-3058 Québec inc.*, D.T.E. 95T-750 (C.T.).
Riou c. *Point de vue — souvenirs inc.*, (1995) C.T. 210, D.T.E. 95T-398 (C.T.) (révision judiciaire refusée: C.S.Q. n° 200-05-000140-959, le 24 avril 1995).

Clarke c. *Art et photo R.B. inc.*, D.T.E. 94T-314 (C.T.) (révision judiciaire refusée: C.S.M. n° 500-05-001853-942, le 29 septembre 1994).
Bellavance c. *Bouchard*, D.T.E. 92T-836 (C.T.).
Léonard c. *Gestions Alain Brault inc.*, D.T.E. 92T-1400 (T.A.).
Danis c. *Mont Ste-Marie (1984) inc.*, D.T.E. 91T-360 (T.A.).
Équipement de ferme Dynavent c. *Lefebvre*, (1991) T.A. 252, D.T.E. 91T-440 (T.A.).
Piuze c. *Équipement Blackwood Hodge ltée*, (1991) T.A. 337, D.T.E. 91T-532 (T.A.).
Bégin c. *Clivent inc.*, (1990) T.A. 648, D.T.E. 90T-1101 (T.A.).
Courchesne c. *Restaurant & Charcuterie Bens inc.*, D.T.E. 90T-1105 (T.A.).
Giguère c. *Cie Kenworth Canada ltée*, D.T.E. 90T-461 (T.A.) (révision judiciaire cassée en appel: (1990) R.J.Q. 2485 (C.A.), D.T.E. 90T-1204 (C.A.), J.E. 90-1483 (C.A.)) (autorisation d'appeler à la Cour suprême refusée).
Fasulo c. *Emballages Heat Seal inc.*, (1989) T.A. 805, D.T.E. 89T-925 (T.A.).
Marché Molloy — Félix Molloy ltée c. *Sénéchal*, D.T.E. 89T-1039 (T.A.).
Brassard c. *Pièces d'autos usagées universelles Enrg.*, (1988) T.A. 207, D.T.E. 88T-28 (T.A.).
Ringuette c. *Taverne Excel Enrg.*, D.T.E. 88T-954 (T.A.).
Demers c. *Industries A.P. inc.*, D.T.E. 87T-539 (T.A.).
Industrie Fabrico (1964) ltée c. *Bélair*, (1986) T.A. 633, D.T.E. 86T-730 (T.A.).
Lamarre c. *Chaussures Trans-Canada ltée*, D.T.E. 85T-722 (T.A.).
Pomerleau c. *Laboratoires Hefran inc.*, (1985) T.A. 798, D.T.E. 85T-971 (T.A.).
Corp. de chaussures Hanna ltée c. *Vincent*, D.T.E. 84T-231 (T.A.).
Anissimoff c. *Moccomat Beverage Systems Ltd.*, D.T.E. 83T-163 (T.A.).
Gravel c. *Lucas Industries Canada Ltd. (Automotive Equipment Division)*, (1983) T.A. 755, D.T.E. 83T-389 (T.A.).
Contra: *Montmagny (Municipalité régionale de comté de)* c. *Gagnon*, D.T.E. 92T-1126 (C.S.).
Bélanger c. *Deslierres*, (1985) C.S. 715, D.T.E. 85T-535 (C.S.), J.E. 85-650 (C.S.).
Paquin c. *C.N.T.*, D.T.E. 83T-762 (C.S.).
Favreau c. *Société en commandite Le Longueuil*, D.T.E. 91T-82 (T.A.).
St-Mars c. *Montréal (Société de transport de la Communauté urbaine de)*, (1991) T.A. 117, D.T.E. 91T-275 (T.A.).
Groupe Purdel inc. (Division des produits de la mer) c. *Dupuis-Cloutier*, D.T.E. 89T-206 (T.A.).
Miron c. *Créations Farah inc.*, D.T.E. 88T-560 (T.A.).
Groupe Commerce, Cie d'assurances c. *Chenette*, D.T.E. 87T-13 (T.A.).
Tansey c. *Canadian Pacific Consulting Services Ltd.*, (1986) T.A. 216, D.T.E. 86T-285 (T.A.).
Rivest c. *Système de sécurité Sur-Gard ltée*, (1985) T.A. 600, D.T.E. 85T-745 (T.A.).
C.N.T. c. *Mutuelle d'Omaha Cie d'assurance*, (1984) T.A. 276, D.T.E. 84T-356 (T.A.).
Jean-Baptiste c. *Produits de papier Variété ltée*, D.T.E. 84T-229 (T.A.).
White c. *Société maritime March ltée*, (1984) T.A. 96, D.T.E. 84T-160 (T.A.).

128/411 Il peut y avoir versement de dommages non pécuniaires si l'employeur a utilisé un comportement vexatoire, empreint de mauvaise foi, ou a eu simplement une conduite abusive.
Moutis c. *Bombardier inc. (Bombardier Aéronautique)*, D.T.E. 2008T-488 (C.R.T.).
Bernier c. *Caisse populaire Desjardins de la Mitis, Centre de service de Ste-Angèle*, D.T.E. 2007T-775 (C.R.T.).
Raymond c. *Garage Réjean Roy inc.*, D.T.E. 2004T-1041 (C.R.T.).
Nakhal c. *Chamma*, D.T.E. 2000T-1049 (C.T.).

128/412 La Commission des relations du travail peut accorder des dommages et intérêts lorsque les circonstances d'un congédiement vont au-delà de ce qu'une personne peut normalement éprouver à l'occasion de la cessation de son emploi.
Ovide Morin inc. c. *Morin-Arpin*, (2009) R.J.D.T. 266 (C.R.T.), D.T.E. 2009T-225 (C.R.T.).

128/413 Lorsque le commissaire conclut qu'il y a congédiement sans cause juste et suffisante et que certaines conditions exceptionnelles sont rencontrées, il peut alors accorder des dommages moraux.
Malo c. *Industries Pantorama inc.*, (1995) C.T. 56, D.T.E. 95T-286 (C.T.) (révision judiciaire refusée: C.S.M. n° 500-05-014650-947, le 1er février 1995).

128/414 Le fait pour le salarié d'éprouver des problèmes psychologiques après son congédiement, l'enquête au fond ayant démontré qu'il avait été rétrogradé après son retour d'une longue absence pour cause de maladie et qu'il n'avait pas reçu tout le soutien nécessaire lors de sa période d'entraînement dans son nouveau poste de commis, peut justifier l'octroi d'une compensation pour le préjudice moral subi.
Barre c. *2533-0507 Québec inc.*, (2007) R.J.D.T. 115 (C.R.T.), D.T.E. 2007T-81 (C.R.T.) (révision en vertu de l'article 127 C.T. refusée: (2007) R.J.D.T. 1077 (C.R.T.), D.T.E. 2007T-650 (C.R.T.)).
Guillemette c. *Fabrimet inc.*, D.T.E. 2006T-90 (C.R.T.) (révision judiciaire refusée: D.T.E. 2006T-603 (C.S.)).

128/415 Même en l'absence d'une preuve médicale, il n'y a pas lieu d'écarter le témoignage du salarié pour conclure qu'il n'y a aucune preuve de préjudice moral. En effet, un salarié peut très bien décrire comment il s'est senti humilié, confus, atteint dans sa dignité à la suite de certains événements.
Baillie c. *Technologies Digital Shape inc.*, (2009) R.J.D.T. 179 (C.R.T.), D.T.E. 2009T-80 (C.R.T.) (révision judiciaire refusée: C.S.M. n° 500-17-047766-095, le 17 avril 2009).
Barre c. *2533-0507 Québec inc.*, (2007) R.J.D.T. 115 (C.R.T.), D.T.E. 2007T-81 (C.R.T.) (révision en vertu de l'article 127 C.T. refusée: (2007) R.J.D.T. 1077 (C.R.T.), D.T.E. 2007T-650 (C.R.T.)).

128/416 Des dommages non pécuniaires peuvent être accordés s'ils sont prouvés, et ce, sans égard à l'existence d'une intention malicieuse de nuire de la part de l'employeur.
Dessureault-Benson c. *Groupe J.-C. Dessureault inc.*, D.T.E. 2002T-1169 (C.T.).

128/417 Un salarié ne peut prétendre à des dommages non pécuniaires en l'absence de preuve à cet égard.
Vekilis c. *Communauté hellénique de Montréal*, D.T.E. 2005T-121 (C.R.T.).

128/418 La *Loi sur les normes du travail* diffère du *Code civil du Québec*, en ce sens que l'employeur ne peut congédier sans cause juste et suffisante un salarié qui bénéficie de deux ans de service continu. Dans le contexte d'une plainte déposée selon l'article 124 L.N.T., le salarié n'a pas forcément à prouver la mauvaise foi de l'employeur pour que des dommages non pécuniaires lui soient accordés. Il faut toutefois que le préjudice moral soit clairement démontré.
Ouellette c. *SSAB Hardox*, D.T.E. 2008T-236 (C.R.T.).

Bernier c. *Caisse populaire Desjardins de la Mitis, Centre de service de Ste-Angèle*, D.T.E. 2007T-775 (C.R.T.).
Guérin c. *Collège d'enseignement général et professionnel d'Alma*, D.T.E. 2007T-919 (C.R.T.).
Tamboura c. *Conseil du Québec — Unite Here*, D.T.E. 2007T-986 (C.R.T.).
Fleury c. *Technologies avancées de fibres (AFT) inc.*, D.T.E. 2006T-267 (C.R.T.).
Gagnon c. *Comité sectoriel de main-d'oeuvre des industries du bois de sciage*, D.T.E. 2006T-337 (C.R.T.) (requête en révision judiciaire: n^{0} 200-05-018349-063).
Rouleau c. *Résidences Soleil — Manoir du Musée*, D.T.E. 2005T-834 (C.R.T.).
Brandwein c. *Congrégation Beth-El*, (2003) R.J.D.T. 294 (C.R.T.), D.T.E. 2003T-92 (C.R.T.) (révision judiciaire refusée: D.T.E. 2005T-365 (C.A.)).
Hekmi c. *2809630 Canada inc.*, (2001) R.J.D.T. 795 (C.T.), D.T.E. 2001T-391 (C.T.).
Couture c. *Centres jeunesse de la Montérégie*, (2000) R.J.D.T. 1672 (C.T.), D.T.E. 2000T-924 (C.T.).

128/419 Le commissaire peut octroyer des dommages-intérêts pour un préjudice non pécuniaire au salarié, et ce, compte tenu du caractère abusif du comportement de l'employeur lors du congédiement.
Martin c. *Carrosserie Dorion inc.*, D.T.E. 2000T-370 (C.T.).
Mayrand c. *Magasins à rayons Peoples inc.*, D.T.E. 95T-828 (C.T.).

128/420 Il y a lieu d'attribuer des dommages moraux lorsque le salarié est congédié de manière désinvolte et cavalière sans avoir eu la possibilité, en temps opportun, de consulter des documents et de faire lui-même ses vérifications à propos d'une somme manquante.
Chaumont c. *1276698 Ontario inc. (Club de golf Val-des-Lacs)*, D.T.E. 2008T-218 (C.R.T.).

128/421 Le stress, l'humiliation et le préjudice moral subis par le salarié, ainsi que l'atteinte à sa réputation, justifient le versement d'une somme forfaitaire à titre de dommages non pécuniaires.
Lavoie c. *Solidarité (La), compagnie d'assurance sur la vie*, D.T.E. 98T-115 (C.T.).

128/422 Pour justifier une ordonnance de payer des dommages moraux en vertu de la *Charte des droits et libertés de la personne*, il faut que l'atteinte soit illicite et intentionnelle; il ne suffit pas de prétendre qu'il y a eu mauvaise foi parce que l'employeur a soutenu des prétentions dont il connaissait la fausseté.
Hekmi c. *2809630 Canada inc.*, (2001) R.J.D.T. 795 (C.T.), D.T.E. 2001T-391 (C.T.).

128/423 L'atteinte à la dignité et à la réputation du salarié peut justifier une ordonnance de payer des dommages moraux en vertu de la *Charte des droits et libertés de la personne* et également en vertu du *Code civil du Québec*.
Tremblay c. *Taverne Le Chalan inc. (Bar 760 enr.)*, (2007) R.J.D.T. 503 (C.R.T.), D.T.E. 2007T-367 (C.R.T.).

128/424 L'humiliation en raison de la manière dont le congédiement a été effectué ainsi que l'intransigeance démontré par l'employeur afin que le salarié quitte l'entreprise, peuvent justifier le versement de dommages non pécuniaires.
Malette c. *3948331 Canada inc. (Allure Concept Mode)*, D.T.E. 2007T-960 (C.R.T.).
Boisvert c. *Industries Machinex inc.*, D.T.E. 2002T-185 (C.T.).

128/425 La fréquence, la durée du harcèlement et les effets sur le salarié plaignant, le tout ayant mené à son congédiement déguisé, constituent des éléments à analyser dans le cadre du versement des dommages moraux.
Baillie c. *Technologies Digital Shape inc.*, (2009) R.J.D.T. 179 (C.R.T.), D.T.E. 2009T-80 (C.R.T.) (révision judiciaire refusée: C.S.M. n° 500-17-047766-095, le 17 avril 2009).

128/426 L'abus d'autorité équivalant à un abus de droit peut justifier l'octroi de dommages-intérêts pour des dommages non pécuniaires.
Maras c. *Clinique familiale St-Vincent enr.*, D.T.E. 96T-1254 (C.T.).

128/427 Une somme globale peut être octroyée à titre de dommages non pécuniaires pour réparer le préjudice subi par le salarié, lorsque celui-ci a été humilié, qu'il a subi des accusations exagérées par écrit de la part de l'employeur, qu'il a été rétrogradé sans cause et que ces gestes ont eu des effets sur son état de santé.
Couture c. *Centres jeunesse de la Montérégie*, (2000) R.J.D.T. 1672 (C.T.), D.T.E. 2000T-924 (C.T.).

128/428 Ce n'est que si un employeur a commis un abus de droit qu'il peut y avoir ouverture à une indemnité pour dommages non pécuniaires. En effet, pour avoir droit à une telle indemnité, le salarié doit démontrer que la conduite de l'employeur s'apparente à un abus de droit. Un employeur peut congédier un salarié et ce faisant, il a le droit de se tromper sans nécessairement encourir de pénalité additionnelle autre que celle de verser le salaire perdu et de réintégrer le salarié dans son emploi. Tout congédiement sans cause juste et suffisante n'entraîne pas automatiquement l'attribution d'une indemnité pour dommages non pécuniaires. Il s'agit d'une question de fait.
Technologies Kree inc. c. *Béchara*, (2007) R.J.D.T. 401 (C.S.), D.T.E. 2007T-301 (C.S.), J.E. 2007-713 (C.S.), EYB 2007-115429 (C.S.) (désistement d'appel).
Kominik c. *F.M.E. Corp.*, D.T.E. 2000T-495 (C.T.).
Chartrand c. *Wyeth-Ayerst Canada inc.*, (1997) C.T. 29, D.T.E. 97T-141 (C.T.).

128/429 Relativement à une réclamation à titre d'indemnité pour dommages non pécuniaires, il faut faire la distinction entre le recours prévu par l'article 124 L.N.T. et celui exercé en vertu du *Code civil du Québec*. Quant à ce dernier, il est nécessaire de prouver un abus de droit de la part de l'employeur en vue d'obtenir une telle indemnité alors que, si une plainte basée sur l'article 124 L.N.T. est accueillie, il est reconnu que l'employeur a commis un geste illégal. L'absence d'abus de droit est donc sans pertinence dans ce cas.
Barre c. *2533-0507 Québec inc.*, (2007) R.J.D.T. 115 (C.R.T.), D.T.E. 2007T-81 (C.R.T.) (révision en vertu de l'article 127 C.T. refusée: (2007) R.J.D.T. 1077 (C.R.T.), D.T.E. 2007T-650 (C.R.T.)).
Martin-Annett c. *Fraternité nationale des poseurs de systèmes intérieurs, revêtements souples paqueteurs sableurs, section locale 2366*, D.T.E. 2002T-39 (C.T.) (révision judiciaire refusée: D.T.E. 2002T-713 (C.S.)).

128/430 Pour avoir droit à des dommages non pécuniaires en cas d'atteinte illicite au droit à l'égalité, le salarié doit faire la preuve de dommages certains et directs.
Goulet c. *Cuisine idéale inc.*, D.T.E. 2007T-985 (C.S.), J.E. 2007-2240 (C.S.), EYB 2007-125507 (C.S.).

128/431 Si l'employeur abuse de son droit dans la façon dont il rompt unilatéralement sa relation contractuelle avec un salarié, il peut y avoir imposition de dommages moraux.
Perri c. *Ritz-Carlton 2000 inc. (Hôtel Ritz-Carlton)*, D.T.E. 95T-967 (C.T.).
Tardif c. *Entreprises Insta-bec inc.*, (1994) C.T. 318, D.T.E. 94T-754 (C.T.).

128/432 Le caractère sauvage et injustifié d'un congédiement, précédé et causé par du harcèlement sexuel, justifie l'octroi de dommages moraux.
Leclair c. *Au Crystal restaurant*, D.T.E. 96T-1059 (C.T.).

128/433 Lorsque le congédiement aggrave la dépression dont souffre le salarié, il peut y avoir versement d'une indemnité à titre de dommages moraux.
Burns c. *Airport Steel & Tubing Ltd. (Acier Aéroport ltée)*, D.T.E. 2005T-1076 (C.R.T.).
Tremblay c. *G. Riendeau et Fils inc.*, D.T.E. 2005T-1077 (C.R.T.) (révision judiciaire accueillie pour d'autres motifs: (2007) R.J.D.T. 432 (C.S.), D.T.E. 2007T-436 (C.S.), J.E. 2007-1008 (C.S.), EYB 2007-118476 (C.S.)) (homologation de la convention: n^{0} 500-09-017696-071, le 12 septembre 2007).

128/434 Il peut être octroyé à un salarié une indemnité pour dommages non pécuniaires, causés par le stress et les différentes mesures vexatoires qui lui ont été imposées afin de l'amener à démissionner.
Buissières c. *Lallier Automobile (Québec) inc.*, D.T.E. 2004T-19 (C.R.T.).
Benabidi c. *Laboratoires de friction Fasa inc.*, D.T.E. 2003T-1012 (C.R.T.).
Ranger c. *Clinique chiropratique St-Eustache*, D.T.E. 2003T-1013 (C.R.T.).
Daneau c. *Motorola Canada Ltd. (Systèmes d'information Motorola)*, D.T.E. 95T-491 (C.T.).
V. aussi: *Laurence* c. *9053-0072 Québec inc. (Pièces d'auto Philippe Gagnon)*, D.T.E. 2007T-610 (C.R.T.).

128/435 Le salarié injustement congédié peut avoir droit à des dommages moraux pour compenser le stress, les inconvénients et l'atteinte à sa santé.
Guindon c. *Corporation de sécurité Garda World*, D.T.E. 2009T-174 (C.R.T.) (requête en révision judiciaire: n^{0} 500-17-048698-099).

128/436 Le commissaire peut octroyer une compensation pour les conséquences psychologiques qui ont suivi le congédiement du salarié.
Careau c. *Tasiujaq (Village nordique de)*, D.T.E. 2006T-244 (C.R.T.).
Burns c. *Airport Steel & Tubing Ltd. (Acier Aéroport ltée)*, D.T.E. 2005T-1076 (C.R.T.).
Perron c. *Service de suspension Turcotte inc.*, D.T.E. 2004T-538 (C.R.T.).
Legagneur c. *Bioforce Canada inc.*, D.T.E. 97T-371 (C.T.).
Fortin c. *Jean Bleu inc.*, D.T.E. 95T-120 (C.T.).

128/437 Des dommages moraux peuvent être accordés en raison des problèmes conjugaux et familiaux du salarié causés par le congédiement.
Careau c. *Tasiujaq (Village nordique de)*, D.T.E. 2006T-244 (C.R.T.).
Messageries dynamiques, une division de Groupe Quebecor (Re), (2001) R.J.D.T. 827 (C.T.), D.T.E. 2001T-609 (C.T.).

128/438 Le commissaire peut octroyer des dommages extracontractuels pour compenser les souffrances physiques et morales engendrées par un congédiement injuste.
Castonguay c. *9151-1675 Québec inc. (Motel Le Riverain)*, D.T.E. 2006T-726 (C.R.T.).

Burns c. *Airport Steel & Tubing Ltd. (Acier Aéroport ltée)*, D.T.E. 2005T-1076 (C.R.T.).
Langlois c. *Gaz métropolitain inc.*, D.T.E. 2005T-317 (C.R.T.) (révision judiciaire refusée: D.T.E. 2006T-117 (C.S.)).
Hekmi c. *2809630 Canada inc.*, (2001) R.J.D.T. 795 (C.T.), D.T.E. 2001T-391 (C.T.).
Pouliot c. *Association d'action bénévole du Granit*, (1998) R.J.D.T. 1229 (C.T.), D.T.E. 98T-694 (C.T.) (révision judiciaire refusée: (1998) R.J.D.T. 1141 (C.S.), D.T.E. 98T-864 (C.S.)).

128/439 Le commissaire ne peut octroyer des dommages au salarié si la preuve ne démontre pas que des consultations en psychologie sont reliées au congédiement.
Bérubé c. *Ressources informatiques Quantum ltée*, D.T.E. 96T-1436 (C.T.).

128/440 Le comportement abusif d'un employeur, qui a pour effet d'humilier le salarié, donne droit à une indemnité pour dommages non pécuniaires.
Guindon c. *Corporation de sécurité Garda World*, D.T.E. 2009T-174 (C.R.T.) (requête en révision judiciaire: n° 500-17-048698-099).
Mondor c. *Laboratoire Bi-op inc.*, D.T.E. 2003T-705 (C.R.T.).
Martin c. *Carrosserie Dorion inc.*, D.T.E. 2000T-370 (C.T.).
Roger c. *Prudentielle d'Amérique (La), compagnie d'assurances générales*, D.T.E. 96T-916 (C.T.).
Guay c. *Compagnie Trust Royal*, D.T.E. 95T-726 (C.T.).

De même, le fait de mettre abruptement fin à un contrat d'emploi, et pour ce salarié de se sentir humilié et d'avoir à emprunter de l'argent pour faire face à ses obligations peut justifier l'octroi de dommages moraux.
Chatterton c. *Angelica international ltée*, D.T.E. 93T-869 (C.T.).

128/441 Le fait de mettre fin brutalement à la carrière d'un salarié dans l'entreprise de l'employeur peut justifier le versement d'une indemnité pour dommages non pécuniaires.
Markus c. *Entreprise de soudure aérospatiale inc.*, (2000) R.J.D.T. 231 (C.T.), D.T.E. 2000T-133 (C.T.).

128/442 Le fait de se comporter en véritable goujat à l'égard d'un salarié à l'occasion du renvoi et d'adopter un comportement cynique et malicieux peut justifier l'octroi de dommages moraux.
Lamoureux c. *Point vert inc.*, D.T.E. 93T-533 (C.T.).

128/443 Le versement de dommages moraux peut être ordonné, compte tenu du fait qu'un employeur a tenté de maquiller un congédiement sous le couvert d'un licenciement et qu'il a agi envers le salarié de façon abusive, vexatoire et malicieuse.
Majdaniw c. *S.N.C. Lavalin inc.*, D.T.E. 2002T-812 (C.T.).
Duhamel c. *Tassé & Associés*, D.T.E. 95T-1433 (C.T.) (révision judiciaire refusée: C.A.M. n° 500-05-011718-952, le 10 janvier 1996).

128/444 Un commissaire peut octroyer des dommages non pécuniaires au salarié, compte tenu du fait que le comportement de l'employeur équivaut à un abus de droit.
Dodd c. *3M Canada inc.*, D.T.E. 98T-496 (C.T.).
Trudel c. *Jacques Olivier Ford inc.*, (1995) C.T. 457, D.T.E. 95T-1081 (C.T.).

De même, le commissaire peut octroyer un dédommagement au salarié, en raison du comportement abusif de l'employeur lors de l'utilisation d'une clause de non-concurrence et de non-sollicitation après le congédiement.
Vézina c. *Sénécal Assurances inc.*, (1996) C.T. 557, D.T.E. 96T-1552 (C.T.).

128/445 Le fait de souffrir du caractère brusque et soudain du congédiement et d'être victime de l'opprobre général peut justifier l'octroi de dommages moraux.
Brisson c. *9027-4580 Québec inc.*, (1999) R.J.D.T. 246 (C.T.), D.T.E. 99T-164 (C.T.) (révision judiciaire refusée: D.T.E. 99T-549 (C.S.)) (désistement d'appel).

128/446 L'aveuglement volontaire d'un employeur relevant de l'insouciance ou de l'irresponsabilité, ce qui a causé du stress et de l'insécurité au salarié, justifie le commissaire d'octroyer des dommages moraux.
Castonguay c. *9151-1675 Québec inc. (Motel Le Riverain)*, D.T.E. 2006T-726 (C.R.T.).
Kiopini c. *Tidan inc. — Les placements Melcor*, D.T.E. 98T-317 (C.T.).

128/447 Des dommages non pécuniaires peuvent être octroyés pour anxiété, souffrance morale, dépression et atteinte à l'estime de soi, en raison de la manière de congédier un salarié.
Chouinard c. *Union du Canada, Assurance-vie*, D.T.E. 97T-492 (C.T.).
V. aussi: *Chamberland* c. *Produits Mica Suzorite inc.*, D.T.E. 2004T-465 (C.R.T.).
Lavergne c. *Fugère Pontiac Buick inc.*, D.T.E. 2003T-806 (C.R.T.).

128/448 Le fait pour un employeur de laisser planer un doute sur l'intégrité du salarié congédié justifie le versement d'une indemnité par le commissaire. Cependant, lorsque la preuve d'un préjudice moral n'est pas concluante seule une somme nominale peut être accordée.
Bérubé c. *Ressources informatiques Quantum ltée*, D.T.E. 96T-1436 (C.T.).

128/449 Il n'y a pas lieu d'octroyer des dommages moraux si le congédiement n'a pas été accompagné de comportements vexatoires, malicieux, empreints de mauvaise foi ou simplement d'une conduite abusive, et si le congédiement n'a pas été suivi de déclarations malicieuses et vexatoires ou abusives ayant un caractère libelleux ou diffamatoire, de nature à porter atteinte à la réputation ou à la crédibilité du salarié.
Ilieva c. *Uniboard Canada inc.*, (2000) R.J.D.T. 1095 (C.T.), D.T.E. 2000T-721 (C.T.).
Kominik c. *F.M.E. Corp.*, D.T.E. 2000T-495 (C.T.).
Pelland c. *Laval (Société de transport de la Ville de)*, D.T.E. 2000T-573 (C.T.).
Champoux c. *Confédération des caisses populaires et d'économie Desjardins du Québec*, (1997) C.T. 34, D.T.E. 97T-139 (C.T.).
Bergeron c. *Publications Dumont (1988) inc.*, (1996) C.T. 268, D.T.E. 96T-691 (C.T.) (révision judiciaire refusée: C.S. Hull, n° 550-05-002841-966, le 5 septembre 1996) (appel rejeté: D.T.E. 2000T-59 (C.A.), J.E. 2000-136 (C.A.), REJB 1999-15538 (C.A.)).
Dufour c. *Helca Métro ltée*, (1995) C.T. 236, D.T.E. 95T-449 (C.T.).
Émond c. *Mil Davie inc.*, D.T.E. 95T-674 (C.T.).
Lavallée c. *Abitibi-Price inc., division Azerty*, D.T.E. 95T-701 (C.T.).
Maltais c. *Courtiers en alimentation Bel-go inc.*, (1995) C.T. 491, D.T.E. 95T-1245 (C.T.).
Cousineau c. *Hewitt Équipement ltée*, (1993) C.T. 183, D.T.E. 93T-430 (C.T.).
Bellavance c. *Bouchard*, D.T.E. 92T-836 (C.T.).

V. aussi: *Chouinard* c. *Union du Canada, Assurance-vie*, D.T.E. 97T-492 (C.T.), en matière de dommages non pécuniaires pour atteinte à la vie privée.
Legagneur c. *Bioforce Canada inc.*, D.T.E. 97T-371 (C.T.), en matière de dommages non pécuniaires.

128/450 Lorsque la Commission des relations du travail conclut que le congédiement administratif n'a pas été effectué de mauvaise foi ou de façon abusive, il ne peut y avoir dans ce cas de réclamations en dommages-intérêts, non pécuniaires ou exemplaires.
Trinh c. *Hydro-Québec*, D.T.E. 2004T-471 (C.A.), J.E. 2004-998 (C.A.), REJB 2004-60434 (C.A.) (autorisation d'appeler à la Cour suprême refusée).

128/451 Une réclamation pour préjudice moral ne peut être justifiée si les problèmes personnels que le plaignant a connus depuis sa cessation d'emploi sont la conséquence de plusieurs causes.
Bonneau c. *Sépaq-Val-Jalbert, s.e.n.c.*, D.T.E. 2006T-289 (C.R.T.).

128/452 Le simple fait d'avoir été secoué par la nouvelle de sa cessation d'emploi ne peut être un motif justifiant l'octroi de dommages exemplaires ou l'octroi de dommages non pécuniaires, plus particulièrement lorsque le salarié n'a pas prouvé en quoi il a souffert de la conduite de l'employeur.
Clark c. *Groupe D.M.R. inc.*, (1997) C.T. 203, D.T.E. 97T-625 (C.T.).

128/453 Il ne saurait y avoir versement de dommages moraux, bien que le congédiement ait choqué le salarié, s'il n'existe aucun élément de souffrance physique ou psychologique, d'anxiété, d'inquiétude ou de stress qui puisse justifier l'attribution de tels dommages.
Plante c. *Mécanicien Industriel Millwright, section locale 2182*, D.T.E. 2006T-784 (C.R.T.).

128/454 Le fait d'être affecté par son congédiement, de se sentir diminué, de subir une recrudescence de migraines auxquelles le salarié était sujet, ne sont pas des motifs justifiant des dommages moraux à défaut de preuve de lien de causalité.
Lavigueur c. *Québec (Ministère de la Culture et des Communications)*, (2000) R.J.D.T. 1757 (C.T.), D.T.E. 2000T-1199 (C.T.).

128/455 Le fait qu'aucun reproche sérieux ne peut être formulé contre le salarié, et compte tenu de la brusquerie avec laquelle l'employeur a mis fin à son emploi et de l'état dépressif qui en a résulté, pour lequel il a dû être traité, l'employeur peut être tenu de verser des dommages moraux.
Poirier c. *Climatisation Fortier & Frères ltée*, (1996) C.T. 53, D.T.E. 96T-146 (C.T.).

128/456 Le commissaire peut indemniser un salarié pour les pressions exercées par son ex-employeur pour qu'il suive des cours à l'Église de scientologie, et ce, considérant que cette façon de faire peut avoir brimé ses droits fondamentaux, entre autres, le droit à l'intimité.
Gagnon c. *Corne d'abondance inc.*, D.T.E. 97T-341 (C.T.) (ultérieur: D.T.E. 98T-153 (C.S.)).

128/457 Le commissaire peut octroyer une indemnité pour dommages moraux dans le but de compenser non seulement l'obligation pour le salarié de mettre en

vente sa maison et son automobile, mais également les déplacements additionnels qu'il a dû s'imposer du fait de son nouvel emploi.
Lumca inc. c. *Levac*, D.T.E. 96T-325 (C.S.).

128/458 La mauvaise foi manifeste d'un employeur et la tentative de celui-ci de cacher les véritables motifs du congédiement, peuvent aggraver le préjudice moral généralement associé à tout congédiement et ainsi l'obliger à verser des dommages non pécuniaires au salarié.
Roy c. *Comité paritaire de l'industrie de l'automobile de Montréal*, D.T.E. 2002T-584 (C.T.).
Schneidman c. *London Life, Cie d'assurance-vie*, D.T.E. 95T-1372 (C.T.).

128/459 L'article 128(3) L.N.T. accorde au commissaire le pouvoir d'ordonner le paiement du salaire pendant la période de suspension proposée par l'employeur dans le cas où ce dernier offre de substituer une suspension d'un mois au congédiement en cours d'audience.
Zerdin c. *Bonneterie Bella inc.*, D.T.E. 88T-199 (T.A.).

128/460 En cas de faillite de l'employeur, le commissaire peut ordonner le versement du salaire perdu entre la date du congédiement et celle de la faillite.
Mayrand c. *Magasins à rayons Peoples inc.*, D.T.E. 95T-828 (C.T.).

128/461 Le commissaire peut indemniser le salarié depuis la perte de son emploi jusqu'à la date à laquelle l'employeur a cessé définitivement toutes ses activités.
Rozlonkowski c. *Estrie-International 2007 inc.*, D.T.E. 2006T-265 (C.R.T.).

128/462 Les pertes salariales résultant de l'occupation d'un emploi moins bien rémunéré à la suite d'un congédiement injuste du plaignant, peuvent faire l'objet d'une compensation monétaire.
Marshall c. *Jesta I.S. inc.*, D.T.E. 2004T-931 (C.R.T.).
Pelletier c. *Termaco ltée*, D.T.E. 90T-1103 (T.A.).
Marché Molloy — Félix Molloy ltée c. *Sénéchal*, D.T.E. 89T-1039 (T.A.).
Landry c. *Gravel Chevrolet Oldsmobile inc.*, (1988) T.A. 63, D.T.E. 88T-49 (T.A.).
Lafleur c. *Arcon Canada inc.*, D.T.E. 83T-321 (T.A.).
Dassylva c. *Cooprix*, D.T.E. 82T-470 (T.A.).

128/463 La période d'indemnisation peut être réduite par le commissaire en raison de la non-disponibilité du plaignant pour la tenue de l'audience étant donné ses absences à l'extérieur du pays et compte tenu également des demandes d'ajournement qu'il a formulées.
Figueiredo c. *École Charles Perrault*, D.T.E. 98T-14 (C.T.).

128/464 L'indemnité versée doit représenter la période écoulée entre la date du congédiement et celle de la décision sur le fond, et ce, malgré des procédures ultérieures en révision qui ont rendu nécessaire une audience et une seconde décision. Il serait inéquitable de pénaliser l'employeur pour des circonstances auxquelles il est étranger.
Laprise c. *Clinique familiale St-Vincent Enr.*, D.T.E. 95T-557 (C.T.).

128/465 Les augmentations de salaire auxquelles un salarié aurait eu droit font partie de la relation contractuelle et elles doivent être incluses dans l'indemnité.

Rompré c. *Costco Wholesale Canada Ltd. (Costco Trois-Rivières)*, D.T.E. 2006T-910 (C.R.T.).
Tansey c. *Canadian Pacific Consulting Services Ltd.*, (1986) T.A. 216, D.T.E. 86T-285 (T.A.).
Contra: *Desfossés* c. *Services financiers Avco ltée*, D.T.E. 87T-766 (T.A.).

128/466 Un commissaire ne peut accorder d'augmentation de salaire sur la base d'une simple supposition.
Bouchard c. *Investissements Imqua inc.*, D.T.E. 2002T-165 (C.T.) (révision judiciaire refusée: C.S.Q. n^{0} 200-05-016064-011, le 13 février 2002).

128/467 Un salarié n'a pas droit aux augmentations de salaire si elles sont totalement discrétionnaires et ne sont pas accordées régulièrement.
Ciné-parc St-Eustache inc. c. *Commission des relations du travail*, D.T.E. 2003T-963 (C.S.), J.E. 2003-1841 (C.S.), REJB 2003-47631 (C.S.).

128/468 Le salarié injustement congédié, qui doit perdre des journées de travail à son nouvel emploi pour pouvoir acheminer sa plainte de congédiement sans cause juste et suffisante, a droit au paiement de ses journées, au salaire qu'il aurait gagné chez l'employeur qui l'a congédié, et non au salaire qu'il gagne à son nouvel emploi.
Williams c. *Restaurants Burger King Canada inc.*, D.T.E. 94T-404 (C.T.).

128/469 Le commissaire a le pouvoir, en vertu de l'article 128(3) L.N.T., d'ordonner le remboursement au plaignant des commissions et des bonis que le congédiement injustifié lui a fait perdre.
Chaumont c. *1276698 Ontario inc. (Club de golf Val-des-Lacs)*, D.T.E. 2008T-218 (C.R.T.).
Couture c. *Services Investors ltée*, (2003) R.J.D.T. 325 (C.R.T.), D.T.E. 2003T-180 (C.R.T.).
Mochon c. *Réno-dépôt inc.*, D.T.E. 2001T-610 (C.T.).
Gendron c. *Denicourt & Cossette, notaires*, (1997) C.T. 305, D.T.E. 97T-851 (C.T.) (révision judiciaire refusée: D.T.E. 98T-52 (C.S.)) (désistement d'appel).
Pominville c. *Fabrication Ultra*, D.T.E. 95T-1273 (C.T.).
Savard c. *Matelas Serta Bon-Aire inc.*, (1994) C.T. 441, D.T.E. 94T-1204 (C.T.).
Di Tomasso c. *Bally Canada inc.*, D.T.E. 91T-305 (T.A.).
Tait c. *Cie de construction Lazar inc.*, (1991) T.A. 359, D.T.E. 91T-533 (T.A.).
Industries de maintenance Empire inc. c. *Sallafranque*, D.T.E. 90T-351 (T.A.).
Brault c. *Balances Leduc & Thibeault inc.*, D.T.E. 89T-911 (T.A.).
Laroche c. *Peinture internationale Canada ltée*, D.T.E. 89T-90 (T.A.).
Guérard c. *Caisse populaire St-Denys du Plateau*, D.T.E. 87T-97 (T.A.).
Trottier c. *Pierre Campeau ltée*, (1985) T.A. 161, D.T.E. 85T-229 (T.A.).
Journal de Montréal c. *Pépin*, (1983) T.A. 399, D.T.E. 83T-184 (T.A.).

128/470 Le commissaire peut ordonner le remboursement des commissions qu'aurait gagnées le plaigant et, pour établir les revenus de celui-ci durant une période donnée, il est raisonnable de retenir la moyenne du volume des ventes de tous les vendeurs de la région du plaignant.
Couture c. *Services Investors ltée*, (2003) R.J.D.T. 325 (C.R.T.), D.T.E. 2003T-180 (C.R.T.).

128/471 Le salarié peut avoir droit au remboursement d'une prime de rendement.
Couture c. *Services Investors ltée*, (2003) R.J.D.T. 325 (C.R.T.), D.T.E. 2003T-180 (C.R.T.).

128/472 Une somme compensant le préjudice fiscal que subirait le plaignant en recevant une indemnité au cours de la même année, peut être octroyée par le commissaire. Cependant ce préjudice ne doit pas être qu'une hypothèse.
Dodd c. *3M Canada inc.*, D.T.E. 98T-496 (C.T.).
Émond c. *Mil Davie inc.*, D.T.E. 95T-674 (C.T.).
Fuller c. *Brasseries Molson*, (1994) T.A. 565, D.T.E. 94T-801 (T.A.).
Contra: *Moutis* c. *Bombardier inc. (Bombardier Aéronautique)*, D.T.E. 2008T-488 (C.R.T.).
Messageries dynamiques, une division de Groupe Quebecor (Re), (2001) R.J.D.T. 827 (C.T.), D.T.E. 2001T-609 (C.T.).
Lavigueur c. *Québec (Ministère de la Culture et des Communications)*, (2000) R.J.D.T. 1757 (C.T.), D.T.E. 2000T-1199 (C.T.).
Brisson c. *9027-4580 Québec inc.*, (1999) R.J.D.T. 246 (C.T.), D.T.E. 99T-164 (C.T.) (révision judiciaire refusée: D.T.E. 99T-549 (C.S.)) (désistement d'appel).

128/473 Le commissaire dispose d'un très large pouvoir discrétionnaire lui permettant d'attribuer ou de refuser une compensation pour le préjudice fiscal subi par le salarié.
Brassard c. *Bureau du commissaire général du travail*, D.T.E. 99T-367 (C.S.), REJB 1999-11351 (C.S.).

128/474 Le commissaire ne doit pas indemniser le salarié pour le préjudice fiscal subi, puisqu'il ne s'agit que d'un dommage indirect, non susceptible d'être compensé.
Lavigueur c. *Québec (Ministère de la Culture et des Communications)*, (2000) R.J.D.T. 1757 (C.T.), D.T.E. 2000T-1199 (C.T.).
Brisson c. *9027-4580 Québec inc.*, (1999) R.J.D.T. 246 (C.T.), D.T.E. 99T-164 (C.T.) (révision judiciaire refusée: D.T.E. 99T-549 (C.S.)) (désistement d'appel).

128/475 Le commissaire peut accorder une somme à titre de dommage non pécuniaire pour le mauvais dossier de crédit dont a hérité le plaignant, en raison de son manque à gagner.
De Montigny c. *I.C.D. — Institut Carrière et développement ltée*, D.T.E. 2003T-445 (C.R.T.) (révision judiciaire refusée: C.S.M. nº 500-17-015140-034, le 15 juillet 2003).

128/476 Puisque la *Loi sur les impôts* (L.R.Q., c. I-3) permet l'étalement des revenus et que le préjudice fiscal apparaît nul, il n'y a pas lieu d'indemniser un salarié pour celui-ci.
Messageries dynamiques, une division de Groupe Quebecor (Re), (2001) R.J.D.T. 827 (C.T.), D.T.E. 2001T-609 (C.T.).

128/477 Le salarié injustement congédié a droit à titre d'indemnité aux avantages non déclarés que l'employeur ajoutait à chaque semaine à son salaire.
Trottier c. *Pierre Campeau ltée*, (1985) T.A. 161, D.T.E. 85T-229 (T.A.).
Contra: *Ciné-parc St-Eustache inc.* c. *Commission des relations du travail*, D.T.E. 2003T-963 (C.S.), J.E. 2003-1841 (C.S.), REJB 2003-47631 (C.S.).

128/478 Le commissaire a le pouvoir, en vertu de l'article 128(3) L.N.T., d'ordonner le paiement de la perte des avantages sociaux que le congédiement injustifié fait perdre au salarié. Il peut octroyer une indemnité d'un certain pourcentage du salaire pour compenser la perte des avantages sociaux.

Maison Ami-Co (1981) inc. c. *Monette*, D.T.E. 94T-1419 (C.S.).
Thomassin c. *D. Bertrand & Fils inc.*, D.T.E. 2003T-419 (C.R.T.).
Mochon c. *Réno-dépôt inc.*, D.T.E. 2001T-610 (C.T.).
Ménard c. *Circle Computer / Brains II*, (1997) C.T. 199, D.T.E. 97T-589 (C.T.).
Malo c. *Industries Pantorama inc.*, (1995) C.T. 56, D.T.E. 95T-286 (C.T.) (révision judiciaire refusée: C.S.M. n° 500-05-014650-947, le 1er février 1995).

128/479 Le salarié injustement congédié a droit à la moyenne des pourboires qu'il gagnait généralement pour la période écoulée entre le congédiement et la décision du commissaire.
Roy c. *Brasserie La Côte de boeuf*, D.T.E. 95T-1431 (C.T.).

128/480 En vertu de l'article 128(3) L.N.T. le commissaire a le pouvoir d'ordonner que l'on compense le plaignant pour la valeur de l'automobile fournie par l'employeur.
Fleury c. *Technologies avancées de fibres (AFT) inc.*, D.T.E. 2006T-267 (C.R.T.).
McGee c. *Confédération des caisses populaires et d'économie Desjardins du Québec*, (1997) C.T. 354, D.T.E. 97T-1027 (C.T.).
Malo c. *Industries Pantorama inc.*, (1995) C.T. 56, D.T.E. 95T-286 (C.T.) (révision judiciaire refusée: C.S.M. n° 500-05-014650-947, le 1er février 1995).
Pominville c. *Fabrication Ultra*, D.T.E. 95T-1273 (C.T.).
Fuller c. *Brasseries Molson*, (1994) T.A. 565, D.T.E. 94T-801 (T.A.).
Industries de maintenance Empire inc. c. *Sallafranque*, D.T.E. 90T-351 (T.A.).
Brault c. *Balances Leduc & Thibeault inc.*, D.T.E. 89T-911 (T.A.).
Dubois c. *Panneaux rigides Canexel inc.*, D.T.E. 89T-910 (T.A.).
Laroche c. *Peinture internationale Canada ltée*, D.T.E. 89T-90 (T.A.).
Champagne c. *Digital Equipment du Canada ltée*, D.T.E. 87T-781 (T.A.).
V. aussi: *Leclerc* c. *Industries Can-Am*, D.T.E. 89T-922 (T.A.).
Lafleur c. *Arcon Canada inc.*, D.T.E. 83T-321 (T.A.).
Contra: *Pomerleau* c. *Laboratoires Hefran inc.*, (1985) T.A. 798, D.T.E. 85T-971 (T.A.).
Lapierre c. *Salois Chevrolet Oldsmobile inc.*, (1982) T.A. 1266, D.T.E. 82T-826 (T.A.).

128/481 Le salarié peut avoir droit à des frais de transport en raison de la régularité et de la continuité de cet avantage depuis de nombreuses années.
Roy c. *Comité paritaire de l'industrie de l'automobile de Montréal*, D.T.E. 2002T-584 (C.T.).

128/482 Il est possible d'indemniser le salarié qui bénéficie d'une allocation mensuelle pour la location d'une voiture.
Tamboura c. *Conseil du Québec — Unite Here*, D.T.E. 2007T-986 (C.R.T.).
Towner c. *I.N.G. Canada inc.*, D.T.E. 2004T-932 (C.R.T.).
Rivard c. *Atlantic Produits d'emballage ltée*, (1999) R.J.D.T. 207 (C.T.), D.T.E. 99T-69 (C.T.).

128/483 Les frais de stationnement ne doivent pas être remboursés au salarié lorsqu'ils constituent un privilège exceptionnel.
Majdaniw c. *S.N.C. Lavalin inc.*, D.T.E. 2002T-812 (C.T.).

128/484 Il est possible d'octroyer au salarié injustement congédié le paiement de la location relative à l'usage d'une automobile pendant la période du délai-congé,

dans le cas où il a dû s'acheter une voiture au cours de ses derniers mois d'emploi alors qu'une voiture de l'employeur lui était auparavant fournie.
Daneau c. *Motorola Canada Ltd. (Systèmes d'information Motorola)*, D.T.E. 95T-491 (C.T.).

128/485 Le commissaire peut exiger que le salarié soit indemnisé pour les frais de voyage que l'employeur n'a pas versés ou remboursés au salarié avant son congédiement.
Ménard c. *Circle Computer / Brains II*, (1997) C.T. 199, D.T.E. 97T-589 (C.T.).

128/486 L'indemnité de vacances à laquelle un salarié aurait eu droit doit être incluse dans l'indemnité compensatoire.
Bissonnette c. *Novartis Pharma Canada inc.*, (2008) R.J.D.T. 1217 (C.R.T.), D.T.E. 2008T-577 (C.R.T.).
Chaumont c. *1276698 Ontario inc. (Club de golf Val-des-Lacs)*, D.T.E. 2008T-218 (C.R.T.).
Doyon c. *Entreprises Jacques Despars inc.*, (2008) R.J.D.T. 1210 (C.R.T.), D.T.E. 2008T-608 (C.R.T.).
Moutis c. *Bombardier inc. (Bombardier Aéronautique)*, D.T.E. 2008T-488 (C.R.T.).
Ouellette c. *SSAB Hardox*, D.T.E. 2008T-236 (C.R.T.).
Boucher c. *Enseignes Métropolitain inc.*, D.T.E. 2007T-503 (C.R.T.) (règlement hors cour).
Malette c. *3948331 Canada inc. (Allure Concept Mode)*, D.T.E. 2007T-960 (C.R.T.).
Tamboura c. *Conseil du Québec — Unite Here*, D.T.E. 2007T-986 (C.R.T.).
Jean c. *Boulangerie-pâtisserie Le Viennois inc.*, D.T.E. 2006T-1037 (C.R.T.).
Rozlonkowski c. *Estrie-International 2007 inc.*, D.T.E. 2006T-265 (C.R.T.).
Towner c. *I.N.G. Canada inc.*, D.T.E. 2004T-932 (C.R.T.).
Thomassin c. *D. Bertrand & Fils inc.*, D.T.E. 2003T-419 (C.R.T.).
Cartillone c. *Cuisine P.S. enr.*, D.T.E. 2002T-714 (C.T.).
Gariépy c. *W.W.F. Canada inc.*, D.T.E. 2002T-540 (C.T.).
Hekmi c. *2809630 Canada inc.*, (2001) R.J.D.T. 795 (C.T.), D.T.E. 2001T-391 (C.T.).
Messageries dynamiques, une division de Groupe Quebecor (Re), (2001) R.J.D.T. 827 (C.T.), D.T.E. 2001T-609 (C.T.).
Ménard c. *Circle Computer / Brains II*, (1997) C.T. 199, D.T.E. 97T-589 (C.T.).
Bergeron c. *Publications Dumont (1988) inc.*, (1996) C.T. 268, D.T.E. 96T-691 (C.T.) (révision judiciaire refusée: C.S. Hull, n° 550-05-002841-966, le 5 septembre 1996) (appel rejeté: D.T.E. 2000T-59 (C.A.), J.E. 2000-136 (C.A.), REJB 1999-15538 (C.A.)).
Pominville c. *Fabrication Ultra*, D.T.E. 95T-1273 (C.T.).
Martin c. *Cie d'assurance du Canada sur la vie*, D.T.E. 89T-298 (T.A.).
Perron c. *Électrolux Canada*, (1984) C.T. 250, D.T.E. 84T-534 (C.T.).

128/487 Il est possible de ne pas accorder d'indemnité relative au congé annuel lorsqu'elle constituerait une double indemnisation dans le cas où le salaire annuel comprend la rémunération pour la période de vacances.
Rompré c. *Costco Wholesale Canada Ltd. (Costco Trois-Rivières)*, D.T.E. 2006T-910 (C.R.T.).
Langlois c. *Gaz métropolitain inc.*, D.T.E. 2005T-317 (C.R.T.) (révision judiciaire refusée: D.T.E. 2006T-117 (C.S.)).
Brisson c. *9027-4580 Québec inc.*, (1999) R.J.D.T. 246 (C.T.), D.T.E. 99T-164 (C.T.) (révision judiciaire refusée: D.T.E. 99T-549 (C.S.)) (désistement d'appel).

V. aussi: *Cadet* c. *Imprimeries Transcontinental, s.e.n.c.*, D.T.E. 2007T-879 (C.R.T.).
Lavergne c. *Fugère Pontiac Buick inc.*, (2003) R.J.D.T. 346 (C.R.T.), D.T.E. 2003T-248 (C.R.T.).

128/488 La perte d'avantages relatifs au fait de ne pas avoir pu jouir de ses vacances avec sa famille ne peut être compensée si cette réclamation n'est pas prouvée par le salarié.
Saindon c. *Taleo (Canada) inc.*, D.T.E. 2007T-33 (C.R.T.).

128/489 Le commissaire ne peut ordonner le remboursement par l'employeur des frais de courtage engagés par le plaignant en l'absence de preuve de dommages directs résultant du congédiement.
3M Canada inc. c. *Doré*, D.T.E. 94T-673 (C.S.), conf. par (1997) R.J.Q. 1581 (C.A.), D.T.E. 97T-707 (C.A.), J.E. 97-1247 (C.A.).
V. cependant: *Jean bleu inc.* c. *Bureau du commissaire général du travail*, D.T.E. 2002T-1109 (C.S.), J.E. 2002-2089 (C.S.), REJB 2002-36008 (C.S.).

128/490 Un plaignant peut avoir le droit de reporter à la veille de sa retraite les semaines de vacances annuelles auxquelles il a droit conformément à la politique en vigueur en tout temps chez son employeur.
Fuller c. *Brasseries Molson*, (1994) T.A. 565, D.T.E. 94T-801 (T.A.).

128/491 Le commissaire peut octroyer une indemnité pour le coût de remplacement des bénéfices d'assurances.
Bernier c. *Caisse populaire Desjardins de la Mitis, Centre de service de Ste-Angèle*, D.T.E. 2007T-775 (C.R.T.).
Guillemette c. *Fabrimet inc.*, D.T.E. 2006T-90 (C.R.T.) (révision judiciaire refusée: D.T.E. 2006T-603 (C.S.)).
Dodd c. *3M Canada inc.*, D.T.E. 98T-496 (C.T.).
Martin c. *Cie d'assurance du Canada sur la vie*, D.T.E. 89T-298 (T.A.).
Champagne c. *Digital Equipment du Canada ltée*, D.T.E. 87T-781 (T.A.).

128/492 La perte de son emploi par le salarié emporte nécessairement la cessation du bénéfice et des avantages sociaux tributaires du lien d'emploi, tels que le régime de retraite et le régime d'option d'achat d'actions.
Bon L Canada inc. c. *Béchara*, (2004) R.J.Q. 2359 (C.A.), (2004) R.J.D.T. 923 (C.A.), D.T.E. 2004T-863 (C.A.), J.E. 2004-1703 (C.A.), REJB 2004-69780 (C.A.) (autorisation d'appeler à la Cour suprême refusée).

128/493 Compte tenu du fait que le congédiement interrompt les avantages sociaux qui sont offerts en cours d'emploi, il n'y a pas lieu d'indemniser le salarié pour la perte des bénéfices d'assurance-vie.
Roy c. *Comité paritaire de l'industrie de l'automobile de Montréal*, D.T.E. 2002T-584 (C.T.).

128/494 Il est possible d'ordonner le versement à la succession d'un salarié décédé du produit d'une assurance-vie détenue par l'intermédiaire d'une assurance collective dans l'entreprise.
Gamache (Succession de) c. *Acadia Drywall Supplies Ltd.*, D.T.E. 2007T-1037 (C.R.T.).

128/495 Les avantages de retraite constituent une condition de travail pour la perte de laquelle un salarié injustement congédié peut être indemnisé.
Imprimerie Laprairie inc. c. *Doucet*, (1989) R.J.Q. 1283 (C.S.), D.T.E. 89T-516 (C.S.), J.E. 89-850 (C.S.).
Moutis c. *Bombardier inc. (Bombardier Aéronautique)*, D.T.E. 2008T-488 (C.R.T.).
Bernier c. *Caisse populaire Desjardins de la Mitis, Centre de service de Ste-Angèle*, D.T.E. 2007T-775 (C.R.T.).
Tamboura c. *Conseil du Québec — Unite Here*, D.T.E. 2007T-986 (C.R.T.).
Fleury c. *Technologies avancées de fibres (AFT) inc.*, D.T.E. 2006T-267 (C.R.T.).
Brandwein c. *Congrégation Beth-El*, (2003) R.J.D.T. 294 (C.R.T.), D.T.E. 2003T-92 (C.R.T.) (révision judiciaire refusée: D.T.E. 2005T-365 (C.A.)).
Roy c. *Comité paritaire de l'industrie de l'automobile de Montréal*, D.T.E. 2002T-584 (C.T.).
Bonneterre c. *Imprimerie Laprairie inc.*, (1988) T.A. 505, D.T.E. 88T-536 (T.A.) (révision judiciaire accueillie en partie: (1989) R.J.Q. 1283 (C.S.), D.T.E. 89T-516 (C.S.), J.E. 89-850 (C.S.)).
Couture, Leclerc et Associés c. *Gagné*, (1988) T.A. 408, D.T.E. 88T-464 (T.A.).
Champagne c. *Digital Equipment du Canada ltée*, D.T.E. 87T-781 (T.A.).
Padveen c. *London Life, Cie d'assurance-vie*, D.T.E. 84T-421 (T.A.) (révision judiciaire refusée: D.T.E. 85T-187 (C.S.)).

128/496 Le commissaire ne peut accorder une somme pour compenser la perte de gains en capital sur la vente d'un REER puisqu'il ne s'agit pas de dommages directs ou contractuels selon l'article 1613 du *Code civil du Québec*.
3M Canada inc. c. *Doré*, D.T.E. 94T-673 (C.S.), conf. par (1997) R.J.Q. 1581 (C.A.), D.T.E. 97T-707 (C.A.), J.E. 97-1247 (C.A.).
Tamboura c. *Conseil du Québec — Unite Here*, D.T.E. 2007T-986 (C.R.T.).
De Montigny c. *I.C.D. — Institut Carrière et développement ltée*, D.T.E. 2003T-445 (C.R.T.) (révision judiciaire refusée: C.S.M. n° 500-17-015140-034, le 15 juillet 2003).

128/497 Les pertes subies lors de la vente d'une portion de l'actif d'un REER ne constituent pas des dommages directs imputables à l'employeur.
Tamboura c. *Conseil du Québec — Unite Here*, D.T.E. 2007T-986 (C.R.T.).
Pelland c. *Laval (Société de transport de la Ville de)*, D.T.E. 2000T-573 (C.T.).

128/498 Lorsque la preuve ne révèle pas que la liquidation d'un REER par le salarié découle directement des gestes de l'employeur, le commissaire ne peut évidemment pas ordonner le remboursement d'une telle somme.
Chaumont c. *1276698 Ontario inc. (Club de golf Val-des-Lacs)*, D.T.E. 2008T-218 (C.R.T.).

128/499 Un salarié ne peut réclamer une indemnité pour préjudice fiscal lié à sa cotisation au REER s'il s'est lui-même privé de toute prestation d'assurance-emploi qui aurait pu lui être acquise pendant sa période de chômage.
Saindon c. *Taleo (Canada) inc.*, D.T.E. 2007T-33 (C.R.T.).

128/500 Le commissaire possède le pouvoir d'ordonner à l'employeur de verser au salarié les avantages de retraite que le congédiement lui a fait perdre.
Dodd c. *3M Canada Ltd.*, (1997) R.J.Q. 1581 (C.A.), D.T.E. 97T-707 (C.A.), J.E. 97-1247 (C.A.).

128/501 Le commissaire possède le pouvoir d'ordonner à l'employeur de verser sa contribution dans le REER du salarié.
Chaumont c. *1276698 Ontario inc. (Club de golf Val-des-Lacs)*, D.T.E. 2008T-218 (C.R.T.).

128/502 Le salarié peut être indemnisé pour la contribution de l'employeur au REER de celui-ci.
Ouellette c. *SSAB Hardox*, D.T.E. 2008T-236 (C.R.T.).

128/503 Le commissaire a le pouvoir d'ordonner que l'employeur verse au plaignant une pré-retraite sans perte actuarielle.
Association d'hospitalisation du Québec c. *Latreille*, (1987) T.A. 458, D.T.E. 87T-681 (T.A.).

128/504 Un salarié peut être indemnisé pour la perte de participation à un régime d'assurance collective ou à un régime de rentes.
Fleury c. *Technologies avancées de fibres (AFT) inc.*, D.T.E. 2006T-267 (C.R.T.).
Towner c. *I.N.G. Canada inc.*, D.T.E. 2004T-932 (C.R.T.).
Poirier c. *Climatisation Fortier & Frères ltée*, (1996) C.T. 53, D.T.E. 96T-146 (C.T.).
Giguère c. *Cie Kenworth Canada ltée*, D.T.E. 90T-461 (T.A.) (révision judiciaire cassée en appel: (1990) R.J.Q. 2485 (C.A.), D.T.E. 90T-1204 (C.A.), J.E. 90-1483 (C.A.)) (autorisation d'appeler à la Cour suprême refusée).
Dubois c. *Panneaux rigides Canexel inc.*, D.T.E. 89T-910 (T.A.).
Martin c. *Cie d'assurance du Canada sur la vie*, D.T.E. 89T-298 (T.A.).

128/505 Si la preuve ne révèle pas que le prêt de survivance contracté par le salarié est lié aux gestes de l'employeur, le commissaire ne peut ordonner le remboursement des intérêts de ce prêt.
Chaumont c. *1276698 Ontario inc. (Club de golf Val-des-Lacs)*, D.T.E. 2008T-218 (C.R.T.).

128/506 Faute de preuve suffisante quant à la perte de l'option d'achat d'actions de l'entreprise de l'employeur, le commissaire ne peut indemniser un salarié à ce chapitre.
Rols c. *Merck Frosst Canada inc.*, (1997) C.T. 52, D.T.E. 97T-56 (C.T.).

128/507 Un salarié peut être indemnisé pour la perte du droit à la somme qu'il aurait retirée d'un «Deferred profit sharing plan».
Daneau c. *Motorola Canada Ltd. (Systèmes d'information Motorola)*, D.T.E. 95T-491 (C.T.).

128/508 Un salarié peut être indemnisé par le paiement de ses options d'achat d'actions de l'entreprise.
Guindon c. *Corporation de sécurité Garda World*, D.T.E. 2009T-174 (C.R.T.) (requête en révision judiciaire: n° 500-17-048698-099).
Saindon c. *Taleo (Canada) inc.*, D.T.E. 2007T-33 (C.R.T.).
Couture c. *Services Investors ltée*, (2003) R.J.D.T. 325 (C.R.T.), D.T.E. 2003T-180 (C.R.T.).
Clark c. *Groupe D.M.R. inc.*, (1997) C.T. 203, D.T.E. 97T-625 (C.T.).

128/509 Un salarié peut être indemnisé pour la perte du droit au programme de placement contributif.
Couture c. *Services Investors ltée*, (2003) R.J.D.T. 325 (C.R.T.), D.T.E. 2003T-180 (C.R.T.).

128/510 Le commissaire peut octroyer une indemnité pour la perte des bénéfices des dividendes.
Brasseries Molson c. *Laurin*, D.T.E. 93T-1189 (C.S.), J.E. 93-1796 (C.S.) (désistement d'appel).
Fuller c. *Brasseries Molson*, (1994) T.A. 565, D.T.E. 94T-801 (T.A.).

128/511 Le commissaire peut octroyer une indemnité pour la perte de l'appartement fourni par l'employeur ou pour les frais de bureaux que le plaignant utilisait au bénéfice de l'employeur.
Careau c. *Tasiujaq (Village nordique de)*, D.T.E. 2006T-244 (C.R.T.).
Martin c. *Cie d'assurance du Canada sur la vie*, D.T.E. 89T-298 (T.A.).
Gravel c. *Lucas Industries Canada Ltd. (Automotive Equipment Division)*, (1983) T.A. 755, D.T.E. 83T-389 (T.A.).
Ouellet c. *Placements A. Jain inc.*, D.T.E. 82T-496 (T.A.).

128/512 Le commissaire peut ordonner le paiement d'une compensation pour la perte de la résidence qui était fournie au salarié, lorsque ceci constituait un avantage lié à l'emploi.
Brandwein c. *Congrégation Beth-El*, (2003) R.J.D.T. 294 (C.R.T.), D.T.E. 2003T-92 (C.R.T.) (révision judiciaire refusée: D.T.E. 2005T-365 (C.A.)).

128/513 La perte des bénéfices reliés aux travaux non exécutés sur une résidence ne peut faire l'objet d'un dédommagement.
Brandwein c. *Congrégation Beth-El*, (2003) R.J.D.T. 294 (C.R.T.), D.T.E. 2003T-92 (C.R.T.) (révision judiciaire refusée: D.T.E. 2005T-365 (C.A.)).

128/514 Le commissaire ne peut ordonner le paiement par l'employeur de la pénalité due au remboursement prématuré de l'hypothèque du salarié, en l'absence de preuve de dommages directs résultant du congédiement.
3M Canada inc. c. *Doré*, D.T.E. 94T-673 (C.S.), conf. par (1997) R.J.Q. 1581 (C.A.), D.T.E. 97T-707 (C.A.), J.E. 97-1247 (C.A.).

128/515 Les pertes occasionnées lors de la vente de la maison du salarié ne doivent pas être remboursées, si elles ne constituent pas des dommages directs imputables à l'employeur.
De Montigny c. *I.C.D. — Institut Carrière et développement ltée*, D.T.E. 2003T-445 (C.R.T.) (révision judiciaire refusée: C.S.M. n° 500-17-015140-034, le 15 juillet 2003).

128/516 Le commissaire ne peut ordonner le remboursement par l'employeur des frais de déménagement reliés à la vente de la propriété du salarié s'il n'y a pas de preuve de dommages directs résultant du congédiement.
3M Canada inc. c. *Doré*, D.T.E. 94T-673 (C.S.), conf. par (1997) R.J.Q. 1581 (C.A.), D.T.E. 97T-707 (C.A.), J.E. 97-1247 (C.A.).

128/517 Les dépenses liées au déménagement du salarié faisant suite au congédiement peuvent être octroyées par le commissaire.
Jean bleu inc. c. *Bureau du commissaire général du travail*, D.T.E. 2002T-1109 (C.S.), J.E. 2002-2089 (C.S.), REJB 2002-36008 (C.S.).
Jean c. *Boulangerie-pâtisserie Le Viennois inc.*, D.T.E. 2006T-1037 (C.R.T.).

128/518 Le commissaire ne peut ordonner le remboursement par l'employeur des frais de déménagement lorsque celui-ci est motivé par des raisons personnelles plutôt que professionnelles.
Bérubé c. *Ressources informatiques Quantum ltée*, D.T.E. 96T-1436 (C.T.).

128/519 Le commissaire peut indemniser le salarié si celui-ci a subi une perte sur la valeur de sa propriété lorsque les dommages résultent directement du congédiement.
3M Canada inc. c. *Doré*, D.T.E. 94T-673 (C.S.), conf. par (1997) R.J.Q. 1581 (C.A.), D.T.E. 97T-707 (C.A.), J.E. 97-1247 (C.A.).

128/520 Le salarié peut avoir droit au remboursement de la perte d'un avantage lié à la réduction du taux de prêt hypothécaire.
Couture c. *Services Investors ltée*, (2003) R.J.D.T. 325 (C.R.T.), D.T.E. 2003T-180 (C.R.T.).

128/521 Le salarié ne peut être indemnisé lorsqu'il ne peut démontrer que les pertes découlant de la vente de ses actions sont directement reliées au congédiement.
McGee c. *Confédération des caisses populaires et d'économie Desjardins du Québec*, (1997) C.T. 354, D.T.E. 97T-1027 (C.T.).

128/522 Le salarié n'a pas à être indemnisé pour son compte de dépenses lorsque le compte ne constitue pas une forme de rémunération ou du salaire.
Fuller c. *Brasseries Molson*, (1994) T.A. 565, D.T.E. 94T-801 (T.A.).
Pomerleau c. *Laboratoires Hefran inc.*, (1985) T.A. 798, D.T.E. 85T-971 (T.A.).

128/523 Le commissaire ne peut accorder une réclamation relative aux voyages lorsque l'entreprise n'a jamais compensé les vendeurs à cet égard puisqu'ils ne pouvaient participer à de tels déplacements.
De Montigny c. *I.C.D. — Institut Carrière et développement ltée*, D.T.E. 2003T-445 (C.R.T.) (révision judiciaire refusée: C.S.M. n° 500-17-015140-034, le 15 juillet 2003).

128/524 La Commission des relations du travail peut ordonner à l'employeur le paiement pour le bénéfice du salarié d'un voyage et d'une bague sertie d'un diamant, lorsque certains employés de l'entreprise qui atteignent leurs objectifs peuvent bénéficier de tels avantages.
Bédard c. *Minolta Business Equipment (Canada) Ltd. (Minolta Québec)*, D.T.E. 2004T-1175 (C.R.T.) (révision judiciaire accueillie pour d'autres motifs: (2007) R.J.D.T. 69 (C.S.), D.T.E. 2007T-258 (C.S.), EYB 2007-115114 (C.S.)) (appel accueilli pour d'autres motifs: (2008) R.J.D.T. 1431 (C.A.), D.T.E. 2008T-759 (C.A.), J.E. 2008-1829 (C.A.), EYB 2008-146847 (C.A.)) (autorisation d'appeler à la Cour suprême refusée).

128/525 Les dispositions de l'article 128(3) L.N.T. donnent compétence à la Commission des relations du travail pour accorder les frais judiciaires.
Bernier c. *Caisse populaire Desjardins de la Mitis, Centre de service de Ste-Angèle*, D.T.E. 2007T-775 (C.R.T.).
Résidences Soleil — Manoir du musée c. *Rouleau*, D.T.E. 2006T-89 (C.R.T.).

128/526 L'article 128(3) L.N.T. fait en sorte qu'un commissaire peut ordonner le paiement de dommages-intérêts tels des honoraires d'avocat, qu'ils soient ou non causés par témérité ou par malice de l'employeur.
Buffet King Chow inc. c. *Bibeault*, D.T.E. 97T-928 (C.S.), J.E. 97-1623 (C.S.).
Tamboura c. *Conseil du Québec — Unite Here*, D.T.E. 2007T-986 (C.R.T.).
Fleury c. *Technologies avancées de fibres (AFT) inc.*, D.T.E. 2006T-267 (C.R.T.).

128/527 Compte tenu du fait que le recours au procureur de la Commission des normes du travail n'est pas une obligation légale mais un service rendu aux citoyens, il est possible d'indemniser le salarié pour les honoraires de ses propres avocats.
Tamboura c. *Conseil du Québec — Unite Here*, D.T.E. 2007T-986 (C.R.T.).
Roy c. *Comité paritaire de l'industrie de l'automobile de Montréal*, D.T.E. 2002T-584 (C.T.).

128/528 L'article 128(3) L.N.T. confère au commissaire le pouvoir d'ordonner à l'employeur de payer les frais de défense d'un plaignant.
3M Canada inc. c. *Doré*, D.T.E. 94T-673 (C.S.) (appel rejeté: (1997) R.J.Q. 1581 (C.A.), D.T.E. 97T-707 (C.A.), J.E. 97-1247 (C.A.)).
Société en commandite Des Écores c. *Eymard*, D.T.E. 91T-637 (C.S.).
Dumont c. *Giguère Portes et fenêtres inc.*, D.T.E. 2008T-349 (C.R.T.).
Marshall c. *Jesta I.S. inc.*, D.T.E. 2004T-931 (C.R.T.).
Towner c. *I.N.G. Canada inc.*, D.T.E. 2004T-932 (C.R.T.).
Ranger c. *Clinique chiropratique St-Eustache*, D.T.E. 2003T-1013 (C.R.T.).
Lavoie c. *Bon L. Canada inc.*, D.T.E. 2001T-512 (C.T.) (révision judiciaire refusée: C.S.M. n° 500-05-064634-015, le 13 septembre 2001).
Dodd c. *3M Canada inc.*, D.T.E. 98T-496 (C.T.).
Gagnon c. *Corne d'abondance inc.*, D.T.E. 97T-341 (C.T.) (ultérieur: D.T.E. 98T-153 (C.S.)).
Legris c. *Laval (Société de transport de la Ville de)*, (1996) C.T. 120, D.T.E. 96T-230 (C.T.).
Fortin c. *Jean Bleu inc.*, D.T.E. 95T-120 (C.T.).
Perri c. *Ritz-Carlton 2000 inc. (Hôtel Ritz-Carlton)*, D.T.E. 95T-967 (C.T.).
Gilbert c. *École supérieure de danse du Québec*, D.T.E. 94T-613 (C.T.).
Pompeo c. *Appartements Tours Stanley inc.*, D.T.E. 92T-1125 (C.T.).
Léonard c. *Gestions Alain Brault inc.*, D.T.E. 92T-1400 (T.A.).
Équipement de ferme Dynavent c. *Lefebvre*, (1991) T.A. 252, D.T.E. 91T-440 (T.A.).
Johnson c. *Mazda Canada inc.*, D.T.E. 91T-1402 (T.A.).
Giguère c. *Cie Kenworth Canada ltée*, D.T.E. 90T-461 (T.A.) (révision judiciaire cassée en appel: (1990) R.J.Q. 2485 (C.A.), D.T.E. 90T-1204 (C.A.), J.E. 90-1483 (C.A.)) (autorisation d'appeler à la Cour suprême refusée).
Ladouceur c. *Almico Plastics Canada inc.*, D.T.E. 90T-490 (T.A.).
Fasulo c. *Emballages Heat Seal inc.*, (1989) T.A. 805, D.T.E. 89T-925 (T.A.).
Rematech Division I.B.S. ltée c. *Brasseur*, D.T.E. 89T-924 (T.A.).
A. Setlakwe ltée c. *Bergeron*, D.T.E. 88T-197 (T.A.).
Demers c. *Industries A.P. inc.*, D.T.E. 87T-539 (T.A.).
Gingras c. *Radio-cité*, (1987) T.A. 56, D.T.E. 87T-157 (T.A.).
Halle c. *Bell Canada*, D.T.E. 87T-714 (T.A.).
Lamarre c. *Chaussures Trans-Canada ltée*, D.T.E. 85T-722 (T.A.).
Contra: *Clarke* c. *Art et photo R.B. inc.*, D.T.E. 94T-314 (C.T.) (révision judiciaire refusée: C.S.M. n° 500-05-001853-942, le 29 septembre 1994).
Martin c. *Cie d'assurance du Canada sur la vie*, D.T.E. 89T-298 (T.A.).

Champagne c. *Digital Equipment du Canada ltée*, D.T.E. 87T-781 (T.A.).
Tansey c. *Canadian Pacific Consulting Services Ltd.*, (1986) T.A. 216, D.T.E. 86T-285 (T.A.).

128/529 L'employeur qui contrevient aux obligations imposées par la *Charte des droits et libertés de la personne* en matière d'accommodement, commet une faute qui le rend responsable des frais qu'a engendrés la défense des droits et libertés du salarié.
Langlois c. *Gaz métropolitain inc.*, D.T.E. 2005T-317 (C.R.T.) (révision judiciaire refusée: D.T.E. 2006T-117 (C.S.)).

128/530 Le remboursement des frais de l'avocat est exceptionnel, car le salarié a droit au service gratuit d'un avocat selon l'article 126.1 L.N.T.
Bouchard c. *Investissements Imqua inc.*, D.T.E. 2002T-164 (C.T.).

128/531 Ce sont les circonstances et le comportement de l'employeur au moment du congédiement ou après qui justifient d'ordonner ou non le remboursement des honoraires d'avocat. Ainsi, le manque de transparence au moment du congédiement est condamnable. Un employeur agit négligemment et de façon injuste en omettant de révéler au salarié les véritables motifs ayant conduit à son congédiement. Par conséquence, les frais afférents à cette décision fautive doivent être supportés par l'employeur. Cependant, il ne doit supporter que les frais raisonnables.
Majdaniw c. *S.N.C. Lavalin inc.*, D.T.E. 2002T-812 (C.T.).

128/532 L'expression «toutes les circonstances de l'affaire» de l'article 128(3) L.N.T. signifie, en ce qui concerne les honoraires d'avocat, que le commissaire n'est pas limité aux frais reliés à ce qui s'est strictement passé devant lui. Les circonstances sont un ensemble de faits qui s'ajoutent à un événement, le congédiement.
Buffet King Chow inc. c. *Bibeault*, D.T.E. 97T-928 (C.S.), J.E. 97-1623 (C.S.).
Fleury c. *Technologies avancées de fibres (AFT) inc.*, D.T.E. 2006T-267 (C.R.T.).

128/533 Un salarié n'a pas droit au remboursement des honoraires de son avocat compte tenu du fait qu'il peut bénéficier gratuitement des services d'un avocat de la Commission des normes du travail. Ces dommages ne peuvent être remboursés puisqu'ils résultent, non pas du congédiement, mais du choix du salarié.
Zarr c. *Kessler*, D.T.E. 2001T-909 (C.T.).

128/534 Faute de preuve démontrant que la décision de congédier était empreinte de malice, de témérité ou d'un manque de sérieux, il n'y a pas lieu d'accorder une indemnité pour le paiement des honoraires du procureur d'un plaignant.
Gagnon c. *Comité sectoriel de main-d'oeuvre des industries du bois de sciage*, D.T.E. 2006T-337 (C.R.T.) (requête en révision judiciaire: n° 200-05-018349-063).
Langlois c. *Ceratec inc.*, D.T.E. 2005T-857 (C.R.T.).
Chamberland c. *Produits Mica Suzorite inc.*, D.T.E. 2004T-465 (C.R.T.).
Laplante c. *Costco Wholesale Canada Ltd.*, D.T.E. 2003T-1058 (C.R.T.) (révision judiciaire refusée: D.T.E. 2004T-843 (C.S.)) (appel rejeté: (2005) R.J.Q. 2249 (C.A.), (2005) R.J.D.T. 1465 (C.A.), D.T.E. 2005T-831 (C.A.), J.E. 2005-1696 (C.A.), EYB 2005-94727 (C.A.)).

Lamoureux c. *Centura Québec ltée*, D.T.E. 2002T-539 (C.T.) (révision judiciaire refusée: D.T.E. 2003T-989 (C.S.)).
Lacasse c. *Portraits Magimage inc.*, D.T.E. 2001T-931 (C.T.).
Pelland c. *Laval (Société de transport de la Ville de)*, D.T.E. 2000T-573 (C.T.).
Brisson c. *9027-4580 Québec inc.*, (1999) R.J.D.T. 246 (C.T.), D.T.E. 99T-164 (C.T.) (révision judiciaire refusée: D.T.E. 99T-549 (C.S.)) (désistement d'appel).
Rivard c. *Atlantic Produits d'emballage ltée*, (1999) R.J.D.T. 207 (C.T.), D.T.E. 99T-69 (C.T.).
Lavoie c. *Solidarité (La), compagnie d'assurance sur la vie*, D.T.E. 98T-115 (C.T.).
McGee c. *Confédération des caisses populaires et d'économie Desjardins du Québec*, (1997) C.T. 354, D.T.E. 97T-1027 (C.T.).
Schaf c. *Contempra Fashions Canada Ltd.*, D.T.E. 97T-140 (C.T.).
Bérubé c. *Ressources informatiques Quantum ltée*, D.T.E. 96T-1436 (C.T.).
Dallaire c. *Nettoyeur moderne (1987) inc.*, D.T.E. 96T-795 (C.T.).
Émond c. *Mil Davie inc.*, D.T.E. 95T-674 (C.T.).
Guay c. *Compagnie Trust Royal*, D.T.E. 95T-726 (C.T.).
Lavallée c. *Abitibi-Price inc., division Azerty*, D.T.E. 95T-701 (C.T.).
Malo c. *Industries Pantorama inc.*, (1995) C.T. 56, D.T.E. 95T-286 (C.T.) (révision judiciaire refusée: C.S.M. n° 500-05-014650-947, le 1er février 1995).
Maltais c. *Courtiers en alimentation Bel-go inc.*, (1995) C.T. 491, D.T.E. 95T-1245 (C.T.).
Trudel c. *Jacques Olivier Ford inc.*, (1995) C.T. 457, D.T.E. 95T-1081 (C.T.).
Lefebvre c. *Gaston Lefebvre Service inc.*, D.T.E. 94T-1013 (C.T.).
Gariépy c. *Great West, Life Assurance Co.*, D.T.E. 93T-1332 (C.T.).
Joannette c. *Pièces d'auto Richard ltée*, (1993) C.T. 398, D.T.E. 93T-867 (C.T.).
Gosselin c. *Burotec ventes services et locations inc.*, (1992) C.T. 525, D.T.E. 92T-896 (C.T.).
Pompeo c. *Appartements Tours Stanley inc.*, D.T.E. 92T-1125 (C.T.).
V. aussi: *Bernard* c. *Multi-recyclage S.D. inc.*, (1998) R.J.D.T. 187 (C.T.), D.T.E. 98T-15 (C.T.).
Tardif c. *Entreprises Insta-bec inc.*, (1994) C.T. 318, D.T.E. 94T-754 (C.T.).
Contra: *Bernier* c. *Caisse populaire Desjardins de la Mitis, Centre de service de Ste-Angèle*, D.T.E. 2007T-775 (C.R.T.).
Hekmi c. *2809630 Canada inc.*, (2001) R.J.D.T. 795 (C.T.), D.T.E. 2001T-391 (C.T.).

128/535 En général, c'est seulement d'une façon exceptionnelle que les frais d'avocat doivent être payés, surtout lorsqu'il n'y a pas de preuve à cet effet.
Bombardier c. *Supermarché Racicot (1980) inc.*, D.T.E. 93T-986 (C.T.).

128/536 Les dispositions des articles 128 L.N.T. et 100.12 du *Code du travail* permettent d'accorder le remboursement des frais juridiques selon des critères autres que celui de l'abus de procédure. En ce sens, la jurisprudence relative au recours civil n'est pas pertinente.
Rouleau c. *Résidences Soleil — Manoir du Musée*, D.T.E. 2005T-834 (C.R.T.).

128/537 Le fait qu'un commissaire refuse d'ordonner le remboursement des honoraires d'avocat, relativement à une plainte déposée en vertu de l'article 124 L.N.T., parce qu'il n'est pas convaincu de la mauvaise foi ou du comportement dérogatoire de l'employeur, n'entraîne pas nécessairement la même conclusion quant aux honoraires d'avocat payés par le salarié pour la révision judiciaire en Cour supérieure. Devant le commissaire, la représentation par avocat n'est pas obligatoire, c'est pourquoi les frais judiciaires ne sont pas

considérés comme des dommages directs reliés au congédiement. Cependant, devant les tribunaux de droit commun, la représentation par avocat est essentielle. Puisqu'il s'agit alors d'un dommage direct qui résulte du congédiement fait sans cause juste et suffisante, la mauvaise foi ou le comportement dérogatoire de l'employeur n'ont pas à être prouvés. Ces coûts constituent alors des dommages directs et sont couverts par l'expression «toutes les circonstances de l'affaire».
Augustin c. *Mr. Jeff Pier Confection Fashions inc.*, (1997) C.T. 469, D.T.E. 97T-1179 (C.T.).

128/538 Le commissaire peut octroyer le remboursement des frais de représentation du salarié, et ce, peu importe que celui-ci soit représenté par un avocat.
Gagnon c. *2753-3058 Québec inc.*, D.T.E. 95T-750 (C.T.).

128/539 La longue durée des audiences peut justifier le versement des honoraires de l'avocat du salarié plaignant.
Guindon c. *Corporation de sécurité Garda World*, D.T.E. 2009T-174 (C.R.T.) (requête en révision judiciaire: n° 500-17-048698-099).
Saindon c. *Taleo (Canada) inc.*, D.T.E. 2007T-33 (C.R.T.).
Fleury c. *Technologies avancées de fibres (AFT) inc.*, D.T.E. 2006T-267 (C.R.T.).
Roger c. *Prudentielle d'Amérique (La), compagnie d'assurances générales*, D.T.E. 96T-916 (C.T.).
Dufour c. *Helca Métro ltée*, (1995) C.T. 236, D.T.E. 95T-449 (C.T.).

Cependant, lorsque l'employeur n'a pas agi de manière à allonger inutilement le débat, il n'y a pas lieu de lui ordonner de rembourser les honoraires d'avocat.
Ilieva c. *Uniboard Canada Inc.*, (2000) R.J.D.T. 1095 (C.T.), D.T.E. 2000T-721 (C.T.).
Kominik c. *F.M.E. Corp.*, D.T.E. 2000T-495 (C.T.).
Pelland c. *Laval (Société de transport de la Ville de)*, D.T.E. 2000T-573 (C.T.).
Brisson c. *9027-4580 Québec inc.*, (1999) R.J.D.T. 246 (C.T.), D.T.E. 99T-164 (C.T.) (révision judiciaire refusée: D.T.E. 99T-549 (C.S.)) (désistement d'appel).
Bernard c. *Multi-recyclage S.D. inc.*, (1998) R.J.D.T. 187 (C.T.), D.T.E. 98T-15 (C.T.).
Dupont c. *Diamants Lafleur (Bijouterie Ricci)*, D.T.E. 98T-118 (C.T.).
Lavoie c. *Solidarité (La), compagnie d'assurance sur la vie*, D.T.E. 98T-115 (C.T.).
Vézina c. *Sénécal Assurances inc.*, (1996) C.T. 557, D.T.E. 96T-1552 (C.T.).

128/540 Lorsque l'employeur ne se comporte pas de manière à retarder indûment la procédure ou à occasionner au salarié des frais inutiles, il ne peut y avoir versement d'une indemnité pour les frais d'avocat.
Bonin c. *Sheraton Château Vaudreuil*, D.T.E. 98T-646 (C.T.).
Pouliot c. *Association d'action bénévole du Granit*, (1998) R.J.D.T. 1229 (C.T.), D.T.E. 98T-694 (C.T.) (révision judiciaire refusée: (1998) R.J.D.T. 1141 (C.S.), D.T.E. 98T-864 (C.S.)).
Champoux c. *Confédération des caisses populaires et d'économie Desjardins du Québec*, (1997) C.T. 34, D.T.E. 97T-139 (C.T.).

128/541 Si l'employeur abuse des procédures, allonge le débat ou fait preuve de mauvaise foi dans l'administration de la preuve, il peut y avoir remboursement des honoraires extrajudiciaires.
Tamboura c. *Conseil du Québec — Unite Here*, D.T.E. 2007T-986 (C.R.T.).

128/542 Lorsque la longueur de l'enquête n'est pas attribuable au salarié, il peut être indemnisé des honoraires de son avocat.
Lacroix c. *Brasserie Labatt ltée*, D.T.E. 2001T-18 (C.T.) (révision judiciaire refusée: D.T.E. 2001T-316 (C.S.)).

128/543 Le temps passé par le salarié à préparer sa cause ne peut être compensé par le commissaire lorsque l'employeur n'a pas utilisé les procédures de façon abusive.
Bérubé c. *Ressources informatiques Quantum ltée*, D.T.E. 96T-1436 (C.T.).

128/544 Un salarié peut être remboursé pour les frais juridiques qu'il a dû débourser pour obtenir une opinion juridique lors du dépôt d'une plainte, puisque les avocats de la Commission des normes du travail n'en fournissent pas.
Messageries dynamiques, une division de Groupe Quebecor (Re), (2001) R.J.D.T. 827 (C.T.), D.T.E. 2001T-609 (C.T.).
V. aussi: *Rozlonkowski* c. *Estrie-International 2007 inc.*, D.T.E. 2006T-265 (C.R.T.).

128/545 Si un employeur tente de maquiller un congédiement sous le couvert d'un licenciement ou qu'il a agi envers le salarié de façon abusive, vexatoire et malicieuse, il y a lieu d'octroyer à celui-ci le remboursement des sommes engagées pour sa défense.
Duhamel c. *Tassé & Associés*, D.T.E. 95T-1433 (C.T.) (révision judiciaire refusée: C.A.M. n° 500-05-011718-952, le 10 janvier 1996).
V. aussi: *Lavigueur* c. *Québec (Ministère de la Culture et des Communications)*, (2000) R.J.D.T. 1757 (C.T.), D.T.E. 2000T-1199 (C.T.).

128/546 Un syndicat peut être condamné à verser, en plus des frais de poste et d'huissier, certaines sommes pour le remboursement des honoraires judiciaires du salarié plaignant étant donné que, par sa vocation, le syndicat savait que les motifs de congédiement invoqués étaient insuffisants.
Plante c. *Mécanicien Industriel Millwright, section locale 2182*, D.T.E. 2006T-784 (C.R.T.).

128/547 Lorsque l'un des motifs de congédiement du salarié est illégal, il y a lieu d'octroyer les frais de représentation au salarié.
Dessureault-Benson c. *Groupe J.-C. Dessureault inc.*, D.T.E. 2002T-1169 (C.T.).

128/548 À la suite du comportement abusif d'un employeur durant les procédures, en raison des mesures dilatoires et inutiles qu'il utilise, le commissaire peut ordonner le remboursement des honoraires d'avocat que le salarié a dû débourser pour se défendre, et ce, excluant les frais d'assignation des témoins, qui sont inhérents à toute instruction et que celui-ci aurait dû engager de toute façon.
Mayrand c. *Magasins à rayons Peoples inc.*, D.T.E. 95T-828 (C.T.).

128/549 Le refus de réintégrer le salarié et la contestation par l'employeur de la décision du commissaire devant la Cour supérieure, puis devant la Cour d'appel, peut justifier le commissaire d'indemniser le salarié parce que les frais de défense engagés sont directement reliés à son congédiement lorsque c'est le comportement de l'employeur qui les a occasionnés. Cependant, le mémoire de frais taxés ne peut être remboursé.
Jones c. *Buffet King Chow inc.*, (1997) C.T. 76, D.T.E. 97T-311 (C.T.) (révisions judiciaires refusées: D.T.E. 97T-928 (C.S.), J.E. 97-1623 (C.S.) et D.T.E. 97T-930 (C.S.)).

128/550 La mauvaise foi caractéristique et l'abus de droit d'un employeur obligeant un salarié à retenir les services d'un avocat peuvent justifier le remboursement des honoraires de l'avocat.
Baillie c. *Technologies Digital Shape inc.*, (2009) R.J.D.T. 179 (C.R.T.), D.T.E. 2009T-80 (C.R.T.) (révision judiciaire refusée: C.S.M. n^{0} 500-17-047766-095, le 17 avril 2009).
Guérin c. *Collège d'enseignement général et professionnel d'Alma*, D.T.E. 2007T-919 (C.R.T.).
Schneidman c. *London Life, Cie d'assurance-vie*, D.T.E. 95T-1372 (C.T.).

128/551 Le fait que l'employeur n'ait jamais expliqué au salarié pourquoi il l'avait congédié peut donner droit au paiement des frais d'avocat.
Burns c. *Airport Steel & Tubing Ltd. (Acier Aéroport ltée)*, D.T.E. 2005T-1076 (C.R.T.).
Clark c. *Groupe D.M.R. inc.*, (1997) C.T. 203, D.T.E. 97T-625 (C.T.).

128/552 Le manque de transparence de l'employeur lors du congédiement du salarié peut justifier l'attribution d'une somme couvrant partiellement les frais de défense de l'employé.
Moutis c. *Bombardier inc. (Bombardier Aéronautique)*, D.T.E. 2008T-488 (C.R.T.).
Brandwein c. *Congrégation Beth-El*, (2003) R.J.D.T. 294 (C.R.T.), D.T.E. 2003T-92 (C.R.T.) (révision judiciaire refusée: D.T.E. 2005T-365 (C.A.)).

128/553 Le salarié a droit au remboursement des honoraires extrajudiciaires lorsque le comportement de l'employeur lors du congédiement a été empreint de malice, de manque de sérieux ou, plus simplement, de maladresse ou encore lorsque, après le congédiement, l'employeur a abusé des procédures pour allonger le débat ou a été manifestement de mauvaise foi dans l'administration de sa preuve.
Moutis c. *Bombardier inc. (Bombardier Aéronautique)*, D.T.E. 2008T-488 (C.R.T.).
Brandwein c. *Congrégation Beth-El*, (2003) R.J.D.T. 294 (C.R.T.), D.T.E. 2003T-92 (C.R.T.) (révision judiciaire refusée: D.T.E. 2005T-365 (C.A.)).

128/554 La manière abrupte avec laquelle un salarié est congédié peut justifier le versement d'une indemnité pour compenser les honoraires extrajudiciaires de son avocat.
Tremblay c. *G. Riendeau et Fils inc.*, D.T.E. 2005T-1077 (C.R.T.) (révision judiciaire accueillie pour d'autres motifs: (2007) R.J.D.T. 432 (C.S.), D.T.E. 2007T-436 (C.S.), J.E. 2007-1008 (C.S.), EYB 2007-118476 (C.S.)) (homologation de la convention: n^{0} 500-09-017696-071, le 12 septembre 2007).

128/555 En raison de la témérité et du manque de sérieux des motifs de congédiement, le commissaire peut octroyer aux salariés les honoraires de son avocat.
Chaumont c. *1276698 Ontario inc. (Club de golf Val-des-Lacs)*, D.T.E. 2008T-218 (C.R.T.).
Careau c. *Tasiujaq (Village nordique de)*, D.T.E. 2006T-244 (C.R.T.).
Burns c. *Airport Steel & Tubing Ltd. (Acier Aéroport ltée)*, D.T.E. 2005T-1076 (C.R.T.).
Poirier c. *Climatisation Fortier & Frères ltée*, (1996) C.T. 53, D.T.E. 96T-146 (C.T.).

128/556 Des frais de repas, d'hébergement et de déplacement occasionnés par l'exercice du recours et engagés afin d'assister aux audiences peuvent être remboursés au salarié.
Bernier c. *Caisse populaire Desjardins de la Mitis, Centre de service de Ste-Angèle*, D.T.E. 2007T-775 (C.R.T.).

128/557 Il est possible d'ordonner le remboursement des dépenses occasionnées au salarié plaignant parce qu'il a dû supporter des frais de déplacement élevés en raison de l'insistance de l'employeur pour que les audiences soient tenues en région éloignée.
Careau c. *Tasiujaq (Village nordique de)*, D.T.E. 2006T-244 (C.R.T.).

128/558 Lorsque le motif invoqué par l'employeur pour mettre fin à l'emploi concerne l'apparence physique de la personne, soit le fait de préférer une jeune fille mince et jolie, l'octroi de dommages pour les frais d'avocat est justifié, puisqu'une telle façon de procéder est abusive, capricieuse et discriminatoire.
Bouchard c. *9019-6718 Québec inc.*, D.T.E. 2000T-1198 (C.T.) (révision judiciaire refusée: D.T.E. 2001T-435 (C.S.)).

128/559 L'abus d'autorité d'un employeur équivalant à un abus de droit peut justifier l'octroi par le commissaire d'une indemnité au salarié pour les honoraires payés à un avocat.
Maras c. *Clinique familiale St-Vincent enr.*, D.T.E. 96T-1254 (C.T.).

128/560 Pour qu'il y ait lieu d'ordonner à un employeur de rembourser les honoraires d'avocat et les autres frais judiciaires, il faut que celui-ci ait cherché de façon malicieuse à prolonger indûment la durée de la procédure par toutes sortes de moyens dilatoires ou farfelus.
Chartrand c. *Wyeth-Ayerst Canada inc.*, (1997) C.T. 29, D.T.E. 97T-141 (C.T.).
V. aussi: *Rivard* c. *Atlantic Produits d'emballage ltée*, (1999) R.J.D.T. 207 (C.T.), D.T.E. 99T-69 (C.T.).

128/561 Le commissaire a le pouvoir d'ordonner de payer les frais de représentation du salarié, lorsque l'employeur n'a pas agi de bonne foi, mais par vengeance.
Généreux c. *Groupe Plein Air Terrebonne*, D.T.E. 94T-410 (C.T.).

128/562 L'attitude cavalière d'un employeur dans sa façon de congédier un salarié peut justifier le commissaire d'ordonner le remboursement des frais d'avocat au salarié.
Ménard c. *Circle Computer / Brains II*, (1997) C.T. 199, D.T.E. 97T-589 (C.T.).

128/563 Dans le cadre d'une requête en fixation d'indemnité, il n'y a pas lieu d'accorder le remboursement des honoraires d'avocat et du coût des procédures judiciaires compte tenu des torts réciproques des parties.
Dupont c. *Diamants Lafleur inc. — Bijouterie Ricci*, (1999) R.J.D.T. 256 (C.T.), D.T.E. 99T-217 (C.T.).

128/564 La Commission des relations du travail est sans compétence pour ordonner le paiement des frais juridiques engagés devant les organismes ayant rendu une décision en vertu du *Code canadien du travail* (L.R.C. (1985), ch. L-2).
Guindon c. *Corporation de sécurité Garda World*, D.T.E. 2009T-174 (C.R.T.) (requête en révision judiciaire: n° 500-17-048698-099).

128/565 Lorsque l'employeur est de bonne foi, les frais de représentation ne peuvent être accordés.
Williams c. *Restaurants Burger King Canada inc.*, D.T.E. 94T-404 (C.T.).

128/566 La Commission des relations du travail a le pouvoir d'ordonner le paiement des frais de signification.
Guindon c. *Corporation de sécurité Garda World*, D.T.E. 2009T-174 (C.R.T.) (requête en révision judiciaire: n° 500-17-048698-099).

128/567 La Commission des relations du travail a le pouvoir d'ordonner le remboursement des frais de sténographie.
Guindon c. *Corporation de sécurité Garda World*, D.T.E. 2009T-174 (C.R.T.) (requête en révision judiciaire: n° 500-17-048698-099).

128/568 Le commissaire a le pouvoir d'ordonner que les frais de transcription sténographique devant le conseil arbitral de l'assurance-chômage soient partagés à part égale entre le salarié et l'employeur si la transcription s'avère un document utile pour connaître l'exactitude des faits contestés, ainsi que la nature de l'enjeu.
Tardif c. *Entreprises Insta-bec inc.*, (1994) C.T. 318, D.T.E. 94T-754 (C.T.).

128/569 Les frais de recherche d'emploi constituent une perte pour laquelle un salarié injustement congédié peut être indemnisé.
Rozlonkowski c. *Estrie-International 2007 inc.*, D.T.E. 2006T-265 (C.R.T.).
Renaud c. *Système électronique Rayco ltée*, D.T.E. 2004T-692 (C.R.T.).
Dodd c. *3M Canada inc.*, D.T.E. 98T-496 (C.T.).
Pouliot c. *Association d'action bénévole du Granit*, (1998) R.J.D.T. 1229 (C.T.), D.T.E. 98T-694 (C.T.) (révision judiciaire refusée: (1998) R.J.D.T. 1141 (C.S.), D.T.E. 98T-864 (C.S.)).
Brochu c. *Caisse populaire Desjardins de Charny*, (1997) C.T. 367, D.T.E. 97T-1056 (C.T.) (révision judiciaire refusée: D.T.E. 98T-116 (C.S.)).
Leclair c. *Au Crystal restaurant*, D.T.E. 96T-1059 (C.T.).
Chatterton c. *Angelica international ltée*, D.T.E. 93T-869 (C.T.).
Joannette c. *Pièces d'auto Richard ltée*, (1993) C.T. 398, D.T.E. 93T-867 (C.T.).
Équipement de ferme Dynavent c. *Lefebvre*, (1991) T.A. 252, D.T.E. 91T-440 (T.A.).
A. Setlakwe ltée c. *Bergeron*, D.T.E. 88T-197 (T.A.).
Tansey c. *Canadian Pacific Consulting Services Ltd.*, (1986) T.A. 216, D.T.E. 86T-285 (T.A.).
Lamarre c. *Chaussures Trans-Canada ltée*, D.T.E. 85T-722 (T.A.).

128/570 Faute de preuve suffisante quant aux frais de recherche d'emploi, la Commission des relations du travail ne peut les octroyer.
Guillemette c. *Fabrimet inc.*, D.T.E. 2006T-90 (C.R.T.) (révision judiciaire refusée: D.T.E. 2006T-603 (C.S.)).

128/571 Lorsque les frais de recherche d'emploi réclamés sont plutôt des frais inhérents à un emploi particulier, ils ne peuvent être accordés puisque l'employeur ne peut en être tenu responsable.
Williams c. *Restaurants Burger King Canada inc.*, D.T.E. 94T-404 (C.T.).

128/572 Les frais de déplacement engagés pour la recherche d'un emploi constituent une perte pour laquelle un salarié peut être indemnisé.
Kiopini c. *Tidan inc. — Les placements Melcor*, D.T.E. 98T-317 (C.T.).
Marché Molloy — Félix Molloy ltée c. *Sénéchal*, D.T.E. 89T-1039 (T.A.).

128/573 Le commissaire peut indemniser le salarié pour les frais de transport engagés lorsqu'il doit utiliser sa voiture ou prendre un taxi à la fin de son quart de travail, soit à minuit, pour la distance parcourue entre son nouveau lieu de travail et son domicile.
Jones c. *Buffet King Chow inc.*, (1997) C.T. 76, D.T.E. 97T-311 (C.T.) (révisions judiciaires refusées: D.T.E. 97T-928 (C.S.), J.E. 97-1623 (C.S.) et D.T.E. 97T-930 (C.S.)).

128/574 Le commissaire peut indemniser le salarié pour le préjudice d'avoir à se trouver un emploi dans une autre province.
Émond c. *Mil Davie inc.*, D.T.E. 95T-674 (C.T.).

128/575 Le commissaire peut octroyer au salarié injustement congédié une indemnité hebdomadaire forfaitaire en raison des frais de déplacement occasionnés par l'emploi occupé entre son congédiement et sa réintégration s'ils constituent des dommages subis, dans la mesure où ils ont eu pour effet de diminuer d'autant le salaire.
Martin c. *3070336 Canada inc.*, D.T.E. 96T-231 (C.T.).

128/576 À défaut de démontrer la malice ou la mauvaise foi de l'employeur, il ne peut y avoir versement d'une indemnité pour le remboursement des frais de scolarité.
Champoux c. *Confédération des caisses populaires et d'économie Desjardins du Québec*, (1997) C.T. 34, D.T.E. 97T-139 (C.T.).

128/577 La Commission des relations du travail peut condamner l'employeur à rembourser le salarié qui doit bénéficier d'une formation afin de poursuivre son emploi.
Dumais c. *Bic (Municipalité du)*, D.T.E. 2005T-297 (C.R.T.).

128/578 Il est possible d'indemniser le salarié pour des cours d'anglais qu'il a suivis lorsque cette dépense s'avère essentielle dans ses démarches de recherche d'emploi.
Roy c. *Comité paritaire de l'industrie de l'automobile de Montréal*, D.T.E. 2002T-584 (C.T.).

128/579 Le commissaire peut accorder une somme représentant les frais reliés à un cours d'informatique suivi par le salarié afin d'améliorer ses chances de se trouver un travail.
Langlois c. *Gaz métropolitain inc.*, D.T.E. 2005T-317 (C.R.T.) (révision judiciaire refusée: D.T.E. 2006T-117 (C.S.)).
Hekmi c. *2809630 Canada inc.*, (2001) R.J.D.T. 795 (C.T.), D.T.E. 2001T-391 (C.T.).

128/580 Peut être versée, une indemnité pour atteinte à la liberté de religion du salarié.
Riou c. *Point de vue — souvenirs inc.*, (1995) C.T. 210, D.T.E. 95T-398 (C.T.) (révision judiciaire refusée: C.S.Q. n^{0} 200-05-000140-959, le 24 avril 1995).

128/581 Le commissaire peut indemniser le salarié pour le paiement d'une cotisation professionnelle.
McGee c. *Confédération des caisses populaires et d'économie Desjardins du Québec*, (1997) C.T. 354, D.T.E. 97T-1027 (C.T.).

128/582 Il est possible d'indemniser le plaignant pour le remboursement des cotisations syndicales et des pénalités versées en raison de son retour dans l'unité de négociation, sommes qui découlent directement de la rétrogradation de celui-ci.
Pelland c. *Laval (Société de transport de la Ville de)*, D.T.E. 2000T-573 (C.T.).

128/583 Le commissaire peut ordonner le paiement des frais de repas que le salarié a dû débourser pour se rendre à des entrevues d'embauche.
Kiopini c. *Tidan inc. — Les placements Melcor*, D.T.E. 98T-317 (C.T.).

128/584 Le commissaire peut ordonner le remboursement d'une allocation quotidienne pour les repas si elle constitue un avantage dont le salarié a été privé en raison de son congédiement.
Bissonnette c. *Novartis Pharma Canada inc.*, (2008) R.J.D.T. 1217 (C.R.T.), D.T.E. 2008T-577 (C.R.T.).

128/585 Le commissaire peut indemniser le salarié pour le coût des médicaments qui auraient dû être remboursés.
Roy c. *Comité paritaire de l'industrie de l'automobile de Montréal*, D.T.E. 2002T-584 (C.T.).

128/586 Le commissaire a le pouvoir d'ordonner le paiement d'une contre-expertise en écriture et les frais de citation à comparaître, ainsi que certains montants à titre de taxe de témoins, perte pour les jours de travail pour l'audience devant le commissaire et frais de stationnement et de repas lorsqu'ils sont afférents à la plainte et à l'enquête.
Dessureault-Benson c. *Groupe J.-C. Dessureault inc.*, D.T.E. 2002T-1169 (C.T.).

128/587 Le commissaire a le pouvoir d'ordonner le paiement des frais d'un expert médical au plaignant.
Paquet c. *Gabriel Mercier ltée*, D.T.E. 2000T-493 (C.A.), J.E. 2000-1070 (C.A.), REJB 2000-18197 (C.A.).
Ranger c. *Clinique chiropratique St-Eustache*, D.T.E. 2003T-1013 (C.R.T.).
Zarr c. *Kessler*, D.T.E. 2001T-909 (C.T.).
Johnson c. *Mazda Canada inc.*, D.T.E. 91T-1402 (T.A.).

128/588 Le commissaire a compétence pour ordonner le remboursement des frais médicaux.
Careau c. *Tasiujaq (Village nordique de)*, D.T.E. 2006T-244 (C.R.T.).
Langlois c. *Gaz métropolitain inc.*, D.T.E. 2005T-317 (C.R.T.) (révision judiciaire refusée: D.T.E. 2006T-117 (C.S.)).
Gariépy c. *W.W.F. Canada inc.*, D.T.E. 2002T-540 (C.T.).

128/589 Une demande de remboursement pour les frais médicaux qui n'est appuyée d'aucune ordonnance médicale ne peut être accueillie.
Rozlonkowski c. *Estrie-International 2007 inc.*, D.T.E. 2006T-265 (C.R.T.).

128/590 Le salarié doit verser ses reçus au dossier pour avoir droit au remboursement de ses frais médicaux.
Barre c. *2533-0507 Québec inc.*, (2007) R.J.D.T. 115 (C.R.T.), D.T.E. 2007T-81 (C.R.T.) (révision en vertu de l'article 127 C.T. refusée: (2007) R.J.D.T. 1077 (C.R.T.), D.T.E. 2007T-650 (C.R.T.)).

128/591 Les frais d'arbitrage médical ne doivent pas être remboursés lorsqu'ils ne sont pas reliés directement à la sanction prise par l'employeur.
Pelland c. *Laval (Société de transport de la Ville de)*, D.T.E. 2000T-573 (C.T.).

128/592 L'employeur n'a pas à rembourser intégralement les honoraires d'un psychologue lorsque certains tests et rencontres n'ont rien apporté de positif au débat.
Bernier c. *Caisse populaire Desjardins de la Mitis, Centre de service de Ste-Angèle*, D.T.E. 2007T-775 (C.R.T.).

128/593 Le commissaire peut octroyer une indemnité pour les soins dentaires.
Tamboura c. *Conseil du Québec — Unite Here*, D.T.E. 2007T-986 (C.R.T.).
Roy c. *Comité paritaire de l'industrie de l'automobile de Montréal*, D.T.E. 2002T-584 (C.T.).
Fuller c. *Brasseries Molson*, (1994) T.A. 565, D.T.E. 94T-801 (T.A.).
Martin c. *Cie d'assurance du Canada sur la vie*, D.T.E. 89T-298 (T.A.).

128/594 La réclamation du bénéfice de l'assurance par le salarié pour le traitement d'orthodontie de son enfant ne peut être accordée par le commissaire lorsqu'il n'y a pas de preuve à cet effet.
Bérubé c. *Ressources informatiques Quantum ltée*, D.T.E. 96T-1436 (C.T.).

128/595 Les demandes de remboursement des prestations d'invalidité doivent être présentées à l'assureur lorsque la période de réclamation se situe avant le congédiement.
Langlois c. *Gaz métropolitain inc.*, D.T.E. 2005T-317 (C.R.T.) (révision judiciaire refusée: D.T.E. 2006T-117 (C.S.)).

128/596 Un commissaire n'a pas la compétence pour se prononcer eu égard à une réclamation pour le paiement de jours de maladie et de congés non payés, lorsque ces créances sont antérieures au congédiement.
Roy c. *Comité paritaire de l'industrie de l'automobile de Montréal*, D.T.E. 2002T-584 (C.T.).

128/597 Le commissaire ne peut ordonner que l'indemnité soit versée à un autre destinataire, telle une institution financière, en considération de motifs qui ne regardent que le plaignant et le fisc.
A.M.P. du Canada ltée c. *Atkins*, D.T.E. 89T-467 (T.A.).

128/598 Les frais relatifs à l'achat d'un manteau, de gants et de bottes nécessaires au nouveau travail de préposé à la station-service peuvent être accordés.
Jones c. *Buffet King Chow inc.*, (1997) C.T. 76, D.T.E. 97T-311 (C.T.) (révisions judiciaires refusées: D.T.E. 97T-928 (C.S.), J.E. 97-1623 (C.S.) et D.T.E. 97T-930 (C.S.)).

128/599 Le plaignant, qui était responsable au sein de l'administration d'un village inuit avant son congédiement, ne peut avoir droit à une somme d'argent pour la perte de ses chiens de traîneau et la vente de son embarcation puisqu'il s'agit de dommages indirects qui ne résultent pas du congédiement.
Careau c. *Tasiujaq (Village nordique de)*, D.T.E. 2006T-244 (C.R.T.).

128/600 Le remboursement du coût d'un rapport actuariel préparé pour établir la perte financière du salarié advenant sa non-réintégration doit être refusé lorsque le commissaire ordonne sa réintégration.
McGee c. *Confédération des caisses populaires et d'économie Desjardins du Québec*, (1997) C.T. 354, D.T.E. 97T-1027 (C.T.).

128/601 Le commissaire peut ordonner le paiement des frais de transfert des clients.
Couture c. *Services Investors ltée*, (2003) R.J.D.T. 325 (C.R.T.), D.T.E. 2003T-180 (C.R.T.).

128/602 Le commissaire peut ordonner le remboursement des frais d'experts que le salarié a dû débourser pour que des comptables préparent sa réclamation détaillée.
Brisson c. *9027-4580 Québec inc.*, (1999) R.J.D.T. 246 (C.T.), D.T.E. 99T-164 (C.T.) (révision judiciaire refusée: D.T.E. 99T-549 (C.S.)) (désistement d'appel).

128/603 Un employeur n'a pas à rembourser les frais que le salarié plaignant a dû payer afin de dédommager le médecin qu'il a assigné à témoigner en sa faveur lors de l'audience qui a dû être remise.
Roseberry c. *Aliments 2000 (1987) inc.*, D.T.E. 2001T-762 (C.T.) (requête en révision judiciaire: n^{0} 200-05-015347-011).

128/604 En ce qui concerne la question du versement des intérêts, la plupart du temps le calcul se fait selon les indications fournies par le Tribunal du travail dans l'affaire *Laplante-Bohec* c. *Publications Quebecor inc.*, (1979) T.T. 268.
Guindon c. *Corporation de sécurité Garda World*, D.T.E. 2009T-174 (C.R.T.) (requête en révision judiciaire: n^{0} 500-17-048698-099).
Chaumont c. *1276698 Ontario inc. (Club de golf Val-des-Lacs)*, D.T.E. 2008T-218 (C.R.T.).
Moutis c. *Bombardier inc. (Bombardier Aéronautique)*, D.T.E. 2008T-488 (C.R.T.).
Ouellette c. *SSAB Hardox*, D.T.E. 2008T-236 (C.R.T.).
Amesse c. *Surbois inc.*, D.T.E. 2007T-80 (C.R.T.).
Barre c. *2533-0507 Québec inc.*, (2007) R.J.D.T. 115 (C.R.T.), D.T.E. 2007T-81 (C.R.T.) (révision en vertu de l'article 127 C.T. refusée: (2007) R.J.D.T. 1077 (C.R.T.), D.T.E. 2007T-650 (C.R.T.)).
Cadet c. *Imprimeries Transcontinental, s.e.n.c.*, D.T.E. 2007T-879 (C.R.T.).
Laforge c. *Crédico Marketing inc. (9099-9293 Québec inc.)*, D.T.E. 2007T-626 (C.R.T.).
Tamboura c. *Conseil du Québec — Unite Here*, D.T.E. 2007T-986 (C.R.T.).
Fleury c. *Technologies avancées de fibres (AFT) inc.*, D.T.E. 2006T-267 (C.R.T.).
Plante c. *Mécanicien Industriel Millwright, section locale 2182*, D.T.E. 2006T-784 (C.R.T.).
Radacovsky c. *Grands Ballets canadiens de Montréal*, D.T.E. 2006T-1038 (C.R.T.) (règlement hors cour).
Rompré c. *Costco Wholesale Canada Ltd. (Costco Trois-Rivières)*, D.T.E. 2006T-910 (C.R.T.).
Hekmi c. *2809630 Canada inc.*, (2001) R.J.D.T. 795 (C.T.), D.T.E. 2001T-391 (C.T.).
Nakhal c. *Chamma*, D.T.E. 2000T-1049 (C.T.).

128/605 L'intérêt légal ne s'applique pas aux dommages non pécuniaires ni aux honoraires professionnels.
Majdaniw c. *S.N.C. Lavalin inc.*, D.T.E. 2002T-812 (C.T.).

128/606 Le commissaire bénéficie d'une discrétion absolue pour accorder des intérêts. Toutefois, s'il accorde un intérêt au taux légal, il doit accorder l'indemnité additionnelle.
Giocondese c. *Imbeau*, D.T.E. 91T-1201 (C.S.).
V. cependant: *Côté* c. *École de médecine vétérinaire de l'Université de Montréal*, D.T.E. 95T-287 (C.T.).

128/607 Le commissaire a le pouvoir d'ordonner le paiement des intérêts qui sont fixés par l'article 28 de la *Loi sur le ministère du Revenu* (L.R.Q., c. M-31).
Malette c. *3948331 Canada inc. (Allure Concept Mode)*, D.T.E. 2007T-960 (C.R.T.).
Blizeev c. *Société d'administration immobilière Fugi ltée (Appartements Hill Park)*, D.T.E. 2004T-211 (C.R.T.) (règlement hors cour).
Towner c. *I.N.G. Canada inc.*, D.T.E. 2004T-932 (C.R.T.).
Brandwein c. *Congrégation Beth-El*, (2003) R.J.D.T. 294 (C.R.T.), D.T.E. 2003T-92 (C.R.T.) (révision judiciaire refusée: D.T.E. 2005T-365 (C.A.)).
Couture c. *Services Investors ltée*, (2003) R.J.D.T. 325 (C.R.T.), D.T.E. 2003T-180 (C.R.T.).
V. aussi: *Langlois* c. *Gaz métropolitain inc.*, D.T.E. 2005T-317 (C.R.T.) (révision judiciaire refusée: D.T.E. 2006T-117 (C.S.)).

128/608 Le salarié peut avoir droit non seulement aux intérêts mais également à l'indemnité additionnelle, sur toutes les sommes qu'il doit recevoir à compter du moment où elles auraient dû être versées, le cas échéant, ou, sinon, à compter du dépôt de sa plainte.
Lavigueur c. *Québec (Ministère de la Culture et des Communications)*, (2000) R.J.D.T. 1757 (C.T.), D.T.E. 2000T-1199 (C.T.).

128/609 Les intérêts doivent être versés uniquement si l'employeur omet de s'exécuter dans le délai prescrit par le commissaire.
Murray c. *U.A.P. inc.*, (2003) R.J.D.T. 809 (C.R.T.), D.T.E. 2003T-591 (C.R.T.) (révision judiciaire refusée: (2004) R.J.Q. 934 (C.S.), (2004) R.J.D.T. 130 (C.S.), D.T.E. 2004T-283 (C.S.), J.E. 2004-609 (C.S.), REJB 2004-55372 (C.S.)).

128/610 Les intérêts doivent être calculés depuis la date du dépôt de la plainte.
Bissonnette c. *Novartis Pharma Canada inc.*, (2008) R.J.D.T. 1217 (C.R.T.), D.T.E. 2008T-577 (C.R.T.).
Gariépy c. *W.W.F. Canada inc.*, D.T.E. 2002T-540 (C.T.).
Pâtisserie de Nancy Enrg. c. *Da Silva*, D.T.E. 89T-92 (T.A.).

128/611 Les intérêts doivent être ajoutés à compter du dépôt de la plainte jusqu'à la date de la décision de la Commission des relations du travail ordonnant la réintégration, en appliquant la règle de la moitié vu le caractère progressif de la perte.
Boucher c. *Enseignes Métropolitain inc.*, D.T.E. 2007T-503 (C.R.T.) (règlement hors cour).

128/612 Concernant le remboursement des intérêts dus à un salarié, selon la méthode appliquée depuis fort longtemps, il faut tenir compte des heures accumulées depuis la sanction prise par l'employeur jusqu'à la décision du commissaire et cette somme doit être divisée en deux pour tenir compte de l'accroissement progressif de la perte de salaire.
Pelland c. *Laval (Société de transport de la Ville de)*, D.T.E. 2000T-573 (C.T.).

128/613 Le salarié peut avoir droit au paiement des intérêts accumulés, tant sur l'indemnité de cessation d'emploi que sur le salaire perdu.
Bilodeau c. *Flore Bella inc.*, D.T.E. 2001T-971 (C.T.).

128/614 Les intérêts doivent être calculés sur le salaire global et non pas sur le salaire déduit de la portion des impôts.
St-Mars c. *Montréal (Société de transport de la Communauté urbaine de)*, (1991) T.A. 117, D.T.E. 91T-275 (T.A.).
V. aussi: *Messageries dynamiques, une division de Groupe Quebecor (Re)*, (2001) R.J.D.T. 827 (C.T.) D.T.E. 2001T-609 (C.T.).
Mochon c. *Réno-dépôt inc.*, D.T.E. 2001T-610 (C.T.).

128/615 Les intérêts doivent être calculés sur la base du salaire perdu, sans déduire les prestations d'assurance-emploi de ce montant.
Dupont c. *Diamants Lafleur inc. — Bijouterie Ricci*, (1999) R.J.D.T. 256 (C.T.), D.T.E. 99T-217 (C.T.).
Centropneus Goodyear c. *Leblond*, D.T.E. 98T-741 (C.T.).
V. aussi: *Paquet* c. *Gabriel Mercier ltée*, D.T.E. 2002T-133 (C.T.).

128/616 Le taux d'intérêt appliqué doit être réduit de moitié jusqu'au moment du décès de l'ex-salarié pour tenir compte de l'accroissement progressif de la perte de salaire. Cet intérêt doit être versé en entier par la suite jusqu'au moment du paiement de l'indemnité.
St-Georges (Succession de) c. *Deschamps Pontiac Buick ltée*, D.T.E. 99T-550 (C.T.) (règlement hors cour partiel).

128/617 Un employeur n'a pas à payer des intérêts lorsque le plaignant encaisse son chèque six mois plus tard. Un tel délai lui est inopposable.
Paquet c. *Gabriel Mercier ltée*, D.T.E. 2002T-133 (C.T.).

— Divers

128/618 Il est possible d'ordonner la rédaction d'une lettre de recommandation ou de référence dont le contenu est sujet à vérification par le commissaire, attestant des années de service, du titre d'emploi et du fait que le congédiement a été déclaré non fondé.
Slaight Communications inc. c. *Davidson*, (1989) 1 R.C.S. 1038 (par analogie).
Rozlonkowski c. *Estrie-International 2007 inc.*, D.T.E. 2006T-265 (C.R.T.).
De Montigny c. *I.C.D. — Institut Carrière et développement ltée*, D.T.E. 2003T-445 (C.R.T.) (révision judiciaire refusée: C.S.M. n° 500-17-015140-034, le 15 juillet 2003).
Nakhal c. *Chamma*, D.T.E. 2000T-1049 (C.T.).
Legagneur c. *Bioforce Canada inc.*, D.T.E. 97T-371 (C.T.).
L'Écuyer c. *Marché Lord inc.*, (1995) C.T. 258, D.T.E. 95T-622 (C.T.).
Trudel c. *Jacques Olivier Ford inc.*, (1995) C.T. 457, D.T.E. 95T-1081 (C.T.).
Chatterton c. *Angelica international ltée*, D.T.E. 93T-869 (C.T.).
Doyon c. *H. & R. Block Canada inc.*, D.T.E. 93T-1130 (C.T.) (révision judiciaire refusée: C.S.M. n° 500-05-011141-932, le 19 octobre 1993).
Bellavance c. *Bouchard*, D.T.E. 92T-836 (C.T.).
Pompeo c. *Appartements Tours Stanley inc.*, D.T.E. 92T-1125 (C.T.).
Gordon c. *Southam inc. (The Gazette)*, D.T.E. 91T-218 (T.A.).
Piuze c. *Équipement Blackwood Hodge ltée*, (1991) T.A. 337, D.T.E. 91T-532 (T.A.).
Fasulo c. *Emballages Heat Seal inc.*, (1989) T.A. 805, D.T.E. 89T-925 (T.A.).
Muller c. *Vickers Canada inc.*, (1982) T.A. 845, D.T.E. 82T-275 (T.A.).

128/619 Il est possible de condamner l'employeur à publier une lettre d'explications concernant le congédiement du plaignant.
Gordon c. *Southam inc. (The Gazette)*, D.T.E. 91T-218 (T.A.).

128/620 Le commissaire peut ordonner à l'employeur de fournir au salarié une lettre de recommandation faisant état de ses qualités et de ses bons et loyaux services.
Bonin c. *Sheraton Château Vaudreuil*, D.T.E. 98T-646 (C.T.).
Pouliot c. *Association d'action bénévole du Granit*, (1998) R.J.D.T. 1229 (C.T.), D.T.E. 98T-694 (C.T.) (révision judiciaire refusée: (1998) R.J.D.T. 1141 (C.S.), D.T.E. 98T-864 (C.S.)).

128/621 La lettre de référence constitue un excellent moyen pour le salarié de remédier aux conséquences de son congédiement.
Legagneur c. *Bioforce Canada inc.*, D.T.E. 97T-371 (C.T.).

128/622 Le commissaire peut ordonner la confection d'une lettre de référence mentionnant que le salarié n'a jamais reçu de reproche et qu'un commissaire ayant entendu la preuve et les témoignages a jugé que le congédiement a été fait sans cause juste et suffisante. De même, le commissaire peut ordonner à l'employeur de lui faire parvenir copie de la lettre de référence.
Sansfaçon c. *Logic Contrôle inc.*, D.T.E. 94T-1101 (C.T.).

128/623 La Commission des relations du travail peut condamner l'employeur à reprendre la recherche et la mise en place de mesures d'accommodement à l'égard du salarié.
Dumais c. *Bic (Municipalité du)*, D.T.E. 2005T-297 (C.R.T.).

128/624 Le commissaire n'a pas compétence pour ordonner l'inscription du nom d'un salarié dans une banque de disponibilité. Cette décision appartient uniquement à l'employeur.
Cusson c. *Brossard (Ville de)*, D.T.E. 97T-493 (C.T.).

128/625 Le commissaire peut s'autoriser de l'article 128(3) L.N.T. pour annuler une clause qui n'a plus d'effet, considérant que le congédiement a été fait sans cause juste et suffisante.
Bergeron c. *Publications Dumont (1988) inc.*, (1996) C.T. 268, D.T.E. 96T-691 (C.T.) (révision judiciaire refusée: C.S. Hull, n° 550-05-002841-966, le 5 septembre 1996) (appel rejeté: D.T.E. 2000T-59 (C.A.), J.E. 2000-136 (C.A.), REJB 1999-15538 (C.A.)).

128/626 Le commissaire n'a pas compétence pour ordonner la réintégration d'un plaignant dans son poste, au motif que ce dernier n'avait pas de permis d'enseignement et que c'est en vertu d'une lettre de tolérance du ministère de l'Éducation qu'il pouvait enseigner aux Inuit.
Commission scolaire Kativik c. *Côté-Desbiolles*, D.T.E. 2001T-972 (C.A.), J.E. 2001-1839 (C.A.), REJB 2001-26508 (C.A.).

128/627 V. AUDET, G., BONHOMME, R., GASCON, C. et COURNOYER-PROULX, M., *Le congédiement en droit québécois en matière de contrat individuel de travail*, vol. 1, 3e éd. (édition à feuilles mobiles), Cowansville, Éditions Yvon Blais, p. 19-30 à 19-36 et 20-1 à 20-80.

128/628 V. BÉLIVEAU, N.-A., *Les normes du travail*, Cowansville, Les Éditions Yvon Blais inc., 2003, p. 495 et 496.

128/629 V. BICH, M.-F., «Le contrat de travail», dans *La réforme du Code civil*, t. II, Barreau du Québec et Chambre des notaires du Québec, Ste-Foy, Les Presses de l'Université Laval, 1993, p. 741, n°s 130 à 132, p. 788 et 789.

128/630 V. BRIÈRE, J.-Y., «Les pouvoirs de réparation du Commissaire du travail aux termes de la *Loi sur les normes du travail*: nouvelles tendances?», dans *Développements récents en droit du travail (1996)*, Formation permanente du Barreau du Québec, Cowansville, Les Éditions Yvon Blais inc., 1996, p. 1, p. 20 à 31.

128/631 V. BRIÈRE, J.-Y. et VILLAGGI, J.-P., *Relations de travail*, vol. 2, (édition à feuilles mobiles), Brossard, Les Publications CCH ltée, p. 8,929 et 8,941-63 à 8,941-66.

128/632 V. CAZA, C., «L'embarquement pour un tour d'horizon des développements récents concernant la *Loi sur les normes du travail*», dans *Développements récents en droit du travail (1997)*, Formation permanente du Barreau du Québec, Cowansville, Les Éditions Yvon Blais inc., 1997, p. 229, p. 356 et ss.

128/633 V. DUBÉ, J.-L. et DI IORIO, N., *Les normes du travail*, 2e éd., Sherbrooke, Les Éditions Revue de droit — Université de Sherbrooke, 1992, p. 592 à 600.

128/634 V. HÉBERT, G. et TRUDEAU, G., *Les normes minimales du travail au Canada et au Québec*, Cowansville, Les Éditions Yvon Blais inc., 1987, p. 170 et 171.

128/635 V. LAPORTE, P., *Le traité du recours à l'encontre d'un congédiement sans cause juste et suffisante (en vertu de la Loi sur les normes du travail, article 124)*, Montréal, Wilson & Lafleur ltée, 1992, p. 213 à 216 et 230 à 246.

128/636 V. LAPORTE, P., «Récents développements en matière de congédiements en vertu de la Loi sur les normes du travail», (1986) 46 *R. du B.* 288.

128/637 V. MONET, D., «L'arrêt *Wallace* c. *United Grain Growers Ltd.* et son application au Québec», dans *Développements récents en droit du travail (1999)*, Formation permanente du Barreau du Québec, Cowansville, Les Éditions Yvon Blais inc., 1999, p. 1.

128/638 V. MORIN, F., «Liberté d'expression et droit au travail — L'arbitrage de la Cour suprême du Canada», (1989) 44 *R.I.* 921.

128/639 V. TRUDEAU, G., «La jurisprudence élaborée par les commissaires du travail dans le cadre de leur nouvelle compétence en matière de congédiement sans cause juste et suffisante», (1992) 52 *R. du B.* 803.

art. 129

N.B. L'article 129 a été abrogé par la *Loi modifiant le Code du travail, instituant la Commission des relations du travail et modifiant d'autres dispositions législatives*, L.Q. 2001, c. 26.

SENTENCE MOTIVÉE ET ÉCRITE

129/1 Une sentence ne peut être déclarée nulle faute de motivation suffisante, si les motifs du commissaire sont intelligibles et permettent de comprendre les fondements de sa décision.
Blanchard c. *Control Data Canada ltée*, (1984) 2 R.C.S. 476.
Pelletier c. *Coopérative des travailleurs en loisir du Bas Saguenay*, D.T.E. 2001T-559 (C.A.), J.E. 2001-1113 (C.A.), REJB 2001-24335 (C.A.).
Coffrages C.C.C. ltée c. *Commissaire général du travail*, D.T.E. 98T-69 (C.S.).
Télé-alarme T.S. inc. c. *Nadeau*, D.T.E. 93T-1129 (C.S.), J.E. 93-1719 (C.S.).
Gestion Pervenche ltée c. *Dufour*, D.T.E. 86T-258 (C.S.) (appel rejeté: C.A.M. n° 500-09-000328-864, le 13 octobre 1987).
V. aussi: *Brasserie Molson-O'Keefe ltée (Les Brasseries Molson)* c. *Boucher*, D.T.E. 93T-1279 (C.S.).
Kodak Canada inc. c. *Beetz*, D.T.E. 87T-483 (C.S.).

129/2 Un commissaire motive suffisamment sa décision pour satisfaire aux principes de justice naturelle en consacrant un certain nombre de pages à donner des raisons pertinentes pour justifier ses conclusions.
Brasseries Molson c. *Laurin*, D.T.E. 93T-1189 (C.S.), J.E. 93-1796 (C.S.) (désistement d'appel).

129/3 Constitue un manquement à l'obligation de motiver sa décision et aux principes de justice naturelle, le fait pour un commissaire de ne pas donner d'explications suffisantes et intelligibles.
Blanchet c. *Girard*, D.T.E. 99T-1173 (C.S.), J.E. 99-2369 (C.S.), REJB 1999-15674 (C.S.) (appel rejeté: D.T.E. 2001T-1178 (C.A.), REJB 2001-27115 (C.A.)).

129/4 Une décision doit comporter deux parties: l'une qui dispose ou non d'une cause juste et suffisante de congédiement, laquelle, si elle est établie, entraîne le rejet de la plainte, et l'autre qui expose et motive le choix du ou des redressements choisis.
Union des producteurs agricoles c. *Martin*, (1984) C.S. 724, D.T.E. 84T-650 (C.S.) (appel rejeté: C.A.M. n° 500-09-000842-849, le 6 décembre 1984) (bref d'évocation annulé: D.T.E. 86T-774 (C.S.)).

129/5 Il ne peut y avoir de motivation implicite d'une décision arbitrale.
Union des producteurs agricoles c. *Martin*, (1984) C.S. 724, D.T.E. 84T-650 (C.S.) (appel rejeté: C.A.M. n° 500-09-000842-849, le 6 décembre 1984) (bref d'évocation annulé: D.T.E. 86T-774 (C.S.)).
V. aussi: *Paquin* c. *C.N.T.*, D.T.E. 83T-762 (C.S.).

129/6 Du moment que ses constations de fait sont bien motivées, le commissaire n'a pas à motiver le choix du redressement.
Produits Pétro-Canada inc. c. *Moalli*, (1988) R.J.Q. 774 (C.S.), D.T.E. 88T-262 (C.S.), J.E. 88-415 (C.S.).
V. aussi: *Giocondese* c. *Imbeau*, D.T.E. 91T-1201 (C.S.).
Union des producteurs agricoles c. *Martin*, D.T.E. 86T-774 (C.S.).

129/7 L'absence de motivation exhaustive d'un commissaire sur la question de l'indemnité peut constituer une erreur de droit.
Maison Ami-Co (1981) inc. c. *Monette*, D.T.E. 94T-1419 (C.S.).

129/8 Le commissaire doit, selon la loi, motiver toutes ses décisions. Ainsi, le fait de ne pas donner d'explications pour ne pas avoir déduit de l'indemnité accordée au salarié les revenus qu'il a gagnés après son congédiement, justifie, pour ce seul motif, que la décision soit cassée.
9005-8223 Québec inc. c. *Garant*, D.T.E. 98T-672 (C.S.).

129/9 L'ordonnance émise par le commissaire n'a pas à préciser les modalités d'exécution. C'est à l'employeur d'en décider et de supporter les inconvénients encourus pour réintégrer un salarié illégalement congédié.
Zellers inc. c. *Lippé*, D.T.E. 87T-844 (C.S.).

129/10 Une ordonnance de paiement peut être émise à l'encontre de deux notaires associés d'une étude qui ont signé le contrat de travail du salarié.
Denicourt & Cossette c. *C.N.T.*, D.T.E. 98T-52 (C.S.) (désistement d'appel).

129/11 C'est seulement lorsque le commissaire refuse d'ordonner la réintégration et qu'il ordonne le paiement de dommages-intérêts, qu'il doit donner des explications.
Skorski c. *Rio Algom ltée*, D.T.E. 85T-840 (C.A.).
Giocondese c. *Imbeau*, D.T.E. 91T-1201 (C.S.).
Produits Pétro-Canada inc. c. *Moalli*, (1988) R.J.Q. 774 (C.S.), D.T.E. 88T-262 (C.S.), J.E. 88-415 (C.S.).
Union des producteurs agricoles c. *Martin*, D.T.E. 86T-774 (C.S.).
V. aussi: *Ste-Rita (Municipalité de)* c. *Commission des relations du travail*, D.T.E. 2008T-193 (C.S.).

129/12 De simple commentaires exprimés d'une façon générale sur la réintégration, sans analyse des circonstances propres à chaque affaire, ne constituent pas une motivation suffisante.
Archambault c. *Bolduc*, D.T.E. 92T-730 (C.S.).

129/13 La décision dont parle l'article 129 L.N.T. est celle qui dispose du mérite de la plainte. Cette disposition ne s'applique pas à l'étape dite du rescindant, mais uniquement au rescisoire.
Wohl c. *Joly*, D.T.E. 96T-291 (C.S.).

art. 130

130/1 La décision d'un commissaire statuant sur une plainte de congédiement sans cause juste et suffisante déposée en vertu de l'article 124 L.N.T. est sans appel et elle lie l'employeur et le salarié, et ce, en vertu des dispositions de l'article 130 L.N.T. L'employeur qui s'aventure sans succès dans une demande de révision judiciaire devant la Cour supérieure et devant la Cour d'appel doit seul en subir les conséquences, car il sait fort bien que cela va causer au salarié, non représenté par un syndicat, des débours sûrement plus importants que le salaire qu'il va récupérer.
Buffet King Chow inc. c. *Bibeault*, D.T.E. 97T-928 (C.S.), J.E. 97-1623 (C.S.).

130/2 Les tribunaux judiciaires ne peuvent remettre en question l'appréciation des faits établie par le commissaire. Ainsi, la Cour supérieure n'a pas le pouvoir

d'imposer la sanction qu'elle aurait préférée. En cette matière, elle doit faire preuve de retenue judiciaire.
Coopérative agro-alimentaire des Vallées Outaouais-Laurentides c. *Monette*, D.T.E. 99T-628 (C.S.), J.E. 99-1391 (C.S.), REJB 1999-13702 (C.S.) (règlement hors cour).
Couture c. *Barette*, D.T.E. 99T-483 (C.S.).

130/3 V. la jurisprudence sous l'article 124 L.N.T. à *Questions de compétence ou juridictionnelles.*

art. 157

157/1 Le maintien des conditions de travail prévues à la convention collective au-delà de son expiration ne change rien à sa date d'expiration. Celles-ci priment la loi jusqu'à cette date.
C.N.T. c. *Forano inc.*, D.T.E. 85T-919 (C.S.), J.E. 85-1065 (C.S.).

157/2 La *Loi sur les normes du travail* ne s'applique pas aux salariés régis par une convention collective antérieure.
Université Laval c. *Syndicat des employés de l'Université Laval*, (1982) T.A. 786, D.T.E. 82T-15 (T.A.).

157/3 L'existence d'une convention signée dans le délai mentionné à l'article 157 L.N.T. prive les salariés du droit de demander le paiement de l'indemnité prévue à l'article 83 L.N.T.
Yelle c. *C.N.T.*, D.T.E. 95T-558 (C.A.), J.E. 95-977 (C.A.).

157/4 Le dépôt d'une convention collective au Bureau du commissaire général du travail n'est pas une condition d'application de l'article 157 L.N.T.
C.N.T. c. *Compagnie Kenworth du Canada, division de Paccar du Canada ltée*, (1995) R.D.J. 615 (C.A.), D.T.E. 95T-1306 (C.A.), J.E. 95-2112 (C.A.).

N.B. Ce dépôt doit maintenant se faire à l'un des bureaux de la Commission des relations du travail.

RÈGLEMENT SUR LES NORMES DU TRAVAIL

RÈGLEMENT SUR LES NORMES DU TRAVAIL

N.B. Les articles 14 à 35 ont été rayés par D. 638-2003, art. 5.

art. 1

1/1 Deux conditions s'imposent pour déterminer si le lieu de travail doit être considéré comme un endroit isolé. L'endroit doit être inaccessible et aucun système régulier de transport ne doit le relier au réseau routier du Québec. Compte tenu que le législateur n'a pas défini ce qu'est un système régulier de transport ni établi de fréquence pour le qualifier de régulier, dans tous les cas il faut examiner l'ensemble du contexte révélé par la preuve pour le déterminer.
C.N.T. c. *Aramark Québec inc.*, D.T.E. 2005T-1082 (C.S.), J.E. 2005-2195 (C.S.), EYB 2005-97505 (C.S.) (appel rejeté: C.A.Q. n° 200-09-005426-058, le 1er mai 2007).

art. 2

2/1 Rien n'interdit à un employeur de mettre fin à l'emploi d'un vendeur dont les conditions d'emploi comportent un salaire de base et une commission sur le montant des ventes annuelles, et de lui offrir un emploi entièrement rémunéré à la commission, si cet emploi tombe dans les exceptions prévues à l'article 2 du *Règlement sur les normes du travail*.
Lamarre c. *Distributeurs médicaux Mansfield ltée*, D.T.E. 84T-232 (T.T.).

2/2 L'article 2 du règlement ne dit pas que l'organisme sans but lucratif est exempt de l'application des dispositions de la *Loi sur les normes du travail*, mais bien que le salaire minimum qui y est établi ne s'applique pas à ses salariés.
C.N.T. c. *Association régionale de kin-ball Lanaudière*, D.T.E. 2006T-36 (C.Q.).

2/3 Le salaire minimum ne s'applique pas à un étudiant moniteur dans une colonie de vacances, si elle est un organisme sans but lucratif.
Lagacé c. *Patro Laurentien inc.*, D.T.E. 2003T-74 (C.Q.).

2/4 L'étudiant en droit qui fréquente un bureau d'avocats dans un but de formation professionnelle et qui est instruit en ce sens, n'est pas un cas visé par l'article 2 du *Règlement sur les normes du travail* qui traite du salaire minimum. Sa réclamation est rejetée parce que cet apprentissage ne constitue pas du travail, il ne s'agit pas d'un salarié au sens de la L.N.T.
C.N.T. c. *Boggia*, D.T.E. 92T-732 (C.Q.).

2/5 Un salarié se déclarant étudiant lors de son embauche et qui travaille effectivement pour l'employeur à ce titre ne peut, à la fin de son emploi, faire volte-face en révélant son véritable statut et réclamer directement ou par l'entremise de la Commission des normes du travail, les conditions salariales plus avantageuses que lui confère la *Loi sur les normes du travail* ou la réglementation.
Corp. Cité-joie inc. c. *C.N.T.*, (1994) R.J.Q. 2425 (C.A.), D.T.E. 94T-1099 (C.A.), J.E. 94-1551 (C.A.).

2/6 Cette disposition ne s'applique pas à un représentant aux ventes qui est entièrement rémunéré à commission et dont les heures de travail sont incontrôlables.
Bureau Tech 2000 inc. c. *L'Espérance*, D.T.E. 2001T-169 (C.Q.), J.E. 2001-436 (C.Q.), REJB 2001-22402 (C.Q.).

art. 4

N.B. Le terme «habituellement» a été rayé de l'article 4.

4/1 Le terme «habituellement» ne signifie pas régulièrement. Il ne s'applique pas non plus à un salarié en particulier, mais à la nature de l'emploi. Ainsi, pour déterminer s'il s'agit d'un employé à pourboires, il faut examiner s'il est d'usage que les travailleurs occupant ce genre d'emploi reçoivent des pourboires.
C.N.T. c. *Cinémas Le Paradis inc.*, (1984) C.P. 153, D.T.E. 84T-647 (C.Q.), J.E. 84-669 (C.Q.).

4/2 Le fait que les pourboires soient minimes ne change pas la portée de la loi et ne crée pas de nouvelles obligations ni de nouveaux droits.
C.N.T. c. *Cinémas Le Paradis inc.*, (1984) C.P. 153, D.T.E. 84T-647 (C.Q.), J.E. 84-669 (C.Q.).

4/3 V. la jurisprudence sous l'article 50 L.N.T.

art. 14

14/1 V. la jurisprudence sous l'article 60 L.N.T.

art. 15

N.B. La première partie de cette disposition est devenue inopérante le 1er janvier 1991, parce qu'incompatible avec l'article 81.4 L.N.T. (tel qu'il se lisait avant L.Q. 2002, c. 80, art. 33).

art. 17

N.B. Cette disposition a été reprise en partie, le 1er janvier 1991, aux articles 81.4 et 81.5 L.N.T. (tels qu'ils se lisaient avant L.Q. 2002, c. 80, art. 33 et 35).

17/1 V. la jurisprudence sous les articles 81.4 et 81.5 L.N.T.

art. 19

N.B. Cette disposition a été reprise à l'article 81.8 L.N.T.

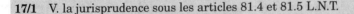

art. 20

20/1 Il suffit qu'il y ait présence d'un danger pour que s'applique l'article 20 du *Règlement sur les normes du travail*.
Bussière-Jacques c. *Religieuses de Jésus-Marie (Collège Jésus-Marie)*, D.T.E. 83T-980 (T.T.).

20/2 Le droit au retrait préventif reconnu par la *Loi sur la santé et la sécurité du travail* (L.R.Q., c. S-2.1) ne peut être limité par le *Règlement sur les normes du travail*.
Rocchia c. *Sample Dress Manufacturing Corp.*, D.T.E. 83T-721 (C.T.).

20/3 Le congé de maternité spécial et le droit de la salariée enceinte de bénéficier d'un retrait préventif en vertu des articles 40 et ss. L.S.S.T. sont deux choses différentes. Les conditions relatives à un congé de maternité spécial ne s'appliquent pas au cas de retrait préventif prévu à la L.S.S.T.
Waterville T.G. inc. c. *Houde*, (1991) T.T. 194, D.T.E. 91T-336 (T.T.).
Bélanger c. *2158-5054 Québec inc.*, D.T.E. 90T-574 (C.T.).

20/4 Le défaut de donner un avis ne peut être retenu contre la salariée enceinte lorsqu'elle bénéficie d'un congé de maternité spécial, la seule obligation de la salariée est de fournir un certificat médical attestant un danger et indiquant la date prévue de l'accouchement tel que stipulé à l'article 81.6 L.N.T.
Bussière-Jacques c. *Religieuses de Jésus-Marie (Collège Jésus-Marie)*, D.T.E. 83T-980 (T.T.).

art. 24

N.B. L'alinéa premier de cet article a été repris le 1er janvier 1991 à l'article 81.6 al. 1 L.N.T.

24/1 V. la jurisprudence sous l'article 81.6 L.N.T.

art. 25

N.B. Cette disposition a été reprise, le 1er janvier 1991, à l'article 81.6 al. 2 L.N.T.

25/1 V. la jurisprudence sous l'article 81.6 L.N.T.

art. 27

N.B. Cette disposition est devenue inopérante le 1er janvier 1991, car incompatible avec l'article 81.13 L.N.T. (tel qu'il se lisait avant L.Q. 2002, c. 80, art. 42).

art. 29

N.B. Cette disposition a été reprise, le 1er janvier 1991, à l'article 81.14 L.N.T. (tel qu'il se lisait avant L.Q. 2002, c. 80, art. 43).

29/1 V. la jurisprudence sous l'article 81.14 L.N.T.

art. 30

N.B. Cette disposition a été reprise, le 1er janvier 1991, à l'article 81.9 L.N.T. (tel qu'il se lisait avant L.Q. 2002, c. 80, art. 38).

art. 31

N.B. Cette disposition a été reprise, le 1er janvier 1991, à l'article 81.15 al. 1 L.N.T. (tel qu'il se lisait avant L.Q. 2002, c. 80, art. 44).

31/1 V. la jurisprudence sous l'article 81.15.1 L.N.T.

art. 33

N.B. Cette disposition a été reprise, le 1er janvier 1991, à l'article 81.15 al. 3 L.N.T. (tel qu'il se lisait avant L.Q. 2002, c. 80, art. 44).

33/1 V. la jurisprudence sous l'article 81.15.1 L.N.T.

art. 34

34/1 Un employeur ne peut se retrancher derrière les dispositions de la convention collective, car la *Loi sur les normes du travail* est d'ordre public et a priorité. *Deschamps* c. *Honeywell Amplitrol inc.*, D.T.E. 84T-320 (C.T.).

art. 35

N.B. Cette disposition a été reprise, le 1er janvier 1991, à l'article 81.17 L.N.T. (tel qu'il se lisait avant L.Q. 2002, c. 80, art. 46).

35/1 L'article 35 du *Règlement sur les normes du travail* est une limite à la règle fixée par les articles 81.15 L.N.T. et 31 du règlement concernant le droit à la réintégration dans son poste avec tous les avantages, limite prévoyant que la salariée

ne peut bénéficier d'un avantage auquel elle n'aurait pas eu droit si elle était restée au travail.
Syndicat national des employés de l'aluminium d'Arvida inc., section des employés de bureau c. *Société d'électrolyse et de chimie Alcan ltée (Arvida)*, D.T.E. 93T-921 (T.A.).

35/2 V. la jurisprudence sous l'article 81.17 L.N.T.

TABLE DE LA JURISPRUDENCE

* Les chiffres renvoient aux numéros de paragraphes.
* R: réfère au *Règlement sur les normes du travail.*

— A —

André *c.* Harvey's, (1987) T.A. 67, D.T.E. 87T-179 (T.A.). — **1/129, 1/233, 1/346, 97/27, 97/43, 124/732, 124/875, 128/80, 128/106**

Andrews *c.* Wait, D.T.E. 92T-173 (C.Q.), J.E. 92-174 (C.Q.) (règlement hors cour). — **82.1/24, 82.1/116**

Anissimoff *c.* Moccomat Beverage Systems Ltd., D.T.E. 83T-163 (T.A.). — **124/655, 124/1116, 128/410**

Antonacci *c.* Lombardi Autos ltée, D.T.E. 2000T-280 (C.T.). — **124/1123**

Antonius *c.* Hydro-Québec, D.T.E. 95T-1175 (C.T.) (permission d'appeler refusée: T.T.M. nº 500-52-000047-951, le 21 septembre 1995) (révision judiciaire refusée: C.S.M. nº 500-05-017824-960, le 11 décembre 1996) (appel rejeté: D.T.E. 99T-71 (C.A.), J.E. 99-259 (C.A.), REJB 1998-09664 (C.A.)) (autorisation d'appeler à la Cour suprême refusée). — **84.1/3, 84.1/10, 122.1/3**

Antonius *c.* Hydro-Québec, D.T.E. 99T-71 (C.A.), J.E. 99-259 (C.A.), REJB 1998-09664 (C.A.) (autorisation d'appeler à la Cour suprême refusée). — **124/66**

Anvari *c.* Royal Institution for the Advancement of Learning (McGill University), D.T.E. 82T-204 (T.A.). — **124/82, 124/1297, 124/1662**

April *c.* Lalema inc., D.T.E. 2006T-67 (C.R.T.). — **124/814**

April *c.* Université Laval, D.T.E. 96T-355 (C.T.). — **122/345, 123.4/225, 123.4/238, 124/426**

Aramark Québec inc. *c.* Syndicat des travailleuses et travailleurs d'Aramark — division Bombardier (CSN), D.T.E. 2005T-15 (T.A.). — **81.18/43**

Archambault *c.* Bolduc, D.T.E. 92T-730 (C.S.). — **128/18, 129/12**

Archambault *c.* Montréal (Société de transport de la Communauté urbaine de), (1988) T.A. 113, D.T.E. 88T-95 (T.A.). — **124/1049, 124/1190**

Archambault *c.* Montréal (Société de transport de la Communauté urbaine de), D.T.E. 87T-178 (T.A.). — **124/286, 124/288**

Argyris *c.* Sony du Canada ltée, D.T.E. 85T-155 (T.A.). — **124/457, 124/464, 124/1087**

Armatures Shefford inc. *c.* Harnois, D.T.E. 82T-13 (T.A.). — **124/1007, 124/1118, 124/1150**

Arsenault *c.* Robin International inc., D.T.E. 2001T-133 (C.T.). — **124/858**

Arseneault *c.* Aramark Québec inc., D.T.E. 2001T-208 (C.T.). — **79.1/214, 79.4/19, 122/89**

Arseneault *c.* Gotar Technologies inc., D.T.E. 2006T-504 (C.R.T.). — **3/28, 3/29, 3/30, 3/93**

Arthrolab inc. *c.* Commission des relations du travail, D.T.E. 2008T-540 (C.S.), J.E. 2008-1315 (C.S.), EYB 2008-134559 (C.S.) (en appel: nº 500-09-018840-082). — **79.1/153, 124/56, 124/71, 124/669, 124/951, 124/959, 124/981, 124/1531**

Artillheiro *c.* Tri-Steel inc., (1985) T.A. 315, D.T.E. 85T-385 (T.A.). — **124/655, 124/1008**

Artisanes 1976 inc. (Les) *c.* Brassard, (1980) T.T. 187. — **122/265, 122/306**

Ash *c.* Berendsen Fluid Power Ltd., D.T.E. 2006T-40 (C.R.T.). — **124/103, 124/134**

Asselin *c.* Commission du régime de retraite des fonctionnaires de la Ville de Montréal, D.T.E. 2004T-64 (C.A.), J.E. 2004-164 (C.A.), REJB 2003-51541 (C.A.). — **97/12**

Asselin *c.* Compagnie Abitibi-Consolidated du Canada, D.T.E. 2007T-774 (C.R.T.). — **124/1324, 124/1339, 124/1524, 124/1657**

Asselin *c.* Compagnie Abitibi-Consolidated du Canada, division Port-Alfred, D.T.E. 2005T-792 (C.R.T.). — **124/816**

Asselin *c.* Industries Abex ltée, (1983) T.A. 373, D.T.E. 83T-185 (T.A.) (révision judiciaire cassée en appel: (1985) C.A. 72, D.T.E. 85T-134 (C.A.), J.E. 85-204 (C.A.)) (autorisation d'appeler à la Cour suprême refusée). — **124/451**

Asselin *c.* Industries Abex ltée, (1985) C.A. 72, D.T.E. 85T-134 (C.A.), J.E. 85-204 (C.A.) (autorisation d'appeler à la Cour suprême refusée). — **124/2, 124/27, 124/391, 124/433, 124/1677, 128/16, 128/144, 128/322**

Asselin *c.* 1857-2123 Québec inc., D.T.E. 2004T-629 (C.R.T.). — **122/270, 122/279, 122/293**

Association canadienne des employés en télécommunications *c.* Amdocs Gestion de services canadiens inc. (Robert Lachance), D.T.E. 2008T-338 (T.A.) (par analogie) (révision judiciaire refusée: (2009) R.J.D.T. 39 (C.S.), D.T.E. 2009T-199 (C.S.), EYB 2009-154379 (C.S.)) (règlement hors cour). — **81.18/172**

Association d'hospitalisation du Québec *c.* Latreille, (1987) T.A. 458, D.T.E. 87T-681 (T.A.). — **124/401, 124/403, 124/416,**

— B —

Bangia *c.* Avoman, s.e.n.c., D.T.E. 2008T-103 (C.R.T.) (révision en vertu de l'article 127 C.T. refusée). — **123.4/173, 124/1635**

Bangia *c.* Nadler Danino, s.e.n.c., (2006) R.J.D.T. 1200 (C.R.T.), D.T.E. 2006T-818 (C.R.T.) (révision en vertu de l'article 127 C.T. refusée). — **81.18/15, 81.18/24, 81.18/29, 81.18/86, 122/350, 123.4/1, 123.4/7, 123.4/30**

Banque de Montréal *c.* C.N.T., D.T.E. 99T-481 (C.A.), J.E. 99-1050 (C.A.), REJB 1999-12108 (C.A.). — **113/6**

Banque Laurentienne du Canada *c.* Landry, D.T.E. 95T-1144 (T.A.). — **128/57**

Banque Royale du Canada *c.* Perry, (1991) T.T. 429, D.T.E. 91T-1174 (T.T.). — **96/10, 97/33, 97/58**

Banville *c.* St-Laurent (Ville de), (2000) R.J.D.T. 643 (C.T.), D.T.E. 2000T-326 (C.T.). — **123.4/190**

Bar Central Wotton (2004) inc. *c.* Commission des relations du travail, D.T.E. 2005T-833 (C.S.). — **124/1623**

Bar central Wotton (2004) inc. *c.* Lalonde, D.T.E. 2006T-484 (C.S.), J.E. 2006-1037 (C.S.), EYB 2006-103245 (C.S.) (appel rejeté sur requête). — **124/79, 124/1621, 124/1701**

Barabé *c.* F. Pilon inc., (1987) R.J.Q. 390 (C.S.), D.T.E. 87T-132 (C.S.), J.E. 87-245 (C.S.). — **54/33**

Barcana ltée *c.* Boisvert, (1984) T.A. 703, D.T.E. 84T-841 (T.A.). — **1/82, 1/118, 1/233, 124/837, 124/1479, 128/42**

Barcana ltée *c.* Boisvert, D.T.E. 84T-827 (T.A.). — **124/167**

Baribeau & Fils inc. *c.* C.N.T., D.T.E. 96T-823 (C.A.), J.E. 96-1424 (C.A.). — **82/20, 82/71, 94/11**

Barja *c.* Vêtements de sport Gildan inc., D.T.E. 2006T-836 (C.R.T.). — **124/809**

Barnes Investigation Bureau Ltd. *c.* Minimum Wage Commission (The), (1960) B.R. 409. — **54/48**

Barre *c.* 2533-0507 Québec inc., (2007) R.J.D.T. 115 (C.R.T.), D.T.E. 2007T-81 (C.R.T.) (révision en vertu de l'article 127 C.T. refusée: (2007) R.J.D.T. 1077 (C.R.T.), D.T.E. 2007T-650 (C.R.T.)). — **81.18/130, 81.19/24, 123.15/27, 128/169, 128/359, 128/414, 128/415, 128/429, 128/590, 128/604**

Barrette *c.* Crabtree (Succession de), (1993) 1 R.C.S. 1027. — **82/1, 83/16**

Basque *c.* Morency, D.T.E. 86T-692 (C.S.). — **124/1618, 128/106**

Basque *c.* Société d'électrolyse et de chimie Alcan ltée, D.T.E. 82T-494 (T.A.). — **124/1054, 124/1563, 124/1566, 128/48**

Bassal *c.* Cie Montréal Trust Canada, (1987) T.A. 768, D.T.E. 87T-1038 (T.A.). — **124/994, 124/1019**

Bassant *c.* Dominion Textile inc., (1993) R.D.J. 220 (C.A.), D.T.E. 92T-1374 (C.A.), J.E. 92-1781 (C.A.). — **124/403, 124/636, 124/683, 124/714**

Bassong *c.* Fédération des caisses Desjardins du Québec, D.T.E. 2005T-463 (C.R.T.). — **97/98**

Bastien *c.* Cie de la Baie d'Hudson, D.T.E. 87T-159 (T.A.). — **1/365, 124/1033**

Bastien *c.* Kraft ltée, D.T.E. 85T-160 (C.A.). — **124/771, 127/1, 128/338**

Bastien *c.* Québec (Gouvernement du), (1984) T.T. 7, D.T.E. 84T-98 (T.T.). — **1/114, 1/161**

Bastien *c.* St-Hugues (Municipalité de), D.T.E. 2001T-1021 (C.T.). — **124/1068, 124/1079, 124/1462, 128/37**

Battery Plus inc./Batterie Plus *c.* Henault, D.T.E. 99T-627 (C.T.). — **123.4/188**

Bauhart-Hamel *c.* Laboratoires alimentaires Bio-Lalonde, services de surveillance S.G.S. inc., (1992) T.T. 71, D.T.E. 92T-135 (T.T.). — **81.15.1/33, 122/37, 122/322**

Bazinet *c.* Loeb Grande-Rivière, D.T.E. 98T-1153 (C.T.). — **124/433, 124/451, 124/452**

Beauchamp *c.* Québec (Ministère des Communautés culturelles et de l'Immigration), (1994) C.T. 207, D.T.E. 94T-370 (C.T.). — **93/10, 124/166, 124/201**

Beauchamp *c.* Tognarelli, J.E. 92-68 (C.Q.). — **122/254, 122/255**

Beauchamp *c.* Tribunal du travail, D.T.E. 96T-708 (C.S.) (règlement hors cour). — **123.4/30**

Beauchamp *c.* Urgel Bourgie ltée, D.T.E. 95T-1373 (C.T.). — **122/189, 123.4/39, 123.4/162**

Beauchemin *c.* Imprimerie Corsair inc., (1994) C.T. 345, D.T.E. 94T-1014 (C.T.). — **124/469, 128/359**

Beauchesne *c.* Demers express inc., D.T.E. 82T-114 (T.A.). — **124/150, 124/151, 124/173, 128/338**

Beauclair *c.* Tanguay Auto électrique inc., D.T.E. 91T-154 (C.T.). — **49/18, 122/104, 122/184**

Beaudet *c.* Hôpital du St-Sacrement, D.T.E. 88T-51 (T.A.). — **124/110, 124/468**

Beaudet *c.* Université Bishop's, D.T.E. 2006T-379 (C.R.T.). — **124/104**

124/640, 124/646, 124/647, 124/668, 124/1138, 124/1537, 124/1550, 124/1554, 128/43
Blackburn *c.* Cantley (Municipalité de), (2002) R.J.D.T. 294 (C.T.), D.T.E. 2002T-88 (C.T.). — **124/1586**
Blain *c.* Groupe RO-NA inc., (1985) T.A. 805, D.T.E. 85T-973 (T.A.). — **124/103, 124/109, 124/559, 126/5**
Blain *c.* Pinkerton du Québec ltée, D.T.E. 93T-724 (C.T.). — **124/362, 124/441, 124/1271, 125/18**
Blais *c.* Bélanger, (1998) R.J.D.T. 42 (C.A.), D.T.E. 98T-320 (C.A.), J.E. 98-660 (C.A.). — **124/391, 124/397, 124/403, 124/623, 124/636, 124/650, 124/665, 124/714**
Blais *c.* Centres Jeunesse de Montréal, D.T.E. 95T-424 (C.T.). — **81.10/2, 81.10/8, 122/82, 122/223**
Blais *c.* Lavery, de Billy, D.T.E. 96T-197 (T.T.). — **81.15.1/23, 81.15.1/31, 81.15.1/34, 123.4/114**
Blais *c.* Provigo Distribution inc., division Maxi, D.T.E. 99T-1004 (C.T.). — **124/1174**
Blais *c.* Québec (Ville de), (1998) R.J.D.T. 1278 (C.T.), D.T.E. 98T-956 (C.T.) (appel rejeté: (1999) R.J.D.T. 163 (T.T.), D.T.E. 99T-67 (T.T.), REJB 1998-10046 (T.T.)). — **81.10/6, 122/218, 123.4/43**
Blais *c.* Société des loteries vidéos du Québec inc., (2003) R.J.D.T. 261 (C.R.T.), D.T.E. 2003T-178 (C.R.T.). — **124/1192, 124/1668, 124/1673**
Blake *c.* Corp. de dispositions de biens récupérés ltée, D.T.E. 98T-824 (C.T.). — **123/9, 124/301**
Blanchard *c.* Café Cherrier inc., D.T.E. 98T-861 (C.T.). — **124/674, 124/1145**
Blanchard *c.* Control Data Canada ltée, (1984) 2 R.C.S. 476. — **124/391, 124/703, 124/713, 128/338, 129/1**
Blanchet *c.* Girard, D.T.E. 99T-1173 (C.S.), J.E. 99-2369 (C.S.), REJB 1999-15674 (C.S.) (appel rejeté: D.T.E. 2001T-1178 (C.A.), REJB 2001-27115 (C.A.)). — **129/3**
Blanchet *c.* Girard, D.T.E. 99T-1173 (C.S.), J.E. 99-2369 (C.S.), REJB 1999-15674 (C.S.), conf. par D.T.E. 2001T-1178 (C.A.), REJB 2001-27115 (C.A.). — **124/395**
Blanchette *c.* Dubeau et Lapointe ltée, (1981) 2 R.S.A. 160. — **124/1007**
Blazevic *c.* P. Blander Locksmith Supply Co., D.T.E. 88T-535 (T.A.). — **124/151, 124/165, 124/180, 124/461, 124/560, 124/564, 124/935, 128/174**
Blizeev *c.* Société d'administration immobilière Fugi ltée (Appartements Hill Park), D.T.E. 2004T-211 (C.R.T.) (règlement hors cour). — **124/469, 124/1018, 124/1200, 128/42, 128/95, 128/268, 128/359, 128/607**
Bogemans *c.* Gérard Masse inc., (1984) C.T. 44, D.T.E. 84T-115 (C.T.). — **50/9, 122/90, 122/109, 122/146**
Boily *c.* Corp. de l'École polytechnique de Montréal, (2001) R.J.D.T. 168 (C.T.), D.T.E. 2001T-60 (C.T.) (règlement hors cour partiel). — **1/329, 124/527, 124/528, 124/605, 124/994, 124/1040**
Boire *c.* Boulangerie Gadoua, D.T.E. 97T-1374 (C.T.). — **1/264, 124/344, 124/741**
Boisjoly *c.* 149937 Canada inc., (1997) C.T. 334, D.T.E. 97T-1058 (C.T.). — **123.4/189**
Boissonneault *c.* Pétroles Bois-Francs (2000) inc., D.T.E. 2004T-908 (C.R.T.) (révision judiciaire accueillie pour d'autres motifs: D.T.E. 2005T-385 (C.S.)) (règlement hors cour). — **124/634, 124/650, 124/718**
Boisvert *c.* Fabspec inc., D.T.E. 2007T-619 (C.Q.), EYB 2007-120808 (C.Q.). — **39/4, 39/5, 82/18, 115/3**
Boisvert *c.* Industries Machinex inc., D.T.E. 2002T-185 (C.T.). — **124/820, 124/1441, 128/359, 128/424**
Boisvert *c.* Migue et Leblanc, arpenteurs-géomètres, D.T.E. 92T-182 (T.A.). — **124/1324, 124/1359**
Boisvert *c.* Nadeau, (1982) R.L. 101 (C.Q.). — **1/66**
Boisvert *c.* Produits forestiers E.B. Eddy ltée, (1983) T.A. 391, D.T.E. 83T-281 (T.A.). — **124/1008, 124/1015, 124/1552, 128/174**
Bolduc *c.* Caisse populaire de St-Gédéon, D.T.E. 82T-60 (T.A.), (1981) 3 R.S.A. 58. — **124/599, 124/602, 124/670, 124/999, 128/43, 128/284**
Bolduc *c.* Conseil de direction de l'Armée du Salut du Canada (Centre Booth de Montréal), D.T.E. 2006T-416 (C.R.T.). — **1/9, 1/11, 1/151**
Bolduc *c.* Conseil de la direction de l'Armée du Salut du Canada (Centre Booth de Montréal), D.T.E. 2005T-22 (C.R.T.). — **124/333, 124/336, 124/337**
Bolduc *c.* Fabrique de la paroisse de St-Thomas d'Aquin, D.T.E. 2000T-18 (C.T.). — **124/1116, 124/1124**

Boucher *c.* Centre de placement spécialisé du Portage (C.P.S.P.), (1993) R.D.J. 137 (C.A.), D.T.E. 92T-552 (C.A.), J.E. 92-1695 (C.A.). — **1/310, 96/10, 96/13, 97/11, 97/25, 97/33, 97/37, 124/336**

Boucher *c.* Cie T. Eaton ltée, D.T.E. 89T-1105 (T.A.). — **124/800, 124/885, 124/1074, 124/1479**

Boucher *c.* Commission scolaire de l'Énergie, D.T.E. 2003T-443 (C.R.T.) (révision judiciaire refusée: D.T.E. 2005T-65 (C.S.)). — **1/190, 1/211, 124/441, 124/463, 124/564**

Boucher *c.* Dactylographe Métropole inc. (DMI Bureautique), D.T.E. 2005T-1098 (C.R.T.) (révision en vertu de l'article 127 C.T. refusée) (révision judiciaire refusée: C.S.M. n° 500-17-028738-055, le 26 mai 2006). — **124/829, 124/1315**

Boucher *c.* Enseignes Métropolitain inc., D.T.E. 2005T-885 (C.R.T.). — **124/919**

Boucher *c.* Enseignes Métropolitain inc., D.T.E. 2007T-503 (C.R.T.) (règlement hors cour). — **128/182, 128/237, 128/253, 128/260, 128/268, 128/275, 128/486, 128/611**

Boucher *c.* Entreprises Rolland Tremblay inc., (1981) 1 R.S.A. 143. — **124/428**

Boucher *c.* Manufacture de chaussures Excel ltée, (1983) C.T. 41, D.T.E. 83T-141 (C.T.). — **122/28, 122/31, 122/48, 122.1/8, 122.1/17**

Boucher *c.* Pliages Apaulo inc., D.T.E. 96T-148 (C.T.). — **1/342, 1/368, 93/29, 93/38, 122/159, 123.4/258, 124/114, 124/350, 124/994, 128/169, 128/178**

Boucher *c.* Société Bristol-Myers Squibb Canada, D.T.E. 2008T-914 (C.R.T.). — **124/531**

Boucher-Lamothe *c.* Commission scolaire des Rivières, École Monseigneur Desranleau, D.T.E. 89T-1203 (T.A.). — **1/329**

Boudreau *c.* Exploitation Jaffa inc., D.T.E. 2004T-61 (C.R.T.). — **124/441, 124/458, 124/1527, 124/1528**

Boudreault *c.* Gamache, D.T.E. 93T-566 (C.T.). — **123.4/196**

Boudreault *c.* S.P.R. Société de promotion de Rapid-Graphic inc., (1988) C.T. 417, D.T.E. 88T-1019 (C.T.). — **81.17/1, 97/22, 97/48, 97/99, 122/2, 122/281**

Boudreault *c.* Unilever Canada, division de U.L. Canada inc., D.T.E. 2003T-1059 (C.R.T.). — **124/856**

Boudriau *c.* Hydro-Québec, D.T.E. 98T-352 (C.T.). — **1/97, 3/25, 3/37, 124/1136, 124/1142**

Boufekane *c.* Fonds privés du Dr Dragatakis, D.T.E. 2006T-88 (C.R.T.) (révision en vertu de l'article 127 C.T. accueillie pour d'autres motifs: D.T.E. 2006T-506 (C.R.T.)) (révision judiciaire refusée: C.S.M. n° 500-17-031158-069, le 5 décembre 2006). — **124/209**

Boulanger *c.* Cercueils André inc., D.T.E. 2000T-408 (C.T.). — **3/35, 3/36, 3/60**

Boulangerie d'Asbestos inc. *c.* Syndicat des salariés de la Boulangerie d'Asbestos (C.S.D.), (1988) T.A. 657, D.T.E. 88T-736 (T.A.). — **56/4, 56/10, 60/1, 63/1**

Boulay *c.* Multi-Marques inc., D.T.E. 89T-825 (T.A.). — **128/91**

Bouledroua *c.* Bodycote Essais de matériaux Canada inc. (Technitrol Bodycote), D.T.E. 2006T-313 (C.R.T.). — **1/323, 1/387, 124/333**

Boulet *c.* Radio Shack, D.T.E. 97T-587 (C.T.). — **124/1036, 128/203**

Bouliane *c.* Maison de choix inc., (1981) 2 R.S.A. 72. — **124/297, 124/866, 124/1140**

Boulianne *c.* Jean-François Martel inc., D.T.E. 2003T-987 (C.R.T.). — **124/847, 128/387**

Boulianne *c.* Lanoraie (Municipalité de) — Service d'incendie, D.T.E. 2006T-197 (C.R.T.). — **124/450, 124/1254**

Boulianne *c.* 3087-9373 Québec inc., (1996) C.T. 525, D.T.E. 96T-1152 (C.T.). — **79.1/45, 79.1/76, 97/101**

Bourbonnais *c.* Produits forestiers Canadien Pacifique ltée, D.T.E. 90T-241 (T.A.). — **124/836, 124/1292, 128/34, 128/98**

Bourdon *c.* 96721 Canada Ltd., D.T.E. 92T-1295 (C.T.). — **79.1/120**

Bourgault *c.* Autobus Québec Métro inc., D.T.E. 97T-312 (C.T.). — **124/121, 124/802, 124/1508, 128/41**

Bourgeois *c.* Service immobilier Courbec Promenades du cuivre, D.T.E. 97T-528 (C.T.). — **124/900, 124/931**

Bourget *c.* Association Agaparc, (1999) R.J.D.T. 1193 (C.T.), D.T.E. 99T-773 (C.T.). — **3/35, 3/82, 124/119, 124/865, 124/1310**

Bourgoin *c.* Alza Canada, D.T.E. 2003T-67 (C.T.). — **124/560, 124/593**

Bourgouin *c.* Bodycote Essais de matériaux Canada inc., D.T.E. 2005T-281 (C.R.T.). — **122/105, 124/488**

Bourque *c.* Centre de santé des Etchemins, D.T.E. 2006T-314 (C.R.T.) (révision en vertu de l'article 127 C.T. refusée). — **81.18/72, 81.19/3**

— C —

C.N.T. *c.* Cie de fiducie Canada Permanent, D.T.E. 83T-601 (C.Q.), J.E. 83-840 (C.Q.). — **1/154, 41/1, 41/4, 57/16**
C.N.T. *c.* Cie de gestion Thomcor ltée, D.T.E. 86T-265 (C.S.), J.E. 86-400 (C.S.). — **96/22, 96/23, 97/56, 97/59, 97/62, 114/1**
C.N.T. *c.* Cie de gestion Welfab, (1989) R.J.Q. 2547 (C.S.), D.T.E. 89T-949 (C.S.), J.E. 89-1436 (C.S.) (appel accueilli pour d'autres motifs: D.T.E. 99T-481 (C.A.), J.E. 99-1050 (C.A.), REJB 1999-12108 (C.A.)). — **1/348, 54/19, 82.1/118, 96/22, 97/56**
C.N.T. *c.* Cie de publicité Trans-public ltée, D.T.E. 83T-737 (C.Q.). — **82.1/40, 82.1/46, 82.1/51, 82.1/68, 82.1/70, 82.1/85**
C.N.T. *c.* Cie de sable ltée, (1985) C.A. 281, D.T.E. 85T-387 (C.A.), J.E. 85-470 (C.A.). — **1/134**
C.N.T. *c.* Cie minière I.O.C., (1987) R.J.Q. 1359 (C.S.), D.T.E. 87T-479 (C.S.), J.E. 87-715 (C.S.), inf. pour d'autres motifs à D.T.E. 95T-397 (C.A.), J.E. 95-672 (C.A.). — **2/2, 82/9, 82/28, 82/30, 82.1/21, 82.1/22, 82.1/113, 94/11, 101/3**
C.N.T. *c.* Cie minière I.O.C., D.T.E. 95T-397 (C.A.), J.E. 95-672 (C.A.). — **82/2, 82/31, 82.1/109, 93/40, 102/3, 102/5**
C.N.T. *c.* Cinémas Le Paradis inc., (1984) C.P. 153, D.T.E. 84T-647 (C.Q.), J.E. 84-669 (C.Q.). — **50/1; R: 4/1, 4/2**
C.N.T. *c.* Claude et Marcel Martin inc., D.T.E. 94T-987 (C.Q.) (règlement hors cour). — **41.1/4, 93/15, 102/6**
C.N.T. *c.* Club de golf Islesmere inc., (1985) C.P. 270, D.T.E. 85T-746 (C.Q.), J.E. 85-878 (C.Q.). — **50/16**
C.N.T. *c.* Coencorp Consultant Corporation, D.T.E. 2005T-737 (C.Q.). — **115/3, 116/1**
C.N.T. *c.* Cogan Wire & Metal Products (1974) Ltd., D.T.E. 82T-830 (C.Q.), J.E. 82-1139 (C.Q.). — **1/63, 1/120, 1/232, 54/5, 96/25, 97/30, 97/46, 97/73**
C.N.T. *c.* Combined Insurance Company of America, (2008) R.J.D.T. 1113 (C.Q.), D.T.E. 2008T-718 (C.Q.), J.E. 2008-1746 (C.Q.), EYB 2008-145918 (C.Q.) (désistement d'appel). — **1/72, 1/170, 1/172, 1/176, 1/207, 1/219**
C.N.T. *c.* Comité local de développement de L'Anse-à-Valleau, D.T.E. 2004T-63 (C.Q.). — **40/13, 52/9, 114/10**
C.N.T. *c.* Commission des écoles catholiques, D.T.E. 90T-912 (C.Q.). — **1/385, 1/390**
C.N.T. *c.* Commission des écoles catholiques de Québec, D.T.E. 95T-887 (C.A.), J.E. 95-1527 (C.A.). — **1/21, 1/323, 1/324, 1/329, 1/356, 1/387**
C.N.T. *c.* Commission scolaire de Laval, D.T.E. 2003T-539 (C.Q.). — **82/3, 82.1/14**
C.N.T. *c.* Commission scolaire St-Exupéry, D.T.E. 86T-451 (C.Q.), J.E. 86-601 (C.Q.). — **1/37, 1/139**
C.N.T. *c.* Compagnie Abitibi Consolidated du Canada, D.T.E. 2008T-524 (C.Q.), EYB 2008-134201 (C.Q.) (permission d'appeler refusée: B.E. 2008BE-1145 (C.A.), EYB 2008-149739 (C.A.)). — **1/88**
C.N.T. *c.* Compagnie de construction Cris (Québec) ltée, D.T.E. 93T-1188 (C.Q.), J.E. 93-1798 (C.Q.). — **54/52, 54/54, 93/22, 114/3**
C.N.T. *c.* Compagnie de construction Lazar inc., D.T.E. 92T-870 (C.Q.). — **83/28, 124/174**
C.N.T. *c.* Compagnie de papier de St-Raymond ltée, (1997) R.J.Q. 366 (C.A.), D.T.E. 97T-183 (C.A.), J.E. 97-375 (C.A.). — **82/7, 82/64, 102/4, 102/5**
C.N.T. *c.* Compagnie Kenworth du Canada, division de Paccar du Canada ltée, (1995) R.D.J. 615 (C.A.), D.T.E. 95T-1306 (C.A.), J.E. 95-2112 (C.A.). — **157/4**
C.N.T. *c.* Compagnie T. Eaton ltée, D.T.E. 97T-1281 (C.Q.). — **82.1/41, 82.1/46, 82.1/50, 82.1/58, 82.1/69, 83/4, 83/5**
C.N.T. *c.* Compogest inc., D.T.E. 2003T-490 (C.Q.). — **74/16, 82/45**
C.N.T. *c.* Confort Expert inc., D.T.E. 94T-728 (C.Q.). — **54/48**
C.N.T. *c.* Conseillers Info-oriente inc., D.T.E. 2004T-741 (C.Q.). — **48/1, 98/23**
C.N.T. *c.* Constantin, (1994) R.J.Q. 1429 (C.Q.), D.T.E. 94T-504 (C.Q.), J.E. 94-824 (C.Q.). — **113/14, 114/16**
C.N.T. *c.* Construction canadienne & Associés inc., D.T.E. 98T-119 (C.Q.). — **1/82**
C.N.T. *c.* Coopérative de travailleurs de confection de vêtements 4 Saisons de St-Tite, D.T.E. 2006T-287 (C.Q.), J.E. 2006-592 (C.Q.), EYB 2006-101805 (C.Q.). — **1/170, 1/195, 1/258**
C.N.T. *c.* Coopérative forestière de Girardville, D.T.E. 2009T-64 (C.Q.), EYB 2008-152555 (C.Q.). — **49/27**
C.N.T. *c.* Coopérative régionale des consommateurs de Portneuf, D.T.E. 83T-732 (C.Q.). — **54/4**
C.N.T. *c.* Corporation de sécurité Garda World, D.T.E. 2005T-1024 (C.A.), J.E. 2005-1970 (C.A.), EYB 2005-96538 (C.A.). — **98/31**

79.1/22, 79.1/94, 79.1/123, 79.4/2, 79.4/4, 122/56
Centre Butters-Savoy inc. *c.* St-Laurent, D.T.E. 96T-690 (C.T.). — **123.4/248, 123.4/257, 123.4/284**
Centre d'accueil de Buckingham *c.* Chenier, D.T.E. 94T-753 (T.T.) (révision judiciaire accueillie, dossier retourné au T.T.: D.T.E. 95T-82 (C.S.)) (appel rejeté: D.T.E. 95T-597 (T.T.)). — **79.1/23, 79.1/59, 122/39, 122/287**
Centre de l'auto Poulin inc. *c.* Breault, D.T.E. 93T-1176 (C.T.). — **79.1/197, 79.1/201**
Centre de santé et de services sociaux du Sud-Ouest — Verdun (Résidence Yvon-Brunet) *c.* Syndicat des employés de la Résidence Yvon-Brunet (CSN) (griefs individuels, Daniel Trudel et autres), (2008) R.J.D.T. 346 (T.A.), D.T.E. 2008T-126 (T.A.). — **81.18/27, 81.18/117, 81.19/6**
Centre du camion Mabo inc. *c.* Guay, D.T.E. 2005T-420 (C.Q.). — **85.2/1**
Centre du pneu Papineau (1982) inc. *c.* Lorrain, D.T.E. 84T-832 (C.S.). — **122/147, 122/153, 122/232, 123.4/214**
Centre hospitalier de Coaticook *c.* Germain, D.T.E. 82T-858 (T.A.). — **1/8, 124/143, 124/146, 124/148, 124/1694**
Centre hospitalier de l'Université de Montréal — Hôpital Notre-Dame *c.* Abramowitz, (2007) R.J.D.T. 945 (C.S.), D.T.E. 2007T-537 (C.S.), J.E. 2007-1267 (C.S.), EYB 2007-120558 (C.S.). — **81.20/9**
Centre hospitalier de Matane *c.* Syndicat professionnel des techniciens en radiologie médicale du Québec, D.T.E. 89T-280 (T.A.). — **58/1**
Centre hospitalier Douglas *c.* Jodoin, D.T.E. 82T-688 (T.A.). — **124/1008, 124/1502, 124/1503, 124/1508, 124/1638**
Centre hospitalier Le Gardeur *c.* Syndicat des physiothérapeutes et des thérapeutes en réadaptation physique du Québec, D.T.E. 99T-363 (T.A.). — **81.15.1/10**
Centre hospitalier Pierre-Boucher *c.* Association des techniciens en diététique du Québec inc., Arbitrage — Affaires sociales, 85A-155. — **66/5**
Centre hospitalier régional de l'Outaouais *c.* Carrier, D.T.E. 90T-825 (C.S.), J.E. 90-1005 (C.S.). — **124/138, 124/149, 124/151, 124/157, 124/165, 124/199, 124/297**
Centre hospitalier régional de Trois-Rivières (Pavillon St-Joseph) *c.* Syndicat professionnel des infirmières et infirmiers de Trois-Rivières (Syndicat des infirmières et infirmiers Mauricie—Coeur-du-Québec) (Lisette Gauthier), (2006) R.J.D.T. 397 (T.A.), D.T.E. 2006T-209 (T.A.). — **81.18/27, 81.18/35, 81.18/44, 81.18/95**
Centre jeunesse de Québec (Mont d'Youville) *c.* Syndicat canadien de la fonction publique, section locale 3545, Arbitrage — Santé et services sociaux, 96A-293. — **58/7**
Centre médical Drummond inc. *c.* Yergeau-Brunelle, D.T.E. 84T-96 (T.A.). — **97/21, 124/829, 124/851, 124/1525**
Centropneus Goodyear *c.* Leblond, D.T.E. 98T-741 (C.T.). — **128/615**
Céramique de Beauce inc. *c.* De Sales, D.T.E. 85T-384 (T.A.). — **124/464, 124/555, 124/568, 124/642, 124/647, 124/718, 128/106**
Ceratex inc. *c.* Cloutier, (1981) 3 R.S.A. 199. — **124/371**
Cercle québécois de la coiffure et de l'esthétique inc. *c.* Salon Cité-bourg inc., D.T.E. 98T-469 (T.A.). — **82.1/41, 82.1/88**
CH de Lachine *c.* Association professionnelle des technologistes médicaux du Québec, Arbitrage — Santé et services sociaux, 97A-228. — **78/3**
Chabot *c.* Constructions Cris (Québec) ltée, D.T.E. 88T-309 (C.S.). — **54/11**
Chabot *c.* Plomberie Albert Paradis inc., (1993) C.T. 62, D.T.E. 93T-302 (C.T.). — **3/28, 3/45, 3/52**
Chalifoux-Longtin *c.* Entretiens ménagers futuristes inc., D.T.E. 2006T-38 (C.R.T.). — **122/273, 122/298**
Chamaillard *c.* Agence de recouvrement ARC (corporation), D.T.E. 2005T-966 (C.R.T.). — **79.1/3, 79.1/76, 79.1/149, 122/15, 124/743, 124/1432**
Chamberland *c.* Bas Giltex inc., (1992) C.T. 177, D.T.E. 92T-646 (C.T.). — **79.1/30, 79.1/55, 79.1/109, 122/90**
Chamberland *c.* Commission scolaire des Chutes-de-la-Chaudière, D.T.E. 89T-1141 (T.A.). — **1/329, 1/385, 124/599**
Chamberland *c.* Desnoyers, D.T.E. 90T-993 (C.S.). — **124/607**
Chamberland *c.* Produits Mica Suzorite inc., D.T.E. 2004T-465 (C.R.T.). — **128/268, 128/358, 128/447, 128/534**
Champagne *c.* Club de golf Lévis inc., D.T.E. 87T-548 (C.Q.). — **54/43, 82/68**
Champagne *c.* Digital Equipment du Canada ltée, D.T.E. 87T-781 (T.A.). — **128/480, 128/491, 128/495, 128/528**

— D —

— E —

— F —

— G —

— H —

— J —

— K —

— M —

Malouf *c.* Vêtements pour enfants United ltée, D.T.E. 87T-996 (T.A.). — **1/139, 1/152, 124/301, 124/306, 124/1115, 124/1160**

Maltais *c.* Agence libérale fédérale du Canada, (1988) T.A. 298, D.T.E. 88T-305 (T.A.). — **124/10**

Maltais *c.* Courtiers en alimentation Belgo inc., (1995) C.T. 491, D.T.E. 95T-1245 (C.T.). — **124/1008, 124/1034, 124/1035, 124/1461, 128/449, 128/534**

Manoir Richelieu ltée *c.* Rondeau, D.T.E. 2006T-321 (C.S.) (appel rejeté: D.T.E. 2007T-730 (C.A.), J.E. 2007-1666 (C.A.), EYB 2007-123336 (C.A.)) (dossier retourné à l'arbitre: D.T.E. 2009T-116 (T.A.) (requête en révision judiciaire: n° 200-17-010873-099)). — **50/3, 50/18**

Manoir Richelieu ltée (établissement restaurant) *c.* Travailleuses et travailleurs unis de l'alimentation et du commerce, section locale 503 (grief collectif), D.T.E. 2009T-116 (T.A.) (requête en révision judiciaire: n° 200-17-010873-099). — **50/14**

Manoir Rouville-Campbell *c.* Union des chauffeurs de camions, hommes d'entrepôts et autres ouvriers, Teamsters Québec, section locale 106 (F.T.Q.), D.T.E. 2004T-1125 (T.A.) (désistement de la révision judiciaire). — **50/14**

Manoir St-Eustache *c.* Joly, (1986) T.A. 683, D.T.E. 86T-771 (T.A.). — **124/829, 124/855, 124/927, 124/1175, 128/89, 128/339**

Manoir St-Patrice inc. *c.* Union des employés(ées) de service, section locale 298 — F.T.Q., Arbitrage — Santé et services sociaux, 93A-170. — **58/6**

Manoir St-Patrice inc. *c.* Union des employés(ées) de service, section locale 298 — F.T.Q., Arbitrage — Santé et services sociaux, 93A-41. — **58/6**

Mantegna *c.* Société en commandite Canadelle, D.T.E. 2007T-390 (C.R.T.). — **79.1/40, 79.7/9, 79.7/13, 79.8/4, 79.8/6**

Maras *c.* Clinique familiale St-Vincent enr., D.T.E. 96T-1254 (C.T.). — **1/39, 124/1070, 128/426, 128/559**

Marceau-Fortin *c.* 2955-4201 Québec inc., D.T.E. 2002T-809 (C.T.). — **124/948**

Marcel Benoit ltée *c.* Bertrand, D.T.E. 84T-560 (T.A.). — **124/745, 124/1069, 124/1472, 124/1556, 125/19, 128/339**

Marchand *c.* Bussière, D.T.E. 98T-475 (C.A.), J.E. 98-943 (C.A.) (autorisation d'appeler à la Cour suprême refusée). — **124/94, 124/105, 124/120, 124/128, 124/131**

Marchand *c.* Holt Renfrew & Cie Ltd., (2002) R.J.D.T. 718 (C.T.), D.T.E. 2002T-431 (C.T.) (requête en révision judiciaire: n° 500-05-071385-023). — **124/1186, 124/1666, 124/1690**

Marché à GO-GO Alma inc. *c.* Tremblay, (1987) T.A. 517, D.T.E. 87T-744 (T.A.). — **1/233**

Marché Molloy — Félix Molloy ltée *c.* Sénéchal, D.T.E. 89T-1039 (T.A.). — **124/478, 124/1358, 124/1475, 124/1564, 128/207, 128/410, 128/462, 128/572**

Marcil *c.* Trois-Rivières (Ville de), D.T.E. 2003T-225 (C.R.T.). — **124/169, 124/1053, 124/1538**

Marcoux *c.* Cie Norman Wade ltée, D.T.E. 88T-729 (T.A.). — **124/745, 128/169, 128/174**

Marcoux *c.* Classified Media (Canada) Holdings Inc. — Auto Hebdo, D.T.E. 2006T-837 (C.R.T.). — **123.4/30, 124/668, 124/797, 128/235, 128/359**

Marcoux *c.* Hongwei, D.T.E. 2009T-189 (C.R.T.) (révision en vertu de l'article 127 C.T. refusée). — **81.18/106, 122/92, 122/160, 123.15/20, 123.15/21, 123.15/26, 123.15/43, 123.15/45**

Maréchal *c.* Quebecor Média inc. (Québec Livres), (2003) R.J.D.T. 319 (C.R.T.), D.T.E. 2003T-113 (C.R.T.). — **1/236, 124/20**

Margharitis *c.* Aeterna-Vie, Cie d'assurances, (1985) T.T. 193, D.T.E. 85T-361 (T.T.). — **84.1/7, 84.1/9, 122.1/3, 122.1/4, 122.1/6**

Markus *c.* Entreprise de soudure aérospatiale inc., (2000) R.J.D.T. 231 (C.T.), D.T.E. 2000T-133 (C.T.). — **124/757, 124/999, 124/1441, 124/1501, 128/42, 128/95, 128/216, 128/230, 128/245, 128/441**

Marleau *c.* Systèmes électroniques Matrox ltée, D.T.E. 99T-504 (C.T.). — **79.4/13, 122/253**

Marois *c.* Commissaire général du travail, D.T.E. 2000T-973 (C.S.). — **124/1576**

Marois *c.* Commission des droits de la personne et des droits de la jeunesse, (2006) R.J.D.T. 1147 (C.R.T.), D.T.E. 2006T-694 (C.R.T.) (requête en sursis rejetée: D.T.E. 2006T-996 (C.S.)) (révision judiciaire refusée: C.S.M. n° 500-17-032266-069, le 13 novembre 2006). — **81.18/7, 123.15/3, 123.15/14**

Ménard *c.* Circle Computer/Brains II, (1997) C.T. 199, D.T.E. 97T-589 (C.T.). — **124/831, 128/78, 128/276, 128/478, 128/485, 128/486, 128/562**
Ménard *c.* Collège de Maisonneuve, (2000) R.J.D.T. 1089 (C.T.), D.T.E. 2000T-846 (C.T.). — **128/245, 128/255**
Ménard *c.* Collège de Maisonneuve, D.T.E. 99T-415 (C.T.). — **1/329, 124/301, 124/1362**
Ménard *c.* Montréal (Société de transport de la Communauté urbaine de), (1999) R.J.D.T. 178 (T.T.), D.T.E. 99T-286 (T.T.), REJB 1999-11073 (T.T.). — **79.1/16**
Ménard *c.* Optigo ltée, D.T.E. 91T-48 (T.A.). — **1/358, 124/629**
Ménard *c.* Place Bonaventure inc., (1987) T.A. 364, D.T.E. 87T-540 (T.A.). — **124/41, 124/81, 124/666**
Ménard *c.* Place Bonaventure inc., (1987) T.A. 381, D.T.E. 87T-559 (T.A.). — **97/26, 124/1149**
Ménard *c.* Wal-Mart Canada inc., D.T.E. 98T-187 (C.T.) (révision judiciaire refusée: D.T.E. 98T-719 (C.S.)) (désistement d'appel). — **97/21, 97/81, 124/20, 124/348, 124/1198, 124/1215, 124/1353**
Mercier *c.* 9029-4695 Québec inc., D.T.E. 98T-318 (C.T.). — **81.15.1/8, 81.15.1/24, 122/216, 122/218, 123.4/164**
Mercier *c.* Union des producteurs agricoles, (1982) T.A. 1245, D.T.E. 82T-802 (T.A.) (révision judiciaire refusée: D.T.E. 86T-774 (C.S.)). — **124/1262, 124/1410, 124/1639, 128/50, 128/169**
Merovitz *c.* D.B.A. Status Furniture/2695065 Canada inc., D.T.E. 2001T-885 (C.T.). — **3/63**
Messagerie de presse Benjamin inc. *c.* Bureau du commissaire général du travail, D.T.E. 2003T-513 (C.S.) (désistement d'appel). — **124/391, 124/392, 124/643**
Messageries de presse Benjamin inc. *c.* Union des routiers, brasseries, liqueurs douces et ouvriers de diverses industries, section locale 1999 (Teamsters Québec), (2001) R.J.D.T. 1517 (T.A.), D.T.E. 2001T-824 (T.A.). — **81.15.1/12**
Messageries Dynamiques *c.* Deslierres, (1987) R.J.Q. 1396 (C.S.), D.T.E. 87T-519 (C.S.), J.E. 87-750 (C.S.). — **1/112, 1/235**
Messageries dynamiques, une division de Groupe Quebecor (Re), (2001) R.J.D.T. 827 (C.T.), D.T.E. 2001T-609 (C.T.). — **124/1729, 128/186, 128/252, 128/407, 128/437, 128/472, 128/476, 128/486, 128/544, 128/614**
Métal Bernard inc. *c.* Bélanger, D.T.E. 2004T-18 (T.T.). — **122/344**
Métallurgie Noranda inc., fonderie Horne *c.* Monette, D.T.E. 97T-1491 (C.S.) (désistement d'appel). — **124/59, 124/1750**
Métallurgistes unis d'Amérique, section locale 6839 *c.* Infasco, division d'Ifastgroupe (griefs patronaux et griefs individuels), D.T.E. 2009T-205 (T.A.) (requête en révision judiciaire: n° 755-17-000979-099). — **87.1/4, 87.1/8**
Métallurgistes unis d'Amérique, section locale 9324 *c.* Compagnie Sorevco inc., (2003) R.J.D.T. 1751 (T.A.), D.T.E. 2003T-924 (T.A.). — **1/1, 93/74**
Métallurgistes unis d'Amérique, section locale 9414 *c.* Emballage St-Jean ltée, D.T.E. 2004T-449 (T.A.). — **57/7**
Métallurgistes unis d'Amérique, section locale 9414 *c.* Outillages K & K ltée (Stéphane Bellavance), D.T.E. 2006T-754 (T.A.). — **81.18/151**
Méthot *c.* Blanchard Litho inc., D.T.E. 2005T-386 (C.R.T.). — **124/994, 124/999**
Métivier *c.* R.B.C. Dominion valeurs mobilières, D.T.E. 2002T-375 (C.T.). — **124/1173**
Métivier *c.* R.B.C. Dominion valeurs mobilières inc., D.T.E. 2003T-523 (C.S.), J.E. 2003-1051 (C.S.), REJB 2003-40891 (C.S.). — **49/15**
Meunier *c.* 9018-9135 Québec inc. (Cache-à-l'eau), (2006) R.J.D.T. 816 (C.R.T.), D.T.E. 2006T-507 (C.R.T.). — **124/1683**
Meunier *c.* Québec (Ministère des Ressources naturelles, de la Faune et des Parcs), D.T.E. 2004T-437 (C.R.T.). — **124/545**
Meunier *c.* Université du Québec à Trois-Rivières, D.T.E. 91T-81 (T.A.). — **1/329, 1/356, 124/157, 124/219, 124/349**
Meza *c.* Howmet Cercast (Canada) inc., D.T.E. 2000T-110 (C.T.). — **79.1/30, 79.4/10, 124/746**
Michaud *c.* Albany International Canada inc., D.T.E. 95T-1050 (C.T.). — **124/1220**
Michaud *c.* Albany International Canada inc., D.T.E. 96T-710 (C.T.). — **128/248, 128/373**
Michaud *c.* Groupe Dinaco, coopérative agro-alimentaire, D.T.E. 97T-38 (C.T.). — **124/9, 124/384, 124/631**
Michaud *c.* Syndicat de la fonction publique du Québec, (2007) R.J.D.T. 191 (C.R.T.), D.T.E. 2007T-233 (C.R.T.) (révision en vertu de l'article 127 C.T. refusée). — **1/99, 1/100, 1/165**

Mont-Tremblant (Ville de) *c.* Poulin, (2006) R.J.D.T. 821 (C.R.T.), D.T.E. 2006T-530 (C.R.T.) (révision judiciaire refusée: D.T.E. 2006T-1090 (C.S.)) (appel rejeté: D.T.E. 2008T-562 (C.A.), J.E. 2008-1355 (C.A.)). — **93/3, 93/57, 93/59, 124/39, 124/40, 124/150**

Mont-Tremblant (Ville de) *c.* Poulin, D.T.E. 2008T-562 (C.A.), J.E. 2008-1355 (C.A.). — **124/206**

Montmagny (Municipalité régionale de comté de) *c.* Gagnon, D.T.E. 92T-1126 (C.S.). — **128/410**

Montour ltée *c.* Jolicoeur, D.T.E. 88T-170 (T.A.). — **124/840**

Montreal *c.* Montreal Locomotive Works Ltd., (1947) 1 D.L.R. 161 (P.C.). — **1/168**

Montréal (Service de police de la Ville de) *c.* Fraternité des policières et policiers de Montréal (griefs individuels, Marie-Julie Durand et une autre), D.T.E. 2006T-226 (T.A.). — **81.10/3, 81.10/5, 81.16/1**

Montréal (Société de transport de la Communauté urbaine de) *c.* Brody, D.T.E. 92T-615 (C.S.). — **128/295**

Montreal Standard *c.* Middleton, (1989) R.J.Q. 1101 (C.A.), D.T.E. 89T-429 (C.A.), J.E. 89-723 (C.A.). — **82/19, 82/20, 82/41, 83/10, 93/5, 93/21, 93/25, 94/11, 94/14**

Montréal (Ville de) *c.* Association des pompiers de Montréal inc., D.T.E. 82T-874 (T.A.). — **42/2, 93/20, 94/12**

Montréal (Ville de) *c.* Association des pompiers de Montréal inc. (Denis Savoie), D.T.E. 2008T-590 (T.A.). — **123.15/10**

Montréal (Ville de) *c.* Blouin, (1994) C.T. 466, D.T.E. 94T-1444 (C.T.). — **123.4/155, 123.4/188**

Montréal (Ville de) *c.* Syndicat canadien de la Fonction publique, section locale 301, (1988) T.A. 19, D.T.E. 88T-21 (T.A.). — **72/1**

Montreuil *c.* Collège François-Xavier Garneau, D.T.E. 2005T-534 (C.R.T.). — **123.6/6**

Montreuil *c.* Ressources jeunesse de St-Laurent inc., D.T.E. 2002T-671 (C.T.). — **124/715**

Moor *c.* Canadelle, une division de la société en commandite Canadelle, D.T.E. 2005T-1022 (C.R.T.). — **79.1/55, 79.1/69**

Moore *c.* Cie Montréal Trust, (1985) T.T. 277, D.T.E. 85T-550 (T.T.) (révision judiciaire cassée en appel: (1988) R.J.Q. 2339 (C.A.), D.T.E. 88T-878 (C.A.), J.E. 88-1182 (C.A.)) (autorisation d'appeler à la Cour suprême refusée). — **122/175**

Moore *c.* Cie Montréal Trust, (1988) R.J.Q. 2339 (C.A.), D.T.E. 88T-878 (C.A.), J.E. 88-1182 (C.A.) (autorisation d'appeler à la Cour suprême refusée). — **122/19, 122/123, 122/240, 124/600, 124/607**

Moreau *c.* Distributions J.C.B. Dionne inc., D.T.E. 96T-145 (C.T.). — **97/51, 124/587**

Moreau *c.* Entreprise de teinture Suprême inc., (1995) C.T. 373, D.T.E. 95T-996 (C.T.). — **124/380, 124/942, 124/948, 124/960, 124/978**

Moreau *c.* Pétroles Ronoco inc., D.T.E. 91T-337 (T.A.). — **124/999, 124/1017, 124/1466, 128/42, 128/105, 128/334**

Moreau *c.* Produits plastiques et matériel électrique E.M. ltée, D.T.E. 2003T-803 (T.T.). — **123.4/138**

Morel *c.* Parkway Chevrolet Oldsmobile Cadillac inc., (1983) T.A. 461, D.T.E. 83T-286 (T.A.). — **1/16, 124/146, 124/162, 124/212, 124/222**

Morency *c.* Centennial Academy (1975) inc., (1984) T.A. 532, D.T.E. 84T-668 (T.A.). — **124/674, 124/948, 124/971, 128/54**

Morency *c.* Swecan International ltée, D.T.E. 86T-582 (C.Q.). — **54/20**

Morin *c.* Bois-Aisé de Roberval inc., (1992) C.T. 151, D.T.E. 92T-511 (C.T.). — **124/149, 124/196**

Morin *c.* Carrière Union ltée, D.T.E. 2006T-395 (C.R.T.) (révision en vertu de l'article 127 C.T. refusée: D.T.E. 2006T-887 (C.R.T.)) (désistement de la révision judiciaire). — **3/28, 3/103, 123.4/107, 124/860, 124/1445**

Morin *c.* Carrière Union ltée, D.T.E. 2006T-887 (C.R.T.) (désistement de la révision judiciaire). — **124/1746**

Morin *c.* Collège d'enseignement général et professionnel de Chicoutimi, D.T.E. 2005T-145 (C.R.T.). — **124/217**

Morin *c.* Corp. de crédit Trans-Canada, D.T.E. 95T-672 (C.T.). — **124/1162, 124/1481**

Morin *c.* Firestone Canada inc., D.T.E. 82T-670 (T.A.). — **124/365, 124/655, 124/1007, 124/1008, 124/1016, 124/1125**

Morin *c.* G. Roy et Fils inc., D.T.E. 2005T-773 (C.R.T.). — **124/634, 124/642, 124/718**

Morin *c.* Institut national d'optique, D.T.E. 2003T-1057 (C.R.T.) (révision judiciaire refusée: C.S.Q. nº 200-17-003864-030, le 25 janvier 2006) (permission d'appeler

— N —

Nadeau *c.* Mines Aurizon ltée, D.T.E. 2009T-98 (C.R.T.). — **124/1314**
Nadeau *c.* Provigo Distribution inc. (division Héritage), D.T.E. 93T-814 (T.T.). — **79.1/191, 80/1, 122/338**
Nadeau *c.* Société en commandite Strongco, D.T.E. 2008T-820 (C.R.T.). — **124/1354, 124/1562, 128/100**
Nadon *c.* Bristol-Myers Squibb Canada inc., groupe pharmaceutique Bristol-Myers Squibb, (1998) R.J.D.T. 1254 (C.T.), D.T.E. 98T-800 (C.T.) (appel rejeté: D.T.E. 99T-593 (T.T.)). — **79.1/9, 79.1/216**
Nakhal *c.* Chamma, D.T.E. 2000T-1049 (C.T.). — **128/181, 128/381, 128/397, 128/411, 128/604, 128/618**
Nantel *c.* Coca Cola ltée, D.T.E. 87T-760 (C.T.). — **122/147, 122/214**
Naqvi *c.* Finitions Ultraspec inc., D.T.E. 98T-1220 (C.T.). — **124/409, 124/668, 124/1227, 124/1476**
Nardella *c.* Entreprises Hamelin inc., D.T.E. 83T-443 (T.A.). — **124/643, 124/689, 124/718, 124/1148**
Nash *c.* Secur inc., (1987) T.A. 726, D.T.E. 87T-1022 (T.A.). — **124/145, 124/173, 124/226, 124/825, 124/1230, 124/1311, 124/1431**
Nayani *c.* S.P. Myers (Canada) inc., D.T.E. 83T-224 (T.A.). — **97/11, 97/27**
Neiderer *c.* Small, (1987) R.J.Q. 2671 (C.Q.), D.T.E. 87T-999 (C.Q.), J.E. 87-1227 (C.Q.). — **39/2**
Neiderer *c.* Small, (1987) R.J.Q. 684 (C.Q.), D.T.E. 87T-295 (C.Q.), J.E. 87-327 (C.Q.). — **39/14, 101/1**
Neptune *c.* Québec (Ministère du Revenu), (2000) R.J.D.T. 1121 (C.T.), D.T.E. 2000T-869 (C.T.). — **124/270, 124/271, 124/319**
Neskovic *c.* Pointe-Claire (Ville de), (1997) C.T. 155, D.T.E. 97T-422 (C.T.). — **124/165, 124/205**
Neveu *c.* Cie minière Québec Cartier, D.T.E. 85T-84 (T.A.). — **124/668, 124/674, 124/970, 124/1558**
Nicholson *c.* Station de service Gilles Guénette, (1983) C.T. 281, D.T.E. 83T-883 (C.T.), appel rejeté à (1984) T.T. 310, D.T.E. 84T-669 (T.T.). — **123.4/158**
Nicholson *c.* Station de service Gilles Guenette inc., (1984) T.T. 310, D.T.E. 84T-669 (T.T.). — **102/12, 122/234**
Nicolazzo *c.* Copiscope inc., D.T.E. 93T-1307 (C.T.). — **79.1/76, 79.1/99, 79.1/204**
Nieto *c.* Travailleurs unis de l'alimentation et du commerce, section locale 501 (TUAC), D.T.E. 2008T-858 (C.R.T.) (règlement hors cour). — **1/369, 124/865, 124/867, 124/993, 124/999, 128/18, 128/19, 128/50, 128/87**
Nocera *c.* Commissaire général du travail, D.T.E. 99T-1003 (C.S.). — **124/59**
Noël *c.* Moulins de tricots San Remo inc., D.T.E. 96T-1298 (C.T.). — **122/236, 123.4/48**
Noël *c.* Tricots San Remo Knitting Mills inc., D.T.E. 98T-1082 (T.T.) (révision judiciaire refusée: D.T.E. 99T-161 (C.S.)). — **123/34**
Noël *c.* Tricots San Remo Knitting Mills inc., D.T.E. 98T-474 (C.T.) (appel de l'employeur accueilli et appel du plaignant rejeté: D.T.E. 98T-1082 (T.T.)) (révision judiciaire refusée: D.T.E. 99T-161 (C.S.)). — **123.4/244, 123.4/252, 123.4/255**
Norlab inc. *c.* Côté-Desbiolles, D.T.E. 94T-315 (C.S.). — **124/407, 124/410, 124/637, 124/640, 124/642**
Normand *c.* Épiciers unis Métro-Richelieu inc., D.T.E. 95T-1432 (C.T.). — **124/1370, 124/1460, 124/1507, 128/359**
Normandin *c.* Camions Bécancour inc., D.T.E. 2009T-138 (C.R.T.). — **123.4/13, 124/579**
Normandin *c.* Commission des courses du Québec, (1993) C.T. 541, D.T.E. 93T-1128 (C.T.) (révision judiciaire refusée: D.T.E. 93T-1262 (C.S.), J.E. 93-1876 (C.S.)). — **124/541, 124/554, 124/607, 124/648, 128/62, 128/115, 128/174**
Normandin *c.* L'Heureux, D.T.E. 94T-164 (C.S.) (en appel: n° 500-09-000071-944). — **128/112**
Nortel Networks (Nortel) *c.* Monette, (2002) R.J.D.T. 101 (C.S.), D.T.E. 2002T-15 (C.S.), J.E. 2002-39 (C.S.), REJB 2001-28293 (C.S.). — **124/75, 124/375, 124/400**
North American Automobile Association Ltd. *c.* C.N.T., D.T.E. 93T-429 (C.A.), J.E. 93-735 (C.A.). — **1/217**
North American Motor Motel Corp. *c.* Thomas, (1980) T.T. 103. — **122/170**
Notre-Dame-de-la-Merci (Municipalité de) *c.* Bureau du commissaire général du travail, (1995) R.J.Q. 113 (C.S.), D.T.E. 95T-23 (C.S.), J.E. 95-88 (C.S.). — **93/7, 124/1368**
Nouveautés Luxor (Canada) ltée *c.* Legendre, D.T.E. 86T-335 (C.S.). — **124/391, 124/404, 124/410, 124/542, 124/634, 124/640, 124/687, 124/691, 124/1138, 124/1544**

— P —

— Q —

— R —

RETAQ-CSN *c.* CETAM (Coopérative des techniciens ambulanciers de la Montérégie) (Gino Tremblay et grief collectif), (2006) R.J.D.T. 897 (T.A.), D.T.E. 2006T-450 (T.A.) (requête en révision judiciaire: nº 500-17-030716-065). — **57/1, 57/2, 57/8, 57/17, 79/2, 94/4**

Reynders *c.* A.B.M. international ltée, D.T.E. 98T-1198 (C.T.). — **96/19, 97/33, 97/36, 124/346**

Ricard *c.* Villa du poulet inc., D.T.E. 83T-241 (T.A.). — **124/1334**

Riccardo *c.* Amalee Systèmes Design innovation inc., (2001) R.J.D.T. 779 (C.T.), D.T.E. 2001T-434 (C.T.). — **122/369, 122/370**

Richard *c.* Bande indienne des Malécites de Viger, D.T.E. 2005T-560 (C.R.T.). — **124/12**

Richard *c.* Caisse populaire de St-Charles Borromée, D.T.E. 82T-901 (T.A.). — **1/336, 124/88**

Richard *c.* J.B. Lefebvre ltée (Club chaussures), (1999) R.J.D.T. 1165 (C.T.), D.T.E. 99T-669 (C.T.). — **124/1209, 124/1498**

Richard *c.* Jules Baillot & Fils ltée, D.T.E. 97T-1005 (C.Q.). — **1/146, 1/247, 40/2, 40/9, 40/14, 40/15**

Richard *c.* Lyrco Nutrition inc., D.T.E. 2001T-485 (C.T.) (révision judiciaire refusée: C.S. St-François, nº 450-05-004345-019, le 19 septembre 2001). — **124/637, 124/715, 124/726**

Richard *c.* Maison Robert-Riendeau inc., D.T.E. 94T-656 (C.S.). — **82/9**

Richard *c.* Manoir Marc-Aurèle Fortin inc., D.T.E. 86T-534 (C.S.), J.E. 86-749 (C.S.). — **128/249, 128/260**

Richard *c.* Sears Canada inc., (1985) T.A. 566, D.T.E. 85T-672 (T.A.). — **124/676, 124/944, 124/948**

Richelieu (Ville de) *c.* Commission des relations du travail, (2004) R.J.D.T. 937 (C.S.), D.T.E. 2004T-717 (C.S.), REJB 2004-66568 (C.S.). — **128/24**

Richer *c.* Droits-accès de l'Outaouais, D.T.E. 2005T-257 (C.R.T.). — **124/793, 124/799**

Rimouski (Ville de) *c.* Fraternité des policiers de Rimouski, D.T.E. 96T-251 (T.A.). — **94/6**

Rimouski (Ville de) *c.* Syndicat des employées et employés de bureau de la ville de Rimouski, (1993) T.A. 883, D.T.E. 93T-1155 (T.A.). — **49/12**

Ringuette *c.* Taverne Excel Enrg., D.T.E. 88T-954 (T.A.). — **124/865, 124/884, 124/1035, 124/1229, 124/1442, 124/1475, 128/169, 128/410**

Riopel *c.* Versant Média inc., D.T.E. 2004T-212 (C.R.T.). — **97/31, 124/720**

Riou *c.* Point de vue — souvenirs inc., (1995) C.T. 210, D.T.E. 95T-398 (C.T.) (révision judiciaire refusée: C.S.Q. nº 200-05-000140-959, le 24 avril 1995). — **124/1140, 124/1423, 128/57, 128/359, 128/410, 128/580**

Rioux *c.* F.D.L. Co. ltée, (1981) 1 R.S.A. 97, D.T.E. 82T-803 (T.A.). — **82/76, 83/32, 93/33, 124/124, 124/174, 124/359, 124/643, 124/685, 124/1115, 124/1534, 124/1537, 124/1597, 128/60**

Rivard *c.* Atlantic Packaging Products Ltd., D.T.E. 98T-389 (C.T.). — **3/33, 3/104, 124/1142**

Rivard *c.* Atlantic Produits d'emballage ltée, (1999) R.J.D.T. 207 (C.T.), D.T.E. 99T-69 (C.T.). — **124/367, 124/668, 124/997, 124/1478, 128/174, 128/245, 128/268, 128/286, 128/359, 128/381, 128/397, 128/482, 128/534, 128/560**

Rivard *c.* Autobus Le Stéphanois inc., D.T.E. 2006T-575 (C.R.T.). — **124/786**

Rivard *c.* Dion, Durrell & Associates Inc., D.T.E. 2003T-1135 (C.R.T.). — **97/31, 97/44, 124/333**

Rivard *c.* 9048-3082 Québec inc., D.T.E. 2000T-1023 (C.Q.). — **1/170, 1/193, 115/3**

Rivard *c.* Realmont ltée, (1999) R.J.D.T. 239 (C.T.), D.T.E. 99T-101 (C.T.), REJB 1998-09129 (C.T.). — **1/30, 1/37, 1/39, 1/44, 122/91, 122/208, 124/1364**

Rivard *c.* Zaveco ltée, D.T.E. 2008T-957 (C.R.T.). — **57/2, 124/1023**

Rivest *c.* Collège de Maisonneuve, D.T.E. 2000T-455 (C.T.). — **1/329, 1/349, 124/301, 124/1362**

Rivest *c.* Système de sécurité Sur-Gard ltée, (1985) T.A. 600, D.T.E. 85T-745 (T.A.). — **128/158, 128/169, 128/260, 128/410**

Rivet *c.* Pizzéria Demers inc., D.T.E. 2006T-602 (C.R.T.). — **124/1324, 124/1334**

Rizzo & Rizzo Shoes Ltd. (Re), (1998) 1 R.C.S. 27. — **82/1, 82/19, 82.1/117, 83/2, 93/21**

Roberge *c.* Hôtel-Dieu de Sorel, (1997) T.T. 398, D.T.E. 97T-929 (T.T.). — **123/42**

Roberge *c.* Hôtel-Dieu de Sorel, D.T.E. 97T-623 (C.T.). — **102/13, 123.4/16**

Roberge *c.* Régie des assurances agricoles du Québec, (1999) R.J.D.T. 1673 (C.T.), D.T.E. 99T-882 (C.T.). — **124/319**

Ruel *c.* Distribution Emblème inc., D.T.E. 96T-1155 (C.T.). — **124/683, 124/685, 124/1136, 124/1143, 124/1546, 124/1547**

Ruiz *c.* Coencorp Consultant Corp., D.T.E. 2003T-444 (C.R.T.). — **79.1/12, 79.1/32, 79.1/35**

Ruiz *c.* Coencorp Consultant Corporation, (2006) R.J.D.T. 761 (C.R.T.), D.T.E. 2006T-417 (C.R.T.). — **1/72, 123.4/247, 123.4/248, 123.4/269, 123.4/280, 123.4/295**

— S —

S. Huot (1976) inc. *c.* Syndicat des travailleurs de la métallurgie de Québec inc., D.T.E. 84T-222 (T.A.). — **1/321, 1/380, 1/382, 1/384**

S.D. *c.* Québec (Gouvernement du) (Société de l'assurance automobile du Québec), (2009) R.J.D.T. 205 (C.R.T.), D.T.E. 2009T-162 (C.R.T.). — **81.18/9, 81.18/125, 123.7/11**

S.H. *c.* Compagnie A, D.T.E. 2007T-722 (C.R.T.). — **81.18/21, 81.18/136, 81.18/146, 81.19/16**

S.M.K. Speedy International Inc. (Le Roi du silencieux Speedy) *c.* Monette, D.T.E. 2004T-909 (C.S.), REJB 2004-55438 (C.S.). — **124/66, 124/1326**

S.N.C. Lavalin inc. *c.* Lemelin, D.T.E. 99T-751 (T.T.). — **122/200, 123.4/81**

Saargumi Québec, division encapsulation *c.* Métallurgistes unis d'Amérique, section locale 9414, D.T.E. 2005T-234 (T.A.). — **81.18/34, 81.18/115, 81.18/169**

Sabbah *c.* Valisa inc. (Esso), D.T.E. 97T-1121 (C.T.). — **124/508, 124/1749**

Sabini *c.* Servico ltée/Ltd., (1982) C.T. 66, D.T.E. 82T-235 (C.T.). — **49/3, 49/19, 122/238**

Sabourin *c.* Pavages Dorval inc., D.T.E. 86T-108 (T.A.). — **1/363, 1/369, 124/994, 124/1240**

Sabourin *c.* Pinkerton du Québec ltée, D.T.E. 94T-829 (C.T.). — **124/149, 124/151, 124/165, 124/207, 124/218**

Sabourin *c.* Regroupement des personnes handicapées, secteur Nicolet-Bécancour inc., (1981) R.L. 215 (C.Q.). — **82.1/7**

Safa Metal Works Inc. *c.* Charles, D.T.E. 2003T-158 (C.A.), J.E. 2003-303 (C.A.), REJB 2003-36931 (C.A.). — **123.4/289**

Saguenay (Ville de) *c.* Bédard, D.T.E. 2007T-712 (C.S.), J.E. 2007-1598 (C.S.), EYB 2007-122253 (C.S.). — **124/1738**

Sain *c.* Multi-Démolition S.D., (1994) T.T. 248, D.T.E. 94T-505 (T.T.). — **79.1/19, 79.1/71, 79.1/169, 79.2/1, 79.4/7**

Saindon *c.* Taleo (Canada) inc., D.T.E. 2006T-862 (C.R.T.). — **124/874, 124/1053, 124/1259, 128/35, 128/106**

Saindon *c.* Taleo (Canada) inc., D.T.E. 2007T-33 (C.R.T.). — **128/175, 128/271, 128/359, 128/409, 128/488, 128/499, 128/508, 128/539**

Salam *c.* Magasins du Château du Canada ltée, D.T.E. 88T-603 (T.A.). — **124/753, 124/1052**

Salesse *c.* À l'enseigne du livre inc., D.T.E. 97T-1314 (C.T.). — **124/1256, 128/95, 128/381**

Salon d'optique A.R. Laoun inc. *c.* Leroux, D.T.E. 95T-1305 (C.T.). — **123.4/238, 123.4/244, 123.4/278**

Salon d'optique A.R. Laoun inc. *c.* Leroux, D.T.E. 95T-649 (T.T.). — **79.1/15, 79.1/20, 79.1/86**

Samson *c.* Québec (Ministère de la Solidarité sociale), D.T.E. 2003T-540 (C.R.T.). — **124/667, 124/714**

Samson, Bélair/Deloitte & Touche inc. *c.* Bonan, D.T.E. 2001T-1044 (C.T.). — **124/1609, 124/1708**

Sanford *c.* McGill University (MacDonald Campus), D.T.E. 96T-600 (C.T.) (révision judiciaire refusée: C.S.M. n° 500-05-018213-965, le 10 octobre 1996). — **97/97, 124/311, 124/414, 124/435, 124/536**

Sansfaçon *c.* Logic Contrôle inc., D.T.E. 94T-1101 (C.T.). — **124/1051, 124/1418, 128/622**

Santerre *c.* Maisons usinées Côté inc., D.T.E. 2006T-906 (C.R.T.). — **79.1/60, 79.1/62, 79.1/85, 79.1/194, 123.4/30, 123.4/122**

Saumur *c.* 116806 Association Canada inc., (1993) C.T. 425, D.T.E. 93T-1006 (C.T.) (révision judiciaire refusée: C.S.M. n° 500-05-008928-937, le 18 octobre 1993). — **1/55, 124/1580**

Sauvageau *c.* Agence de sécurité Mirado inc., D.T.E. 2001T-87 (C.T.). — **79.1/76, 79.1/210**

Sauvé *c.* Jardins W.G. Charlebois inc., D.T.E. 96T-1513 (C.T.). — **124/890**

Savard *c.* Hydro-Québec, D.T.E. 2003T-743 (C.R.T.). — **124/1169, 124/1244**

Savard *c.* Luvicom inc., (1987) C.T. 15, D.T.E. 87T-62 (C.T.). — **122/267, 122/278**

Savard *c.* M.B. Data Processing, D.T.E. 82T-857 (T.A.). — **97/20, 124/20, 124/22, 124/457, 124/745, 124/967, 124/1099**

Services techniques informatiques S.T.I. inc. *c.* Tessier, (1991) T.A. 188, D.T.E. 91T-304 (T.A.). — **124/668, 124/730, 124/1000, 124/1537**

Sevcik *c.* Produits chimiques Drew ltée, (1993) T.T. 518, D.T.E. 93T-959 (T.T.). — **122.1/14, 122.1/22, 123.4/136, 124/251**

Sévigny *c.* Kraft General Food Canada, D.T.E. 92T-314 (C.T.). — **79.1/3, 79.1/76, 79.1/172**

Sewell *c.* Centre d'accueil Horizons de la jeunesse/Youth Horizons, (1982) T.A. 1234, D.T.E. 82T-634 (T.A.). — **124/143, 124/437, 124/468, 124/599, 124/1641, 125/19**

Shaheeb *c.* PWC Management Services, l.p., D.T.E. 2008T-956 (C.R.T.). — **124/903, 124/1195**

Shomali *c.* Investissements Jeffnan ltée, D.T.E. 88T-537 (C.T.). — **123.4/238, 123.4/276, 123.4/282**

Shuster *c.* Gestion N.S.I. inc., D.T.E. 93T-111 (C.T.). — **79.1/76**

Sibony *c.* Copap inc., D.T.E. 2002T-1110 (C.T.). — **124/103**

Sicinsky *c.* Foster Advertising Ltd., (1981) T.T. 554. — **122/263, 122/268**

Siemens Electric ltée *c.* Syndicat national des travailleurs et travailleuses de l'automobile, de l'aérospatiale et de l'outillage agricole du Canada, D.T.E. 94T-466 (T.A.). — **74/6**

Siggia *c.* Bureau du commissaire général du travail, D.T.E. 2001T-515 (C.S.). — **124/59**

Siggia *c.* Industries U.D.T. inc., D.T.E. 2000T-921 (C.T.) (révision judiciaire refusée: D.T.E. 2001T-515 (C.S.)). — **1/389, 124/627, 124/650**

Silvestri *c.* Doubletex inc., D.T.E. 2007T-589 (C.R.T.). — **124/518, 124/639, 124/650, 124/715, 124/1696**

Simard *c.* Bar chez Raspoutine, D.T.E. 90T-242 (C.T.), appel rejeté pour d'autres motifs à D.T.E. 90T-725 (T.T.). — **122/61, 122/115**

Simard *c.* Bar Chez Raspoutine, D.T.E. 90T-725 (T.T.). — **81.15.1/5, 122/147, 123.4/226**

Simard *c.* Costco Canada inc., D.T.E. 2002T-982 (C.T.). — **124/789**

Simard *c.* Groupe S.N.C., D.T.E. 85T-334 (C.T.). — **93/52, 123.4/172**

Simard *c.* Mutuelle du Canada (La), compagnie d'assurance sur la vie, D.T.E. 2000T-33 (C.T.). — **1/176, 1/205**

Simone *c.* Manufacture de lingerie Château inc., D.T.E. 2006T-198 (C.R.T.). — **124/640, 124/689, 124/1136, 124/1142**

Simoneau *c.* Avon Canada inc., D.T.E. 98T-1108 (C.T.). — **124/678, 124/948, 124/954, 124/960**

Simoneau *c.* Beckman Coulter Canada inc., D.T.E. 2004T-578 (C.R.T.). — **124/1194, 124/1445**

Simpson *c.* Tricots Main inc., D.T.E. 90T-352 (T.A.). — **124/1644, 124/1691, 124/1700**

Simpsons Sears ltée *c.* Roy, (1982) T.A. XIVII (résumé), D.T.E. 82T-456 (T.A.). — **124/882, 124/1000, 124/1029**

Sirois *c.* Cam-expert, D.T.E. 2003T-589 (C.R.T.). — **97/87, 124/464, 124/555**

Sirois *c.* Laval (Ville de), D.T.E. 83T-417 (C.T.). — **84.1/7, 122.1/3, 122.1/4, 122.1/20**

Sklar-Peppler inc. *c.* Loiselle, (1988) T.A. 449, D.T.E. 88T-486 (T.A.). — **1/99, 1/114, 1/125, 1/176, 1/235**

Skorski *c.* Rio Algom ltée, D.T.E. 85T-840 (C.A.). — **124/1018, 128/18, 128/42, 129/11**

Slaight Communications inc. *c.* Davidson, (1989) 1 R.C.S. 1038. — **128/323, 128/618**

Sleight *c.* Compagnie de la Baie d'Hudson, (1997) C.T. 317, D.T.E. 97T-968 (C.T.). — **124/228, 124/789**

Smecker *c.* P.C. Édition junior, D.T.E. 89T-1205 (C.T.). — **1/128, 122/265, 123.4/160**

Sobeys *c.* Travailleuses et travailleurs unis de l'alimentation et du commerce, section locale 501 (grief collectif), D.T.E. 2005T-801 (T.A.). — **87.1/9**

Sobeys Québec inc. (Montréal-Nord) *c.* Travailleuses et travailleurs unis de l'alimentation et du commerce, section locale 501, D.T.E. 2004T-150 (T.A.). — **1/59, 1/62, 93/76**

Sobeys Stores Ltd. *c.* Yeomans, (1989) 1 R.C.S. 238. — **128/16, 128/144, 128/322**

Société Asbestos ltée *c.* Blanchette, D.T.E. 85T-251 (T.A.). — **124/999, 124/1019, 124/1441, 124/1508, 124/1592, 125/18**

Société Asbestos ltée *c.* Fontaine, (1981) 3 R.S.A. 39. — **124/599**

Société canadienne des métaux Reynolds ltée *c.* Francoeur, (1983) C.A. 336, D.T.E. 83T-986 (C.A.), J.E. 83-1155 (C.A.). — **124/13**

Société canadienne des postes *c.* Syndicat des travailleuses et travailleurs des postes (factrices et facteurs ruraux et suburbains) (Claire Pouliot), (2005)

R.J.D.T. 1398 (T.A.), D.T.E. 2005T-806 (T.A.). — **81.18/40**

Société d'administration et de gestion Quadra inc. *c.* Union des employés de commerce, local 502, D.T.E. 87T-420 (T.A.). — **58/2**

Société d'automation Tecnex (1983) ltée *c.* Sopata, D.T.E. 84T-270 (T.A.). — **97/100**

Société d'électrolyse et de chimie Alcan ltée *c.* Bordeleau, (1984) T.A. 23, D.T.E. 84T-51 (T.A.). — **124/1056, 124/1497**

Société d'électrolyse et de chimie Alcan ltée *c.* C.N.T., D.T.E. 95T-448 (C.A.), J.E. 95-773 (C.A.). — **1/323, 1/376, 82.1/23**

Société d'électrolyse et de chimie Alcan ltée, division d'aluminium du Canada ltée, énergie électrique, Québec *c.* Syndicat national des employés de bureau (département énergie électrique), D.T.E. 88T-1081 (T.A.). — **52/3, 94/16**

Société d'électrolyse et de chimie Alcan ltée (division énergie électrique) *c.* Syndicat national des employés de bureau — département énergie électrique, D.T.E. 86T-290 (T.A.). — **93/50, 102/14**

Société de gestion Hyber ltée (Syndic de), D.T.E. 98T-114 (C.S.), J.E. 98-155 (C.S.). — **93/62**

Société de transport de la Rive-Sud de Montréal *c.* Frumkin, (1991) R.J.Q. 757 (C.S.), D.T.E. 91T-264 (C.S.), J.E. 91-464 (C.S.). — **123.3/1**

Société de transport de Sherbrooke *c.* Ladouceur, D.T.E. 2008T-944 (C.S.), EYB 2007-150700 (C.S.) (en appel: n° 500-09-018296-079). — **1/28, 59.1/1, 59.1/3**

Société des alcools du Québec (S.A.Q.) *c.* Syndicat des employés de magasins et de bureaux de la S.A.Q., D.T.E. 82T-192 (T.A.). — **1/383**

Société des casinos du Québec *c.* Côté-Desbiolles, D.T.E. 2003T-512 (C.S.), J.E. 2003-1006 (C.S.), REJB 2003-41449 (C.S.). — **124/1618**

Société des loteries du Québec *c.* Syndicat des travailleuses et travailleurs de Loto-Québec (CSN) (Ghislain Houde), D.T.E. 2005T-880 (T.A.). — **81.18/77**

Société des traversiers du Québec *c.* Jourdain (Succession de), (1999) R.J.Q. 1626 (C.A.), (1999) R.J.D.T. 1032 (C.A.), D.T.E. 99T-629 (C.A.), J.E. 99-1392 (C.A.), REJB 1999-12858 (C.A.). — **124/389, 124/838, 124/1274**

Société en commandite Des Écores *c.* Eymard, D.T.E. 91T-637 (C.S.). — **128/98, 128/410, 128/528**

Société hôtelière Hunsons inc. *c.* Lungarini, D.T.E. 2004T-740 (T.T.). — **122/104, 123.3/3**

Société immobilière Trans-Québec inc. *c.* Labbée, D.T.E. 94T-799 (T.T.). — **81.15.1/13, 122/257, 128/387**

Société industrielle de décolletage et d'outillage ltée *c.* Syndicat national de Sido ltée de Granby, (1992) T.A. 988, D.T.E. 92T-1289 (T.A.). — **124/215**

Société mutuelle d'assurance générale des comtés de Lotbinière et de Mégantic *c.* Vallée, D.T.E. 87T-595 (T.A.) (révision judiciaire refusée: C.S. Frontenac, n° 235-05-000063-876, le 15 juin 1987). — **124/930**

Société québécoise d'information juridique *c.* C.N.T., (1986) R.J.Q. 2086 (C.S.), D.T.E. 86T-414 (C.S.), J.E. 86-600 (C.S.). — **125/1, 125/2, 125/3, 126/3**

Soeurs de la charité du Québec *c.* Drolet, D.T.E. 82T-808 (T.A.). — **124/789, 128/338**

Solaris Québec inc. *c.* Drolet, D.T.E. 95T-118 (C.S.). — **3/25, 3/39, 3/60**

Solomon *c.* Aliments Louis ltée, D.T.E. 85T-653 (T.A.). — **124/808, 124/1537, 124/1703, 128/48**

Souccar *c.* 131427 Canada inc., D.T.E. 2008T-644 (C.R.T.) (révision en vertu de l'article 127 C.T. refusée: D.T.E. 2009T-46 (C.R.T.)) (requête en révision judiciaire: n° 500-17-047666-097). — **1/323**

Soucy *c.* Québec (Office municipal d'habitation de), D.T.E. 2008T-609 (C.R.T.). — **81.18/21, 81.18/27, 81.18/51**

Spécialités B.D.S. inc. *c.* Caron, (1988) T.A. 201, D.T.E. 88T-171 (T.A.) (révision judiciaire accueillie pour d'autres motifs: D.T.E. 88T-435 (C.S.)). — **1/83, 1/108, 1/117, 1/175, 1/228, 1/233, 1/235, 1/239, 124/1298, 124/1380, 128/42**

Speer Canada (1988) inc. *c.* Cloutier, D.T.E. 90T-1203 (C.S.), J.E. 90-1484 (C.S.) (appel rejeté sur requête). — **1/347, 97/79**

Spina *c.* E.M.C. Marbre et céramique européen (1985) inc., (1992) C.T. 148, D.T.E. 92T-439 (C.T.). — **3/42, 124/1537**

Spiridigliozzi *c.* Royale du Canada (La), compagnie d'assurances, (1997) C.T. 181, D.T.E. 97T-557 (C.T.) (règlement hors cour). — **124/633, 124/1034**

Spooner *c.* Bussière, D.T.E. 2003T-637 (C.S.). — **1/311**

St-Amant *c.* Provigo Distribution inc., (1994) C.T. 407, D.T.E. 94T-1048 (C.T.).

— T —

— U —

— V —

— W —

— X —

— Y —

— Z —

TABLE DE LA DOCTRINE

— A —

ARGUIN, P., «Un no-man's land juridique pour certaines ordonnances de réintégration», (1988) 48 *R. du B.* 586. — **123.4/230, 128/116**

ARGUIN, P., BRISSETTE, N. et RIVEST, R.L., «La notion de faute grave en matière de congédiement sans préavis», (1989) 49 *R. du B.* 375. — **82.1/96**

ARGUIN, P. et RIVEST, R.L., «Les conditions d'exercice du recours civil par la Commission des normes du travail pour le compte d'un salarié», (1987) 47 *R. du B.* 705. — **98/32**

ARMSTRONG, D., «L'efficacité de la réintégration ordonnée par l'arbitre», (1984) vol. 5, n° 10, *Marché du travail* 81. — **128/117**

AUDET, G., «Les congédiements et les licenciements des employés non syndiqués dans les secteurs privé et public», (1984-85) 92 *F.P. du B.* 59. — **124/1760**

AUDET, G., BONHOMME, R., GASCON, C. et COURNOYER-PROULX, M., *Le congédiement en droit québécois en matière de contrat individuel de travail*, vol. 1, 3e éd. (édition à feuilles mobiles), Cowansville, Éditions Yvon Blais. — **1/273, 3/123, 124/264, 124/327, 124/696, 124/1424, 124/1761, 128/118, 128/308, 128/627**

AUDET, G., BONHOMME, R., GASCON, C. et COURNOYER-PROULX, M., *Le congédiement en droit québécois en matière de contrat individuel de travail*, vol. 2, 3e éd. (édition à feuilles mobiles), Cowansville, Éditions Yvon Blais. — **79.1/221, 82/79, 82.1/27, 82.1/97, 82.1/129, 83/34, 84.1/19, 102/20, 122/366, 122.1/24**

— B —

BARIL, A., «L'obligation de loyauté, de diligence et de discrétion d'un salarié après la cessation de son emploi», (1999) 7 *Repères* 294. — **124/1317**

BARREAU DU QUÉBEC, *Droit du travail*, Collection de droit, vol. 8, Cowansville, Éditions Yvon Blais, 2009-2010. — **124/1762**

BAUDOUIN, J.-L. et JOBIN, P.-G., *Les obligations*, 6e éd. par JOBIN, P.-G. avec la collaboration de VÉZINA, N., Cowansville, Les Éditions Yvon Blais inc., 2005. — **93/84**

BÉLANGER, J., BLOUIN R. et al. (dir.), *Le statut de salarié en milieu de travail*, 40e congrès des relations industrielles de l'Université Laval, Ste-Foy, Les Presses de l'Université Laval, 1985. — **1/274**

BÉLIVEAU, N.-A., *La situation juridique de la femme enceinte au travail*, Cowansville, Les Éditions Yvon Blais inc., 1993. — **1/276, 81.6/5, 81.14/11, 81.15.1/35, 122/330**

BÉLIVEAU, N.-A., Les "motifs sérieux" et la "cause juste et suffisante" de congédiement», dans *Un abécédaire des cessations d'emploi et des indemnités de départ (2005)*, Formation permanente du Barreau du Québec, Cowansville, Les Éditions Yvon Blais inc., 2005, p. 23. — **124/1764**

BÉLIVEAU, N.-A., *Les normes du travail*, Cowansville, Les Éditions Yvon Blais inc., 2003. — **1/56, 1/275, 3/124, 79.1/222, 79.7/18, 82/80,á1079**

82.1/10, 82.1/28, 82.1/98, 82.1/130, 93/85, 96/42, 97/105, 122/5, 122.1/25, 124/1763, 128/119, 128/309, 128/628

BELLEAU, C., «Le contrôle judiciaire de l'application des principes de justice naturelle par les arbitres de griefs québécois», (1983) 14 *R.G.D.* 93. — **124/1765**

BENAROCHE, P.L., «Droits et obligations de l'employeur face au recrutement d'employés et aux références après l'emploi», dans *Développements récents en droit du travail (1995)*, Formation permanente du Barreau du Québec, Cowansville, Les Éditions Yvon Blais inc., 1995, p. 101. — **82/81**

BENAROCHE, P.L., *Le congédiement déguisé au Québec: fondements théoriques et aspects pratiques*, Cowansville, Les Éditions Yvon Blais inc., 2006. — **124/1766**

BERGERON, Y., «De la règle d'impartialité en matière d'arbitrage de griefs», (1975) 35 *R. du B.* 163. — **124/1767**

BERGEVIN, M., «L'opportunité et l'efficacité de la réintégration», (1988) *Meredith Mem. Lect.* 283. — **128/120**

BERNARD, P., *La notion d'ordre public en droit administratif*, Paris, Librairie générale de droit et de jurisprudence, 1962. — **93/86**

BERNIER, L., BLANCHET, G., GRANOSIK, L. et SÉGUIN, É., *Les mesures disciplinaires et non disciplinaires dans les rapports collectifs du travail*, 2e éd. (édition à feuilles mobiles), Cowansville, Éditions Yvon Blais. — **124/1768**

BICH, M.-F., «Chroniques sectorielles. Le pouvoir disciplinaire de l'employeur —

Fondements civils», (1988) 22 *R.J.T.* 85. — **124/1771**

BICH, M.-F., «Contrat de travail et *Code civil du Québec* — Rétrospective, perspectives et expectatives», dans *Développements récents en droit du travail (1996)*, Formation permanente du Barreau du Québec, Cowansville, Les Éditions Yvon Blais inc., 1996, p. 189. — **1/277, 93/87, 97/106, 124/265, 128/121**

BICH, M.-F., «De quelques idées imparfaites et tortueuses sur l'intermédiation du travail», dans *Développements récents en droit du travail (2001)*, Formation permanente du Barreau du Québec, Cowansville, Les Éditions Yvon Blais inc., 2001, p. 257. — **124/1769**

BICH, M.-F., «Du contrat individuel de travail en droit québécois: essai en forme de point d'interrogation», (1986) 17 *R.G.D.* 85. — **124/1772, 128/122**

BICH, M.-F., «Le contrat de travail», dans *La réforme du Code civil*, t. II, Barreau du Québec et Chambre des notaires du Québec, Ste-Foy, Les Presses de l'Université Laval, 1993, p. 741. — **1/91, 1/278, 84/4, 93/88, 97/107, 124/1770, 128/629**

BLOUIN, R., «L'apport de l'équité en contexte d'arbitrage de grief», dans Trudeau, G., Vallée, G. et Veilleux, D. (dir.), *Études en droit du travail: à la mémoire de Claude D'Aoust*, Cowansville, Les Éditions Yvon Blais inc., 1995, p. 25. — **124/1774**

BLOUIN, R., «La Commission des relations du travail du Québec», dans *Développements récents en droit du travail (2002)*, Formation permanente du Barreau du Québec, Cowansville, Les Éditions Yvon Blais inc., 2002, p. 245. — **124/1773**

BLOUIN, R., «Le contrôle juridictionnel arbitral sur la cessation d'emploi motivée par insuffisance professionnelle», (1985) 45 *R. du B.* 3. — **124/1775**

BLOUIN, R., «Notion de cause juste et suffisante en contexte de congédiement», (1981) 41 *R. du B.* 807. — **123.4/117, 124/1425**

BLOUIN, R., «Synopsis et critique sur les voies de contestation en cas de congédiement injuste ou illégal», (1985) vol. 6, nº 2, *Marché du travail* 73. — **124/1776**

BLOUIN, R. et LÉVESQUE, J., *Contrat individuel de travail*, Direction générale de la recherche, ministère du Travail et de la Main-d'oeuvre, Gouvernement du Québec, 30 juin 1971. — **1/279**

BLOUIN, R. et MORIN, F., *Droit de l'arbitrage de grief*, 5e éd., Cowansville, Les Éditions Yvon Blais inc., 2000. — **124/1756**

BOILY, M.D., «Indemnité de cessation d'emploi: incidences fiscales», dans *Un abécédaire des cessations d'emploi et des indemnités de départ (2005)*, Formation permanente du Barreau du Québec, Cowansville, Les Éditions Yvon Blais inc., 2005, p. 293. — **124/1777, 128/310**

BOISROND, Y., «Le congédiement dans le domaine scolaire», (1986) 17 *R.G.D.* 315. — **124/1778**

BONHOMME, R. et BÉLIVEAU, N.-A., «La responsabilité civile des administrateurs en matière de droit du travail: les principales dispositions législatives québécoises», dans *Développements récents en droit du travail (1996)*, Formation permanente du Barreau du Québec, Cowansville, Les Éditions Yvon Blais inc., 1996, p. 49. — **113/16**

BONHOMME, R., GASCON, C. et LESAGE, L., *The Employment Contract under the Civil Code of Quebec*, Cowansville, Les Éditions Yvon Blais inc., 1994. — **1/280, 97/108, 128/123**

BOUCHARD, M., «Le salarié atteint d'une lésion psychologique: la fin d'emploi est-elle encore possible?», dans *L'ABC des cessations d'emploi et des indemnités de départ (2006)*, Formation continue du Barreau du Québec, Cowansville, Les Éditions Yvon Blais inc., 2006, p. 63. — **81.18/178**

BOUCHARD, S., *La preuve extrinsèque en arbitrage des griefs*, Cowansville, Les Éditions Yvon Blais inc., 1995. — **124/1779**

BOUCHER, J.C., «Le harcèlement psychologique et la Commission des relations du travail – Prise un!», dans *Développements récents en droit municipal (2007)*, Formation continue du Barreau du Québec, Cowansville, Les Éditions Yvon Blais inc., 2007, p. 173. — **81.18/179**

BOUFFARD, D., «Le congédiement injuste en vertu du Code canadien du travail», (1981) 12 *R.G.D.* 173. — **124/1780**

BOURGAULT, J., *Le harcèlement psychologique au travail: les nouvelles dispositions de la Loi sur les normes et leur intégration dans le régime légal préexistant*, Montréal, Wilson & Lafleur ltée, 2006. — **81.18/180**

BRETON, R., «L'indemnité de congédiement en droit commun», (1990) 31 *C. de D.* 3. — **128/311**

BRIÈRE, J.-Y., «La Commission des relations du travail: un pontificat laïque?», dans *Développements récents en droit du travail (2004)*, Formation permanente du Barreau du Québec, Cowansville, Les Éditions Yvon Blais inc., 2004, p. 1. — **124/1781**

BRIÈRE, J.-Y., «Le Big Bang de l'emploi ou la confrontation de la Loi sur les normes et des emplois atypiques», dans *Emploi précaire et non-emploi: droits recherchés*, UQAM, Actes de la 5e Journée en droit social et du travail, Cowansville, Les Éditions Yvon Blais inc., 1994, p. 1. — **1/281**

BRIÈRE, J.-Y., «Le *Code civil du Québec* et la *Loi sur les normes du travail*: convergence ou divergence?», (1994) 49 *R.I.* 104. — **1/282, 1/399, 82/82, 84/5, 97/109**

BRIÈRE, J.-Y., «Les pouvoirs de l'arbitre de grief face à une transaction (art. 2631 C.c.Q.)», (1996) 3:6 *Impact* 2. — **124/136**

BRIÈRE, J.-Y., «Les pouvoirs de réparation du Commissaire du travail aux termes de la *Loi sur les normes du travail*: nouvelles tendances?», dans *Développements récents en droit du travail (1996)*, Formation permanente du Barreau du Québec, Cowansville, Les Éditions Yvon Blais inc., 1996, p. 1. — **124/1782, 128/124, 128/312, 128/630**

BRIÈRE, J.-Y., «Principaux amendements à la Loi sur les normes du travail et jurisprudence récente et marquante», dans *Développements récents en droit du travail (1991)*, Formation permanente du Barreau du Québec, Cowansville, Les Éditions Yvon Blais inc., 1991, p. 1. — **3/125, 79.1/223, 82/83, 82.1/29, 82.1/131, 83/35, 122/131, 124/1783**

BRIÈRE, J.-Y. et VILLAGGI, J.-P., *Relations de travail*, vol. 2, (édition à feuilles mobiles), Brossard, Les Publications CCH ltée. — **1/57, 1/283, 1/400, 49/28, 50/24, 54/58, 55/18, 74/32, 82/84, 82.1/30, 82.1/99, 82.1/132, 83/36, 93/89, 94/22, 96/43, 97/110, 102/21, 115/16, 116/6, 122/132, 122/243, 122/367, 123.4/298, 124/266, 124/328, 124/697, 124/1426, 128/125, 128/313, 128/631**

BRODY, B., LAPORTE, P. et ROSS, C., «L'application de l'article 97 de la Loi sur les normes du travail lors de recours à l'encontre d'un congédiement sans cause juste et suffisante», (1985) 45 *R. du B.* 249. — **97/111**

BUSWELL, A. et MOSTOVAC, C.R., «Le passage d'employé à travailleur autonome: salarié ou travailleur autonome — qualifications», dans Association de planification fiscale et financière, *Congrès 2000*, Montréal, l'Association, 2001, p. 12:1 à 12:48. — **124/1784**

— C —

CANTIN, I. et CANTIN, J.-M., *La dénonciation d'actes répréhensibles en milieu de travail ou whistleblowing*, Cowansville, Les Éditions Yvon Blais inc., 2005. — **124/1785**

CANTIN, I. et CANTIN, J.-M., *Politiques contre le harcèlement au travail et réflexions sur le harcèlement psychologique*, 2e éd., Cowansville, Les Éditions Yvon Blais inc., 2006. — **81.18/181**

CANTIN, J.-M., *L'abus d'autorité au travail: une forme de harcèlement=Abuse of Authority in the Workplace: A Form of Harassment*, Scarborough, Carswell, 2000. — **81.18/182, 124/1786**

CAZA, C., «L'embarquement pour un tour d'horizon des développements récents concernant la *Loi sur les normes du travail*», dans *Développements récents en droit du travail (1997)*, Formation permanente du Barreau du Québec, Cowansville, Les Éditions Yvon Blais inc., 1997, p. 229. — **1/284, 1/401, 3/126, 41.1/7, 54/59, 79.1/224, 79.7/19, 81.1/2, 81.4/3, 81.5/3, 81.6/6, 81.10/9, 81.15.1/36, 82/85, 82.1/11, 82.1/31, 82.1/100, 83/37, 97/112, 124/267, 124/329, 124/596, 124/698, 124/1427, 124/1787, 128/126, 128/314, 128/632**

CAZA, C., «Le contrat de travail et le *Code civil du Québec*: continuité ou rupture?», dans *Congrès annuel du Barreau du Québec (1995)*, Montréal, Formation permanente du Barreau du Québec, 1995, p. 857. — **1/92, 1/285, 93/90, 97/113, 124/1788, 128/127**

CHALIFOUX, D., «Vers une nouvelle relation commettant-préposé», (1984) 44 *R. du B.* 815. — **1/286**

CHAMBERLAND, L., «Qui de l'arbitre de griefs ou des tribunaux civils est compétent en matière de réclamations monétaires?», (1992) 52 *R. du B.* 167. — **128/315**

CLICHE, B., VEILLEUX, P., BOUCHARD, F., HOUPERT, C., LATULIPPE, É., CORMIER, I. et RAYMOND, M.-P., *Le harcèlement et les lésions psychologiques*, Cowansville, Les Éditions Yvon Blais inc., 2005. — **81.18/183**

COIPEL, M., «La liberté contractuelle et la conciliation optimale du juste et de l'utile», (1990) 24 *R.J.T.* 485. — **93/91**

COTNOIR, J., RIVEST, R.L. et SOFIO, S., «La protection accordée par la *Loi sur les normes du travail* en matière d'absence pour cause de maladie: diagnostics et pronostics», dans *Développements récents en droit du travail (2002)*, Formation permanente du Barreau du Québec, Cowansville, Les Éditions Yvon Blais inc., 2002, p. 63. — **79.1/225, 124/1789**

COURNOYER-PROULX, M., «Cessation d'emploi dans un contexte d'invalidité: quelques considérations financières», dans *L'A-B-C des cessations d'emploi et des indemnités de départ (2008)*, Formation continue du Barreau du Québec, Cowansville, Les Éditions Yvon Blais inc., 2008, p. 155. — **124/992**

COUTU, M., «Le non-renouvellement du contrat de travail à durée déterminée: Évolution comparée du droit français et de la jurisprudence québécoise récente», (1986) 46 *R. du B.* 57. — **82.1/32, 122/133, 124/619**

COUTU, M., «Les clauses dites "orphelins" et la notion de discrimination dans la *Charte des droits et libertés de la personne*», (2000) 55 *R.I.* 308. — **124/1790**

— D —

D'AOUST, C., «L'électronique et la psychologie dans l'emploi», dans Nadeau, D. et Pelletier, B. (dir.), *Relation d'emploi et droits de la personne: évolution et tensions!*, Actes du colloque tenu à la faculté de droit de l'Université d'Ottawa le 12 mars 1993, Cowansville, Les Éditions Yvon Blais inc., 1994, p. 35. — **124/1791**

D'AOUST, C., «Minimisation des dommages: sources et application en cas de congédiement», (1991) 22 *R.G.D.* 325. — **123.4/299, 128/316**

D'AOUST, C., DELORME, F. et ROUSSEAU, A., «Considérations sur le degré de preuve requis devant l'arbitre des griefs», (1976) 22 *McGill L.J.* 71. — **124/1757**

D'AOUST, C., DUBÉ, L. et TRUDEAU, G., *L'intervention de l'arbitre de griefs en matière disciplinaire*, Cowansville, Les Éditions Yvon Blais inc., 1995. — **124/1792**

D'AOUST, C. et DUBÉ, L., *La réintégration conditionnelle du salarié*, Montréal, Wilson & Lafleur ltée, 1991. — **128/128**

D'AOUST, C. et DUBÉ, L., «Le devoir d'équité procédurale de l'employeur privé», (1987) 47 *R. du B.* 667. — **124/1758**

D'AOUST, C. et LECLERC, L., *La jurisprudence arbitrale québécoise en matière de congédiement*, monographie n° 1, Montréal, École des relations industrielles, Université de Montréal, 1978. — **124/1793**

D'AOUST, C. et MEUNIER, F., *La jurisprudence arbitrale québécoise en matière d'ancienneté*, monographie n° 9, Montréal, École des relations industrielles, Université de Montréal, 1980. — **124/699**

D'AOUST, C. et NAUFAL, E., «La lettre de recommandation et la règle de droit», (1993) 24 *R.G.D.* 433. — **84/6**

D'AOUST, C. et ST-JEAN, S., *Les manquements du salarié associés à l'alcool et aux drogues: étude jurisprudentielle et doctrinale*, monographie n° 17, Montréal, École des relations industrielles, Université de Montréal, 1984. — **124/787**

D'AOUST, C. et TRUDEAU, G., *L'obligation d'obéir et ses limites dans la jurisprudence arbitrale québécoise*, monographie n° 4, Montréal, École des relations industrielles, Université de Montréal, 1979. — **124/1114**

D'AOUST, C. et TRUDEAU, G., «La distinction entre les mesures disciplinaire et non disciplinaire (ou administrative) en jurisprudence arbitrale québécoise», (1981) 41 *R. du B.* 514. — **124/1796**

D'AOUST, C. et TRUDEAU, G., «Les mesures administratives et la juridiction arbitrale: note sur la jurisprudence de la Cour d'appel», (1984) 44 *R. du B.* 606. — **124/1795**

D'AOUST, C., LECLERC, L. et TRUDEAU, G., *Les mesures disciplinaires: étude jurisprudentielle et doctrinale*, monographie n° 13, Montréal, École des relations industrielles, Université de Montréal, 1982. — **124/1794**

DAVIS, T.M., «L'effet de l'aliénation de l'entreprise sur le contrat de travail à la lumière de l'article 2097 C.c.Q.», dans *Développements récents en droit du travail (1997)*, Formation permanente du Barreau du Québec, Cowansville, Les Éditions Yvon Blais inc., 1997, p. 95. — **97/114**

DE VAREILLES-SOMMIÈRES, M., *Des lois d'ordre public et de la dérogation aux lois*, Paris, Librairie Cotillon, 1899. — **93/92**

DENIS, C.J. et LANDRY, A., «Au Québec, en cas de congédiement: une multiplicité de recours», (1981) 41 *R. du B.* 790. — **124/1797**

DESCÔTEAUX, G., «Les normes du travail, étude comparative Canada — Québec», (1979) 10 *R.G.D.* 215. — **1/287, 124/1798**

DESMARAIS, J., «Nouvelles pratiques et traitement des litiges en droit du travail au Québec: un panorama déconcertant», dans Lippel, K. (dir.), *Nouvelles pratiques de gestion des litiges en droit social et du travail*, UQAM, Actes de la 4e Journée en droit social et du travail, Cowansville, Les Éditions Yvon Blais inc., 1994, p. 95. — **124/1799**

DI IORIO, N. et BUSWELL, A., «Le commissaire du travail et les ordonnances de réintégration interlocutoires: le non-dit», dans *Développements récents en droit du travail (1998)*, Formation permanente du Barreau du Québec, Cowansville, Les Éditions Yvon Blais inc., 1998, p. 215. — **128/129**

DI IORIO, N. et LAUZON, M.-C., «À la recherche de l'égalité: de l'accommodement à l'acharnement», dans Jézéquel, M. (dir.), *Les accommodements raisonnables: quoi, comment, jusqu'où? des outils pour tous*, Cowansville, Les Éditions Yvon Blais inc., 2007, p. 113. — **124/1800**

DOUCET, R., «La résiliation du contrat de travail en droit québécois», (1974) 9 *R.J.T.* 249. — **1/288, 82/86, 82.1/33, 82.1/101**

DOUVILLE, P., «Harcèlement sexuel: les sanctions», dans Nadeau, D. et Pelletier, B. (dir.), *Relation d'emploi et droits de la personne: évolution et tensions!*, Actes du colloque tenu à la faculté de droit de l'Université d'Ottawa le 12 mars 1993, Cowansville, Les Éditions Yvon Blais inc., 1994, p. 105. — **124/1801**

DRAPEAU, M., «De l'obligation d'accommoder les besoins spécifiques des travailleuses enceintes: une étude de cas illustrant un commentaire de l'arrêt *Stratford*», (1998) 32 *R.J.T.* 929. — **122/333**

DRAPEAU, M., *Grossesse, emploi et discrimination*, Montréal, Wilson & Lafleur ltée, 2003. — **122/331**

DRAPEAU, M., «La discrimination fondée sur la grossesse privant les travailleuses des avantages liés à l'emploi», dans *Développements récents en droit administratif et constitutionnel (1999)*, Formation permanente du Barreau du Québec, Cowansville, Les Éditions Yvon Blais inc., 1999, p. 1. — **122/332**

DUBÉ, J.-L., «Le congédiement administratif et disciplinaire et le licenciement dans le cadre de l'article 124 de la Loi sur les normes du travail», (1988) *Meredith Mem. Lect.* 241. — **124/432**

DUBÉ, J.-L. et DI IORIO, N., *Les normes du travail*, 2e éd., Sherbrooke, Les Éditions Revue de droit — Université de Sherbrooke, 1992. — **1/58, 1/93, 1/289, 1/402, 3/127, 40/20, 49/29, 50/25, 54/60, 55/19, 60/6, 71/5, 74/33, 79/13, 79.1/226, 82/87, 82.1/12, 82.1/34, 82.1/102, 82.1/133, 83/38, 84.1/20, 93/93, 94/23, 96/44, 97/115, 98/33, 102/22, 113/17, 115/17, 116/7, 122/134, 122/244, 122/250, 122/334, 122/368, 122/374, 122.1/26, 123.4/300, 124/268, 124/330, 124/700, 124/1428, 124/1494, 124/1514, 124/1802, 128/130, 128/317, 128/633**

DUBÉ, L. et TRUDEAU, G., «Les manquements du salarié à son obligation d'honnêteté et de loyauté en jurisprudence arbitrale», dans Trudeau, G., Vallée, G. et Veilleux, D. (dir.), *Études en droit du travail: à la mémoire de Claude D'Aoust*, Cowansville, Les Éditions Yvon Blais inc., 1995, p. 51. — **124/1803**

DUPONT, R. et LESAGE, L., «L'arrêt *Isidore Garon*», dans *L'ABC des cessations d'emploi et des indemnités de départ (2006)*, Formation continue du Barreau du Québec, Cowansville, Les Éditions Yvon Blais inc., 2006, p. 39. — **93/94**

DUPUIS, I., «Les volets confidentiels du processus des enquêtes à la Commission des normes du travail: une protection pour toutes les parties», dans *Développements récents en droit du travail (2006)*, Formation continue du Barreau du Québec, Cowansville, Les Éditions Yvon Blais inc., 2006, p. 61. — **123.8/3**

— F —

FARJAT, G., *L'ordre public économique*, Paris, Librairie générale de droit et de jurisprudence, 1963. — **93/95**

FORTIN, J.-M., «Tendances en matière de congédiement déguisé», dans *L'A-B-C des cessations d'emploi et des indemnités de départ (2008)*, Formation continue du Barreau du Québec, Cowansville, Les Éditions Yvon Blais inc., 2008, p. 71. — **124/597**

— G —

GAGNON, D., «L'efficacité des ordonnances de réintégration», (1984) vol. 5, no 10, *Marché du travail* 85. — **128/131**

GAGNON, J.D., «Les notions de salarié en droit du travail», dans Bélanger, R., Blouin, R. et al. (dir.), *Le statut de salarié en milieu de travail*, Ste-Foy, Les Presses de l'Université Laval, 1985. — **1/290**

GAGNON, R.P., *Le droit du travail du Québec*, 6e éd. (mis à jour par LANGLOIS KRONSTRÖM DESJARDINS, S.E.N.C.R.L. sous la dir. de BERNARD, Y., SASSEVILLE, A. et CLICHE, B.), Cowansville, Les Éditions Yvon Blais inc., 2008. — **1/291, 122/135, 123.4/301, 124/1804, 128/132, 128/318**

GAGNON, R.P., LEBEL, L. et VERGE, P., *Droit du travail*, 2e éd., Ste-Foy, Les Presses de l'Université Laval, 1991. — **1/292, 1/403, 49/30, 79.1/227, 82/88, 82.1/35, 82.1/103, 82.1/134, 93/96, 94/24, 96/45, 97/116, 98/34, 102/23, 113/18, 122.1/27, 124/1805**

GARANT, L., «Normes minimales de travail — Congédiement sans cause juste et suffisante — Pouvoir de réintégration de l'arbitre — Capacité pour l'arbitre d'évaluer si ce moyen est approprié», (1986) vol. 7, no 2, *Marché du travail* 33. — **128/133**

GARNEAU, F., «Le congédiement déguisé», (1988) *Meredith Mem. Lect.* 207. — **124/598**

GASCON, C. et VACHON, C., «Grandeurs et misères de l'obligation de loyauté du salarié», dans *Développements récents en droit du travail (1996)*, Formation permanente du Barreau du Québec, Cowansville, Les Éditions Yvon Blais inc., 1996, p. 307. — **124/1318**

GAUTHIER-MONTPLAISIR, F., *L'arbitrage des griefs et les infractions disciplinaires à caractère criminel*, Cowansville, Les Éditions Yvon Blais inc., 1983. — **124/941, 124/1360**

GOYETTE, R.M., «À la recherche du véritable statut: salarié ou travailleur autonome», dans *Développements récents en droit du travail (1998)*, Formation permanente du Barreau du Québec, Cowansville, Les Éditions Yvon Blais inc., 1998, p. 19. — **1/294**

GOYETTE, R.M., «Boucler une cessation d'emploi avec une transaction: mythe ou réalité?», dans *Un abécédaire des cessations d'emploi et des indemnités de départ (2005)*, Formation permanente du Barreau du Québec, Cowansville, Les Éditions Yvon Blais inc., 2005, p. 97. — **124/1806**

GOYETTE, R.M., «La réforme de la *Loi sur les normes du travail*: les points saillants», dans *Développements récents en droit du travail (2003)*, Formation permanente du Barreau du Québec, Cowansville, Les Éditions Yvon Blais inc., 2003, p. 71. — **1/293, 40/21, 60/7, 79.1/228, 122/136, 124/1807**

GRATTON, L., La transmission d'entreprise, le *Code du travail*, la *Loi sur les normes du travail* et le *Code civil du Québec*», (2002) 1 *C.P. du N.* 123. — **97/117**

— H —

HÉBERT, F., *L'obligation de loyauté du salarié*, Montréal, Wilson & Lafleur ltée, 1995. — **124/1319**

HÉBERT, G., «Les normes du travail à caractère économique au Canada et au Québec», (1986) 17 *R.G.D.* 45. — **50/26, 55/20, 60/8, 74/34**

HÉBERT, G. et TRUDEAU, G., *Les normes minimales du travail au Canada et au Québec*, Cowansville, Les Éditions Yvon Blais inc., 1987. — **1/295, 82/89, 82.1/36, 82.1/104, 82.1/135, 83/39, 122/137, 123.4/302, 124/1808, 128/134, 128/319, 128/634**

HIRIGOYEN, M.-F., *Le harcèlement moral: la violence perverse au quotidien*, Paris, Éditions La Découverte et Syros, 1998. — **81.18/185**

HIRIGOYEN, M.-F., *Malaise dans le travail: harcèlement moral: démêler le vrai du faux*, Paris, Éditions La Découverte et Syros, 2001. — **81.18/184**

— J —

JOLICOEUR, I., *L'évolution de la notion de délai-congé raisonnable en droit québécois et canadien*, Collection Relations industrielles, Cowansville, Les Éditions Yvon Blais inc., 1993. — **124/1809**

— L —

L'HEUREUX, J., «De la destitution et de la réduction de traitement des fonctionnaires ou employés municipaux qui ne sont pas des salariés au sens du *Code du travail*», (1981) 41 *R. du B.* 317. — **82/90**

LAJOIE, A., *Pouvoir disciplinaire et tests de dépistage de drogues en milieu de travail: illégalité ou pluralisme*, Cowansville, Les Éditions Yvon Blais inc., 1995. — **124/1810**

LALONDE, L., «La cessation d'emploi chez l'employeur insolvable: qui en paie le prix?», dans *Un abécédaire des cessations d'emploi et des indemnités de départ (2005)*, Formation permanente du Barreau du Québec, Cowansville, Les Éditions Yvon Blais inc., 2005, p. 191. — **124/1811**

LAMARCHE, C., «Le passage d'employé à travailleur autonome: fin d'emploi — obligations de l'employeur», dans Association de planification fiscale et financière, *Congrès 2000*, Montréal, l'Association, 2001, p. 9:1 à 9:78. — **124/1812**

LAMY, F., «Définir le harcèlement et la violence psychologique en milieu syndiqué: les hésitations des uns, les difficultés des autres», dans *Développements récents en droit du travail (2003)*, Formation permanente du Barreau du Québec, Cowansville, Les Éditions Yvon Blais inc., 2003, p. 179. — **79.1/229, 81.18/186**

LAPORTE, P., *La réintégration du salarié: nouvelles perspectives*, Montréal, Wilson & Lafleur ltée, 1995. — **128/135**

LAPORTE, P., «Le caractère d'ordre public des dispositions de la Loi sur les normes du travail», (1987) 42 *R.I.* 398. — **93/97, 94/25**

LAPORTE, P., *Le traité du recours à l'encontre d'un congédiement sans cause juste et suffisante (en vertu de la Loi sur les normes du travail, article 124)*, Montréal, Wilson & Lafleur ltée, 1992. — **1/296, 1/404, 3/128, 97/118, 124/269, 124/331, 124/354, 124/701, 124/1429, 124/1495, 124/1515, 124/1813, 128/137, 128/320, 128/635**

LAPORTE, P., «Les modes de cessation du contrat individuel de travail et l'impact de la Loi sur les normes du travail», dans Blouin, R. (dir.), *Vingt-cinq ans de pratique en relations industrielles au Québec*,

Cowansville, Les Éditions Yvon Blais inc., 1990, p. 557. — **82.1/37, 124/1814**

LAPORTE, P., «Récents développements en matière de congédiements en vertu de la Loi sur les normes du travail», (1986) 46 *R. du B.* 288. — **124/702, 124/1815, 128/138, 128/636**

LAPORTE, P., «Une relecture de l'arrêt *Dupré Quarries Ltd.* c. *Dupré* à la lumière des jugements de la Cour du Banc du Roi», dans Trudeau, G., Vallée, G. et Veilleux, D. (dir.), *Études en droit du travail: à la mémoire de Claude d'Aoust*, Cowansville, Les Éditions Yvon Blais inc., 1995, p. 125. — **128/136**

LaROCHE, C., «L'article 2097 C.c.Q.: la continuation du contrat de travail, un leurre?», dans *Développements récents en droit du travail (1999)*, Formation permanente du Barreau du Québec, Cowansville, Les Éditions Yvon Blais inc., 1999, p. 131. — **97/119**

LAROCQUE, A., «Polysémie de l'efficacité d'un recours original: L.N.T., article 124», dans Blouin, R. (dir.), *Vingt-cinq ans de pratique en relations industrielles au Québec*, Cowansville, Les Éditions Yvon Blais inc., 1990, p. 577. — **124/1816**

LECLERC, L. et LESAGE, L., «Les liaisons conjugales et amoureuses au travail: le droit de regard de l'employeur et ses limites», dans Trudeau, G., Vallée, G. et Veilleux, D. (dir.), *Études en droit du travail: à la mémoire de Claude D'Aoust*, Cowansville, Les Éditions Yvon Blais inc., 1995, p. 161. — **124/1223**

LEDUC, F., «Le droit à l'indemnité de départ raisonnable au sens des articles 2091 et s. du *Code civil du Québec* en cas de licenciement et la compétence de l'arbitre de griefs: la prééminence du contrat individuel de travail», dans *Développements récents en droit du travail (2000)*, Formation permanente du Barreau du Québec, Cowansville, Les Éditions Yvon Blais inc., 2000, p. 45. — **124/1817**

LEFEBVRE, J., «Le mode de protection des travailleurs contre les sanctions illégales découlant de l'exercice d'un droit ou d'un témoignage dans le cadre de la *Loi sur les normes du travail*: Étude comparative et critique», (1990) 4 *R.J.E.L.* 181 (sommaire). — **122/245**

LEFEBVRE, S., PARADIS, I. et RIVEST, R.L., «La Commission des normes du travail: ses pouvoirs et compétences en matière de processus d'enquête et d'intervention judiciaire», dans *Développements récents en droit du travail (2003)*, Formation permanente du Barreau du Québec, Cowansville, Les Éditions Yvon Blais inc., 2003, p. 287. — **102/24**

LEHOUX, G., «*P.G.Q. et La Régie du logement* c. *Grondin et al.*: marche arrière justifiée sur un chemin parsemé d'embûches», (1984) 15 *R.G.D.* 477. — **124/1818**

LESAGE, L. et BONHOMME, R., «Le maintien du contrat de travail dans le cas d'une aliénation de l'entreprise — Un bilan de la jurisprudence rendue au sujet de l'article 2097 du *Code civil du Québec*», (1999) 7 *Repères* 222. — **97/120**

LEYMANN, H., *La persécution au travail*, Paris, Éditions du Seuil, 1996. — **81.18/187**

LLOYD, D., *Public Policy: a comparative study in English and French Law*, University of London, The Athlone Press, 1953. — **93/98**

— M —

MAILLOUX, T., «La travailleuse enceinte ou en congé de maternité: analyse du recours prévu aux articles 122 et 123 de la Loi sur les normes du travail», (1990) 4 *R.J.E.L.* 95. — **122/335**

MASSE, C., «Le nouveau *Code civil du Québec* et l'entrepreneur précaire», dans *Emploi précaire et non-emploi: droits recherchés*, UQAM, Actes de la 5e Journée en droit social et du travail, Cowansville, Les Éditions Yvon Blais inc., 1994, p. 37. — **1/297**

MASSE, J.-S., *Le congédiement pour vol en droit du travail québécois: étude 1990 à 1997*, Cowansville, Les Éditions Yvon Blais inc., 1998. — **124/1361**

MEILLEUR, C. et SABOURIN, M., «Le harcèlement sexuel en milieu de travail», dans Nadeau, D. et Pelletier, B. (dir.), *Relation d'emploi et droits de la personne: évolution et tensions!*, Actes du colloque tenu à Ottawa le 12 mars 1993, Cowansville, Les Éditions Yvon Blais inc., 1994, p. 121. — **124/1224**

MIGNAULT, P.-B., *Le droit civil canadien*, t. 1, Montréal, C. Théoret, 1895. — **93/99**

MONET, D., «L'arrêt *Wallace* c. *United Grain Growers Ltd.* et son application au Québec», dans *Développements récents en droit du travail (1999)*, Formation permanente du Barreau du Québec, Cowansville, Les Éditions Yvon Blais inc., 1999, p. 1. — **128/637**

MONET, D., «Qui a la compétence sur le harcèlement au travail?», dans *Développements récents en droit du travail (1995)*, Formation permanente du Barreau du Québec, Cowansville, Les Éditions Yvon Blais inc., 1995, p. 1. — **124/1819**

MORAN, P.-J. et TRUDEAU, G., «Le salariat agricole au Québec», (1991) 46 *R.I.* 159. — **39.1/7**

MOREAU, P.E., «État de la jurisprudence en matière de délai-congé lors d'une fin d'emploi et autres questions accessoires, en vertu des articles 2091 C.c.Q., 124 et s. L.N.T. et 240 et s. C.c.t.», dans *L'A-B-C des cessations d'emploi et des indemnités de départ (2007)*, Formation continue du Barreau du Québec, Cowansville, Les Éditions Yvon Blais inc., 2007, p. 1. — **124/1820**

MOREAU, P.E. et MARTEL, N., «Précis des règles applicables à la détermination du délai de congé approprié pour le salarié non syndiqué», dans *L'ABC des cessations d'emploi et des indemnités de départ (2006)*, Formation continue du Barreau du Québec, Cowansville, Les Éditions Yvon Blais inc., 2006, p. 133. — **124/1821**

MORIN, F., «Être et ne pas être à la fois salarié! ou Les arrêts *Garon/Fillion* et le *Code civil du Québec* — Suites et poursuites», dans *Développements récents en droit du travail (2006)*, Formation continue du Barreau du Québec, Cowansville, Les Éditions Yvon Blais inc., 2006, p. 19. — **1/298**

MORIN, F., «La double personnalité d'un concierge!», (1986) 41 *R.I.* 835. — **1/301**

MORIN, F., «Le contrat de travail: fiction et réalité!», dans *Développements récents en droit du travail (2005)*, Formation permanente du Barreau du Québec, Cowansville, Les Éditions Yvon Blais inc., 2005, p. 179. — **1/299**

MORIN, F., «Le devoir de loyauté! le salarié serait-il seul à l'assumer?», dans *Développements récents en droit du travail (2000)*, Formation permanente du Barreau du Québec, Cowansville, Les Éditions Yvon Blais inc., 2000, p. 21. — **124/1822**

MORIN, F., «Le salarié injustement congédié doit-il mitiger les dommages causés par l'employeur?», dans Trudeau G., Vallée, G. et Veilleux, D. (dir.), *Études en droit du travail: à la mémoire de Claude D'Aoust*, Cowansville, Les Éditions Yvon Blais inc., 1995, p. 221. — **123.4/303, 124/1823**

MORIN, F., «Le salarié, nouvelle conception civiliste!», (1996) 51 *R.I.* 5. — **1/300**

MORIN, F., «Liberté d'expression et droit au travail — L'arbitrage de la Cour suprême du Canada», (1989) 44 *R.I.* 921. — **128/638**

MORIN, F., «Pour un titre deuxième au Code du travail portant sur la relation individuelle de travail», (1974) 20 *McGill L.J.* 414. — **1/302**

MORIN, F., *Rapports collectifs du travail*, 2e éd., Montréal, Les Éditions Thémis inc., 1991. — **82/91, 93/100, 94/26, 96/46, 97/121, 122.1/28**

MORIN, F., «Un préavis de licenciement ou son équivalent», (1988) 43 *R.I.* 943. — **82/92, 82.1/38**

MORIN, F., BRIÈRE, J.-Y. et ROUX, D., *Le droit de l'emploi au Québec*, 3e éd., Montréal, Wilson & Lafleur ltée, 2006. — **124/1824**

MORIN, Y., NOTARDONATO, D.J. et OLIVEIRA, H.P., «L'entente de réintégration conditionnelle: une dernière chance chèrement acquise?», dans *Développements récents en droit du travail (2005)*, Formation permanente du Barreau du Québec, Cowansville, Les Éditions Yvon Blais inc., 2005, p. 47. — **128/139**

— N —

NADEAU, D., «Le recours en évocation de sentence arbitrale interlocutoire: une nouvelle approche de la Cour d'appel», (1985) 45 *R. du B.* 429. — **124/1825**

NADEAU, D., «Ordonnance de réintégration et outrage au tribunal: Une orientation jurisprudentielle préoccupante!», (1987) 47 *R. du B.* 830. — **123.4/231, 128/140**

NADEAU, D., «Réclamation salariale et l'"exercice d'un droit" résultant de la Loi sur les normes du travail ou du Code du travail: gare à la méprise!», (1988) 19 *R.G.D.* 623. — **122/246**

NADEAU, J.-A., «L'encadrement juridique de l'invalidité de courte et de longue durée», dans *Développements récents en droit du travail (1995)*, Formation permanente du Barreau du Québec, Cowansville, Les Éditions Yvon Blais inc., 1995, p. 169. — **79.1/230, 124/1826**

— O —

OUELLETTE, Y., «Aspects de la procédure et de la preuve devant les tribunaux administratifs», (1986) 16 *R.D.U.S.* 819. — **124/1759**

OUIMET, H., *Code du travail du Québec: Législation, jurisprudence et doctrine*, 19e éd., Collection *Alter Ego*, Montréal, Wilson & Lafleur ltée, 2010, Annexe A, C/1 et ss. — **124/16**

OUIMET, H., «Commentaires sur l'affaire *Produits Pétro-Canada* c. *Moalli*», (1987) 47 *R. du B.* 852. — **97/122**

— P —

PARADIS, J., «Le maintien en emploi du travailleur âgé: analyse du recours prévu aux articles 122.1 et 123.1 de la *Loi sur les normes du travail*», (1993) 7 *R.J.E.U.L.* 3. — **122.1/29**

PATENAUDE, M., «L'entreprise fédérale», (1990) 31 *C. de D.* 1195. — **124/18**

PATENAUDE, M., «L'entreprise qui fait partie intégrante de l'entreprise fédérale», (1991) 32 *C. de D.* 763. — **124/17**

PATRY, R., «Les sanctions de la violation de la règle d'ordre public dans les conventions entre particuliers», (1957-58) 3 *C. de D.* 92. — **93/101**

PELLETIER, B., «La Loi modifiant la Loi sur les normes du travail et d'autres dispositions législatives», (1991) 22 *R.G.D.* 195. — **124/1827**

PÉPIN, G., «Les erreurs juridictionnelles et intrajuridictionnelles devant la Cour suprême du Canada», (1985) 45 *R. du B.* 117. — **124/1828**

PÉPIN, G., «Quand la Cour du recorder de 1867 assure la légitimité constitutionnelle de la Régie du logement de 1983», (1982-83) 17 *R.J.T.* 345. — **124/1829**

PERRAULT, A., «Ordre public et bonnes moeurs», (1949) 9 *R. du B.* 1. — **93/102**

POIRIER, G., RIVEST, R.L. et FRÉCHETTE, H., *Les nouvelles normes de protection en cas de harcèlement psychologique au travail: une approche moderne*, Cowansville, Les Éditions Yvon Blais inc., 2004. — **81.18/188, 123.6/14**

POIRIER, M., «L'économie générale de la nouvelle loi: une mise à jour de la Loi du salaire minimum?», dans *La détermination des conditions minimales de travail par l'État — Une loi: son économie et sa portée*, 35e congrès des relations industrielles de l'Université Laval, Ste-Foy, Les Presses de l'Université Laval, 1980, p. 33. — **1/303**

POUSSON, A., «Cession d'entreprise et relations du travail», (1993) 34 *C. de D.* 847. — **97/123**

PRONOVOST, S., «La violence psychologique au travail à l'aune du régime d'indemnisation des lésions professionnelles», dans *Développements récents en droit de la santé et sécurité au travail (2003)*, Formation permanente du Barreau du Québec, Cowansville, Les Éditions Yvon Blais inc., 2003, p. 109. — **81.18/189**

— R —

RANCOURT, J.F., «L'absentéisme est-il encore un motif sérieux de cessation d'emploi?», dans *Développements récents en droit du travail (2007)*, Formation continue du Barreau du Québec, Cowansville, Les Éditions Yvon Blais inc., 2007, p. 295. — **124/1830**

RIPERT, G., «L'ordre économique et la liberté contractuelle», dans *Recueil d'études sur les sources du droit en l'honneur de François Gény*, t. II: *Les sources du droit*, Paris, Librairie du Recueil Sirey, 1934, p. 347 à 353. — **93/103**

RIVEST, R.L. et TELLIER, J., «Le harcèlement psychologique: prise 2 – Entrée en scène de la Commission des relations du travail», dans *Développements récents en droit du travail (2007)*, Formation continue du Barreau du Québec, Cowansville, Les Éditions Yvon Blais inc., 2007, p. 43. — **81.18/190**

ROUSSEAU, A., «Le contrat individuel de travail», dans Mallette, N. (dir.), *La gestion des relations du travail au Québec; le cadre juridique et institutionnel*, Montréal, McGraw-Hill, 1980, p. 13 à 33. — **1/304**

ROUX, D., «"Congédier" un salarié: "une affaire de notaire"?», (2007) 1 *C.P. du N.* 309. — **124/1831**

ROUX, D., «Le recours en vertu de l'article 124 de la *Loi sur les normes du travail* dans un contexte de licenciement: vers un renforcement de la protection d'emploi du salarié?», dans *Développements récents en droit du travail (2001)*, Formation permanente du Barreau du Québec, Cowansville, Les Éditions Yvon Blais inc., 2001, p. 31. — **124/1832**

ROY, A., «Impacts d'une catastrophe naturelle sur les relations de travail au Québec», dans *Les catastrophes naturelles et l'état du droit (1998)*, Formation permanente du Barreau du Québec, Cowansville, Les Éditions Yvon Blais inc., 1998, p. 1. — **58/10, 82.1/136**

ROY, P.-G., «L'absentéisme: définition et méthode de contrôle en milieu de travail syndiqué et non syndiqué», dans *Développements récents en droit du travail (2002)*, Formation permanente du Barreau du Québec, Cowansville, Les Éditions Yvon Blais inc., 2002, p. 293. — **124/1833**

ROY, R.M., «Le passage d'employé à travailleur autonome: impact d'une fin d'emploi», dans Association de planification fiscale et financière, *Congrès 2000*, Montréal, l'Association, 2001, p. 8:1 à 8:10. — **124/1834**

— S —

SABOURIN, D., «Quoi de neuf chez les arbitres de griefs? Obligation d'accommodement, harcèlement psychologique et application de l'arrêt *Isidore Garon*», dans

Développements récents en droit du travail (2007), Formation continue du Barreau du Québec, Cowansville, Les Éditions Yvon Blais inc., 2007, p. 135. — **81.18/191, 124/1835**

SAVARD, J., «Les indemnités ordonnées par les commissaires du travail en vertu de l'article 128 de la *Loi sur les normes du travail*: compensations justifiées ou indemnités punitives?», dans *Développements récents en droit du travail (2001)*, Formation permanente du Barreau du Québec, Cowansville, Les Éditions Yvon Blais inc., 2001, p. 219. — **128/321**

ST-GEORGES, G., «La distinction congédiement-licenciement dans l'évaluation des plaintes de congédiement sans cause juste et suffisante en vertu de l'article 124 de la *Loi sur les normes du travail*», (1993) 1 *R.E.J.* 293. — **124/1836**

ST-LAURENT, P., *Le lien d'emploi du corpus législatif régissant les droits de gestion de l'employeur*, Ste-Foy, Département des relations industrielles de l'Université Laval, 1995. — **124/1837**

— T —

TEES, D.H., «Le congédiement par induction ("constructive dismissal") et le recours en vertu de l'article 124 de la *Loi sur les normes du travail*», dans *Développements récents en droit du travail (1995)*, Formation permanente du Barreau du Québec, Cowansville, Les Éditions Yvon Blais inc., 1995, p. 47. — **124/1838**

THORNICROFT, K., «Labour Law – Termination of Employment – Contractual Notice Less than Required by Employment Standards Act, R.S.O. 1980 – Is Employee Entitled to Statutory Notice or Reasonable Notice?: *Machtinger* v. *HOJ Industries Limited*; *Lefebvre* v. *HOJ Industries Limited*», (1993) 72 *R. du B. can.* 85. — **82/93, 93/104**

TOUCHETTE, G. et WELLS, G., «La détermination du statut de salarié», (1966-67) 8 *C. de D.* 309. — **1/305**

TREMBLAY, A., «Le partage des compétences législatives en matière de relations du travail», dans Mallette, N. (dir.), *La gestion des relations du travail au Québec; le cadre juridique et institutionnel*, Montréal, McGraw-Hill, 1980, p. 5. — **124/19**

TRENT, P. et POIRIER, K., «L'indemnité de fin d'emploi: où en sommes-nous?», dans *Un abécédaire des cessations d'emploi et des indemnités de départ (2005)*, Formation permanente du Barreau du Québec, Cowansville, Les Éditions Yvon Blais inc., 2005, p. 155. — **82/94, 124/1839**

TRUDEAU, G., «La jurisprudence élaborée par les commissaires du travail dans le cadre de leur nouvelle compétence en matière de congédiement sans cause juste et suffisante», (1992) 52 *R. du B.* 803. — **1/306, 124/1840, 128/141, 128/639**

TRUDEAU, G., «Les normes minimales du travail: bilan et éléments de prospective», dans Blouin, R. (dir.), *Vingt-cinq ans de pratique en relations industrielles au Québec*, Cowansville, Les Éditions Yvon Blais inc., 1990, p. 1085. — **40/22, 55/21**

TRUDEAU, G., «Réintégration du salarié injustement congédié», dans *Normes du travail: impacts sur la gestion des ressources humaines et sur les rapports collectifs du travail*, 15e Colloque en relations industrielles, Montréal, École des relations industrielles — Université de Montréal, 1984, p. 98 à 107. — **128/142**

TURCOTTE, A., «Évolution jurisprudentielle relative aux règles gouvernant la cessation du contrat individuel de travail», (1978) 33 *R.I.* 544. — **82/95, 82.1/39**

— V —

VACHON, P. et PRONOVOST, C., «Attribution de dommagesintérêts moraux et punitifs en cas de congédiement injustifié en droit québécois», dans *L'A-B-C des cessations d'emploi et des indemnités de départ (2007)*, Formation continue du Barreau du Québec, Cowansville, Les Éditions Yvon Blais inc., 2007, p. 207. — **124/1841**

VALLÉE, G., «La nature juridique de l'ancienneté en droit du travail: une comparaison des droits québécois et français», (1995) 50 *R.I.* 259. — **124/1842**

VALLÉE, G., «Reconnaître la relation de travail dans des modèles organisationnels complexes: une question de méthode?», (2008) 42 *R.J.T.* 519. — **1/3**

VALLÉE, G. et NAUFAL-MARTINEZ, E., «La théorie de l'abus de droit dans le domaine du travail», dans Trudeau, G., Vallée, G. et Veilleux, D. (dir.), *Études en droit du travail: à la mémoire de Claude D'Aoust*, Cowansville, Les Éditions Yvon Blais inc., 1995, p. 303. — **124/1843**

VALLÉE, G., REEVES, J. et GRENIER, P., «Les lois de l'emploi et la convention collective», dans Roux, D. et Laflamme, A.-M. (dir.), *Rapports hiérarchiques ou anarchiques des règles en droit du travail: chartes, normes d'ordre public, convention collective, contrat de travail, etc.: actes du colloque*

INDEX

Loi sur les normes du travail

– M –